DER NEUE PAULY

Altertum   Band 4   Epo–Gro

DER NEUE PAULY

(DNP)

Fachgebietsherausgeber

Prof. Dr. Gerhard Binder, Bochum
Kulturgeschichte

Prof. Dr. Hubert Cancik, Tübingen
Geschäftsführender Herausgeber

Prof. Dr. Walter Eder, Bochum
Alte Geschichte

Dr. Karl-Ludwig Elvers, Bochum
Alte Geschichte

Prof. Dr. Burkhard Fehr, Hamburg
Klassische Archäologie (antike Alltags-,
Architektur- und Kunstgeschichte)

Prof. Dr. Bernhard Forssman, Erlangen
Sprachwissenschaft; Rezeption: Sprachwissenschaft

Prof. Dr. Fritz Graf, Basel
Religion und Mythologie; Rezeption: Religion

PD Dr. Hans Christian Günther, Freiburg
Textwissenschaft

Prof. Dr. Berthold Hinz, Kassel
Rezeption: Kunst und Architektur

Dr. Christoph Höcker, Hamburg
Klassische Archäologie (antike Alltags-,
Architektur- und Kunstgeschichte)

Prof. Dr. Christian Hünemörder, Hamburg
Naturwissenschaften und Technik; Rezeption:
Naturwissenschaften

Dr. Margarita Kranz, Berlin
Rezeption: Philosophie

Prof. Dr. André Laks, Lille
Philosophie

Prof. Dr. Manfred Landfester, Gießen
Geschäftsführender Herausgeber: Rezeptions- und
Wissenschaftsgeschichte; Rezeption: Wissen-
schaftsgeschichte

Prof. Dr. Maria Moog-Grünewald, Tübingen
Rezeption: Komparatistik und Literatur

Prof. Dr. Dr. Glenn W. Most, Heidelberg
Griechische Philologie

Prof. Dr. Beat Näf, Zürich
Rezeption: Staatstheorie und Politik

Dr. Johannes Niehoff, Freiburg
Judentum, östliches Christentum,
byzantinische Kultur

Prof. Dr. Hans Jörg Nissen, Berlin
Orientalistik

Prof. Dr. Vivian Nutton, London
Medizin; Rezeption: Medizin

Prof. Dr. Eckart Olshausen, Stuttgart
Historische Geographie

Prof. Dr. Filippo Ranieri, Saarbrücken
Rezeption: Rechtsgeschichte

Prof. Dr. Johannes Renger, Berlin
Orientalistik; Rezeption: Alter Orient

Prof. Dr. Volker Riedel, Jena
Rezeption: Erziehungswesen, Länder (II)

Prof. Dr. Jörg Rüpke, Potsdam
Lateinische Philologie, Rhetorik

Prof. Dr. Gottfried Schiemann, Tübingen
Recht

Prof. Dr. Helmuth Schneider, Kassel
Geschäftsführender Herausgeber; Sozial-
und Wirtschaftsgeschichte, Militär-
wesen; Wissenschaftsgeschichte

Dr. Christine Walde, Basel
Religion und Mythologie

Dr. Frieder Zaminer, Berlin
Musik; Rezeption: Musik

Prof. Dr. Bernhard Zimmermann, Freiburg
Rezeption: Länder (I)

DER NEUE PAULY

Enzyklopädie der Antike

Herausgegeben
von Hubert Cancik und
Helmuth Schneider

Altertum

Band 4 Epo–Gro

Verlag J. B. Metzler
Stuttgart · Weimar

Die Deutsche Bibliothek – CIP-Einheitsaufnahme

Der neue Pauly : Enzyklopädie der Antike/hrsg.
von Hubert Cancik und Helmuth Schneider. –
Stuttgart ; Weimar : Metzler, 1998
   ISBN 3-476-01470-3
NE: Cancik, Hubert [Hrsg.]

Bd. 4. Epo-Gro – 1998
   ISBN 3-476-01474-6

Inhaltsverzeichnis

Gedruckt auf chlorfrei gebleichtem,
säurefreiem und alterungsbeständigem
Papier

ISBN 3-476-01470-3 (Gesamtwerk)
ISBN 3-476-01474-6 (Band 4 Epo-Gro)

© 1998 J. B. Metzlersche Verlags-
buchhandlung und Carl Ernst Poeschel
Verlag GmbH in Stuttgart

Typographie und Ausstattung:
Brigitte und Hans Peter Willberg
Grafik und Typographie der Karten:
Richard Szydlak
Abbildungen: Günter Müller
Satz: pagina GmbH, Tübingen
Gesamtfertigung: Franz Spiegel Buch
GmbH, Ulm
Printed in Germany

Verlag J. B. Metzler Stuttgart · Weimar

Redaktion

Beate Baumann
Jochen Derlien
Dr. Brigitte Egger
Christa Frateantonio
Dietrich Frauer
Mareile Haase
Dr. Ingrid Hitzl
Heike Kunz
Michael Mohr
Vera Sauer
Dorothea Sigel
Anne-Maria Wittke

BAND 4

Autoren   IX, 52   Heinrich **Chantraine** Mannheim (Das Kreuz ist zu entfernen; der Verlag bittet, diesen Fehler zu entschuldigen)

XII, nach 8   füge ein: *Stefano* **Zamponi** *Pistoia*   S. Z.

Epos   14, 55   *aŋg ͧhóntāi* bzw. *aṇṭā́t᾿*; da silb. /r/

14, 58   Enūwalíōi *aŋg ͧhóntāi* bzw.

19, 2   pótmon *gowáonsa,) likͧōns aṇṭā́t᾿* ide

19, 15   werden zu *g ͧī̆ā*

Erbrecht   49, 4f.   ihr Patron erbte ähnlich wie ein *agnatus proximus.*

49, 50f.   In klass. Zeit waren *Agnatinnen mit Ausnahme von Schwestern*

50, 34f.   Die Regelung des → *caducum* verdrängte Akkreszenz,

51, 24f.   Diritto ereditario romano Bd. 1, ²1967; Bd. 2, ²1963

Erziehung   112, 45   (Aristot. pol. *1338a* 15–17, 36–40)

116, 26f.   und Üben *(Plut. mor. 4)*; sie erteilt »brutaler Pädagogik« eine Absage *(Plut. mor. 12; 16; 18)*

116, 29   eigene Jugend an *(Plut. mor. 12; 18).*

Eumenes [2]   251, 50   Er starb *241*

Eunuchen   256, 49   dann in *der Septuaginta.*

Euripides [1]   282, 48f.   vertreten durch *seinen* »demokratischen« *König* Theseus

Eusebios [8]   311,6   (Belege *[2. 27]*).

Feldzeichen   461, 5   Leg. I *Minervia*

Fideicommissum   504, 17   (wörtl.: »das *der* Treue Anvertraute«)

504, 24f.   → Erbrecht *III. D.*; Unverheiratete

504, 34f.   mußte er den Bedachten zum Erben *einsetzen oder ihm ein Legat aussetzen*

505, 29f.   (Übergang der *Erbenhaftung* auf den Fideikommissar;

505, 36   → Erbrecht *III. G.*

Fides   508, 58   § 242 *Bürgerliches Gesetzbuch*

Gabriel [2]   729, 34   *Leontios* Scholastikos rühmt

Galatia, Galatien   742, 49   unteren *Tembris*, um Ova

Geldentwertung   890, 38   Roman Empire, *1994*

Gellius [2]   895, 30   (fr. 28 PETER [= HRR 1², 156])

895, 32   [= HRR 1², 155]

895, 33   [= HRR 1², 156]

895, 38f.   [= HRR 1², 151, 153]

Gellius [4]   896, 10f.   Erst *72* wurde er

Geminos [2]   902, 4   Autor könnte der Τύλλιος aus

Gens Bacchuiana   921, 20f.   Zeit des Antoninus Pius *(138–161 n. Chr.)*

Geschichtsschreibung   1000, 54   Form *[4. 755]*

Gewalt   1049, 26   (idealisierend Aristeides *26,100–104*)

Gorgias [2]   1152, 21   DIELS/KRANZ Bd. *2*, Nr. 82

Gotarzes II.   1163, 44   in: *AMI* 24, 1991, 61–134

Griechische Literatursprachen   1239, 49   *a) Erzählendes* Epos (Homer usw.)

Hinweise für die Benutzung

Anordnung der Stichwörter

Die Stichwörter sind in der Reihenfolge des deutschen Alphabetes angeordnet. I und J werden gleich behandelt; ä ist wie ae, ö wie oe, ü wie ue einsortiert. Wenn es zu einem Stichwort (Lemma) Varianten gibt, wird von der alternativen Schreibweise auf den gewählten Eintrag verwiesen. Bei zweigliedrigen Stichwörtern muß daher unter beiden Bestandteilen gesucht werden (z. B. *a commentariis* oder *commentariis, a*).

Informationen, die nicht als Lemma gefaßt worden sind, können mit Hilfe des Registerbandes aufgefunden werden.

Gleichlautende Stichworte sind durch Numerierung unterschieden. Gleichlautende griechische und orientalische Personennamen werden nach ihrer Chronologie angeordnet. Beinamen sind hier nicht berücksichtigt.

Römische Personennamen (auch Frauennamen) sind dem Alphabet entsprechend eingeordnet, und zwar nach dem *nomen gentile*, dem »Familiennamen«. Bei umfangreicheren Homonymen-Einträgen werden *Republik* und *Kaiserzeit* gesondert angeordnet. Für die Namensfolge bei Personen aus der Zeit der Republik ist – dem Beispiel der RE und der 3. Auflage des OCD folgend – das *nomen gentile* maßgeblich; auf dieses folgen *cognomen* und *praenomen* (z.B. erscheint *M. Aemilius Scaurus* unter dem Lemma *Aemilius* als *Ae. Scaurus, M.*). Die hohe politische Gestaltungskraft der *gentes* in der Republik macht diese Anfangsstellung des Gentilnomens sinnvoll.

Da die strikte Dreiteilung der Personennamen in der Kaiserzeit nicht mehr eingehalten wurde, ist eine Anordnung nach oben genanntem System problematisch. Kaiserzeitliche Personennamen (ab der Entstehung des Prinzipats unter Augustus) werden deshalb ab dem dritten Band in der Reihenfolge aufgeführt, die sich auch in der »Prosopographia Imperii Romani« (PIR) und in der »Prosopography of the Later Roman Empire« (PLRE) eingebürgert und allgemein durchgesetzt hat und die sich an der antik bezeugten Namenfolge orientiert (z.B. *L. Vibullius Hipparchus Ti. C. Atticus Herodes* unter dem Lemma *Claudius*). Die Methodik – eine zunächst am Gentilnomen orientierte Suche – ändert sich dabei nicht.

Nur antike Autoren und römische Kaiser sind ausnahmsweise nicht unter dem Gentilnomen zu finden: *Cicero*, nicht *Tullius*; *Catullus*, nicht *Valerius*.

Schreibweise von Stichwörtern

Die Schreibweise antiker Wörter und Namen richtet sich im allgemeinen nach der vollständigen antiken Schreibweise.

Toponyme (Städte, Flüsse, Berge etc.), auch Länder- und Provinzbezeichnungen erscheinen in ihrer antiken Schreibung (*Asia, Bithynia*). Die entsprechenden modernen Namen sind im Registerband aufzufinden.

Orientalische Eigennamen werden in der Regel nach den Vorgaben des »Tübinger Atlas des Vorderen Orients« (TAVO) geschrieben. Daneben werden auch abweichende, aber im deutschen Sprachgebrauch übliche und bekannte Schreibweisen beibehalten, um das Auffinden zu erleichtern.

In den Karten sind topographische Bezeichnungen überwiegend in der vollständigen antiken Schreibung wiedergegeben.

Die Verschiedenheit der im Deutschen üblichen Schreibweisen für antike Worte und Namen (*Äschylus, Aeschylus, Aischylos*) kann gelegentlich zu erhöhtem Aufwand bei der Suche führen; dies gilt auch für *Ö / Oe / Oi* und *C / Z / K*.

Transkriptionen

Zu den im NEUEN PAULY verwendeten Transkriptionen vgl. Bd. 3, S. VIIIf.

Abkürzungen

Abkürzungen sind im erweiterten Abkürzungsverzeichnis am Anfang des dritten Bandes aufgelöst.

Sammlungen von Inschriften, Münzen, Papyri sind unter ihrer Sigle im zweiten Teil (Bibliographische Abkürzungen) des Abkürzungsverzeichnisses aufgeführt.

Anmerkungen

Die Anmerkungen enthalten lediglich bibliographische Angaben. Im Text der Artikel wird auf sie unter Verwendung eckiger Klammern verwiesen (Beispiel: die Angabe [1. 5²³] bezieht sich auf den ersten numerierten Titel der Bibliographie, Seite 5, Anmerkung 23).

Verweise

Die Verbindung der Artikel untereinander wird durch Querverweise hergestellt. Dies geschieht im Text eines Artikels durch einen Pfeil (→) vor dem Wort / Lemma, auf das verwiesen wird; wird auf homonyme Lemmata verwiesen, ist meist auch die laufende Nummer beigefügt.

Querverweise auf verwandte Lemmata sind am Schluß eines Artikels, ggf. vor den bibliographischen Anmerkungen, angegeben.

Verweise auf Stichworte des zweiten, rezeptions- und wissenschaftsgeschichtlichen Teiles des NEUEN PAULY werden in Kapitälchen gegeben (→ ELEGIE).

Karten und Abbildungen

Texte, Abbildungen und Karten stehen in der Regel in engem Konnex, erläutern sich gegenseitig. In einigen Fällen ergänzen Karten und Abbildungen die Texte durch die Behandlung von Fragestellungen, die im Text nicht angesprochen werden können. Die Autoren der Karten und Abbildungen werden im Verzeichnis auf S. VIff. genannt.

Karten- und Abbildungsverzeichnis

NZ: Neuzeichnung, Angabe des Autors und/oder der
zugrunde liegenden Vorlage/Literatur
RP: Reproduktion (mit kleinen Veränderungen) nach der
angegebenen Vorlage

Lemma
Titel
AUTOR/Literatur

Epos
Das antike Epos: Bestand
NZ: J. LATACZ

Erkenntnistheorie
Schematische Darstellung der stoischen Erkenntnis- und
Handlungslehre
NZ: M. HAASE

Esagil
Die Tempelanlage »Esagil« in Babylon (im 6. Jh. v. Chr.)
NZ: S. MAUL (nach: U. FINKBEINER, B. PONGRATZ-LEISTEN,
Beispiele altoriental. Städte. Babylon zur Zeit des
neubabylon. Reiches, TAVO B IV 19, 1993, Detail. © Dr.
Ludwig Reichert Verlag, Wiesbaden)

Eßbesteck
Silberlöffel (ligulae und cochlearia) aus Augusta Raurica/Augst
(röm.)
NZ nach: E. RIHA, W. STERN, Die röm. Löffel aus Augst
und Kaiseraugst, 1982.

Eßgeschirr
Bronzegeschirr (Depotfund) aus Augusta Rauruca/Augst
(röm.)
NZ nach: W. DRACK, R. FELLMANN, Die Römer in der
Schweiz, 1988, 165, Abb. 128.

Etrusci, Etruria
Die Expansion der Etrusker (6. Jh. v. Chr. bis zum
Zusammenbruch des kampanischen 424 und des
padanischen Städtebundes um 400 v. Chr.)
NZ: REDAKTION
Das etruskische Kernland. Siedlungs und Produktionszentren
(8.–2. Jh. v. Chr.)
Etruskische Exporte (7.–5. Jh. v. Chr.)
NZ: F. PRAYON
Die *Etrusca disciplina* im Kontext des römischen
Divinationssystems
NZ: M. HAASE

Etruskisch
Textbeispiel: Anfang der Dedikationsinschrift Pyrgi A
NZ: H. RIX

Eupalinos
Die Wasserleitung des Eupalinos auf Samos
NZ nach: H. J. KIENAST, Samos XIX. Die Wasserleitung des
Eupalinos auf Samos, 1995, Plan 1.

Europe
Europe nach Claudius Ptolemaios (ca. 150 n. Chr.)
NZ: E. OLSHAUSEN (nach H. KIEPERT, Formae Orbis
Antiqui, XXXVI, 1911)

Exedra
Tenos, Brunnenexedra
NZ nach: S. FREIFRAU VON THÜNGEN, Die freistehende
griech. Exedra, 1994, Beil. 65.

Fabius
Die Fabii Maximi und ihre Familienverbindungen
(4. Jh. v. Chr. bis zum 1. Jh. n. Chr.)
NZ: K.-L. ELVERS (nach F. MÜNZER, E. GROAG, s.v. Fabii,
RE 5, 1777f.)

Fachliteratur
Wissenschaften und Fachdisziplinen in der Antike:
vereinfachter Überblick
NZ: K. SALLMANN

Farben
Antike Pigmente bei Plinius
NZ: M. HAASE

Fayence
Techniken der Glasurherstellung
NZ: M. HAASE

Feldzeichen
Feldzeichen des römischen Heeres
Feldzeichen der römischen Legionen in der Prinzipatszeit
NZ nach Vorlagen von Y. LE BOHEC

Fenster
Hausmodell, Samos, Vathy, Arch. Museum, Inv. C25
(1. H. 6. Jh. v. Chr.)
NZ nach: TH. G. SCHATTNER, Griech. Hausmodelle. Unt.
zur frühgriech. Architektur, 15. Beih. MDAI(A), 1990, 64,
Abb. 26.
Athen, Erechtheion (421–409/6 v. Chr.)
NZ nach: G. P. STEVENS, The Erechtheum, 1927, Abb. 29.
Delos, Apollontempel der Athener (425–417 v. Chr.)
NZ nach: D. MERTENS, Der Tempel von Segesta, 1984,
Abb. 80.
Verona, SW Haupttor (sog. Porta dei Borsari), Mitte 1. Jh.
n. Chr.
NZ nach: W. L. MACDONALD, The Architecture of the
Roman Empire II. An Urban Appraisal, 1986, 81, Abb. 75.

Folter
Eculeus (»Pferdchen«), hypothetische Rekonstruktion
NZ: M. HAASE

Forum
Funktionszonen eines Forums, Ostia, 2. Jh. n. Chr.
NZ nach: V. KOCKEL, Ostia im 2. Jh. n. Chr., in: Die röm.
Stadt im 2. Jh. n. Chr., Xantener Berichte 2, 1992, 111,
Abb. 66.
Das Forum Romanum, Zustand 42 v. Chr., mit dem durch das
Forum Iulium überbauten Areal des Comitiums
NZ nach: P. ZANKER, Das Forum Romanum. Die
Neugestaltung durch Augustus, 1972, 40, Plan I.
Gallo-röm. Forum mit Tempel und quergelegter Basilika an
den Schmalseiten, Lugdunum Convenarum/
Saint-Bertrand-de-Comminges (1.–2. Jh. v. Chr.)
NZ nach: H. DRERUP, Zur Plangestaltung röm. Fora, in:
Hell. in Mittelitalien II, 1976, 407, Abb. 1c.

Forum Traiani, 107–112 n. Chr.
    NZ nach: P. ZANKER, Forum Augustum, Das
    Bildprogramm, o. J.

Freskotechnik
Pompejanischer Freskobewurf, schematische Darstellung
    Mörtelhärtung und Pigmentbindung
    NZ: M. HAASE

Fries
Mögliche Blickwinkel für eine Betrachtung des Cella-Frieses
    am Parthenon auf der Athener Akropolis
    NZ nach: R. MARTIN, Griech. Welt. Weltkulturen und
    Baukunst, 1967, 93.

Fürstengrab, Fürstensitz
Fürstengräber und Fürstensitze in Mitteleuropa (späte Hallstatt-
    und frühe Latènezeit) und ihre Handelsbeziehungen mit
    dem Mittelmeerraum (6.–4. Jh. v. Chr.)
    NZ: V. PINGEL (nach: F. FISCHER, Frühkeltische
    Fürstengräber in Mitteleuropa, 1982, Abb. 2)

Gallia
Gallia: die provinziale Entwicklung Galliens (1. Jh. v. Chr. –
    4. Jh. n. Chr.)
    NZ: REDAKTION/E. OLSHAUSEN

Garten, Gartenanlagen
Gartenanlagen und Gartenhöfe der Villa von Torre Annunziata
    (Oplontis), Grundriß
    NZ nach: W.F. JASHEMSKI, The Gardens of Pompeii,
    Herculaneum and the Villas Destroyed by Vesuvius 2, 1993,
    293, Plan 131.

Gastmahl
Athen, Agora, Süd-Stoa I, Speisezimmer mit sieben Klinen, 2.
    H. 5. Jh. v. Chr. (Rekonstruktion)
    NZ nach: J. CAMP, Die Agora von Athen. Ausgrabungen im
    Herzen des klass. Athen, 1989, 143, Abb. 101.

Gebärden
Ägyptische Gebärden und Gesten nach Darstellungen des Alten
    und Mittleren Reiches in Auswahl
    NZ: M. HAASE

Gefäße, Gefäßformen/-typen
Gefäßformen der griechischen Keramik (8.–2. Jh. v. Chr.)
    NZ nach Vorlagen von I. SCHEIBLER

Gerasa
Gerasa
    NZ: REDAKTION/H. SCHNEIDER (nach B. ANDREAE, Röm.
    Kunst, 1973, 592)

Germanische Archäologie
Germanische Kulturgruppen
    NZ: V. PINGEL

Germanische Sprachen
Verbreitung der germanischen Einzelsprachen (ab dem 1. Jh.
    v. Chr./1. Jh. n. Chr.)
    NZ: S. ZIEGLER

Getreidehandel, Getreideimport
Getreidespenden der Stadt Kyrene (nach SEG IX 2)
    NZ: H. SCHNEIDER (nach: P. GARNSEY, Famine and Food
    Supply in the Graeco-Roman World, 1988, 160)

Gewölbe- und Bogenbau
»Unechtes« Krag-Gewölbe, Kuppelgrab in Orchomenos
    (16. Jh. v. Chr.), Rekonstruktion
    NZ nach: L. SCHNEIDER, CH. HÖCKER, Griech. Festland,
    1996, 198.
Keilsteingewölbe, Erläuterung der Fachbegriffe
    NZ nach: K. DORNISCH, Die griech. Bogentore. Zur
    Entstehung und Verbreitung des griech. Keilsteingewölbes,
    1992.
Konstruktion eines Keilstein-Bogens mit Hilfe eines hölzernen
    Lehrgerüstes
    NZ nach: J.-P. ADAM, La Construction Romaine,
    Materiaux et Techniques, 1984, 191, Abb. 421.

Glas
Römische Glashütte bei Niederzier, Kr. Düren. Querschnitt
    durch rekonstruierten Ofen (4. Jh. n. Chr.)
    NZ nach: M. RECH, Eine röm. Glashütte im Hambacher
    Forst bei Niederzier, Kr. Düren, in: BJ 182, 1982, 377,
    Abb. 13.

Gold
Goldvorkommen der Antike
    NZ: H. SCHNEIDER

Goldelfenbeintechnik
Innenansicht der Athena Parthenos: hypothetische
    Rekonstruktion (nach G.P. STEVENS, How the Parthenos
    was made, in: Hesperia 26, 1957, 350–361)
    NZ: M. HAASE

Gordion
Gordion: Übersichtsplan
Akropolis um 700 v. Chr. (östlicher Teil)
    NZ: K. SAMS/REDAKTION (mit freundlicher Genehmigung
    von University of Pennsylvania Museum of Archaeology
    and Anthropology, and the Gordion Project)

Grabbauten
Hausgrab mit Satteldach, Kyros-Grab in Pasargadai (2. H. 6. Jh.
    v. Chr.), NW-Seite
    NZ nach: D. STRONACH, Pasargadae, 1978, Abb. 14.
Grabturm des Iamblichu in Palmyra (63 n. Chr.)
    NZ nach: H. STIERLIN, Städte in der Wüste. Petra, Palmyra
    und Hatra – Handelszentren am Karawanenweg, 1987, 162.
Felsgrabfassade in Petra, sog. Treppengrab (1.–2. Jh. n. Chr.)
    NZ nach: Die Nabatäer. Erträge einer Ausstellung im
    Rheinischen Landesmuseum Bonn, 24. Mai – 9. Juli 1978,
    1981, 73, Abb. 13.
Unterirdisches Ziegelgrab mit Ringschichtengewölbe bei
    Ktesiphon (2. Jh. n. Chr.)
    NZ nach: ST.R. HAUSER, Eine arsakidenzeitliche
    Nekropole in Ktesiphon, in: BaM 24, 1993, 334, Abb. 3.
Vergina, sog. Philipps-Grab, Grab- mit Vorkammer und
    Tumulus (4.–3. Jh. v. Chr.)
    NZ nach: M. ANDRONIKOS, Vergina. The Royal Tombs and
    the Ancient City, 1984, 99, Abb. 55.
Mausoleum von Belevi (3. Jh. v. Chr.)
    NZ nach: C. PRASCHNIKER, M. THEURER, Das Mausoleum
    von Belevi. FiE 6, 1979, 72, Abb. 51.

Cerveteri, Kammergrab unter monumentalem Tumulus.
Tomba I del Tumulo III – della Tegola dipinta, 2. H. 7. Jh.
v. Chr.
NZ nach: M. MORETTI, Caere 4. Necropoli della
Banditaccia, in: Mon.Ant.ined., 42, 1955, 1079f., Abb. 9;
1081f., Abb. 10.

Pfeilermonument mit oberer Säulenfront. Grabbau des
Aefionius Rufus in Sarsina (1. Jh. v. Chr.)
NZ nach: H. GABELMANN, Röm. Grabbauten in der frühen
Kaiserzeit, 1971, 68 Abb. 41,3.

»Deus Rediculus« (Mitte 2. Jh. n. Chr.)
NZ nach: H. KAMMERER-GROTHAUS, Der Deus Rediculus
im Triopion des Herodes Atticus, in: MDAI(R) 81, 1974,
Abb. 5.

Graeco-Baktrien

Die hell. Königreiche Indo-Baktriens im 2. Jh. v. Chr. (ca.
170–160 v. Chr.)
NZ: K. KARTTUNEN/W. EDER/REDAKTION (nach:
H. WALDMANN, Vorderer Orient. Die hell. Staatenwelt im
2. Jh. v. Chr., TAVO B V 4, 1985. © Dr. Ludwig Reichert
Verlag, Wiesbaden)

Die hellenistischen Königreiche Indo-Baktriens zu Beginn des
1. Jh. v. Chr. (von ca. 100–90 v. Chr.)
NZ: K. KARTTUNEN/W. EDER/REDAKTION (nach:
H. WALDMANN, Vorderer Orient. Die hell. Staatenwelt im
2. Jh. v. Chr., TAVO B V 4, 1985. © Dr. Ludwig Reichert
Verlag, Wiesbaden)

Griechenland, Schriftsysteme

NZ nach Vorlagen von R. PLATH

Griechisch

Das griechische Sprachgebiet vor dem Hellenismus
NZ: B. FORSSMAN (nach: E. SCHWYZER, Griech. Grammatik
Bd. 1, 1939)

Griechische Dialekte

NZ: J. L. GARCÍA-RAMÓN

Groma

Schematische Darstellung
NZ nach Vorlage von H.-J. SCHULZKI

Autoren

Luciana **Aigner-Foresti** Wien	L. A.-F.
Maria Grazia **Albiani** Bologna	M. G. A.
Ruth **Albrecht** Hamburg	R. A.
Annemarie **Ambühl** Basel	A. A.
Walter **Ameling** Würzburg	W. A.
Jean **Andreau** Paris	J. A.
Maria Gabriella **Angeli Bertinelli** Genua	M. G. A. B.
Christoph **Auffarth** Stuttgart	C. A.
Ernst **Badian** Cambridge	E. B.
Jürgen **Bär** Berlin	J. BÄ.
David **Balch** Fort Worth	DA. B
Matthias **Baltes** Münster	M. BA.
François **Baratte** Paris	F. BA.
Pedro **Barceló** Potsdam	P. B.
Catherine **Baroin** Paris	CA. BA.
Dorothea **Baudy** Konstanz	D. B.
Hans **Beck** Köln	HA. BE.
K. **Belke** Wien	K. BE.
Albrecht **Berger** Berlin	AL. B.
Walter **Berschin** Heidelberg	W. B.
Gerhard **Binder** Bochum	G. BI.
Vera **Binder** Tübingen	V. BI.
A. R. **Birley** Düsseldorf	A. B.
Michael **Blech** Madrid	M. BL.
Bruno **Bleckmann** Göttingen	B. BL.
René **Bloch** Basel	R. B.
Susanne **Bobzien** Oxford	S. BO.
Barbara **Böck** Madrid	BA. BÖ.
Dominik **Bonatz** Berlin	DO. BO.
Ewen **Bowie** Oxford	E. BO.
Bernhard **Brehmer** Tübingen	B. BR.
Jan N. **Bremmer** Groningen	J. B.
Burchard **Brentjes** Berlin	B. B.
Christoph **Briese** Hamburg	CH. B.
Klaus **Bringmann** Frankfurt/Main	K. BR.
Luc **Brisson** Paris	L. BR.
Sebastian P. **Brock** Oxford	S. BR.
Kai **Brodersen** Mannheim	K. BRO.
Maria **Brosius** Oxford	MA. B.
Alison **Burford-Cooper** Ashville	A. B.-C.
Jan **Burian** Prag	J. BU.
Gualtiero **Calboli** Bologna	G. C.
Lucia **Calboli Montefusco** Bologna	L. C. M.
Ursula **Calmeyer-Seidl** Berlin	U. SE.
J. B. **Campbell** Belfast	J. CA.
Giovannangelo **Camporeale** Florenz	GI. C.
Maureen **Carroll-Spillecke** Köln	M. C.-S.
Paul **Cartledge** Cambridge	P. C.
Barbara **Cassin** Paris	B. C.
Angelos **Chaniotis** Heidelberg	A. C.
Heinrich **Chantraine** † Mannheim	HE. C.
Johannes **Christes** Berlin	J. C.
Eckhard **Christmann** Heidelberg	E. C.
Kevin **Clinton** Ithaca N. Y.	K. C.
Gudrun **Colbow** Lüttich	G. CO.
Carsten **Colpe** Berlin	C. C.
Edward **Courtney** Charlottesville	ED. C.
Michael **Crawford** London	M. C.
Wolfgang **Decker** Köln	W. D.
Enzo **Degani** Bologna	E. D.
Marie-Luise **Deißmann-Merten** Freiburg	M. D. M.
Jan **den Boeft** Leiderdorp	J. d. B.
Wolfgang **Detel** Frankfurt/Main	W. DE.
Massimo **Di Marco** Fondi (Latina)	M. D. MA.
Angelika **Dierichs** Münster	AN. DI.
Karlheinz **Dietz** Würzburg	K. DI.
Roald Fritjof **Docter** Amsterdam	R. D.
Klaus **Döring** Bamberg	K. D.
Heinrich **Dörrie** Münster	H. D.
Yvonne **Domhardt** Zürich	Y. D.
Brigitte **Dominicus** Diersdorf	B. DO.
Tiziano **Dorandi** Paris	T. D.
Paul **Dräger** Trier	P. D.
Thomas **Drew-Bear** Lyon	T. D.-B.
Boris **Dreyer** Göttingen	BO. D.
J. **Duchesne-Guillemin** Lüttich	J. D.-G.
Pierre **Ducrey** Lausanne	PI. DU.
Ludmil **Duridanov** Freiburg	L. D.
Werner **Eck** Köln	W. E.
Walter **Eder** Bochum	W. ED.
Ulrike **Egelhaaf-Gaiser** Berlin	UL. EG.-G.
Beate **Ego** Tübingen	B. E.
Ulrich **Eigler** Freiburg	U. E.
Paolo **Eleuteri** Venedig	P. E.
Karl-Ludwig **Elvers** Bochum	K.-L. E.
Helmut **Engelmann** Köln	HE. EN.
Johannes **Engels** Köln	J. E.
Claudia **Englhofer** Graz	CL. E.
Robert K. **Englund** Berlin	R. K. E.
Malcolm **Errington** Marburg	MA. ER.
Marion **Euskirchen** Bonn	M. E.
Giulia **Falco** Athen	GI. F.
Marco **Fantuzzi** Florenz	M. FA.
Heinz **Felber** Leipzig	HE. FE.
Martin **Fell** Münster	M. FE.
Erika **Feucht** Heidelberg	E. FE.
Egon **Flaig** Göttingen	E. F.
J. **Flamant** Venelles	J. F.
Peter **Flury** München	P. FL.
Reinhard **Förtsch** Köln	R. F.
Menso **Folkerts** München	M. F.
Sotera **Fornaro** Heidelberg	S. FO.
Bernhard **Forssman** Erlangen	B. F.
Eckart **Frahm** Heidelberg	E. FRA.
Karl Suso **Frank** Freiburg	K.-S. F.
Thomas **Franke** Dortmund	T. F.
Christa **Frateantonio** Gießen	C. F.
Michael **Frede** Oxford	M. FR.
Klaus **Freitag** Münster	K. F.
Helmut **Freydank** Potsdam	H. FR.
Roland **Fröhlich** Tübingen	RO. F.
Therese **Fuhrer** Bern	T. FU.
Peter **Funke** Münster	P. F.
William D. **Furley** Heidelberg	W. D. F.
Massimo **Fusillo** Rom	M. FU.
Hans Armin **Gärtner** Heidelberg	H. A. G.
Hartmut **Galsterer** Köln	H. GA.
Richard **Gamauf** Wien	R. GA.
José Luis **García-Ramón** Köln	J. G.-R.
Michela **Gargini** Pisa	M. G.
Paolo **Gatti** Trient	P. G.
Hans-Joachim **Gehrke** Freiburg	H.-J. G.
Tomasz **Giaro** Frankfurt/Main	T. G.
Nicoletta **Giovè Marchioli** Triest	N. G.

Jost **Gippert** Frankfurt/Main	J.G.	Klaus **Koch** Hamburg	K.KO.
Christian **Gizewski** Berlin	C.G.	Matthias **Köckert** Berlin	M.K.
Susanne **Gödde** Münster	S.G.	Christoph **Kohler** Tübingen	C.KO.
Hans **Gottschalk** Leeds	H.G.	Fritz **Krafft** Marburg	F.KR.
Fritz **Graf** Basel	F.G.	Herwig **Kramolisch** Eppelheim	HE.KR.
Anthony **Grafton** Princeton	AN.GR.	Christoph **Krampe** Bochum	C.KR.
Herbert **Graßl** Salzburg	H.GR.	Helmut **Krasser** Tübingen	H.KR.
Kirsten **Groß-Albenhausen** Frankfurt/Main	K.G.-A.	M. **Krebernik** München	M.KR.
Joachim **Gruber** Erlangen	J.GR.	Ludolf **Kuchenbuch** Hagen	LU.KU.
Fritz **Gschnitzer** Heidelberg	F.GSCH.	Hartmut **Kühne** Berlin	H.KÜ.
Linda-Marie **Günther** München	L.-M.G.	Jochen **Küppers** Jüchen	J.KÜ.
Maria Ida **Gulletta** Pisa	M.I.G.	Christina **Kuhn** Kassel	CH.KU.
Andreas **Gutsfeld** Berlin	A.G.	Amélie **Kuhrt** London	A.KU.
Peter **Guyot** Hildesheim	P.GU.	Heike **Kunz** Tübingen	HE.K.
Ilsetraut **Hadot** Limours	I.H.	Ernst **Kutsch** Wien	ER.K.
Claus **Haebler** Münster	C.H.	Bernhard **Kytzler** Durban	B.KY.
Johannes **Hahn** Münster	J.H.	Yves **Lafond** Bochum	Y.L.
Ruth E. **Harder** Zürich	R.HA.	Marie-Luise **Lakmann** Münster	M.-L.L.
Daniel P. **Harmon** Seattle	D.P.H.	Armin **Lange** Tübingen	AR.L.
Stefan **Hauser** Berlin	S.HA.	Joachim **Latacz** Basel	J.L.
Ulrich **Heider** Köln	U.HE.	Yann **Le Bohec** Lyon	Y.L.B.
Johannes **Heinrichs** Bonn	JO.H.	Thomas **Leisten** Tübingen	T.L.
Marlies **Heinz** Freiburg	M.H.	Hartmut **Leppin** Hannover	H.L.
Theodor **Heinze** Genf	T.H.	Anne **Ley** Xanten	A.L.
Peter **Herz** Regensburg	P.H.	Adrienne **Lezzi-Hafter** Kilchberg	A.L.-H.
Bernhard **Herzhoff** Trier	B.HE.	Wolf-Lüder **Liebermann** Bielefeld	W.-L.L.
Stephen **Heyworth** Oxford	S.H.	Cay **Lienau** Münster	C.L.
Friedrich **Hild** Wien	F.H.	Stefan **Link** Paderborn	S.L.
Almut **Hintze** Berlin	A.HI.	A.W. **Lintott** Oxford	A.W.L.
Konrad **Hitzl** Tübingen	K.H.	R. **Liwak** Berlin	R.L.
Christoph **Höcker** Hamburg	C.HÖ.	Hans **Lohmann** Bochum	H.LO.
Olaf **Höckmann** Mainz	O.H.	Volker **Losemann** Marburg	V.L.
Peter **Högemann** Tübingen	PE.HÖ.	Maria Jagoda **Luzzatto** Florenz	M.J.L.
Augusta **Hönle** Rottweil	A.HÖ.	Maria **Macuch** Berlin	M.MA.
Nicola **Hoesch** München	N.H.	Wolfram-Aslan **Maharam** Berlin	W.-A.M.
Karl **Hoheisel** Bonn	KA.HO.	Giacomo **Manganaro** Sant' Agata li Battiata	GI.MA.
Martin **Hose** Greifswald	MA.HO.	Ulrich **Manthe** Passau	U.M.
Malte **Hossenfelder** Graz	M.HO.	Christian **Marek** Zürich	C.MA.
Wolfgang **Hübner** Münster	W.H.	Christoph **Markschies** Jena	C.M.
Christian **Hünemörder** Hamburg	C.HÜ.	Wolfram **Martini** Gießen	W.MA.
Dietrich **Huff** Berlin	D.HU.	Stefan **Maul** Heidelberg	S.M.
Hermann **Hunger** Wien	H.HU.	Andreas **Mehl** Halle/Saale	A.ME.
Richard **Hunter** Cambridge	R.HU.	Mischa **Meier** Bochum	M.MEI.
Rolf **Hurschmann** Hamburg	R.H.	Gerhard **Meiser** Halle/Saale	GE.ME.
Werner **Huß** Bamberg	W.HU.	Burckhardt **Meißner** Halle/Saale	B.M.
Brad **Inwood** Toronto	B.I.	Klaus **Meister** Berlin	K.MEI.
Michael **Jameson** Stanford	MI.JA.	Simone **Michel** Hamburg	S.MI.
Karl **Jansen-Winkeln** Berlin	K.J.-W.	Martin **Miller** Berlin	M.M.
Michael **Job** Marburg	M.J.	Alexander **Mlasowsky** Hannover	A.M.
Klaus Peter **Johne** Berlin	K.P.J.	Heide **Mommsen** Stuttgart	H.M.
Sarah Iles **Johnston** Columbus	S.I.J.	Ornella **Montanari** Bologna	O.M.
Lutz **Käppel** Heidelberg	L.K.	Cécile **Morrisson** Paris	CÉ.M.
Hansjörg **Kalcyk** Petershausen	H.KAL.	Claire **Muckensturm-Poulle** Besançon	C.M.-P.
Hans **Kaletsch** Regensburg	H.KA.	Stefan **Müller** Hagen	S.MÜ.
Helke **Kammerer-Grothaus** Bremen	H.K.-G.	Walter W. **Müller** Marburg	W.W.M.
Klaus **Karttunen** Espoo	K.K.	Christa **Müller-Kessler** Emskirchen	C.K.
Emily **Kearns** Oxford	E.K.	Michel **Narcy** Paris	MI.NA.
Karlheinz **Kessler** Emskirchen	K.KE.	Alessandro **Naso** Udine	A.NA.
Dietmar **Kienast** Neu-Esting	D.K.	Ada **Neschke** Lausanne	A.NE.
Wilhelm **Kierdorf** Köln	W.K.	Heinz-Günther **Nesselrath** Bern	H.-G.NE.
Helen **King** Reading	H.K.	Richard **Neudecker** Rom	R.N.
Dietrich **Klose** München	DI.K.	Günter **Neumann** Würzburg	G.N.
Ernst Axel **Knauf** Zumikon	E.A.K.	Hans **Neumann** Berlin	H.N.

Johannes **Niehoff** Freiburg	J.N.	Gottfried **Schiemann** Tübingen	G.S.
Inge **Nielsen** Kopenhagen	I.N.	Ernst-Günther **Schmidt** Leipzig	E.-G.S.
Hans Georg **Niemeyer** Hamburg	H.G.N.	Margot **Schmidt** Basel	MA.SCH.
Wilfried **Nippel** Dannenberg	W.N.	Peter L. **Schmidt** Konstanz	P.L.S.
Hans Jörg **Nissen** Berlin	H.J.N.	Pauline **Schmitt-Pantel** Paris	P.S.-P.
René **Nünlist** Basel	RE.N.	Winfried **Schmitz** Overath	W.S.
Vivian **Nutton** London	V.N.	Ulrich **Schmitzer** Erlangen	U.SCH.
Norbert **Oettinger** Augsburg	N.O.	Helmuth **Schneider** Kassel	H.SCHN.
Eckart **Olshausen** Stuttgart	E.O.	Udo **Schnelle** Halle/Saale	U.SCHN.
Michael **Padgett** Princeton	M.P.	Franz **Schön** Regensburg	F.SCH.
Johannes **Pahlitzsch** Berlin	J.P.	Hanne **Schönig** Mainz	H.SCHÖ.
Dario **Palermo** Catania	DA.P.	Udo W. **Scholz** Würzburg	U.W.S.
Anna **Pappa** Ioannina	A.P.	Martin **Schottky** Pretzfeld	M.SCH.
Umberto **Pappalardo** Neapel	U.PA.	J. **Schulte-Altedorneburg** Marburg	J.S.-A.
Christoph **Paulus** Berlin	C.PA.	Heinz-Joachim **Schulzki** Mannheim	H.-J.S.
Anastasia **Pekridou-Gorecki** Frankfurt/Main	A.P.-G.	Andreas **Schwarcz** Wien	A.SCH.
Rossella **Pera** Genua	R.PE.	Anna Maria **Schwemer** Tübingen	A.M.S.
Volker **Pingel** Bochum	V.P.	Elmar **Schwertheim** Münster	E.SCH.
Robert **Plath** Erlangen	R.P.	Jürgen Paul **Schwindt** Bielefeld	J.P.S.
Gertrud **Platz-Horster** Berlin	G.PL.	Achim **Schyboll** Schliengen	ACH.S.
Annegret **Plontke-Lüning** Jena	A.P.-L.	Stephan Johannes **Seidlmayer** Berlin	S.S.
Seraina **Plotke** Allschwil	SE.P.	Christoph **Selzer** Frankfurt/Main	C.S.
Karla **Pollmann** St. Andrews	K.P.	Reinhard **Senff** Bochum	R.SE.
Beate **Pongratz-Leisten** Tübingen	B.P.-L.	Anne Viola **Siebert** Münster	A.V.S.
Werner **Portmann** Berlin	W.P.	Uwe **Sievertsen** Berlin	U.S.
Friedhelm **Prayon** Tübingen	F.PR.	Dorothea **Sigel** Tübingen	D.SI.
Francesca **Prescendi** Basel	FR.P.	Kurt **Smolak** Wien	K.SM.
Frank **Pressler** Viersen	F.P.	Holger **Sonnabend** Stuttgart	H.SO.
Kurt **Raaflaub** Rhode Island	K.RA.	Wolfgang **Spickermann** Bochum	W.SP.
Georges **Raepsaet** Brüssel	G.R.	Ines **Stahlmann** Berlin	I.ST.
Dominic **Rathbone** London	D.R.	Karl-Heinz **Stanzel** Tübingen	K.-H.S.
Michael **Redies** Berlin	M.R.	Helena **Stegmann** Bonn	H.S.
François **Renaud** Moncton	F.R.	Dieter **Steinbauer** Regensburg	D.ST.
Johannes **Renger** Berlin	J.RE.	Matthias **Steinhart** Lahr	M.ST.
Peter **Rhodes** Durham	P.J.R.	Daniel **Strauch** Berlin	D.S.
John A. **Richmond** Blackrock	J.A.R.	M.P. **Streck** München	M.S.
Josef **Riederer** Berlin	JO.R.	Karl **Strobel** Trier	K.ST.
Christoph **Riedweg** Zürich	C.RI.	Meret **Strothmann** Bochum	ME.STR.
Josef **Rist** Würzburg	J.RI.	Gerd **Stumpf** München	GE.S.
Helmut **Rix** Freiburg	H.R.	Richard **Talbert** Chapel Hill	RI.T.
Emmet **Robbins** Toronto	E.R.	Gerhard **Thür** Graz	G.T.
Michael **Roberts** Middletown	M.RO.	Günther E. **Thüry** Unterjettingen	G.TH.
Kurt **Rudolph** Marburg	KU.R.	Franz **Tinnefeld** München	F.T.
Jörg **Rüpke** Potsdam	J.R.	Malcolm **Todd** Durham	M.TO.
Kai **Ruffing** Münster	K.RU.	Kurt **Tomaschitz** Wien	K.T.
David T. **Runia** Leiden	D.T.R.	Isabel **Toral-Niehoff** Freiburg	I.T.-N.
Walther **Sallaberger** Leipzig	WA.SA.	Renzo **Tosi** Bologna	R.T.
Robert **Sallares** Manchester	R.SA.	Alain **Touwaide** Madrid	A.TO.
Klaus **Sallmann** Mainz	KL.SA.	Hans **Treidler** Berlin	H.T.
Michele Renée **Salzman** Riverside	M.SA.	Giovanni **Uggeri** Florenz	G.U.
Helen **Sancisi-Weerdenburg** Utrecht	H.S.-W.	Claudia **Ungefehr-Kortus** Alten-Buseck	C.U.-K.
Antonio **Sartori** Milano	A.SA.	Karl-Heinz **Uthemann** Amsterdam	K.U.
Marjeta **Šašel Kos** Ljubljana	M.Š.K.	Bernhard **van Wickevoort**	
Kyriakos **Savvidis** Witten	K.SA.	**Crommelin** Hamburg	B.v.W.C.
Mustafa H. **Sayar** Wien	M.H.S.	Ioannis **Vassis** Athen	I.V.
Brigitte **Schaffner** Basel	B.SCH.	Hendrik S. **Versnel** Warmond	H.V.
Dietmar **Schanbacher** Dresden	D.SCH.	Edzard **Visser** Basel	E.V.
Gerald P. **Schaus** Waterloo, Ontario	G.P.S.	Iris **von Bredow** Bietigheim-Bissingen	I.v.B.
Tanja **Scheer** Rom	T.S.	Sitta **von Reden** Köln	S.v.R.
Ingeborg **Scheibler** Krefeld	I.S.	Barbara **von Reibnitz** Basel	B.v.R.
John **Scheid** Paris	J.S.	Jürgen **von Ungern-Sternberg** Basel	J.v.U.-S.
Johannes **Scherf** Tübingen	JO.S.	Wulf Eckart **Voß** Osnabrück	W.E.V.
Hans Jürgen **Scheuer** Göttingen	HA.J.S.	Jörg **Wagner** Tübingen	J.WA.

Beate **Wagner-Hasel** Darmstadt	B. W.-H.	Wolfgang **Will** Bonn	W. W.
Christine **Walde** Basel	C. W.	Reinhard **Willvonseder** Wien	R. WI.
Gerold **Walser** Basel	G. W.	Nigel **Wilson** Oxford	N. W.
Irina **Wandrey** Berlin	I. WA.	Eckhard **Wirbelauer** Freiburg	E. W.
Ralf-B. **Wartke** Berlin	R. W.	Anne-Maria **Wittke** Tübingen	A. W.
Karl-Wilhelm **Weeber** Witten	K.-W. WEE.	Peter **Wülfing** Köln	P. WÜ.
Irma **Wehgartner** Würzburg	I. W.	Michael **Zahrnt** Kiel	M. Z.
Peter **Weiß** Kiel	P. W.	Frieder **Zaminer** Berlin	F. Z.
Michael **Weißenberger** Düsseldorf	M. W.	Sabine **Ziegler** Würzburg	S. ZI.
Karl-Wilhelm **Welwei** Bochum	K.-W. WEL.	Konrat **Ziegler** † Göttingen	K. Z.
Rainer **Wiegels** Buchenbach	RA. WI.	Bernhard **Zimmermann** Freiburg	B. Z.
Lothar **Wierschowski** Oldenburg	L. WI.	Reto **Zingg** Basel	RE. ZI.
Josef **Wiesehöfer** Kiel	J. W.		

Übersetzer

A. Beuchel	A. BE.	L. v. Reppert-Bismarck	L. v. R.-B.
K. Brodersen	K. BRO.	U. Rüpke	U. R.
H. Cancik-Lindemaier	H. C.-L.	J. Salewski	J. S.
J. Derlien	J. DE.	I. Sauer	I. S.
H. Dietrich	H. D.	V. Sauer	V. S.
P. Eleuteri	P. E.	B. Schaffner	B. S.
S. Felkl	S. F.	K. Schlapbach	K. SCH.
A. Heckmann	A. H.	K. Schöps	K. S.
T. Heinze	T. H.	M. A. Söllner	M. A. S.
H. Helting	H. H.	V. Stohwasser	V. ST.
H. Kaufmann	H. K.	L. Strehl	L. S.
E. Kraus	E. Kr.	R. Struß-Höcker	R. S.-H.
R. P. Lalli	R. P. L.	A. Thorspecken	A. T.
M. Mohr	M. MO.	A. Wittenburg	A. WI.
S. Paulus	S. P.	S. Zimmermann	S. Z.
C. Pöthig	C. P.		

Mitarbeiter in den Fachgebietsredaktionen

Alte Geschichte:	Anne Krahn Mischa Meier Meret Strothmann	Orientalistik:	Helga Vogel
		Philosophie:	Vanessa Kucinska
Griechische Philologie:	Raphael Sobotta Anna Korth	Religion und Mythologie:	Helen Kaufmann Brigitte Schaffner
Historische Geographie:	Dorothea Gaier Vera Sauer M. A.	Sozial- und Wirtschaftsgeschichte:	Kathrin Umbach
Klassische Archäologie:	Ruth Nesemann	Sprachwissenschaft:	Manfred Brust M. A. Christel Kindermann Dirk Nowak Dr. Robert Plath
Kulturgeschichte:	Hartwig Heckel Judith Hendricks Maren Saiko		
Lateinische Philologie, Rhetorik:	Martina Dürkop Bärbel Geyer		

Epobelia (ἐπωβελία). In Athen mußte der unterlegene Kläger in einigen Privatprozessen eine Buße wegen mutwilligen Prozessierens in der Höhe des sechsten Teiles des Streitwertes, nämlich von der Drachme einen → *obolos* (daher der Name *e.*) an den Beklagten zahlen. Das galt auch für die Partei, die mit einer → *paragraphḗ* unterlegen war oder die eine → *diamartyría* vergeblich angefochten hatte, hier allerdings nur unter der Voraussetzung, daß sie nicht einmal den fünften Teil der Richterstimmen für sich gewonnen hatte (Isokr. or. 18,12).

A. R. W. HARRISON, The Law of Athens II, 1971, 183 ff.
G. T.

Epoche (ἐποχή). Skeptischer Ausdruck (S. Emp. P. H. 1,196), der besagt, daß der Skeptiker sich des Urteils enthält bzw. sich einer Vorstellung versagt (ἐπέχειν). Der Skeptiker enthält sich des Urteils, weil nicht nur nicht erwiesen ist, daß eine Vorstellung wahr ist, sondern es auch keinen Grund zu ihrer Annahme gibt, dem nicht ein anderer Grund entgegenstünde. Spätere Skeptiker unterscheiden auf verschiedene Weise Bedeutungen von »Zustimmung«, und damit von *epochḗ*, um sagen zu können, daß sich der Skeptiker in gewissem Sinne immer der Zustimmung enthält, in einem andern aber sehr wohl bestimmten Vorstellungen seine Zustimmung geben kann (Cic. ac. 1,104). So erlauben sich → Karneades und → Kleitomachos Zustimmung im Sinne einer Ansicht, aber nicht einer Meinung (*dógma*). Anders die Anhänger des → Philon von Larissa, wie Cicero, welche sich Meinungen, wenn auch nicht Wissen, zugestehen (Cic. ac. 1,148), wieder anders die Pyrrhoneer (S. Emp. P. H. 1,19).
M. FR.

Epochen, Epochengrenzen s. Aeren; EPOCHENBE-GRIFFE; Periodisierung; Zeitrechnung

Epode s. Horaz; Metrik

Epoikia (ἐποικία). *E.* wurde zuweilen anstelle von *apoikía* für eine griech. Kolonie verwendet, so etwa für die lokrische Kolonie des frühen 5. Jh. v. Chr. bei Naupaktos (ML 20). In dem athenischen Beschluß von 325/4 v. Chr. zur Gründung einer Kolonie in der Adria findet sich das rekonstruierte [apoi]kía und époi[koi]. Es wurde behauptet, *e.* und *époikoi* im strengen Sinne würden sich nicht auf die urspr. Siedlung, sondern auf ihre spätere Verstärkung durch Neusiedler beziehen [1]. Diese Bed. mag zuweilen beabsichtigt gewesen sein, aber es ist unwahrscheinlich, daß sie bei jedem Gebrauch des Wortes bedacht wurde.
→ Apoikia

1 T. J. FIGUEIRA, Athens and Aigina in the Age of Imperial Colonization, 1991, 7–39.
P. J. R.

Epona. Keltische Göttin der Pferde, in gallo-röm. Zeit Schutzgöttin der Equiden (Pferde, Maultiere, Esel), Ställe, Reiter, Fuhrleute, Reisenden, des Handels und Verkehrs. E. ist in verschiedenen Bildtypen, aber immer mit mindestens einem Pferd dargestellt. In den ant. Quellen wird sie häufig erwähnt. Ihre Denkmäler konzentrieren sich auf Nord-, Ost- und Mittelgallien, wo der Ursprung des Kultes zu vermuten ist. Seit dem Beginn des 2. Jh. n. Chr. breitete sich ihr Kult aus. Die überaus zahlreichen Denkmäler (ca. 300) finden sich überall im europ. Bereich des röm. Imperiums, ein Zeugnis auch in Mauretanien. Diese Verbreitung ist einerseits auf die Verschiebung röm. Truppen, andererseits auf Handel und Verkehr zurückzuführen. Die mil. Weihungen machen deutlich, daß E. nicht nur bei berittenen Truppen bes. beliebt war, sondern den Status einer offiziellen röm. Heeresgottheit besaß. Ihre gemeinsame Verehrung mit Merkur und Herkules, die Inschr. spezifischer Kollegien, die häufigen Beneficiarierweihungen belegen ihre Bed. für Handel- und Verkehrswesen. Ikonographisch und inhaltlich besteht eine enge Verwandtschaft zu weiblichen Fruchtbarkeitsgottheiten; auf dieser Ebene ist sie auch Bacchus verbunden. Als Pferdegöttin ist E. zweimal zusammen mit dem thrak. Reiterheros abgebildet. Deutungen der E. als chthonische Göttin haben sich als nicht haltbar erwiesen. Bemühungen, den nicht faßbaren Mythos der E. in der inselkelt. Lit. wiederzufinden, sind methodisch kaum zulässig.

G. BAUCHHENSS, SCHMIDT, s. v. E., RGA 7, 414ff. · BOUCHER, s. v. E., LIMC 5.1, 985ff. · M. EUSKIRCHEN, E., in: BRGK 74, 1993, 607ff.
M. E.

Eponyme Datierung
I. ALTER ORIENT II. GRIECHENLAND UND ROM

I. ALTER ORIENT

Die Bezeichnung bzw. Zählung von Jahren nach jährlich in einem Eponymenamt *(līmum/limmum)* wechselnden hohen Würdenträgern der königlichen Verwaltung ist im Alten Orient nur in Assyrien von ca. 1900–612 v. Chr., d. h. bis zum Ende des neuassyr. Reiches, bezeugt. Dabei gilt im 1. Jt. in der Regel die Reihenfolge »König, Oberbefehlshaber, Obermundschenk, Palastherold, Haushofmeister und Provinzstatthalter«. Unter Salmanassar III. (858–824 v. Chr.) begann nach 30 Regierungsjahren eine entsprechende Folge mit dem Eponymat des Königs von neuem.

Der Ursprung des assyr. Eponymen-Amtes ist unbekannt. Man vermutet, daß es aus einer turnusgemäß wechselnden Verpflichtung, für das Heiligtum und den Kult des Gottes → Assur [2] zu sorgen, entstanden ist. Der assyr. Königsliste zufolge zählte man Königsjahre wahrscheinlich seit Erišum. I. (um 1900 v. Chr.) nach

Eponymen. Urkunden aus den altassyr. Handelskolonien in Kleinasien (19. Jh. v. Chr.; → Kaniš) sind nach Eponymen datiert. Unter Šamši-Adad. I. von Assyrien (1813–1781 v. Chr.) folgte man auch in → Mari der assyr. e. D. Die weitere Bezeugung der e. D. setzt danach erst ab ca. 1400 v. Chr. ein. Bis in das 11. Jh. ist die Reihenfolge der Eponymen nur vereinzelt rekonstruierbar. Großenteils unbekannt sind die Eponymen des 11. und 10. Jh.

Die e. D. setzt prinzipiell die Existenz von Eponymenlisten voraus, die jedoch bisher nur für das 1. Jt. überliefert sind. Von den Eponymenlisten, die regelmäßig mit dem Eponymat eines Königs beginnen, setzen mehrere 910 v. Chr. mit der Regierungszeit Adad-Neraris II. ein und sichern, sich einander ergänzend, bis zum Untergang des Assyrerreiches die Abfolge der Eponymen. Nur ein Exemplar erfaßte urspr. auch die Zeit ab ca. 1200 v. Chr. Nach Gestaltung und Ausführlichkeit unterscheidet man zwei Kategorien von Eponymenlisten: Die eine verzeichnet die Eponymen lediglich in chronologischer Abfolge, wobei die Funktionen der Beamten erwähnt sein können. Die Texte der zweiten Gruppe werden aufgrund von markanten polit. oder sonstigen Nachrichten (Ziel eines Feldzuges, Tempelgründung, Epidemie, Aufstand oder Sonnenfinsternis), die mit einem Eponymen verbunden werden, Eponymenchroniken genannt.

→ Chronik; Zeitrechnung

H. FREYDANK, Beitr. zur mittelassyr. Chronologie, 1991 ·
M. T. LARSEN, The Old Assyrian City-State, 1976 ·
A. MILLARD, The Eponyms of the Assyrian Empire 910–612
BC, 1994 · A. UNGNAD, s. v. Eponymen, RLA 2, 1938,
412–457 · K. R. VEENHOF, Eponyms of the »Later Old
Assyrian Period« and Mari Chronology, in: Mari. Annales
de Recherches Interdisciplinaires 4, 1985, 191–218. H. FR.

II. GRIECHENLAND UND ROM
A. DEFINITION   B. GRIECHENLAND   C. ROM

A. DEFINITION
Benennung von Jahren nach dem Namen eines profanen oder sakralen Magistraten. Im eigentlichen Sinne ist der Eponymos ein jährlich gewählter Beamter oder Priester, dessen Name von Staats wegen für die Datierung *aller* Dokumente seines Gemeinwesens benutzt wird (»wahrer Eponymos«) und dessen Amtsantritt mit dem Beginn des Jahres zusammenfällt. In den Datierungsformeln von Urkunden können aber auch die Namen weiterer Beamter (Schreiber, Schatzmeister, Agonothetes usw.) oder Priester erscheinen (»falsche Eponyme«), meistens weil sie am entsprechenden Amtsvorgang beteiligt waren; Dokumente, die Heiligtümer betrafen, wurden z. B. oft nach dem amtierenden Priester datiert, der nicht immer der städtische Eponym war [1. I 256].

Die Eponymen der verschiedenen Staaten traten ihr Amt zu verschiedenen Zeitpunkten an, z. B. der Archon Eponymos in Athen am 1. Hekatombaion (Juli/Au-

gust), die spartanischen Ephoroi wohl im Herbst, die Consuln in Rom am 15. März (222–153 v. Chr.) bzw. am 1. Januar (ab 153 v. Chr.). Zuweilen fiel die Dauer des eponymen Amtes nicht mit jener anderer Ämter desselben Staates zusammen: In Athen war die Amtszeit des Archon Eponymos (»Kalender-Jahr«) oft länger als jene der *bulē*; in Rom traten die Tribunen ihr Amt am 9. Dezember an [2. 34, 64f.]. Dies führte zu Verwirrungen bei der Verwendung von eponymen Beamten für Datierungszwecke in der ant. Historiographie (Thuk. 5,20,2), die deshalb weitere Datierungsmöglichkeiten entwickelte (Olympiaden, *ab urbe condita*). Trotzdem bildet die e. D. die Grundlage der ant. Chronologie, insbes. für die Orte, in denen lange Listen eponymer Beamter erhalten sind (Assur, Athen, Milet, Sparta, Rom, Alexandreia u. a.), und vorausgesetzt, daß der Name eines Eponymos mit fest datierbaren Ereignissen in Verbindung gebracht werden kann. Die Eponymenliste von Milet (s. u.) kann z. B. genau datiert werden, weil Alexander der Gr. das eponyme Amt im Jahr der Befreiung der Stadt innehatte (333 v. Chr.). Auch chronikartige Notizen (Eklipsen, Kriege u. ä.), die oft am Rande derartiger Listen eingetragen wurden, tragen zur Bestimmung der absoluten Chronologie bei; so wird die Eponymen-Liste von Assur dank der Erwähnung der Sonneneklipse vom 15.6.763 v. Chr. datiert [3. 414]. Für die Chronologie der klass. Welt sind insbes. die – z. T. lückenhaften – Listen der eponymen Archonten in Athen [4; 5; 6; 7; 8; 9; 10. 198–237] und der röm. Consuln [10. 256–276; 11; 12; 13; 14; 15. I 1041–1045, II 1242–1245, III 1457; 16] grundlegend.

B. GRIECHENLAND
In Griechenland läßt sich die vielleicht vom Orient übernommene Praxis der e. D. mit Sicherheit erst für das 6. Jh. v. Chr. belegen. Sosthenes (1. Jh. v. Chr.) datiert zwar den Beginn seiner Archilochos-Vita nach einem eponymen Archon von Paros (FGrH 502), doch ist zweifelhaft, ob er dessen Namen in einer auf das 7. Jh. zurückgehenden, offiziellen Eponymen-Liste gefunden hat. Erst seit Mitte des 6. Jh. wurden Jahreslisten von Beamten regelmäßig – nicht in allen Städten – geführt. Die um 425 v. Chr. inschr. aufgezeichnete Eponymen-Liste aus Athen begann vielleicht mit 682/1; ihr frühester Teil könnte aber später rekonstruiert worden sein (ML 6; [10. 196; 17. 193, 207]. Die ca. 360 aufgezeichneten Listen der Theoren und der Archonten von Thasos setzen mit der Mitte des 6. Jh. ein [1. II 292–294; 17. 194]; die milesische Aisymnetenliste (334/3) beginnt mit 525 [1. I 251f., IV 229f.; 17. 196]. Die e. D. von Urkunden erscheint in vereinzelten Fällen im 6. Jh. (Athen, Kyzikos; Solon fr. 49a, 70 RUSCHENBUSCH; Syll.³ 4) [1. III 245] und wird erst seit der Mitte des 5. Jh. häufiger (Athen, Argos, Sparta, Delphoi, Gortyn, Chios, Erythrai, Halikarnassos; ML 32, 37, 41 col. V 5–6, 42 B 43, 53; StV 134, 188; CID I 9; I Erythrai 1, 17); in Athen beginnt der Name des Archon Eponymos erst um 421 regelmäßig im Präskript der Dekrete aufzutreten [1. I 270–272; 18]. Wohl in derselben Zeit, auf jeden Fall

vor Thukydides, findet die e. D. Eingang auch in die Geschichtsschreibung (vgl. Thuk. 5,20,2). Erst in hell. Zeit sind Bemühungen um regelmäßige und ordentliche Führung solcher Listen belegt (Syll.³ 723, 793 [17. 210]).

In den einzelnen Stadt-, Stammes- und Bundesstaaten existierte eine Vielzahl von Eponymen, z. B. der Archon Eponymos in Athen, die Ephoroi in Sparta, die Kosmoi in den kretischen Städten, der Stephanephoros in Milet usw. (Zusammenstellung der Belege in geograph. Anordnung bei [1. I–V]). Oft handelt es sich um den wichtigsten Amtsträger (Strategos im Akarnanerbund), einen nach einer Verfassungsänderung an polit. Gewicht gewinnenden Beamten (Archon in Athen nach Abschaffung des Königtums, Ephoroi in Sparta nach Chilon bzw. Patronomoi nach Kleomenes III., Prytanis in Pergamon) [1. I 269, II 241 f., IV 238 f.]. Zuweilen dürfte es sich aber lediglich um ein Amt gehandelt haben, das bereits in sehr früher Zeit Jahr für Jahr besetzt wurde, und ein solches war sehr oft ein Priesteramt (z. B. Priester der Athena Alea in Tegea). Im ptolem. Ägypt. war es das für die dynastische Legitimation wichtige Priesteramt des Königskultes in Alexandreia [1. IV 259–265]. Wechsel der eponymen Ämter sind häufig [1. V 280–282, 288], insbes. um einen polit. Neubeginn zu signalisieren (z. B. die Einführung des eponymen Priesteramts des Zeus Olympios in Syrakusai durch Timoleon 345 v. Chr.; Diod. 16,70,5–6). Alles in allem sind rund 40 sakrale und profane Ämter als eponyme Ämter belegt [1. V 277–280].

Die sakralen eponymen Beamten waren in der Regel die Priester (*hiereús, amphípolos, hierapólos, theokólos*) der Hauptgottheit (Despoina in Lykosoura, Asklepios in Epidauros, Helios auf Rhodos) bzw. der eponymen Gottheit der Stadt (Aphrodite in Aphrodisias, Kaunos in Kaunos, Dionysos in Dionysopolis). Seit dem 2. Jh. v. Chr. erscheinen die Priester der Dea Roma als zusätzliche Eponyme neben dem traditionellen Eponymos [1. V 281], in der Kaiserzeit auch die Priester des Kaiserkultes. Neben den Priestern dienten weitere sakrale Magistrate als Eponyme (*hierothýtēs* in Tymnos und Akragas, *hieromnḗmōn* in Byzantion, Perinthos und Entella, *hieropoiós* in Erythrai, *neopoiós* in Amyzon und Halikarnassos). Auch die für eponymen Beamten sehr oft belegte Bezeichnung *stephanēphóros* (»Kranzträger«, z. B. in Kalymna, Chios, Iasos, Magnesia am Mäander, Miletos, Mylasa, Priene) verbirgt eine Vielzahl sakraler und profaner Ämter (z. B. Aisymnetes in Milet, Prytanis in Chios, Priester der Aphrodite in Aphrodisias) [1. II 264 f., III 231, IV 230 f., 242].

Die profanen eponymen Beamten vertreten eine Vielzahl von Magistraturen. Manchmal ist der Eponymos der zum Jahresbeamten degradierte Basileus (Argos, Aigosthena, Megara, Samothrake, Kallatis, Kalchedon, Chersonesos, Herakleia) [1. V 277]; sehr oft – bes. in Bundesstaaten – waren es mil. Beamte (Strategos im Akarnanenbund, Tagos in Thessalien, Hipparchos in Kyzikos, Daskyleion und Prokonessos), wichtige polit.

Amtsträger, der Prytanis in vielen Städten insbes. in der Aiolis und in Ionien [19. 733–749], die Kosmoi auf Kreta, der Monarchos auf Kos, der Aisymnetes (Naxos, Miletos, Olbia, Sinope), die Demiurgoi insbes. auf der Peloponnes, aber auch auf ägäischen Inseln und in Kleinasien [22], der Archon (oder die Archontes) und der Prostates (Epirus, Amyzon, Paphos). Schließlich finden sich unter den Eponymoi Magistrate des Rates (Archiprobulos in Termessos, Bularchos in Amphissa) und Schreiber [1. V 278]. Als »falsche« oder zusätzliche Eponymoi von Bundesstaaten und Amphiktyonien finden sich die für die Veranstaltung von Agonen zuständigen Agonothetai (Aitolerbund, westlokr. Koinon, ilische Amphiktyonie) [1. I 260, II 246, III 258].

Eponymes Amt war manchmal ein Magistratenkollegium, z. B. die fünf Ephoroi in Sparta und in von Sparta beeinflußten Orten (Thera, Herakleia, Taras), die sieben Strategoi des Akarnanenbundes im 5. Jh. v. Chr., die kretischen Kosmoi [1. I 256, 260 f., II 241 f., 267–269; 21. 672]; in der Datierungsformel dann oft der Name nur eines Mitgliedes des Kollegiums (z. B. 1. I 264; II 242; 19. 672]. In den meisten Bundesstaaten (Achaier, Aitoler, Akarnaner, Boioter) datierten die einzelnen Poleis ihre Urkunden mit Verweis sowohl auf den städtischen Eponymos als auch auf den Eponymos des Bundesstaates, z. B. in Epidauros nach dem Asklepiospriester und dem Strategen der Achaier [1 I.256–261, 279–288, V 280 f.]. Nach dem Synoikismos von Rhodos (408/7 v. Chr.) behielten die Teilgemeinden (Lindos, Ialysos, Kamiros) ihre jeweiligen Eponymoi, datierten aber auch nach dem Eponymos des gesamtrhodischen Staates, dem Helios-Priester [1. II 279–287, V. 282]. Dokumente, die zwei Staaten betrafen (z. B. Staatsverträge) wurden in der Regel mit Verweis auf die Eponymoi beider Gemeinden datiert [1 V. 280]. In der Kaiserzeit erscheinen neben dem lokalen Eponymos auch Kaisernamen und Verweise auf lokale Ären [1 V. 281].

Eponyme Ämter waren wie alle Ämter mit erheblichen Kosten verbunden. Da es seit der hell. Zeit immer häufiger an Bürgern mangelte, die die erforderlichen Summen aufbringen konnten (IEphesos 10; Syll.³ 708 Z. 26 ff.), wurden die Amtskosten oft von einer Tempelkasse übernommen; so z. B. übernahm Apollon mehr als 120 Mal das Amt des eponymen Prytanis in Kolophon [1 V. 283–285; 22]. Die verschiedenen Funktionen des Eponymos nahm dann ein »Verwalter« wahr (z. B. ἐπιμελητὴς τῆς θεοῦ Λυκούργου πατρονομίας in Sparta, IG V 1, 541). Aus demselben Grund übernahmen auch Kaiser, Mitglieder ihrer Familie [1. V 285–288], der röm. Senat (Hieromnemon in Pylai, 2. Jh. n. Chr.) [23. 79 f.] und reiche Frauen insbes. in Kleinasien das eponyme Amt (z. B. war Attalis in Aphrodisias 13 Jahre lang Stephanephoros) [1 V. 290 f.]. Auch stifteten reiche Bürger hohe Beträge, die die Ausgaben eines eponymen Amtes für die Zukunft sicherten [1. V 289 f.; 24].

Die Abfassung von Eponymen-Listen (πίναξ, ἀναγραφή) für einzelne Städte gehörte zu den Aufgaben ant. Historiker [17. 186f., 205–219]. Derartige »lit.« Eponymen-Listen werden für Athen (Demetrios v. Phaleron, Steisikleides, Philochoros) (FGrH 228 F 1–3; 245 F 1–3; 328 T 1), Sparta (Charon v. Lampsakos) (FGrH 262 T 1), Smyrna (Hermogenes) (FGrH 579) und Alexandreia (Charon v. Naukratis) (FGrH 612) überliefert. Die früher vertretene Meinung, die griech. Historiographie habe ihren Ursprung in vorlit. Eponymen-Listen mit chronikartigen Notizen, kann keine Geltung mehr beanspruchen [17. 188–192]. Lokale Eponymen-Listen sind auf Inschr. erhalten. Abgesehen von Inschr., die die Beamtennamen nur *eines* Jahres enthalten und zuweilen kontinuierliche Reihen bilden [17. 187 Anm. 396f.], gibt es auch inschr. erhaltene Eponymen-Listen, die längere Zeiträume abdecken [17. 187–192]: a) Listen, die nach und nach, durch jährliche Eintragung der Beamtennamen entstanden sind [17. 187 Anm. 395; vgl. 1. I 253f.]. Für die Eintragung ihres Namens waren die amtierenden Eponymoi selbst zuständig (IDidyma 218; Syll.³ 723 [17. 187f.]), die manchmal »chronikartige Notizen« über wichtige Ereignisse des Jahres hinzufügten [17. 188–192]. b) Aufstellungen, die die Eponymoi einer längeren Periode enthalten und in einem Zug aufgezeichnet wurden, vielleicht Kopien von in Archiven aufbewahrten und nach und nach entstandenen Jahreslisten [17. 192–219]. Das älteste Beispiel ist die wohl mit dem Jahr 682/1 beginnende und um 425 v.Chr. aufgezeichnete fragmentarische Archontenliste von Athen (s.o.). Die mit dem Synoikismos von Rhodos (408/7) beginnende Liste der eponymen Heliospriester wurde 383/2 inschr. veröffentlicht und dann J. für J. bis ins 3. Jh. weitergeführt [17. 194 L3]. Seit der Mitte des 4. Jh. werden derartige Listen immer häufiger (Athen, Anthedon, Thasos, Lindos, Kamiros, Odessos, Milet, Amyzon, Tauromenion [17. 194–204]; vgl. [1. I 251–255]). Die Listen beider Kategorien beginnen in der Regel mit dem Jahr eines wichtigen histor. Ereignisses (Verfassungsänderung, Synoikismos, Befreiung, Sieg) [17. 210–212].

C. ROM

In Rom fungierten die Consuln als Eponymoi [10. 249f., 253–255], angeblich schon seit der Einrichtung des Amtes (509 v.Chr.); doch konnte vor 222 v.Chr. ein Consul zu jedem beliebigen Zeitpunkt innerhalb des Jahres sein Amt antreten bzw. niederlegen, so daß es anfangs keine zwingende Entsprechung zwischen seiner Amtszeit und Kalenderjahr gab [2. 70; 25]. Die für den Kalender sorgenden Pontifices führten auch die Liste der Obermagistrate, in der wichtige Ereignisse des rel. und polit. Lebens eingetragen wurden. Die Datierung nach Consuln – neben der Datierung »seit Gründung der Stadt« (*ab urbe condita*), die eine lit. Erfindung war, – fand in der röm. und griech. Geschichtsschreibung Anwendung. Consul-Listen waren sowohl in der Form von Inschr. – vielleicht schon seit 304 v.Chr. (Liv. 9,56,5) – wie z.B. die *fasti Capitolini* [26] und die *fasti Ostienses* [27] als auch in Buchform (*codicilli fastorum, liber annalis* des Atticus) zugänglich (Cic. Att.

4,8a,2; vgl. FGrH 579). Die Datierung nach Consuln wurde 537 n.Chr. aufgegeben (in Ägypt. 611), als Iustinian (Nov. 47) die Datierung nach den Regierungsjahren der Kaiser einführte.

→ Annales; Archon; Atticus; Chronik; Consul; Ephoros; Fasti; Pontifex; Prytanie

1 R. SHERK, The Eponymous Officials of Greek Cities I, in: ZPE 83, 1990, 249–288; II, in: ZPE 84, 1991, 231–295; III, in: ZPE 88, 1991, 225–260; IV, in: ZPE 93, 1992, 223–272; V, in: ZPE 96, 1993, 267–295   2 E.J. BICKERMAN, Chronology of the Ancient World, ²1980   3 A. UNGNAD, s.v. Eponymen, RLA 2, 1938, 412–457   4 W.B. DINSMOOR, The Archons of Athens in the Hellenistic Age, 1931   5 B.D. MERITT, The Athenian Year, 1961   6 CHR. HABICHT, Unt. zur polit. Gesch. Athens im 3. Jh. v.Chr., 1979   Ders., Studien zur Gesch. Athens in hell. Zeit, 1982   8 M.J. OSBORNE, The Chronology of Athens in the Mid Third Century B.C., in: ZPE 78, 1989, 209–242   9 S. FOLLET, Athènes au IIᵉ et IIIᵉ siècle, 1976   10 A.E. SAMUEL, Greek and Roman Chronology, 1972   11 T.R.S. BROUGHTON, The Magistrates of the Roman Republic I–III, 1951–1986   12 DEGRASSI, FCIR   13 ALFÖLDY, Konsulat   14 LEUNISSEN   15 PLRE   16 BAGNALL   17 A. CHANIOTIS, Historie und Historiker in den griech. Inschr., 1988   18 A.S. HENRY, Archon-Dating in Fifth Century Attic Decrees, in: Chiron 9, 1979, 23–30   19 F. GSCHNITZER, s.v. Prytanis, RE Suppl. 13, 730–816   20 CHR. VELIGIANNI-TERZI, Damiurgen, 1977   21 F. GSCHNITZER, s.v. Protokosmos, RE Suppl. 10, 670–675   22 L. ROBERT, Divinités éponymes, in: Hellenica 2, 1946, 51–64, 154f.   23 T. CORSTEN, Neue Denkmäler aus Bithynien, in: Epigr. Anat. 17, 1991, 79–99   24 L. ROBERT, Opera Minora Selecta II, 1969, 810–812   25 K. HANNELL, Das altröm. eponyme Amt, 1946   26 DEGRASSI, FCap.   27 L. VIDMAN, Fasti Ostienses, 1982.

W. ECK, Consules ordinarii et consules suffecti als eponyme Amtsträger, in: Epigrafia. Actes du colloque A. Degrassi (Rome, 27–28 mai 1988), 1991, 15–44   •   E. MANNI, Fasti ellenistici e Romani, 1961.   A.C.

Eponymen(listen) s. Eponyme Datierung

Eponymie s. Eponyme Datierung

Eponymos (Ἐπώνυμος), auch Eponym oder eponymer Heros, ist die Bezeichung einer mythischen Gestalt, die einem Volk, einer Stadt oder einer anderen Menschengruppe, einem Gebirge usw. seinen Namen gegeben hat. Das griech. Wort *e*. im Sinne von »namengebend« ist insbes. als Bezeichnung der zehn att. Phylenheroen belegt, deren Bilder auf der Agora standen (Dekret bei And. 1,83; Paus. 1,5,1), im (passiven) Sinn von »einen Namen tragend« findet es sich seit Aischyl. Suppl. 252 für ebendiese Erscheinung (→ Pelasgos).

Die Erscheinung ist so alt wie die Bezeugung der griech. Myth. In systematisierter Form fassen wir sie bei Hesiod, dessen Kataloge mit Hellen, Magnes Makedon und Graïkos einsetzen, den *eponymoi* für Hellenen, Magneten, Makedonen und Graikoi (dem nordwestgriech. Stamm, aus dessen Namen die Römer *Graeci* beziehen), und dessen ›Theogonie‹ in ihrem (nachhesiodeischen) Schluß etwa Latinos, den Sohn der Kirke und E. der Latiner (theog. 1013), oder Medeios, Sohn der Medea und E. der Meder (theog. 1001) nennt. Wie hier ist die Benennung des E. gewöhnlich aus dem zu erklärenden Namen herausgesponnen. Das Umgekehrte ist aber ebenso möglich; so leiten sich gerade die Namen der zehn kleisthenischen → Phylen von Heroen her, die bereits vor Kleisthenes bekannt waren. Als mythische Fokussierung einer polit. Identität werden die E. von Städten und ihren Untergruppen regelmäßig kult. verehrt, und als Heroen besitzen sie oft Gräber, die als Kultorte einer Polis häufig auf der Agora liegen. Auch dort, wo man eine spätere Entstehung solcher Kulte nachweisen kann, ist modernes Empfinden, das von »künstlicher Rel.« spricht, fernzuhalten: Mythos und Kult erfüllen in jedem Fall eine für ant. Rel. zentrale Funktion von Orientierung und Legitimierung von Identität.

U. KRON, Die zehn attischen Phylenheroen. Gesch., Mythos, Kult und Darstellung, 1976 · T. S. SCHEER, Mythische Vorväter. Zur Bedeutung griech. Heroenmythen im Selbstverständnis kleinasiatischer Städte, 1993.   F. G.

Epopteia (ἐποπτεία, das »Hinsehen«). Eine der Einweihungsstufen in die → Mysterien; wer sie erreicht hat, ist *epóptēs*. In → Eleusis, wo der Terminus urspr. zuhause war, bezeichnete *e.* eine auf die erste Einweihung (→ Myesis) folgende Stufe – die *e.* war entweder die eigentliche »Schau« anläßlich der Mysterienfeier, in der die Myesis die individuelle, außerhalb des Mysterienfestes vollziehbare Weihe wäre, oder eher eine zweite, fakultative Stufe nach der obligatorischen *mýēsis* [1; 2]. In jedem Fall unterstreicht der Terminus die Bed. des Sehens in den eleusinischen Mysterien. Dieser Aspekt der Mysterien wird auch von den Seligpreisungen seit dem homer. Demeterhymnos (480ff.) regelmäßig betont und ist im Titel des obersten Mysterienpriesters, des Hierophanten (»der das Heilige zeigt«) angelegt. Demgegenüber kann *mýēsis* auf das »Schließen der Augen« verweisen.

Von Eleusis wurde der Terminus in andere Mysterienkulte übernommen, wie in diejenigen von → Samothrake [3] oder von Andania in Messenien (LSCG 65).

1 W. BURKERT, Ant. Mysterien, 1990, 117, Anm. 13
2 K. DOWDEN, Grades in the Eleusinian Mysteries, in: RHR 197, 1980, 409–427 3 S. G. COLE, Theoi Megaloi. The Cult of the Great Gods at Samothrace, 1983, 30–36.   F. G.

Eporedia, h. Ivrea, kelt. Siedlung an der Mündung der Dora in den Padus. Gründung der röm. Bürgerkolonie auf Geheiß der Sibyllinischen Bücher (Plin. nat. 3,123) 100 v. Chr. im Gebiet der → Salassi (Ptol. 3,1,30; irrig Vell. 1,15,5 *in Bagiennis*). Strab. 4,6,7 erwähnt in E. einen Sklavenmarkt für die unterworfenen Alpenvölker, Plin. nat. 21,43 die dort betriebene Parfum-Herstellung. In der Spätant. Bischofssitz. Arch. Monumente: Rechteckiger Mauerring, Theater, Aquädukt, Amphitheater.

A. PERINETTI, Ivrea romana, 1968.   H. GR.

Eporedorix. Keltisches Namenskompos. »König der Reiter?« (vgl. auch Plut. mor. 259A; C (Πορηδόριξ Hs.].

[1] E. war vor der Ankunft Caesars Führer der Haedui gegen die Sequani. Er geriet 52 v. Chr. bei Alesia in röm. Gefangenschaft (Caes. Gall. 67,7).

→ Alesia; Haedui; Sequani

[2] Junger Reiterführer der Haedui von vornehmer Herkunft. Caesar hatte ihm und Viridomarus zu den höchsten Ämtern verholfen. E. verriet 52 v. Chr. in Gergovia eine Verschwörung des Litaviccus an Caesar und vereitelte sie. Als nach der röm. Niederlage bei Gergovia die beiden Haeduerfürsten Caesar noch einmal vor neuen Umtrieben des Litaviccus warnten, wurden sie zu ihrem Stamm entlassen, wo sie angesichts der Lage auf die Seite des Vercingetorix wechselten. Darauf plünderten sie das Hauptnachschublager der Römer in Noviodunum und versuchten, die röm. Truppen am Übergang über die Loire zu hindern. E. und Viridomarus gehörten dann zu den Hauptbefehlshabern des Vercingetorix (Caes. Gall 7,38,2; 39,1–3; 40,5, 54–55; 63,9; 64,5; 76). Nachkomme (?): CIL XIII 2728 = ILS 4659 (Bourbonne-Lancy).

→ Gergovia; Haedui; Litaviccus; Noviodunum; Vercingetorix; Viridomarus

B. KREMER, Das Bild der Kelten bis in augusteische Zeit, 1994, 246–257.   W. SP.

Epos   I. ALTER ORIENT   II. KLASSISCHE ANTIKE

I. ALTER ORIENT

Der Konvention in der Altorientalistik folgend, wird entsprechend den jeweiligen Handlungsträgern zw. E. und Mythos unterschieden, auch wenn dies gattungstheoretisch und in stilistischer Hinsicht schwierig und umstritten bleibt [1. 145–153; 2. 1–24]: im E. agieren (heroisierte) Menschen, während Mythen in der Sphäre der Götterwelt angesiedelt sind. Die sumer. ep. Lit. rankt sich um die legendären Könige der 1. Dyn. von Uruk: Enmerkar, Lugalbanda und Gilgameš. Gegen Ende des 3. Jt. v. Chr. entstanden, wobei der jeweils zugrundeliegende Stoff z. T. älter ist, und v. a. in Abschriften aus altbabylon. Zeit (zumeist 18. Jh. v. Chr.) überliefert, dienten die E. um die frühzeitlichen Könige (als mythische Verwandte) der Herrschaftslegitimation der neusumer. Dyn. von Ur (2111–2003 v. Chr.) [3. 133]. Die E. um Enmerkar und Lugalbanda haben die Beziehungen bzw. den Konflikt zw. der südbabylon. Stadt → Uruk und dem im Iran gelegenen Aratta zum Inhalt [4. 576–579]. Der legendäre und bereits in der 1. Hälfte des 3. Jt. v. Chr. als Gott verehrte König Gilgameš steht im Mittelpunkt mehrerer sumer. E., die als Vorläufer von Teilen des akkad. → Gilgameš-E. gelten.

Formal ist das sumer. E. eine erzählende Versdichtung mit häufig eingeflochtener direkter Rede. Beliebt sind ep. Wiederholungen. Das E. enthält auch Beschreibungen, liedhafte Teile und Gebete [5. 248f.].

Neben das bekannteste akkad. E., das Gilgameš-E., sind die sog. histor. E. zu stellen, die Taten assyr. und babylon. Könige zum Inhalt haben. So behandeln die überlieferten Fragmente des Adad-nirari-E. die Kämpfe dieses assyr. Königs (1307–1275 v. Chr.) mit Nazimarut-taš von Babylon, während das Tukulti-Ninurta-E. den Sieg des Tukulti-Ninurta I. (1244–1208 v. Chr.) über Kaštiliaš IV. von Babylon zum Inhalt hat. Fragmente von babylon. E. betreffen u. a. die Taten von babylon. Königen des 2. und 1. Jt. v. Chr. [6. 184–187; 7. 52].

Innerhalb des einzelnen Verses des akkad. E. sind – wie in der akkad. Lit. generell – z. B. Chiasmus, der Gebrauch seltener gramm. Formen und Wörter, Doppeldeutigkeit und Wortspiele beliebte Stilmittel. Üblich sind u. a. auch Vergleiche, Metaphern, Wiederholungen sowie die Verbindung von Versen durch den Parallelismus membrorum. Nachweisen läßt sich eine akzentuierende Metrik. In jüngeren E. können Verse mit Kunstprosa wechseln [7. 48–50].

Aus der lit. Überlieferung aus → Ugarit (14./13. Jh. v. Chr.) sind die E. mit den Protagonisten Aqhat und Keret zu nennen. Tragende Themen sind hier Unsterblichkeit und Tod bzw. Krankheit. Das Aqhat-E. läßt Parallelen zu Motiven des Gilgameš-E. erkennen [8. 81–98]. Die Hethiter haben ein eigenständiges E. im eingangs gen. Sinn nicht ausgebildet. Rezipiert wurde aber das Gilgameš-E. in akkad., hurrit. und hethit. Sprache [9. 75]. Aus Ägypten sind keine E. bezeugt. Der Umfang der griech. Rezeption des altorientral. E. ist schwer zu bestimmen [10].

→ Gilgameš-Epos; Mythos

1 G. KOMORÓCZY, Die mythol. Epik in der sumer. Lit., in: Annales Universitatis Scientiarum Budapestinensis, Sectio Classica 5/6, 1977/8 2 K. HECKER, Unt. zur akkad. Epik, 1974 3 C. WILCKE, Die Sumer. Königsliste und erzählte Vergangenheit, in: J. VON UNGERN-STERNBERG, H. REINAU (Hrsg.), Vergangenheit in mündlicher Überlieferung, 1988, 133–140 4 C. WILCKE, s. v. Sumer. Epen, Kindler 19 5 Ders., Formale Gesichtspunkte in der sumer. Lit. in: Assyriological Stud. 20, 1975, 205–316 6 A. K. GRAYSON, Histories and Historians of the Ancient Near East: Assyria and Babylonia, Orientalia N.S. 49, 1980, 140–194 7 W. RÖLLIG, s. v. Literatur, akkadische, RLA 7, 48–66 8 J. M. SASSON, Literary Criticism, Folklore Scholarship, and Ugaritic Literature, in: G. D. YOUNG (Hrsg.), Ugarit in Retrospect, 1981 9 E. VON SCHULER, s. v. Literatur bei den Hethitern, RLA 7, 66–75 10 C. AUFFARTH, Der drohende Untergang, 1991.

W. RÖLLIG (Hrsg.), Altorientral. Literaturen, 1978.   H. N.

II. KLASSISCHE ANTIKE

A. DEFINITIONSPROBLEME, GATTUNGSMERKMALE
B. BESTAND

A. DEFINITIONSPROBLEME, GATTUNGSMERKMALE

(Ϝέπος: Ϝεπ- in (Ϝ)ειπεῖν wie »Sage«: »sagen«: »was gesagt wird, Kunde«). Da Ϝέπος nicht nur das »Wort«, sondern bei »poetologischer« Verwendung offenbar von frühester Zeit an auch die »Dichtung in hexametri-

schem Versmaß«, ja sogar »Verse bzw. Einzelvers im hexametr. Versmaß« bezeichnen konnte (so z. B. Hdt. 7,143; 4,29), wanderte der Begriff E. mit der nachhomer. sich entwickelnden Nutzung des Hexameters für Dichtungsformen unterschiedlichsten Charakters jeweils mit; die Vielfalt der im Ergebnis mit »Epos« bezeichneten lit. Formen macht jede praktikable Definition von »Epos« auch nur im Hinblick auf die griech.-lat. Lit. unmöglich (zu darüber noch hinausgreifenden Def.-Versuchen [3. 1–10]). Sinnvoll ist statt dessen eine Merkmalsammlung. Diese hat davon auszugehen, daß spätestens seit Hesiod und den ältesten Homer. Hymnen eine engere Gattungsvorstellung einer weiteren gegenüberstand: Die engere basierte auf dem (diachronisch gesehen sicher primären und konstitutiven) substantiellen Merkmal des Erzählens, also eines Redemodus (wie er im E. des homer. Typs und im Alten Orient gegeben war), die weitere (der Ausgliederung von wesenhaft nicht-narrativen hexametr. Lit.-Formen aus dem E. homer. Typs folgend) auf dem rein formalen Merkmal des hexametrischen Versmaßes. Da Versuche, die nur formal bedingte Begriffserweiterung auszuschalten (Aristot. poet. 1447 b 13–20), wirkungslos blieben, fand eine Scheidung zw. narrativen und nicht-narrativen Formen (mit entsprechender Begriffsdifferenzierung) in der Ant. niemals statt; so konnte sich ein weiter Gattungsbegriff fest etablieren (der bis heute vorherrscht). Letzte Ursache dafür war, daß bei Wegfall des Erzählens als der organisierenden Leitinstanz des narrativen E. homer. Typs (»narration« nach GENETTE [2. 15f., 199ff.]) und der dadurch bewirkten Verselbständigung von im Erzählen enthaltenen »mimetischen« Elementen (s. die einschlägigen Kataloge bei Plat. rep. 392d–398b) die Ähnlichkeit zw. den dadurch neu entstandenen Gattungen (beschreiben: deskriptives Sach-E.; argumentieren: missionierendes sog. philos. E.; Preisen der Gottheit: rel.-kultisches E. [Hymnos]; [be]lehren: didakt. E. [»Lehrgedicht«] usw.) und der Muttergattung, vor allem im formalen Bereich (Metrum: Hexameter; Formeln; »hoher« Stil), immer noch so bestechend augenfällig war, daß sie Wesensidentität vortäuschte.

Der »weite« Gattungsbegriff wird aus praktischen Gründen auch hier für Bestandsaufnahme (s. u. B.) und Merkmalsammlung zugrunde gelegt. Die Merkmalsammlung speist sich weitestgehend aus dem narrativen E., das seit jeher als Vollform galt, sowohl spontan (Pind. N. 2,2; Hdt. 2,117) als auch theoretisch reflektiert (vgl. z. B. Plat. rep. 392d–398b; Aristot. poet. 1459 b 26: ἐποποιία = διήγησις, dihégēsis, »Erzählung«), und hier wieder v. a. aus den homer. E. *Ilias* und *Odyssee*, die bei sämtlichen nachhomer. Transformations- und Manipulationsprozessen des narrativen E. als Prototypen dienten:

I. formal: (1) akatalektischer daktylischer Hexameter, in stichischer Reihung, ohne strophische Gliederung; (2) typische Form-Elemente wie Beiwort (Epitheton), Formel, Gleichnis, Katalog, Gegenstandsbeschreibung, typische Szene; dazu im narrativen E. (und in den narrativen Teilen der nicht-narrativen E.-Formen): direkte Rede (bei Hom.: 67% von Ilias und Odyssee).

II. inhaltlich/strukturell: (1) Anspruch auf Bedeutsamkeit des Gegenstandes (»Größe«, »grandeur«); Meidung des Banalen, Alltäglichen, Privaten und Streben nach überindividueller, öffentlicher, polit. Bedeutung in möglichst »nationalen« bis »internationalen« Dimensionen: Sozialer Handlungsraum ist daher die Oberschicht; im narrativen E. Bevorzugung heroischer Stoffe, Figuren, Charaktere, Motive, Tugenden und Haltungen (geschöpft aus Helden- und Göttermythos): »Heroic Poetry«, »Heldenepos« [1]. – (2) Ästhetische Höhe und Würde (unter Einbezug einer »Ästhetik des Schrecklichen«): Klarheit der Gedanken, Schönheit der Form, Kultiviertheit in Sprache, Sitten, Umgangsformen (mit Sanktionierung »heroischer« Heftigkeit, Unverblümtheit [»heiliger« Zorn], Ungezügeltheit). – (3) Rationalität: Kausalitätsprinzip bei Darstellung sowohl von Menschen, Göttern, Tieren, Naturphänomenen (mit Anthropomorphismus) als auch von Ereignisabfolgen und Sachzusammenhängen; Meidung schamanistischer Elemente. – (4) Streben nach Totalität in der Darstellung von Welt, Weltsicht, Verhalten, aber auch von Sachkomplexen und Denksystemen. – (5) Streben nach organischer Einheit bei Handlungsaufbau bzw. Sachdarstellung. Der Wille zur Struktureinheit (μύθους συνιστάναι περὶ μίαν πρᾶξιν ὅλην καὶ τελείαν, ἔχουσαν ἀρχὴν καὶ μέσα καὶ τέλος, Aristot. poet. 1459a18–20) erlahmt im narrativen E. nach Aristoteles' richtiger Beobachtung (poet. 1459a37–b 2) bereits unmittelbar nach Homer, im Epischen Kyklos; im nicht-narrativen E., bes. im histor. E., bleibt er, erzwungen durch die Einheit der zu versifizierenden Sache, prinzipiell erhalten.

1 C.M. BOWRA, Heroic Poetry, 1952 (= Heldendichtung, 1964) **2** G. GENETTE, Die Erzählung, 1994 **3** J. B. HAINSWORTH, The Idea of the Epic, 1991.　　J.L.

B. BESTAND

1. VORLITERARISCHE PHASE 2. GRIECHISCHE LITERATUR (VON HOMER BIS NONNOS) 3. RÖMISCHE LITERATUR 4. CHRISTLICHE LITERATUR

Die Produktion von Epen in griech. Sprache reicht von Homer (8. Jh. v. Chr.) bis zum Untergang des Byz. Reiches 1453 (noch um 1150 versifiziert Johannes → Tzetzes in den sog. *Carmina Iliaca* den Epischen Kyklos neu). In diesen rund 2150 Jahren entstanden Unmengen von Epen; die genaue Anzahl selbst der durch irgendein Zitat bzw. eine Erwähnung belegten ist unbekannt. Erhalten sind nur wenige E. ganz, von zahlreichen haben wir Fragmente (systematisch bisher nur für die Zeit bis ca. 400 v. Chr. gesammelt: [1; 5]; zu den für die ant. und moderne Literaturgesch. bedeutsamsten vgl. die Tabelle. Die Entwicklungsgesch. des E. hat ihren Dreh- und Angelpunkt in Homer: Einerseits ist die gesamte griech., lat. und neuzeitliche E.-Produktion im direkten oder indirekten Bezug auf Homer entstanden, andererseits stellt Homer den End- und Höhepunkt einer E.-Entwicklung dar, die nur aus ihm rekonstruierbar ist.

1. VORLITERARISCHE PHASE (REKONSTRUIERT)

K. WITTE hatte 1913 im RE-Artikel »Homeros« [53. 2214] als Resümee der deutschsprachigen Forschungstradition seit F. A. WOLF (v. a. [6; 8; 14]) festgestellt, daß die Sprache der homer. Gedichte eine ›Schöpfung des ep. Verses‹ sei. Damit war Homer in eine Tradition hexametrischen Dichtens hineingestellt, deren Hauptkennzeichen die mündliche Improvisationstechnik war [22. 25–44]. M. PARRY suchte diese Technik systematisch zu rekonstruieren [22. 10f.; 41. XXII]. Die Fortführung seiner zw. 1928 und 1937 publizierten Unt. zur Formelhaftigkeit der ep. »Kunstsprache« [35] und zu der daraus zu erschließenden Improvisationstechnik der schriftlosen vorhomer. griech. Sänger- (→ Aoiden-) Dichtung hat nach einer längeren Phase typologischer (»horizontaler«) *oral poetry*-Komparatistik (vgl. 2; 4; 9; 22; 35]) seit den achtziger Jahren immer konkreter werdende Rekonstruktionsergebnisse erbracht:

(a) Der Improvisationsvorgang wurde hypothetisch veranschaulicht durch E. VISSER [48] (der improvisierende Sänger verfertigt den einzelnen Hexameter im intuitiv ablaufenden Zusammenspiel von Determinanten, Variablen und freien Ergänzungen; Kurzdarstellung von VISSERS Systemrekonstruktion: [28]). (b) Das Alter dieser Technik konnte durch sprachwiss. Analyse der homer. Hexameter-Diktion unter Einbeziehung der in Linear B-Texten faßbaren sog. »mykenischen« Phase der griech. Sprache, in konsequenter Weiterentwicklung der bei [32, 25–34] registrierten Forschungsansätze, bis mdst. ins 16. Jh. v. Chr. zurückverfolgt werden (die Linear B-Schrift als solche hatte auf die Sänger und ihre Technik keinen Einfluß; zu der anzunehmenden gemein-idg. vorausgegangenen Heldendichtung mit ihrer noch bei Homer erkennbaren Grundtönung aristokratischer Ruhm-Ideologie s. bes. [3; 7; 46; 50. 152–156]).

In den zusammenfassend systematisierenden Arbeiten insbes. von M. L. WEST [50], C. J. RUIJGH [45] und G. HORROCKS [17] werden diese Schlußfolgerungen, die auf mikroskopisch genauen Einzel-Analysen zahlreicher Forscher beruhen und seit Beginn der neunziger Jahre konsensfähig geworden sind (vgl. z. B. [20]), v. a. mit folgenden Erkenntnissen belegt (wobei die sprachwiss. Argumentation meist durch die kulturhistor. unterstützt wird):

(a) Die sog. Tmesis (ἀπὸ θυμὸν ὄλεσσεν, πρὸς μῦθον ἔειπεν) ist idg. Erbteil (belegt auch im Vedischen), in den Linear B-Texten aber bereits überholt [16; 50. 156]. (b) Die Wiedereinsetzung des idg. als Kürze gemessenen silbischen /r̥/ (r̥) anstelle des in unseren Homertexten stehenden -(δ)ρο- in Wortformen wie (Ἐνυαλίωι) ἀνδρειφόντηι (ἀνδροφόντηι) oder ἀνδροτῆτ(α) macht unmetrische Verse bzw. Vers-Teile wieder metrisch: *anr̥ᵛ͏hóntai* bzw. *anr̥tat'*; da silb. /r̥/ in Linear B bereits zu ρο oder ορ geworden ist (z. B. *to-pe-za* τόρπεζα), stammen Verse wie (Μηριόνης ἀτάλαντος) Ἐνυαλίωι ἀνδρειφόντηι = (*Māriónās ḫatálantos) Enūwalíōi anr̥ᵛʰóntāi* bzw.

Das antike Epos: Bestand[1]   * = ganz erhalten; *f* = Fragmente erhalten; † = verloren

A. Das griechische Epos der archaischen Zeit

I. Das erzählende (narrative) Helden-Epos (Heroic Poetry) (8.–6. Jh. v. Chr.)
1. Der Troische Epenkreis
   a. *Homer: *Ilias*
   b. *Homer: *Odyssee*
   c. [Diverse Verf.]: *Der epische Kyklos* (*f*)
2. Der Thebanische Epenkreis (*f*):
   Epen mit Titel *Thebais, Oidipodeia, Epigonoi* u.ä.
3. Herakles-Epik (*f*)
   genannt werden u.a.:
   Peisandros von Kameiros;
   Kinaithon; Konon; Demodokos; Diotimos;
   Phaidimos; Pisinos; Minyas
4. Argonauten-Epik (*f*): Epimenides u.a.
5. Theseus-Epik (und andere Stoffe) (*f*)

II. Das preisende religiöse/kultische Epos
1. Die sog. *Homerischen Hymnen*
   (7./6. Jh. und später)
2. Delphische Orakelpoesie (seit dem 8. Jh.) (*f*)

III. Das erklärende Sach-Epos
1. Lebenspraktische Epik (7./6. Jh.)
   a. *Hesiodos: *Erga kai hemerai* (›Werke und Tage‹)
   b. Phokylides: *Gnomai* (*f*)
2. Spekulative Welterklärungs-Epik
   a. Kosmogonische/theogonische Epik (7./6. Jh.)
   *Hesiodos: *Theogonia* (›Theogonie‹);
   Epimenides (*f*); Abaris (*f*) u.a.
   b. Genealogische/historische Epik (7./6. Jh.) (*f*)
   Ps.-Hesiodos: *Katalogoi, Phoronis*
   Eumelos von Korinth: *Korinthiaka*
   Hegesinos: *Atthis*
   Aristeas: *Arimaspoi* u.a.
   c. Philosophische Epik (um 500) (*f*)
   Xenophanes von Kolophon; Parmenides von Elea;
   Empedokles von Elea (→Lucretius)

IV. Das parodische Epos
   Margites (›Der Kindskopf‹) (*f*)
   (Hexameter und iambische Trimeter) (7./6. Jh.)

B. Die Wiederbelebung des archaischen Epos in der klassischen Zeit

I. Das Helden-Epos
1. Panyassis von Halikarnassos: *Herakleia* (ca. 470) (*f*)
2. Antimachos von Kolophon: *Thebais* (um 400) (*f*)

II. Das religiöse/kultische Epos
1. Antimachos von Kolophon: *Artemis* (um 400) (†)
2. Delphische Orakelpoesie (*f*)

III. Das Sach-Epos
1. Historische Epik[2]
   Choirilos von Samos: *Persika* (um 400) (*f*)
2. Das sog. Lehrgedicht
   Archestratos von Gela: *Hedypatheia* (um 350) (*f*)
   (→Ennius: *Hedyphagetica*)

C. Das griechische Epos der hellenistischen Zeit

I. Das Helden-Epos
   *Apollonios von Rhodos: *Argonautika*
   (›Argonauten-Geschichten‹) (ca. 260 v. Chr.)

II. Das religiöse/kultische Epos
   (*Kallimachos: ›Hymnen‹) (ca. 260 v. Chr.)

III. Das Sach-Epos
1. Das historische/lokalhistorische Epos[2]
   a. Euphorion von Chalkis (um 250 v. Chr.):
   Gründungs-Epen
   b. Rhianos von Bene (um 220 v. Chr.): *Achaika, Eliaka, Thessalika, Messeniaka* (*f*)
   c. Nikandros von Kolophon (um 200 v. Chr.):
   Regionalgeschichts-Epen (*f*)
2. Das sog. Lehrgedicht
   a. *Aratos von Soloi: *Phainomena*
   (›Die Himmelserscheinungen‹) (um 250 v. Chr.)
   (→Cicero: *Aratea*; Germanicus; Manilius)

   b. Ähnliche Stoffe:
   Numenios: *Halieutikon* (um 250 v. Chr.) (*f*)
   Eratosthenes: *Hermes* (um 220 v. Chr.) (*f*)
   Pankrates: *Halieutika* (*f*)
   Boios: *Ornithogonia* (*f*)
   Alexandros Lychnos: *Phainomena* (1. Jh.)
   (u.v.a.) (*f*)
   c. Nikandros von Kolophon (um 200 v. Chr.):
   *Theriaka, *Alexipharmaka, Heteroiumena* (*f*),
   Georgika (*f*) (→Vergil)

IV. Das mythologisch-idyllische Epos (Epyllion)
   (→röm. Neoterik)
1. Kallimachos: *Hekale* (um 260 v. Chr.) (*f*)
2. *Theokrit: *Eidyllia* (z.B. *Hylas*) (3. Jh. v. Chr.)
3. *Bion von Smyrna: *Adonis*
   (›Totenklage auf Adonis‹) (gegen 200 v. Chr.)
4. *Moschos von Syrakus: *Europe* (1. Jh. v. Chr.)

V. Das parodische Epos
   Batrachomyomachia (›Der Froschmäusekrieg‹)

D. Das lateinische Epos der republikanischen Zeit

I. Die Rezeption des griechischen Helden-Epos

(←Homer)

1. Livius Andronicus: *Odusia* (gegen 200 v. Chr.) (*f*)
2. Cn. Naevius: *Bellum Punicum* (z.T.) (um 200 v. Chr.) (*f*)

II. Die Rezeption des griechischen Sach-Epos

1. Das philosophische Epos
* Lucretius: *De rerum natura* (vor 55 v. Chr.)
   (←Empedokles)
2. Das historische Epos[2]
   a. Naevius (um 200 v. Chr.): *Bellum Punicum* (*f*)
   b. Ennius (bis ca. 170 v. Chr.): *Annales* (*f*)
3. Das sog. Lehrgedicht: Cicero: *Aratea* (u.a.)
   (1. Jh. v. Chr.) (*f*)

E. Das lateinische und griechische Epos der Kaiserzeit

I. Die Rezeption des griechischen Helden-Epos

*Vergil: *Aeneis* (29-19 v. Chr.)

II. Die Rezeption des griechischen Sach-Epos

1. *Vergil: *Georgica* (›Landwirtschaft‹) (37-29 v. Chr.)
2. *Ovid: ›Metamorphosen‹ (vor 8 n. Chr.)
3. *Manilius: *Astronomica* (um 10 n. Chr.)

III. Die Reproduktion des griechischen Helden-Epos

1. Ptolemaios Chennos (†); Skopelianos (†);
   Peisandros von Laranda (†); Soterichos (†)
2. *Valerius Flaccus: *Argonautica* (um 80 n. Chr.)
3. Papinius Statius: *Thebais, Achilleis* (*f*) (bis 90 n. Chr.)
4. *Quintus Smyrnaeus: *Posthomerica* (griech.) (3. Jh. n. Chr.)
5. *Triphiodoros: *Iliu Halosis* (griech.)
   (›Die Einnahme Troias‹) (um 300 n. Chr.)
6. *Claudianus: *Gigantomachia* (griech.),
   De raptu Proserpinae (lat.)
   (›Der Raub der Proserpina‹) (um 400 n. Chr.)
7. *Nonnos: *Dionysiaka* (griech.) (5. Jh. n. Chr.)
8. *Ps.-Orpheus: *Argonautika* (griech.) (um 500 n. Chr.)
9. *Kolluthos: *Harpage Helenes* (*f*)
   (›Der Raub der Helena‹) (um 500 n. Chr.)

IV. Die Reproduktion des hellenistischen Sach-Epos

1. Grattius: *Cynegetica* (1. Jh. n. Chr.) (*f*)
2. *Dionysios Perihegetes: *Perihegesis tes Oikumenes* (griech.)
   (›Beschreibung der Erde‹) (124 n. Chr.)
3. *Oppianos von Kilikien: *Halieutika* (griech.) (um 180 n. Chr.)
4. *Oppianos von Apamea: *Kynegetika* (*Ixeutika*?) (griech.)
   (um 215 n. Chr.)
5. Nemesianus, *Cynegetica* (gegen 300 n. Chr.) (*f*)
6. *Terentianus Maurus: *De litteris, De syllabis,
   De metris* (um 300 n. Chr.)
7. *Avienus: *Phainomena* (gegen 400 n. Chr.)
8. *Ps.-Orpheus: *Lithika* (griech.) (4. Jh. n. Chr.)

V. Die Aktualisierung der Geschichts-Epik

1. [*Vergil: *Aeneis*]
2. *Lucanus: *Pharsalia* (›Bürgerkrieg‹) (vor 65 n. Chr.)
3. *Silius Italicus: *Punica*
   (›Der 2. Punische Krieg‹) (vor 100 n. Chr.)
4. *Claudianus: *De bello Gothico,
   De bello Gildonico* (um 400 n. Chr.)
5. *Corippus: *Iohannis* (6. Jh. n. Chr.)

VI. Die Rezeption des hellenistischen (mythologisch-) idyllischen Epos

[1. *Vergil: *Bucolica* (42-39 v. Chr.)]
2. *Appendix Vergiliana
   (*Culex, Ciris, Moretum, Dirae, Copa*)
3. *Ausonius: *Mosella* (›Die Mosel‹) (um 370 n. Chr.)
4. *Musaios: ›Hero und Leander‹ (griech.)
   (um 450 n. Chr.)

VII. Die Rezeption des religiösen/kultischen Epos

1. *Proklos: (philosophische) Hymnen (griech.)
   (5. Jh. n. Chr.)
2. *Das christliche Epos
   Iuvencus; Proba; Heptateuchdichter;
   Nonnos: *Metabole* (= Johannes-Evangelium) (griech.);
   Eudokia (griech.);
   Prudentius: *Apotheosis, Hamartigenia,
   Psychomachia, Contra Symmachum*;
   Avitus; Sedulius; Arator

---

[1] Griech. Werktitel erscheinen in lat. Transkription;
sie sind im Zweifelsfalle als (*griech.*) gekennzeichnet.

[2] Das mit Choirilos beginnende *historische Epos* wird hier nicht dem narrativen, sondern dem *Sach*-Epos zugerechnet, da es nicht eine *Geschichte* (μῦθος) erzählt, sondern Aktivitäten oder Ereignis-Agglutinationen aneinanderreiht, die von sich her keine einheitliche, auf ein Ziel zulaufende *Handlung* (μία πρᾶξις) ergeben (Aristot. poet. 1451a19 bzw. 1459a28); es ist also in der Regel versifizierte Historie (Überblendungen, Mischungen usw. sind natürlich möglich; prominentestes Beispiel: Vergils *Aeneis*).

(ὃν πότμον γοόωσα,) λιποῦσ' ἀνδροτῆτα καὶ ἥβην = (hwón pótmon gawáonśa,) liqʷónś anr̥tắt' ide yégʷān aus der vormyk. (proto-myk.) Phase der griech. Hexameterdichtung ([44. 163; 50. 158]; [45. 90] mit wichtiger Modifikation; [17. 202f.; 51. 229, 234].

(c) Die Wiedereinsetzung des in Linear B noch vorhandenen anlautenden Konsonanten /h/ in unmetrische Formeln wie (Διὶ) μῆτιν ἀτάλαντος bewirkt metrische Regularität: (Diweí) mētim hatálantos (aus sm-tálantos »ebensoviel wiegend«; mit im Myk. bezeugter Kasusform) [50. 157; 45. 77f.]).

(d) Prosodisch prekäre und funktional schwer durchschaubare homer. Titel-Formeln wie βίη Ἡρακληείη, ἱερὴ ἲς Τηλεμάχοιο können durch Restitution (Ϝ, h) normalisiert werden zu gʷía Hēraklewehéjja, hierā wīs Tēlemáchojjo u.ä., wie sie für das Hofzeremoniell mediterraner Palastkulturen des 2. Jt. v.Chr. als lebendige Hierarchie-Abgrenzungen eines aristokratischen »Titulars« vorauszusetzen sind ([50. 158 mit Anm. 55; 45. 82f.]: Sa Majesté, Son Altesse Royale usw.; vgl. JANKO [20. 12]: ἱερὸν μένος Ἀλκινόοιο etwa His Royal Highness). Für die zahlreichen weiteren beweiskräftigen sprachlichen und inhaltlichen Argumente muß auf die zitierte Lit. verwiesen werden.

Auf die so erschließbare vormyk. und myk. Phase mündlicher Hexameterdichtung folgte in den »Dunklen Jahrhunderten« eine im einzelnen z.Z. noch diskutierte Phase der Dialektmischung, aus der uns bes. gut der ion. und der aiol. Traditionsstrang kenntlich sind – wobei Versende-Formeln wie Ἴλιος ἱρή / προτὶ Ἴλιον ἱρήν (je fünf Mal in der Ilias) belegen, daß ›Aeolic bards were already singing tales about a war at Troy‹ [20. 19] (boiotische, euboiische und einzelne dor. Einsprengsel scheinen aber ein nicht nur aiol., sondern panhellenisches Weiterleben der Sangestradition zu belegen; dazu [50. 165–168; 54. 173], ähnlich [29; 31]). Den für uns einzig greifbaren Endpunkt der Entwicklung stellt → Homer dar.

2. GRIECHISCHE LITERATUR (VON HOMER BIS NONNOS)

Vitalitätsphase. Kraft seiner auf improvisierender Mündlichkeit beruhenden direkten Publikumsbeziehung war der E.-Vortrag des Sängers von den Anfängen bis zu Homer eine trotz Formelgebrauchs und Typizität jedesmal wieder originäre und damit lebendige Kunstübung und -schöpfung (beste Veranschaulichung: [33]). Mit der Übernahme des Alphabets um 800 (→ Alphabet II) und seinem (heute von der Mehrzahl der Forscher vorausgesetzten) Einsatz auch für lit. Zwecke kann die bis dahin nur fließend existierende Gattung erstmals fixiert werden. Die Nutzung dieser neuen technischen Möglichkeit, die Bestandteil eines umfassenden Innovationsschubs im Rahmen des allg. geistigen Aufbruchs der »Renaissance des 8. Jh.« ist [11; 23. 68–73; 30. 52–56; 42. 205–256], führt zur Entstehung der homer. Großepen *Ilias* und *Odyssee*: Ihr Dichter repräsentiert eine Übergangsgeneration innerhalb der alten Aoidenzunft, die noch mit der alten Mündlichkeitstechnik

großgeworden ist, aber die Chancen einer schriftlichen Kompositionstechnik erkennt und beide Formen in einer Mischtechnik miteinander verschmilzt; gleichzeitig setzt er, den veränderten Zeitgeist im Zuge der »strukturellen Revolution« [47] der Ges. repräsentierend, an die Stelle der alten Rühmungsfunktion des Adelsepos eine die überlieferten Geschichten aktuell ausdeutende Problematisierungsfunktion [26; 29]. Durch diese zugleich technische und funktionale Neuformung der Gattung erreicht der (bzw. erreichen die) intellektuell und künstlerisch offenbar herausragende(n) Verf. dieser beiden E. eine qualitative Höhe, die innerhalb der Gattungsgesch. singulär bleibt und seinem (ihrem) Œuvre daher Kanonizität sichert [15]. Eine (wenn auch anders fundierte) Vitalität, wie sie diese beiden narrativen E. ausstrahlen, weisen – wenngleich technisch bereits schriftlichkeitsbestimmt – aufgrund ihrer »Existentialfunktion« ([13. 19] in einer allg. E.-Theorie) auch noch die Weltanschauungsepen des → Hesiodos, die ältesten → Homer. Hymnen und die missionierenden philos. E. des → Parmenides und → Empedokles auf (bei Hesiod herrscht bereits eine ›oralità di reflesso‹ vor [43. 178; 26. 13], die Hymnendichter und Dichterphilosophen arbeiten zunehmend dicht – d.h. ohne das für mündliche Diktion unerläßliche Lückenfüll-Strauchwerk – und artifiziell).

Die Vitalitätsphase wird zunächst durch eine *Komplettierungsphase* abgelöst, die für uns v.a. durch die E. des → Epischen Kyklos repräsentiert wird, z.T. auch durch die ps.-hesiodeische *Aspis* (ca. 570: [19; 20. 14]): die Sagenkreis-»Lücken« vor der Ilias, zw. Ilias und Odyssee und nach der Odyssee werden »zugedichtet«, in Ilias und Odyssee nur angedeutete nicht-troische Sagenkreise »nacherzählt« (Theben-, Herakles-, Argonauten-, Theseus- u.a. Epen). Gleichzeitig beginnt die »Multifunktionalisierung« der hexametrischen Form und Diktion: Die Gattung wird zum Transportmittel für alle möglichen Inhalte und Zwecke (s.o. unter II. A).

Auf die anschließende Phase der *versuchten Revitalisierung* (→ Panyassis; Antimachos; Choirilos) in der klass. Zeit des 5. Jh., die angesichts der Konkurrenz vitaler Formen wie Drama und Geschichtsschreibung erfolglos bleiben muß, folgt im Hellenismus eine *Renaissance* der Form durch reflektiert artistische Transformation in → Epyllion (Kallimachos, Theokrit u.a.), Idyllik (Theokrit), historiographische Nutzung (Rhianos u.a.) und → Lehrgedicht (Nikandros u.a.); künstlerische Perfektion und Gelehrsamkeit verbinden sich in diesen imitatorischen Produktionen zu einer in den poetologisch fundierten Fällen (Kallimachos, Theokrit, Apollonios von Rhodos) brillanten, in den naiv ambitiösen Fällen (bes. Nikandros) enervierenden Virtuosität.

Die letztgenannte negative Entwicklung setzt sich in den vorwiegend *reproduktiven* Hervorbringungen der Kaiserzeit fort, bei denen ein Großteil der Energie wegen des schon im Hell. einsetzenden Umschlags der quantitierenden in die akzentuierende Metrik, des Verlusts der Dichronie langer Silben und des → Itazismus auf die Vermeidung von Fehlern verwandt wird [18. 87–119]: Die Gesch. des lebendigen griech. E. war bereits mit den Alexandrinern zu Ende gegangen.

Zur direkten und indirekten Nachwirkung des griech. (und lat.) E. in den neuzeitl. Epen und Poetiken s. vorläufig [25] (mit tabellarischen Überblicken).

1 A. BERNABÉ (Hrsg.), Poetae epici Graeci. Testimonia et fragmenta. Pars I, 1987. ²1996 **2** C. M. BOWRA, Heroic Poetry, 1952 (= Heldendichtung, 1964) **3** E. CAMPANILE, Ricerche di cultura poetica indoeuropea, 1977 **4** H. M. und N. K. CHADWICK, The Growth of Literature, 1932–1940 **5** M. DAVIES (Hrsg.), Epicorum Graecorum fragmenta, 1988 **6** H. DÜNTZER, Über den Einfluß des Metrums auf den Homer. Ausdruck, 1864, in: [22], 88–108 **7** M. DURANTE, Sulla preistoria della tradizione poetica greca, II, 1976 **8** J. E. ELLENDT, Einiges über den Einfluß des Metrums auf den Gebrauch von Wortformen und Wortverbindungen im Homer, 1861, in: [22], 60–87 **9** J. M. FOLEY, The Theory of Oral Composition. History and Methodology, 1988 **10** G. GENETTE, Die Erzählung, 1994 **11** R. HÄGG (Hrsg.), The Greek Renaissance of the Eighth Century B. C.: Tradition and Innovation, 1983 **12** J. B. HAINSWORTH, The Idea of Epic, 1991 **13** A. T. HATTO, Eine allg. Theorie der Heldenepik, 1991 **14** G. HERMANN, De iteratis apud Homerum, 1840 = Über die Wiederholungen bei Homer, in: [22], 47–59 **15** U. HÖLSCHER, Über die Kanonizität Homers, in: Ders., Das nächste Fremde, 1994, 62–70 **16** G. HORROCKS, The Antiquity of the Greek Epic Tradition: Some New Evidence, in: PCPhS 26, 1980, 1–11 **17** Ders., Homer's Dialect, in: [38], 193–217 **18** H. HUNGER, Die hochsprachliche profane Lit. der Byzantiner, in: ByzHdb V 2, 1978 (= HdbA XII 5,2) **19** R. JANKO, Homer, Hesiod and the Hymns, 1982 **20** R. JANKO, The origins and evolution of the epic diction, in: Ders., The Iliad: A Commentary, Vol. IV, 1992, 8–19 **21** S. KOSTER, Ant. Epostheorien, 1970 **22** J. LATACZ (Hrsg.), Homer. Tradition und Neuerung (WdF 463), 1979 **23** Ders., Homer. Eine Einführung, 1985 (= Homer. Der erste Dichter des Abendlands, ³1997) **24** Ders. (Hrsg.), Zweihundert Jahre Homer-Forschung. Rückblick und Ausblick, 1991 **25** Ders., Hauptfunktionen des ant. E. in Ant. und Moderne, in: [27], 257–279 **26** Ders., Hauptfunktionen des ant. E. in Ant. und Moderne (Neufassung), in: AU 34(3), 1991, 8–17 **27** Ders., Erschließung der Ant., 1994 **28** Ders., Neuere Erkenntnisse zur ep. Versifikationstechnik, in: [27], 235–255 **29** Ders., Between Troy and Homer. The So-Called Dark Ages in Greece, in: Storia, Poesia e Pensiero nel Mondo Antico. Studi in onore di Marcello Gigante, 1994, 347–363 **30** Ders., Homer. His Art and His World, 1996 **31** Ders., Troia und Homer. Neue Erkenntnisse und neue Perspektiven, in: H. D. GALTER (Hrsg.), Troia (Grazer Morgenländische Studien 4), 1997, 1–42 **32** A. LESKY, s. v. Homeros, RE Suppl. 11, 687–846 **33** A. B. LORD, The Singer of Tales, 1960 (= Der Sänger erzählt. Wie ein Epos entsteht, 1965) **34** A. MEILLET, Les Origines indo-européennes des Mètres grecs, 1923 **35** K. MEISTER, Die homer. Kunstsprache, 1921 **36** M. N. NAGLER, Spontaneity and Tradition: A Study in the Oral Art of Homer, 1974 **37** G. NAGY, Comparative Studies in Greek and Indic Meter, 1974 **38** A New Companion to Homer, ed. by I. MORRIS, B. POWELL, 1997 **39** Oralità. Cultura, Letteratura, Discorso, a cura di B. GENTILI, G. PAIONI, 1985 **40** M. PARRY, L' Épithète traditionnelle dans Homère, Diss. 1928 **41** A. PARRY (Hrsg.), The Collected Papers of Milman Parry, 1971 **42** K. A. RAAFLAUB, Homer und die Geschichte des 8. Jh. v. Chr., in: [24], 205–256 **43** L. E. ROSSI, I poemi omerici come testimonianza di poesia orale, in: Storia e Civiltà dei Greci. I, 1978, 73–147 **44** C. J. RUIJGH, Le mycénien et Homère, in: A. MORPURGO DAVIES, Y. DUHOUX (Hrsg.), Linear B: A 1984 survey, 1985, 143–190 **45** Ders., D'Homère aux origines proto-mycéniennes de la tradition épique, in: J. P. CRIELAARD (Hrsg.), Homeric Questions, 1995, 1–96 **46** R. SCHMITT, Dichtung und Dichtersprache in idg. Zeit, 1967 **47** A. M. SNODGRASS, Archaic Greece: The Age of Experiment, 1980 **48** E. VISSER, Homer. Versifikationstechnik. Versuch einer Rekonstruktion, 1987 **49** Ders., Formulae or Single Words? Towards a new theory on Homeric verse-making, in: WJA 14, 1988, 21–37 **50** M. L. WEST, The rise of the Greek epic, in: JHS 108, 1988, 151–172 **51** Ders., Homer's Meter, in: [38], 218–237 **52** P. WATHELET, Les traits éoliens dans la langue de l'épopée grecque, 1970 **53** K. WITTE, s. v. Homeros (B. Sprache), RE 8, 2213–2247 **54** W. F. WYATT, Homer's linguistic forebears, in: JHS 112, 1992, 168–173.   J. L.

3. RÖMISCHE LITERATUR
A. REPUBLIK   B. AUGUSTEISCHE ZEIT UND ERSTES JAHRHUNDERT N. CHR.
C. MYTHOLOGISCHE EPEN DER PRINZIPATSZEIT
D. HISTORISCHE EPEN DER PRINZIPATSZEIT
E. ZWEITES JAHRHUNDERT BIS SPÄTANTIKE

A. REPUBLIK

Das erste E. in lat. Sprache war die Übers. der ›Odyssee‹ durch → Livius Andronicus im saturnischen Versmaß. Schon hier kann der erhabene, feierliche, von Archaismen gekennzeichnete Stil beobachtet werden, der für das röm. E. charakteristisch wurde [1. 603]. Darauf folgte das *Bellum Poenicum* des Cn. → Naevius, ebenfalls in Saturniern. Es handelte vom 1. Punischen Krieg, an dem der Dichter selbst teilgenommen hatte, vereinigte damit aber auch einen Bericht der Gründung Roms von Troia aus und nahm so gewissermaßen Vergil vorweg, indem es eine auf den troianischen Krieg folgende Irrfahrtengeschichte (wie die Odyssee) mit einem Kriegsepos (wie der Ilias) verband. Naevius wandte wahrscheinlich traditionelle epische *loci* an (fr. 10 MOREL scheint aus einer Schildbeschreibung zu stammen [2]; → Ekphrasis) und begründete das E. als Medium für ein nationales Gefühl histor. und kosmischer Bestimmung [3]. Im polit. zerstückelten Griechenland hatte nur → Homer als Träger nationaler Selbstdarstellung gedient (vgl. II. B.2.); Ennius und später Vergil beeinflußten als Schulautoren ihre Nationalkultur wie Homer die griech. Die meisten röm. Epiker (Naevius, Ennius, Vergil, Lucanus) brachten Fragen von aktueller Bed. zur Sprache und schlugen einen patriotischeren Ton an als ihre griech. Vorgänger.

→ Ennius behandelte mit seinen *Annales* die röm. Gesch. von der Gründung Roms durch Troianer bis zu seiner Gegenwart. Den 1. Punischen Krieg, der schon von Naevius geschildert worden war, stellte er nur kurz dar. Ennius gab dem E. eine neue Richtung, indem er zum einen den Hexameter dafür aus Griechenland importierte – dieser etablierte sich als Standardversmaß der Gattung – und zum anderen die *Annales* in Büchern verfaßte, die in Dreiergruppen ein Strukturgerüst bildeten [4. 5]. Das Werk scheint in drei Teilen, jeweils mit einem persönlich gefärbten Prolog, publiziert worden zu sein (1–6, 7–15, 16–18). Im Proömium zu B.1 stellt sich Ennius als wiedergeborener Homer dar, und die Eröffnungen der ersten, dritten und vierten Triade spielen auf die griech. Musen, nicht auf die von seinen Vorgängern angerufenen ital. → Camenae an (fr. 322 SK. *insece Musa* steht in direktem Gegensatz zu Livius Andronicus fr. 1 *Camena insece*). Ebenso bezieht er sich auf sein Werk als *poema* (fr. 12 SK.) und auf sich selbst (wie Homer, fr. 3 SK.) als *poeta*, beides griech. Ausdrücke, während seine Vorgänger *vates* (fr. 207) waren, die *carmina* schrieben. Das Werk des Ennius wurde zu Recht wegen seiner sprachlichen und gedanklichen Erhabenheit bewundert, litt aber an mangelnder Einheit und stilistischen Unstimmigkeiten. Die Übernahme des homer. Götterapparates und dessen Anwendung auf nahezu zeitgenössische Ereignisse – ein von Demosthenes in bezug auf das histor. E. erkanntes Problem (Epitaphion 9) – ergeben ein unharmonisches Nebeneinander: So läßt er Iuppiter und Iuno während des 2. Punischen Krieges im Zwiegespräch auftreten (8,15–16), weitere derartige Beispiele fehlen jedoch in den Fragmenten.

Unter dem Einfluß von Ennius wurde das E. des Livius Andronicus in Hexameter umgeschrieben [5. 60] und in Bücher eingeteilt (für die homer. Gedichte nahm diese Einteilung augenscheinlich → Aristarchos [4] vor, nach der Zeit des Livius Andronicus). Auch das E. des Naevius wurde von → Octavius Lampadio in der Mitte des 2. Jh. v.Chr. in Bücher eingeteilt (Suet. gramm. 2,4). Die Tradition des Livius Andronicus lebte fort in – jetzt hexametrischen – Übers. Homers und anderer griech. E.: → Matius [6. 99], → Ninnius Crassus [6. 107], vielleicht auch Attius Labeo im 1. Jh. n.Chr. [6. 350] übersetzten die *Ilias* (vgl. auch ihre kurze Zusammenfassung in der → *Ilias Latina*, die im MA ein wichtiges Schulbuch wurde), ein gewisser Naevius [6. 108] die → *Kypria*, und P. Terentius → Varro die *Argonautica* des → Apollonios [2] Rhodios [6. 238].

Ein histor. E. namens *Bellum Histricum* (vermutlich über einen Feldzug des C. → Sempronius Tuditanus 129 v.Chr.) wurde von → Hostius verfaßt. Es entsprach wahrscheinlich dem in der hell. Dichtung verbreiteten Typus von E. [7. 16] (der vielleicht mehr panegyrisch als ep. war [17. Kap. 10]). Vermutlich gab es persönliche Verbindungen zwischen Hostius und Tuditanus, ähnlich wie zwischen M. Fulvius Nobilior und Ennius, der dessen aitolischen Feldzug in ann. 15 pries. Möglicherweise schrieb A. → Furius Antias ein ähnliches E. über den Kimbernfeldzug des Q. → Lutatius Catulus [6. 97]. P. → Varro (Atacinus) verfaßte ein *Bellum Sequanicum* über Caesars Feldzug von 58 v.Chr. [6. 238], und M. → Furius Bibaculus die *Annales Belli Gallici* [6. 195], wahr-

scheinlich ebenfalls über Caesars Krieg. Die Beschaffenheit der *Annales* des → Accius ist unsicher [6. 60]. Diesem panegyrisch-histor. E.-Typ gab → Cicero eine autobiographische Wendung in seinem *De consulatu suo* [6. 156] sowie in seinem *De temporibus suis* [6. 173] über seine Verbannung und Rückkehr, das, soweit bekannt, nie vollendet oder veröffentlicht wurde. Er schrieb auch einen *Marius* [6. 174], wahrscheinlich – nach seiner eigenen Rückkehr aus dem Exil? – über die Verbannung und Rückkehr des Marius. Bei diesen Gedichten ist bemerkenswert, daß Cicero gern histor. Tatsachen an seine lit. Absichten anpaßte [6. 157, 178], wie es spätere Autoren histor. E. taten. Der myth. Apparat ist hier, wo er der Selbstverherrlichung dient, noch unpassender als bei Ennius. Für die Entwicklung des Hexameters ist Cicero bes. wichtig [6. 150].

Zu Zeiten der Republik wurden E. über Themen der griech. Myth., abgesehen von Übers., nur in Form des → »Epyllions« (ein moderner Ausdruck), d.h. eines Miniatur-E. von etwa 400–500 V. verfaßt. Zu solchen Gedichten zählen → Catulls carm. 64, die *Io* des C. → Licinius Calvus, die *Zmyrna* des → Helvius Cinna und, vielleicht als allerfrühestes, die *Alcyones* Ciceros [6. 152]; ein spätes (nachovidisches) Exemplar dieser Gattung ist die → *Ciris*. Catulls carm. 95 betont den Gegensatz zwischen solchen Werken und dicken *Annales*. Das Epyllion trug viel zu einem ausgeprägteren Bewußtsein von Kunstfertigkeit und Struktur und zu einem Interesse an der Darstellung von *páthos* (Emotionen) bei. Es war meist durch einen komplexen Aufbau gekennzeichnet, der die Einfügung einer sekundären Erzählung (von Verg. ecl. 6,45–60 subtil nachgeahmt) und ein Interesse an Metamorphosen enthielt.

B. Augusteische Zeit und erstes Jahrhundert n. Chr.

→ Ovids ›Metamorphosen‹ stellen in gewisser Hinsicht eine Sammlung solcher Epyllia dar und müssen in Anlehnung an → Nikandros' *Heteroiumena* gestaltet worden sein. Sie gehören zum Typ des Kollektivgedichts, das letztendlich auf Hesiod zurückgeht und eine Reihe unterschiedlicher Einzelerzählungen (etwa 250 bei Ovid) unter einem umfassenden Gesichtspunkt behandelt. Diesen Typ hatten in Rom vorher nur die *Ornithogonia* des → Aemilius Macer vertreten. Ovid nennt seine ›Metamorphosen‹ ein *perpetuum carmen* (1,4). Zusammengehalten wird es von einem überwiegend chronologischen Rahmen, der von der Erschaffung der Welt bis zur Erscheinung von Iulius → Caesar als Komet am Himmel führt. Einer der bedeutenden Aspekte dieses Werkes ist die Intention, durch eine Reihe von *Aitia* zu zeigen, wie die Dinge der natürlichen Welt durch Gestaltwandel entstanden. Die Rede des Pythagoras (B.15) gibt eine philos. Grundlage für den Prozeß des ewigen Flusses. Die Schluß-B. bringen die Erzählung immer näher an It. heran und überschneiden sich mit dem Stoff der Aeneis. Die Kontinuität wird auch durch die gleitenden Übergänge sowohl zwischen den Erzählungen als auch den Büchern betont. Die Erzählungen haben oft erotische oder humorvolle Akzente – erstere ein Erbe des Epyllions, letztere ein persönliches Charakteristikum Ovids. Der Höhepunkt des röm. E. war bereits eine Generation früher in der *Aeneis* → Vergils erreicht worden, der zuvor (georg. 3,1–48) ein panegyrisches E. auf Augustus angekündigt hatte. Die *Aeneis* hat zwar die auch von Naevius und Ennius berichtete Flucht aus Troia nach It. zum Thema, behandelt diese jedoch völlig anders: (1) Indem Vergil durch Ankündigungen und Prophezeiungen eine Übersicht und Deutung der gesamten röm. Gesch. bis zum – als Höhepunkt dargestellten – Augusteischen Zeitalter bietet, verherrlicht er Augustus sehr viel wirksamer, als es eine panegyrische Dichtung ermöglicht hätte. Man kann situative Parallelen z.B. zwischen Augustus und Aeneas feststellen (bes. in B. 8), doch ist das Werk keine → allegorische Dichtung. Das Abbild röm. Tugenden, die Naevius und Ennius an einer Folge histor. Persönlichkeiten demonstriert hatten, konzentrierte Vergil in einer beispielhaften Symbolfigur. Dies ist Reflex auf den Übergang zum Prinzipat mit seiner Betonung des einen *princeps*. Die röm. Herrschaft wird als vom *fatum* bestimmt dargestellt, das mit Iuppiters Sprüchen identisch ist. (2) Viele verbale und situative Ähnlichkeiten [8] stellen eine Art Dialog mit dem homer. E. dar, dessen Ethos des heroischen Selbstbewußtseins die *Aeneis* durch das Pflichtgefühl gegenüber der Gemeinschaft ersetzt, bes. durch Betonung der *pietas* des Aeneas. Von Homer stammt auch viel von der ep. Technik, entsprechend mehr der schriftlichen als der mündlichen Form angepaßt [9]. Vergil kombiniert beide homer. E. organisch in einem viel kürzeren Werk, indem er eine Kriegs- auf eine Irrfahrtenerzählung folgen und die zweite Hälfte seines E. mit einem neuen Musenanruf beginnen läßt (7,37). (3) Vergil bietet nicht nur eine Zusammenfassung der röm. Gesch., sondern – durch häufige, als Reverenz beabsichtigte Nachahmungen des Ennius und anderer früherer Autoren (vgl. z.B. Macr. Sat. 6,1–5 und [10]) – gewissermaßen auch der röm. Lit. Sein »subjektiver« und »empathischer« Stil [7. 41] und sein Symbolismus [11] bilden weitere Charakteristika. Trotz einiger zeitgenössischer Kritik wurde seine Dichtung zum vollendeten Vorbild späterer Dichter (Stat. Theb. 10,445–448; 12,816 f.).

C. MYTHOLOGISCHE EPEN DER PRINZIPATSZEIT

In augusteischer Zeit erschienen erstmals regelrechte myth. E. zu einem begrenzten Thema, z.B. die *Amazonis* des → Domitius Marsus, die *Theseis* des → Albinovanus Pedo, die *Diomedia* des Iullus Antonius, ein oder mehrere E. von Pompeius Macer über die Ereignisse, die der *Ilias* vorangingen und auf sie folgten. Diese Tradition wurde in der frühen Kaiserzeit von → Neros *Troica* [6. 359], → Lucans' *Iliaca* [6. 353], den *Argonautica* des → Valerius Flaccus, der *Thebais* und der *Achilleis* des → Statius fortgesetzt.

Anders als Apollonios Rhodios sucht Valerius der Argonautenfahrt histor. Bed. zu geben, wenn er sie als Kontaktaufnahme zwischen Griechenland und Asien sowie als Ankündigung der Dominanz Griechenlands darstellt. Er versucht, seine Dichtung heroischer als die des Apollonios zu gestalten, indem er ausführliche Schlachtszenen einführt. Die *Thebais* des Statius ist ein komplexes Gebilde, dessen Episoden nicht nur von Homer, Vergil, Ovid, Lucan und Valerius Flaccus, sondern auch von der griech. und senecanischen Trag. inspiriert sind. Er schildert einen von Iuppiter zur Reinigung der gottlosen Städte Theben und Argos verhängten Brudermordkonflikt, der am Ende durch die Intervention Athens in einem gerechten Krieg und durch die Einsetzung von Harmonie und Frömmigkeit gelöst wird. Trotz gelegentlich aufblitzendem echten Heldentum sind die Protagonisten vorwiegend von *furor* bestimmt (der in Aen. 1,295 eingesperrt worden war, um das Ende des Bürgerkriegs zu kennzeichnen) und sehen Grausamkeit, Unmenschlichkeit und Gottlosigkeit als Vehikel ihres leidenschaftlichen Heldentums. Ihre Zerstörungswut wird von ihrem Drang nach Selbstzerstörung aufgewogen. Statius treibt Ovids Vorliebe für vollendete Personifizierungen abstrakter Mächte so weit, daß diese an Bedeutung mit Figuren der traditionellen Mythologie konkurrieren. Dadurch ist der Weg für die Allegorie des MA geebnet (einer Epoche, in der die *Thebais* äußerst beliebt war). Statius vollendet die hyperbolische manieristische Ausdrucksform [12; 13. 7] – sie hat ihre ersten Wurzeln bei Ovid – und läßt sie, jedenfalls für den modernen Geschmack, ins Bombastische umkippen. Valerius und Statius (in seinen beiden E.) folgen Lucan mit ihren panegyrischen Proömien an den Kaiser. Darin sind sie zweifellos von dem Scherzepos → *Culex* beeinflußt, das zu dieser Zeit als vergilisch galt, sowie von Verg. georg. 1.

D. HISTORISCHE EPEN DER PRINZIPATSZEIT

Neben diesen Werken tritt der Chroniktypus des histor. E. wieder auf, mit → Cornelius Severus (*Res Romanae* und ein *Bellum Siculum* über den Krieg von 38–36 v. Chr. zwischen Octavian und Sex. Pompeius; zu Unsicherheiten über diese Gedichte vgl. [6. 320]) und vermutlich mit → Albinovanus Pedo, von dem ein langes Fr. über den Feldzug des Germanicus (16 n. Chr.) erh. ist. Ein Papyrus aus Herculaneum hat Fragmente eines Gedichts über Octavians ägypt. Feldzug nach Actium bewahrt (→ *Carmen de bello Aegyptiaco*). Es scheint Teil eines E. in mindestens 10 B. gewesen zu sein, vielleicht der *Res Romanae* des Cornelius Severus [6. 334]. Berührungspunkte mit dem E. haben auch einige panegyrische Gedichte mit histor. Themen (z. B. der *Panegyricus Messalae* und ein Werk über Antonius von → Anser; aber wahrscheinlich nicht ein anderes über Augustus von Varius; vgl. [6. 275]). Ein Jh. später muß *De bello Germanico* des Statius [6. 360] diesen Typus vertreten haben. Bei Valerius Flaccus (1,12) verfaßt Domitian ein ähnliches Gedicht über den jüdischen Krieg des Vespasian und des Titus.

Eine radikale Neuerung der Gattungskonventionen erfolgte mit Lucans *De bello civili* (*Pharsalia*): er löste das Problem der Integration des Götterapparats in den histor. Zusammenhang, indem er ihn durch das Schicksal und durch Götter ersetzte, die nicht persönlich eingreifen (obwohl er sie 4,110ff. dazu auffordert). Lucans Kriegsgründe (*causae*, 1,67) sind – anders als die Vergils (Aen. 1,8) – eindeutig nicht übernatürlich. Das verursachte eine Auseinandersetzung darüber, ob er eher als Historiker denn als Dichter zu betrachten sei (schol. Bernensia zu 1,1; Serv. Aen. 1,382; Isid. 8,7,10). Trotz der charakteristischen Zweideutigkeit seiner Pointe bezieht sich → Petronius deutlich auf Lucan, wenn in Sat. 118–124 der Dichterling Eumolpus die Notwendigkeit von ›Umwegen, dem Eingreifen der Götter und einem Hagel von phantastischen Einfällen‹ (*ambages deorumque ministeria et fabulosum sententiarum tormentum*) in einem Werk über den Bürgerkrieg betont, und dann eine entsprechende Probe (295 V.) ähnlich dem ersten Buch Lucans, aber nach traditionellem Muster gibt. Obwohl Lucans E. von 100 J. zurückliegenden Dingen handelt, ist es durchdrungen vom aktuellen Thema »Monarchie gegen Freiheit« (*libertas*, 7,695 f.).

Anders als das *fatum* Vergils und der orthodoxen Stoa steht das Schicksal für Lucan in dieser Debatte auf der falschen Seite und ist darum Ziel vieler erregter Vorhaltungen (bis zur Leugnung der Existenz der Götter in 7,445–447), in denen die persönliche Stimme und die Gefühle des Dichters zum Ausdruck kommen, jenseits von Personen und Handlung, in ganz unvergilischer und im Grunde un-ep. Weise (daher die als Lob beabsichtigte Bemerkung Quint. inst. 10,1,90, daß Lucan eher von Rednern als von Dichtern nachzuahmen sei, *magis oratoribus quam poetis imitandus*). Hier modernisiert Lucan das E. Die individuellen Taten seiner Personen liegen ganz auf menschlicher Ebene, während Caesars *Fortuna* dämonische hinter den Kulissen die Handlung bestimmt; diese *Fortuna* ist praktisch identisch mit dem *fatum*, also dem Ergebnis des histor. Prozesses, und siegt über Catos *virtus*. Nach demselben Prinzip wird bei dem traditionellen Motiv des Tischgesprächs die übliche myth. Erzählung durch eine Diskussion der Nilüberschwemmung ersetzt (10,194–331), so daß Natürliches an die Stelle des Übernatürlichen tritt. In den zahlreichen Abschnitten zur Naturphilos. ist Lucan eher orthodoxer Stoiker als in seiner Theologie, da für den Stoiker Natur göttl. ist (*natura parens* 10,238) und dieselben Mächte, *concordia* und *discordia* (1,98; 4,190; 9,1097 u.ö.), sowohl die Natur als auch menschliche Geschichte lenken.

Lucans Neuerungen fanden keine Nachfolger. → Silius Italicus kehrt in seinen *Punica* (17 B., das längste erh. lat. E.) mit der Imitation von Episoden Vergils und anderer Epiker zur traditionellen Form zurück, der er jedoch keine aktuelle Funktion zu geben vermag. Er versucht, röm. Generäle mit homerischen Zweikämpfen und *aristeíai* zu heroisieren – kaum überzeugend im Kontext röm. Kriegsführung. Scipios Rettung (4,417–479) und die Flußschlacht (4,638–697) illustrieren das alte Problem der Kombination übernatürlicher und histor. Ereignisse. Gleichermaßen geht der höchst vergili-

sche Prolog (1,17 = Aen. 1,8.11) mit der Rückführung der *causae* des Krieges auf Iunos Zorn auf Lucan zurück. In welchem Maß Silius auf Ennius zurückgriff [14. 2,148], ist unsicher; er läßt ihn als Krieger auftreten (12,387–414).

E. Zweites Jahrhundert bis Spätantike

Der große Geschmackswandel, der unter Hadrian stattfand, verwarf klass. Formen und Themen. Die Epiker des 1. Jh. waren unbeliebt und wurden sehr wenig gelesen. Das einzige E., das mit Sicherheit im 2. Jh. geschrieben wurde, war das eines Clemens [6. 401] über Alexander d. Gr.; das einzige Fragment zeigt stark vergilischen Stil. Statt in E. wurden traditionell ep. Themen in sub-ep. Form behandelt, z.B. in iambischen Dimetern von → Alfius Avitus [6. 403] und → Marianus [6. 405]. Später scheint → Avienus Vergil in Iamben umgesetzt zu haben [15. 185]. Das E. lebte erst mit → Claudianus wieder auf, der z. B. von Ovid und Statius stark beeinflußt war. Claudianus schrieb zwei unvollendete myth. E., die *Gigantomachia* (offenbar als Fortsetzung eines eigenen griech. Gedichts) und *De raptu Proserpinae*, sowie neben anderen Panegyriken einige Gedichte auf Stilichos Errungenschaften, die an der Grenze zwischen → Panegyrik und Epik stehen. Als Nichtchrist an einem christl. Hof konnte er trotz reichlicher Benutzung der myth. Tradition Stilicho nicht ausdrücklich unter den Schutz der griech.-röm. Götter stellen, so daß sich für ihn das alte Problem des myth. Apparats im histor. E. notgedrungen auflöste.

Der Christ → Dracontius lebte im vandalischen Nordafrika, wo sowohl röm. Siedler als auch vandalische Invasoren stark röm. Tradition verpflichtet waren. Seine *Romulea* enthalten einige Epyllia mit merkwürdigen Abweichungen von den kanonischen Mythenversionen [16. 207]. Ihm wird auch die *Orestis tragoedia* (kaum der urspr. Titel) zugeschrieben, eine Umsetzung eines Dramas in hexametrische Formen, die ihre Parallele in der jüngst entdeckten → *Alcestis Barcinonensis* gefunden hat. Zum selben Bereich gehört → Reposianus' *De concubitu Martis et Veneris* (Anth. Lat. 25, wahrscheinlich nur ein Auszug aus eine längeren Gedicht) und die → *Aegritudo Perdicae* (Anth. Lat. 808; [16. 222]). Diese Werke über pagane Themen hatten ihre christl. Gegenstücke in panegyrischen Werken von → Sidonius Apollinaris, → Merobaudes und → Corippus (der auch ein regelrechtes E. schrieb, die *Iohannis* in 8 B.). Diese späten E. (auch die *Iohannis*) zeugen von einer neuen Entwicklung: Die meisten werden von einem kurzen elegischen Vorwort (*praefatio*, *prooemium*) eingeleitet. – Zur Ausbildung einer christl. hexametrischen Großdichtung s. → Bibeldichtung.

→ Epik

1 E. Fraenkel, s. v. Livius Andronicus, RE Suppl. 5, 598–607 2 Ders., The Giants in the Poem of Naevius, in: JRS 44, 1954, 14–17 (= Ders., Kleine Beiträge, Bd. 2, 1964, 25ff.) 3 P. Hardie, Virgil's Aeneid, Cosmos and Imperium, 1986 4 O. Skutsch, The Annals of Quintus Ennius, 1985 5 F. Leo, Der saturnische Vers, AAWG 8.5, 1905

6 COURTNEY 7 B. OTIS, Virgil, 1963 8 G. N. KNAUER, Die Aeneis und Homer, ²1979 9 R. HEINZE, Vergils ep. Technik, ³1915 10 M. WIGODSKY, Vergil and Early Latin Poetry, 1972 11 V. PÖSCHL, Die Dichtkunst Virgils, ³1977 12 E. BURCK, Vom röm. Manierismus, 1971 13 D. VESSEY, Statius and the Thebaid, 1973 14 R. HÄUSSLER, Das histor. E., 1976–1978 15 C. E. MURGIA, Avienus's supposed iambic version of Livy, in: California Studies in Classical Antiquity 3, 1970, 185–197 16 D. F. BRIGHT, The Miniature Epic in Vandal Africa, 1987 17 AL. CAMERON, Callimachus and his Critics, 1995.

W. SCHETTER, Das röm. E., in: M. FUHRMANN, Röm. Lit., Bd. 2, 1974, 63–98 · P. R. HARDIE, The Epic Successors of Vergil, 1993 · D. C. FEENEY, The Gods in Epic, 1991 · H. JUHNKE, Homerisches in röm. Epik flavischer Zeit, 1972 · M. M. CRUMP, The Epyllion from Theocritus to Ovid, 1931 · E. BURCK (Hrsg.), Das röm. E., 1979 · H. HOFMANN, Überlegungen zu einer Theorie der nichtchristl. Epik der lat. Spätant., in: Philologus 132, 1988, 101–159 · S. M. GOLDBERG, Epic in Republican Rome, 1995.   ED. C./Ü: M. MO.

Eposognatus (Ἐποσόγνατος). Keltischer Name; pro-röm. Tetrarch der galatischen Tolistobogii [1. 155]. E. hatte an der Freundschaft zu Eumenes II. von Pergamon festgehalten und Antiochos [5] den Gr. nicht unterstützt. Darauf bat ihn 189 v. Chr. C. → Manlius Vulso bei seinem Galaterzug die Tolistobogii zur Unterwerfung zu überreden, was aber mißlang (Pol. 21,37; Liv. 38,18).

→ Tolistobogii

1 L. WEISGERBER, Galatische Sprachreste, in: Natalicium. FS J. Geffken, 1931.   W. SP.

Epostrakismos (ἐποστρακισμός). Knabenspiel, bei dem man eine Scherbe oder einen flachen Stein so auf das Wasser warf, daß er aufschlug und weiterhüpfte. Sieger war derjenige, dessen Stein oder Scherbe am weitesten flog und am häufigsten sprang (Poll. 9, 119; Hes. s. v. E.; Min. Fel. 3; Eust. in Hom. Il. 18,543).   R. H.

Eppia. Frau eines Senators, die unter Domitian ihren Gatten verlassen haben und einem Gladiator nach Ägypten gefolgt sein soll (Iuv. 6,82–114; vgl. PIR² E 79, F 91).   W. E.

Eppich. Damit wurden Doldenpflanzen mit großen, glänzenden und zum Kranzbinden geeigneten Blättern aus der Familie der *Araliaceae*, nämlich der dem Dionysos/Bacchus heilige → Efeu (κισσός, ἕλιξ, *hedera*), und mehrere Umbelliferen bezeichnet. Gemeint sind v. a. folgende Gewürzkräuter:

1) Sellerie (*apium graveolens* L.), als σέλινον (*sélinon*) schon bei Hom. Il. 2,776 und Od. 5,72 erwähnt; als Garten-Sellerie, σέλινον κηπαῖον (*sélinon képaíon*), wird E. bei Dioskurides mit kühlender, schmerzlindernder und entzündungshemmender Wirkung angeführt (3,64 [1. 75 f.] bzw. 3,67 [2. 305]); Plinius behandelt die Pflanze unter dem Namen *apium* (nat. 19,124; 20,112–

118, dort auch zur Zweigeschlechtlichkeit des E., seiner Anwendung in der Küche und seiner außerordentlichen Heilkraft).

2) Kleiner Pferde-E., *smyrnium olusatrum*, (σμύρνιον, Dioskurides 3,68 [1. 78 f.] bzw. 3,72 [2. 307 f.]), wuchs auf trockenem Ödland und sollte wärmende Kraft haben, *olus atrum* bei Plin. nat. 19,162.

3) Die im Altertum fast unbekannte und später erst angebaute Petersilie *petroselinum hortense* (πετροσέλινον, Dioskurides 3,66 [1. 77] bzw. 3,70 [2. 306]; dort zu ihrer medizinischen Bed.) auf Steilhängen in Makedonien ist nach SPRENGEL z. St. *Athamantha macedonica*.

1 WELLMANN 2 2 BERENDES.   C. HÜ.

Epponina. Frau des Lingonen Iulius Sabinus, den sie nach der Teilnahme am gallischen Aufstand gegen Rom im J. 69/70 n. Chr. für neun Jahre in einer Höhle versteckte, wo sie zwei Söhne gebar. Nach ihrer Entdeckung wurde sie mit Sabinus von Vespasian im J. 79 hingerichtet. PIR² E 81.   W. E.

Eppuleius s. Tettienus

Eprius. T. Clodius E. Marcellus. Aus einer sozial unbedeutenden Familie Capuas stammend (wo ihm später von der Prov. Cyprus ein Ehrenmonument errichtet wurde, ILS 992), *homo novus*. Er kam wohl unter Claudius in den Senat, war im J. 48 Praetor. Nach einem Legionskommando erhielt er die praetorische Statthalterschaft in Lykien ca. 53–56; von der Prov. angeklagt, aber freigesprochen. Proconsul von Cypern unter Nero (SEG 18, 587 [1]). *Cos. suff.* im J. 62 [2]. Ausgestattet mit herausragenden rhet. Fähigkeiten, klagte er unter Nero im Senat zahlreiche Personen an, u. a. Paetus Thrasea im J. 66, wofür er eine Belohnung von fünf Mio. Sesterzen erhielt. Nach Neros Tod versuchte u. a. Helvidius Priscus, gegen ihn im Senat vorzugehen; aber die Versuche scheiterten. Seine Stellung war zu stark. Dennoch wird man seinen dreijährigen Proconsulat in der Prov. Asia (70–73) als Versuch Vespasians ansehen dürfen, ihn aus der hauptstädtischen polit. Debatte für einige Zeit zu entfernen. 74 *cos. suff. iterum*, Mitglied in drei Priesterschaften, eng mit Vespasian verbunden. Um so überraschender, daß er im J. 79 an einer Verschwörung gegen Vespasian teilgenommen haben soll; im Senat angeklagt, entzog er sich der Verurteilung durch Selbstmord (Cass. Dio 65,16,3 f.). PIR² E 84.

1 BRADLEY, SO 1978, 171 ff. 2 V. ARANGIO-RUIZ, G. PUGLIESE CARRATELLI, in: PP 9, 1954, 69   W. E.

Epulo

[1] Name (wohl röm. Spitzname »der Fresser«) des Königs der Histrer (rex E. Enn. ann. 408 SK.; rex *Aepulo* Liv. 41,11,1, *Apulo* Flor. 1,26 [1]). Er schlug 178 den Consul A. → Manlius Vulso (MRR 1,395), wurde aber aus dem eroberten röm. Lager, wo die Sieger sich an den Vorräten erfreuten (*rex accubans epulari coepit*, Liv. 41,2,12), wieder hinausgeworfen (41,4,7). 177 wurde er in Ne-

sactium belagert und tötete sich nach der Eroberung der Stadt (41,11,6; abweichend Flor. 1,26). E. ist auch Cognomen des C. Cestius [I 4]. Eine fiktive Gestalt ist ein E. bei Vergil (Aen. 12,459).

1 O. SKUTSCH, The Annals of Q. Ennius, 1985, 574.

K.-L.E.

[2] (Iuppiter). Durch zwei Inschr. bezeugter Beiname Iuppiters (CIL I² 2, 988; AE 1936, 95); er bezieht sich auf das *epulum Iouis*, an dem auch die beiden anderen Gottheiten der kapitolinischen Trias (Iuno, Minerva) beteiligt waren. Dieses *epulum* (kult. Festmahl) wurde jedes Jahr feierlich auf dem Kapitol anläßlich der → *Ludi Romani* (13. September) sowie der *Ludi Plebei* (13. November) begangen. An diesem öffentlichen Mahl nahmen Senatoren, Ritter und auch die *tibicines* teil. Es ist eines der bestbezeugten röm. Opfermahle. Die 196 v. Chr. geschaffene Priesterschaft der *epulones* betreute das *epulum* und die darauf folgenden Spiele. Im Privatkult wurde Iuppiter in analoger Weise nach dem mit ihm geteilten Opfermahl *dapalis* genannt (Cato agr. 132).

WISSOWA, Religion und Kultus der Römer, ²1912, 120.

J.S.

Epulones s. Septemviri

Epyllion. Der Begriff E. im Sinne eines »kurzen ep. Gedichts« hat offenbar zwischen 1817 und 1824 mit F. A. WOLF Eingang in den philol. Sprachgebrauch gefunden [vgl. 7], und zwar mit Bezug auf die ps.-hesiodeischen *Aspís* (schon bei Athen. 2,65a ἐπύλλιον für den ps.-homer. *Epikyklídes*). Das Wort E. (ἐπύλλιον) kommt im ant. und byz. Griechisch äußerst selten und nicht in dieser spezifischen Bedeutung vor. Vielleicht hatte es eine negativen Unterton, so Aristoph. Ach. 398, Pax 531 und Ran. 942, wo *e.* die ›schlechten Iamben‹ des Euripides bezeichnet (schol. Aristoph. Ach. 398 und Pax 531; Hesych. ε 5575; nach schol. Ran. 942 ›schlechte Reden‹; abwertend könnte auch *e.* für den einzelnen Hexameter bei Clem. Alex. strom. 3,3,24 gemeint sein. Von M. HAUPT bereits ohne Wertung für die *carmina docta* des Catull und ihre hell. Vorläufer gebraucht (1855), bürgerte sich der Begriff E. rasch ein [vgl. 9] als nützliche Bezeichnung für verschiedene Arten hell. und späterer daktylischer Kurzgedichte (nach [5] nur für Gedichte in Hexametern; nach [2] auch für solche im elegischen Versmaß, wie es heute zumeist gebraucht wird).

Folgende griech. Dichtungen kann man als E. bezeichnen: Moiro, *Mnēmósýnē*; Philetas, *Hermḗs*, *Télephos* (? vgl. CollAlex adesp. 3 infra) und *Dēmḗtēr* (elegisch); Alexandros Aitolos, *Halieús* und *Kírka*; Hedyle, *Skýlla* (elegisch); Simias, *Apóllōn*; Kallimachos' *Hekálē* (elegisch), *Galáteia*, *Glaúkos* (? Suda, vgl. Alexandros Aitolos' *Halieús*); Theokr. 13; 18; 22; 24; [25]; 26; Nikainetos, *Lýrkos*; Eratosthenes, *Hermḗs*, *Anterinýs* und *Ērigónē* (elegisch); einige Werke des → Euphorion; Moschos' *Eurṓpē*, Parthenios' *Anthíppē* (vgl. Erot. path. 32), Hera-

klḗs (fr. 17 Eratosth. Erig.?); Bion(?), ›Epithalamion des Achilleus und der Deidamia‹, PVind. RAINER 29801; Musaios, ›Hero und Leander‹ (nicht konform sind, zumindest vom kyklischen Thema und der mangelnden Einheit der Handlung her, Koluthos' ›Raub der Helena‹ und Triphiodoros, *Ilíu hálōsis*); außerdem adespota epica CollAlex 1 (über Aktaion), 2 (Diomedes und Pheidon), 3 (Telephos), 4 (Monolog einer armen Alten, vgl. Kall. *Hekálē*), adesp. SH 901A (Hero und Leander?), 903A (Herakles und die Meroper), 939 (Arganthona und Rhesos?), 951 (Hero und Leander); vgl. auch 906, 922 (Eratosth. *Hermḗs*?), 955f., 962.

Die hell. Epyllia zeigen einige typische Züge der auf Kallimachos zurückgehenden Ästhetik des ἔπος τυτθόν, oder es fehlen die für das erzählende Epos der archa. Zeit typischen Züge: Das Thema ist zwar myth., aber es ist mit scherzhafter Leichtigkeit dargeboten. Es zeigt sich im Vergleich zu den Themen der früheren Dichtung eine Vorliebe für marginale Mythen von geringerer Bedeutung und insbes. für romantisch-sentimentale Gesch., für Aitiologien, für eine vermenschlichte und bürgerliche Sicht der Personen (sehr häufig sind Erzählungen von erotischen Beziehungen zwischen Göttern und Menschen). Das Interesse an einer »realistischen« Psychologie der Personen, die insbes. durch Dialoge und Monologe entfaltet wird, tritt in den Vordergrund. Der Umfang ist begrenzt (er liegt zwischen den 75 Versen von Theokr. 13 und den mindestens 1000 Versen der *Hekálē* oder den 1500 Versen von Eratosthenes' *Hermḗs*). Die Einheit der Handlung wird eingehalten, wobei indes nicht die Kontinuität des Verlaufs an erster Stelle steht, sondern die Buntheit, die durch Betonung nebensächlicher Einzelheiten, durch unterbrechende Schilderung der (vor allem ländlich-bukolischen) Umgebung, durch detaillierte Beschreibungen (→ Ekphrasis) und andere Einschübe (Träume, Prophezeiungen usw.), durch überraschende Neuanfänge und Schlüsse angestrebt wird.

Fast alle diese Besonderheiten hatten ihr genaues Vorbild im nichtmonumentalen nachhomer. Epos: die Aitiologie im »homer.« Demeter- und Apollonhymnos; die Vermenschlichung und die scherzhafte Leichtigkeit im Hermeshymnos; Vereinigungen zwischen Göttern und Menschen und der Geschmack an Mythen von geringerer Bedeutung im Frauenkatalog des Hesiod (wo im übrigen zumindest einige Mythen wie diejenigen von Mestra und Atalante den selbständigen Charakter, den Umfang und andere bes. Züge des E. aufwiesen); Umfang, Aitiologie und detaillierte Beschreibung in der ps.-hesiodeischen *Aspís*. Erst die stärkere Betonung und der systematische Einsatz dieser Mittel, der seinen Ursprung in der Zufälligkeit des Geschmacks haben kann und später durch den Einfluß einiger Vorbilder (Philetas und Kallimachos) gefördert wird, und dazu noch ein kunstvoller Stil (der für die hell. Zeit kennzeichnend ist und sich nicht allein auf die bes. Literaturgattungen der Epoche beschränkt), verbinden die hell. E. miteinander: Vor allem [5] neigt dazu, ein kritisches Bewußtsein vom

E. als lit. Gattung in der Ant. vorauszusetzen (s. aber [1]
und [10]); zweifelsohne nennt Krinagoras (Anth. Pal.
9,545,1) die *Hekálē* des Kallimachos ein *épos*, und es ist
nicht einmal sicher, ob und wie man die Form des
Kleinepos bezeichnet hat – *poíēma* wie bei Lucil. 376–
385 Krenkel (vgl. [6. 124–127])? Das Zusammentref-
fen einiger dieser Faktoren zeigt sich gleichfalls in der
erzählenden Dichtung, die nicht der kleinen Form zuzuordnen ist, nicht erst, aber vor allem seit dem 3. Jh.
v. Chr., und dieser Umstand verleiht längeren Erzählungen innerhalb von Großepen den selbständigen
Charakter eines E. (z. B. Apoll. Rhod., *Argonautica*, vgl.
[2]; Nonn. Dionys., vgl. [3]) oder eines Kollektivgedichts (z. B. Hes. cat., Kall. Ait. fr. 75; vgl. Ov. met.).

1 W. ALLEN JR., The E., in: TAPhA 71, 1940, 1–26 (und
Studies in Philology 55, 1958, 515–518) 2 M. M. CRUMP,
The E. from Theocritus to Ovid, 1931 3 G. D'IPPOLITO,
Studi nonniani, 1964 4 K. J. GUTZWILLER, Studies in the
Hellenistic E., 1981 5 J. HEUMANN, De epyllio Alexandrino,
1904 6 S. KOSTER, Ant. Epostheorien, 1970 7 G. W. MOST,
Neues zur Gesch. des Terminus »E.«, in: Philologus 126,
1982, 153–156 8 G. PERROTTA, Arte e tecnica nell' e.
alessandrino, in: A&R 4, 1923, 213–229 (= Poesia ellenistica,
1978, 34–53) 9 J. F. REILLY, Origins of the Word »E.«, in: CJ
49, 1953/4, 111–114 10 D. VESSEY, Thoughts on the E., in:
CJ 66, 1970, 38–43.   M. FA./Ü: A. WI.

Equisetum. Vier verschiedene blattlose oder klein-
blättige Pflanzengattungen tragen nach ihrer Wuchs-
form seit der Ant. die Bezeichnung *equisetum, equisaeta,
cauda equina* bzw. *caballina,* ἱπποχαίτη oder ἵππουρις,
Roß- oder Katzenschwanz. Dies gilt für *Equisetum L.*
mit *Hippochaete Milde,* Schachtelhalm, Schaftheu oder
Zinnkraut, → für *Ephedra L.,* ἔφεδρον oder ἵππουρις,
den Rutenstrauch mit seinen nacktsamigen, z. T. klet-
ternden Vertretern, ferner bei den Wasserpflanzen für
die Armleuchteralge *Chara,* von C. BAUHIN noch im 16.
Jh. als *E. foetidum* bezeichnet, und schließlich für den
Tannenwedel *Hippuris L.* Plin. nat. 26,132 empfiehlt
eine Einkochung von *equisaetum* gegen Milzschwellun-
gen bei Läufern. Ihre Anwendung stille den Blutfluß
(26,133). Dioskurides (4,46 [1. 203 f.] bzw. [2. 388 f.])
verordnet den Saft als Trank gegen Blutungen und Dysenterie und nennt ihn harntreibend.

1 WELLMANN, 2 2 BERENDES.   C. HÜ.

Equites Romani   A. DEFINITION
B. KÖNIGSZEIT UND FRÜHE REPUBLIK
C. MITTLERE UND SPÄTE REPUBLIK
D. PRINZIPAT

A. DEFINITION

Urspr. bezeichnete der Begriff *e. R.* das Reiterauf-
gebot der röm. Bürgerschaft; im Verlauf der Gesch. der
Republik wurde er zur Bezeichnung des zweiten Standes (*ordo*) nach dem der Senatoren; es handelte sich dabei
um Bürger, von denen der Dienst in der Reiterei nicht
mehr verlangt wurde, die aber durchaus als Offiziere im

Heer dienen konnten. Dieser Entwicklungsprozeß ist in
keiner der Quellen klar beschrieben und gegenwärtig
noch immer Gegenstand wiss. Kontroversen.

B. KÖNIGSZEIT UND FRÜHE REPUBLIK

In der Frühzeit wurden die Reiter nach dem Zeugnis
späterer röm. Autoren *celeres* oder *trossuli* genannt (Plin.
nat. 33,35–36). Livius gibt ihre Zahl mit 300 an (1,15,8).
Als Servius Tullius laut röm. Überlieferung die *comitia
centuriata* organisierte, soll er 18 → *centuriae* geschaffen
haben, in denen die Bürger der höchsten Censusklasse
eingetragen wurden (Liv. 1,43,9; Dion. Hal. ant. 4,18,1;
4,20,3). Sechs dieser *centuriae* wurden nach den urspr.
tribus Ramnes, Titienses und Luceres benannt und als
die *sex suffragia* bezeichnet (Cic. rep. 2,36; 2,39; Liv.
1,36,2; 1,36,7–8; Fest. 452). In diesen sechs *centuriae* sollen die Senatoren und ihre Söhne gedient und ihre
Stimme abgegeben haben. Den *equites* wurde Geld für
den Kauf eines Pferdes (daher der Begriff *equus publicus*)
zur Verfügung gestellt; weiterhin erhielten sie von Witwen einen jährlichen Beitrag, um das Futter für das
Pferd zu bezahlen – das sogenannte *aes equestre* und *aes
hordiarium* (Liv. 1,43,9; Fest. 71,91). Die komplizierte
Struktur der *comitia centuriata,* die von der Überlieferung
fälschlich Servius Tullius zugeschrieben wird, war immerhin für das röm. Heer des 4. Jh. v. Chr. gültig. Mit
dem Anwachsen der röm. Bevölkerung ist wie für die
170 *centuriae* der Fußtruppen auch eine zahlenmäßige
Verstärkung der *centuriae* der Reiterei zu erwarten. Nach
Polybios (2,24,14), der offensichtlich Censusdaten folgt,
war 225 v. Chr. die Reiterei der Römer und Campaner
zusammen 23 000 Mann stark, von denen etwa 3000
Campaner waren. In der Forschung wird angenommen,
daß die Mehrzahl der verbleibenden 20 000 Reiter nicht
Angehörige der 18 Reitercenturien waren, da die Zugehörigkeit zu diesen mit dem *aes equestre* verbunden
war, das jedoch nur wenigen Bürgern gewährt wurde:
Cato forderte, es sollten nicht mehr als 2200 Reiter die
aera equestria erhalten (ORF 8, fr. 85–86). Bis 225 v. Chr.
wurde den meisten Reitern demnach wahrscheinlich
kein *equus publicus* gestellt, sondern sie mußten ihr Pferd
selbst kaufen und unterhalten. Die wenigen Hinweise
zum Dienst in der Reiterei *equis suis* oder *equis privatis*
(mit eigenem Pferd) beziehen sich aber auf spezielle
Umstände und können nicht verallgemeinert werden
(Liv. 5,7,5; 27,11,14–15).

C. MITTLERE UND SPÄTE REPUBLIK

Seit dem 2. Pun. Krieg nahm die mil. Bedeutung der
röm. Reiterei stark ab, da nun zunehmend auf die
schlagkräftigeren Verbände numidischer, spanischer
und gallischer Reiter zurückgegriffen werden konnte.
Dennoch leisteten v. a. in der späten Republik röm.
Bürger noch immer Militärdienst zu Pferde, größtenteils als Offiziere oder in besonderem Auftrag (Sall. Iug.
65,4; Cic. Planc. 32; Caes. Gall. 1,42,6; 7,65,5). In dieser
Zeit gewannen die *equites* als *ordo,* der sich von Senat und
Senatoren deutlich abgrenzte, ein größeres Selbstbe-
wußtsein. Ein Grund hierfür war der Aufstieg der
→ *publicani,* deren führende Persönlichkeiten *equites*

waren (Liv. 43,16,1–4; Cic. Planc. 32; Cic. Rab. Post. 3), ein anderer ihre Tätigkeit als *iudices* in den *quaestiones perpetuae* (Richter in den ständigen Gerichtshöfen), und zwar unter Ausschluß der Senatoren oder zusammen mit ihnen (Plin. nat. 33,34; CIL I² 583, 13ff.; Cic. Verr. 1,38): Ihr hohes soziales Ansehen kam in der nachsullanischen Zeit auch in der *lex Roscia* (67 v. Chr.) zum Ausdruck, die den *equites* im Theater die ersten 14 Reihen zuwies (Hor. epist. 1,57–67); später wurde diese Maßnahme durch die *lex Iulia theatralis* des Augustus bestätigt (Plin. nat. 33,32). In Verbindung mit dem augusteischen Gesetz wird erstmals der Census für *equites* in Höhe von 400000 Sesterzen erwähnt, obwohl ein Census für den *ordo equester* in dieser Höhe spätestens für die Zeit seit dem 2. Pun. Krieg wahrscheinlich ist (Liv. 24,11,7). Ein Vermögen von solcher Höhe war allerdings nur eine notwendige, nicht auch schon eine hinreichende Voraussetzung für die Einschreibung in die 18 Reitercenturien. Das Ansehen der *e.R.* beruhte noch immer darauf, daß bei der Registrierung durch den Censor die körperliche und moralische Eignung im Vordergrund stand; außerdem konnte es auch auf familiärer Herkunft beruhen (Cic. Planc. 32; Nep. Att. 1,1) – was v. a. für die jungen Männer wichtig war, die sich noch in der *patria potestas* befanden und keinen eigenen Besitz hatten.

Der Rechtsstatus der *equites* und die Beziehungen zwischen dem *ordo equester* und dem *ordo senatorius* sind für die Zeit der späten Republik nicht genau zu erfassen; schwer zu interpretieren ist zunächst die kurze Bemerkung Ciceros (Cic. rep. 4,2) über das *plebiscitum reddendorum equorum* (129 v. Chr.). Im allgemeinen wird der Text so verstanden, daß durch dieses Gesetz von den Senatoren verlangt wurde, ihr *equus publicus* abzugeben. Die Bezeichnung *equites Romani equo publico* wurde in der späten Republik auch weiterhin verwendet (Cic. Phil. 6,13). Seit MOMMSEN herrscht die Auffassung vor, daß es neben der kleinen Gruppe der *equites equo publico*, die identisch mit den 18 Reitercenturien war, auch eine größere Gruppe von röm. Bürgern gab, die aufgrund ihres Vermögens zum Dienst zu Pferde zugelassen und *e.R.* genannt wurden. Nach NICOLET [3] waren allein die *equites equo publico* eigentliche *e.R.*, nicht aber die anderen, die nur den Census der *equites* hatten (Cic. Q. Rosc. 42). Eine dritte Möglichkeit ist, daß die *e.R.* insgesamt als die *equites* der Centurien aufzufassen sind, während es sich bei den *equites equo publico* um eine genauer definierte Gruppe innerhalb der Centurien handelte. In jedem Fall ist deutlich, daß die Bezeichnung *e.R.* sowohl für diejenigen verwendet wurde, die in den Bürgerlisten als *equites* registriert waren, als auch für diejenigen, die zwar nicht als *equites* eingeschrieben waren, aber ein dem Census der *equites* entsprechendes Vermögen aufweisen konnten. Daher zählte Cicero die *tribuni aerarii* in den Gerichtshöfen der späten Republik zu den *equites*.

Obgleich viele *equites* in der späten Republik an Handelsgeschäften sowie an den *societates publicorum* beteiligt waren und in großem Stil Darlehen gewährten, darf ihre Rolle im Wirtschaftsleben nicht einseitig von solchen Aktivitäten ausgehend beschrieben und auf solche Weise ein wirtschaftlicher Gegensatz zwischen den *equites* und den Senatoren konstruiert werden. *Equites* waren sehr oft ebenso wie Senatoren Großgrundbesitzer, und Ländereien waren eine notwendige Basis für viele ihrer kommerziellen Aktivitäten. So besaß Sex. Roscius Amerinus 13 Güter am Tiber (Cic. S. Rosc. 20), und auch T. Pomponius Atticus hatte große Ländereien in It. und Epirus (Nep. Att. 14,3).

D. PRINZIPAT

Augustus suchte die Schwierigkeiten der späten Republik und insbesondere das starke Ansteigen der Zahl der Bürger, die dem Census der *equites* entsprachen, dadurch zu bewältigen, daß er das Prestige der *equites equo publico*, deren Anzahl sich nun auf 5000 belief (Dion. Hal. ant. 16,13,4; Plin. nat. 33,31; Suet. Aug. 38,3), v. a. durch öffentliche Zeremonien wie die *transvectio* am 15. Juli jeden Jahres wieder stärkte. Ferner wurden *IIIviri* berufen, um die Liste der *e.R.* zu überprüfen. In den Geschworenenlisten wurden die *equites equo publico* von den übrigen *equites* unterschieden (Tabula Hebana 8,11–12,57). Tiberius versuchte in seiner Gesetzgebung 23 n. Chr. das Recht der *equites*, den goldenen Ring zu tragen, zu präzisieren. Dieses Recht wurde neben dem Privileg, in den ersten 14 Reihen im Theater zu sitzen, denjenigen gewährt, die drei Generationen lang eine freie Abstammung und einen Besitz von 400000 HS aufweisen konnten (Plin. nat. 33,32). Im frühen Prinzipat gewann der *ordo equester* stark an polit. Bedeutung. Ein Grund hierfür war die hohe Zahl derjenigen, die den Rang eines *eques* für sich beanspruchen konnten; Strabon (3,5,3; 5,1,7) gibt an, daß in Gades und in Patavium jeweils 500 *equites* lebten. Außerdem dienten *equites* nicht nur als Offiziere im röm. Heer, sondern übernahmen nun wichtige Posten in der Verwaltung des Imperium Romanum; als Procuratoren waren sie für Besitz und Finanzen des *princeps* zuständig, und sie konnten *praefectus Aegypti* oder Praetorianerpraefekt werden. Obwohl es keine feststehende Ämterlaufbahn für *equites* gab, stiegen diese in der Regel aus mil. und niederen zivilen Stellungen in höhere Positionen auf, wobei entsprechende Gehälter gewährt wurden. Während des 3. Jh. n. Chr. wurden alle höheren Ränge im röm. Heer und viele Posten in der zivilen Verwaltung, die zuvor Senatoren vorbehalten waren, an *equites* vergeben; ihre Bedeutung wurde dabei durch Titel wie *vir eminentissimus* unterstrichen.

1 G. ALFÖLDY, Die Stellung der Ritter in der Führungsschicht des Imperium Romanum, in: ALFÖLDY, RG, 162–209 2 P. A. BRUNT, The Equites in the Late Republic, in: Ders., The Fall of the Roman Republic, 1988, 144–193 3 C. NICOLET, L'ordre équestre à l'époque républicaine, 1966 4 H. G. PFLAUM, Les carrières procuratoriennes équestres sous le Haut-Empire romain, 1960/1 (Supplement, 1987) 5 A. STEIN, Der röm. Ritterstand, ein Beitrag zur Sozial- und Personengeschichte

des röm. Reiches, 1927 **6** T. P. WISEMAN, The Definition of »Eques Romanus« in the Late Republic and Early Empire, in: Historia 19, 1970, 67–83.   A. W. L./Ü: A. BE.

Equites singulares. Spätestens seit dem 2. Jh. v. Chr. hatten röm. Feldherren eine aus Reiterei und Fußtruppen bestehende Eliteeinheit, deren Angehörige unter den Kontingenten der ital. *socii* ausgewählt wurden, was auch für die → *extraordinarii* zutraf. Gegen Ende der Republik wurden die Eliteeinheiten aus den → *auxilia* rekrutiert; dabei ist unbekannt, ob diese auch einen besonderen Namen hatten. Ähnliche Einheiten scheint es auch zu Beginn des Prinzipats gegeben zu haben. Fabricius Tuscus kommandierte eine *ala praetoria* während des Germanienfeldzugs des Germanicus (11–14 n. Chr.), bei der es sich wahrscheinlich um die berittene Elitetruppe des Feldherrn handelte. Im Verlauf des 1. Jh. n. Chr. wurde die Bezeichnung *singulares* auf solche Einheiten übertragen: Eine *ala singularium* ist für das Jahr 70 n. Chr. belegt (Tac. hist. 4,70,2); diese Einheit war wohl bereits unter den *principes* aus der iulisch-claudischen Familie aufgestellt worden.

Die Aufgabe der *e. s.* – wie auch der *pedites singulares* – war der Schutz hoher Amtsträger in den Prov. (u. a. der Provinzstatthalter von consularischem oder praetorischem Rang, des *praefectus Aegypti*, der Proconsuln, der Legionslegaten, der Procuratoren, die die Aufgaben eines Statthalters wahrnahmen, sowie der Stadtpraefekten, der Praetorianerpraefekten und der Tribunen der Praetorianerkohorten). Sie bildeten einen Teil der Eliteeinheit, die in der Residenz des Statthalters in der Hauptstadt einer Provinz stationiert war und den Statthalter bei der Ausübung seiner Amtsgeschäfte begleitete; sie konnten auch die Funktion einer Polizei übernehmen, außerdem überbrachten einzelne *e. s.* Botschaften. Auf Feldzügen begleiteten die *e. s.* den Feldherrn und dienten gleichzeitig als eine taktische Einheit der Armee.

Provinzstatthalter rekrutierten die *e. s.* aus den Reihen der *alae* und Kohorten der *auxilia* in den Prov. oder, wenn sie eine Prov. ohne stehende Truppen verwalteten, aus einer benachbarten Prov.; ein Soldat, der als *singularis* diente, war weiterhin in seiner urspr. Einheit registriert, zu der er danach durchaus zurückkehren konnte. Die Größe der Einheiten der *e. s.* war unterschiedlich. In Prov., in denen eine oder mehrere Legionen stationiert waren, konnte eine Einheit wahrscheinlich bis an die Stärke der *alae* heranreichen, während die *e. s.* ansonsten oft weitaus kleinere Einheiten bildeten. Die *e. s.* wurden von einem Legionscenturio mit dem Titel *praepositus* oder *curam agens* befehligt, in den Provinzen, in denen keine Legionen stationiert waren, eventuell auch von einem *decurio*.

Die *e. s.* trugen dieselben Waffen wie die Reiter der *auxilia* (Ios. bell. Iud. 3,96–97); sie hatten weder einen besonderen Rang, noch erhielten sie zusätzliche Soldzahlungen. Immerhin war aber mit dem Dienst als *eques singularis* hohes Prestige verbunden. Bei der Rückkehr

zu ihren Einheiten wurden *singulares* normalerweise nicht befördert; einigen gelang jedoch der Aufstieg zum *decurio* oder *centurio* der *auxilia* ihrer Prov.

Die Einheiten der *e. s.* waren gut ausgebildete und geführte Truppen. Sie konnten in andere Prov. entsandt werden, wenn es die mil. Lage erforderte. So wurden im 2. und 3. Jh. n. Chr. etwa die *e. s.* aus Moesia superior nach Mauretania geschickt (CIL VIII 3050). Wenn die *e. s.* längere Zeit an ihrem neuen Standort blieben, konnten sie als eine eigenständige Einheit angesehen werden; in einigen Fällen wurde eine neue, dauerhafte *ala* der Hilfstruppen aus einer alten Einheit von *e. s.* gebildet, wie die von Traianus aufgestellte und im 2. Jh. n. Chr. lange in Syrien stationierte *ala I Ulpia singularium* (ILS 9471). Es gibt allerdings keinen klaren Hinweis darauf, daß die *e. s.* eine Art taktischer mobiler Reserve und somit Vorläufer der regulären Feldarmee des 4. Jh. gewesen wären. Die *e. s.* existierten noch in der Spätant., doch änderten sich anscheinend ihre Aufgaben: Sie wurden praktisch zivile Amtsträger.

Die *e. s. Augusti* waren die Reiterei der persönlichen Leibwache des *princeps*; diese Einheit wurde wahrscheinlich unter den Flaviern mit einer Stärke von 500 Mann aufgestellt und später auf 1000 Mann vergrößert. Die *e. s. Augusti* wurden aus den *alae* der Hilfstruppen im ganzen Imperium rekrutiert; doch herrschten dabei Germanen und Pannonier vor. Sie waren in Rom stationiert, wo sie zuletzt ihr eigenes Lager hatten (ILS 2180–2214).

→ Ala; Auxilia; Extraordinarii; Reiterei

1 P. A. BRUNT, C. Fabricius Tuscus and an Augustan Dilectus, in: ZPE 13, 1974, 161–185 **2** M. SPEIDEL, Die E. S. Augusti, 1965 **3** Ders., Guards of the Roman Armies, 1978.   J. CA./Ü: A. BE.

Equitius. Seltener römischer Familienname, (zur Ableitung: Varro rust. 2,1,10).

[1] E., L., Abenteurer unbestimmter Herkunft, der sich 102 v. Chr. als Sohn des 133 getöteten Volkstribunen Ti. → Sempronius Gracchus ausgab, aber weder vom Censor Q. Caecilius [I 30] Metellus Numidicus noch der Schwester des Gracchus anerkannt wurde. Als Gefolgsmann des L. Ap(p)uleius [I 11] Saturninus bewarb er sich 100 um das Volkstribunat für 99, wurde aber in den Unruhen, die zum Tod des Appuleius führten, selbst getötet.

J. LEA BENESS, T. W. HILLARD, The Death of L. Equitius on 10. December 100 B. C., in: CQ N. S. 40, 1990, 269–272 • B. L. TWYMAN, The Day Equitius Died, in: Athenaeum N. S. 67, 1989, 493–499.   K.-L. E.

[2] Flavius E. stammte aus Pannonien. Er war 384 n. Chr. *tribunus scholae primae scutariorum* und nach Iovianus' Tod zeitweilig Kandidat für das Kaisertum. Er hielt dann treu zu Valentinian I., wurde 364 *comes rei militaris per Illyricum* und 365 *comes et magister utriusque militum per Illyricum* (Amm. 26,1,4; 1,6; 5,3; 5,10f.; Cod. Theod. 7,1,8). Er sorgte für die Verstärkung der Grenzbefestigung im Norden (ILS 762; 774 f.). Obwohl wenig erfolgreich gegen die Quaden 373 (Amm. 30,6,2), wurde er 374 (mit Gratian) *consul*. Mit Merobaudes bewirkte er 375 beim Heer die Ausrufung Valentinians II. zum Kaiser ([Aur. Vict.] epit. Caes. 45,10; Zos. 4,19). PLRE 1, 282 E. (2). W.P.

Equizeto. Stadt in der *Mauretania Sitifensis*, südwestl. von Sitifis an einem Straßenknotenpunkt, h. Ouled-Agla bzw. Lecourbe; in der Tab. Peut. 2,1 als *Equeheto* bezeichnet. Die Stadt war spätestens seit Alexander Severus *municipium* [1. 567 Nr. 29]. Inschr.: CIL VIII 2, 8810–8825; 9045; 10427–10430; Suppl. 3, 20606; Suppl. 4, 22658,5.

1 Bull. Archéologique du Comité des Travaux Historiques, 1897.

AAAlg, Bl. 15, Nr. 91. W. HU.

Equus s. Sternbilder

Er (Ἤρ). Aus Pamphylien, Sohn des Armenios, Träger des eschatologischen Mythos bei Plat. (rep. 10,614bff.): E. wurde, im Krieg gefallen, nach 10 Tagen unverwest aufgefunden; als er am 12. Tag auf dem Scheiterhaufen verbrannt werden sollte, kehrte er aus dem Jenseits ins Leben zurück und berichtete auftragsgemäß von der Katabasis in die Unterwelt mit Totengericht, Strafen und Belohnungen, Spindel der Ananke, Loswahl der Lachesis. Schon ant. Tradition bringt den E.-Mythos mit dem Orient in Verbindung: Bei Clem. Al. (strom. 5,14,103,2 ff.) und Prokl. (in Plat. rep. 2,109,7 ff. KROLL) ist E. durch Zoroastres ersetzt, doch handelt es sich dabei um eine polemische, auf Aristoxenos von Tarent und Kolotes zurückgehende Tendenz, Platon als Plagiator und abhängig vom Orient zu erweisen; dieser ist neben volkstümlichen vielleicht durch pythagoreische (nicht orphische) Vorstellungen beeinflußt [1. 137 ff.; 2. 195, 248; 1. 307,1]. Ungewiß bleibt die Beziehung zur bei armenischen Historikern des 9. Jh. (Moses Chorenaçi, Ps.-Agathangelos) überlieferten Sage vom armenischen König Ara, Sohn des Aram, den Semiramis erfolglos begehrt, im Krieg tötet und vergeblich durch Dämonen wiederzubeleben sucht [1. 138 ff.; 3. 658 f.; 4. 243 ff.]; doch mit dem orientel. Namen E. (Suda s. v. E.; Lk 3,28) und dem Randvolk der Pamphyler (statt Armenier) könnte Platon das »Volkstümliche« (πᾶσι φύλοις) und die »Unfaßlichkeit« seines Mythos andeuten ([5. 108]; anders [1. 138 ff.]).

→ Ananke; Elysion; Jenseitsvorstellungen; Katabasis; Moirai; Pamphylia; Semiramis; Unterwelt; Zoroastres

1 J. KERSCHENSTEINER, Platon und der Orient, 1945
2 WILAMOWITZ 2 3 J. MARQUART, Beiträge zur Gesch. und Sage von Eran, in: ZDMG 49, 1895, 628–672 4 K. KERÉNYI, Die griech.-oriental. Roman-Lit. in rel.-gesch. Beleuchtung, ³1973 5 K. REINHARDT, Platons Mythen, 1927. P.D.

Erannoboas (Ἐραννοβόας). Nebenfluß des Ganges nach Arr. Ind. 4,3 und Plin. nat. 6,65, mittelind. Hiraññāha, ein anderer Name für Śoṇa, h. Son, der doch als Sonus (Σῶνος) getrennt von beiden Verf. gen. wird. Der alte Palibothra/Pāṭaliputra war am Zusammenfluß des Son und des Ganges gelegen. K.K.

Eranos (ἔρανος). Das etym. nicht sicher erklärte Wort bedeutete urspr. »Freundesmahl« (Hom. Od., Pind.). Die Kosten wurden von den Teilnehmern gemeinsam getragen. Auch Sammlungen von Freunden, um einem ein Geschenk zu machen, hießen *éranoi* Gegengeschenke waren bloß sittliche, aber keine Rechtspflicht (Theophr. char. 17,9). Auf dieser Grundlage bildeten sich zwei rechtliche Institutionen heraus:
[1] Eine Art Sammelvermögen. Die von einer Mehrzahl von Personen (*plērōtaí*, Demosth. or. 21,184f.) zusammengebrachten Mittel (*eisphoraí*) wurden zugunsten eines Bedachten einem bestimmten Zweck (Erlegung einer Geldstrafe, Auslösung aus Kriegsgefangenschaft, Loskauf aus Sklaverei) zugeführt. Das Vermögen wurde nach dem Einsammler benannt, manchmal war das der Bedachte selbst. Es wurde dem Bedachten bestimmungsgemäß nur als unverzinsliches Darlehen übertragen und konnte von den Mitgliedern der Spendergemeinschaft mit Klage zurückverlangt werden (s. dagegen Plat. leg. 11,915e).
[2] Auch ein bes. Typus eines privaten Vereins wurde E. genannt, s. → Vereinswesen.

→ Darlehen

A. BISCARDI, Diritto greco antico, 1982, 157 · H.-A. RUPPRECHT, Unt. zum Darlehen im Recht der graeco-ägypt. Papyri, 1967, 3 f. · Ders., Einführung in die Papyruskunde, 1994, 118 f. G.T.

Eraricus, Erarich (Ἐράριχος). Rugier, 541 n. Chr. König der Ostgoten als Nachfolger des Ildibad. E. verhandelte offiziell mit Iustinian über einen Abzug der Goten in das Gebiet nördl. des Po, bot aber insgeheim die Aufgabe ganz Italiens für eine hohe Geldsumme und die *patricius*-Würde an. Noch während der Verhandlungen seiner Gesandten wurde E. nach nur fünfmonatiger Regierung beseitigt; sein Nachfolger wurde Totila (Prok. BG 3,2; Iord. Rom. 378 f.; Chron. min. 2,106 f. MOMMSEN). M. MEI. u. ME. STR.

Erasinides (Ἐρασινίδης). Athenischer Stratege. Stellte 409 v. Chr. den Antrag, Thrasybulos von Kalydon wegen der Tötung des Oligarchen Phrynichos mit einem goldenen Kranz zu ehren (IG I³ 102). Im Frühj. 407 zum Strategen gewählt, wurde E. 406 mit Konon in Mytilene eingeschlossen, konnte sich aber mit einem Schiff nach Athen durchschlagen (Xen. hell. 1,6,16–22). In der Seeschlacht bei den Arginusen kommandierte E. ein Geschwader und setzte sich anschließend für einen schnellen Angriff auf die vor Mytilene liegende spartanische Flotte ein (Xen. hell. 1,6,29–38; 7,29). Wegen der unterbliebenen Bergung der Schiffbrüchigen wurden die

Strategen ihres Amtes enthoben. Nach der Rückkehr wurde E. wegen Unterschlagung und Amtspflichtsverletzung angeklagt und in Haft genommen. In einem → Eisangelie-Verfahren wurden E. und sieben weitere Strategen wegen der unterbliebenen Bergung der Schiffbrüchigen zum Tode verurteilt und hingerichtet (Xen. hell. 1,7; Diod. 13,101).

R. A. BAUMAN, Political Trials in Ancient Greece, 1990, 69–76.   W. S.

Erasinos (Ἐρασῖνος). Name mehrerer Flüsse in Griechenland, zusammengestellt von Strabon (8,6,8): bei Eretria in Euboia, Brauron in Attika, Bura in Achaia und im SW-Teil der Ebene von Argos. Im letztgenannten, nur etwa 5 km langen, aber wasserreichen Fluß tritt, wie man schon im Alt. wußte (Hdt. 6,76,1) und jetzt durch Experimente bestätigt hat, der unterirdische Abfluß des in der Luftlinie 35 km entfernten Sees von Stymphalos zutage.

R. BALADIÉ, Le Péloponnèse de Strabon, 1980, 103 ff.   F. GSCH.

Erasistratos
A. LEBEN B. WERK C. LEHRE D. WIRKUNG

A. LEBEN
Arzt, 4.–3. Jh. v. Chr., geb. in Iulis auf Keos als Sohn des Kleombrotos, eines Arztes des Seleukos I., und der Kretoxene; Bruder und Neffe weiterer Ärzte (fr. 1–8 GAROFALO). Die Nachrichten über seinen Bildungsweg sind widersprüchlich, doch scheint eine Verbindung zu Theophrastos und zum Peripatos möglich, wenn man der Nachricht bei Eusebios keine Beachtung schenkt, E. habe den Zenit seiner Laufbahn im Jahre 258 v. Chr. erreicht [7]. Die berufliche Tätigkeit des Vaters und E.’ eigene Beziehungen zu Chrysippos von Knidos und Aristogenes, einem weiteren seleukidischen Arzt, machen ein vorübergehendes Wirken am seleukidischen Hof wahrscheinlich. Doch wäre es übereilt, aus diesen Indizien und aus der apokryphen Erzählung der Heilung des Antiochos [2] I. um das Jahr 294 (fr. 24–28) auf eine ausschließliche Tätigkeit in Antiocheia zu schließen [2; dagegen 5], da alle ant. Berichte über anatomische Experimente Alexandreia als Ort des Geschehens nahelegen (die Widmung eines Gichtmittels an einen ptolemäischen König, fr. 239, beweist keineswegs, daß E. sich lange in Ägypten aufgehalten hat [3. 21]). Seine Sektionen setzen teilweise die Sektionsbefunde des Herophilos voraus und sind in die 280er Jahre oder später zu datieren. E. soll Selbstmord mittels Schierling begangen haben, um den durch ein unheilbares Fußgeschwür verursachten Schmerzen ein Ende zu bereiten. Er wurde in Mykale beerdigt (fr. 3,1).

B. WERK
E. verfaßte Abhandlungen über Fieberkrankheiten, Wassersucht, Aderlaß, Gicht, Pharmakologie und Diätetik sowie Schriften über Hygiene und die ›Allgemeinen Prinzipien der Medizin‹. Einige dieser Schriften kannte noch → Galenos im 2. Jh. n. Chr., der wörtlich aus ihnen zitiert. Die Rekonstruktion der Lehre des E. wird jedoch dadurch erschwert, daß die Nachrichten über seine Schriften zumeist von Gegnern stammen oder von Galenos, der den Wert der Anatomie des E. auf Kosten anderer seiner Lehren allzu sehr betonte [6; 8].

C. LEHRE
1. ANATOMIE
E. setzte das Werk des → Herophilos, die Erforschung der menschlichen Anatomie, fort und führte zweifellos Vivisektionen durch, auch wenn strittig ist, ob an Menschen oder Tieren. Er verfolgte den Verlauf der Nerven ins Kleinhirn (fr. 288, 289) und beschrieb die Herzklappen auf das genaueste (fr. 201; [5. 195–231; 6. 205–217; 9. 536–582]). Er unterschied sensorische von motorischen Nerven und erkannte den Ursprung von Venen und Arterien im Herz, wobei er allerdings glaubte, nur Venen enthielten normalerweise Blut. Wenn E. in den Arterien, die ihm zufolge pneúma enthielten, doch Blut fand, erklärte er das durch pathologische Veränderungen oder Entweichen von pneúma; das dadurch entstandene Vakuum sauge Blut aus anderen Körperteilen an. Die Sektionen des E. wurden durch geschickte Experimente (fr. 42 A, 49, 52, 53) sowie durch Obduktionen (fr. 251, 280) ergänzt. E. betonte die Notwendigkeit ununterbrochener Übung in Untersuchungen aller Art, um besser mit Krankheiten umgehen zu können (fr. 247).

2. PHYSIOLOGIE
E. betrachtete den Körper als eine Art Maschine und wies mehrfach teleologische Erklärungsmuster zurück [5. 195–231]. Der Muskelumfang wachse wegen der geleisteten, nicht wegen der zu leistenden Arbeit. Ernährung und Atmung verstand E. als getrennte Aktivitäten, wobei Poren, deren Größe über die Verteilung der Materieteilchen mitentschieden, in seinen Erklärungsversuchen eine wichtige Rolle spielten. Der Puls resultiere aus den mechanischen Bewegungen des pneúma, das vom Herz über die Arterien ausgesandt werde, wobei die Herzkontraktion eine Ausdehnung der Arterien nach sich ziehe. Hunger entstehe, wenn der Magen zu arbeiten fortfahre, nachdem schon die gesamte Nahrung zerkleinert und verteilt sei. Ein dreigliedriges Gefäßnetz, bestehend aus einem Geflecht von Nerven, Venen und Arterien (fr. 86, 87), bilde die Grundlage und den Baustoff des gesamten Körpers. Ihm würden andere Körperteile wie z. B. die Lunge aus Nahrungsdepots angelagert. Dem Blut entziehe die Leber durch Filterung Galle, die Nieren durch Anziehungskraft seröse Flüssigkeit (fr. 140). E.’ Gebrauch von Erklärungsmustern, die zeitgenössischer Naturwissenschaft und Technologie entstammen, ist besonders auffällig.

3. KRANKHEITSLEHRE
E. war zwar ein strenger Verfechter von Kausalitäten, lehnte aber qualitative Erklärungsmuster wie Wärme oder Kälte ab zugunsten von mechanischen Ursachen wie der Blockade (fr. 198) oder, bei Wassersucht, der Leberzirrhose. Er unterschied zwei Arten der Lähmung, die beide durch den Eintritt von Flüssigkeit in das Lu-

men der Nervenbahnen und nachfolgende Behinderung des Pneumaflusses verursacht würden (fr. 212). Besonders achtete er darauf, eine Plethora zu vermeiden, d.h. eine Blutfülle, die Gicht, Entzündung und verschiedene Fieberarten zur Folge habe. E. lehnte den Aderlaß als Heilmaßnahme ab und vertraute stattdessen auf diätetische und medikamentöse Verfahren, insbesondere auf eine Nahrungsreduzierung bis hin zur Hungerkur bei Verdacht auf Plethora. Seine Therapie mag jedoch weniger radikal gewesen sein, als Galen uns glauben machen möchte [8].

D. WIRKUNG

E. galt schon bald als einer der bedeutendsten Ärzte der Ant. und hatte in der Liste der dogmatischen Ärzte (→ Dogmatiker) eine bevorzugte Stellung. In Rom [1. 100–106] und sogar in Spanien [10] lassen sich Ärzte, die sich auf unterschiedliche Weise der Lehre des E. verpflichtet fühlten, bis weit ins 2. Jh. n.Chr. nachweisen. E.' anatomische Versuche ermunterten Galen zur Nachahmung, seine Betonung der Körpermechanik mag → Asklepiades [6] von Bithynien beeinflußt haben.

1 P.BRAIN, Galen on Bloodletting, 1986 2 P.M. FRASER, The Career of Erasistratus of Ceos, in: Rendiconti dell'Istituto Lombardo 103, 1969, 518–537 3 I. GAROFALO, Erasistrati Fragmenta, 1988 4 C.R.S. HARRIS, The Heart and the Vascular System in Ancient Greek Medicine, 1973 5 G.E.R. LLOYD, A Note on Erasistratus of Ceos, in: JHS 95, 1995, 172–175 6 J.N. LONGRIGG, Greek Rational Medicine, 1993 7 J.SCARBOROUGH, Erasistratus, Student of Theophrastus, in: BHM 59, 1985, 515–517 8 W.D. SMITH, Erasistratus' Dietetic Medicine, in: BHM 56, 1982, 398–409 9 F.SOLMSEN, Kleine Schriften, 1968 10 Hispania epigraphica 4, 1994, 65 Anm. 146 11 J.N. LONGRIGG, s.v. E., Dictionary of Scientific Biography 4, 382–386 12 M. WELLMANN, s.v. E. 2), RE 5, 333–351.   V.N./Ü: L.v.R.–B.

Erastos (Ἔραστος) aus Skepsis. 4. Jh. v.Chr., Schüler Platons, der an der Philosophengesandtschaft zu Hermias nach Assos beteiligt war (Didymos, In Demosthenem commenta V 54 = F 7 LASSERRE). Nach Philod. Index academicorum VI 10–12 war E. wie Asklepiades von Phleius Verf. einer sonst nicht faßbaren Schrift ›Erinnerungen (*Apomnēmoneúmata*) an Platon‹.

F. LASSERRE, De Léodamas de Thasos à Philippe d' Oronte. Témoignages et fragments, 1987.   K.-H.S.

Erato (Ἐρατώ).

[1] Eine der neun → Musen, Tochter des Zeus und der Mnemosyne (Hes. theog. 78; Apollod. 1,13). Die Zuteilung eines bestimmten Wirkungsgebietes ist wie bei den anderen Musen auch bei E. erst allmählich erfolgt. Platon u.a. weisen ihr ihrem Namen gemäß das Gebiet des Erotischen zu (Phaidr. 259d); sie ist aber v.a. die Muse der Liebeslyrik und wird in in diesem Zusammenhang von Dichtern angerufen (vgl. Verg. Aen. 7,37; Ov. ars 2,16; 425). Sie ist u.a. auf der François-Vase (570 v.Chr.) und auf der Basler Lekythos (zusammen mit → Thamyris und → Klio) abgebildet.

A. QUEYREL, s.v. Mousa, LIMC 6.1, Nr. 121 und Nr. 81 (weitere Darstellungen Nr. 17–18, 93).   R.B.

[2] Armenische Königin, die nach dem kurz vor 6 v.Chr. eingetretenen Tod ihres Vaters Tigranes III. als Schwestergemahlin und Mitregentin Tigranes' IV. auf den Thron kam. Ein Versuch des Augustus, anstelle des parthisch beeinflußten Herrscherpaares dessen Onkel Artavasdes III. einzusetzen, schlug fehl: E. dankte erst ab, als ihr Bruder im J. 1 n.Chr. bei der Abwehr eines Barbaren-Einfalls umkam. Sie regierte zwischen 13 und 15 n.Chr. als letzte Vertreterin der artaxiadischen Dynastie noch einmal für kurze Zeit allein.

M.J. CHAUMONT, L'Arménie entre Rome et l'Iran I, in: ANRW II 9.1, 1976, 71–194 • M.-L. CHAUMONT, s.v. Armenia and Iran II, EncIr 2, 422 • M.PANI, Roma e i Re d'Oriente da Augusto a Tiberio, 1972 • M.SCHOTTKY, Media Atropatene und Groß-Armenien in hell. Zeit, 1989 • Ders., Parther, Meder und Hyrkanier, AMI 24, 1991, 70f. • A. STEIN, s.v. Erato (9), RE 6, 355f.   M.SCH.

Eratokles (Ἐρατοκλῆς). Haupt einer Harmonikerschule, gegen die sich Aristoxenos dreifach wendet (5f. MEIBOM).

A.D. BARKER, Hoi kaloumenoi harmonikoi: the predecessors of Aristoxenus, in: PCPhS 24, 1978, 1–21.
F.Z.

Eratosthenes (Ἐρατοσθένης).

[1] Athener aus reicher Familie. Diente 411 v.Chr. als Trierarch im Hellespont, verließ aber sein Schiff, um die Oligarchen in Athen zu unterstützen (Lys. 12,42). Nach der Kapitulation Athens im Peloponnesischen Krieg (404 v.Chr.) gehörte E. einem Aktionskreis – den fünf Ephoren – an, die auf einen oligarchischen Umsturz hinarbeiteten. Nach Aufhebung der demokratischen Ordnung war E. am Regierungskomitee der Dreißig, nach deren Absetzung an dem der Zehn beteiligt (Lys. 12,43–48; 54; Xen. hell. 2,3,2). Nach dem Sieg der Demokraten 403 blieben E. und Pheidon zum Rechenschaftsverfahren in Athen (Aristot. Ath. pol. 39,6; And. 1,90). Da E. während der oligarchischen Herrschaft an Verhaftungen beteiligt war, denen auch Polemarchos, der Bruder des Lysias, zum Opfer gefallen war, wurde E. 403 von Lysias wegen Mordes angeklagt, aber freigesprochen (Lys. 12).

G. A. LEHMANN, in: Ant. und Universalgesch. FS H. E. Stier, 1972, 201–233.   W.S.

[2] aus Kyrene. A. LEBEN
B. NATURWISSENSCHAFTLICHE ARBEITEN
C. PHILOLOGISCHE WERKE   D. WÜRDIGUNG

A. LEBEN

Der Bibliothekar in Alexandreia (nach Apollonios [2] und vor Aristophanes [4], vgl. POxy. 1241) soll ungefähr 80 Jahre alt geworden sein (vgl. Suda ε 2898, Ps.-Lukian. Macrobii 27), doch sind die uns zur Verfügung stehenden Nachrichten nicht frei von Widersprüchen: Das der Suda zu entnehmende Geburtsdatum (126. Ol. = 276–3 v.Chr.) läßt sich nicht mit Strab. 1,2,2 verein-

baren, dem zufolge er Schüler des Stoikers Zenon gewesen sein soll, der 262/1 starb (was E.' Geburt um
mindestens zehn Jahre zurückdatiert). Nach einiger Zeit
in Athen soll er von Ptolemaios III. nach Alexandreia
berufen worden sein (also nach 246 v. Chr.), doch soll er
auch Schüler des Kallimachos gewesen sein, obwohl der
große Dichter in jenen Jahren schon dem Tode nahe
stand. Er galt auch als Schüler anderer herausragender
Meister: in Kyrene des Grammatikers Lysanias, in Athen
des Akademikers Arkesilaos und des stoischen Häreti-
kers Ariston [7] (vgl. Athen. 7,281c).

B. Naturwissenschaftliche Arbeiten

Vom reichen Werk des E. sind nur Fragmente und
Testimonien erhalten. Theon von Smyrna benutzte ei-
nen *Platōnikós* aus seiner Feder, wahrscheinlich einen
Dialog, der von den kosmologischen Vorstellungen Pla-
tons (v. a. dem *Tímaios*) inspiriert war. Nachrichten über
seine Tätigkeit als Mathematiker bietet ein unechter
Brief unter seinem Namen, verfaßt von Eutokios aus
Askalon (vgl. Archim. 3, 98 ff. H.; das den Brief beglei-
tende Widmungsepigramm wurde jedoch von Wilamowitz und Wolfer als authentisch angesehen, was die
Hypothese stützt, daß E. Lehrer des späteren Ptolemaios
IV. Philopator gewesen sei): Zu erwähnen sind seine
Forschungen über die Verdoppelung des Würfels, über
die mittleren Proportionen (seine Schrift *Über die mittleren Proportionalen*, Περὶ μεσοτήτων, scheint die pythagoreische Theorie der drei mathematischen Mittel
übernommen zu haben, vgl. Pappos 7 S. 636, 24f.
Hultsch) und insbes. über die Identifikation der Primzahlen (mit der Methode des sogenannten »Siebs des
E.«). Sein Ruhm als Mathematiker, den er schon zu
Lebzeiten genoß, zeigt sich u. a. darin, daß Archimedes
ihm seine Abhandlung *Méthodos* widmete.

Bei der überlieferten Prosaschrift mit dem Titel
Sternkonstellationen (Καταστερισμοί) handelt es sich
wahrscheinlich um die Epitome eines astronomisch
ausgerichteten Werkes, das den myth. Ursprung der
Namen der Konstellationen angab. E. hat sich sicherlich
sehr intensiv für Geographie interessiert; hier sind die
drei Bücher *Geōgraphiká* am bemerkenswertesten
(Auszüge daraus sind uns durch Strabons Übernahmen
erhalten): Die ersten beiden Bücher waren der Gesch.
der Disziplin und verschiedenen spezifischen Untersuchungen gewidmet, das dritte behandelte die Erdkarte
(gegen die Hipparchos polemisiert haben soll), in einem
Schlußabschnitt fand sich die Beschreibung einzelner
Länder. Er ging nicht nur verschiedene geogr. Probleme
mit einer mathematischen Methode an, sondern er legte
auch den Entwurf eines Systems von Längen- und Brei-
tengraden (wenn auch nur mit einer großenteils falschen Berechnung) vor; er erkannte, daß es theoretisch
möglich sei, die Erde zu umsegeln.

Bes. bedeutend ist seine Schrift *Über die Erdvermes-
sung* (Περὶ ἀναμετρήσεως τῆς γῆς): Seine Berechnung
des Erdumfangs, nahm er vor, indem er die Differenz
der Einfallswinkel der Sonnenstrahlen zw. den ungefähr
auf demselben Meridian liegenden Städten Syene (heu-

te Assuan) und Alexandreia maß (unter der Annahme
der der vollkommenen Kugelförmigkeit der Erde); das
Ergebnis betrug 252000 Stadien (ca. 45460 km), jedenfalls eine gute Annäherung. Eine weitere Berechnung,
bei der er ein dem tatsächlichen sehr nahes Ergebnis
erzielte, betraf die Schrägheit der Ellipse.

Nach Pfeiffer war E. der Begründer der ant. kritischen Chronographie. Die Prinzipien dieser Wiss. wurden in den *Chronographíai* (Χρονογραφίαι) entwickelt:
diese enthielten eine komplette chronologische Übersicht auf der Grundlage der olympischen Siegerlisten
und (für die Zeit davor) der Liste der spartanischen Könige (E. begann mit der Einnahme Trojas und teilte die
gesamte Gesch. bis zum Tod Alexanders d. Gr. in zehn
Epochen ein). Außerdem schrieb E. zwei spezifische
Werke, die *Olympioniken* (Ὀλυμπιονῖκαι, eine präzise
Rekonstruktion der olymp. Siegerlisten) und *Über den
Achtjahreszyklus* (Περὶ τῆς Ὀκταετηρίδος), ein Kalender-
problem. Auch wenn E. die Gesch. mit Homer beginn-
nen ließ und somit seinem eigenen Prinzip zuwiderhan-
delte, Mythen, die sich nicht verifizieren ließen, nicht in
Betracht zu ziehen, ist seine radikale Kritik an Homer als
histor. und geogr. Quelle von Bedeutung, da er alle-
gorischen Interpretationen keinen Raum zugestand:
Man könne nicht verlangen, daß ein poetisches Werk,
das erfreuen soll, auch wiss. Genauigkeit besitze und die
Absicht habe zu belehren.

Musiktheorie s. Artikelende

C. Philologische Arbeiten

Fragmente und Testimonien besitzen wir auch für
die poetische Produktion des E., die gewiß einen ep.
Hermés und eine elegische *Ērigónē* umfaßte. Bezüglich
seiner philol. Arbeit läßt sich Pfeiffers Behauptung, daß
mit ihm Geist und Methode der Wiss. die Philol. zu
beeinflussen begannen, nicht bestätigen. Wir wissen,
daß sich das Interesse des E. vor allem auf die Komödie
richtete (er schrieb wenigstens zwölf B. ›Über die Alte
Komödie‹/Περὶ τῆς ἀρχαίας κωμῳδίας); auf diesem
Feld setzte er zusammen mit Euphronios und Dionysia-
des das Werk des Lykophron fort. In seinen lexikalischen Urteilen legte er dabei vielleicht eine strenge Haltung an den Tag: so hielt er die Komödie *Metallḗs*
(Μεταλλῆς) des Pherekrates für unecht, weil dort ein
unregelmäßiger Gebrauch von εὐθύς vorkam. Der Suda
zufolge war → Aristophanes [4] von Byzanz sein Schüler: Dieser vertrat zu einzelnen lexikalischen Problemen
eine wohl nicht so strenge Position wie sein Meister,
doch teilte er dessen hohe Wertschätzung für Pherekrates, den beide auf dieselbe Stufe wie die Trias Eupolis, Kratinos und Aristophanes stellten. Auch in der
Analyse der Lyrik gelangte E. zu bemerkenswerten Erkenntnissen: Von bes. Bedeutung ist die Zuweisung eines volkstümlichen Pallashymnus an Lamprokles (PMG
735; vgl. aber Page ad I.). Darüber hinaus kompilierte er
zwei Onomastika (mit den Titeln Ἀρχιτεκτονικός, *Ar-
chitektonikós* bzw. Σκευογραφικός, *Skeuographikós*);
Clemens von Alexandreia zufolge, der ihn zusammen
mit Antidoros von Kyme und Praxiphanes zitiert

(Strom. 1,16,79,3), schrieb er auch Γραμματικά (*Grammatiká*; doch er ließ sich nach Suet. Gramm. 10 nicht *grammatikós*, sondern *philólogos* nennen). In den *Explanationes in artem Donati* des Servius heißt es schließlich, daß er die Aussprache des Zirkumflexes erklärte (was die Frage der gesprochenen Akzente betrifft und nicht bedeutet, daß er schon vor Aristophanes von Samothrake diakritische Zeichen angewandt hatte).

D. Würdigung

E. war ein wirklich enzyklopädischer Geist. Böse Zungen unter seinen Zeitgenossen gaben ihm den Beinamen »der Fünfkämpfer« (*Péntathlos* und »der Zweite« (*Bḗta*), um zum Ausdruck zu bringen, daß er auf keinem der Gebiete, in denen er sich zu Wort meldete, den ersten Rang einnahm. Pfeiffer hebt hervor, daß er eher Wissenschaftler als ein Dichter und Philologe war. Tatsächlich war er eine der herausragendsten Persönlichkeiten seiner Zeit, und in mancherlei Hinsicht ein ideales Verbindungsglied zwischen Peripatos und Alexandrinismus.

Ed.: H. Berger, Die geogr. Fragmente des E., 1880 · K. Strecker, De Lycophone Euphronio Eratosthene comicorum interpretibus, 1884 · Ps.-Eratosthenis Catasterismi, rec. A. Olivieri (MythGr III/1), 1897 · CollAlex 58–68 · FGrH II 1010–21 (Nr. 241) · SH 397–99 · A. Rosokoki, Die Erigone des E., 1995.

Lit.: G. Bernhardy, Eratosthenica, 1822 · E. Maass, Analecta Eratosthenica, 1883 · G. A. Keller, E. und die alexandrinische Sterndichtung, 1946 · E. P. Wolfer, E. von Kyrene als Mathematiker und Philosoph, 1954 · R. Pfeiffer, History of Classical Philology, I, 1968, 152–70.
R. T./Ü: T. H.

In der Musiktheorie unterscheidet E. zwischen *diástēma* und *lógos* (z. B. 2 zu ½ und ½ zu 2 haben den gleichen Abstand, nicht aber das gleiche Verhältnis [1]). Seine zahlentheoretisch-harmonische Teilung der drei Tongeschlechter [2] (→ Musik II) bezeugt indirekt eine Annäherung des pythagoreischen Zahlendenkens an das System des → Aristoxenos.

1 I. Düring, Porph. Komm. zur Harmonielehre des Kl. Ptol., 1932, 91,4 ff.; vgl. aber 92,24 f. 2 Ders., Harmonielehre des Kl. Ptol., 1930, 70 ff. 3 Ders., Ptol. und Porph. über die Musik, 1934, 85 ff., 177 4 MSG 416 f.
F. Z.

[3] Scholastikos. Epigrammdichter aus justinianischer Zeit (2. Hälfte des 6. Jh. n. Chr.), von dem wenigstens fünf, aus dem »Kyklos« des Agathias stammende Epigramme erhalten sind (umstritten sind Anth. Pal. 5,243 f.; 246; 7,601; sie lassen sich ihm nur unter Schwierigkeiten zuweisen). Es handelt sich um erotische (5,242; 277; das erste Gedicht ist ungewöhnlich obszön), Weihe- (6,77 f.) und epideiktische (9,444) Epigramme, die man nicht mehr als sorgfältig nennen kann. Die Gleichsetzung mit dem Autor einer Hypothesis zu Theokr. 12 ist nicht unwahrscheinlich. (vgl. [1]).

1 A. S. F. Gow, Theocritus, I, 1952, LXXXIIIf.
E. D./Ü: T. H.

Erbrecht I. Alter Orient II. Griechisch III. Römisch IV. Jüdisch

I. Alter Orient

→ Keilschriftrechte

II. Griechisch

In Griechenland entsprach das E. vor allem dem Gedanken der Familienerbfolge. Daher enthält das griech. Recht mehrere Einrichtungen, um die Erbfolge im Familienverband auch dann zu sichern, wenn keine Haussöhne (*gnḗsioi*) vorhanden waren. So diente die → *eispoíēsis* der adoptionsähnlichen Bestimmung eines nicht testamentarischen Erben. War auch kein solcher Ersatzerbe vorhanden, fiel der Nachlaß (→ *klḗros*) entweder an die Seitenverwandten (→ *anchisteía*) oder über die Töchter an die Nachkommen in der weiblichen Linie (→ *epíklēros*).

Neben dem Übergang des Nachlasses auf diese gleichsam »geborenen« oder zum Zweck der Nachfolge (im Fall der *eispoíēsis*) »gekorenen« Erben war im griech. Recht auch die Bestimmung über einzelne (Vermächtnis-)Gegenstände des Nachlasses oder den Nachlaß im ganzen durch Testament verbreitet (dazu genauer → *diathḗkē*). Die Testierfreiheit war aber keineswegs in allen Regionen Griechenlands anerkannt.

Auf die (geborenen und zu Lebzeiten adoptierten) Haussöhne ging der Nachlaß von selbst über, so daß sie ihn ohne weiteres in Besitz nehmen konnten (→ *embateúein*). Außenerben bedurften hingegen der Einweisung in den Nachlaß durch ein bes., auf ihren Antrag durchgeführtes Verfahren, die → *epidikasía*, zwischen mehreren Prätendenten kam es zu einer → *diadikasía*. Waren mehrere Erben berufen und einigten sich diese über die Auseinandersetzung, konnten in Athen → *datētaí* als Schiedsrichter angerufen werden.

A. R. W. Harrison, The Law of Athens I, 1968. G. T.

III. Römisch

A. Grundlagen B. Berufung zur Erbfolge und Erwerb der Erbschaft C. Intestaterbfolge D. Testamentarische Erbfolge E. Noterbfolge F. Erbenstellung G. Einzelverfügungen H. Mortis causa capio

A. Grundlagen

Das röm. Recht unterschied Gesamtnachfolge des/der Erben in die Rechtsstellung des Verstorbenen und Erwerb von Einzelgegenständen aus dem Nachlaß (Vermächtnisse). Seit der Königszeit konnte der Erblasser die Erbfolge durch letztwillige Verfügung (Testament) regeln.

Die röm. Erbrechtsordnung basierte auf der agnatischen Familienstruktur: Nach *ius civile* waren nur Agnaten (in erster Linie die Hauserben, *sui heredes*) erbberechtigt, falls kein Testament vorlag; seit Ende der Republik erhielten auch Kognaten ein (prätorisches) Erbrecht (→ Agnatio, → Cognatio). Alle Erben, welche nicht zugleich *sui heredes* waren (also alle agnatischen

Seitenverwandten, nicht-agnatischen *cognati* und Hausfremden), waren *extranei heredes*. Freigelassene Sklaven hatten, da sie in Unfreiheit geboren waren, weder Vorfahren noch Seitenverwandte; ihr Patron erbte ähnlich wie ein direkter Verwandter *agnatus proximus*. Waren sie vom Patron zu Erben eingesetzt, so wurden sie als *heredes necessarii* wie *sui* behandelt. Wer nach *ius civile* zur Erbfolge berufen war, war *heres*; wer vom Prätor ohne Rücksicht auf *ius civile* berufen war, wurde nicht *heres*, sondern erhielt nur die *bonorum* → *possessio*.

B. BERUFUNG ZUR ERBFOLGE UND ERWERB DER ERBSCHAFT

Das röm. Recht kannte drei Berufungsgründe: Intestaterbfolge, Testament, Noterbfolge. Ein Testament schloß Intestaterbfolge völlig aus; umfaßte es nicht den gesamten Nachlaß, so wuchsen die nicht vergebenen oder durch Wegfall von eingesetzten Erben freigewordenen Teile den anderen Erben an (Akkreszenz). Noterbfolge (s.u.) ging dem Testament vor. Der Unterschied zwischen *sui* und *extranei heredes* wirkte sich im Erbschaftserwerb aus: *sui* erwarben die gesetzlich oder testamentarisch angefallene Erbschaft unmittelbar mit dem Tod des Erblassers, ihre einmal erworbene Erbenstellung war nach Zivilrecht unentziehbar (der Prätor erlaubte ihnen die Ausschlagung, → Abstentio); *extranei* erwarben die Erbschaft durch Erbantritt. Solange ein *extraneus* die ihm übergebene Erbschaft nicht angetreten hatte, war sie ohne Inhaber (*hereditas iacens*). Eine *hereditas iacens* konnte jedermann in Besitz nehmen; übte er den Besitz ein Jahr lang unangefochten aus, so wurde er *heres* durch Erbschaftsersitzung (*usucapio pro herede*). Ihr Ursprung ist beim Erbschaftserwerb durch *extranei* zu suchen: ein *extraneus* erwarb die Erbschaft erst mit förmlicher Annahmeerklärung (*cretio*); unterließ er sie, so wurde sie mit der *usucapio* fingiert. In klass. Zeit genügte an Stelle der Annahmeerklärung – wenn sie nicht im Testament vorgeschrieben war – jede äußerliche Betätigung des Annahmewillens (*pro herede gestio*), so daß der *extraneus* der *usucapio* nicht mehr bedurfte (→ Aditio hereditatis). Die *usucapio* überwand aber nicht nur den Mangel der *aditio*, sondern auch jeden Mangel des Berufungsgrundes, so daß auch ein Nichtberufener die Erbschaft usukapieren konnte (bis ins 2. Jh. n. Chr. sogar ein Bösgläubiger).

C. INTESTATERBFOLGE

Wenn kein Testament existierte, erbten nach *ius civile* die → *sui heredes*. Waren keine *sui* vorhanden, so erhielten die beim Erbfall gradnächsten Agnaten den Nachlaß, wurden aber erst durch *aditio* oder *usucapio* (s.o.) *heredes*. In klass. Zeit waren nichtblutsverwandte Agnatinnen vom Erbschaftserwerb ausgeschlossen. Unterließen die *agnati proximi* den Erbschaftserwerb, so fiel die Erbschaft den Gentilen, seit der Kaiserzeit der Staatskasse an (*vacantia bona*).

Freigelassene wurden von ihren *sui* beerbt, sonst vom *patronus* und seinen agnatischen Abkömmlingen; die *lex Papia* gewährte dem Patron auch gegen *sui* ein ziviles Erbrecht. Der *praetor* erteilte die *bonorum possessio* in vier Klassen, deren jede zum Zuge kam, wenn kein Antrag in der vorhergehenden Klasse gestellt war: 1. *liberi* (für emanzipierte Kinder und alle *sui*), 2. *legitimi* (für die zivilen Erben: *sui* oder *agnati proximi*), 3. *cognati* (für die Blutsverwandten, → Cognatio), 4. *vir et uxor* (für Ehegatten). Bei der *bonorum possessio* nach Freigelassenen unterschied man sieben Klassen. Wer den Antrag in einer Klasse versäumt hatte, konnte ihn in einer weiteren Klasse stellen; die 1. und 2. Klasse setzten sich gegen einen zivilen Intestaterben durch, nicht gegen einen Testamentserben; die weiteren Klassen waren schwächer als ziviles Erbrecht (Gai. inst. 3,35 ff.). Das klass. Intestaterbrecht wurde durch Nov. 118 und 127 (543, 548 n. Chr.) zugunsten einer Kognatenerbfolge aufgehoben.

D. TESTAMENTARISCHE ERBFOLGE

Nur röm. Bürger konnten ein Testament errichten, Frauen nur mit *auctoritas tutoris*, seit Hadrian (1. H. 2. Jh. n. Chr.) auch selbständig. Das Testament der klass. Zeit wurde errichtet, indem der Erblasser sein Vermögen an eine Formperson (*familiae emptor*) manzipierte und durch *nuncupatio* die Testamentsurkunde, in der die Verfügungen aufgezeichnet waren, bezeichnete (Gai. inst. 2,104; → Testamentum; Codicilli). Eingesetzt werden konnten nur freie und gewaltunterworfene Bürger sowie Sklaven (Gewaltunterworfene erwarben für ihren *pater familias* bzw. *dominus*). Die *lex Voconia* (169 v. Chr.; seit der Kaiserzeit teilweise obsolet) entzog Frauen der 1. Zensusklasse die Einsetzungsfähigkeit. Fiel einer von mehreren Testamentserben durch Vorversterben oder Ausschlagung weg, so trat Akkreszenz (s.o.) ein; fielen alle weg, so trat Intestaterbfolge ein. Um dies zu vermeiden, konnte der Erblasser einen Ersatzerben bestimmen (→ Substitutio). Die Regelung des Erbteilsverfalls (*caducum*) verdrängte Akkreszenz, konnte aber durch Substitution vermieden werden.

E. NOTERBFOLGE

»Formell«: Nach *ius civile* mußten sämtliche *sui heredes* im Testament erwähnt werden (vgl. → Praeteritio). Wurde ein *filius suus* nicht namentlich erwähnt, so zog dies die Ungültigkeit des ganzen Testamentes nach sich (*ruptio*), selbst wenn er erst nach Testamentserrichtung geboren oder erst adoptiert worden war; in diesem Fall trat die Intestaterbfolge ein. Bei den anderen *sui* genügte eine nicht namentliche Erwähnung; war einer von ihnen übergangen, so blieb das Testament nach *ius civile* wirksam, doch erteilte der Praetor die *bonorum possessio contra tabulas*.

»Materiell«: Seit der Kaiserzeit konnten intestaterbberechtigte nahe Verwandte das Testament mit der *querela inofficiosi testamenti* anfechten, falls sie vom Erblasser formgültig, aber grundlos enterbt waren. Sie erhielten ein Viertel ihres Intestaterbteils; im übrigen blieb das Testament erhalten. Iustinian verschmolz formelles und materielles Noterbrecht miteinander (Nov. 18 und 115).

F. ERBENSTELLUNG

Zur Berufung zum Erben und zum Erbschaftserwerb s.o. B. Ein ziviler *heres* konnte die Erbschaft von ihrem

Besitzer mit der *hereditatis → petitio*, ein *bonorum possessor* mit dem *interdictum quorum bonorum* herausverlangen. Mehrere Erben bildeten bis zur Auseinandersetzung eine Erbengemeinschaft (→ Erbteilung); jeder Miterbe war anteiliger Gläubiger der Nachlaßforderungen und haftete anteilig für die Nachlaßschulden.

G. EINZELVERFÜGUNGEN

Die XII Tafeln erlaubten, Vermächtnisse (→ Legatum), Vormundsbestellungen und auch Freilassungen (→ Manumissio) im Testament vorzunehmen; seit Ende der Republik wurden formlose Bitten an den Erben üblich, Einzelgegenstände oder die ganze Erbschaft an Personen, die nicht eingesetzt werden konnten (s.o.) oder keine *capacitas* hatten, auszufolgen; diese → *fideicommissa* waren seit Augustus klagbar.

H. MORTIS CAUSA CAPIO

Unter diesen Begriff (s. dort) fiel jeder Erwerb auf Grund letzten Willens, der nicht die Form eines Erbschafts- oder Vermächtniserwerbs hatte.

→ ERBRECHT

1 H. HONSELL, TH. MAYER-MALY, W. SELB, Röm. Recht, ⁴1987, 434 ff. 2 KARLOWA II 842 ff. 3 KASER, RPR I, 91 ff., 668 ff.; II, 463 ff. 4 H. L. W. NELSON, U. MANTHE, Gai Institutiones III 1–87, 1992 5 P. VOCI, Diritto ereditario romano Bd. 1, ²1967; Bd. 2, 1963 6 A. WATSON, The Law of Succession in the Later Roman Republic, 1971. U. M.

IV. JÜDISCH

Das rabbinische Erbrecht ergänzt und erweitert verschiedene biblische Bestimmungen (vgl. Num 27,8–11; 36,6–7; Dtn 21,16–17). Dabei wird ein lineares Parentelsystem formuliert mit Bevorzugung der männlichen Nachkommen; die Ehefrau des Erblassers und deren Verwandtschaft werden vom Erbe ausgeschlossen. Die erste Parentel bilden die Nachkommen des Erblassers, darauf folgt der väterliche Stamm, der Vater des Erblassers und dessen Nachkommen; die dritte Parentel bildet der großväterliche Stamm, der Großvater sowie dessen Nachkommen. Nur wenn keine Söhne vorhanden sind, können die Töchter bedacht werden; diese sind dann allerdings verpflichtet, innerhalb ihrer eigenen Sippe zu heiraten. Gerade diese Benachteiligung der Töchter, wie sie in der pharisäischen Halakha gilt, wird von den → Sadduzäern kritisiert; ihre Auffassung deckt sich mit der des röm. Rechts, wonach Sohn und Tochter beim Erbe als gleichberechtigt galten (tYad 2,20; yBB 8,1 [16a]). Für den Unterhalt der noch unverheirateten Schwestern hatten deren Brüder aufzukommen. Anstelle eines Erbes stehen der überlebenden Ehefrau die im Ehevertrag fixierten güterrechtlichen Ansprüche, gegebenenfalls auch Unterhalt und Wohnung, zu.

→ Halakha

SH. SHILO, s. v. Succession, Encyclopedia Judaica 15, 475–481 (Lit) · T. ILAN, Jewish Women in Greco-Roman Palestine. An Inquiry into Image and Status, Texte und Stud. zum Ant. Judentum 44, 1995, 167–174 (Lit). B. E.

Erbsen. Die Samen mehrerer Hülsenfrüchte der Gattungsgruppe *Vicieae* der Leguminosen heißen E. (ahd. *arawiz*, verwandt mit ὄροβος, *órobos*, und ἐρέβινθος, *erébinthos*). Diese werden im Vorderen Orient seit dem Mesolithikum und in Süd- und Mitteleuropa seit dem Neolithikum zu Ernährungszwecken angebaut. Es handelt sich v. a. um *Pisum sativum L.* (auch *elatius* und *arense*, πίσ(σ)ον oder πίσος, wovon Eigennamen wie Pisa und Piso abgeleitet sind), aber auch um die im Orient häufige, nach ihrem widderkopfähnlichen Samen benannte (so Plin. nat. 18,124) und in mehrere Sorten unterschiedene Kichererbse *Cicer arietinum L.*, welche schon Hom. Il. 13,589 als *erébinthos* erwähnt. Ihr verdankt Cicero seinen Beinamen. Dioskurides (2,104 [1. 178] bzw. 2,126 [2. 208]) bezeichnet die E. als εὐκοίλιος (»gut für den Darm«), aber auch als harn- und abtreibend. Athen. 2,54e–55b zitiert ihre Zubereitung nach verschiedenen Quellen. Aber auch die in Mitteleuropa z. T. wildwachsenden Arten der Platt-E. *Lathyrus L.* mit ihrer Untergattung *Orobus* gehören dazu. *L. sativus* erwähnt als λάθυρος ὦχρος bereits Theophr. h. plant. 8,3,1 f.

→ Abrus; Arakos; Bohnen; Erve

1 WELLMANN 1 2 BERENDES. C. HÜ.

Erbteilung. Griech. Recht → Datetai. Im frühröm. Recht bildeten Miterben eine gesamthänderische Gemeinschaft *ercto non cito* (»ohne vorgenommene Teilung« [2]; jeder Miterbe war befugt, allein über Erbschaftssachen zu verfügen. Die Auseinandersetzung geschah einverständlich oder durch die → *legis actio per arbitri postulationem* (Gai. inst. 4,17a); der → *arbiter* verteilte die einzelnen Erbschaftssachen und verurteilte gegebenenfalls zu Ausgleichszahlungen. Seit vorklass. Zeit wurde die Miterbengemeinschaft als Bruchteilsgemeinschaft verstanden, in welcher jeder zwar über seine Quote, nicht aber über einzelne Gegenstände verfügen konnte; die Auseinandersetzung geschah durch die → *actio familiae erciscundae*, wobei Teilungsordnungen des Erblassers berücksichtig wurden.

→ Erbrecht III F; Fideicommissum

1 KASER, RPR I, 99 f., 727 f. 2 H. L. W. NELSON, Zur Terminologie der röm. Erbschaftsteilung, in: Glotta 44, 1966, 41–60. U. M.

Erbtochter s. Epikleros

Ercavica. Keltiber. Siedlung; die Herkunft des Namens ist unsicher ([1. 1485] keltiberisch, [2. 72] baskisch). Trotz mancher Quellenbelege ist die genaue Lage von E. nicht auszumachen ([3]: auf der Cabeza del Griego westl. von Cuenca? Dagegen [2. 331,5]; vgl. auch CIL II p. 419, 425). Sie gehörte zum *conventus* von Caesaraugusta (Plin. nat. 3,24; CIL II 4203). Die *nobilis et potens civitas* (›edle und mächtige Stadt‹) ergab sich 179 v. Chr. ohne Widerstand dem *propraetor* Tib. Gracchus (Liv. 40,50,1). Sie war *municipium* (Mz.: [4. 109]) und besaß das latin. Bürgerrecht (Plin. nat. 3,24). Weitere

Erwähnungen: Ptol. 2,6,57; Geogr. Rav. 4,44 p. 312,2 *Erguti*. In westgot. Zeit wird sie (in der Form *Aravica*, *Iravica*) als Bischofssitz genannt [5].

1 HOLDER, 1 2 A. SCHULTEN, Numantia 1, 1914 3 E. HÜBNER, s. v. E., RE 6, 397f. 4 A. VIVES, La moneda hispánica, 1926 5 Fontes Hispaniae Antiquae 9, 1947, s. v. Aravica.

TOVAR, 3, 1989, 215f.   P.B.

Erchia (Ἐρχία). Att. Mesogeia-Demos der Phyle Aigeis, h. Spata. Sieben (sechs) → Buleutai, elf nach 307/6 v. Chr. Xenophon (Diog. Laert. 2,48) und Isokrates (Steph. Byz. s. v. E.) waren *demótai* von E., Alkibiades besaß in E. 300 Plethra (ca. 26,5 ha) Land. Die *lex sacra* von E. aus Pussiri südl. Spata (SEG 21, 541; [1–7]) verzeichnet 59 jährliche Opfer mit 547 Drachmen Gesamtkosten. 21 der 46 Kulte sind allg. auf dem Gebiet von E. lokalisiert (Ἔρχι, Ἐρχιᾶ, Ἐρχιᾶσιν), einer auf der Agora von E., neun davon ἐμ Πάγῳ, d. h. auf einem Hügel bei E., in dem VANDERPOOL [5] die Tzumba Sideri vermutet, acht Kulte ἐμ Πόλει Ἐρχιᾶ(σιν), auf der Burg oder Akropolis von E., wohl dem Demen-Zentrum (= Magula von Spata?). Die Inschr. bezeugt ferner für E. einen Demarchos (Z. 58), einen Herold (Z. 54), der auch als Priester fungierte, ein Delphinion (A Z. 26), ein Python (A Z. 54f.), ein Hekaterion (B Z. 8), zwei Gipfelkulte ἐπὶ τῶ Ἄκρο (D Z. 4f., 8f.) und eine Agora (E Z. 50f.).

1 G. DAUX, La grande démarchie. Un nouveau calendrier sacrificiel d'Attique (Erchia), in: BCH 87, 1963, 603–634 2 S. DOW, The Greater Demarkhia of E., in: BCH 89, 1965, 180–213 3 A. HOLLIS, Epops in the Erchian sacred calendar and the »Aetia« of Callimachus, in: E. M. CRAIK (Hrsg.), Owls to Athens. Essays on classical subjects presented to K. Dover, 1990, 127–130 4 M. JAMESON, Notes on the Sacrificial Calendar from E., in: BCH 89, 1965, 154–172 5 E. VANDERPOOL, The Location of the Attic Deme E., in: BCH 89, 1965, 21–26 6 D. WHITEHEAD, Index s. v. E. 7 Ders., The »Greater Demarchy« of E., in: The Ancient World 14, 1986, 57–64.

TRAILL, Attica 5, 15f., 41, 59, 104, 110 Nr. 41, Tab. 2.   H.LO.

Erdbeben I. MESOPOTAMIEN
II. GRIECHISCH-RÖMISCHER KULTURRAUM

I. MESOPOTAMIEN

Das Drängen der Arabischen Halbinsel nach NO gegen die Eurasische Platte bewirkt die Auffaltung des Zagros und des Taurus. Seismische Spannungsentladungen können in ganz Mesopotamien, v. a. im Norden, zu E. führen. E. hielt man für Zornesäußerungen des Götterkönigs → Enlil, verschiedener → chthonischer Götter und der Inanna/Ištar als Venusstern. Sie galten als schwere Verwarnung an den König und als Vorboten für weiteres Unheil. E.-Omina wurden bereits in der Mitte des 2. Jt. v. Chr. niedergeschrieben und bis in hell. Zeit in keilschriftlicher Form überliefert. Fast unverändert fanden sie Eingang in die griech. Überlieferung [1]. Von Beobachtungsstationen aus ganz Mesopotamien wurde den neuassyr. Königen → Asarhaddon und → Assurbanipal (7. Jh. v. Chr.) nicht nur über astrologische Vorzeichen, sondern auch über E. berichtet. Dank der erh. Meldungen [3] können mehrere E. des 7. Jh. genau datiert werden. Um den Zorn der Götter zu besänftigen, mußte der König umfangreiche Sühneriten durchführen. Die älteste histor. Nachricht über E.-Schäden stammt aus einer assyr. Königsinschr. des 13. Jh. v. Chr. E.-Schäden können auch arch. nachgewiesen werden.

1 C. BEZOLD, F. BOLL, Reflexe astrologischer Inschr. bei griech. Schriftstellern, 1911, 50ff. 2 A. FADHIL, E. im Alten Orient, in: BaM 24, 1993, 271–278 3 H. HUNGER, Astrological Reports to Assyrian Kings, 1992.   S.M.

II. GRIECHISCH-RÖMISCHER KULTURRAUM

Der gesamte griech. Siedlungsraum ist aufgrund seiner tektonischen Struktur (in der Magna Graecia auch der vulkanischen) so anfällig für Seebeben und E. [1], daß diese Erscheinung nicht nur in Mythos (→ Poseidon) und Volksglauben, sondern auch in jedem Versuch, die Welt natürlich zu erklären, eine Rolle spielte (in diesem Falle auch, um die Furcht vor dem E. als übernatürliche Götterwillkür zu beseitigen). Senecas ausführliches Buch zum Thema *De terrae motu* (Sen. nat. 6) enthält, fußend auf den Αἰτίαι φυσικαί (*Aitíai physikaí*) des Poseidonios-Schülers Asklepiodotos, auch einen doxographischen Überblick, ohne allerdings immer die Urheber der Theorien zu nennen; von der älteren, auf Theophrastos zurückgehenden Doxographie bietet → Aetios [2] (placita 3, 15) einen nur spärlichen Rest, der durch Aristot. meteor. 2,7 zu ergänzen ist: Während → Thales in seinem Vergleich der Erde mit einem schwimmenden Schiff das E. dem Schwanken des Schiffes bei Sturm gleichsetzt und → Anaximandros und → Anaximenes [1] an Einsturz aufgrund durch übermäßige Trockenheit entstandener Risse denken, die für → Empedokles [1] und Antiphon Feuer im Erdinneren verursacht, machen die nachfolgenden Denker Materie im Erdinneren verantwortlich, die sich unter Überdruck angesammelt hat und deren explosionsartige Expansion die E. bewirken: Anaxagoras [2] und Archelaos [8] von unten in die Erdscheibe eingedrungene Luft, Demokritos [1] in unterirdischen Höhlen angesammeltes Wasser, Aristoteles heiß-trockenes *pneúma* (*spiritus*), das aus Erdausdünstungen und Verdunstungen auf der Erde entstehe, in diese eindringe und von in die Erdschluchten einsickerndem Oberflächenwasser komprimiert werde (Aristot. meteor. 2,8; ähnlich Theophrastos und Poseidonios, Sen. nat. 6,21 ff. und die meisten folgenden Autoren). Dabei werden vulkanische Tätigkeiten als Begleiterscheinung angesehen, während eine bei Sen. nat. 6,11 erwähnte Theorie durch Vulkanismus im Erdinneren entstehende Dämpfe von unten das *pneúma* komprimieren läßt; → Straton von Lampsakos denkt dagegen an eine Antiperistasis-Bewegung von

Kaltem und Warmem im Erdinneren. Den Höhepunkt ant. Seismologie bildet die detaillierte, Erfahrungen von der gesamten Ökumene verarbeitende Theorie des → Poseidonios, welcher die Erde geologisch in gefährdete und »immune« Gebiete aufteilt, auf eine große Tiefe des Entstehungsortes schließt, vielfältigste Begleiterscheinungen einschließt und darüber hinaus im Anschluß an Aristoteles (meteor. 2,8) eine Klassifikation nach der Stoßrichtung der E. vornimmt. Zusammenstellungen von E. gaben Demetrios von Kallatis um 200 v. Chr. (Strab. 1,3,20 mit längerem Exzerpt) und Demetrios von Skepsis (Strab. 1,3,17). Eine Zusammenstellung der lit. für Griechenland und den östl. Mittelmeerraum von 600 v. bis 600 n. Chr. belegten E. findet sich bei CAPELLE [1. 346–358].

Ob das sagenhafte Atlantis in Platons *Kritias* durch ein E. zugrunde ging, ist umstritten. Neben Seneca beweist Plinius d.Ä. (nat. 2,191 ff.) gute Kenntnisse über die von Aristot. und Seneca übernommenen Theorien der E., die er *motus terrae* nennt, ihre Anzeichen, welche von manchen Naturforschern zur Vorhersage genutzt wurden, und ihre vielfältigen Erscheinungsformen, die auch zum Auftauchen von Land an anderer Stelle führen können. Er erwähnt (nat. 2,199 f.) je ein E. z.Z. des Tiberius (17 n. Chr.) und des Nero (68 n. Chr.). Plinius kam selbst, wie sein Neffe (Plin. epist. 6,16) berichtet, im August 79 n. Chr. beim Vesuvausbruch nach tagelangen Erdstößen (Plin. epist. 6,20) ums Leben.

1 W. CAPELLE, s. v. Erdbebenforschung, RE Suppl. 4, 344–374 2 O. GILBERT, Die meteorologischen Theorien des griech. Alt., 1907, 293–324.   F. KR.

Erdbeerbaum. Zwei von insgesamt 20 immergrünen Arten vertreten in der Macchie der Mittelmeerländer die Ericaceengattung *Arbutus* L., nämlich a) der E. *Arbutus unedo* L. (κόμαρος) mit seinen erdbeerähnlichen, säuerlich schmeckenden, in einem Jahr reifenden Steinfrüchten (*arbuta* Verg. georg. 3,301 und 4,181) und b) die von Griechenland ostwärts bis zur Küste des Schwarzen Meeres verbreitete → Andrachle, *Arbutus andrachle* L. (ἀνδράχνη) mit kleinen, orangegelben ungenießbaren Früchten. Die Früchte des westlich bis an die Atlantikküste in Irland wachsende *arbutus* galten zusammen mit den Eicheln (*glandes*, → Eiche) als die topische Speise der mythischen Frühzeit, bes. des Goldenen → Zeitalters (Lucr. 5,940; Verg. georg. 1,148 f.; Varro rust. 2,1,4; Ov. fast. 6,101 ff.). Columella empfiehlt die Früchte zur Mästung gefangener Drosseln (8,10,4), als Fischköder (8,17,13) und als natürliches Wildfutter in Tiergärten (*vivaria*: 9,1,5). Bei Plinius (nat. 15,99) gilt der E. *unedo*, welcher seinen Namen davon habe, daß man nur eine der griech. μιμαίκυλον (*mimaíkylon*) gen. Frucht zugleich essen könne, als verwandt mit der → Erdbeere. Eine gute Beschreibung von Baum und Frucht liefert Theophrastos (h. plant. 3,16,4). Dioskurides (1,122 [1. 112] bzw. 1,175 [2. 141]) und Plinius (nat. 23,151) kennzeichnen sie als schwer verdaulich und dem Magen unverträglich.

In der Geschichte der Nymphe Cranea (Ov. fast. 6,101 ff.) wird das Laub des E. als Wunderheilungsmittel verwendet.

1 WELLMANN 1 2 BERENDES.

F. OLCK, s. v. E., RE 6, 399–401.   C. HÜ. u. C. W.

Erdbeere. Plinius (nat. 15,98) hält irrtümlich das *fragum*, d. h. die Rosacee *Fragaria* L. mit ihren drei Arten *vesca*, *viridis collina* und *moschata*, für verwandt mit dem → Erdbeerbaum. Nach Vergil (ecl. 3,92) wächst die E. auf der Erde. Bei Ovid (met. 1,104) bietet ihre köstliche Frucht im Goldenen Zeitalter spontan wachsende Nahrung (vgl. Plin. nat. 21,86). Der Name *fragaria* soll zuerst bei Matthaeus Silvaticus (um 1344; Lyon 1541) [1] vorkommen. Griech. heißt sie τρίφυλλον μοροφερές (*tríphyllon moropherés*).

1 Matthaeus Silvaticus, Pandectae medicinae, 1541 u.ö.
    C. HÜ.

Erebos s. Unterwelt

Erechtheus (Ἐρεχθεύς). Mythischer König von Athen mit bedeutendem Kult auf der athenischen Akropolis. Es ist schwierig, E. als Heros oder Gott einzuordnen: Sein Kulttitel in der früheren Periode ist Poseidon E. (z. B. IG I³ 873; Eur. Erechtheus fr. 65,93–4), ihm wird jedoch eine menschliche Vergangenheit zugeschrieben, und er hat als Phylenheros (→ Eponymos) den gleichen Stand wie die anderen neun (obwohl er in der kanonischen Ordnung der Phylen als erster aufgeführt ist). Zwischen E. (auf dem → Marmor Parium Erichtheus geschrieben) und → Erichthonios bestehen viele Überlagerungen; es ist noch ungeklärt, ob die beiden urspr. identisch waren. In der weiterentwickelten Myth. sind sie jedenfalls getrennt, obwohl dies vielleicht vor Euripides' *Erechtheus* (423 v. Chr.) nicht überall so klar war. Frühen Quellen zufolge soll E. aus der Erde geboren worden sein (Hom. Il. 2,546–551 und Hdt. 8,55). Euripides (Ion 267 ff.) liefert die später allg. gültige Version: E. war ein direkter Nachkomme des erdgeborenen Erichthonios, Sohn von → Pandion und Bruder von → Butes. Eine andere Tradition, die ihn mit Nordafrika statt mit Athen verband, machte ihn zum Sohn der Nemesis von Rhamnus (Suda, s. v. *Ramnusía Némesis*). E. heiratete Praxithea und führte als König Athen zum Sieg über die Eleusier, indem er ihren Anführer, Poseidons Sohn → Eumolpos, tötete. In Euripides' Tragödie über dieses Thema war der Sieg wegen der freiwilligen Opferung seiner Töchter möglich; aber E. selbst wurde von Poseidon als Rache für Eumolpos getötet. Trotz der Uneinigkeit Attikas, welche die Erzählung voraussetzt, stellt E. den Prototyp athenischen Kriegsmutes und, zusammen mit → Kekrops, den archetypischen Charakter der Athener dar, die in der Dichtung oft Erechtheidai genannt wurden.

G. W. ELDERKIN, The cults of the Erechtheion, in: Hesperia 10, 1941, 113–124 · K. JEPPESEN, The theory of the

alternative Erechtheion, 1987 · E. KEARNS, The heroes of
Attica, 1989, 113–115, 160, 210f. · U. KRON, Die zehn att.
Phylenheroen, 1976, 32–83, 249–259 · Dies., s. v. E., LIMC
4.1, 923–51 · N. LORAUX, Les enfants d'Athéna, ²1990,
45–57 · Dies., L'invention d'Athènes, 1981, 135–153 ·
J. MIKALSON, E. and the Panathenaia, in: AJPh 97, 1976,
141–153 · M. L. WEST, The Hesiodic Catalogue of
Women, 1985, 106f.   E. K.

Ereike (ἐρείκη zuerst bei Aischyl. Ag. 295 und
Theophr. h. plant. 1,14,2). Die Gattung *Erica* umfaßt ca.
500 Arten, v. a. afrikan. Sträucher und Bäume. In den
Macchien Griechenlands sind allerdings nur drei Arten
aus der Familie der *Ericaceae* vertreten, darunter die
baumartig wachsende, im Frühjahr blühenden Baumheide *Erica arborea* L.; im Gegensatz dazu gehört die von
Plinius (nat. 11,42) und Dioskurides (1,88 [1. 82] bzw.
1,117 [2. 106]) erwähnte beliebte Bienenweide zu den
Herbstblühern. In Italien sind dagegen elf Arten heimisch. Nach Dioskurides und Plinius (nat. 13,114;
24,64) soll die Baumheide gegen Schlangenbisse wirksam sein. Der frz. Name *bruyère* bezeichnet Pfeifenköp-
fe aus dem feingemaserten Holz der Baumheide.

1 WELLMANN 1 2 BERENDES.   C. HÜ.

Ereleuva (Erelieva, Hereleuva). *Concubina* des Amalers
Thiudimer, Mutter → Theoderichs d. Gr. (Iord. Get.
269); zur rechtlichen Stellung der Ehe [1. 262]; zu ihrer
Herkunft Anon. Val. 58: Gotin; dagegen aber [1. 263]:
vielleicht provinzialröm. Abkunft. E. begleitete ihren
Sohn auf seinen Feldzügen (Malchus fr. 18, FHG 4, 130)
und wurde von Ennodius dafür geehrt (Ennod. MGH
(AA) 7,208). Sie war auf den Namen Eusebia katholisch
getauft (Anon. Val. 58) und unterhielt briefliche Kontakte zu Papst Gelasius (MGH (AA) 12,390, Nr. 4f.,
495/96 n. Chr.). PLRE 2, 400 (Erelieva quae et Eusebia).

1 H. WOLFRAM, Die Goten, ³1990.   M. MEI. u. ME. STR.

Eresos (Ἔρεσος). Stadt an der Westküste von Lesbos
(Strab. 13,2,4; Plin. nat. 5,139; Ptol. 5,2,29; Mela 2,101),
4 km südl. des h. Ortes E. bei Skala Eresu. Wenige arch.
Reste: Mauerring der Akropolis, Hafenanlagen aus dem
5./4. Jh. v. Chr., Relikte der hell. Stadtmauer, röm. Zisternen; frühchristl. Kirchen aus dem 5. Jh., u. a. eine
Basilika des Hl. Andreas. An der Stelle der ant. Akropolis befinden sich Ruinen eines byz.-genuesischen Ka-
stells. E. war Heimatstadt der Peripatetiker Theophrastos und Phainias und wohl auch der Lyrikerin Sappho.
   Als Mitglied des → Attisch-Delischen Seebundes 428
v. Chr. beteiligte sich E. an der von Mytilene betriebenen erfolglosen Revolte lesb. Städte gegen Athen
(Thuk. 3,18,1; 35). 412 v. Chr. von Exilanten aus Me-
thymna zum Abfall animiert (Thuk. 3,100,3), danach
von Sparta kontrolliert, brachte Thrasybulos 389 v. Chr.
E. wieder auf die Seite Athens (Diod. 14,94,3 f.). 377
v. Chr. Mitglied des 2. → Attischen Seebundes (IG
II/III² 43, B 21 [1. 257]). Um 350 v. Chr. Etablierung
einer Tyrannis (Hermon, Heraios, Apollodoros), die
343 v. Chr. von Philippos II. beendet wurde (daraufhin

kult. Ehren: Altäre für Zeus Philippios). 336 v. Chr.
neue Tyrannis (Agonippos und Eurysilaos: Demosth. or.
17,7), 334 vorübergehend sistiert, 333 mit Hilfe des in
pers. Diensten stehenden Rhodiers Memnon neu in-
stalliert (Diod. 17,29,2). 332 endgültiger Sturz der Tyrannis durch Hegelochos, den General Alexanders [4]
d. Gr. (Demosth. or. 17,7; Arr. an. 3,2,3ff.). Nach 316
v. Chr. gehörte E. zum Reich des Antigonos [1] Monophthalmos (306 Bestätigung des sog. Tyrannengeset-
zes [2. 2]), seit Ptolemaios IV. zu dessen Reich (IG XII
2,527). Nur wenige Nachrichten aus röm. Zeit.

1 StV 2² 2 Welles.

H. BERVE, Die Tyrannis bei den Griechen 1, 1967,
336–338 · R. KOLDEWEY, Die ant. Baureste der Insel
Lesbos, 1890 · H. PISTORIUS, Beitr. zur Gesch. von Lesbos
im 4. Jh. v. Chr., 1913.   H. SO.

Eretria (Ἐρέτρια).
[1] Stadt auf Euboia
A. LAGE   B. GESCHICHTE   C. INSTITUTIONEN
D. MÜNZPRÄGUNG   E. RELIGION
F. ARCHÄOLOGISCHE DENKMÄLER

A. LAGE
   Eretria liegt an der SW-Küste von → Euboia, ca.
20 km von deren Hauptort Chalkis entfernt, gegenüber
dem festländischen Oropos. Erstmals gen. von Hom. Il.
2,536 (zum Ursprung des Namens E. vgl. Strab. 10,1,8).
Zum Gebiet von E. gehörte Aigilia (Hdt. 6,107; IG I²
376).

B. GESCHICHTE
   Die früheste Besiedlung geht in das Neolithikum
und in die frühe und mittlere Brz. zurück. Die Ausgrabungen auf der Akropolis von E. erbrachten auch
Fundobjekte der späten Brz. (d. h. der myk. Zeit). Das
benachbarte Lefkandi weist Siedlungskontinuität vom
Anf. der Brz. bis in das 10./9. Jh. v. Chr. auf. Der Ort
war evtl. die Mutterstadt von Chalkis und auch von E.
Die Stadt erlebte im 8. Jh. einen bed. Aufschwung, wie
die baulichen und materiellen Hinterlassenschaften dieser Zeit beweisen. Dieser Aufschwung ist aber nicht nur
in der Stadt selbst, sondern auch an verschiedenen Orten
des Mittelmeergebietes nachweisbar: zahlreiche Funde
belegen die Anwesenheit euboischer Händler in der
Chalkidike, an der syr.-phöniz. Küste und in Südit.
(Ischia/Pithekussai, Cumae). Die regen Kontakte der
Euboier mit dem Osten und Westen reichen evtl. sogar
in myk. Zeit zurück, wie Funde aus Lefkandi/Toumba
nahelegen. Während der Großen Kolonisation spielte
E. wie auch Chalkis eine bed. Rolle. So sind Mende
(Thuk. 4,123,1) und Methone (Plut. qu. Gr. 293B)
Gründungen von E. Die Stadt verstärkte ihren Einfluß
auf die Kykladen-Inseln Andros, Keos und Tenos
(Strab. 10,1,10). Der zw. Chalkis und E. entbrannte
Krieg um den Besitz der zw. den beiden Städten liegen-
den Lelantinischen Ebene ist wohl ebenso ins 8. Jh.,
evtl. aber auch erst ins 7. oder ins 6. Jh. v. Chr. zu datie-

ren. Thukydides (1,15,3) beschreibt ihn als den ersten Krieg, in dem zwei bed. Koalitionen griech. Städte aufeinandertrafen. Die Kriegsregeln, insbes. das Verbot von Schleuder- und Wurfwaffen, zeugen von einer vom Adel regierten Gesellschaft, den »Pferdezüchtern« (*hippoboteís* in Chalkis) und »Rittern« (*hippeís* in E.). Nach Hdt. 5,99 war der Milet im → Ion. Aufstand geleistete Beistand der Grund, weshalb 490 v.Chr. die Perser zuerst E. angriffen. E. wurde eingenommen, in Brand gesetzt, ein Teil der Bevölkerung versklavt (Hdt. 6,101). 446 fiel E. unter athen. Vorherrschaft (Thuk. 1,114,3). E. befreite sich 411 und erlebte im 4. Jh. eine Blütezeit, die insbes. an der urbanistischen Entwicklung erkennbar ist. E. wurde von verschiedenen Tyrannen regiert, später vom Philosophen Menedemos. Seit Philippos II. stand die Stadt zeitweise unter maked. Vorherrschaft. E. hatte durch den → Chremonideischen Krieg (268/7–262/1) gelitten. Mit der Eroberung durch die röm. Truppen 198 v.Chr. wurde die Stadt erneut zerstört (Liv. 32,16f.). Ihre Existenz ist bis in byz. Zeit belegt; danach wurde E. nach und nach verlassen, wahrscheinlich wegen des ungesunden Klimas der umliegenden Sümpfe.

C. INSTITUTIONEN

E. wurde von *próbuloi* und *stratēgoí* regiert, wie auch von einem Rat (*bulḗ*). Der ion. Urspr. der Bevölkerung spiegelt sich in der Existenz von wahrscheinlich sechs Stämmen wieder, von denen zwei bekannt sind: Mekistis und Narkittis. Das ausgedehnte Gebiet von E. war in ungefähr 60 Demen aufgeteilt, die sich in fünf *choroí* (Distrikte) von je ca. 12 Demen gliederten.

D. MÜNZPRÄGUNG

E. prägte vom 6. Jh. bis wohl 446 v.Chr. eine erste Serie von Mz. in eigenem Namen mit einer Kuh, die ihren Hinterlauf leckt, auf der Rs. einen Oktopus. Im 4./3. Jh. v.Chr. ersetzten die Prägungen des Euboiischen Bundes die Stadtprägungen, die aber im 2. Jh. episodisch wieder aufgenommen wurden.

E. RELIGION

Apollon Daphnephoros war die Hauptgottheit von E. Große Bed. kam aber auch dem außerhalb der Mauern, ca. 15 km östl. von E. liegenden Heiligtum der Artemis Amarysia zu, wie sowohl aus Texten als auch aus arch. Funden zu ersehen ist. Ein Dionysostempel, ein Heiligtum der Isis, ein Heiligtum des Herakles und ein Thesmophorion sind freigelegt worden. Der Kult des Asklepios und der Hygieia sind nur durch Inschr. und Statuen belegt.

F. ARCHÄOLOGISCHE DENKMÄLER

Dank der Grabungen, die seit 1885 durchgeführt werden, sind die bedeutendsten ant. Monumente von E. bekannt. Im Heiligtum des Apollon fand sich unter den Ruinen des großen dor. Tempels aus dem 6. Jh. v.Chr. eine bis ins 8. Jh. zurückgehende Abfolge von Tempeln. Die Wohnbauten des 4. Jh. sind bes. gut erhalten. Neben einem Theater, zwei Gymnasien und mehreren Tempeln besaß E. schon seit archa. Zeit eine Stadtmauer, die im 4. Jh. vollständig erneuert wurde

und das Stadtgebiet wie auch die Akropolis umfaßte. Funde aus den schon E. 19. Jh. entdeckten Nekropolen archa., klass. und hell. Zeit wie auch aus den maked. Kammergräbern sind in den Mus. der ganzen Welt zerstreut.

Eretria, Ausgrabungen und Forsch., 10 Bde. seit 1968 · K. SCHEFOLD, P. AUBERSON, Führer durch E., 1972 · O. PICARD, Chalcis et la Confédération eubénne, 1979 · P. BRUNEAU, Le sanctuaire et le culte des divinités égyptiennes à Erétrie, 1975 · D. KNOEPFLER, Sur les traces de l'Artémision d'Amarynthos près d'Erétrie, in: CRAI, 1988, 382–421 · Ders., ΕΡΕΤΡΙΑΣ ΓΗ, Acts of the Copenhagen Polis Centre 4, 1997 · für die Grabungsber. s. AD, AE, AK, BCH, Ergon, Praktika. PI.DU.

[2] Stadt am Nordabhang des Othrys-Gebirges beim h. Tsangli am Übergang aus der Krokischen Ebene (Κρόκιον πεδίον) ins Tal des → Enipeus [2], wo sich die Straßen aus der Ebene (von Halos oder Thebai in der Phthiotis her) nach Pharsalos, Skotussa oder Pherai verzweigten. E. wird mehrfach in Verbindung mit den mil. Aktionen des 2. Maked. Krieges erwähnt (Liv. 32,13; 33,6 = Pol. 18,20). E. wurde 198 v.Chr. von Philippos V. zerstört.

I. BLUM, Die Stadt E. in Thessalien, in: Topographie antique et géographie historique en pays grec, 1992, 157–229 · F. STÄHLIN, Das hellen. Thessalien, 1924, 174. HE.KR.

Eretria-Maler. Attischer rf. Vasenmaler, um 440–415 v.Chr. tätig; benannt nach einem Epinetron aus Eretria, h. in Athen (NM). Mehr als die Hälfte seines zahlreich überlieferten Werkes ziert Trinkschalen, die er mit drei weiteren Malern zeitgleich mit der vorherrschenden Penthesilea-Werkstatt produzierte. Während die Athleten- und Jünglingsbilder eher konventioneller Art sind, weisen die Reiter-, Amazonen- und Satyrbilder über die Stereotypen der Zeit hinaus. Einmal bezeichnet der E.-M. Gestalten eines Thiasos, wohl nach einer lit. Vorlage, mit Inselnamen (Warschau, Mus.). Daneben bemalt er geschlossene Gefäßformen in mindestens sechs anderen Werkstätten, sich jeweils deren Stil anpassend. In das Frühwerk gehört ein Kannenpaar, das Beziehungen zum → Kodros-Maler verrät (Palermo, NM und Agrigent, arch. Mus.). Auf Kantharoi der »Herakles-Form« finden sich troianische Themen (Paris, CM; Tarent, Nat. Mus.). Für Apollonia [2] Pontike bemalt er eine thrakische Form mit einer der wenigen Darstellungen jenes Volkes aus klass. Zeit (Sozopol, Mus.). Die Feinheit der Gestalten, die Eigenwilligkeit der Komposition, die Neigung zu Frauenthemen kommen erst auf späten Choen und Bauchlekythen vollends zur Entfaltung; hier bewegt er sich stilistisch im Umkreis des → Aison und des → Meidias-Maler. Berühmt sind seine Anthesterienbilder; in einem feiern Vater und Sohn, mit Prometheus und Epimetheus bezeichnet, den Dionysos Liknites (Athen, NM). Auf Bauchlekythen wendet der E.-M. auch die wgr. Technik an, wie etwa im Mittelstreifen der Tallboy-Lekythos (New York,

MMA), die dunkle Seiten eines Frauenlebens darstellt, im Gegensatz zu den dem Leben zugewandten Szenen auf dem eponymen Epinetron.

BEAZLEY, ARV² 1247–1255 • Ders., Paralipomena, 469–470 • Ders., Addenda², 353–355 • A. LEZZI-HAFTER, Der E., 1988 • J. H. OAKLEY, The Achilles Painter, 1997, 108 mit Anm. 178 • Ders., W. D. E. COULSEN, O. PALAGIA, Athenian Potters and Painters, 1997, 353–369, 473–490.

A. L.-H.

Eretrische Schule s. Elisch-eretrische Schule

Eretum. Stadt der Sabini (Strab. 5,3,1; 11 [1. 479]) an der *via Salaria*, 18 Meilen von Rom entfernt, wo die *via Nomentana* abzweigt (Tab. Peut. 5,5; Itin. Anton. 306,5). An der Grenze zu Rom gelegen, wurde E. in der röm. Königszeit in viele Auseinandersetzungen verwickelt (Liv. 3,26,2; 29,7; 38,3; Dion. Hal. ant. 3,32; 59; 4,3; 51; 5,45; 11,3 [2. 435–437]). E. wurde schließlich Nomentum einverleibt (Liv. 3,26,2; 29,7; 38,3; 42,3; Dion. Hal. ant. 11,3,2) und der *tribus Clustumina* zugewiesen. Mit Casa Cotta di Montelibretti [3. 57] identifiziert, in der Nähe eine Nekropole (E. 7. Jh.-Anf. 3. Jh. v. Chr.).

1 NISSEN, 2 • 2 L. PARETI, Storia di Roma, I, 1952 • 3 P. SANTORO, La città sabina di E., in: Enea nel Lazio, 1981.

Civiltà arcaica dei Sabini nella valle del Tevere, 1973/4 • M. P. MUZZIOLI, s. v. E., Enciclopedia Virgiliana 2, 1985, 363 f. A. SA./Ü: R. P. L.

Erfahrung (ἐμπειρία, *empeiría*, bzw. πεῖρα, *peíra*). Eine epistemische Fähigkeit, die zwischen Wahrnehmung und Wissen bzw. Kunstfertigkeit vermittelt und bereits im Kontext ihrer frühesten belegbaren Erwähnung bei Anaxagoras an die Erinnerung gebunden wird (Anaxag. frg. 59 B 21b DK. Platon unterscheidet die E. explizit von Wissen (ἐπιστήμη) und Kunstfertigkeit (τέχνη), weil sie sich weder auf Allgemeines noch auf Ursachen richtet; vielmehr repräsentiert sie eine Kenntnis einzelner Tatsachen, die allerdings mit Gewohnheit verbunden ist und ein geregeltes Leben ermöglicht (vgl. Plat. Gorg. 448c; 463a; rep. 409b; 422c; 582a; Phaidr. 270b; leg. 720c; 857c; 938a). Diese Vorstellungen werden von Aristoteles präzise gebündelt: E. besteht in der Kenntnis endlich vieler ähnlicher singulärer Tatsachen, die aus der Wahrnehmung stammen, im Gedächtnis bewahrt sind und deren Ähnlichkeit im Rahmen ihrer Anführung (Induktion) ausdrücklich registriert wird. Insofern präsentiert die E. eine plausible, wenn auch nicht logisch zwingende Basis für universelle Behauptungen (vgl. Aristot. an. post. 2,19,100a; metaph. 1,1,980b–981b; phys. 7,3,247b20f.). Ähnlich bestimmen die Stoiker die E. als Menge gleichartiger sinnlicher Vorstellungen (SVF II 83; ferner SVF I 216; III 4,12–14: Ein gutes Leben beruht auf E.). Die empiristische Ärzteschule des Hellenismus (→ Empiriker) hat den Begriff »E.« (*empeiría* bzw. *peíra*) erweitert auf eine Kenntnis dessen, was zuweilen, meist oder regelmäßig geschieht und auf einzelnen Beobachtungen beruht (Belege bei [1]).

1 J. BARNES, Medicine, Experience and Logic, in: Ders. u. a. (edd.), Science and Speculation, 1982.

L. BOURGEY, Observation et expérience chez Aristote, 1955 • P. H. und E. A. DeLACY, Philodemus: On Methods of Inference, ²1978. W. DE.

Ergasterion I. ALTER ORIENT II. GRIECHENLAND

I. ALTER ORIENT

In den Palastwirtschaften (→ *oíkos*-Wirtschaften) des Alten Orients wurden bestimmte Massenprodukte für den Eigenbedarf patrimonialer (Groß)Haushalte, aber auch für den Austausch im Fernhandel in großen Ergateria (Manufakturen) hergestellt, in denen oft mehrere hundert, bisweilen weit über tausend männliche oder weibliche Arbeitskräfte beschäftigt waren. Ihre Entlohnung erfolgte in der Regel durch tägliche Naturalrationen; ihr sozialer Status war der von dienstpflichtigen patrimonialen Untertanen. Am besten bezeugt sind E. aus dem südl. Babylonien z.Z. der 3. Dyn. von Ur (21. Jh. v. Chr. [1; 2]; → Mesopotamien) und aus → Mari am mittleren Euphrat (18. Jh.) [3]. In den E. des südl. Mesopotamien wurden vornehmlich Textilien hergestellt bzw. Getreideprodukte für den Bedarf des herrschaftlichen Haushalts verarbeitet. In bes. Manufakturen wurden Prestigeobjekte für den Haushalt des Herrschers und für die Ausstattung der Tempel gefertigt. Die Arbeitsorganisation in den E. war die der handwerklichen Produktion, d. h. ohne fortgeschrittene Arbeitsteilung.

→ Arbeit

1 The Assyrian Dictionary of the University of Chicago N, s. v. neparum 2 J.-P. GRÉGOIRE, Les grandes unités de transformation des céréales, in: P. C. ANDERSON (Hrsg.), Préhistoire de l'Agriculture, 1992, 321–339 3 M. VAN DE MIEROOP, Crafts in the Early Isin Period, 1987 4 J. RENGER, Rez. zu AOAT 3, in: JNES 32, 1973, 261–265. J. RE.

II. GRIECHENLAND

Das *e.* (ἐργαστήριον) war vom klass. Griechenland bis zur byz. Zeit ein Platz, an dem gearbeitet wurde; der Begriff konnte für eine Schmiede, eine Wäscherei, die Werkstatt eines Zimmerers, für ein Bordell, eine Fleischerei, eine Anlage für die Verhüttung von Silber sowie die Werkstatt eines Möbeltischlers oder eines Bildhauers verwendet werden. Sehr oft handelte es sich auch um den Laden, in dem die Erzeugnisse des Handwerkers verkauft wurden (daher führt IG II² 1013,9 Verkaufsrichtlinien für *e.* und andere Einrichtungen auf). Nur wenige Handwerker benötigten mehr als den Platz für ihr einfaches und oftmals tragbares Werkzeug, Raum zu arbeiten, sowie einen Ort, um Material und ihre Erzeugnisse aufzubewahren. Ein *e.* war somit nicht mehr als eine leere und überdachte Fläche, die im günstigsten Fall von Mauern umgeben und mit einer abschließbaren Tür versehen war. Viele Handwerker arbeiteten unter bescheidenen Umständen in ihren eigenen Häusern wie etwa in der athenischen Straße der Marmorarbeiter, wo

Bildhauer, Hersteller von Terracottafiguren, Schuster und Schmiede in einfachen Räumen lebten und arbeiteten. Auch wenn der Besitzer des e. nicht selbst in der Werkstatt tätig war, waren die Handwerker doch oft in seinem Haus untergebracht, wie beispielsweise die 30 Messerschmiede und die 20 mit der Herstellung von Betten beschäftigten Tischler, die dem Vater des Demosthenes gehörten und von denen gesagt wird, sie seien παρ' ἡμῖν (»bei uns«) gewesen und dann ἐκ τῆς οἰκίας (»aus dem Haus«) gebracht worden (Demosth. or. 27,24–25). Die 120 Sklaven, die dem Vater und dem Bruder des Lysias gehörten und Waffen herstellten, lebten in einem e., das direkt an das Haus angrenzte (Lys. 12,8). Die Werkstatt des Pasion, in der wahrscheinlich 60 bis 70 Männer arbeiteten, könnte sich direkt neben dessen Haus befunden haben (Demosth. or. 36,4; vgl. außerdem IG II² 2496: Miete einer Werkstatt mit einem angrenzenden Wohnhaus).

Über den Wert und die Höhe der Erträge einzelner größerer e. liegen Informationen bei den att. Rednern vor: Die beiden von Demosthenes erwähnten e. seines Vaters sollen zusammen 23000 Drachmen wert gewesen sein und 4200 Drachmen pro Jahr eingebracht haben (davon 3000 Drachmen das e., in dem Schwerter hergestellt wurden, 1200 Drachmen die Möbelwerkstatt); der Wert der in beiden Werkstätten gelagerten Rohstoffe wird zusätzlich mit 8000 Drachmen angegeben (Demosth. or. 27,9–10). Eine Werkstatt des Pasion, die Schilde produzierte, sicherte ihrem Besitzer ein Einkommen in Höhe von 6000 Drachmen pro Jahr (Demosth. or. 36,4; 36,11).

Der Beruf der Schmiede, Töpfer und Bergwerksarbeiter verlangte permanente Installationen wie einen Schmiedeofen, Brennöfen, Schlämmbecken für den Ton, Erzwaschtische und Schmelzöfen, die man nicht in Wohngebäuden aufstellen oder einrichten konnte. Die Anlagen zur Erzaufbereitung in Attika wurden in den Verkaufslisten der πωλῆται (pōlḗtai) und bei den att. Rednern e. genannt; arch. Ausgrabungen zeigen, daß diese mit Bedacht für den Zweck der Silbergewinnung angelegt worden waren. Andere Handwerker benötigten ebenfalls speziell angelegte e., so etwa im Tempelbau beschäftigte Bildhauer. Das e. des Pheidias in Olympia war ein solider Steinbau, in dem genug Platz für die Arbeit an der Statue des Zeus war. Auch die Statue des Asklepios und die Skulpturen für den Giebel des Tempels von Epidauros (370 v. Chr.) waren in einem e. mit Steinwänden und einem Ziegeldach gefertigt worden. Die Bildhauer und Steinmetze, die bei dem Bau des Parthenon und des Erechtheion beschäftigt waren, hatten ihre Werkstätten auf der Akropolis.

Der Begriff e. konnte auch die Arbeitskräfte allein bezeichnen, unabhängig von dem Gebäude, in dem diese eingesetzt wurden. Hinter dieser Verwendung des Begriffes stand die Einsicht, daß das Gebäude an sich keineswegs unbedeutend war, die Arbeit jedoch für die handwerkliche Produktion den entscheidenden Faktor darstellte. Aus diesem Grund spricht auch Demosthenes

von zwei e., die nicht aus einem Gebäude, sondern aus den Messerschmieden und den Herstellern von Betten bestanden. In diesem Fall waren die Handwerker Sklaven; doch wenn der Begriff e. in der Bedeutung »Werkstatt« gebraucht wurde, so läßt dies keinen Rückschluß auf den Rechtsstatus der Handwerker zu.

→ Handwerk; Sklaverei

1 A. BURFORD, The Greek Temple Builders at Epidauros, 1969 2 Dies., Craftsmen in Greek and Roman Society, 1972 3 C. E. CONOPHAGOS, Le Laurium antique, 1980 4 M. I. FINLEY, Land and Credit in Ancient Athens, 1952 5 A. MALLWITZ, Olympia und seine Bauten, 1972, 255–266 6 P. V. STANLEY, The Value of Ergasteria in Attica: A Reconsideration, in: Münstersche Betr. zur ant. Handelsgesch. 9, 1990, 1–13. A. B.-C./Ü: A. BE.

Ergastulum bezeichnet einen Raum, in dem gefesselte Sklaven die Nacht verbringen mußten, ebenso auch eine Gruppe gefesselter Sklaven. Mit dem Erwerb größerer Sklavenmassen während der röm. Expansion im 2. und 1. Jh. v. Chr. wurden die röm. Sklavenbesitzer häufiger damit konfrontiert, daß Sklaven flüchteten oder sich gewalttätig gegen ihre Besitzer wandten. Die Folge war eine vermehrte Fesselung von Sklaven, die ihre Arbeit so verrichten mußten (*compediti* oder *vincti*). Dieses Phänomen wird sowohl bei Cato wie bei Varro deutlich, ohne daß sie das Wort e. verwenden, das aber bereits bei Cicero (Cluent. 21; Sest. 134) erscheint. Zur Strafe gefesselte Sklaven bildeten auch eine eigene rechtliche Kategorie; sie konnten durch Freilassung nicht das röm. Bürgerrecht erhalten (Gaius 1,13–15).

Bei Columella (1,6,3) wird e. als ein unterirdischer Raum bezeichnet, in dem Sklaven, die von ihrem Herrn zur Strafe in Ketten gelegt worden waren, die Nacht verbringen mußten; er sollte so hoch sein, daß die Fenster von ihnen nicht erreicht werden konnten. Solche *ergastula* sind bei Ausgrabungen von *villae rusticae* gefunden worden, z.B. bei Gragnano in Italien [2; 3. 240 f.]. Für das e. gab es nach Columella (1,8,17) einen eigenen Aufseher (*ergastularius*, vgl. CIL X 8173). Doch rät Columella (1,8,16ff.) den Grundbesitzern, selbst eine strenge Kontrolle über die Aufseher auszuüben, damit die gefesselten Sklaven alles erhalten, was nötig ist, und nicht durch überstrenge Behandlung gefährlich werden.

In vielen Stellen der ant. Lit. wird unter e. eine Schar gefesselter Sklaven verstanden, die ausschließlich in der Landwirtschaft, v. a. in Weinbergen eingesetzt wurden (so z.B. Plin. nat. 18,36; Iuv. 14,24; vgl. Ov. Pont. 1,6,31). Nach Apuleius (apol. 47) umfaßte ein solches e. eine Schar von 15 gefesselten Sklaven. Das e. war aber nicht der Ort, an dem gefesselte Sklaven ihre Arbeit verrichteten [1. 249 ff.]. Während der Wirren der Bürgerkriege wurden auch Freie und Fahnenflüchtige in die e. verschleppt, so daß Augustus und in seinem Auftrag Tiberius dagegen einschritten (Suet. Aug. 32,1; Tib. 8). Nach HA Hadr. 18,10 hat Hadrian angeblich die e. als Sklavengefängnisse aufgehoben, was jedoch unwahrscheinlich ist. Vermutlich wurden *e.* schon deswegen im Verlauf des 1. Jh. n. Chr. seltener, weil aufgrund der Entwicklung der Sklaverei weniger gefesselte Sklaven in der Landwirtschaft eingesetzt wurden; ob das Phänomen verschwunden ist, läßt sich nicht sagen.

1 R. ETIENNE, Recherches sur l'ergastule, in: Actes du colloque 1972 sur l'esclavage, 1974, 249–266 **2** M. DELLA CORTE, in: NSA 1923, 275ff. **e** FLACH **4** MARTINO, WG, 129ff., 259ff. **5** THÉDENAT, in: DS II 1,810f.   W.E.

Erginos (Ἐργῖνος). Mythischer König von Orchomenos in Boiotien, Sohn des Klymenos und der → Budeia oder Buzyge. Als der Wagenlenker des Menoikeus, der Thebaner Perieres, E.' Vater auf einem Fest des Poseidon tötete, machte E. Theben tributpflichtig. Der junge Herakles jedoch befreite Theben von diesem Tribut durch einen Kampf, in dem E. unterlag (Paus. 9,17,1–4; 37,1–4; schol. Il. 16,572; Apollod. 2,67–69; Eur. Herc. 220–221; Diod. 4,10,5). Der Kampf des E. gegen Herakles ist auf einem hadrianischen Relief dargestellt [1]. Er dürfte identisch sein mit dem Argonauten E., Sohn des Klymenos oder Poseidon, der auf Lemnos trotz hohen Alters bei den Leichenspielen für Thoas im Wettlauf siegte (Pind. O. 4,19–27; Herodoros FGrH 31 F 55; Apoll. Rhod. 1,185–187 mit schol.; Kall. fr. 668).

1 R. VOLLKOMMER, s. v. E., LIMC 3.1, 819, Nr. 1.   R.B.

Ergokles (Ἐργοκλῆς). Athenischer Stratege. Schloß sich 404/3 v. Chr. den Demokraten in Phyle an. Operierte 390/89 als Stratege mit Thrasybulos im Hellespont und an der kleinasiatischen Küste. Nach seiner Rückkehr wurde er wegen Unterschlagung, Bestechung und Amtsmißbrauchs angeklagt und zum Tode verurteilt; sein Vermögen wurde konfisziert (Lys. 28). Da die unterschlagenen Gelder nicht gefunden wurden, verdächtigte man Philokrates, Trierarch und Schatzmeister unter E., die Gelder an sich gebracht zu haben (Lys. 29).

   W.S.

Ergotimos (Ἐργότιμος). Att. Töpfer, der um 570–560 v. Chr. mit dem sf. Vasenmaler → Klitias zusammenarbeitete. Ihr gemeinsam signiertes Hauptwerk ist die sog. »François-Vase« in Florenz, ein monumentaler Volutenkrater (→ Gefäßformen), der zum ersten Mal schneckenförmig eingerollte Henkelvoluten zeigt, die sich von oben auf den Mündungsrand aufstützen. Außerdem hat E. einen ungewöhnlichen Ständer signiert sowie zwei zierliche »Gordion-Schalen«, eine experimentelle Übergangsform zwischen → Siana-Schalen und → Kleinmeister-Schalen. Eine fußlose »Knopfhenkelschale« in Berlin ist als einziges seiner signierten Werke nicht von Klitias bemalt. Als »Sohn des E.« hat später Eucheiros mehrere Kleinmeisterschalen signiert.

BEAZLEY, ABV, 76–80 (162) · BEAZLEY, Addenda², 21 f. (47) · Ders., Little-Master Cups, in: JHS 52, 1932, 185–186 · H. E. SCHLEIFFENBAUM, Der griech. Volutenkrater, 1991, 53–54 · E. SIMON, Die griech. Vasen, 1976, 52–57.   H.M.

Erianthes (Ἐριάνθης). Thebanischer Befehlshaber der boiotischen Trieren bei Aigospotamoi. Seine Statue stand daher auf dem spartanischen Siegesdenkmal in Delphi (Paus. 10,9,9) [1. 14f.]. Nach der Kapitulation Athens wurde seine Forderung, die Stadt zu zerstören, in Sparta abgelehnt (Xen. hell. 2,2,19; Plut. Lys. 15). Als die Thebaner 395 v. Chr. ein Bündnis mit Athen anstrebten, suchten sie die Aktion des E. als eigenmächtige Handlung zu interpretieren (Xen. hell. 3,5,8).

1 J.-F. BOMMELAER, Lysandre de Sparte, 1981.   K.-W.WEL.

Erica s. Ereike

Erichthonios (Ἐριχθόνιος).

[1] Bedeutende Figur der athenischen Myth.; seine Erdgeburt soll auf der Akropolis stattgefunden haben und versinnbildlichte die autochthone Natur des Atheners. E.' Beziehung zu seinem Fast-Namensvetter → Erechtheus ist problematisch; die meisten frühen Texte (z. B. Hom. Il. 2,546–51) sprechen von Erechtheus, nicht E., als dem Erdgeborenen, und ein eigentlicher Kult von E., der sich von Erechtheus unterscheidet, ist nicht ersichtlich. Bei Euripides (Ion 267ff.) und den att. Lokalhistorikern werden die zwei Figuren genealogisch unterschieden; sie werden im allg. im 5. Jh. durch die Mythen, die über sie erzählt werden, auseinandergehalten: Erechtheus ist der erwachsene Kriegskönig, während bei E. Geburt und Kindheit betont werden. Als Hephaistos erfolglos versuchte, Athene zu vergewaltigen, fiel sein Samen auf ihren Schenkel; sie wischte ihn mit einem Stück Wolle (ἔριον, *érion*) weg und warf es auf den Boden (χθών, *chthṓn*); die Erde empfing den Samen und gebar E., den sie später Athene anvertraute (diese Episode war ein beliebtes Thema auf rotfigurigen Vasen). Athene ihrerseits übergab das Kind an → Aglauros, Pandrosos und Herse, die Töchter des Kekrops; sie hatte es zusammen mit Schlangen in einen Korb gelegt und den Mädchen verboten, ihn zu öffnen. Als alle oder nur zwei von ihnen sich über ihr Verbot hinwegsetzten, erschraken sie so sehr, daß sie sich von der Akropolis zu Tode stürzten. Der Mythos steht mit großer Wahrscheinlichkeit mit dem schwer zu deutenden Ritus der → Arrhephoroi auf der Akropolis in Verbindung.

Eine weitere Version, die E. zum Sohn von König Kanaos' Tochter Atthis und Hephaistos (Apollod. 3,187) machte, scheint für seine Geburt aus der att. Erde (Ἀτθὶς γῆ, *Atthís gḗ*) eine rationale Erklärung geben zu wollen. Auch bei Lokalhistorikern und Mythographen ging E.' Biographie über seine Kindheit hinaus: Er wurde König und begründete eine Dynastie. Bei Apollodoros (3,187) vertrieb er Amphiktyon, heiratete Prasithea/Praxithea (eine weitere Verwechslung mit Erechtheus) und zeugte einen Sohn → Pandion. Die Taten, die ihm am häufigsten zugeschrieben wurden, sind die Einrichtung der → Panathenaia (z. B. Hellanikos FGrH 323a F 2) und – wohl damit verbunden – die Erfindung des Wagens (Marmor parium 10, vgl. Verg. georg. 3,113–4).

C. Bérard, Anodoi, 1974, 34–8 · U. Kron, s. v. E., LIMC 4.1, 923–51 · E. H. Loeb, Die Geburt der Götter in der griech. Kunst, 1979, 165–181, 334–44 · N. Loraux, Les enfants d'Athéna, ²1990, 35–73 · J. Mikalson, Erechtheus and the Panathenaia, in: AJPh 97, 1976, 141–53 · N. Robertson, The origins of the Panathenaea, in: RhM 128, 1985, 231–95.   E. K.

[2] Sohn des Troers → Dardanos und der → Bateia, Gemahl der → Astyoche oder Kallirhoe (Apollod. 3,140; Dion. Hal. ant. 1,62). Stammbaum s. → Dardanidai. Nach Aischyl. fr. 368 TGF ist E. Sohn, nicht Enkel des Zeus. Vielleicht ist E. durch att. Einfluß in die troische Königsliste gelangt [1] (vgl. Strab. 13,604).

1 Escher, s. v. E., RE 6, 440.

Eridanos (Ἠριδανός, *Eridanus*).
[1] Mythischer Strom im (Nord-)Westen (Nord-It., Süd-Frankreich oder Spanien), Sohn des → Okeanos und der → Tethys (Hes. theog. 338). → Phaethon stürzte aus dem Sonnenwagen in den E., und seine Schwestern (→ Heliades) wurden am E. in Schwarzpappeln, ihre Tränen in Bernstein verwandelt (Eur. Hipp. 736–741; Ov. met. 2,324; 365; Hyg. fab. 152; 154). E. wird seit Hesiod mit der Entstehung des Bernsteins in Verbindung gebracht (Hes. fr. 150,23–24 M-W). Bei dem Versuch einer geogr. Fixierung dachte man u. a. an die Rhône und v. a. an den Po (vielleicht schon Pherekydes FGrH 3 F 74; Plin. nat. 37,31–32). E.-Padus ist entsprechend ein Motiv der röm. Flußgott-Ikonographie [1]. Hdt. 3,115 und Strab. 5,1,9 bestritten freilich die Existenz des E. Bei Verg. Aen. 6,659 gehört E. zur Unterwelt (zu E. als Sternbild s. → Sternbilder).

1 E. Simon, s. v. E. I, LIMC 3.1, 821–822.

F. Bömer, P. Ovidius Naso met. 1–3 (Komm.), 1969, 322–323.

[2] Athenischer Bach (Plat. Kritias 112a; Strab. 9,1,19; Paus. 1,19,5).

G. G. Belloni, s. v. E. 2), LIMC 3.1, 822–823.   R. B.

Erigon (Ἐριγών). Größter Nebenfluß des → Axios, durchfließt die maked. Landschaften Lynkes, Pelagonia und Derriopos, Mündung bei Stoboi; h. Crna Reka.

F. Papazoglou, Les villes de Macédoine, 1988, 292.   MA. ER.

Erigone (Ἠριγόνη).
Name zweier ähnlicher Figuren der att. Mythologie:
[1] Tochter des → Ikarios, der Dionysos gastlich aufgenommen hatte und dafür mit der Kenntnis der Weinzubereitung beschenkt worden war. Als Ikarios im Auftrag des Dionysos den Weinbau einzuführen versuchte, wurde er von Bauern erschlagen, die sich nach dem Genuß unvermischten Weines für vergiftet hielten. E. wurde vom Hund Maira zum Leichnam ihres Vaters geführt und erhängte sich daraufhin an einem Baum.

Dionysos bestrafte die Athener mit einer Epidemie des Erhängens unter den Mädchen, woraufhin man als Sühne das Fest → Aiora einrichtete, dessen Aition diese Erzählung ist. Ikarios, E. und der Hund Maira wurden unter die Sterne versetzt. Die lit. Form der Geschichte geht auf Eratosthenes' Kleinepos E. [1] zurück (Hyg. astr. 2,149–209; Apollod. 3,191–192; Hyg. fab. 130; Nonn. Dion. 47,34–264).
[2] Tochter des Aigisthos und der Klytaimestra. Ihr Schicksal wird unterschiedlich erzählt. Nach Dictys 6,4 erhängte sie sich aus Kummer über → Orestes' Freisprechung. Nach Hyg. fab. 122 wollte Orestes E. töten, Artemis aber entrückte sie nach Attika und machte sie zur Priesterin.

1 A. Rosokoki, Die E. des Eratosthenes, 1995.

W. Burkert, Homo necans, 1972, 247; 267–268 · Burkert, 255; 363–364 · R. M. Gais, s. v. E. 2, LIMC 3.1, 824–825 · E. Pochmarski, s. v. E. 1, LIMC 3.1, 823–824.   R. B.

Erigyios (Ἐρίγυιος). Aus Mytilene, mit seinem Bruder → Laomedon in Amphipolis ansässig, älter als Alexandros [4] und mit anderen von dessen Jugendfreunden 337/6 v. Chr. verbannt. Als einziger dieser Gruppe schnell mit dem Befehl über Truppen betraut, führte er die griech. Kavallerie bei → Issos und → Gaugamela und erscheint später als vertrauter Ratgeber des Königs. Er übernahm auch mil. Sonderaufträge, so z. B. gegen → Satibarzanes, den er im Zweikampf tötete (Arr. an. 3,28,3; Curt. 7,4,32–38). Er starb im Winter 328/7 und wurde mit den höchsten Ehren begraben (Curt. 8,2,40).

Berve 2, Nr. 302 · Heckel 209 f.   E. B.

Erikeia (Ἐρίκεια, von ἐρείκη, »Heide«?). Att. Asty(?)-Demos der Phyle Aigeis, ein Buleut (nach 307/6 v. Chr. zwei). Bei Kypseli als dem FO eines Dekrets (IG II², 1215, Anf. 3. Jh. v. Chr.) lokalisiert, mit dem ein unbekannter Demos einen Spender für die Instandsetzung kult. Einrichtungen ehrt.

Traill, Attica 16, 39 mit Anm. 10, 59, 70, 74 Anm. 10, 110 Nr. 42, Tab. 2 · Whitehead Index s. v. E.   H. Lo.

Erikepaios (Ἠρικεπαῖος). Gottheit, die in der orphischen Dichtung und den zugehörigen bakchischen Mysterien belegt ist; die späte Etym. als »Lebensgeber« (ζοιοδοτήρ) bleibt unkontrollierbar (Malalas, Chronogr. 4,91; vgl. Suda 660 s. v. Orpheus). Zuerst wird der Name sicher im Papyrus Gurôb 1, einem dionysischen Mysterientext des späten 3. Jh. v. Chr., genannt [1]; eine frühere Nennung in einem Goldblättchen aus Pherai ist unsicher [2]. Wichtig ist er dann in verschiedenen neuplaton. Referaten der sog. rhapsodischen Theogonie des Orpheus. Hier ist E. einer der Namen des aus dem Ei geborenen Urwesens Phanes Metis E. (Orph. Fr. 60; 65; 81; 85; 167).

Ein kaiserzeitlicher Altar aus Hierokaisareia in Lydien ist Dionysos E. geweiht, wobei die Datierung nach einem Hierophanten auf bakchische Mysterien führt

[3]; umstritten ist allerdings die Beziehung dieses Textes zur orphischen Dichtung: Es ist nicht eindeutig, ob diese einen lokalen lydischen Kultnamen des Dionysos übernimmt (wie bei → Hipta), oder ob der Mysterienkult des Dionysos, wie im nahen Smyrna (LSAM 84), nicht eher von der orphischen Dichtung abhängig ist.

1 M. WEST, The Orphic Poems, 1983, 170f.
2 P. CHRISOSTOMOU, Ἡ Θεσσαλικὴ θεὰ Ἐννοδία ἢ Φεραία θεά, Diss. 1991, 372 3 J. KEIL, A. VON PREMERSTEIN, Denkschriften der Akad. der Wiss. Wien 52, 1908, 54 Nr. 112.   F. G.

Erineos (Ἐρινεός, Ἐρινεόν). Neben Boion, Kytenion und Akyphas/Pindos eine der angeblich von → Doros gegr. Städte der mittelgriech. Doris. Belegstellen: Tyrtaios fr. 2 WEST; Hdt. 8,43; Skyl. 62; Skymn. 592ff.; Diod. 4,67,1; Strab. 9,4,10; 10,4,6; Konon, FGrH 26 F 1,27; Plin. nat. 4,28; Ptol. 3,14,14; Aristeid. 12,40; Steph. Byz. s. v. E.; schol. Pind. P. 1,121; schol. Aristoph. Plut. 385; schol. Lykophr. Alex. 980). Als einziges histor. Ereignis ist ein Überfall der Phoker auf E. 458/7 v. Chr. bezeugt (Thuk. 1,107,2; Diod. 11,79,4). E. ist unmittelbar nordwestl. vom h. Kastelli an der Nordseite des Talausgangs des ant. Pindos (h. Kanianitis) zu lokalisieren.

E. W. KASE et al. (Hrsg.), The Great Isthmus Corridor Route, 1991 · MÜLLER, 488 · D. ROUSSET, Les Doriens de la Métropole, in: BCH 113, 1989, 199–239 · Ders., Les Doriens de la Métropole, in: BCH 118, 1994, 361–374.
                                                                                      P. F.

Erinna (Ἤριννα). Dichterin und Autorin eines Werkes, das die Ant. als die ›Spindel‹ (Ἠλακάτη) kannte, ein Gedicht von 300 Hexametern (anon. Anth. Pal. 9,190,3). Eus. gibt ihre Wirkungszeit für 353–352 v. Chr. (= Ol. 106.4 oder 107.1) an. Die Suda, die E. irrtümlich zur Zeitgenossin Sapphos macht, nennt mehrere mögliche Herkunftsorte; am wahrscheinlichsten ist die Insel Telos, da sie dor. mit gelegentlichen Äolismen schreibt. Die lit. Ähnlichkeiten mit den Werken des → Asklepiades und → Theokritos lassen tatsächlich eine Dichterin vermuten, die frühestens im 3. Jh. v. Chr. geschrieben hat. Die erh. Reste von ca. 54 Versen, die die wenigen Zitate (SH 402–[406]) ergänzen, wurden 1929 veröffentlicht (SH 401). E. beschreibt hier Erfahrungen ihrer Kindheit, die sie mit Baukis teilte, und beklagt den Tod der Freundin, der, wie wir andernorts erfahren, bald nach ihrer Heirat eintrat (Erinna Anth. Pal. 7,712). Der Papyrus erwähnt die Spindel (ἀλακάταν) des Titels (Z. 39). Es ist unsicher, ob es sich dabei um die Spindel der Moira (vgl. anon. Anth. Pal. 7,12,4), eine Spindel der Dichterin (vgl. anon. Anth. Pal. 9,190,5) oder um eine Spindel handelt, die E. der Baukis schenkte (vgl. Theokr. 28). Die Zahl 19, ἐννεα[καὶ]δέκατος (Z. 37) scheint die Quelle für die Annahme zu sein, E. habe das Gedicht im Alter von 19 Jahren verfaßt (Anon. Anth. Pal. 9,190,4; Asklepiades Anth. Pal. 7,11,2); in diesem Alter soll sie nach der Suda (η 521 ADLER) auch gestor-

ben sein. Zwei Verse, zitiert von Athenaios (SH [404]), sind Teil eines → Propemptikons, vielleicht an die aus der ›Spindel‹ bekannte Baukis, die sich auf eine Seereise begibt, gerichtet [3. 101–107]. Die Authentizität der Epigramme, die E. zugeschrieben werden, ist umstritten (SH 403); sogar die ›Spindel‹ ist als Fälschung bezeichnet worden.

1 FGE 343–346 2 GA I.2, 281f. 3 J. RAUK, E.'s Distaff and Sappho Fr. 94, in: GRBS 30, 1989, 101–116 4 M. L. WEST, E., in: ZPE 25, 1977, 95–119.   E. R./Ü: L. S.

Erinnerung, Gedächtnis A. ETYMOLOGIE B. GRIECHENLAND C. ROM

A. ETYMOLOGIE

Das Wortfeld Erinnerung/Gedächtnis läßt sich im Griech. und Lat. – abgesehen von *recordor* und *recordatio*, Ableitungen von *cor* – auf die idg. Wurzel *men-* zurückführen. Diese zweifache Etym. verweist auf eine innere, jedoch nicht notwendigerweise kognitive Tätigkeit [1. 11, 20].

B. GRIECHENLAND

Es stehen μνήμη (*mnḗmē*), das menschliche Gedächtnis, und Μνημοσύνη (→ *Mnēmosýnē*), die Mutter der Musen, nebeneinander; die Musen befinden sich im alles umfassenden Besitz von Wissen und Wahrheit (ἀλήθεια, *alḗtheia*, steht dem Vergessen, λήθη, *lḗthē*, gegenüber) und inspirieren den homer. Sänger, Hesiod und Pindar [1. 118f.]. Mit der Erfindung der Mnemotechnik durch → Simonides produziert das Gedächtnis Worte, deren Wahrheit nicht mehr durch die Musen garantiert wird [2. 105f.]. Parallel dazu lehren Pythagoras und Empedokles, daß die Seele durch Erinnerung bzw. ἀνάμνησις (*anámnēsis*) Zugang zur Wahrheit erhalte [3]. Davon ist die platonische *anámnēsis* (Plat. Men. 81a–98a; Phaid. 72e–77a) beeinflußt, zu der man auf dialektischem Wege gelangt; Sophistik (Plat. Hipp. min. 368) und Schrift (Plat. Phaidr. 274cf.) verschaffen nur von außen kommende Erinnerungen (ὑπομνήματα, *hypomnḗmata*). Wie Platon (Plat. Phil. 34b-c) unterscheidet auch Aristoteles *mnḗmē* und *anámnēsis*; durch das Gedächtnis kann Zeit wahrgenommen und in Bildern gedacht werden (De memoria 449b). Platon und Aristoteles führen für den Prozeß der Speicherung im Gedächtnis die Metapher des Abdrucks in der Seele ein (Plat. Th. 191c–192a; Aristot. De memoria 450a-b).

C. ROM

Livius Andronicus übersetzt *Mnēmosýnē* mit *Moneta* (Juno) und spielt mit der Etym. (*moneo*) auf die Funktion der Göttin (mahnen, erinnern) an. *Memoria* wird jedoch nicht vergöttlicht. Eine systematische Unterscheidung zwischen Gedächtnis und Erinnerung wird nicht getroffen (Cic. Tusc. 1,59–61; Plin. nat. 7,24; Quint. inst. 11,2,4f.). Erinnerung ist als Bestandteil der *prudentia* auch Teil der *virtus* des Bürgers (Cic. inv. 2,160); er hat sich an die Bedingungen seiner ges. und histor. Einbindung zu erinnern: an seine Verpflichtungen gegenüber den Göttern [4] und Menschen (Sen. benef.), seine Genealogie (Cic. Att. 6,1,17) und die *exempla* in Familie und Volk, die die Gesch. ausmachen (Cic. de orat. 2,36; Sall. Iug. 4). Gedächtnis ist das Attribut derjenigen, die das juristische und rel. Regelwerk kennen und dazu Archive besitzen: der Senatoren (Cic. leg. 3,18), Rechtsgelehrten, Priester und Auguren (Cic. Cato 22). Der Redner muß schließlich die *memoria* als Teil der Beredsamkeit (Cic. inv. 1,9; → Mnemotechnik) beherrschen, um sich an seine Rede (Rhet. Her. 3,28) und das zu ihrer Abfassung notwendige Material (Cic. de orat. 2,355; Quint. inst. 11,2,1) erinnern zu können. Da es keine zentralen Archive gibt [5], sind diese Personen die Garanten des kollektiven Gedächtnisses. Manche von ihnen gehören zu der Reihe außergewöhnlicher »Gedächtnismenschen« [6. 51 f.].

In christl. Zeit ist das Gedächtnis mit dem Problem der individuellen Kenntnis Gottes verbunden (Aug. conf. 10,8–26).

1 M. SIMONDON, La mémoire et l'oubli, 1982
2 M. DETIENNE, Les maîtres de vérité, ²1990 3 J.-P. VERNANT, Mythe et pensée chez les Grecs, 1965, 107–152 4 G. DUMÉZIL, L'oubli de l'homme et l'honneur des dieux, 1985, 135–150 5 C. NICOLET (Hrsg.), La mémoire perdue, 1994 6 F. YATES, L'art de la mémoire, 1975.

M. CARRUTHERS, The Book of Memory, 1990 ·
J. COLEMAN, Ancient and Medieval Memories, 1992 ·
N. LORAUX, L'oubli dans la cité, in: Le temps de la réflexion, 1980, 213–242. CA.BA./Ü: T.H.

Erinys (Ἐρινύς).

Etym. unsicher (CHANTRAINE 2,371, vgl. [1; 2. 83–4]). E. wird schon in → Linear B erwähnt (KN 200 = Fp 1, 208 = V 52, vgl. ⟨Fs 390⟩; [1]), im Zusammenhang mit anderen Gottheiten wie Zeus, Athene, Paion und Poseidon. Später erscheint der Name sowohl im Sg. als auch im Pl. (»Erinyen«). Meist sind die Erinyen Töchter der Nacht (Aischyl. Eum. 69; 322 et passim) oder sie entstanden aus Blutstropfen bei Uranos' Kastration (Hes. theog. 185), was ihre Verbindung mit Familienverbrechen, insbes. Vatermord, andeutet; vgl. [2. 84–5]. Obwohl die Erinyen gewöhnlich als Jungfrauen bezeichnet werden (Aischyl. Eum. 68–70; Soph. Ai. 835; Verg. Aen. 6,280), machen manche Mythen E. zur Mutter des Pferdes Arion (durch Poseidon) oder der Despoina (Paus. 8,25,2–10, vgl. 8,42; Kall. fr. 652; Schol. Hom. Il. 23,346 DINDORF = Thebaïs fr. 6b; 6c EpGF, vgl. [3. 143–45; 4]). Wie Demeter, mit der E. in manchen Versionen des Arionmythos identifiziert wird, haben die Erinyen manchmal die Macht, Fruchtbarkeit aller Art zu vernichten oder zu fördern (Aischyl. Eum. 903–15 u.ö., [3.142–47]). Im röm. Mythos erscheinen die Erinyen als → Furiae (Cic. nat. deor. 3,46; vgl. Verg. Aen. 3,331; zu den andersartigen Darstellungen in der Kunst vgl. [5. 1. 24–90]). Ihre Einzelnamen sind im Griech. wie im Lat. Megaira (»Beneiderin«), Tisiphone (»Mordrächerin«) und Allekto (die »Unversöhnliche«): Apollod. 1,3 [2. 123–24].

Bei Hom. erscheinen erstmals viele der in der späteren Lit. charakteristischen Züge der E.: Sie leben in der Unterwelt (Hom. Il. 9,571 f.; vgl. Aischyl. Eum. 395–6), bürgen für Eide (Hom. Il. 19,259 f.; vgl. Hes. erg. 803 f.), erfüllen Verfluchungen (Il. 9,454–56; 571 f.; vgl. Aischyl. Eum. 421; Soph. Ai. 835–44), führen Wahnsinn oder Verblendung herbei (Hom. Od. 15,233–34; vgl. Aischyl. Eum. 329–32; Verg. Aen. 7,323–53) und bestrafen Vergehen, bes. Familienverbrechen (Hom. Od. 2,134–36; vgl. Aischyl. Choeph. 1048–62; Eum. 94–177; Apollod. 3,87; Eur. Med. 1389; [3. 148]). Seit Aischylos (Eum. 273–5; 339–40) heißt es auch, sie bestraften Missetäter in der Unterwelt (Verg. Aen. 6,605–07; vgl. Hom. Il. 3,276 ff. und 19,259); in der apulischen Vasenmalerei des späten 4. Jh. v. Chr. sind sie oft bei der Bestrafung von Verbrechern dargestellt [5. 58–72; 6. 3.1. 828–29]. Nach der ältesten und verbreitetsten Theorie stellen die E. die zornigen Toten dar, die zurückkehren, um die Lebenden zu bestrafen [8. 206; 9]. Die Identifikation der Erinyen mit den Toten trifft im Ganzen wohl zu, das Vorkommen der E. in Linear B (als Göttin) und ihre Verbindung mit Demeter machen jedoch eine Modifizierung dieser These nötig [3]. Eine andere geläufige Ansicht sieht in den Erinyen personifizierte Flüche [10. 438–9].

Mindestens seit der klass. Zeit ist »E.« nur einer von mehreren Namen für Göttinnen, die auch Eumeniden (die »Wohlmeinenden«) oder *semnaí theaí* (»Verehrte Göttinnen«) hießen und an mehreren Orten in Griechenland Kultstätten hatten; im Kult wurden die euphemistischen Namen verwendet [7; 8; 9]. Die Erinyen werden auch mit anderen Gruppen von Göttinnen wie den → Moiren und → Praxidiken in Verbindung gebracht [2. 86–91]. Im Bindezauber wird E. gebeten, den → *áhoros* oder *biaiothánatos* (»vorzeitig oder durch Gewalt Verstorbenen«) zum Gehorsam zu zwingen (PGM IV,1417; IG (= CIA) 3³, tab. def. 108). In der ant. Kunst werden die Erinyen im allg. mit Flügeln, Schlangenhaaren, Jagdstiefeln und im kurzen Chiton dargestellt; mitunter tragen sie Fackeln oder Peitschen [5. 1. 24–34; 6]. Aischylos (Eum. 46–59), der die erste lit. Beschreibung ihres Aussehens liefert, vergleicht sie mit Gorgonen und Harpyien.

→ Moira; Vanthe

1 G. NEUMANN, Wortbildung und Etym. von E., in: Die Sprache 32, 1986, 43–51 2 E. WÜST, s. v. E., RE Suppl. 8, 82–166 3 S. I. JOHNSTON, Penelope and the Erinyes: Od. 20,61–82, in: Helios 21/2, 1994, 137–159 4 Dies., Xanthus, Hera and the Erinyes: Il. 19,400–419, in: TAPhA 122, 1992, 85–98 5 C. AELLEN, A la recherche de l'ordre cosmique, 1994 6 H. SARIEN, s. v. E., LIMC 3.1, 825–43 und 3.2, 595–606 7 A. HENRICHS, Namenslosigkeit und Euphemismus. Zur Ambivalenz der chthonischen Mächte im att. Drama, in: H. HOFMANN, A. HARDER (Hrsg.), Fragmenta Dramatica, 1991, 161–201 8 H. LLOYD-JONES, Erinyes, Semnai Theai, Eumenides, in: E. M. CRAIK (Hrsg.), Owls to Athens, 1990, 203–11 9 A. HENRICHS, Anonymity and Polarity: Unknown Gods and Nameless Altars at the Areopagos, in: Illinois Classical Studies 19, 1994, 27–58. 10 FARNELL, Cults, Bd. 5. S.I.J./Ü: N.R.

Eriphos (Ἔριφος). Dichter der Mittleren Komödie, von dem noch drei Stücktitel und sieben Fragmente erhalten sind. In der Μελίβοια (*Melíboia*) scheint E. Verse des → Antiphanes [1] aufgegriffen und variiert zu haben (fr. 2; vgl. Antiphanes fr. 59); im Πελταστής (*Peltastḗs*) trat wohl ein Miles gloriosus auf (fr. 6 [2. 326f.]).

1 PCG V, 1986, 178–182 2 H.-G. NESSELRATH, Die att. Mittlere Komödie, 1990. H.-G.NE.

Eriphyle (Ἐριφύλη). Tochter des Talaos; Schwester des → Adrastos und Gemahlin des Sehers → Amphiaraos in Argos, die sich nach einer Fehde versöhnten und bei zukünftigen Streitigkeiten E.s Urteil beugen wollten. Amphiaraos verweigerte sich in Voraussicht seines Todes Adrastos' Zug gegen Theben. Von → Polyneikes mit dem Halsband der Harmonia bestochen, zwang ihn E. zur Teilnahme. Er trug seinen Söhnen auf, ihn an E. zu rächen (Hom. Od. 11,326f.; Stat. Theb. 4,187–213; Apollod. 3,60ff.). Beim Zug der → Epigonoi gegen Theben ließ sich E. erneut bestechen und überredete ihren Sohn → Alkmaion, mitzuziehen (Apollod. 3,81; 86; Diod. 4,66,2f.). Nach seiner Rückkehr bestrafte er E. (Verg. Aen. 6,445f.).

E. BETHE, s. v. E., RE 6, 460–463 · A. LEZZI-HAFTER, s. v. E. I, LIMC 3.1, 843–846. R. HA.

Eris (Ἔρις). Personifikation des (oft kriegerischen) Streits, lat. → Discordia; mit allegorischer Genealogie gedeutet als Schwester des → Ares (Hom. Il. 4,441) oder als Tochter der → Nyx (Hes. theog. 224ff., zusammen mit anderen negativen »Abstrakta«). In der Ilias löst E. (allein oder im Verbund mit Ares und anderen Personifikationen) das Kampfgeschehen aus (Hom. Il. 11,3ff.; 4,439ff.). Die nachhomer. *Kypria* machen E. durch die Anstiftung zum Parisurteil anläßlich der Hochzeit von Peleus und Thetis zur eigentlichen Verursacherin des troianischen Kriegs (Cypria argum. p. 38 BERNABÉ; das Motiv des goldenen Apfels ist hell.). Dieses negative, auch von ihm selbst (Hes. theog. 225) vertretene E.-Bild modifiziert Hesiod später (erg. 11ff.) dadurch, daß er eine positive E. (»Wetteifer«) davon absetzt. Beide Aspekte sind in der homer. Auffassung der E. angelegt [1] und möglicherweise indeurop. ererbt [2]. – Das frühgriech. Epos nimmt auffallend häufig Bezug auf bildliche Darstellungen der E. (Hom. Il. 5,740; 18, 535 = Hes. scut. 156; 148), wohl unter dem Einfluß oriental. bzw. orientalisierender Kunst. Die Identifikation solcher E.-Darstellungen wird durch das oftmalige Fehlen eines myth. Kontexts (Ausnahme: Parisurteil) beträchtlich erschwert.

1 J. HOGAN, E. in Homer, in: Grazer Beiträge 10, 1981, 21–58 2 B. MEZZADRI, La double E. initiale, in: Métis 4, 1989, 51–60.

H. GIROUX, s. v. E., LIMC 3.1, 846–850 · H. A. SHAPIRO, Personifications in Greek Art, 1993, 51–61. RE.N.

Eristik s. Sophistik

Erkenntnistheorie
A. BEGRIFF B. PLATON C. ARISTOTELES
D. HELLENISMUS UND KAISERZEIT

A. BEGRIFF
Die ant. Philosophen kennen keinen einheitlichen Terminus, der sich durch den Begriff »E.« übersetzen ließe, sondern führen epistemologische Reflexionen unter verschiedenen Kategorien ein – so etwa Platon andeutungsweise als »Erkenntnis der Erkenntnis«, Aristoteles als Analytik, die Stoa als Teil der Logik und Epikur als Teil der Kanonik.

E. als eigenständige philos. Disziplin oder zumindest als abgrenzbare Menge von philos. Thesen kommt im Rahmen der ant. Philos. erst bei Platon und Aristoteles vor. Aber die philos. Reflexion über Erkenntnis ist fast ebenso alt wie die abendländische Philos. selbst. Erste Spuren finden sich in den überlieferten Texten der Vorsokratiker bei Xenophanes und Heraklit, die beide jenseits aller positionellen Unterschiede um die Klärung des Verhältnisses von empirischer und theoretischer Erkenntnis bemüht waren. Xenophanes betont das Fehlen sicherer Wahrheitskriterien und damit die Endlichkeit menschlicher Erkenntnis vor allem im Bereich der Theorien und Erklärungen, spricht aber zugleich auch von der Möglichkeit des Erkenntnisfortschritts (frg. 21 B34, B35, B18 DK). Heraklit verweist auf die Wichtigkeit, aber auch auf die Unzuverlässigkeit der Wahrnehmung (frg. 22 B46, B54–56, B101a, B107 DK); er definiert wahre Erkenntnis und Vernunft als Einklang mit dem kosmischen und göttlichen → Logos und räumt doch zugleich auch auf dieser Ebene die Beschränktheit menschlicher Einsicht ein (frg. 22 B41, B50, B112, B114; B47, B78, B86 DK). In der eleatischen und atomistischen Philos. verstärken sich die Vorbehalte gegenüber der Wahrnehmung und das Vertrauen auf die Möglichkeit nicht-empirischer Erkenntnis erheblich (Parmenides frg. 28 B1, B2, B4, B6 V. 1–2, B6 V. 3–9, B7–8 V. 50–61 DK; Demokr. Frg. 68 B6–11, B117–119, B125 DK). Einige der einflußreichsten Sophisten wie Protagoras oder Gorgias sind sogar zu einem radikalen epistemologischen Skeptizismus übergegangen (Protagoras frg. 80 B1, B4, B6a DK; Gorg. frg. 82 B1, B3 DK). Es war nicht zuletzt diese Entwicklung, die die Konzeption einer eigenständigen Erkenntnistheorie bei Platon und Aristoteles motiviert hat (Plat. Prot. 313a–314c, 348cff.; Tht. 155e–187b).

B. PLATON
Platon hat entdeckt, daß es für jedes »F«, für das wahrnehmbare Dinge existieren, die »F« sind, einen Unterschied zwischen den wahrnehmbaren »F«-Dingen und der Struktur »F« gibt (z. B. Plat. Lach. 190d–192b, Euthyphr. 5d–6e). Seine fundamentale erkenntnistheoretische Annahme besagt, daß es Erkenntnis im primären Sinne nur von Strukturen (Formen, Ideen) gibt (z. B. Plat. Phaid. 65b–66a; 99d–100a; rep. 475b–

480a; 504a–517a). Die Strukturen oder Ideen haben eine endliche Menge allg. Eigenschaften, die niemals wechseln und die sich in Form von universellen Sätzen angeben lassen. Die These, daß die Struktur F die allg. Eigenschaft G hat, kann durch Anführung von wahrnehmbaren F-Dingen, die G sind, erhärtet werden und durch Verweis von wahrnehmbaren F-Dingen, die nicht G sind, widerlegt werden (z.B. Plat. Lach. 192c–193d; Charm. 159b–162b). Die Erkenntnis von Strukturen besteht dann im wesentlichen darin, alle und nur ihre allg. Eigenschaften anzugeben. In seinen frühen Dialogen führt Platon einige – meist erfolglose – Versuche vor, zu einer Erkenntnis bestimmter Strukturen zu gelangen, die diesen elementaren Rationalitätsstandards genügen; zugleich versucht er aber auch zu zeigen, daß diese Standards ihrerseits aus Voraussetzungen folgen, die die Gesprächspartner bereits dann zugeben müssen, wenn sie sich auf die Suche nach einer inhaltlichen Bestimmung von Strukturen machen und wenn sie schließlich das Scheitern ihrer Suche eingestehen müssen. Eine der elementarsten dieser Voraussetzungen ist die implizite Überzeugung, daß universelle Sätze sinnvoll verwendet werden können und sich, wenn sie wahr sind, auf irgendeine Entität im Kosmos beziehen – vor allem aber, daß sie rational diskutiert werden können. Außerdem wird angenommen, daß jede Verwendung eines Allgemeinbegriffes »F« die Hypothese gestattet, daß wir mit »F« auf eine Struktur F referieren und daß wir im Verlauf einer Bestimmung von F die Bedeutungen aller wichtigen definierenden Begriffe konstant halten müssen. Diese elementaren Annahmen werden in späteren Dialogen zum erkenntnistheoretischen Platonismus umgeformt, der dann u.a. erklären soll, wie wir uns etwa auf menschliche Vortrefflichkeit, geometrische Theoreme oder kosmische Regularitäten beziehen können.

Alle Menschen bringen nach Platon *a priori* die epistemische Fähigkeit mit, in singulären wahrnehmbaren Dingen oder Sachverhalten Strukturen zu erkennen. Wahrnehmung allein repräsentiert zwar noch keine Erkenntnis im primären Sinne, aber der rechte Gebrauch der Wahrnehmung ist für die Erkenntnis von Strukturen notwendig (z.B. Plat. Men. 82b–85e; Phaid. 75a-b; rep. 523b-e). Ist die menschliche Seele erst einmal philos. umgewendet, d.h. hat sie erst einmal die ideentheoretischen Implikationen rationaler Redepraxis erkannt, so ist sie auch in der Lage, wahrnehmbare Einzeldinge als Repräsentanten von mathematischen und anderen Strukturen zu sehen und schließlich sogar den Gegenstandsbereich der Strukturen selbst und aller existierenden Dinge als ein hierarchisch geordnetes Kontinuum zu erblicken, in dem sich die Prinzipien von Ordnung (Einheit) und Mannigfaltigkeit (Vielheit) – die höchsten Gegenstände der Erkenntnis – auf unterschiedliche Weise mischen (z.B. Plat. rep. 509c–511e; Phileb. 57b–59b). Die Methode der (meist) dichotomischen Begriffsteilung, die Platon in seinen späten Dialogen zur Bestimmung von Strukturen entwickelt, reflektiert die Mischung von Einheit und Vielheit im Bereich der Ideen und repräsentiert jene höchste Form methodisch angeleiteter Erkenntnissuche, die Platon »Dialektik« nennt (z.B. Plat. soph. 218b–232a; 251a–254b; Phileb. 14c–18e). Aber selbst die → Dialektik bleibt auf strukturelle, propositionale Wahrnehmung angewiesen. Zwar bezeichnet Platon die philos. Erkenntnis im primären Sinne als ›immer wahr‹, aber das ist nur eine terminologische Bemerkung: aus dem Satz »P erkennt, daß X« folgt analytisch, daß »X« wahr ist, aber dieser triviale Befund bleibt für Platon damit vereinbar, daß sowohl die philos. Annahmen über das, was Strukturen als solche und das Seiende als solches auszeichnet, als auch alle inhaltlichen dialektischen Bestimmungsversuche von spezifischen Strukturen für Einwände und Verbesserungen offen bleiben (z.B. Plat. polit. 262cff.; 263eff.).

C. ARISTOTELES

Auch für Aristoteles bezieht sich die Erkenntnis im höchsten Sinne auf ewige Strukturen und beruht doch zugleich auf der Wahrnehmung als einem Unterscheidungsvermögen, das allen Tieren zukommt und die Differenzierung von Qualia erlaubt. Menschen besitzen zusätzlich die epistemischen Vermögen der Erinnerung und der Erfahrung, die die wahrgenommenen Qualia prädikativ als singuläre Sachverhalte zu beschreiben, ihre Ähnlichkeiten zu registrieren und sie im Gedächtnis zu speichern gestatten. Das explizite Anführen endlich vieler ähnlicher singulärer Sachverhalte nennt Aristoteles »Induktion« (ἐπαγωγή, *epagōgḗ*). Die Induktion ermöglicht ihrerseits eine philos. Hypothese über die Existenz einer universellen Struktur, deren Eindeutigkeit und nähere Bestimmung mittels universeller Sätze anhand weiterer Induktionen geprüft und präzisiert werden kann.

Diese Hypothese setzt ein klares philos. Wissen über den ontologischen Status und die Erkenntnisbedingungen universeller Strukturen voraus und führt für geeignete Induktionen zur Erkenntnis allg. Regularitäten etwa der Form »Das A kommt allen B zu« (»AaB«), wobei A und B Strukturen sind (Aristot. an. post. 2,19; zum »Induzieren« vgl. z.B. top. 8,2,157a). Damit ist allerdings die höchste Stufe der Erkenntnis noch nicht erreicht. Induktiv etablierte Sätze der Form »AaB« müssen zunächst einer logischen (d.h. syllogistischen) Analyse unterzogen werden, die alle »Mittelbegriffe« C_1, …, C_N aufspürt, für die gilt: AaC_1, C_1aC_2, …, C_NaB, und für die es ihrerseits keine weiteren Mittelbegriffe mehr gibt (d.h. die »unvermittelt« sind). Die logische Analyse soll also für jeden induktiv etablierten universellen Satz die endliche Menge seiner unvermittelten syllogistischen Prämissen feststellen; dabei ist zu beachten, daß diese Prämissen auch ihrerseits induktiv erhärtet sein müssen. Auf diese Weise erhält man eine Folge von syllogistisch korrekten und induktiv etablierten Deduktionen der Form AaC, CaB → AaB (z.B. Aristot. an. post. 1,23). Jede dieser Deduktionen kann dann in einem weiteren Schritt daraufhin geprüft werden, ob ihre Unterprämissen eine der aristotelischen Ursachen für ihre Konklusionen angibt – also einen Bewegungsanfang oder ein Ziel oder das Material oder die (definitorische) Form. Ist dies der Fall, dann handelt es sich um eine »Demonstration« oder deduktive Erklärung (z. B. Aristot. an. post. 1,2; 2,1–2; 2,8–10). Für jede spezifische Wiss. kann schließlich noch geprüft werden, ob sich alle ihre Demonstrationen ihrerseits logisch und explanatorisch ordnen lassen. Ist auch dies der Fall, dann heißen ihre obersten unvermittelten erklärungskräftigen Prämissen »definitorische Prinzipien« einer spezifischen Wissenschaft.

Eine nähere Reflexion auf dieses Verfahren zeigt allerdings nach Aristoteles, daß für die Etablierung definitorischer Prinzipien noch zwei weitere Klassen von grundlegenden Annahmen gemacht werden müssen, nämlich Existenzpostulate über die fundamentalen Entitäten der spezifischen Wissensbereiche (»Hypothesen«) sowie logische Theoreme und andere Voraussetzungen, die für alle Wiss. gelten (»Axiome«; Aristot. an. post. 1,2,72a 14–24). Die Begründung der Hypothesen und Axiome obliegt der Philos. (z. B. Aristot. metaph. 4; 13). Die höchste Form der Erkenntnis universeller

Schematische Darstellung der stoischen Erkenntnis- und Handlungslehre

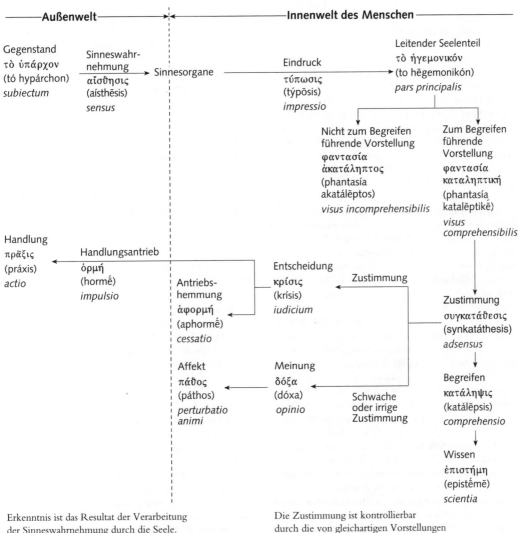

Erkenntnis ist das Resultat der Verarbeitung der Sinneswahrnehmung durch die Seele. Diese ist passiv, während sie den Eindruck erhält; die aktive Umsetzung der Wahrnehmung erfolgt mit Hilfe des Logos (λόγος; ratio).

Die Zustimmung ist kontrollierbar durch die von gleichartigen Vorstellungen abstrahierten Begriffe (ἔννοιαι, énnoiai; notiones). Die Erkenntnislehre verbindet die stoische Logik mit der Ethik.

M. HAA.

Strukturen ist das Erfassen der definitorischen Prinzipien sowie der Hypothesen und Axiome innerhalb jeder spezifischen Wissenschaft. Wie Platon bezeichnet auch Aristoteles die Erkenntnis, insbesondere in ihrer höchsten, wiss. Form, als »immer wahr«; ähnlich wie Platon definiert auch Aristoteles damit aber nur das Ideal der Erkenntnis und die rationalen Standards, denen jedes Erkenntnispostulat genügen sollte. Die konkreten wiss. Annahmen in bestimmten Forschungskontexten lassen sich nach Aristoteles jedoch nur selten endgültig epistemologisch sichern, denn der Philosoph kann zwar angeben, was Erkenntnis ist, doch ist es schwer zu erkennen, ob wir wirklich etwas erkannt haben (Aristot. an. post. 2,19,100b; 1,9,76a 26–30). Dies gilt erst recht für jene schwächeren Formen der Erkenntnis, die sich etwa im Rahmen von Ethik oder Politik auf das Kontingente richten und für die keine wiss. Methodologie zur Verfügung steht, sondern allenfalls Erfahrung und → »Dialektik« als ein Verfahren, welches die allg. verbreiteten Überzeugungen präzisieren, konsistent machen und argumentativ absichern soll (Aristot. eth. Nic. 6,5,1140a31–1141a4; 7,1,1145b; phys. 4,4,211a).

D. Hellenismus und Kaiserzeit

Für Platon wie für Aristoteles ist die Erkenntnis als Zustand und Ziel ein hoher ethischer Wert, weil sie die Wohlordnung der Seele repräsentiert und von den sublimsten Formen des → Glücks begleitet ist. Die einflußreichsten hell. Philosophenschulen haben die E. noch entschiedener ihren ethischen Programmen untergeordnet, die darauf ausgerichtet waren, alles Unverfügbare zu entwerten, um das Erreichen der selbstgesteckten Ziele, und damit das Glück, zu optimieren. Stoiker und Epikureer versuchten, die Unverfügbarkeit der äußeren Dinge und ihrer künftigen Entwicklung durch einen erkenntnistheoretischen Sensualismus zu untermauern, der alle Erkenntnis auf das rezeptive Vermögen sinnlicher Wahrnehmung zurückführt (z.B. SVF II 88, 56; Epik. frg. 35; 36; 260; 261 Usener.; Epik. epist. Herod. 38; 52; 82).

Beide Schulen nehmen außerdem an, daß sich aus wiederholten ähnlichen Wahrnehmungen unwillkürlich gewisse »Vorbegriffe« (προλήψεις, prolēpseis) bilden, auf deren Basis die Vernunft als spontanes epistemisches Vermögen zu weiteren Erkenntnissen gelangen kann (z.B. SVF II 83; 87; 473; 764; Epik. frg. 255 Usener; Diog. Laert. 10,32–33). Im Rahmen dieses Sensualismus mußten die Wahrheitskriterien für sinnliche Wahrnehmung zum zentralen erkenntnistheoretischen Problem werden. Diese Kriterien – die Zustimmung der Vernunft zum Wirklichkeitsgehalt sinnlicher Eindrücke bei den Stoikern, die Bedingungen für die Untrüglichkeit der Sinne bei den Epikureern – sollten im Verein mit der Anwendung der Vorbegriffe den Bezug der Erkenntnis auf die wahre Natur der Dinge und damit den Blick hinter die Oberfläche der Phänomene sichern. Die erkenntnistheoretische Begründung dieser »dogmatischen« Position ist freilich weder den Stoikern noch den Epikureern befriedigend gelungen – ein Umstand, der den Argumenten der ant. Skeptiker Vorschub leistete. Die ant. Skepsis hat nicht bestritten, daß alle Menschen – also auch die Skeptiker selbst – gewisse Meinungen haben müssen, um im täglichen Leben handeln zu können; sie hat nur bestritten, daß es sinnvoll ist, »dogmatische« Überzeugungen anzustreben, die den Anspruch haben, sich auf die wahre Natur der Dinge zu beziehen. Die Skeptiker leugnen nicht, daß ihnen einiges der Fall zu sein scheint, sondern bestreiten nur den Anspruch, daß das, was einigen Menschen der Fall zu sein scheint, sich auf die wahre Natur der Dinge bezieht, und empfehlen in genau dieser Hinsicht allen Menschen, sich jedes Urteils zu enthalten und damit ihre Seelenruhe zu bewahren (Belege bei [5]).

1 J. Barnes, The Presocratic Philosophers, 2 vols., 1987 2 Th. Ebert, Meinung und Wissen in der Philos. Platons, 1974 3 W. Detel, Aristoteles, Analytica Posteriora, 2 Bd., 1993 4 M. Hossenfelder, Stoa, Epikureismus und Skepsis (Gesch. der Philos., hrsg. von W. Röd, Bd. III), 1985 5 M. Frede, Des Skeptikers Meinungen, in: Neue Hefte für Philos. 15/16, 1979. W.DE.

Ant. Quellen: SVF I, fr. 52–73, 205–215. Abb.-Lit.: J.M.Rist, Stoic Philosophy, 1969 Ndr. 1980, 133–151 · P.Steinmetz, Die Stoa, in: GGPh⁴, Bd. 4, 528–533, 541–549, 593–595, 612–618.

Erle. Die in fast ganz Europa auf feuchten Standorten (Theophr. h. plant. 1,4,3; 3,14,3; Plin. nat. 16,77, vgl. 31,44) wachsende Schwarz-E., *Alnus glutinosa (L.) Gaertn.* (κλήθρα, klḗthra) vertritt die 17 Arten umfassende Gattung *Alnus* (vgl. idg. und kelt. *aliza*, → Alausa) der *Betulaceae* in Griechenland. Der Baum wird als Frühblüher charakterisiert (Plin. nat. 16,97), angeblich soll er keine Früchte ausbilden (Plin. nat. 16,108, vgl. Theophr. h. plant. 3,3,6). Theophr. h. plant. 3,14,3 beschreibt die E. recht gut. Die κλήθρη bzw. κλήθρα bei Hom. Od. 5,64 und 5,239 wuchs um die Grotte der Nymphe Kalypso. Nach Plin. nat. 24,74 heilen E.-Blätter mit heißem Wasser eine Geschwulst. Vitr. 2,9,10 lobt ihr als Hausstützpfähle in feuchtem Baugrund lang haltbares Holz. In der Mythologie galt sie als unheimlich und unheilvoll. Die Heliaden wurden der Trauer um ihren Bruder → Phaeton durch Verwandlung in → Pappeln bzw. E. (Verg. ecl. 6,63) entzogen. C.HÜ.

Ermanarich, (H)ermanaricus (auch Ermenrichus, Hermenerig). König der Ostgoten, gehört als erster histor. faßbarer → Amaler bereits der 10. Generation des Amalerstammbaums an (Iord. Get. 79 aus Cassiodor). Er war der jüngste Sohn des Achiulf, Bruder von Ansila, Ediulf und Vultuulf und galt als Begründer der »jüngeren« Amalerlinie, die sich durch die Ehe des → Eutharicus mit → Amalasuntha 515 n.Chr. wieder mit der »älteren« Linie, begründet von Vultuulf, verband (Iord. Get. 79–81). E. beherrschte um 370 n.Chr. ein ausgedehntes Reich, dessen Kern zwar in Südrußland lag, dem aber in verschiedenen Abhängigkeitsverhältnissen zahlreiche Völker bis in den Ostseeraum verbunden waren (vgl. Iord. Get. 116 ff.). E.s Reich brach jedoch rasch zusammen, als ca. 375 die Hunnen den Don überschritten; E. nahm sich das Leben, die übrigen Goten wurden unterworfen oder zogen ab (Amm. 31,3,1–3). PLRE 1, 283.

P. Heather, Cassiodorus and the Rise of the Amals, in: JRS 79, 1989, 103–128 · H. Wolfram, s. v. E., RGA 7, 510–512 · Ders., Die Goten, ³1990, 95 ff.

M. Mei. u. Me. Str.

Ernährung I. Allgemein
II. Alter Orient und Ägypten
III. Griechenland und Rom

I. Allgemein

Die E., die allgemein als Aufnahme von Stoffen für die Erhaltung, die Fortpflanzung und das Wachstum von Lebewesen definiert wird, ist im Bereich der menschlichen Geschichte keineswegs nur als physiologischer Vorgang zu begreifen und zu untersuchen, sondern muß in Zusammenhang mit einer Vielzahl von wirtschaftlichen, sozialen, kulturellen und rel. Faktoren gesehen werden. Die Wahl der Nahrungsmittel erfolgt in einer Ges. nicht allein unter Berücksichtigung ihres Nährwertes, sondern basiert auch auf sozialen und rel. Wertvorstellungen (die einzelnen Nahrungsmitteln entweder einen besonderen Rang als Statussymbol zuweisen oder aber den Verzehr bestimmter Nahrungsmittel untersagen), auf ökonomischen Zwängen (wenn etwa der Preis für ein bestimmtes Nahrungsmittel von der armen Bevölkerung nicht bezahlt werden kann) oder auf klimatischen Bedingungen, die den Anbau bestimmter Nutzpflanzen verhindern. Die Familienstruktur und die Wohnsituation – etwa die vorhandene oder fehlende Möglichkeit, Speisen zuzubereiten – haben ebenfalls Einfluß auf das Ernährungsverhalten. Trotz solcher Spielräume ist der Mensch aber darauf angewiesen, durch seine E. einen bestimmten Bedarf an Nährstoffen zu decken, wenn er seine Gesundheit und damit seine körperliche sowie geistige Leistungsfähigkeit bewahren will. Dieser Bedarf an Nährstoffen, der insgesamt in vielen Ges. aufgrund des Bevölkerungswachstums ansteigt, muß in Beziehung zu der Nahrungsmittelproduktion gesetzt werden; deren Umfang hängt entscheidend von der Agrarstruktur, der technischen Ausstattung der Landwirtschaft und natürlichen Bedingungen wie Bodenqualität und Klima ab. Für die Ant. ist es wegen fehlender Zahlenangaben nicht möglich, genaue statistische Aussagen zur E., dem Ernährungsverhalten und der Erzeugung von Nahrungsmitteln zu machen; immerhin kann aber aufgrund von modernen Angaben zur E. in vorindustriellen Gesellschaften und von vereinzelten Informationen ant. Texte die Problematik der Ernährungssituation in der Ant. umrißhaft verdeutlicht werden.

Die Nahrungsaufnahme des Menschen dient zunächst der Deckung seines Energiebedarfs, der je nach Alter, Geschlecht und körperlicher Beanspruchung stark differieren kann; Energie erhält der Körper wesentlich durch Kohlehydrate (Stärke), Fette und zusätzliche Proteine (Eiweiß), die v. a. für den Aufbau von Körperzellen sowie für den Stoffwechsel unentbehrlich sind. Als weitere Bestandteile einer ausreichenden E. sind Mineralstoffe, von denen Calcium besonders wichtig ist, Spurenelemente, die wie Eisen in sehr geringen Mengen benötigt werden, sowie Vitamine zu nennen. In Ges., in denen Getreide Grundnahrungsmittel ist, wird durch die normale E. bei ausreichender Versorgung mit Kohlehydraten auch der Bedarf an Proteinen und Vitaminen weitgehend gedeckt; unter dieser Voraussetzung müssen Getreideprodukte nur durch wenige zusätzliche Nahrungsmittel, v. a. durch Hülsenfrüchte, ergänzt werden, um Mangelkrankheiten zu vermeiden.

H. Schn.

II. Alter Orient und Ägypten

Für den Alten Orient bilden Verwaltungstexte die Hauptquelle zur E.; Schultexte bieten detaillierte Listen unterschiedlichster Nahrungsmittel; lit. und Königsinschr. sowie Reliefs dokumentieren die E. der Götter und Herrscher. Grundlage der Volks-E. war → Getreide, meist Gerste und Emmer, in abnehmendem Maße Weizen. Fisch aus Binnengewässern und dem Golf nahm die zweite Stelle ein. Seltener finden wir Fleisch, insbes. Hammel, aber auch Ziegen-, Rind-, Schweine- und Wildfleisch, Milchprodukte, Geflügel, Früchte und andere Gartenprodukte, die im allg. den Eliten vorbehalten blieben.

Die normale Ration Gerste betrug zwei Liter täglich pro Arbeiter, ein Liter pro Arbeiterin, etwa die Hälfte pro Kind im arbeitsfähigen Alter. Für Feste und bestimmte Berufe wurde auch Bier oder Bierbrot aus Gerstenschrot und Malz verteilt. Das Getreide wurde von den Arbeitern selbst verarbeitet oder durch Tausch in andere Nahrungsmittel und dergleichen umgesetzt.

Hauptfischart war der protein- und fettreiche Karpfen aus den Gewässern Babyloniens, der gesalzen, getrocknet oder zu Mehl verarbeitet wurde. Fischöl war die »billigste« Ölsorte.

Fleisch wurde nur bei bes. Anlässen an Arbeiter verteilt, war jedoch regelmäßiger Bestandteil der E. von Beamten und Priestern. Neben dem häufig der E. dienenden Hammel fand das Fleisch von Rind, Ziege, Wild, Schwein, aber auch von Kleintieren wie Ratten, Schildkröten und Vögeln Verwendung. Milch von Kühen und Ziegen wurde zu Milchfett und Trockenkäse verarbeitet. Seltener finden sich Hinweise auf Rahm, Fettkäse und Milch selbst. Es ist unklar, ob der Verzehr von Heuschrecken und anderen Insekten weit verbreitet war.

Datteln und Feigen wurden allein oder mit Brot gebacken, als Sirup auf Brei und zum Süßen (neben Honig) in Getränken verwendet, seltener Äpfel, Weintrauben und andere Obstsorten. Die Gärten lieferten Kichererbsen, Bohnen und Linsen wie auch Zwiebeln, Gurken und Lauch. Sesamöl war neben Schweineschmalz die Hauptfettquelle, im nördl. Bereich Olivenöl. Vielfältige Gewürze werden insbes. bei der Zubereitung von Brotsorten und Suppen erwähnt; neben Salz und *kasû* (?) auch Kresse, Koriander und Kümmel.

Seit dem 2. Jt. sind einige Kochrezepte bekannt, die das Zubereiten von Fleisch-, Geflügel-, Gemüsegerichten u. a. mehr beschreiben. Auch im alten Ägypten waren Getreide und Fisch die Hauptnahrungsmittel. Wie in Mesopot. traten dazu Gemüse aller Art, während Fleisch als Festtagsspeise galt. Als Fette kannte man Rinderfett und Olivenöl; Milchprodukte spielten eine geringe Rolle.

F. HROZNY, Das Getreide im alten Babylonien, 1913 · R. ENGLUND, Organisation und Verwaltung der Ur III-Fischerei, 1990 · R. ELLISON et al., Some Food Offerings from Ur, in: Journal of Archaeological Science 5, 1978, 167–177 · Dies., Diet in Mesopotamia ... (ca. 3000–1400 B.C.), in: Iraq 43, 1981, 35–45 · J. BOTTERO, Textes culinaires Mésopotamiens, 1995 · A. FINET, Le banquet de Kalah offert par le roi d'Assyrie Asurnasirpal II (883–859), in: Res orientales 4, 1992, 31–44 · H. HOFFNER, Alimenta Hethaeorum: Food Production in Hittite Asia Minor, 1974 · W. HELCK, s. v. Bier, LÄ I, 789–792 · Ders., s. v. Brot, LÄ I, 871 · Ders., s. v. E., LÄ I, 1267–1271.

R. K. E.

III. GRIECHENLAND UND ROM
A. GETREIDEBEDARF B. PRODUKTIVITÄT
C. KLIMABEDINGTE PROBLEME D. VERSCHIEDENE
NAHRUNGSMITTEL E. ERNÄHRUNG
UNTERSCHIEDLICHER BEVÖLKERUNGSGRUPPEN
F. ERNÄHRUNG IN DER LITERATUR

A. GETREIDEBEDARF

Für ihre grundlegende Unt. der ant. E. übernahmen FOXHALL/FORBES [5] die Standards der FAO; demnach liegt der Kalorienbedarf eines erwachsenen, körperlich arbeitenden Mannes zwischen 2800 und 3300 Kalorien pro Tag; 1 kg Weizen liefert ca. 3340 Kalorien. Da in der Ant. Getreide durch Öl, Wein und andere Nahrungsmittel ergänzt wurde und somit nur ca. 75% der Nahrung darstellte, benötigte ein Erwachsener ca. 250 kg Weizen pro Jahr. Für die Gesamtbevölkerung – unter Berücksichtigung von Frauen und Kindern – nehmen FOXHALL/FORBES einen durchschnittlichen Verbrauch von 212 kg Weizen pro Kopf und Jahr an. Einige Angaben ant. Texte zeigen, daß diese auf modernen Daten beruhende Schätzung nicht unrealistisch ist: Herodot geht bei seiner Berechnung der Getreidemenge, die 480 v. Chr. für die Versorgung des persischen Heeres benötigt wurde, davon aus, daß jeder Soldat, nicht aber Frauen und Eunuchen, einen *choinix* Weizen (etwa ein Liter = 0,75 kg Weizen) am Tag erhielt (Hdt. 7,187), was einem jährlichen Konsum von etwa 275 kg Weizen entspricht. Im 2. Jh. v. Chr. erhielten röm. Soldaten als Verpflegung im Monat ⅔ eines *medimnos* Weizen (etwa 4 *modii* oder 26,4 kg; Pol. 6,39,13), im Jahr demnach etwa 316 kg. Auf dem Land arbeitende Sklaven sollten nach Cato (Cato agr. 56) ca. 50 *modii* Weizen im Jahr erhalten, während dem *vilicus* (Gutsverwalter) oder ei-

nem Hirten 36 *modii* zugeteilt wurden, also 330 bzw. 237 kg im Jahr (1 *modius* Weizen wiegt ca. 6,6 kg). Die Frumentargesetze der späten röm. Republik, die die Verteilung von Getreide in der Stadt Rom regelten, sahen für einen empfangsberechtigten Bürger eine Ration von 5 *modii* im Monat vor, also von 396 kg im Jahr. Es ist anzunehmen, daß mit dieser Zuteilung auch selbst nicht empfangsberechtigte Familienangehörige wie Frauen und Kinder berücksichtigt wurden. Diese Angaben zeigen, daß für die E. eines Soldaten oder eines in der Landwirtschaft arbeitenden Sklaven etwa 230–330 kg Weizen als angemessen angesehen wurden.

B. PRODUKTIVITÄT

Es stellt sich die Frage, in welchem Umfang die griech. und röm. Landwirtschaft den Bedarf an → Getreide decken konnte und wieviel Nahrungsmittel der ant. Ges. tatsächlich zur Verfügung standen. Dabei ist es zunächst nötig zu klären, welche Produktivität die ant. Landwirtschaft besaß. Es gibt nur eine einzige Aussage, die es gestattet, die ant. Ernteerträge annäherungsweise einzuschätzen: Columella behauptet, daß Getreide im größten Teil It. eher selten den vierfachen Ertrag des Saatguts erbrachte (3,3,4). Bei einer Aussaat von 5 *modii* Weizen pro → *iugerum* (Colum. 2,9,1) wurden also günstigenfalls 20 *modii* geerntet, von denen wiederum 5 *modii* für die nächste Aussaat gebraucht wurden; für die E. standen demnach pro *iugerum* 15 *modii* Weizen zur Verfügung, also rund 100 kg. Unter der Voraussetzung, daß in der Ant. normalerweise ein Acker jedes zweite Jahr brachlag oder aber Hülsenfrüchte wie Lupinen angebaut wurden, waren vier Morgen Land notwendig, um genügend Getreide für einen Erwachsenen zu produzieren.

Dieses Bild wird durch die Inschrift über die *aparchḗ* (Darbringung der Erstlingsopfer) in Eleusis des Jahres 329/8 v. Chr. in Attika bestätigt (IG II² 1672). Nach den Berechnungen von P. GARNSEY wurden insgesamt 11,353 560 kg Gerste und 1,082 500 kg Weizen geerntet. legt man die Zahlen Columellas über Aussaat und Ertrag zugrunde, wären in Attika 103 214 *iugera* mit Gerste (bei einem Gewicht von 33,4 kg pro *medimnos*, also 5,5 kg pro *modius*) und 8200 *iugera* mit Weizen – insgesamt also 111 414 *iugera* mit Getreide – angebaut worden. Bei jährlicher Brache wurden demnach ca. 222 828 *iugera* (55 707 ha) Land für den Getreideanbau genutzt, etwas weniger als 25% der gesamten Fläche Attikas (ca. 2400 km² = 240 000 ha). Angesichts der gebirgigen Landschaft Attikas mit Gipfeln von über 1000 Metern Höhe ist es durchaus wahrscheinlich, daß nicht mehr Anbaufläche zur Verfügung stand; es gibt keinen Grund, für das Jahr 329/8 v. Chr. eine Mißernte anzunehmen. Zieht man das Saatgetreide von den Erträgen ab, blieben der Bevölkerung noch 8,515 170 kg Gerste und 811 875 kg Weizen zum Konsum; der Weizen hätte bei einem niedrigen Verbrauch pro Kopf von 200 kg pro Jahr für 4059 Menschen, die Gerste, die weniger Kalorien liefert, bei einem Verbrauch von 240 kg pro Jahr für 35 480 Menschen gereicht. Zieht man die Standards der FAO heran, ist die Schlußfolgerung unausweichlich, daß die Landwirtschaft Attikas bei weitem nicht in der Lage war, eine Bevölkerung von über 100 000 Menschen mit Getreide zu versorgen.

Allerdings muß bezweifelt werden, ob allen Griechen und Römern dieselbe Menge Getreide für ihre E. zur Verfügung stand wie den Soldaten oder einer so privilegierten sozialen Gruppe wie den Empfängern des *frumentum publicum* in Rom. Tatsächlich zeigen auch moderne Statistiken über die Versorgung mit Nahrungsmitteln erhebliche Abweichungen von dem ermittelten Bedarf; so ist die Kalorienversorgung in den Industrienationen etwa 25% höher, in den Entwicklungsländern teilweise 20% niedriger als der durchschnittliche Bedarf. Für vorindustrielle Gesellschaften ist stets mit einer weitverbreiteten chronischen Mangelernährung zu rechnen, die zu Mangelerkrankungen und zu einer sinkenden Widerstandsfähigkeit gegen Infektionskrankheiten führen kann.

C. Klimabedingte Probleme

Die schwierige Ernährungslage der ant. Bevölkerung ist allerdings nicht ausschließlich auf die geringen Erträge zurückzuführen; ganz entscheidend war zudem die Tatsache, daß die Ernten aufgrund wechselnder Witterungsbedingungen extrem starken Schwankungen unterworfen waren und es in einem Zeitraum von sieben Jahren durchschnittlich zu zwei Mißernten kam; häufigste Ursache hierfür waren zu geringe Niederschlagsmengen oder Unwetter; aber auch Heuschreckenschwärme richteten große Schäden an (Plin. nat. 11,103–106; Paus. 1,24,8; für Afrika vgl. Oros. 5,11). Unter solchen Umständen konnte die Bevölkerung nie sicher sein, daß nach der nächsten Ernte genügend Getreide vorhanden sein würde, und nach einer schlechten Ernte drohten stets Getreideknappheit und Hunger.

In der ant. Landwirtschaft hat man versucht, das Risiko von Mißernten durch den gleichzeitigen Anbau von verschiedenen Getreidesorten, welche auf bestimmte Witterungsbedingungen unterschiedlich reagierten, oder durch den Anbau von Getreidesorten, die besonderen klimatischen Bedingungen gut angepaßt waren, zu verringern. Im niederschlagsarmen Attika wurde weit mehr Gerste als Weizen angebaut (IG II² 1672, vgl. auch Demosth. or. 42,20), weil Weizen zum Wachstum erheblich mehr Regen benötigt als Gerste und damit in trockenen Jahren mit schlechten Weizenernten gerechnet werden mußte. In Regionen mit sehr kalten Wintern – etwa in den Alpen – wurde nach Ende des Winters eine Weizensorte gesät, die schon nach drei Monaten geerntet werden konnte (Plin. nat. 18,69 f.). Der Anbau von Lupinen und Rüben, die eigentlich als Viehfutter dienten, galt gerade deswegen als nützlich, weil diese Pflanzen in Hungerjahren von der Landbevölkerung gegessen werden konnten (Colum. 2,10,1; 2,10,22).

D. Verschiedene Nahrungsmittel

Aber auch in normalen Zeiten wurden Getreide und Brot stets durch andere Nahrungsmittel ergänzt; zu den Rationen, die Cato für die auf dem Land arbeitenden Sklaven vorsah, gehörten Feigen und eingemachte Oliven (Cato agr. 56; 58). Neben der Landwirtschaft spielte auch die Nutzung der natürlichen Ressourcen des mediterranen Raumes eine wichtige Rolle für die E. der Bevölkerung. Für Griechenland ist hier an erster Stelle der Fischfang zu erwähnen (→ Fischerei). Viele Siedlungen auf den Inseln und auf dem Festland lagen in unmittelbarer Nähe des Meeres, das durchaus fischreich war. Fischfang und lokale Fischmärkte sind sowohl lit. belegt (Hom. Od. 22,384–389; Soph. Ant. 345–347; Aristoph. Vesp. 491–494; Aristoph. Ran. 1068; Plat. soph. 218e–221c; Aristot. hist. an. 537a; Plin. nat. 9,47–53; Athen. 225c-d) als auch auf Vasen bildlich dargestellt (sf. Amphora, Berlin SM [4. 150,4]; sf. Olpe, Berlin SM [2. 377; 247]; rf. Schale, Boston MFA [3. 173,9]; rf. Pelike, Wien KM, [3. 555,88]). Aus Fischen wurde auch eine Gewürzsauce (*garum*) hergestellt, die in röm. Zeit wohl viel konsumiert wurde (Plin. nat. 31,93–95). Vögel wurden mit Netzen und Leimruten gefangen (Hom. Od. 22, 468–470; Soph. Ant. 342f.; Longos 3,5–8; Anth. Gr. 6,179–187; 6,296). Die Jagd wird in der ant. Lit. (Xen. kyn.; Plat. leg. 822d–824a) v.a. unter dem Aspekt der Erziehung junger Männer zur Tapferkeit gesehen; das Fleisch erlegter Tiere ist wohl von eher geringer Bedeutung für die E. der Menschen gewesen. Dies gilt auch für wildwachsende Pflanzen, die zwar gesammelt wurden, aber nur einen geringen Teil der Speisen darstellten. Der → Fleischkonsum war in der griech. Welt untrennbar mit dem Opferritual verbunden; bei den → Opfern wurden Haustiere – Stiere, Schweine, Schafe und Ziegen – geschlachtet, das Fleisch wurde anschließend von der Opfergemeinschaft gemeinsam verzehrt oder aber verteilt. Es wurde streng darauf geachtet, daß solche Opfer den Bestand der Herden nicht durch Schlachtung zu vieler junger weiblicher Tiere gefährdeten. Der Anteil des Opferfleisches an der gesamten E. darf allerdings nicht überschätzt werden; nach modernen Schätzungen erhielt ein Athener im Jahr durch die Opfer vielleicht 2 kg Fleisch.

Trotz Fischfang, Jagd und Tieropfer blieb die E. in der Ant. wesentlich durch die drei Grundnahrungsmittel → Getreide, → Wein und Olivenöl (→ Öl) bestimmt, die allenfalls durch Gemüse und Zwiebeln u.ä. ergänzt wurden. Im ländlichen Milieu wurde Getreide häufig als Brei gegessen, zuvor war das Korn im Mörser gestampft worden (Plin. nat. 18,84; 18,97f.). In den größeren, wirklich urban geprägten Städten setzte sich → Brot als wichtigstes Nahrungsmittel schnell durch; da viele Familien keine Möglichkeit besaßen, in den kleinen Wohnungen Getreide zu lagern und zu backen, wurde Brot von Bäckern hergestellt und verkauft. → Bäckereien, in denen das Getreide auch gemahlen wurde, soll es in Rom allerdings erst seit etwa 170 v. Chr. gegeben haben (Plin. nat. 18,107). Brot wurde normalerweise mit einer Zukost gegessen (ὄψον, *ópson*), die nach Platon urspr. aus Oliven, Käse, Zwiebeln oder Kohl, zunehmend aber auch aus Fleisch bestanden hat (Plat. rep. 372c–373c).

E. Ernährung unterschiedlicher Bevölkerungsgruppen

Mit der sozialen Differenzierung in der Ant. kam es zu erheblichen Unterschieden im Ernährungsverhalten der verschiedenen sozialen Schichten: Während Angehörige der reichen Oberschicht immer größeren Wert auf ausgesuchte Speisen legten, teure Weine und aufwendig zubereitete Gerichte zunehmend als Statussymbol betrachteten und für einzelne Delikatessen extrem hohe Preise bezahlten, blieb die arme Bevölkerung auf die traditionellen, einfachen Nahrungsmittel angewiesen. Es gibt allerdings eine Reihe von Hinweisen darauf, daß in den Städten das geringe Einkommen armer Handwerker und Tagelöhner kaum ausreichte, um eine für die E. der Familie ausreichende Menge Brot, Wein und Olivenöl zu kaufen. Aus einer Schrift des *Corpus Hippocraticum* geht hervor, daß viele Menschen am Tag nur eine, höchstens aber zwei Mahlzeiten einnahmen (Perí archaíēs iētrikēs 10). Das kärgliche Essen der Armen wird besonders in der Komödie thematisiert, so etwa bei Aristophanes (Aristoph. Plut. 535 ff.; 751 ff.) oder bei Alexis, der ein geradezu erschreckendes Bild von der E. einer armen Familie zeichnet (Athen. 55a; vgl. auch zur Sorge einer Mutter, ihre Kinder zu ernähren, Eur. Med. 1098–1102); Lupinen werden als Begleiter der Armen beim Mahl bezeichnet (Athen. 55d).

Für Rom wird die Lage realistisch von Martial beschrieben (Mart. 12,32). Die Situation stellt sich für die ländlichen Regionen und die städtischen Zentren unterschiedlich dar: Die bäuerlichen Familien konnten in normalen Zeiten auf ihre eigenen Produkte zurückgreifen und verfügten so ausreichend über Lebensmittel (vgl. Ps.-Verg. *Moretum*). In den Städten hingegen war die E. von dem Preisniveau und der Kaufkraft der Bevölkerung abhängig (Dion. Chrys. 7,105f.). In Zeiten der Getreideknappheit war es oft das Bestreben von Amtsträgern und reichen Bürgern, die Versorgung der Städte zumindest auf einem niedrigen Niveau zu sichern; es wurde daher möglichst viel Getreide aus dem Umland in die Städte gebracht, so daß die ländliche Bevölkerung in derartigen Situationen sehr schnell mit Hunger konfrontiert war. Der Getreidehandel war nicht in der Lage, die großen Städte wie Athen, Rom oder später Konstantinopel, die auf Importe angewiesen waren, angemessen zu versorgen; außerdem neigten die Händler oft dazu, in Notzeiten Getreide zu horten, um so noch höhere Preise erzielen zu können (Cic. dom. 11; Philostr. Ap. 4,32). Polit. Maßnahmen wie Preiskontrollen, Getreideverteilungen, die Bekämpfung der Piraterie oder das Verbot von Hortung hatten die Funktion, die Versorgung mit Lebensmitteln zu gewährleisten. Wenn in der Prinzipatszeit Rom mit seinen annähernd 800 000 Einwohnern hinreichend Getreide erhielt, ist dies auf die Einziehung von Getreide als Steuer in den Prov. Africa und Ägypten zurückzuführen. Gerade die Annexion von Ägypten 30 v. Chr. hat die Getreideversorgung im Imperium Romanum grundlegend stabilisiert (Plin. paneg. 29–31).

Um das ganze Jahr über genügend essen zu können, war es notwendig, die Nahrungsmittel, die in einem kurzen Zeitraum geerntet wurden, über längere Zeit zu lagern. Hierzu waren nicht nur Vorratsgefäße oder Speicher sowie bes. Maßnahmen für die Konservierung von Lebensmitteln erforderlich, sondern in bäuerlichen Familien auch Disziplin bei der Zuteilung der Nahrung (Hes. erg. 361–369).

F. Ernährung in der Literatur

In der frühgriech. Lit. ist die E. ein bedeutendes Thema. Bereits bei Homer werden → Gastmähler eingehend beschrieben; wichtiges Ereignis der Irrfahrt des Odysseus ist der Aufenthalt auf der Insel des Sonnengottes, dessen Rinder die Gefährten des Odysseus trotz der Warnungen schlachten und verzehren, um nicht zu verhungern, eine Tat, die zum Tod der Griechen führt (Hom. Od. 12,260–398). Die menschliche E. ist ebenfalls ein zentrales Motiv des Prometheusmythos bei Hesiod. Da Prometheus die Götter bei der Teilung der Opfertiere betrügt, nimmt Zeus den Menschen das Feuer und damit die Möglichkeit, Fleisch zu kochen. Der Feuerraub des Prometheus verbessert die Lage der Menschen nur vorübergehend, denn nun schaffen die Götter die erste Frau, Pandora, von der alle Frauen abstammen. Diese verhalten sich wie Drohnen, die das verzehren, was die Bienen mit Mühe in den Stock schaffen; die Frau ist bei Hesiod gierig auf Nahrung und macht so den Mann vorzeitig zum Greis (Hes. theog. 535–612; erg. 42–105, 703 f.). Aus der Notwendigkeit, die Nahrung zu produzieren, resultiert der Zwang zur Arbeit (Hes. erg. 42 ff, vgl. Verg. georg. 1,118–159).

Im Mythos der Geschlechter ist die Zeit des Goldenen Geschlechtes dadurch charakterisiert, daß die Nahrung von selbst wächst (Hes. erg. 109–126). Diese Vorstellung wird wieder in der Komödie aufgegriffen, wo der Wunschtraum der Menschen formuliert wird, sich ohne Mühe ernähren zu können (Athen. 267e ff.).

Die Philos. nahm früh Stellung zu Problemen der E. Nach Empedokles haben die Menschen in der Frühzeit nur von Pflanzen gelebt, und der Fleischverzehr war insofern verhängnisvoll, als mit der Tötung der Stiere beim Opfer auch die Gewalt zwischen den Menschen begann (Porph. de abstinentia 2,21 ff.). Bei Pythagoras findet sich eine Reihe von Speiseverboten (Iambl. v. P. 106 ff.; 186). In der Tradition der sokratischen Philos. wurde jegliche Üppigkeit der Speisen scharf kritisiert und Essen wesentlich als Mittel gesehen, um den Hunger zu stillen (Xen. mem. 1,3,5 ff.; 1,3,14). In dieser Tradition stehen Musonius (18A/B) und in der Spätant. noch Porphyrios, der in seiner Schrift *De abstinentia* eine rein vegetarische E. fordert. Im Christentum gehörte eine einfache E. zum geforderten Lebensstil, und Enthaltsamkeit beim Essen war Teil der Askese der Eremiten und Mönche.

→ Eßkultur; Lebensmittelversorgung; Nahrungsmittel

1 M.-C. Amouretti, Le pain et l'huile dans la Grèce antique, 1986 2 Beazley, ABV 3 Beazley, ARV² 4 Beazley, Paralipomena 5 P. von Blanckenburg,

Welternährung, 1986 **6** W. BURKERT, Homo necans, ²1997
7 J. K. EVANS, Wheat Production and its Social
Consequences in the Roman World, in: CQ 31, 1981,
428–442 **8** L. FOXHALL, H. A. FORBES, σιτομετρεία: The
Role of Grain as a Staple Food in Classical Antiquity, in:
Chiron 12, 1982, 41–90 **9** J. M. FRAYN, Subsistence Farming
in Roman Italy, 1979 **10** TH. W. GALLANT, Risk and
Survival in Ancient Greece, 1991 **11** P. GARNSEY, Famine
and Food Supply in the Graeco-Roman World, 1988
12 M. H. JAMESON, Sacrifice and Animal Husbandry in
Classical Greece, in: C. R. WHITTAKER, 87–119
13 E. RUSCHENBUSCH, Getreideerträge in Griechenland in
der Zeit von 1921–1938 n. Chr. als Maßstab für die Ant., in:
ZPE 72, 1988, 141–153 **14** H. J. TEUTEBERG, Essen und
Trinken als Gegenstand der Geschichtswissenschaft, in:
TH. KUTSCH (Hrsg.), Ernährungsforschung, 1993, 178–206
15 J. WILKINS, D. HARVEY, M. DOBSON (Hrsg.), Food in
Antiquity, 1995.   H. SCHN.

Eroiadai (Ἐροιάδαι).

[1] Att. Asty?-Demos (IG II², 1927) der Phyle Hippo-
thontis, ein Buleut (nach 307/6 v. Chr.: zwei). Nur dieses E. wird von Harpokr., Hesych. und Steph. Byz. s. v.
E. erwähnt, nicht aber E. [2]. Vermutlich bei Chaidari
gelegen (da FO von IG II², 1867, 6090). Ὀρε(ι)άδαι (SEG
13,115; SEG 17, 98; IG II², 2776 Z. 52 [1. 82]) ist evtl.
eine auf Vokalmetathese beruhende Nebenform zu E.
[2. 171 f.].

> **1** S. G. MILLER, A Roman Monument in the Athenian
> Agora, in: Hesperia 41, 1972, 50–95 **2** P. SIEWERT, Die
> Trittyen Attikas und die Heeresreform des Kleisthenes, 1982
> **3** TRAILL; Attica 52, 59, 70, 110 Nr. 43, 125, Tab. 8 **4** Ders.,
> Demos and Trittys, 1986, 137 mit Anm. 36.

[2] Att. Asty?- oder Mesogeia-Demos der Phyle Antio-
chis, ein Buleut. Harpokr., Hesych., Steph. Byz. s. v. E.
erwähnen nur E. [1]. Lage unbekannt.

> TRAILL, Attica 54, 70, 110 Nr. 44, 125 Nr. 6, Tab. 10 ·
> Ders., Demos and Trittys, 1986, 139.   H. LO.

Eros (Ἔρως).

[1] Griechische Personifikation der Liebe als des sexuellen Begehrens (lat. Amor, Cupido). Gewöhnlich gilt E.
als Sohn von → Aphrodite, aus deren Machtbereich er
einen zentralen Bereich darstellt. Als Vater wird → Ares
genannt (Sim. fr. 43B). Bei Homer nicht erwähnt, wird
E.' Bild in der archa. Dichtung zum Ausdruck der komplexen und widersprüchlichen Erfahrung individueller
Liebe ausgestaltet [1]: »gliederlösender« Bezwinger von
Göttern und Menschen (Hes. theog. 121 f.), ist er
gleichzeitig goldhaarig (Anakr. fr. 14B) und goldgeflü-
gelt (Aristoph. Av. 1738), aber auch sturmgleich un-
widerstehlich (Sappho fr. 47); diese Antinomie drückt
sich im Bild des kindlich-verantwortungslosen (Alkm.
fr. 38), des »süßbitteren« (Sappho fr. 130) Gottes aus.
Andere Analysen der Wirkung der Liebe konstruieren
eine Mehrzahl von Erotes (Pind. N. 8,5 f.; Bakchyl.
9,73) oder stellen ihn zusammen mit → Himeros und
→ Pothos (»Sehnsucht«), mit den → Charites (»Anmut«)
und mit → Peitho (»Überredung«) als Helfer und Be-

gleiter der Aphrodite dar, dies insbes. auf rf. att. Vasenbildern, wo E. durchgehend als geflügelter Ephebe dargestellt wird [2]. In der hell. Dichtung und Kunst
dominiert dann das Bild des Gottes als eines kindlich-
spielerischen Knaben, der ohne jede Eigenverantwor-
tung handelt. Platon spaltet die Gestalt in einen »vernünftigen« (sōphrōn) und einen »Anstoß erregenden«
(aischrós) auf (symp. 180) oder stellt (Phaidr. 255D) E.
und Anteros einander als komplementäre Gestalten gegenüber [3].

Daneben steht seit Hesiod in der kosmologischen
und philos. Reflexion ein anderes Bild. Als Grund-
macht des in genealogischer Form konzipierten theo-
und kosmogonischen Geschehens ist E. bei Hesiod eine
Urpotenz, die zusammen mit → Gaia und → Tartaros
(Erde und Erdentiefe) ohne Eltern aus dem Chaos entsteht (theog. 116–122) [4]. Ähnlich ist er bei → Akusilaos und → Parmenides eine Urmacht. Bei ersterem ist
er Sohn von → Nyx und → Aither (9 B 1 DK), bei letzterem wird er als »erster der Götter« vom uranfänglichen
weiblichen Daimon eingesetzt (28 B 13 DK). Die orphische Dichtung übernimmt dies in verschiedene,
komplexe Bilder [5]; in der ausführlichen, orphisch geprägten Kosmogonie bei Aristophanes (Av. 692–716)
entstammt der Schöpfergott E. einem von Nyx hervor-
gebrachten Weltei. Spielerisch greift Platon im Mythos
des Phaidros (symp. 178B) auf den kosmogonischen
Urgott (»der älteste der Götter«) zurück und macht ihn
zum Sohn von Penia und Poros, »Armut« und »Über-
fluß«. Spätere Systematisierung versucht, die verschiedenen Genealogien und Aspekte durch eine Aufspal-
tung in drei Gestalten zu ordnen (Cic. nat. deor. 3,60).
Gnostische Spekulationen führen ihrerseits die kosmogonischen und platonischen Anstöße weiter [6; 7]
(→ Gnosis).

Kult hat E. gewöhnlich zusammen mit → Aphrodite,
zu deren Machtbereich von Liebe und Ehe er gehört;
nur ihm geweihte Heiligtümer sind selten. Eine Ausnahme ist der Kult im boiotischen → Thespiai, wo E. in
der Gestalt eines Steinmals verehrt wurde (Paus. 9,27,1);
ob der Kult so altertümlich ist, wie Paus. dies aufgrund
des Bildes meint, ist unsicher [8; 9].

E. entsprechen im Lat., allerdings in rein literarischer
Funktion, Amor und Cupido; beide Namen werden
synonym verwendet [10].

> **1** F. LASSERRE, La figure d'E. dans la poésie grècque, 1946
> **2** H. A. SHAPIRO, Personifications in Greek Art. The
> Representation of Abstract Concepts 600–400 B. C., 1993,
> 110–124 **3** C. OSBORNE, E. unveiled. Plato and the God of
> Love, 1994 **4** A. BONNAFÉ, E. et Eris. Mariages divins et
> mythe de succession chez Hésiode, 1985 **5** C. CALAME, E.
> initiatique et la cosmogonie orphique, in: PH. BORGEAUD
> (Hrsg.), Orphée et Orphisme. En l'honneur de J. Rudhardt,
> 1991, 227–248. **6** M. TARDIEU, Trois mythes gnostiques.
> Adam, E. et les animaux d'Égypte dans un écrit de Nag
> Hammadi (II, 5), 1974 **7** M. J. EDWARDS, Gnostic E. and
> Orphic Themes, in: ZPE 88, 1991, 25–40 **8** B. NEUTSCH,
> Vom Steinmal zur Gestalt. Zum Wandel griech.
> Götterbilder am Beispiel Hermes, E. und Aphrodite, in:

B. Otto, F. Ehrl (Hrsg.), Echo. Beiträge zur Arch. des mediterranen und alpinen Raums, 1990, 245–262 **9** Schachter 1, 217 **10** A. Fliedner, Amor und Cupido. Untersuchungen über den römischen Liebesgott, 1974.

W. Strobel, E. Ein Versuch seiner bildlichen Darstellungen, 1952 · A. Greifenhagen, Griech. Eroten, 1957 · S. Fasce, E. La figura e il culto, 1977 · J.-P. Vernant, Un, deux, trois. E., in: M.-M. Mactoux, E. Geny (Hrsg.), Mélanges P. L'Evêque 1, 1988, 293–306 · V. Pirenne-Delforge, E. en Grèce – dieu ou démon?, in: J. Ries, H. Limet (Hrsg.), Anges et démons, Actes du Colloque de Liège et Louvain-la-Neuve, 1989 · N. Blanc, F. Gury, s. v. E., LIMC 3.2, 609–727.   F.G.

[2] Kaiserlicher Freigelassener und Geheimsekretär, Urheber der Verschwörung, die 275 n. Chr. zur Ermordung Aurelianus' [3] führte (Aur. Vict. Caes. 35,8, nicht namentlich genannt; Zos. 1,62,1; Zon. 12,27; SHA Aur. 36,4; 37,2, unter dem Namen »Mnesteus«, wohl wegen eines Übersetzungsfehlers; PIR³, 85).   A.B.

Erotianos. Griech. Grammatiker, Mitte oder Ende des 1. Jh. n. Chr., Verfasser eines Glossars hippokratischer Wörter, das er → Andromachos [4 oder 5], einem Arzt am kaiserlichen Hof in Rom, widmete [2; 3]. Der überlieferte alphabetische Aufbau des Glossars stammt nicht von E., da er in seinem Vorwort (9), ausdrücklich betont, er habe die Wörter in der Folge ihres Vorkommens in ca. 37 hippokratischen Schriften erklärt, die sich ihrerseits klassifizieren ließen in 1) semiotische, 2) physiologisch-ätiologische, 3) therapeutische Schriften, 4) Vermischtes, 5) Schriften über die ärztliche Kunst wie *Iusiurandum, Lex* und *De vetere medicina* [5]. Ein solches allg. Einteilungsschema geht wahrscheinlich auf → Bakcheios [1], 3. Jh. v. Chr., zurück, auch wenn Einzelheiten sicher nicht von diesem stammen. Darüber hinaus beweist E. seine Vertrautheit mit anderen hellenistischen Gelehrten und Glossatoren [4; 6. 488–495]. Unverständliche Begriffe aus den hippokratischen Werken erklärt er unter Rückgriff auf dichterische und außermedizinische Prosa wie auch auf andere medizinische Schriften. Seine Bemerkung, *Prorrhētikón II* stamme nicht von Hippokrates, stellt den frühesten Beleg für eine Authentizitätsdebatte der hippokratischen Schriften dar [5. 234]. E. zielte darauf ab, → Hippokrates wieder verfügbar zu machen und ihn als anspruchsvolle Lit. zu empfehlen, insbes. jenen Ärzten, deren Wissen sich mit dem des Hippokrates messen lasse. E.' Glossar wurde in weiten Kreisen unmittelbar und mittelbar benutzt. Für Diogenianos und Hesychios stellte es die Hauptquelle früher medizinischer Termini dar [2. 547f.], und wenn auch Galen E. in seinem eigenen Hippokratesglossar nur einmal erwähnt (19,108), verdankt er ihm doch weit mehr, als die einmalige Erwähnung vermuten ließe.

Ed.: **1** E. Nachmanson, Erotiani Vocum Hippocraticarum Collectio, 1918.
Lit.: **2** L. Cohn, s. v. Erotianos, RE 6, 543–548 **3** H. Gärtner, s. v. Erotianos, KlP 2, 363–364 **4** J. Ilberg,

Das Hippokratesglossar des E., in: Abh. sächs. Akad. Wiss. 14, 1893, 101–147 **5** E. Nachmanson, Erotianstudien, 1917 **6** Smith **7** Staden **8** H. Stephanus, Dictionarium medicum, 1564.   V.N./Ü: L.v.R.–B.

Erotik I. Literatur   II. Kunst

I. Literatur
A. Einleitung   B. Die Natur des Eros
C. Kontrollierte Erotik   D. Römisches
Liebesleben   E. Der Roman

A. Einleitung

Sexuelles Verlangen ist eines der Hauptthemen der ant. Lit. Seine Darstellung in griech. und röm. Texten weist eine Reihe von Motiven auf (z. B. die → Ekphrasis der Geliebten oder das → Paraklausithyron), die sich auch in der Lit. des Nahen Ostens (vgl. das Hohelied) und Äg. finden. Ob diese Übereinstimmungen auf transkultureller Übertragung oder aber auf unabhängiger par. Entwicklung beruhen, ist gewöhnlich nicht zu bestimmen. Da Konstruktionen von Begehren und Liebe (wenn nicht gar diese Gefühle selbst) von traditionellen Mustern und sozialen Konventionen einzelner Kulturen bedingt werden, sind auch die Formen lit. Repräsentation von → *érōs* (ἔρως, ἔρος) bzw. *amor* in hohem Maße stilisiert: Sie verwenden vertraute Metaphern (z. B. Feuer, Verwundung) und beziehen sich immer wieder auf einige »klass.« Texte. So war etwa → Sappho bald als die erot. Dichterin par excellence etabliert (obwohl nahezu die gesamte erot. Lit. der Ant. von männlichen Autoren stammt). Diese lit. Stilisierung von E. bedeutet keinen Mangel an Phantasie und auch nicht nur die Erkenntnis, daß Begehren ebenso universell ist, wie es von jedem Menschen als für ihn einzigartig empfunden wird; vielmehr trugen die »klass.« Texte zur kulturellen Interpretation der E. bei. Deshalb sind lit. Darstellungen von *érōs/amor* eigentlich normativ und potentiell didaktisch. Sie widersetzen sich der Kategorisierung nach Genre oder Entstehungszeit; Beschreibungen von *amor* in der lat. Lit. sind z. B. stark von griech. Modellen beeinflußt.

Die physischen Aspekte von E. und Sexualität finden sich in den einschlägigen Gattungen in sehr direkter Sprache beschrieben: in der iambischen Dichtung (→ Hipponax; Catull; Horaz, ›Epoden‹), in der Alten → Komödie, im → Epigramm (→ Martialis; *Carmina* → *Priapea*), in der → Satire und in manchen → Romanen (→ Lollianos; Apuleius). Die hochlit. Gattungen (Epos, Lyrik, Rhet.) vermeiden eindeutige Obszönitäten (wie βινεῖν, *bineín; futuere,* usw.) und benennen den Sexualtrieb und -akt mit Umschreibungen oder Euphemismen. Die eigentlichen Erotica der ant. Lit. spannen den Bogen von der kruden Sexualität etwa des → Mimos (vgl. z. B. Herodas 5) bis zur hochgebildeten Pornographie der → Zweiten Sophistik, wo selbst der Geschlechtsakt in gelehrter Debatte thematisiert wird (vgl. Ps. Lukian. Erotes; Ach. Tat. 2.35–38), und zum

burlesken Voyeurismus in Nonnos' *Dionysiaka*. Die
spätant. lat. Poesie (*Anthologia Latina*, das → Pervigilium
Veneris oder → Maximians Elegien) weist bes. zahlreiche erot. Themen auf und nimmt so die ma. lyrische
Tradition vorweg.

B. DIE NATUR DES EROS

Im archa. Epos gilt *érōs* (Etym. unbekannt) jedem
körperlichen Vergnügen oder zu stillendem Verlangen
(Hunger, Durst, Klage usw.); im sexuellen Bereich ist
érōs ein plötzliches, heftiges Begehren eines Mannes
nach Vereinigung mit einer bestimmten Frau, das in der
Regel durch den Anblick ihrer Schönheit ausgelöst wird
(vgl. Hom. Il. 3,441–446; 14,312–338; 16,181–186;
Hom. Od. 18,212f.; Hom. h. Aphrod. 144–154). »Liebe
auf den ersten Blick«, ein häufiges, wenn auch nicht
universelles Motiv der ant. Lit., ist ein späterer Ausdruck
dieser Vorstellung, vor allem in erzählenden Texten: *érōs*
strahlt aus den Augen der Schönen und attackiert das
Opfer durch dessen Augen (z.B. Ach. Tat. 1,9,4). Seit
den Anfängen der archa. Lyrik findet sich dieses Motiv
der Übermacht auch im päderastischen Kontext.

Érōs schlägt alle Vorsicht und Vernunft aus dem Felde
(νόος, *nóos*; φρένες, *phrénes*; vgl. Plat. Phaidr. 238b-c;
Theophr. fr. 115: Ἔρως δέ ἐστιν ἀλογίστου τινὸς ἐπιθυ-
μίας ὑπερβολή, »*Érōs* ist ein Übermaß an irrationalem
Begehren«), ebenso auch jegliche normale Wahrnehmung: Liebende sind sprichwörtlich blind gegenüber
den Mängeln des geliebten Menschen (vgl. z.B. Plat.
leg. 5,731e5f.). *Érōs* verursacht tiefe Verstörungen und
den Verlust von Selbstbeherrschung (μανία, *manía*;
οἶστρος, *oístros* usw., vgl. Ibykos, PMG 286: *érōs* als
Sturm): Er ist ein unwillkürlicher Zwang (ἀνάγκη,
anánkē; vgl. Plat. Phaidr. 240c-e; Xen. Kyr. 5,1,12), aus
dem Entkommen nur zeitweise möglich ist. Liebe ist
niemals eine ungetrübte Freude (vgl. Sappho fr. 130:
γλυκύπικρον ἀμάχανον ὄρπετον, »das bitter-süße, un-
bezähmbare Tier«). Deshalb und weil der Einbruch von
érōs einen Mangel an etwas (das Fehlen des »anderen«)
bezeichnet, das für das Glück notwendig ist, steht das
Konzept der Liebe gegen die privilegierte Vorstellung
von der Autarkie und Unabhängigkeit (αὐτάρκεια,
autárkeia) des Individuums. Dies letzte Konzept löst
érōs (der »gliederlösende«, λυσιμελής, *lysimelḗs*) auf (vgl.
Hes. Theog. 121, Sappho fr. 130), indem er freie Männer zu nicht mehr entscheidungsfähigen »Sklaven«
macht (vgl. das *servitium amoris* der röm. → Elegie).

Da *érōs* nicht kontrollierbar ist, wirkt er außerhalb
von sozialen Institutionen und Normen und gegen diese
(vgl. Soph. Ant. 781–800). So kennzeichnet etwa der
érōs, den Paris für Helena empfindet, seine »Heirat« mit
ihr als Transgression (vgl. Phaidras *érōs* für ihren
Stiefsohn Hippolytos und Apul. met. 4,30,4: ⟨amor⟩ om-
nium matrimonia corrumpens, »die Liebe verdirbt die Ehen
aller«). Da *érōs* Körper und Geist zerfrißt, wird er häufig
als eine Krankheit (νόσος, *nósos*, lat. *pestis*) dargestellt
und in quasi-medizinischer Sprache beschrieben (vgl.
die Eingangsszene des euripideischen *Hippolytos*). Die
Suche nach einem Heilmittel (φάρμακον, *phármakon*)

geht durch die gesamte ant. Lit. (z.B. Theokr. 11, Catull. 76, Ov. rem., Longos 2,7,7). Dabei ähnelt die
Macht des *érōs* den ambivalenten Gaben des Dionysos
(vgl. zu dieser Doppeldeutigkeit Anakreon PMG 376:
μεθύων ἔρωτι, »trunken vor Liebe«; Eur. Hipp. 525–544;
Eur. Med. 627–34; Eur. Iph. A. 543–557). Die beiden
werden oft zusammen erwähnt (vgl. Anakreon PMG
357; Eur. Bacch. 402–416), vor allem im sozialen Kontext des → Symposions.

Zu den eindrucksvollsten Belegen der Vorstellung
von *érōs* als einer schmerzhaften Besessenheit zählen die
sublit. Zaubersprüche aus spätem Hell. und Kaiserzeit,
die auf äg. Papyri zahlreich erhalten sind: Männer versuchen mit Hilfe von Liebeszaubern, der begehrten
Frau wahnsinnige Lust anzuhexen: ›Bringt ⟨sie⟩ dazu,
mich mit eingeweideverzehrender Leidenschaft (ἔρωτι
σπλαγχνικῷ) zu lieben … Wenn sie schlafen will, legt
Dornen unter sie und Stacheln auf ihre Stirn‹ (PGM
36,149–153). Solche gewalttätigen und oft sadistischen
Phantasien lassen die extreme Form einer spezifisch
männlichen Projektion von E. auf Frauen erkennen, die
als emotional labiler als Männer und somit als den Attacken des *érōs* (ebenso der Besitzergreifung durch Dionysos, vgl. die Mänaden, → *mainádes*) bes. ausgeliefert
galten. In der satirischen Lit. kristallisiert sich diese Haltung im Bild der sexbesessenen Frau (z.B. Aristoph.
Lys.; Iuv. 6). Frauen bedürfen somit der strengen sozialen Kontrolle; die »Werke der Aphrodite« stehen in Antithese zu denen der Athena (Weben und anderen häuslichen Künsten), dem eigentlich weiblichen Handlungs-
bereich (vgl. Hom. h. Aphrod. 1–15; Hor. carm.
3,12).

Das zerstörerische Potential weiblichen Begehrens
wurde bereits in der klass. griech. Lit., vor allem in der
att. Trag. (vgl. auch Gorg. Helena 15–19) erkannt und
lit. genutzt. Bes. aus Hell. und Römerzeit aber stammen
(aus der Feder männlicher Autoren) detaillierte Beschreibungen der seelischen und körperlichen Leiden
der von *érōs*/*amor* ergriffenen Frau (Theokr. 2; Apoll.
Rhod. 3–4; Dido bei Vergil; Ovids *Heroides* usw.)

C. KONTROLLIERTE EROTIK

Zwei der lit. Strategien, diese gefährliche Macht unter Kontrolle zu bringen, verdienen bes. Beachtung:

Eine Reihe von Prosaschriften vornehmlich aus dem
4. Jh. v.Chr. kanalisieren päderastische E. in sozial oder
philos. produktive Bahnen, indem sie, wie schon die
Elegien des → Theognis, ihre erzieherische Funktion
bei der Vermittlung von ἀρετή (*aretḗ*, »Tugend«) betonen
(vgl. Xen. symp. 8; Ps. Demosth. erotikos). Typisch dabei ist die Unterscheidung zw. der »himmlischen« Liebe
zu der Seele des anderen und dem gemeinen Streben
nach rein körperlicher Befriedigung (diese Scheidung,
vertreten von Platons Sokrates, wirkte lange fort, bis
z.B. in die Romantradition, s.u.). Unter diesen Schriften ragen die brillanten Erörterungen zur E. (τὰ ἐρωτι-
κά, *tá erōtiká*) in Platons *Symposion* und *Phaidros* heraus;
sie beeinflußten die Thematik durch die gesamte weitere Ant., vor allem die ausführlichen narrativen oder

paraphilos. Behandlungen von E. in der Zweiten Sophistik und, vermittelt durch den späteren Platonismus,
in der christl. Lit. Letztere sah in Platons Ideen eine
pagane Version von *érōs*, der man durch Unkenntnis
oder beabsichtigtes Mißverstehen eine neue, spirituelle
Wendung geben konnte.

Platon deutete die Verwirrung des Verliebten und
sein Trachten nach dem Geliebten zu einem Streben
nach metaphysischem Wissen um. Im *Symposion* aber
läßt er den Komödiendichter → Aristophanes [3] einen
Mythos erzählen: Ursprüngl. waren die Menschen doppelt (wie siamesische Zwillinge), doch die Götter zer-
teilten sie, um ihren Übermut zu beschneiden, in je
zwei Hälften. *Érōs* ist daher die Suche des einzelnen
nach seiner verlorenen männlichen oder weiblichen
Entsprechung; wenn er sie findet, möchte er den Rest
des Lebens mit dieser zubringen, zum Ganzen wieder-
vereinigt. Dieses myth. Modell erklärt sowohl die
Macht des erot. Triebs als auch das besondere Glück
derjenigen, die in einer lebenslangen Verbindung von
φιλία (*philía*, »Freundschaft«) verbleiben können.

(2) Seit dem 4. Jh. v. Chr. begegnet in der Komödie
(bei → Menandros; Plautus; Terenz; vgl. Eubulos fr. 40
KASSEL-AUSTIN; Alexis fr. 20 KASSEL-AUSTIN) ein weitverbreitetes Handlungsmuster: Ein junger Mann, vom
érōs ergriffen, verliebt sich in eine junge Frau und/oder
vergewaltigt sie; letztendlich kommt es zur Heirat. Hier
wird die Macht der E. umgedeutet und für die sozial
sanktionierten Zwecke von Ehe, Kinderzeugung und
der Kontinuität des → *oíkos* eingesetzt.

D. RÖMISCHES LIEBESLEBEN

Das hell. Epigramm und die röm. Dichtung, bes.
Catull, die Elegien des → Propertius, → Tibull,
→ Ovid, auch → Vergil (Eclogae und Aen. 4) sondieren
das Semiparadox, daß der Liebhaber ständig von einer
dämonischen Macht »besessen« wird, die lähmende
Paranoia hervorruft (vgl. Ter. Eun. 72 f.; Catull. 85).
Amor verdrängt *consilium*, das klare Urteil des aufrechten
Bürgers (Ter. Eun. 57 f.; Prop. 1,1,6). Das elegische Lie-
besmodell, der »Kriegsdienst der Liebe« (*militia amoris*,
vgl. Ov. am. 1,9: *militat omnis amans*), wird den – vom
Epos vertretenen – traditionellen röm. Hauptwerten
von polit. und mil. Ehre entgegengesetzt (vgl. Prop.
2,1); es stellt das röm. Äquivalent der Bedrohung dar,
welche *érōs* für die soziale Institution der griech. Polis
bedeutete. Catulls erot. Dichtung erwies sich als bes.
wirkungsmächtig. Seine Reflexionen über Par. und
Unterschiede zwischen sexueller Liebe (*amor*) und der
Sehnsucht, die der Tod des Bruders hervorruft, zählt zu
den innovativsten und bewegendsten dichterischen Fassungen des Themas (Catull. 65; 68; vgl. auch Catull.
72,3 f.).

Ovids *Ars amatoria* gibt konkrete Anleitungen für das
Intimleben mit dem jeweils anderen Geschlecht: B. 1–2
für Männer, B. 3 für Frauen. In diesem Lehrgedicht, das
u. a. in der Tradition pornographischer Handbücher
(Philainis) steht, erhält das Spiel (*ludus*) der Liebe Regeln. In der Erotodidaxis der röm. (vgl. Ov. am. 1,4;

Tib. 1,4) und späteren griech. Lit. (vgl. Ach. Tat. 1,9–11;
Alkiphron; Aristainetos) ist *érōs/amor* keine übermäch-
tige, irrationale Gewalt mehr, sondern eine Kunst
(τέχνη, *téchnē*; *ars*), deren Taktiken man erlernen kann.

E. DER ROMAN

Im griech. und röm. Roman der Kaiserzeit feiert der
érōs der ant. Lit. seine letzten Triumphe. Ein (nicht immer verheiratetes) Liebespaar wird getrennt; die beiden
erdulden unglaubliche Prüfungen, während sie – wie
die beiden myth. Hälften in Platons *Symposion* – auf der
ganzen Welt nach einander suchen. Diese Treue, die am
Ende immer belohnt wird, und die hohe Wertschätzung
von Keuschheit und Ehe (bes. in den *Aithiopika* Helio-
dors) erinnern an zeitgenössische christl. Ideale. Dagegen steht das rein körperliche schmerzhafte Verlangen,
das die Schönheit der beiden in den weniger tugend-
haften Mitspielern hervorruft. Die ›Odyssee‹ ist hier ein
entscheidendes Modell, nicht nur als das Vorbild aller
Reiseerzählungen: Die Geschichte von der Sehnsucht
des umherirrenden Odysseus nach seiner fernen Gattin
(vgl. Hom. Od. 5,82–84; 156; 158) und der glücklichen
– auch sexuellen – Wiedervereinigung mit ihr (Hom.
Od. 23,295 f.) nimmt die narrative erot. Energie vorweg, welche die Zuhörer und Leser ans Ende eines
Werks und die Romanfiguren letztlich einander in die
Arme führt. Dieses Erzählmuster wird in → Petronius'
Satyrica parodierend ins Gegenteil verkehrt, wo die
Treulosigkeit der meisten Romanfiguren und ihre ständige Jagd nach sexuellen Vergnügungen der geradezu
absurden romantischen Selbstdramatisierung des Encol-
pius entgegengesetzt ist.

Einen speziellen Rang in der ant. erot. Lit. nimmt
→ Longos' ›Daphnis und Chloe‹ ein. Dieser Roman
gibt die Konvention von Liebe auf den ersten Blick auf
und gewinnt so Raum für neue Themen: das Wachsen
der Liebe und Sexualität zweier Teenager sowie das
Verhältnis menschlicher Konstruktionen von *érōs* zu den
Praktiken der Natur.

G. BINDER, B. EFFE (Hrsg.), Liebe und Leidenschaft. Histor.
Aspekte von E. und Sexualität, 1992 · R.D. BROWN,
Lucretius on Love and Sex, 1987 · A. CARSON, Eros the
Bittersweet, 1986 · K.J. DOVER, Greek Homosexuality,
1978 · P. FLURY, Liebe und Liebessprache bei Menander,
Plautus und Terenz, 1968 · M. FOUCAULT, Histoire de la
sexualité, Bd. 2–3, 1984 · M. FUSILLO, Il romanzo greco.
Polifonia ed eros, 1989 · S.D. GOLDHILL, Foucault's
Virginity, 1995 · D.M. HALPERIN, J.J. WINKLER, F.I.
ZEITLIN (Hrsg.), Before Sexuality, 1990 · D.F. KENNEDY,
The Arts of Love, 1993 · D. KONSTAN, Sexual Symmetry:
Love in the Ancient Novel and Related genres, 1994 ·
F. LASSERRE, La figure d'Eros dans la poésie grecque, 1946 ·
J.C. MCKEOWN, Ovid: Amores, 1987 · C. OSBORNE, Eros
Unveiled: Plato and the God of Love, 1994 · E. ROHDE,
Der griech. Roman und seine Vorläufer, ³1914 · A. SIEMS
(Hrsg.), Sexualität und E. in der Ant., 1988 · P. VEYNE,
L'élegie érotique romaine: l'amor, la poésie et l'occident,
1983 · J.J. WINKLER, The Constraints of Desire, 1990 ·
F.I. ZEITLIN, Playing the Other. Gender and Society in
Classical Greek Literature, 1996.   R.HU.

II. KUNST
A. DEFINITION B. FORSCHUNGSLAGE
C. GRUNDMOTIVE D. DARSTELLUNGEN

Der folgende Art. gibt einen Überblick zu Forsch., Motivbestand und Darstellungen von E. in der bildenden Kunst der Griechen und Römer. Durch die Komplexität des Themas muß auf Belege und Lit.hinweise zu Einzelfragen verzichtet werden; den unten genannten Abhandlungen ist der Art. in Details verpflichtet.

A. DEFINITION

E., elementarer Ausdruck menschlicher Kommunikation, durchzieht alle Erscheinungs- und Beziehungsformen von Liebe. E. von → *érōs* (ἔρως, ἔρος), umschließt Geistiges und Leibliches, ist geistig-seelische Entfaltung der Geschlechtlichkeit, spielt bewußt oder unbewußt mit körperlichen Reizen. In lat. *amor* ist das Phänomen nur bedingt erfaßt; Bed.-Facetten von *libido* (Lust, Reiz, Verlangen, Lüsternheit) subsumieren E., die eng verknüpft ist mit → Sexualität. Letztere wird hier verstanden als Geschlechtlichkeit ohne erot. Weiterung in der Gesamtheit aller Verhaltensweisen, die sich auf Geschlechtsakt/Triebbefriedigung bei Mensch und Tier beziehen. Im Gegensatz zur Sexualität des Tieres dient menschliche E. nicht ausschließlich der Fortpflanzung, sondern ist als Bestandteil der Persönlichkeit sowohl körperorientiert als auch geistig-seelisch ausgerichtet. Die Fähigkeit des Menschen, geistig-seelisch und körperlich-sinnlich zu handeln, schließt einerseits aus, E. und Sexualität als Syn. zu gebrauchen, erlaubt andererseits, wegen der Parallelität von E. und Sexualität, beide begrifflich auszutauschen. E. kann zu → Pornographie gehören, die primär sexuelle Vorgänge erfaßt, wie sie h. in Lit., Bild und Film dargestellt werden.

B. FORSCHUNGSLAGE

Forsch. zu E. in griech. und röm. Kunst zeigen Betrachtungsschwerpunkte: Anthropologie, Soziologie, Rel., ant. Texte (s. oben I), Denkmälerbestand (Bildende Kunst), Rezeptionsgesch. Untersuchungen zu Einzelthemen überwiegen, zusammenfassende Erörterungen sind selten. Einige Publikationen vernachlässigen exakte Beschreibungen dessen, was eine Darstellung erot. macht, bieten statt dessen eine zeitspezifische Interpretation/aktuelle Forsch.analyse, die sekundär vom Bildwerk ausgeht und so auswertet, daß sie die intendierte Lesart stützt. Jede Gesamtbehandlung von E. muß in schwieriger Bildauswahl die Skala von moderiert bis zu dezenzlos Erotischem berücksichtigen, weil gerade das Nebeneinander von offen ausgedrückter und unterschwellig agierender Sinnlichkeit jene Substanz zur Stimulierung schafft, die der schillernde Begriff E. umschreibt. Das Grunderleben von E., das sich vorrangig über Schauen, Gefühl und Berührung einstellt, basiert auf biologisch Attraktivem; dieses kann, aber muß nicht schön sein. Jeder Umgang mit erot. Bildern hängt von persönlicher erot. Reizbarkeit ab. Schriftliche wie mündliche Äußerungen zur E. verraten individuelles Sehen. Eine absolute, neutrale Betrachtung von E. ist unmöglich.

Die meisten Untersuchungen zur E. erörtern griech. und röm. Denkmäler des Mittelmeerraums gemeinsam, wodurch unzulässig verallgemeinert wird. Griechisches ist nicht vorbehaltlos auf Römisches zu übertragen, obgleich Traditionsstränge von Griechischem zu Römischem führen. Alle Erotica des ant. It. sind vor dem Hintergrund auszuwerten, daß die Entwicklung it. Kunst im 1. Jt. v. Chr. weitgehend auf der Auseinandersetzung mit andersartigen Kulturen, vor allem der griech., beruht. Rom adaptierte mit dem Hellenismus auch erot. Kunst, kombinierte sie mit eigenen Ansätzen und entwickelte sie weiter.

Erot. Darstellungen in diversen Materialien und Maßen durchziehen die Kunstgattungen (Rundplastik, Relief, Malerei, Mosaik). Die Häufigkeit des Mediums für E. differiert bei Griechen und Römern. Ihre Bildträger sind: Statuen/statuarische Gruppen; Reliefs als Einzelstücke oder als Verzierungen an Gebrauchsgegenständen (hauptsächlich Trinkgefäße, Lampen, Spiegel, geschnittene Steine, Mz.); Vasen (Gefäßmalerei); Bauwerke (Wandmalerei, Fußbodenmosaik). Spezialforsch. erfassen erot. Symbole, etwa aus der vegetabilischen Welt. Die Deutung arch. Denkmäler zur E. wird im Griech. und Röm. durch die Schwierigkeit gekennzeichnet, wegen der Überlieferungslage zufällig Erhaltenes bearbeiten zu müssen.

Ein Desiderat der Forsch. ist die systematische Erfassung aller Sammlungtätigkeiten bezüglich erot. Kunst. Für die griech. und röm. Ant. leistete C. JOHNS [1] diesbezügliche Pionierarbeit.

C. GRUNDMOTIVE

E. kennt Grundmotive, die weniger durch den Kulturkreis als durch die Rezeption seitens des Betrachters bestimmt sind, der durch die Erziehung geprägt, rel. gesteuert, anlagebedingt, geschlechtsabhängig und geschlechtsspezifisch schaut, psychisch sinnlich und physisch sexuell erregbar ist. Folgende Motive prägen, obschon nicht durchgängig kongruent, auch griech. und röm. Bilder:

Nacktheit; Wechselspiel von Nacktheit und Verhüllung: Häufig findet sich der beim Mann bogenförmig unter dem Genitale entlanggeführte Mantel, bei der Frau ein die Brust ganz oder teilweise entblößt lassendes Gewand, ferner transparenter Stoff über prominenten Körperpartien und erogenen Zonen. Lagerung: Eine Frau/ein Mann präsentiert sich dreiviertelansichtig in liegender Haltung, die sinnliches Verstehen von Körperlichkeit erzwingt. Der über den Kopf zurückgenommene Arm assoziiert Entspannung, Wohlbehagen, Schlaf, Öffnen für ein Gegenüber, leitet den Betrachterblick auf den Körper. Rückenansicht: Die Gesäßrundung ist betont reizvoll. Erektion: Sexuelle Erregung wird gezeigt. Haltung und Blickkontakt: Frau/Mann bzw. Jüngling/Mann nähern sich einander, können dabei innig-begehrlichen Blickkontakt herstellen. Tanz: Sanfte oder temperamentvolle Tanzschritte wirken erotisierend. Vorführung: Akrobatische Sprünge/Kunststücke favorisieren sexuelle Wünsche. Verfolgung: Der männliche Interessent, oft mit erigiertem Glied, stellt einem Jüngling oder einer Frau nach. Widerstand: Spielerisches Zurückziehen der umworbenen/begehrten Person steigert das Verlangen des Gegenübers. Umarmung: Heterosexuelles Paar/homosexuelles Männerpaar umschlingt sich innig. Kuß eines Paares (Frau und Mann bzw. Jüngling und Mann). Manuelle Berührung: Erot.-sexuelle Stimulierung der Bezugsperson durch Betasten/Streicheln der primären und sekundären Geschlechtsmerkmale. Geschlechtliche Vereinigung: Heterosexuelle Paare verkehren frontal oder dorsal (*a tergo*). Diverse andere Koitusschemata, ferner Fellatio und Cunnilingus, werden zu zweit oder in der Gruppe angewendet. Schenkelverkehr: Ein Mann reibt sein Genitale zw. den Schenkeln des Partners. Selbstbefriedigung: Masturbation wird beim Mann gezeigt. Hilfsmittel: Schmuck auf nackter Haut, gelöste Haarsträhnen aus geordneter Frisur, üppiges Haar bezeichnen weibliche Attraktivität.

Dem Bereich der erot. Grundmotive sind als kleinere Ordnungseinheiten bestimmte Gesten zuzurechnen, die sich je nach Bildzusammenhang als erotische Chiffren lesen lassen (→ Gebärden). Exemplarisch: Berührt die Hand die Kinnspitze eines begehrten Gegenübers, signalisiert das Übereinkunft; ein gegen den Partner oder die Partnerin ausgestreckter Arm bedeutet, daß sexuelle Animation bejaht oder sinnliche Begierde zurückgewiesen wird; faßt eine Frauenhand mit den Fingerspitzen einen Gewandzipfel, schafft sie kokette Szenerie.

D. DARSTELLUNGEN

Die unter C. angeführten Grundmotive der E. durchziehen Realität und Myth. unterschiedlich intensiv in reich gefächerten Themenkreisen. Sie treten auf bei Göttern, Heroen, Menschen, Mischwesen, Tieren, Pflanzen, sogar im Bereich des Todes. Der Kontext einer Darstellung kann ihre erot. Wirkung mitbestimmen oder hervorrufen. Erot. Gestalten des griech. Myth. kehren vielfältig im Röm. wieder, das selbst kaum myth. Fig. primär erot. Charakterisierung kennt.

Die Einzelperson (Göttin/Gott, Frau/Mann, Heroine/Heros) vermag durch Teilverhüllung oder Nackheit erot. zu wirken, auch wenn letztere heroisiert: Ideale → Nackheit schließt sinnliches Erfassen nicht aus. Rundplastische Bildwerke (röm. Kopie nach griech. Original und röm. Schöpfung) entsenden erot. Signale (nackte Körperoberfläche, durchsichtiges Gewand, schmales Busenband). Mantelteile bedecken die Oberschenkel sitzender Frauen so, daß sie den Schambereich hervorheben. Unrealistische Gewandformationen setzen erot. Akzente.

Bei den Gottheiten → Priapos/Priapus, → Aphrodite/Venus, → Dionysos/Bacchus ist E. am häufigsten greifbar. Priapus wird durch übersteigerte Erektionsdarstellung zum Inbegriff des Erot.-Sexuellen. Bei Aphrodite/Venus gibt es derbe E. nur im Umkreis ihrer Verehrerinnen aus dem Prostituiertenmilieu, bei Dionysos/Bacchus ist sie seiner Anhängerschaft vorbehal-

ten. Grobe E. thematisiert sich also nicht direkt an Aphrodite/Venus und Dionysos/Bacchus. Im Myth. hat der Thiasos des Dionysos die meisten erotisch-sexuellen Bildinhalte mit wesentlich mehr geschlechtlich agierenden Paaren als im Bacchusgefolge röm. Denkmäler. Geile → Satyrn und → Silene, überwiegend in griech. Vasenmalereien faßbar, sind im Röm., etwa in Sarkophagreliefs, weniger lüstern dargestellt, obgleich ihr sexuelles Interesse an der Gefährtin gleich triebhaft anmutet wie das der griech. Pendants. Systematische Untersuchungen lassen erwarten, daß im Röm. die → Pane – man beachte u. a. ihre Aktivitäten mit Ziegen – den Satyrn erotisch aktiv überlegen sind. Röm. Dionysisches zeigt sinnlich verhaltenere Bilder als griech. Entsprechungen. Die im Griech. beliebten, bedingt erotisch zu nennenden Satyrn, die allein bzw. in der Gruppe masturbieren, werden im Röm. nicht dargestellt; statt dessen finden sich dort zwergwüchsige, mißgestaltete oder alte Männer mit übermäßig großem Glied.

→ Herakles/Hercules, als Protagonist der männlichen Heroenwelt, bietet erotische Darstellungen seiner Liebesabenteuer. → Leda, von Zeus in Gestalt des Schwanes verführt, ist ein beliebter Sagenstoff zur E. im Röm. Der gesamte Heroenbereich gebietet über wesentlich mehr erotische Züge.

E. im »Alltag« fassen bes. Szenen beim → Gastmahl. Einige Bilder zeigen Hetären (→ Hetairai) beim Trinkgelage in sinnlicher Körperpräsentation einer moderierten E., viele präsentieren Hetären oder Prostituierte und Männer bei erot.-sexueller Interaktion (Werbung, Kuß, Vorspiel, Koitus), formuliert als Paarsituation oder Gruppengeschehen. Diese Denkmäler bilden Frauen bei Vorführungen zur sexuellen Animation der Symposiasten ab, etwa tanzend, mit Nachahmungen des männlichen Genitales. Nicht immer ist zu unterscheiden, ob eine erot. Handlung beim Trinkgelage oder im Bordell stattfindet. Kaufabsprachen zw. einer Prostituierten und dem Freier, zum Ausdruck gebracht durch den vom Mann gehaltenen Geldbeutel, beschränken sich auf att. Vasenbilder. Während att. Gefäße (Ende 6. Jh./1. Viertel 5. Jh. v. Chr.) reich an direkten Erotica sind, kennt die griech. beeinflußte Vasenmalerei Unterit. (Ende 5. Jh./4. Jh. v. Chr.) nur dezente Liebesaktivitäten. Griech. Wandgemälde zur E. sind nicht auswertbar. Röm.-kampanische Wandmalereien (1. Jh. n. Chr.) aus Pompeji zeigen eindeutige Erotica; sie schmückten Privathaus, Bad, Bordell. Reliefs auf Lampen und Terra sigillata des gesamten Imperium Romanum bieten zahlreiche Koitusdarstellungen.

Im griech. und röm. Bereich sind alle Partnerinnen in Bildern der E. als Frauen käuflicher Liebe zu deuten: Sie garantieren jene die Lebensqualität fördernde Sinneslust einer Männerwelt im Konsens von Prostitution und gesellschaftlichen Normen. Manche Darstellung spiegelt frappierend die Benachteiligung der Frau, und zuweilen wird Gewalt erotisiert. Künstlerisch gefaßte Liebesakte folgen im Griech. und Röm. ähnlichen

Schemata von frontalem und dorsalem Verkehr im Liegen, Hocken oder Stehen. Es gibt Paarbilder, in denen die Frau den Mann mit Fellatio bedient. Eine statistische Auswertung könnte ergeben, daß Sexualverkehr im Stehen öfter auf griech. Denkmälern als auf röm. vorkommt. Das Liebesvorspiel erscheint im Röm. weniger abwechslungsreich als in griech. Erotica. Frauen, auf att. Vasen als begehrenswerte Schönheiten gemalt – einzeln, einem Privatbildnis assoziierbar –, fehlen im Röm., desgleichen Bilder von Frauen bei obszönen Vorführungen während des Trinkgelages. Bordellszenen röm. Kunst zeigen auschließlich Koitus, Fellatio, selten Cunnilingus.

Die homosexuelle Liebesszenerie, Spiegelung von → Päderastie, auf att. Vasen (6./5. Jh. v. Chr.) präsentiert ein der heterosexuellen Paarbeziehung ähnliches Motivrepertoire, zeigt also E. in geschlechtlicher Kongruenz. Röm. Kunst bildet Männerliebe nur vereinzelt ab. Griech. Vasenmalereien mit masturbierenden Männern existieren, Vergleichbares im Röm. fehlt.

Der Penis erscheint als eigenständiges, öfter geflügeltes Objekt, das an rel. und myth. Denkmälern der Alltagswelt Inbegriff allgegenwärtiger Zeugungskraft ist, wobei Kombinationen des Phallos mit anderen Elementen zu skurrilen Bildungen im Röm. vielfältiger als im Griech. sind. Phallosvögel (Phalloskopf auf Vogelkörper) kommen allerdings im Griech. häufiger vor. Phallisches, verbunden mit Erscheinungsformen körperlicher Liebe, sexuellen Wünschen und darstellerischer Schönheit, ist bei der Betrachtung erot. rezipierbar.

Sexuelle Ausnahmesituationen belegen griech. Vasenmalereien (6. Jh. v. Chr.): Tiere, die mit Mischwesen oder Menschen verkehren. Solche Bilder vordergründig-erot. Nuancierung mit humorvoller bis satirischer Weiterung entsprechen kaum den brutalen Szenen röm. Lampenreliefs, in denen ein Vierbeiner eine Frau begattet.

E. im Todesbereich wird bei Frauen auf griech. Grabstelen faßbar, wenn sich physische Schönheit mit Handreichung und Blickkontakt zw. Abschiednehmenden verbindet. → Sirene und → Sphinx, in einigen griech. Vasenbildern als erot. Todesdämonen deutbar, entsprechen bedingt röm. Sphingen mit üppigen Brüsten (Sarkophag-/Architekturdekoration).

Entwicklungen von griech. zu röm. E.-Ikonographie konkretisieren sich zuweilen. Ein lüsterner griech. Satyr im Vasenbild, der begehrlich die schlafende Anhängerin des Dionysos beschleicht, wird im röm. Sarkophagrelief zu dem sein sexuelles Interesse unterdrükkenden Diener des Bacchus, der seinen Herrn zur schlummernden Ariadne führt. Oft lassen sich Rezeptionsmuster und Tradierungswege nur assoziativ erfassen. Fachwiss. fundierte Motivtraditionen sind selten und nur mit großem Forsch.-Aufwand belegbar. Die mitunter geäußerte Ansicht, die Bildersprache der E. entwickele sich von griech. Einfachheit zu röm. Vielfalt, ist nicht haltbar; denn turbulente Gelage voll dra-

stischer Liebesakte inmitten von → klínē, Lampenständer und Trinkgefäß auf att. Vasen sind kein geeignetes Muster für ruhig lagernde, annähernd attributlos gereihte Liebespaare auf röm. Terra sigillata. Ohne spitzfindige Hypothesen entfallen griech.-hell. Mosaiken als Vorlage für Erotica in röm. Mosaiken. Aussagen zur Entwicklung von griech. zu röm. Bildauffassungen bei E. lassen sich allenfalls über statistische Untersuchungen treffen.

Ein Blick auf alle erh. Reliefs zeigt: Röm. glyptische Zeugnisse sind den griech. zahlenmäßig überlegen. Die umfangreichsten Denkmälergruppen bilden im Röm. Lampen und Terrakottageschirr. E. auf röm. Steinreliefs (Zierscheibe/Bordellschild) oder Metallmarken (Zahlungsmittel im Bordell) sind ohne griech. Par.

Für alle Darstellungen der E. im Griech. und Röm. gilt: Es findet sich mehr gedämpfte Sinnlichkeit als derbe Triebhaftigkeit, wodurch die doppelwertige Grundtendenz (sanfte Zärtlichkeit, fordernde Begierde) und somit die differenzierende Wirkkraft von E. erfaßt wird. E. bindet sich fest an Rel. und Gottheit. E. wird als selbstverständlicher Bestandteil des Lebens nur selten versteckt. Dennoch sind in Bildern heterosexueller Paare nie Ehefrauen, sondern in der Regel Hetären/Prostituierte dargestellt, auch dann, wenn es um eine Wandmalerei im Wohnbereich eines pompejanischen Ehepaars oder um ein Gefäß im Hausrat verheirateter Athener handelt. Die gesellschaftliche Akzeptanz außerehelicher Liebeskontakte war unterschiedlich groß in den Jh., aus denen die Bildträger zur E. stammen. Die erot. Kunst der Ant. formuliert menschliche Urerlebnisse tausendfacher Leidenschaften mittels vieler Formensprachen, die atelierspezifisch und zeitbedingten Stilkriterien unterworfen sind.

→ Pornographie; Sexualität; EROTIKA

1 C. JOHNS, Sex or Symbol. Erotic Images of Greece and Rome, 1982, 15–35

J. BOARDMAN, E. LA ROCCA, Eros in Griechenland, 1976 · J. BOARDMAN, The Phallos-Bird in Archaic and Classical Greek Art, in: RA 1992, 227–242 · O. J. BRENDEL, The Scope and Temperament of Erotic Art in the Graeco-Roman World, in: T. BOWIE, CH. CHRISTIANSON (Hrsg.), Stud. in Erotic Art, 1970, 3–69 · A. DIERICHS, E. in der Kunst Griechenlands, ²1997 · Dies., E. in der Röm. Kunst, 1997 · K. J. DOVER, Homosexualität in der griech. Ant., 1983 · G. FEMMEL, CH. MICHEL, Die Erotica und Priapea aus der Sammlung Goethes, 1990 · R. FLACELIÈRE, L'amour en Grèce, 1960 · M. GRANT, A. MULAS, Eros in Pompeji. Das Geheimkabinett des Mus. von Neapel, 1975 · P. GRIMAL, L'amour à Rome, 1988 · A. HERMANN, H. HERTER, s. v. Dirne, RAC 3, 1149–1213 · H. HERTER, s. v. Genitalien, RAC 10, 1–51 · Ders., s. v. Phallos, RE 19, 1938, 1681–1748 · R. HURSCHMANN, Symposienszenen auf unterital. Vasen, 1985 · L. JACOBELLI, Le Pitture Erotiche delle Terme Suburbane di Pompei, 1995 · C. JOHNS, Sex or Symbol. Erotic Images of Greece and Rome, 1982 · E. C. KEULS, The Reign of the Phallus, 1985 · M. F. KILMER, Greek Erotica on Attic Red-Figured Vases, 1993 · D. M. KLINGER, Erot. Kunst in der Ant./Erotic Art in

Antiquity, Bd. 7, 1983 · G. Koch-Harnack, Knabenliebe und Tiergeschenke. Ihre Bed. im päderastischen Erziehungssystem Athens, 1983 · Dies., Erotische Symbole. Lotosblüte und gemeinsamer Mantel auf ant. Vasen, 1989 · T. Laqueur, Making Sex. Body and Gender from Greeks to Freud, 1990 · A. Lesky, Vom Eros der Hellenen, 1976 · H. Licht, Sittengesch. Griechenlands, Bd. 2: Das Liebesleben der Griechen, 1926; Ergbd.: Die E. in der griech. Kunst, 1928 · J. Marcadé, Eros Kalos. Studie über die erotischen Darstellungen in der griech. Kunst, 1962 · Ders., Die Liebe in der Kunst der Etrusker und Römer. Roma Amor, 1977 · G. L. Marini, Il Gabinetto Segreto del Museo Nazionale di Napoli, 1971 · M. C. Marks, Heterosexual Coital Position as a Reflection of Ancient and Modern Cultural Attitudes, 1978 · M. Meyer, Männer mit Geld, in: JDAI 102, 1988, 87–125 · Ch. Miles, J. Norwich, Liebe in der Ant., 1997 · D. Mountfield, Erot. Kunst der Ant., 1982 · I. Peschel, Die Hetäre bei Symposion und Komos in der att.-rf. Vasenmalerei des 6.–4. Jh. v. Chr., 1989 · C. Reinsberg, Ehe, Hetärentum und Knabenliebe, ²1993 · A. Richlin (Hrsg.), Pornography and Representation in Greece & Rome, 1992 · A. K. Siems (Hrsg.), Sexualität und E. in der Ant., 1988 · B. Simonetta, R. Riva, Le Tessere Erotiche Romane, 1981 · A. Stewart, Art, Desire and the Body in Ancient Greece, 1997, 156–181 · F. Sutton, The Interaction between Men and Women Portrayed on Attic Red-figure Pottery, 1981 · V. Vanoyeke, La prostitution en Grèce et à Rome, 1990 · A. Varone, Erotica Pompeiana. Inscrizioni d'amore sui muri di Pompei, 1994 · G. Vorberg, Glossarium Eroticum, 1932 · Ders., Ars Erotica Veterum. Das Geschlechtsleben im Alt., 1926/1968 · K.-W. Weeber, Flirten wie die alten Römer, 1997. AN. DI.

Ersatzdehnung s. Lautlehre

Ersatzkönig s. Herrscher

Erste Philosophie s. Metaphysik

Erucius. Italischer Familienname (möglicherweise aus Etrurien stammend, Schulze, 112, 170), seit dem 1. Jh. v. Chr. bezeugt, aber erst im 2. Jh. n. Chr. von Bedeutung. K.-L. E.

[1] Sex. E. Clarus. Sohn des von Plinius genannten E. Clarus (epist. 2,9,4), Enkel des späteren Praetorianerpraefekten Septicius Clarus; Vater oder Großvater von E. [2]. Plinius unterstützte ihn in den Anfängen seiner Laufbahn. Am Partherkrieg Traians beteiligt, in dem er wohl 116 n. Chr. Seleucia eroberte. Dafür erhielt er wohl im J. 117 einen Suffektkonsulat. Unter Pius wurde er *praef. urbi*, im J. *146 cos. ord. II*; im Februar oder März dieses Jahres starb er [1]. Lit. Interessen seit seiner Jugend. PIR² E 96.

1 Vidman, FO², 50.

[2] C. E. Clarus. Sohn oder Enkel von E. [1]. *Cos. ord.* im J. 170; wohl kurz danach consularer Legat von Syria Palaestina. Verheiratet mit Pomponia Triaria. PIR² E 95.

Raepsaet-Charlier, Nr. 642.

[3] C. Iulius E. Clarus Vibianus. Sohn von E. [2]. Er war wohl patrizischen Ranges (vgl. AE 1954, 139). Commodus soll Ende 192 n. Chr. erwogen haben, ihn und Pompeius Falco als die für 193 designierten Consuln ermorden zu lassen, was u. a. zu Commodus' Ermordung führte. 193 *cos. ord.* Von Septimius Severus hingerichtet, weil er nicht gegen die Anhänger des Albinus vorgehen wollte. Sein Sohn war E. [4]. PIR² E 97.

[4] C. E. Clarus = C. Iulius Rufinus Laberius Fabianus Pomponius Triarius E. Clarus Sosius Priscus. Sohn von E. [3], patrizischen Ranges; in Diana Veteranorum geehrt. AE 1954, 139.

W. Eck, RE Suppl. 14, 117 · E. Champlin, in: AJPh 100, 1979, 298 ff. W. E.

Erve (*ervum*, Colum. 2,10,34 u. ö., Plin. nat. 18,57; 18, 139 u. ö.; *ervilia*, Plin. nat. 18,58 u. ö.; Colum. 2,13,1; ὄροβος, verwandt mit ἐρέβινθος → »Erbsen«). Sammelname für kleinsamige Hülsenfrüchte. Diese gehören folgenden Gattungen an: a) *Vicia* mit der Untergattung *Ervum L.* (darunter *V. ervilia (L.) Willd.*, die Linsenwikke, vgl. Colum. 8,8,6); b) *Lens*, Linse (*lens*, Cato agr. 35,1; 116; 132,2; 158,1; Colum. 2,10,15 u. ö.; Plin. nat. 18,57 u. ö.; *lenticula*, Plin. nat. 18,123; Colum. 2,7,1; 11,10; 8,8,6; φακός, hebr. ꜥaḏāšah); c) *Lathyrus*, Platterbse (λάθυρος, κλύμεον, ὦχρος). Die Linsenwicke wurde in Kleinasien schon vor der myk. Zeit und in Südeuropa seit dem Neolithikum kultiviert. Die Linse (*Lens esculenta Moench*) ist in Vorderasien, Ägypten und Südeuropa seit dem 3. Jt. trotz ihrer Schwerverdaulichkeit (Dioskurides 2,107,1 [1. 181] bzw. 2,129 [2. 210]) eine beliebte sättigende Nahrung [vgl. das Gericht des Esau in Gn 25,34). Sie wächst nach Plin. nat. 18,123 und Colum. 2, 10,15 auf magerem Boden in trockenem Klima. Ihre Aussaat erfolgt im Frühjahr (Colum. 2,10,15) und Herbst (Theophr. h. plant. 8,1,4; Verg. georg. 1,227; Colum. l.c.). Medizinische Verwendung der E. (Plin. nat. 22,151–153) und der Linse (Plin. nat. 20,71; 22,142–145; Dioskurides 2,107,2–3 [1. 181 f.] bzw. 2,129 [2. 210 f.]) war häufig.

1 Wellmann 1 2 Berendes. C. Hü.

Ervig, Ervigius. König der Westgoten 680–687 n. Chr. Als *comes* am Hof Wambas an dessen Absetzung nicht unbeteiligt, ließ E. sich ohne Wahl zum König salben. 681 ließ er eine Neufassung des Westgotengesetzes herausgeben. Seine auf Stärkung des Königtums gerichtete Politik scheiterte 683, als er auf dem 13. Konzil von Toledo zu Zugeständnissen gegenüber dem Adel gezwungen wurde. Schwer erkrankt, designierte er 687 seinen erbitterten Gegner Egica zu seinem Nachfolger. M. Mei. u. ME. Str.

Eryke (Ἐρύκη). Stadt in Sizilien (Steph. Byz. s. v. E., s. v. Παλική), höchstwahrscheinlich im Bergland [1] von Ramacca [2] zu suchen.

1 V. Tartaro, La montagna di Ramacca e l'antica città di E.,
1980 2 E. Procelli, s.v. Ramacca, BTCGI 14, 549–554.
GI. F./Ü: R. P. L.

Erykios. Verfasser von 14 Epigrammen aus dem
»Kranz« des Philippos; es handelt sich um Weihe-, Grab-
und epideiktische Epigramme, die traditionelle (oft bu-
kolische, vgl. Anth. Pal. 6,96; 255; 7,174 usw.) Themen
mit bemerkenswerter Eleganz behandeln. Interne Indizien legen die 2. H. des 1. Jh. v. Chr. nahe und machen
einen Aufenthalt in Rom wahrscheinlich (vgl. 6,96,2
Ἀρκάδες ἀμφότεροι und Verg. ecl. 7,4 *Arcades ambo*). Daß
E. aus Kyzikos stammte, bezeugt das Lemma von 7,230
(das Lemma von 7,397, Ἐρυκίου Θετταλοῦ, scheint die
Existenz eines zweiten E. zu belegen); die Gleichsetzung mit dem hell. Epiker gleichen Namens ist möglich
(vgl. SH 407).

GA II,1, 244–255; 2, 278–288. E. D./Ü: T. H.

Erymanthischer Eber s. Herakles

Erymanthos (Ἐρύμανθος).
[1] Bis 2224 m hoher, aus mehreren NO-SW streichen-
den Ketten bestehender Gebirgszug der NW-Peloponn-
nesos im Grenzbereich zw. → Elis und → Achaia, früher
nordwestl. Grenzgebirge von → Arkadia. Aus Platten-
kalken aufgebaut, stürzt er im NW über 25 km steil gegen das Flyschhügelland der Voundoukia ab; h. auch
Olonos. Schauplatz einer der 12 Arbeiten des Herakles,
der Erlegung des erymanthischen Ebers (vgl. Soph.
Trach. 1097); Jagdgebiet der Artemis (Hom. Od. 6,102).

1 A. Philippson, Der Peloponnes, 1892, 280ff.
2 Philippson/Kirsten, 3, 201ff.

[2] Rechter Nebenfluß des → Alpheios [1], entspringt
im Lampeia-Gebirge, mündet wenig unterhalb des La-
don (Pol. 4,70,8ff. Strab. 8,3,12; 32); h. auch Doana.

1 A. Philippson, Der Peloponnes, 1892, 280ff.
2 Philippson/Kirsten, 3, 208. C. L. u. E. O.

Erysichthon (Ἐρυσίχθων: »Erdaufreißer« oder »Schüt-
zer des Landes«). Mythische Figur, deren Gesch. am besten durch Kallimachos' 6. Hymnos an Demeter bekannt ist. Demzufolge war er Thessalier, Sohn von
Triopas. Er fällte einen der Demeter heiligen Hain, obwohl ihn die Göttin in menschlicher Gestalt davor
warnte. Dafür wurde er mit immerwährendem Hunger
bestraft; bei dem Versuch, diesen zu stillen, verbrauchte
er seinen ganzen Besitz. Für Kallimachos ist E. ein un-
verheirateter Jüngling; in anderen Versionen, einschließlich der ältesten (Hes. fr. 43a M-W), hatte er eine
Tochter Mestra, deren Geliebter Poseidon ihr die Fähigkeit verliehen hatte, sich in jede beliebige Gestalt zu
verwandeln; sie unterstützte daher ihren Vater, indem
sie sich in verschiedenen Tiergestalten verkaufen ließ,
entfloh und zurückkam, um erneut verkauft zu werden.
Das hesiodeische Gedicht unterscheidet sich hier von

späteren Erzählungen darin, daß es Mestra und so auch
E. zu Athenern macht. Dies legt eine Identifikation mit
einer Figur nahe, die sonst völlig verschieden scheint,
nämlich mit dem att. E., gewöhnlich (oder jedenfalls
später) als Sohn des → Kekrops identifiziert, der jung
und kinderlos starb. Dem E. galt wohl eine Zeitlang ein
Heroenkult bei Prasiai an der Ostküste Attikas, wo sein
Grab lokalisiert wurde (Paus. 1,31,2). Seine myth.
Funktion, vielleicht hauptsächlich unter Phanodemos'
Einfluß (FGrH IIIb Nr. 325 F2), war, die athenische Beziehung zu Delos zu begründen.

W. Burkert, Structure and history in Greek mythology and
ritual, 1979, 134–6 · D. Fehling, E. oder das Märchen von
der mündlichen Überlieferung, in: RhM 115, 1972,
173–196 · U. Kron, s.v. E., LIMC 4.1, 14–21 ·
N. Robertson, The ritual background of the E. story, in:
AJPh 105, 1984, 369–408. E. K.

Erytheia (Ἐρύθεια). Eine der → Hesperiden (Hes. fr.
360; Apollod. 2,114). Nach schol. Apoll. Rhod. 4,1399
ist die sagenhafte Insel E. (»Rotland«), auf der → Geryon
hauste (Hes. theog. 290), nach ihr benannt worden.
Nach Paus. 10,17,5 (nach ihm Steph. Byz. s. v. E.) war E.
die Tochter des Geryon und durch Hermes die Mutter
des → Norax. Man lokalisierte E. gewöhnlich in der
Gegend von Gadeira oder Tartessos (Stesichoros fr. 184
PMGF 1; Pherekydes FGrH 3 F 18b; Ephoros FGrH 70 F
129a; Philistides FGrH 11 F 3; Hdt. 4,8). Dieser Auffassung wurde von Hekataios widersprochen (FGrH 1 F
26). R. B.

Erythra thalatta (Ἐρυθρὰ θάλαττα).
[1] Ein sehr häufig von Herodot an bis in das späte Alt.
hinein gen. Meer (ion. Ἐρυθρὴ θάλασσα, »Rotes
Meer«), in seiner normalen Ausdehnung etwa dem
nordwestl. Indischen Ozean (h. Arab. Meer) entsprechend, wobei das h. Rote Meer und der h. Pers. Meerbusen als κόλποι (*kólpoi*) der E. th. galten. Zweifellos
reichte aber später dieser Name noch viel weiter östl.;
schon die Bezeichnung *Periplus maris erythraei* für die
Küstenbeschreibung, die sich vom Inneren des h. Roten
Meeres bis SO-Asien erstreckte, erweist die Anwendung
des Namens E. th. bis weit in den Ind. Ozean hinein,
wenigstens sofern es sich um die küstennahen Abschnitte dieses Meeres handelte. Curt. 8,9,6 bestätigt
dies, indem er Indos und Ganges in das *Rubrum mare*
münden läßt. Ihren Ursprung nahm die E. th. im h.
Pers. Meerbusen; das geht aus Herodot hervor (Hdt.
1,1; 180; 189; 3,30; 93; 4,37; 6,20 u.ö.), auch noch aus
Xenophon (Kyr. 8,6,20; 8,1). Das h. Rote Meer hieß
bei Herodot Ἀράβιος κόλπος (*Arábios kólpos*, Hdt. 2,11;
102; 158; 4,39; 42f.). Den Namen Ἰνδικὸν πέλαγος (*In-
dikón pélagos*) kennt Hdt. nicht, doch dürfte die Bezeichnung E. th. im 5. Jh. v. Chr. auch noch die Straße und
dem Golf von Oman umfaßt haben, womit der Anfang
einer Ausbreitung dieses Namens in östl. Richtung gegeben war. Jedenfalls gehörten die »Inseln der Verbannten«, (Hdt. 7,80; [1]) hart an der Straße von Oman, noch

der *E. th.* an. Die Eigenheit des die rote Farbe, ἐρυθρός (*erythrós*), ausdrückenden Namens leitet sich her von einigen im Pers. Meerbusen auftretenden Korallenbänken und ferner von dem Anblick der benachbarten arab. Wüstentafel; die *E. th.* war das Meer des ›roten Landes‹ (Strab. 16,4,20). Die myth. Erklärung mit einem König Erythra(o)s (Mela 3,72; Curt. 8,9,14; Plin. nat. 6,107; Steph. Byz. s. v. Ἐρύθρα), ist für eine Erklärung wertlos. Daß auch andere Quellen des späteren Alt. den Namen *E. th.* mindestens bis Indien gelten lassen, zeigt u. a. Eustathios zu Dionysios Periegetes 1088 [2], wonach der Indos seine Flut schnell nach Süden richtet, gegenüber (κατεναντίον) der *E. th.*, und dieses Meer gleichzeitig als Ἐρυθραῖος ὠκεανός (*Erythraíos ōkeanós*) bezeichnet wird. Unter allen Quellen stellt der *Periplus maris rubri* nicht nur die längste Schiffahrtsroute dar, sondern auch den größten Geltungsbereich des Namens *E. th.* Zugleich erkennt man Anzeichen einer rückläufigen Entwicklung, nach der die *E. th.* schließlich auf den dem h. Roten Meer entsprechenden Raum begrenzt wurde, ein Vorgang, der schon deutlich bei → Agatharchides festzustellen ist, der unter der *E. th.* vornehmlich das h. Rote Meer versteht. Die Tatsache, daß in bibl. Quellen (→ *E.th.* [2]) der Name »Rotes Meer« auf den nördlichsten Abschnitt des h. Roten Meeres angewandt wurde (vgl. auch Diod. 1,33,8f.), läßt mit Recht vermuten, daß – schon vor Hdt. – auch das ganze Rote Meer einmal so gen. wurde, dessen Benennung durch die Nähe der arab. Wüstentafel und durch Korallenvorkommen in seinem südl. Teil physisch genauso begründet war, wie beim Pers. Golf. Rotes Meer, Pers. Meerbusen, Arab. Meer und Teile des Indischen Ozean sind die Meere und Nebenmeere, denen im Alt., wenn auch niemals als Ganzem zu einer Zeit, der Name *E. th.* beigelegt wurde.

[2] »Rotes Meer« in bibl. Überlieferung (1 Makk. 4,9; Apg. 7,36; Hebr 11,29 u.ö.), bedeutet nur den nördlichsten Teil des h. Roten Meeres, auch »Schilfmeer« (hebr. *yam sūf*) genannt.

1 W. Sieglen, Schulatlas zur Gesch. des Alt., 7 2 GGM 2, 397f.

TAVO B V 1–3. H. T. u. B. B.

Erythrai (Ἐρυθραί).

[1] Schon bei Hom. Il. 2,499 gen. boiot. Stadt (Plin. nat. 4,26; Steph. Byz. s. v. E.) am Nordhang des → Kithairon östl. von Plataiai und Hysiai. Weitere Belegstellen: Eur. Bacch. 751; Thuk. 3,24,2; Xen. hell. 5,4,49; Paus. 9,2,1. Nach Strab. 9,2,12 Mutterstadt des ion. E. [2]. Vor der Schlacht bei Plataiai (479 v.Chr.) erstreckte sich das pers. Feldlager entlang des Asopos von E. über Hysiai bis Plataiai, während das griech. Heer zunächst am Fuß des Kithairon bei E. Stellung bezog und dann über Hysiai nach Plataiai zog (Hdt. 9,15; 19; 22; 25; Diod. 11,29,4). Zu Anf. des Peloponnesischen Krieges wurde die Bevölkerung aus dem unbefestigten E., das einem der von Thebai abhängigen Bezirke des Boiot. Bundes ange-

hörte, nach Thebai evakuiert (Hell. Oxyrh. 19,3,387; 20,3,438; Strab. 9,2,24). E. wird östl. vom h. Erythrai (früher: Kriekouki) entweder bei der ca. 4 km entfernten h. Wüstung Katsoula nördl. der Kirche Agia Triada [2; 4] oder bei dem ca. 8 km entfernten, h. aufgelassenen Metochi des Meletios-Klosters westl. des h. Dafni (früher: Darimari) unterhalb des Berges Kastron [1; 3] lokalisiert.

1 Fossey, 116–119 2 Müller, 491–493 3 Pritchett, IV, 89–91; V, 99–101 4 P. W. Wallace, Strabo's Description of Boiotia, 1979, 55f. P. F.

[2] Eine der 12 um das → Panionion zusammengeschlossenen ion. Städte an der kleinasiatischen Westküste gegenüber von Chios nördl. vom h. Çeşme an der Bucht von Ildır (Hdt. 1,142). Nach der Gründungslegende (Diod. 5,79; Paus. 7,3,7) verdankt E. den Kretern ihren Ursprung, doch sprachen nach Ausweis der frühesten Inschr. die Einwohner ion. Dialekt. Hier lösten sich lyd. und pers. Herrschaft ab. Am ion. Aufstand mit acht Schiffen beteiligt, trat E. 479 v.Chr. der hellenischen Symmachie und in der Folge dem → Attisch-Delischen Seebund bei; der enorm hohe Beitrag, den die Stadt zahlte, zeugt von ihrem Wohlstand, den sich E. auch im 4. Jh. erhalten konnte. In hell. Zeit wechselten sich ptolemäischer, seleukidischer und attalidischer Einfluß in E. mehrfach ab. Als 129 v.Chr. die röm. Prov. Asia konstituiert wurde, konnte E. möglicherweise den Status einer freien Stadt noch eine Zeitlang wahren.

Gut zu erkennen ist h. noch die günstige Siedlungslage von E. – der 85 m hohe Hügel der Akropolis, der durch vorgelagerte Inseln geschützte Hafen –, aber von den Bauten von E. ist im wesentlichen nur noch der über 4 km lange Mauerring aus hell. Zeit zu sehen, ebenso Reste des Theaters; was sonst vorhanden war, ist im 19. Jh. für Bauten in der Umgebung abgetragen worden. Die Grabungen von E. Akurgal haben unsere Kenntnis der Stadt, bes. ihrer Frühzeit, erheblich erweitert; die wichtigsten Fundstücke sind im Museum von Izmir ausgestellt.

Arch.: E. Akurgal, Ancient Ruins of Turkey, 1979 · Ders., Eine ephesische Elfenbeinstatuette aus E., in: M. Kandler et al. (Hrsg.), Lebendige Altertumswiss., FS H. Vetters, 1985, 43–49 · O. Bingöl, Der erste Wanddekorationsstil in E., in: AA 1988, 501–522 · C. Bayburtluoglu, E., 2 Bde., 1975/77. Inschr.: IEry · SEG 26, 1282; 30, 1327–1331; 31, 969–971; 32, 1145; 33, 963; 36, 1039; 37, 917–955. Religion: Graf. Geldwesen: Ph.P. Betancourt, Bronze Hoard from E., in: ANSMusN 1972, 23–39. HE.EN. u. E.O.

Erythräischer Paian. In einer Inschr. von Erythrai [2] (ca. 380–360 v.Chr.) erh. → Paian an → Asklepios in → Daktylen, der von der Gemeinde beim Opfer im Asklepioskult gesungen wurde und um Gesundheit bat; die Inschr. enthält drei weitere Paiane mit Kultanweisungen. Gedichtet wohl schon im 5. Jh. v.Chr., blieb der Paian bis in die Kaiserzeit vielerorts beliebt (zahlreiche Inschr.).

→ Chorlyrik

F. GRAF, Nordion. Kulte, 1985, 250–257 · L. KÄPPEL, Paian, 1992, 189–200; 370–374 (mit Text, Übers., Lit.).
L. K.

Eryx (ὁ Ἔρυξ, *Eryx, Erucus, Erycus*).

[1] Hoher, isolierter Berg in Westsizilien (751 m), h. Monte San Giuliano. Schon prähistor. besiedelt, mit berühmtem Heiligtum der wohl phoinik. Göttin vom E., von den Griechen mit Aphrodite gleichgesetzt, später (Thuk. 6,2,3) Polis der → Elymoi. Der Versuch des Dorieus einer griech. Kolonie-Gründung (um 510 v. Chr.) endete mit seiner Vernichtung durch die Phoinikes und die Elymoi von Segesta (Hdt. 5,43–46), denen E. schon damals unterstand – wie 416, als sie unter Verweis auf die ihnen angeblich zur Verfügung stehenden Tempelschätze von E. die Athener zu der großen Sizilischen Expedition verleiteten (Thuk. 5,46). Danach war E. mit nur zeitweiligen Unterbrechungen (Eroberung durch → Pyrrhos 278/7: Diod. 23,21; Plut. Pyrrhos 22) einer der stärksten Stützpunkte der Karthager bis zum Ende des 1. Pun. Krieges. In röm. Zeit stand der Tempel, nun als Gründung des Aeneas für seine Mutter Venus betrachtet, in hohem Ansehen, und die Bewohner, *Venerii servi*, zu denen auch Hierodulen gehörten, genossen eine Sonderstellung: Diod. 4,83; Strab. 6,2,6; Cic. div. in Caec. 55; Cic. Verr. 2,3 passim. Eine Restaurierung des baufälligen Tempels durch Tiberius ist bezeugt (Tac. ann. 4,43,4: 25 n. Chr.), ebenso durch Claudius (Suet. Claud. 25,5). Danach scheint der Kult aufgegeben worden zu sein. Plin. nat. 3,91 zählt die *Erycini* zu den *stipendiarii*. Die Ringmauern der Stadt S. Giuliano auf dem Gipfel des E. sind großenteils ant. Ursprungs, sonst nur unbed. Reste. Inschr.: IG XIV 281–286; CIL X 7253–7262; 8042,1. Viele Mz.: HN 138 [1; 2].
K. Z.

Nach den in den 30er J. durchgeführten Grabungen im äußersten SO des Monte S. Giuliano, die zur Lokalisierung des ant. Mauerverlaufs führten und zur Bergung von Keramik sowie architektonischer Elemente (wahrscheinlich aus dem berühmten *témenos*), sind die Unters. neuerdings konzentriert auf die Erfassung unterschiedlicher Bauphasen (von elimeischer Zeit über die späteren Erneuerungen in röm. und ma. Zeit), desgleichen auf die pun.-hell. Nekropolen außerhalb der Porta Trapani (3. Jh. v. Chr.) [3] sowie auf die Sammlung von Zeugnissen aus Spätant. und MA [4]. Zwei neue Inschr. aus hell. Zeit wurden gefunden (CIS 1, 3776: Karthago und Cagliari), welche die über die Insel hinausgehende Verbreitung des Venus-Kultes von E. schon für pun. Zeit bezeugen [5].

1 A. TUSA COTRONI, Sicilia Archaeologica 3, 1968, 33   2 P. R. FRANKE, M. HIRMER, Die griech. Mz., 1964, Taf. 69   3 S. DE VIDO, s. v. Erice, BTCGI 7, 356 ff.   4 F. MAURICI, Erice, in: Giornate Internazionali di Studi sull'area elima, Gibellina 1991, 1992, 443–461   5 A. M. BISI, s. v. Erice, EAA, II Suppl. 1971–1994 II, 1994, 497.
GI. F./Ü: R. P. L.

[2] Eponymer Heros von Berg und Stadt E. [1], Erbauer des dortigen Tempels. Er ist ein Sohn des → Poseidon (Apollod. 2,111; Tzetz. schol. Lykophr. 1232) oder des → Butes [1] und der Aphrodite. Herakles besiegt und tötet ihn auf der Rückkehr vom Geryoneus-Abenteuer im Ringkampf um den Preis der Rinder oder des Landes E. Daraus leitete dann der Herakleide Dorieus [1] den Anspruch auf das Land ab (Hdt. 5,43; Diod. 4,23; Paus. 3,16,4; 4,36,4; Verg. Aen. 5,392–420; 759–761).

I. KRAUSKOPF, s. v. E., LIMC 4.1, 22 · G. K. GALINSKY, s. v. E., EV 2, 364–365 · R. J. A. WILSON, Sicily under the Roman Empire, 1990, 283–285.
R. B.

Eryximachos. Sohn des → Akumenos, athenischer Arzt und Asklepiade, 5. Jh. v. Chr. Als Freund des Sophisten Hippias (Plat. Prot. 315A) und des Phaidros (Plat. Phaidr. 268A; symp. 177A) spielt er eine beachtliche Rolle in Platons *Symposion*, in dem er eine lange Rede zu Ehren des Eros hält (185E–188E). Seine leicht pedantische Art erntet bei den geladenen Gästen nicht mehr als wohlwollendes Gelächter, doch finden sich im *Corpus Hippocraticum* zeitgenössische Parallelen zu seiner Verknüpfung von Naturphilos. und Medizin.
V. N./Ü: L. v. R.–B.

Erzgießerei-Maler. Attischer rf. Vasenmaler, um 490–475 v. Chr. tätig. Benannt nach den Außenbildern einer Schale in Berlin, ist der E.-M. der eigenständigste unter den »Nebenmalern« der Brygos-Werkstatt. Sein Werk findet sich überwiegend auf Schalen, die selten, dann aber prägnant mythische Themen aufgreifen (Kentaurenkämpfe, Theseus verläßt Ariadne); der E.-M. zieht Symposion- und Komosbilder vor, die voller scharf beobachteter Details sind.

BEAZLEY, ARV², 400–404 · Ders., Paralipomena 369–371 · Ders., Addenda², 230–231 · D. C. KURTZ (Hrsg.), Greek Vases. Lectures by J. D. Beazley, 1989, 78–83 · E. R. KNAUER, Indiana University Museum. Occasional Papers, 1987.
A. L.-H.

Erziehung A. BEGRIFF B. GRIECHENLAND C. ROM D. SPÄTANTIKE UND CHRISTENTUM E. WIRKUNGSGESCHICHTE

A. BEGRIFF

Unter E. wird hier die Vermittlung von Techniken und Fertigkeiten, sittlich-charakterliche E. und geistiges Bilden – kurz: ›die Summe der Reaktionen einer Gesellschaft auf die Entwicklungstatsache‹ [1. 13] – verstanden, wodurch der heranwachsende Mensch dazu »erzogen« wird, seine Rolle in der Welt der Erwachsenen einzunehmen. Von dem Begriff »Sozialisation« unterscheidet sich der E.-Begriff darin, ›daß die Intentionalität des Prozesses zum Entscheidungskriterium gemacht wird‹ (E. = »Sozialmachung«, Sozialisation = »Sozialwerdung«) [1. 17]. Während man sich um Bildung ein Leben lang bemühen kann, endet E. im allg.

mit der Eingliederung des Individuums in die Gesellschaft [1. 21].

Ein »nützliches« Mitglied der Gesellschaft kann der einzelne auch ohne Bildung sein, nicht aber ohne E. Zu keiner Zeit der Ant. konnten mehr als etwa 20–30% der erwachsenen Männer und etwa 10% der Bevölkerung überhaupt lesen und schreiben [2; 3]; im folgenden wird daher die E. einer Minderheit beschrieben. Die E. des größten Teils der Bevölkerung erfolgte dagegen in allen Epochen durch Vorleben und Abschauen sowie mündliche An- und Unterweisung; schriftlich fixiertes Gedankengut hatte Anteil an der E. durch Vorlesen, Vortrag, Rezitation, szenische Aufführung, als Lied, als Inschr. (von Schriftkundigen den »Wißbegierigen« vermittelt).

B. Griechenland

a) Erziehungskonzeptionen der homerischen Zeit: Über Ziele und Grundsätze geben *Ilias* und *Odyssee* Auskunft, die sich an eine aristokratische Gesellschaft wenden. E. meint darum E. von Adeligen zu Einzelkämpfern und Anführern (Hom. Il. 9,443). Ehre als kostbarster Besitz macht Ritterlichkeit, Ruhm als höchstes Ziel das agonistische Prinzip zu E.-Grundsätzen (Hom. Il. 6,208, vgl. 11,784). Wichtigste E.-Methode ist die Nachahmung, wichtigstes E.-Mittel das Vorbild, wichtigster Erzieher die ältere Generation: neben dem Vater oft ein älterer ständiger Begleiter (Hom. Il. 9,434–605: Phoinix). Hinzu kommt eine musische E.-Komponente. Auch sie besteht in dieser weitgehend auf Mündlichkeit beruhenden Kultur in der Nachahmung: Nicht anders als die Rhapsoden singt auch Achill von heroischen Heldentaten (Hom. Il. 9,185–189; [27. 33–50; 4; 5. 17–22]). → Homer gibt nicht nur der aristokratischen Gesellschaft des 8. Jh. v. Chr. ›Selbstvergewisserung und Halt‹ [6. 63], sondern wirkt nach ant. Urteil (z. B. Plat. rep. 606e) als Erzieher ganz Griechenlands [7. 1, 23–88; 27. 44–46].

b) Die Erziehungskonzeption der Polis: Die E. im Rahmen der Polis ist am deutlichsten in Sparta und Athen faßbar. Sie war nunmehr auf die Gemeinde bezogen, blieb aber auf die Bedürfnisse der jeweils führenden Schicht – in Sparta der → Spartiaten, in Athen der vermögenden Bürger – abgestellt. Ziele und Grundsätze der E. waren urspr. weitgehend identisch: Bildungsideal war die καλοκαγαθία (*kalokagathía*). Sie setzte gute Anlagen voraus, wie sie zunächst nur der Adlige ganz selbstverständlich für sich in Anspruch nahm. Aber an die Stelle des Einzelkämpfers war der → Hoplit getreten; nicht mehr Streben nach persönlichem Ruhm, sondern die Belange der Polis bestimmten das Handeln. In diese Rolle wuchs auch das Besitzbürgertum hinein, das zugleich über die materiellen Ressourcen verfügte, seinen Söhnen eine im Kern aristokratisch bleibende E. angedeihen zu lassen [27. 92–94]. Sie hatte eine gymnastische und eine musische Komponente; erstere zielte in Sparta auf die mil. Ertüchtigung und drängte die musische zurück, förderte als »Mädchensport« auch die Gesundheit der kommenden Mütter (Plut. Lykurgos

15). Die musische E. leistete zugleich die ethische E. zum Politen, wovon Lieder des → Alkaios und → Alkman sowie → Solons Elegien künden [27. 51–104; 5. 28–33].

c) Neuerungen der → Sophistik: Die Sophisten haben im 5. Jh. v. Chr. die ant. Pädagogik vor allem mit folgenden Grundgedanken revolutioniert: Unterscheidung zw. der vom Menschen gesetzten Kultur und der vorgegebenen Natur (*nómos-phýsis*-Gegensatz), Behauptung der prinzipiellen Gleichheit der Menschen und Zurückführung von Ungleichheiten zw. ihnen auf Kultureinflüsse. Somit hatte E. die Aufgabe, die in jedem Menschen ruhenden Anlagen zu entfalten. Da die Sophisten gegen Honorar lehrten, erreichte ihr Programm, welches auf die Befähigung zielte, der Rolle in Haus und Polis gerecht zu werden (Plat. Prot. 318cd), letztlich nur das Besitzbürgertum.

Die sophistische E.-Konzeption ging in der Schulung der intellektuellen Fähigkeiten weit über die musisch-gymnastische E. hinaus. Da sie die gesellschaftlichen Konventionen, die staatlichen Gesetze und die anthropomorphen Gottesvorstellungen der von Menschen gesetzten Kultur zuordneten, förderte ihre E. ein unabhängiges Denken, relativierte aber nach Auffassung der Kritiker der Sophistik die sittlichen Normen und stellte die herkömmliche Religion in Frage [8].

Aus der Auseinandersetzung des → Sokrates mit der Sophistik entwickelten sich die Philosophenschulen mit ihren philos. orientierten E.-Formen. Erheblich breitere Wirkung entfaltete die in der Schule des → Isokrates aus sophistischen Vorstellungen weiterentwickelte E.-Konzeption einer auf der → *enkýklios paideía* basierenden rhet. Bildung [7. 3,105–130; 27. 105–184; 5. 67–156].

d) Erziehungskonzeption des Hellenismus: Die Polis verlor ihre normative Kraft, der E. wuchs die Aufgabe zu, Griechen, wo immer sie siedelten, jene (als ihr höchstes Gut betrachtete: Isokr. panegyricus 50; Men. monostichoi 275; Plut. de liberis educandis 8e) → *paideía* zu vermitteln, durch die sie sich als »Hellenen« definierten. Dabei wurde E. als Formung des unfertigen Kindes zur gesellschaftsfähigen Person verstanden. Charakteristisch ist die Dominanz des lit. E.-Elements. Es setzte die Fähigkeit des Lesens und Schreibens nunmehr zwingend voraus (Aristot. pol. 1338ᵃ 15–17, 36–40), bestand in der vom *grammatikós* (γραμματικός) angeleiteten, sowohl auf geistige als auch ethische E. zielende [27. 307–333] Beschäftigung mit lit. Texten: Homer (bes. die *Ilias*), Euripides und Menander, aber auch Hesiod, Apollonios Rhodios, die Lyriker, die Dramatiker Aischylos und Sophokles, von den Prosaschriftstellern vor allem die Historiker (Herodot, Xenophon, Hellanikos, bes. Thukydides), z. T. wohl auch schon die att. Redner, deren intensives Studium allerdings die Domäne des Rhet.-Unterrichts blieb; es wurde – wohl nur von Interessierten [27. 334–352] – um die mathematischen Wissenschaften (Arithmetik, Geom., Astronomie und Musiktheorie) ergänzt und mit rhet. Bildung beim σοφιστής (*sophistḗs*) oder ῥήτωρ (*rhḗtōr*) abgeschlossen. Die Adepten der Philosophenschulen krönten oder ersetzten sie – je nach Einstellung zur rhet. Bildung – durch philos. Bildung [27. 389–407]. Die ant. E. hatte damit ihre endgültige Gestalt gefunden, in der sie von den Römern übernommen wurde und bis zum Ende der Ant., im Osten bis in byz. Zeit, fortbestand.

e) Träger und Gang der Erziehung: (1) privat: Die Forderung der Philosophen, E. zu einer öffentlichen Aufgabe zu machen (Plat. rep. 7,520c–541b, leg. 7,788a–824a; Aristot. pol. 8,1337a–1342b), blieb lange ungehört. E. als Privatangelegenheit begünstigte die Kinder der Reichen (Plat. Prot. 326c). In klass. Zeit folgten auf die häusliche E. durch Mutter und Amme vom achten Lebensjahr an die gymnastische Ausbildung (Lauf, Weitsprung, Diskus- und Speerwurf, Ringen, Boxen, Pankration) in der → *palaístra* durch den → *paidotríbēs* und die musische E. (Gesang und Instrumentalmusik) durch den Kitharisten. Parallel lief der Lese-, Schreib- und Rechenunterricht beim *grammatistḗs/grammatodidáskalos*. Auf ihren Schulwegen wurden Kinder aus guter Familie vom → *paidagōgós* begleitet und behütet (u. a. vor der Päderastie [9. 199]). Der Elementarunterricht des Grammatisten legte den Grund für die höhere Bildung [27. 227–306].

(2) Staatliche und kommunale Erziehungseinrichtungen: Außer bei den Kretern gab es nur bei den Spartanern eine staatliche E. Bei letzteren resultierte sie aus einer sozial-polit. Ausnahmesituation (Herrschaftsbehauptung über Heloten und Messenier), in der die Vater-Sohn-Beziehung durch die Beziehung zw. Jugendlichen und Älteren ersetzt wurde [10. 90–94], was auch das erzieherische Element der Knabenliebe verständlich macht [9. 163, 215; 27. 72–88]. Staatliche Aufsicht schrieb das Aufziehen nur gesunder und kräftiger Kinder vor. Mit sieben Jahren wurden die Jungen in Formationen eingegliedert, in denen sie 13 Jahre lang unter Aufsicht der → *paidónomoi* verblieben und eine auf mil. Ertüchtigung und charakterliche Festigung ausgerichtete E. erhielten [7. 1, 113–139; 27. 51–71]. Über die Zeit ihrer Ausbildung hinaus blieben sie bis zu ihrem 30. Lebensjahr kaserniert. Oberstes Ziel war die Ausbildung einer mil. Elite; darum hatten körperliche E. und Abhärtung Vorrang vor intellektueller E. Eine auf unbeugsame Härte abzielende sittliche E. sollte einen asketischen und gegenüber den Gesetzen und Institutionen des Staates gehorsamen Spartiaten hervorbringen.

(3) Ephebie und → Gymnasion: Von Sparta abgesehen, beließen es die griech. Poleis in E.-Fragen bei Aufsichtsfunktionen [27. 201 f.⁸]. Das änderte sich erst, als Athen – wohl im J. 338 v. Chr. [11. 19; 27. 204] – die mil. Schulung der 18–20jährigen in der → *ephēbeía* institutionalisierte. An die urspr. mil. Einrichtung gliederte sich wohl von Anfang an ein Minimalprogramm lit. E. an; nach Wegfall der urspr. Funktion konnte sich die Ephebie so zum Ephebengymnasion wandeln. Die Form der Übernahme der Ephebie durch andere Poleis bleibt unklar; in hell. Zeit ist sie für über 100 Gemeinden bezeugt. Sie ist die erste staatliche Schule. Ihr Entstehen erklärt sich daraus, daß nunmehr die Polis die Scheidelinie zw. Griechen und Nicht-Griechen markierte. Vielfach wurde das Ephebengymnasion um Züge für Heranwachsende ergänzt (Pergamon konnte gar ein dreizügiges Gymnasion vorweisen [11. 31 f.]), die allerdings im allg. nicht mehr durch die Kommunen, sondern durch wohlhabende Bürger und Fördervereine Ehemaliger finanziert wurden, während staatliche Aufsicht nur bei Spielen und Festen (amtliche Prüfung der schulischen Leistungen in Wettkämpfen) erfolgte [12. 60–64; 27. 204–226].

(4) Sonstige schulische Einrichtungen (für Mädchen): Um 600 v. Chr. leitete → Sappho auf Lesbos eine Art (als → Thiasos organisiertes) Internat für junge Mädchen. Auffällig ist die Betonung des Musischen, auch die gymnastische Komponente fehlte nicht. Die Nähe zw. Erzieherin und Schülerinnen brachte – wie in der spartanischen E. – ein erotisches Element in die E. ein. »Internate« wie das der Sappho hat es wohl bis in röm.-hell. Zeit gegeben [7. 1, 183–186; 27. 85–88]. In hell. Zeit scheinen auch Mädchen in die Schule oder ins Gymnasion geschickt worden zu sein ([27. 200], skeptischer [11. 60]); öffentlicher Unterricht für Mädchen ist bezeugt für Teos (fraglich, ob gemeinsame E. mit den Knaben [11. 47, 53]) und Pergamon (bes. Aufseher für die Mädchen), vielleicht auch für Smyrna [27. 219].

(5) Philosophenschulen: s. → Philosophischer Unterrichtsbetrieb.

C. ROM

(a) Erziehungskonzeptionen: (1) Altrömisch: E.-Ziel des röm. Adels war es, den Heranwachsenden auf seine Aufgaben als → *pater familias* und seine Rolle im polit. und mil. Leben vorzubereiten. Die E. speiste sich aus dem → *mos maiorum* und vollzog sich unmittelbar in der Praxis, durch sie und für sie. Eine strikt utilitaristische Einstellung ließ ein musisches Element nicht zu. Sportlicher, auf mil. Ertüchtigung zielender Betätigung (Reiten, Schwimmen, Fechten) blieb die gymnastische Komponente fremd. Die (von den Etruskern vermittelte) Elementarschule, existierte zwar schon seit dem 7. Jh. v. Chr. [27. 459 f.], der theoretische Anteil an altröm. E. ging aber über die praktischen Fertigkeiten des Lesens, Schreibens und Rechnens kaum hinaus. Im Vordergrund stand die sittliche E. zu einer Person, deren Bereitschaft zu persönlichem Verzicht im Dienst an → *gens* und → *civitas* Gemeinsamkeiten mit dem Polis-ideal aufweist. Das altröm. E.-Ideal ist jedoch gleichsam auf ein Agathia-Ideal reduziert, das Ideal des *vir bonus*: Es enthält dem Landwirtschaft treibenden Bürger zugeschriebene Tugenden wie *labor, industria, parsimonia, temperantia, severitas* und staatsmännische Tugenden wie *gravitas, constantia, magnitudo animi, probitas, fides* (Cic. Tusc. 1,2). Zum E.-Ziel gehörte auch rednerische Fähigkeit; aber auch hier vermittelte die Praxis das Nötige (Cato fr. 15 p. 80 J: *rem tene, verba sequentur*) [27. 425–444].

(2) Griechische Erziehung in Rom: Der im 3. und 2. Jh. v. Chr. stetig wachsende griech. Kultureinfluß erschließt auch für vornehme junge Römer die bis dahin weithin fehlende intellektuelle Dimension. Griech. E. ist wesentlich E. durch lit. und rhet. Bildung. Hier bleibt zu fragen, welchen erzieherischen Wert die Römer der *paideía* zubilligten: → Cato Censorius sah in dem Importgut eine Gefährdung altröm. E.-Grundsätze (Plut. Cato maior 22,5). → Scipio Aemilianus dagegen versprach sich von griech. Bildung bereits einen Beitrag zu seiner Ertüchtigung (Pol. 32,9f.). → Cicero vollends erkannte in griech. Bildung eine vollwertige Kompensation für die ihm fehlenden gentilizischen Voraussetzungen zu einer gesellschaftlich führenden Rolle. In augusteischer Zeit ist die Einheit der hell.-röm. Kultur vollzogen (Verg. Aen. 6,847–853, Hor. epist. 2,1,156–160). Angesichts des röm. Bildungserlebnisses konnte man von einem röm. Humanismus sprechen [13; 14].

(b) Träger der Erziehung: (1) Haus und Familie: Während Polybios aus hell. Sicht das Fehlen staatlicher E.-Aufsicht in Rom tadelt, sieht Scipio bei Cicero darin einen Vorzug (Cic. rep. 4,3). Anders als die Spartaner versprachen sich die Römer polit. Stärke von der Festigung der Familienstrukturen (*patria potestas*) [9. 94–98]. Die Identifikation mit der *res publica* sollte eine staatsloyale E. gewährleisten [12. 66f.]. Auch die Übernahme der griech. Paideia als Element der E. blieb in der Verantwortung der Familie. Die E. durch Privatlehrer in den Häusern der Senatorenfamilien – nicht selten durch Sklaven oder Freigelassene des Hausherrn [15] – blieb bis in die Spätant. Brauch. Auch die (oft in *paedagogia* organisierte [27. 491–493]) E. und Ausbildung der zur *familia urbana* gehörenden Sklaven ließen sich die Adelsfamilien angelegen sein. Ebenfalls oblag es der Familie, ihre Kinder in die Schulen der Grammatiker, Rhetoren und Philosophen zu schicken.

Vom Gang der E. gibt Messalla im taciteischen *Dialogus* (28–35) ein idealisierendes Bild. Es trifft für die ersten 12–15 Lebensjahre auch auf die E. der Mädchen aus gutem Hause zu, als Grundlage für eine aktive Teilnahme der jungen verheirateten Frau am lit., künstlerischen und geistigen Leben [16. 296–302; 17. 221–223]. Zu betonen ist der Einfluß der Mütter auf die E. und Bildung ihrer Kinder; Beispiele hochgebildeter Frauen: Cornelia (Plut. C. Gracchus 19) und Sempronia (Sall. Catil. 25,2). In der sittlichen E. wurden sie durch eine ältere Verwandte unterstützt. Auf den Elementarunterricht folgte die Unterweisung des zweisprachig aufwachsenden Kindes (Griech. vermittelte ihm vor allem der *paidagogos*) durch den *grammaticus Graecus* und den *grammaticus Latinus* sowie den → *rhetor*, der zunächst nur in griech., seit dem 1. Jh. v. Chr. (→ Plotius Gallus) auch in lat. Sprache die Rhet. vermittelte. Die *dissimulatio*-Haltung republikanisch gesinnter Römer liebte es, den Beitrag griech. Rhet. zur E. und Bildung der jungen Römer zu schmälern (Cic. de orat. 2,75, 77–84, 162 u.ö.; Tac. dial. 35) und die Bed. der »polit. Lehrzeit« (*tirocinium fori*, nach dem 16. Lebensjahr) herauszustrei-

chen (Cic. de orat. 1,109; Tac. dial. 34). Letztere stand unter Aufsicht eines älteren Freundes der Familie und mochte – so bei Cicero (Cic Lael. 1; Brut. 106; leg. 1,13) – auch in die Praxis der Rechtspflege einführen. Betreuung durch Verwandte oder Freunde der Familie war bei jungen Vornehmen auch die Regel im Militärdienst [27. 432–435]. Nur für eine geistige Elite spielte die Philos. eine Rolle in der E.; die intensivste Begegnung mit ihr vermittelte der Besuch der Philosophenschulen in Athen.

(2) Öffentlicher Unterricht: Seine Organisation blieb zunächst der Initiative der Lehrkraft überlassen; der Erfolg hing von ihrem Ruf ab. → Schule.

(c) Entwicklungen in der Kaiserzeit: Bildungsorientierte E. behielt ihre überkommene Funktion für Senatorenstand und lokale Oberschicht. Immer wieder galt ihr die philos. Reflexion [18. 512–515]: Theoretische Abhandlungen über E. sind für die Peripatetiker → Theophrast und → Aristoxenos sowie die Stoiker → Zenon; Kleanthes; Chrysipp bezeugt (Grundgedanken: Selbsterziehung; propädeutischer Wert der Wissenschaften, Charakterbildung Hauptsache; E.-Optimismus). Eine unter Plutarchs Namen überlieferte Abhandlung *Perí paídōn agōgḗs* entwickelt die Trias von *phýsis*, *lógos/máthēsis* und *éthos/áskēsis* und hält Mängel der Anlage für ausgleichbar durch Lernen und Üben [4]; sie erteilt »brutaler Pädagogik« eine Absage [12. 16; 18] und mahnt die Milde des Vaters in Erinnerung an seine eigene Jugend an (12,18). Ferner sind hier → Musonius; Seneca; Quintilian; Epiktet; Marcus Aurelius zu nennen.

Der Bedarf der kaiserlichen Reichsverwaltung an Führungskräften zog eine berufsorientierte E. nach sich; sie erschloß bes. Angehörigen des Ritterstandes neue Karriereaussichten [12. 68f.; 19]. Die Organisationsstrukturen und E.-Einrichtungen der Städte des hellenisierten Ostens wurden auch auf die Kommunen im Westen übertragen [20. 1, 176–180]. Entsprechend der pyramidalen Struktur des E.-Wesens lassen sich Elementarschulen auch in kleinsten Ortschaften nachweisen, Gymnasien wurden auch in Kleinstädten unterhalten, Rhet.-Unterricht wurde im allg. nur in den größeren Städten angeboten, für ein Studium der Philos. empfahl sich Athen, der Jurisprudenz Rom oder Berytos, der Medizin Alexandreia [12. 70; 21. 2737–2739]. Auch die Frauen – wenigstens der Oberschicht – partizipierten an E. und Bildung und waren im Wirtschaftsund Berufsleben sowie in Selbstverwaltung und Kommunalpolitik präsent [17. 211–223].

Das E.-Interesse der Angehörigen der Oberschicht (*honestiores*) schlug sich in Privatinitiative und freiwilligen Leistungen im kommunalen Bereich nieder (Beispiel: Plinius d. J.). Als der Wohlstand zurückging, wurden ihnen diese Leistungen mehr und mehr vom Staat aufgezwungen [20. 2, 23f.]. Staatliches Interesse an E. und Ausbildung von Führungskräften führte auch zu staatlicher Förderung. Entsprechend ihrer Interessenlage nahmen die Kaiser nur die höhere Allgemeinbildung und die universale Ausbildung in den Blick. Um den Elementarunterricht hat sich der ant. Staat zu keiner Zeit gekümmert: Die Elementarlehrer blieben schlecht bezahlt und von den für Lehrer der → *artes liberales* geltenden Privilegien ausgeschlossen. Der weitaus größte Teil der Bevölkerung wurde im Zustand des Analphabetentums belassen. Hier hing das Ausmaß bewußter, über spontane Sozalisation hinausgehender sittlich-charakterlicher E. und geistiger Entwicklung vom sozialen Umfeld und der Standard technischer Schulung vom Platz im Arbeitsleben ab.

D. Spätantike und Christentum

(a) Christliche Erziehung: Christl. E. ist primär rel. E., Dogmatik und Moral sind ihr Hauptinhalt [27. 573]. Richtschnur ist die παιδεία Κυρίου (*paideía Kyríu*, Eph 6,4, von → Clemens Alexandrinus und → Origenes als Überbietung der heidnischen *paideía* interpretiert) [22. 196; 23. 150f.]. Sie begründet gegenüber dem griech. anthropozentrischen und dem jüd. nomozentrischen ein kyriozentrisches E.-Denken [22]. Der geistigen Entwicklung wurde eine dienende Rolle zugedacht [18. 521]. Christl. E. galt für Knaben und Mädchen gleichermaßen; die gesellschaftliche Rolle der Frau wurde in den E.-Inhalten berücksichtigt, überhaupt war E. kein Privileg weniger, sondern Gut aller [18. 523]. Anders als E. im allg., jedoch wie die hell. Paideia, mit der sie konkurrierte, hörte sie nie auf (Predigt, Buße) [24. 877f.], denn die von göttl. Gnade abhängende Vollkommenheit war nach christl. Vorstellung erst im Jenseits zu erreichen [18. 523; 23. 154]. Christl. Tugenden (Demut, Glaube, Hoffnung, Gottes- und Nächstenliebe) bestimmten die E.-Inhalte; bes. die Demut (*tapeinótēs, humilitas*), der paganen Ant. als Tugend fremd, sowie die im Vergleich zur pagan-philos. Betonung der Selbstbeherrschung verabsolutierte Forderung der Triebkontrolle gibt der christl. E. ein radikal neues Gepräge [23. 156f.].

(b) Christentum und antike Erziehung: Christl. E. ist urspr. die E. einfacher Leute und schlichter Gemüter, denen ein Leben nach der *regula fidei* die ewige Glückseligkeit verheißt. Letzten Endes kommt sie aber nicht ohne lit. Bildung aus: Das Christentum beruht auf geschriebener Offenbarung und hat einen wachsenden Überlieferungsbestand an Regelungen und Verordnungen der Sittenzucht, geistlicher Lit., Apologetik, Polemik gegen → Häresien und Dogmatik zu verwalten [27. 576f.]. Vom 2. Jh. n. Chr. an fanden immer mehr Wohlhabende zu der neuen Rel.; sie hielten an ihrem Lebensstil fest, mit einfachen Antworten in Glaubensfragen gaben sie sich nicht zufrieden. Ihrem ›elitären Standesbewußtsein … entsprach eine große Aufgeschlossenheit für die ant. Kultur‹ [25. 53].

So entstanden eigene christl. Schulen nach dem jüd. Vorbild der Rabbinerschulen nur in sog. »barbarischen« Ländern (Ägypten, Syrien, Mesopotamien), im Raum der griech.-lat. Bildung aber kam es zur »Kultur-Osmose« [27. 582] zw. klass. und rel. E. [27. 579–583]. Sie vollzog sich nicht ohne innerchristl. Opposition

[25. 54–62; 27. 583–587]. Dennoch wuchs der Anteil der Lehrer christl. Glaubens auf allen Ebenen ständig: Origenes z. B. war zunächst als Grammatiker tätig, ein Priester namens Malchion besaß eine Rhet.-Schule in Antiochia um 268 n. Chr., → Anatolios war im J. 264 n. Chr. Professor für aristotelische Philos. in Alexandreia. Das Schulgesetz des Iulianus Apostata, das Christen vom Lehrberuf ausschloß, blieb Episode (erlassen am 17.6.362 n. Chr., aufgehoben am 11.1.364 n. Chr., Cod. Theod. 13,3,5–6). Aber auch eine christl. Mehrheit bei Lehrern wie Schülern führte keineswegs zur Christianisierung der ant. Schulbildung: Ihre (zuerst von → Clemens in Anlehnung an den Juden → Philon anerkannte [25. 71–74]) propädeutische Funktion für die christl. E. blieb unangetastet [18. 532–534; 27. 587–594].

(c) Träger der christlichen Erziehung: (1) Familie: Eine primär ethische E. bedient sich vor allem der Nachahmung. Darum kommt – in Fortsetzung jüd. Tradition [18. 517f.] – der Vorbildhaftigkeit bes. der Eltern entscheidende Bed. zu; sie tragen vor Gott und der Gemeinde die Hauptverantwortung für die E. ihrer Kinder. Auch andere Mitglieder der Hausgemeinschaft – wie Großeltern, Geschwister, Dienstpersonal – sowie die Taufpaten trugen erzieherische Verantwortung. [18. 525–531; 26; 27. 573f.].

(2) Kirche: An die Seite der ethischen E. durch das Elternhaus trat die Einführung in die Glaubenslehre durch eigens dafür bestellte Religionslehrer, im allg. die Priester, deren Unterweisung die Bischöfe zu überprüfen und abzuschließen pflegten (Taufkatechumenat) [27. 574–576].

(3) Christliche Schulen: Da die Elementar- und die höhere Allgemeinbildung durch die ant. Schule vermittelt wurden, bildete sich auf diesen Ebenen keine christl. Schule aus. Der Bedarf an Religionslehrern sowie das Streben der → Gnostiker nach einer »hl. Wissenschaft« lassen jedoch das Entstehen theologischer Hochschulen erwarten. Tatsächlich entstanden seit Mitte des 2. Jh. n. Chr. solche Schulen, aber sie vermochten bei aller temporären Bed. (zu Clemens [25. 68–81], zu Origenes [25. 81–100]) keine Tradition zu stiften [18. 536f.; 27. 594–599]. ›Die Geistlichkeit wird nicht in den Schulen erzogen, sondern durch persönlichen Umgang mit dem Bischof und den älteren Priestern der örtlichen Geistlichkeit, in die man oft schon in sehr früher Kindheit als Vorleser aufgenommen wird‹ [27. 598]. Im Osten, wo sich die Tradition der ant. E. bruchlos in byz. Zeit fortsetzt, bildet sich früh auch eine (in ihrer Wirkung eingeschränkte) Tradition klösterlicher Unterweisung aus. Im Westen ändern sich die Verhältnisse vom 4. Jh. n. Chr. an: Der (in den einzelnen Reichsteilen unterschiedlich rasche) Verfall des ant. E.-Wesens, eine Folge der Germaneneinfälle, zwingt die Kirche nach und nach, auch für die Vorbildung selbst zu sorgen (Kloster-, Bischofs- und Presbyterialschulen) [27. 600–634].

E. Wirkungsgeschichte

Man kann von Fortwirken der ant. Bildung, kaum aber von Wirkungsgeschichte der ant. E. sprechen (stärkere Betonung von Verbindendem bei [1. 39–71]). Zu einschneidend sind die Zäsuren zw. Spätant. und MA, zw. MA und Neuzeit. Das Fortwirken der ant. Bildung in den Renaissancen bedeutete dank der durch sie bewirkten Emanzipation des Menschen für die E. mehr Überwindung des Überkommenen als seine Fortführung: E. ist keine Privatangelegenheit mehr; der (im MA noch einmal gestiegene) Analphabetismus ist h. durch die allg. Schulpflicht beseitigt; Bildungserwerb hängt nicht mehr von Zugehörigkeit zur »besseren Gesellschaft«, sondern von individueller Begabung und Leistungsbereitschaft ab, die freilich ihrerseits in hohem Maße durch das soziale Umfeld determiniert wird; die Pädagogik der Moderne ist bemüht, kindgerecht zu sein. Die sittlichen und rel. E.-Konzeptionen werden zusehends durch kulturelle Vielfalt bestimmt.
→ Altersstufen; Bildung; BILDUNG; Rhetorik; Schule

1 H.-E. TENORTH, Gesch. der E., 1988 2 W.V. HARRIS, Ancient literacy, 1989 3 W.H. PLEKET, in: Mnemosyne 45, 1992, 416–423 4 J. LATACZ, Das Menschenbild Homers, in: Gymnasium 91, 1984, 15–39 5 W. REICHERT, E.-Konzeptionen der griech. Ant., ²1993 6 J. LATACZ, Homer, ²1989 7 W. JAEGER, Paideia, Bd. 1 ⁵1973, Bd. 2 ⁴1973, Bd. 3 ⁴1973 8 J. V. MUIR, in: P. E. EASTERLING, J. V. MUIR (Hrsg.), Greek Rel. and Society, 1985, 191–218, 228–230 9 C. REINSBERG, Ehe, Hetärentum und Knabenliebe im ant. Griechenland, ²1993 10 J. MARTIN, in: H. SÜSSMUTH (Hrsg.), Histor. Anthropologie, 1984, 84–109 11 M. P. NILSSON, Die hell. Schule, 1955 12 J. CHRISTES, Gesellschaft, Staat und Schule in der griech.-röm. Antike, in: H. KLOFT (Hrsg.), Sozialmaßnahmen und Fürsorge, GB Suppl. 3, 1988, 55–74 13 K.-H. ABEL, in: A&A 17, 1971, 119–143 14 W. SCHADEWALDT, Romanitas Humana, in: ANRW I 4, 43–62 15 J. CHRISTES, Sklaven und Freigelassene als Grammatiker und Philologen im ant. Rom, Forsch. zur ant. Sklaverei, Bd. 10, 1979 16 FRIEDLÄNDER 17 K. THRAEDE, s. v. Frau, RAC 8, 197–269 18 P. BLOMENKAMP, s. v. E., RAC 6, 502–559 19 D. NELLEN, Viri litterati, ²1981 20 J. BLEICKEN, Verfassungs- und Sozialgesch. des röm. Kaiserreichs, Bd. 1 ⁴1995, Bd. 2 ³1994 21 U. SCHINDEL, s. v. Schulen, LAW, 2735–2740 22 W. JENTSCH, Urchristl. E.s-Denken, 1951 23 B. SCHWENK, Hell. Paideia und christl. E., in: C. COLPE et al. (s. u.), 141–158 24 G. PRIESEMANN, M. RITTER, s. v. E., LAW, 874–878 25 R. KLEIN, Christl. Glaube und heidnische Bildung, in: Laverna 1, 1990, 50–100 26 M. GÄRTNER, Die Familien-E. in der Alten Kirche, 1985 27 MARROU.

L. ALFONSI, Augustin und die ant. Schule, AU 17, 1975, 5–16 · S. F. BONNER, Education in ancient Rome, 1977 · A. K. BOWMAN, G. WOOLF (Hrsg.), Literacy and power in the ancient world, 1994 · C. COLPE, L. HONNEFELDER, M. LUTZ-BACHMANN (Hrsg.), Spätant. und Christentum, 1992 · A. DIHLE, s. v. Demut, RAC 3, 735–778 · C. A. FORBES, The education and training of slaves in antiquity, in: TAPhA 86, 1955, 321–360 · H.-G. GADAMER, Platon und die Dichter, 1936 · Ders., Platos Staat der E., 1941, Ndr.: Platos dialektische Ethik, 1958, 205–220 · L. GRASBERGER, E. und Unterricht im klass. Alt. 1–3, 1864–1880, Ndr.

1971 · A. GWYNN, Roman education. From Cicero to Quintilian, 1926 · F.-P. HAGER, Zur Bed. der griech. Philos. für die christl. Wahrheit und Bildung bei Tertullian und Augustin, A&A 24, 1978, 76–84 · H.-TH. JOHANN (Hrsg.), E. und Bildung in der heidnischen und christl. Ant., 1976 · M. LECHNER, E. und Bildung in der griech.-röm. Ant., 1933 · S. L. MOHLER, Slave education in the Roman empire, TAPhA 71, 1940, 262–280 · K. WENGST, Demut, Solidarität des Gedemütigten, 1987.
J.C.

Esagil

Esagil (Esagila). »Haus, das das Haupt erhoben hat«, sumer. Name der dem babylon. Götterkönig → Marduk geweihten Tempelanlage im Zentrum → Babylons, die neben dem ebenerdigen, ebenfalls E. gen. Marduktempel den zugehörigen Tempelturm (→ Turm zu Babel), zahlreiche Götterkapellen und große Hofsysteme mit Wirtschaftsräumen umfaßt. In dem ebenerdigen Tempel befanden sich die kostbaren Kultbilder des Marduk und seiner Gattin Zarpanitum, die dort über eigene Gemächer verfügte. Der siebenstufige, 92 m hohe Tempelturm (→ Ziqqurrat/Zikkurat), umgeben von einem quadratischen Zingel von 400 m Seitenlänge, erhob sich auf einer Grundfläche von 92 m × 92 m und wurde von einem kleinen Tempel bekrönt, der durch monumentale Freitreppen zugänglich war [1]. Der Turm trug den sumer. Namen Etemenanki (»Haus, Fundament von Himmel und Erde«) und versinnbildlichte die Achse der Welt (→ Babylon). Dem → Enūma eliš zufolge hatten die Götter der Welt E. zum Abschluß der Schöpfung an dem Ort, von dem das Schöpfungswerk ausging, für Marduk erbaut. Die Versorgung dieser Götter und ihres Königs Marduk war die wichtigste kult. Aufgabe des babylon. Königs.

Babylon. Beschreibungen des E. [2; 3] sowie die Angaben Herodots (1,181–183) sind von großer Bed., da nur geringe Reste des unter einem 21 m hohen Schutthügel begrabenen Marduktempels freigelegt werden konnten. Seine Umrisse sind durch unterirdische Stollen erschlossen. Nur die jüngeren Bauphasen des E. sind bekannt, obgleich E. inschr. bereits im frühen 2. Jt. v. Chr. bezeugt ist.

Um den Anspruch Babylons zu brechen, das Zentrum des Kosmos zu sein, ließen → Sanherib und → Xerxes den Marduktempel schleifen. Alexander d. Gr., der den in E. versinnbildlichten Weltherrschaftsanspruch wiederbeleben wollte, befahl den Aufbau des E. Antiochos [2] I. setzte die Bauarbeiten fort. E. bestand bis in die Partherzeit.

1 H. SCHMID, Der Tempelturm Etemenanki in Babylon, 1995 2 A. R. GEORGE, Babylonian Topographical Texts, 1992 3 Ders., The Bricks of Esagil, in: Iraq 57, 1995, 173–197.

W. VON SODEN, Die babylon. Königsinschr. und die Frage nach dem Baubeginn von Etemenanki, in: ZA 86, 1996, 80–88 · F. WETZEL, F. H. WEISSBACH, Das Haupttheiligtum des Marduk in Babylon, 1938.
KARTEN-LIT.: A. R. GEORGE, Babylonian Topographical Texts, 1992 · U. FINKBEINER, B. PONGRATZ-LEISTEN, Beispiele altoriental. Städte. Babylon zur Zeit des

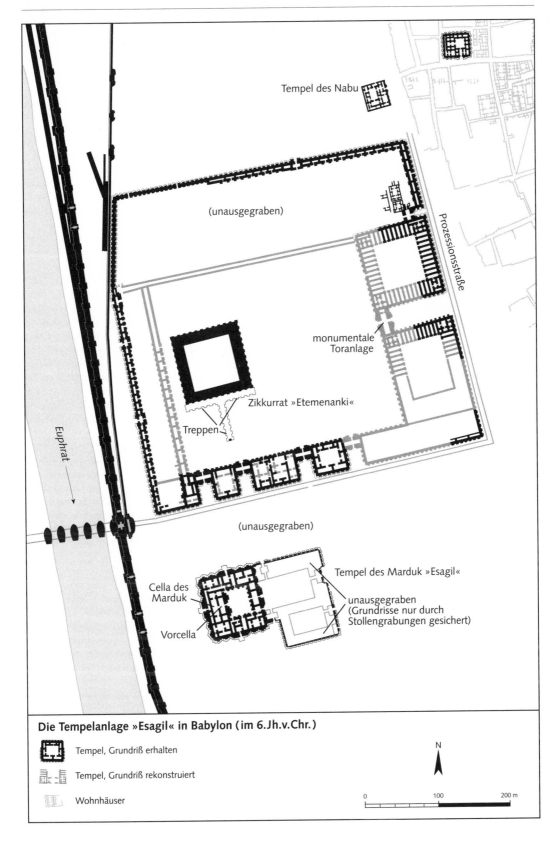

Tempel des Nabu

(unausgegraben)

Prozessionsstraße

monumentale Toranlage

Zikkurrat »Etemenanki«

Treppen

Euphrat

(unausgegraben)

Tempel des Marduk »Esagil«

Cella des Marduk

unausgegraben (Grundrisse nur durch Stollengrabungen gesichert)

Vorcella

Die Tempelanlage »Esagil« in Babylon (im 6. Jh. v. Chr.)

Tempel, Grundriß erhalten

Tempel, Grundriß rekonstruiert

Wohnhäuser

N

0   100   200 m

neubabylon. Reiches, TAVO B IV 19, 1993 · H. SCHMID,
Der Tempelturm Etemenanki in Babylon, 1995.   S. M.

Eschatologie   A. BEGRIFF UND GEGENSTAND
B. GRIECHISCH-RÖMISCHER BEREICH
C. HEBRÄISCHE BIBEL UND HELLENISTISCHES
JUDENTUM   D. CHRISTENTUM   E. REZEPTION

A. BEGRIFF UND GEGENSTAND
Der Begriff E. (von griech. ἔσχατος, »letzter«), zunächst Bezeichnung der »Lehre von den letzten Dingen« (tá éschata sc. prágmata) als Schlußteil theologischer
Gesamtdarstellungen christl. Dogmatik, findet sich als
Neubildung der protestantischen Theologie erstmals im
17. Jh. (PH. H. FRIEDLIEB, 1644; A. CALOW, 1655–1677)
und löst seit D. F. SCHLEIERMACHER den älteren Titel De
novissimis ab. Der Sache nach ist die Frage nach den
éschata (Sir 7,36; Orig. Perí archṓn 1,6,1; GCS
22,78,21 f.) aber bereits im ant. Bereich vielfach gestellt
worden. In der Religionswiss. wird E. in verschiedenen
Zusammenhängen verwendet:
    a) Die individuelle E. wird im allgemeinen synonym
zu   → Jenseitsvorstellungen (→ Tod, Unsterblichkeit,
→ Seelenwanderung, Totengericht) verstanden. b) Die
kollektive E. fragt nach dem Endgeschick einer Gruppe,
eines Volkes, der Menschheit (Endgericht, Vernichtung
oder endgültiges Erlangen von Heil). c) Die kosmologische E. umfaßt Vorstellungen von der Ewigkeit der
Welt, von ihrer zyklischen Vernichtung bzw. Erneuerung, aber auch von einmaligem Geschichtsverlauf
(Ende einer Epoche, einer Weltzeit); in Entsprechung
zu den verschiedenen Kosmogonien nimmt sie oft deren Motive auf, z. B. Wiederkehr des Chaos, Entstehung eines neuen Kosmos, Weltenbrand, Annahme einer tausendjährigen Heilszeit (evtl. verbunden mit einer
Erlöser- oder Messiasgestalt). Schöpfung und Neuschöpfung, Urzeit und Endzeit werden aufeinander bezogen. Bei periodischer Organisation kann E. eng mit
dem Kultus verbunden sein, z. B. in Neujahrs- oder Ve-
getationsfesten oder in rites de passage. E. ist häufig, bes.
in Judentum und Christentum sowie im Islam, Thema
visionär-prophetischer Offenbarungslit. (Apokalyptik).
Divinatorische Praktiken (Los, Traum, Orakel) sollen
der Klärung von Zukunft dienen und gegenwärtige Erfahrungen mit der E. in Beziehung setzen. E. kann Teil
von Geschichtstheologie bzw. -philosophie sein (gesch.
Abläufe als – zielgerichteter – Plan der Gottheit).

B. GRIECHISCH-RÖMISCHER BEREICH
E. wird in der griech.-röm. Ant. in vielfältigen Formen und Gattungen thematisiert (z. B. als physikalische
Theorien, mythische oder histor. Erzählungen, Ora-
kelsammlungen, Visionsbericht, Himmels- oder Hades-
reise) und Naturphilos.

1. HOMER UND HESIOD
Die individuelle E. Homers beschreibt Tod als allg.
Schicksal, als Macht der → Moira ohne Jenseitshoff-
nung; Versammlungsort aller Totenseelen ist der → Hades, wo sie ein freudloses, nichtiges Schattendasein füh-

ren. Unsterblichkeit ist Signum der Götter. Daneben
wird in der Ilias im von Hektor (Il. 6,448 f.) und Andromache (Il. 24,728 ff.) erwarteten Untergang Troias,
dem Paradigma für das Ende eines Volkes, kollektive E.
faßbar.
    Eine Weltalterlehre (→ Ären; Zeitalter) bzw. eine
mit der Kosmologie des Alten Orients vergleichbare
Periodisierung begegnet zuerst bei → Hesiod (um 700
v. Chr.); seinem histor. Konzept der Menschheitsgesch.
(Metallzeitalterlehre, erga 109–176), liegt ein Deka-
denzgedanke zugrunde, allerdings ohne Reflexion über
Weltuntergang oder Urzustand der Welt. Der Abstieg
der Zeitalter vollzieht sich als azyklischer Wechsel von
fünf Phasen; die erste, das »Goldene Zeitalter«, wurde
Vorbild für zahlreiche ant. Utopien; die letzte, das als
zukünftig geschilderte unheilvolle »eiserne Zeitalter«
(erga 178–180), ist eigentlich die »Jetztzeit« des Dichters.

2. PHILOSOPHIE
Bereits → Anaximandros von Milet (um 550 v. Chr.)
beschreibt »Werden« und »Vergehen« (γένεσις bzw.
φθορά) der Welt in Begriffen wie »Notwendigkeit«,
»Gerechtigkeit«, »Ordnung«, »Zeit« (A 9 DK). → Herakleitos von Ephesos (6./5. Jh. v. Chr.), für den das Feuer
Ursprung und Ende aller Dinge darstellt (A 1 DK), verbindet Kosmologie und individuelle E.: Die menschliche Seele ist Funke aus der ewigen Feuersubstanz des
Äthers, in die die Seele beim Tod des Menschen aufsteigt; an diesen Gedanken wird später die → Stoa an-
knüpfen (Sen. epist. 65,24: Tod als → ekpýrōsis des Körpers; ähnlich Varro ant. fr. 8; 23; § 18).
    In der Philos. → Platons (427–348/7 v. Chr.) spielt
neben der Gestaltung der Lehre von Perioden und Zyklen zu einem geschichtsphilos. Entwurf (Tim. 39d, polit. 269f) individuelle E. eine zentrale Rolle: Die Seele
des Individuums, ewig und mit Anteil an den Ideen,
strebt zurück zu ihrem göttl. Ursprung (damit verbunden Abwertung des hinderlichen Leibes als »Grab der
Seele«, Plat. Phaid. 67c); im Jenseits erfährt die Seele
Totengericht, Reinigung und die ihr gebührenden Strafen (vgl. Mythos des → Er, polit. 10,614b–621). Der
Kreislauf der Geburten durch Reinkarnation erfolgt so
lange, bis der Mensch aufgrund philos. Lebens »völlig
rein« ist, d. h. seine Seele vollständig vom Leib befreit in
das Geschlecht der Götter eingeht.
    Anders → Epikuros (341–270 v. Chr.): Sein radikaler
Entwurf des absoluten Endes im »Nichts« (vgl. epist. 3;
§ 124 Diog. Laert.; Lucr. 3,840) will die Menschen von
der Furcht vor Tod und dem Jenseits befreien. Vor allem
in der jüngeren Stoa ist in Weiterentwicklung der Lehre
Heraklits die Vorstellung eines Untergangs der Welt als
Reinigung (ἡ διὰ πυρὸς κάθαρσις) mit darauffolgender
Wiederherstellung der alten Ordnung (παλιγγενεσία,
ἀποκατάστασις, renovatio mundi) bzw. die einer Sukzession verschiedener Welten (SVF fr. 627; Sen. dial. 6,26)
belegt.

3. HISTORIOGRAPHIE
Ähnlich wie bei Hesiod dienen Epochen der Darstellung von Gesch. z. B. bei → Eratosthenes, → Apol-

lodoros [7] aus Athen, Kastor von Rhodos; → Varro, → Censorinus [4], → Augustinus. Dabei kann Weltgesch. mit Hilfe von Zahlensymbolik organisiert (Varro, Plutarchos, Arnobius, Eusebios) oder aber mit dem Alterungsprozeß des Menschen parallelisiert werden (vgl. Cic. rep. 2,3; 2,21; 3,34; Vell. 1,7). Bei → Polybios gipfeln die Gesch. der Völker in der »alleinigen Herrschaft« der Römer (vgl. auch Hdt. 1,95); die Zerstörung Karthagos, parallelisiert mit dem griech. Archetyp Troia, zeichnet Polybios mit Elementen kollektiver E.

4. VERGIL

Auch bei Vergil endet die Gesch. in der (polit.) Heilszeit der röm. Herrschaft. Polit. Theol. wird bei ihm zu gesch. Teleologie (Verg. Aen. 1,279: die universale Herrschaft Roms, *imperium sine fine*, in Frieden und Gerechtigkeit, als Ziel der Gesch.). Auch Aeneas' Gang durch die Unterwelt (Aen. B. 6) thematisiert, neben einer Darstellung individueller E. mit orphisch-pythagoreischen Motiven (s.u.; Totengericht, Straforte, Elysium, Aen. 6,645ff.; vgl. Aen. 6,724ff.) ebenso wie die Schildbeschreibung (Aen. 8,625–731) kollektive E. im Ausblick auf die zukünftige röm. Gesellschaft.

In der Wiederkehr des Goldenen Zeitalters (Verg. ecl. 4) erfährt der hesiodeische Weltalter-Mythos eine positive Wendung: Vergil verbindet das Bild der kosmischen Erneuerung zu einem »letzten Zeitalter« mit dem Amtsantritt des neuen Consuls, mit Motiven bukolischer Natur und Utopie sowie der Ankündigung eines Friede und Hoffnung bringenden »Messiaskindes«. Polit. Relevanz solcher E. liegt darin, daß mit der Verleihung des *Augustus*-Titels an Octavian 27 v.Chr. der Beginn einer neuen Ära festgesetzt wurde: Vergil vertritt die kollektive E. von Siegern zur Rechtfertigung einer Herrschaft.

5. INDIVIDUELLE E. IN MYSTERIEN UND KULT

Vorstellungen von der Verwandtschaft zw. Seele und Göttlichem gehen meist davon aus, das göttl. Element der Seele dränge zur Rückkehr in seinem Ursprung und strebe nach einer (wenigstens zeitweisen) Vereinigung mit dem Gott, nach ihrer Vollendung im Göttlichen. Menschsein gilt daher als Zwischenstadium und zielt auf postmortale oder transhumane Existenz. In → Bestattungs- und Trauerriten, Totenkult und Funeralsymbolen kommt die Hoffnung darauf zum Ausdruck. Eine emotionale Vorwegnahme der *éschata*, der Vollendung, kann der Myste andererseits in der Mysterien-»Schau« erleben: Freiwerden und Gelöstsein von Todesfurcht, → Epiphanie der Gottheit, Erkenntnis der verborgenen Wahrheit (Soph. fr. 753; Pind. fr. 137). Der Demeter-Hymnos (→ Mysterien) stellt dem Angehörigen der Kultgemeinde, d.h. dem Eingeweihten, ein glücklicheres Los im Jenseits als dem Nicht-Eingeweihten (5,480ff.), aber auch im Diesseits in Aussicht, welches durch die Einsicht in den Zusammenhang von Tod und Leben, von Sterben und Wiedererwachen der Natur begründet ist (vgl. Demeter-Kore-Mythos).

Auch im Kult des → Dionysos findet eine vergleichbare Verbindung von Leben (transhumaner Existenz) und Tod (menschlicher Bedingtheit) statt. Sein Anhänger erlebt in der Weihe als ein »in Gott Seiender« (*éntheos*) den Gott als Befreier, in der Ekstase die Überschreitung zum Göttlichen (»qualitative« E.). Der Gedanke des Enthusiasmos (der Zugehörigkeit zum Gott) wird in der mit der dionysischen Trad. verbundenen Orphik (→ Orphische Dichtung) dahingehend weiterentwickelt, daß diese die »Göttlichkeit der Seele« annimmt. Weisheit besteht nun darin, sich als göttlich zu erkennen. In der Weihe des Mysten wird der Tag des realen Todes antizipiert, der als Beginn des wahren Lebens, des der Seele, verstanden wird. Nach orphischem Verständnis wird der Verstorbene zu einem Gott werden (Goldplättchen A4, Thurioi) und am Symposion der Seligen teilnehmen. Irdische Existenz erhält Bußcharakter. Wichtiges Element dieser E. ist die Vorstellung der → Seelenwanderung; die Zahl der Reinkarnationen ist abhängig von moralischer Qualifikation, über die ein Totengericht befindet und kann durch ethisch verantwortliches Handeln beeinflußt werden.

6. ORAKELPRAXIS

Diodor [18] (80–ca. 29 v.Chr.) setzt an den Anf. seiner ›Weltgeschichte‹ eine explizite Hadesmythologie und -topographie (Diod. 1,2; Motive jedoch sämtlich schon in der vorhell. griech. Lit., z.B. Aischyl. Telephos; Aristoph. Ran.; Plat. Phaid.; im lat. Bereich Verg. Aen. 6; ironisiert in den ›Totengesprächen‹ Lukians). Kunde vom Jenseits boten auch Erzählungen über Heroen (Orpheus, Aeneas, Herakles), die in die Unterwelt hinabstiegen. Orakelhöhlen, denen ein Zugang zur Unterwelt zugeschrieben wurde, waren teilweise mit einem Kultbetrieb verbunden (bei → Lebadeia, bis in die röm. Kaiserzeit belegt; → Ephyra [3], Averner See). Nekromantik als Informationsquelle über die Zukunft und das Jenseits (bereits Hom. Od. 11) wird von Heliodor (B. 6 Ende) jedoch als eigentlich verboten und »unseriös« abgelehnt.

C. HEBRÄISCHE BIBEL UND HELLENISTISCHES JUDENTUM

Die Zukunftserwartungen der Hebräischen Bibel bilden kein einheitliches System (zur Begriffsdiskussion [3. 655; 8. 569]). Grundsätzlich bezieht sich E. im »AT« v.a. auf die Zukunft Israels. E. ist an den Ablauf der Gesch. gebunden. Konstitutiv für eschatol. Reden vor der klass. Prophetie ist die Verheißung des gelobten Landes an Israel. In Davids Reichsgründung, mit dessen Stamm auch das künftige Heil verbunden bleibt (2. Sam 7), manifestiert sich Gottes Führung. Diese Heilserwartung wird durch die aktualisierend-eschatol. Predigten der Schriftpropheten von Amos bis Ezechiel erschüttert, die ein hartes Gericht ankündigen. Der Untergang Israels und die Erfahrung des Exils machen die Wirklichkeit des Gerichts offenbar.

Ab der Exilszeit tritt eine Prophetie in den Vordergrund, die auf den Anbruch einer neuen Segenszeit wartet (Hos, Ez 36f.; Joel, Deutero-Sach, Jes 24–27).

Zunehmend wird auch die Zukunft und Gesch. der Völkerwelt, der Erde und das Ende und Ziel der Gesch. überhaupt thematisiert (vgl. Joel 1,15; 4,14; Dan 2; 7). Dualistisch-apokalyptische Motive kennzeichnen diese E.: Weltmächte als Gegenspieler des Gottesreiches (Babylon: Dan 7; Assur: Jes 15,5 ff.; Nah: → Edom als Chiffre für Rom); Naturerscheinungen und Wunderzeichen am Tag des Gerichts; verschiedene rel. oder polit. Messiasgestalten; Wiederherstellung des Volkes Israel und des Tempels; Völkerwallfahrt zum Zion. Neben dieser Ausweitung auf die Völkergemeinschaft läßt sich auch partikularistische Verengung auf nur eine Gruppe (→ Essener, Pharisäer, Qumran, Zeloten) als Heilsempfänger beobachten. Die Periodisierung von Gesch. (Dan 7,2–14; äthHen 93 bzw. 91,12–17, um 170 v.Chr.) von der »Urzeit« bis zur »letzten Zeit«, wird später verkürzt auf zwei Weltzeitalter, auf »diesen« und den kommenden »Äon« (z.B. 1 QS 3,13–4,26; 4 Esr 7,26 ff.; Jes 65,17; 66,2). Verbunden mit dem Auferstehungsglauben im Sinne einer Wiedervereinigung von Leib und Seele des Individuums zu ewiger Seligkeit oder auch Verdammnis wird diese Zweiperiodenlehre auch für die individuelle E. des hell.-röm. Judentums relevant und wirkt prägend auf alle weiteren eschatol. Aussagen in Judentum, Christentum und Islam. Quellen jüd. E. in hell.-röm. Zeit sind zahlreiche Apokalypsen (äthHen, Esr, ApkBar), Apokryphen, Pseudepigraphen, die Lit. von Qumran, Philon, Iosephos sowie die rabbinische Trad.

D. Christentum

Im Christentum ist sowohl individuelle (Tod im individuellen Gericht, Himmel, Hölle) wie auch kosmologische E. (Wiederkunft Christi, Ende der Welt, Weltgericht, ewiges Leben) vertreten. Dabei ist die E. des NT (vgl. Mk 13, Hebr, 2 Petr, Apk) keineswegs einheitlich; neu ist die starke Verbindung mit der Christologie. Für Jesus und die Synoptiker steht die Verkündigung der Gottesherrschaft, die im Wirken Jesu bereits die Gegenwart berührt, im Zentrum. Die Sühnedeutung des Todes Jesu (Mk; Paulus, 1. Kor 15, 2. Kor. 5; Jesus als Ende des Gesetzes, damit der Gesch., Röm 10,4) unterstreicht die Gewißheit, daß die gegenwärtige Existenz des Glaubenden schon eschatol. qualifiziert ist für die mit der Auferweckung der Toten verbundene künftige Herrlichkeit, die mit der Wiederkunft Jesu Christi (Parusie) vollendet wird. Lukas teilt den Ablauf der gesamten Heilsgesch. in drei Epochen: Zeit Israels, Zeit Jesu als Mitte der Gesch., Zeit der Kirche bis zur Parusie. Das Schwanken zw. nationaler und universaler Erwartung im Judentum wird zugunsten einer universalistischen Auffassung entschieden.

Das Johannesevangelium verzichtet im wesentlichen auf die traditionelle Apokalyptik und vertritt eine präsentische E. (Gericht nicht als kosmologisches Drama, sondern in der Einstellung der Menschen zu Jesus). Anders die Johannesapokalypse, die ein baldiges Ende voraussetzt (Terminangaben, apokalyptische Chiffren) und die gegenwärtige Bedrängnis der Gemeinde (unter Do-

mitian) als Teil des endzeitlichen Kampfes zw. Gott und den widergöttl. Mächten interpretiert mit dem eschatol. Ziel des »neuen Himmels« und der »neue Erde« (Apk 21; davor tausendjähriges Reich und Weltgericht, Apk 20,1–10; E. als gruppenstabilisierender Faktor).

Unter dem Einfluß hell. Vorstellungen erfährt die E. der alten Kirche schon bald eine starke Individualisierung; das Leben nach dem Tod und die leibliche Unsterblichkeit rücken in den Mittelpunkt. Die nunmehr rein jenseitig verstandene E. führt zu einer Entwertung der Welt und zur Ausbildung eines christl. Platonismus und wirkt herrschaftsstabilisierend. Die E. von → Origenes vertritt eine Rückkehr der gefallenen Welt zu Gott durch die Menschheit Christi in kosmischem Läuterungs- und Erziehungsprozeß (Motiv des Fegefeuers). Ferner werden eschatol. Einzelthemen funktionalisiert: z.B. der Glaube an leibliche Auferstehung der Toten in der Auseinandersetzung mit der → Gnosis; der Ausblick auf Gericht und Hölle zur ethisch-moralischen Motivierung (→ Tertullianus; → Lactantius); v.a. im Westen ist eine Verbindung der Periodisierung der Welt mit imperialer Chronologie erkennbar, ebenso eine chiliastische Modifizierung der röm. Staats- und Kaiserideologie bzw. Deutung des Milleniums auf die Zeit der Kirche (Tyconius; Augustinus).

E. Rezeption

Im jüd. MA werden eschatol. Vorstellungen im Rahmen philos. und kabbalistisch orientierter Theologie systematisiert; Maimonides trennt die Zeit der Messiasherrschaft als innerweltliche Endzeitperiode strikt vom jenseitig gedachten endgültigen Heilszustand. Die islamische E. betont die Jenseitigkeit des Heils und kennt ein individuelles Totengericht. Eine apokalyptische Beschreibung der Ereignisse am Ende der Welt findet sich in den kurzen, frühen Suren im Koran. Für die christl. Theologen des MA sind v.a. die eschatol. Aussagen Augustinus' und Gregors d.Gr. prägend.

1 H. Cancik, s.v. E., HRWG 2, 341–343 2 Ders., The End of the World, of History and of the Individual in Greek and Roman Antiquity, in: J. Collins (Hrsg.), Encyclopaedia of Apocalypticism 1, 1998, 84–125 3 C.-M. Edsman, A. Jebsen, R. Meyer et al., s.v. E., RAC 2, 650–689 4 G. Kittel, s.v. ἔσχατος, ThWNT 2, 694 f. 5 G. Sauter, Einführung in die E., 1995 6 Th. Söding, G. Greshake, K. Hoheisel et al., s.v. E., LThK 3, 859–880 7 H. Sonnemans, Seele. Unsterblichkeit – Auferstehung. Zur griech. und christl. Anthropologie und E., 1984 8 K. Thraede, s.v. E., RAC 6, 559–564. D.Si.

Esche. Die häufigste Eschenart des Mittelmeergebiets ist die Blumen-Esche, *Fraxinus ornus L.*, mit Verbreitung in wärmeren, weit nach Süden reichenden Lagen; weniger häufig findet sich die höherwüchsige, mehr Feuchtigkeit beanspruchende »Schmalblättrige Esche«, *Fraxinus angustifolia Vahl*. Die im übrigen Europa häufigste und höchstwüchsige »Gewöhnliche Esche«, *Fraxinus excelsior L.*, zieht sich wegen ihres großen Wasserbedarfs nach Osten hin in nördl. Berglagen zurück (südl. reicht sie bis in den mittleren Apennin, Nordgriechenland und den Troian. Ida) und wurde in der ant. Nomenklatur von der weiter nach Süden gehenden, sehr ähnlichen *F. angustifolia* nicht geschieden. Während die Griechen alle Arten mit dem einen Namen μελία (*melía*) benannten, nur die Makedonen die hochwüchsigen (mit Steigerungspräfix) als βουμελία (*bumelía*) von *F. ornus* abhoben (s. Theophr. h. plant. 3,11,3–5), wurden im Lat. die Blumen-Esche, die im Frühling durch ihre duftenden weißen Blütenrispen auffällt, als *ornus* und die beiden hochwüchsigen Arten mit unscheinbaren Blüten als *fraxinus* scharf geschieden (z.B. Plin. nat. 16,74). E.-Holz wurde wegen seiner Zähigkeit und Elastizität v. a. für Speere gebraucht – berühmt war der Speer des Achilleus vom Gipfel des Pelion, also wohl von *F. angustifolia* (Hom. Il. 16,140–144). Von der Beschaffenheit des Holzes und seiner Verwendung erklären sich die Mythen von der Entstehung der Menschen aus E. (zuerst bei Hes. erg. 145).   B.HE.

Esel A. Systematische Zoologie, Herkunft und Zähmung   B. Der Wildesel C. Der Hausesel   D. Verwendung des Esels E. Der Esel in der antiken Kultur F. Religiöse Bedeutung

Der E. war wie noch heute in vielen Regionen des Mittelmeerraumes in der Ant. eines der am meisten beanspruchten Nutztiere des Menschen. Geritten, mit einem Packsattel beladen oder vor den Wagen gespannt, war er eine der häufigst genutzten lebenden Antriebskräfte. Wie für viele Realia sind die lit. und arch. Quellen für die Verwendung von E. jedoch spärlich, und die Archäozoologie fängt erst langsam an, interessante Hinweise zu liefern.

A. Systematische Zoologie, Herkunft und Zähmung

Die Gattung der Einhufer (*equidae*) gehört der Familie der Unpaarzeher an; die Art *equus* wird in vier Unterarten aufgeteilt: Zebras, E., Halbesel und Pferde. Der wilde E. afrikan. Ursprungs teilt sich in zwei Hauptgruppen auf: der nubische E. (*equus asinus africanus africanus*) und der somalische E. (*equus asinus africanus somaliensis*). Der Hausesel (*equus asinus asinus*) scheint eher vom nubischen E. abzustammen als von den wilden, scheueren asiatischen Arten. Der Ursprung der → Domestikation könnte zu Beginn des 4. Jt. in Ägypten gelegen haben; daraufhin wurde sie im ganzen Nahen Osten verbreitet. Indessen ist eine Domestikation im Nahen Osten, vielleicht ausgehend von den Hybriden der afrikanischen E. und der asiatischen Halbesel, nicht auszuschließen [1. 144–145]. Der *equus asinus asinus* war jedenfalls von Mesopotamien bis Ägypten verbreitet und wurde dort im 3. Jt. in der Landwirtschaft und für den Transport eingesetzt [3. 217–225]. Die Präsenz des Hausesels in Griechenland ist für Lerna in der Argolis gegen 2000 v. Chr. [1. 144–145] und in Makedonien für die Zeit um 1400 v. Chr. belegt. In den Gebieten am Schwarzen Meer tauchte er im 9. Jh. v. Chr.,

in It. an den Fundorten von Tortoreto-Fortellezza (10.–6. Jh. v. Chr.) und von Spina und in Spanien im 8. und 7. Jh. v. Chr. auf; seine Verbreitung im mediterranen Europa scheint mit der phönizischen Expansion und mit den griech. Städtegründungen einherzugehen. Der E. wurde in der späten Hallstattzeit in der Heuneburg und in der La-Tène-Zeit in der Provence gehalten. Seine Ausbreitung in Gallien, im Rheinland und im Donaugebiet vom Beginn der Prinzipatszeit an ist wahrscheinlich auf die Truppenbewegungen der röm. Armee zurückzuführen. Bislang ist der E. im nördl. Gallien nicht nachgewiesen worden; die Frage, ob in den Regionen nördl. der Alpen in großem Umfang E. gezüchtet wurden oder ob man hier von Tierimporten abhängig blieb, ist umstritten.

B. Der Wildesel

Die Autoren der Ant. scheinen keine klare Unterscheidung zwischen dem wilden E. (*equus asinus*) und den Halbeseln (*equus hemionus hemionus, hemionus kiang, hemionus hemippus, hemionus onager*) gemacht zu haben. Die Begriffe ὄνος ἄγριος (*ónos ágrios*), ὄναγρος (*ónagros*, lat. *onager, onagrus*) bezeichneten wahrscheinlich den wilden E. oder den asiatischen Wildesel (Onager); es handelte sich um eine robuste, wilde und unzähmbare Rasse mit einem graziösen Kopf und kleinen Ohren, die nach Meinung ant. Autoren in Kleinasien, Syrien, Armenien, Mesopotamien, Persien und Arabien heimisch war. Plinius (nat. 8,174) hält die Wildesel aus Phrygien und aus Lykaonien für besonders hervorragend. Seltener wird der afrikan. Onager, ein Wildesel mit feurigem Temperament, schnell und mit langen Ohren, erwähnt. Der indische Wildesel ὄνος ἰνδικός (*ónos indikós*), mit einem Horn inmitten der Stirn beschrieben, könnte der Ursprung des Mythos vom → Einhorn sein. Der Wildesel wurde mit Spießen oder mit Wurfschlingen gejagt. Sein Fleisch ist dem des Hirsches vergleichbar und war im Orient und in Rom geschätzt. Besonders berühmt waren die Eselsfohlen des afrikan. Wildesels, die *lalisiones* (Plin. nat. 8,170–174). Eselhengste wurden für die Zucht von E. und Maultieren eingefangen (Varro rust. 2,6,3; Colum. 6,37,4).

C. Der Hausesel

Der *equus asinus asinus* wird bei den ant. Autoren gewöhnlich ὄνος (*ónos*), *asinus*, manchmal *asellus* in der Dichtung, κανθήλιος (*kanthḗlios*) oder κάνθων (*kánthōn*, der mit einem Packsattel beladene E.), μυχλός (*mychlós*) bei den Phöniziern und später γαϊδάριον (*gaïdárion*) genannt. Aus Nordost-Afrika kommend gelangte der Hausesel über den Vorderen Orient nach Griechenland; er erscheint auf den Tontäfelchen der mykenischen Zeit unter der Bezeichnung *o-no* und ist außerdem durch Knochenüberreste nachgewiesen. Bei Homer wird er nur ein einziges Mal erwähnt (Il. 11,558–562); bei Hesiod kommt er überhaupt nicht vor. Seit dem 6. Jh. v. Chr. wird der E. häufig dargestellt und beschrieben. Die ausführlichsten Beschreibungen finden sich bei Aristoteles (gen. an. 747b–748b; hist. an. 577a–578b), Plautus (Asinaria), Varro (rust. 2,6), Columella (6,36–7,1),

Plinius (nat. 8,167–175), Ps. Lukian (*Asinus*), Apuleius (met. 7–11), Palladius (4,14) und in den *Geoponika* (16–21). Nach ant. Auffassung gehört der E. zur Kategorie der μώνυχα (*mṓnycha*) oder *solidipedes*; die Veränderungen seines Gebisses ermöglichen eine Altersbestimmung, seine Haut ist hart, sein Fell aschgrau bis schwarz, dunkle Streifen zieren seine Beine, seinen Hals oder seinen Rücken. Seine Mähne ist nicht sehr voll, seine Ohren sind lang und beweglich, vom physiologischen Standpunkt aus wird sein Blut als dickflüssig und schwarz betrachtet, seine Adern sind eng und sein Herz groß. Die Weibchen haben zwei Zitzen und können höchstens zwei Junge ernähren. Der E. wird selten krank und kann älter als dreißig Jahre werden. Sein Charakter und sein Verhalten wird als schwerfällig bezeichnet. Er ist faul, dickköpfig, undiszipliniert und abgehärtet gegenüber Schlägen. Er hat ein ausgeprägtes sexuelles Verlangen und scheut das Wasser. Diese negative Einschätzung, die man auch mit anderen Formulierungen in den *Physiognomonica* findet, ist klischeehaft und wird nicht zwingend von denen geteilt, die gute Kenner des E. sind. Columella und Palladius halten den E. für ausdauernd, anspruchslos und arbeitstüchtig.

Der E. hatte den Ruf, äußerst genügsam in der Ernährung zu sein und sich mit dem Gras der Wiesen und mittelmäßigem Futter und Heu, mit Laub und Zweigen und zerkleinertem Stroh zufriedenzugeben; er frißt Disteln und Brennnesseln. Die wertvollen E. wußten Heu, Gerste und Kleie zu schätzen; Weizen kam in der Nahrung wohl nur ausnahmsweise vor (Ps.-Lukian. Asin. 37). Der E. trinkt wenig und zieht das Wasser der Weiden vor, an das er gewöhnt ist (Plin. nat. 8,169). Zu seiner legendären Genügsamkeit kommt noch gute Widerstandsfähigkeit gegen Müdigkeit und Krankheiten hinzu. Er wird kaum von Flöhen und Zecken befallen (Aristot. hist. an. 557a). Durch Eiben- und Lorbeerblätter kann er sich vergiften. Er neigt zu Ruhr und Cholera. Eine besondere Krankheit μηλίς (*mēlís*), deren Symptom eine Überproduktion von Nasenschleim war, konnte ihm zum Verhängnis werden (Aristot. hist. an. 605a). Auf dem Lande war sein schlimmster Feind der Wolf. Krähen und Vögel, die ihre Nester und ihre Brut verteidigten, sollen sich auf seine Augen gestürzt haben. Im gemeinsamen Weideland wird ihm von Pferden hart zugesetzt. Seine häufigsten und schwersten gesundheitlichen Probleme rührten allerdings von der extrem harten Behandlung her, die die Menschen ihm zukommen ließen. Um ihn zu heilen, konnten der *veterinarius* oder der spezialisierte *mulomedicus* herangezogen werden.

Die am meisten geschätzten Rassen waren die von Reate, Arkadien und Magnesia. Die Zuchthengste von Reate waren recht groß und konnten zu hohen Preisen von bis zu 60 000 und sogar 100 000 HS (Varro rust. 2,1,14) verkauft werden. Die Rassen aus Illyrien, Thrakien und Epirus waren hingegen kleiner. Die Vorschriften zur Züchtung betrafen vornehmlich die Qualität der Zuchthengste und die Paarung im Sommer, auf die zwölf Monate später eine Geburt folgte. Für die Geburt des Jungen wartet die Eselin die Dunkelheit ab; sie wirft ein Fohlen, selten zwei, und produziert Milch vom zehnten Monat der Trächtigkeit an. Das Eselsfüllen wird im Alter von einem Jahr entwöhnt, und die Eselin kann bereits sieben Tage nach der Niederkunft neu befruchtet werden. E. können sich ab dem Alter von dreißig Monaten paaren, für den Zuchthengst ist es günstiger, das Alter von drei Jahren abzuwarten. Mit der Dressur kann im dritten Lebensjahr begonnen werden. Die Agrarschriftsteller messen der Zucht von Hybriden, Maultieren oder → Mauleseln [4. 200–201] eine besondere Bedeutung bei. Die Technik der Kreuzung einer Pferdestute mit einem Eselhengst für die Maultierzucht wurde in der Ant. gut beherrscht. Die Maultiere aus Arkadien und von Reate verdankten ihren Ruf insbesondere der Kreuzung mit ausgewählten Eselhengsten (*admissarii*). Neben dem *hemionus mulus* wurde auch eine andere Kreuzung gezüchtet, der Maulesel (Hengst und Eselin), der in der Ant. γίννος (*gínnos*), lat. *hinnus*, *hinnulus* oder *burdus* genannt wurde. Zur Verbesserung der Rasse wurde auch die Kreuzung mit wilden Eselhengsten empfohlen.

D. Verwendung des Esels

In der Wirtschaft und im täglichen Leben ist der E. das Tier, das zu allen Dienstleistungen herangezogen wird (vgl. auch [2. 7–14]; → Landtransport). Insbesondere wird er als Fortbewegungsmittel genutzt: Zum Tragen, Schleppen, Ziehen und Befördern wird er – auf dem Land ebenso wie in der Stadt – einzeln oder paarweise vor das Joch gespannt. Für die Bewirtschaftung einer Olivenpflanzung von 240 *iugera* Größe erachtet Cato drei E. für den Transport und einen für die Mühle als notwendig (agr. 10,1). Für die Bewirtschaftung eines Weingutes von 100 *iugera* Größe rechnen Cato und Varro neben zwei Ochsen mit zwei E. und außerdem mit einem E. für die Mühle (Cato agr. 11,1; Varro rust. 1,19,3). Am Halfter (*capistrum*) geführt, jeweils mit anderen Tragevorrichtungen ausgestattet, konnten mit dem E. wie auch mit dem Maulesel zahlreiche Transporte von Gütern und Personen durchgeführt werden. Er diente mit einer Decke versehen Dionysos und seinem Gefolge als Reittier; sogar Personen hohen Ranges vertrauten ihm in schwierigem Gelände auf engen und steinigen Wegen. In der Spätant. wurde er im → *cursus publicus* für Transporte neben dem Pferd oder dem Maulesel verwendet. V. a. im Bereich des Güter- und Warentransports wurden E. mit einem Packsattel als Zug- oder als Tragtiere eingesetzt. Es gab mehrere Vorrichtungen zum Tragen von Lasten, Tragkörbe (κανθήλια, *kanthḗlia*; *clitellae*) oder ein Tragegestell (*sagma*). Teilweise wurden beträchtliche Gewichte befördert. Im Preisedikt des Diokletianus (→ Edictum Diocletiani) wird eine Last von 65,5 Kilogramm erwähnt (14,11), aber oftmals lag die Last über dem Eigengewicht des Tieres, wie man es noch heute in bestimmten Regionen Asiens oder Afrikas beobachten kann. Die Eselkarawanen waren Teil der *impedimenta* der ant. Heere. Nach einer Anekdote mußte Philipp II. von Makedonien während eines Feldzuges auf einen mil. gesehen guten Standort für sein Lager wegen Futtermangels verzichten. Er klagte bitter darüber, daß er sich nach den Bedürfnissen von E. zu richten habe (Plut. mor. 178A). Mit Karawanen der *aselli dossuari* wurden in Südit. Öl, Wein und Getreide an die Küste gebracht (Varro rust. 2,6,5).

Der Einsatz von E. als Zugtiere scheint hingegen weniger belegt zu sein. Die *asini plaustrarii* müssen jedoch wie auch die Ochsenjoche in der Stadt sehr zahlreich gewesen sein. E. gehörten wie auch Ochsen zur Grundausstattung von Landgütern. Die Effizienz des Geschirrs für die E. kann nicht bezweifelt werden (→ Landtransport). Zu den qualvollsten Arbeiten gehörte sicherlich die *mola asinaria*, eine Rotationsmühle zum Mahlen von Getreide oder zum Quetschen der Oliven (*trapetum*). Die Beschreibung der Bäckermühle bei Apuleius ist berühmt (met. 9,10–13): Mit verbundenen Augen bewegt der E. den oberen Mühlstein mit Hilfe eines Stricks (*helcium*). Im Kreise gehend, durch das schwere Ziehen ebenso belastet wie durch die Schläge, die ständig auf seinen Rücken prasseln, ist die Arbeit für den E. äußerst erschöpfend. Die Ikonographie des Themas (ZIMMER Nr. 18–25) zeigt Pferde, zweifelsohne aus ästhetischen Gründen. Bei lockerem Boden war der E. ›eine Tierart, die große Dienste bei der Arbeit leistet‹ (Plin. nat. 8,167). In Kampanien, Andalusien, in der Baetica und in Libyen wurden zwei E. vor den Pflug gespannt, manchmal ein E. und ein Ochse, in der Provinz Byzacena gar ein E. und eine Frau. Der E. zog auch die Dreschtafel (*tribulum*) oder den Dreschschlitten (*plostellum punicum*, vgl. Abb. → Dreschen); oder er wurde beim Dreschen neben Pferden, Maultieren und Ochsen zum Austreten der Getreidekörner verwendet (Anth. Gr. 9,301).

Dem E. wurden noch andere Produkte verdankt: Der Eselmist wurde als Düngemittel, der Urin als Insektenschutzmittel für die Bäume verwendet. Der Verzehr von Eselfleisch war ungewöhnlich, aber es wurde nicht gänzlich verachtet. In Athen gab es einen Markt für Eselfleisch; in Rom war es Nahrungsmittel der Armen, aber das Fleisch von Eselfüllen wurde in der Zeit des Augustus durchaus geschätzt. Die Frage nach dem Verzehr von Esel- und Pferdefleisch bleibt aber insgesamt umstritten. Als Heilmittel wurde das Fleisch gegen mehrere Krankheiten empfohlen, wie in Form von Suppe gegen Epilepsie oder gegen die Neigung zu Schwindelanfällen. Das Fett wurde als narbenbildender Balsam angewendet. Aus einigen Knochen stellte man Flöten her (Plin. nat. 11,215; 16,172). Milch und Käse von der Eselin erscheinen kaum auf dem Speiseplan, aber auch hier werden die medizinischen Qualitäten der besonders mageren Milch anerkannt; man bereitete bes. Molke zu. Hippokrates und Galenos empfehlen sie wegen ihrer leicht abführenden Wirkung für viele Verdauungserkrankungen; auch in Fällen von Arthritis und Ruhr, als Gegengift oder zur Stärkung der Zähne fand sie Anwendung. Die kosmetischen und dermatologischen Qualitäten der Eselsmilch wurden besonders von Poppaea Sabina geschätzt; ihre Herde von 500 Eselinnen lieferte ihr die Milch für ihre Bäder (Plin. nat. 11,238). Die anderen Damen aus der Oberschicht begnügten sich mit dem Waschen des Gesichtes. Mit der Haut und dem Leder des Esels konnte man Schläuche, Trommelfelle, Pergament und schmale Riemen für Peitschen herstellen, und aus dem Mähnenhaar wurden verschiedene Seile und Taue gefertigt.

Der kommerzielle Wert des E. ist mit Ausnahme der hochrassigen Hengste für die Maultierzucht normalerweise recht niedrig. Für einen E. wurden in Makedonien während des 2. Jh. n. Chr. dreißig Drachmen bezahlt und für einen E. aus Arsinoë (Ägypten) 219 n. Chr. 600 Drachmen. Der Fall der keltiberischen Eselin, die ihrem Besitzer für die von ihr geborenen Füllen mehr als 400000 HS eingebracht hatte, muß äußerst selten gewesen sein (Plin. nat. 8,170).

E. DER ESEL IN DER ANTIKEN KULTUR

Seit der griech.-röm. Ant. hat sich in den westl. Kulturen mehr als für jedes andere Tier ein Ensemble von feststehenden Urteilen und Ideen über den E. herausgebildet, das ihn zum Sinnbild von Unglück, Leiden und Dulden gemacht hat. Zahllos sind die Beispiele für die Verachtung, den Spott und die negativen Konnotationen, die der E. auf sich gezogen hat. Die Bezeichnung »Esel« war eine Beleidigung und nur selten Ausdruck des Mitleids. In vielen Sprichwörtern und Fabeln sind Trägheit und Dummheit durch den E. symbolisiert. Dazu gehören auch Redewendungen wie »der E., der die Leier hört« (ὄνος λύρας ἀκούων) für jemanden, der ein vollkommen schlechtes Musikgehör hat, oder »einem Esel eine Geschichte erzählen« (ὄνῳ μῦθον λέγειν), das heißt, jemandem, der nichts versteht. Häufig ist der Mensch gegen den E. grausam. Das Schicksal des E. ist wahrlich nicht beneidenswert: »zwischen der Mühle und den Lasten ist das Leben eine unendliche Qual« (Aisop. 16). Meist wird in den Fabeln von Aisopos, in den Romanen des Ps.Lukian und Apuleius ein *asellus miserandae sortis* geschildert. Die Begebenheiten schwanken oft zwischen Realismus und Parodie, zwischen Verspottung und Paradigma. Im hell. und röm. Ägypten und bei den lat. Agrarschriftstellern findet man jedoch oft eine eher positive Einstellung dem E. gegenüber.

F. RELIGIÖSE BEDEUTUNG

In Ägypten war der E. dem Gott Typhon zugehörig, einem Unglücksgott, der durch Opfergaben günstig gestimmt wurde. In der griech.-röm. Welt war der E. grundsätzlich dem Gott Dionysos-Bacchus und seinem Gefolge zugeordnet: Der E. trägt das Kind Dionysos durch Böotien nach Euboia und hilft dem Gott, die Giganten in die Flucht zu schlagen, er begleitet ihn von Lydien bis nach Indien, er sorgt dafür, daß Dionysos nach dem Marsch durch die Sümpfe Dodona erreicht. Damit verdient er sich die Belohnung der Götter, die ihm ein Sternbild zuordnen. Er besteigt den Olymp, indem er Hephaistos und seine Werkzeuge trägt. In der dionysischen Prozession von Ptolemaios II. ritt der Zug der Satyrn und Mänaden auf E. Dem E. wurde eine Beteiligung an orgiastischen Zeremonien, besonders zu Ehren der → Bona Dea, zugeschrieben. Er war auch Gegenstand des Aberglaubens: Das Gespenst der → Empusa, das von Hekate geschickt wird (Aristoph. Ran. 288ff.), der E. Nikon in Actium, der Eselsschrei als schlechtes Vorzeichen, der E. mit drei Hufen sind hierfür Beispiele. Der Schutz der → Epona wird ihm wie anderen Einhufern zuteil. Der E. begegnet auch als Opfertier, in It. für Vesta, in Lampsakos für Priapos und in Tarent für die günstigen Winde.

→ Eselskult

1 N. BENECKE, Archäologische Studien zur Entwicklung der Haustierhaltung in Mitteleuropa und Südskandinavien, 1994 2 L. BODSON, L'utilisation de l'âne dans l'antiquité gréco-romaine, in: L'âne. Actes de la journée d'études (21/11/1985), 1986 3 S. BÖKÖNYI, The Earliest Occurrence of Domestic Asses in Italy, in: R. H. MEADOW, H.-P. UERPMANN (Hrsg.), Equids in the Ancient World, 1991 4 S. GEORGOUDI, Des chevaux et des boeufs dans le monde grec. Réalités et représentations animalières à partir des livres XVI et XVII des Géoponiques, 1990, 196–205 5 E. LAGARDE, L'âne Grand Noir du Berry, 1995 6 G. NACHTERGAEL, Le chameau, l'âne et le mulet en Egypte gréco-romaine, in: Chronique d'Égypte 64, 1989, 287–336 7 M. VENTRIS, J. CHADWICK, Documents in Mycenaen Greek, ²1973. 8 CH. WILLMS, Der Hausesel nördl. der Alpen, in: Saalburg-Jahrb. 45, 1990, 78–82.

O. ANTONIUS, Grundzüge einer Stammesgeschichte der Haustiere, 1922 · J. CLUTTEN-BROCK, A Natural History of Domestical Animals, 1987 · A. DENT, Donkey. The Story of the Ass from East to West, 1972 · O. KELLER, Die ant. Tierwelt I, 1909 · A. LEONE, Gli animali da lavoro da allevamento e gli hippoi nell' Egitto greco-romano e bizantino, 1992 · W. OLCK, s. v. E., RE 6, 626–676 · E. ZEUNER, Gesch. der Haustiere, 1966.　　　G. R./Ü: C. P.

Eselskult. Unter E. wird die Verehrung eines Esels, eines Eselskopfes bzw. einer eselsgestaltigen Gottheit verstanden. Die Ursprünge dieses ant. Brauchs liegen trotz seiner relativ weiten Verbreitung (so u. a. im alten Ägypten, in Babylon) weitgehend im Dunkeln. Auch dem Judentum wurde von röm. und ägypt. Seite die Anbetung von Eseln aus einer meist judenfeindlichen Haltung heraus zugeschrieben. Nach Flavios → Iosephos ist → Apion der Initiant dieser Verleumdung (c. Ap. 2,7), deren Inhalt die Anschuldigung ist, die Juden hätten in ihrem Tempel einen Eselskopf aufgestellt, dem sie während des Gottesdienstes huldigten. Genährt wurde die Vorstellung einer jüd. Eselsverehrung nicht zuletzt wohl auch durch die lautliche Ähnlichkeit zw. der jüd. Gottesbezeichnung *Jahu* und dem ägypt. Begriff für Esel.

E. BICKERMANN, Ritualmord und Eselskult, in: Monatsschrift für die Gesch. und Wiss. des Judentums 7/8, 1927 · Judaica, FS für H. Cohen, 1912, 297 · S. SCHIFFER, in: REA 1919, 242.　　　Y. D.

Eselsroman s. Ap(p)uleius [II 8]

Ešmūn. Alte phönik. Gottheit, wohl → Heilgott (> *šmn*, »Öl«), von den Griechen als → Asklepios u. auch als → Apollon interpretiert. Ein wichtiges Heiligtum des im Mittelmeerraum weit verbreiteten Kults des E. lag bei Sidon (*Bustān aš-Šaiḫ*. In Tyros wurde E. mit → Melqart assoziiert.

1 E. LIPIŃSKI, s. v. E., DCPP, 158–160 2 R. STUCKY, Die Skulpturen aus dem E.-Heiligtum bei Sidon: griech., röm., kypr. und phönik. Statuen vom 6. Jh. v. – 3. Jh. n. Chr., 1993.　　　C. K.

Esna (altägypt. *Jwnyt*, später (*Tȝ*)–*Snj*). Ort in Oberägypten, ca. 60 km südl. von Luxor am westl. Nilufer. Nach dem kultisch verehrten Latusfisch griech. λάτων (πόλις) genannt. Die h. Stadt E. steht auf der alten Siedlung, daher ist von ihr nur der Tempel (9 m unterhalb des h. Niveaus) zugänglich. Die erste Erwähnung von E. stammt aus der 1. Zwischenzeit; bedeutsam wurde E. aber erst im NR als Ausgangspunkt einer Karawanenstraße nach Nubien. Hauptgott war der Widder Chnum (→ Chnubis), dessen Tempel das bedeutendste Denkmal E.s ist. Er wurde unter den späteren Ptolemäern (VI./VIII.) begonnen; der h. allein noch zugängliche Hypostylensaal stammt aus dem 1. Jh. n. Chr. und ist unter den Kaisern Claudius bis Decius (Mitte 1.– Mitte 3. Jh. n. Chr.) dekoriert worden (Namen der meisten Caesaren vorhanden). Er enthält damit das späteste Corpus hieroglyphischer Inschr., bemerkenswert durch ein bes. elaboriertes Schriftsystem. In christl. Zeit war E. Bischofssitz. Es ist die Geburtsstadt des → Pachomios, des Begründers des ägypt. Klosterwesens.

S. SAUNERON, LÄ 2, 30–33.　　　K. J.-W.

Esquiliae. Übergreifende Bezeichnung für die Hügel Cispius und Oppius in → Rom (Varro ling. 5,49). Hier endete die Hochfläche, die bis zum Anio reichte und von der wichtige Aquädukte (Anio vetus 270 v. Chr., Aqua Marcia 144 v. Chr., Aqua Claudia und Anio novus 52 n. Chr.) in die Stadt führten, bes. eindrucksvoll der in die Porta Maggiore einbezogene Anio novus.

Eine schnelle und flächendeckende Neubebauung seit 1870/71 führte zu großräumigen Freilegungen und Zerstörungen, mit denen die Dokumentation nicht Schritt halten konnte, so daß sich trotz einer erheblichen Anzahl von Funden, Fotografien und Plänen kaum Fundzusammenhänge aufzeigen lassen. Die Tradition (Varro ling. 5,49) schildert die E. für die ältere Zeit als unbewohnt, von Hainen einzelner *sacraria* durchsetzt und mit Häusern der Könige wie Tarquinius Superbus (Solin. 1,26) bestanden. Das Gebiet wurde angeblich von Servius Tullius der Stadt hinzugefügt (Liv. 1,44,3). Der Bereich außerhalb der Mauer war als *pagus* organisiert (CIL VI 3832 = 31577). Noch in spätrepublikanischer Zeit bildeten *E.* und *Fagutal* die zweite Stadtregion (Varro ling. 5,50; Fest. 344), um bei der augusteischen Neuordnung (7 v. Chr.) zwischen der dritten, (*Oppius*), der vierten (*Fagutal*) und der fünften Regio (*Cispius*) aufgeteilt zu werden. Letztere behielt nun allein den Namen bei.

Für die Besiedlungsgeschichte ist grundlegend die Trennung zwischen den innerhalb der servianischen Mauer gelegenen Teilen, die eine Wohnbesiedlung trugen, und den außerhalb der Mauer gelegenen Gebieten, in denen sich in republikanischer Zeit ausgedehnte Nekropolen erstreckten, wobei der topographische Übergang zwischen beiden Funktionen nicht geklärt ist. Die Zone jenseits der Mauer wurde spätestens seit augusteischer Zeit, beginnend mit Maecenas, mit einer Reihe von Parkanlagen der Aristokratie besetzt. Horaz nennt ein Gräberfeld des republikanischen Rom mit Massenbestattungen für Arme (Hor. sat. 1,8,10), dessen Identifikation mit den ihrerseits unterschiedlich lokalisierten *puticuli* (Varro ling. 5,25) nicht ganz klar ist. Diese werden zuweilen mit einer Nekropole verbunden, die vom 8.–1. Jh. v. Chr. belegt war und in augusteischer Zeit geschlossen wurde. Überliefert ist nur, daß die *horti Maecenatis* (Hor. sat. 1,8,7 f.; carm. 3,29,5 f.; epod. 9,3; Suet. Aug. 72,2; Nero 38,2) auf einer Nekropole für Arme lagen, über die aber Maecenas ebenso spazieren konnte wie über den Wall des Agger der servianischen Mauer (Hor. sat. 1,8,10). In einer ähnlichen Situation, teilweise im Agger versenkt, liegt das sog. Maecenas-Auditorium aus der Zeit um 40 v. Chr., das als erh. Bau einen schlaglichtartigen Eindruck von der hohen Qualität der Architektur und ihrer Ausstattung vermittelt. In dieser demonstrativen Einbeziehung einer Stadtmauer in einen Wohnbereich, einem im augusteischen Italien verbreiteten Phänomen (vgl. die augusteische Stadtrandbesiedlung von Herculaneum und Pompeji), lag möglicherweise eine bewußte Demonstration der von Augustus geschaffenen inneren Friedensordnung Italiens. Innerhalb des augusteischen Rom bildeten die *horti Maecenatis* ein wichtiges Zentrum. Auch das Haus Vergils (Don., vita Verg. 13) befand sich in der Nähe oder gar innerhalb der Anlage (Hor. sat. 2,6,30; epist. 2,2,65), die Häuser von Horaz und Properz scheinen zumindest in der Nähe, wenn nicht gar innerhalb der *horti Maecenatis*, gelegen zu haben, ebenso das Grab des Horaz (Suet., fragm. p. 298). Weitere Parkanlagen der Aristokratie entstanden mit den *horti Epaphroditiani, Lamiani, Maiani, Lolliani* und *Pallantiani* (→ Rom). Sie alle gingen nach und nach in kaiserlichen Besitz über. Hier wurden besonders reiche und qualitätvolle Skulpturenausstattungen gefunden, von denen ein Teil in den Konservatorenpalast gelangte. Meist ohne genauere Lokalisierungsmöglichkeit und oft nur mit der Zeit ihrer Erwähnung als *terminus ante quem* versehen sind zahlreiche kleinere Heiligtümer, Götterbezirke und öffentliche Plätze überliefert.

C. BUZZETTI, in: LTUR 3, 1995, 234–235 · RICHARDSON, 146.   R. F.

Esra

[1] Ein Priester (Esr 7,1–5; 7,12), der im Auftrag des pers. Großkönigs → Kyros II. ein für die Angehörigen der Jerusalemer Kultgemeinde bindendes Gesetzeswerk promulgierte (Esr 7). Nach der geschichtstheologischen Darstellung kam E. 458 oder 398 v. Chr. (Esr 7,7) mit Vollmachten für den Tempel nach Jerusalem, löste hier die Frage der Mischehen (Esr 9 f.) und verlas später verpflichtend die Thora (Neh 8–10). Die Bezeichnung ›der Schreiber Esra‹ (Esr 7,11; Neh 8,1 u. ö.) hatte zur Folge, daß in E. ein Protagonist der jüd. Schriftgelehrten und ein Wegbereiter des kanon. Schrifttums (4 Esra 14,18–48) gesehen wurde.

A. H. J. GUNNEWEG, Esra, 1985 · W. TH. IN DER SMITTEN, E. – Quellen, Überlieferung und Gesch., Stud. Semitica Neerlandica 15, 1973.   R. L.

[2] 3 Esra (LXX: 1 Esdr; Vulg.: 3 Esdr) enthält 2 Chr 35–36, Esr und Neh 7,72–8,13a in z. T. abweichender Reihenfolge, darüberhinaus bes. den »Wettstreit« der drei Pagen vor Dareios (3,1–5; 3,6). Wahrscheinlich in hebr.-aram. Sprache verfaßt, ist 3 Esra in einer guten griech. Übers. aus der Mitte des 2. Jh. v. Chr. und einer weiteren Übers. in die Sprachen der Alten Kirche erhalten. Jos. ant. Iud. 11,1–157 verwendet 3 Esra als Quelle und kennt auch das Sondergut.
→ Apokryphen

ED.: R. HANHART, Esdra Liber I, Septuaginta VIII, 1, 1974 · R. WEBER u. a., Biblia sacra iuxta vulgatam versionem II, 1983, 1910–1930.
ÜBERS., KOMM.: K.-F. POHLMANN, 3. Esra-Buch, JSHRZ I 5, 1980.
LIT.: SCHÜRER, III 2, 708–718.   A. M. S.

[3] 4 Esra (Vulg.: 4 Esdr), eine um 100 n. Chr. in hebr.-aram. (?) Sprache verfaßte → Apokalypse; nur erhalten in lat., syr. u. a. Übers. Diese gehen auf eine griech. Übers. zurück, die wie die hebr. Vorlage verlorengegangen ist. 4 Esra ist eine der wichtigsten Quellen für die jüd. Theologie am Ende des 1. Jh. n. Chr. und übertrifft alle anderen frühjüd. apokalyptischen Schriften an theologischer Klarheit der Argumentation. Die Zerstörung Jerusalems und des Tempels durch die Römer (70 n. Chr.) wird auf dem Hintergrund der Zerstörung durch die Babylonier (586 v. Chr.) von dem fiktiven Autor der Exilszeit E. reflektiert. In sieben Teilen, drei Dialogen mit dem Engel bzw. Gott und vier Visionen, werden E.s prophetische Offenbarungen dargestellt. Die theologischen Themen kreisen um die Theodizeefrage, Gottes Gerechtigkeit angesichts des Triumphs der Heiden über die Frommen, weiter den Ablauf der Weltgesch. im Horizont der Vier-Weltreichlehre (12,11 Daniel), die Funktion des Gesetzes, das endzeitliche Gericht, das Erscheinen des himmlischen Jerusalems auf Erden, die messianische Zwischenepoche, an deren Ende der Messias sterben wird (7,29), das Ende dieser Weltzeit und das Kommen der neuen und das jüngste Gericht. Am Ende wird E. wie Henoch und → Elia entrückt, nachdem er das beim Brand des Tempels vernichtete Gesetz wiederhergestellt hat, indem er in prophetischer Inspiration die 24 kanonischen und weitere 70 apokryphe Bücher diktiert hat. E. wird als neuer → Moses dargestellt.
→ Apokryphen; Pseudepigraphen

ED.: R. WEBER u. a., Biblia sacra iuxta vulgatam versionem
II, 1983, 1934–1967.
ÜBERS., KOMM.: J. SCHREINER, 4. Esra-Buch, JSHRZ V 4,
1981 · M. E. STONE, Fourth Ezra, Hermeneia, 1990.
LIT.: SCHÜRER, III 1, 294–307.   A. M. S.

[4] Als 5 Esra und 6 Esra werden die christl. Zusatzka-
pitel zu 4 Esra (1–2 und 15–16) in der lat. Version gezählt. Bei 5 Esra (4 Esra 1–2) handelt es sich um eine
Gerichtsrede gegen Israel (ca. 2. H. 2. Jh. n. Chr.), 6 Esra
(4 Esra 15–16) ca. aus dem 3. Jh. n. Chr. enthält Ge-
richtsankündigungen gegen die Weltreiche und Mahnungen zur Standhaftigkeit in Verfolgungen.
→ Apokryphen, Pseudepigraphen

ED.: R. WEBER u. a., Biblia sacra iuxta vulgatam versionem
II, 1983, 1931–1934, 1967–1974.
ÜBERS., KOMM.: H. DUENSING, A. DE SANTOS OTERO, in:
W. SCHNEEMELCHER, Nt. Apokryphen II, ⁵1989, 581–590.
                                                     A. M. S.

Eßbesteck. Seit röm. Zeit gewinnt das Tafelbesteck
zunehmende Bed. bei Tisch. Am häufigsten sind Löffel,
die nach ihrer Form in zwei Gruppen aufgeteilt sind, die
cochlearia, deren spitzer Stiel das Essen von Muscheln
erlaubte, und die *ligulae*, deren äußerstes Ende oft mit
einer runden Verzierung versehen ist [1]. Diese theoretische Einteilung war in der Realität zweifellos weniger streng. Im Laufe der Zeit beobachtet man eine
Entwicklung der Formen und Größen: Die Löffelschale
ist eines der bezeichnendsten Elemente (sie nimmt z. B.
im 3. Jh. n. Chr. eine charakteristische Beutelform an),
ebenso ihre Verbindung mit dem Stiel, die zunehmend
komplizierter und endlich mittels eines Verbindungs-

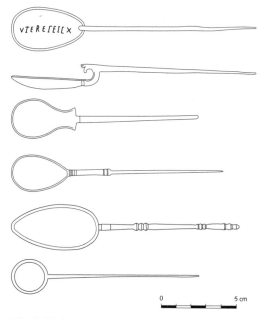

Silberlöffel (ligulae und cochlearia)
aus Augusta Raurica / Augst (röm.).

stückes in Form einer Scheibe hergestellt wird, vom
4. Jh. n. Chr. an oft durchbrochen, manchmal als Tier-
kopf endend (Löwe, Greif). Gleichzeitig werden die
Löffel größer und schwerer; obwohl alle Materialien
vorkommen (Holz, Knochen, Metall), sind sie oft aus
Silber oder verzinnter Br. (manchmal in Funden zu
Dutzenden vereinigt). Es gibt außerdem zahlreiche
Sonderformen und Kombinationen, die auf der einen
Seite einem Löffel und auf der anderen Seite einem
Messer, einem Sieb oder anderen kleinen Instrumenten
ähneln. Die Löffelschale kann einen eingravierten, ni-
vellierten oder eingelegten Schmuck oder auch eine
Inschr. tragen: den Namen des Besitzers, den Wunsch
seiner guten Verwendung, sogar eine Widmung, wenn
der Löffel als Weihgeschenk dargebracht wurde [2].
Dasselbe gilt, bes. am Ende der röm. Zeit und im 6. und
7. Jh. n. Chr., für die Stiele, auf denen man die Namen
der Apostel, von Heiligen oder des Besitzers findet, oder
sogar Worte der Lit. Löffel wurden gern verschenkt
(Mart. 8,71), oft als Beilage in die Gräber gelegt, und
waren von daher, vor allem in späterer Zeit, sehr zahlreich. Sie erscheinen z. B. sehr häufig in den Testamen-
ten der merowingischen Zeit oder, in ders. Zeit, im
Besitz der Bischöfe; sie stellten also ein wichtiges Element im Ablauf der → Gastmähler dar und erfüllten sie
gleichzeitig mit Leben (SHA Heliog. 12) [3]. Einige antike Texte (z. B. Mart. 14,120 f.) und die Untersuchung
der erhaltenen Objekte (Spuren der Abnutzung, Spei-
sereste) erlauben, ihre Verwendung näher zu bestimmen.

Messer wurden zweifellos seltener bei Tisch benutzt;
jedenfalls finden sie sich kaum in den Geschirrfunden.
Dagegen gibt es viele andere kleine Utensilien, die am
Ende des Alt. immer mehr zunehmen; sie bekommen
den Charakter persönlicher Gegenstände, oft zu mehreren vereint im selben Set, auf einen Ring gezogen,
oder kombiniert in einem einzigen Gegenstand mit verschiedenen zusammenklappbaren Teilen. Die Siebe
zum Filtern des Weins, die zunächst verhältnismäßig
bedeutende Ausmaße hatten, werden kleiner, individueller und oft an einem Ring am Finger getragen. Viele dieser Bestecke haben den Charakter von Toilette-
gegenständen: Ohrlöffel und Zahnstocher, nachgewiesen seit dem 1. Jh. n. Chr. (Petron. 33,1), zahlreich aber
vom 4. Jh. an.

Der Gebrauch der Gabel erfolgte nach allg. Auffassung nicht vor dem MA. Mehrere Gegenstände jedoch,
die in röm. Zeit selten, ab dem 6. Jh. n. Chr. zahlreicher
vorkommen, haben tatsächlich das Aussehen von Gabeln, mit zwei oder drei Zinken. In Funden sind sie oft
eindeutig den Löffeln beigeordnet und dürften bei
Tisch gedient haben.

Einige von diesen Bestecken, die größere Ausmaße
haben, wurden für die Bedienung benutzt: Es handelt
sich um Schöpfkellen und Siebe.
→ Cochlear; Tafelausstattung

1 H. MIELSCH, Miszellen zur spätant. Toreutik, in: AA, 1992,
475–478 **2** C. JOHNS, T. POTTER, The Thetford Treasure,

1983, 34–45 3 F. Baratte, Vaisselle d'argent, souvenirs littéraires et manières de table, in: Cahiers arch. 40, 1992, 5–20.

F. Baratte, Le trésor de la place Camille-Jouffray à Vienne (Isère), Gallia, 50. Ausg., 80–84 · H. W. Böhme, Löffelbeigabe in spätröm. Gräbern nördl. der Alpen, in: JRGZ 17, 1970, 172–200 · S. R. Hauser, Spätant. und frühbyz. Silberlöffel. Bemerkungen zur Produktion von Luxusgütern im 5. bis 7. Jh., JbAC, Ergbd. 19, 1992 · M. Martin, Besteck, in: H. A. Cahn, A. Kaufmann-Heinimann (Hrsg.), Der spätröm. Silberschatz von Kaiseraugst, 1984, 56–132 · E. Riha, W. B. Stern, Die röm. Löffel aus Augst und Kaiseraugst, Forsch. in Augst 5, 1982.   F. Ba./Ü: A. T.

Essedarius, Essedum s. Streitwagen

Essener A. Etymologie B. Antike Quellen C. Qumranfunde D. Geschichte

A. Etymologie

Der Name E. (Ἐσσηνοί, Ἐσσαῖοι) wurde der so bezeichneten Gemeinschaft wohl von Außenstehenden gegeben. Sie stellt die griech. Wiedergabe des aram. *ḥᵃsayyaʾ* dar (*ḥsyh* ist qumranisch jetzt in dem nicht-essenischen *Aramaic Levi Document* belegt: *wlʾ mtmḥʾ šm ḥsyh mn kwl ʿmhʾ lʿlm*, ›und der Name der Frommen wird nicht ausgelöscht werden in Ewigkeit‹; 4 Q 213a 3–4 6). Das zu aram. *ḥᵃsayyaʾ* bedeutungsäquivalente hebr. *ḥāsîd* findet sich als Teil einer Ortsbezeichnung der damals schon zerstörten Siedlung von Qumran auch in einem auf 134/5 n. Chr. zu datierenden Brief (*mṣd ḥsydym*, »Festung der Frommen«; Murabbaʿat [= Mur] 45 6) – was die vorgeschlagene Etym. bekräftigen dürfte (vgl. [4. Bd. 2, 164]).

B. Antike Quellen

Bis in die Neuzeit hinein war die jüd. Religionspartei der E. nur aus griech. und lat. Quellen bekannt (im wesentlichen → Philon von Alexandreia, Quod omnis probus liber sit 75–91; Pro Iudaeis defensio [Eus. Pr. Ev. 8,11; vgl. Phil. De vita contemplativa über die Therapeuten]; Ios. bell. Iud. 2,119–161, ant. Iud. 18,11 und 18–22; Plin. nat. 5,73; Hippolytos, Refutatio 9,18,2–28,2; weitere Quellentexte bei [1; 7]). Es ergibt sich das Bild einer etwa 4000 Personen (Phil. Quod omnis probus liber sit 75; Ios. ant. Iud. 18,20) umfassenden und über ganz Palaestina verstreuten Gemeinschaft. Neben der hohen Mitgliederzahl (vgl. Pharisäer: etwa 6000 Personen) belegen auch die Berichte über essenische Seher und Traumdeuter (Ios. bell. Iud. 1,78; 2,111–113, ant. Iud. 13,311–313; 15,371–379; 17,345–348) sowie der »Johannes der Essener« gen. zelotische Heerführer (Ios. bell. Iud. 2,567), daß es sich bei den E. nicht um eine »Sekte« im Sinne einer Randgruppe ohne Einfluß auf das öffentliche Leben handelte [36; 35]. Es ergibt sich das Bild einer von Gleichheit der Mitglieder (bei strikt hierarchischer Gliederung), Gütergemeinschaft, gemeinsamer Arbeit, Gemeinschaftsmählern und dem Reinheitsgedanken geprägten Gruppe. Nach Ios. ant.

Iud. 18,19 (lat. Übers. und Epitome!; vgl. Phil. Quod omnis probus liber sit 75) beteiligten sich die E. nicht am Jerusalemer Opferkult. Im Zentrum des essenischen Glaubens stehen Mose, die Tora und die Schriftauslegung (Ios. bell. Iud. 2,136; 145; 152; Phil. Quod omnis probus liber sit 80–82). Neben einem ehelos lebenden Zweig berichtet Iosephos von einer zweiten Gruppe, die Ehe und Beischlaf ausschließlich zur Zeugung von Kindern akzeptierte (bell. Iud. 2,160f.). Inhaltlich werden die E. durch ihren Schicksalsglauben und die Lehre von der Unsterblichkeit der Seele charakterisiert (Ios. ant. Iud. 18,18; vgl. 13,172; 15,373, bell. Iud. 2,154–158). Die Darstellung bei Philon und Iosephos ist tendenziös und von hell. Gedankengut geprägt (s. z. B. die Beschreibung der E. als einer den Pythagoreern vergleichbaren Philosophenschule: Ios. ant. Iud. 18,11). Unter geogr. Gesichtspunkten ist das Zeugnis des älteren Plinius (nat. 5,73) von Interesse, der die E. als eine nördlich von ʿEn Gedi an der Westseite des Toten Meers siedelnde Gruppe kennt.

Die von Philon in De vita contemplativa beschriebene ägypt. Gruppe der → Therapeuten kann als essenisch beeinflußt oder als ägypt. Splittergruppe der E. gelten.

C. Die Qumranfunde

Schon vor den Qumranfunden vertrat Ginzberg [21] die These, daß die in der → Geniza der Kairoer Esra-Synagoge und später in → Qumran gefundene Damaskusschrift (= CD) essenischen Ursprungs sei [21]. Siedlung und Schriftfunde von Qumran wurden zuerst von Sukenik [6] den E. zugeordnet (1948). Für einen essenischen Ursprung eines Teils der Hss. von Qumran sprechen theologische Übereinstimmungen (Determination, Leben nach dem Tod, zentrale Bed. der Tora) und Parallelen in der Lebenspraxis (Gemeinschaftsmähler, Reinigungsbäder, hierarchische Gliederung, dreijährige »Probezeit« für neue Mitglieder, Gemeinschaftseigentum, Einehe, kein Spucken in der Versammlung, Öl als Überträger von Unreinheit; s. u. a. [35; 36; 38]). Die Siedlung von Ḫirbet Qumran ist durch den Keramikbefund, ein jüngst in Qumran gefundenes Ostrakon [17] und ein Fr., das die Umsetzung halakhischer Vorschriften aus den Gemeinderegeln von Qumran dokumentiert (zu 4 Q477 s. [18]), untrennbar mit den Hss.-Funden verbunden.

Die essenischen Texte von Qumran zeichnen das Bild einer von radikaler Tora-Observanz, einem dualistischen Weltbild und eschatologischer Naherwartung geprägten Gemeinschaft, die sich als einzig legitimer Rest des erwählten, aber inzw. dem Frevel verfallenen Gottesvolkes versteht. In ihren Gottesdiensten erfahren die E. Gemeinschaft mit den Engeln. Ihr Geschichtsbild geht von der Prädestination und von einem epochal gegliederten Geschichtsverlauf aus. Eschatologisch ist bes. die Zwei-Messias-Vorstellung von Interesse. Sie erhofft neben dem davidischen auch einen priesterlichen → Messias (1 QS IX 11; CD XII 23; XIV 19; XIX 10; 4 Q test; vgl. CD XX 1) und ist wohl von Sach 4 beeinflußt.

Entsprechend dem Restgedanken finden sich neben dem Lexem *yaḥad* (»neu«) auch Selbstbezeichnungen wie »der Neue Bund« (*hbryt ḥḥdšh*; CD VI 19; VIII 21; XIX 33; XX 12; auf ein Vorstadium der E. bezogen) oder einfach »der Bund« (*hbryt*; z. B. 1 QS I 18.20.24 u. ö.). Wegen der großen Bed. von Dualismus und → Eschatologie ist die Gemeinschaft von Qumran immer wieder als apokalyptisch charakterisiert worden (s. z. B. [15; 22]), wogegen jedoch das völlige Fehlen von Apokalypsen unter den essenischen Texten spricht (vgl. [14; 33; 35]). Die zentrale Rolle von Tora-Observanz, Reinheitsthematik und kalendarischen Fragen sowie die große Bed. der Priester legen vielmehr nahe, daß es sich bei den E. um eine priesterlich bestimmte Gruppe handelt. Bes. anschaulich wird dies in 1 QSa II 11–22 illustriert, wenn in der eschatologischen Versammlung der Gemeinde Gottes sowohl beim Einzug als auch beim Mahl die Priester den Vorrang vor dem Messias haben. Auf die priesterliche Prägung der essenischen Gemeinschaft dürfte es schließlich auch zurückzuführen sein, daß sie an dem alten und ab der → Hasmonäerzeit nicht mehr verwendeten solaren Kultkalender festhielt (zu den verschiedenen solaren und lunisolaren Kalendern im ›astronomischen Henochbuch‹ [astrHen = 1 Hen 72–82], ›Jubiläenbuch‹ [Jub] und den Kalendertexten von Qumran s. [8; 27. Bd. 3, 53 ff.]).

Essenische Texte verstehen sich im wesentlichen als Schriftauslegung: Zwei der wichtigsten Gemeinderegeln (zur essenischen → Halakha s. [29; 31]) tragen die Titel *mdrš [h]twrh lʾḥrwn* (»letztgültige Auslegung der Tora«; s. in den Damaskusschrift-Hss. aus Höhle 4: 4 QDᵃ 11 20f. par 4 QDᵉ 7 II 15) und *mdrš lmśkyl ʿl ʾnšy htwrh hmtndbym lhšyb mkl rʿ wlhhzyq bkl ʾšr swh* »Auslegung für den Unterweiser über alle Männer der Tora, die sich hingegeben haben, um zur Umkehr zu bringen von allem Bösen und um festzuhalten an allem, was er geboten hat«; s. in den Hss. der Gemeinderegel aus Höhle 4: 4 QSᵇ 5 1 par 4 QSᵈ 1 I 1). Die Gesch. der Gemeinschaft und ihre eschatologischen Hoffnungen werden in fortlaufenden Auslegungen von Prophetentexten und Psalmen (fortlaufende Pešarim) oder in Auslegungen thematisch kompilierter Schriftzitate (thematische Pešarim) dargestellt. Sowohl thematische als auch fortlaufende Pešarim verstehen sich dabei als inspirierte und nur in Nachfolge des »Lehrers der Gerechtigkeit« mögliche Schriftauslegung (1 QpHab II 1–11; VII 3–5). Auch die poetisch-liturgische Lit. der E. wird gerne als Schriftzitaten und -anspielungen komponiert (→ Exegese).

D. GESCHICHTE

(Zur Gesch. der E. s. [34; 35; 13]): Die ant. E.-Berichte, die Ausgrabungen und die essenischen Texte von Qumran erlauben eine vage Rekonstruktion der Gesch. der essenischen Bewegung. Lit. Hauptquellen sind die kurze Entstehungsskizze in CD I 5 ff. und die eschatologische Vergegenwärtigung biblischer Texte in der Gesch. der E. durch die Pešarim: Nachdem auf die hell. Hohepriester Iason, Menelaos, Alkimos und einen na-

mentlich nicht mehr bekannten Interimsvorgänger (dazu s. [35]) folgend der Makkabäer Jonathan 152 v. Chr. zum Hohepriester ernannt wurde (1 Makk 10,15–21), verließ dessen Vorgänger, von einer priesterlichen Gruppe gefolgt, den Tempel und stieß zu einer sich selbst »Der neue Bund« nennenden priesterlich-chassidischen Gruppe. Diese dürfte 20 J. früher, z. Z. der sog. hell. Religionsreformen, den Tempel verlassen haben. Aus der Vereinigung beider Gruppen erwächst die essenische Gemeinschaft (daß Iosephos die E. in ant. Iud. 13,171–173 erstmals während der Herrschaft Jonathans erwähnt, dürfte diese histor. Verortung bestätigen; vgl. [11]). Movens für das Schisma von 152 v. Chr. ist der von Jonathan befolgte Lunarkalender und die Tatsache, daß er kein Oniade war, also nicht der Priesterfamilie angehörte, die als einzige den Hohepriester stellen durfte. In den essenischen Texten von Qumran wird Jonathans Vorgänger lediglich als »Lehrer der Gerechtigkeit« bezeichnet. Die mit dem Schisma verbundenen Konflikte und Nöte dokumentieren u. a. die von ihm verfaßten Lehrerlieder in den *Hodayot* und der Bericht 1 QpHab XI 4–8. Aus den am Tempel verbliebenen Priestern entwickelte sich später die sadduzäische Religionspartei.

Schon bald nach der Entstehung der E. kam es zu einer Auseinandersetzung um die rechte Auslegung der Tora. Unter ihrem von den E. als »Mann des Spottes« und »Lügenmann« bezeichneten Führer spaltete sich von den E. eine Gruppe ab. Sie wird als die ›die auf glatte Dinge hin auslegen‹ (*ʾšr drš bhlqwt* bzw. *dwršy hlqwt*, CD I 18 u. ö.) beschrieben. Da die Bezeichnung ein Wortspiel auf zentrale Begriffe des Pharisäismus darstellt (→ Halakha und → Midraš) und die so beschriebene Gruppe in 4 QpNah 3–4 I 6f. mit den Pharisäerverfolgungen des → Alexandros [16] Iannaios in Verbindung gebracht wird [30], dürfte es sich bei dem in CD I 12 ff. erwähnten Schisma um die Geburtsstunde des Pharisäismus handeln. Die halakhischen und kalendarischen Streitfragen mit den Pharisäern werden eindrucksvoll von einem frühen Brief der essenischen Gemeinschaft an den Jerusalemer Hohepriester illustriert (4 QMMT).

Wie die ant. Quellen mit ihrer Mitteilung, die essenische Bewegung habe 4000 Mitglieder umfaßt (s. o.), belegen, entwickelten die E. sich bald zu einer relativ großen Religionspartei, deren Einfluß keinesfalls unterschätzt werden sollte (vgl. [36; 35]). Bauliche Voraussetzungen in Qumran, die in CD VII 6 (u. ö.) erwähnten Lager (mehrere!), Philon (Quod omnis probus liber sit 75) und Iosephos (bell. Iud. 2,124 ant. Iud. 18,19) legen gegen Plinius (nat. 5,17) nahe, daß die essenische Bewegung nicht auf die Siedlung von Qumran bzw. das Tote Meer beschränkt war. Bei Ausgrabungen in ʿEn el-Ghuweir, Ḥiam el-Sagha und Jerusalem wurden Gräber gefunden, die denjenigen der Friedhöfe von Qumran vergleichbar sind und somit essenische Ansiedlungen auch außerhalb von Qumran nahelegen [39]. Über den weiteren Verlauf der essenischen Gesch. ist wenig bekannt. Die Notiz über die Pharisäerverfolgung des hasmonäischen Herrschers Alexandros [16] Iannaios (4 QpNah 3–4 I 6f.) macht im Zusammenspiel mit einem als nicht abgesandte Grußadresse an denselben interpretierten Fr. (4 Q448) eine Annäherung an die Hasmonäer während seiner Regierungszeit (103–76 v. Chr.) möglich. Der legendarische Bericht über die Vorhersage der Herrschaft Herodes' d. Gr. durch einen E. (Ios. ant. Iud. 15,375–378) könnte als Hinweis auf einen polit. Einfluß auf diesen König interpretiert werden. Das Ende der essenischen Bewegung dürfte während des 1. Jüd. Krieges (60–70 bzw. 74 n. Chr.) anzusetzen sein – hierauf deuten sowohl der arch. Befund von Qumran als auch der Bericht über essenische Martyrien in Ios. bell. Iud. 2,152f. Daß einer der zelotischen Heerführer Johannes der Essener genannt wird (Ios. bell. Iud. 2,567), läßt im Zusammenspiel mit der Verfolgung der E. durch die Römer eine essenische Beteiligung am zelotischen Befreiungskampf nicht als unwahrscheinlich erscheinen. Die eigentlich pazifistischen E. hätten ihn dann als den in der Kriegsregel beschriebenen endzeitlichen Krieg gegen die Mächte der Finsternis verstanden. Ob Überreste der essenischen Bewegung im frühen Christentum und rabbinischen Judentum aufgingen, ist umstritten, aber nicht auszuschließen.

ED.: **1** A. ADAM, CH. BURCHARD, Ant. Berichte über die E., ²1972 **2** K. BEYER, Die aram. Texte vom Toten Meer, Bd. 1–2, 1984–1994 **3** J. H. CHARLESWORTH (Hrsg.), The Princeton Theological Seminary Dead Sea Scrolls Project, Bd. 1ff., 1991ff. **4** Discoveries in the Judean Desert, Bd. 1ff., 1955ff. (= DJD 1ff.) **5** F. GARCÍA MARTÍNEZ, E.J.C. TIGCHELAAR, The Dead Sea Scrolls Study Edition, Bd. 1–2, 1997/8 **6** E.L. SUKENIK, The Dead Sea Scrolls of the Hebrew University, 1955 (Hebr. 1948) **7** G. VERMES, M.D. GOODMAN, The Essenes According to the Classical Sources, 1989.
LIT.: **8** M. ALBANI, Zur Rekonstruktion eines verdrängten Konzepts: Der 364–Tage-Kalender in der gegenwärtigen Forschung, in: Ders. et al. (Hrsg.), Studies in the Book of Jubilees, 1997, 79–125 **9** T. S. BEALL, Josephus' descriptions of the Essenes illustrated by the Dead Sea Scrolls, 1988 **10** R. BERGMEIER, Die E.-Berichte des Flavius Josephus, 1993 **11** O. BETZ, s. v. E. und Therapeuten, TRE 10, 386–391 **12** CH. BURCHARD, Bibliogr. zu den Hss. vom Toten Meer, Bd. 1–2, 1957–1965 **13** PH.R. CALLAWAY, The History of the Qumran Community, 1988 **14** J. CARMIGNAC, Qu'est-ce que l'Apocalyptique? Son emploi à Qumrân, in: Revue de Qumran 10, 1979–1981, 3–33 **15** J.J. COLLINS, Apocalypticism in the Dead Sea Scrolls, 1997 **16** F. M. CROSS, The Ancient Library of Qumran, ³1995 **17** F. M. CROSS, E. ESHEL, Ostraca from Khirbet Qumrân, in: IEJ 47, 1997, 17–28 **18** E. ESHEL, 4Q477: The Rebukes by the Overseer, in: Journal of Jewish Studies 45, 1994, 111–122 **19** H.-J. FABRY, s. v. Qumran, Neues Bibellexikon, im Druck **20** F. GARCÍA MARTÍNEZ, D. W. PARRY, A Bibliography of the Finds in the Desert of Judah 1970–95, 1996 **21** L. GINZBERG, Eine unbekannte jüd. Sekte, 1922 **22** M. HENGEL, Judentum und Hellenismus, ²1973 **23** B. JONGELING, A Classified Bibliography of the Finds in the Desert of Judah 1958–1969, 1971 **24** A. LANGE, H. LICHTENBERGER, s. v. Qumran, TRE 28, 45–79 **25** W.S. LASOR, Bibliography of the Dead Sea Scrolls 1948–1957, 1958 **26** E. LOHSE, Die Texte aus Qumran, ³1981 **27** J. MAIER, Die Qumran E.: Die Texte vom Toten Meer, Bd. 1–3, 1995/6 **28** J. T. MILIK, Ten Years of Discovery in the Wilderness of Judaea, 1959 **29** L.H. SCHIFFMAN, The Halakhah at Qumran, 1975 **30** Ders., Pharisees and Sadducees in Pesher Nahum, in: M. BRETTLER, M. FISHBANE (Hrsg.), Minḥah le-Naḥaum, FS Nahum M. Sarna, 1993, 272–290 **31** Ders., Reclaiming the Dead Sea Scrolls, 1994 **32** Ders., J.C. VANDERKAM u.a. (Hrsg.), Encyclopedia of the Dead Sea Scrolls, im Druck **33** H. STEGEMANN, Die Bed. der Qumranfunde für die Erforschung der Apokalyptik, in: D. HELLHOLM (Hrsg.), Apocalypticism in the Mediterranean World and the Near East, ²1989, 495–530 **34** Ders., Die Entstehung der Qumrangemeinde, Diss. Bonn 1971 **35** Ders., Die E., Qumran, Johannes der Täufer und Jesus, ⁴1994 **36** Ders., The Qumran Essenes – Local Members of the Main Jewish Union in Late Second Temple Times, in: J. TREBOLLE BARRERA, L. VEGAS MONTANER (Hrsg.), The Madrid Qumran Congress, 1992, 83–166 **37** G. STEMBERGER, Pharisäer, Sadduzäer, E., 1991 **38** J.C. VANDERKAM, The Dead Sea Scrolls Today, 1994 **39** B. ZISSU, śdh »qbrym ḥpwrym« bbyt ṣpp' – ʿdwt 'rky'wlwgyt lqhylt 'ysyym?, in: A. FAUST (Hrsg.), New Studies on Jerusalem. Proceedings of the Second Conference, 1996, 32–40.   AR.L.

Eßgeschirr. Bildliche Dokumente (Reliefs, Mosaiken, Gemälde, insbes. illustrierte Bücher) helfen, den Gebrauch des im Verlauf einer Mahlzeit verwendeten E. zu verstehen [1]; ein Mosaik von Antiochia (»House of the Buffet Supper«) zeigt z. B. einen gedeckten Tisch, bedeckt mit E.: Schüsseln in verschiedenen Formen, rechteckig und rund, Gedecke, Eierbecher oder Schalen für die Saucen, Weinbecher. Schon im Alt. unterscheidet man sorgfältig zwischen Trinkgeschirr und E. (*vasa potoria*/*vasa escaria*: Dig. 33,10,3,3).

Auch Texte geben nützliche Informationen über die Form, das Dekor oder die Funktion der Gegenstände (sie weisen z. B. auf die *boletaria* hin, Schüsseln für die Pilze), aber sie sind oft sehr verstreut und mitunter schwer zu interpretieren: Es ist nicht leicht, die von ihnen gelieferten ant. Bezeichnungen mit den dargestellten oder wirklich bewahrten Stücken in Übereinstimmung zu bringen. Dieselbe Form kann außerdem mehrfache Verwendungen haben, kann bei Tisch und in anderen Zusammenhängen verwendet werden.

Auf den reichsten Tafeln verfügte man über sehr vollständiges E. (*ministerium*, σύνθεσις, »Service«), welches sowohl Gedecke und Trinkgeschirr als auch Schüsseln und alle für einen guten Ablauf des Gastmahls unverzichtbaren Requisiten umfaßte (Paul. sent. 3,6,86); sonst war das E. bescheidener und weniger reichlich. Die Mahlzeit war oft eine wirkliche Inszenierung, wofür das Festmahl des Trimalchio (Petron.) ein zwar karikierendes, aber doch sehr bezeichnendes Bild gibt: Schüsseln und Präsentierteller (*ferculum*) nahmen einen wichtigen Platz in seinem Ablauf ein: Sie wurden in einer großen Zeremonie von den Dienern hereingebracht (Gemälde eines Hauses in der Nähe des Lateran

Küchengeschirr

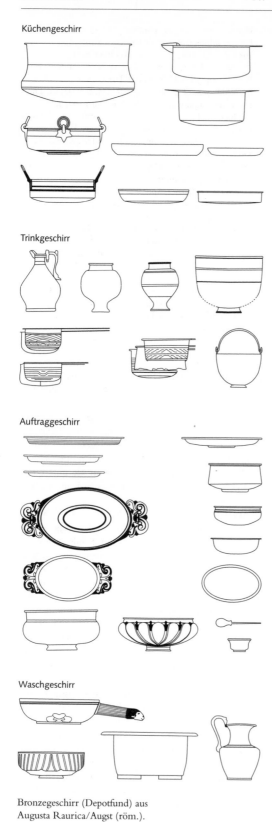

Trinkgeschirr

Auftraggeschirr

Waschgeschirr

Bronzegeschirr (Depotfund) aus
Augusta Raurica/Augst (röm.).

in Rom) [2], beladen mit verschiedenen Speisen, Vorspeisen, Gemüse und Fleisch, deren Arrangement allein
schon ein Schauspiel ausmachen konnte. Diese Schüsseln konnten große Ausmaße annehmen (die größten
erhaltenen haben mehr als 60 cm Durchmesser), aber
die Größen waren wahrscheinlich standardisiert: So unterscheidet eine Töpferrechnung von La Graufesenque
(Frankreich) zw. *catini* (d. h. Schüsseln für die Bedienung) von einem Fuß (*pedales*), einem halben Fuß (*se-
mipedales*) und von einem Drittel Fuß (*trientales*) [3].
Man kennt sowohl runde Schüsseln von etwa 30 cm
Durchmesser als auch andere von geringerer Größe (ca.
10 cm), die wahrscheinlich dazu bestimmt waren, selbst
andere Objekte zu tragen. Die weniger zahlreichen ovalen Schüsseln gibt es auch in allen Arten von Materialien
(Silber, Bronze, manchmal verzinnt oder silberplattiert,
Terrakotta oder Glas) und in sehr verschiedenen Größen, von 10 cm bis mehr als 50 cm Länge. Die größten
unter ihnen, die zum Servieren von Geflügel und Fisch
dienen, zeigen Malereien und Mosaiken. Diese ovalen
Schüsseln sind nicht sehr tief; das gleiche gilt für die
runden Schüsseln, die entweder ganz flach oder nur
leicht gewölbt sind. Beide finden sich oft vereint im
selben Ensemble, ohne daß man weiß, was sie im Gebrauch unterschied. Auch Becken, oft gerippt, wurden
für die Bedienung benutzt. Die zur Aufnahme der Speisen auf dem Tisch bestimmten Gefäße haben sehr unterschiedliche Formen, wie man z. B. auf pompeianischen Gemälden sieht: Bald sind sie flach mit einem
vertikalen Rand, bald stärker gewölbt; in diesem Fall
handelt es sich um wirkliche Schalen oder sogar Eimer
(*situla*). Ihre genaue Funktion bleibt jedoch schwer zu
bestimmen: Nach ihrer Größe und ihrem Aussehen haben die Becken möglicherweise auch für die Gäste dazu
gedient, sich die Hände zu waschen; die Eimer wurden
häufig für den Wein benutzt, aber bildliche Darstellungen zeigen sie auch gefüllt mit Obst. Kleine Schalen
(*acetabulum*) erlaubten die Darreichung der sehr geschätzten Saucen. Das Salz wurde in kleinen offenen
Behältern angeboten, die Gewürze in Büchsen, oft in
Form von Vasen (Amphoren) oder von Statuetten, versehen mit beweglichen Vorrichtungen zum Öffnen und
Schließen in sehr ausgearbeiteter Technik. Manche dieser Gegenstände haben eine doppelte Funktion: Eierbecher aus Silber in Pompeii oder in Boscoreale werden,
umgedreht, zu kleinen Ständern. Es gibt kein ei-
gentliches individuelles Gedeck, d. h. Teller.

Manche Tafelgeschirrstücke aus Terrakotta oder Metall sind drei- oder vierfach vorhanden, wie verschiedene Funde und einige Texte zeigen (Inventar eines Sil-
berdepots, Berlin PM 8935, Mitte des 1. Jh. n. Chr.) [4].
→ Tafelausstattung

1 F. BARATTE, La vaisselle de bronze et d'argent sur les
monuments figurés romains, in: Bulletin de la Société
nationale des antiquaires de France, 1990, 89–107
2 G. CASSINI, Pitture antiche ritrovate accanto il v. ospedale
di S. Giovanni, 1783 3 R. MARICHAL, Les graffites de La
Graufesenque, Gallia, 47. Ausg., 1988 4 F. DREXEL, Ein

ägypt. Silberinventar der Kaiserzeit, in: MDAI(R) 36/7, 1921/1922, 34–57.

F. BARATTE, La vaisselle d'argent en Gaule dans l'antiquité tardive, 1993 · W. HILGERS, Lat. Gefäßnamen, 1969 · S. MARTIN-KILCHER, Services de table en métal précieux du 1er au 5e siècle après Jésus-Christ, in: F. BARATTE, K. PAINTER (Hrsg.), Trésors d'orfèvrerie gallo-romains, 1989, 15–20 · L. SCHWINDEN, Ein neugefundener Silberteller mit Graffiti aus der röm. Villa von Wittlich, in: Funde und Ausgrabungen im Bezirk Trier, 1989, 19–29 · D. E. STRONG, Greek and Roman Gold and Silver Plate, 1966.

F. BA./Ü: A. T.

Essig (ὄξος, *acetum*). Würz- und Konservierungsmittel, durch Vergären zumeist von Wein, gelegentlich auch von Saft aus Früchten wie Datteln oder Feigen gewonnen. Er existierte in unterschiedlichen Qualitäten, wobei der aus Alexandreia stammende E. bes. geschätzt wurde (Plin. nat. 14,102). E., der Anfang des 4. Jh. n. Chr. weniger als gewöhnlicher Wein kostete (Edict. Diocletiani 3,5), trug zur süßsäuerlichen Geschmacksnote vieler Speisen bei; Apicius bereitete mit ihm häufig Saucen für Fleisch- und Fischgerichte zu (z. B. 7,1,1). Gemischt mit Wasser, Most oder Wein, war E. ein durstlöschendes Getränk einfacher Leute, aber auch der im Feld stehenden Soldaten. Ärzte nutzten ihn für die unterschiedlichsten medizinischen Anwendungen (Plin. nat. 23,54–61).

→ Apicius

J. ANDRÉ, L'alimentation et la cuisine à Rome, ²1981 · J. COLIN, s. v. E., RAC 6, 635–46 · H. STADLER, s. v., RE 11, 689–692.　　　　　　　　　　　　　　　　　A. G.

Eßkultur A. GRUNDSÄTZLICHES UND QUELLEN B. ERNÄHRUNG C. MAHLZEIT

A. GRUNDSÄTZLICHES UND QUELLEN

Im weiteren Sinne bezeichnet E. die Gesamtheit der Tätigkeiten, die mit der → Ernährung verbunden sind, sowohl konkrete Handlungen als auch ihre symbolischen Darstellungen. Der neue übergreifende Zugang zur ant. E. verdankt viel der Anthropologie seit Claude LÉVI-STRAUSS, die die erstaunlichen Zusammenhänge unter den E. der untersuchten Gesellschaften nachgewiesen hat: Es geht nicht mehr nur darum, die angebauten und verzehrten Nahrungsmittel aufzulisten, die unterschiedlichen Arten der Zubereitung und des Verzehrs zu kennen, die sie begleitenden sozialen Rituale auszumachen, sondern auch darum, ihre rel. Bed. und ihre Stellung im medizinischen Diskurs zu berücksichtigen und eine Verbindung zwischen den Handlungen und den sie betreffenden Diskursen herzustellen.

Die E. trägt wesentlich zur Definition von kultureller Identität bei und ist ein bevorzugter Indikator für die Art und Weise, wie sich eine Gesellschaft strukturiert. Das Studium von E. stützt sich auf unterschiedliche Quellen aus Arch., Bildern und Texten. Die Arch. liefert die Kenntnis von Gebäuden, bebauten und unbebauten Räumen, in denen Speisen zubereitet, verkauft

oder verzehrt wurden, sowie auch von Lebensmitteln (dank der verkohlten oder getrockneten Produktreste, die man z. B. in Amphoren fand). Jüngere Ausgrabungen interessieren sich für die Analyse pflanzlicher und tierischer Abfälle, neuerdings auch aus Latrinen. Wesentliche Zeugnisse bietet die Ikonographie (Vasenmalereien für die griech., Mosaiken für die hell. und die röm. Welt): auf Stilleben dargestellte Nahrungsmittel, Tischsitten, mit der Ernährung verbundene Berufe, rituelle Gebräuche usw. Normative Texte sind selten: Inschr. geben z. B. Lebensmittelrationen an (Fleisch, Getreide, Wein) [33]. Daneben stehen jedoch zahlreiche deskriptive Texte aus der gesamten Ant., die sich mit dem Thema E. befassen.

Die Erforschung der E. erfordert immer wieder den Abbau von Schranken zwischen den histor. Forschungsbereichen (wie Agrargesch., Sittengesch., Rel.-gesch., Medizin, materielle Kulturgesch., Ideengesch.) und legt dabei Wert auf verschiedenartige Methoden. Die E. entzieht sich dem zu engen Rahmen des Alltagslebens und bezieht alle Bereiche des Wissens ein (»Nahrung ist gut für das Denken«, vgl. »food for thought«); dies versuchen neue Studien auch für das Alt. zu beweisen. Man kann E. unter zwei übergeordneten Gesichtspunkten untersuchen, dem der Ernährung und dem der Mahlzeiten.

B. ERNÄHRUNG

Die Griechen und Römer schenkten den Nahrungsmitteln und dem Ernährungsverhalten große Beachtung. In den meisten Texten aus allen lit. Gattungen geht es weniger um die Beschreibung dessen, was gegessen wird, als um die damit verbundene Vielseitigkeit und Unterschiedlichkeit der Verhaltensweisen. Es gibt Ernährungsnormen: Abweichungen davon geben Anlaß, sich mit ihrer Andersheit, gegebenenfalls Minderwertigkeit zu befassen. In den Augen der Griechen können die Nichtgriechen (»Barbaren«) den rechten Gebrauch von Nahrungsmitteln nicht kennen. Herodots ›Historien‹ zeigen diese Differenz deutlich auf und klassifizieren die Völker zwischen äußerster Wildheit und der Zivilisation eben nach ihrer Art, sich zu ernähren: Die Bewohner Arkadiens, die den griech. Urvölkern am nächsten sind, essen z. B. Eicheln (zur Ernährung der Frühzeit vgl. Plut. De esu carnium I, 993a–994b). Auch röm. Autoren schreiben allen, die sich vom Modell des röm. Bürgers abheben, eine andere Diät zu: z. B. den Germanen oder Numidern, aber auch den Tyrannen, Philosophen und Gladiatoren [8]. Das Anderssein kann durch räumliche, aber auch zeitliche Entfernung zu der griech.-röm. Vergleichskultur bedingt sein: Die Vorfahren, z. B. die Griechen der homer. Zeit, essen nicht wie die der klass. Zeit [33. 449–451]. Alterität hat auch mit dem polit. System zu tun: Ein Demokrat und ein Tyrann werden nicht denselben Bezug zur Nahrung haben. So sind Ernährungsnormen, die ohne Unterlaß (z. B. von Aufwandgesetzen, Dekreten und Verordnungen) ins Gedächtnis gerufen werden, ein Schlüsselelement bei der Definition des Menschen, bei der Konstituierung einer Anthropologie.

Die Ernährung dient dazu, einem Menschen seinen Platz in der Zeit, im Raum und in der Gesellschaft anzuweisen. Ant. Autoren unterscheiden zwischen Nahrungsmitteln, die mit Armut assoziiert sind, und solchen, die Reichtum bezeugen, denen des Bauern und denen des Stadtbewohners. Fladen mit etwas Würze, Zwiebeln und gedörrte Feigen sind in ant. Komödien die tägliche Nahrung des armen Stadtbewohners und des Soldaten, während das Landleben und der Frieden die Alltagskost aufbessern können (vgl. z. B. Aristoph. Ach., Aristoph. Pax). Der Verzehr von Fisch ist ein Zeichen von Wohlstand. Auch die Art der Zubereitung kennzeichnet den Unterschied zwischen Arm und Reich: Nur die reiche Stadt kennt die Koch- und Backkunst; dort entstehen die ersten gastronomischen Schriften (→ Kochbücher, → Gastronomie). Das Thema des Mangels und des Überflusses an Nahrung kommt in ant. Texten häufig vor, bes. in der Komödie, so daß sogar der Übergang von einem zum anderen die Handlung eines Stücks strukturieren kann (z. B. in Aristoph. Plut.). Die Ernährung ist auch ein moralischer Gradmesser: Persönliche Genügsamkeit, Großzügigkeit bei Gaben und Mahlzeiten werden hoch geschätzt; sie sind somit ein Mittel, die Ethik des Stadtlebens zu umreißen (u. a. bei Plutarch) [33. 253–420].

Die → Nahrungsmittel bedeuten weit mehr als die Arbeitserträge der Menschen; sie sind auch Gaben der Götter. Jedes Nahrungsmittel besitzt einen symbolischen Wert, der in Mythen expliziert und in Riten nachvollzogen wird [38; 39; 12]. Der Verzehr von Getreide schafft vielfach einen Kommunikationsmodus mit den Göttern. Zunächst ist die Bestellung des Bodens ein Kult, den der Bauer den Göttern abstatten muß. Die bäuerliche Arbeit bedeutet eine Form der täglichen Frömmigkeit, Ehrfurcht vor heiligen Handlungen und das Bewußtsein vom Ende des Goldenen Zeitalters, in dem die Menschen gemeinsam mit den Göttern lebten. Die Assoziation zwischen Getreideähre und *bíos*, »Leben« bei Hesiod (erg. 31 f.), kennzeichnet die enge Beziehung zwischen Getreidenahrung und menschlicher Lebenskraft; es hieß auch, daß Gerste und Weizen das Mark der Menschen ausmachen (Hom. Od. 2,290; 20,108). Der Getreideanbau ist Kennzeichen des kultivierten Lebens und der Zivilisation, im Gegensatz zum Wachstum der wilden Pflanzen [10]. Dieser Gegensatz zwischen Natur und Kultur, dem Wilden und Zivilisierten, liegt dem komplexen Wertekodex der verschiedenen Nahrungspflanzen zugrunde, die von den gröbsten und wildesten Pflanzen (wie Gras) zu den trockensten und den der Götternahrung ähnlichsten Pflanzen (wie den Gewürzen) reichen. Das Getreide, gleich weit entfernt von einer rohen und feuchten Nahrung (derjenigen der Tiere) und von einer trockenen und warmen (derjenigen der Götter) ist charakteristisch für den Menschen. Dieses Vorstellungssystem zeigt, daß es in den ant. Kulturen kein Nahrungsmittel ohne symbolische Funktion gab.

Dasselbe gilt für das Fleisch; so präsentiert z. B. die Sage von → Prometheus (Hes. theog. 535–616; Hes. erg. 43–106) das blutige Opfer als einen Nahrungsritus. Der Verzehr von Fleisch unterliegt durchweg einer Reihe von Zwängen und Einschränkungen: Er beschränkt sich auf gewisse Tierarten und schließt andere aus. Man opfert nur Haustiere, wilde Tiere werden gejagt. Jede Gottheit hat ein (oder mehr) bevorzugtes Opfertier; auch dessen Alter und Geschlecht ist wichtig. Die Schlachtung, Zerlegung, Aufteilung und Vorbereitung der Fleischstücke erfolgen nach genauen Regeln, welche die rel., sozialen und polit. Wertvorstellungen eines Gemeinwesens anzeigen. Es opfern nur die Männer, und unter ihnen oft nur die Bürger. Die Aufteilung des Fleisches respektiert sowohl die Gleichheit unter den Mitgliedern als auch die Hierarchie. Man ißt das gegarte Fleisch (schon die Arten seiner Garung entsprechen einem Kodex); sein Verzehr verdeutlicht die Distanz einerseits zwischen Menschen und Tieren, die rohes Fleisch fressen, andererseits zwischen Menschen und Göttern, die kein Fleisch zum Leben brauchen. Doch der Rauch, der von den Altären aufsteigt, auf welchen der Anteil der Götter verbrennt, ist ein Zeichen für die Kommunikation zwischen Menschen und Göttern. Im blutigen Opfer, im Verzehr von Fleisch und Getreide, vollzieht sich also eine Definition der *condition humaine*, genauer der Bürgerschaft, d. h. der polit. Identität. Deshalb stellen sich auch Individuen, die den Verzehr des Opferfleisches verweigern (z. B. die vegetarischen Mitglieder von orphischen und pythagoreischen Gruppen), an den Rand des polit. Systems [11].

In der griech. Welt gilt Ähnliches für → Getränke und speziell für den → Wein, die Gabe des Dionysos. Weinbau und -herstellung sind ebenso wie die Beherrschung seines Genusses Kennzeichen der Zivilisation. Wilde Lebewesen und Völker kennen den rechten Umgang mit Wein nicht. Die Insel der → Kyklopen etwa hat keine Weizenfelder und Weinberge: → Polyphem, der menschenfressende Kyklops der ›Odyssee‹ (Hom. Od. 9,109 ff.), ist rasch betrunken. Ein häufiges Thema von griech. Erzählungen und Bilddarstellungen (bes. auf Vasenbildern mit → Satyrn und → Kentauren [24]) ist die Auswirkung des Weins auf diejenigen, welche die gehörige Distanz zu diesem Getränk, welches Raserei hervorrufen kann, nicht wahren können, weil sie den Schlüssel zu seinem rechten Konsum nicht kennen: das Leben in der Ges. In der röm. Welt scheint der Wein nicht dieselbe symbolische Bedeutung zu besitzen.

Nahrungsmittel sind nicht nur Gegenstand des sozialen, kulturellen und rel. Diskurses, sondern auch der Reflexion über die Lebensart, der → Diätetik. Die Ernährung wird oft im Zusammenhang der Gesundheit untersucht: Einige medizinische Abhandlungen sind im wesentlichen der Diätetik gewidmet, vom Corpus des → Hippokrates aus dem 5./4. Jh. v. Chr. (*De diaeta, De diaeta in acutis, De salubri diaeta*) bis zu den Schriften des → Galenos (2. Jh. n. Chr.), des → Oreibasios (4. Jh. n. Chr.) und des → Anthimos [1] (6. Jh. n. Chr.). Andere medizinische Werke wie *De medicina* des → Celsus [7] (1. Jh. n. Chr.) berücksichtigen den therapeutischen Aspekt der Ernährung, vgl. → Dioskurides [5] im 1. Jh. n. Chr. (*De materia medica*) und Apuleius im 4./5. Jh. n. Chr. (*Herbarius*). Nahrungsmittel und Getränke können Gesundheit erhalten oder wiederherstellen; daher muß man ihre Eigentümlichkeiten entdecken und kennen, klassifiziert nach den üblichen Kategorien: trokken, feucht, heiß, kalt, gut verdaulich, unverdaulich. Die natürlichen Eigenschaften der Nahrungsmittel werden außerdem durch ihre Zubereitung und Verwertung verändert. Die Tätigkeit, das Alter, die Konstitution und das Geschlecht des Konsumenten sind ebenfalls zu berücksichtigende Parameter. Schließlich ist auch die Menge der aufgenommenen Nahrung bedeutsam für ein Gleichgewicht des Körpers, das die Gesundheit begünstigt. Eine Konstante der ant. Diätetik ist der Aufruf zur Mäßigung; die Verbindungen zwischen Medizin und → Ethik sind eng: Die Gesundheit ist auch Ergebnis von tugendhaftem Verhalten [23]. Die Nahrungsmittel in ihren rel., kulturellen und medizinischen Dimensionen umschreiben eine Kunst des guten Konsums, die im Mittelpunkt der ant. E. steht.

C. MAHLZEIT

Das zweite große Thema der ant. E. ist die Art und Weise des Verzehrs von Nahrungsmitteln und Getränken, die Mahlzeit. Das griech. Mahl trennt den Zeitpunkt des Verzehrs fester Speisen scharf von dem der Getränke, dem *sympósion*, während das röm. Mahl feste Speisen und Getränke mischt (→ Gastmahl; → Tischsitten). Diese Mahlzeiten gelten als das Eigentümliche der Menschen im Vergleich zu den Göttern, der Griechen gegenüber den Nichtgriechen und der Bürger untereinander innerhalb der Stadt.

Im griech. Mythos sitzen Götter und Menschen anfangs Seite an Seite beim Festmahl. Durch den Betrug des → Prometheus (Hesiod) und den Zorn des Zeus werden die Menschen gezwungen zu arbeiten, um sich zu ernähren, eine Frau zu nehmen, um sich fortzupflanzen, und sie werden sterblich. Nach dem Ende der Tischgemeinschaft mit den Göttern ißt jeder für sich allein. Im Olymp ist das Festmahl ein beliebter Zeitvertreib der Götter: Sie essen und trinken die Nahrungsmittel der Unsterblichkeit, Nektar und Ambrosia; sie hören Musik, unterhalten sich und sind unberührt von den Sorgen, die ihnen die Menschen bereiten [35]; das Festmahl ist das Zeichen ihres unbekümmerten Glücks. Bei den Menschen hingegen ist das Festmahl Zeichen der Situation von Sterblichen, die die Erde bebauen, irdische Nahrungsmittel zu sich nehmen und vom göttlichen Status ausgeschlossen sind. Es umschreibt den menschlichen Status.

Das Festmahl hat auch eine kulturelle Bed.: Es ist Kennzeichen der Zivilisation. Nicht jedes menschliche Wesen ist freilich für das Festmahl geeignet; die nicht Zivilisierten kennen es nicht oder mißbrauchen es. Eine Rangordnung des diesbezügl. Benehmens erlaubt die Einstufung der Völker von der äußersten Wildheit bis zur Zivilisation; diese Rangordnung entfaltet sich in der Zeit wie auch im Raum. Am weitesten entfernt sind die Wesen, die niemals gemeinsam essen, so die einsamen Wal-Esser an den nördlichen Küsten der Welt (Diod. 17,25,3 f.), Menschen in weit zurückliegender Zeit (Aristot. pol. 7,1329b) oder die nur das Hirtenleben kennenden ital. Oenotrier. Bei diesen Völkern sind Mahlzeiten ungeregelt, individuell, ohne festen Bezug auf Tages- oder Jahreszeit; ihr Essen besteht hauptsächlich darin, sich zu ernähren. Danach kommen die Völker, die nur bei seltenen Gelegenheiten wie Begräbnissen zusammen essen; dort treffen die Verwandten des Toten zusammen, nicht aber die gesamte Gemeinschaft. So ist das Fehlen von Gastmählern bei vielen nichtgriech. Völkern in den Augen der Griechen (z. B. bei Herodot) Zeichen für mangelndes Gemeinschaftsleben oder für eine Art Nomadenexistenz. Das Auftreten gemeinschaftlicher Mahlzeiten ist bei den griech. Autoren mit der Einführung von Regeln verbunden, die der Gemeinschaft einen wirklichen Zusammenhalt geben; sie stehen auf der gleichen Ebene wie die Beherrschung des blutigen Opfers. Die Mahlzeiten werden also als Grundstruktur der sozialen Gruppe und als Triebfeder der Geselligkeit dargestellt. Das bestätigen u. a. zahlreiche Texte von Platon (rep. 2, 372af), Aristoteles (pol. 7,1329bf.) und Theophrast (in Porphyrium de abstinentia 2,28,4–31) im 4. und 3. Jh. v. Chr.

Mahlzeiten haben ihren Platz in der Kulturgesch., und ihre Einführung markiert den Eintritt eines Volkes in soziale Beziehungen, die mit der Bildung von polit. Identität zusammenfallen. Aber es genügt nicht, die Kunst und die Regeln des Gastmahls zu kennen; man muß wissen, wie man davon mit Abwägung und Verstand Gebrauch macht. An den Diskurs von der Barbarei der Völker, welche gemeinsame Mahlzeiten nicht kennen, schließt sich ein zweiter über die damit verbundenen Mißbräuche an; hier findet man griech. Städte wie Sybaris (Athen. 12,519d f.), nichtgriech. Völker wie die Perser (Athen. 4,143f f.), und hell. Könige wie Antiochos IV. (Athen. 5,195b) Seite an Seite wieder. Alle haben sie gemeinsam, daß sie sich übertriebenem Luxus (τρυφή, *tryphé*), hingeben; ihre Tischmanieren sind ein Abbild ihrer polit. Haltung: die Gleichheit verachtend, tyrannisch, despotisch. Die Berichte darüber sind also eine Form, die Fremdheit einer Lebensart auszudrükken, die im Gegensatz zu einer guten Polisgemeinschaft steht.

Nach griech. Vorstellung ist der rechte Gebrauch des Festmahls vielfältig, unterschiedlich nach Stadt und nach der Gesch. Seine Formen sind nicht zu einem großen, für die Gesamtheit der Antike gültigen Modell zusammenzufassen; es sind vielmehr die verschiedenen Funktionen dieses sozialen Brauchs zu beschreiben. Die meisten Mahlzeiten haben die Familie, den Freundeskreis und den kult. Verband als Rahmen; sie haben wenige Spuren hinterlassen, denn ihre relativ einfache Organisation erforderte kein Reglement. Die Mahlzeiten waren Triebfeder der sozialen Bindung, Grundlage auch der → Gastfreundschaft, eines zentralen Wertes der ant. Welt. Gastfreundschaft ist auf die Ebene der polit. Gemeinschaft übertragbar [22]; es ist eine Ehre, am Herd der Stadt beköstigt zu werden, z.B. für einen Fremden auf der Durchreise (z.B. einen Botschafter) oder für jemanden, dem man für seine dem Kollektiv erwiesenen Wohltaten danken will. Ein charakteristisches Merkmal griech. Städte ist die Organisation von großen öffentlichen Festmählern, die der bürgerlichen Gemeinschaft ganz oder teilweise entsprechen, und die Bekanntgabe von in den Versammlungen verabschiedeten Regeln für ihre Durchführung (zum inschriftl. Material vgl. [33, 3. Teil].) So kennen wir die Geladenen und die Ausgeschlossenen, die Gastgeber und die Einstellung der öffentlichen Autoritäten zu diesen Festversammlungen und können die Verbindungen zwischen der Tischgenossenschaft und den Strukturen der Stadt verstehen. Eines der wichtigsten Merkmale der öffentlichen Mahlzeiten bleibt während der gesamten Ant. ihre politischen Definition. Natürlich erfüllen die Gastmähler, die in den ersten nachchristl. Jh. immer noch die Werte eines heiligen Rituals mit der aus dem Schmaus und der Tischgenossenschaft geborenen Freude verbinden, keine Funktionen mehr, die mit denen der Mahlzeiten aus der homer. Welt oder dem Beginn der Poleis identisch wäre. Aber sie spielen eine vergleichbare Rolle: Sie sind eng verbunden mit der Definition und Reproduktion eines polit. Systems, wenn auch nach Richtlinien, die offenkundig von den Strukturen einer ganz anderen Ges. diktiert werden.

Im Zusammenhang der E. muß auch an die Bed. der Gastmähler und insbesondere der Symposien als Orten der Schaffung und Verbreitung ant. Poesie seit archa. Zeit erinnert werden. Festzuhalten ist ferner, daß der soziale Anlaß des Essens und Trinkens die → Symposion-Literatur entstehen ließ, von Platons *Symposion* bis zu → Petronius' *Cena Trimalchionis*. Die wichtigste Quelle für die Kenntnis der ant. E. ist wiederum ein Festmahl, das der *Deipnosophisten*, verfaßt von → Athenaios [3] aus Naukratis (2. Jh. n.Chr.), in dem zahllose Werke aller Art zitiert und kommentiert sind: Dieses Werk, keineswegs nur das eines Sammlers, eröffnet bis heute den Zugang zu den vielgestaltigen Aspekten ant. E.

1 L'Alimentazione nell'antichità, 1985 2 J. ANDRÉ, L'alimentation et la cuisine à Rome, 1980 3 A.C. ANDREWS, s. v. Ernährung, RAC 6, 219–239 4 M.C. AMOURETTI, Le pain et l'huile dans la Grèce antique, 1984 5 G. BERTHIAUME, Les rôles du mageiros, 1982 6 W. BURKERT, Homo Necans, 1972 7 M. CAROLL-SPILLECKE, Kepos. Der ant. griech. Garten, 1990 8 M. CORBIER, in: J.-L. FLANDRIN (s.u.), 1997 9 A. DALBY, Siren Feasts. A History of Food and Gastronomy in Greece, 1996 10 M. DETIENNE, Les jardins d'Adonis, 1974 11 Ders., Dionysos mis à mort, 1977 12 M. DETIENNE, J.-P. VERNANT, La cuisine du sacrifice en pays grec, 1979 13 J.-L. DURAND, Sacrifice et labour en Grèce ancienne, 1986 14 B. FEHR, Oriental. und griech. Gelage, 1971 15 J.-L. FLANDRIN, M. MONTANARI (Hrsg.), Histoire de l'alimentation, 1996 16 D. FOURGOUS, Entre les Grecs et les Barbares, Thèse, Université de Paris I, 1973 17 L. GALLO, Alimentazione e demografia della Grecia antica, 1984 18 P.D.A. GARNSEY, Famine and Food-Supply in the Graeco-Roman World, 1988 19 E. GOWERS, The Loaded Table, 1993 20 C. GROTTANELLI, N. PARISE (Hrsg.), Sacrificio e società nel mondo antico, 1988 21 J. HAUSSLEITER, s. v. Fleisch, RAC 7, 1105–1110 22 G. HERMAN, Ritualised Friendship and the Greek City, 1987 23 F. JOUANNA, Hippocrate, 1992 24 F. LISSARRAGUE, Un flot d'images: une esthétique du banquet grec, 1987 25 O. LONGO, P. SCARPI, Homo Edens, 1989 26 Dies., Nel Nome del Pane, 1993 27 A. LUMPE, s. v. Essen, RAC 6, 612–635 28 I. MAZZINI, Alimentazione, gastronomia, dietetica nel mondo classico, in: Aufidus 23, 1994, 35–56 29 O. MURRAY (Hrsg.), Sympotica, 1990 30 Ders., M. TECUSAN (Hrsg.), In vino veritas, 1995 31 J. RUDHARDT, O. REVERDIN (Hrsg.), Le sacrifice dans l'Antiquité (Entretiens sur l'Antiquité classique 27), 1981 32 R. SALLARES, The Ecology of the Ancient Greek World, 1991 33 P. SCHMITT-PANTEL, La cité au banquet. Histoire des repas publics dans les cités grecques, 1992 34 A. SCHNAPP, Le chasseur et la cité. Chasse et érotique dans la Grèce ancienne, 1997 35 G. SISSA, M. DETIENNE, La vie quotidienne des dieux grecs, 1989 36 W. SLATER, Dining in a classical context, 1991 37 A. TCHERNIA, Le vin dans l'Italie romaine, 1986 38 J.-P. VERNANT, Mythe et pensée chez les Grecs, 1965 39 Ders., Mythe et société en Grèce antique, 1974 (Mythos und Gesellschaft im alten Griechenland, 1987) 40 M. VETTA (Hrsg.), Poesia e simposio nella Grecia antica, 1983 41 J. WILKINS, D. HARVEY, M. DOBSON (Hrsg.), Food in Antiquity, 1995. P.S.-P./Ü: A.T.

Estekultur. Der Begriff E. umschreibt weitgehend die eisenzeitliche Bevölkerungsgruppe der Veneter in der Zeit zwischen 1000 und 300 v.Chr. (Chronologietabelle bei → Golasecca-Kultur), deren materielle Hinterlassenschaft aus der Zone zwischen Po, Gardasee, dem nordöstl. Alpenbogen und der Adria eine relativ homogene Gruppe mit ähnlicher Entwicklung dokumentiert. Die Benennung erfolgte nach den Nekropolen der wichtigsten Siedlung der Frühzeit, dem heutigen Este. Weitere Zentren befanden sich in Padua und vor allem in der Frühphase bei Frattesina di Fratte Polesine. Durch Votivdepots konnten Heiligtümer bei Este, San Pietro Montagnon und Caldevigo nachgewiesen werden. Beziehungen zur etr., hallstättischen und zur Golasecca-Kultur sind vielfach belegt. Bedeutendstes Zeugnis des Kunstschaffens ist die »Situlenkunst«, deren figürlicher Schmuck in Treibtechnik die Bildwelt der frühen Veneter veranschaulicht. Typische Keramikgattungen sind Gefäße mit schwarz-roter horizontaler Zonengliederung und Stiefelgefäße.

→ Etruskische Archäologie; Golasecca-Kultur; Hallstatt-Kultur; Hortfunde; Venetia; Veneti; Villanova-Kultur

O.-H. FREY, Die Entstehung der Situlenkunst, 1966 · Este e la civiltà paleoveneta a cento anni dalle prime scoperte. Atti dell' XI Convegno dell'Istituto di Studi Etruschi ed Italici (Este-Padova 1976), 1980 · G. FOGOLARI, A.L. PROSDOCIMI, I Veneti antichi, 1987 · A.M. CHIECO

Bianchi, I Veneti, in: G. Pugliese Carratelli (Hrsg.), Italia ommnium terrarum alumna, 1988, 1–98. C. KO.

Esther

Esther (Ester). Das hebr. Estherbuch, das entweder in die ausgehende Perserzeit oder an den Beginn der hell. Zeit zu datieren ist, erzählt von dem Vernichtungsbeschluß, den der Perserkönig Ahasveros (485–465 v. Chr.) auf Betreiben des Judenfeindes Haman, eines seiner einflußreichsten Beamten, gegen die Juden seines Reiches erlassen haben soll (vgl. bes. 3,13), sowie von deren Errettung, bei der das Eingreifen der Jüdin E., die unerkannt als Gattin des Königs an den Hof gekommen war, die maßgebliche Rolle spielt. Das Buch, dessen histor. Angaben fiktiv sind, bildet die Legende des Purimfestes. Da Gottes Eingreifen in die Geschehnisse an keiner Stelle des Buches explizit erwähnt wird, stellt der theologische Charakter und die Aussageabsicht des Buches ein bis h. viel diskutiertes Problem dar. Die griech. Übers. des Buches, die dem Kolophon am Ende des Buches zufolge ›im vierten Jahr der Regierung des Ptolemaios und der Kleopatra‹ aus Jerusalem gebracht worden sein soll (10,31), demnach entweder auf das J. 114 oder 78/7 v. Chr. zu datieren ist, und die hebr. Erzählung ergänzt (die sog. »Stücke zu E.«, die nach protestantischer Tradition zu den → Apokryphen zählen, nach katholischer Tradition aber integraler Bestandteil des Kanons sind), formuliert ihre theologische Aussage dagegen klar: Sie weist eindeutig darauf hin, daß die Rettung des Volkes durch das Eingreifen Gottes geschieht (5,1; 8,12q), der die Gebete der zu ihm Bittenden erhört (4,17a–i; 4,17k–z; 5,1a; 1,1h–k; 10,3f). In den beiden ebenfalls sehr ausschmückenden aram. Übers. des Buches, die wohl im 6. und 7. Jh. entstanden sein dürften (*Targūm Rišōn* und *Targūm Šēnī*), wird diese Tendenz weiter ausgebaut. Der Judenfeind Haman erscheint hier als Repräsentant des Röm. Reiches.
→ Bibel

H. Bardtke, Zusätze zu Ester, Jüd. Schriften aus hell.-röm. Zeit I/1, 1973, 15–62 · O. Kaiser, Einleitung in das Alte Testament. Eine Einführung in ihre Ergebnisse und Probleme, ⁵1984, 202–211 · J. v. d. Klaauw, J. Lebram, s. v. Ester, TRE 10, 1982, 391–395 (alle mit weiterführender Lit.). B. E.

Estrangelā

Estrangelā. Der Begriff E. (vom griech. στρογγύλος/ *strongýlos*, »gerundet«, abgeleitet) bezeichnet die Form der syr. Schrift in den ältesten Handschriften (5.–8. Jh., bis zum 13. Jh. noch häufig, danach nur noch selten verwendet).

E. Hatch, An Album of Dated Syriac Manuscripts, 1946, 24–27. S. BR./Ü: S. Z.

Esus

Esus. Keltischer Gott, dessen Identifikation mit einem röm. Gott unklar ist. Während Lucan. 1,444ff. E. mit → Teutates und → Taranis unter die drei kelt. Hauptgötter einreiht, identifizieren die (späteren) Schol. zu Lucanus E. einerseits mit Mars, andererseits mit Merkur.

Daß E. nicht Merkur sein kann, macht die Nebenseite des Merkur-Altares aus Trier [1. VI 4929] klar: Sie zeigt E., baumfällend und von Stier und drei Kranichen begleitet, ähnlich wie auf einem Monument in Paris. Diese ausführlichere Darstellung auf dem Denkmal der Nautae Parisiaci [1. IV 3133] zeigt und nennt auf einer Seite den Gott *ESVS*, auf der anschließenden Seite den auf Rücken und Kopf drei Kraniche tragenden Stier *TARVOS* (sic) *TRIGRANVS*. Der hier bereits im 1. Jh. n. Chr. bildlich gestaltete Mythos ist aber ebenso wie der Charakter des E. nicht näher faßbar.

1 Espérandieu, Inscr.

Ihm, s. v. E., RE 6, 694ff, · W. Deonna, in: Ogam 10, 1958, 3ff. · P. M. Duval, Études celtiques VII, 1, 1958, 50ff. · J. De Vries, Kelt. Religion, 1961, 97ff. · P. M. Duval, in: TZ 36, 1973, 81ff. · M. Le Glay, s. v. E., LIMC 4.1, 25. M. E.

Esuvii

Esuvii (Esubii). Volksstamm in der Gallia Celtica, später Lugdunensis, zw. der unteren Seine und der Loire. Caesar (Gall. 2,34; 3,7; 5,24; 5,53) erwähnt ihn unter den Stämmen der Aremorica (Bretagne) zw. den Coriosolites und den Aulerci in der Gegend von Sées (Orne). Y. L.

Esuvius

[1] Imperator Caesar C. Pius E. Tetricus Augustus. Er stammte aus vornehmer (Aur. Vict. Caes. 33,14), sicherlich (wegen des Namens E.) gallischer Familie und war schon vor seiner Erhebung zum Augustus Senator und Statthalter Aquitaniens, als Victorinus die Herrschaft über das gallische Teilreich ausübte (Eutr. 9,10). Nach der Ermordung des Victorinus wurde er wohl im Frühjahr 271 n. Chr. von den Soldaten zum Kaiser ausgerufen und in Bordeaux mit dem Purpur bekleidet (Eutr. ebd.; [Aur. Vict.] epit. Caes. 35,7; Iohannes Antiochenus, FHG 4, 598, 152,1). Er herrschte über Gallien (ILS 567, weitere Inschr. s. u. [1; 2]) und Britannien [3], nicht über Spanien (trotz SHA Claud. 7,5). Er hatte dreimal den Consulat inne, viermal die *tribunicia potestas* (in Rom nicht anerkannt) [4]. Er prägte Mz. in Trier und Köln. Im J. 273(?) erhob er seinen gleichnamigen Sohn E. [2] zum Caesar (Aur. Vict. Caes. 33,14). Von Anfang an stand er im Abwehrkampf gegen die über den Rhein dringenden Germanen. Der *praeses provinciae Belgicae* Faustinus erhob sich in Trier gegen E. (Aur. Vict. Caes. 35,4). Als Aurelianus [3] 274 gegen Gallien mit einem starken Heer anrückte, verriet E. angesichts der drohenden Schlacht auf den katalaunischen Feldern (bei Châlons) seine Truppen und ergab sich kampflos (Eutr. 9,13,1. Zos. 1,61,2). E. wurde mit seinem Sohn und → Zenobia im Triumph mitgeführt (Eutr. 9,13,2), erhielt aber dennoch weitere hohe Ämter; er wurde *corrector Lucaniae* (Aur. Vict. Caes. 35,5) und erreichte ein hohes Alter (Eutr. 9,13,2). Die Vita (SHA trig. tyr. 24) ist weitgehend fiktiv.

1 I. KÖNIG, Die gallischen Usurpatoren, 1980 **2** J. F.
DRINKWATER, The Gallic Empire, 1987 **3** The Roman
Inscriptions of Britain 1, 1965, 2224–6 **4** RIC 5/2 399–418.

KIENAST, ²1996, 247 f. A.B.

[2] C. Pius E. Tetricus Caesar. Sohn von E. [1]; 273
n. Chr. (?) zum Caesar erhoben, 274 *princeps iuventutis*
(RIC 5/2 424 Nr. 281) und (in Gallien) *cos.* (ESPÉ-
RANDIEU, Inscr. 656). Mit dem Vater im Triumph Au-
relianus' [3] geführt, erhielt er doch die höchsten Ämter
(Aur. Vict. Caes. 35,5). A.B.

Etanna. *Civitas* der Allobroges in der Gallia Narbonensis am linken Ufer der Rhône, *statio* an der Straße
Vienne-Genève (Tab. Peut.). Mit Yenne oder mit Etain
bei Yenne zu identifizieren. Blüte 2. bis 6. Jh. n. Chr.
Inschr.: CIL 12,305.

P. DUFOURNET, Le réseau routier gallo-romain de Vienne à
Genève et la position des stations d'E. et de Condate,
Archéologie, 1965, 35–72. Y.L.

Eteagoras (Ἐτεαγόρας). Komödiendichter des 3. Jh.
v. Chr., von dem noch ein Sieg an den Lenäen inschr.
bezeugt ist. Weder Stücktitel noch Fragmente sind erhalten.

PCG V, 183. H.-G. NE.

Etemenanki s. Esagil

Etenna (Ἔτεννα). Pisid. Bergstadt im Hinterland von
Side, h. Sirtköy. Schon in frühhell. Zeit faßbar (Mz.). E.
stellte Söldner (durch Inschr. belegt), kämpfte 218
v. Chr. mit einem großen Kontingent auf seiten des
Achaios [5] gegen Selge (Pol. 5,73,3) und war vermutlich ein Ziel im Pisidienfeldzug Antiochos' III. 193
v. Chr. (Liv. 35,13,5). In der Kaiserzeit zur Prov. Lycia-
Pamphylia gehörend, in der Spätant. Suffraganbistum
von Side; untergegangen im 12. Jh. n. Chr. Relativ reiche Mz.-Prägung [1], mit Sichelschwert als Stadtwap-
pen.

1 AULOCK 2, 30–32, 75–95.

J. NOLLÉ, Zur Gesch. der Stadt E. in Pisidien, in:
E. SCHWERTHEIM (Hrsg.), Forsch. in Pisidien, 1992, 61–141.
P. W.

Eteokles (Ἐτεοκλῆς, »echter Ruhm« vgl. [1]).
[1] Thebanischer Held, Sohn des → Oidipus und dessen
Mutter Iokaste (Epikaste); in der *Oidipodeia* (fr. 2 PEG I;
→ Epischer Zyklus) ist Euryganeia die Mutter. Sein
Streit mit dem Bruder → Polyneikes, von dem schon
Homer' berichtet (Il. 4,376–398), beruhte auf dem Fluch
des von den Söhnen mißachteten Vaters (Thebais fr.2–3
PEG I; att. Trag.: Aischyl. Sept.; Soph. Oid. T.; Soph.
Oid. K.; Soph. Ant.; Eur. Phoen.). E. brach die Verein-
barung über die jährlich zw. ihm und Polyneikes wech-
selnde Regierung und vertrieb diesen, worauf Polynei-
kes mit sechs weiteren Heerführern gegen Theben zog.
Im darauffolgenden Kampf töteten die Brüder einan-

der. Aischylos zeichnet E. in erster Linie als einen ver-
antwortungsvollen und vaterlandsliebenden Fürsten [2],
während E. in Eur. Phoen. als herrschsüchtig dargestellt
wird. Sohn und Nachfolger des E. war Laodamas (Apollod. 3,55–74; 83; Hyg. fab. 67–70; Stat. Theb.; Paus.
9,5,10–13; 9,25,2). Paus. 9,18,3 berichtet von Opfern an
den Gräbern der beiden Brüder an der Straße nach
Chalkis. Die älteste überlieferte Darstellung von E. und
dem gegenseitigen Mord findet sich auf der
→ Kypseloslade (Paus. 5,19,6) [3].

1 KAMPTZ, 88; 193 **2** A. J. PODLECKI, The Character of E. in
Aeschylus' Septem, in: TAPhA 95, 1964, 283–299
3 I. KRAUSKOPF, s. v. E., LIMC 4.1, 28 Nr. 4.

H. H. BACON, The shield of E., in: E. SEGAL (Hrsg.), Oxford
Readings in Greek Tragedy, 1983, 24–33 · J. A. JOHNSON,
E. and the posting decisions, in: RhM 135, 1992, 193–197 ·
I. KRAUSKOPF, s. v. E., LIMC 4.1, 26–37 · A. LESKY, E. in den
Sieben gegen Theben, in: Ders., Gesammelte Schriften,
1966, 264–274.

[2] König im boiotischen Orchomenos, Sohn der Euip-
pe und des Flußgottes Kephisos. Er galt als Stifter des
Kultes der drei → Chariten, die vom Himmel gefallene
Steine sein sollten (Hes. fr. 71; Paus. 9,34,9; 35,1; 38,1).
R.B.

Eteokretisch. Bei Hom. Od. 19, 176 werden unter
fünf Völkern, die Kreta bewohnen, die Ἐτεόκρητες
(*Eteókrētes*) genannt, die ›echten, wahren Kreter‹. Diese
Stelle bezieht sich wohl auf die Gegenwart des Dichters
(8. Jh. v. Chr.), nicht auf das 2. Jt. Strab. 10,4,6 nennt in
einer Komm.-Notiz dazu als Wohnsitz der Eteokreter
das πολίχνιον Πρᾶσος (»das Städtchen *Prásos*«) im Osten
der Insel. Das deutet auf ein Rückzugsgebiet. Diod.
5,64,1 bezeichnet die Eteokreter als αὐτόχθονες (»autochthon«).

In → Praisos und Dreros sind nun (durchweg frg.
und kurze) Texte wohl offiziellen Charakters im griech.
Alphabet, aber in nichtgriech. Sprache aus dem 7.–4. Jh.
v. Chr. gefunden worden, die dem E. zugeschrieben
werden. Sie sind bislang isoliert und unverständlich.
Vielleicht war das E. in älterer Zeit auf der Insel Kreta
weiter verbreitet.

→ Griechenland: Sprachen; Vorgriechische Sprachen

Y. DUHOUX, L'étéocrétois. Les textes – la langue, 1982.
G. N.

Eteokyprisch. Die nicht-idg., bisher ungedeutete
Sprache der Eteokyper, deren Name, analog zu den
Eteokretern, die nicht-griech. Bevölkerung Zyperns
bezeichnet [1. 49 ff.]. Schriftzeugnisse, ca. 7.–3. Jh.
v. Chr. und größtenteils aus → Am(m)athus [3], sind in
der auch von den Griechen verwendeten → Kyprischen
Schrift geschrieben, deren Zeichen, wie aus der Schreibung von EN in der → Bilingue von Amathus hervorgeht, in beiden Sprachen denselben Lautwert haben:
1) *a-na · ma-to-ri · u-mi-e-sa- : i-mu-ku-la-i-la-sa-na · a-
ri - si - to - no - se · a - ra - to - wa - na - ka - so - ko - o - se*

2) *ke-ra-ke-re-tu-lo-se* ·? *ta-ka-* : *na-?-?-so-ti* · *a-lo* · *ka-i-li-po-ti*

1) Ἡ πόλις ἡ Ἀμαθουσίων Ἀ ρ ί σ τ ω : ν α

2) Ἀ ρ ι σ τ ῶ ν α κ τ ο ς εὐπατρίδην [2. 206–209].

→ Kyprominoische Schriften

1 KSd   2 MASSON.

MASSON, 85–87 · M. EGETMEYER, WB zu den Inschr. im kypr. Syllabar, 1992, 302–322.   A. HI.

Eteonikos (Ἐτεόνικος). Spartiat, operierte 412 v. Chr. unter Astyochos auf Lesbos (Thuk. 8,23); als → Harmost von Thasos wurde er 410 von einer antispartanischen Fraktion vertrieben (Xen. hell. 1,1,32). Nach der spartanischen Niederlage bei den Arginusen 406 brachte E. seine Schiffe und Truppen sicher nach Chios und stationierte sie dort bis zum Eintreffen des Lysandros (Xen. hell. 1,6,26; 35–38; 2,1,1–6; 10; Diod. 13,97,3; 100,5). Bei Aigospotamoi (405) hatte er ein Kommando inne (Diod. 13,106,5; Paus. 10,9,10). E. eroberte später die thrakische Küste (Xen. hell. 2,2,5) und befand sich 400 in Byzanz, wo er mit Xenophon zusammentraf (Xen. an. 7,1,12–20). Im Korinthischen Krieg störte er ca. 390 von Aigina aus den athenischen Handel (Xen. hell. 5,1,1 f. 13).   M. MEI.

Eteonos (Ἐτεωνός). Bei Hom. Il. 2,497 als πολύκνημος (*polýknēmos*, »mit vielen Bergwäldern«) bezeichnete boiot. Stadt am Nordhang des Kithairon; in klass. Zeit in Σκαφ(λ)αί/Σκάρφη umbenannt; Belegstellen: Strab. 7,3,6; 9,2,24; Plin. nat. 4,26; Stat. Theb. 7,266; Steph. Byz. s. v. E.; Inschr. bei [2. 84 f.]. E. gehörte zu einem der von Thebai abhängigen Bezirke des Boiot. Bundes (Hell. Oxyrh. 19,3,387; 20,3,438). Im Demeter-Heiligtum von E. wurde das Grab des Oidipus gezeigt (Lysimachos von Alexandreia, FGrH 382 F 2). Die Lokalisierung von E. ist umstritten [1; 3].

1 FOSSEY, 130 f. 2 M. H. HANSEN, An Inventory of Boiotian Poleis in the Archaic and Classical Periods, in: Ders., Introduction to an Inventory of Poleis, 1996, 73–116 3 P. W. WALLACE, Strabo's Description of Boiotia, 1979, 89–91.   P. F.

Etesien. Die jährlich von Mitte Juli (Aufgang des Sirius) an für etwa 40 Tage (andere Dauer [1. 714]) wehenden kühlen und starken Winde aus Norden bis NO wurden ἐτησίαι (oder βορέαι, *boréai*) genannt. Diese aus der → Propontis wehenden Winde behinderten dann die Schiffahrt auf dem Schwarzen Meer beträchtlich. Isidorus (orig. 13,11,15) erwähnt sie als jährlich wiederkehrende Nordwinde ohne zeitliche Fixierung. Sie wurden als Meereswogen peitschend, das Meer dunkel machend, gesund, trocken und die Sommerhitze mildernd charakterisiert. Es gab auch winterliche E., klare Schönwetter-Südwinde, die als οἱ λεγόμενοι Λευκόνοτοι (»die sog. *leukónotoi*«) bezeichnet wurden (Aristot. meteor. 2,5,362a 14). Die E. stauten nach manchen ant. Theorien das Wasser zur Nilschwelle auf (Hdt. 2,20;

Lucr. 6,712–718; Thales bei Sen. nat. 4,2,22 ff.) bzw. lösten die Regenfälle in Äthiopien aus (vgl. Hdt. 2,22). Ihre »Vorläufer«-Winde hießen Aristoteles (meteor. 2,5,361b 24) zufolge πρόδρομοι (→ *pródromoi*), in 362a 23 nennt er die ὀρνιθίαι (*ornithíai*) nach der Wintersonnenwende auch schwache E. Ihre geophysischen Ursachen erklärt Schmidt [2].

1 A. REHM, s. v. Etesiai, RE 6, 713–717 2 G. SCHMIDT, s. v. Winde, RE 8 A, 2212–2214.   C. HÜ.

Ethik A. HINTERGRUND B. DIE SOKRATISCHEN ANFÄNGE C. PLATON D. DIE FRÜHE AKADEMIE UND ARISTOTELES E. DIE KYNISCHE TRADITION F. DIE QUIETISTISCHE TRADITION UND DER EPIKUREISMUS G. DER STOIZISMUS H. DER SPÄTERE PLATONISMUS

A. HINTERGRUND

E. ist in der Ant. die Beschäftigung mit derjenigen charakterlichen Verfassung, deren Besitz für den Menschen am besten ist. Die Überlegungen dazu begannen mit dem homer. Ideal, ›ein Redner von Worten zu sein und ein Täter von Taten‹ (Hom. Il. 9,443, Übers. W. SCHADEWALDT). Das kritische Nachdenken über den Charakter machte im 5. Jh. v. Chr. Fortschritte, oft in einem großen polit. Zusammenhang eingebettet. Die frühesten Unt. zum Charakter des Menschen konzentrierten sich v. a. auf dessen Rolle als Bürger. Demokrits Schrift ›Über die Ruhe‹ scheint dagegen mehr den Aspekt des Privaten und Persönlichen in den Mittelpunkt gestellt zu haben.

B. DIE SOKRATISCHEN ANFÄNGE

Die eigentliche Tradition ethischer Reflexion in der Ant. begann mit → Sokrates: Er gab die Naturphilos. auf und legte den Grund für eine Diskussion über das Wesen des guten Lebens. Seine Konzentration auf die bestmögliche Verfassung der Seele barg das Risiko eines Konfliktes des Individuums mit den Werten größerer sozialer Gruppen und selbst der Familie. Ein Zweig der sokratischen Philos., die → kynische Schule, entwickelte diese Seite seines Denkens ganz besonders. Die Suche nach dem individuellen → Glück des Menschen lud auch dazu ein, einen verfeinerten Hedonismus in Betracht zu ziehen; so konnten Aristippos [3] und die → kyrenaische Schule Inspiration durch Sokrates für sich beanspruchen. Noch wesentlicher für Sokrates' Konzept des Charakters und der Gutheit (ἀρετή, *aretḗ*) des Menschen war sein Bemühen um langfristige Stabilität. Im Einklang mit der Tradition, der zufolge Erfolg und Zufriedenheit (εὐδαιμονία, *eudaimonía*) des Menschen nur auf der Grundlage eines ganzen Lebens beurteilt werden können (›Nenne niemanden glücklich, bevor er tot ist‹), fragte Sokrates eher danach, wie man leben solle, als nach der Richtigkeit einzelner Handlungen. Das Konzept der menschlichen *aretḗ* beruhte auf dem Gedanken, daß der Charakter ein stabiler Zustand ist, der Planung und Beherrschung und somit jene Art von intellektueller Kompetenz erfordert, die mit technischem, handwerklichem Können assoziiert wurde. Solche Handwerkskünste (τέχναι, *téchnai*) erfordern die Kenntnis relevanter Gegenstände (einschließlich der Tugenden) und die Selbstbeherrschung (σωφροσύνη, → *sōphrosýnē*), die notwendig ist, um solches Wissen in Handlung umzusetzen.

Ein weiteres Merkmal sokratischer E. ist das Vertrauen darauf, daß der Besitz solcher Qualitäten für das Erreichen menschlicher Ziele ausreicht. Die Faktoren, die von der rationalen Kontrolle des Individuums unabhängig sind, müssen gemäß dieser Überzeugung minimiert werden; dies gilt ebenso für die Bedeutung des moralischen Glücks (im Gegensatz zu den Traditionen, die sich im Drama und in der Dichtung widerspiegeln). Daraus leitet sich ein großer Teil der sokratischen E. ab: die Wichtigkeit einer Definition der Tugenden (*aretaí*); die Tendenz, Tugend mit Wissen zu identifizieren und die Tugenden als wechselseitig abhängig aufzufassen; die Leugnung der »Willensschwäche«; die Behauptung, daß niemand willentlich, sondern nur infolge eines intellektuellen Irrtums Falsches tue; und die These, daß die Tugend für das Glück ausreiche.

C. PLATON

Platons Beitrag zur E. von dem des Sokrates zu unterscheiden ist schwierig. Die wichtigsten Unterschiede beruhen darauf, daß → Platon sich auf gesonderte Ideen als Grundlagen des Wissens (einschließlich des moralischen Wissens) festlegte, und daß er die Seele des Menschen in drei Teile (Vernunft, Antrieb und Begierden) gliederte. Diese *Dreiteilung* steht im Widerspruch zu Sokrates' impliziter Theorie der *Einheit*. Platon hielt auch stärker als Sokrates an der Unsterblichkeit der Seele und der Möglichkeit einer Belohnung nach dem Tod und einer Reinkarnation fest. Während Sokrates dem Hedonismus ambivalent gegenüberstand, lehnte Platon Vergnügen/Lust (ἡδονή, *hēdonē̄*) als wesentlichen Bestandteil des glücklichen Lebens ab. Schließlich räumte er die Existenz von Elementen ein, die die Natur des Menschen transzendieren: Wenn er feststellt (Tht. 176b), daß die ›Angleichung an Gott‹ für den Menschen erstrebenswert sei, spricht er das Thema der Transzendenz, das sich in seinen Dialogen findet, explizit an. Diese Passage sollte für die spätere platonische Tradition zu einer Quelle ethischer Lehre werden.

D. DIE FRÜHE AKADEMIE UND ARISTOTELES

In der nächsten Generation wurde die E. als eigener Zweig der Philos. anerkannt. Die Einteilung der Philos. in Logik, Physik und E., die der Platonschüler Xenokrates von Chalkedon vornahm, wurde von → Aristoteles und den hell. Schulen übernommen. Aristoteles definierte die E. als Teil der Politik und verfaßte zumindest zwei Versionen seiner Ethikvorlesung; von diesen war die ›Nikomachische Ethik‹ bei weitem die einflußreichste. Die zentralen Lehren der aristotelischen E. beruhen auf Gedankengängen, die in eth. Nic. 1 entwickelt werden, der deutlichsten formalen Darlegung des ant. Eudaimonismus. Aristoteles stellt die These auf, das

gute Leben sei ein tätiges Leben (βίος πρακτικός, *bíos praktikós*) in Übereinstimmung mit unserer Natur und unseren natürlichen Funktionen. Das Verständnis der Natur des Menschen ermögliche das Verständnis seiner charakteristischen Vorzüge (d. h. der Tugenden). Die Seele sei aus rationalen und nicht-rationalen Teilen zusammengesetzt. Der rationale Anteil könne die intellektuellen Tugenden erreichen, die in praktische und theoretische unterteilt werden, während der nicht-rationale Anteil den Weisungen der praktischen Vernunft folgen könne und Hauptsitz der Charaktertugenden sei. Diese sind als mittlere Zustände zwischen jeweils zwei Extremen definiert (= μεσότης/*mesótēs*, μέσον/*méson*). Ein großer Teil der aristotelischen E. besteht aus einer Analyse der intellektuellen wie moralischen Tugenden. Andere wichtige Themen sind die Rolle der Freundschaft (φιλία, *philía*) für das gute Leben und das Gleichgewicht zwischen Privatem und Öffentlichem. Die strittigste Frage in Aristoteles' ethischer Theorie ist die Beziehung zwischen theoretischer und praktischer Aktivität (→ Theoria; → Praxis).

E. DIE KYNISCHE TRADITION

Sokrates inspirierte auch die kynische Bewegung, deren einflußreichste Figur → Diogenes [14] von Sinope war. Die Kyniker betonten die moralische und intellektuelle Autonomie des Individuums; daher bestand ihre charakteristische Tätigkeit in der konfrontativen Bloßstellung konventioneller Moralvorstellungen. Diese wurde zu einer Quelle der Inspiration für Moralreformer, Satiriker und sogar andere Philosophen.

F. DIE QUIETISTISCHE TRADITION UND DER EPIKUREISMUS

Die demokriteische Tradition (→ Demokritos) und die hedonistische Seite der sokratischen Philos. brachten verschiedene quietistische Formen ethischer Theorie hervor. Die Kyrenaiker führten ihren Ursprung auf → Aristippos [3] d. Älteren zurück. Sie sahen ihr Lebensziel im Streben nach unmittelbarem Vergnügen. Ähnlich ist in der pyrrhonischen Tradition (→ Pyrrhon) reine Ruhe ein allg. Lebensziel, und die entschlossene Aufgabe intellektueller Zwänge ein Mittel zu diesem Zweck.

Dagegen bleibt die epikureische Version (→ Epikureismus) des Hedonismus innerhalb des eudaimonistischen Rahmens, der auch Platon, Aristoteles und den Stoikern gemeinsam ist. Die Vorstellung vom guten Leben fußt hier auf einer expliziten Theorie der Natur des Menschen (einschließlich ihrer atomistischen Grundlage), der zufolge sein elementares Streben auf Freiheit von seelischem Leiden und von körperlichem Schmerz gerichtet sei (→ *ataraxía*). Die Aufgabe der Vernunft sei es, das so verstandene Vergnügen zu mehren und den Schmerz zu verringern, und zwar im Kontext einer kohärenten, das ganze Leben abdeckenden Planung. Eine explizite Theorie politischer und sozialer Beziehungen ist integrativer Bestandteil der epikureischen E., obwohl sie ihnen eine nur instrumentelle Bedeutung zumißt.

G. Der Stoizismus

Die stoische E. blieb in vielen Punkten sokratisch, an denen Platon und Aristoteles von Sokrates abwichen. Sie forderte die rationale Planung des ganzen Lebens und legt ihrer Vorstellung von dessen Ziel (τέλος/*télos*, *finis*) ein differenziertes Konzept von der Natur des Menschen zugrunde. Eine kosmologische Theorie war ausdrücklich integrativer Bestandteil der stoischen Vorstellung von der richtigen und befriedigenden Lebensweise. In ihren frühen Jahren war die stoische Schule in der polit. Philosophie kynischen Themen zugeneigt, doch hielt sie ihre ganze Gesch. hindurch die Bedeutung praktischer Tätigkeit und sozialen Engagements hoch.

Des weiteren gehörten zu ihren Lehren: die Formalisierung einer sokratischen Sicht von Wert, wobei der moralischen Tüchtigkeit und verwandten Gütern eine Wertigkeit zugeschrieben wurde, die mit profaneren Vorzügen wie Gesundheit und Reichtum nicht zu vergleichen sei; das Eintreten für ein Leben, das frei von Leidenschaften (πάθος/*páthos*, *affectus*; → Affekte) ist; und ein Modell moralischer Entscheidungsfindung, welches die absolute Vorrangstellung von rational artikulierbaren Prinzipien mit kontextueller Flexibilität verband. Da das stoische Lebensziel als ›der Natur gemäß leben‹ formuliert wurde und die Natur sowohl immanent als auch göttlich ist, blieb die Spannung zwischen Naturalismus und Transzendenz in der griechischen E. in einem ausgewogenen Gleichgewicht.

H. Der spätere Platonismus

Im späteren Platonismus (→ Mittelplatonismus; → Neuplatonismus) wurden die transzendentalen Themen der platonischen E. in den Vordergrund gerückt. Schon Platons eigene Werke hatten dazu ermutigt, eine radikale Unzufriedenheit mit dem Leben in der materiellen Welt mit ethischer Theorie zu verbinden. Der Stoizismus stellte das philos. Ideal des Weisen daneben, der sich von den Wechselfällen des Lebens emotional nicht beirren läßt. Diese Kombination führte zu einer spätant. Vorstellung von philos. Perfektion, die diejenigen moralischen und praktischen Qualitäten aufnahm und dennoch transzendierte, welche der ethischen Theorie und Praxis der Griechen zugrunde lagen.

→ Freundschaft; Glück; Lust; Tugend; Praktische Philosophie

J. Annas, The Morality of Happiness, 1993 · S. Broadie, Ethics with Aristotle, 1991 · J. Dillon, An ethic for the late antique sage, in: L. Gerson (Hrsg.), The Cambridge Companion to Plotinus, 1996, 315–335 · M. Forschner, Die stoische E., ²1995 · B. Inwood, Ethics and Human Action in Early Stoicism, 1985 · A. Kenny, The Aristotelian Ethics, 1978 · P. Mitsis, Epicurus' Ethical Theory, 1988 · B. Williams, Shame and Necessity, 1993.   B. I./Ü: T. H.

Ethnarchos. Der Titel E. wurde sowohl Hyrkanos II. (63–40 v. Chr.) als auch dem Herodes-Sohn Archelaos (4 v.–6 n. Chr.) von den Römern verliehen (Hyr-

kanos II. durch Caesar 47 v. Chr., vgl. Ios. ant. Iud. 14,192 ff.; Archelaos durch Augustus nach dem Tode des Herodes, vgl. Ios. ant. Iud. 17,317). Damit sollte einerseits die Herrschaft der betreffenden Person über das jüd. Volk zum Ausdruck gebracht, gleichzeitig jedoch eine bewußte Abgrenzung vom Königstitel vollzogen werden (vgl. Ios. ant. Iud. 20,244). Auch das Oberhaupt der jüd. Gemeinde in Alexandreia, der wie der Herrscher eines souveränen Staates gewirkt haben soll (Ios. ant. Iud. 14,117), trug diesen Titel. Nach Philon soll dieses Amt durch einen Ältestenrat ersetzt worden sein (In Flaccum 74).

I. Gafni, s. v. E., Encyclopedia Judaica 6, 945 f. · P. Schäfer, Gesch. des Judentum in der Antike. Die Juden Palästinas von Alexander dem Großen bis zur arab. Eroberung, 1983, 97, 116.   B. E.

Ethnikon s. Wortbildung

Ethos (ἦθος, Charakter) war in erster Linie ein philos. Konzept und betraf als solches das freie Handeln des Menschen im Hinblick auf bestimmte moralische Kriterien. Es war demnach das Ergebnis der Entscheidung für eine Verhaltensweise und verlieh der handelnden Person einen unterschiedlichen Wert entsprechend dem Maß, in dem diese Verhaltensweise dem jeweiligen Ideal der Tugend entsprach. Im lit. Bereich diente das *e.* der Charakterisierung der verschiedenen Personen eines Werks, während es in der Rhet. seit frühester Zeit eine grundlegende Funktion im Dienste der Überredung und Überzeugung hatte. In der griech. Rhet. betraf das *e.* sowohl den Redner als auch seinen Gegner, in der röm. zudem die Person des *reus*, d. h. den Klienten, für den der Redner sprach. Aristoteles sah das *e.* für eine der drei Gestalten der »kunstmäßigen Beweise« (πίστεις ἔντεχνοι) an und klagte darüber, daß einige Lehrschriftsteller die Überredungskraft der »Tugendhaftigkeit des Redners« (ἐπιείκεια τοῦ λέγοντος; → *argumentatio*) nicht in Betracht gezogen hätten (rhet. 1356a1 f.). Der Redner erschien nach Aristoteles' Auffassung gerade durch die Wirkung des *e.*, das er in eben jenem Moment, in dem er sprach, an den Tag legte, in den Augen seiner Zuhörer als »glaubwürdig« (ἀξιόπιστος, 1356a4 ff.), indem er in seiner Rede Wohlwollen, Tugend und Verstand durchscheinen ließ (1378a6 ff.). Das *e.* des Redenden erwies sich zwar auch im epideiktischen Genos (1366a 25 ff.) und in der Gerichtsrede als nützlich, doch besonders wirksam war es im *genus deliberativum* (1377b 24 ff.).

Neben dieses *e.*, das auf die Zuhörer rational überzeugend einwirkte, trat dann eine andere, auf eine starke Bewegung von Gefühlen zielende Form. Ciceros *conciliare* gründet sich in erster Linie auf jene maßvolle Bewegung der Gefühle (→ *captatio benevolentiae*), die der Redner bei seinen Zuhörern hervorruft, indem er in geschickter Weise seine *mores* und die seines Klienten ins rechte Licht setzt (de orat. 2,182 ff.; orat. 128). Im Unterschied zu Aristoteles' »*e.* des Redenden« geht es hier

v. a. um schon immer bestehende Qualitäten wie z. B. die *dignitas hominis*, die *res gestae*, die *existimatio vitae*. Doch gerade die Kombination *patronus-cliens* erlaubt Cicero auch eine doppelte Veranschaulichung des *e.* des Redners, der sich durch die Darstellung (*exprimere*) der *mores* des Klienten in einer besonders maßvollen *elocutio* und *actio* ein *e.* schafft, das ihn in dem Moment, in dem er spricht, als *probus, bene moratus, bonus vir* erscheinen läßt (de orat. 2,182–184). Quint. inst. 6,2,8ff. hat diese Lehre Ciceros später aufgegriffen.

→ Captatio benevolentiae; Epideixis; Pathos

L. Calboli Montefusco, Cicerone, De oratore: la doppia funzione dell'E. dell'oratore, in: Rhetorica 10, 1992, 245–259 · W. Fortenbaugh, s. v. E., in: HWdR Bd. 2, 1516–1525 · C. Gill, The E./Pathos Distinction in Rhetorical and Literary Criticism, in: CQ 78, 1984, 149–166 · J. Sprute, E. als Überzeugungsmittel in der aristotelischen Rhet., in: G. Ueding (Hrsg.), Rhet. zwischen den Wissenschaften, 1991 · J. Wisse, E. and Pathos from Aristotle to Cicero, 1989 · M. H. Wörner, Das Ethische in der Rhet. des Aristoteles, 1990.

L. C. M./Ü: - A. WI.

Etrusci, Etruria (Tusci), die Etrusker.

I. Geschichte   II. Archäologie   III. Religion
IV. Sprache

I. Geschichte

A. Name   B. Wirkungs- und
Forschungsgeschichte   C. Quellen
D. Geographischer Bereich   E. Herkunft
F. Anfänge   G. Bodenschätze und Wirtschaft
H. 8./7. Jahrhundert   I. 6./5. Jahrhundert
J. 4./3. Jahrhundert und Ende

A. Name

Volk in It., das zw. dem 9. und dem 1. Jh. v. Chr. die höchste Form der Zivilisation im westl. Mittelmeerbereich hervorgebracht hat, bevor sich in selben Gebiet die röm. Zivilisation durchsetzte. Verschieden sind die Volksnamen, mit welchen die E. bezeichnet werden: *Rasna* (oder gräzisiert *Rasenna*) in den etr. Quellen, *Tyrrhenoi* oder *Tyrsenoi* in den griech. Quellen, *Turskus* in den umbr. Quellen und *Etrusci, Tusci* oder *Lydii* (nach Hdt. 1,94 wegen ihrer möglichen Herkunft aus *Lydia*) in den lat. Quellen.

B. Wirkungs- und Forschungsgeschichte

Die außergewöhnlich vielfältigen Ressourcen der Region, die sie bewohnten, und die daraus resultierende Führungsrolle, die sie im Welthandel spielten, ihr hohes kulturelles Niveau, der Vorbildcharakter und die Kompetenz, die ihnen von den Römern in Bezug auf Wissenschaft und Kultpraktiken zugesprochen wurden, der Ruhm, ein ›uraltes und aufgrund der Sprache und der Gebräuche von allen anderen sich unterscheidendes Volk‹ zu sein (Dion. Hal. ant. 1,30,2) sind die wichtigsten Gründe dafür, daß bereits in der Ant. eine Art Mythos um die E. entstand.

Dieser Mythos tauchte im Humanismus und in der Renaissance wieder auf, als in der Toscana und in Latium – hauptsächlich in Florenz und Viterbo – die E. als Modell für die gesellschaftliche und moralische Erneuerung herangezogen wurden und Eingang in die polit. und kulturellen Programme zahlreicher Fürsten fanden (vgl. die Familie der Medici der Toskana). Man berief sich dabei auf die lit. Tradition der E. (Liv., Plin. d. Ä.), aber man begann auch, die Denkmäler der E. hoch zu achten (vgl. Cosimo. I. de' Medici und seine Kunstsammlung mit den Br.-Statuen ›Minerva‹, ›Chimäre‹, ›Arringatore‹). In dieser Perspektive sind auch die Nachforsch. der Altertumsforscher des 18. Jh. zu sehen (F. Buonarotti, A. F. Gori, S. Maffei, G. B. Passeri, M. Guarnacci), die sich der etr. Kultur annahmen (u. a. Inschr., Sprache, Rel., Kunst). Zw. dem 18. und den ersten Jahrzehnten des 19. Jh. begann man (L. Lanzi, G. Micali in It., K. O. Müller in Deutschland), die Stud. über die E. auf eine histor. Grundlage zu stellen. Spezialisten zahlreicher Disziplinen (Kunst, Rel., Gesch., Epigraphik, Sprache, Top., Naturkunde) beschäftigen sich mit den E., griffen aber nicht über ihren eigenen Forsch.-Bereich hinaus. Deshalb konnten ihre Forsch.-Erträge bei aller Qualität keinen umfassenden Einblick in die Welt der E. vermitteln. Im Übergang von einer multidisziplinären zu einer interdisziplinären Arbeitsweise hat sich die h. Etruskologie als eigene Wissenschaft herausgebildet.

C. Quellen

Zur Verfügung stehen v. a. epigraphisch-linguistische, historiographisch-lit., arch., onomastische und toponomastische Quellen. Darunter sind die mit den epigraphischen eng verbundenen arch. Quellen am zahlreichsten und aussagekräftigsten. Deshalb wird die Etruskologie häufig als arch. und nicht als histor. Disziplin betrachtet. Abgesehen von Problemen, die sich aus der Natur bestimmter Quellen ergeben können, muß man sich einige Faktoren vergegenwärtigen, welche der Arbeit des Etruskologen grundsätzlich entgegenstehen: die vollständige Vernichtung der lit. und historiographischen Produktion der E. selbst und auch der klass. lit. Werke über die E. (so die *libri rerum Etruscarum* des Verrius Flaccus oder die Τυρρηνικά (*Tyrrhēnikā*) des Kaisers Claudius), die Seltenheit und Zufälligkeit, mit der die ant. Schriftsteller Informationen über die E. liefern, die mit dem Verständnis der etr. Sprache verbundenen Schwierigkeiten, der Umstand, daß man bis vor wenigen Jahrzehnten ihren Siedlungen bei Grabungen zu wenig Beachtung geschenkt hat, die zeitweilige Wiederbelebung phantastischer Hypothesen, welche, erstmals von Gelehrten des 15.–16. und 18. Jh. vorgebracht, h. nicht mehr haltbar sind, schließlich die große Zahl dilettantischer Publikationen über die Welt der E., die nur vom richtigen Weg abbringen.

D. Geographischer Bereich

Die Region, in der sich die etr. Zivilisation entwikkelt hat, ist im Norden durch das Arnobecken bis hinauf zum toskanisch-emilianischen → Appenninus begrenzt, im Süden und Osten durch den Tiber und im Westen durch das *mare Tyrrhenum*. Das erste Ausgreifen der E. erfolgte im 9. Jh. v. Chr. in Richtung auf die Gegend um Salerno bzw. Bologna (→ Bononia [1]). Zahlreiche etr. Siedlungen des 6./5. Jh. finden sich in der Po-Ebene und in → Campania; doch wurden sie zw. E. des 5. und dem 4. Jh. von Galliern bzw. → Samnites verdrängt. Nach etr. Zeugnissen und der späteren Überlieferung finden sich kleinere etr. Gemeinschaften auch unter in verschiedenen ital. Regionen ansässigen Volksstämmen (etwa in Latium, der Romagna, Ligurien und Piemont) sowie in verschiedene Bereichen des Mittelmeergebiets (Languedoc, Corsica, Karthago und Ägypten).

E. HERKUNFT

Der Ursprung der E. ist schon seit der Ant. eine über lange Zeit diskutierte Frage. Hellanikos (FGrH 4 F 3 bei Dion. Hal. ant. 1,28,3) und Antikleides (FGrH 140 F 21 bei Strab. 5,2,4) hielten die E. für aus der Ägäis zugewanderte Pelasger, Hdt. 1,94 hatte lyd. Informationen, denen zufolge die E. aus Lydia stammten, Dion. Hal. ant. 1,30 dagegen hielt sie für Autochthone. Im 15. Jh. stellte Annio aus Viterbo die Hypothese von der Herkunft der E. aus Israel auf, die bis ins 18. Jh. lebendig blieb. In den vergangenen 200 J. hat man dagegen meist aufgrund von ant. Quellen, die eine Identität der Raeti mit den E. behaupteten (Liv. 5,33,11; Plin. nat. 3,133; Iust., Pomp. Trog. epit. 20,5,10; Steph. Byz. s. v. Ῥαιτοί) und aufgrund von Analogien von frühgesch. mit ital.-etr. Kulturen angenommen, die E. könnten aus Mitteleuropa zugewandert sein. Alle diese Theorien verlieren durch dasselbe ihnen zugrundeliegende Vorurteil an Gültigkeit: das etr. Volk bereits als existent anzunehmen, in It. oder außerhalb, noch bevor in Wirklichkeit seine Gesch. begonnen hätte. Jede dieser Theorien wartet mit histor. gesicherten Erkenntnissen auf, die jedoch nichts zur endgültigen Lösung des Problems beitragen, weil sie mit anderen, gleichfalls histor. gesicherten Erkenntnissen anderer Theorien erst in Zusammenhang gebracht bzw. verglichen werden müssen. Daraus folgt, daß man die zwingenden Schlüsse der einzelnen Theorien nur dann nutzbar machen kann, wenn man (nach einem Vorschlag von M. PALLOTTINO) die Frage nach der Herkunft durch die Frage nach der Formation ersetzt, etwa in dem Sinne, daß sich verschiedene ethnisch-kulturelle Kerngemeinschaften verbunden und so ein neues Volk geschaffen haben könnten. Diese Entwicklung könnte in der Region E.a eben zw. dem Ende der Brz. und dem Anf. der Eisenzeit (zw. dem 10. und den Anf. des 9. Jh. v. Chr.) stattgefunden haben. Denn in den mittleren Jahrzehnten des 9. Jh. setzt sich in derselben Region die Villanova-Kultur durch, die das ganze 8. Jh. hindurch besteht und die erste Ausprägung der etr. Zivilisation darstellt. Gleichzeitig setzen sich in verschiedenen anderen Regionen der ital. Halbinsel jene Völker durch (Veneti, Picentes, Umbri, Sabini, Latini, Samnites, Dauni u. a.), die zusammen mit den E. die Gesch. Italiens das ganze 1. Jt. v. Chr. prägen werden.

F. ANFÄNGE

Die Zeugnisse der Villanova-Kultur sind nur arch. Natur. Der Bevölkerungszuwachs ist bemerkenswert. Aufgrund der beim Bau verwendeten wenig haltbaren Materialien weiß man über die Wohnstätten kaum etwas. Die Siedlungen – in einigen Fällen bruchlos zu denen der späten Brz. ausgebaut, in anderen Fällen neu errichtet – sind normalerweise an einem natürlich geschützten Ort zu finden – in der Regel auf einem von Flußläufen eingefaßten Plateau in Süd-E.a und auf der Höhe eines Hügels in Nord-E.a Die Siedlungsform ist das Dorf mit wenigen hundert bis zu ein paar tausend Einwohnern; oft gehören einige dieser Dörfer, die höchstens 1 bis 2 km auseinander liegen, zum selben Siedlungskern, der sich im Laufe weniger Jh. in eine Metropole verwandeln wird. Die Wohnstätte ist eine Hütte mit kreis- oder fast kreisförmigem Grundriß, deren Wände und Decken aus Holz und anderen verderblichen Materialien (Äste, Zweige, Heu, Ton) hergestellt sind und die im Inneren gewöhnlich aus einem einzigen Raum mit zentraler Feuerstelle bestehen. Wesentlich mehr weiß man über die Nekropolen: weite Urnenfelder mit Gräbern meist in Pozzetto-Form (→ Grabbauten) für den Ritus der Leichenverbrennung, oder auch – ab dem 8. Jh. v. Chr. – Erdgräber für den Ritus der Körperbestattung. Im ersten Fall ist die Urne eine Vase in Doppelkegel- oder Hüttenform. Die Grabbeigaben – weniger reich in der Anfangszeit, reicher in der Spätzeit – enthalten Gegenstände, die auf Geschlecht und gesellschaftlichen Rang hinweisen: Rasierklingen oder Waffen als Grabbeigaben für Männer, Halsketten oder Strickwerkzeuge für Frauen.

G. BODENSCHÄTZE UND WIRTSCHAFT

Der Formationsprozeß des etr. Volkes war also schon zu Anf. der Villanova-Zeit abgeschlossen. Dies erklärt sich überzeugend aus den Ressourcen, die den Bewohnern von E.a zur Verfügung standen. E.a war ein fruchtbares Land, ›das alles Erdenkliche lieferte‹ (Diod. 5,40,3), geeignet für eine Landwirtschaft, die seit dem 9./8. Jh. v. Chr. aufgrund der Nutzung des Eisens bei der Herstellung von Handwerkszeug und der Einführung des Pflugs intensiv geführt wurde. Hinzu kam der Umstand, daß weite Wälder mit hochgewachsenen Bäumen sehr gutes Holz lieferten (Strab. 5,2,5), außerdem das Salz der Salzminen (Volterra) und der Salinen entlang der Tyrrhenischen Küste. Dazu kamen die Erträge der Minen in den Colline Metallifere auf der Insel Elba und in den Tolfa-Bergen (Eisen, Kupfer, Zinn, Zink, Blei), die im Handel begehrt waren (Plin. nat. 33,1). Nicht weniger bed. waren andere Produkte wie Schaf- und Ziegenwolle, Schweinefleisch (eine der ältesten etr. Darstellungen: Hirt mit Schweinen in der Situla von Plikasna aus Clusium, Mitte 7. Jh. v. Chr.) oder Thunfisch (vgl. Strab. 5,2,6–7: Beobachtungsstationen auf Küstenerhebungen bei Populonia und Porto Ercole).

H. 8./7. Jahrhundert

Im Laufe des 8. Jh. wird E.a dank seiner natürlichen Ressourcen und Produkte Teil eines weiten Handelsnetzes: In den Gräbern finden sich nordeurop., sardische, phoinik. und euboiische Erzeugnisse. Die Hauptgegenleistung, mit der diese Importe ausgeglichen werden, sind jetzt wie auch in Zukunft Mineralien und Metalle. Es ist nicht auszuschließen, daß mit den ausländischen Produkten auch die mit diesen verbundenen Tätigkeiten und Gebräuche ins Land kamen. Das ist z.B. bei den euboiischen geom. verzierten Schalen der Fall, die wahrscheinlich mit dem euboiischen Wein importiert wurden; mit dem Wein werden außerdem auch die entsprechenden Trinkgebräuche eingeführt worden sein sowie die Ideologie, die diesen Zeremonien zugrunde lag. Die Entwicklung, derer wir hier gewahr werden, geht also über den bloßen Tausch von Waren hinaus und ist reich an kulturellen Implikationen. Aus den Ausgangsorten dieser fremden Produkte werden auch Menschen zugewandert sein, die den Handel organisierten bzw. ähnliche Güter wie die importierten nun auch vor Ort herstellten. Mit dem wirtschaftlichen und kulturellen Handelsfluß aus dem euboiischen Gebiet gelangt auch das griech. → Alphabet nach E.a.

In der 1. H. des 7. Jh. erweiterten sich die großen Handelsnetze nochmals. Aus Nordeuropa über Nord-It. kam → Bernstein, aus dem östl. Mittelmeerraum wurden korinth., ion. und Produkte aus dem Nahen Osten eingeführt: Zu den Gelagevasen kamen nun Parfumbehälter und Zierobjekte. Das Material, aus dem diese Gegenstände gefertigt wurden, war neben feiner Keramik Gold, Silber und Elfenbein. Die Wareneinfuhr veränderte hauptsächlich zwei Lebensbereiche: das → Gastmahl und die → Körperpflege. Der Lebensstil nahm luxuriöse Züge an; all das läßt auf einen anhaltenden Reichtum schließen. Das monumentale Tumulus-Grab (in Vetulonia, in Marsiliana d'Albegna), dessen Entstehung auf gentilizische Gesellschaftsstruktur hinweist, ist der sichtbarste Ausdruck einer aufstrebenden aristokratischen Klasse. Auch die Art zu wohnen veränderte sich: Man ging von den Hütten zum Haus mit quadratischem Grundriß und Steinfundament über, das nun in mehrere Räume unterteilt wurde. Noch einmal gelangten aus denselben Orten, aus denen auch die fremden Güter eingeführt wurden, Handwerksmeister nach E.a, die vor Ort ähnliche Gegenstände herstellten wie die importierten. Viele importierte Behälter wurden abgefüllt (Parfums, Öle), die dann bei Zeremonien (Gelagen, Banketten) Verwendung finden sollten, da diese einen großen Vorrat an Gütern wie Öl und Wein voraussetzten. Mit deren Produktion begann man in E.a gerade zw. dem Ende des 8. und dem 7. Jh. v. Chr., und zwar auf Initiative jener spezialisierten Bauern, die von außerhalb zugeströmt waren, weil sie von der Nachfrage einer reichen lokalen Klientel angezogen wurden.

Die zugewanderten Handwerksmeister müssen aber auch einen Beitrag zur Genese der großen Kunst geleistet haben, zur Bildhauerei (→ Bildhauertechnik) wie zur Malerei. Dieses Phänomen wird in der ant. Lit. angedeutet (Plin. nat. 35,16, 152). In dieser Produktion griff man dabei sowohl auf den Stil als auch auf Themen und ikonographische Schemata aus dem Ausland zurück, die jedoch der Ideologie der lokalen (aristokratischen) Gemeinschaften angepaßt wurden. Verschiedene etr. Erzeugnisse, meistenteils aus Br., wurden in zahlreiche Regionen Mittel- und Nordeuropas exportiert und liefern uns h. das Indiz für die Existenz weitreichender Handelsverbindungen, die wahrscheinlich Konsumgüter und Rohstoffe umfaßten, die aber weder quantifizierbar noch genau zu identifizieren sind.

Schließlich gilt es noch, die Tatsache zu unterstreichen, daß E.a nicht gleichförmig von diesem Erneuerungsprozeß erfaßt wurde. Vielmehr manifestiert sich dieser Prozeß stärker in den Zentren mit hohem wirtschaftlichen Potential bzw. mit guten Verbindungen zum Ausland und innerhalb derselben Zentren stärker unter den Repräsentanten der herrschenden Gesellschaft. Die Steigerung der Produktion der für den inländischen und ausländischen Markt bestimmten Erzeugnisse führte zur Herausbildung einer immer breiteren Schicht von spezialisierten Handwerkern und Kleinhändlern, die alle gleichmäßig am Wohlstand beteiligt waren. Eine neue – demokratische – Schicht setzte sich zum Nachteil der alten aristokratischen Gesellschaft durch und strebte leidenschaftlich eine klar umrissene und entscheidende Stellung auch in der Politik an. Die Stadt wurde zum Ausdruck der neuen gesellschaftlichen Machtverteilung – bes. in den neuen Bauvorhaben, die nicht mehr zugunsten einzelner, sondern zugunsten der ganzen Gemeinschaft durchgeführt wurden: z.B. gerade verlaufende Straßen, die Schaffung von Stätten, welche politischen (Plätze) oder religiösen Versammlungen (Heiligtümer) dienten, die Pflasterung öffentlichen Geländes, die Einrichtung von Abwassersystemen und Stadtmauern, die Schaffung von Häfen, die Gestaltung der Nekropolen usw. Die Stadt wurde so zu einem polit. Gemeinwesen und zum Kern der sozialen Ordnung von E.a. Die polit., wirtschaftlichen und mil. Aktivitäten gingen jeweils von einzelnen Städten aus, so wie bei den *póleis* in Griechenland. In den letzten Jahrzehnten des 7. und in der 1. H. des 6. Jh. nahm die wirtschaftliche Produktion von E.a an Umfang und Qualität zu. Wein, Öl und Folgeprodukte (Parfums, Salben) wurden in großem Maßstab exportiert, hauptsächlich in den westl. Mittelmeerbereich (Provence, Languedoc, die iberische Küste Kataloniens bis nach Gibraltar, Nordafrika, Korsika, Sardinien, Kampanien und Sizilien).

I. 6./5. Jahrhundert

Im 6. und in den ersten Jahrzehnten des 5. Jh. v. Chr. waren die Hauptlieferanten fremder Produkte in E.a bes. die Phokaioi, Athener und Aiginetai. Das *mare Tyrrhenum* war nun Schauplatz großer konkurrierender Handelsinteressen zw. Phokaioi, E. und Karthagern. Der Zusammenstoß zw. E. und Karthagern auf der einen, Phokaioi auf der anderen Seite in der Seeschlacht

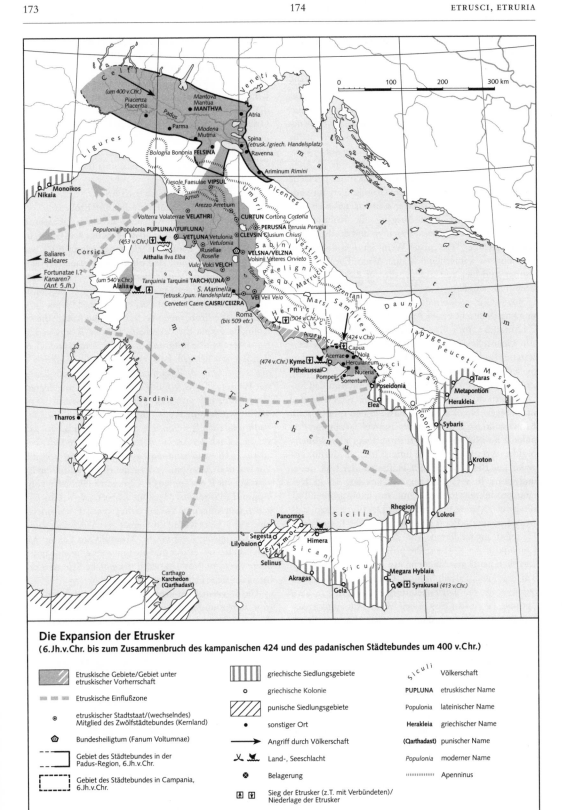

Die Expansion der Etrusker
(6. Jh. v. Chr. bis zum Zusammenbruch des kampanischen 424 und des padanischen Städtebundes um 400 v. Chr.)

Etruskische Gebiete/Gebiet unter etruskischer Vorherrschaft	griechische Siedlungsgebiete	*Siculi* Völkerschaft
Etruskische Einflußzone	griechische Kolonie	**PUPLUNA** etruskischer Name
etruskischer Stadtstaat/(wechselndes) Mitglied des Zwölfstädtebundes (Kernland)	punische Siedlungsgebiete	Populonia lateinischer Name
Bundesheiligtum (Fanum Voltumnae)	sonstiger Ort	**Herakleia** griechischer Name
Gebiet des Städtebundes in der Padus-Region, 6. Jh. v. Chr.	Angriff durch Völkerschaft	(Qarthadast) punischer Name
Gebiet des Städtebundes in Campania, 6. Jh. v. Chr.	Land-, Seeschlacht	*Populonia* moderner Name
	Belagerung	Apenninus
	Sieg der Etrusker (z.T. mit Verbündeten)/ Niederlage der Etrusker	

bei Alalia (→ Aleria) um 540 v. Chr. (Hdt. 1,166 f.) führte zur Aufteilung von Einflußgebieten (→ Corsica den E., Sardinien den Karthagern und Südgallien und Süd-It. den Phokaioi), ohne daß dadurch der kommerzielle und kulturelle Austausch zw. E.a und Griechenland unterbrochen worden wäre. Nach E.a kamen weiterhin Erzeugnisse und Handwerksmeister aus Griechenland. Diese bauten Geschäfte auf und entwickelten hochwertige künstlerische Traditionen: etwa die der → Caeretaner Hydrien in Caere, die der sf. Keramik in Vulci, die der Wandmalerei in Tarquinia. Nach der Schlacht bei Alalia, in deren Folge die Seeverbindungen mit Südgallien zunehmend schwieriger wurden, nahmen von E.a Handelsströme ihren Ausgang, die Kontinentaleuropa über die Po-Ebene erreichten und dorthin nicht nur Br.-Gefäße (Teile ganzer Wein-Services) exportierten, sondern wahrscheinlich auch Wein. Die Handelspartner sind hier kelt. Adlige, die auf diese Weise etr. beeinflußt wurden.

509 v. Chr. verloren die E. die Kontrolle über Rom und 504 (Schlacht bei → Aricia) auch die über Latium. Zu Anf. des 5. Jh. v. Chr. scheiterte ihr Versuch, sich auf den Liparischen und den »Glücklichen Inseln« festzusetzen (Diod. 5,20,4). 474 v. Chr. wurden sie von den Syrakusanern in der Seeschlacht bei Cumae (→ Kyme) geschlagen, 453 v. Chr. wurden sie erneut von den Syrakusanern im Norden ihrer Erzminen (Elba, Populonia) besiegt: Nun kam es zur Krise in den großen südl. Küstenstädten Caere, Tarquinia und Vulci, während Populonia im Norden als Zentrum eines großen Minenbezirks, evtl. von Syrakusai unterstützt, an Einfluß gewann. Die Blockade der südl. Häfen zw. der 2. H. des 5. und dem 4. Jh. v. Chr. zog einen Rückgang der att. Keramikproduktion nach sich, die zu einem großen Teil für die etr. Märkte bestimmt war. Das führte dazu, daß att. Meister in das Pontos-Gebiet, nach Süd-It. und nach E.a selbst auswanderten. Von der damit verbundenen Konjunktur der Küstenstädte profitierten die landwirtschaftlich geprägten Städte im etr. Hinterland längs des Tibertals (Veii, Falerii, Volsinii, Clusium, Cortona, Arretium – vgl. die Weizenlieferungen an Rom 492, 440, 433 und 411 v. Chr. sowie den Wein-, Öl- und Trockenobstexport von Clusium nach Gallien in den ersten J. des 4. Jh.: Liv. 5,33,1–6; Dion. Hal. ant. 13,10; Plut. Camillus 15,3–4). In diesen Städten entstanden Keramikwerkstätten und Bildhauerschulen, die sich an der großen griech. Kunst der klass. Periode orientierten (vgl. die rf. Vasen von Falerii, die Skulpturen der Tempel in Falerii und Volsinii/Orvieto).

Der Versuch der E. (aus Tarquinia?), Seemachtpolitik zu betreiben, indem sie mit einem bescheidenen Kontingent zusammen mit den Athenern 413 v. Chr. Syrakusai belagerten, scheiterte. Der letzte Schlag, den Syrakusai gegen die etr. Seemacht führte, war die Plünderung des Heiligtums und des Hafens von Pyrgoi 384 v. Chr. Evtl. steht mit diesen Geschehnissen auch die Tatsache in Zusammenhang, daß in der 2. H. des 4. Jh. v. Chr. in den Küstenstädten ein neuer Landadel entstand, der sich dem Hinterland zuwandte, den Bereich der Felsnekropolen (Tuscania, → Blera/Bieda, Norchia, → Castel d'Asso, S. Giovenale, S. Giuliano, Sovana) wieder besiedelte und damit eine Gegend wieder mit Leben erfüllte, die Ende des 6. Jh. v. Chr. verlassen worden war. Zeichen dieser neuen sozio-ökonomischen Orientierung sind große, mit Fresken verzierte Kammergräber in Vulci (»tomba François«) und Tarquinia (z. B. *tombe dell'Orco, degli Scudi*), mit Stuck verzierte in Caere (*tomba dei Rilievi*) und Tarquinia (*tomba della Mercareccia*).

J. 4./3. JAHRHUNDERT UND ENDE

Zu Anf. des 4. Jh. bedeutete die röm. Eroberung von Veii (396 v. Chr.) im Anschluß an einen Jahrzehnte währenden Krieg den Beginn des Einzugs der Römer in E.a. Viele Städte bauten oder erneuerten mit Blick auf die unmittelbare röm. Bedrohung Stadtmauern. Nach der Einnahme von Veii eroberte Rom die Nachbarstädte Capena und Falerii und legte in deren Gebiet zwei latin. *coloniae* an, Sutrium (383 v. Chr.) und Nepet (373 v. Chr.). Die Eroberung von Veii und die Anlage dieser Kolonien leitete die dauerhafte Präsenz Roms in E.a ein. Caere wurde aufgrund dauerhaft romfreundlicher Politik – seit der gall. Belagerung das 4. Jh. hindurch – *civitas sine suffragio*. Tarquinia handelte nach dem Krieg mit Rom (358–351 v. Chr.) einen auf 40 J. angelegten Waffenstillstand aus, der 308 erneuert wurde. 310 v. Chr. wurden die E., 283 die E. und die gall. Boii am Vadimonischen See von den Römern geschlagen. 302 v. Chr. erhielt der Adel in Arretium von Rom Hilfe bei einem Sklavenaufstand. 294 v. Chr. handelten Volsinii, Perusia und Arretium verschiedene Waffenstillstandsverträge mit Rom aus. 293 v. Chr. wurde Rusellae vom Consul L. Postumius Megellus erobert, 280 v. Chr. ergaben sich Vulci und Volsinii dem Consul T. Coruncanus. 273 v. Chr. wurde im Gebiet von Vulci die *colonia* → Cosa angelegt, 264 v. Chr. Volsinii vom Consul M. Fulvius Flaccus zerstört und die Einwohner in eine neue Stätte (Volsinii Novi) versetzt; das gleiche Schicksal erlitt 241 v. Chr. Falerii.

Die E. versuchten inzwischen, statt zu kämpfen, im röm. Leben und in der röm. Politik ihren Platz zu finden. Anläßlich der Vorbereitungen zu einer röm. Expedition gegen Hannibal in Afrika steuerten mehrere etr. Städte (Caere, Populonia, Tarquinia, Volterra, Arretium, Perusia, Clusium und Rusellae) Hilfsgüter aus eigener Produktion bei (Liv. 28,45,14–18). Außerdem traten viele Angehörige der etr. Unterschicht in das röm. Heer ein, andere E. aus höheren Schichten machten polit. Karriere in Rom, ohne die Verbindungen zu ihren Heimatstädten aufzugeben (vgl. die → Caecinae aus Volterra, die Tarquitii aus Caere). Die E. nahmen die Anlage röm. *coloniae* in ihrer Heimat hin (Castrum Novum 264 v. Chr., Alsium 247, Fregenae 245, Pyrgi 191, Saturnia 183, Gravisca 181), ebenso den Bau großer Straßen (vgl. die viae Aurelia, Clodia, Cassia, Flaminia, Amerina), die der Dislokation röm. Truppen dienten, auch wenn sie teilweise bereits bestehende etr. Straßen nachzogen. Kolonien und Straßen sind als Elemente der Romanisierung zu betrachten. Die Statue des ›Arringatore‹ (2. Jh. v. Chr., Florenz, AM) ist der Ausdruck dieses neuen Zustandes: Die Kleidung, das Schuhwerk und die porträthafte, beschreibende Ausführung weisen auf die Öffnung gegenüber der röm. Welt hin, während die etr. Inschr. der Togaborte auf die etr. Kultur verweist.

Rom und E.a folgten im 3./2. Jh. denselben kulturellen Strömungen: Man denke an die griech. Mythen aus den troian. und theban. Sagenkreisen, die gleichermaßen zum Repertoire der archa. lat. Trag. wie auch zur Dekoration etr. Aschenkisten gehören. Mit dem Ende des Bundesgenossenkrieges und der *lex Iulia de civitate* (90–88 v. Chr.) erwarben die Bewohner der *Italia antiqua*, also auch die E., die *civitas Romana*. Damit enden offiziell die regionalen ital. Kulturen, und es bildet sich der neue einheitliche röm. Staat, in dem Latein die offizielle Sprache wird. Der Götterkult der E. hatte im 1. Jh. v. Chr. und in der Kaiserzeit nur noch histor.-kulturelle Bed.: Einige Grabinschr. wurden zweisprachig, auf Lat. und Etr. notiert, Schriften mit etr. rel. Lehre ins Lat. übersetzt; Verrius Flaccus und der Kaiser Claudius verfaßten Werke über die E.; röm. Kunstsammler trugen *Tyrrhena sigilla* zusammen (Hor. epist. 2,2,180–183); man versuchte, junge Patrizier zur *Etrusca disciplina* anzuhalten, um zu vermeiden, daß diese Kunst nur noch um des Geldes willen von inkompetenten Personen ausgeübt wurde (Cic. div. 1,92); man befragte weiter zu bes. Anlässen Haruspizien etr. Herkunft, und dies sogar bis ins 6. Jh. n. Chr. (Prok. BG 8,21,16).

L. Banti, Il modo degli Etruschi, ²1969 (Die Welt der Etrusker, 1960) · J. Heurgon, La vie quotidienne chez les Etrusques, ²1979 · M. Torelli, Storia degli Etruschi, 1981 · M. Cristofani (Hrsg.), Gli Etruschi. Una nuova immagine, 1984 (Die Etrusker ²1995) · Ders. (Hrsg.), Civiltà degli Etruschi, 1985 · A. Maggiani (Hrsg.), Artigianato artistico in Etruria, 1985 · G. Camporeale (Hrsg.), L'Etruria mineraria, 1985 · G. Colonna (Hrsg.), Santuari d'Etruria, 1985 · S. Stopponi (Hrsg.), Case e palazzi d'Etruria, 1985 · A. Carandini (Hrsg.), La romanizzazione dell'Etruria: il territorio di Vulci, 1985 · P. Barocchi (Hrsg.), L'Accademia etrusca, 1985 · F. Borsi (Hrsg.), Fortuna degli Etruschi, 1985 · G. Pugliese Carratelli (Hrsg.), Rasenna, 1986 · M. Pallottino, Etruskologie, ⁷1988 · Ders. (Hrsg.), Gli Etruschi e l'Europa, 1992.   GI. C./Ü: R. P. L.

Karten-Lit.: Die Etrusker und Europa, Ausst.-Kat. Berlin, 1993 · M. Cristofani (Hrsg.), Die Etrusker, 1995 · F. Prayon, Die Etrusker, 1996 · K. v. Welck, R. Stupperich (Hrsg.), Italien vor den Römern, 1996.

II. ARCHÄOLOGIE
A. Definition B. Kultur/allgemein C. Kunst
D. Rezeption/Antike

A. Definition

Die Etr. Archäologie (E. A.) befaßt sich mit der gesamten Hinterlassenschaft der Etrusker, einschließlich der Sprachzeugnisse und der lit. Überlieferung der Griechen und Römer [12; 40]. Im Mittelpunkt steht traditionell die Interpretation der Denkmäler. Während in It. die Etruskerforschung (*etruscologia*) eine bis in die Renaissance zurückreichende Tradition besitzt und eine selbständige, alle Bereiche der etr. Kultur umfassende Disziplin darstellt [38], ist sie außerhalb It. Teilbereich unterschiedlicher Fächer, wie der Klass. Arch., Vor- und Frühgeschichte, Alten Geschichte, Klass. Philol. und Vergleichenden Sprachwiss. Der zeitliche Rahmen der E. A. reicht von der ausgehenden Bronzezeit (Protovillanova 11./10. Jh. v. Chr.) bis zum Ende der Romanisierung Etruriens im frühen 1. Jh. v. Chr. Die Einteilung in verschiedene Kultur- und Kunstepochen folgt im allg. der griech. Terminologie (Archaik, Klassik, Hellenismus), allerdings entspricht der geometrischen Epoche (9./8. Jh.) in Etrurien die → Villanova-Kultur [2], und die Archaik hat ein Nachleben im 5. Jh. v. Chr. (»subarcha. Stil«).

Geogr. umfaßt die E. A. neben dem etr. Kernraum zwischen Arno und Tiber sowie den kolonisierten Gebieten der Poebene (Mantua) und Campaniens (Capua) auch angrenzende Gebiete der kulturell z. T. etruskisierten Italiker (bes. Latium) einschließlich des frühen Rom [21; 46]. Vergleichbar der griech. Arch. unterscheidet die E. A. zwischen den einzelnen Stadtstaaten und deren jeweiligen regionalen Kulturleistungen (z. B. Tarquinia: Grabmalerei, Vulci: Toreutik [1]), wobei neben die reichen Grabbefunde in zunehmendem Maße solche von Heiligtümern und Wohnsiedlungen treten [7; 47]. Gegenüber der älteren, graecozentrierten Forsch. interessiert h. primär das spezifisch Etruskische in seiner eigenen Entwicklung wie auch als integrierter Bestandteil der multikulturellen Mittelmeerwelt [38; 42; 53].

B. Kultur/Allgemein

Entsprechend der Definition der E. A. als Kulturwissenschaft werden alle Bereiche erfaßt, von Geologie, Geographie und Topographie [49] über Wirtschaft und Handel [11. 68–99], der inneren und äußeren Geschichte [45. 15–76; 56], Staat, Gesellschaft und Familie [11. 100–135; 30; 45. 80–156; 52] sowie von Religion und Kult, deren Erforschung aufgrund der reichen schriftlichen (*disciplina Etrusca*, → Divination VII.) und arch. Überlieferung (Haruspizin: Bronzeleber von Piacenza [54]) einen bes. Stellenwert einnehmen [11. 136–167; 34; 41; 45. 159–237].

C. Kunst
1. Architektur 2. Plastik
3. Grabmalerei 4. Grabbeigaben
5. Keramik, Kleinkunst, Toreutik

1. Architektur
Prägende Faktoren der etr. Kultur und Kunst waren zum einen die günstigen klimatischen und geogr., Landwirtschaft und Seehandel fördernden Bedingungen (mit Küstenmetropolen wie Cerveteri, Tarquinia, Vulci) und zum anderen die geologischen Vorausset-

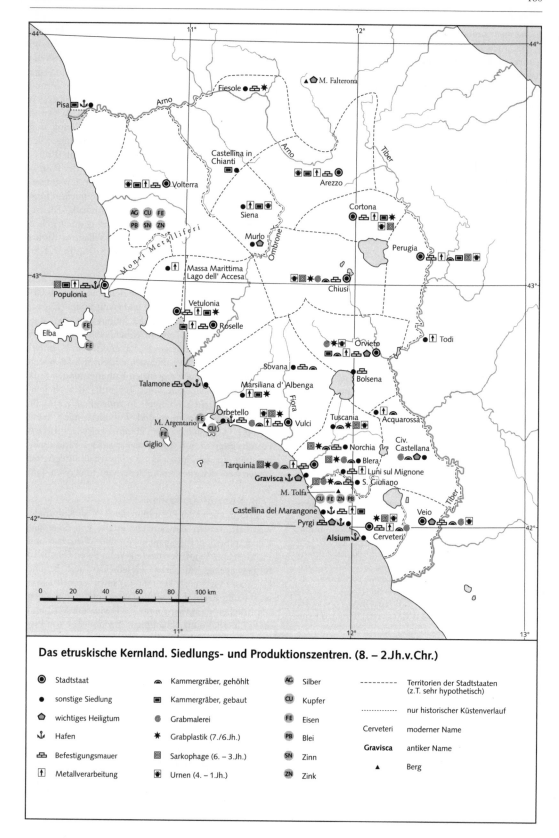

Das etruskische Kernland. Siedlungs- und Produktionszentren. (8. – 2.Jh.v.Chr.)

Symbol	Bedeutung		Symbol	Bedeutung
◉	Stadtstaat		⌢	Kammergräber, gehöhlt
●	sonstige Siedlung		▣	Kammergräber, gebaut
⬠	wichtiges Heiligtum		◉	Grabmalerei
⚓	Hafen		✳	Grabplastik (7./6.Jh.)
🔒	Befestigungsmauer		▣	Sarkophage (6. – 3.Jh.)
⬆	Metallverarbeitung		▣	Urnen (4. – 1.Jh.)

AG	Silber
CU	Kupfer
FE	Eisen
PB	Blei
SN	Zinn
ZN	Zink

- - - - - - - - -   Territorien der Stadtstaaten (z.T. sehr hypothetisch)

· · · · · · · · ·   nur historischer Küstenverlauf

Cerveteri   moderner Name

Gravisca   antiker Name

▲   Berg

zungen aufgrund der reichen Erzvorkommen und deren Verarbeitung [11. 68–87; 22] in den Gebieten um Elba (Populonia, Vetulonia), den Monti Metalliferi (Volterra, Massa Marittima) und den Tolfabergen (Monte Rovello, Castellina del Marangone). Für das Kunstschaffen prägend waren darüber hinaus die vulkanischen Formationen in Südetrurien, wobei das weichere Tuffgestein die Bauformen und der härtere Nenfro sowie Kalkstein die figürliche → Plastik bestimmten [48]. Die Lage der aus fortifikatorischen Gründen meist auf Bergkuppen angelegten Siedlungen ist durch die weitläufigen Nekropolen erschließbar, häufig auch durch Siedlungskontinuität mit Resten der Ummauerungen und von Stadttoren (Volterra, Perugia). Urbanistik und Infrastruktur (Straßen, Kanalisation, Zisternen) [4; 45. 371–530; 55] sowie die Entwicklung der Wohnarchitektur aus bescheidenen Anfängen bis zu mehrgeschossigen Hofhäusern in *insulae* sind durch großflächige Ausgrabungen (bes. S. Giovenale, Acquarossa, Marzabotto) sowie die Nachbildung in Gräbern (s.u.) bekannt [49]. Die Entwicklung der Hausarchitektur verläuft zunächst ähnlich wie in Griechenland (Ovalhäuser, Lang- und Breithäuser), doch führen die Vorliebe für axiale und symmetrische Raumanordnungen sowie das Streben nach Wohnkomfort auch zu bedeutenden eigenen Schöpfungen wie dem Atriumhaus [7; 43; 46].

Bes. gut erforscht sind die Nekropolen mit ihren das Innere des Wohnhauses imitierenden Kammergräbern, die in Nordetrurien aus Steinblöcken erbaut sind, während im Süden die in das Tuffgestein eingemeißelten Hypogäen überwiegen [43; 49]. Trotz regionaler Vielfalt lassen sich als gemeinsame Entwicklungstendenzen für die Frühzeit (7./6. Jh. v.Chr.) das runde Tumulusgrab über profiliertem Sockel und Erdhügel, mit Zugang (Dromos), kreuzförmigem Grundriß der Grabanlage und hausähnlicher Innenarchitektur benennen (bes. Cerveteri). Im 6./5. Jh. dominieren plane Grabfassaden (Typen der »Würfel-« und »Aediculagräber«: Cerveteri, Blera, Populonia) mit deutlicher Anlehnung an das Äußere und die Innengliederung des gleichzeitigen Wohnhauses. Ab dem 4./3. Jh. überwiegen Fassadengräber, häufig mit Elementen der Tempelarchitektur (Sovana: Tomba Ildebranda, Norchia: Giebelgräber) [37], daneben existieren reiche Gentilizgräber mit Atrium-imitierender Innengliederung (Cerveteri: Tomba dei Rilievi; Perugia: Volumniergrab) [3; 49]; → Grabbauten.

Die Sakralarchitektur ist vielfältiger als der typische, seit Vitruv (4,7) als »tuskanisch« bezeichnete Tempeltyp mit drei rückwärtigen *cellae*, tiefer Säulenvorhalle sowie mit Terrakotta geschmücktem, hölzernem Dach (Beispiele: Veio, Portonaccio und Pyrgi, Tempel A). Hinzu kommen griech. beeinflußte Bauformen wie der Ringhallentempel mit nur einer *cella* (Pyrgi, Tempel B) oder seit dem frühen 6. Jh. v.Chr. monumentale Hofanlagen (Murlo; Cerveteri, Montetosto) bzw. Flügelbauten (Acquarossa) mit sakraler und öffentlicher Funktion.

Charakterisch ist – wie im Wohnhaus, Grab und → Tempel – die parataktische, dreigliedrige Raumanordnung [7; 47]. Die Tempelgiebel der Frühzeit sind »offen«, mit tönerner Reliefverkleidung nur der Stirnbalken (Antepagment von Pyrgi [47 mit Abb. 179–181]; erst im Hell. »geschlossene« Giebelreliefs mit griech. Mythen: → Telamon [24]); typisch etr.-ital. ist auch die Aufstellung von tönernen Götterstatuen auf dem First von Tempeldächern (Murlo, Veio, Satricum [17]). Als Einzelform herausragend die »tuskanische« → Säule mit Kapitell (Abacus, Torus, Blattkranz), glattem Schaft und profilierter Wulstbasis (Vitruv 4,7). Abgeleitet aus dem proto-dorischen Holzkapitell in Griechenland, ist die tuskanische Säule seit Anf. des 6. Jh. v.Chr. aus Tempeln, Gräbern und Häusern überliefert, die Abfolge der Einzelglieder des Kapitells ist darüber hinaus formbestimmend für die Profile von Grabbauten (Tumuli und Würfelgräber) und Altären [44]. Tempel und Altäre waren, wie die Ausgrabungen in Hafenheiligtümern wie Pyrgi und Gravisca zeigen, Bestandteil von weitläufigen Anlagen mit zahlreichen sakralen und profanen Bauten sowie mit Opfer- und Abfallgruben für Votivbeigaben und ausgedientem Bauschmuck [7; 17]. Auffallend ist die Vielfalt der in einem Heiligtum verehrten Gottheiten, neben etr. auch griech. und semitische, wie Uni-Astarte in Pyrgi [25;36].

2. PLASTIK

Anders als in Griechenland und Rom wurde Marmor nur vereinzelt verwendet; es dominierten hingegen Ton (sakraler Bereich) und Stein (Grabbereich) sowie Bronze als Votivplastik für Ehrenstatuen wie dem »Arringatore« in Florenz [9; 18]. So sollen im Jahre 264 v.Chr. bei der Eroberung von Volsinii/Orvieto 2000 Statuen erbeutet und nach Rom geschafft worden sein (Plin. nat. 34,34). In der bis ins 7. Jh. v.Chr. zurückreichenden Grabplastik (mit den »Abbildern« der Verstorbenen) lassen sich einheimische Villanova-Traditionen (Kopfurnen, Kanopen), oriental. Einflüsse (»orientalisierende Phase«: Sitzbilder in Ceri und Cerveteri [10]) sowie ab dem 6. Jh. verstärkt griech. Stilelemente (Vetulonia, Pietrera; Vulci) beobachten, die auch die im 6. Jh. v.Chr. einsetzende Tempel- und Votivplastik bis zu deren Ende im 2./1. Jh. kennzeichnen [13; 47; 48]. Als spezifisch etr. gelten die bes. Betonung des Kopfes durch Größe oder Überzeichnung von Einzelformen gegenüber der eher schematischen Körperwiedergabe (Apoll von Veio [47 mit Abb. 118–119]), das Festhalten an archa. Stilformen, auch als »subarcha. Stil« bezeichnet (Antepagment von Pyrgi), und seit dem 4. Jh. v.Chr. das Nebeneinander von naturalistischen (»Apoll« von Falerii; Ehepaarurne in Volterra [48 mit Abb. 240–241, 286–287]) und abstrakten, die Körperproportionen vernachlässigenden Stilelementen, wie die überlängte Bronzestatuette der »Ombra della Sera« in Volterra [45. 638–676]. Individualporträts wie in der röm. Kunst der Kaiserzeit haben die Etrusker nicht angestrebt [9; 26].

Neben der Freiplastik ist die Reliefkunst mit zahlreichen lokalen Traditionen hochentwickelt, wie den jeweils dem Grabbereich entstammenden archa. Kalksteinreliefs in Chiusi [32] und den hell. Sarkophag- und Urnenreliefs aus Tarquinia (Nenfro), Volterra (Alabaster), Chiusi (Kalkstein) oder Siena (Ton), deren myth. Bildthemen nicht nur mehr für die Rekonstruktion griech. Sagenmotive relevant sind, sondern die auch für technische Fragen (Werkstätten) sowie soziale und polit. Aussagen herangezogen werden [27; 36].

3. GRABMALEREI

Im Mittelmeerraum verfügt Etrurien über die bedeutendsten → Grabmalereien des 1. Jt. v. Chr.: Dank der geologisch günstigen Voraussetzungen des vulkanischen Tuffgesteins und dem Streben nach reich dekorierten Grabkammern bildeten sich, bes. seit dem 6. Jh. v. Chr., in Tarquinia, Chiusi und Orvieto (mit Vorläufern in Cerveteri und Veio), lokale Zentren der Grabmalerei heraus, deren Hauptthemen in Tarquinia zunächst Aspekte der Leichenfeiern (Tomba degli Auguri [50 mit Abb. 13–22]) und Totengelage (Tomba dei Leopardi [50 mit Abb. 105]) waren, ab dem 4. Jh. v. Chr. auch Jenseitsdarstellungen (Tomba dell'Orco [50 mit Abb. 127–134]) und Totenprozessionen, häufig mit namentlicher Kennzeichnung der Teilnehmer und des Verstorbenen. Ein wichtiges Dokument bietet die Tomba François in Vulci (4. Jh. v. Chr.), mit Zweikampfszenen von histor. Persönlichkeiten des 6. Jh. v. Chr., darunter die Brüder Aulus und Gaius Vibenna aus Vulci sowie Mastarna, identisch mit König Servius Tullius aus Rom [51]. In den Wandbildern spiegelt sich der jeweils dominierende Stil der griech. Vasenmalerei wider, zunächst korinthisch, ionisch und att., im Hellenismus vor allem unteritalisch. Für die Onomastik, die Jenseitsvorstellungen und Grabsitten, aber auch für Antiquaria wie Tracht [5], Schmuck und Geräte sind die Grabmalereien von zentraler Bed., darüber hinaus auch aufgrund ihrer thematischen, ikonographischen und stilistischen Nähe zu griech. Bildmotiven für die Kenntnis der weitgehend zerstörten griech. Wandmalerei.   F. PR.

4. GRABBEIGABEN

Nach etr. Vorstellungen war das Einhalten von Totenritualen für das Wohlergehen der Verstorbenen im Jenseits von zentraler Bed., was sich neben den aufwendigen Grabbauten auch in den G. niederschlug.

Vom Anfang des 9. bis zur Mitte des 8. Jh. wurden in den Urnen der → Villanova-Kultur zusammen mit der Asche des Verstorbenen nur persönliche Dinge (Fibeln, Rasiermesser, Bronzeschmuck usw.) bestattet: Fast alle Gräber gehörten zur selben sozialen Schicht. Unter den G. befinden sich auch Libationsgefäße, die anläßlich des Bestattungsrituals nach Gebrauch zerbrochen wurden.

Schon ab ca. 750 v. Chr. wurden Mitglieder der Aristokratie in eigenen Gräbern bestattet, die neben dem persönlichen Besitz auch Objekte aus Metall enthielten, die den sozialen Rang der Toten kennzeichneten (z. B. Schilde aus dünnem Bronzeblech, Feldflaschen und Pferdetrensen aus Br.). In der sog. orientalisierenden Phase (Ende 8. – 7. Jh. v. Chr.) verstärkte sich die Tendenz, die soziale Stellung der Bestatteten zu betonen. In den Kammergräbern unter monumentalen Tumuli fanden sich als Statussymbole geltende Importartikel aus dem östl. Mittelmeerraum (Syrien, Palästina, Zypern): u. a. Goldschmuck, Straußeneier, geschnitzte Elfenbeine, Vasen aus Edelmetall.

Das Phänomen der »Fürstengräber« dauerte etwa bis zur Mitte des 6. Jh. v. Chr., einem Zeitpunkt, zu dem sich in den etr. Nekropolen vieles veränderte. Wie in Griechenland hatten sich auch in Etrurien in den Städten neue soziale Schichten herausgebildet, wobei sich sowohl in den → Grabbauten als auch bei den G. die zuvor starke Differenzierung zunehmend anglich. Griech. Keramik war besonders beliebt; um 550 wurden die Importe aus Korinth von att. Keramik abgelöst. Im 4. und 3. Jh. wurden die Gräber wieder mit reichen Trink- und Speiseservicen, meist aus einheimischer Herstellung, ausgestattet. Diese Vasen wiederholen standardisierte Formen.   A. NA.

5. KERAMIK, KLEINKUNST, TOREUTIK

Aus der schlichten, dunkelbraunen → Impasto-Ware der Villanova-Zeit entstand im 7. Jh. v. Chr. die → Bucchero-Keramik, die sich durch die Qualität des schwarzen Tons, die Eleganz der Gefäßformen und ihren Dekor in Ritzung und Relief auszeichnet. Im übrigen wurde seit dem 8. Jh. v. Chr. in großen Mengen bemalte griech. Keramik importiert (bes. aus Korinth und Athen) und in Etrurien, z. T. von Griechen selbst (7. Jh.: Töpfer und Maler Aristonothos; 6. Jh.: Gattung der → »Caeretaner Hydrien«), aber meist von Einheimischen auf künstlerisch niedrigerem Niveau nachgeahmt (z. B. italo-geometrisch, italo-korinthisch, etr.-sf.) [35]. Einzelne Gattungen, wie die sog. → Pontischen Vasen, weisen bes. originelle Bildmotive auf und sind ein wichtiger Beleg für die Kenntnis griech. Mythen in Etrurien [33].

Auf den Gebieten der Kleinkunst haben die E. ihre Lehrmeister, bes. Phöniker und Griechen, nicht selten übertroffen: geschnitzte → Elfenbeine, Goldschmuck in der hochentwickelten Technik der Granulation und des Filigran sowie Gemmen und Kameen [1; 14; 57]. Führend war auch die etr. → Toreutik, bes. in Vulci, mit reliefverzierten Bronzewagen [30], Bronzegefäßen und -geräten (Dreifüße, Kandelaber), häufig mit figürlichen Statuetten als Griff oder Bekrönung verziert [27], sowie der meist mit myth. Themen geschmückten Gattung der relief- und ritzverzierten → Spiegel [22]. Ab dem 5. Jh. v. Chr. sind etr. Bronzearbeiten wichtige Exportartikel für It. und den Raum nördl. der Alpen (Gattung der Schnabelkannen mit figürlichen Attaschen [14; 15]). Den Abschluß der etr. Toreutik bilden die als → Cisten bezeichneten Metalldosen, deren Bildmotive über Alltagsleben und griech. Mythen informieren. Allerdings verlagert sich der Produktionsschwerpunkt nach Latium (s. Ficoronische Ciste [20]), das etr. Kunstschaffen geht in der von Rom dominierten hell.-ital. Kunst auf. Abhängig von Unteritalien und Rom ist die Münzprägung

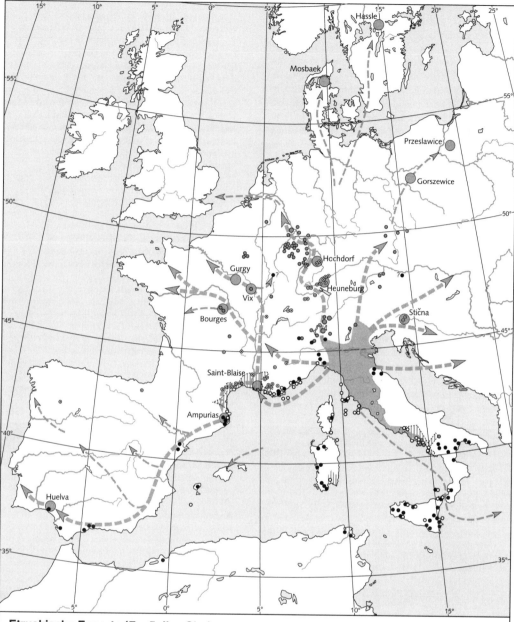

Etruskische Exporte (7.– 5. Jh. v. Chr.)

Hauptverbreitungswege etruskischer Produkte

Verbreitungsgebiet der Buccheroware (7./6. Jh. v. Chr.):

●   Einzelfund

[||||||||||]   starke Konzentration

○   Verbreitungsgebiet der Weinamphoren (7./6. Jh. v. Chr.)

Verbreitungsgebiet der Bronzeschnabelkannen
(6./5. Jh. v. Chr.):

◉   1-2

⬤   3 und mehr

◎   Verbreitungsgebiet der bronzenen Perlrandschüsseln
(6./5. Jh. v. Chr.)

●?   Identifizierung unsicher

0   150   300   450   600   750 km

mit ihren Hauptzentren in Nordetrurien (Populonia, Volterra) [8].

D. Rezeption/Antike

Abgesehen von der Rolle als Kulturträger für die ital. Nachbarvölker waren die E. durch Exporte von Bronzegefäßen mit figürlichem Schmuck in den Raum nördl. der Alpen und deren Nachbildungen indirekt an der Herausbildung der frühkelt. Toreutik beteiligt, vielleicht auch als Mittler mediterraner Bautechnik (Heuneburg: Lehmziegelmauer) [16]. Die Runenschrift der Germanen wird über alpine Zwischenstationen vom etr. Alphabet abgeleitet [15. 411–441]. In archa. Zeit war die Wirkung auf Rom dominierend: in Amtstracht und Machtinsignien (Purpurtoga, *lituus, sella curulis*), in Urbanistik und Baukunst (tuskanische Tempel; Atriumhaus), in Bildkunst (Zeus-Kultbild im Jupitertempel, Lupa?), vielleicht auch in der Onomastik [25; 37]. Seit der frühen röm. Republik lassen die etr. Einflüsse stark nach, bleiben aber als solche in Erinnerung (Poseidonios, Vitruv) bzw. werden wegen ihrer etr. Herkunft als »tuskanisch« bezeichnet, wie der dreizellige, dem Bautypus der Capitolia zugrundeliegende Tempel, das zugehörige Kapitell oder das → Atrium mit frei schwebendem Dach. Zum Wiederaufleben der etr. Kultur seit der Renaissance s. → Etruskologie.

→ Acquarossa; Blera/Bieda; Caere; Castellina del Marangone; Elfenbeinschnitzerei; Falerii; Graviscae; Marzabotto; Murlo, Norchia; Perusia; Populonia; Pyrgoi; Saena; Satricum; Sovana; Tarquinii; Veii; Volaterrae; Volsinii; Etruskologie

1 L. Banti, Die Welt der Etrusker, 1960 2 G. Bartoloni, La cultura villanoviana, 1989 3 H. Blanck, G. Proietti, La Tomba dei Rilievi di Cerveteri, 1986 4 A. Boethius, J. B. Ward-Perkins, Etruscan and Roman Architecture, 1970, 25–95 5 L. Bonfante, Etruscan Dress, 1975 6 Dies. (Hrsg.), Etruscan Life and Afterlife, 1986 7 S. Stopponi (Hrsg.), Case e palazzi d'Etruria, Ausstellungs-Kat. Siena, 1985 8 F. Catalli, Monete etrusche, 1990 9 G. Colonna, Il posto dell'Arringatore nell'arte etrusca di età ellenistica, in: SE 56, 1989/90, 99–119 10 Ders., F. W. von Hase, Alle origini della statuaria etrusca: La Tomba delle Statue presso Ceri, in: SE 52, 1984, 13–59 11 M. Cristofani (Hrsg.), Die Etrusker, ²1995 12 Ders. (Hrsg.), Dizionario della civiltà etrusca, 1985 13 Ders., I bronzi degli Etruschi, 1985 14 M. Cristofani, M. Martelli, L'oro degli Etruschi 15 L. Aigner-Foresti (Hrsg.), Etrusker nördl. von Etrurien, Symposion Wien, 1992 16 Die Etrusker und Europa, Ausstellungs.-Kat. Berlin, 1992 17 E. Rystedt u. a. (Hrsg.), Deliciae Fictiles. Proc. of the First International Conference on Central Italic Architectural Terracottas, 1993 18 T. Dohrn, Der Arringatore, 1968 19 Ders., Die etr. Kunst im Zeitalter der griech. Klassik, 1982 20 Ders., Die Ficoronische Ciste, 1972 21 Enea nel Lazio, Ausstellungs-Kat. Rom, 1981 22 G. Camporeale (Hrsg.), L'Etruria mineraria, Ausstellungs-Kat. Portoferraio u. a., 1985 23 U. Fischer-Graf, Spiegelwerkstätten in Vulci, 1980 24 B. v. Freytag gen. Löringhoff, Das Giebelrelief von Telamon, 1986 25 Die Göttin von Pyrgi, Kolloquium Tübingen, 1981 26 G. Hafner, Männer- und Frauenbildnisse aus Terrakotta im Museo Etrusco

Gregoriano, in MDAI(R) 73/74, 1966/67, 29–51 27 R. Herbig, Die jüngeretr. Steinsarkophage, 1952 28 S. Haynes, Etruscan Bronzes, 1985 29 H. Hencken, Tarquinia and Etruscan Origins, 1968 30 J. Heurgon, Die Etrusker, 1972 31 U. Höckmann, Die Bronzen aus dem Fürstengrab von Castel S. Mariano, 1982 32 J.-R. Jannot, Les reliefs archaïques de Chiusi, 1984 33 I. Krauskopf, Der thebanische Sagenkreis und andere griech. Sagen in der etr. Kunst, 1974 34 Dies., Todesdämonen und Totengötter im vorhell. Etrurien, 1987 35 M. Martelli (Hrsg.), La ceramica degli Etruschi, 1987 36 F.-H. Massa-Pairault, Recherches sur l'art et l'artisanat étrusco-italiques à l'époque hellénistique, 1985 37 J. P. Oleson, The Sources of Innovation in Later Etruscan Tomb Design, 1982 38 M. Pallottino, Etruskologie, ⁷1988 39 Ders., It. vor der Römerzeit, 1987 40 A. J. Pfiffig, Einführung in die Etruskologie, 1972 41 Ders., Religio etrusca, 1975 42 F. Prayon, Die Etrusker. Gesch., Religion, Kunst, 1996 43 Ders., Frühetr. Grab- und Hausarchitektur, 1975 44 Ders., Zur Genese der tuskanischen Säule, in: Vitruv-Kolloquium, 1984, 141–162 45 G. Pugliese Carratelli (Hrsg.), Rasenna. Storia e civiltà degli Etruschi, 1986 46 M. Cristofani (Hrsg.), La grande Roma dei Tarquini, Ausstellungs-Kat. Rom, 1990 47 G. Colonna (Hrsg.), Santuari d'Etruria, Ausstellungs-Kat. Arezzo, 1985 48 M. Sprenger, G. Bartoloni, Die Etrusker. Kunst und Gesch., 1977 49 S. Steingräber, Etrurien, 1981 50 Ders. (Hrsg.), Etr. Wandmalerei, 1985 51 F. Buranelli (Hrsg.), La Tomba François di Vulci, Ausstellungs-Kat. Rom, 1987 52 M. Torelli, Die Etrusker, Gesch., Kultur, Gesellschaft, 1988 53 O. W. v. Vacano, Die Etrusker in der Welt der Ant., 1957 54 L. B. Van der Meer, The Bronze Liver of Piacenza, 1987 55 J. B. Ward-Perkins, Etruscan Energering, in: Hommages à A. Grenier, 1962, 1636–1643 56 K. W. Weeber, Gesch. der Etrusker, 1979 57 P. Zazoff, Die ant. Gemmen, 1983, 214–259. F. PR.

Grabbeigaben: B. d'Agostino, Tombe »principesche« dell'orientalizante antico da Pontecagnano, in: Monumenti Antichi dell'Accademia dei Lincei, s. Miscellanea, vol. II.1, 1977 · G. Colonna, L'ideologia funeraria e il conflitto delle culture, in: Archeologia laziale 4 (Quaderni di Archeologia Etrusco-Italica 5), 1981, 229–232 · M. A. Cuozzo, Prospettive teoriche e metodologiche nell'interpretazione delle necropoli: la post-processual archaeology, in: Annali. Istituto orientale di Napoli, n. s. 3, 1996, 1–37 · G. Pianu, La standardizzazione, in: M. Cristofani (Hrsg.), Civiltà degli Etruschi, 1985, 326–338. A. NA.

Karten-Lit.: · M. Cristofani, Economia e società, in: G. Pugliese Caratelli (Hrsg.), Rasenna, Storia e civiltà degli Etruschi, 1986, 79–156 (mit S. 120 Abb.9, S. 126 Abb. 11) · Die Welt der Etrusker, Ausst. Kat. Berlin, 1988 · Die Etrusker und Europa, Ausst. Kat. Berlin, 1993 · F.-W. v. Hase, Il bucchero etrusco a Cartagine, in: M. Bonghi Jovino (Hrsg.), Produzione artigianale ed esportazione nel mondo antico il bucchero etrusco, 1993, 187–194, bes. 188 · Ders., Ägäische, griech. und vorderoriental. Einflüsse auf das tyrrhenische Mittelitalien, in: JRGZ 35, 1995, 239–286 · W. Kimmig, Die griech. Kolonisation im westl. Mittelmeergebiet und ihre Wirkung auf die Landschaften des westl. Mitteleuropa, in: JRGZ 30, 1983, 7–78, bes. 39, 41 · M. Miller, Befestigungsanlagen in It. vom 8. bis 3. Jh. v. Chr., 1994 · F. Prayon, die Etrusker, 1996 · K. v. Welck, R. Stupperich (Hrsg.), Italien vor den Römern, 1996. F. PR.

III. Religion
A. Einleitung B. Götter und Mythologie
C. Jenseits D. Rituale

A. Einleitung

Die E. galten in der Ant. als ein Volk, das sich der Pflege des Rel. mit bes. Sorgfalt und mit größtem Ernst widmete (Liv. 5,1,6). Diese bes. Beziehung zum Transzendenten äußert sich einerseits in ihrer nie abgelegten mystischen Interpretation der Naturphänomene (Sen. nat. 2,32,1), andererseits in der hohen Anzahl von Tempeln, Grabanlagen und Weihegeschenken. Unterschiede in den → Jenseitsvorstellungen, in der Sitte der Bestattung und der Verbrennung der Toten lassen auf regionale Differenzierungen schließen. Die Sekundärquellen ergeben ein einseitiges Bild der etr. Religion: Erh. sind Texte über die Wahrsagung, die von polit. Bedeutung für Rom war (→ Divination VII.) und von der etr. Oberschicht gepflegt wurde (Tac. ann. 11,15,1). Über die Volksreligion sind wir hingegen schlecht informiert.

B. Götter und Mythologie

Nach der sagenhaften Überlieferung erhielten die E. ihre Lehre von den Göttern (Cic. har. resp. 10,20) bzw. vom weisen Kind Tages (Cic. div. 2,23,50) und von der Nymphe Vegoia (Serv. Aen. 6,72,5). Als Offenbarungs- und Buchreligion steht sie typologisch mehr den altorient. als den griech. oder röm. Rel. nahe. Die etr. Rel. hat im Laufe der Zeit eine im einzelnen nicht mehr rekonstruierbare innere Entwicklung durchgemacht sowie fremde (griech. und oriental.) Vorstellungen aufgenommen. Etr. Wahrsagung und Kosmogonie haben bedeutende Parallelen im Alten Orient; ebenso treten Motive oriental. Ursprungs im Kalender des → Nigidius Figulus über meteorologische Vorzeichen auf. Ab dem 6. Jh. v. Chr. sind Götter griech. Ursprungs wie Apollon bekannt, der etr. Name Ap(u)lu (< Apollon, vgl. die lat. Form Apollo) ist in der 1. H. des 5. Jh. belegt [2]. Tinia, Turan, Seθlans, Culsans, Turms usw. sind dunkler Herkunft, gehören aber wohl zum ältesten Kern der etr. Rel., der ins 2. Jt. zurückreicht.

In einer Frühphase etr. Religiosität wurde die Natur als beseelt betrachtet: Verehrung von Steinen in Kegelform ist im 5. und 3. Jh. v. Chr. in Tarquinia (Grab »del letto funebre«, um 460 [5. nr. 82]) und Volterra (Urnenreliefs [6. Taf. LII, 15]) bildlich belegt. Aus archa., anikonischen Schichten etr. Religiosität stammen unkörperliche Wesenheiten, deren Geschlecht und Zahl unterschiedlich und ungewiß sind. Ihre Namen sind unbekannt, ihre lat. Bezeichnungen dei superiores et involuti (Sen. nat. 2,41,2), dei consentes (Arnob. 3,40) oder complices (Arnob. ebd.) vermögen ihr Wesen nicht zu erhellen. Sie standen hierarchisch über dem Hochgott Tinia (Sen. nat. 2,45,3), der ihr Einverständnis einholen mußte, ehe er gefährliche oder vernichtende Blitze schleuderte (Sen. nat. 2,41,1–2).

Uni und Men(e)rva, Maris und Neθuns gehen als individualisierte Gottheiten gemeinital. Ursprungs ins 10. Jh. zurück [3]. In den folgenden zwei Jh. treten deutlich profilierte Götter aus jener ursprünglichen, wenig individualisierten Geisterwelt hervor. Im 7. Jh. finden sich im etr. Pantheon Götter, die über die Natur und ihre Phänomene, über die grundlegenden Lebensvorgänge der Menschen und über ihre Tätigkeiten wachen: über Himmel (Tinia) und Natur (Fufluns, Turan), über Geburt (Θalna) und Tod (Vanθ, Culsans), Krieg (Laran) und Handwerk (Seθlans) usw. Insgesamt 38 Götternamen sind allein auf dem Lebermodell von Piacenza vermerkt (3. Jh., ET Pa4.2).

Unter dem Einfluß der griech. Rel. wurden etr. Götter ab dem 6. Jh. anthropomorph dargestellt; ebenso wurden griech. Göttervorstellungen integriert, wobei entweder ihr Wesen verändert wurde, sie aber Namen und Aussehen beibehielten (Apulu ist um 530 Todesdämon und wie Artumes < Artemis Vegetationsgottheit [2]) oder eine Gleichsetzung mit funktionell ähnlichen etr. Gottheiten stattfand: so Tinia mit Zeus/Iupiter, Uni mit Hera/Iuno, Fufluns mit Dionysos/Bacchus, Seθlans mit Hephaistos/Vulcanus, Turms mit Hermes/Mercurius, Neθuns mit Poseidon/Neptunus und Turan mit Aphrodite/Venus. Nicht selten wuchsen alte, eigenständige etr. Vorstellungen mit den griech. Mythen zusammen: Die der Athena nahestehende Menerva ist eine blitzschleudernde Göttin (ES III 153) [7]. Im Dunkel der Frühzeit avancierte ein vielseitiger jugendlicher Erdgeist, Voltumna, angeblich zum obersten Gott der E. (Varro ling. 5,46) und wurde in Volsinii verehrt (Prop. 4,2,3); nachträglich wurde er mit Tinia gleichgesetzt. Erst nach der im 6. Jh. v. Chr. (durch eine Priesterschaft?) erfolgten Gleichsetzung Tinias mit dem funktionell ähnlichen Zeus (ET Ta 3.2) kam es zu einer Spaltung des urspr. Voltumna-Tinia, die sich auch in der Ikonographie niederschlug; ab dem 5. Jh. ist Tinia dem Zeus ähnlich. In der späten Beschreibung durch Seneca (nat. 2,45,1–3) kommen Tinia die Prädikate des höchsten Gottes zu, der über Götter und Menschen herrscht.

Die Frage nach einer urtümlichen etr. Myth. läßt sich aufgrund von Darstellungen tierischer Wesen und Wolfsdämonen [6. Taf. x 5; 6] vorsichtig bejahen. Ab dem 8.–7. Jh. v. Chr. wurden griech. Mythen übernommen, deren Darstellung auf Vasen vorerst nur dekoratives Beiwerk ist und noch nicht die inhaltliche Übernahme der fremden Rel. bedeutet; durch Einfügung etr. Götter wurden die Ikonographien griech. Mythen umgewandelt (Hercle und Menerva, ES II 153) [7]. Im Bereich zwischen Sage und Mythos bewegt sich der greise Knabe Tages (s.o.), der sich bei Tarquinia einem Bauern namens Tarchon (Lyd. de ostentibus 4,20) offenbart und ihm die heiligen Lehrsätze der Etrusca disciplina übergeben haben soll. Die Sage ist in Tarquinia entstanden, der normative Charakter der Etrusca disciplina geht auf Konto einer Priesterschaft, die in einer nicht näher definierbaren Epoche ihre führende Rolle in der Pflege der Etrusca disciplina durch Verankerung derselben in einem Mythos festigen wollte. Ein weitere mythische Figur ist das Ungeheuer Olta, das die Gefilde von Volsinii verwüstet haben soll, ehe es durch einen vom König Porsenna herbeigerufenen Blitz getroffen wurde (Plin. nat. 2,54,140).

Die »Prophezeiung« der Vegoia (Gromatici veteres 350,17–351, 11 LACHMANN) enthält Hinweise auf eine etr. Kosmogonie, von welcher die Suda (s. v. τυρρηνία χώρα) ein längeres Bruchstück wiedergibt und die in Anlehnung an die sumer.-babylon. Lit. ausgearbeitet wurde: Ein Gott ordnet das Chaos der Urelemente und erschafft die Welt aus freiem Willen in einem Zeitraum von 12 000 Jahren.

C. Jenseits

Die E. glaubten an ein Weiterleben nach dem Tode und versuchten deshalb, das Abbild und den Namen des Verstorbenen durch Malerei bzw. Inschr. zu verewigen: Der Leichnam wurde zusammen mit der häuslichen Ausstattung in einer eigens dafür errichteten Wohnung, dem Grab, bestattet; bei Leichenverbrennung wurden die Reste in anthropomorphen Gefäßen (Kanopen von Chiusi [8]) oder Hausurnen beigesetzt. Die etr. Grabarchitektur und die Wandmalereien deuten auf die Existenz von zwei verschiedenen, wahrscheinlich nicht gleichzeitig entstandenen Vorstellungen: Nach der einen lebt das Immaterielle, die Seele, im Grab; nach der anderen unternimmt sie die Reise ins Jenseits. Bedeutende Spuren des Dionysos-Kultes (ET Ta 1.184 u. a.m.; Liv. 39,3–19) weisen auf die Existenz einer Mysterienrel. hin. In der Kaiserzeit sah eine etr. Heilslehre die Vergöttlichung der Seele mittels besonderer Riten (Arnob. 2,62) vor; ob nun diese Lehre auf orphisch-pythagoreischen oder christl. Einfluß zurückzuführen ist, bleibt einstweilen offen. Im 6. Jh. v. Chr. zeigen mehrere Bilder Verstorbene, die auf einem Seepferdchen oder Vogel ins Jenseits ziehen (Tarquinia, Tomba dei Tori, um 550 [5. 120]). Urspr. dürften das Elysion bzw. die Inseln der Seligen Ziel der Reise gewesen sein; diese altoriental. Vorstellung war ebenso der griech. Eschatologie bekannt (Hom. Od. 4,561–8). In der 2. H. des 6. Jh. tritt die Vorstellung auf, daß der Tote zu Fuß, zu Pferd oder mit dem Wagen ins Totenreich reist; Dämonen holen ihn von der Erde ab oder erwarten ihn beim Tor zur Unterwelt [6. Taf. CXXVII a;b]. Hier wirkt eine Vielzahl von Dämonen (Charu, Thuchulcha) und Dämoninnen (Vanθ) [9], die den Toten aufnehmen, und deren häßliches, aber doch menschliches Aussehen als Konkretisierung der Todesangst und des Schmerzes der Hinterbliebenen angesehen wurde [4].

Ab der zweiten H. des 5. Jh. verstärkt sich der griech. und westgriech. Einfluß in Südetrurien (Vulci, Tomba François, um 330; Tarquinia, Tomba dell' Orco II, 3. Jh. [5. nr. 178,94]). In der Unterwelt wirken nun auch Aita (~Hades) und Φersipnai (~Persephone) (Orvieto, Tomba Golini II, Mitte des 4. Jh. v. Chr. [5. nr. 33]); der griech. Beitrag zu dieser Vorstellung dürfte jedoch äußerlich geblieben sein, da die Herrscher der etr. Unterwelt eindeutig ungriech. Züge tragen. Auch sonst tradiert die Jenseitslehre unverkennbar etr. Inhalte weiter, wenngleich die Gestalten des etr. Jenseits durch

griech. Stilelemente bezeichnet werden (Vanθ-Darstellung im Grab der Anina, Tarquinia, 280–150 v. Chr. [5. nr. 40]).

D. Rituale

Gebet und Opfer: Das durch sorgfältigen Formalismus geprägte Ritual, das auf der Agramer Mumienbinde überliefert ist, sieht an bestimmten Tagen des Monats zahlreiche Opfer von Wein und Brot sowie Gebete für bestimmte, namentlich genannte Götter vor. Etr. Stadtgründungsriten wurden von Rom übernommen (Liv. 1,44,2 ff.). Gesamtetr. Kultfeiern sollen periodisch stattgefunden haben (Liv. 5,1). Die jährliche Zeremonie der Nagelschlagung zur Zählung des Jahres fand im Nortia-Heiligtum von Volsinii statt. Über etr. Bacchanalien erfahren wir kaum mehr als ihre bei Livius (39,9,1 ff.) bezeugte Existenz. Zu den Praktiken zählen auch magische Riten [1]: Blitzzauber (Sen. nat. 2,33; Plin. nat. 2,54,140), ebenso Talismane und Amulette, die zur Benützung oder Abwehr übernatürlicher Kräfte dienten: die positiv wirkenden Metallkapseln (bullae, Iuv. 1,5,164; Macr. Sat. 1,6,9) sowie zahlreiche negativ wirkende Bleitäfelchen mit Fluchtexten (ET Vt 4.1 u. a.m.).

Hüter der *Etrusca disciplina*, Wahrsager, Ausführer der Kulthandlungen und somit Vollstrecker des Willens der Götter ist der *netσvis*, lat. *haruspex* (ET Um 1.7; Cic. div. 1,14,24; 2,53,109; → haruspices). Für die Blitzbeobachtung war der *trutnvt*, lat. *fulgur(i)ator* (ET Um 1.7; Cic. div. 2,53,109) zuständig. Daneben gab es andere Priesterämter (*maru, cepen*: ET s. v.); einen *sacerdos* erwähnt Livius (5,1,5). Eigentümliche lat. Bezeichnungen von Priestern (CIL XI 1848 in Arretium) sind wahrscheinlich Übersetzungen etr. Priesterämter. Neben der liturgischen Ausstattung der Kultstätte (Räuchergefäße, Krummstab, Opferbeil und -messer) sind Kultstatuen zu erwähnen, die formal von Götterstatuen als Votive kaum zu unterscheiden sind, lit. allerdings reichlich belegt sind: z. B. im *liber linteus zagrabiensis*, einem kalendarisch geordneten Ritualtext der o.g. Agramer Mumienbinde (Mitte 2. Jh.; ET I.).

Wann die etr. Autoren die schriftl. Fassung der *Etrusca disciplina* schufen, die sie dem Tages (Cic. div. 2,23,50) zuschrieben, ist unbekannt. Wahrscheinlich gab es ursprüngl. Aufzeichnungen einzelner Städte (Cic. div. 1,44,100). Das Corpus enthielt die Lehre der Eingeweideschau (*libri haruspicini*: Cic. div. 1,33,72) und der Blitzdeutung (*libri fulgurales*: Cic. ebd.) sowie Normen für die Gründung von Städten, die Weihung von Heiligtümern und die Einteilung der Felder (*libri rituales*: Cic. ebd.). Die Ritualbücher umfaßten die Jenseitslehre (*libri acheruntici*: Arnob. 2,62; Serv. Aen. 8,398,20) und die Interpretation von Wundern (*ostentaria*: Macr. Sat. 3,7,2). Nach etr. Lehre äußern die Götter ihren Willen durch Zeichen (Cic. har. resp. 10,20).

Die vornehmste Aufgabe der etr. Priesterschaft war es, festzustellen, von welchem Gott das Zeichen kam, aus welchem Grund er es sandte, was es bedeutete (Cic. har. resp. 19,20; 21) und, sofern negativ, wie es entsühnt werden konnte (Cic. Catil. 3,8,19). Voraussetzung dafür war die sorgfältige und gewissenhafte Beobachtung der göttlichen Zeichen, die sich in den von neun Göttern (Plin. nat. 2,52,137f.; Sen. nat. 2,40f.) geschleuderten Blitzen, in der Leber geopferter Tiere (ES CCXXIII) sowie in anderen Vorzeichen offenbarten. Die Beobachtung von Wetterzeichen erfuhr in E.a eine »wiss.« Ausarbeitung und wurde höher geschätzt als Haruspizien (Sen. nat. 2,33f.). Die Vogelbeobachtung war in E.a ebenfalls bekannt, aber weniger verbreitet als in Rom und bei den Umbrern. Die Zukunftsdeutung hing mit der Vorstellung der Einteilung des Himmels in 16 genau orientierte Regionen zusammen (Cic. div. 2,18,42; Plin. nat. 2,55,143), in denen die verschiedenen Götter ihren Sitz hatten, von wo aus sie ihre Zeichen den Menschen als Willenskundgabe sandten (Fest. 454 L.; Mart. Cap. 1,41ff.). Die Himmelseinteilung wurde auf die Erde und hier auf die Leber ideell übertragen (vgl. die Bronzeleber von Piacenza): Abweichungen vom Normalzustand, die am Himmel, auf der Leber und auf der Erde auftraten, bedeuteten, daß sich der in der entsprechenden Himmelsregion wohnende Gott nun offenbarte.

Die etr. Rel. blieb nicht auf Etrurien beschränkt. Einige Praktiken wurden vom röm. Kult aufgenommen, erfuhren jedoch in der Regel wesentliche inhaltliche Veränderungen. Die Deutung von Blitzen, Leber und Prodigien blieb in Rom in der Hand etr. *haruspices* (Dion. Hal. 4,59–61; Cic. har. resp. 9,18), die man zu diesem Zweck eigens aus Etrurien holte (Cic. Catil. 3,19). Der röm. Staat sorgte dafür, daß die Lehre der → *haruspices*, als *Etrusca disciplina* (→ Divination VII.) Teil der offiziellen röm. Rel., nicht verloren ging (Cic. div. 1,41,92; Tac. ann. 11,15). Unter Kaiser Alexander Severus bekam sie neuen Aufschwung (HA Alex.27,6). Erst Kaiser Konstantin erschwerte die Tätigkeit der *haruspices* (Cod. Theod. 9,16,1), konnte sie aber nicht vollkommen ausschalten. Die letzte Erwähnung von *haruspices* erfolgte im Jahre 408 n.Chr. (Zos. 5,41); etr. Wahrsager werden noch bei Prokop erwähnt (BG 8,21,16).

→ ETRUSKOLOGIE; Tarquitius Priscus

1 PFIFFIG, 12ff. **2** I. KRAUSKOPF, s.v. Apollon/Aplu, LIMC 2.1, 335ff. **3** H. RIX, Rapporti onomastici fra il panteon etrusco e quello romano, in: Gli Etruschi e Roma, Atti in

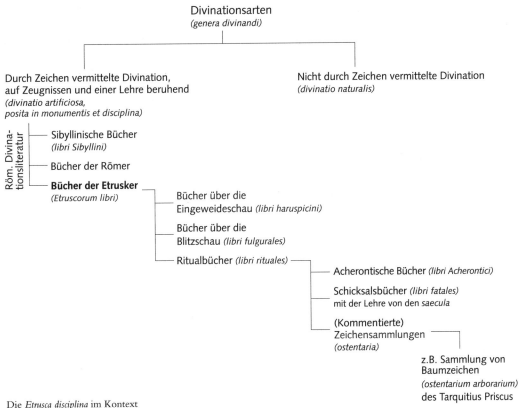

Die *Etrusca disciplina* im Kontext des römischen Divinationssystems

Die Bücher der Etrusker wurden als Bestandteil der röm. Divinationsliteratur überliefert. Deren Dreiteilung in die Sibyllinischen Bücher, die Bücher der Römer und die Bücher der Etrusker spiegelt die Dreiteilung des röm. Religionssystems in *Graecus ritus* (griech. Ritus), *patrius ritus* (einheimischen Ritus) und *Etrusca disciplina* (etruskische Diszplin).

M. HAA.

onore di M. Pallotino, 1981, 104 ff. **4** M. PALLOTTINO,
Etruskologie. Gesch. und Kultur der Etrusker, 1988, 310
5 S. STEINGRÄBER, Etr. Wandmalerei, 1985 **6** G. KÖRTE, I
rilievi delle urne etrusche. III, 1916 **7** G. COLONNA, s. v.
Athena/Menerva, LIMC 2.1, 1050 ff.; 1066 ff.
8 R. GEMPELER, Die etr. Kanopen, 1974 **9** I. KRAUSKOPF,
Todesdämonen und Totengötter im vorhell. Etrurien,
Biblioteca di studi etruschi 16, 1987. **10** E. GERHARD, G.
KÖRTE, Etr. Spiegel, 1884–1897 (= ES) **11** L. MAGGIANI,
Wiss. und Rel., in: M. CRISTOFANI (Hrsg.), Die Etrusker,
1995, 136 ff **12** H. RIX, G. MEISER u. a., Etr. Texte I–II,
Scripta Oralia 23 A 6, 1991 (= ET) **13** E. SIMON, Etr.
Kultgottheiten, in: M. CRISTOFANI (Hrsg.), Die Etrusker,
1995, 152 ff. **14** C. O. THULIN, Die etr. Disziplin, I–III,
1905–1909.

ABB.-LIT.: Ant. Quelle: Cic. div. I · A. BOUCHÉ-
LECLERCQ, Histoire de la divination dans l'antiquité IV:
Divination italique, 1882, 3–115 · C. THULIN, Die Etr.
Disciplin I–III, 1905–1909, Ndr. 1968, bes. I, 1–12 ·
H. CANCIK, Libri fatales. Röm. Offenbarungslit. und
Geschichtstheologie, in: D. HELLHOLM (Hrsg.),
Apocalypticism in the Mediterranean World and the Near
East, Kongr. Uppsala 1979, 1983, 549–576 · C. GUITTARD,
Contribution des sources littéraires à notre connaisance de
l'Etrusca disciplina: Tarquitius Priscus et les arbores infelices,
in: H. HERES, M. KUNZE (Hrsg.), Die Welt der Etrusker,
Kolloquium Berlin 1988, 91–99.   L. A.-F.

IV. SPRACHE
→ Etruskisch

Etruscus. Verfasser eines kunstvoll ausgearbeiteten, an
effektvollen Antithesen reichen Epigramms auf einen
Fischer: Sein Boot half ihm gestern noch zu überleben,
heute dient es ihm als Scheiterhaufen (Anth. Pal. 7,381,
vgl. Antiphilos, Anth. Pal. 7,635). Es stammt aus dem
»Kranz« des Philippos; vom Dichter weiß man nur, daß
er ›Messenier‹ (Μεσσήνιος) war: ob es sich um Messenien oder Messina handelt, wird aus dem Lemma nicht
deutlich.

GA II,1, 254 f.; 2, 288.   E. D./Ü: T. H.

Etruskisch A. QUELLEN UND SCHRIFT
B. METHODE C. SPRACHE

A. QUELLEN UND SCHRIFT
Das E. ist aus etwa 9000 Texten aus der Zeit von 700
v. Chr. bis 10 n. Chr. sowie aus ca. 40 Glossen bekannt.
Mit Ausnahme eines Fr. einer Ritualbeschreibung
enthaltenden → liber linteus auf den Binden einer ägypt.
Mumie sind alle Texte Inschr.: Grab-, Besitz-, Weih-,
Geschenk- und Herstellerinschr. bzw. Bildbeischriften.
Die meisten stammen aus Etrurien selbst, andere aus
Nachbarregionen, wenige von außerhalb Italiens. Die
Schrift ist ein vor 700 v. Chr. aus einem westgriech.
Muster (X = ks, nicht k[h]) übernommenes Alphabet,
seinerseits die Quelle des lat. Alphabets (C = k wie im E.,
das keine Mediae kannte, nicht g wie griech. γ). Die
Texte sind darum problemlos phonetisch lesbar.

B. METHODE
Das E. ist zwar keine unbekannte oder gar rätselhafte
Sprache mehr. Da aber bisher keine gut bekannte Sprache gefunden wurde, die mit dem E. verwandt ist, ist
freilich der einfache Zugang über den Wort- und For-
menvergleich (»etym.« Methode) auf den Randbereich
der Lw. beschränkt (z. B. lat. satelles aus etr. zatlaθ, etr.
pruχum aus griech. προχοῦν [Akk.] »Kanne«). Im übrigen muß man versuchen, von kurzen Texten ausgehend, die »Botschaft« eines Textes aus dem Kontext zu
ermitteln, diese in Elemente zu zerlegen, die Elemente
mit den Wörtern des Textes zu korrelieren und die Ergebnisse an allen Texten zu überprüfen (»kombinatori-
sche« Methode); Arch., Linguistik und Kenntnis der

Textbeispiel: Anfang der Dedikationsinschrift Pyrgi A

[1]ita. [2]tmia. [3]ica[4]c. [5]he[2]ramaσva [6]vatieχe [7][3]unialas[8]. tres
[9]θemia[4]sa [10]meχ[11]. θuta[12]. θefa[5]riei[13]. velianas. [14]sal
[15][6]cluvenias[16]. turu[7]ce. …

[1-5]Subjekt, Nominativ: [Suffix] -0;
[1;3]Demonstrativpronomina; [4]Konjunktion; [5]Plural: -(χ)va;
[6]Präteritum Passiv: -χe; [7]Ablativ II: -al-as; [8] -tra ? Abl.I: -[i]s;
[9]Partizip Prät.: -sa; [10]Ablativ III: -0; [11]Adjektiv unflektiert;
[12] -i unklar; [13]Gentile; Genetiv I: -s; [14]prädikativ;
[15]Attribut, Gen.I; [16]Prät. Aktiv: -ce.

»[1]Dieser ~[2]Kultraum [4]und [3]diese [5]Statuen [6]wurden gewünscht
[7]von Juno [8]?. [9]Erbaut habend [10]aus [11]eigenem [10]Vermögen
[16]weihte (das) [12]Tiberius [13]Veliana [14]als ?
[15]des ?. …«

Die hochgestellten Zahlen beziehen sich auf die Zeilen der
linksläufigen Inschrift, die tiefgestellten auf die syntaktische
Analyse.   H. R.

Textstrukturen in histor. benachbarten Sprachen können dabei helfen. Die wenigen längeren Texte sind auf diesem Weg nur lückenhaft verständlich geworden, die Masse der kürzeren aber fast vollständig. Lückenhaft ist auch unsere Kenntnis des Wortschatzes; die der Gramm. allerdings ist beachtlich.

C. Sprache

Das Lautsystem des E. enthält vier Vok. und keine Mediae; der Lautwert von θ, χ und φ ist umstritten. Morphologisch ist das E. (noch) weitgehend agglutinierend: Beim Nomen etwa werden Numerus und Kasus durch je eigene Suffixe bezeichnet: *clan* »Sohn«, Gen. *clen-s*, Pl. *clen-ar*, Gen. Pl. *clinii-ar-as*; der Lok. auf *-i* (*zilc-i* »im ?-Amt«) kann auch vom Gen. gebildet werden: *clen-ar-as-i* »bei den Söhnen«. Nom. und Akk. sind nur beim Pron. verschieden, *mi* : *mi-ni* »ich« : »mich«. Das Vb. unterscheidet Tempus und Diathese, nicht aber Person und Numerus, *am-e* : *am-ce* »ist/bin« : »war«; *mene-ce* »machte«, Pass. *mena-χe*. Für einige Wörter ist die Bed. klar bestimmbar (*puia* »Gattin«, *θu zal ci* »eins zwei drei«, für viele andere nur annähernd oder unvollständig (*zusle* »ein Opfertier«, *alce* etwa »schenkte«).

→ Glossographie; Italien: Alphabetschriften; Italien: Sprachen; Personennamen: Rom und Italien; Lemnos-Stele

Ed.: CIE, 1893 ff. (noch nicht abgeschlossen) · M. Pallottino (Hrsg.), Testimonia linguae etruscae, ²1968 (Auswahl) · ET.
Lit.: M. Pallottino, Etruscologia, ⁷1984, 402–517 (dt.: Ders., Etruskologie, 1988, 379–487, 506–509) · H. Rix, Schrift und Sprache, in: M. Cristofani (Hrsg.), Die Etrusker, 1985, 210–238 · L. Agostiniani, Contribution à l'étude de l'épigraphie et de la linguistique étrusques, in: Lalies 11, 1992, 37–74.
Abb.Lit.: Ed.: CIE, 6314 (mit Photo) · H. Rix (Hrsg.), Etr. Texte, 2 Bde., 1991, Nr. Cr 4.4. · Lit.: M. Cristofani, Sulla dedica di Pyrgi, in: E. Acquara (Hrsg.), Studi in onore di S. Moscati, 1996, 1117–1126.   H. R.

Etruskische Vasenmalerei s. Pontische, Rotfigurige, Schwarzfigurige Vasenmalerei

Etymandros. Längster Fluß (1000 km) der altpers. Länder → Arachosias und → Drangiana (h. Helmand Rūd), jetzt innerhalb der Grenzen Afghanistans. Gegenwärtig erreicht der Hilmand wegen Ableitung des Flusses an einigen Stellen zwecks Bewässerung nicht mehr das Seebecken des Daryāče-ye Sīstān, sondern verliert sich in Sümpfen. Arr. an. 4,6,6 berichtet über dieses Gewässer, es fließe durch das Gebiet der Εὐεργέται (*Euergétai*, → Ariaspai). Plin. nat. 6,92 nennt den Fluß *Erymandus*. Von Curt. 8,9,10 ist der E. unter dem Namen *Ethymantus* irrtümlich nach Indien verlegt.

Großer Histor. Weltatlas I, 17a · TAVO A IV 4, A VIII 2/3, B VII 6.   H. T.

Etymologica   I. Antike
II. Das 5.–8. Jahrhundert
III. Das Etymologicum Genuinum
IV. Andere byzantinische Etymologica

I. Antike

Das Interesse der Griechen an der Etymologie verband sich vom 5. Jh. bis in alexandrinische Zeit einerseits mit der philos. Spekulation über den Ursprung der Sprache (die ihren Höhepunkt in Platons *Kratylos* erreichte), andererseits mit der Forschung vor allem der Sophisten nach dem Ursprung einzelner poetischer, insbes. homer. »Glossen«, um ihre wahre (ἔτυμος) Bedeutung zu ermitteln. Die früheste Abhandlung ist die Schrift des Herakleides Pontikos ›Über Etymologien‹ (Περὶ ἐτυμολογιῶν, ein Kapitel aus ›Über Wörter‹/Περὶ ὀνομάτων). Systematische Forsch. haben als früheste die Stoiker betrieben (z. B. → Chrysippos aus Soloi, Περὶ τῶν ἐτυμολογικῶν πρὸς Διοκλέα in 7 B.); sie setzten eine anomalistische Auffassung der Sprache voraus und entwickelten ein komplexes Ableitungssystem, in dem man von den »ersten« Substantiven und Verben ausging, um die Sprache in ihrer Gesamtheit darzustellen. Anders sah die Aufgabe des analogistischen Alexandrinismus aus: Mit der Etym. beschäftigten sich z. B. Apollodoros [7] und Demetrios Ixion, ihr reifster Vertreter war jedoch → Philoxenos. Sie alle postulierten eine Entwicklung, die sich im Rahmen präziser Normen der Analogiebildung nicht von urspr. Worten, sondern von monosyllabischen Wurzeln aus vollzog.

II. Das 5.–8. Jahrhundert

Die ersten echten etym. Lexika wurden in der Spätant., im 5. Jh. n. Chr., insbes. von Orion und Oros verfaßt. Von diesen Sammlungen geringen Umfangs sind nur Exzerpte und Fragmente erhalten. Orion übernahm Materialien des Soranos (2. Jh. n. Chr.), des Herodianos (2. Jh. n. Chr.), des Herakleides Pontikos und des Philoxenos. Oros dagegen benutzte vor allem → Philoxenos.

Aus dem 6. und 8. Jh. n. Chr. stammen das Lexikon *Haimōdeín* (Αἱμωδεῖν), das des Methodios und das des Anastasios Sinaites, die ›Eklogen‹ des Cod. Baroccianus 50, aus dem 9. Jh. *das Etymologicum Parvum*.

III. Das Etymologicum Genuinum

Die vierte Phase stellen die E. genannten enzyklopädischen Werke dar, die von der Zeit des Photios an kompiliert wurden: Das erste wird seit Reitzenstein *Etymologicum Genuinum* (bei Lasserre-Livadaras dagegen *Etymologicum Magnum Genuinum*) genannt. Es soll der Überlieferung zufolge von Photios selbst verfaßt worden sein; seine Vollendung wird auf den 13. Mai 865 bzw. 882 datiert. Zwei Fassungen auf Codices sind erhalten, die im 10. Jh. in Süditalien kopiert wurden. Die Fassung A, erhalten im Cod. Vaticanus Graecus 1818, ist zum Großteil verstümmelt; die Fassung B des Cod. Laurentianus S. Marci 304 ist zwar vollständiger (ihr fehlt nur das Anfangsblatt), ist aber in einigen Abschnitten völlig unlesbar. Dieses Werk ist eine Kompilation der verschiedenen Quellen (Choiroboskos, Oros, Herodianos, Theognostos, Orion, Methodios, den → Epimerismen zu Homer, den Epimerismen zu den Psalmen, den exegetischen Traditionen zu allen bedeutenden Autoren sowie dem problematischen Lexikon *Rhētorikón* (Ῥητορικόν), das eng mit dem des Photios verwandt ist. Von ihm leiteten sich in den nachfolgenden Jh. zahlreiche weitere E. ab.

IV. Andere byzantinische Etymologica

Was ihre Beziehungen untereinander und ihre verschiedenen Redaktionen betrifft, muß im vorhinein daran erinnert werden, daß solche Werke zu instrumentellen Zwecken kopiert und daher je nach den Erfordernissen und Kenntnissen der Benutzer epitomiert und interpoliert wurden; die Unterschiede zw. verschiedenen Werken bzw. unterschiedlichen Redaktionen sind teilweise sehr gering. In diese Tradition gehört vor allem das *Etymologicum Magnum* aus der Mitte des 12. Jh. (unter diesem Titel schon bei Eust. 834,46 und 1443,65, von Lasserre-Livadaras umbenannt in *Etymologicum Magnum auctum*), das beeindruckendste Werk, das unter Heranziehung zahlreicher Materialien aus vielfältigen Quellen (einschließlich des *Etymologicum Gudianum*) vervollständigt wurde. Von ihnen haben sich nur sieben Hss. in zwei Familien erhalten.

Immer noch ins 12. Jh., vielleicht kurz vor das *Etymologicum Magnum*, ist das *Etymologicum Symeonis* zu datieren (benannt nach dem Grammatiker, dem es zugeschrieben wurde), von dem wir drei verschiedene Redaktionen kennen. Zwei Hss. (Parmensis Gr. 2139 des 14. Jh. und Vindobonensis Phil. Gr. 131 der 2. H. des 13. Jh.) überliefern eine gekürzte Fassung, drei andere eine umfänglichere; der Laurentianus S. Marci 303 (von 1291) und der Vossianus Gr. 20 (13. Jh.) stellen die sogenannte *Megálē grammatiké* dar, die die Lücke des Anfangsteils bis zur Glosse ἄβαλ unter Heranziehung des *Etymologicum Magnum* auffüllt. Der Vaticanus Gr. 1276 – das sogenannte *Etymologicum Casulanum* (nach dem Kloster von S. Nicola in Casola) – nimmt einen Platz für sich ein. Im Voss. Gr. 20 schließlich, dessen Lesarten im Anhang der Ausgabe des *E. Magnum* von Gaisford angegeben sind, wurden am Rand, interlinear und in einem ergänzenden Teil (von f. 210ʳ an) Glossen aus dem *E. Magnum* eingetragen. Wichtig ist weiterhin das Lexikon des Ps.-Zonaras (13. Jh.), das sowohl auf das *E. Genuinum* (in einer besseren Fassung als derjenigen unserer Codices) als auch auf das *E. Symeonis* (in einer derjenigen des Vaticanus Gr. 1276 ähnlichen Fassung) zurückgreift. Das *E. Genuinum* ist von Eustathios in seinem vor 1175 kompilierten Komm. zu Ilias und Odyssee mehrmals benutzt worden und ist eine der vielen Quellen des *E. Gudianum* (nach dem dänischen Humanisten M. Gude [17. Jh.], dem Besitzer des cod. Guelpherbytanus Gr. 29–30, benannt). Von diesem *E. Gudianum* hat sich der Codex Vat. Barberinus Gr. 70 (11. Jh.) aus Otranto erhalten, von dem sich alle anderen ableiten. Diese sind in vier Klassen einzuteilen: Die erste, die aus drei Hss. des 13. und zweien des 15. Jh. besteht, ist dem Vat. Barb. 70 ziemlich getreu; die zweite ist auf den Parisinus Suppl. Gr. 172 (das sog. *E. Sorbonicum*) aus dem 13. Jh. beschränkt; die dritte bietet eine umfangreiche Kontamination mit dem *E. Genuinum* und besteht einerseits aus dem Vaticanus Gr. 1708 (12. Jh.), andererseits aus dem sog. *E. Cretense*, von dem zahlreiche Abschriften erhalten sind; die vierte hängt von einer Kopie des *E. Cretense* ab, das späteren Interpolationen ausgesetzt war, insbes. aus dem Lexikon des Kyrillos (ältester Cod. ist der Vindob. Phil. Gr. 158 des 13. Jh., einer der schlechtesten der Guelpherbytanus Gr. 29–30 von 1293; die Ausgabe von Sturz stellt eine diplomatische Transkription des letztgenannten dar). Zw. den Überlieferungen, die auf das *E. Genuinum* und das *E. Gudianum* zurückgehen, gab es offenkundig zahlreiche Wechselbeziehungen. Wenn die Interpolationen aus dem *E. Genuinum* sich schon im Vat. Barb. 70 finden, muß das *E. Gudianum* zu den Quellen des *E. Symeonis* und des *E. Magnum* gerechnet werden.

Ed.: 1 Etymologicum Genuinum et Etymologicum Symeonis (β), ed. G. Berger, 1972 2 Etymologicum Gudianum quod vocatur rec. E. A. De Stefani, I (α-β), II (β-ζ), 1909–20 3 Etymologicum Magnum, ed. Th. Gaisford, 1848 4 Etymologicum Magnum Genuinum. Symeonis Etymologicum una cum Magna Grammatica. Etymologicum Magnum auctum synoptice ediderunt F. Lasserre, N. Livadaras, I (α-ἀμωσγέπως), 1976, II (ἀνά-βώτορες), 1992 5 E. Miller, Mélanges de littérature grecque, 1868, 11–340 6 Etymologicum Parvum quod vocatur, ed. R. Pintaudi, 1973 7 Etymologicum Graecae linguae Gudianum ed. F. G. Sturzius, 1818 8 Orionis Thebani Etymologicon, ed. F. G. Sturzius, 1820 9 I. Zonarae Lexicon ex tribus codicibus manuscriptis, ed. I. A. H. Tittmann, I–II, 1808 10 Die Fragmente des Grammatikers Philoxenos, ed. C. Theodoridis, 1976. Lit: 11 K. Alpers, Bericht über Stand und Methode der Ausgabe des Etymologicum Genuinum, 1969 12 Ders., Zonarae Lexikon, RE 10 A, 732–63 13 C. Calame, Etymologicum Genuinum. Les citations de poètes lyriques, 1970 14 A. Cellerini, Introduzione all' Etymologicum Gudianum, 1989 15 R. Reitzenstein, Gesch. der griech. Etymologika, 1897 16 Ders., s. v. Etymologika, RE 6, 807–17.   R. T./Ü: T. H.

Euadne (Εὐάδνη, »die gut Gefallende«).
[1] Tochter des Poseidon und der Pitane, der Tochter des Flußgottes Eurotas, erzogen vom arkad. König → Aipytos [1]. Sie gebar dem Apollon heimlich → Iamos, den Ahnherrn des Sehergeschlechts der Iamiden in Olympia, und setzte ihn in zw. Veilchen aus (Pind. O. 6,28–73) [1; 2].
[2] Tochter des Iphis (Apollod. 3,79) oder des Phylacus (Hyg. fab. 243,3; 256). Sie warf sich in den brennenden Scheiterhaufen ihres Gatten → Kapaneus, um mit ihm auch im Tode vereint zu sein, und galt deswegen als Beispiel der Gattentreue (Eur. Suppl. 980–1701). Aeneas sieht E. in den *lugentes campi* der Unterwelt (Verg. Aen. 6,447) [3; 4].

1 U. v. Wilamowitz-Moellendorff, Isyllos, 1886, 178
2 H. W. Parke, The Oracles of Zeus, 1967, 174–185

3 R. G. AUSTIN, P. Vergili Maronis Aeneidos liber sextus, 1977, 158–160 **4** G. GARBUGINO, s. v. E., EV 2, 437.   R.B.

Euages (Εὐάγης). Komödiendichter unbekannter Zeit von der Insel Hydrea (bei Troizen). E. soll zunächst ein ungebildeter Hirte gewesen, dann aber ein guter Komödiendichter geworden sein [1. test.].

1 PCG V, 183.   H.-G. NE.

Euagon (Εὐάγων, in den Hss. auch Εὐγαίων, Εὐγέων). Aus Samos, von Dionysios v. Halikarnassos zu den frühesten griech. Geschichtsschreibern gezählt (de Thucydide 5) und der älteste samische Historiker (letztes Drittel 5. Jh. v. Chr.), verfaßte *Hóroi Samíōn*, auf die offenbar noch Aristoteles zurückgegriffen hat; auch Thukydides hat ihn benutzt. Im 2. Jh. v. Chr. beriefen sich die Samier in einem Gebietsstreit mit Priene auf eine alte Grenzziehung (frühes 7. Jh.), die E. erwähnt; er gehört somit zu den frühesten Lokalhistorikern, die nicht nur Mythen erzählten, sondern histor. Ereignisse berichteten (IPriene 37, 118 ff. = FGrH 535 F 3).

M. MEI. u. ME. STR.

Euagoras (Εὐαγόρας).
[1] E. I. (ca. 435–374/3 v. Chr.) war seit ca. 411 griech. Stadtkönig von Salamis auf Kypros. In Salamis wohnten außer Griechen seit dem 9./8. Jh. auch Phöniker. In anderen Städten herrschten sogar phönikische Könige, so in Kition, Amathus und Soloi. Ethnische Spannungen spielten aber keine Rolle. Mit dem 4. Jh. begannen sogar die kulturellen Unterschiede zu verwischen. Griech. und phönikische Stadtkönige hatten sich gleichermaßen der Kultur des griech. Mutterlandes, vor allem Athens, geöffnet. Auch die Dynastien Anatoliens, ja selbst die Satrapen und sogar der großkönigliche Hof waren schon mehr oder weniger stark hellenisiert.

Das ist zu berücksichtigen, wenn man Isokrates or. 9 (*Euagoras*, ein »Fürstenspiegel«, EDER) richtig auswerten will. Isokrates schlug ethnische, nationale und patriotische Töne an; er barbarisierte z. B. die Phöniker und stilisierte E. zum Kulturbringer (Isokr. or. 9,47). E. hatte aber weder eine Stärkung des griech. Elements im Sinn (Isokr. or. 9,51, vgl. FGrH 688 F 30: Griechen als Feinde) noch die Schwächung der Phöniker; auch sah er in den Persern keine Erbfeinde. Bis 391 schätzte er seinen Vasallenstatus sogar sehr hoch ein. Dem widerspricht nicht, daß er ein aufrichtiger Bewunderer Athens war (Isokr. or. 9,53). In der ersten Hälfte seiner Herrschaft (411–391) ging es um den Ausbau seiner Macht in Salamis – eine echte Polisorganisation ist nicht erkennbar. Sodann versuchte er, seine Herrschaft über die ganze Insel auszuweiten (Diod. 14,98,1). Letzteres war ohne persische Billigung nicht zu erreichen.

Wohl in der Meinung, er würde mit der Inselherrschaft belohnt werden, unterstützte E. – auch als Freund Athens – Konon beim Aufbau einer persischen Flotte gegen den Reichsfeind Sparta (Isokr. or. 52–56; Xen. hell. 2,1,29). Darauf ging der Perser aber nicht ein, Kypros sollte aus strategischen Gründen nicht unter E.

vereinigt werden (Diod. 14,98,3). So kam es während der 2. Hälfte seiner Herrschaft zu Revolte und Krieg (391–380 oder 379). Bündnis mit Athen sowie mit Akoris [2] von Ägypten (Theop. FGrH 115 F 103). Phönikien und Kilikien standen zeitweise unter seiner Schutzherrschaft (Diod. 15,2,3). Schließlich aber wurde E. in Kition besiegt, in Salamis belagert, erhielt aber sein Stadtkönigtum zurück (Diod. 15,3–4; 8–9,2). Als Vasall regierte E. bis zu seinem gewaltsamen Tod 374/3.

E. A. COSTA, E. I. and the Persians, in: Historia 23, 1974, 40–56 • F. G. MAIER, in: CAH² 6, 1994, 312–317.

[2] E. II. Wohl Enkel von E. [1] I., vor 351 v. Chr. persischer Vasall von Salamis. E. war perserfreundlich und wurde deswegen von den aufständischen Kyprioten vertrieben, erhielt aber von den Persern die Königswürde von Sidon. Wegen Unfähigkeit aus dem Amt gejagt, flüchtete er nach Kypros, wo er ergriffen und hingerichtet wurde (Diod. 16,46,3).   PE. HÖ.

Euagrios
[1] Pontikos. Geistlicher Schriftsteller und Mönchsvater (345–399 n. Chr.). Der im pontischen Ibora geb. Schüler des → Gregorios von Nazianz lebte nach Aufenthalten in Konstantinopel (Weihe zum Diakon) und Jerusalem ab 383 als gesuchter spiritueller Ratgeber in der ägypt. Anachoretengemeinschaft der Kellia (Nitrische Wüste). Postum als Origenist verurteilt (553 Konzil von Konstantinopel), sind die wenigen erh. Schriften häufig ps.-epigraphisch überliefert (v. a. Neilos von Ankyra). Diese bestehen neben an der alexandrinischen Exegese ausgerichteten Bibelkomm. (Ps, Prd, Spr) aus aszetischen Schriften (Λόγος πρακτικός [*Lógos praktikós*], *Kephalaia gnostica*, *Epist. ad Melaniam* u. a.). In ihnen beschreibt er, ausgehend von den Erfahrungen der ägypt. Mönche, den durch Kontemplation und Reinigung von Leidenschaften möglichen Weg zur Gotteserkenntnis. Durch frühe Übers., auch in die Sprachen des christl. Orients, wird E. zum Vermittler monastischer Spiritualität in Ost (Palladios, Maximos Confessor) und West (Johannes Cassian).

ED.: CPG 2430–2482.
LIT.: G. BUNGE, Origenismus-Gnostizismus: Zum geistesgesch. Standort des E., in: Vigiliae Christianae 40, 1986, 24–54 • E. A. CLARK, The Origenist Controversy, 1992, 283, s. v. E. • A. GUILLAUMONT, s. v. E., TRE 10, 565–570.   J. RI.

[2] von Antiocheia. Bischof von Antiocheia (um 320 – um 394 n. Chr.). Zunächst im Staatsdienst, verließ der Antiochener E. nach der Begegnung mit Bischof → Eusebius von Vercellae seine Heimatstadt und folgte diesem für rund 10 Jahre nach Italien. Am Hofe Valentinians II. hochangesehen, trat er im Streit mit Ursinus nachhaltig für Papst → Damasus ein. Von diesem mit einer vermittelnden Botschaft an → Basileios [1] von Kaisareia in der Frage des meletianischen Schismas betraut, verließ E. um 373 Rom. In Antiocheia angekommen, schlug sich der Freund des Hieronymus auf die Seite der Minderheit um Bischof Paulinos, dem er um 388 im Amt folgte. Von E. stammt eine um 370 entstandene lat. Bearbeitung der *Vita Antonii* (CPG 2101).

G. J. M. BARTELINCK, Einige Bemerkungen über Euagrius' von Antiochien Übers. der *Vita Antonii*, in: Revue bénédictine 82, 1972, 98–105 • M. SPANNEUT, s. v. 3. E., DHGE 16, 102–107. J. RI.

[3] Scholastikos (Evagrios von Epiphaneia). E. wurde ca. 537 n. Chr. in → Epiphaneia [2]/Koilesyrien geb. und starb nach 594 in → Antiocheia [1]. Dort wirkte er als Anwalt, wie u. a. der Beiname σχολαστικός zeigt. Patriarch Gregorios von Antiocheia (570–593) diente er als Sekretär. E. ist der letzte ant. griech. Kirchenhistoriker in der Tradition des → Eusebios [7] von Kaisareia. Er verfaßte eine sechsbändige Kirchengesch., die die Jahre 431 bis 594 behandelt und nach dem Tode des Gregorios begonnen wurde. Es handelte sich um kein offizielles Werk und war wie die Werke des → Sokrates und des → Sozomenos, die es fortsetzen wollte, nach Regierungen der Kaiser gegliedert. E. steht dem Neuchalzedonismus nahe, bietet wichtige Urkunden und zeichnet sich durch eine kritische Verarbeitung seiner Quellen aus.

J. BIDEZ, L. PARMENTIER, Euagrius, The Ecclesiastical History, 1898 (Ndr. 1964) • A. J. FESTUGIÈRE, Evagre. Histoire ecclésiastique, Byzantion 45, 1975, 188–471 • P. ALLEN, Evagrius Scholasticus, the Church Historian, 1981 • A. DE HALLEUX, s. v. Evagre, DHGE 16, 1495–1498. C. M.

Euagrius. *Praef. praet.* Orientis, nachweisbar nur durch verschiedene, schwer zu datierende Gesetze aus den Jahren 326 n. Chr. (Cod. Theod. 9,3,2 u. a.), 329–331 (ebd. 12,1,1 u. a.) und 336 (ebd. 12,1,22). Daß er das Amt in diesem Zeitraum kontinuierlich innehatte, ist nicht wahrscheinlich. PLRE 1, 284 f. E. (2). W. P.

Euainetos (Εὐαίνετος). Der berühmteste und beste syrakusanische Stempelschneider, der im letzten Drittel des 5. Jh. v. Chr. zuerst in Katana sowie Kamarina und seit etwa 410 v. Chr. in Syrakus tätig war. Neben den prachtvollen Dekadrachmen signierte E. auch kleinere Silbernominale, Gold- und Bronzemünzen, gelegentlich abwechselnd mit Eukleidas und Eumenos.
→ Dekadrachmon; Eukleidas; Eumenos

R. WEIL, Die Künstlerinschr. der sicilischen Münzen, in: 44. Winckelmannsprogramm der Arch. Ges. zu Berlin, 1884, bes. 10–12 • L. FORRER, Biographical dictionary of medallists 2, s. v. E., 1904, 41–50 • L. TUDEER, Die Tetradrachmenprägung von Syrakus in der Periode der signierenden Künstler, in: ZfN 30, 1913, 1–292, bes. 222 ff. • J. LIEGLE, E. Eine Werkfolge nach Originalen des Staatlichen Münzkabinetts zu Berlin, in: 101. Winckelmannsprogramm der Arch. Ges. zu Berlin, 1941 • H. A. CAHN u. a., Griech. Münzen aus Großgriechenland und Sizilien, AM Basel Sammlung Ludwig, 1988, 130 ff. A. M.

Euaion (Εὐαίων). Tragiker, Sohn des → Aischylos (Suda αι 357); sein Name erscheint auf mehreren Gefäßen (450–440 v. Chr.), z. T. mit Patronym bzw. dem Zusatz καλός (*kalós*), s. dazu [1].

1 BEAZLEY, ARV² 1579 2 TrGF 13.

Euandridas (Εὐανδρίδας). Tragiker, Sohn des Hestiaios; nach einer in Milet gefundenen Inschr. von ca. 200 v. Chr. (GVI 2018) wurde er genau 80 Jahre alt [1. 185 B].

1 A. REHM, R. HARDER, Didyma II, 1958 2 TrGF 116. F. P.

Euandros (Εὔανδρος).
[1] Arkadisch-röm. Heros (lat. Evander), nach Paus. 8,43,1 ff. Sohn des Hermes und einer arkad. Nymphe (Themis, Nikostrate: Plut. qu. R. 278B-C) oder der weissagenden → Carmenta aus Pallantion. Bei Hes. fr. 168 MW ist er Sohn des Tegeaten Echemos und der Tyndareos-Tochter Timandra, im Hell. wird er zum Sohn der ital. → Sibylle. Wegen eines Volksaufstands oder Tötung eines Elternteils (Serv. Aen. 8,51) vertrieben, kommt E. 60 Jahre vor dem Trojan. Krieg nach It. (Dion. Hal. ant. 1,31–33;40); vom einheimischen König → Faunus wird er freundlich empfangen. Er gründet die erste Siedlung auf dem Palatin (angeblich benannt nach dem arkadischen Pallantion: vgl. etwa Pol. 6,11a). Nach Cato (bei Solin. 2,7 f.; Verg. Aen. 8,562) erkämpft er sich das Land vom König von Praeneste. Als Kulturheros lehrt E. die Einheimischen die Buchstabenschrift (Tac. ann. 11,14) sowie den Gebrauch von Musikinstrumenten und führt »arkadische« Kulte ein (Lupercus, Ceres, Neptunus Equester, Victoria: Dion. Hal. ant. 1,33). Zusammen mit Hercules, der gerade den Riesen → Cacus besiegt hat, begründet E. auch den Herculeskult an der Ara Maxima in Rom (Verg. Aen. 8,185 ff.; Liv. 1,7,3 ff.). Den trojanischen Ankömmling Aeneas (→ Aineias) unterstützt E. gegen die Latiner, wobei sein Sohn → Pallas fällt.

E. erhielt in Rom einen Kult an der Porta Trigemina (Dion. Hal. ant. 1,32,2), auf dem Palatingipfel sollte sein Grab sein (Eust. zu Dion. Per. 347); in Pallantion wurde er wohl erst in der röm. Kaiserzeit mit Tempel und Marmorbild verehrt (Paus. 8,44,5). Ein histor. Kern der E.-Sage (etwa in Form einer myk. Siedlung auf dem Palatin) ist bisher noch nicht überzeugend nachweisbar. Spätestens seit dem 3. Jh. v. Chr. dient der E.- Mythos den Römern bei der Begegnung mit dem griech. Osten zur Legitimierung ihrer griech., nicht-barbarischen Wurzeln.
→ Herakles; Pallantion

G. G. BELLONI, s. v. E., LIMC 4.1, 40–41 • D. BRIQUEL, Les traditions sur l'origine de l'écriture en Italie, in: RPh 62, 1988, 251–271 • J. ESCHER, s. v. E., RE 6, 839–842 • M. JOST, Sanctuaires et cultes d'Arcadie, 1985, 537 • P. M. MARTIN, Pour une approche du mythe dans sa fonction historique. Illustration: le mythe d'Éuandre, in: Caesarodunum 9, 1974, 132–151 • P. WEIZSÄCKER, s. v. E., ROSCHER I.1, 1393–95.

[2] Lyk. König, Schwiegersohn des → Bellerophon und Vater des mit den Troern verbündeten → Sarpedon (Diod. 5,79). T.S.

[3] aus Phokaia. Philosoph des 3./2. Jh. v. Chr., in einer Liste der Nachfolger für den in der Akademie vorzeitig aus dem Scholarchat ausgeschiedenen → Lakydes genannt (Suda, s. v. Platon; Philod. Index academicorum M 10–21). Einige Zeugnisse (v. a. Diog. Laert. 4,60) lassen auf eine herausgehobene Stellung des E. neben → Telekles (vgl. auch Apollod. Chronik 7–9 DORANDI) schließen.

→ Akademeia K.-H.S.

[4] (C. Avianus). Bildhauer, Toreut, Restaurator in Athen; Freigelassener des M. Aemilianus Avianius. Um 50 v. Chr. erwirbt Cicero von ihm Skulpturen für seine Villen. M. Antonius nimmt ihn 36 v. Chr. nach Alexandria mit, von wo er 30 v. Chr. als Kriegsgefangener nach Rom kommt. Für Augustus ergänzte er die Artemis des → Timotheos. R.N.

Euangelion. Der Begriff εὐαγγέλιον ist seit Homer (Od. 14,52f.; 166f.) bezeugt, wo er den Botenlohn für eine gute Nachricht bezeichnet. Für eine Siegesbotschaft steht e. bei Plut. Demetrius 17; Philostr. Ap. 5,8; bei Plut. Sertorius 11,8 heißt e. die Botschaft selbst; zudem können mit e. auch polit. und private Freudenbotschaften bezeichnet werden (Cic. Att. 2,3,1). Eine rel. Bed. hat e. im → Kaiserkult. In der Inschr. von Priene (OGIS II 458) werden sowohl die Ankündigungen des mit dem Kaiser heraufziehenden Heils als die Freudenbotschaften des Heilsereignisses euangélia (Pl.) genannt. Auch Philon (legatio ad Gaium 18.99.231) und Iosephos (bell. Iud. 4,618.656) bezeugen die Verwendung von e. im Kontext hell. Herrscherverehrung. Die Kunde von der Erhebung Vespasians zum Kaiser wird bei Iosephos als εὐαγγέλια bezeichnet; jede Stadt feiert diese gute Nachricht und bringt Opfer zu Ehren des neuen Kaisers dar.

Das hebr. Subst. בְּשׂרָה (b°sorah) benennt im AT dem profanen Sprachgebrauch entsprechend den »Botenlohn für eine Siegesbotschaft« (2 Sam 4,10; 18,22) bzw. »Siegesbotschaft« (2 Sam 18,20. 25. 27; 2 Kg 7,9). In der LXX erscheint das Subst. e. lediglich im Pl. (2 Kg 4,10), daneben das Femininum ἡ εὐαγγελία (euangelía), das mit »Freudenbotschaft« zu übersetzen ist (vgl. 2 Sam 18,20. 22. 27; 2 Kg 7,9). Im Gegensatz zum Verb εὐαγγελίζεσθαι (euangelízesthai) läßt das Subst. e. in der at. Überlieferung keine theologische Bed. erkennen. Ebensowenig waren euangélion/euangelízesthai bzw. ein hebr. oder aram. Äquivalent Bestandteil der Verkündigung des histor. → Jesus, denn das Zitat aus Jes 61,1 LXX in Mt 11,5/Lk 7,22 setzt bereits nachösterliche Christologie voraus. Die traditionsgeschichtliche Wurzel des nt. Evangelionbegriffes liegt wahrscheinlich in der hell. Herrscherverehrung. Die frühen Gemeinden knüpfen damit an geläufige Vorstellungen ihres Umfeldes an, zugleich unterscheiden sie sich durch den Sg. e. grundlegend von den euangélia der Umwelt. Bei → Paulus er-

scheint e. als unliterarischer Begriff, der das lebendige, gesprochene Wort der Heilsbotschaft zum Inhalt hat (vgl. 1 Thess 1,9b–10; 1 Kor 15,3b–5; Röm 1,3b–4a). Der Übergang vom unliterarischen e.-Begriff zur lit. Gattung → Evangelium zeigt sich im Markusevangelium. Das Evangelium Jesu Christi wird hier zum Evangelium von Jesus Christus (vgl. Mk 1,1), das nun in der neuen Lit.-Gattung Evangelium verkündet wird. Ab der 1. H. des 2. Jh. findet sich das Wort e. auch als Buchbezeichnung (vgl. Didache 11,3; 15,3 f.; 2. Klemensbrief 8,5; Iust. Mart. apol. I 66,3). Etwa zur gleichen Zeit entstanden die Evangelienüberschriften, in denen e. unzweifelhaft Buchbezeichnung ist.

H. FRANKEMÖLLE, Evangelium. Begriff und Gattung, 1988 · G. STRECKER, s. v. εὐαγγέλιον, Exegetisches WB zum NT II, 176–186 · J. SCHNIEWIND, E. 1.2, 1927/1931 · G. FRIEDRICH, s. v. εὐαγγέλιον, ThWB II, 435–446 · P. STUHLMACHER, Das paulinische Evangelium, 1968.

U.SCHN.

Euangelos (Εὐάγγελος). Komödiendichter des 3. Jh. v. Chr. (unsicher), aus dessen Ἀνακαλυπτομένη noch ein Fragment in trochäischen Tetrametern erhalten ist: ein Hausherr und ein Koch bereiten eine Hochzeit vor.

1 PCG V, 184f. H.-G.NE.

Euanthes (Εὐάνθης). Verfaßte zu unbekannter Zeit einen Glaukos-Hymnos, in dem er diesen als Sohn des Poseidon und der Nymphe Nais bezeichnete und den Meeresgott sich in die von Theseus verlassene → Ariadne verlieben ließ (Athen. 7, 296c).

SH 194. C.S.

Euanthius. Lat. Grammatiker, tätig in der 1. H. des 4. Jh. in Konstantinopel. Von ihm ist eine Abh. De fabula oder De comoedia erh. (zum Titel s. Rufin. gramm. 6,554,4), die im Vorwort des Terenzkomm. von → Donatus [3] enthalten ist. Die ersten drei Kap. dieses Vorworts stammen von E., während über das vierte große Unklarheit besteht. Es ist so gut wie sicher, daß E. auch die einzelnen Terenzkomödien kommentierte und daß dieser Komm. in weiten Teilen von Donatus verwendet wurde: Donatus könnte Teile davon – wie es auch mit De fabula geschah – wörtlich in seinen eigenen Komm. übertragen haben.

P. L. SCHMIDT, in: HLL, § 526.2. P.G./Ü: G.F.S.

Euarchidas (Εὐαρχίδας). Syrakusanischer Stempelschneider, der Ende des 5. Jh. v. Chr. zusammen mit Phrygillos Tetradrachmen signierte.

→ Phrygillos; Tetradrachmon

L. FORRER, Biographical dictionary of medallists 2, s. v. E., 1904, 50–51 · L. TUDEER, Die Tetradrachmenprägung von Syrakus in der Periode der signierenden Künstler, in: ZfN 30, 1913, 1–292, bes. 36ff., 228. A.M.

Euaretos (Εὐάρετος). Tragiker, an den Dionysien des Jahres 341 Zweiter mit *Teûkros, Achilleús* und einem unbekannten Stück (DID A 2a,7), an den Dionysien des Jahres 340 Dritter mit *Alkméōn* und einem unbekannten Stück (DID A 2a, 26).

Mette, 91 f. · TrGF 85.   F.P.

Euböische Vasenmalerei s. Geometrische, Orientalische, Schwarzfigurige Vasenmalerei

Euboia (Εὔβοια).
[1] I. Lage   II. Wirtschaft   III. Geschichte

I. Lage

Die nach Kreta größte griech. Insel, die sich nahezu parallel zur Ostküste von Mittelgriechenland (Lokris, Boiotia und Attika) erstreckt. E. ist etwa 160 km lang, zw. 5,5 und 50 km breit und bedeckt eine Fläche von 3580 km². Vom Festland ist E. durch eine Meeresstraße getrennt, die sich in der Mitte bis auf 40 m zu einem Kanal, dem → Euripos [1], verengt. Seit dem 5. Jh. v. Chr. verbanden an dieser Stelle mehrere Brücken E. mit dem Festland. Die Ostküste ist wegen ihrer steilen Felsenriffe fast unzugänglich. Die einzigen Häfen waren hier Kyme und Kerinthos. Alle anderen Häfen lagen an der geschützten, besser zugänglichen Westküste. Die bedeutendsten davon waren → Chalkis [1] am Euripos und Karystos nahe der Südspitze von E. Im Inneren wird E. weitgehend von einer unregelmäßigen Bergkette aus Schiefer und Kalk eingenommen. Geogr. gesehen ist dies die südöstl. Fortsetzung von Ossa und Pelion. Der höchste Gipfel ist der Dirphys (1746 m). Der Süden der Insel wird von der Fortsetzung der att. Bergzüge aus kristallinem Schiefer und Marmor bestimmt. Es ist ein niedriges, wenig fruchtbares und dünn besiedeltes Hügelland, aus dem sich ganz im Süden die Ocha noch einmal zu einer Höhe von 1398 m erhebt. An der NW-Spitze von E. liegt das Kap Kenaion mit einem Zeus-Heiligtum, an der NO-Spitze das durch die Seeschlacht von 480 v. Chr. bekannte Artemision mit dem Artemis-Tempel. Die SW-Spitze bildet das Kap Geraistos und die SO-Spitze das von Seeleuten bes. gefürchtete Kap Kaphereus. In der Mitte der Ostküste trennt das Kap Chersonesos Mittel- und Süd-E.

II. Wirtschaft

Neben Ackerbau, Wein-, Gemüse- und Obstbau war in der Ant. hier die Viehzucht von Bed. Mehrere Städte hatten das Rind als Mz.-Symbol, und man erklärte im Alt. den Namen der Insel auch mit »rinderreich«. Ebenso waren aber die Fischerei und Purpurfischerei wichtige Erwerbszweige. Die großen Waldungen v. a. in der nördl. H. lieferten Holz für gewerbliche Zwecke; bes. Chalkis, → Eretria [1] und Kyme waren bed. Zentren handwerklicher Tätigkeit (Keramik und Metallverarbeitung). Die große Handelsbed. der Insel drückt sich in der Verbreitung des euboi. Maß- und Gewichtssystems aus. Sehr geschätzt waren Marmor und Asbest von Styra und Karystos und die heilkräftigen Erden aus dem Gebiet von Chalkis und Eretria. Auch Salz wurde ausgeführt. Strabon (10,1,9) erwähnt Bergbau auf Kupfer oder Eisen; nachgewiesen ist er aber nicht [1. 243 ff.].

III. Geschichte
A. Frühzeit bis zum Ende des 5. Jh. v. Chr.
B. 4. Jh. v. Chr. bis zur römischen Kaiserzeit
C. Byzantinische Zeit

A. Frühzeit bis zum Ende des 5. Jh. v. Chr.
E. war im frühen Alt. von Kolonisten aus Thessalia bewohnt. Im Norden siedelten Hellopieis und Perrhaiboi (Skymn. 578; Strab. 9,5,17), im Westen die Abantes und im Süden die Dryopes (Hdt. 8,46,4; Thuk. 7,57,4; Skymn. 577; Diod. 4,37,2; Paus. 4,34,11). Nur wenige prähistor. Funde sind bisher bekannt geworden. In gesch. Zeit sind die Bewohner Ionier (→ Iones), die ohne erkennbare Spuren alter Stammesverbundenheit in einzelnen Stadtstaaten siedeln. Hom. Il. 2,536 ff. nennt sieben Städte. Neben Eretria und Chalkis waren dies Histiaia, Kerinthos, Dion, Karystos und Styra. Zu nennen sind ferner Histiaia-Oreos im NW, Athenai-Diades (später Athenitai), Aidepsos mit seinen heißen Mineralquellen, Orobiai und Aigai, im Süden noch Dystos, später wie Styra ein Demos von Eretria. In den Listen des 1. Att. Seebundes (→ Attisch-Delischer Seebund) erscheinen als Mitglieder Diakrioi, Grynchai, später ein Demos von Eretria, Posideion, später ein Demos von Histiaia. Im 2. Att. Seebund (→ Attischer Seebund) taucht als Mitglied noch Arethusa auf. Seine größte Bed. hatte E. in der Frühzeit, als von Chalkis und Eretria, aber auch von Kyme viele Koloniegründungen ausgingen. Niederlassungen entstanden an den Küsten von Thrakia ebenso wie in It., auf Sicilia und den Inseln des Ägäischen Meeres. Der Krieg zw. den beiden Städten um das Lelantinische Feld, die Ebene an der Lelantos-Mündung, brachte zwar Chalkis den Sieg, schwächte aber letztlich beide Städte. 506 v. Chr. besiegte Athen Chalkis und siedelte in der Folge 5000 att. Kleruchen in der wegen ihrer Fruchtbarkeit begehrten Ebene an. 490 v. Chr. eroberten und zerstörten die Perser Eretria und Karystos. Eretria, obwohl wieder aufgebaut, erreichte von dieser Zeit an nie mehr seine frühere Machtstellung. Nach den Perserkriegen kontrollierte Athen die Insel erneut. Ein Aufstand wurde 446 von Perikles niedergeschlagen. 411 war ein zweiter erfolgreicher, weil Athen durch verschiedene Umstände während des Peloponnesischen Krieges behindert war. Ein euboi. Bund entstand, dem anf. nur Chalkis und Eretria angehörten. Im Korinthischen Krieg stand E. auf seiten von Athen und Theben. Auch dem 2. Att. Seebund gehörten viele Städte von E. an.

B. 4. Jh. v. Chr. bis zur römischen Kaiserzeit
Nach der Schlacht von Leuktra 371 erfolgte für kurze Zeit ein Anschluß an Theben, doch schon 357 v. Chr. war die Insel wieder im Seebund. 349 kam es zu einem

neuerlichen Abfall, 341 erfolgte wieder der Anschluß an Athen. Nach der Schlacht von → Chaironeia 338 wurde E. an Maked. angegliedert. Von 308 bis 304 war E. Mitglied im Boiot. Bund. 196 besetzten die Römer die Insel und erklärten sie für frei. In der Folge war Chalkis Hauptquartier Antiochos' III., später Archelaos', des Feldherrn Mithradates' VI. Nach 146 wurde E. wegen der Teilnahme am Aufstand gegen Rom schwer bestraft und tributpflichtig. In der röm. Kaiserzeit war die Insel Bestandteil der Prov. Achaia.   H.KAL.

C. Byzantinische Zeit

Die Insel und die *póleis* A(i)depsos, Chalkis, Porthmos und Karystos, erwähnt bei Hierokles (644,10f.; 645,6–8) und Konstantinos Porphyrogennetos (De thematibus 90; 95 Pertusi), gehörten seit der Mitte des 4. Jh. zur Diözese *Macedonia*, mit der Einführung der Themenordnung (→ *théma*) im 7. Jh. zum *théma Hellás* (θέμα Ἑλλάς). Ein »Bischof von E.« (= Chalkis?) nimmt im J. 325 am Konzil von Nikaia teil [2. 239]; Bischöfe sind nachweisbar in Chalkis seit 457/8 [3. 89,36], aber auch schon zur selben Zeit in Karystos [3. 89,32] und 553 in Porthmos [4. 22, 33, 136f.], alle Korinth unterstellt; nach der Erhebung Athens zur *mētrópolis* (um 900) werden neben Euripos (ma. Name für Chalkis), Karystos und Porthmos noch Aulon und Oreos als Suffraganbistümer von Athen genannt. Von den Plünderungen seit dem 5. Jh. weniger betroffen als das benachbarte Festland, bleibt E. auch ökonomisch ein wesentlicher Bestandteil des früh- und mittelbyz. Staates.   E.W.

1209 wurde E. in drei Baronien geteilt (Chalkis, Karystos und Oreos) und gehörte zu Verona. Seit etwa 1366 waren die Venezianer Herren auf E. und kontrollierten bes. die Hafenstädte; das Landesinnere war unter vielen fränkischen Adeligen aufgeteilt. In dieser Zeit entstand auch der Name Negroponte, der sich sowohl auf eine Brücke über den Euripos beziehen konnte wie aber auch auf eine Verstümmelung des Namens Euripos. Negroponte wurde venezianisches Königreich, geriet noch einmal kurz unter genuesischen Einfluß, ehe es 1470 von den Türken besetzt wurde.   H.KAL.

1 O.Davies, Roman mines in Europe, 1935. 2 H.Gelzer, H.Hilgenfeld, O.Cuntz (ed.), Patrum Nicaenorum Nomina, 1898 3 E.Schwartz (ed.), Acta Conciliorum Oecumenicorum II,5 4 E.Chrysos, Die Bischofslisten des V. Ökumenischen Konzils (553), 1966.

J.Boardman, Early Euboean pottery and history, in: ABSA 52, 1957, 1ff. • P.A.Brunt, E. in the time of Philip II., in: CQ 19, 1969, 245ff. • L.Bürchner, s.v. Lelanton Pedion, RE 12, 1889f. • C.Bursian, Geogr. von Griechenland 2, 1868, 395ff. • J.B.Bury, The Lombards and Venetians in Euboia, in: JHS 7, 1886, 309ff. • Ders., The Lombards and Venetians in Euboia, in: JHS 8, 1887, 194ff. • J.D. Carpenter, D.Boyd, The Dragon-Houses of Southern E., in: AJA 29, 1976, 250ff. • H.-J. Gehrke, Zur Rekonstruktion ant. Seerouten, in: Klio 74, 1992, 98ff. • F.Geyer, Top. und Gesch. der Insel E., 1, 1903 • Ders., E. in den Wirren der Diadochenzeit, in: Philologus 85, 1930, 175ff. • C.Marek, E. und die Entstehung der Alphabetschrift bei den Griechen, in: Klio 75, 1993, 27ff. •

A. Philippson, s.v. E., RE 6, 851ff. • Ders., E., 1907 • Philippson/Kirsten, 1, 561ff., 641ff. (Lit.) • L.H. Sackett, Prehistoric E., in: ABSA 61, 1966, 33ff. • E.Sapouna-Sakellaraki, Un dépot de temple et le sanctuaire d'Artémis Amarysia en E., in: Kernos 1992, 5. H. 235ff. • L.A.Tritle, Eretria, Argoura, and the road to Tamynai, in: Klio 74, 1992, 131ff. • M.B.Wallace, Herodotos and E., in: Phoenix 28, 1974, 22ff. • Ders., The euboean league and its coinage, in: Numismatic notes and monographs 134, 1956 • J.Koder, Negroponte, 1973 • J.Koder, s.v. E., LMA 4, 66–68 • T.E.Gregory, N.P. Ševčenko, s.v. E., ODB 2, 736f. • J.Koder, F.Hild, TIB 1, 1976, passim.   H.KAL. u.E.W.

[2] Befestigte Siedlung [1], gegr. in der Absicht, das große Territorium von Leontinoi zu kontrollieren. Die Oligarchen von Leontinoi versuchten 490 v.Chr. vergeblich, E. gegen Ainesidamos zu schützen; dieser eroberte und zerstörte E. Anstelle von Licodia Eubea [2] wird neuerdings [3; 4; 5] der Monte S. Mauro di Caltagirone als Ansatzpunkt für E. bevorzugt [6].

1 C.Camassa, s.v. Eubea di Sicilia, BTCGI 7, 391–397 2 Ph. Cluverius, Sicilia antiqua cum minoribus insulis ei adiacentibus. Sardinia et Corsica, Lugduni Batavorum 1619, 378–387 3 G.Manganaro, La caduta dei Dinomenidi, in: Annali dell' Ist. Italiano di Numismatica 21/22, 1974/5, 21 4 Ders., Segnalazioni di epigrafia greca, in: Kokalos 14/15, 1968/9, 199 Anm. 16, 201 Anm. 24 5 M.Frasca, E'anonima la città greca di Monte S. Mauro di Caltagirone?, in: PdP 1997 (im Druck) 6 F.Frisone, s.v. Monte S. Mauro, BTCGI 10, 1992, 487–498.   Gi.F./Ü: R.P.L.

Euboios (Εὔβοιος). Parodiendichter aus Paros. Er war laut Athen. 15,698a ein Zeitgenosse des Philippos und schmähte bes. die Athener. Alexander von Pleuron lobt ihn zusammen mit → Boiotos von Syrakus in einer Elegie (Athen. 15,699c). Den erh. Fragmenten kann man entnehmen, daß E. den hohen Ton des Epos in homer. Hexametern, die aber von Handwerkern handeln, parodierte (Athen. 15, 699a). Der Einfluß dieser Art ep. → Parodie auf die *poesis ludibunda* läßt sich bis zu Horaz verfolgen.

SH 410–412 • A.Meineke, Analecta Alexandrina, 1843, 230–233 • R.Schröter, Horazens Satire 1, 7 und die ant. Eposparodie, in: Poetica 1, 1967, 8–23.   C.S.

Eubuleus (Εὐβουλεύς). E., »der gute Berater«, war eine der zentralen Figuren des Mythos, der im geheimen Ritus der eleusinischen Mysterien dargestellt wurde: Er brachte → Kore aus der Unterwelt zurück. Auf bildlichen Darstellungen trägt er Fackeln und steht vor Kores Rückkehr zwischen Thea und Theos (so werden Persephone und Hades in den Mysterien genannt), oder man sieht ihn nach ihrer Rückkehr neben Kore stehen [1]. In verwandten Mythen (die im Kult nicht gezeigt wurden) ist er ein Schweinehirt (Orph. fr. 51), der Sohn des Dysaules und der Bruder des → Triptolemos, der Demeter berichtet, was Kore zugestoßen ist. In einer Version dient die Episode, in der sein Schwein mit Kore zusammen vom Erdboden verschlungen wurde, als Erklärung dafür, daß an den → Thesmophorien Ferkel in Gruben geworfen wurden (fr. 50). E. gehörte jedoch nicht zu den Göttern, die an den att. Thesmophorien verehrt wurden [1].

Außerhalb Attikas erscheint E. a) als Epitheton des Zeus als Fruchtbarkeitsgott, wie er an lokalen Thesmophorien verehrt wurde, b) als euphemistische Anrede von Hades und c) als Name einer »orphischen« Unterweltgottheit, die mit Dionysos gleichgesetzt wurde [2].

→ Mysterien

1 K. CLINTON, Myth and Cult: the Iconography of the Eleusinian Mysteries, 1992, 51–63, 71–73, 78–91 2 F. GRAF, Eleusis und die orphische Dichtung Athens in vorhell. Zeit, 1974, 171–174.
K.C.

Eubulides (Εὐβουλίδης).

[1] E. aus Milet, → Megariker. Die Lebenszeit des E. (Mitte 4. Jh. v. Chr.) bestimmt sich durch seine heftigen Attacken gegen Aristoteles, von denen in den Quellen mehrfach die Rede ist. Zum Teil handelte es sich dabei um persönliche Verunglimpfungen (Eus. Pr. Ev. 15,2,5), zum Teil um Kritik an bestimmten log. Theoremen des Aristoteles (Eubulides, SSR vol. 4, p.88). Möglicherweise setzte sich umgekehrt auch Aristoteles mit Lehren des E. auseinander. Manches spricht jedenfalls dafür, daß Aristoteles zuvörderst E. oder jedenfalls Leute aus seinem Umfeld im Blick hatte [1], wenn er in der ›Metaphysik‹ (9,3,1046b 29–32) die Ansicht derer zurückweist, ›die wie die Megariker behaupten, nur wenn etwas tätig sei, habe es das Vermögen (sc. in dem betreffenden Sinne tätig zu sein), wenn es aber nicht tätig sei, habe es das Vermögen nicht‹. Berühmt war E. zu seiner und in späterer Zeit vor allem als Meister in der Erfindung und im Gebrauch von Schlüssen und Fangschlüssen. In den erh. Quellen wird er mit verschiedenen der unter bestimmten Namen zirkulierenden Schlüsse in Verbindung gebracht, darunter auch dem berühmten »Lügner« (ψευδόμενος), dessen ursprüngl. Formulierung etwa so gelautet haben muß: ›Wenn du sagst, daß du lügst, und sagst damit die Wahrheit, lügst du dann oder sagst du die Wahrheit?‹ (Cic. ac. 2,95), und dem »Haufenschluß« (σωρίτης): ›Beim wievielten hinzugefügten Korn wird aus einer Menge einzelner Körner ein Haufen Getreide?‹ (vgl. Cic. ac. 2,49).

→ Logik

1 G. GIANNANTONI, Die Philosophenschule der Megariker und Aristoteles, in: K. DÖRING, TH. EBERT (Hrsg.), Dialektiker und Stoiker, 1993, 155–165, hier: 155–161.

ED.: K. DÖRING, Die Megariker. Komm. Sammlung der Testimonien, 1972, II 1. · SSR II B, dazu vol. IV 88.
LIT.: K. DÖRING, E., in: GGPh² 2.1, § 17 D (mit Lit.). K.D.

[2] Komödiendichter des 4. Jh. v. Chr. (unsicher), aus dessen Κωμασταί ›Die Nachtschwärmer‹ noch ein Fragment erhalten ist.

1 PCG V, 186.
H.-G. NE.

[3] Komödiendichter des 3. Jh. v. Chr., der einmal an den Lenäen siegte [1. test.]. Keine Stücktitel oder Fragmente erhalten.

1 PCG V, 187.
H.-G. NE.

Wiederholter Name in Athener Bildhauerfamilie:
[4] E. II (zur Unterscheidung von Großvater und Enkel) ist bekannt als Schöpfer einer Sitzstatue des Chrysippos um 208–204 v. Chr. Diese ist aufgrund des Gestus *porrecta manu* (»mit den Fingern rechnend«) in Kopien identifiziert. Der zugehörige Porträtkopf wird anhand einer Münze von Soloi nicht eindeutig erkannt, da dort Aratos dargestellt sein kann.
[5] E. III, Enkel von E. II, Sohn von → Eucheir II, mit dem er gemeinsam Ehrenstatuen signierte. Für das Dionysosheiligtum im Kerameikos schuf und weihte er um 150 v. Chr. eine Marmorgruppe von Götterstatuen, von denen der Kopf einer Athena mit ehemals aufgesetztem Bronzehelm erhalten ist.

G. BECATTI, Attika, in: RIA 7, 1940, 14–16, 28–33 · H. BRUNN, Gesch. der griech. Künstler, 1, 1857, 551–552 · P. MORENO, Scultura ellenistica, 1994, 553–555 · J.-J. POLLITT, Art in the Hellenistic Age, 1986, 165 Abb. · OVERBECK, Nr. 2235–2244 (Quellen) · A. STEWART, Attika, 1979, 50–52.
R. N.

Eubulos (Εὔβουλος).

[1] E., Sohn des Spintharos aus dem Demos Probalinthos, ca. 400 bis vor 330 v. Chr., evtl. identisch mit dem Athener, der 369 die Rückkehrerlaubnis für Xenophon beantragte (Istros FGrH 334 F 32), und einem 370/69 bezeugten Thesmotheten Athens (SEG 19,133,4). Dann wäre er danach auch Mitglied des Areiopages gewesen. Ab 354/3 gelangte E. als einer der Verwalter der Theorikon-Kasse, durch seine Fähigkeiten als Rhetor, die Mitgliedschaft im Areiopag und gute Kontakte zum Rat der 500 zu maßgeblichem polit. Einfluß in Athen. Die ἐπὶ τὸ θεωρικόν (*hoi epí tó theōrikón*) waren in der Ära des E. ein mehrköpfiges Gremium jeweils auf vier Jahre gewählter Magistrate (Aristot. Ath. pol. 43,1). Ihre mehrjährige Amtszeit, große Fachkompetenz und die Wahl gaben ihnen eine starke Position unter den demokratischen Ämtern, ohne deren fundamentale Prinzipien zu verletzen, weil alle mit Finanzen befaßten Magistrate scharfen Kontrollmechanismen unterworfen waren und die Volksversammlung die polit. Entscheidungsgewalt behielt. Über die Verwaltung der Theorika hinaus zog die Theorikon-Kasse nach 354 zusätzliche Kompetenzen von anderen Kassen und Magistraten an sich. Sie überwachte die Verpachtung der Minen, die Finanzierung der öffentlichen Bauprojekte und Straßen sowie Gelder für die Marine. Schließlich kontrollierten die Theorikon-Verwalter zusammen mit dem Rat der 500 das Finanzwesen der Polis (Aischin. Ctes. 25; schol. Aischin. Ctes. 24; schol. Demosth. or. 1,1; Harpokration und Suda s. v. Theorika; IG II/III² I 1, 223 C 5 = Agora 15,34). E. setzte sich ca. 348 für ein Gesetz ein, das verbot, eine Veränderung des Verteilungsschlüssels der

Finanzen der Polis in der Ekklesia zu beantragen und Überschüsse auf die Stratiotikon- statt auf die Theorikon-Kasse zu übertragen (schol. Demosth. or. 1,1; Lib. hypothesis zu Demosth. or. 1,4). Außenpolit. und mil. vertrat E. als Voraussetzung der finanziellen Konsolidierung einen Kurs der vorsichtigen Zurückhaltung, unterstützte aber polit.-mil. Engagements Athens, sofern ihm vitale Interessen der Polis gefährdet schienen, z.B. 352 an den Thermopylen oder später auf Euboia. 347/6 beantragte E., athenische Gesandte auszusenden, um ein Bündnis gegen → Philipp II. zu schaffen (Demosth. or. 19,304). Von 346 bis 340 wurden von der Ekklesia auf Antrag E.' Psephismata über die athenische Politik in Nordgriechenland verabschiedet (Demosth. or. 18,70; 75). Doch der außenpolit. Streit zwischen E. und den Rhetoren um Demosthenes verschärfte sich. 343 unterstützte E. Aischines im Gesandtschaftsprozeß. Nach 338 schränkte das Gesetz des Hegemon (Aischin. Ctes. 25) die Kompetenzen der Theorikon-Kasse drastisch ein, und E. spielte keine herausragende polit. Rolle mehr. Der Widerstand des Hypereides gegen die Ehren für E. um 331/30 (Hyp. fr. 104–106 JENSEN) ist als Abrechnung mit der Politik E.' vor Chaironeia zu interpretieren. E. hatte entscheidenden Anteil an der finanziellen Gesundung der Polis, deren jährliche Staatseinkünfte er von ca. 130 auf 400 Talente erhöhte. Unter seinem Einfluß wurden umfangreiche öffentliche Bauvorhaben begonnen, die wirtschaftliche Tätigkeit im Bergbaugebiet Attikas und im Piräus-Hafen belebte sich, die Kriegsflotte und ihre Infrastruktur wurden gestärkt (IG II/III² II 1, 1627, 354; 1628, 524; 1629, 1001; 1631, 231; Plut mor. 812F; Deinarch. 1,96; Sch. Aischin. leg. 8; Harpokration s. v. Euboulos).

→ Athenai; Theorikon-Kasse; Demokratie

J.J. BUCHANAN, Theorika, 1962 · G.L. CAWKWELL, Eubulus, in: JHS 83, 1963, 47–67 · DEVELIN Nr. 1113 · J. ENGELS, Studien zur polit. Biographie des Hypereides, ²1993, 59–67 und 194f. · A. FRENCH, Economic Conditions in Fourth-Century Athens, in: G&R 38, 1991, 24–40 · HANSEN, Democracy 263f., 289f. · H. LEPPIN, Zur Entwicklung der Verwaltung öffentlicher Gelder im Athen des 4. Jh. v. Chr., in: EDER, Demokratie 557–571 · A. MOTZKI, Eubulos von Probalinthos und seine Finanzpolitik, 1903 · PA 5369 · E. RUSCHENBUSCH, Die Einführung des Theorikon, in: ZPE 36, 1979, 303–308.

J.E.

[2] Sohn des Euphranor, bedeutenderer Dichter der att. Mittleren → Komödie. Die Suda [1. test. 1] datiert ihn auf die 101. Ol. (= 376–372 v.Chr., auf Grund eines Dionysiensieges? [2. 8]); auf der inschr. Lenäensiegerliste steht er zwei Plätze hinter → Anaxandrides und zwei vor → Antiphanes [1] [1. test. 3], was ebenfalls auf die 370er Jahre weist. Anspielungen auf die Zeitgesch. in seinen Fragmenten reichen wenigstens von den 360er bis in die 330er Jahre [3. 196]. E. siegte sechsmal an den Lenäen [1. test. 3]. Er ließ auch einige seiner Stücke durch den Aristophanes-Sohn Philippos aufführen [1. test. 4]. Die Zahl seiner Stücke wird mit 104 angegeben

[1. test. 1]; 58 Stücktitel sind belegt, davon führen 28 oder 29 auf ein mythisches Sujet. Sehr oft handelte es sich bei diesen Mythenstücken um Parodien, vor allem auf Tragödien des Euripides (*Antiópē, Aúgē, Bellerophóntes, Danáē, Ixíōn, Íōn, Mḗdeia, Oidípus, Oinómaos, Phoínix*), aber auch auf die anderer Tragiker (*Mysoí/ ›Die Myser‹, Prókris*). Wie eifrig E. Euripides parodiert, geht auch aus nicht wenigen Fragmenten hervor [1 zu fr. 6,2].

Vereinzelt sind lyrische Verspartien erhalten, die von einem Chor gesungen worden sein könnten (fr. 102f. 137), und manche Fragmente haben noch grobaischrologische Züge der Alten Komödie (fr. 10. 52. 61. 118. 140); anderes weist dagegen schon in Richtung Neue Komödie: Manche Titel deuten wichtige Rollen für Sklaven an (*Ankylíōn, Kampylíōn, Sphingokaríōn, Parmenískos*), andere für Hetären (*Klepsýdra, Nánnion, Neottís, Plangón*), weitere könnte man sich leicht bei den Dichtern der Neuen Komödie vorstellen (*Anasōzómenoi, Pámphilos, Pannychís, Psáltria, Títthai/ Títthē*), und fr. 69 deutet geradezu ein Wiedererkennungsmotiv an. In den Fragmenten kommen neben vorwitzig-frechen Sklaven (42. 119. 123) auch Parasiten (72), Köche (14. 75) und Hurenwirte (67; vgl. den *Pornoboskós*) zu Wort. In mehreren Fragmenten ist E. ausdrücklich als Dichter der Mittleren Komödie bezeugt, nur die Suda nennt ihn einen ›Grenzfall zwischen Mittlerer und Alter Komödie‹, was vielleicht auf das Nebeneinander von heterogenen Elementen hindeutet [3. 60f.].

1 PCG V, 1986, 188–273 2 R.L. HUNTER, Eubulus, The Fragments, 1983 3 H.-G. NESSELRATH, Die att. Mittlere Komödie, 1990.

H.-G.NE.

Eucharides-Maler. Att. Vasenmaler, tätig ca. 495–475 v.Chr., benannt nach einer → Lieblingsinschrift auf einem frühen Stamnos in Kopenhagen. Ein Großteil seiner Werke ist rf., aber wie sein Lehrer, der Nikoxenos-Maler, arbeitete er auch in sf. Technik, u.a. einige panathenäische Preisamphoren. Seine rf. Bilder verzieren große Kratere und Amphoren, aber auch Lekythen und Schalen, von denen letztere im allgemeinen nur innen bemalt sind. Frühe Stamnoi stellen eine Verbindung mit dem Tyszkiewicz-Maler her; es gibt Hinweise darauf, daß er in derselben Werkstatt wie die Maler der Syleusnachfolge (→ Syleus-Maler) tätig war. Sein charakteristischer Stil ist derb und eckig, von archa. Kraft durchdrungen. Außer Genre- und dionysischen Szenen malte er einige seltenere myth. Themen: Danae und Perseus, Herakles und Eurytos, Apollon und Tityos, den Tod von Argos und Aktaion.

BEAZLEY, ABV, 395–398 · BEAZLEY, ARV², 226–232, 1637, 1705 · J.D. BEAZLEY, The Master of the Eucharides-Stamnos in Copenhagen, in: ABSA 18, 1911–1912, 217–233 · E. LANGRIDGE, The Eucharides Painter and his Place in the Athenian Potters' Quarter, 1993.

M.P./Ü: V.ST.

Eucheir (genannt E. II). Bildhauer in Athen, Sohn von → Eubulides [4], genannt Eubulides II. Gemeinsam mit seinem Sohn → Eubulides [5], genannt Eubulides III, signierte er Ehrenstatuen und Votive in Attika, Euboia und Megara in der 1. H. des 2. Jh. v. Chr. Sein von Pausanias beschriebener Hermes in Phenea ist vielleicht auf Mz. wiedergegeben.

G. BECATTI, Attika, in: RIA 7, 1940, 14–17 · H. BRUNN, Gesch. der griech. Künstler, 1, 1857, 551–552 · LOEWY, 134, 135, 222–227 · P. MORENO, Scultura ellenistica, 1994, 521, 554.　　　　　　　　　　　　　　　　R. N.

Eucheria. Als *versus Eucheriae poetriae* (›Verse der Dichterin E.‹) ist im Cod. Paris. Lat. 8071 (Thuaneus; 9. Jh.) ein → Epigramm in 16 elegischen Distichen überliefert; der Text findet sich, teils verstümmelt und ohne Titel, auch in anderen Codices des 9.–12. Jh. Er bietet einen Katalog von monströsen Verbindungen »edler« und »niedriger« Gegenstände; der Sinn dieser Junkturen erhellt aus dem Schlußdistichon, das die Absurdität der Werbung eines Mannes niedriger Herkunft um E. zum Inhalt hat. Denkbar wäre, daß der Eigenname sekundär als Name der Dichterin aufgefaßt wurde. Entstehungszeit des Textes dürfte das 5. Jh. n. Chr. wegen der guten Bezeugung der mask. Form des Namens, Eucherius, für diese Zeit sein (PLRE 1,288; 2,404–406), Entstehungsraum Gallien wegen des gallischen Wortes für Eule, *cavannus* (V. 29). *Lingonicum aes* (V. 9) scheint dagegen von Mart. 1,53,3 (auch formal Bezugstext) herzurühren. Einen sicheren terminus ante quem bietet die Zitierung von v. 31 in der Gramm. des → Iulianus von Toledo (2. H. 7. Jh.).

Anth. Lat. 390 (386 SHACKLETON-BAILEY) · M. MARCOVICH, A. GEORGIADOU, E.'s Adynata, in: Illinois Classical Studies 13, 1988, 165–174.　　　　K. SM.

Eucherius

[1] Flavius E. war ein Onkel des Kaisers Theodosius I. (Them. or. 16,203d). Er ist evtl. identisch mit dem *comes sacrarum largitionum* von 377–379 n. Chr. (Cod. Theod. 1,32,3; 10,20,9). 381 war er *consul* (Them. ebd.). Er lebte noch 395 (Zos. 5,2,3). PLRE 1, 288 E. (2).　　　W. P.

[2] Flavius E., Sohn des → Stilicho und Serenas, * 389 n. Chr. in Rom, lebte zunächst in Konstantinopel, dann am Hofe des → Honorius, wo er *tribunus et notarius* wurde. Im J. 400 mit → Galla [3] Placidia verlobt, der Tochter Theodosius' I. Im Zuge der antigerman. Umtriebe nach dem Tode des → Arcadius 408 wurde Stilicho verdächtigt, seinen Sohn zum Augustus im Osten erheben zu wollen, und wurde ermordet. E. floh nach Rom, wo er in einer Kirche Asyl suchte, aber bald getötet wurde. PLRE 2, 404 f.　　　　　　　　　　　　　　　H. L.

[3] Schrieb als Mönch der Klosterinsel Lérins vor der südfrz. Küste zwei Lehrbriefe (*De laude eremi* [2] und *De contemptu mundi* [3]) sowie zwei exegetische Werke (*Formulae spiritalis intellegentiae* und *Instructiones*) [4], als Bischof von Lyon (434–450) die *Passio Acaunensium martyrum* [1] (d. h. die Märtyrergeschichte der Soldaten der

Thebäischen Legion). Die mit rhet. Figuren und Motiven (*situs loci*, c. 5; *laudatio* c. 11) gefüllte und unter Beachtung der Klauseltechnik geschriebene *Passio* [5. 261–265] hat ihren Mittelpunkt in der Erklärung an den Kaiser, einem Stück »konstantinischer« Reichstheologie. Spätestens ab dem Jahr 515 wurde die *Passio* jährlich am 22.9. in St. Maurice öffentlich verlesen (MGH AA 6/2, p.145).

ED.: 1 B. KRUSCH, MGH Scriptores rer. Merov. 3, 1886, 32–41 2 S. PRICOCO, 1965 3 Ders., 1990 4 C. WOTKE, CSEL 31, 1894 (Gesamtausgabe).
LIT.: 5 W. BERSCHIN, Biographie und Epochenstil im lat. MA, 1, 1986.　　　　　　　　　　　　　　W. B.

Eudaimon (Εὐδαίμων). Briefpartner des → Libanios (epist. 167; 255; 633) und dessen »brüderlicher« Freund über mehr als dreißig Jahre (vgl. epist. 108; 132; 164; 315; 632; 826; 1057), aus Pelusion in Ägypten, vor 337 n. Chr. geb. (wahrscheinlich ca. 314/24: [2. 279]), vor 392 n. Chr. gestorben. Der Suda (ε 3407) zufolge ›Grammatiker‹ (er lehrte jedoch vielleicht auch Rhet.), Verf. einer Τέχνη γραμματική / ›Grammatik‹ und einer Ὀνοματικὴ ὀρθογραφία / ›Orthographie der Namen‹ (vgl. Lib. epist. 255,7, zu E.s Meinung zum Vokativ von Ἡρακλῆς), die von Stephanos von Byzantion und in den Etymologica benutzt wurde [1]; Dichter, Anwalt in Elusa (im Jahre 357), im Sold des Kaisers ebd., in Antiocheia und Konstantinopel. Nicht zu verwechseln mit dem jüngeren E., einem Rhetoriklehrer, der ebenfalls zum Kreis des Libanios gehörte [2. 400–403; 3. 121–132].

1 L. COHN, s. v. E., RE 6, 885 2 R. A. KASTER, Guardians of Language, 1988, 113, 154, 211, 230, 279–282 3 O. SEECK, Die Briefe des Libanius, 1906, 131 4 Libanios, Briefe, ed. von G. FATOUROS, T. KRISCHER, 1980, 274.　　S. FO./Ü: T. H.

Eudamidas (Εὐδαμίδας).

[1] Spartiat, Bruder des Phoibidas. E. sollte 382 v. Chr. gemeinsam mit Amyntas von Makedonien einen Feldzug gegen Olynth führen, wurde aber aufgrund seiner geringen Truppenstärke besiegt und fiel wahrscheinlich (Xen. hell. 5,2,24 f.; Diod. 15,20 f.; Demosth. or. 19,264). Vielleicht ist er identisch mit einem Ephoren aus dem frühen 4. Jh., der IG V 1, 1232 erwähnt wird.

[2] E. I., spartanischer König, Eurypontide, Sohn des Archidamos III., seit 331 oder 330 Nachfolger seines Bruders Agis III. (Plut. Agis 3,3). E. soll trotz des Widerstandes großer Teile des Damos insbesondere gegenüber Makedonien eine friedliche Politik vertreten haben (Paus. 3,10,5). Er starb vor 294.

[3] E. II., spartanischer König, Enkel des Vorigen, Sohn des Archidamos IV., Vater des Reformkönigs Agis IV., der ihm 244 folgte (Plut. Agis 3,3).　　　M. MEI.

Eudamos (Εὔδαμος).

[1] Makedonischer General (*dux Thracium* bei Curt. 10,1,21), 323 v. Chr. von Alexandros [4] dem Gr. an die Seite des Taxiles als mil. Befehlshaber gestellt (Arr. an.

6,27,2). Er erschlug Poros und brachte 120 Elefanten nach Westen, als er 317 v. Chr. zusammen mit anderen östl. Satrapen dem Ruf des Eumenes [1] folgte (Diod. 19,14). Er kämpfte unter Eumenes und wurde zusammen mit diesem von Antigonos [1] getötet (Diod. 19,27–44). Nach BERNARD stammen die sog. Porus-Münzen vielleicht von ihm als »Elefantengeneral« [1].

1 P. BERNARD, Le monnayage d'Eudamos, in: Orientalia Iosephi Tucci memoriae dicata (Serie Orientale Roma 56,1), 1985, 65–94.   K. K.

[2] Rhodier, mit → Pamphilidas 190 v. Chr. Nachfolger des Nauarchen → Pausistratos gegen Antiochos III. (Syll³ 673; Liv. 37,12,9; vgl. App. Syr. 27/133 »Eudoros«), neigte bei Eleia zu Friedensverhandlungen (Pol. 21,10,5) [1. 133] und siegte bei Side und Myonnesos (Liv. 37,22,3–4; 23,8–24,11; 29,6.9) [1. 80]. E. riet den Römern zur Einnahme von Patara (Liv. 37,24,13).

[3] Rhodischer Nauarch, überließ 168 v. Chr. Tenedos einer maked. Flotte (Liv. 44,28,3) [1. 142].

1 H. H. SCHMITT, Rom und Rhodos, 1957.   L.-M. G.

Eudemos (Εὔδημος).
[1] Bildhauer in Milet. Er signierte eine männliche Sitzstatue aus der 1. H. des 6. Jh. v. Chr., einer der frühesten → Branchidai von Didyma.

FUCHS/FLOREN, 373–375 · LOEWY, Nr. 3 · K. TUCHELT, Die archa. Skulpturen von Didyma, 1970, 77–78, 121.
                                                        R. N.

[2] aus Zypern. Etwa gleichaltriger Freund des → Aristoteles, beteiligte sich als Anhänger Dions [I 1] an dem Sturz von Dionysios II. und fiel in den Kämpfen, die auf Dions Tod folgten, wahrscheinlich 353 v. Chr. Aristoteles widmete ihm einen Dialog Εὔδημος ἢ περὶ ψυχῆς (›Eudemos oder Über die Seele‹), in welchem, ausgehend von einem Traum des E., die Unsterblichkeit der Seele mit Anschluß an Platons *Phaidon* bewiesen wurde (fr. 37–48 ROSE³, 56–66 GIGON). Von eigenen philos. Interessen des E. erfahren wir nichts, aber wahrscheinlich war er wenigstens eine Zeit lang Mitglied der → Akademeia.

W. W. JAEGER, Aristoteles, 1923, 37 ff. · W. SPOERRI, Prosopographica, in: MH 23, 1966, 44 ff.   H. G.

[3] aus Rhodos. Schüler des Aristoteles, geb. vor 350 v. Chr.
A. LEBEN B. SCHRIFTEN C. NACHLEBEN

A. LEBEN
Nach dem Tod seines Lehrers gründete er eine Schule in seiner Heimatstadt, unterhielt jedoch eine wiss. Korrespondenz mit → Theophrastos in Athen. Neben diesem war er der einzige, der versuchte, Aristoteles' Philos. als Ganzes weiterzuführen, wobei er das Hauptgewicht auf die Logik und Naturphilos. legte. Ethikvorlesungen muß er gehalten haben, aber unter seinem Namen sind keine ethischen Fragmente überliefert, vielleicht weil im Alt. die sog. ›Eudemische Ethik‹ des Aristoteles oft für ein Werk des E. gehalten wurde.

B. SCHRIFTEN
Zur Logik sind gesichert *Analytiká* (fr. 9–244) und *Perí léxeōs* (›Über den sprachlichen Ausdruck‹, fr. 25–9). In der Analytik wird E. fast immer mit Theophrast zusammen genannt und scheint die meisten von dessen Neuerungen mitgemacht zu haben, u. a. die Einführung der fünf »indirekten« Modi der ersten syllogistischen Figur (fr. 17) und der *in peiorem*-Regel für Modalsyllogismen (fr. 11), sowie die Ausbildung der Theorie der hypothetischen Syllogismen (fr. 21–3). Die Vermutung von [1. 125], daß diese Neuerungen noch von Aristoteles angeregt wurden, ist sehr erwägenswert. Selbständiger war E.' *Perí léxeōs*, welches von den logischen und nicht, wie die gleichnamigen Schriften des Aristoteles (rhet. 3 = 1425b–1426b) und Theophrast, von den stilistischen Aspekten der Sprache handelte. Eine Kategorienschrift wird ihm von späten Quellen fälschlich zugeschrieben (Fr. 7–8, vgl. [2]), aber die Lehre war ihm selbstverständlich: das einzige Fragment seines Buches *Perí gonías* (›Über Winkel‹) enthält einen Beweis, daß der Begriff »Winkel« unter die Kategorie »Qualität« falle (Fr. 30).

Am bekanntesten ist seine Physik (*Physiká*), in welcher er den gleichen Stoff wie Aristoteles in den Büchern 1–6 und 8 seiner Physikvorlesung behandelte. E. scheint als erster die Teile dieser Vorlesung zu einer einzigen Pragmatie vereint zu haben. Die sachlichen Abweichungen von seinem Lehrer sind gering, aber die Darstellung ist trotz Kürzungen breiter und mehr auf die lehrende Wiedergabe als die Forsch. ausgerichtet. Zur Metaphysik ist eine einzige Bemerkung von E. überliefert (fr. 124); Berichte, daß er irgendwie an der Redaktion der aristotelischen Schrift beteiligt gewesen sei (fr. 3, vgl. 124), bedürfen noch der Klärung. Außerdem haben wir unter seinem Namen eine Reihe von Tiergeschichten vornehmlich tierpsychologischen Inhalts (fr. 125–32).

Wichtig sind E.' Beiträge zur Gesch. der Wiss.: ›Forsch. über Geometrie‹ (Ἱστορίαι γεωμετρικαί; fr. 133–41), ›Forsch. über Arithmetik‹ (Ἀριθμητικαί; fr. 142), ›Forsch. über Astronomie‹ (Ἀστρολογικαί; fr. 143–149) und vielleicht auch eine Gesch. der Theologie (fr. 150, ohne Titelangabe). Diese Werke scheinen rein histor.-doxographisch gewesen zu sein, d. h. das Wort ἱστορία (*historía*) hatte in diesem Zusammenhang seine moderne Bedeutung »Geschichte«. Wie Menons Ἰατρικά (›Medizinisches‹) und die ›Lehren der Naturphilosophen‹ (Φυσικῶν δόξαι) Theophrasts gehörten sie in den Rahmen eines von Aristoteles angeregten Versuchs, die bis dahin erzielten Ergebnisse der philos. interessanten Wiss. zusammenzufassen. Vermutlich wurden sie noch zu Aristoteles' Lebenszeit verfaßt.

C. NACHLEBEN
Nach E. brachte Rhodos mehrere namhafte Peripatetiker hervor, darunter Pasikles (E.' Neffe und der vermeintliche Verf. von Buch α der aristotelischen Me-

taphysik), → Praxiphanes, → Hieronymos und → Andronikos [4]; dies läßt vielleicht auf eine gewisse Nachwirkung des E. in seiner Heimat schließen, aber wahrscheinlich hat seine Schule seinen Tod nicht überdauert. Sonst war er im hell. Zeitalter fast unbekannt. Schriftsteller, die von hell. Quellen abhängig waren, wie Cicero, Areios Didymos, Diogenes Laertios und Sextus Empiricus, erwähnen ihn nie. Erst die Kommentatoren der frühen Kaiserzeit haben den Wert seiner Beiträge zur Erklärung und Entwicklung der aristotelischen Philos. erkannt. Galen schrieb einen Komm. zu E.' *Perí léxeōs* (*libri proprii*, p. 42 und 47 K.]), und Alexandros [26] von Aphrodisias, Themistios, Simplikios und Philoponos zitieren ihn regelmäßig.
→ Aristotelismus

1 I.M. Bochenski, La Logique de Theophraste, 1947
2 H.B. Gottschalk, Did Theophrastus write a »Categories«?, in: Philologus 131, 1987, 245–253.

Fr.: Wehrli, Schule, 8, ²1969 · H.B. Gottschalk, Addenda Peripatetica, in: Phronesis 18, 1973, 98.
Lit.: F. Wehrli, RE Suppl. 11, 895–901 · F. Wehrli, GGPh² 3, 1983, 530ff · J. Bodnár, W. Fortenbaugh (Hrsg.), Eudemos of Rhodes (ersch. 1999) · Bericht über Eudemos-Kongreß Budapest Juni 1997 (in Vorbereitung).
H.G.

[4] Griech. Anatom des 3. Jh. v. Chr. (Gal. 18A,7), Verfasser einer Schrift über Anatomie. Er erforschte Drüsen in der Bauchhöhle, v. a. wohl Teile der Bauchspeicheldrüse (Gal. 4,646), wie auch das Nervensystem. Die Zuschreibung eines Papyrusfragmentes (Pack² 2346) über die Nerven an ihn ist jedoch keineswegs gesichert. Er beschrieb ausführlich die Gebärmutter und diskutierte den Gefäßverlauf beim Embryo (Soranos Gyn. 1,57). Seine Knochenlehre war zwar nicht fehlerfrei (Rufus Nom. part. 73), doch im großen und ganzen zuverlässig. Er stellte brauchbare Beobachtungen zum *processus styloideus* des Schläfenbeinknochens und zu den kleinen Hand- und Fußwurzelknochen und -gelenken an.
→ Medizin
V.N./Ü: L.v.R.-B.

[5] Verfasser von 16 elegischen Versen (= SH 412 A) über die Herstellung eines Antidots gegen giftige Tiere, das von Antiochos [10] VIII. von Syrien angewandt worden war (Θηριακὴ Ἀντιόχου τοῦ Φιλομήτορος; vgl. Plin. nat. 20,264). Sie wurden von Asklepiades Pharmakion bzw. von Heras ap. Galen. 14,185 und 201 Kühn überliefert. Die Gleichsetzung mit dem Methodiker E. durch [1] scheint aus chronologischen Gründen problematisch; es könnte sich jedoch um den sonst unbekannten ›älteren E.‹ (πρεσβύτερος) handeln, der bei Gal. 13,291,10 erwähnt wird; s. [2].

1 M. Wellmann, s.v. E. (18), RE 6, 904f. 2 C. Fabricius, Galens Exzerpte aus älteren Pharmakologen, 1972, 245f.
M.D.MA./Ü: T.H.

[6] Anhänger des Arztes → Themison, frühes 1.Jh. n. Chr. Als Arzt und angeblicher Liebhaber Livias, der Gattin von Drusus d.J. (Plin. nat. 29,20), wurde er in

den Mord an Drusus im Jahre 23 n. Chr. verwickelt (Tac. ann. 4,3,11). Auf seine Beobachtungen zur Tollwut, die er für das akute Gegenstück zur chronischen Melancholie hielt, bezieht sich Caelius Aurelianus (acut. 3,11–16). E. beschrieb mindestens einen Tollwutfall bei einem Kollegen und empfahl Aderlaß, Nieswurz und Schröpfen. Bei Herzleidenden riet er zu einem Kaltwassereinlauf. Er mag mit E. [5] identisch sein, der als Verfasser eines pharmakologischen Buches eine Theriakrezeptur des Antiochos [10] VIII. von Syrien in Versform aufnahm, die übrigens auch im Asklepiostempel von Kos als Steininschrift zu lesen gewesen sein soll (Gal. 14,185; 201; Plin. nat. 20,264), was jedoch keineswegs verbürgt ist ([1]).
→ Medizin

1 C. Fabricius, Galens Exzerpte aus älteren Pharmakologen, 1972, 245f.
V.N./Ü: L.v.R.-B.

[7] Peripatetiker, geb. um 100 n. Chr., einer der ersten Lehrer und Ratgeber des Arztes Galen (Gal. De praenotatione ad Epigenem 2,14,605–13 Kühn), als er noch in Pergamon lebte. Später zog er nach Rom, wo er mit einem einflußreichen Kreis hochgestellter Verehrer des Aristoteles verkehrte. Dort traf ihn Galen bei seinem ersten Aufenthalt wieder; er heilte den 63jährigen E. von einem gefährlichen Fieber und wurde dadurch in seinen Kreis eingeführt.

Zeller, 3,1, 806 und 855 · PIR³ s.v. 109 (nicht alle der dort zitierten Stellen beziehen sich auf E.) · R.B. Todd, Alexander of Aphrodisias on Stoic Physics, 1976, 4.
H.G.

[8] Rhetor unbestimmter Zeit aus Argos, wohl identisch mit dem von Ioannes Doxopatres in den Hermogenes-Scholien genannten E. (6,384 Walz). Er verfaßte ein alphabetisch geordnetes Lexikon (λέξεων ῥητορικῶν συναγωγή), von dem Auszüge in verschiedenen Rezensionen erh. sind (Paris. gr. 2635; Vindob. gr. 132; Laur. 38,59) und das die Suda als Quelle angibt.

Ed.: C. Boysen, 1891, in: K. Latte, H. Erbse, Lexica Graeca Minora, 1965, 12–38.
M.W.

Eudokia (Εὐδοκία).

[1] Aelia E. Urspr. Name Athenais. Stammte aus einem traditionalistischen Milieu Athens (ihr Vater war der Rhetor Leontius) und erwarb eine glänzende Bildung. Angeblich auf Betreiben → Pulcherias am 7.6.421 mit → Theodosius II. verheiratet; zu diesem Zweck wurde sie getauft und mit dem Namen Aelia E. versehen. Sie galt als fromm und gewann zunehmend Einfluß auf ihren Gatten, wodurch sie Pulcheria zurückdrängte. 422 gebar sie → Eudoxia [2], vor 431 Flaccilla. 423 wurde sie Augusta. 438 machte sie eine Pilgerreise nach Jerusalem. Um 441 wurde ihr Vertrauter Kyros (Stadtpraefekt und Consul 441) entmachtet, damit verlor auch sie an Einfluß. Zw. 441 und 443 ging sie nach Jerusalem, wo sie bis zu ihrem Tod am 20.10.460 ein asketisches Leben führte und den Bau von Kirchen und Stadtmauern förderte. Strittig ist, in welchem Umfang ihr Rückzug aufgrund von Differenzen mit den Beratern Theodosius' II. erzwungen oder (dank der Frömmigkeit der Kaiserin) freiwillig war. Nach dem Konzil von Chalkedon 451 unterstützte sie die dort verurteilten Monophysiten, bis sie sich aufgrund persönlicher Enttäuschungen 455 der Orthodoxie zuwandte. E. dichtete und bearbeitete sowohl weltliche als auch geistliche Stoffe [1].

In der byz. Zeit entstand ein regelrechter E.-Roman, der vor allem um ihre »Entdeckung« durch Pulcheria und eine angebliche Liebesgeschichte mit → Paulinus (»Apfelaffäre«) kreiste, F. GREGOROVIUS stellte ihr Leben in lit. Form dar [2].

1 A. LUDWICH (ed.), 1897, vgl. CPG 3, 6020–6025
2 F. GREGOROVIUS, Athenais, 1881.

PLRE 2, 408 f. • A. A. CAMERON, The Empress and the Poet, in: YClS 27, 1982, 217–289, 270 ff. • K. G. HOLUM, Theodosian Empresses, 1982, 112 ff.   H. L.

[2] Ältere Tochter der Licinia → Eudoxia [2] und des weström. Kaisers Valentinianus III. (Prok. BV 1,5,3; Euagrios, historia ecclesiastica 2,7; Zon. 13,25,27), geb. 438 oder 439 n. Chr. 455 mußte sie den Caesar Palladius, Sohn des Kaisers Petronius Maximus, heiraten (Hydatius Lemiensis 162), obwohl sie seit 442/3 mit dem Sohn des Vandalenkönigs Geiserich (→ Geisericus), Hunerich, verlobt war (Merobaudes carm. 1,17 f.). Nach der Eroberung Roms 455 durch die Vandalen nahm Geiserich sie mitsamt ihrer Mutter und der Schwester Placidia mit nach Afrika, wo sie 456 Hunerich heiratete (Prok. BV 1,5,6). Aus dieser Ehe ging Hilderich (→ Hildericus), seit 523 König der Vandalen, hervor (Zon. 13,25,29). Nach 16jährigem Aufenthalt in Afrika begab sie sich nach Jerusalem und starb dort kurz darauf (471/2; Zon. ebd.).

A. DEMANDT, Die Spätant., 1989, Index s. v. E. • PLRE 2, 407 f. E. 1.   M. MEI. u. ME. STR.

Eudoros (Εὔδωρος).

[1] Einer der fünf Anführer der → Myrmidonen unter Achilleus. Sohn von Hermes und → Polymele, er wird – als diese später den Aktoriden Echekles heiratet – von seinem Großvater Phylas erzogen. Seine Eignung zum Kampf als schneller Läufer wird zwar stark betont (Hom. Il. 16,179–186), von seinem weiteren Schicksal aber schweigt die Ilias. Eust. Od. 1697,56 berichtet von seinem Tod durch Pyraichmes beim ersten Zusammenstoß mit den Troern (vgl. auch Eust. Od. 1053,54).

R. JANKO, The Iliad. A Commentary, Bd. 4 (B. 13–16), 1992, 342–344 • W. KULLMANN, Die Quellen der Ilias, Hermes ES 14, 1960, 126; 132–133.   R. B.

[2] **aus Alexandreia.** Platonischer Philosoph des 1. Jh. v. Chr., gilt als der erste Vertreter des sog. → Mittelplatonismus. Sein vielseitiges philos. und naturwiss. Interesse spiegelt sich in zahlreichen Schriften, die bis in die Zeit des → Simplikios (6. Jh. n. Chr.) nachwirkten. E. verfaßte eine ›Einteilung der Lehre der Philos.‹, von der Stobaios (2,42,7 ff. WACHSMUTH-HENSE) den Abschnitt

über die Ethik erhalten hat, und einen Komm. zu Platons *Timaios*, den Plutarch mehrfach zitiert [1. 48, 211]. Ob die kritischen Bemerkungen zur aristotelischen Kategorienlehre [1. 256] und die Emendation eines Schreibfehlers in der ›Metaphysik‹ des Aristoteles [2] aus Komm. des E. zu diesen Werken stammen, ist ungewiß. Ein Referat des E. über die pythagoreische Prinzipienlehre (Simpl. in phys. 121,10 DIELS) zeigt sein großes Interesse an dieser Philosophie. Daneben verfaßte E. ein astronomisches Werk – vielleicht einen Komm. zu → Aratos [4] [1. 290⁴] – und ein geogr. Werk ›Über den Nil‹ [1. 290]. Möglicherweise war E. der erste, der die Ziel-(Telos-)Formel ὁμοίωσις θεῷ κατὰ τὸ δυνατόν (›die Angleichung an den Gott nach Möglichkeit‹) Platon zugeschrieben und aus dessen Dialogen belegt hat [1. 382]. In der Frage nach der Weltentstehung im platonischen *Timaios* vertrat er die Ansicht, die Welt sei unentstanden und unvergänglich.

1 DÖRRIE/BALTES III, 1993 2 P. MORAUX, Eine Korrektur des Mittelplatonikers E. zum Text der Metaphysik des Aristoteles, in: Beiträge zur Alten Gesch. und deren Nachleben, FS F. Altheim, hrsg. von R. STIEHL und H. STIER, 1969, 492–504.

FR.: C. MAZZARELLI, in: RFN 77, 1985, 197–209, 535–555. LIT.: J. DILLON, The Middle Platonists, 1977, 115–135 • H. DÖRRIE, Der Platoniker E. von Alexandrien, in: Hermes 79, 1944, 25–38 = Platonica minora 1976, 297–309 • MORAUX II, 1984, 509–527.   M. BA. u. M.-L. L.

Eudoxia

[1] Gattin des Arcadius, seit 400 n. Chr. Augusta; s. → Aelia [4].
[2] **Licinia E.** * 422 n. Chr. Tochter → Theodosius' II. und → Eudoxias [1]. Seit 424 mit → Valentinianus III. verlobt, seit 437 verheiratet. Zwei Töchter: → Eudokia [2] und → Placidia. 439 Augusta. Förderte den Kirchenbau in Rom. Ihr Einfluß am Hof ist schwer zu beurteilen, vermutlich dominierte ihre Schwiegermutter → Galla [3] Placidia. Papst → Leo der Gr. brachte sie 450, nach der »Räubersynode«, dazu, bei ihrem Vater Theodosius II. zugunsten der Orthodoxie zu intervenieren (ihr Brief: Leo Magnus, epist. 57 = PL 54,967/8–971/2). 455 zwang Petronius Maximus, der die Ermordung ihres Mannes betrieben hatte, sie zur Heirat. Es ging das (unwahrscheinliche) Gerücht, daß sie aus Rache die Vandalen nach It. gerufen habe. Deren König Geiserich (→ Geisericus) verbrachte sie samt Töchtern nach Afrika und zwang Eudokia zur Heirat mit seinem Sohn Hunerich (→ Hunericus). 462 wurde sie nach Konstantinopel ausgeliefert, wo sie Daniel Stylites begegnete. Ihr weiteres Schicksal ist nicht bekannt. PLRE 2,410–412.   H. L.

Eudoxias (Εὐδοξιάς). Stadt der *Galatia II*, nach der Gattin des Arkadios oder der Tochter Theodosios' II. benannt, wohl Hamamkarahisar (Arslani [1. 447–464]) am Fuß des → Dindymon ([2. 129] rechnet dieses Gebiet zu Unrecht zu Germia); als Bistum seit 451 bezeugt (Hierokles, 698,2).

1 M. Waelkens, Germa, Germokoloneia, Germia, in: Byzantion 49, 1979 2 Mitchell 2.

K. Belke, Germia und E., in: W. Hörandner u. a., Byzantios. FS H. Hunger, 1984 • Belke, 163.   K. ST.

Eudoxos (Εὔδοξος).

[1] von Knidos. Einer der bedeutendsten ant. Mathematiker und Astronomen, wurde vermutlich 391/0 v. Chr. geb. (zur Problematik der Datierung [7. 137–139]). Er studierte Mathematik bei → Archytas [1] und Medizin bei → Philiston. Mit 23 J. kam er nach Athen und soll dort Vorlesungen u. a. bei → Platon gehört haben. Auf Kosten knidischer Freunde ging E. vermutlich 365/4 [11] mit einem Empfehlungsschreiben des → Agesilaos [2] an König → Nektanebos nach Ägypten. Dort lebte er mehr als ein Jahr, eignete sich das astronomische Wissen der Priester von Heliopolis an und soll in dieser Zeit eine Schrift Ὀκταετηρίς (*Oktaetērís*) über den achtjährigen Kalenderzyklus verfaßt haben. Um 362 gründete E. in Kyzikos eine Schule. Zeitweise hielt er sich am Hofe des → Mausollos auf. Als E. gegen 350 [7. 140]) Kyzikos verließ und nach Athen ging, folgten ihm viele Schüler, u. a. → Menaichmos und → Deinostratos. Über seine Beziehungen zu Platon gibt es unterschiedliche Berichte. Sicherlich trat E. nicht in die Akademie ein, jedoch beruhen Nachrichten über eine Feindschaft zw. E. und Platon wohl auf einer Dramatisierung ihrer wiss. Gegensätze. Das Ende seines Lebens verbrachte E. in Knidos, wo er mit 53 J., also vermutlich 338/7, hochgeehrt starb.

Die Thematik der Vorlesungen und Schriften des E. reichte von Theologie und Philosophie über Geographie, Astronomie und Physik bis zur reinen Mathematik. Keine seiner Schriften ist erh.; die Fr. und Testimonien sind gesammelt von Lasserre [7].

E. hat bed. Beiträge zur griech. Mathematik geleistet. Wesentliche Teile von B. 5 (Proportionenlehre), B. 6 (geometrische Anwendungen der Proportionentheorie) und B. 12 (Volumenbestimmungen) der ›Elemente‹ des Euklid gehen auf E. zurück (→ Eukleides [3]). Grundlegend sind die von ihm stammende Definition des Verhältnisses (sog. »Archimedisches Axiom«: Eukl. elem. 5, Def. 4) und die davon ausgehende geniale Definition der Gleichheit von Proportionen (elem. 5, Def. 5). Mit ihrer Hilfe kann E. eine neue Proportionenlehre aufstellen, die – anders als die alte pythagoreische Lehre, die in B. 7 der ›Elemente‹ dargestellt ist – auch auf inkommensurable Größen, also z. B. auf Diagonale und Seite des Quadrats oder Fünfecks, anwendbar ist. Auf der divisiven Form des sog. »Archimedischen Axioms« (formuliert in Eukl. elem. 10,1) beruht die von E. entwickelte Exhaustionsmethode, mit deren Hilfe infinitesimale Probleme, z. B. die Bestimmung des Inhalts nicht geradlinig begrenzter Figuren, mathematisch korrekt gelöst werden konnten. E. hat mittels dieser Methode die wichtigsten Sätze in Eukl. elem. 12 exakt bewiesen (Verhältnis von Kreisfläche bzw. Kugelvolumen zum Radius; Volumen der Pyramide und des Kegels). Die Exhaustionsmethode wurde nach E. bei den Griechen für alle infinitesimalen Aufgaben benutzt; sie genügt auch den heutigen Anforderungen an mathematische Strenge.

E. hat auch das Problem der → Würfelverdopplung (»Delisches Problem«; allgemein: Auffinden zweier mittlerer Proportionalen) rein geometrisch gelöst, indem er zwei Kurven zum Schnitt brachte; um welche Kurven es sich handelte, ist nicht bekannt (fr. D 24–29 Lasserre, mit Komm. [7. 163–166]).

Nach den Vorstellungen der Pythagoreer und auch Platons konnten immerwährende Bewegungen nur gleichförmig rotierend sein. So war die Aufgabe gestellt, die komplizierte Bewegung der Planeten auf Kombinationen von Rotationen zurückzuführen. E. löste das Problem, indem er die scheinbaren Bewegungen der Planeten (einschließlich Mond und Sonne) um die Erde durch ein System von 27 homozentrischen Sphären erklärte, die um die Erde als Mittelpunkt rotierten. Dieses System, das E. in seiner Schrift Περὶ ταχῶν (*Perì tachṓn*) beschrieb, hat Schiaparelli aus Mitteilungen bei Aristoteles und Simplikios rekonstruieren können ([13]; neuere Darstellungen bei [9; 2; 8; 10]; Bruchstücke in fr. F 121–126, D 6–15 Lasserre). Die äußerste Sphäre trägt die Fixsterne; die übrigen dienen zur Erklärung der Bewegung der Sonne, des Mondes und der fünf Planeten. Für jeden der Planeten sind vier Sphären nötig, für Sonne und Mond je drei. Dabei rotieren die ineinandergeschachtelten konzentrischen Kugelschalen mit unterschiedlicher Geschwindigkeit und Richtung um verschiedene Achsen. Die von der Erde aus sichtbare scheinbare Schleifenbewegung eines äußeren Planeten ergibt sich bei geeigneter Wahl der Geschwindigkeiten und Achswinkel als 8–förmige Figur (Hippopede), die auch als Durchschnitt einer Kugel mit einem dünnen, die Kugel berührenden Zylinder beschrieben werden kann. Durch Kombination der Hippopede mit einer Bewegung, die längs der → Ekliptik fortschreitet, erhält man die Bewegung des Planeten bezüglich der Fixsterne. Die komplizierten Planetenbewegungen mit ihren Anomalien werden also auf gleichförmige Kreisbewegungen zurückgeführt. Das homozentrische System des E. wurde von → Kallippos verbessert, ging in die aristotelische Physik ein und wirkte dadurch bis ins 16. Jh., obwohl mit diesem Modell die wechselnde Helligkeit der Planeten nicht erklärt werden konnte, weil die Entfernungen der Planeten zur Erde stets gleich bleiben.

Starken Nachhall haben E.' Φαινόμενα (*Phainómena*) und das damit weitgehend identische Ἔνοπτρον (*Énoptron*) gefunden (fr. F 1–120 Lasserre), für die E. auch seine Fixsternbeobachtungen verwendete. Von ihnen ist das Werk des → Aratos [4] abhängig. Die verlorene Schrift Περὶ ἀφανισμῶν (*Perì aphanismṓn*, fr. F 127–128 Lasserre) beschäftigte sich wohl mit dem Unsichtbarwerden von Sternen, dessen Bestimmung für die Aufstellung von Kalendern unentbehrlich war. Ein unter dem Titel *Eudoxi Ars Astronomica* bekannter, auf Papyrus erh. astronomisch-kalendarischer Traktat stammt nicht von E., enthält aber vieles, was auf ihn zurückgeht und mit seiner Schrift *Oktaetērís* über den achtjährigen Kalenderzyklus zusammenhängt (fr. F 129–269 LASSERRE).

In seinem großen geogr. Werk Γῆς περίοδος (*Gẽs períodos*, [3]; fr. F 272–373 LASSERRE) beschrieb E. nach der Art des → Hekataios systematisch die bewohnte Welt. Die Kugelgestalt der Erde, ihre wichtigsten Kreise und Punkte (Wendekreise, Äquator, Pole und Meridian) sowie das Fremdlicht des Mondes waren ihm wohlbekannt.

E.' Lehre, daß die Lust (ἡδονή, *hēdonḗ*) das höchste Gut sei, wurde von Platon im *Philebos* und v. a. von Aristoteles diskutiert (eth. Nic. 10; s. hierzu [6] und [12], wo die enge Verbindung zw. E.' Naturwiss. und Moralphilos. nachgewiesen wird). Hinsichtlich der Ideen vertrat E. eine ganz andere Meinung als Platon. Die Ideenlehre spielt – in Verbindung mit der Lehre von den Proportionen – auch bei E.' Erklärung der Farben eine Rolle: Jeder Farberscheinung liegt das Verhältnis der in ihr enthaltenen reinen Farben zugrunde; die reinsten Farben entsprechen den einfachsten Zahlenverhältnissen und erzeugen die höchste Lust [1. 3, 389–410].

→ Kalender; Proportion; Würfelverdopplung; Geographie; Ideenlehre; Farben

1 O. BECKER, E.-Studien I–IV, Quellen und Stud. zur Gesch. der Mathematik, Astronomie und Physik, Abt. B, 2, 1933, 311–333, 369–387; 3, 1936, 236–244, 370–410 2 D. R. DICKS, Early Greek astronomy to Aristotle, 1970, 151–189 3 F. GISINGER, Die Erdbeschreibung des E. von Knidos, 1921 4 TH. L. HEATH, A history of Greek mathematics, I, 1921, 322–335 5 G. L. HUXLEY, s. v. Eudoxus of Cnidus, Dictionary of Scientific Biography 4, 1971, 465–467 6 H. KARPP, Unt. zur Philos. des E. von Knidos, 1933 7 F. LASSERRE, Die Fr. des E. von Knidos, 1966 8 E. MAULA, Studies in Eudoxus' homocentric spheres, 1974 9 O. NEUGEBAUER, On the hippopede of Eudoxus, in: Scripta Mathematica 19, 1953, 225–229 10 J. D. NORTH, The hippopede, in: A. VON GOTSTEDTER (ed.), Ad radices, 1994, 143–154 11 G. DE SANTILLANA, Eudoxus and Plato. A Study in Chronology, in: Isis 32, 1947, 248–262 12 W. SCHADEWALDT, E. von Knidos und die Lehre vom unbewegten Beweger, in: Satura, 1952, 103–120 13 G. V. SCHIAPARELLI, Die homocentrischen Sphären des Eudoxus, des Kallippus und des Aristoteles, Abhandlungen zur Gesch. der Mathematik 1, 1877, 101–198 14 B. L. VAN DER WAERDEN, Erwachende Wiss., 1956, 292–313. M. F.

[2] Komödiendichter des 3. oder 2. Jh. v. Chr. aus Sizilien, der dreimal an den → Dionysien und fünfmal an den Lenäen siegte [1. test. 1]. Auf der Inschr., die den Dionysiensieg eines Komödiendichters im Jahre 181 v. Chr. festhält, muß allerdings eher der Name des → Archikles als der des E. ergänzt werden [1. test. *2]. Zwei Stücktitel und zwei Fragmente sind erhalten.

1 PCG V, 274f. H.-G. NE.

[3] aus Kyzikos. Griech. Seefahrer, unternahm z. Z. Ptolemaios' VIII., Kleopatras II. und Ptolemaios' IX. Expeditionen nach Indien (Poseid. bei Strab. 2,3,4), Ost-

und West-Afrika. E. soll die Umfahrung Afrikas erprobt haben (Nep. bei Mela 3,90; 92; Plin. nat. 2,169; 6,188).

F. JACOBY s. v. E. 6), RE 6, 929f. · J. H. THIEL, E. of Cyzicus, 1967 · R. HENNIG, Terrae Incognitae, Bd. 1, ²1944, 271–278. K. BRO.

Euenor

[1] Bildhauer in Athen. Auf der Akropolis tragen drei Basen um 490–470 v. Chr. seine Signatur. Mit einer davon wird die sog. Angelitos-Athena (Athen, AM Inv. Nr. 140) verbunden, nicht ohne Widerspruch.

A. E. RAUBITSCHEK, Dedications from the Athenian Akropolis, 1949, Nr. 14, 22, 23. · B. S. RIDGWAY, The Severe Style in Greek sculpture, 1970, 29–30, Abb. 39. R. N.

[2] Griech. Arzt aus Argos in Akarnania; er lebte in Athen, wo er im Jahre 322/1 v. Chr. das Bürgerrecht erhielt. Sein mindestens fünf B. umfassendes Hauptwerk handelte von Therapeutik (Cael. Aurel. chron. 3,122); ob seine Bemerkungen im Bereich der Gynäkologie einschließlich der Therapieempfehlungen bei Gebärmuttervorfall und Plazentaretention demselben Werk entstammen oder einer eigenen Schrift über Frauenleiden, ist strittig. Bei Pleuritis hielt er die Lungen selbst für am meisten betroffen (Cael. Aurel. acut. 2,96), Fieberkrankheiten erklärte er mit einer abnormen Zunahme angeborener Wärme, und wassersüchtige Patienten operierte er, um sie von Flüssigkeit zu befreien (Cael. Aurel. chron. 3,122). Er setzte großes Vertrauen in die Heilkraft des Wassers, v. a. des Zisternenwassers und ganz besonders des Wassers aus dem Amphiaraosheiligtum (Athen. 2,46 d). V. N./Ü: L. v. R.-B.

Euenos

[1] von Paros. A. ZUR PERSON B. NACHWIRKUNG

A. ZUR PERSON

Eratosthenes unterscheidet zwei Elegiker aus Paros namens E. (Harpokr. s. v. Εὔηνος 139,15 DINDORF), andere behaupten, es gäbe nur einen [1]. Platon erwähnt einen E. von Paros, einen Dichter und »Philosophen« (Plat. Phaid. 60d; 61b), der um 400 v. Chr. polit. Rhet. lehrte (Plat. apol. 20a–b) und einige Tropen »entdeckte« (Plat. Phaidr. 267a). Sowohl Sprache als auch Themenwahl einiger Fragmente, z. B. Mäßigung beim Trinken (2 GENTILI-PRATO/WEST, evtl. eine Antwort auf → Kritias 4 G.-P. = 6 W., 18 ff.) passen auf den Sophisten des späten 5. Jh., der → Philistos unterrichtete (Suda s. v. Φίλιστος) und eine Verbindung zw. Gramm. und Musik herstellte (Quint. 1,10,17). Chronisten setzen jedoch den Höhepunkt von dessen Wirken auf 456 v. Chr. an (Hieron. chron. 80,1 = 111,12 HELM; Georgios Synkellos 254c).

Von drei vermutlich vollständigen Theognidea an einen Simonides (v. 467–496; v. 667–682; [1341 op.] 1345–50) können v. 467–96 sicher E. zugewiesen werden, da Theognis v. 472 = 7 G.-P./8 W. (πᾶν γὰρ ἀναγκαῖον χρῆμ' ἀνιηρὸν ἔφυ) von Aristot. metaph. 1015a 29f. und eth. Eud. 1223a 31f. (mit πρᾶγμα statt χρῆμα) als E. zit. wird. Die beiden anderen sind wahrscheinlich ebenfalls von E., vielleicht auch V. 903–30, an Demokles gerichtet [2]. Der Adressat ist jedoch möglicherweise nicht Simonides von Keos (gest. 468 v. Chr.), sondern ein anderer, vielleicht auch aus Paros, falls v. 667–682 eine Bitte um Schutz für einen exilierten E. sind [3]. Der ältere E. bei Eratosthenes und das *floruit* von 456 v. Chr. sind vielleicht Folge der Identifikation des Simonides mit dem gleichnamigen aus Keos.

B. NACHWIRKUNG

Pherekrates fr. 162 PCG (Chiron) zitierte ca. 420 v. Chr. in einem att. Theater v. 467ff.; Platon und Aristoteles setzen E. ihren Lesern als bekannt voraus. Im 2. Jh. n. Chr. waren vermutlich nur noch seine *Erōtiká* bekannt: Artemidoros [6] kannte die an Eunomos gerichteten *Erōtiká* (Artem. 1,4), und für Epiktet (bei Arrian, Epicteti dissertationes 4,9,6) ist E. so schlüpfrig wie → Aristeides [2] (vgl. Ausonius, Cento nuptialis 10 p. 168f. PRETE). Maximos von Tyros 38,4 kennt E. vielleicht aus Platon, aber Athen. 428c-d zitiert Thgn. v. 477–486 als Verse von Theognis selbst, ebenso Stob. 3,18,14 die Verse 479–486.

1 A. GARZYA, Eueno di Paro, in: Giornale Italiano di Filologia 6, 1953, 310–320 = Studi sulla lirica greca, 1963, 75–89 2 Q. CATAUDELLA, Theognidea 903–930, in: RhM 99, 1956, 40ff. 3 B. VAN GRONINGEN, Theognis, Le premier livre, 1966, 267–269.

ED.: GENTILI/PRATO 2, 1985 · IEG. E. BO./Ü: L. S.

[2] Epigrammdichter des »Kranzes« des Philippos (Anth. Pal. 4, 2, 13), unter dessen Namen 11 Gedichte auf uns gekommen sind, fast alle epideiktisch und manchmal von bemerkenswertem Niveau (z. B. 9,122; 251; 11,49; das Epigramm 9,75 = EpGr 1106 KAIBEL findet sich auch auf einer pompeianischen Wand. Sie lassen sich jedoch nicht auf einen einzigen Dichter zurückführen: 9,251 (das einzige in einer »philippeischen« Sequenz) trägt das Lemma ›des Grammatikers E.‹ (Εὐήνου γραμματικοῦ), 9,62 ›des E. von Sizilien‹ (Εὐ. Σικελιώτου), 9,75 ›des Euenos von Askalon‹ (Εὐ. Ἀσκαλωνίτου) und 9,602 ›des Euenos von Athen‹ (Εὐ. Ἀθηναίου). Die Vermutung, daß manche Epigramme von dem berühmten Elegiker des 5. Jh., E. [1] von Paros, stammen (so etwa 11,49 = Euenos eleg. fr. 2 WEST), kann durchaus einige Wahrscheinlichkeit für sich beanspruchen.

GA II,1, 254–261; 2, 289–294. E. D./Ü: T. H.

[3] Bedeutender wasserreicher Fluß in Aitolia, urspr. Name Lykormas (Strab. 7,7,8; 10,2,5), h. auch Phidaris gen.; er entspringt am NW-Abhang des Korax im Gebiet der Bomies (Strab. 10,2,5), fließt durch enge Schluchten (deshalb im Landesinneren nicht schiffbar) und mündet südl. von Kalydon in einem breiten Delta in den Golf von Patras.

C. ANTONETTI, Les Étoliens, 1990 · PHILIPPSON/KIRSTEN 2,2, 304f., 307, 314–317. D. S.

Euergetes (εὐεργέτης, »Wohltäter«). Ein Ehrentitel griech. Gemeinden für Personen, die sich um sie besonders verdient gemacht hatten. Der Terminus ist in dieser Bedeutung seit dem 5. Jh. v. Chr. belegt (vgl. Hdt. 8,136), doch läßt sich die Euergesie als Aspekt des Freigebigkeitsideals der griech. Aristokratie bis in homer. Zeit zurückverfolgen (→ Euergetismus). In Athen war das Wirken einzelner Bürger für die Polis im 5. Jh. noch vorwiegend durch → Leiturgien geregelt bzw. wurde als Dienst am Kollektiv vorausgesetzt (vgl. noch Aristot. eth. Nic. 4,1119b 19ff.); im 4. Jh. wurden bestimmte Personen für ihre Leistungen zwar besonders geehrt, doch erhielten in der Regel nur Nichtathener den Titel E. [5. 19ff., bes. 24ff.]. Vom 3. Jh. an bis zur Spätantike häufen sich dann vor allem inschr. Zeugnisse für Ehrungen verdienter Bürger als *euergétai* in ihren Poleis. Hell. Herrscher führten oft den Beinamen E. und benutzten die Euergesie, die sie zu den Herrschertugenden zählten, als Instrument bzw. Programm im Umgang mit griech. Poleis [vgl. etwa 2. 366f., Nr. 297, Z. 41ff.; 1], worin ihnen die Römer folgten. Die Stiftung von Bauten, Schulen, Getreide u. a. brachte den Stiftern Ehrungen und Anerkennung; der E. konnte durch Ehreninschriften, Statuen, Feste, Prozessionen u. a. geehrt, seit ca. 150 v. Chr. mitunter sogar kult. verehrt werden. Einige griech. Gemeinden ehrten die Römer insgesamt als *koinoí euergétai* (κοινοὶ εὐεργέται) [3. 117ff., bes. 124ff.].

1 K. BRINGMANN, The King as Benefactor, in: A. BULLOCH, E. S. GRUEN (Hrsg.), Images and Ideologies, 1993, 7–24 2 K. BRINGMANN, H.v. STEUBEN (Hrsg.), Schenkungen hell. Herrscher an griech. Städte und Heiligtümer, Bd. 1, 1995 3 J.-L. FERRARY, Philhellénisme et impérialisme, 1988 4 PH. GAUTHIER, Les cités grecques et leurs bienfaiteurs, 1985 5 F. QUASS, Die Honoratiorenschicht in den Städten des griech. Ostens, 1993 6 P. VEYNE, Le pain et le cirque, 1976 7 M. WÖRRLE, P. ZANKER (Hrsg.), Stadtbild und Bürgerbild im Hellenismus, 1995. M. MEI.

Euergetismus

I. ALLGEMEINES II. GRIECHENLAND III. ROM

I. ALLGEMEINES

Der Begriff leitet sich vom griech. → *euergétēs* (Wohltäter) ab und ist von A. BOULANGER unter dem Eindruck des vergleichbaren Typus des neugriech. *euergetes* als wiss. Terminus geprägt worden [13. 22]. Er bezeichnet ein zentrales Phänomen innerhalb der für die griech.-röm. Zivilisation spezifischen Erwiderungsmoral, die in das ethnologisch-sozialanthropologische Konzept des Gabentausches gehört. Im Sinne strikter → Reziprozität war jede auf eine Person oder Personengruppe bezogene Handlung, positiv wie negativ, zu vergelten; der Wohltat (εὐεργεσία/*euergesía* bzw. *beneficium*) hatte der Dank (χάρις/*cháris*, εὐχαριστία/*euchari-*

stía bzw. *gratia*) zu entsprechen, so daß man fest damit rechnen bzw. Erwartungen daran knüpfen konnte. Gesellschaftliche Reputation (τιμή, »Ehre«) hing wesentlich von der Befolgung solcher Regeln ab. So war *euergesía* ein wesentliches Element aller sozialen Beziehungen, vom individuell-intimen Bereich der Freundschaft und Liebe bis hin zu den Relationen zwischen Menschen und Göttern; der Begriff der *euergesía* ist außerdem für den Bereich der zwischenstaatlichen Beziehungen seit dem 5. Jh. v. Chr. belegt [8]. Deshalb wurde der E. ein entscheidendes Element für die Anerkennung einer sozial herausgehobenen Position, wobei sich Freiwilligkeit und Verpflichtung untrennbar vermischten. Reiche Individuen betätigten sich als Wohltäter und wurden dafür geehrt, die Ehrungen förderten ihre Bereitschaft zu weiteren Wohltaten und waren zugleich ein Grund dafür, daß ein System starker sozialer Hierarchie über Jahrhunderte hinweg wesentlich stabil blieb.

II. GRIECHENLAND

Schon im archa. und klass. Griechenland ist dieses Regelsystem quellenmäßig greifbar (vgl. bes. Aristot. rhet. 1,5,1361a 28–b 2). Seit dem letzten Drittel des 4. Jh. wurde der E. die Grundlage der dauerhaften Dominanz einer Honoratiorenschicht in den griech. Städten, wie sie für den Hell. und die Prinzipatszeit charakteristisch war [10]. Das Funktionieren dieses Systems sozialer und politischer Reziprozität war eine wesentliche Voraussetzung für die Vitalität der ant. Stadtzivilisation. Leistungen der *euergétai* waren bes. die Aufrechterhaltung guter Beziehungen zu den hell. Herrschern, später zu den Römern. Wichtig war der E. auch als Element der Herrschaft der hell. Monarchen. Besondere Leistungen für die Städte, so etwa Rettungstaten wie die »Befreiung« einer Polis, konnten zu göttl. Ehren für die Könige führen [6]. Vor diesem Hintergrund wurden im frühhell. Euhemerismus die Götter geradezu als vergöttlichte ehemalige Wohltäter angesehen (FGrH 63, vgl. [11]). Mit dem zunehmenden Machtverlust der hell. Monarchie im 2. Jh. v. Chr. vergrößerte sich die Bedeutung der innerstädtischen Honoratioren sowie Roms, röm. Aristokraten und schließlich der röm. *principes* [4; 12].

III. ROM

Da die führende Rolle der Aristokratie in Rom traditionell viel fester verankert war als in Griechenland [3], gewann der E. dort erst seit dem 2. Jh. mit der Schwächung der Klientelen und dank der Verfügung über erhebliche finanzielle Ressourcen auf Grund der röm. Expansion an Bed. Er wurde dann, fest integriert in die Obligatorik von *beneficium* und *gratia*, zu einem wichtigen Element politischer und sozialer Praktiken, bes. unter dem Stichwort des *ambitus* (Wettbewerb im Wahlkampf [7. 51–76]). Nicht nur die Zahlung von Geldsummen, sondern gerade auch die aufwendige Ausgestaltung von Spielen wurden jetzt charakteristische Bestandteile üblicher Karrieren. Wie die hell. Monarchen nutzten auch die röm. *principes* den E. und die damit verbundenen Erwartungshorizonte als Legitimationsstrategie, wobei »Brot und Spielen« (*panem et circenses*, Iuv. 10,81; [13. 441–632; 2. 38–93]), also der Versorgung der stadtröm. Bevölkerung und der Veranstaltung von Spielen (mit kaiserlicher Präsenz), eine besondere Bedeutung zukam. Bezogen auf das gesamte Reich erschien nun der *princeps* – wie in republikanischer Zeit die Römer insgesamt – als Wohltäter der Menschheit. Daneben prägte sich auch in den Städten der westl. Reichshälfte, den röm. Munizipien und Kolonien, ein Honoratiorenregime aus, das dem im griech. Osten in allen wesentlichen Punkten entsprach: Munifizenz, die sich in Leistungen für die Gemeinschaft äußerte, war auch hier die Basis gesellschaftlicher Reputation und Macht. Da es dabei auch um Konkurrenz ging, bestand die Gefahr, daß die ostentative Freigebigkeit die Möglichkeiten der lokalen Eliten überstrapazierte, so daß der *princeps* regulierend eingreifen mußte (vgl. die Korrespondenz Traians mit Plinius, epist. 10). Aufgrund zusätzlicher Belastungen (z.B. Steuererhöhungen und wachsender mil. Anforderungen) konnte das System ins Wanken geraten. Dies war im 3. Jh. n. Chr. zunehmend der Fall und führte schrittweise zu staatlichen Regelungsmechanismen, die die charakteristische Balance von Freiwilligkeit und Verpflichtung auflösten: Der E. wurde einerseits in ein System von Steuern und Abgaben transformiert, andererseits in das spätant. Patronat integriert [9].

1 K. BRINGMANN, H. VON STEUBEN (Hrsg.), Schenkungen hell. Herrscher an griech. Städte und Heiligtümer, Bd. 1, 1995 2 E. FLAIG, Den Kaiser herausfordern. Die Usurpation im Röm. Reich, 1992 3 E. FLAIG, Politisierte Lebensführung und ästhetische Kultur. Eine semiotische Untersuchung am röm. Adel, in: Histor. Anthropologie 1, 1993, 193–217 4 PH. GAUTHIER, Les cités grecques et leurs bienfaiteurs (IVe-Ier siècle avant J.-C.), 1985 5 H.-J. GEHRKE, Der siegreiche König. Überlegungen zur hell. Monarchie, in: AKG 64, 1982, 247–277 6 C. HABICHT, Gottmenschentum und griech. Städte, ²1970 7 M. JEHNE (Hrsg.), Demokratie in Rom? Die Rolle des Volkes in der Politik der röm. Republik, 1995 8 P. KARAVITES, Euergesia in Herodotus and Thucydides as a Factor in Interstate Relations, in: Revue Internationale des Droits de l'Antiquité 27, 1980, 69–79 9 J.-U. KRAUSE, Das spätant. Städtepatronat, in: Chiron 17, 1987, 1–80 10 F. QUASS, Die Honoratiorenschicht in den Städten des griech. Ostens, 1993 11 M. SARTORI, Storia, utopia e mito nei primi libri della Bibliotheca historica di Diodoro Siculo, in: Athenaeum 62, 1984, 492–536 12 J. TOULOUMAKOS, Zum röm. Gemeindepatronat im griech. Osten, in: Hermes 116, 1988, 304–324 13 P. VEYNE, Brot und Spiele, 1988.

H.-J.G.

Euergides-Maler. Anonymer att. Schalenmaler des späten 6. Jh. v.Chr., benannt nach dem Töpfer Euergides; ebenso war er auch für den Töpfer Chelis (Schale Paris, LV Inv. G 15 [1. 91, Nr. 51]) tätig, evtl. auch für andere. Seine ca. 150 überlieferten Schalen bemalte er überwiegend mit Genrebildern (Sport-, Pferde- und Gespann-, Symposion- und Komosszenen), myth. (Herakles, Theseus, Peleus-Thetis, Ajax-Achill beim

Brettspiel u.a.) und dionysischen Themen; Fabelwesen (Greif, Sphinx, Pegasos) tauchen neben den Schalenhenkeln auf. Eine Schale von der Athener Akropolis (Athen, NM Inv. Akr. 166 [1. 92, Nr. 64]) zeigt Athena zwischen Vasenmalern und Metallhandwerkern; auf zwei anderen (Paris, LV Inv. G 16 [1. 94, Nr. 94] → Bilingue Vasen und Neapel, NM Inv. H 2609 [1. 9, Nr. 2]) arbeitete er mit → Epiktetos [1] zusammen.

1 BEAZLEY, ARV², 35, 87–106, 1624–1626, 1700 2 BEAZLEY, Paralipomena, 330, 509 3 BEAZLEY, Addenda², 170–171 4 H.J. BLOESCH, Formen att. Schalen, 1940, 51–53 5 J. BOARDMAN, Athenian Red Figure Vases. The Archaic Period, 1979, 56, 58, 60–61 6 B. COHEN, Attic Bilingual Vases and their Painters, 1978, 437–438 7 M. ROBERTSON, The Art of Vase-painting in Classical Athens, 1992, 38, 52–57, 268.   R.H.

Euetes (Εὐέτης).
[1] Tragiker, führte zur Zeit des → Epicharmos in Athen auf (486/5 oder 485/4 v. Chr.; vgl. Suda ε 2766; s.a. [1. 34]). Ein Sieg bei den Dionysien kurz nach 484 ist überliefert (DID A 3a, 12).

1 H. HOFFMANN, Chronologie der att. Tragödie, 1951.

TrGF 6.   F.P.

[2] Komödiendichter, dessen einziger überlieferter Stücktitel *Epíklēros* (›Die Erbtochter‹) sich chronologisch kaum mit der Notiz der Suda (ε 2766) vereinbaren läßt, ein E. habe zur gleichen Zeit wie → Epicharmos in Athen Stücke aufgeführt; es sei denn, mit diesem E. sei der Tragiker gemeint (TrGF 6 [2]).

1 PCG V, 276 2 TrGF 345.   H.-G. NE.

Eugam(m)on (Εὐγάμ(μ)ων). Epiker aus Kyrene, dem die → Telegonie in zwei Büchern zugeschrieben wird. Das Epos entstand laut Eusebios (bei Hier. chron. 102,1 HELM) in der Zeit der 53. Ol. = 568–565 v. Chr. und soll (Clem. Al. strom. 2,442,4f.) mit einem Buch des → Musaios über die Thesproter identisch gewesen sein: E. habe daraus ohne Nennung der Vorlage geschöpft (Paus. 8,12,5 erwähnt ebenfalls eine *Thesprotís*). Die *Telegonie* berichtete von den der *Odyssee* nachfolgenden Reisen des Odysseus nach Elis, nach Thesprotien wegen der Weissagung des Teiresias (vgl. Hom. Od. 11,121), seinem Kampf gegen die Bryger und seiner Rückkehr nach Ithaka. E. erzählte darüber hinaus von Telegonos, Odysseus' und Kirkes Sohn, der seinen Vater suchte, nicht erkannte und tötete (vgl. auch die Gestaltung dieses Motivs im Hildebrandslied).

EpGF 71–73 und 95 · M. DAVIES, The Epic Cycle, 1989, 87–94 · A. HARTMANN, Unt. über die Sagen vom Tod des Odysseus, 1917 · R. MERKELBACH, Untersuchungen zur Odyssee, in: Zetemata 2, 1951, 220–230.   C.S.

Euganei. Name eines aus dem östl., venetischen Teil der Po-Ebene stammenden Volkes, das bei der Ankunft der → Veneti aus dem Osten (vgl. die paphlagonischen Einwanderer bei Liv. 1,1,2f.) sich in das bergige Lan-

desinnere zurückzog. Sie vermischten sich dort mit den Raeti und wurden in der Folge häufig mit diesen verwechselt [1. 486f.; 3. 101f.]. Cato (HRR fr. 41) erwähnt 34 *oppida* der E., u.a. die → Camunni, Trumplini und Stoeni (unsicher), während für andere die Camunni Raeti sind (Strab. 4,6,8) und die Stoeni Ligures (Acta Triumphalia zum J. 637; Strab. 4,6,6; Steph. Byz. s.v. Στουῖνος). → Verona, Knotenpunkt zw. dem Tal und den Bergen, lag im Gebiet der Raeti wie auch der E. (Plin. nat. 3,130). Die Zuschreibung von → Aquileia (Sil. 8,605; 12,216; Mart. 13,89,1), → Altinum (Martial. 4,25,4; 10,93,1), → Patavium (Iuv. 8,15) und Aponus (Lucan. 7,193) an die E. muß als lit. Ungenauigkeit betrachtet werden.

1 NISSEN, Bd. 1 2 L.A. PROSDOCIMI, La lingua, in: G. FOGOLARI, A.L. PROSDOCIMI (Hrsg.), I Veneti antichi, 1988 3 R. DE MARINIS, La popolazione alpine di stirpe retica, in: G. PUGLIESE CARRATELLI (Hrsg.), Italia omnium terrarum alumna, 1987 4 L. PARETI, Storia di Roma, Bd. 1, 1952.   A.SA./Ü: R.P.L.

Eugenes. Verfasser eines Epigramms in iambischen Trimetern über ein Werk der bildenden Kunst, das den alten, betrunkenen → Anakreon darstellt (Anth. Plan. 308): eine sehr treue, ehrgeizige Nachahmung zweier Gedichte des Leonidas von Tarent (Anth. Plan. 16,306f.; der Ausdruck ›Schwan aus Teos‹, Τήιον κύκνον, in V. 2 ist eine Anspielung auf Antipatros von Sidon 7,30,1). Das Epigramm ist chronologisch vielleicht an den Beginn der Kaiserzeit zu setzen. Über den Dichter mit dem sehr seltenen Namen ist nichts bekannt.

FGE 110f.   E.D./Ü: T.H.

Eugenios/-us (Εὐγένιος).
[1] Flavius Eugenius. Röm. Usurpator 392–394 n. Chr. Er war Christ, Lehrer der Grammatik und Rhetorik in Rom und wurde um 392 *magister scrinii* bei Valentinian II. (Zos. 4,54,1). Am 22.8.392 wurde er durch Arbogast zum Kaiser erhoben (Sokr. 5,25; Soz. 7,22,4). Stets von Arbogast gelenkt, suchte er zunächst Verständigung mit Ambrosius und Theodosius I. (Ambr. epist. 57; Zos. 4,54f.; ILS 790). Von Theodosius nicht anerkannt, verbündete er sich in It. mit den nichtchristl. Senatoren unter der Führung des Nicomachus Flavianus. Am 5./6.9.394 wurde er von Theodosius am Fluß Frigidus besiegt und getötet (Philostorgios, historia ecclesiastica 11,2; Sokr. 5,25; Oros. 7,35). PLRE 1, 293 E. (6).   W.P.

[2] Eugenios aus Augustopolis (Phrygia Salutaris), Grammatiker in Konstantinopel unter Anastasios I. (491–518 n. Chr.), Vorgänger des Stephanos von Byzanz, des einzigen Autors, der ihn zitiert (s.v. Ἀνακτόριον); die Suda (ε 3394) bietet einen konfusen Katalog seiner Werke: 1) zur Metrik, über die ›Kolometrie der lyrischen Partien bei Aischylos, Sophokles und Euripides, aus 15 Tragödien‹: Testimonien zur Tragikerauswahl in byz. Zeit [4; 5], evtl. ein metrischer Komm. (ein analoges Werk ist das des Heliodoros über

Aristophanes [vgl. 2; 5; 6. 168–169]); ›In welcher Hinsicht ist der Palimbaccheus ein Paian?‹ (Teil eines größeren Werkes?); 2) zur Orthographie: ›Über die Frage, wie man die Tempelnamen schreibt‹ (vgl. → Horapollon); ›Über Wörter, die auf -ια enden‹; 3) zur Lexikographie: Παμμιγὴς λέξις (›Buntgemischte Redewendungen‹, wahrscheinlich identisch mit der von Steph. Byz. zitierten συλλογὴ λέξεων); 4) Dichtungen, in iambischen Trimetern; in der praef. der Suda als Quelle angegeben.

1 L. COHN, s. v. E., RE 6, 987–988 2 J. IRIGOIN, in: La philol. grecque (Entretiens XL), 1993, 80–81 3 R. A. KASTER, Guardians of Language, 1988, 282 4 A. WARTELLE, Histoire du texte d' Eschyle, 1971, 355–356 5 G. ZUNTZ, An Inquiry into the Transmission of the Plays of Euripides, 1965, 30 6 O. HENSE, Heliodoreische Unt., 1870. S. FO./Ü: T. H.

[3] Eugenius. Bischof von Karthago. König Hunnerich akzeptierte unter dem Druck Kaiser Zenos nach 24jähriger erzwungener Vakanz des Amtes die Wahl des E. zum Bischof von Karthago; er hatte das Amt von 480/1–505 n. Chr. inne. E. verteidigte den katholischen Glauben während der Herrschaft der arianischen Vandalen. Für die Bischofsversammlung von Karthago 484 verfaßte er den *Liber fidei catholicae* (Victor Vitensis, Historia persecutionis Africanae provinciae 2,56 – 101). Daraufhin wurde er von Hunnerich verfolgt und verbannt. 487 konnte er nach Karthago zurückkehren, wurde später von König Thrasamund 497 (?) erneut verbannt. E. starb 505 im Exil in Albi/Südfrankreich. Außer dem genannten *Liber* sind zwei Briefe an König Hunnerich (Victor Vitensis 2,41–42) und ein Hirtenbrief an die Gemeinde von Karthago (Greg. Tur. Franc. 2,3) bezeugt. Vgl. Gennadius, vir. ill. 94.
→ Arianismus; Vandalen

A. MANDOUZE, Prosopographie chrétienne du Bas-Empire 1, 1982, 362–64. · V. SAXER, Saints anciens d'Afrique du Nord, 1979. K.-S. F.

[4] Lat. schreibender Kleriker am westgot. Königshof, 646–657 als E. II. Erzbischof von Toledo. Das von seinem Nachfolger Ildefons bezeugte Prosabuch ist verloren. Neben Briefen und möglicherweise einigen Hymnen [3. 120, 220, 237] ist eine Slg. an spätant. Tradition anknüpfender Gedichte erh. Sie umfaßt Gelegenheits- und Schulpoesie, Genrestücke, Epitaphien, ein Scherzgedicht mit zertrennten Wörtern (in der Art des Lucilius) und persönliche Lyrik. Der Versbau (bes. der sapphischen Strophen) ist häufig akzentuierend. Im Auftrag König Chindaswinths bearbeitete E. Dichtungen des → Dracontius [3] (*Satisfactio, De laudibus Dei 1*). E. wirkte auf die karolingischen Dichter und noch auf Petrus Damiani (11. Jh.).

ED.: 1 F. VOLLMER, MGH AA 14, 231–290 (27–131: Dracontiusbearb.).
LIT.: 2 BRUNHÖLZL, 1,95 f. S. 522 3 J. PÉREZ DE URBEL, El origen de los himnos mozárabes, in: Bulletin hispanique 28, 1926 4 W. PFEIFFER, The Change of Philomela, 1985. K. SM.

Eugippius verfaßte als Abt von Castellum Lucullanum (h. S. Severino) bei Neapel um 511 das *Commemoratorium vitae S. Severini* [1; 3; 4], in dem das prophetische Auftreten des Asketen Severin († 482) in den röm. Donauprovinzen geschildert ist. Unter Einsatz von klass. Stilelementen [6. 174–181] fügt E. additiv Exemplum an Exemplum; die Zahl der 46 Kapitel ist möglicherweise symbolisch gemeint. Dafür spricht die auffallend komplette Berücksichtigung einer entsprechenden Exegese des Namens Adam (A=1; Δ=4; A=1; M=40: Summe 46) in den *Excerpta ex operibus S. Augustini* [6. 182; 3], einem von E. aus über 300 Ausschnitten sorgfältig zusammengestellten → Augustinus-Textbuch, das Cassiodor zum Studium empfahl (inst. 1,23). Außerdem hat E. eine *Regula* geschrieben [5].

ED.: 1 T. MOMMSEN, W. BULST, Commemoratorium vitae S. Severini, 1948 2 P. KNÖLL, CSEL 9/1, 1885 (Excerpta) 3 R. NOLL, Vita S. Severini, 1963 4 T. RÉGERAT, 1991 5 F. VILLEGAS, A. DE VOGÜÉ, CSEL 87, 1976 (Regel).
LIT.: 6 W. BERSCHIN, Biographie und Epochenstil im lat. MA, 1, 1986. W. B.

Eugnostos nennt sich der Verf. eines Briefes (›Der selige E. an die Seinen‹), der zweimal in der kopt. Bibliothek von Naǧʿ Ḥammādī überliefert ist (III 70,1–90,13 und, weit schlechter erhalten, V 1–17). Der Brief, entstanden wohl im späten 1. oder im frühen 2. Jh. n. Chr., enthält nach der Ablehnung der philos. Aussagen über die Lenkung der Welt eine als Offenbarung über den »Gott der Wahrheit« bezeichnete Kosmogonie, die den nur negativ prädizierbaren »Vorvater des Alls« als den Grund und einen mannweiblichen »unsterblichen Menschen« namens »Nus/Pansophos Sophia« als Anfang der Schöpfung setzt. Der Brief enthält wohl wenig christl. Gedankengut (etwa die Formel vom »Sohn des Menschen«, der auch »Heiland« heißt), wurde aber nicht vor Ende des 2. Jh. überarbeitet zu einer nun deutlich christl.-gnostischen Schrift, der »Sophia Jesu Christi«.
→ Gnosis

M. KRAUSE, in: Ders., K. RUDOLPH, Die Gnosis, Bd. 2: Koptische und mandäische Quellen, 1971, 32–45 (Übers.). F. G.

Eugraphius. Lat. Grammatiker und Verf. eines Terenz-Komm., der auch versch. Terenz-Hss. beigefügt ist. Er lebte vielleicht im 6. Jh. n. Chr.: Den Terenz-Komm. des → Donatus [3] benutzte er. Das *Commentum* von E. besteht hauptsächlich aus Anmerkungen rhet. Charakters, bisweilen nur aus Paraphrasen. Im MA scheint E.' Name unbekannt gewesen zu sein, doch findet man Spuren seines Komm. in den Glossaren und Scholien zu Terenz.

ED.: P. WESSNER, 1908 (Ndr. 1963).
LIT.: Ders., E., RE 6, 990–991 · SCHANZ/HOSIUS 4,2, 240–242 · HLL § 706. P. G./Ü: G. F. S.

Euhemeros (Εὐήμερος) aus Messene (um welches Messene es sich dabei handelt, ist unbekannt; einige Testimonien bezeugen andere Geburtsstädte). Von seinem Werk, der Ἱερὰ ἀναγραφή (*Sacra historia*), sind die Zusammenfassung in der *Histor. Bibliothek* des → Diodoros [18] Siculus (5,41–46 und 6,1) und verschiedene Testimonien und Fragmente auf uns gekommen. E. gab vor, eine Reihe von Reisen im Auftrag des Königs Kassandros (305–297 v.Chr.) unternommen zu haben. Im besonderen erzählte er von seinem Besuch eines Archipels: Auf der größten Insel, Panchaia, habe er einen dem Zeus geweihten Tempel gesehen, der mitten in einer idyllischen Landschaft stand (die ganze Insel war außergewöhnlich fruchtbar). Im Innern des Tempels berichtete eine Inschrift auf einer Säule von der Gesch. des Kults der olympischen Götter: Diese seien Sterbliche gewesen, die wegen ihrer außergewöhnlichen Verdienste um die menschliche Zivilisation vergöttlicht worden seien. Der Rest des Werkes war der Beschreibung der Gesellschaftsstruktur von Panchaia gewidmet. Es besaß drei Klassen (Priester und Handwerker, Bauern, Soldaten und Hirten) und eine strenge Kollektivwirtschaft, die nur Haus und Garten als Privatbesitz zuließ.

Dieses Werk einer bestimmten lit. Gattung zuzuweisen, ist nicht einfach. Da das narrative Schema der seit altersher topischen Ich-Erzählung von einer imaginären Reise [1] mit der Darstellung einer alternativen Lebensform verbunden wird, ist die Bezeichnung »utopischer Roman« vorgeschlagen worden, die auch auf die verlorenen Werke des → Theopompos, des → Hekataios von Abdera und vor allem des → Iambulos paßt [2]. Da wir den Text selbst nicht besitzen, läßt sich jedoch das Verhältnis des romanhaften zur theoretischen Komponente nicht mit Gewißheit bestimmen; die Tatsache, daß Lukian in der ›Wahren Gesch.‹ die gesamte historiographische, ethnographische und utopische Lit., welche phantastische Reiseberichte als persönliche Erfahrungen präsentiert, zum Gegenstand eines satirischen Pastiche machte, ist jedoch ein Zeugnis für die Lebendigkeit dieser verlorenen Werke. Eine vergleichbare Lebendigkeit erreichte die Gattung erst in der Neuzeit wieder, von der *Utopia* des Thomas Morus (der den nunmehr geläufigen Terminus prägte) über die *Città del Sole* des Tommaso Campanella bis zu Swift und Butlers *Erewhon*.

Der Name E. wird seit jeher mit der rationalistischen Mytheninterpretation verbunden; es ist daher schwierig, das urspr. Gedankengut des E. vom Euhemerismus zu scheiden. Vorläufer dieser humanistischen Sichtweise sind in → Prodikos und in → Hekataios von Abdera zu suchen (letzterer hatte jedoch die ägypt. Religion behandelt). Aus Diodors Exzerpt läßt sich allerdings eine Position entnehmen, die etwas differenzierter ist als die einfache Behauptung, die Götter hätten menschliche Natur (siehe die Unterscheidung zw. ἀίδιοι und ἐπίγειοι θεοί in Diod. 6,1,1–2 ap. Eus. Pr. Ev. 2,2,52–3 = T 25 WINIARCZYK) [3]. Was die utopische Komponente betrifft (die den Anlaß gab, vom »ant. Kommunismus« zu sprechen [4. 274–275]), so ist die Anleihe bei Platon (bes. *Kritias*) offensichtlich, auch wenn man in E. keinen systematischen Denker sehen kann. Außer Zweifel steht ein direkter Bezug zur hell. Praxis der Vergöttlichung von Herrschern, die schon für Alexander d. Gr. durch Ptolemaios' I., dann 283 v.Chr. für diesen durch Ptolemaios' II. und schließlich 270 für Ptolemaios' II. und dessen Frau Arsinoe durch diesen selbst belegt ist (die Schrift des E. wird im allg. auf 280 v.Chr. datiert). Nicht so sicher läßt sich sagen, ob dieser Bezug polemischer Natur ist, wenn eine alternative Ges. ohne Herrscher und Herrscherkult entworfen wird.

Eine negative, konservative Reaktion auf das Werk des E. stellt der 1. Iambos des → Kallimachos (fr. 191) dar; die lat. Übers. (sehr wahrscheinlich in Prosa) durch → Ennius sorgte für eine weite Verbreitung von E.' Werk in der röm. Kultur, von Lukrez über Cicero und Vergil bis zu den polemischen Reaktionen der Christen, vor allem in den *Divinae Institutiones* des Laktanz. → EUHEMERISMUS; Roman; Utopie

1 P.B. GOVE, The Imaginary Voyage in Prose Fiction, 1961 2 B. KYTZLER, Zum utopischen Roman der klass. Ant., in: H. HOFMANN (Hrsg.), Groningen Colloquia on the Novel, 1, 1988, 7–16 3 R.J. MÜLLER, Überlegungen zur Ἱερὰ ἀναγραφή des E. von Messene, in: Hermes 121, 1993, 276–300 4 R. v. PÖHLMANN, Gesch. der sozialen Frage und des Sozialismus in der ant. Welt II, ³1925.

R. BICHLER, Zur histor. Beurteilung der griech. Staatsutopie, in: Grazer Beiträge 11, 1984, 179–206 · H. BRAUNERT, Die heilige Insel des E., in: RhM 108, 1965, 255–268 · J. FERGUSON, Utopias of the Classical World, 1975 · M. FINLEY, Utopianism Ancient and Modern, in: The Critical Spirit (Essays in honor of H. Marcuse), 1967, 3–20 · H. FLASHAR, Formen utopischen Denkens bei den Griechen (Innsbrucker Beiträge zur Kulturwiss., Heft 3), 1974 · F. JACOBY, s.v. E., RE 6, 952–72 · G. VALLAURI, Origine e diffusione dell'evemerismo nel pensiero classico, 1960 · M. WINIARCZYK (Hrsg.), Euhemeri Messenii Reliquiae, 1991 · M. ZUMSCHLINGE, E. staatstheoretische und staatsutopische Motive, Diss. 1976.   M.FU./Ü: T.H.

Eukleia (Εὔκλεια = »der gute Ruf«). Kultname der → Artemis (Soph. Oid. T. 159–161), aber auch eigenständige Gottheit neben → Eunomia (Paus. 1,14,5; Bakchyl. 13,183–185SM; IG 3.1,277; 623; 733; 738). Die Beziehung zw. E. und Artemis ist schwierig zu definieren. Plut. Aristides 20,6–8,331e berichtet, daß E. gemeinhin mit Artemis gleichgesetzt wurde (nach anderen sei E. hingegen die Tochter von Herakles und Myrto). Der Kult der E. Artemis sei besonders in Boiotien (Heiligtum in Plataiai) und Lokris verbreitet. Ein Heiligtum der E.-Artemis ist auch in Theben belegt (Paus. 9,17,1–2). Für eine Verehrung in Lokris ist Plutarch die einzige Quelle. – Nach [1] ist E. ein Epitheton der Artemis, das sich verselbständigt hat, nach [2] war E. urspr. eine eigenständige Gottheit, die später mit Artemis identifiziert wurde. Ein E.-Fest (Εὔκλεια) wurde in Korinth (Xen. hell. 4,4,2) und Delphi (Syll.² 438, 64) begangen [3]. Zur Ikonographie vgl. [4; 5; 6].

1 NILSSON, GGR 493–494 2 R. HAMPE, E. u. Eunomia, in: MDAI(R) 62, 1955, 107–123 3 NILSSON, Feste 237–238 4 A. KOSSATZ-DEISSMANN, s. v. E., LIMC 4.1, 48–51 5 L. KAHIL, s. v. Artemis, LIMC 2.1, 677 Nr. 729 6 H. A. SHAPIRO, Personifications in Greek Art, 1993, 70–78.

D. C. BRAUND, Artemis E. and Eur. Hipp., in: JHS 100, 1980, 184–185 • SCHACHTER 1, 102–106.　　　　　R. B.

Eukleidas (Εὐκλείδας; Paus. 2,9,1; 3: Epikleidas).

[1] Spartanischer König ca. 227–222 v. Chr., Sohn des Leonidas II., Agiade. Sein Bruder Kleomenes III. erhob ihn nach der Ermordung des Eurypontiden Archidamos III. zum König, um das Doppelkönigtum formal zu erhalten. Die Überlieferung schreibt seinem taktischen Unvermögen die spartanische Katastrophe bei Sellasia gegen Antigonos [3] Doson (222) zu, bei der E. fiel (Plut. Kleom. 11,5; 28,3; 6f.; Phil. 6; Paus. 2,9,1; 3; Pol. 2,65–68).　　　　　M. MEI.

[2] Syrakusanischer Stempelschneider, der etwa von 410–400 v. Chr., vereinzelt bis etwa 385, Tetradrachmen, kleinere Silbernominale und Bronze signierte, gelegentlich abwechselnd mit → Eumenos und → Euainetos. Sein Stil ist sehr fein, und er gilt als der Begründer der »en face«-geschnittenen Av.-Porträts.

→ Euainetos; Eumenos; Tetradrachmon

R. WEIL, Die Künstlerinschr. der sicilischen Münzen, in: 44. Winckelmannsprogramm der Arch. Ges. zu Berlin, 1884, 17–18 • L. FORRER, Biographical dictionary of medallists 2, s. v. E., 1904, 30–35 • L. TUDEER, Die Tetradrachmenprägung von Syrakus in der Periode der signierenden Künstler, in: ZfN 30, 1913, 1–292, bes. 220ff. • H. A. CAHN u. a., Griech. Münzen aus Großgriechenland und Sizilien, AM Basel Sammlung Ludwig, 1988, 130ff.　　　　　A. M.

Eukleides (Εὐκλείδης).

[1] Athenischer Archon im Jahr 403/2 v. Chr. In seinem Amtsjahr machte Athen einen neuen Anfang nach der Oligarchie der Dreißig (siehe etwa And. 1,87–94) und übernahm unter anderem offiziell das Ionische Alphabet (Theop. FGrH 115 F 155).

DEVELIN 199 • LGPN 2, Εὐκλείδης (9).　　　　　P. J. R.

[2] aus Megara. Schüler des Sokrates, Begründer der Tradition der → Megariker; geb. zwischen 450 und 435, gest. wahrscheinlich zu Beginn der 60er Jahre des 4. Jh. v. Chr. In Platons *Phaidon* (59c) wird E. unter denen genannt, die beim Tod des Sokrates zugegen waren. Glaubhaft bezeugt ist außerdem, daß sich Platon und einige andere namentlich nicht genannte Sokratiker nach dem Tod des Sokrates zu ihm nach Megara zurückzogen (Diog. Laert. 2,106; 3,6). Gründe und nähere Umstände dieses Rückzugs bleiben allerdings unklar. E. verfaßte sechs Dialoge mit den Titeln *Lamprías, Aischínes, Phoínix, Krítōn, Alkibiádēs* und *Erōtikós*.

Eine am deutlichsten bei Cic. ac. 2,129 faßbare Tradition behauptet, E. habe gelehrt, ›gut sei allein das, was eines und gleich und immer dasselbe sei‹, und ordnet ihn deshalb in die Nachfolge der → Eleatischen

Schule ein. Wie K. v. FRITZ [1] gezeigt hat, handelt es sich bei dieser Tradition um eine unhistor. Konstruktion. Verlaß ist allein auf das Referat, das Diog. Laert. 2,106 von den Kerngedanken der Philos. des E. gibt: E. ›vertrat die Auffassung, das Gute sei eines, werde aber mit vielen Namen benannt; bald nämlich nenne man es Einsicht (φρόνησις/*phrónēsis*), bald Gott, bald Vernunft (νοῦς/*nus*) und so weiter. Das dem Guten Entgegengesetzte aber hob er auf, indem er bestritt, daß es existiere‹. Dieses Referat läßt deutlich erkennen, daß E. sich in seinem Philosophieren eng an seinen Lehrer → Sokrates anschloß: Die drei in ihm enthaltenen Thesen, 1. daß das Gute eines sei, 2. daß Einsicht und Vernunft nur andere Namen für das Gute seien und 3. daß das dem Guten Entgegengesetzte nicht existiere (was offenbar in der Weise zu verstehen ist, daß das Schlechte als Verkennen des Guten gedeutet wird), greifen unverkennbar die drei Grundüberzeugungen des Sokrates auf, 1. daß das, worum man sich vor allem anderen bemühen müsse, das Gute in seinen verschiedenen Ausprägungen als Gerechtes, Frommes usw. sei, 2. daß, wer das Gute wisse, es mit Notwendigkeit auch tue und 3. daß, wer das Schlechte tue, es nur deshalb tue, weil er sich im Irrtum befinde und das Schlechte fälschlich für etwas Gutes halte.

Was wir sonst noch über die philos. Ansichten des E. erfahren, betrifft den Bereich der Logik. Diog. Laert. 2,107 berichtet, E. habe ›Beweise nicht in ihren Prämissen, sondern in ihrem Schlußsatz angegriffen‹; ferner, er habe das von Sokrates mit Vorliebe angewandte Analogieverfahren als untaugliches Argumentationsmittel abgelehnt.

1 K. v. FRITZ, s. v. Megariker, RE Suppl. 5, 707–724, hier: 707–716 (gekürzte Fassung in: Ders., Schriften zur griech. Logik, 1978, Bd. 2, 75–92, hier: 75–64).

ED.: K. DÖRING, Die Megariker. Komm. Sammlung der Testimonien, 1972, I 1. • SSR II A.
LIT.: K. DÖRING, E., in: GGPh² 2.1, § 17 A (mit Lit.) • GUTHRIE III, 1969, 499–507.　　　　　K. D.

[3] (Euklid). A. LEBEN　B. WERKE C. WIRKUNGSGESCHICHTE　D. DIE ›SECTIO CANONIS‹

A. LEBEN

Über das Leben des E. ist wenig Sicheres bekannt. Nach Bemerkungen aus → Proklos (in Eucl. elem. 1, S. 68,6–20 FRIEDLEIN) und → Pappos war er jünger als die Gelehrten um Platon und dessen direkte Schüler, deren Forsch. er benutzte, und älter als → Archimedes [1] (ca. 287–212), der seine Theoreme voraussetzt. Demnach nimmt man seine Hauptschaffenszeit üblicherweise um 300 v. Chr. an (zur Problematik s. z. B. [15. 414f.]). Er wirkte und lehrte in Alexandreia (Pappos 7,35, p. 678,10–12 HULTSCH). Schon in der Spätant. und durchgängig im MA wurde E. mit dem Philosophen → E. [2] von Megara verwechselt.

B. WERKE

Das größte und wichtigste Werk, durch das E. zum »Mathematiklehrer aller Völker und Generationen« wurde, sind die ›Elemente‹ (Στοιχεῖα) in 13 Büchern. Große Teile davon gehen auf andere Mathematiker zurück, v. a. auf die Pythagoreer, → Theaitetos und → Eudoxos [1] [13; 20; 25; 26; 29]. E.' Bed. besteht darin, die Erkenntnisse seiner Vorgänger zusammengefaßt und in eine systematische Ordnung gebracht zu haben. Die »Elemente« für sein Lehrgebäude sind die (unbeweisbaren) Definitionen (ὅροι, *hóroi*), Postulate (αἰτήματα, *aitḗmata*) und Axiome (κοιναὶ ἔννοιαι, *koinaí énnoiai*). Davon ausgehend, leitet E. mathematische Lehrsätze (θεωρήματα, *theōrḗmata*) oder Konstruktionsaufgaben (προβλήματα, *problḗmata*) ab, die er streng deduktiv beweist. Er benutzt dazu ein Schema, das konsequent durch das Werk hindurch gebraucht wird. Die bewiesenen Sätze und Lösungen können für weitere Beweise wiederverwendet werden, wobei die Sätze, auf die sich ein Beweis stützt, ohne bes. Erwähnung vorausgesetzt werden.

Man kann die ›Elemente‹ einteilen in planimetrische (B. 1–6), arithmetische (B. 7–9) und stereometrische (B. 11–13) Bücher. B. 1 behandelt die ebene Geometrie bis zum Satz des → Pythagoras (1,47), B. 2 die sog. »geometrische Algebra«, B. 3–4 die elementare Kreislehre mit den ein- und umbeschriebenen Vielecken. B. 5 enthält die durch Eudoxos begründete Proportionenlehre, die auch für irrationale Größen anwendbar ist, B. 6 Anwendungen davon. Die B. 7–9 bringen die auf die Pythagoreer zurückgehende Theorie der natürlichen Zahlen, darunter den Beweis, daß es unendlich viele Primzahlen gibt (9,20), und den Satz über die Erzeugung vollkommener Zahlen (9,36). Das bes. umfangreiche B. 10 ist eine Spezialabhandlung über die verschiedenen Typen von Irrationalitäten, die als Lösungen quadratischer Gleichungen auftreten können. B. 11 behandelt elementare Sätze der Stereometrie, B. 12 Volumenbestimmungen nach Eudoxos. B. 13, das (wie B. 10) auf Theaitetos beruht, lehrt die Beziehungen zw. einer Kugel und den in sie einbeschriebenen regelmäßigen Polyedern und bringt als Höhepunkt des Gesamtwerks den Beweis, daß es nur fünf derartige Körper gibt. B. 14 wurde durch → Hypsikles, B. 15 im 6. Jh. n. Chr. hinzugefügt.

An kleineren Schriften sind auf griech. erh.:

1) Die *Data* (Δεδομένα, Ed. [1. Bd. 6], dt. Übers. [6]) ergänzen die ersten Bücher der ›Elemente‹. In ihnen wird untersucht, welche Teile einer Figur bestimmt sind, wenn andere vorgegeben sind. Interessant sind insbes. die Aufgaben, die sich mit der Flächenanlegung beschäftigen; mit ihrer Hilfe konnten die Griechen quadratische Gleichungen geometrisch lösen.

2) Die ›Optik‹ (Ὀπτικά, *Optiká*, Ed. [1. Bd. 7], frz. Übers. [7]; s. auch [21]) war die erste griech. Abhandlung, in der die Gesetze der geometrischen Perspektive hergeleitet werden. Sie besteht aus 58 Propositionen.

3) In den *Phainómena* (Φαινόμενα, Ed. [1. Bd. 8], engl. Übers. [10]) werden die Elemente der sphärischen Geometrie behandelt, deren Kenntnis für die sphärische Astronomie erforderlich war. Die *Phainómena* lehnen sich eng an die Sphärik des → Autolykos [3] an und lieferten ihrerseits Material für die Schrift des → Theodosios.

4) Die *Sectio canonis* (Κατατομὴ κανόνος [1. Bd. 8]) stellt die Grundlagen der mathematischen Musiktheorie mit Hilfe der Proportionenlehre nach Art der Pythagoreer dar (s. dazu D.).

5) Eine Schrift über Spiegel (Κατοπτρικά, *Katoptriká*), die Euklid zugeschrieben wird, gilt allg. als spätere Kompilation [21].

Folgende Werke des E. sind verloren oder jedenfalls nicht in griech. Sprache erhalten:

6) Die Schrift *Perí diairéseōn* (Περὶ διαιρέσεων) behandelt die Teilung geometrischer Figuren durch eine Gerade in Abschnitte, die vorgegebenen Bedingungen genügen. Der griech. Text ist verloren, aber alle 36 Sätze und vier vollständige Beweise existieren in arab. Übers. [30. 233–247; 8; 28. 118].

7) Drei Bücher *Porísmata* (Πορίσματα) werden von Pappos (7, p. 648–660 HULTSCH) und Proklos (In Eucl. Elem. 1, p. 212,12 f., 301,21 ff. FRIEDLEIN) erwähnt. Schon in der Ant. gab es über die Bed. des Begriffs *pórisma* keine Klarheit. Vermutlich enthielt die Schrift Charakterisierungen von Geraden und Kreisen als geometrische Örter, mit deren Hilfe man anspruchsvolle Konstruktionsaufgaben lösen konnte.

8) Die ›Oberflächenörter‹ (Τόποι πρὸς ἐπιφανείᾳ, *Tópoi prós epiphaneía*) behandelten Flächen im Raum, wahrscheinlich Oberflächen von Rotationskörpern, als geometrische Örter.

9) In den *Pseudária* (Ψευδάρια) beschrieb E. verschiedene Typen mathematischer Trugschlüsse und stellte sie gültigen Schlüssen gegenüber.

10) Die vier Bücher *Kōniká* (Κωνικά) enthielten eine Lehre der Kegelschnitte, die wahrscheinlich auf der (ebenfalls verlorenen) Darstellung des → Aristaios [2] beruhte. Ihr Inhalt dürfte den ersten drei Büchern der *Kōniká* von → Apollonios [13] entsprochen haben.

11) E. verfaßte vermutlich auch mechanische Schriften. Es gibt ma. lat. Texte mit Titeln wie *De levi et ponderoso* bzw. *De gravi et levi*, *De canonio* oder *De ponderibus*, die z. T. aus dem Arab. übersetzt sind und auf E. zurückgehen könnten [28. 120; 16. 24–30; 22].

C. WIRKUNGSGESCHICHTE

Schon in der Ant. gab es Komm. zu E.' Hauptwerk, den ›Elementen‹, insbes. von → Heron, Pappos, Proklos und → Simplikios. Die Hss. der ›Elemente‹ gehen fast ausschließlich auf die Rezension des → Theon von Alexandreia (4. Jh. n. Chr.) zurück. Nur der Vaticanus Graecus 190 (10. Jh.), ferner einige Papyrus-Fr. [2] und arab. Textzeugen beruhen auf älterer Überlieferung. Um 500 entstand die Übers. des Boethius, die nur fragmentarisch in mehreren Texten erh. ist. Im arab. Bereich existierten neben mehreren Übers. (v. a. im 9. Jh.

durch al-Ḥaǧǧāǧ und Isḥāq b. Ḥunain) eine unüberschaubare Anzahl von Auszügen, Bearbeitungen und Kommentaren, unter denen die Fassung von aṭ-Ṭūsī (13. Jh.) die verbreitetste war. Außer ins Arab. gab es Übers. ins Pers., Hebr., Syr. und Armen. Im 12. Jh. wurden die ›Elemente‹ dreimal aus dem Arab. ins Lat. übers. (Adelhard von Bath, Hermann von Kärnten, Gerhard von Cremona). Bedeutender waren aber zwei Bearbeitungen: die sog. Version II, die vermutlich von Robert von Chester stammt (um 1140), und die auf ihr beruhende Ausgabe von Campanus (vor 1260; gedruckt 1482 und öfter). Im 16. Jh. waren auch nach dem Erscheinen der griech. *Editio princeps* (1533) zunächst noch lat. Ausgaben vorherrschend (B. Zamberti, F. Commandino). Die frühesten gedruckten Übers. in Nationalsprachen stammen von N. Tartaglia (1543), J. Scheubel (1555), W. Holtzmann (1562), P. Forcadel (1564) und H. Billingsley (1570). Die maßgebliche Ausgabe des griech. Textes erstellte Heiberg [1].

Die interessantesten Teile von E.' ›Elementen‹ waren zu allen Zeiten das 5. Postulat (»Parallelenpostulat«), die Proportionenlehre in B. 5 und die Darstellung der Irrationalitäten in B. 10. Versuche, das Parallelenpostulat zu beweisen, führten in Ant., MA und früher Neuzeit zum Auffinden von Sätzen, die dem 5. Postulat äquivalent waren, und schließlich zu Beginn des 19. Jh. zur Erkenntnis, daß mathematisch konsistente Geometrien möglich sind, die auf das Parallelenpostulat verzichten (»nichteuklidische Geometrie«). Zur Überlieferungsgesch. der ›Elemente‹ s. bes. [17; 18; 24; 28] und die Bibliographie [12].

→ Irrationalität; Mechanik; Optik; Proportion; Pythagoreische Schule

EDD. UND ÜBERS.: **1** I. L. HEIBERG, H. MENGE (ed.), Euclidis opera omnia, 8 Bde., 1883–1916 (mit lat. Übers.; Neuausg. durch E. S. STAMATIS, 1969–1977) **2** E. TURNER u. a., Euclid, Elements 1, Definitions 1–10 (P. Mich. III 143), in: YClS 28, 1985, 13–24 **3** TH. L. HEATH, The thirteen books of Euclid's Elements, 3 Bde., ²1925 (Ndr. 1956; freie engl. Übers. mit Komm. und Einl.) **4** C. THAER, Euklid. Die Elemente, 1933–1937 (Ndr. 1962 u. ö.) **5** M. CAVEING, B. VITRAC, Les éléments. Traduits du texte de Heiberg, 1990–1994 (bisher 2 Bde.) **6** C. THAER, Die Data von Euklid, 1962 **7** P. VER EECKE (ed.), Euclide, L'Optique et la Catoptrique, 1938 (frz. Übers.) **8** R. C. ARCHIBALD, Euclid's Book on Divisions of Figures, 1915 **9** A. BARBERA, The Euclidean Division of the canon: Greek and Latin sources. New critical texts and translations, 1991 **10** J. L. BERGGREN, R. S. D. THOMAS, Euclid's Phaenomena: A translation and study of a Hellenistic treatise in spherical astronomy, 1996.
BIBLIOGR.: **11** P. RICCARDI, Saggio di una Bibliografia Euclidea, 1887–1893 (Ndr. 1974) **12** M. STECK, M. FOLKERTS, Bibliographia Euclideana, 1981.
LIT.: **13** B. ARTMANN, Euclid's Elements and its Prehistory, Apeiron 24(4), 1991, 1–47 **14** F. BECKMANN, Neue Gesichtspunkte zum 5. Buch Euklids, Archive for History of Exact Sciences 4, 1967/8, 1–144 **15** I. BULMER-THOMAS, s. v. Euclid, Dictionary of Scientific Biography 4, 1971, 414–437 **16** M. CLAGETT, The Science of Mechanics in the Middle Ages, 1959 **17** M. FOLKERTS, Probleme der Euklidinterpretation und ihre Bed. für die Entwicklung der Mathematik, in: Centaurus 23, 1980, 185–215 **18** M. FOLKERTS, Euclid in Medieval Europe, 1989 **19** D. H. FOWLER, An invitation to read Book X of Euclid's Elements, in: Hist. Math. 19, 1992, 233–264 **20** W. R. KNORR, The Evolution of the Euclidean Elements, 1975 **21** A. LEJEUNE, Euclide et Ptolémée. Deux stades de l'optique géométrique grecque, 1948 **22** E. A. MOODY, M. CLAGETT, The medieval science of weights, 1952 **23** I. MUELLER, Philosophy of mathematics and deductive structure in Euclid's Elements, 1981 **24** J. MURDOCH, Euclid: Transmission of the Elements, Dictionary of Scientific Biography 4, 1971, 437–459 **25** E. NEUENSCHWANDER, Die ersten vier Bücher der Elemente Euklids. Unters. über den mathematischen Aufbau, die Zitierweise und die Entstehungsgesch., in: Archive for History of Exact Sciences 9, 1973, 325–380 **26** Ders., Die stereometrischen Bücher der Elemente Euklids. Unters. über den mathematischen Aufbau und die Entstehungsgesch., in: Archive for History of Exact Sciences 14, 1975, 91–125 **27** P. SCHREIBER, Euklid, 1987 **28** F. SEZGIN, Gesch. des arab. Schrifttums, 5, 1974, 83–120 **29** A. SZABÓ, Anfänge der griech. Mathematik, 1969 **30** F. WOEPCKE, Notice sur des traductions arabes de deux ouvrages perdus d'Euclide, in: Journal Asiatique 4, ser. 18, 1851, 217–247.　　　　　　　　M. F.

D. DIE ›SECTIO CANONIS‹

Die *Sectio canonis* (Κατατομὴ κανόνος) ist ein wichtiger mathematisch-harmonischer Traktat (primär) pythagoreischer Tradition (wohl um 300 v. Chr.), der seit alters E. zugeschrieben wird (in Hss. irrtümlich auch → Kleoneides); doch ist die Autorenfrage umstritten [6. 14–22]. Inhalt: a) Einleitung zur Akustik (die Tonhöhenunterschiede sind quantitativ definiert durch mehr oder weniger Bewegung bzw. Luftstöße). b) Analyse zahlentheoretisch (»vielfach«, »überteilig«) zusammengesetzter Intervalle (*diastémata*), durchgeführt im Stil von E.' *Elementa* in elf Propositionen und Beweisen. c) Probleme der Intervall-Zusammensetzungen (12–18). d) Zwei Kanonteilungen zur Ermittlung des »unveränderlichen« Systems und ergänzender Tonstufen (19–20). Der Traktat, vielleicht von einer verlorenen Musikschrift des E. abhängig (vgl. Prokl. in Eucl. 69), ist auch in zwei anderen Fassungen erhalten, bei Porphyrios fehlen die Einleitung und die §§ 17 ff. [9], bei Boethius (de institutione musica 4,1 f.) die §§ 10 ff.

EDD.: **1** MSG, 115–166 **2** I. L. HEIBERG, H. MENGE (ed.), Euclidis opera omnia, Bd. 8, 1916, 158–183 (mit lat. Übers.) **3** TH. J. MATHIESEN, An annotated translation of E.'s Division of a monochord, in: Journal of Music Theory 19, 1975, 236–258 **4** A. BARKER, The Euclidean Sectio canonis, in: Greek Musical Writings, II, 1989, 190–208 (engl. Übers. und Komm.) **5** L. ZANONCELLI, La manualistica musicale greca, 1990, 31–70 (mit ital. Übers. und Komm.)
6 A. BARBERA, The Euclidean Division of the Canon, 1991 (Ed. aller Fassungen mit engl. Übers. und Komm.).
LIT.: **7** A. BARKER, Methods and aims in the Euclidean Sectio canonis, in: JHS 101, 1981, 1–16 **8** W. BURKERT, Weisheit und Wiss., 1962, 421–423 **9** I. DÜRING, Komm. zur Harmonielehre des Klaud. Ptol., 1932, 90, 92,29–93,2 **10** F. R. LEVIN, Unity in E.' Sectio canonis, in: Hermes 118,

1990, 430–443 **11** E. Pöhlmann, Musiktheorie in späten Sammelhss., in: A. Bierl, P.v. Möllendorff (Hrsg.), FS H. Flashar, 1994, 182–194, bes. 191–193 **12** B.L. van der Waerden, Die Pythagoreer, 1979, 378f., 382f., 405–411.

F.Z.

[4] Von einem E. (Εὐκλείδης ὁ ἀρχαῖος) zitiert Aristot. poet. 1458b7ff. zwei metrisch anomale Hexameter (fr. 1–2 West), mit denen die Neigung mancher Dichter zu willkürlichen prosodischen Längungen verspottet wird. Die Gleichsetzung mit E. [1], dem Archonten des Jahres 403 v.Chr. [1] oder mit E. [2] aus Megara [2] ist höchst zweifelhaft; Wilamowitz [3] nahm an, daß es sich um den bei Athen. 1,3a genannten Bücherfreund handele. An einen Komiker (so schon [4]) oder an einen Jambographen denkt [5].

1 I. Bywater, Aristoteles on the Art of Poetry, 1909, 297 **2** A. Gudeman, Aristoteles' Περὶ ποιητικῆς, 1934, 375f. **3** U. v. Wilamowitz, KS 4, 1962, 366 **4** A. Rostagni, Aristotele. Poetica, ²1945, 134 **5** M.L. West, IEG II² 63.

M.D.MA./Ü: T.H.

[5] Bildhauer aus Athen. Er schuf mehrere Götterbilder in der Peloponnes. In Bura sah Pausanias von ihm Marmorstatuen der Demeter, Aphrodite, des Dionysos und der Eileithyia. Von seinem akrolithischen Kultbild des Zeus in Aigeira, durch Pausanias und Münzen bezeugt, sind Kopf und Arm erhalten. Die Datier. (E. 4. bis 2. Jh. v.Chr.) beruht auf stilistischen Kriterien und ist umstritten, doch weisen klassizistische Tendenzen eher in das 2. Jh. v.Chr. Mit einem im Testament des Platon erwähnten Steinmetz hat E. daher nichts zu tun.

G. Becatti, Attika, in: RIA 7, 1940, 25–28 · Overbeck, Nr. 1147–1148 (Quellen) · R.R.R. Smith, Hellenistic sculpture, 1991, 240, Abb. · R. Trummer, Zwei Kolossalköpfe aus Aigeira, in: AntPl 22, 1993, 141–155.

R.N.

Eukles (Εὐκλῆς). Sohn eines Dionysios, Nachfolger Zenons als Vorsteher der δωρεά (dōréa) des Apollonios bei Philadelphia von 248 v.Chr. bis zu ihrer Auflösung 243.

C. Orrieux, Les archives d'Euclès et la fin de la dôréa du dioecète Apollonios, in: CE 55, 1980, 229–239. W.A.

Eukrates (Εὐκράτης).
[1] Athenischer Stratege im J. 432/1 v.Chr. (IG I³ 365.5), beteiligt an einem Feldzug nach Makedonien.

W.W.

[2] Chorege und Stratege in Athen. Bruder des → Nikias. 415 v.Chr. wegen des Hermenfrevels angezeigt, aber wieder freigelassen (And. 1,47; 66). 412/1 als Stratege in Thrakien. 405/4 erneut Stratege, widersetzte er sich während der Blockade Athens mit anderen Strategen den von Theramenes ausgehandelten Friedensbedingungen und wurde deswegen von den Dreißig hingerichtet (Lys. 13,13–38; 18,4–8). Die 403 beantragte Konfiskation seines Vermögens suchte E.' ältester Sohn durch ein Gerichtsverfahren zu verhindern (Lys. 18).

W.S.

Eukratides (Εὐκρατίδης). Sohn von Heliokles und Laodike, stürzte im Auftrag seines Vetters Antiochos IV. um 170 v.Chr. Demetrios I. von Baktrien und Indien und machte sich zum »Großkönig«. Um 150 (?) wurde E. von seinem Sohn ermordet. Bald nach E.' Tod endete das baktrische Reich unter äußeren Angriffen (HN 838f.; Strab. 11,9,2; 11,11,2; 15,1,3; Iust. 41,6,1–5).

The Cambridge History of Iran 3, 1984 · A.N. Lahiri, Corpus of Indo-Greek Coins, 1965 · A.K. Narain, The Indo-Greeks, 1957 · W.W. Tarn, The Greeks in Bactria and India, ²1951 · Will · G. Woodcock, The Greeks in India, 1966. A.ME.

Euktemon aus Athen. Astronom, Meteorologe und Geograph, wird zusammen mit → Meton als Entdecker des 19jährigen lunisolaren Zyklus gen. Er beobachtete im letzten Drittel des 5. Jh. v.Chr. zusammen mit diesem die Sonnenwenden und die anderen Jahrpunkte, die Anomalie der Sonnenbewegung sowie die Länge des Sonnenjahres, ferner die Auf- und Untergänge der Fixsterne, und zwar ›in Athen, auf den Kykladen, in Makedonien und in Thrakien‹ (Ptol. Phaseis p. 67,6 Heiberg, vgl. Anon. a. 379 CCAG V 1 [1904] p. 205,6 ἐν Ἀθήναις und Avienus ora maritima 350 Atheniensis bzw. 337 Amphipolis urbis incola). In Athen beobachtete E. die Sonnenwende des J. 432 (Ptol. Syntaxis 3,1 p. 205,21) und war wohl auch an der damaligen Reform des att. Kalenders beteiligt. Seine Meteorologie datiert A. Rehm [4. 140] nach dem Beginn der Sizilischen Expedition 415. Sein → Parapegma (Kalender mit Wetterangaben) verzeichnet detaillierter als das des Meton die pháseis, d.h. die heliakischen und akronyktischen Auf- und Untergänge der Fixsterne, sowie epismasíai, d.h. regelmäßige Wetterwechsel an bestimmten Tagen, die stärker ortsgebunden sind als die Phasen. Als Referenzschema benutzt er dafür als erster in Griechenland die zwölf Tierkreiszeichen (→ Ekliptik). Seine Geogr. beschäftigt sich, soweit erkennbar, v.a. mit dem Westen des Mittelmeerraumes, wenn auch eigene Betrachtung unwahrscheinlich ist.

Seine Episemasien und astronomischen Beobachtungen werden benutzt bes. von Ps.-Theophrast De signis [4. 122–140], Valens, Ptolemaios in den Phaseis und Johannes Lydos, seine Geogr. von Avienus.

Ed.: A. Rehm, Das Parapegma des E., 1913, 14–27. Lit.: **1** H. Berger, Gesch. der wiss. Erdkunde der Griechen, ²1903, 240–242 **2** A. Rehm, s.v. E. 10), RE 6, 1060f. **3** Ders., RE Suppl. 7, 175–198 **4** Ders., Parapegmastudien, 1941 **5** W. Gundel, H.G. Gundel, Astrologumena, 1966 **6** B.L. van der Waerden, Die Astronomie der Griechen, 1988, 79–82. W.H.

Eulaios (Εὐλαῖος).
[1] Einer der Hauptflüsse der Landschaft Susiana (Arr. an. 7,7; Diod. 19,19,1; Plut. Eumenes 14; Strab. 15,3,4; 22; Plin. nat. 6,100; 31,35 u.ö.), an dem auch die Metropole Susa lag, die in hell. Zeit als griech. Polis unter dem Namen Σελεύκεια ἡ πρὸς τῷ Εὐλαίῳ erscheint. Zwar

steht fest, daß der Name E. nach dem in mesopot. und biblischen Zeugnissen erscheinenden Flußnamen *Ulaï* gebildet wurde, Identifizierungen des E. und der anderen aus der ant. Überlieferung bekannten Flüsse der Susiana (→ Choaspes [1], Pasitigris, Kopratas, Hedyphon, Aduna) mit Flüssen der Gegenwart (Karḫe, Āb-e Dēz, Šūr Rūd, Kārūn etc.) sind aber bis h. umstritten. Dies hat seine Ursache sowohl in der Unklarheit der ant. Nomenklatur selbst als auch vermutlich in hydrographischen Veränderungen in dieser Region.

G. Le Rider, Suse sous les Séleucides et les Parthes, 1965, 263–267 · P. Högemann, Der Ausbau von Elam zur Seeprovinz unter Dareios. I. (522/21–486 v. Chr.) und ihr Zustand z.Z. Alexanders d. Gr. in den Jahren 325 und 324 v. Chr., in: Stuttgarter Kolloquium zur histor. Geogr. des Altertums 2, 1984 und 3, 1987, 1991, 133–147.   J.W.

[2] Eunuch maked. Abstammung, τιθηνός (*tithēnós*) und von 176–169 v. Chr. ἐπίτροπος (*epítropos*) Ptolemaios' VI.; vom Hof für das Desaster des 6. Syr. Krieges verantwortlich gemacht, weshalb sein Bild bis zur Unkenntlichkeit verzeichnet ist. (PP 6,14607).   W.A.

Eulen. Neben den → Adlern und → Falken stellt die Familie der Nachtgreifvögel bei Aristoteles mit fünf die meisten Arten. Diese waren auch den Römern bekannt.

A. Ohreulen   B. Käuze
C. Unbestimmbare Arten

A. Ohreulen

1. Uhu (Bubo bubo, βύας oder βρύας, abgeleitet vom lautmalerischen βύζειν wie *bubo* von *bubulare*), die größte, fast adlergroße Art (Aristot. hist. an. 7(8),3,592b 9–10). Er lebt in Einöden, an unheimlichen und unzugänglichen Orten (Plin. nat. 10,34), in Grabmälern und Höhlen (Isid. orig. 12,7,39). Seinen angeblich zur Seite führenden, unpräzisen Flug erwähnt Plin. nat. 10,35. Für Ovid ist er ein häßlicher und feiger Vogel, weil er am Tage anderen Vögeln ausweicht und träge ruht (met. 5,549f., vgl. Isid. orig. 12,7,39). Sein nächtliches Treiben und sein schauerlicher Ruf (Verg. Aen. 4,462f.; Plin. nat. 10,35 und Apul. Flor. 13) machten ihn zu einem unglückverheißenden Omen, z.B. bei der Hochzeit von Tereus und Progne (Ov. met. 6,432–34; Cass. Dio 56,29 u.ö.). Wohl aus ähnlichen Gründen nannten ihn Properz (2,28b,38) und Ovid (am. 3,12,1) einen »schwarzen Vogel«. In der magischen Medizin spielten seine Körperteile u.a. bei Plinius (nat. 29,81f.; 29,127; 30,95 u.ö.) eine gewisse Rolle (vgl. Apul. met. 3,21). Ailianos (var. 3,42) und Antoninus Liberalis (10) kennen eine Verwandlungssage. Auf Münzen [1. Taf. 5,21] und Gemmen [1. Taf. 20,63] begegnet er gelegentlich.

2. Waldohreule (Asio otus, ὦτος, Aristot. hist. an. 7(8),3,592b 9: νυκτικόραξ = »Nachtrabe«, Ps.-Aristot. hist. an. 8(9),12,615b 10–16: ὑβρίς, *otus, axio* bzw. *asio*). Nach Plin. nat. 10,68 ist sie kleiner als der *bubo*, hat

Federohren (nach Plin. nat. 11,137 wie der *bubo* eine Ausnahme unter den Vögeln), ahmt andere Vögel nach und zeigt eine Art Tanz. Sie ist leicht zu fangen und zieht mit den → Wachteln im Herbst nach Griechenland. Sie ist in der Tat im mitteleuropäischen Brutgebiet Zugvogel. Plin. 29,117 erwähnt die frische Galle als Mittel gegen das Glaukom. Bei Anton. Lib. 15 ist sie in der Eumelos-Sage Unglücksbotin. Eine ant. Silbermünze zeigt eine Waldohreule [1. Taf. 5,22].

3. Zwergohreule (Otus scops, σκώψ, bei Hesych. στύξ, *strix*). Eine für Südeuropa typische kleine Ohreule, bereits von Homer (Od. 5,66) als Brutvogel der Kalypso-Insel erwähnt. Aristoteles nennt sie kleiner als den Steinkauz (hist. an. 7(8),3,592b 11) und unterscheidet den üblichen Standvogel von fetteren, im Spätherbst auftauchenden, wohlschmeckenden Zugvögeln (hist. an. 8(9),28,617b 31ff., vgl. Plaut. Pseud. 820f.). Athenaios (9,391b-d) und Ailianos (nat. 15,28) beschreiben sie und ihr tanzartiges Verhalten u.a. nach Alexandros von Myndos (1. Jh. n. Chr., Verf. eines zoologischen Werkes). Auch diese in der Balz ruflustige Eule galt als Totenvogel (Prop. 3,6,29), als Blutsaugerin (Ovid fast. 6,131; Petron. 63) und als magischer Vogel (Prop. 4,5,17; Hor. epod. 5,20; Ov. met. 7,269: Zaubertrank der Medea), *strix* konnte jedoch auch eine Hexe bezeichnen (Petron. 63; Ov. fast. 6,141; am. 1,12,20; Plin. nat. 11,232).

B. Käuze

1. Steinkauz (Athene noctua, γλαύξ, κακκαβή, *noctua*), mit neun unterschiedlichen Rufen (Plin. nat. 10,39 nach Nigidius Figulus), in der Größe zwischen Zwergohreule und Uhu, am Mittelmeer überall zu finden, bes. in Attika (Aristoph. Av. 301), doch nicht auf Kreta (Antigonus Carystius, mirabilia 10; Ail. nat. 5,2; Plin. nat. 10,76); Feind der Krähe wegen wechselseitigen Eierdiebstahls (Aristot. hist. an. 8(9),1,609a 8–12; Ail. nat. 3,9 und 5,48; Plin. nat. 10,203), vertilgt Insekten (u.a. Wespen; Aristoph. Av. 589; Plin. nat. 29,92). Er ist tagblind und jagt nachts (Aristot. hist. an. 8(9),34, 619b 18ff.) u.a. Mäuse. Kleinvögel »hassen« ihn wegen ihrer eigenen Nachtblindheit; dies nützen Vogelsteller für den Fang aus (Aristot. hist. an. 8(9),1,609a 13–16; Auson. Mos. 308ff.), der um den Oktoberanfang stattfinden soll (Pall. agric. 10,12). Der Steinkauz gilt als Wetterprophet (Arat. 999; Plin. nat. 18,362; Ail. nat. 7,7) und ist im Flug ein Glücksbote (Plut. Themistokles 12; Diod. 20,11), im Sitzen oder beim Schreien aber Unheilbringer (Ail. 10,37 für Pyrrhos von Epiros). Als Auguralvogel erscheint er bei Vergil (georg. 1,403 u.ö.). Plinius empfiehlt das Gehirn gegen Angina (nat. 30,33) und Kopfschmerzen (nat. 29,113), bei Ohrentzündungen werden Gehirn oder Leber mit Öl eingeträufelt (nat. 29,143). Die Eier in Wein vergällen Trinkern den Genuß (nat. 30,145). Am Scheunentor mit ausgebreiteten Flügeln angeheftet, gilt der Steinkauz als Abwehrmittel gegen Blitz und Hagel (Pall. agric. 1,35,1), sein Herz im Garten neben die Gänge der Ameisen gelegt vertreibt diese (Pall. agric. 10,12). Als Attribut der klu-

gen Athena war seine Darstellung auf Gemmen verbreitet [1. Taf. 20,61], v. a. aber auf Münzbildern aus Athen seit dem 6. Jh. v. Chr. [1. Taf. 5,17–20]. Seine Klugheit ist ein Motiv von Fabeln des Aisopos ([2. 2, p. 153 vgl. 132, p. 147]; Phaedr. 3,16). Er begegnet auch in mehreren Verwandlungssagen (Nyctimene: Ov. met. 2,588ff.; Hyg. fab. 204; Stat. Theb. 3,507; Meropis: Antoninus Liberalis 15; eine Minyastochter: Antoninus Liberalis 10).

2. Waldkauz (Strix aluco). Der bei Aristoteles (hist. an. 7(8),3,592b 10) erwähnte ἐλεός [3. 94f.] könnte mit der *ulula* bei Plin. 10,34 identisch sein und den nächtlich lebenden, schauerlich heulenden Waldkauz meinen. Isid. orig. 12,7,38 leitet – wie seine Quelle Serv. ecl. 8,55 – *ulula* vom Klagen ab. Er soll bei den → Auguren durch Klagen Trauer, durch Schweigen Glück ankündigen.

C. Unbestimmbare Arten

Unbestimmbar sind bei Aristoteles der αἰγώλιος (hist. an. 7(8),3,592b 11) und der ἀσκάλαφος (hist. an. 2,17,509a 21). Die *avis incendiaria* bei Plinius (nat. 10,36) wird von [4. 147] nicht mehr als Eulenvogel angesehen. → Greifvögel

1 F. Imhoof-Blumer, O. Keller, Tier- und Pflanzenbilder auf Münzen und Gemmen des klass. Altertums, 1889, Ndr. 1972 2 A. Hausrath (Hrsg.), Corpus fabularum Aesopicarum, 1956 3 D'Arcy W. Thompson, A Glossary of Greek Birds, 1936, Ndr. 1966 4 Leitner. C. Hü.

Eulenprägung. Die ersten Münzen mit dem Motiv der Eule wurden ab etwa 575 v. Chr. in Athen als *incusum quadratum* in Elektron und Silber geprägt [1. Taf. 1], später (ab ca. 525 v. Chr.) als Reversmotiv mit dem Aversbild der Athena im att. Münzfuß [1. Taf. 2; 2. 44ff.]. Die Anf. des 3. Jh. v. Chr. einsetzende Bronzeprägung mit diesem Motiv ersetzte das Silbergeld ab 78/7 v. Chr. [3. 42] und endete in der Mitte des 2. Jh. n. Chr. [1. Taf. 88].
→ Elektron; Incusum quadratum; Münzfüße

1 J. N. Svoronos, B. Pick, Corpus of the ancient coins of Athens, 1975 2 C. M. Kraay, The Archaic Owls of Athens. Classification and Chronology, in: NC 6.16, 1956, 43–68 3 O. Mørkholm, The Chronology of the New Style Coinage of Athens, in: The American Numismatic Society. Museum Notes 29, 1984, 29–42.

M. Thompson, The new style silver coinage of Athens, 1961. A. M.

Eulogios (Εὐλόγιος). Vielleicht der Adressat der Widmung des Lex. des Hesychios (6. Jh. n. Chr. [4; 1. 358], dagegen [5], der E. in die Zeit zw. Theodosios von Alexandria (4. Jh. n. Chr.) und Choiroboskos (9. Jh. n. Chr.) datiert) und durch die Zitate im *Etymologicum Magnum* und im *Etymologicum Gudianum* bekannt ist. Er ist auch Quelle einiger homer. Epimerismen [2; 3]. E. war Grammatiker mit dem Beinamen *Scholastikós*, Verf. einer Schulschrift über Formenlehre in ›Fragen und Antworten‹ (Ἀπορίαι καὶ λύσεις, ›Schwierigkeiten und Lösungen‹; Etym. m. 638,18), einem Werk von nicht-

elementarem Charakter (wie die → Epimerismi), jedoch wiss. Natur [1. 358–359], von dem ein Teil den Titel ›Über unregelmäßige Wörter‹ (Περὶ δυσκλίτων ῥημάτων) trug (Etym. m. 809,34–37).

1 R. Reitzenstein, Gesch. der griech. Etym., 1897, 351–370 (mit Frg.) 2 Epimerismi Homerici, Pars Prior, ed. A. R. Dyck, 1983, 31 3 Epimerismi Homerici, Pars Altera, ed. A. R. Dyck, 1995, 48 4 Hesychii Alexandrini Lexicon … recensuit M. Schmidt, 1862, CLXXXVII 5 Hesychii Alexandrini Lexikon, ed. K. Latte, 1953, VII.

S. FO./Ü: T. H.

Eumaios (Εὔμαιος). Der treue Schweinehirt des → Odysseus (Hom. Od., bes. B. 14–17; 20–22); Sohn eines Königs, wurde als Kind durch den Verrat einer phoinikischen Magd entführt und verkauft. Arbeitsam, fürsorglich, fromm und bedingungslos treu gegenüber seinem abwesenden Herrn, repräsentiert E. das Idealbild des loyalen Gefolgsmannes. Odysseus' »innere Heimkehr« beginnt gemäß Athenes Weisung (Hom. Od. 13,404) durch die Zusammenführung mit Telemachos auf E.' Farm. Von dort geleitet E. den Bettler Odysseus zurück in den Palast, arrangiert ein Gespräch mit → Penelope und steht beim Freiermord helfend zur Seite. RE. N.

Eumares (Εὐμάρης). Maler in Athen. Er galt als Erfinder der Unterscheidung männlicher und weiblicher Gestalten, wohl anhand der Hautfarbe, und einer neuartigen Beweglichkeit der Körper. Wenn er zu Recht mit dieser um 600 v. Chr. erreichten Entwicklungsstufe verbunden wurde, kann er nicht gleichgesetzt werden mit dem Träger dieses geläufigen Künstlernamens, der in einer Signatur des → Antenor und dessen Bruders als Vater erscheint und selbst um 520 v. Chr. auf einer Basis von der Akropolis signierte.

Fuchs/Floren, 295 • Overbeck, Nr. 388 (Quellen) • A. E. Raubitschek, Dedications from the Athenian Akropolis, 1949, Nr. 51, 197, 244, 108 • I. Scheibler, Griech. Malerei der Ant., 1994, 55, 59, 71. R. N.

Eumedes (Εὐμήδης). Komödiendichter des 3. Jh. v. Chr., von dem inschr. zwei Lenäensiege bezeugt sind; er steht auf der Siegerliste hinter → Diodoros [10], dem Bruder des → Diphilos [5] [1. test.]. Aus seinem Σφαττόμενος (›Der gequält wird‹) ist nur noch ein stark zerstörtes Fragment erhalten.

1 PCG V, 277. H.-G. Ne.

Eumelos (Εὔμηλος).

[1] Sohn des → Admetos und der → Alkestis. Er führt (nur) 11 Schiffe aus Pherai gegen Troia (Hom. Il. 2,711–715) [1]. Obwohl er die besten Pferde besitzt (Hom. Il. 2,763–767), ist er im Wagenrennen bei den Leichenspielen für Patroklos nicht siegreich, da Athene ihm das Wagenjoch zerbricht (Hom. Il. 23,391–397). Achilleus aber zeichnet ihn trotzdem aus (23, 533–538). Nach Apollod. epit. 5,5 soll er bei den Leichenspielen für

Achilleus gesiegt haben, anders jedoch Q. Smyrn. 4,522–544 (vgl. hierzu [2]). Nach Hom. Od. 4,797 ist Iphthime, eine Schwester der Penelope, seine Frau. Bildlich scheint E. nicht dargestellt worden zu sein [3].

1 E. VISSER, Homers Katalog der Schiffe, 1997, 670–681 2 W. KULLMANN, Die Quellen der Ilias, Hermes ES 14, 1960, 112 3 J.-R. GISLER, s.v. E., LIMC 4.1, 54–55.

[2] Vater des → Agron [1].
[3] Vater des → Botres.   R.B.
[4] Spartokidenkönig, 310/309–304/3 v. Chr., Vater des Spartokos III. Als Sohn des → Pairisades I. mit seinen Brüdern Satyros und Prytanis zunächst Mitregent (IOSPE 2,1; 2). Nach den Siegen über sie erneuerte er in Pantikapaion die »alte Ordnung« und die → ateleia. E. betrieb eine sehr aktive Außenpolitik: Beziehungen zu den kleinasiatischen Städten, Aufnahme der Flüchtlinge aus → Kallatis in Psoa, Plan einer Koalition der Schwarzmeerländer gegen → Lysimachos, erfolgreicher Kampf gegen Seeräuber und Angliederung neuer Territorien (Diod. 20,22–25).
→ Spartokiden

V. F. GAJDUKEVIČ, Das Bosporanische Reich, 1971, 85 ff.
                                                                    I. v. B.

[5] Frühgriech. Literat aus Korinth, angeblich aus dem Adelsgeschlecht der Bakchi(a)den stammend und Sohn des Amphilytos (Paus. 2,1,1 = T 1 BERNABÉ = T 1 DAVIES), über dessen Lebenszeit, Art der lit. Produktion und Werkanzahl schon die ant. (ebenso wie die moderne) Forsch. nichts Genaues weiß. Aus den unterschiedlichen Lebenszeit-Ansätzen (mindestens fünf, s. die Testimonien bei BERNABÉ und DAVIES) würde sich die 2. H. des 8. Jh. v. Chr. ergeben: ›offenbar zu früh‹ BETHE [1. 1080]. Seine Werke müßten nach den verschiedenen frühestens hell., meist kaiserzeitlichen Zit. und Erwähnungen umfaßt haben:
(1) Epen, und zwar (a) myth.: eine *Titanomachía* sowie eine *Eurōpía* (drei Frg., davon nur eines mit der Verf.-Angabe ὁ τὴν Εὐρωπίαν πεποιηκὼς Εὔμηλος, dazu [2. 346²⁸]: ›wie leicht trat der bestimmte name zu‹), (b) antiquarisch-histor.: die *Korinthiaká*, aus denen 10–15 Erwähnungen überliefert sind (darunter drei hexametrische – nur eine mit Verf.-Angabe –, die anderen in Prosa, nach Paus. 2,1,1 aus einer Κορινθία συγγραφή stammend, für die er die Verfasserschaft des E. im gleichen Atemzug ebenso bezweifelt wie für das Epos; dazu [1. 1080]: ›... wird dem E. das korinth. Epos einstimmig [abgesehen von Pausanias] beigelegt, eben weil er der einzige korinth. Dichter der Überlieferung war‹, und eine ›Heimkehr der Griechen‹ (Νόστος Ἑλλήνων; DUBIA 1 DAVIES p. 103), als dessen Verf. die Quelle (ein Pindar-Scholion) einen Korinther Eumolpos angibt, aus dem man per Konjektur »Eumelos« gemacht hat, (c) eine *Bugonía*, mit der wir gar nichts anzufangen wissen,
(2) ein *Proshodion* (Prozessionslied zum Opfer) an den Delischen Apollon in äolischem Dialekt (fr. 696 PMG, wohl in Hexametern [3], das E. für die Messenier gedichtet haben soll und das Pausanias, der daraus zwei

Verse zitiert, für das einzige glaubliche Produkt des E. hält (T 8 BERNABÉ; vgl. [2. 344]). – Bei dieser Quellenlage ist BETHES [1. 1080] skeptisches Gesamturteil über E. (im Anschluß an WILAMOWITZ) durchaus verständlich: ›... es sind namenlose Epen mit epenlosen Namen auf Grund irgendwelcher, meist nicht kontrollierbarer Vermutungen oder Beziehungen verknüpft worden‹.

1 E. BETHE, s.v. E., RE 6, 1080f. 2 U. v. WILAMOWITZ-MOELLENDORFF, Homer. Unt. (Der ep. Cyclus), Philol. Unt. 7, 1884 3 C. M. BOWRA, Two Lines of Eumelus, in: CQ 13, 1963, 145f.   J.L.

Eumeneia (Εὐμένεια).

[1] Stadt im Süden von Phrygia (h. Işıklı), gegründet von Attalos II. im Namen seines Bruders Eumenes II. (Steph. Byz. s.v. E.) nahe am Maiandros am Fuß eines Berges. Die zahlreichen Inschr. aus E. und Umgebung stammen mehrheitlich aus röm. Zeit und sind hauptsächlich Grabinschr.; denn die Nekropolen, die intensiv von den Bauern ausgebeutet wurden, befanden sich an den unteren Hängen des Berges, während das Stadtzentrum in der Ebene h. wohl auf dem Grund des Sees liegt, den der Fluß an dieser Stelle durchquert. E. war ursprünglich von Kolonisten aus Argos gegründet worden (Mz.: Εὐμενέων Ἀχαιῶν; *tribus Herais, Argeias*); es gab jüd. und christl. Gemeinden. Münzprägung vom 2. Jh. v. Chr. bis Gallienus. In röm. Zeit Sitz einer Garnison (*cohors Claudia Sugambrum equitata*, dann *cohors I Raetorum*, die ebenfalls zu einem Teil beritten war); auch in der späten Kaiserzeit noch Garnisonsort (Grabinschr. eines berittenen Bogenschützen δρακωνάρις, *drakōnáris*); in byz. Zeit Festung und Suffraganbistum von Laodikeia in der Prov. Phrygia Pacatiana.

TH. DREW-BEAR, Nouvelles inscriptions de Phrygie, 1978, 16–19, 53–114 • BELKE/MERSICH, 251f. • M. CHRISTOL, TH. DREW-BEAR, in: Y. LE BOHEC (Hrsg.), La hiérarchie (Rangordnung) de l'armée romaine sous le Haut-Empire. Actes du Congrès de Lyon (15–18 septembre 1994), 1995, 62–68 • L. ROBERT, Epitaphes d'Eumeneia de Phrygie, in: Hellenica XI-XII, 1960, 414–439.   T.D.-B./Ü: S.F.

[2] s. Tomi

Eumenes (Εὐμένης).

[1] * 362/1, Sohn des Hieronymos von Kardia, seit 342 Kanzler des maked. Königs Philippos II. und sodann Alexandros' III., führte für letzteren die Ephemeriden (Nep. Eumenes 1,4–6; Plut. Eumenes 1,4; Arr. an. 7,4,6; Athen. 10,434b). 326 war E. Stratege bei einem Einsatz in Nordwestindien und dann Trierarch der Indusflotte (Arr. an. 5,24,6, Ind. 18,7; Curt. 9,1,19). Bei der Massenhochzeit in Susa 324 erhielt E. als wohl einziger Grieche eine adelige Iranerin zur Frau: Artonis, die Schwester von Alexanders Gemahlin Barsine (Plut. Eum. 1,7; Arr. an. 7,4,6). Nach Hephaistions Tod wurde E. in Perdikkas' Nachfolge Hipparch (Nep. Eum. 1,6; Plut. Eum. 1,5). Bei den Auseinandersetzungen nach Alexanders Tod im Juni 323 auf der Seite des Perdikkas, erhielt E. bei der Postenverteilung in Babylon als einer von nur wenigen Griechen eine Satrapie, das von Alexander nicht eroberte Kappadokien und Paphlagonien, wurde sodann vom Reichsverweser Perdikkas zum Bevollmächtigten Strategen der Streitkräfte in Kappadokien und Armenien ernannt und schlug dessen Gegner Krateros im Frühjahr 320 in Kappadokien.

Nach Perdikkas' Mißerfolg und Tod am Nil wurde E. genauso wie dessen andere Anhänger im Sommer 320 von der Heeresversammlung in Triparadeisos geächtet (Nep. Eum. 2–3; Diod. 18,3,1; 29–32; 37; Plut. Eum. 3,3; Curt. 10,10,3; Iust. 13,4,16; 8). E. entkam aus Nora am Tauros der einjährigen Belagerung durch den gegen ihn entsandten Antigonos [1] Monophthalmos und kämpfte gegen diesen sodann als »Bevollmächtigter Stratege Asiens« des neuen Reichsverwesers Polyperchon. Durch einen Kult mit den Insignien Alexanders festigte E. seine prekäre Stellung als Grieche gegenüber den maked. Soldaten. Dem mag auch E.' Eintreten für die Einheit des von Alexander geschaffenen Reiches gedient haben (Nep. Eum. 7; Diod. 18,39ff.; 60f.; Plut. Eum. 11f.; Polyain. 4,8,2; Iust. 14,1f.). Von Antigonos wurde E. über Syrien und Babylonien in den Iran abgedrängt, kämpfte gegen diesen unentschieden in Paraitakene und wurde im Winter 316/5 nach verlorener Schlacht in Gabiene von den eigenen Truppen dem Sieger ausgeliefert und auf dessen Befehl hingerichtet (Nep. Eum. 8ff.; Diod. 18,62f.; 73; 19,12–44; Plut. Eum. 16–19; Iust. 14,3f.).

BENGTSON 1, 1937, 171ff. · BERVE 2, 156–158 · P. BRIANT, D'Alexandre le Grand aux Diadoques, in: REA 74, 1972, 32–73 und 75, 1973, 43–81 · R. M. ERRINGTON, From Babylon to Triparadeisos, in: JHS 90, 1970, 49–77 · Ders., Diodorus Siculus and the Chronology of the Early Diadochoi, in: Hermes 105, 1977, 478–504 · WILL.

A. ME.

[2] E. I. Aus Pergamon, Sohn des E., wie sein Vetter Attalos [3] adoptiert vom Onkel väterlicherseits, Philetairos, wurde in dessen Nachfolge 263 v. Chr. Herrscher von Pergamon (IG XI 4,1107; OGIS 266; SEG 35,409; Strab. 13,4,2). Mit seinem Sieg 262/1 bei Sardeis über Antiochos [2] I. begründete E. seine Selbständigkeit gegenüber den Seleukiden, zu denen er fortan jedoch freundlich stand. Mit Ptolemaios II. war E. verbunden, ohne von diesem abhängig zu werden. E. vergrößerte das noch kleine pergamenische Reich, den Galatern zahlte er jedoch Tribute (OGIS 266: Ortsnamen; Liv. 38,16,14; Strab. 13,4,2). E. beeinflußte die Selbstregierung der Stadt Pergamon durch von ihm ernannte Strategen; die Stadt feierte ihn durch Spiele, die Eumeneia. E. förderte die Wissenschaft. Er starb 261 (Strab. 13,4,2; Diog. Laert. 4,38; 5,67).

[3] E. II. Soter. Aus Pergamon, ältester Sohn Attalos' [4] I. (vgl. [1]). Ab 197 v. Chr. regiert er, für kurze Zeit als Koregent zusammen mit dem Vater, nach dessen baldigem Tod allein [2]. Wie der Vater und stets mit tätiger Unterstützung seines Bruders Attalos [5] (II.) propagierte E. die Freiheit der Griechen, setzte auf das Zusammengehen mit Rom, profitierte davon zum er-

sten Mal bereits 197/6 und erweiterte seine Herrschaft auf Kosten benachbarter Monarchien. Er lehnte 194 ein von Antiochos [5] III. angebotenes Bündnis ab, trieb die Römer vielmehr zum Krieg gegen diesen an, unterstützte sie 191 in der Seeschlacht bei Korykos, sodann bei ihrem Übergang über den Hellespont und trug selbst zum gemeinsamen Sieg über Antiochos Anfang 189 bei Magnesia bei (Syll.³ 595; 605; Pol. 21,3b; 8; Liv. 34,26,11; 29,4; 30,7; 35,13,6ff.; 17,1; 36,42,6–43,4; 37,39ff.; 53,13; App. Syr. 31; 33f.).

Nach von ihm in Rom mit Geschick vor allem gegen die Vorstellungen der Rhodier geführten Verhandlungen gewann E. 188 als Folge des röm.-seleukidischen Friedens von Apameia und als röm. Geschenk große Teile des bislang seleukidischen Kleinasien, dazu die Küstenstädte Ephesos, Tralleis und Telmessos. Sein gewaltig vergrößertes Reich reichte nun von der Thrakischen Chersonesos bis zum südöstlichen Mittelmeer und zum Tauros; es war die stärkste Macht in Kleinasien (Pol. 21,18ff.; 46; Liv. 37,52ff.; 38,39,8; 14ff.; Strab. 13,4,2). Nach einem Krieg gegen die Galater und gegen den König Prusias I. von Bithynien (186–183) erhielt E. trotz einer durch den für Prusias tätigen Hannibal zur See erlittenen Niederlage dank röm. Intervention Gebietszuwachs ([1]; Nep. Hann. 10; Iust. 32,4). 183 schloß E. mit 31 kretischen Städten Verträge über Waffenhilfe (ICret. 4, 179 = [3]). Im Krieg gegen Pharnakes von Pontos (182–179), in dem die unterschiedlichen Interessen E.' und Rhodos' aufeinanderprallten, gewann E. weitere Gebiete. 175 förderte er die Thronfolge des Rom genehmen Antiochos [6] IV. als Nachfolger Seleukos' IV. (OGIS 248; Pol. 25,2; 27,7; App. Syr. 45). Nach Anschuldigungen gegen den maked. König Philipp V. (bes. 186/5) machte E. gegen dessen Nachfolger Perseus 172 in Rom Stimmung und warnte vor maked. Einfluß in Griechenland (Liv. 42,11ff.; Val. Max. 2,2,1; App. Mac. 11).

Als E. auf der Heimreise bei Kirrha wohl im Auftrag des Perseus überfallen worden war und für tot galt, übernahm sein Bruder Attalos [5] (II.) die Herrschaft und heiratete E.' Gattin Stratonike, trat jedoch von beiden zurück, nachdem E. lebend in Pergamon eingetroffen war (Diod. 29,34,2; Liv. 42,16; Plut. mor. 489E-F). Die Brüder setzten ihre gemeinsame Politik fort. Im Krieg der Römer gegen Perseus (171–168) war E. bei den Belagerungen von Kassandreia und Demetrias erfolglos (Liv. 44,12,4). Seine Auseinandersetzung mit dem röm. Consul Marcius Philippus und Annäherungsversuche des Perseus an ihn machten ihn über Jahre hin bei den Römern verdächtig und veranlaßten diese, wenn auch vergeblich, seinen Bruder Attalos gegen E. aufzuwiegeln (Pol. 29,4ff.; 30,1ff.; 31,1; 32,1; Liv. 44,24f.; 45,19f.; Vell. 1,9,2; App. Mac. 18). 167/6 wollte E. seine Politik in Rom rechtfertigen, doch verweigerte sich ihm der Senat und gönnte ihm auch nicht die Herrschaft über die von ihm erfolgreich bekämpften Galater, sondern erklärte diese 166 für autonom (WELLES 55ff.; Pol. 29,6,3f.; 30,20; 31,2; 6; Iust. 38,6,4). E.

förderte weiterhin griech. Städte, deren Sympathie für ihn durch seine schwierige Stellung bei den Römern sogar zunahm, durch Stiftungen, u. a. Athen, Delphi, Milet, Rhodos und Kalauria. In Pergamon errichtete er viele Bauten und machte die Stadt durch die Bibliothek zu einem Zentrum griech. Kultur und Wissenschaft (IG IX I² 1,179; 183; OGIS 297; WELLES 48; vgl. 52 f.; SEG 36, 1046–1048; Pol. 31,6,6; 31,31; Vitr. 5,9,1; Strab. 13,4,2). Insbes. seine Galater-Siege feierte E. durch die Neuordnung der Nikephoria (Syll.³ 629) und durch den – von ihm nicht vollendeten – Bau des »Pergamon-altars« für Zeus [4]. E.' Nachfolger wurde sein Bruder Attalos [5] II.; dessen Nachfolger Attalos [6] III. war Sohn des E. (so SEG 39, 1180,68) oder des Attalos II.

[4] E. (III.) aus Pergamon. Herrschername des Aristonikos [4].

1 M. SEGRE, in: RFIC 60, 1932, 446 2 G. PETZL, Inschr. aus der Umgebung von Saittai, in: ZPE 30, 1978, 249–276, bes. 263 ff. Nr. 12 = SEG 28,902 3 G. DUNST, in: Philologus 100, 1956, 305–311 4 TH.-M. SCHMIDT, in: B. ANDREAE u. a., Phyromachos-Probleme, 1990, 141–162.

R. E. ALLEN, The Attalid Kingdom, 1983 · BENGTSON 2, 1944, 195 ff. · G. DAUX, Delphes au IIᵉ et au Iᵉʳ siècle, 1936, 272 ff., 497 ff. · C. HABICHT, Athen in hell. Zeit, 1994, 183 ff. · HABICHT · E. V. HANSEN, The Attalids of Pergamum, 1971 · H.-J. SCHALLES, Unt. zur Kulturpolitik der pergamenischen Herrscher im 3. Jh. v. Chr., 1985 · K. STROBEL, Die Galater, 1996 · B. VIRGILIO, Fama, Eredità e Memoria degli Attalidi di Pergamo, in: Studi ellenistici 4, 1994, 137–71 · WILL. A. ME.

[5] 169/8 v. Chr. erbat E. als Gesandter Ptolemaios' VI. und VIII. beim achaiischen Bund Hilfe gegen Antiochos **[6]** IV.; er ist ca. 163 als eponymer Offizier belegt.

E. OLSHAUSEN, Prosopographie der hell. Königsgesandten Bd. 1, 1974, 71 f. Nr. 49. W. A.

Eumeniden s. Erinys

Eumenos (Εὔμενος). Einer der frühesten syrakusanischen Stempelschneider, der um 415–400 v. Chr., anfangs beeinflußt von Sosion, überwiegend Tetradrachmen von wechselnder Qualität herstellte. E. signierte abwechselnd mit Sosion, Phrygillos, Euainetos und Euth[...]. Er wird in der älteren Forsch. gelegentlich als Eumenes bezeichnet.

→ Euainetos; Phrygillos; Sosion; Tetradrachmon

R. WEIL, Die Künstlerinschr. der sicilischen Münzen, in: 44. Winckelmannsprogramm der Arch. Ges. zu Berlin, 1884, bes. 5–7 · L. FORRER, Biographical dictionary of medallists 2, 1904, 35–38, s. v. E. · L. TUDEER, Die Tetradrachmenprägung von Syrakus in der Periode der signierenden Künstler, in: ZfN 30, 1913, 1–292, bes. 219 f. · H. R. BALDUS, Das Oeuvre des Stempelschneiders Eumenos von Syrakus im Lichte der frühen Leukaspisdrachmen, in: Chiron 2, 1972, 37–55 · H. A. CAHN u. a., Griech. Münzen aus Großgriechenland und Sizilien, AM Basel Sammlung Ludwig, 1988, 130 f. A. M.

Eumolpos (Εὔμολπος, »der gut Singende«). Mythischer Stammvater der Eumolpiden, des eleusinischen Geschlechts, das den → Hierophanten und andere Priester der eleusinischen → Mysterien stellte. Er erscheint zuerst im homer. Hymnos an Demeter (154; 475) als einer der Herrscher von Eleusis, die von der Göttin in die Mysterien eingeweiht wurden. Nach Auffassung der Eumolpiden war E. der Sohn des Poseidon (Paus. 1,38,2; Aristeid. 22,4 u. ö.) und erster Hierophant (FGrH 10 fr. 13; schol. Aischin. 3,18). Auf bildlichen Darstellungen hält er ein Szepter; seine Ikonographie gleicht also der des Hierophanten [1], der mit seiner wohlklingenden Stimme die Rolle des E. spielte (IG II² 3639,3–4).

Apollod. 3,201 ff. zufolge warf seine Mutter → Chione, die Tochter des Boreas, ihn aus Schande ins Meer; vielleicht war dies ein Aition der »Taufe« des Hierophanten, eines Rituals, bei dem dieser seinen früheren Namen dem Meer übergab (IG II² 3811). Die verschiedenen ant. Genealogien des E. und seine Abenteuer in Äthiopien und Thrakien versuchten mehrheitlich, den eleusinischen Hierophanten mit dem gleichnamigen thrakischen König, der die Eleusinier gegen Athen führte, zu identifizieren (Eur. Erechtheus). Dieser Aspekt ist offensichtlich nicht älter als das 5. Jh. v. Chr., vielleicht auch eine Erfindung des Euripides (vgl. [2]). Eine andere Trad., die in Athen gebräuchlich war, gab E. als Sohn des Dichters → Musaios an (FGrH 10 fr. 13 [3]).

1 K. CLINTON, Myth and Cult: the Iconography of the Eleusinian Mysteries, 1992, 75–78 2 Ders., The Author of the Homeric Hymn to Demeter, in: OpAth 16, 1986, 46, Anm. 24 3 F. GRAF, Eleusis und die orphische Dichtung Athens in vorhell. Zeit, 1974, 17–18 4 O. KERN, s. v. E., RE 16, 1117–1120. K. C.

Euneos (Εὔνηος).

[1] Lemnischer Herrscher, Sohn der → Hypsipyle und des Iason (Apollod. 1,115; Hyg. fab. 15), Bruder des → Thoas [2], Enkel des → Thoas [1] und Urenkel des → Dionysos, der im Troianischen Krieg sowohl Achaiern als auch Troern zu Diensten stand. Während er den ersteren weinbeladene Schiffe sandte (Hom. Il. 7,467–469), kaufte er für Priamos den kriegsgefangenen Sohn Lykaon frei (Hom. Il. 23,746–747). – In Athen gab es eine »Musikerzunft« (génos musikón) namens Euneidai, deren Stammvater E. gewesen sein soll (Hesych. s. v. Εὐνεῖδαι).

G. BERGER-DOER, s. v. E. et Thoas, LIMC 4.1, 59–62 · G. W. BOND, Eur. Hypsipyle, 1963, 20 · P Oxy. 6,28.

[2] (Eunaeus). Sohn des Clytius. Troer, von Camilla getötet (Verg. Aen. 11,666–669).

G. GARBUGINO, s. v. E., EV 2, 423–424. R. B.

Eunikos. Dichter der att. Alten Komödie, für den noch zwei Stücktitel (und zwei Fragmente, das zweite unsicher) bezeugt sind. Für das Hetärenstück Ἄντεια (test. ii) werden auch Philyllios, für die Πόλεις auch Philyllios und Aristophanes als Autoren angegeben.

1 PCG 5, 278 f. H.-G. NE.

Eunomia (Εὐνομία, Εὐνομίη). Personifikation der Wohlgesetzlichkeit. Sie ist neben → Dike und → Eirene eine der drei Horen (→ Horai) (Hes. theog. 901–902), der Töchter von Zeus und Themis. Nur bei Alkman (PMG 64) ist E. Tochter von Promatheia (»Vorsicht, Fürsorge«) und Schwester von → Tyche und → Peitho. In ihrer Funktion als Friedenshüterin (vgl. Pind. P. 5,66–67: *eunomía apólemos*, »unkriegerische E.«) wird E. v. a. in Krisenzeiten gepriesen (Tyrtaios IEG fr. 1–4; Solon IEG fr. 4, 32–39); im 5. Jh. (im Peloponnesischen Krieg) wurde E. zum polit. Schlagwort [1], was sich auch in der Ikonographie niederschlägt [2]. In Athen wurde sie zusammen mit → Eukleia kultisch verehrt [3]; für Aigina vgl. Bakchyl. 13,182–189SM.

1 G. GROSSMANN, Polit. Schlagwörter aus der Zeit des Peloponnesischen Krieges, 1950, 30–89
2 A. KOSSATZ-DEISSMANN, s. v. E., LIMC 4.1, 62–65
3 R. HAMPE, Eukleia u. E., in: MDAI(R) 62, 1955, 111 f.

M. OSTWALD, Nomos and the Beginnings of Athenian Democracy, 1969, 62–85 · H. A. SHAPIRO, Personifications in Greek Art, 1993, 79–85. R.B.

Eunomios (Εὐνόμιος). Bischof von Kyzikos († um 394 n. Chr.). Aus einfachen Verhältnissen stammend, wurde der mit den Bischöfen Aëtios von Alexandreia und Eudoxios von Antiocheia in Verbindung stehende E. um 360 n. Chr. Bischof von Kyzikos. Nach Widerständen kam es zu Amtsverzicht. Mit dem Tod des Aëtios (367) wurde E. alleiniger Führer der von der Reichskirche abgespaltenen Kirchengemeinschaft der Anhomöer (→ Arianismus). Mehrmalige Verbannung. Nur wenige Schriften sind erh., darunter der um 360 verfaßte Ἀπολογητικός (*Apologētikós*) und die 378 als Antwort auf die Kritik des → Basileios [1] von Kaisareia geschriebene Ἀπολογία ὑπὲρ ἀπολογίας (*Apología hypér apologías*). In ihrer histor. Ableitung unsicher, vertritt E., aufbauend auf seine Sprachtheorie [3], eine verschärfte arianische Position (›auf die Spitze getriebener Transzendentalismus‹ [2. 526]).

ED.: 1 R. P. VAGGIONE, E. The Exstant Works, 1987.
LIT.: 2 A. M. RITTER, s. v. E., TRE 10, 525–528 3 K.-H. UTHEMANN, Die Sprache der Theologie nach E. von Cyzicus, in: ZKG 104, 1993, 143–175. J.RI.

Eunomos (Εὔνομος).
[1] Junger Mundschenk und Verwandter des Königs Oineus. Herakles versetzt E. für eine Ungeschicklichkeit einen tödlichen Faustschlag und geht daraufhin freiwillig in die Verbannung nach Trachis zum König Keyx (Hellanikos FGrH 4 F 2; Apollod. 2,150).
[2] Spartanischer König aus dem Geschlecht der Eurypontiden. Vielleicht ist der Name aber nur als Personifikation der → Eunomia in die Königsliste eingeschoben worden [1]. Bei Hdt. 8,131 steht E. zw. → Polydektes und → Charillos, nach Paus. 3,7,2 zw. → Prytanis und Polydektes. Gemäß Plut. Lykurgos 1,8, 40a-b wurde er meist als → Lykurgos' Vater aufgefaßt (Simonides hingegen habe ihn für einen Bruder des Lykurgos und

Sohn des Prytanis gehalten). Als solcher soll er bei den der lykurgischen Gesetzgebung vorhergehenden Unruhen mit einem Küchenmesser ermordet worden sein. Nach Dion. Hal. ant. 2,49,4 wiederum ist E. ein Neffe des Lykurgos.

1 P. CARTLEDGE, Sparta and Lakonia, 1979, 104; 344. R.B.

Eunones. Aorserkönig, unterstützte C. → Iulius Aquila und → Kotys I. gegen → Mithradates IX. Nach der Einnahme von Uspe nahm er diesen jedoch auf, übergab ihn aber später unter der Bedingung, daß er am Leben bliebe (Tac. ann. 12,15–20).
→ Aorsoi

V. F. GAJDUKEVIČ, Das Bosporanische Reich, 1971, 342f.
I. v. B.

Eunostidai (Εὐνοστίδαι).
[1] Att. Demos (?) der Phyle Ptolemais, erstmals 201/0 v. Chr. (IG II² 2362) bezeugt, vgl. die Inschr. 108/7 v. Chr. (IG II² 1036 Z. 37; [1. 159; 2]). 154/5 n. Chr. (IG II² 2067) und 173/4 n. Chr. (IG II ² 2103) werden Epheben der Phyle Ptolemais aus Εὐν bzw. Εὐ erwähnt. Lage unbekannt.

1 C. A. HUTTON, The Greek Inscriptions at Petworth House, in: ABSA 21, 1914/16, 155–165 2 TRAILL, Attica 90, 114 Nr. 12. H.LO.

[2] Von Kyme eingeführte Phratrie in Neapolis (ILS 6188), benannt nach Eunostos, dem Heros aus Tanagra; so versteht sich die Vermutung, daß die E. urspr. aus Boiotia stammten und mit Kolonisten aus → Euboia [1] nach Kyme gekommen waren. Unter Hadrian nahm die Phratrie im Zusammenhang mit dem Antinoos-Kult (→ Antinoos [2]) unter Beibehaltung des alten Namens die zusätzliche Bezeichnung *Antinoítai* an; denkbar ist auch, daß man es bei den E. *Antinoítai* mit einer neuen Phratrie zu tun hat [1. 107]; [2].

1 M. GARDUCCI, L'istituzione della fratria, in: Memorie Accademia dei Lincei, Ser. 6,8, 1938, 65–135
2 E. MIRANDA, Iscrizioni greche d'Italia, 1990, 62 f. Nr. 137a. U. PA. u. H.SO./Ü: R. P.L.

Eunostos (Εὔνοστος). Sohn des Pasikrates (?), Ende 4. – Anfang 3. Jh. v. Chr. Stadtkönig von Soloi auf Zypern, heiratete nach 307 unter unbekannten Umständen Eirene [2]. PP 6,14508. W. A.

Eunuchen. Εὐνοῦχος (*Eunúchos*, aus ὁ τὴν εὐνὴν ἔχων, »der das Bett beaufsichtigt«) bezeichnet den durch Kastration zeugungsunfähigen Mann. Das Wort findet sich zuerst bei Hipponax fr. 39,3 D; es gibt zahlreiche Syn., am häufigsten ist *spádōn* (zu σπάω, »reiße heraus«), zuerst vielleicht bei Theophrast (= Hier. Adversus Iovinianum 1,47), dann in Lexika. Die lat. Sprache hat die griech. Ausdrücke übernommen. – Die Anfänge der Praxis, Knaben vor oder während der Pubertät zu kastrieren, um sie als Sklaven für Dienstleistungen im Hause zu verwenden, liegen im Dunkeln und haben wohl mit der

Entwicklung der Polygamie zu tun (E. als »Harems-wächter«). Für die Griechen war es zunächst eine oriental. Sitte: Im 6. u. 5. Jh. v. Chr. wurden ionische Griechen als »Tribut« oder Kriegsgefangene kastriert und nach Persien gebracht. Daß diese Praxis später in der griech.-röm. monogamen Gesellschaft übernommen und fortgeführt wurde, ist nur im Rahmen des repräsentativen Aspekts der Sklaverei zu verstehen: Sklavenhaltung bedeutete stets auch Prestige für den Herrn; E. als bes. seltene und teure Sklaven zeugen für ein bes. hohes Sozialprestige des Besitzers. So finden wir E. als Luxussklaven in Privathäusern Athens zuerst bei Kallias (Plat. Prot. 314c), in Rom zuerst bei Maecenas (Sen. epist. 114,6). In der Spätant. war ein Haushalt der Oberschicht ohne E. nicht denkbar, die seit dem 2. Jh. meist »Ausländer« waren (Verbot der Kastration im röm. Reich seit Domitianus). Die klass. Aufgaben der E. waren: Sorge für das Schlafgemach, Bedienung bei den Mahlzeiten, bei Bad, Körperpflege und Garderobe, Kindererziehung, Bewachung des Vermögens und des Hauses. Durch die Kastration lebenslang stigmatisiert (Aussehen, Stimme), waren die E. eine soziale Randgruppe, die man ausgrenzte: Als »effeminierte« Männer, die die soziale Norm der Differenzierung der Geschlechterrollen nicht erfüllen konnten, wurden sie einerseits in der griech.-röm. Ant. stets abgelehnt, andererseits aber zuweilen gerade wegen ihrer androgynen Wesenszüge als »Lustknaben« begehrt (z. B. von Alexander d. Gr., Nero, Domitian).

E. im Haushalt eines absolut regierenden Herrschers konnten als Hof-Eunuchen über die persönliche Bedienung ihres Herrn hinaus wichtige polit. Aufgaben übernehmen. Griech. Quellen lassen am persischen Hof spätestens ab Xerxes I. eine institutionalisierte, hierarchisch gegliederte Gruppe von Hof-E. mit einem »Ober-E.« an der Spitze erkennen, der meist gegen Vertreter der Aristokratie im Sinne der Stabilisierung der Zentralmacht polit. handelte. Alexander [4] d. Gr. übernahm die Hof-E. Dareios' III. und gliederte sie in seine Hausdienerschaft ein; sie gehörten zum äußeren Erscheinungsbild des Hofzeremoniells, traten aber polit. nicht hervor. Am Seleukiden- und Ptolemäerhof gab es einen Kreis von E. in der persönlichen Umgebung des Herrschers, die diesen wohl beeinflussen konnten, doch als Gruppe keine polit. Rolle nach außen hin spielten. Es gab ihnen keine den E. vorbehaltenen polit. bedeutsamen Ämter; nur sporadisch traten sie polit. hervor, so z. B. Aristonikos, Heerführer unter Ptolemaios V., sowie die Hof-E., die als Prinzenerzieher und -vormünder die Regierungsgeschäfte für ihre Mündel führten (Eulaios 176–169 v. Chr. für Ptolemaios VI., Potheinos 51–48/7 v. Chr. für Ptolemaios XIII., Ganymedes 48/7 v. Chr. für Arsinoe IV.). Der röm. Prinzipat kannte keine institutionalisierte Gruppe von Hof-E., doch waren unter den kaiserl. Freigelassenen, die seit Claudius verstärkt für die Administration herangezogen wurden, immer wieder einzelne E., von denen manche auch Prokuraturen bekleideten oder sogar mil. Aufträge

übernahmen wie Posides unter Claudius und Pelago unter Nero.

Diocletian hat die Rolle der Hof-E. gestärkt und sie als Gruppe der Hofdienerschaft innerhalb des *sacer comitatus* etabliert. Zum ersten Mal begegnen sie im Zusammenhang mit der großen Christenverfolgung von 303. Unter Constantin ist das Amt des → *praepositus sacri cubiculi* (*PSC*), das danach den institutionellen Rahmen für die Macht des obersten Hof-E. bildete, erstmals belegt. Der *PSC* war seit dem späten 4. Jh. an Prestige und Privilegien den Spitzen der zivilen Regierung und mil. Führung gleichgestellt. Unter dem *PSC* entwickelten sich im späten 4. Jh. und im 5. Jh. n. Chr. weitere Hofämter, die ausschließlich E. vorbehalten waren und den klass. E.-Tätigkeiten entsprachen. Der *PSC* besaß von allen Hofbeamten die größte Nähe zur Person des Kaisers. So gewann er ein Monopol der Informationsvermittlung zw. diesem und seiner polit. Umgebung, das die Basis seiner Macht und seines Reichtums bildete. Durch das Fehlen familiärer Bindungen und das Stigma der Kastration, das eine Annäherung an die Aristokratie verhinderte, war eine absolute Abhängigkeit der Hof-E. vom *princeps* gegeben; ihre daraus resultierende Loyalität und die aus ihrer permanenten Amtsführung gewonnene Erfahrung ließen sie für den *princeps* zu einem Instrument werden, mit dessen Hilfe er in Konflikten mit der Armeeführung und der Aristokratie seine eigene Stellung stabilisieren konnte. Markante Beispiele sind die E. Eusebius, *PSC* unter Constantius II. 337–361, Eutropius, *PSC* unter Arcadius 395–399, Chrysaphius, *primicerius sacri cubiculi* und dann *spatharius* (Chef der Leibwache) unter Theodosius II. 441–450.

In byz. Zeit blieb die Institution der E. in der Trad. der Spätant. erh.; das gilt auch für ihre Verflechtung in dynastischen und Palastintrigen.

→ Castratio; Spado

1 A. DEMANDT, Die Spätant., 1989, 241 f., 294 f. 2 J. E. DUNLAP, The Office of the Grand Chamberlain in the Later Roman and Byzantine Empire, in: Univ. of Michigan Studies (Human. Series) 14, 1924, 161 ff. 3 P. GUYOT, E. als Sklaven und Freigelassene in der griech.-röm. Ant., 1980 4 K. HOPKINS, The Political Power of Eunuchs, in: Ders., Conquerors, 172–196 (= Ders., PCPhS 189, 1963, 62–80) 5 JONES, LRE 6 D. SCHLINKERT, Der Hofeunuch in der Spätant.: ein gefährlicher Außenseiter?, in: Hermes 122, 1994, 342–359 7 R. SCHOLL, Alexander d. Gr. und die Sklaven am Hofe, in: Klio 69, 1987, 114 ff. P. GU.

Eunus (Εὔνους). Syrer, Anführer der Sklavenrevolten 141–132 v. Chr. auf Sizilien. Er sammelte 400 Sklaven und eroberte Enna, andere Städte schlossen sich an. Durch die gute Vorbedeutung seines Namens (»wohlgesinnt«) und seine Fähigkeit zur Weissagung begünstigt [2. 28–29], wurde er nach dem Erfolg in hell. Manier zum König gewählt, nannte sich Antiochos (Diod. 34,2,24; [3]) und nahm die traditionellen Herrschaftsinsignien an, was aber vielmehr auf den Wunsch nach Einheit als auf eine nationale Erhebung deutet. Nach den ersten Kämpfen mit praetorischen Heeren (MRR 1,

482–86) zwischen 141–134 sandte Rom die Consuln L. Calpurnius [III 1] Piso Frugi (133) und P. Rutilius (132) gegen inzwischen 20 000 aufständische Sklaven. E. wurde von den siegreichen Römern gefangengenommen und starb an einer Krankheit (in Rom: Plut. Sulla 36,6; in Morgantina: Diod. 34/35,2,22–23).
→ Damophilos [1]

1 W.R. BRADLEY, Slavery and Rebellion in the Roman World, 1989, Index s.v. E. 2 F. KUDLIEN, Sklaven-Mentalität im Spiegel ant. Wahrsagerei, 1991 3 G. MANGANARO, Ancora sulle Rivolte »servili« in Sicilia, in: Chiron 13, 1983, 405–409 4 W.Z. RUBINSOHN, Die großen Sklavenaufstände in der Ant., 1993.   ME.STR.

Euodos. Epigrammdichter der Kaiserzeit (1. oder 3. Jh. n. Chr.), von dem Planudes zwei kurze Gedichte erhalten hat, drei Hexameter insgesamt, in Form von Rätseln (Anth. Pal. 16,116 und 155): das erste beschreibt einen Kentauren, das zweite das Phänomen des Echos, das unter anderem als ›Rückstand (τρύγα) der Stimme‹ und ›Schwanz des Wortes‹ bezeichnet wird.   E.D./Ü: T.H.

Euodus

[1] Kaiserlicher Freigelassener, der bei Tiberius in dessen letztem Lebensjahr über großen Einfluß verfügte. PIR² E 114.

[2] Kaiserlicher Freigelassener, der im J. 48 die Soldaten kommandierte, die Messalina, die Frau des Claudius, töten sollten. PIR² E 115.   W.E.

[3] Kaiserlicher Freigelassener, Erzieher des Caracalla; die Ehrungen, die er vom Senat für seine Rolle beim Sturz des C. → Fulvius [II 11] Plautianus im J. 205 n. Chr. erhalten sollte, wurden von Severus wegen seines niedrigen Standes gestrichen (Cass. Dio 77,6,1). Nach dem Tode des Severus im J. 211 tötete ihn Caracalla.   A.B.

Euonymon (Εὐώνυμον). Att. Asty-Demos der Phyle Erechtheis, zehn (ab 307/6 v. Chr. zwölf) Buleutai. Die Lokalisierung in »Trachones« (h. Alimos) am Leoforos Vuliagmenis ist durch Inschr.-Funde gesichert. Dort befinden sich auch myk. Gräber [1] und eine spätgeom. Nekropole [2; 6. 7]. E. grenzte nördl. an Alopeke, östl. an den Hymettos, südl. an Aixone und westl. an Halimus. Nördl. des Flughafens liegt das Theater von E. mit orthogonaler Proedrie des 5. Jh. v. Chr., das im späteren 4. Jh. eine neue Proedrie und ein Bühnengebäude aus Breccia erhielt [3. 16f.; 4; 5; 6. 219f.]. Der Demos, der IG II² 2829 *Charinos Charonidu* ehrt, könnte E. sein [6. 392, 429].

1 M. BENZI, Ceramica micenea in Attica, 1975, 173, 179ff., 184, 192 2 J.M. GEROULANOS, Grabsitten der ausgehenden geom. Zeit im Bereich des Gutes Trachones, in: MDAI(A) 88, 1973, 1–54 3 H.R. GOETTE, Griech. Theaterbauten der Klassik, in: E. PÖHLMANN (Hrsg.), Stud. zur Bühnendichtung und zum Theaterbau der Ant., 1995, 9–48 4 H. LOHMANN, Zur baugesch. Entwicklung des ant. Theaters, in: G. BINDER, B. EFFE (Hrsg.), Das ant. Theater,

1998 (im Druck) 5 TRAVLOS, Attika 6f. 6 WHITEHEAD, Index s.v. E.

TRAILL, Attica 15, 38, 59, 63, 66f., 110 Nr. 45, Tab. 1 · Ders., Demos and Trittys, 1986, 125.   H.LO.

Eupalamos. Vater des → Daidalos [1].

Eupalinos aus Megara, Sohn des Naustrophos, verantwortete als → Architekt und Ingenieur, vermutlich unter dem Tyrannen → Polykrates, den Bau einer Anlage zur → Wasserversorgung für die Stadt → Samos (das heutige Pythagoreion auf der Insel Samos), die bei Herodot (3,60) als eine der großen griech. Ingenieursleistungen geschildert ist; weitere Aktivitäten des E. sind nicht bezeugt. Die 1853 wiederentdeckte Anlage besteht aus vier miteinander verbundenen Baukomplexen: einem hoch im Berg gelegenen Quellhaus (→ Brunnen) mit großem, abgedecktem Wasserreservoir, einem ebenfalls abgedeckten, ca. 840 m langen, dem natürlichen Gefälle folgenden Leitungskanal, dem 1036 m langen, durchschnittlich 1,80 m hohen und ebenso breiten Tunnel durch den Kastro-Berg mit dem darin verlaufenden, separat eingearbeiteten Kanal (mit künstlichem Gefälle von durchschnittlich 0,36%) und der 620 m langen, gänzlich unterirdisch verlegten Stadtleitung, die das Wasser zu einer → Zisterne unterhalb des Theaters führte.

Besonders der von beiden Seiten zugleich in leichtem Zickzack vorangetriebene Tunnel mit seinen zahlreich erh. Meßmarkierungen hat zu Überlegungen über ant. Meß- und Nivelliertechniken Anlaß gegeben, ohne daß aber über die technische Realisierung dieses Bauwerks abschließende Klarheit besteht; sicher ist lediglich, daß E. für die Vermaßung des Tunnels keines der von der metrologischen Forschung überwiegend proklamierten Fußmaße verwendet hat (→ Bauwesen; → Längenmaße). Die Datier. des Baus der Wasserleitung in die Jahre zw. 550 und 530 v. Chr. stützt sich auf Keramikfragmente, die sich vor den Stolleneingängen fanden und die offenbar den Abfall einer um 530 v. Chr. erfolgten ersten Reinigung des Tunnelkanals bilden; darunter Fragmente einer → Kleinmeisterschale von 540/530 v. Chr.

H. KIENAST, Der Tunnel des E. auf Samos, in: Architectura 7, 1977, 97–116 · Ders., The Tunnel of E. at the Island of Samos, in: Ancient Technology. Kongr. Athen 1987, 1990, 38–45 · Ders., Die Wasserleitung des Eupalinos auf Samos, Samos 19, 1995 · H. SVENSON-EVERS, Die griech. Architekten archa. und klass. Zeit, 1996, 50–58 (Lit.).   C.HÖ.

Eupator. Ti. Iulius E., König des → Regnum Bosporanum, von 154/5–ca. 174 n. Chr., Nachfolger des → Rhoimetalkes. Münzen bis 170. Röm. Vasall, von den Römern finanziell unterstützt (Lukian. Alex. 57). Als erster bosporanischer König hatte er ein sarmatisches Zeichen als Emblem. Die meisten Inschriften stammen aus → Pantikapaion, wo sich wohl seine Residenz befand (IOSPE 2, 422, 438 u. a.).

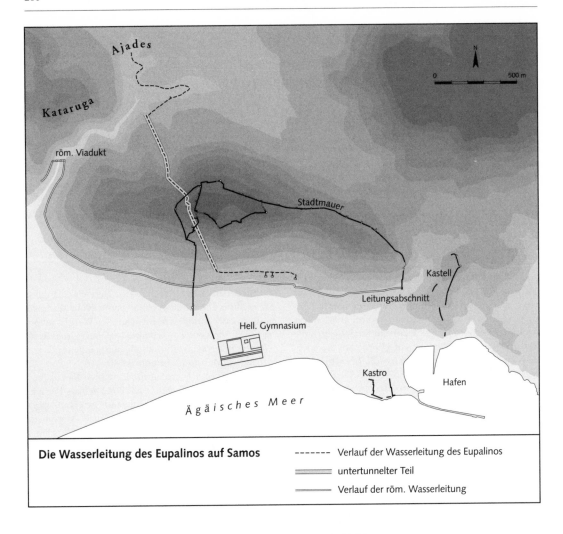

Die Wasserleitung des Eupalinos auf Samos

------- Verlauf der Wasserleitung des Eupalinos

▨▨▨▨ untertunnelter Teil

——— Verlauf der röm. Wasserleitung

V. F. GAIDUKEVIČ, Das Bosporanische Reich, 1971, 348
Anm. 42; 351.   I. v. B.

Eupatoria

[1] Die Gründung Mithradates' d. Gr. in Pontos an der
Mündung des Iris (h. Yeşilırmak) in den Lykos (h. Kelkit
Cayı) hatte 71 v. Chr. im 3. Mithradatischen Krieg den
Römern unter Lucullus kampflos die Tore geöffnet und
wurde deshalb vom König vier J. später total zerstört.
Der Wiederaufbau war noch nicht abgeschlossen, als
Pompeius 65 v. Chr. E. einnahm und, umbenannt in
Magnopolis, mit großem Territorium als eine von 11
Städten in die neugegr. röm. Prov. → *Bithynia et Pontus*
eingliederte (Strab. 12,3,30; App. Mithr. 561; [3. 27–44;
4. 43; 1. 263]). Zum letzten Mal wird die Stadt bei Pli-
nius d. Ä. gen. (Plin. nat. 6,3,8 [2. 52–54]).

1 L. BALLESTEROS PASTOR, Mithrídates Eupátor, 1996
2 C. MAREK, Stadt, Ära und Territorium in
Pontus-Bithynia und Nord-Galatia (IstForsch 39), 1993
3 OLSHAUSEN/BILLER/WAGNER 4 V. TSCHERIKOVER, Die
hell. Städtegründungen, 1927.   E. O.

[2] s. Kerkinitis

Eupatorium (εὐπατόριος, Dioskurides 4,41; [1. 198 f.]
bzw. [2. 386]; *eupatoria*, Plin. nat. 25,65). Diese Rosacee
Agrimonia eupatoria L., der Odermennig, mit gelben
Blütenständen (vgl. [3. Abb. 222]), war bei Dioskurides
ein geschätztes Mittel gegen Dysenterie (Ruhr), Leberleiden und Schlangenbisse. Die Ableitung der Namens-
variante *hepatoria* vom Leberleiden [4] (sowie der synonymen Bezeichnng ἡπατῖτις in der recensio Vindobonensis des Dioskurides) findet keine Stütze bei
Plinius; die Zuweisung von *regia auctoritas* an die Pflanze
spielt auf die angebliche Benennung nach → Mithradates VI. Eupator von Pontos (um 132–66 v. Chr.) an. Der
Name E. ging im MA auf andere Heilpflanzen über, z. B.
auf die Lippenblütler *Teucrium scorodonia L.*, Salbei-
Gamander, und v. a. auf die Korbblütler Wasserdost
[3. Abb. 221] oder Wasserhanf bzw. Königskraut (*herba
regia*) *E. cannabinum L.*, was vielleicht auf Avicenna zurückgeht.

1 Wellmann 2 2 Berendes 3 H. Baumann, Die griech. Pflanzenwelt, 1982 4 H. Garms, s. v. Eupatorium, KlP 2, 1967, 430. C. Hü.

Eupatridai

Eupatridai (Εὐπατρίδαι). Der Begriff ist eine Kollektivbezeichnung zunächst für die Adligen in Athen und bedeutet Abkömmlinge »von guten Vätern«. Er reflektiert eine wichtige Phase in der Entwicklung der sozialen Elite zu einer Aristokratie, in der weniger bzw. nicht nur auf die für den griech. Adel ursprünglich konstitutiven Aspekte von Habitus, Lebensstil und Reichtum abgehoben wurde, sondern auch auf die vornehme Abstammung, die eine klarere Abgrenzung markierte. Die E. bestanden aus Geschlechtern (γένη, *génē*), die durch patrilineare Deszendenz definiert waren und keine Clans bildeten. Ihre Rolle in der archa. Zeit bleibt unklar; belegt ist auf einem Grabstein ein Eupatride (IG I³ 1513 = XII 9, 296 aus Eretria, etwa 3. Viertel des 6. Jh. v. Chr.). Andere Erwähnungen sind spätere Konstrukte (Aristot. Ath. pol. 13,2; Plut. Theseus 25,1 ff.; 32,1). Gut vorstellbar ist, daß sie bestimmte Vorrechte wie die Mitgliedschaft im Areiopag besaßen (Androtion FGrH 324 F 3; Philochoros FGrH 328 F 20); am Kampf gegen die Tyrannis nach dem Attentat auf Hipparchos waren E. beteiligt (PMG 907). Seit der klass. Zeit beschränkten sich ihre Prärogative auf die erbliche Bekleidung bestimmter Priesterämter sowie auf das nur noch kultisch relevante Amt der Phylenkönige (Poll. 8,11). Daneben gab es in Athen ein Geschlecht (γένος) mit dem Namen E., für das seit dem Hell. Funktionen (bes. das Amt der → *exēgētaí*, »Ausleger«) im Rahmen des Kultes des delphischen Apollon bezeugt sind. Es spricht vieles dafür, daß dies nicht auf ältere Zeiten zurückging. – Außerhalb von Athen wird E. in späteren Quellen als Begriff für Angehörige des Adels gebraucht, bes. häufig als Übersetzung für das lat. → *patricius*.

1 F. Bourriot, Recherches sur la nature du génos, 1976 2 Davies 3 E. Stein-Hölkeskamp, Adelskultur und Polisgesellschaft, 1989 4 I. Toepfler, Att. Genealogie, 1889, Ndr. 1973. H.-J. G.

Euphanes

Euphanes (Εὐφάνης). Dichter der Mittleren Komödie, der auf der Lenäensiegerliste unmittelbar vor → Alexis steht [1. test. 1] und für den noch zwei Stücktitel und zwei Fragmente bezeugt sind; fr. 1 aus den Μοῦσαι (›Die Musen‹) präsentiert eine Reihe zeitgenössischer athenischer Vielfraße.

1 PCG V, 280 f. H.-G. Ne.

Euphantos

Euphantos aus Olynthos (TrGF 1, 118; FGrH 74), Ende 4., Anf. 3. Jh. v. Chr.; nach Diog. Laert. 2,110 Lehrer des → Antigonos [2] Gonatas, dem er eine Schrift ›Über die Königsherrschaft‹ (Περὶ βασιλείας) widmete. Verf. einer Gesch. über die Diadochenzeit und mehrerer erfolgreicher Tragödien. B. Z.

Euphemia

[1] E. Aelia Marciana, einzige Tochter des Kaisers Marcianus, heiratete ca. 453 n. Chr. den späteren Kaiser im Westen Anthemios [2] und hatte mit ihm vier Söhne und eine Tochter. 467 wurde sie zur *Augusta* erhoben. Ihr Schicksal nach der Hinrichtung ihres Mannes 472 ist unbekannt.

PLRE 2, 423 f. Nr. 6. • P. Grierson, M. Mays, Catalogue of Late Roman Coins, 1992, 260 f.

[2] Ursprünglich Sklavin »barbarischer« Herkunft mit Namen Lupicina, Konkubine, später Gattin Kaiser Iustins I. Die Stiftung der Euphemiakirche im Quartier *tá Olybríu* (τὰ Ὀλυβρίου) zu Konstantinopel wird ihr irrig zugeschrieben. Sie ist mit ihrem Gatten im Kloster *tá Augústēs* (τὰ Αὐγούστης) in Konstantinopel bestattet.

A. Berger, Unt. zu den Patria Konstantinupoleos, 1988, 496 f., 654 f. • PLRE 2, 423 Nr. 5. F. T.

Euphemismus ist die verhüllende Bezeichnung einer Sache, die bei direkter Benennung unheilvolle Wirkung ausüben oder Anstoß erregen kann. Das Wort E. gehört als Subst. zu εὐφημίζω, εὐφημέω (*euphēmízō*, *euphēméō*) »Wörter mit guter Vorbedeutung aussprechen« (t. t. seit den alexandrinischen Grammatikern).

Als psychische Faktoren für E. wirken Furcht (bes. beim rel. oder abergläubischen E.) und Scham. Formen des E.: Ersatzwörter (generalisierende wie z. B. *membrum*, andeutende, umschreibende; auch Metaphern oder Fremdwörter), Antiphrasis (ἀριστερός), Ellipse (z. B. in Schwüren νὴ τόν) u. a. Wichtigste Anwendungsbereiche: Namen von Göttern und Dämonen (*Eumenides*, *Manes*; christl.: *hostis* u. a. für »Teufel«), Themen wie Sterben, Tod, Töten (*abire*, vgl. ThlL I, 68, 49 ff.), Sexualität, Geschlechtsorgane, Prostituierte und Krankheit.

→ Götternamen

I. Opelt, E., RAC 6, 947–964 (Beispiele, Lit.). P. Fl.

Euphemos (Εὔφημος). Im älteren Mythos Sohn Poseidons und der Boioterin Mekionike aus Hyrie (Hes. fr. 253 M.-W.), Gatte der Herakles-Schwester Laonome, mit der Fähigkeit, über Wasser zu gehen (wohl alles Hes. fr. 253), Argonaut (Apollod. 1,112), Wagensieger bei den Pelias-Leichenspielen (Kypselos-Lade, Paus. 5,17,9), (illegitimer) Stammvater der later (anon.) Lemnierin gezeugten Battiaden, d. h. Ahnherr der Könige Kyrenes (vgl. Βάττος … Εὐφημίδης τῶν Μινυέων, statt Hss. Εὐθυμίδης, Hdt. 4,150,2). Anders Pindar (P. 4), gemäß dessen Erfindung (Anregung: Hdt. 4,179) der Argonautenzug nur zwecks Gründung Kyrenes durch Delphi stattfindet: E., jetzt nach Tainaron versetzter Sohn Poseidons und der vornehmen Tityos-Tochter Europe (Pind. P. 4,43 ff.; Apoll. Rhod. 1,179 ff.), erhält (Pind. P. 4,28 ff.) auf dem Rückweg von Kolchis in der libyschen Wüste von Eurypylos-Triton als Pfand einer Besiedlung in der 4. Generation eine Erdscholle, die aber verlorengeht (d. h. -gehen muß, da die dann statt-

findende Dor. Wanderung nicht bis Libyen reicht). Daher prophezeit auf Thera Medeia (Pind. P. 4,9ff.) eine Besiedlung erst in der 17. Generation (dem histor. Zeitpunkt der Gründung Kyrenes 631 v.Chr.; numerische Festlegung ist möglich, da der Argonaut Herakles die spartanischen Königslisten anführt). Den (jetzt legitimen) Ahnherrn der Battiaden zeugt E. dann (mit Lamache) auf Lemnos (von Pind. auf den Rückweg verlegt, damit E. dableiben kann); von dort wandern die Euphemiden über Sparta nach Thera, Kyrenes histor. *mātrópolis* (Pind. P. 4,20; 50ff.; 251ff.; vgl. auch Hdt. 4,147ff.; Apoll. Rhod. 4,1537ff.; 1731ff.).
→ Battos; Battiaden

P. DRÄGER, Argo pasimelousa I, 1993, 228–92. P.D.

Euphorbion (εὐφόρβιον, *euphorbea*).
Bezeichnung für das Gummiharz (Plin. nat. 25,77f.) aus kaktusartigen Wolfsmilcharten (Euphorbia resinifera, beaumeriana und antiquorum), welches König Iuba II. von Mauretanien auf dem Atlasgebirge gefunden und nach seinem Leibarzt Euphorbios benannt haben soll. Dioskurides 3,82 [1. 98f.] bzw. 3,86 [2. 320f.] nennt aber einen gleichnamigen König der Libyer als Erfinder. Nach Isidorus (orig. 17,9,26) ist der Name *euphorbium* vom Schärfen des Blicks durch seinen Saft abgeleitet: E. bewirkte angeblich – neben Heilung von Schlangenbissen – gutes Sehen. Die Pflanzengattung selber hieß τιθύμαλλος (*tithýmallos*, Theophr. h. plant. 9,15,6) bzw. τιθύμαλλον (*tithýmallon*, Dioskurides 4,164 [1. 309–313] bzw. 4,162 [2. 458–460]); sieben Arten wurden unterschieden [3. Abb. 228, 233].

1 WELLMANN 2 2 Berendes 3 H.BAUMANN, Die griech. Pflanzenwelt, 1982. C.HÜ.

Euphorbos (Εὔφορβος).
Held in der *Ilias* auf seiten der Troer, Sohn des Panthoos und der Phrontis [1]. Er tötet gemeinsam mit Hektor den Patroklos (Il. 16,806–815); Menelaos tötet ihn im Gegenzug (Il. 17,9–60) [2]. Seinen Schild bewahrte man im Heraion von Argos auf (Paus. 2,17,3). → Pythagoras verstand sich als Inkarnation des E. (Herakl. Pont. fr. 89 WEHRLI/SCHULE; Kall. fr. 191,59–63 PFEIFFER; Diog. Laert. 8,1,4; Ov. met. 15,160–163 u.a.) [3; 4].

1 P. V. D. MÜHLL, Krit. Hypomnema zur Ilias 1952, 255 2 L. KAHIL, s.v. E., LIMC 3.1, 69 3 W.BURKERT, Lore and Science in Ancient Pythagoreism, 1972, 138–141 4 F. BÖMER, P. Ovidius Naso. Metamorphosen, B. 14/15, 1986, ad locum. C.A.

Euphorion (Εὐφορίων).
[1] Eine von Ptolemaios Chennos (Phot. 149a) erfundene Figur: E., ein geflügelter Sohn von Achilleus und Helene, wird vom Blitzstrahl des Zeus, dessen Liebe er nicht erwidert, auf der Insel Melos erschlagen. Die Nymphen, welche den Leichnam begraben, verwandelt Zeus in Frösche. In Goethes Faust (2. Teil) erscheint E. als Sohn des Faust und der Helena.

K.-H. TOMBERG, Die Kaine Historia des Ptolemaios Chennos, 1967, 108. R.B.

[2] aus Athen. Tragiker, Sohn des Aischylos. Viermal gewann er mit Trag. seines Vaters (Suda ε 3800, s.a. DID C 8). Bei den Dionysien des Jahres 431 v.Chr. siegte er vor Sophokles und Euripides (DID C 12), wahrscheinlich mit eigenen Tragödien [1. 56].

1 H.HOFFMANN, Chronologie der att. Trag., 1951.

METTE, 18 und 162 · TrGF 12. F.P.

[3] Vielseitiger griech. Autor, geb. in Chalkis zw. 275 und 268 v.Chr. Nach Angaben der Suda studierte er Dichtung bei → Archebulos von Thera (= Archebulos apud Heph. 28,14?) und Philos. bei Lakydes (Leiter der Akademie nach 241/240 v.Chr.) und Prytanis (Peripatetiker, der 222 noch lebte) in Athen. Nach Helladios (Phot. 279,532b 18 B. = T 3 VAN GRONINGEN [= v.G.]) erwarb er das athenische Bürgerrecht. Er wurde der Geliebte der Nikaia, der Frau des Alexandros [9]. Vielleicht dank dieser Beziehung (vgl. Plut. mor. 472d = T 6 v. G.) wurde er reich; er ging dann nach Syrien an den Hof des Antiochos III. d. Gr., der ihm die Leitung der Bibliothek von Antiocheia anvertraute.

Über die philol.-histor. Tätigkeit des E. weiß man kaum mehr als die Titel einiger Prosawerke: ›Histor. Abh.‹ (Ἱστορικὰ ὑπομνήματα), ein Werk über den Wortschatz des Hippokrates; ›Über die Aleuadai‹, ›Über die Isthmischen Spiele‹, ›Über die Lyriker‹. *Hēsíodos* (Ἡσίοδος) war ein hexametrisches Gedicht über den heroisierten Tod des Dichters (wie Eratosthenes' *Anterinýs*?), wenn F 23 v.G. diesem Werk zuzuschreiben ist. Für einige Gedichte, von denen nur die Titel bekannt sind, sind anhand der verbliebenen Testimonien nur Hypothesen möglich. Für die Titel, bei denen kein Bezug zu myth. Gestalten existiert oder ein solcher unbekannt ist, erscheint keine Hypothese zufriedenstellend: *Apollódoros* (Ἀπολλόδωρος), *Artemídoros* (Ἀρτεμίδωρος), *Dēmosthénēs* (Δημοσθένης); *Klḗtōr* (Κλήτωρ), *Xénios* (Ξένιος), *Polycháres* (Πολυχάρης), ›Antworten gegen Theodoridas‹ (Ἀντιγραφαὶ πρὸς Θεοδορίδαν). Im *Aléxandros* (Ἀλέξανδρος) wurde die Etym. der kilikischen Stadt Soloi diskutiert: War es ein Werk über Alexander d. Gr., der sich dort aufhielt, oder eher ein höfisches Gedicht, das dem Ehemann der Nikaia gewidmet war, oder ein myth. Epyllion über Paris, nach einer onomastischen Mode, die auch Lykophron sein Gedicht über Kassandra mit *Alexándra* (Ἀλεξάνδρα) betiteln ließ? Ebenso hat man beim *Hippomédōn meízōn* (Ἱππομέδων μείζων) sowohl an ein myth. Epyllion gedacht, als auch an ein enkomiastisches Gedicht.

Myth.-aitiologische Epyllien waren sicherlich: 1. *Ánios* (Ἄνιος): der Sohn oder Nachkomme des Apollon, Vater von Elais, Spermos und Oinos, der Oliven, Weizen und Wein hervorbrachte. 2. *Diónysos* (Διόνυσος): Eine aitiologische Abhandlung über Bräuche, Kulte, Ursprünge von Städten, die sich mit Dionysos in Verbindung bringen lassen. Da sich fast alle Fragmente auf Griechenland beziehen, stellte vielleicht der Triumphmarsch, mit dem der Gott die griech. Städte für seinen Kult einnahm, den roten Faden dar (vgl. auch Nonnos,

Dion. 44–47). 3. *Diónysos kechēnós* (Διόνυσος κεχηνώς, ›Dionysos mit dem offenen Mund‹): Zentral muß das Aition der Gründung dieses Kultes auf Samos gewesen sein (vgl. Plin. nat. 8,21,57 f.); darüber scheint auch Eratosthenes geschrieben zu haben, vgl. Ail. nat. 7,48. 4. *Ínachos* (Ἴναχος) und/oder *Istíē* (Ἰστίη): Ein Werk mit doppeltem Titel oder zwei getrennte Werke über das Aition der Gründung der maked. Hauptstadt Aigai durch Karanos von Argos. 5. *Hyákinthos* (Ὑάκινθος): Im Zentrum stand die Aitiologie der Blume; E. erinnert in F 44 v. G. ausdrücklich an die traditionelle Version, ihre Entstehung aus dem Blut des Aiax; in F 47 v. G. wird der verwundete Adonis erwähnt, zweifelsohne deshalb, weil aus seinem Blut eine andere Blume, die Anemone oder die Rose, entstand. 6. *Philoktétēs* (Φιλοκτήτης) (F 48 v. G.): Der am Strand im Sterben liegende Philoktetes wird auf Lemnos vom Hirten Iphimachos gerettet; dort hatten ihn die Griechen nach einem Schlangenbiß verlassen. In F 49 v.G. gründet er nach seiner Ankunft in Italien Krimisa im Krotoniates und führt dort den Kult des Apollon Alaios ein (ein weiterer äußerst seltener Mythos in offensichtlich aitiologischem Stil). 7. *Mopsopía ḗ Átakta* (Μοψοπία ἢ Ἄτακτα) war wahrscheinlich eine bunte Sammlung (συμμιγεῖς ἱστορίαι erläutert die Suda; vgl. außerdem Philetas' *Átaktoi glṓssai*) von Mythen, die zumindest teilweise von aitiologischer Relevanz und an Attika gebunden waren.

Katalogform hatten auch die drei Werke, die der Gattung der Fluch-Dichtung angehören. Die *Chiliádes* (Χιλιάδες; 5 B.) enthielten laut Suda Beispiele für Bestrafungen, die unausweichlich, wenn auch erst spät auf eine Schuld folgten. Sie sollten an die unermeßlich große Strafe für denjenigen erinnern, der dem Dichter das ihm anvertraute Geld gestohlen hatte. Auch ›Flüche‹ oder der Schalendieb‹ (Ἀραὶ ἢ Ποτηριοκλέπτης) war eine Auflistung von grausamen Leiden mythischer Gestalten, die den Dieb einer Schale (F 10 v.G.) nach E.s Wunsch ereilen sollten.

›Der Thraker‹ (Θρᾷξ) ist durch Papyrusfragmente das bekannteste Gedicht: in SH 415 wünscht E. einem seiner Feinde – vielleicht dem Mörder eines Gastes (vgl. c. I C, 19 und II, 11 und 25 f.; die Ungastlichkeit der Thraker war berüchtigt) –, die schrecklichen Liebesgesch. von dunklen myth. Gestalten zu durchleben (Klymenos und Harpalyke, Semiramis, Trambelos und Apriate); Anstoß dafür, dem Feind einen Schiffbruch zu wünschen, war die Erwähnung der Apriate in den Wogen: E. hatte eine in der Ant. bekannte Vorliebe für gelehrte Unverständlichkeit; dies wird von den erh. Fragmenten bestätigt. Sie zeigt sich in der Themenwahl (Vorliebe für kleinere Mythen, für die die Aitiologie eine ideale Form war), und sowohl auf der erzählerischen Ebene in der Präsentation der Mythen und ihrer Gestalten mittels kurzer, manchmal fast rätselhafter Anspielungen, z. B. F 11 v. G., und ausgewählter Umschreibungen durch verschrobene Epitheta oder Patronymika, z.B. F 48, 3 v. G., als auch auf lexikalischer Ebene (in der angestrengt bemühten Liebe zu seltenen Wörtern). Bezeichnender-

weise sind die griech. Autoren, die die meisten Berührungspunkte mit E. aufweisen (Kallimachos, Alexandros Aitoleus, Lykophron, Nikandros, Parthenios, Nonnos) ebenfalls durch eine bes. Gelehrsamkeit charakterisiert.

Der Ruhm des E. war im 1. Jh. v.Chr. in Rom bes. groß, wo er nicht weniger als Kallimachos Symbol und Vorbild für die »neue« Dichtung wurde, die derjenigen des Ennius und der national-monumentalen archa. Poesie entgegengesetzt war (vgl. Cic. Tusc. 3,19,45). Der Elegiker Cornelius Gallus definiert seine *carmina* noch als *Chalcidico … condita versu* (Verg. ecl. 10,50 f.; wohl eher eine Anspielung auf E. als auf den unverständlichen Theokles von Naxos oder Eretria, den Erfinder der Elegie laut Suda ε 772). Auch Philargyrius, Servius und Probus z. St. T 14 v. G. bezeichnen Gallus einhellig als Nachahmer des Elegikers und als seinen Übersetzer ins Lateinische. Trotzdem sind von E. nur zwei Epigramme in Distichen erhalten (Anth. Pal. 6,279 und 7,651), während alle uns erh. Fragmente hexametrisch sind. Wahrscheinlich wird E. einfach nur deshalb Elegiker genannt, weil er von Gallus benutzt worden ist [1].

1 F. JACOBY, Zur Entstehung der röm. Elegie, in: RhM 60, 1905, 70 Anm.

ED.: F. SCHEIDWEILER, 1908 • CollAlex • L. A. DE CUENCA, 1976 • B. A. VAN GRONINGEN, 1977 (mit Komm.) • SH (Papyrusfragmente).
LIT.: F. DELLA CORTE et al., E. e i poeti latini, in: Maia 17, 1965, 158–176 • L. ALFONSI, E. e l'elegia, in: Miscellanea di studi alessandrini in memoria di A. Rostagni, 1963, 455–468 • A. BARIGAZZI, Il Dionysos di E., in: ebd., 416–454 • J. A. CLÚA, E.'s Dionysos, in: Prometheus 17, 1991, 111–124 • Ders., El Jacinto de E. y el problema del élegos, in: Emerita 59, 1991, 39–51 • K. LATTE, Der Thrax des E., in: Philologus 90, 1935, 129–155 • G. SCHULTZE, Euphorionea, 1888 • F. SKUTSCH, s. v. RE 6, 1174–1190 • P. TREVES, E. e la storia ellenistica, 1955 • C. TUPLIN, Cantores E., in: Papers of the Liverpool Latin Seminar, 1976, 1–23 • L. C. WATSON, Cinna and E., in: SIFC 54, 1982, 93–110 • L. C. WATSON, Arae: the Curse Poetry of Antiquity, 1991. M.FA./Ü: M.A.S.

Euphranor (Εὐφράνωρ).

[1] Bedeutender Bildhauer, Maler und Kunstschriftsteller (→ Kunsttheorie) in Athen mit Akmé 364–361 v. Chr. An Gemälden werden die ›Schlacht v. Mantinea‹ (362 v. Chr.), die ›Apotheose des Theseus‹ und ›Zwölf Götter in der Stoa Eleutherios‹ beschrieben, ›Demokrateia und Demos‹ und ›Odysseus‹ genannt. Seinen ›Theseus‹ beschrieb E. als »fleischgenährt« im Gegensatz zum »rosengenährten« des → Parrhasios. Ant. Kunsturteile betonen Vielseitigkeit und *dignitas* seiner Götterdarstellung und sind wahrscheinlich an den verlorenen *volumina de symmetria et coloribus* des E. orientiert. Sie begründeten und erschwerten zugleich die Erkennung seines bildhauerischen Werkes, von dem vieles später nach Rom kam. Keines der zahlreich überlieferten Götterbilder ist in Kopien sicher erkannt. Die Identifizierungen von ›Leto mit den Zwillingen‹ mit einem Typus in Rom oder des ›Philipp und Alexander auf der Quadriga‹ mit dem sog. ›Alexander Rondanini‹ werden zumeist abgelehnt. Einzig das Kultbild des Apollon Patroos vom Tempel auf der Athener Agora wird allgemein in einem dort gefundenen originalen Marmortorso erkannt.

LIPPOLD, 260–261 · OVERBECK, Nr. 1109, 975, 1073, 1074, 1191, 1704, 1726–1728, 1785–1806 (Quellen) · O. PALAGIA, E., 1980 · I. SCHEIBLER, Griech. Malerei der Ant., 1994, 72–74, 98, 117, 153, 155, 162 · STEWART, 287–288 · H. A. THOMPSON, Buildings on the West side of the Agora, in: Hesperia 6, 1937, 90–115 · L. TODISCO, Scultura greca del IV secolo, 1993, 91–103. R. N.

[2] Kämpfte als Kommandant der rhodischen Schiffe in Caesars Flotte vor Alexandria und starb im Februar 47 in der Seeschlacht von Kanopos (Bell. Alex. 11; 13; 15 f.; 25). W. W.

Euphrates

[1] Stoischer Philosoph aus dem syr. Tyros (geb. ca. 40 n. Chr.). Er heiratete in die Familie des Pompeius Iulianus ein, zog nach Rom und stand vielleicht unter kaiserlichem Patronat. Unter Hadrian, im Jahre 118 v. Chr., beging er Selbstmord. Der gewandte protreptische Redner (→ Protreptik) ließ sich nicht von der kynischen Mode anstecken und trat für Mäßigung und Rationalismus in philos. wie polit. Fragen ein. Sein Widerstand gegen neupythagoreische und chaldäische Tendenzen und seine berufliche Eifersucht brachten ihn in Konflikt mit → Apollonios [14] von Tyana. Hauptquellen: Philostr. soph. 1,7,2 (487 f.); 1,25,5 (536), Ap. 5,33; 37, epist. Apollonii 14–18, 50–52; Plin. epist. 1,10; Cass. Dio 69,8,3; Epikt. 3,15,8; 4,8,17–20.

M. FREDE, E. of Tyre, in: R. SORABJI (ed.), Aristotle and After (BICS Suppl. 68), 1997, 1–11. B. I./Ü: T. H.

[2] Mit ca. 2760 km längster Fluß Vorderasiens, belegt seit dem 3. Jt. v. Chr. als sumer. *Buranuna*, akkad. *Purattu/Purantu*, biblisch *Pərāt*, arab. *al-Furāt*.

Der h. noch in seinem Unterlauf als E. bezeichnete Kara-Su nahe Erzerum und der Murat-Su vereinigen sich oberhalb des h. Malatya und bilden den eigentlichen E. Ant. Autoren betrachten den Murat-Su (*Arsanias*, Plin. nat. 5,84; Plut. Lucullus 31; assyr. *Arsania*) nur als Nebenfluß. Den Ursprung des E. in Armenien nennt zuerst Herodot (1,180 ff.; vgl. u. a. Plin nat. 5,84; Ptol. 5,12,3; Dion. Per. 978). Erwähnt sind auch das Gebirge Abos, nahe der Araxesquelle (→ Araxes) bei Erzerum (Strab. 11,14,2), und als Quellfluß der Pyxurates (Plin. nat. 5,83). Der tiefe Einschnitt des E. beim Durchbruch durch das Taurosgebirge machte ihn zu einer natürlichen Grenzlinie. So bildete er die Ostgrenze → Kappadokiens und der → Kommagene. Seit Vespasian verliefen dort der kappadokische und der Euphratlimes [3]. Wichtige Übergänge lagen bei → Melitene (Malatya) und → Samosata (Samsat).

Nördl. von Zeugma erreicht der E. Mesopotamien. Ab dort ist eine durchgehende, bei Stürmen nicht ungefährliche Flußschiffahrt möglich, die lokal durch eine starke Mäandrierung des Flußbetts behindert wird. Uferrouten ermöglichten oft eine raschere Kommunikation. Stellenweise treten Hügelketten an das Flußufer. Der Abschnitt zw. Zeugma und dem Euphratknie bei Meskene bildete eine natürliche Grenze zw. den altorient. Staaten Mesopotamiens und Nordsyriens, zw. Römern und Parthern, ebenso für die assyr., pers. und röm. Provinzorganisation (vgl. z. B. den aram. Provinzterminus *eber nāri*, »über dem Fluß« für Syrien). Doch erstreckt sich östl. des E. eine breite Steppenzone, so daß das linke Ufer oft ganz oder teilweise noch von Nordsyrien aus kontrolliert wurde. Wichtigster Übergang ab hell. Zeit war → Zeugma/Seleukeia, das an Bed. den südlicheren bei → Karkemisch (h. Ǧarābulus), Kleinstaat und Handelszentrum vom 3.–1. Jt. v. Chr., ablöste. Assyr. Einfallstor nach Nordsyrien (9.–7. Jh. v. Chr.) war → Til Barsip (Tall Aḥmār). Ein weiterer Übergang in der Ant. verlief bei Qalʿat Naǧm.

Bei Eski Meskene (altoriental. *Emar*, griech. *Barbalissos/Balis*), Endpunkt der von Babylonien nach Nordsyrien führenden Handelsroute, wendet der E. sich in südöstl. Richtung. Größere Nebenflüsse sind der Nahr al-Balīḫ, an dessen Mündung die altoriental. Stadt Tuttul und in klass. Zeit → Nikephorion/Callinicum (bei h. Raqqa) lagen, und der → Ḫabur mit Kirkesion. Da auch entlang dieser Nebenflüsse wichtige Straßen verliefen und Steppenrouten von Syrien über → Palmyra (Tadmor) und von der arab. Halbinsel den mittleren E. erreichten, finden sich dort immer wichtige Handelsorte. Der gesamte Flußabschnitt war eine sich oft rasch verändernde, stark befestigte Grenzzone zw. Assyrien und Babylonien und röm. bzw. byz. Imperium und Parthern/Sāsāniden. Im 3. Jt. v. Chr. bis zu seiner Zerstörung durch → Hammurapi von Babylon (17. Jh. v. Chr.) kontrollierte das Königreich von → Mari (Tall Harīrī) den E.-Handel, Mitte des 2. Jt. die Stadt Terqa (Tall ʿAšāra), Hauptort von Ḫana. Der assyr. Statthaltersitz Ḫindānu (Tall al-Ǧābirīya) war im 8./7. Jh. v. Chr. Endpunkt eines Karawanenwegs aus → Saba und → Teima. Ähnliche Funktionen bis zu seiner Zerstörung durch → Sapor. I. hatte das hell., parth. bzw. röm. → Dura Europos. Südl. der Ḫaburmündung liegen im E. Inseln, von denen aus mindestens seit Beginn des 1. Jt. v. Chr. der Verkehr kontrolliert wurde, darunter als größte h. »ʿĀna«, (assyr., babylon., palmyren., pers. und griech. bzw. lat. Quellen), mit Dattelpalmkulturen, Zentrum eines kleinen Staates im 9./8. Jh. v. Chr., ferner h. Ǧazīrat Talbīs (assyr. Talbiš; Isid. Charax, mans. Parth. [stathmoí Parthikoí] 1, Θιλαβούς, mit angeblich parth. Schatz), Ǧazīrat Baiǧān (assyr., parth. und röm. Festung) u. a. Alexander d. Gr. setzte Schiffe bei Thapsakos (Dibsi) ein (Arr. an. 3,7,1). Auch den Zug Iulians begleitete eine Flotte (Amm. 23,3,9). Eine permanente röm. E.-Flotte ist aber nicht belegt. Aus Dura Europos ist das Amt eines *dux ripae* bekannt [7. 3,30 ff.].

Altbabylon. Texte aus Mari [4] belegen Messungen des Wasserstandes des E. und seiner Tributäre sowie der als Rückhaltebecken, zur Bewässerung und als Transportwege dienenden Seitenkanäle. Wichtige altoriental. Kanäle verliefen zw. Ḫābūrmündung und E. und zw. Dura Europos und h. Abu Kamāl.

Nach al-Ḥīt (altoriental. Itu) mit seinen Asphaltquellen tritt der E. bei Fallūǧaū in das alluviale, zentrale Babylonien ein und teilt sich in mehrere, sich permanent verändernde Nebenarme. Der hohe Salzgehalt führt hier zu einer starken, von Norden nach Süden zunehmenden Bodenversalzung. Überschwemmungen nach der Schneeschmelze im Norden waren die Regel, Kanalisierung, Eindämmung und Drainage des Euphratwassers daher Voraussetzung der intensiven agrarischen Nutzung Babyloniens. Die meisten größeren babylon. Zentren lagen an Euphratarmen und Seitenkanälen, wie z. B. → Babylon. Der Transport von Gütern erfolgte weitgehend per Schiff. Wo E. und Tigris sich näherten, verbanden Kanäle beide Flußsysteme, so der bei Seleukeia in den Tigris mündende → Naarmalcha (babylon. *nī šarri*), der bei ant. Autoren oft fälschlich von einem Königsfluß unterschieden wird. Nahe Babylon mündete der von Alexander (Arr. an. 7,21) befahrene Palakottas (babylon. *Pallukattu*). In astronomischen Keilschrifttexten der seleukidischen und frühparth. Zeit aus Babylon liegen viele datierte Notierungen des Wasserstandes und Beobachtungen besonderer hydrologischer Phänomene vor [5].

Im Süden Mesopotamiens windet sich der E., sich in mehrere Arme teilend, durch ein weites Sumpfgebiet (Ḥōr) und vereinigt sich mit dem Tigris bei al-Qurna. Die Rekonstruktion seines früheren Verlaufes ist umstritten, da Flutkatastrophen die Landschaft stark veränderten und die Küstenlinie des Pers. Golfes wechselte. Ein E.-Arm scheint zeitweilig einen direkten Zugang zum Golf ermöglicht zu haben. Die ant. Autoren hatten keine klaren Vorstellungen von seinem Verlauf und spekulieren über sein Verschwinden in den Sümpfen, oder lassen ihn oft getrennt vom Tigris in den Golf bzw., wie Hdt. 1,180, in das Rote Meer, münden (vgl. u. a. Strab. 11,14,7; 15,3,5 f.; 16,4,1; Mela 3,77; Arr. an. 5,5,5; 7,7,5).

Lucullus opferte dem E. bei seiner E.-Überquerung (Plut. Lucullus 24,5). Neben Indizien für eine regionale kult. Verehrung des Flußgottes E. (→ Flußgötter), z. B. Münzen (Samosata), Malerei von Dura Europos, das Relief von Ayni (in Zeugma) und das Mosaik von Tall Masʿūdīya (Beischrift βασιλευς ποταμος Ευφρατης bzw. syr. *prt mlkʾ*; → Bilingue) finden sich allegorische Darstellungen der E. oft auf röm. Mosaiken und in röm. Reichsprägungen [1].

→ Limes; Euphratgrenze

1 J. BALTY, LIMC 4.1, 70–74 2 F. R. CHESNEY, Narrative of the Euphrat-Expedition, 1868 3 H. HELLENKEMPER, Der Limes am nordsyr. E., in: Stud. zu den Militärgrenzen Roms II, 1977, 461–471 4 B. LAFONT, Nuit dramatique à Mari, in: J.-M. DURAND, Mémoires de NABU (Nouvelles assyriologiques breves et utilitaires) 1, 1992, 93–105 5 A. SACHS, H. HUNGER, Astronomical Diaries I–III, 1988 ff. 6 F. WEISSBACH, s. v. E., RE 6, 1195–1215 7 Dura Report IX. K. KE.

Euphratgrenze (römisch). Der Euphrat war Teil des umfassenden röm. Verteidigungssystems, das sich vom Schwarzen bis zum Roten Meer erstreckte und das Kleinasien mit Pontus, Kappadokien und Armenien, Teile des Kaukasus, die mittlere Euphratregion, Syrien und Palästina gegen Angriffe aus dem Iran und Mesopotamien sichern sollte. Der Fluß war urspr. Demarkationslinie und polit. Grenze zwischen Rom und dem Partherreich, bevor er zu einer überwachten mil. Zone wurde, die – wie die jüngste Forsch. [1] betont hat – keineswegs nur defensiven Charakter hatte, sondern zugleich als Kommunikations- und Nachschublinie für mil. Operationen diente. Der Euphrat wurde daher nie zu einer polit. und mil. Grenze im eigentlichen Sinne (abgesehen von Teilabschnitten im Norden; Verträge des Iovian 363 n. Chr. und Theodosius II. 422). Die Einbeziehung von Mesopotamien als Teil des röm. Reiches blieb nur Episode. Die Römer konnten letztlich nur das nördl. Mesopotamien und die Osrhoene im südl. Euphratbogen halten. Die eigentliche Grenzzone bildete eine Überwachungs- und Verteidigungslinie mit einer auf beiden Seiten gemischten Bevölkerung und romanisierten Oberschicht. Das röm. Grenzsystem sollte daher als eine Zone [1] mit wechselnden Einflußsphären gesehen werden, die für den Ost-West-Handel offen blieb und die tieferliegenden Kontinuitäten nicht unterbrechen konnte.

Die Funktion einer Grenzlinie spiegelt bereits die achämenidische Satrapien-Einteilung wider und kam im Angebot einer Reichsteilung des Dareios III. an Alexandros [4] den Gr. 333 v. Chr. zum Ausdruck. Der einheitliche polit. Raum mit seiner urbanen Zivilisation (Städtegründungen unter Seleukos I.) wurde auch unter den Seleukiden gewahrt, die jedoch mit dem Verlust Mesopotamiens (142–139 v. Chr.) an die Parther auf das westl. des Euphrat gelegene Syrien beschränkt wurden (erfolgloser Feldzug des Antiochos VII. 129 v. Chr.). Mit dem Auftreten der Römer (Sulla, 96 v. Chr.) diente der mittlere Euphrat als Demarkationslinie zwischen beiden Großmächten und als Begrenzung für die 64 v. Chr. durch Pompeius westl. des Euphratbogens neu geschaffene Prov. Syrien. Diese Teilungslinie wurde auch in den Verhandlungen mit den Parthern 20 v. Chr. (Übergabe der bei Carrhae 53 v. Chr. erbeuteten Feldzeichen an Augustus) zugrunde gelegt und trotz der Operationen des Corbulo in den 60er Jahren des 1. Jh. n. Chr. bis zu den Feldzügen des Traian (114–117) beibehalten. Angesichts des noch ausstehenden Revanche-Krieges blieb sie nur eine vorläufige Grenze. Dem entsprach der Anspruch auf Armenien und die sog. Klientelstaaten wie auch der konkurrierende Anspruch der Parther. Das urspr. auf Diplomatie und mobile Eingreiftruppen (dislozierte Legionen in Antiochia, Laodikeia, Kyrrhos und

Rhaphaneai) gegründete Grenzsicherungssystem wurde möglicherweise bereits in flavischer Zeit aufgegeben. Die Eingliederung der vorgelagerten Grenzstaaten (Pontus, Kappadokien, Kommagene und Kleinarmenien) führte zur Einrichtung neuer Prov. und zur Stationierung röm. Legionen unmittelbar am Euphrat, auch wenn der Fluß angesichts vielfältiger Übergangsmöglichkeiten durch entsprechende Brücken, Straßen und Befestigungen nur schwer zu sichern war (Satala, Melitene, Samosata und Zeugma). Angesichts möglicher Überraschungsangriffe der mobilen iranischen Heere (Sapor I., Mitte des 3. Jh. n.Chr.) führten die röm. Offensiven des 2. Jh. (Marc Aurel und Lucius Verus) und der severischen Zeit bis zum Tigris und zum Chaboras und unter Septimius Severus zur Errichtung zweier Prov. (Osrhoene und Mesopotamien). Die Verteidigungkonzeption blieb bei der Vorverlegung der Ostgrenze mit einem umfassenden Verteidigungssystem (→ LIMES) ohne feste Grenze weiterhin an den Euphrat als »Annäherungshindernis« [2] gebunden und erforderte die zunehmende mil. Präsenz Roms, die von urspr. drei bis vier Legionen bis auf acht zwischen dem Schwarzen Meer und dem Golf von Aqaba sowie zwei weitere für Mesopotamien erhöht wurde. Die Städte fungierten als zeitweilige Basen für mil. Operationen (Soura, Dura Europos, Hatra). Nach vorübergehenden Verlusten im 3. Jh. n.Chr. (Einfälle der Sasaniden, Eroberung des Sonderreiches von Palmyra bis 273) wahrte der Friedensschluß unter Diocletian 297 die röm. Herrschaft über die *regiones Transtigritanae*. In der Mitte des 4. Jh. n.Chr. erfolgte eine Rückverlegung der Legionen aus dem östl. Mesopotamien bis Constantia (Verlust von Nisibis 363). Unter Theodosius wurde Armenien geteilt (395 n.Chr.). Im 5. und 6. Jh. sicherten massive Grenzfestungen (Amida, Singara, Nisibis, Zenobia, Resapha und Oriza) bis weit in die byz. Zeit den *limes* und das Vorfeld der Euphratzone.

1 C.R. WHITTAKER, Frontiers of the Roman Empire, 1994
2 J. WAGNER, Die Römer an Euphrat und Tigris, AW 16, 1985 (Sondernummer).

Tagungen der internationalen Limeskongresse seit 1949, zuletzt: Roman Frontier Studies 1989, 1991 · P. FREEMANN, D.L. KENNEDY (Hrsg.), The Defence of the Roman and Byzantine East, 1986 · D.L. KENNEDY, The Roman Army in the East, 1996 · F. MILLAR, The Roman Near East, 1993.   B.v.W.C.

Euphron (Εὔφρων).

[1] Bildhauer aus Paros, im mittleren 5. Jh. v.Chr. in Athen tätig. Er schuf nach Ausweis erhaltener Basen Weihreliefs. Erh. ist der bärtige Kopf einer Hermen-Weihung in Peiraieus.

JEFFERY, 363, Nr. 29 · C.KAROUZOS, En feuilletant les vieilles publications, in: BCH 70, 1946, 263–270 · A.E. RAUBITSCHEK, Dedications from the Athenian Akropolis, 1949, Nr. 298, 304.   R.N.

[2] Nach der Eroberung Sikyons durch Epameinondas 369 v.Chr. und der Stationierung einer thebanischen Besatzung gelang dem prospartanischen E. mit Hilfe der Arkader und Argiver sowie des *démos* von Sikyon ein demokratischer Umsturz (368 nach Diod. 15,70,3 [2. 243f.], 366 nach Xen. hell. 7,1,44 [3. 370–372]). Er wurde zum *stratēgós* gewählt und rüstete mit Mitteln aus Konfiskationen 2000 Söldner aus (Xen. hell. 7,2,11). Als die thebanische Besatzung und zurückgekehrte Feldherrn sich gegen die Tyrannis (Xen. hell. 7,1,46) des E. wandten, floh er, nahm aber 366 mit athenischen Söldnern Sikyon ein. In Theben, wo er daraufhin Hilfe gegen die amtierenden Oligarchen erbat, wurde er getötet (Xen. hell. 7,3,4–5, dazu [1. 104, 215; 4. 22 A.74]) und später auf dem Marktplatz von Sikyon bestattet.

1 H.BECK, Polis und Koinon, 1997 2 J.BUCKLER, The Theban Hegemony 371–362 BC, 1980 3 H.-J. GEHRKE, Stasis, 1985 4 M.JEHNE, Koine Eirene, 1994.   ME.STR.

[3] Nach dem Tod Alexandros' [4] d. Gr. 323 v.Chr. vertrieb E., Enkel von E. [2], die Besatzung in Sikyon, stellte die Demokratie wieder her und zog nach dem Bündnis mit Athen mit in den Lamischen Krieg (Diod. 18,11,2). Nach der Niederlage kam E. bei der Rückkehr der Besatzung um. Die Athener ehrten ihn mit einer Inschrift 318/7 (Syll.³ 317).   ME.STR.

[4] Dichter der Neuen Komödie (1. H. des 3.Jh. v.Chr., fr. 8 mit der Erwähnung des Politikers Kallimedon reicht vielleicht sogar noch bis ins 4. Jh. zurück). Fünf Titel und elf Fragmente sind erh.; vier davon sind gnomischen Inhalts, in vier (fr. 1; 8; 9; 10) sprechen Köche, die ihre Gehilfen entweder dazu auffordern, möglichst viel von den Speisen in die eigene Tasche zu stecken (fr. 9), oder sie dafür beloben (fr. 1).

1 PCG V, 282–292.   H.-G.NE.

[5] Sohn des Hakoris, hellenisierter Ägypter hoher Abstammung, im 6. Syr. Krieg wohl auf der Seite Antiochos' [6] IV.

W.CLARYSSE, Hakoris, an Egyptian nobleman and his family, in: AncSoc 22, 1991, 240–243.   W.A.

Euphronios (Εὐφρόνιος).

[1] Dichter der Alten Komödie, der im Jahr 458 v.Chr. an den Großen → Dionysien siegte [1. test. 1. 2]. Weder Titel noch Fragmente sind erhalten.

1 PCG V, 293.   H.-G.NE.

[2] Att. Vasenmaler und Töpfer der Spätarchaik, der wie → Phintias und → Euthymides zur Gruppe der »Pioniere« zählt, die der rf. Vasenmalerei zum Durchbruch verhalfen. E. arbeitete als Maler zwischen 520 und 500 v.Chr. für die Töpfer Euxitheos und Kachrylion und bemalte in erster Linie Gefäßformen, die beim Symposion verwendet wurden, bes. Kelchkratere und Schalen. Auch einige Psyktere, Stamnoi, Peliken, Amphoren, Hydrien, ein Volutenkrater sowie ein Teller sind von ihm bekannt, insgesamt gut 50 Gefäße oder Gefäßfragmente, von denen 11 seine Malersignatur aufweisen. In jungen Jahren vom älteren Vasenmaler → Oltos beeinflußt, entwickelte E. bald einen eigenen, unverwechselbaren Stil. Charakteristisch sind große, kraftvolle Figuren von starker Dynamik bei gleichzeitig sorgfältiger und sehr ausführlicher Detailzeichnung mit einem Hang zum ornamentalen Schnörkel und ein ausgeprägtes Interesse am anatomischen Aufbau menschlicher Körper, die in oft komplizierten Haltungen und Bewegungen mit all ihren Muskeln, Sehnen und Hautfalten wiedergegeben sind. Dramatik und Pathos kennzeichnen seine monumental gestalteten, großflächigen Mythenbilder, in deren Zentrum häufig Herakles steht (Kelchkrater in Paris, LV, mit Ringkampf zw. Herakles und Antaios, Volutenkrater in Arezzo, Museum, mit Herakles im Amazonenkampf u. a.). Berühmt ist auch sein New Yorker Krater mit der Bergung des Sarpedon durch Thanatos und Hypnos vom trojanischen Schlachtfeld (New York, MMA). Schlichter, doch nicht weniger fortschrittlich in der räumlichen Erfassung bewegter Figuren sind die Alltagsbilder, für die E. hauptsächlich Palaistra-, Symposion- und Komosszenen gewählt hat (z. B. Psykter in St. Petersburg mit Hetärensymposion, Kelchkrater in Berlin mit Athletenszene). Namensbeischriften sind bei E. häufig; sein bevorzugter Kalosname ist Leagros.

Um 500 v. Chr. scheint E. das Malen aufgegeben zu haben. Aus der Zeit danach und bis gegen 470 v. Chr. sind jedoch gut 20 Schalen und ein Deckelgefäß mit einer *Euphrónios epoíēsen*- Signatur erhalten, die von verschiedenen Vasenmalern bemalt sind, darunter von → Onesimos, → Duris und dem → Pistoxenos-Maler. Andere Schalen lassen sich aufgrund ihrer Formgebung E. als Töpfer zuschreiben. Vermutlich wurde E. Besitzer einer Töpferwerkstatt, die auf die Herstellung von Schalen spezialisiert war. Ein von E. um 480 v. Chr. auf die Athener Akropolis gestiftetes Weihegeschenk, von dessen Marmorbasis sich Frg. erhalten haben, zeugt vom erworbenen Wohlstand.

BEAZLEY, ARV², 13–17 · BEAZLEY, Addenda², 152–153 · Euphronios der Maler, Ausstellungskat. Berlin 1991 · Euphronios und seine Zeit, Akten des Kolloquiums Berlin 19./20.4.1991, 1992 · M. ROBERTSON, The Art of Vase-Painting in Classical Athens, 1992, 21–35.   I. W.

Euphrosyne (Εὐφροσύνη, »Frohsinn«). Eine der → Chariten (Hes. theog. 909; Pind. O. 14,14; Apollod. 1,13). Bei Hyg. fab. praef. ist E. eine Tochter von Erebos und → Nyx (vgl. Gratia bei Cic. nat. deor. 3,44). In Orph. h. 3,5 ist E. ein Beiname der Nyx.

K.-H. TOMBERG, E. B. HARRISON, s. v. Charis, Charites, LIMC 3.1, 191–203.   R.B.

Eupithios (Εὐπίθιος). Verfasser eines Epigrammes, das aus einer ausdrucksvollen Verwünschung von Herodians Werk ›Die allg. Aussprache des Griech.‹ (ʿΗ καθόλου προσῳδία) besteht (Anth. Pal. 9,206). Der sonst unbekannte Dichter war, wie der Lemmatist mitteilt, Athener; er ist entweder ein Zeitgenosse des Herodianos (2. H. 2. Jh. n. Chr.) oder nach diesem anzusetzen.
E. D./Ü: T. H.

Eupolemos
[1] Jüd.-hell. Historiker (Mitte 2. Jh. v. Chr.), wahrscheinlich identisch mit dem 1 Makk 8,17 genannten E., verfaßte in Palästina ein Werk Περὶ τῶν ἐν τῇ Ἰουδαίᾳ βασιλέων (›Über die Könige von Iudaea‹). Fragmente sind erh. durch die Exzerpte von → Alexandros [23] Polyhistor bei Eus. Pr. Ev. und Clem. Al.: → Moses sei der »erste Weise«, erste Gesetzgeber und Erfinder der Schrift, die von den Juden zu den Phöniziern und Griechen gelangt sei (F 1). E. beschreibt die Abfolge der Herrschaft durch Propheten von Mose bis Samuel, dann der Könige, bes. das Großreich → Davids in anachronistischer Form. Legendär ausgestaltet wird der Tempelbau → Salomos mit einem Briefwechsel zw. diesem, Pharao Vaphres und Suron von Tyros (vgl. 2 Chr 2,2–5), die diesen mit Geld und Arbeitern unterstützten. Der Tempel habe ἱερὸν Σολομῶνος (*hierón Solomónos*) geheißen, von daher sei der Name der Stadt Hierosolyma für Jerusalem abgeleitet. Die Tempelzerstörung wird mit dem Abfall zum Götzendienst begründet. Nebukadnezar habe, durch die Prophetie → Jeremias veranlaßt, seinen Kriegszug gegen die Juden unternommen und den Tempel zerstört. Jeremia habe auch die Bundeslade mit den Gesetzestafeln in Sicherheit gebracht. E. ist eine frühe Quelle für die jüd. Legenden um Tempelbau und -zerstörung (vgl. 2 Makk 2,4–8). Wie die älteren jüd.-hell. Autoren bemüht er sich um die Chronologie und den Nachweis des Alters der jüd. Überlieferung.
→ Artapanos; Demetrios [22]; Jerusalem

FGrH III C 2 Nr. 723 · N. WALTER, Fragmente jüd.-hell. Historiker (Jüd. Schriften aus hell.-röm. Zeit 1,2), 1980, 93–108 · SCHÜRER 3,1, 517–521 · G. E. STERLING, Historiography and Self-definition, 1992, 207–222.

[2] Ps.-E., der »Samaritanische Anonymus« (1. H. 2. Jh. v. Chr.), ist vom »jüd. E.« [1] zu unterscheiden. Seine samaritanische Herkunft zeigt sich darin, daß → Abraham von Melchisedek auf dem Garizim im Heiligtum der Samaritaner aufgenommen und geehrt wird (vgl. Gn 14). Ps.-E. stellt Abraham als Kulturbringer dar; dieser lehrt die Phönizier und die Ägypter die Astrologie, die auf → Henoch zurückgeht, der mit → Atlas [2] identifiziert wird. → Noah wird euhemeristisch mit dem König von Babel, Belos/Kronos, in Abhängigkeit von → Berossos gleichgesetzt.
→ Baal; Euhemerismus; Melchisedek; Samaria

FGrH 3 C 2 Nr. 724 · N. WALTER, Fragmente jüd.-hell. Historiker (Jüd. Schriften aus hell.-röm. Zeit 1,2), 1980, 137–143 · SCHÜRER 3,1, 528–531 · G. E. STERLING, Historiography and Self-definition, 1992, 187–206.
A. M. S.

Eupolis (Εὔπολις). Neben Aristophanes und Kratinos der bedeutendste Dichter der att. Alten Komödie, Sohn des Sosipolis.

A. LEBEN   B. WERK

A. LEBEN

E. soll bereits im Alter von 17 J. mit Aufführungen begonnen haben [1. test. 1]; das Jahr seines Debüts wird unterschiedlich angegeben: 429 [1. test. 2a], 427 [1. test. 6a], 426 [1. test. 6b] oder zw. 427 und 424 v. Chr. [1. test. 7. 8]. Daß er etwa gleichzeitig mit → Aristophanes (oder kurz vor ihm) aufzuführen begann, geht aus den inschr. Listen der Dionysien- und Lenäensieger hervor: bei ersterer steht er direkt hinter Aristophanes, bei letzterer offenbar direkt vor ihm [1. test. 11, 12]. Die ständige Rivalität mit Aristophanes [vgl. 1. test. 16 = fr. 89; test. 17 = fr. 65; test. 18 = fr. 62; 3] fand ein Ende mit dem relativ frühen Tod des E., über den es schon früh verschiedene Versionen gab. Wahrscheinlich kam E. im Seekrieg gegen die Spartaner am Hellespontos bei Schiffbruch ums Leben [1. test. 1 mit Anm.]. Eine abenteuerliche (schon bei Duris von Samos zu lesende) Version, derzufolge Alkibiades E. 415 während der Fahrt der athenischen Expeditionsflotte nach Sizilien ersäuft habe, weil er von ihm verspottet worden war [1. zu *Báptai*, test. ii–vi], wurde bereits von Eratosthenes dadurch widerlegt, daß E. auch nach 415 noch Stücke schrieb [1. test. 3].

B. WERK

E. soll insgesamt 17 [1. test. 1] oder 14 [1. test. 2a] Stücke geschrieben haben. 16 Stücktitel sind bezeugt, wenn man den Αὐτόλυκος (*Autólykos*), den E. überarbeitet ein zweites Mal aufführte (test. ii), doppelt zählt. E. errang sieben Siege, davon drei an den Lenäen [1. test. 1, 12]. In seinem ersten Stück Προσπάλτιοι (›Die Prospaltier‹; fr. 259,4), wurden die Einwohner des att. Demos Prospalta offenbar wegen ihrer Prozessierlust verspottet (test. ii). An den Lenäen des Jahres 425 wurde er mit den nur noch dem Titel nach bekannten Νουμηνίαι (*Numēníai*) dritter. Etwa zur gleichen Zeit wie Aristophanes' ›Ritter‹ (oder etwas früher? [vgl. 2. 17]) scheint das Χρυσοῦν γένος (›Das goldene Geschlecht‹) auf die Bühne gekommen zu sein, zur Zeit der größten Machtentfaltung Kleons; unter diesem »Herrscher« wurden die Athener offenbar ironisch als solches dargestellt (vgl. fr. 316). Wohl an den Lenäen von 421 wurde der Μαρικᾶς (*Marikás*) aufgeführt (fr. 211); unter diesem Namen (der barbarische Herkunft insinuieren sollte, vgl. test. v) griff E. den Politiker Hyperbolos an (vgl. Kleon als Paphlagon in Aristophanes' ›Rittern‹). An den Dionysien des gleichen Jahres wurde E. mit den Κόλακες (*Kólakes*, ›Schmeichler‹) erster vor Aristophanes' ›Frieden‹; im Zentrum des Stücks (das Platon zu seinem *Prōtagóras* inspiriert haben könnte, vgl. test. ii) stand die Verspottung des reichen Kallias, der vor kurzem seinen Vater beerbt hatte und damit zum begehrten Ziel zahlreicher »Schmeichler« geworden war, die sich in der Parabase selbst darstellten (fr. 172), und unter de-

nen Protagoras (fr. 157 f.) und wohl auch noch andere Sophisten prominent figurierten.

Im folgenden Jahr ließ E. durch Demostratos als Regisseur (vgl. Kallistratos und Philonides bei Aristophanes) den ersten *Autólykos* aufführen (das Datum des zweiten ist unbekannt). Die Πόλεις (*Póleis*, ›Städte‹), aus den Jahren 422 und 420, brachten als Chor die Bündnerstädte Athens auf die Bühne, die offenbar (wie der Chor in den ›Vögeln‹ des Aristophanes) in der Parodos einzeln auftraten (fr. 245–247). Da in den Ταξίαρχοι (*Taxíarchoi*) der General Phormion eine wichtige Rolle spielt, wurde das Stück wohl nicht allzu lange nach seinem Tod (428, vgl. aber [2. 22–24]) geschrieben; der bärbeißige Phormion (vgl. fr. 268,14 f.) bekam es hier ausgerechnet mit dem verweichlichten (fr. 271 f.) Gott Dionysos selbst als Rekruten zu tun (fr. 274). In den vielleicht 416 oder 415 aufgeführten Βάπται (*Báptai*), die E. den Zorn des Alkibiades eingetragen haben sollen (s. o.), wurde offenbar eine Reihe von bekannten Athenern (fr. 90–92) im Zusammenhang mit einem orgiastischen Kult (vgl. test. ii) durchgehechelt. In den wahrscheinlich im J. 412 (für 416 plädiert [2. 24–27]) auf die Bühne gebrachten Δῆμοι (*Dēmoi*) dramatisierte E. einen Einfall, der mit der Phantastik der aristophanischen ›Frösche‹ wetteifert: Als (auf Grund des Dekeleischen Krieges?) die Sehnsucht der Athener nach den großen Staatsmännern ihrer Vergangenheit wächst, holt der wackere Pyronides (= der General Myronides) die vier bedeutendsten (Solon, Miltiades, Aristeides und Perikles) wieder aus der Unterwelt ans Tageslicht, damit sie der Stadt aufs neue beistehen. In einem Papyrus ist das Ende der Parabase erhalten, nach der die großen Toten auf die Bühne traten (fr. 99); aus der ersten Hälfte des Stücks stammt vielleicht die berühmte und oft zitierte Schilderung der rhet. Fähigkeiten des Perikles (fr. 102).

Soweit erkennbar, kam E.' Werk dem des Aristophanes in vielem durchaus gleich; ant. Wertungen schrieben ihm großen Einfallsreichtum und ›Anmut‹ im Ausdenken und Gestalten komischer Situationen [1. test. 34], aber auch eine dem Kratinos ebenbürtige Schärfe des polit. und persönlichen Spotts zu [1. test. 2a, 42]. E. wurde in alexandrinischer Zeit kommentiert, noch aus nachchristl. Jh. sind Reste solcher Komm. erhalten [1. test. 48]; in der Kaiserzeit galt er als eine Hauptquelle für gutes altes Att. [1. test. 41], und Galen verfaßte drei Bücher über seine πολιτικὰ ὀνόματα (›Wörter des allg. Gebrauchs‹), doch zog E. bei der dann stattfindenden Reduktion der für den Schulunterricht verwendeten Texte gegenüber Aristophanes den Kürzeren.

1 PCG V, 294–539 **2** I. C. STOREY, Dating and re-dating E., in: Phoenix 44, 1990, 1–30 **3** K. SIDWELL, Authorial collaboration? Aristophanes' *Knights* and E., in: GRBS 34, 1993, 365–389.   H.-G. NE.

Eupyridai (Εὐπυρίδαι). Att. Mesogeia-Demos der Phyle Leontis, zwei Buleutai. E. bildete mit den Nachbar-Demen Kropidai und Pelekes den Kultverband der Trikomoi (Steph. Byz. s. v. E.; [1. 112; 2. 184f.⁴⁶]). Da Archidamos 431 v. Chr. durch Kropidai nach Acharnai zog (Thuk. 2,19), ist E. nördl. des Aigaleos bei Kamatero anzusetzen. Von dort stammt das Dekret IG II² 1362 zum Schutz der Bäume im Heiligtum des Apollon Erasitheos [2], von Hagios Saranta westl. Menidi die Grabinschr. IG II² 6146.

1 S. SOLDERS, Die außerstädtischen Kulte und die Einigung Attikas, 1931 2 WHITEHEAD, Index s. v. E.

TRAILL, Attica 46, 62, 68, 110 Nr. 46, Tab. 4 · Ders., Demos and Trittys, 1986, 131.   H. LO.

Euricus, Eurich (auch Eurichus, Euarix). König der Westgoten 466–484 n. Chr., Sohn Theoderichs I., gelangte nach der Ermordung seines Bruders Theoderich II. zur Herrschaft (Iord. Get. 190; Hydatius Lemiensis 237). E.' Regierung war geprägt vom Bestreben, sein Reichsgebiet (urspr. Aquitania II, Novempopulana und Teile der Narbonensis I) auszudehnen und die Abhängigkeit von Rom zu lockern, was in der Kündigung des → *foedus* mit den Römern deutlich wird. Seit 468 ging er gegen die Sueben vor und eroberte in den folgenden Jahren fast die gesamte iberische Halbinsel. Sein Versuch, die Loire zu überschreiten, wurde trotz eines Sieges über die Bretonen von Römern und Franken vereitelt. Dagegen führten seine Vorstöße in den südgallischen Raum östl. der Rhône zur Vernichtung eines röm. Heeres (471). Zunächst wurde E. noch von den Burgundern an weiteren Eroberungen in der Provence gehindert und stieß auch in der Auvergne auf den Widerstand des ansässigen Adels (→ Ecdicius), doch mußte Iulius Nepos 475 endgültig seine Eroberungen anerkennen. Bei den Verhandlungen mit dem kaiserlichen Gesandten, Bischof Epiphanios [2], forderte E. nun den Titel eines *amicus*. Mit der Inbesitznahme der südl. Provence 476/7 erreichte das Westgotenreich seine größte Ausdehnung (Iord. Get. 237–244; Ennod. MGH (AA) 7,95).

E. war auch als Gesetzgeber aktiv (Isid. historia Gothorum 35), doch geht die Kodifikation des westgot. Rechtes (*Codex Euricianus*) eher auf seinen Sohn und Nachfolger Alarich [3] II. zurück [1. 43ff.]. Der strenge Arianer E. pflegte zwar Kontakte zu Würdenträgern der katholischen Kirche, versuchte aber deren Organisation u. a. durch das Verbot der Besetzung vakanter Bistümer zu unterwandern (Greg. Tur. Franc. 2,25; Sidon. epist. 7,6,6f.).

1 H. NEHLSEN, s. v. Codex Euricianus, RGA 5, 42–47.

PLRE 2, 427f. · V. BURNS, The Visigothic Settlement in Aquitania, in: Historia 41, 1992, 362–373 · K. F. STROHEKER, Eurich, König der Westgoten, 1937 · H. WOLFRAM, Die Goten, ³1990, 186ff.

M. MEI. u. ME. STR.

Euripides

[1] Der attische Tragiker.

A. BIOGRAPHIE B. WERKÜBERBLICK
C. DRAMATURGIE UND THEOLOGIE
D. NACHLEBEN

A. BIOGRAPHIE

Wichtigste Zeugnisse sind die in mehreren Hss. überlieferte Vita, das → Marmor Parium, die → Suda, Gell. 15,20 und die Vita des → Satyros. Nur wenige Daten aus dem Leben des E. können als gesichert gelten: Geb. zw. 485 und 480 v. Chr. auf Salamis, Sohn eines Mnesarchos oder Mnesarchides. An den Großen Dionysien nahm er zum ersten Mal 455 teil, den ersten Sieg errang er 441. Nur viermal belegte er zu seinen Lebzeiten den ersten Platz im tragischen Agon, der fünfte Sieg wurde der postum durch seinen Sohn → Euripides [4] aufgeführten Trilogie (›Iphigenie auf Aulis‹, ›Bakchen‹, ›Alkmaion in Korinth‹) zugesprochen. 408 begab er sich an den Hof des Makedonen Archelaos nach Pella, wo er 406 kurz vor den Großen Dionysien starb. Auf die Nachricht vom Tod des E. ließ → Sophokles den Chor unbekränzt zum → Proagon erscheinen.

→ Aristophanes, der beste Kenner und schärfste Kritiker des E., zeigt in seinen Parodien (›Acharner‹, ›Thesmophoriazusen‹, ›Frösche‹) wesentliche Eigenschaften der Tragödien des E. auf: die Verbürgerlichung der Tragödie (vgl. ›Elektra‹), das Hinterfragen des Heroischen (z. B. ›Herakles‹), die Nähe zur Sophistik im Sprachlichen und Gedanklichen, die Darstellung weiblicher Leidenschaft (›Medea‹, ›Hippolytos‹), die Dominanz der → Intrige als Bauteil (vgl. Aristoph. Thesm. 94) und die Nähe zur »Neuen Musik« (vor allem in den → Monodien).

Aus der Notiz in der Suda (ε 3695), daß E. 22mal am Agon teilnahm, läßt sich erschließen, daß er 88 Stücke verfaßte; dazu kommen die nicht in Athen aufgeführten ›Archelaos‹ und ›Andromache‹. Da relativ wenig sichere Satyrspiele des E. bezeugt sind, hat er wohl häufig wie im Falle der ›Alkestis‹ das abschließende Satyrspiel durch eine Tragödie mit gutem Ausgang ersetzt. Für die Datierung ergeben die fest datierten Stücke (›Alkestis‹ 438, ›Medea‹ 431, ›Hippolytos‹ 428, ›Troerinnen‹ 415, ›Helena‹ 412, ›Orestes‹ 408, ›Iphigenie auf Aulis‹ und ›Bakchen‹ postum nach 406) ein Gerüst, in das sich die anderen mit Hilfe der metrischen Analyse (kontinuierliche Zunahme der Auflösung im iambischen Trimeter [1]) einordnen lassen (›Herakliden‹ zw. 431–428, ›Andromache‹, ›Hekabe‹, ›Hiketiden‹ zw. 430–420, ›Elektra‹ und ›Herakles‹ zw. 419–416, ›Troerinnen‹, ›Iphigenie auf Tauris‹, ›Phoenikierinnen‹, ›Kyklops‹ zw. 415–408, ›Rhesos‹ wohl unecht).

B. WERKÜBERBLICK

1. ALKESTIS

Aufgeführt 438 anstelle des Satyrspiels nach den ›Kreterinnen‹, ›Alkmaion in Psophis‹ und ›Telephos‹; 2. Platz im Agon hinter Sophokles. Anders als in den Alkestis-Dramen des → Aischylos und → Phrynichos geht Alkestis nicht am Hochzeitstag für ihren Mann in den Tod, sondern nach Jahren einer glücklichen Ehe. Das Stück zerfällt in zwei Teile, deutlich markiert durch den Auszug des Chors in V. 741–746: a) In den V. 1–746 steht Alkestis im Mittelpunkt; in pathetischen Szenen werden ihr Abschied von Admetos und den Kindern und ihr Tod vorgeführt. b) Der 2. Teil (V. 747–1163) führt die Auswirkungen auf Admetos vor: Zu spät (940) erkennt er, ges. Zwängen ausgesetzt (Bewirtung des Herakles), die Sinnlosigkeit eines Lebens ohne Alkestis. Zusammengehalten werden die beiden Teile durch Herakles, der 476 auftritt und Alkestis Admetos zurückbringt. Der burleske Streit zw. Thanatos (dem Tod) und Apollon im Prolog (1–76), Herakles' Person und die untragische Wendung von Unglück zu Glück (vgl. die Hypothesis) unterstreichen den satyrspielhaften Charakter des Stücks.

2. MEDEIA

Aufgeführt 431 als 1. Stück mit den Tragödien *Philoktetes* und *Diktys* und dem Satyrspiel *Theristai*; 3. Platz im Agon hinter Euphorion und Sophokles. Schon in der Antike war umstritten, ob die Innovation, daß Medeia selbst – und nicht die Korinther – ihre Kinder tötet, von E. oder von → Neophron stamme; die vorgebrachten Argumente sprechen eher für E. [2]. Durch die Rückkehr zur älteren Form des Zwei-Schauspieler-Stücks betont E. die Dominanz der Protagonistin und die Schwäche der sie umgebenden Männer (Kreon, Iason, Aigeus). Vom Prolog an, in dem über sie gesprochen wird, bis zur Exodos ist sie präsent und bezwingt die Männer, die zu ihr kommen, durch ihre Intelligenz und Klugheit (δεινότης; σοφία) – vor allem in den beiden Hikesie-Szenen, in denen sie sich demütig bittend von Kreon (271 ff.) den für die Rache an Iason nötigen Aufschub der Verbannung um einen Tag und von Aigeus (663 ff.) im voraus Asyl erwirkt. Wohl nicht von E. stammen aufgrund inhaltlicher und bühnentechnischer Argumente die V. 1056–1080 [3]. Aristoteles (poet. 1454a37–1454b2; 1461b20 f.) kritisiert die mangelnde Motivation des Schlusses der Tragödie (Medeias Flucht auf dem Schlangenwagen) und der Aigeus-Szene (663 ff.).

3. DER BEKRÄNZTE HIPPOLYTOS

Aufgeführt 428, 1. Platz im Agon. Neubearbeitung des 1. Hippolytos-Stücks (*Hippólytos kalyptómenos*), in dem Phaidra Hippolytos selbst den Liebesantrag machte und Hippolytos aus Scham sein Haupt verhüllte (vgl. die Hypothesis). Die Struktur der Tragödie ist bestimmt durch eine göttliche Rahmung: Aphrodite im Prolog (1–57) verkündet, daß Hippolytos wegen der Verachtung, die er ihr entgegenbringe, sterben müsse und sie Phaidra als Werkzeug ihrer Rache einsetzen werde; Artemis in der Exodos (1283 ff.) verspricht, daß sie, um ihre Ehre (τιμή) wiederherzustellen, Aphrodites Liebling (→ Adonis) töten werde (1420–1422). Die Menschen sind bloße Schachfiguren im göttlichen Spiel, obwohl sie durch ihr einseitiges Verhalten, ihre Hybris, erst die göttliche Rache hervorrufen. Als Lichtblick bleibt

die Versöhnung unter den Menschen (Hippolytos – Theseus in der Exodos).

4. DER RASENDE HERAKLES

Aufgeführt ca. 416. Die Tragödie weist eine klare Zweiteilung auf. a) In den V. 1–814 erfolgt die von seiner Familie, die von dem Usurpator Lykos bedroht wird, sehnlichst erwartete Rückkehr des Helden, der sofort an Lykos Rache nimmt. b) Der 2. Teil (815–1428), eingeleitet durch einen 2. Prolog von Iris und Lyssa, die im Auftrage Heras Herakles mit Wahnsinn schlagen soll (822–874), führt den Sturz den Helden vor: Rasend ermordet er seine Frau und Kinder. Der ›Herakles‹ enthält eine Weiterentwicklung der Theologie des ›Hippolytos‹: In den Auseinandersetzungen der Götter sind die Menschen – selbst Halbgötter wie Herakles – bloße Spielbälle. Selbst Lyssa kann keinen Sinn in Heras Plan sehen (843 ff.). Der Lichtblick bleibt die menschliche Freundschaft (Theseus, 1163 ff.). Deutlich ist die Entheroisierung des Herakles (vor allem V. 622 ff.) als Mittel der Sympathielenkung eingesetzt.

5. ELEKTRA

Diese Entheroisierung ist besonders in der wohl kurz vor dem ›Herakles‹ entstandenen ›Elektra‹ deutlich: Elektra lebt als Frau eines verarmten Adligen auf dem Land, geplagt von den Sorgen des täglichen Lebens (vor allem V. 404 ff.). Aigisthos wird als jovialer, vertrauensseliger Gastgeber charakterisiert, der seine Mörder freundlich einlädt (774 ff.), Klytaimestra als eine Frau, die ihre Tat längst bereut hat und sich mit ihrer Tochter aussöhnen will (vgl. vor allem V. 1057; 1106; 1123 im Gegensatz zu Soph. El. 622). Der Muttermord wird dadurch in seiner Berechtigung in Frage gestellt, zumal Orestes, von Elektra zur Tat getrieben, Zweifel kommen (962 ff.), und die Dioskuren in der → Exodos Apollons Befehl zum Muttermord als töricht und unüberlegt tadeln (1245 f., 1302). Umstritten ist die Priorität der ›Elektra‹-Dramen des E. und Soph. Da E. sich unmittelbar mit Aischylos' ›Choephoroi‹ auseinandersetzt (vor allem in der → Anagnorisis 524 ff., in der Elektra die aischyleischen Wiedererkennungszeichen rationalistisch widerlegt), ist eine Abfolge Aischyl. Choeph., E. El., Soph. El. (als Antwort auf E.) durchaus vorstellbar.

6. HIKETIDEN UND HERAKLIDEN

In den beiden Hikesie-Dramen (aufgeführt in den 20er Jahren) rückt das Lob Athens, das auch in anderen Stücken immer wieder anklingt, in den Mittelpunkt: Athen, vertreten durch seine »demokratischen« Könige Theseus (vgl. auch Eur. Herc.; Soph. Oid. K.), bringt Schwachen Rettung und erweist sich, ganz der Ideologie der Epitaphien entsprechend, als Zufluchtsort von Schutzsuchenden.

7. ANDROMACHE

(20er Jahre): → Aristophanes [4] von Byzanz lobt in seiner Hypothesis einige Teile des Stücks als gelungen (u. a. den Prolog und Andromaches → Threnos in elegischen Distichen), bezeichnet das Stück aber insgesamt als zweitrangig. Die kompositionellen Mängel rühren daher, daß dem Stück zwei Mythen zugrunde liegen: a) die Gesch. Andromaches, der Beutefrau des Neoptolemos, der mit Orestes' Schwester Hermione verheiratet ist; b) der Streit zwischen Orestes und Neoptolemos. Zusammengehalten wird die Handlung durch den im Drama selbst nicht auftretenden Neoptolemos. Der Gefährdung, der Andromache im 1. Teil durch Hermione und Menelaos ausgesetzt ist, entspricht im 2. Teil die Isolierung Hermiones, die von Orestes gerettet wird (802ff.). Der Schlußteil führt die Wirkung der Nachricht, daß Neoptolemos von Orestes in Delphi ermordet worden ist (1047ff.), auf den greisen Peleus vor.

8. HEKABE UND TROERINNEN

In zwei Tragödien des Peloponnesischen Kriegs, in der ›Hekabe‹ (aufgeführt in den 20er Jahren) und den ›Troerinnen‹ (aufgeführt 415 als 3. Stück nach ›Alexandros‹ und ›Palamedes‹, 2. Platz im Agon), führt E. wie → Aischylos in den ›Persern‹ die Folgen einer mil. Niederlage aus der Sicht der Unterlegenen vor. Exemplarisch wird an der trojanischen Königsfamilie der Sturz aus den Höhen der Macht vorgeführt. Doch auch der Sieger wird sich seines Erfolgs nicht erfreuen: Kassandra sieht in einer Vision Agamemnons Schicksal voraus (Tro. 307ff.; vgl. Aischyl. Ag. 1072ff.), und bereits im Prolog (Tro. 1–97) verkünden Poseidon und Athena, daß sie die Griechen für ihre Hybris im Siege auf der Heimfahrt mit Unwettern strafen wollen.

9. PHOINIKIERINNEN UND ORESTES

Den Einfluß der innenpolitischen Krise Athens, des Machtkampfs zw. den radikalen Demokraten und Oligarchen, weisen die ›Phoinikierinnen‹ (aufgeführt ca. 411) und der ›Orestes‹ (aufgeführt 408) auf. Beide Tragödien führen die von Thuk. 3,82 beschriebene Umwertung der traditionellen Normen (καθεστῶτες νόμοι) vor. Gegenüber Aischyl. Sept. bildet E. den Chor der ›Phoinikierinnen‹ nicht durch das betroffene Kollektiv der Thebaner, sondern durch eine Gruppe von phoinikischen Mädchen, die als unbeteiligte Zuschauerinnen dem Geschehen beiwohnen. So rückt um so mehr der Streit der Brüder in den Mittelpunkt. Gegenüber Aischylos erfährt Polyneikes eine gewisse Aufwertung, da die Unrechtmäßigkeit von Eteokles' Herrschaftsanspruch deutlich wird. Eine Innovation des E. ist auch der Versöhnungsversuch Iokastes, die in der Eskalation der Gewalt nicht gehört wird. Als positive Gestalt hat E. Menoikeus, Kreons Sohn, erfunden, der freiwillig für die Rettung der Polis in den Tod geht. Im ›Orestes‹ wird der Einfluß der innenpolitischen Krise noch deutlicher: Orestes, Pylades und Elektra bilden, wie im Polis-Leben üblich, einen polit. Club (hetairía: 804; 1072; 1079), um sich durch Hermiones Geiselnahme gegen den skrupellosen Menelaos durchzusetzen (vgl. die Kritik am unnötig schlechten Charakter des Menelaos bei Aristot. poet. 1454a 28ff.; 1461b 21). Obwohl Menelaos, um das Leben seiner Tochter zu retten, sich geschlagen gibt (1617), wollen die drei den Palast in Brand setzen (1618): Gewalt und Haß verselbständigen sich. Nur Apollon als deus ex machina bringt die Handlung zu dem vom Mythos vorgegebenen Ende (1625ff.).

10. IPHIGENIE BEI DEN TAURERN, ION, HELENA

Eine inhaltlich und strukturell eng zusammengehörende Gruppe bilden die etwa gleichzeitig entstandenen ›Iphigenie bei den Taurern‹ (ca. 414), ›Ion‹ (ca. 413) und ›Helena‹ (aufgeführt 412 zusammen mit der ›Andromeda‹). Die Struktur der Stücke ist bestimmt durch die enge Verbindung von → Anagnorisis und → Intrige, die E. in immer neuen Spielarten einsetzt. In Iph.T. wird die Anagnorisis durch den Brief herbeigeführt, den Iphigenie vorliest (769ff.), um sicher zu gehen, daß Pylades auch im Falle eines Verlustes des Schreibens die Nachricht Orestes überbringen könnte (vgl. den Tadel des Aristot. poet. 1454a 7). Im ›Ion‹ liegt eine doppelte Anagnorisis vor: König Xuthos meint aufgrund Apollons Intrige, Ion sei sein Sohn (510ff.). Die gegen Ions Leben deshalb angezettelte Intrige seiner Mutter Kreusa scheitert (1106ff.); erst jetzt kommt es zur eigentlichen Anagnorisis mit Hilfe von Wiedererkennungszeichen zwischen Ion und Kreusa (1395ff.). In der ›Helena‹ schließt sich E. der auf → Stesichoros zurückgehenden Version des Mythos an, daß Helena von Zeus nach Ägypten entrückt und der Trojanische Krieg um ein Scheingebilde geführt worden sei. Die Anagnorisis von Helena und Menelaos, den es nach Ägypten verschlagen hat, droht zu scheitern, da der verunsicherte Menelaos der ägypt. Helena keinen Glauben schenkt. Nur das Eintreffen eines Boten, der vom Verschwinden des Scheingebildes (εἴδωλον) berichtet (597ff.), verhindert das Scheitern der Anagnorisis. Diese löst jeweils eine Intrige aus, die der Befreiung (Iph.T., Hel.) oder der Rache (Ion, vgl. El.) dient.

11. IPHIGENIE IN AULIS

Aufgeführt postum (405 – ca. 400) zusammen mit dem ›Alkmaion in Korinth‹ und den ›Bakchen‹ (s.u. 12.) durch E.' Sohn E. [4]. E. rückt eine menschliche Verhaltensweise in den Mittelpunkt, die er in den früheren Tragödien in Nebenrollen aufscheinen ließ: die Opferbereitschaft eines jungen Menschen, der sein Schicksal akzeptiert hat (vgl. Polyxena in Hec.; Menoikeus in Phoen.). Iphigenie, die von Agamemnon unter der Vorspiegelung, sie solle mit Achilleus verheiratet werden, nach Aulis gelockt worden war, geht in der Exodos freiwillig für die Gemeinschaft in den Tod (1368ff.).

12. BAKCHEN

Das Stück hat die siegreiche Rückkehr des Gottes Dionysos in seine Heimat Theben (1ff.), seine Epiphanie als Gott (576ff.) und die Bestrafung des Gottesfeindes (theomáchos) Pentheus zum Inhalt, den seine Mutter Agaue bei dem Gang ins Gebirge (oreibasía; vgl. 660ff.) im Wahn, sie erlege ein Tier, zerreißt (1168ff.). Das ganze Stück enthält, eingebettet in die Rahmenhandlung einer theomáchos-Tragödie (vgl. Aischyl. ›Bassariden‹ [TrGF III p. 138f.], Pentheus [TrGF III p. 298f.]), eine Dramatisierung dionysischer Riten (oreibasía, ōmophagía, sparagmós; die Parodos ist als → Dithyrambos konzipiert). Die Interpretation ist umstritten (Extrempositionen: Verherrlichung des Dionysoskultes oder scharfe Kritik der Folgen des Irrationalismus?) [4]. Lit.

sind die ›Bakchen‹ eine Rückkehr zu den kultischen Ursprüngen der Gattung → Tragödie (Dionysos-Mythos, Dithyrambos) und passen somit in die archaisierende Tendenz dieser Jahre [5].

13. KYKLOPS

Das einzige erh. Satyrspiel (Datierung umstritten, wohl 411–408) ist eine Dramatisierung der → Polyphem-Episode (Hom. Od. 9). Im Gegensatz zum homer. Vorbild ist bei E. Polyphem in eine humorvolle Spannung zwischen Untier und Mann mit Bildungsanspruch gestellt (316ff.: Parodie sophistischer Thesen vom Recht des Stärkeren). Der bes. Reiz des Stücks kommt durch die Kombination von rudimentärer Form (Chor der Satyrn, Silen), homer. Mythos und modernen Themen zustande.

14. RHESOS

Umstritten ist immer noch die Echtheitsfrage. Obwohl eine endgültige Klärung nicht möglich sein wird, sprechen die Argumente eher gegen E. als Autor. ›Rhesos‹, ein »Nachtstück«, ist eine Dramatisierung der → Dolonie (Hom. Il. 10). Die wechselnden Szenenfolgen mit verschiedenen *dramatis personae* erzielen eine effektvolle Dramaturgie – ganz im Sinne von → Astydamas' Diktum, das Publikum müsse durch Abwechslung unterhalten werden (TrGF I 60 F 4).

15. FRAGMENTE

Die Beliebtheit des E. im 4. und 3. Jh. v. Chr. bringt es mit sich, daß eine Vielzahl von Fragmenten (ca. 1300, viele auf Pap.) erhalten sind (TrGF V KANNICHT, in Vorbereitung), dazu kommt eine Vielzahl von auf Pap. erhaltenen Hypotheseis. Von einigen Stücken läßt sich auf der Basis der Fragmente immerhin eine Vorstellung vom Handlungsverlauf und Inhalt gewinnen (›Antiope‹, ›Erechtheus‹, ›Phaethon‹, ›Alexandros‹, ›Archelaos‹, ›Hypsipyle‹, ›Kresphontes‹).

C. DRAMATURGIE UND THEOLOGIE

War der Mensch bei Aischylos noch Teil einer sinnerfüllten Weltordnung, deren Gesetze er auf dem leidvollen Weg des »Lernen durch Leiden« (πάθει μάθος) durch göttliche Gnade (χάρις) erfahren durfte, ist er bei E. Spielball der Götter, die zu weit von der menschlichen Erfahrung entfernt sind, als daß der Mensch sie in seinem Leid, das keinen Sinn mehr hat, verstehen könnte. Wie die Menschen sind die Götter davon getrieben, ihre Ehre zu wahren: Aphrodite und Artemis (Hipp.), Hera (Herc.), Athena (Tro.) und Dionysos (Bacch.) geht es wie Medea um die Wiederherstellung ihrer Ehre. Ihr Handeln kann demnach auch der Kritik ausgesetzt sein (vgl. Lyssa im Herc. 846ff., Kastor in El. 1245, 1302, Kadmos in Bacch. 1348), ihr Plan kann sogar durch Menschen wie im ›Ion‹ durchkreuzt werden.

D. NACHLEBEN

1. ÜBERLIEFERUNG

War E. zu seinen Lebzeiten nicht gerade vom Erfolg verwöhnt, wurde er im 4. Jh. nach der Zulassung alter Tragödien bei den Großen Dionysien zum Tragiker par excellence (Aristot. poet. 1453a29 ὁ τραγικώτατος). Die Konsequenz dieser Beliebtheit sind eine Vielzahl von

Schauspielerinterpolationen, die vor der Erstellung des Staatsexemplars durch → Lykurgos (um 330) in den Text gelangten. Von den alexandrinischen Philologen hat sich wie im Falle des Aischylos und Sophokles → Aristophanes [4] von Byzanz mit E. befaßt. Ins MA ist E. in zwei Überlieferungsgruppen gelangt: a) 10 Stücke, die mit auf Aristophanes von Byzanz und → Didymos [1] von Alexandria zurückgehenden → Scholien versehen sind (Alc., Andr., Hec., Hipp., Med., Or., Rhes., Tro., Phoen., Bacch. [schol. nicht erhalten]). Von dieser sog. »Auswahl« edierten und kommentierten die Philologen des 13./14. Jh. nur die Trias Hec., Or., Phoen.: mehr als 200 Hss.; Ausgabe des Demetrios Triklinios (1280–1340) im Autographon erhalten (Angel. gr. 14). b) 9 Stücke ohne Scholien (Hel., El., Heracl., Herc., Suppl., Iph.A., Iph.T., Ion, Cycl.), die Teil einer alphabetisch angeordneten E.-Ausgabe sind und erst von Triklinios mit der 1. Gruppe in einer Gesamtausgabe zusammengefaßt wurden: Laurentianus plut. 32, 2 (L), Anfang 14. Jh., mit Korrekturen von Triklinios; Palatinus gr. 287 (P), um 1340, Abschrift von L. Ed. princeps: I. Lascaris, Florenz um 1494, gefolgt von der Aldina des M. Musurus, Venedig 1504.

2. REZEPTION

Die Beliebtheit des E. im 4. und 3. Jh. brachte es mit sich, daß die Dramatiker sich produktiv mit dem auf der Bühne ihrer Zeit ständig präsenten Klassiker auseinanderzusetzen hatten. E. prägte nicht nur ihre Stoffe (vgl. Karkinos, TrGF I 70 F 1e, Medeia; Eubulos, Ion, Fr. 36–38 PCG; Medeia, Fr. 64 PCG) und ihren Stil (Gnomik), sondern gab durch das in seinem Spätwerk dominierende Schema von Anagnorisis und Intrige (s.o. B. 10.) eine von der Neuen → Komödie an das Lustspiel bestimmende Handlungsstruktur vor. In bes. Maße beeinflußte er die röm. Tragödie der Republik (vgl. Ennius, Med.) und der augusteischen Zeit (Ov. Med., vgl. auch Ov. met. 7, 1–424; epist. 12) und mit → Seneca als Bindeglied die frz. Tragödie des 17. Jh.

Die dt. Klassiker des 18. Jh. schätzten E.: Angeregt durch Wieland, der die ›Helena‹ und den ›Ion‹ übersetzt hatte, übertrug Schiller die ›Iphigenie in Aulis‹ (1789) und Szenen aus den ›Phoinikierinnen‹ (1789, Bearbeitung 1803) mit dem Ziel, sich in die »griech. Manier« einzuüben. Schiller bewunderte E. vor allem wegen der in seinen Tragödien dargestellten ›Kollisionen der Leidenschaften‹ und der ›unendlichen Mannigfaltigkeit‹ seines Werkes, hinter der jedoch immer eine ›Einheit derselben Menschenform‹ durchscheine (Brief an Lotte von Lengefeld und Karoline von Beulwitz vom 4.12.1788). Die Darstellung der weiblichen Leidenschaft, hinter der die ›Charakter-Schönheit‹ verblasse, pries auch F. Schlegel (›Abh. über die weiblichen Charaktere in den griech. Dichtern‹, 1794). Produktiv mit E. setzte sich Goethe, der auch sonst die Bühnenwirksamkeit E.' herausstrich (Gespräche mit Eckermann vom 28.3.1827) und wie Schiller Szenen aus E. übersetzte bzw. rekonstruierte (›Die Bakchantinnen des E.‹: 1827; ›Phaethon, Tragödie des E.‹ – Versuch einer

Wiederherstellung aus Bruchstücken: 1823), in seiner
›Iphigenie auf Tauris‹ auseinander (1779 in rhythmisier-
ter Prosa, 1786 in Versen, 1802 Erstaufführung in Schillers Bearbeitung). In dem Stück, das Schiller ›erstaunlich
modern und ungriech.‹ nennt (Brief an Körner vom
21.1.1802), weicht Goethe in wenigen, aber signifikan-
ten Punkten von Euripides' ›Iphigenie auf Tauris‹ ab:
König Thoas ist ein humaner Herrscher, der Iphigenie
bedrängt, ihn zu heiraten. Von ihrer Weigerung verletzt,
befiehlt er ihr, zwei junge Männer, die eben gelandet
sind (Orestes, Pylades), zu opfern. Orestes gibt sich seiner Schwester in einer Szene zu erkennen, die keinerlei
Ähnlichkeit mehr mit der auf die Spitze getriebenen
Anagnorisis bei E. aufweist. Ebenso erfolgt die Rettung
nicht wie bei E. durch Athena als *dea ex machina* (E. Iph.
T. 1345ff.); vielmehr entläßt Thoas die Griechen aus
freien Stücken, nachdem Iphigenie ihm die List offenbart hat, die nicht wie bei E. von ihr, sondern von Pylades stammt. Besiegt von Iphigenies »Reinheit«, entsagt
Thoas und bekennt sich damit zur »Humanität«.

Nach der schon zu Goethes Zeiten einsetzenden fro-
stigen Aufnahme des E. (vgl. Gespräche mit Eckermann
vom 28.3.1827: Goethe verteidigt E. gegen Schlegels
Kritik), die einen deutlichen Ausdruck in Nietzsches
›Geburt der Tragödie‹ (c. 12) findet (E. als Vertreter des
»ästhetischen Sokratismus«), erlebte E. im 20. Jh. eine
Renaissance: Unter dem Eindruck der Weltkriege sind
Tragödien wie die ›Hekabe‹ und die ›Troerinnen‹ von
höchster Aktualität. Der Mensch kann in seinem Leid
keine höhere Bedeutung mehr sehen, sondern findet
sich ganz im Sinne der existentialistischen Philos. [6] in
eine absurde Welt hineingeworfen (vgl. F. Werfel, Vor-
bemerkungen zu den ›Troerinnen‹, 1915), in der er sich
behaupten und verwirklichen muß (vgl. J. Anouilh,
Médée, 1948). Insbes. der Konflikt der Geschlechter
und die Auslotung der weiblichen Psyche sind Ansatzpunkte, die in der zeitgenössischen E.-Rezeption im
Vordergrund stehen: so in Hugo von Hofmannsthals
›Ägypt. Helena‹ (als Oper mit Richard Strauss, Dresden
1928); in Helena und Menelaos werden archetypisch
einander männliche und weibliche Identität, Morgen-
land und Abendland gegenübergestellt. Weiter in dieser
Richtung geht R. Liebermanns Oper ›Freispruch für
Medea‹ (Hamburg 1995): Medea bringt ihre Kinder
nicht um, sondern verweigert dem machtgierigen Jason
einen Stammhalter. In Kolchis ist sie in eine archaische,
östliche Frauengemeinschaft eingebunden, in die Jason
mit den Griechen als aus dem Westen kommende, zerstörerische Eroberer eindringen. In vergleichbarer Weise rehabilitiert auch Christa Wolf in ›Medea: Stimmen‹
(1996) die Heroine: Medea ist das Opfer der Karriere-
sucht Jasons, der sie verläßt, um die korinthische Thron-
folgerin Glauke zu heiraten. Bei Christa Wolf wird Medea durch Jasons Untreue jedoch nicht zur Täterin:
Glauke begeht Selbstmord, und der aufgebrachte korinthische Mob bringt Medeas Kinder um. E. als Dichter, der die Tradition kritisch hinterfragt oder gar zerstört, der den Konflikt der Geschlechter thematisiert,
der sein poetisches Schaffen kritisch reflektiert, E. –
ganz im Sinne des Aristophanes – als Dichter einer auf
den Höhepunkt der Klassik folgenden Dekadenz sind
fruchtbare Ansatzpunkte der gegenwärtigen Auseinandersetzung.

1 M. CROPP, G. FICK, Resolutions and chronology in E.,
1985 (BICS Suppl. 43) **2** B. GAULY u. a. (Hrsg.), Musa
tragica, 1991, 60f. **3** B. MANUWALD, Der Mord an den
Kindern, in: WS N. F. 17, 1983, 27–61 **4** E. LEFÈVRE, E.'
Bakchai und die polit. Bedeutung seines Spätwerks, in:
DRAMA 3, 1995, 156–181 **5** B. ZIMMERMANN,
Gattungsmischung, Manierismus, Archaismus, in: Lexis 3,
1989, 25–36 **6** K. REINHARDT, Die Sinneskrise bei E., in:
Die Neue Rundschau 68, 1957, 615–646 (= in:
E. SCHWINGE, E., 1968, 507–542).

TEXT, FR.: J. DIGGLE, 3 Bde., Oxford 1981, 1984, 1994
(dazu: Studies on the text of E., 1981; Euripidea, 1994) ·
E.-Ausgabe in Einzelbänden in der Bibliotheca
Teubneriana (fast komplett) · A. NAUCK, B. SNELL,
Tragicorum Graecorum Fragmenta, 1964, 363–716 mit
Supplementum von B. SNELL · C. AUSTIN, Nova
Fragmenta Euripidea in papyris reperta, 1968.
KOMM.: ALC.: A. M. DALE, 1954 · D. J. CONACHER, 1988.
ANDR.: P. T. STEVENS, 1971. BACCH.: E. R. DODDS,
²1960. CYCL.: R. SEAFORD, 1984 · R. G. USSHER, 1978.
EL.: J. D. DENNISTON, 1939 · M. J. CROPP, 1988. HEC.:
C. COLLARD, 1991. HEL.: A. M. DALE, ²1993 ·
R. KANNICHT, 2 Bde., 1969. HERACLID.: J. WILKINS, 1993.
HERC.: U. v. WILAMOWITZ-MOELLENDORFF, 3 Bde., ²1895
(Ndr. 1959) · G. W. BOND, 1981. SUPPL.: C. COLLARD, 2
Bde., 1975. HIPP.: W. S. BARRETT, 1964. ION: U. v.
WILAMOWITZ-MOELLENDORFF, 1926 · A. S. OWEN, 1939.
IPH. A.: W. STOCKERT, 1991. IPH. T.: M. PLATNAUER, 1938.
MED.: D. L. PAGE, ²1952. OR.: W. BIEHL, 1965 · C. W.
WILLINK, 1986 · M. L. WEST, 1987. PHOEN.: E. CRAIK,
1988 · D. J. MASTRONARDE, 1994. TRO.: K. H. LEE, 1976 ·
A. S. BARLOW, ¹1986, ⁴1993 · W. BIEHL, 1989.
ZU FRAGMENTEN: ANDROMEDA: F. BUBEL, 1991. ANTIOPE:
J. KAMBITSIS, 1972. ARCHELAOS/KRESPHONTES: A. HARDER,
1985. HYPSIPYLE: G. W. BOND, 1963. W. E. H. COCKLE,
1987. PHAETHON: J. DIGGLE, 1970. PEIRITHOUS/PALAMEDES:
D. F. SUTTON, 1987. TELEPHOS: E. HANDLEY, J. REA, BICS
Suppl. 5, 1957.
LIT.: P. BURIAN, Directions in Euripidean criticism, 1985 ·
A. PIPPIN BURNETT, Catastrophe survived. E.' plays of
mixed reversal, 1971 · H. ERBSE, Studien zum Prolog der
Euripideischen Tragödie, 1984 · W. H. FRIEDRICH, E. und
Diphilos, 1953 · R. E. HARDER, Die Frauenrollen bei E.,
1993 · M. HOSE, Studien zum Chor bei E., 2 Bde.,
1990/91 · M. HOSE, Drama und Ges. Studien zur
dramatischen Produktion in Athen am Ende des 5. Jh.,
1995 · N. C. HOURMOUZIADES, Production and
imagination in E., 1965 · K. MATTHIESSEN, E. Die
Tragödien, in: G. A. SEECK (Hrsg.), Das griech. Drama,
1979, 105–154 · J. LATACZ, Einführung in die griech.
Tragödie, 1993, 250–383 · A. LESKY, Die trag. Dichtung der
Hellenen, ³1972, 275–522 · U. PETERSEN, Goethe und E.
Unt. zur E.-Rezeption in der Goethezeit, 1974 · E. R.
SCHWINGE, E. (Wege der Forschung), 1968 · CH. SEGAL, E.
and the poetics of sorrow, 1993 · B. SEIDENSTICKER,
Palintonos Harmonia. Studien zu komischen Elementen in
der griech. Tragödie, 1982, 89–241 · T. B. L. WEBSTER, The
tragedies of E., 1967 · B. ZIMMERMANN, Die griech.
Tragödie, ²1992, 94–138.   B. Z.

[2] Älter als E. [1]. Er verfaßte 12 Dramen und verzeichnete zwei Siege im Agon (vgl. DID A 3a).

TrGF I 16.

[3] Neffe von E. [2]. Verf. eines ›Orestes‹, einer ›Medea‹ und einer ›Polyxena‹.

TrGF I 17.

[4] Sohn von E. [1]. Er brachte postum die ›Bakchen‹, ›Iphigenie auf Aulis‹ und ›Alkmaion in Korinth‹ zur Aufführung.   B.Z.

Euripos

[1] (Εὔριπος ὁ Χαλκιδικός). Diese 9 km lange Meerenge zw. Chalkis auf Euboia und Boiotia mit drei Engstellen teilt die Wasserstraße zw. → Euboia und dem griech. Festland (Anon. bei GGM 1,105 § 29: ἡ τῶν Εὐβοέων θάλαττα) ungefähr mittig. Urspr. durchzogen die nördlichste engste Stelle bei Chalkis zwei Rinnen, eine am westl. Ufer, 0,5 m tief und 15 m breit, seeseits von einem Riff abgeschlossen, und eine schiffbare am östl. Ufer, etwa 5 m tief und 18 m breit (seit 1892 ist diese Engstelle grundlegend umgestaltet: das Riff weggesprengt, die Fahrtrinne auf 30 m verbreitert, auf 8 m vertieft). Vier- bis sechsmal täglich wechselt die Strömungsrichtung an dieser Engstelle (Strömungsgeschwindigkeit bis zu 14,82 m/h) aufgrund der Ungleichzeitigkeit, mit der die Gezeitenwellen von NW und SO hier eintreffen ([1]; E. deshalb zur Kennzeichnung eines unsteten Menschen: Diogenianos 3,39). 411 v.Chr. wurde der E. von einer zwei Plethren (ca. 66 m) langen hölzernen Brücke überspannt, die seit Alexander d.Gr. mit Türmen, Toren und Mauern befestigt war (Diod. 13, p.1; 47,3; Strab. 1,1,17; 9,2,2; 8; 10,1,2; 8).

1 C. LIENAU, Griechenland, 1989, 113
2 PHILIPPSON/KIRSTEN I, 553ff.   E.O.

[2] Ort in Akarnania an der Südküste des Golfs von Ambrakia. Lage aufgrund Skyl. 34 und Theorodokenlisten (IG IV² 95 Z. 15; SEG 36, 331 Z. 28–30) beim h. Paliambela (Rouga) oder besser Loutraki vermutet.

D. STRAUCH, Die Umgestaltung NW-Griechenlands unter röm. Herrschaft, 1996, 282f.   D.S.

Euromos (Εὔρωμος).

Ort im karischen Binnenland (Strab. 14,1,8; 2,22; Steph. Byz. s.v. E.; Plin. nat. 5,109), 22 km südl. des ehemaligen Latmischen Meerbusens (h. Bafa oder Çamiçi gölü), 3 km südl. von Selimiye am Nordende der Hochebene von Mylasa gelegen, h. Ayaklı. Im 5. Jh. als *H(K)yromos* Mitglied des → Attisch-Delischen Seebundes. Der Ort wurde wahrscheinlich erst seit dem 4. Jh. v.Chr. *E.*, mehrfach auch *Eúropos* gen. In Sympolitie mit seinen περιπόλιοι (*peripólioi*, »Orte in der Umgebung«; Strab. l.c.) Olymos, Chalketor (h. Karakuyu tepe) im SW, mit Hydai im Süden verbunden, sodann auch noch mit Mylasa. 197 schloß E., unter maked. Besatzung (seit 201/0, Pol. 18,2,3;

44,4; Liv. 33,30) *Phílippoi* gen., mit Zustimmung des soeben besiegten Philippos V. zusammen mit Iasos und Pedasa einen Vertrag mit Zeuxis, einem Strategen Antiochos' III., in der (188 vereitelten) Hoffnung, der drohenden Annexion von Karia durch Rhodos zu entgehen. 196 von maked., 167 von rhodischer Herrschaft durch Rom befreit (Pol. 30,5,11–15); 129 v.Chr. gehört E. zu der Prov. Asia.

Südöstl. vor der Stadtmauer (Rundturm, Anf. 3. Jh. v.Chr.) befindet sich ein Tempel des Zeus Lepsi(y)nos (Λέψινος/Λέψυνος) aus hadrianischer Zeit, von dessen Peristasis 16 Säulen mit Architravteilen seit dem Alt. aufrechtstehen (an den Säulenschäften *pínakes* mit Stifternamen), östl. davor ein Altar, nach SW Kammergräber; im Stadtareal Agora, Theater, Thermen. Türk. Grabungen stellten u.a. einen hell. und archa. Vorgängerbau des Tempels fest (Dachterrakotten mit figürlichem Fries), der dem kar. Lokalgott geweiht war.

Reisekarte Türkiye-Türkei, Türk. Verteidigungsministerium/ Kartograph. Verlag Ryborsch, Obertshausen bei Frankfurt/M. 1994, Bl. 2 · G.E. BEAN, Kleinasien 3, 1974, 45ff. · M. ERRINGTON, Antiochos III., Zeuxis und E., in: EA 8, 1986, 1–8 · W. KOENIGS, Westtürkei, 1991, 229f. · A. LAUMONIER, Cultes indigènes en Carie, 1958, 164ff. · MAGIE 2, 749, 908f., 952 · E. MEYER, s.v. E., RE Suppl. 15, 97 · S. PÜLZ, Zur Bauornamentik des Zeustempels von E., in: MDAI(Ist) 39, 1989, 451ff. · ROBERT, Villes, 59f.   H.KA.

Europe (Εὐρώπη).

[1] Urspr. der myth. Frauengestalt vorbehalten (→ E. [2]; vgl. Hes. theog. 357, 359), bezeichnete E. als geogr. Begriff anfangs Mittelgriechenland (vgl. Hom. h. ad Apollinem 251, 291) und den thrak.-maked. Norden (vgl. Hdt. 6,43; 7,8) in Absetzung zur Peloponnesos im Süden, den ion. Inseln im Westen und den ägäischen Inseln sowie zu der durch Aigaion Pelagos, Hellespontos, Propontis, Bosporos und Pontos Euxeinos abgeschiedenen asiat. Landmasse.

Mit der im Verlauf der »Großen Kolonisation« wachsenden Kenntnis des Pontos Euxeinos als einer im Osten geschlossenen See (anders noch Mimnermos im 7. Jh.; vgl. Strab. 1,2,40) gestaltete sich die Abgrenzung von E. (immer häufiger stellvertretend für alles Land außerhalb von Asia gebraucht, vgl. Hekat. bei Hdt. 4,36) gegen Asia problematisch; denn nicht eindeutig setzten sich hier die beiden Bereiche gegeneinander ab: Die Ostgrenze von E. hat man im Tanais (Hdt. 4,45,2; Strab. 1,4,7; 7,4,5; 11,1,1), in der Maiotis (Hdt. 4,45,2; Strab. 7,4,5), im Kimmerischen Bosporos (vgl. Hekat. FGrH 1 F 212; Hdt. 4,45,2; Strab. 7,4,5; Aisch. Prom. 733–735, 790), im Phasis (Hdt. 4,45,2), im Kaukasos zw. Pontos Euxeinos und Kaspia Thalatta (Strab. 1,4,7), im Araxes (Hdt. 4,40) und in der Kaspia Thalatta (Hdt. 4,40) gesehen. Während sich die Abgrenzung von E. im Süden gegenüber Libye – teils zu Asia (Agathemeros 2,2; Sall. Iug. 17; Lucan. 9,411), teils aber auch zu E. (Sil. 1,195), teils als eigener Kontinent (Hdt. 2,16; 4,42; Cic. nat.

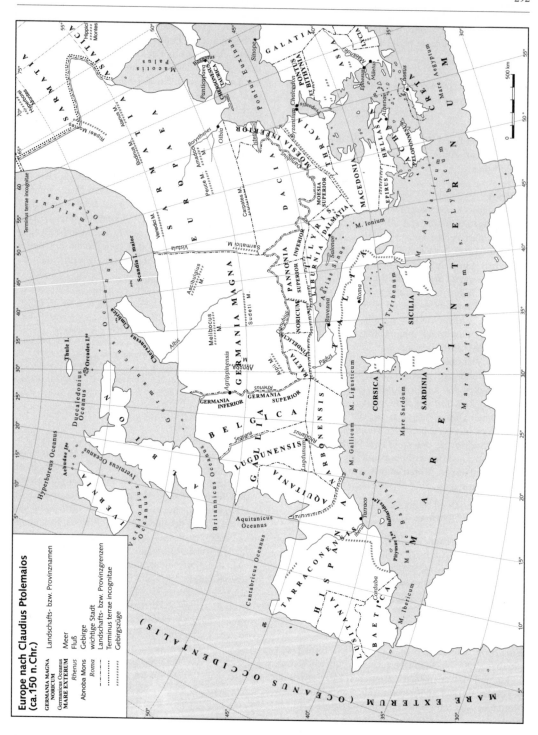

Europe nach Claudius Ptolemaios (ca. 150 n. Chr.)

GERMANIA MAGNA Landschafts- bzw. Provinznamen
NORICUM
Germanicus Oceanus
MARE EXTERIUM Meer
Rhenus Fluß
Abnoba Mons Gebirge
Roma wichtige Stadt
    Landschafts- bzw. Provinzgrenzen
    Terminus terrae incognitae
    Gebirgszüge

deor. 2,165) gerechnet – zwanglos durch die *megálē thálassa* (Hdt. 4,8; 42 f.), im Westen durch die Atlantische See ergab (Hdt. 1,202), war sich Herodot (4,45) über die nördl. Begrenzung von E. nicht im klaren, und auch weiterhin blieb der Norden von E. der Alten Welt lange Zeit unbekannt (vgl. Pol. 3,37). Erst Plinius (nat. 4,95;

104) und Ptolemaios (2,11,33 f.; 8,6,4) kannten Scandinavia. Doch auch jetzt überschätzte man die Größe von E.: Plinius (nat. 6,210) gilt E. als der größte der drei Kontinente, der 5/12 der gesamten Erdoberfläche ausmache. Weitere Belegstellen: Strab. 2, 5,25–27; Plin. nat. 3 f.; Mela 1,15–19; 3,1–35.

Polit. besetzt war der sonst selten ideologisch genutzte Begriff E. im Rahmen der Auseinandersetzung der Griechen mit dem Achaimenidenreich (5./4. Jh. v. Chr., vgl. z. B. Hdt. 1,3 f.; Diod. 11,62; [4]). Obwohl die kulturellen Beziehungen der europ. Kultur zur vorderasiat. Welt durchweg eng waren, entwickelte sich das Vorurteil eines kulturellen Gegensatzes zw. E. und Asien unaufhaltsam; es verfestigte sich durch die von Rom lat. geprägte Kultur der german. und westslaw. Nachfolgestaaten unter immer stärkerem Ausschluß des griech.-byz. Ostens in der abendländischen Bildung. Stationen in diesem Prozeß waren die Aufteilung der imperialen Kompetenzen zw. den Triumvirn Caesar und Antonius 40 v. Chr. in dem Skodra nach Norden und Süden durchziehenden Meridian (App. civ. 5,65), die Nachfolgeregelung nach dem Tod Theodosius' d. Gr. 395 n. Chr. (Ambr. obit. Theod. 5; Claud. carm. 1,7,151 ff.) und das Schisma vom 16.7.1054 [2].

1 A. FORBIGER, Hdb. der alten Geogr. 3, ²1877
2 A. MICHEL, Humbert und Kerullarios, 2 Bde., 1924/1930
3 M. NINCK, Die Entdeckung von Europa durch die Griechen, 1945 4 H. BERVE, Der Europa-Begriff in der Ant., in: E. BUCHNER, P. R. FRANKE (Hrsg.), Gestaltende Kräfte der Ant., ²1966, 467–484 5 K. GOLDAMMER, Der Mythos von Ost und West, 1962 6 A. SCHOENING, Germanien in der Geogr. des Ptolemaeus, 1962.
KARTEN-LIT.: H. KIEPERT, Formae Orbis Antiqui, XXXVI, 1911. E. O.

[2] Tochter des → Phoinix, des Königs von Sidon oder Tyros, oder des → Agenor und der Argiope, Kassiopeia, Perimede oder Telephassa; Schwester des → Kadmos (Hom. Il. 14,321 f.; Hes. fr. 140MW; Bakchyl. 17,31SM; Hyg. fab. 178; Paus. 7,4,1); in Hes. theog. 357 wird sie als Okeanide genannt. Zeus verliebt sich in sie, verwandelt sich in einen Stier und entführt E., als sie am Meeresufer Blumen pflückt, nach Kreta, wo er sich mit ihr vereinigt. Sie gebiert → Minos, → Rhadamanthys und nach späteren Quellen auch → Sarpedon (Hes. fr. 140MW; Bakchyl. fr. 10SM; Hyg. fab. 106). In Kreta wird sie mit König → Asterios verheiratet, der ihre Söhne aufzieht (Hes. fr. 140MW; Apollod. 3,5). Zeus gibt ihr den bronzenen Wächter Talos, einen Hund, der nie seine Beute verfehlt, und einen Speer, der sein Ziel immer trifft (Apoll. Rhod. 4,1643; Ov. met. 7,681 ff.; Poll. 5,39). Ihr Vater schickt Kadmos oder alle ihre Brüder vergeblich auf die Suche nach ihr (Hdt. 4,147; Apollod. 3,2). Ein Epos Európē wird Eumelos zugeschrieben (schol. Hom. Il. 6,131 DINDORF, anders aber Paus. 9,5,8; 4,4,1); auch Stesichoros (fr. 195 PMGF; schol. Eur. Phoen. 670) und Simonides (fr. 562 PMG) sollen je ein Werk mit diesem Titel verfaßt haben. In Aischylos' Káres oder Európē (TrGF 3F99) wartet E. auf Nachricht von ihrem Sohn Sarpedon. Aischylos und Akusilaos (FGrH 2 F 29) sahen den Stier als von Zeus geschickt – dazu würde seine spätere Verstirnung passen (Eur. Phrixos fr. 820 TGF) –, während nach Hesiodos und Bakchylides (schol. Il. 12,292; 307) Zeus sich selbst in einen Stier verwandelt und dann evtl. in Kreta wieder

menschliche Gestalt annimmt. Dieser Version folgen auch die meisten späteren Autoren (Mosch. 2; Hor. carm. 3,27,25 ff.; Ov. met. 2,846–851; Apollod. 3,1 ff.; Lukian. Dialogi Marini 15).

Kultisch verehrt wurde E. in Gortyn auf Kreta als E. → Hellotis, wo ihr zu Ehren alljährlich die Hellotia gefeiert wurden (Theophr. h. plant. 1,9,5; Plin. nat. 12,11; Athen. 15,22,678b). Die Münzen von Gortyn zeigen ab dem 5. Jh. wohl Europas Bild. Eine boiot. Version der Sage nennt eine Höhle, in der Zeus E., die hier als Tochter des Tityos und als Mutter des Euphemos bezeichnet wird, versteckt habe (Pind. P. 4,46; Apoll. Rhod. 1,179–184; Paus. 9,19,1); in Lebadeia trägt Demeter den Beinamen E. (Paus. 9,39,4). Später wird E. auch mit der → Astarte, wie sie in Sidon verehrt wurde, gleichgesetzt (Lukian. Syria dea 4).

W. BÜHLER, Europa, 1968 · J. ESCHER, s. v. E. 1, RE 6,1287–1298 · M. ROBERTSON, s. v. E. 1, LIMC 4.1,76–92 · M. SORDI (Hrsg.), L'Europa nel mondo antico, in: Contributi dell' Istituto di storia antica 12, 1886, 1–48.
ABB.: M. ROBERTSON, s. v. E. 1, LIMC 4.2, 32–48 · E. ZAHN, Europa und der Stier, 1983. R. HA.

Euros (Εὖρος, *Eurus*). Einer der vier Kardinalwinde (Hom. Od. 5,295 f.; Verg. Aen. 1,85 f.), die auch die jeweilige Himmelsrichtung bezeichnen können. Bei Hesiod (theog. 379 f.) fehlt allerdings E. [1]. Bei den Griechen hießen zunächst alle Ostwinde (vgl. das homer. Vierwindeschema [2. 2353, Fig. 15]) *Eŷroi* (Ps.-Aristot. de mundo 4,394b 20), speziell aber weht der E. als Nachbar des → Notos, des Südwindes (Aristot. meteor. 2,6,363b 21–23), vom Sonnenaufgangspunkt im Winter her und wird deshalb oft SO-Wind (*Eurónotos*, sonst OSO) gen.; auch am Athener »Turm der Winde« ist E. ein Zwischenwind aus SO [4]. Direkt von Osten aber bläst der → Apheliotes (im Lat. *solanus* gen.) auf der vierundzwanzigstrichigen → Windrose (Vitr. 1,6,10). Bis zum E. folgen dort nach Süden hin noch die *Ornithiae* und der *Eurocircias*. Bei Vitr. 1,6,11 hat der E. seinen Namen daher, daß er aus den Morgenwinden hervorgeht (*quod ex auris procreatur*). Nach Osten bzw. SO gelegene Wohngegenden galten als gesund. Sonst wurde er teils als regenbringend, teils auch als trocken (Ptol. tetr. 1,10) oder – so Aristoteles (meteor. 2,6,364a 24 f.) – als heiß, anfangs trocken, dann feucht bezeichnet. Plinius (nat. 2,119–121) erklärt den E. in seiner Gesch. der Windrose für synonym mit dem röm. *Volturnus* (OSO). Bei der Wiederaufnahme des Themas (nat. 18,338) erwähnt er, daß in Italien und Gallien wegen der trockenen und warmen Eigenschaften des E. die Bienenstöcke und Weingärten nach Osten ausgerichtet sein sollen.

Wie auch von anderen Windgöttern helfende Wirkung erwartet werden konnte, riefen die Spartaner den E. als »Retter von Sparta« herbei (PMG 858; [5]).
→ Winde

1 M. L. WEST, Hesiod Theogony, 1966, 2271 2 W. BÖKER, s. v. Winde, RE 8 A, 2211–2387 3 A. REHM, s. v. E., RE 6, 1311 ff. 4 E. SIMON, s. v. Venti, LIMC 8.1, 188 f. Nr. 12
5 BURKERT, 272. C. HÜ. u. R. B.

Eurotas (Εὐρώτας, »der gut fließende«). Der 82 km lange Fluß (myth. Ableitung vom König E. bei Paus. 3,1,1 f.) entspringt mit seinen Quellbächen auf der flachen Talwasserscheide zum Alpheios zw. Parnon und Taygetos in der Asea-Ebene und auf den nordwestl. Ausläufern des arkad. Parnon (unwahrscheinlich die von Paus. 8,44,4 geäußerte Annahme von unterirdischen Verbindungen des E. zum Taka-See im Quellbereich) und tritt nördl. von Sparta einer tektonischen Senke folgend (»E.-Furche«) in das 18 km lange und ca. 10 km breite lakonische Becken ein. In gewundenem, epigenetischem Lauf und z.T. enger Schlucht durchbricht er ein aus neogenen Konglomeraten und Kalken gebildetes, bis 516 m hohes Hügelland und mündet östl. von Gytheion unter Bildung einer ca. 50 km² großen, früher malariaverseuchten Schwemmland-Ebene (von Helos: Strab. 8,5,2) in den Golf von Lakonia. Der E. führt das ganze Jahr über Wasser, klimabedingt und aufgrund starker Wasserentnahme (ca. 120 km² werden mit E.-Wasser bewässert) jedoch mit jahreszeitlich sehr unterschiedlicher Wasserführung. In der Ant. war der E. oft nicht in Furten zu überschreiten (Pol. 5,22,2).

PHILIPPSON/KIRSTEN 3,2, 1959, 446–463.   C. L. u. E. O.

Euryale (Εὐρυάλη).
[1] Eine der → Gorgonen (Hes. theog. 276; Pind. P. 12,20; Apollod. 2,40).
[2] Mutter des → Orion (Eratosth. katasterismoi 32; Hyg. astr. 2,34; Apollod. 1,25).   R.B.

Euryalos (Εὐρύαλος, »weithinfahrend« [1. 71, 195]); hexametr. verwendbarer Name mehrerer Heroen.

1 KAMPTZ.

[1] Argivischer Heros, Sohn des Mekisteus aus Argos. Er wird sowohl unter den → Argonauten (Apollod. 1,113) als auch unter den Epigonoi (Söhne der sieben Helden, die unglücklich gegen Theben kämpften; Apollod. 3,82; Paus. 2,20,5) genannt. E. zieht mit Diomedes und Sthenelos gegen Troja (Hom. Il. 2,566; 6,20–28 Aristie; Apollod. 1,103; Paus. 2,30,10). Bei den Leichenspielen für Patroklos unterliegt er im Faustkampf dem Epeios (Hom. Il. 23,677–699). Nach Q. Smyrn. 4,472–494 war er ein Insasse des Trojanischen Pferdes und nahm an den Leichenspielen für Achilleus teil. E. war als einer der Epigonoi in einer Statuengruppe in Delphi dargestellt (Paus.10,10,4), und die *Iliupersis* des Polygnot zeigte ihn als verwundeten Kämpfer (Paus. 10,25,6).

M. PIPILI, s.v. E.2, LIMC 4.1, 94–95 · W. KULLMANN, Die Quellen der Ilias, Hermes ES 14, 1960, 90; 148–151.

[2] Ein Phaiake, Sohn des Naubolos. Er ragt durch seine Schönheit und im Ringkampf heraus. Als er → Odysseus, der an den Wettspielen nicht teilnehmen will, verhöhnt, wird er von diesem zurechtgewiesen und entschuldigt sich bei ihm (Hom. Od. 8,115–185; 396–400).

[3] Sohn des → Odysseus und der Euippe in Epeiros. Als er seinen Vater in Ithaka aufsucht, wird er auf Anstiften der argwöhnischen Penelope von Odysseus erschlagen, ehe er sich zu erkennen geben kann. Sophokles hat die Sage im *Eurýalos* behandelt (Parthenios 3; TrGF 4, 194).
[4] (Euryalus). Troer, Begleiter des Aeneas, zeichnet sich durch jugendliche Schönheit aus. Dank der Hilfe seines Freundes → Nisus siegt er im Wettlauf (Verg. Aen. 5,294–361). Auf einem Spähergang gegen die Rutuler töten die beiden viele Feinde, finden aber schließlich gemeinsam den Tod (Verg. Aen. 9,177–445).

M. BELLINCIONI, s. v. E., EV 2, 424–426.   R.B.

Eurybates (Εὐρυβάτης, »der Weitausschreitende« [1. 77]). Sprechender Name zweier Herolde.

1 KAMPTZ.

[1] Herold Agamemnons (Hom. Il. 1,320; Ov. epist. 3,9–10). Er führt zusammen mit Talthybios → Briseis aus dem Zelt des Achilleus und bringt sie zu Agamemnon. In dieser Funktion ist er auch häufiger dargestellt [1].

1 E. ZERVOUDAKI, s.v. E.1, LIMC 4.1, 95–97.

[2] Scharfsinniger Herold des Odysseus, der ihn trotz seiner Häßlichkeit schätzt (Hom. Od. 19,244–248; Hom. Il. 2,184). Er war vielleicht auf der *Iliupersis* des Polygnot in Delphi dargestellt (Paus. 10,25,4; 8) [1].

1 E. ZERVOUDAKI, s. v. E.2, LIMC 4.1, 97.   R.B.

Eurybiades (Εὐρυβιάδης).
Spartanischer Kommandeur der Flotte der 481 v. Chr. gegründeten griech. Eidgenossenschaft in den Schlachten bei Artemision und bei Salamis 480. Nach der Umgehung der Thermopylenstellung des Leonidas durch die Perser führte E. die griech. Flotte rechtzeitig durch den engen Euripos-Sund in att. Gewässer (Hdt. 8,4–21). Bei Salamis folgte er gegen heftigen Widerstand der meisten Führer der griech. Schiffskontingente dem Plan des Themistokles, die persische Flotte in der Bucht von Salamis zum Kampf zu stellen (Hdt. 8,49; 57 ff.; 74; 79), akzeptierte aber nach dem Sieg nicht den Rat des Themistokles, die persische Flotte bis zum Hellespont zu verfolgen und die dortigen Schiffsbrücken zu zerstören (Hdt. 8,108).

J. F. LAZENBY, The Defence of Greece 490–479 B. C., 1993, 117–203.   K.-W. WEL.

Eurydamas (Εὐρυδάμας, »der weithin Bändigende«); hexametrisch verwendbarer Name mehrerer Heroen.
[1] Vater des Abas und des Polyidos. Greiser Troer, der die Gabe hatte, aus Träumen zu weissagen, den Tod seiner Söhne durch Diomedes aber nicht voraussehen konnte (Hom. Il. 5,148–151 mit schol.; Tzetz. Homerica 66).
[2] Freier der Penelope (Hom. Od. 18,297); wurde von Odysseus getötet (Hom. Od. 22,283).

[3] Galt als Erfinder des thessal. Brauches, den Mörder um das Grab seines Opfers zu schleifen (Aristot. fr. 166 Rose).   R.B.

Eurydike (Εὐρυδίκη).

[1] Häufiger Name griech. Heroinen, zuerst der Frau des Aineias in den → Kypria (Paus. 10,26,1; Katalog [1. 193]). Am bekanntesten ist die Frau des → Orpheus; den Mythos erzählen → Vergil (georg. 4,453–527) und → Ovid (met. 10,1–147; 11,1–66) in der seitdem kanonischen Form: An ihrem Hochzeitstag starb E. an einem Schlangenbiß; durch die Macht seiner Lieder konnte Orpheus die Unterweltsherrscher dazu bewegen, ihm E. unter der Bedingung zurückzugeben, daß er beim Rückweg aus der Unterwelt nicht zu ihr zurückblicke. Orpheus brach die Bedingung und verlor E. zum zweitenmal. Ikonographisch ist der Mythos durch ein in Kopien erhaltenes att. Relief des späteren 5. Jh. erhalten [2]. Die ersten lit. Hinweise (Eur. Alc. 357; Isokr. or. 11,8) handeln bloß von Orpheus' Macht, Tote zurückzuholen, Plat. symp. 179d davon, daß Orpheus nur ein Scheinbild der E. gezeigt worden sei. Hell. Autoren scheinen von Orpheus' Mißerfolg nicht zu sprechen (Hermesianax, fr. 7,1–14 Powell, wo statt E. Argiope genannt wird; Moschos 3,130); das ist wohl tendentielle Veränderung des traditionellen Mythos, zu dessen Typologie der Mißerfolg gehört [3; 4; 5].

1 D. Lyons, Gender and Immortality. Heroines in Ancient Greek Myth and Cult, 1997 2 G. Schwarz, s. v. E., LIMC 4.2, 50f. 3 J. Heurgon, Orphée et E. avant Virgile, in: Mélanges d'Archéologie et d'Histoire 49, 1932, 6–60 4 F. Graf, Orpheus. A poet among men, in: J. Bremmer (Hrsg.), Interpretations of Greek Mythology, 1988, 80–106 5 C. Riedweg, Orfeo, in: S. Settis, (Hrsg.), I Greci. Storia, Cultura, Arte, Società 2,1, 1996, 1251–1280. F.G.

[2] Aus dem Königshaus von → Lynkestis, Gemahlin des → Amyntas [3] von Makedonien (seit 390 v. Chr.), Mutter von → Alexandros [3], → Perdikkas und → Philippos II. Sie scheint → Ptolemaios Alorites gegen Alexandros unterstützt zu haben und heiratete ihn, nachdem er Alexandros getötet und sich zum König gemacht hatte. (Daher wohl das Greuelmärchen bei Iustin. 7,5,4–8, wonach sie Amyntas nach dem Leben trachtete und Alexandros und Perdikkas ermordete.) Als → Pausanias, von → Olynthos unterstützt, in Makedonien einfiel, rief sie → Iphikrates zu Hilfe (bei Aischin. leg. 2,26–29 rhet. ausgemalt). Sie starb wahrscheinlich noch z.Z. Perdikkas'.

HM 2, 182f.

[3] Tochter von → Amyntas [4] und → Kynnane, Geburtsname Hade(i)a. Geb. um 337 v. Chr., wurde sie von der Mutter kriegerisch erzogen und nach Alexandros' [4] Tod 322 nach Kleinasien geführt, wo sie, nachdem → Alketas [4] Kynnane ermordet hatte, den geistesschwachen Philippos III. (s. → Arridaios [4]) heiratete, den »Thronnamen« E. annahm und in Philippos' Namen zu regieren begann. Bei Triparadeisos von

→ Antipatros [1] aufgehalten, verband sie sich nach dessen Tod mit → Kassandros gegen → Polyperchon und → Olympias. In Kassandros' Abwesenheit von den Truppen verlassen, wurde sie mit Philippos gefangengenommen. Philippos wurde ermordet und E. von Olympias zum Selbstmord gezwungen. Kassandros bestattete das Königspaar in → Aigai [1], vielleicht in dem sog. Grab von Philippos II. (Arr. succ. 22–3.33; Diod. 18,39; 19,11.35).

[4] E., Tochter des → Antipatros [1], heiratete um 320 v. Chr. → Ptolemaios und gebar → Ptolemaios Keraunos, → Meleagros, → Lysandra und → Ptolemais. Von → Berenike [1] bei Ptolemaios verdrängt, floh sie nach Miletos, wo → Demetrios [I 2] nach langjähriger Verlobung Ptolemais (287) vor seinem letzten Feldzug heiratete.

[5] E., Tochter des → Lysimachos, heiratete (vielleicht erst nach → Kassandros' Tod) → Antipatros [2]. Als er 293 v. Chr. von → Demetrios [I 2] vertrieben wurde, floh sie mit ihm zu Lysimachos, der aber nach seinem Bündnis mit → Pyrrhos den Antipatros ermordete und E. ins Gefängnis werfen ließ (Iust. 16,2,4).

J. Seibert, Histor. Beiträge zu den dynastischen Verbindungen in hell. Zeit, 1967 (s. Register). E.B.

Eurygane(ia) (Εὐρυγάνη, -εια). In der → *Oidipódeia* der kyklischen Epen die zweite Frau des → Oidipus, nachdem → Iokaste (Epikaste) infolge der Entdeckung des Inzests Selbstmord begeht. Von ihr stammen hier die Kinder, die sonst der Iokaste zugeschrieben werden (Oidipodeia, argumentum; fr. 2 PEG I; Apollod. 3,55). R.B.

Eurykleia (Εὐρύκλεια, die »weithin Berühmte« [1], *Euryclia*). Tochter des Ops, seit ihrer Kindheit vertraute Dienerin im Haus des → Odysseus. Sie erkennt ihn, als sie die Füße des Bettlers wäscht, an einer Narbe wieder (Hom. Od. 1,429; 2,345–347; 19,350–507; Hyg. fab. 125,20; 126,7) [2].

1 Kamptz, 37 2 O. Touchefeu, s. v. E., LIMC 4.1, 101–103.

G. Ramming, Die Dienerschaft in der Odyssee, Diss. 1973. R.B.

Eurykleides (Εὐρυκλείδης).
Sohn des Mikion aus Kephisia, bedeutendster athenischer Staatsmann in der 2. H. des 3. Jh. v. Chr.: Schatzmeister der Kriegskasse 244/3 v. Chr. (?), Hoplitenstratege ca. 245/240 (?), eponymer Archon 240/239 (?) (IG II/III² I 2 1300; II 1 1705; Syll.³ 491; 497) [1. 118–127]; E. wurde 229 v. Chr. mit seinem Bruder → Mikion in Kooperation mit → Diogenes [1] zum Befreier Athens von maked. Herrschaft, danach zum Mentor einer strikten Neutralitätspolitik in Distanz zu → Aratos [2] und in Freundschaft mit den Ptolemäern (vgl. Plut. Arat. 41,3; Pol. 5, 106); angeblich vergiftet von → Philippos V. (Paus. 2,9,4), starb E. unter unbekannten Umständen

zw. 210 und 201. Im J. 229 stiftete E. einen Agon für Demeter und Kore und initiierte den symbolträchtigen Staatskult für den Demos und die Chariten, dessen Priestertum auf seine Nachkommen überging [2. 177–195]. E.' Familie zählte im 2. Jh. zu den führenden Athens [1. 179–182].

1 C. HABICHT, Studien zur Gesch. Athens in hell. Zeit, 1982
2 HABICHT.   L.-M. G.

Eurykles (Εὐρυκλῆς).

Sohn des vornehmen Spartaners Lachares, der von Antonius wegen Seeraubes hingerichtet wurde (Syll.³ 786; Plut. Ant. 67,2 ff.). Daher kämpfte E. auf Seiten Octavians bei Aktion, erhielt als C. Iulius E. das röm. Bürgerrecht, die Insel Kythera und eine dynastische Stellung in Sparta (Plut. ebd.; Strab. 8,5,1; 8,5,5; dazu [1]). Auf einer Reise nach Judaea verschärfte E. als Zwischenträger den Zwist des Königs Herodes mit dessen Söhnen. Mit 50 Talenten beschenkt, erwarb er sich durch ähnliche Ränke weitere Summen von Archelaos von Kappadokien (Ios. ant. Iud. 16,301; 306; 309 ff.; bell. Iud. 1,513 ff.). Nach seiner Rückkehr versuchte E. Einfluß auf die → Eleutherolakones zu gewinnen, baute in Sparta ein Gymnasium, in Korinth ein kostbares Bad, zeigte sich in Gytheion als Wohltäter und wurde in Asopos und in Athen geehrt (Paus. 3,14,6; 2,3,5; IG V 970; Syll.³ 787). Zweimal wurde E. bei Augustus angeklagt – u. a. von einem Nachkommen des Brasidas (Plut. mor. 207F) –, weil er in Achaia Unruhe gestiftet und die Städte ausgeplündert habe. Er wurde schließlich (vielleicht im Zusammenhang mit der *secessio* des Tiberius nach Rhodos) verurteilt und verbannt (Ios. bell. Iud. 1,531; ant. Iud. 16,310). Nach seinem Tode (vor 2 v. Chr.?) wurde er rehabilitiert, wie die späteren Feiern der Eurykleia in Gytheion und in Sparta zeigen (SEG 11,922 f.; IG V 1,71b 53 ff.; 86,30 f.; 168,13; 550; 664). Sein Sohn C. Iulius Laco gewann die gleiche Stellung wie sein Vater (Syll.³ 789). Die Familie begegnet in der Kaiserzeit noch in mehreren Generationen und ging u. a. eine Verbindung mit dem Haus von Kommagene ein ([2; 3].

1 G. W. BOWERSOCK, Eurycles of Sparta, in: JRS 51, 1961, 112–118   2 A. J. S. SPAWFORTH, Babilla, the Eurylids, and memorials for a Greek magnate, in: ABSA 73, 1978, 249–260   3 A. R. BIRLEY, in: ZPE 116, 1997, 210 ff. und 237 ff., Appendix 2 mit Stemmata.

A. S. BRADFORD, A Prosopography of Lacedaemonians, 1977, 178 ff. und 256 · P. CARTLEDGE, A. SPAWFORTH, Hellenistic and Roman Sparta, 1989, 97 ff. · S. GRUNAUER-VON HOERSCHELMANN, Die Münzprägung der Lakedaimonier, 1978, 63 ff.; 162 ff.; 73 ff.; 171 ff. · H. LINDSAY, Augustus and Eurycles, in: RhM 135, 1992, 290–297.   D. K.

Eurylochos (Εὐρύλοχος).

[1] Naher Verwandter und ambivalenter Gefährte des → Odysseus. Er folgt als einziger der Einladung der → Kirke nicht und entgeht so der Verwandlung in ein Schwein (Hom. Od. 10,205–274; Apollod. epit. 7,14–

15; Ov. met. 14,287). Als E. später die Gefährten gegen Odysseus aufwiegelt, droht ihm die Todesstrafe (Hom. Od. 10,429–448). Vor dem Gang des Odysseus in die Unterwelt nimmt er zusammen mit → Perimedes am Totenopfer teil (ebd. 11,23–24); die Szene war nach Paus. 10,29,1 auf der *Nekyia* des Polygnot dargestellt. Die beiden binden bei der Vorbeifahrt an den Sirenen Odysseus fester (ebd. 12,195–196). Schließlich leitet E. sein eigenes Verderben und dasjenige der Gefährten ein, indem er diese dazu verleitet, die Rinder des Helios zu schlachten (ebd. 12,339–352).

O. TOUCHEFEU, s. v. E. I, LIMC 4.1, 103.   R. B.

[2] Spartiat, der 426 v. Chr. nach der athenischen Niederlage gegen die Aitoler mit diesen zusammen Naupaktos einnehmen sollte. Die Polis wurde jedoch rechtzeitig von Demosthenes [1] gesichert, so daß E. abziehen mußte. Darauf plante er gemeinsam mit den Ambraktioten einen Angriff auf die Amphilocher und Akarnanen, wurde aber nach seiner Vereinigung mit den Ambraktioten bei Olpai von Demosthenes besiegt und fiel (Thuk. 3,100–109).   M. MEI.

Eurymachos (Εὐρύμαχος; zum Namen vgl. [1]). Sohn des Polybos, einer der angesehensten Freier der → Penelope (Hom. Od. 1,399). Er siegt oft im Brettspiel der Freier (Athen. 1,17 a b). Obwohl er dem Odysseus Sühne anbietet, wird er von ihm getötet (Hom. Od. 22,44–88). Vgl. auch Aischyl. 179 TrGF.

1 KAMPTZ, 72.   R. B.

Eurymedon (Εὐρυμέδων, »weithin waltend« [2]). Hexametrisch geeigneter Name mehrerer Heroen.

[1] König der → Giganten, durch seine Tochter Periboia Großvater des Poseidonsohnes Nausithoos, des Ahnherrn der Phaiakenkönige. E. stürzte sich und sein Volk ins Verderben (Hom. Od. 7,58–60 mit schol. und Eust.). Nach → Euphorion fr. 99 POWELL (schol. Hom. Il. 14,295–296) vergewaltigte er Hera, worauf sie → Prometheus gebar. Dafür habe Zeus später E. in den Tartaros gestürzt.

1 F. VIAN, s. v. E. I, LIMC 4.1, 105   2 KAMPTZ 84, 195.

[2] Wagenlenker Agamemnons (Hom. Il. 4,228 mit schol.). Nach der Heimkehr von Troia wurde er mit seinem Herrn von Aigisthos ermordet (Paus. 2,16,6).
[3] Diener Nestors (Hom. Il. 8,114; 11,620 mit schol.).   R. B.
[4] Athenischer Feldherr im Peloponnesischen Krieg. 427 v. Chr. zur Unterstützung der Demokraten nach Korkyra entsandt, duldete er deren Massaker unter den Oligarchen (Thuk. 3,80–85). Nach einem Angriff auf Tanagra 426 kommandierte er im Frühj. 425 die nach Sizilien fahrende Flotte, von der aus sich → Demosthenes [1] bei Pylos festsetzte. Nach der Eroberung Sphakterias durch Kleon fuhr E. über Korkyra, wo ein mit den Demokraten durchgeführter Kriegszug gegen die Oligarchen in einem neuerlichen Blutbad endete,

nach Sizilien (Thuk. 4,46). Sein Eintreffen veranlaßte die Sikelioten zum Friedensschluß von Gela, so daß die athenische Flotte heimkehren mußte. Wegen der enttäuschten Hoffnung auf Unterwerfung Siziliens wurde E. in Athen wegen angeblicher Bestechlichkeit verurteilt (Thuk. 4,58–65). Erst 414 wieder Stratege, führte er dem athenischen Heer in Sizilien Geldmittel und gemeinsam mit Demosthenes weitere Verstärkungen zu. Nach dem gescheiterten Sturm auf Epipolai 413 vermochte auch E. nicht, den sofortigen Rückzug aus Sizilien gegenüber Nikias durchzusetzen. Bei der Vernichtung der athenischen Flotte im großen Hafen von Syrakus kam er um (Thuk. 7,42f.; 52,2).

H.-J. GEHRKE, Stasis, 1985, 88–93 · D. KAGAN, The Peace of Nicias and the Sicilian Expedition, 1981.   W. S.

[5] Neben dem Kestros wasserreichster Fluß im Osten von Pamphylia (h. Köprü Çayı), der im Tauros entspringt und nach Süden an Selge und → Aspendos vorbei ins Meer mündet. Schon bei seiner ersten Erwähnung durch Skylax (GGM 1,75) als schiffbar bis Aspendos bezeichnet. Weitere Belegstellen: Xen. hell. 4,8,30; Arr. an. 1,27; Strab. 12,7,3; Plin. nat. 5,96. Berühmt ist die Schlacht am E., in der die Athener unter Kimon 465 v. Chr. Heer und Flotte der Perser besiegten (Thuk. 1,100,1; Diod. 11,61,1; [1. 194f.]). Eine derbe, scherzhaft-obszöne Anspielung auf die Unterlegenheit der Perser am E. bietet eine att. rf. Kanne mit Inschr. [2].

1 H. BENGTSON, Griech. Gesch. (HdbA III,4), ⁴1969
2 K. SCHAUENBURG, ΕΥΡΥΜΕΔΩΝ ΕΙΜΙ, in: MDAI(A) 90, 1975, 97–121, Taf. 25.   W. MA.

[6] Bisher nicht lokalisierte Stadt bei Tarsos in Kilikia (Steph. Byz. 286).   W. MA.

Eurymedusa (Εὐρυμέδουσα).
Dienerin der → Nausikaa (Hom. Od. 7,8).   R. B.

Eurynome (Εὐρυνόμη). Tochter des Okeanos, versteckte mit Thetis neun Jahre den von Hera aus dem Olymp geworfenen → Hephaistos (Hom. Il. 18,398 ff.). Bei Hes. (theog. 358) steht E. hinter Metis im → Okeaniden-Kat. (337; Apollod. 1,8 Mutter Tethys), hinter Metis und Themis im Katalog der Zeusgattinnen als Mutter der → Chariten (907 ff.; Apollod. 1,13), als die Kall. (fr. 6 Pf.) sie Τιτηνιάς (Titēniás) nennt (Teilnehmerin am Gigantenkampf des Pergamonaltars: Inschr. von Pergamon 110). Das ist wie das Orpheus-Lied (Apoll. Rhod. 1,503 ff.) Reflex einer Tradition, gemäß der die »Weitwaltende« und ihr Mann Ophion als Götterherrscher von Kronos und Rhea in den Okeanos gestürzt wurden (Orph. fr. 29, wohl Pherekyd. Syr. [1]). Kult mit Heiligtum und *xoanon* der als Meermädchen gebildeten, vom Volk mit Artemis gleichgesetzten E. im arkadischen Phigalia (Paus. 8,41,4 ff.). Von 11 anderen Namensträgerinnen ist die bekannteste Penelopes Wirtschafterin (Hom. Od. 17,495).

1 WILAMOWITZ Bd. 2, 198.

WILAMOWITZ Bd. 1, 216f.   P. D.

Euryphon von Knidos. Griech. Arzt, Mitte des 5. Jh. v. Chr. Die bei Soran. vita Hipp. 5 überlieferte Erzählung, derzufolge E. Perdikkas II. von Makedonien von einer Krankheit aufgrund unglücklicher Liebe geheilt haben soll, ist vergleichsweise spät entstanden und ziemlich phantastisch. Galen zufolge (17a,886) schuf er die wichtigsten Beiträge zu den sogenannten »Knidischen Sentenzen«, die nur in Fr. überliefert sind [1. 65–66; 2. 14–26]. Einige seiner Werke, bes. solche diätetischen Inhalts, sollen nach Meinung einiger ant. Gelehrter in die hippokratische Schriftensammlung aufgenommen worden sein (Gal. 6,473; 7,960; 16,3).

E. hielt Krankheiten für das Ergebnis von Nahrungsrückständen, die seiner Meinung nach in den Kopf steigen. Wenn der Magen vor der nächsten Mahlzeit leer und sauber sei, funktioniere die Verdauung normal (Anonymus Londinensis 3,7). Galen (2,900; 15,135–136) führt ihn in einer Liste anatomisch bewanderter Ärzte auf, womit er wohl eher auf E.' Nomenklatur der Körperteile und auf seine Unterscheidung von Venen und Arterien als auf eine ausgesprochene Sektionspraxis anspielt [3. 1343]. E. glaubte, daß eine Pleuritis, deren Symptome er zuverlässig beschrieb, auch die Lunge in Mitleidenschaft ziehe (Cael. Aurel., acut. 3,144, vgl. 2,96). Seine Heilmittel umfaßten zwar auch Kräuter und Haferschleim, beruhten jedoch im wesentlichen auf drastischem Aderlaß, Schneiden und Brennen (Gal. 11,149; 18A, 149). Sein Beitrag zur Frauenheilkunde (→ Gynäkologie) war bes. wichtig [2. 201–203], so daß seine Behandlungsempfehlung, im Falle einer Plazentaretention oder eines Gebärmuttervorfalls die Patientin in Kopflage 24 Stunden lang an einer Leiter zu befestigen, sowie seine Tests der Konzeptionsfähigkeit bis weit ins 2. Jh. n. Chr. zitiert wurden (Soran. 4,71; 4,85; 1,35). Er wies die allg. Ansicht, eine Frühgeburt im 7. Schwangerschaftsmonat sei lebensfähig, zurück und setzte das Überlebensalter auf den 8. Monat fest (Cens. 7,5). Sein berühmtester Ausspruch war, die Zeit sei sein größter Lehrmeister gewesen (Stob. ecl. 1,8,40).

1 H. GRENSEMANN, Knidische Medizin, Teil I, 1975
2 J. JOUANNA, Hippocrate. Pour une Archéologie de l'École de Cnide, 1974 3 M. WELLMANN, s. v. Euryphon, RE 5, 1342–1344.   V. N./Ü: L. v. R.-B.

Eurypontidai (Εὐρυπωντίδαι). Spartanisches Königshaus, dessen Repräsentanten nach Herodot (6,51) angeblich weniger Prestige als das Königshaus der Agiadai besaßen. Tatsächlich stellten die E. bedeutende Könige wie Archidamos II., Agesilaos II., Agis II., III. und IV. Als Eponym galt die fiktive Figur des Eurypon, ein Nachfahre des Herakles in sechster (Hdt. 8,131; Strab. 8,366) oder siebter Generation (Plut. Lykurgos 1; Paus. 3,7,1). Die Liste der E. ist, ebenso wie die der Agiaden, für die Zeit vor dem frühen 6. Jh. v. Chr. histor. unbrauchbar.
→ Agiadai

E. I. McQUEEN, The Eurypontide House in Hellenistic Sparta, in: Historia 39, 1990, 163–181 · P. PORALLA, Prosopographie der Lakedaimonier bis auf die Zeit Alexanders d. Gr., ²1985, 149–165.   K.-W. WEL.

Euryptolemos (Εὐρυπτόλεμος). Vetter und enger Freund des Alkibiades [3] und verwandt mit dem jüngeren Perikles. 408 v. Chr. waren E. und → Diotimos [1] in Chrysopolis Schwurzeugen des Vertrags zwischen Pharnabazos und Alkibiades und Teilnehmer an einer Gesandtschaft der Athener nach Susa. Infolge des Umschwungs am Perserhof zugunsten der Spartaner wurde die Gesandtschaft längere Zeit festgehalten (Xen. hell. 1,3,12f.; 1,4,1–7). Im Arginusenprozeß setzte sich E. zuerst mittels → *paranómōn graphé*, die er zurückzuziehen gezwungen wurde, dann durch eine Rede vor dem Volk für ein gesetzmäßiges Verfahren gegen die angeklagten Feldherrn ein (Ps.-Plat. Ax. 369 A; Xen. hell. 1,7,12–34).

R. A. BAUMAN, Political Trials in Ancient Greece, 1990, 70–74 • DAVIES, 377 f.   W. S.

Eurypylos (Εὐρύπυλος).

[1] Sohn Euaimons, Thessaler, Helena-Freier (Apollod. 3,131), Troja-Kämpfer: Anführer von 40 Schiffen (Hom. Il. 2,734ff.), von Paris verwundet (11,575ff.), von Patroklos geheilt (11,809ff; 15,390ff.); auf der Heimfahrt nach Libyen verschlagen (Lykophr. Al. 901f. mit schol.).

[2] Sohn des Herakles-Sohnes → Telephos, König der Myser, den seine Mutter, die Priamosschwester (Apollod. 3,146) → Astyoche, von Priamos mit dem goldenen Weinstock (vgl. Ilias parva, EpGF fr. 6) bestochen, Troja zu Hilfe schickt (Akusilaos FGrH F 40). Er tötet Machaon und Nireus (Ilias parva, EpGF fr. 7; Hyg. fab. 113); wird mit vielen Keteiern (Mysern) von Neoptolemos getötet (Hom. Od. 11,519ff.; Apollod. epit. 5,12).

[3] Sohn Poseidons und Astypalaias, König der Meroper auf Kos (Hom. Il. 2,677), der Herakles auf der Rückfahrt von Troja bei einem durch Hera erregten Sturm (14,250ff.; 15,26ff.) zu landen hindert und mit seinen Söhnen von ihm getötet wird (Apollod. 2,137f.); mit E.' Tochter Chalkiope zeugt Herakles den Thessalos (Apollod. 2,166; Pherekyd. FGrH F 78).

[4] Nach Pind. (P. 4,20ff.) Sohn Poseidons, der in Gestalt → Tritons (nach Apoll. Rhod. 4,1551ff. als Triton selbst) dem Argonauten Euphemos eine Scholle libyschen Sandes überreicht; in hell. Zeit wird er König Libyens (Akesandros FGrH F 4; sein Stemma F 1; vgl. Phylarchos FGrH F 15), unter dessen Herrschaft die Nymphe Kyrene einen landschädigenden Löwen erlegt (Akesandros FGrH F 4, vgl. Kall.h. 2,92 [1. 282ff.]).

[5] Heros von Patrai, nach Paus. (7,19,9) identisch mit dem Thessaler E. [1], nach anderen mit E., dem Sohn des Dexamenos, des Königs von Olenos; seine Kultlegende (Paus. 7,19–20): E. erhielt aus Trojas Beute die Lade mit der Statue des Dionysos Aisymnetes, bei deren Anblick er wahnsinnig wurde; nach Befragung Delphis kam er nach Patrai; sein Erscheinen beendete die üblichen Menschenopfer an Artemis Laphria sowie seinen Wahnsinn, wodurch zwei Orakel erfüllt wurden [2. 374–380].

1 P. DRÄGER, Argo pasimelousa, Bd. 1, 1993
2 WILAMOWITZ, Bd. 1.   P. D.

Eurysakes (Εὐρυσάκης). In der athenischen Tradition ein Sohn des → Aias (Soph. Ai. 340; 575). E.' Name (»breiter Schild«) spiegelt ein Attribut seines Vaters wider (vgl. Astyanax, Neoptolemos, Telemachos). Er hatte ein Heiligtum im Stadtdemos Melite, wo er sich niedergelassen haben soll, nachdem er und sein Bruder Philaios ihre angestammte Heimat Salamis den Athenern übergeben hatten (Plut. Solon 83d). Bei dieser Erzählung handelt es sich wohl um eine leicht durchschaubare polit. Erfindung. Begleitumstand war E.' Priesteramt im Geschlecht der Salaminioi. Sophokles schrieb eine Tragödie »E.«, die verloren ist.

W. K. FERGUSON, The Salaminioi of Heptaphylai and Sounion, in: Hesperia 7, 1938, 1–68 (bes. 15–17) • O. TOUCHEFEU, s. v. E., LIMC 4.1, 111–2.   E. K.

Eurysthenes (Εὐρυσθένης).

[1] Legendärer spartanischer König, nach der Überlieferung Sohn des Aristodemos, eines Nachfahren des Herakles. E. galt als Stammvater der Agiaden (Hdt. 4,147; 6,52; 7,204; Cic. div. 2,90). Hellanikos (FGrH 4 F 116) macht ihn mit seinem Bruder Prokles, dem Ahnherrn der Eurypontiden, zum Stifter der spartanischen Verfassung; Ephoros schreibt ihm die Aufteilung der lakedaimonischen Siedlungsbezirke zu (FGrH 70 F 117). Derartige Nachrichten sind aber Ausdruck verschiedenster Versuche einer Einordnung spartanischer Besonderheiten in einen histor.-mythol. erklärbaren Kontext. Ähnliches gilt für den angeblich ständigen Streit des E. mit seinem Bruder (Paus. 3,1,7), auf den die Konkurrenz der spartan. Königshäuser zurückgeführt wurde, sowie letztlich auch für die Konstruktion der Königsliste überhaupt, die für die Frühzeit gänzlich wertlos ist.

[2] Nachkomme des 491 v. Chr. abgesetzten und zu den Persern geflohenen spartanischen Königs Damaratos, Agiade. 399 beherrschte er mit seinem Bruder Prokles Pergamon und Umgebung (Xen. hell. 3,1,6).   M. MEI.

Eurystheus (Εὐρυσθεύς). Mythischer Herrscher von Argos. Er war der Gegenspieler des → Herakles und beauftragte ihn mit den zwölf Arbeiten. Die Rivalität der beiden war von Hera verursacht worden: Nachdem Zeus erklärt hatte, daß noch am selben Tag ein Sohn von seinem Geschlecht geboren würde, der seine gesamte Umgebung beherrschen würde, verzögerte Hera → Alkmenes Wehen und beschleunigte jene der Gattin des Sthenelos, der ein Perseide und somit ein Nachkomme des Zeus war (Hom. Il. 19,95–133). In manchen Versionen des Mythos vereinbarten Hera und Zeus in diesem Augenblick, daß Herakles E. dienstpflichtig und später unsterblich sein solle. Als Sterblicher kam Herakles also auf Weisung des delphischen Orakels in E.' Dienst, entweder als Sühne für seinen im Wahnsinn vollbrachten Mord an den eigenen Kindern (z. B. Apollod. 2,73) oder einfach nur, weil E. es befahl. Die Auferlegung von scheinbar unlösbaren Aufgaben durch einen tyrannischen Herrscher ist ein häufiges Motiv in der griech. Myth., dennoch gehen Herakles' Arbeiten in ihrer Bed. weit über ihre Vorgänger hinaus. Auf Vasen ist dargestellt, wie E. sich erschreckt in einem Faß verbirgt, während Herakles den erymanthischen Eber zu ihm bringt. Auch die Verschleppung des → Kerberos an die Oberwelt findet sich auf einigen Vasen. Nach Herakles' Tod begann E., dessen Kindern nachzustellen und verfolgte sie durch ganz Griechenland. Einem athenischen Mythos zufolge (Eur. Heraclid., vgl. Hdt. 9,27) schützten die Athener die Herakliden und besiegten die von E. angeführten Argiver. Man nahm an, daß E. in Pallene oder bei Gargettos beerdigt war; nach einer anderen Version soll sein Kopf abgetrennt und zu Alkmene gebracht worden sein, welche die Augen mit Webnadeln ausstach (nach Strab. 8,6,19 wurde der Kopf getrennt in Trikorythos begraben). Daß Euripides die ganze Erzählung von E.' Begräbnis in Attika erfand, scheint unwahrscheinlich, aber die Deutung des Mythos, die aus E. einen heroischen Retter Athens gegen die dor. Nachkommen der Herakliden macht, setzte möglicherweise mit ihm ein.

→ Dorische Wanderung

W. FELTEN, s. v. E., LIMC 5.1, 43–8 • E. KEARNS, The heroes of Attica, 1989, 49–50 • J. WILKINS, Euripides: Heraclidae, 1993, XI–XXXV, 190–1 • G. ZUNTZ, The political plays of Euripides, 1955, 81–88.   E.K.

Eurytion (Εὐρυτίων). Mehrfach verwendeter Name von Heroen und → Kentauren.

[1] Thessal. Kentaur, der sich im Hause des Peirithoos weinberauscht an dessen Braut → Hippodameia vergreift, worauf die Lapithen ihn entstellten; dies führt zum Kampf zwischen → Lapithen und Kentauren. Sein Schicksal hält der Freier → Antinoos [1] dem Odysseus warnend vor (Hom. Od. 21,295–304). Auch später wird E. als Anführer der Kentauren gern als abschreckendes Beispiel hingestellt (Thgn. 1,542).

[2] Peloponnesischer Kentaur, Sohn des Ixion. Er flieht vor Herakles ins → Pholoegebirge, wird später von ihm im Hause des → Dexamenos getötet (Hyg. fab. 33; Apollod. 2,83–87).

[3] Rinderhirt des → Geryon(es) auf der Insel Erytheia, von Herakles getötet (Hes. theog. 293; Hellanikos FGrH 4 F 110; Apollod. 2,106). Darstellungen zeigen ihn häufig beim Kampf zw. diesem und seinem Herrn.

[4] König von Phthia, Sohn des Aktor, von seinem Schwiegersohn → Peleus auf der Kalydonischen Jagd unabsichtlich getötet (Apollod. 1,70; 3,163).

[5] Gefährte des Aeneas, Sohn des Lykaon, Bruder des Pandaros. Bei den Leichenspielen zu Ehren des → Anchises gewinnt er im Bogenschießen den zweiten Preis (Verg. Aen. 5,495–544).

L. POLVERINI, s. v. Eurizione, EV 2,435.   R.B.

Eurytios-Krater. Frühkorinth. Kolonettenkrater um 600 v. Chr. aus Cerveteri (Paris, LV), bei dem neue Form- und Dekorationsgestaltung mit höchst qualitätvollen Bildern in sf. Malweise und polychromen Umrißzeichnungen verbunden sind. Vs.: das einzige korinth. Gastmal des → Eurytos [1] für → Herakles (reiche Namenbeischriften); Rs.: Kampf (vor Troja?). Unter den Henkeln eine originale »Küchenszene« und eine frühe Darstellung des Selbstmords des Aias. Dazu Reiher- und Tierfriese sowie Hirschjagd.

AMYX, CVP 147, 558f. Nr. 12 • AMYX, Addenda, 43 • M. DENOYELLE, Chefs-d'oeuvre de la céramique Greque dans les collections du Louvre, 1994, 38f. Nr. 14 • B. FEHR, Oriental. und griech. Gelage, 1971, 28–31 • E. SIMON, Die griech. Vasen, ²1981, Taf. XI • S. R. WOLF, Herakles beim Gelage, 1993, 11f.   M.ST.

Eurytos (Εὔρυτος).

[1] Herrscher von Oichalia, erwähnt bei Hom. Il. 2,596; 730. Die Lage von Oichalia ist unklar (auf der Peloponnes?). Nach Hom. Od. 21,20ff. schenkt Iphitos, der Sohn des E., als er in Messenien nach seinen Pferden sucht, dem Odysseus den großen Bogen seines Vaters (mit dem Odysseus später die Freier tötet) und wird auf der Suche später von Herakles ermordet. E. selbst wird von Apollon, den er im Bogenschießen herausfordert, getötet (Od. 8,224–228). Er spielt in dem nicht erh. frühen Epos ›Die Eroberung von Oichalia‹ (Οἰχαλίας ἅλωσις) des → Kreophylos eine wichtige Rolle. Auf diese Dichtung nimmt zweifellos Soph. Trach. Bezug, wo Herakles sowohl Iphitos als auch E. tötet, um in den Besitz von → Iole, der Tochter des E., zu gelangen. Oichalia liegt hier in Euboia.

M. DAVIES, Sophocles *Trachiniae*, 1991, xxii–xxxvii.
    E.R./Ü: L.S.

[2] Pythagoreer aus Kroton (Iambl. v. P. 148), Metapont (ebd. 266f.) oder Tarent (ebd. 267; Diog. Laert. 8,46). Er gilt als Schüler des → Philolaos (Iambl. v. P. 139 und 148; vgl. [1]; laut ebd. 104 gar Schüler des Pythagoras!) und Lehrer der letzten Pythagoreer der »mathematischen« Richtung (→ Echekrates [2] von Phleius), des Archytas und Platons (Apul. De Platone et eius dogmate 1,3; Diog. Laert. 3,6); er dürfte somit ca. 450/440 v. Chr. geboren sein [1. 4] und mindestens bis in die ersten beiden Dezennien des 4. Jh. hinein gelebt haben. Aus Aristoteles (metaph. 1092b 10–13; dazu Alex. Aphr., CAG 1, S. 826f. und Syrianos, CAG 6.1, S. 187f.) und Theophrast (metaph. 6a 19–22, vgl. [2]) erfahren wir, daß E. den Lebewesen und Pflanzen bestimmte Zahlen zuordnete, wobei die Zuordnung darauf beruhte, daß sich mit der entsprechenden Anzahl von Rechensteinen die Gestalt der einzelnen Dinge umreißen ließ [3]. Zu der in den Hss. einem Eurysos zugewiesenen neupythagoreischen Fälschung ›Über das Schicksal‹ vgl. [4].

→ Pythagoreische Schule

1 C. A. Huffman, Philolaus of Croton, 1993, 4–7
2 A. Laks, Eurytus in Theophrastus' Metaphysics, in:
W. Fortenbaugh, R. W. Sharples (Hrsg.), Theophrastean
Studies on Natural Science, Physics and Metaphysics,
Ethics, Religion and Rhetoric, 1988, 237–243 3 W. K. C.
Guthrie, A History of Greek Philosophy I, 1962, 273–275
4 H. Thesleff, The Pythagorean Texts of the Hellenistic
Period, 1965, 87 f.   C. Ri.

Eusebeia (εὐσέβεια).

Mit *e.* haben die Griechen Rel.
charakteristisch anders in einen Begriff gefaßt als die
Römer ihre *religio* oder die moderne Forsch. den »Glauben der Hellenen« oder die »Griech. Religion« [1]. *E.*
blieb Teil des sozialen Wertesystems, in dem die Götter
keinen exklusiven Ort hatten. Drei Bereiche lassen sich
sachlich und teils auch zeitlich unterscheiden:

1. In der Polis umschreibt *e.* ein Zugehörigkeits- und
Autoritätsverhältnis zu den eigenen Eltern, zur Polis
und ihren Normen und zu den Göttern (Lys. 6. 33;
Isokr. or. 7. 30; Plat. rep. 615 c); es verlangt sorgsamen
Umgang (auch *eulábeia*) und Loyalität. Das Übertreten
dieser Norm, die → *asébeia*, konnte vor Gericht gezogen
und mit extremen Strafen geahndet werden (vgl. Plat.
Euthyphr.). Einige Prozesse versuchten, polit. Ablehnung als Leugnung der Götter (sc. des Polis) zu erweisen; *asebés* und *átheos* werden synonym.

2. Damit beginnt ein philos.-theologischer Diskurs,
in dem Philosophen und ihre Schüler einerseits sich als
rel. lebende Menschen verstehen, andererseits Kritik an
der traditionellen Rel. üben, deren anthropomorphe
Götter bestechlich, unmoralisch und nicht allwissend
seien. Um für ethisches Verhalten Begründungen aufzubauen, die nicht mehr auf das Traditionssystem der
Polis bezogen sind, sondern universale Gültigkeit beanspruchen können, entstehen pantheistische oder Jen-
seits-Theologien. Zur *e.* gehört das Erkennen (bzw.
gnôsis) der richtigen Götter. Abhandlungen *Perí eusebeías*
(Περὶ εὐσεβείας) verbinden die Destruktion der traditionellen mit der Konstruktion philos. begründeter Rel.,
so von Theophrast, Philodemos oder Cicero in *De natura deorum*.

3. *E.* wird in der mittleren und späten Ant. zur individuellen Tugend bürgerlicher Anständigkeit des Lie-
bespatriarchalismus, auf der polit. Seite zu einer Herr-
schertugend und Anrede der (christl.) Kaiser, die aber
auch Anspruch auf Verehrung einschließt [3].
→ Asebeia; Atheismus

1 E. Feil, Religio, in: Forschungen zur Dogmen- und
Kirchengesch. 36, 1986, 32–49 2 W. Pötscher (ed.),
Theophrastos περὶ εὐσεβείας, Philosophia antiqua 11, 1964
3 D. Kaufmann-Bühler, s. v. E., RAC 6 (1966), 985–1052
(bes. 1023–1048).

Bauer/Aland 659f. • J. van Herten, Θρησκεία, εὐλάβεια,
ἱκέτης. Diss. Utrecht 1934 • J. C. Bolkestein, Ὅσιος en
Εὐσεβής. Bijdrage tot de godsdienstige en zedelijke
Terminologie van de Grieken, Diss. Utrecht 1936 • W. J.
Terstegen, Εὐσεβής en Ὅσιος in het griechsch taalgebruik na
de IVe eeuw, Diss. Utrecht 1941 • W. Fahr, Θεοὺς νομίζειν:
Zum Problem der Anfänge des Atheismus bei den

Griechen, Spudasmata 26, 1969 • Burkert, 408–412 •
D. Obbink (ed.), Philodemus, On Piety, 1996.   C. A.

Eusebia

[1] aus Thessalonike, evtl. Tochter des Eusebios I. Sie
war seit etwa 352 n. Chr. zweite Gattin Constantius' II.
(Iul. or. 3,109a-b, 110d). Sie galt als ungewöhnlich
schön (Amm. 18,3,2) und soll einen schon von den
Zeitgenossen beargwöhnten ([Aur. Vict.] epit. Caes.
42,20), starken Einfluß auf den Kaiser ausgeübt haben
(vgl. Amm. 21,16,16). Auf ihren Rat wurde Iulian, dem
sie sehr geneigt war (vgl. Iul. or. 3,117a–118c), zum
Caesar erhoben (Amm. 15,2,8; 8,3). Etwa 360 starb sie
kinderlos (Amm. 16,10,18; 21,6,4). Ihr zu Ehren verfaßte Iulian um 356/7 einen Panegyrikos (or. 3). PLRE 1,
300 f.
→ Iulianus Apostata   W. P.
[2] Taufname der → Ereleuva.

Eusebios/-us (Εὐσέβιος).

[1] **Flavius Eusebius.** Im Gesetz Cod. Theod. 11,1,1
von 360 n. Chr. wird auf den ehemaligen *cos. et mag.
equitum et peditum* Eusebius Bezug genommen. Es handelt sich hierbei wohl um den *cos.* E. von 347, der vielleicht mit dem Vater der Kaiserin Eusebia [1] identisch
ist (vgl. Iul. or. 3,107d–110d). PLRE 1, 307 f. Eusebius
(39).
[2] **Eusebius.** Sohn von E. [1]. Wie sein Bruder Hy-
patius wurde er durch seine Schwester → Eusebia [1]
(vgl. Iul. or. 3,116a) gefördert. Er war 355 n. Chr. *consularis Hellesponti*, 356 *consularis Bithyniae* (Lib. epist. 457–
459) und 359 mit seinem Bruder *consul* (Amm. 18,1,1).
371/2 wurden beide verdächtigt, nach dem Kaisertum
zu streben, zu Unrecht bestraft und später rehabilitiert
(Amm. 29,2,9–11). PLRE 1, 308 f. Eusebius (40).
[3] **Eusebius.** Eunuch, *praepositus sacri cubiculi* unter
Constantius II., evtl. schon seit 337 n. Chr. (Phot. bibl.
256; Sokr. 2,2,5–6) bis 361. Bei den Orthodoxen und
den Anhängern Iulians war der allgewaltige Arianer E.
berüchtigt (Athan. epist. ad Iov.; Lib. or. 18,152). Er
leitete 354/5 die Verfahren gegen den *Caesar* Gallus und
dessen Anhänger (Amm. 14,11,21; 15,3,2). 355 versuchte er vergeblich, Liberius von Rom zur Verurteilung des
Athanasius zu bewegen (Athan. hist. Ar. 35 ff.). 359
wirkte er auf die Synoden von Ariminum und Seleukia
im Sinne der antinicaenischen Politik des Kaisers ein
(Soz. 4,16,22). Ende 361 wurde er durch das von Iulian
eingesetzte Sondergericht von Chalkedon zum Tode
verurteilt und hingerichtet (Amm. 22,3,12; Sokr.
3,1,46). PLRE 1, 302 f. Eusebius (11).
[4] **Eusebius.** Schüler des Libanios, 355–361 n. Chr.
einflußreich am Hof Constantius II. (Lib. epist. 73; 437;
669). Um 360 evtl. *magister scrinii* (Lib. epist. 218). PLRE
1, 303 f. Eusebius (15).
[5] **Eusebios.** Antiochener, Schüler des Libanios (Lib.
or. 1,258). Er nahm 388 n. Chr. an einer Gesandtschaft
zum Hof des Arcadius teil (Lib. epist. 878–880 u. a.). Er
verfaßte Panegyriken für Theodosius I. und Arcadius

(Lib. or. 1,258). Evtl. ist er identisch mit dem *praef. Augustalis* E. von 385 oder 387 (vgl. PLRE 1, 305 Eusebius 23 und 24).　　　　　W.P.

[6] Eusebius. Eunuch, 409 n. Chr. *praepositus sacri cubiculi* des Honorius; als solcher nach dem Tode des → Stilicho kurzzeitig sehr einflußreich. Auf Betreiben des *magister equitum* Allobich bald umgebracht. PLRE 2, 429.　　　　　H.L.

[7] Eusebios von Kaisareia. Geboren kurz nach 260, war E. zeit seines Lebens eng mit Kaisareia in Palaestina (→ Caesarea [2] Maritima) verbunden. Entscheidend geprägt vom Presbyter Pamphilos, wurde er bald dessen wichtigster Mitarbeiter. Erste Werke (u. a. eine erste Ausgabe der ›Chronik‹ und der ›Kirchengeschichte‹) entstanden. Nach der »Großen Verfolgung« in den J. 303–313 n. Chr. wurde E. Bischof von Kaisareia. Als ›geschickter Kirchenpolitiker‹ [7. 56] mit großer Beredsamkeit und diplomatischem Geschick spielte er eine wesentliche, nicht immer glückliche Rolle in den kirchlichen Kontroversen seiner Zeit. Vergeblich suchte E. eine Übereinkunft mit → Areios (→ Arianismus). Deshalb exkommuniziert, verteidigte er sich erfolgreich auf dem Konzil von Nikaia (325) und gewann die Gunst des Kaisers → Constantinus [1]. In der Folge kämpfte er gegen Eustathios [5] von Antiocheia (um 330 abgesetzt), führte den Vorsitz der gegen → Athanasios gerichteten Synode von Tyros (335) und verfaßte im Auftrag des Kaisers Schriften gegen Markellos von Ankyra (*Contra Marcellum*; *De ecclesiastica theologia*). E. starb zw. 337 und 340, am 30. Mai.

Werke (in Auswahl): ›Kein sonderlich origineller Denker‹ [8. 538] hat E. mit Gelehrsamkeit und gründlicher Quellenkenntnis zu vielen Gebieten Beachtliches in einer großen Anzahl von Schriften (CPG 3465–3507; vgl. [5]) beigetragen. Die Datier. zahlreicher Werke ist umstritten (Tab. [7. 188–191]). Unter den histor. Schriften ragen die zweiteilige ›Chronik‹, die sog. *Vita Constantini* (Panegyrikos mit angefügten Reden) und die ›Kirchengeschichte‹ (mehrere Redaktionsstufen: B. 1–7: bis zum J. 280; B. 8–9: Große Verfolgung; B. 10: Zeit nach 312/313; vgl. [2. 129–164], anders [3]) hervor. In ständigem Vergleich mit der normativen Überl. der Apostel stellt E. in ihr erstmals die Gesch. des Gottesvolkes der Oikumene dar. Apologetischen Charakter trägt das zw. 312 und 322 verfaßte Doppelwerk *Praeparatio/Demonstratio evangelica*. Origenes verpflichtet, stellen die *Eclogae propheticae* sowie ausführliche Komm. zu Jes und den Pss bed. exegetische Leistungen dar.

Theologie und Nachwirkung: Aus biblischen und origenistisch-mittelplatonischen Wurzeln schöpfend, entwickelt E. ein beeindruckendes ›apologetisches, historisches und kulturtheologisches System‹ [7. 57], das in der Deutung des christl. Kaisers als eines in der Nachfolge Christi stehenden göttl. Herrschers für die byz. Reichstheologie wegweisend wird. Vergeblich versucht E., der in seinem Werk zahlreiche Texte des Origenes tradiert, einen von → Dionysios [52] von Alexandreia inspirierten [8. 540] Mittelweg zwischen arianischer

und nizänischer Theologie. Die ›Kirchengesch.‹ findet in Osten und Westen zahlreiche Fortsetzer und Übers.

1 H. W. Attridge, G. Hata (Hrsg.), E., Christianity and Judaism, 1992 (Bibliogr. 761–780) 2 T. D. Barnes, Constantine and E., 1981 3 R. W. Burgess, The Dates and Editions of Eusebius' *Chronici canones* and *Historia ecclesiastica*, in: The Journal of Theological Studies 48, 1997, 471–504 4 E. des Places, Eusèbe de Césarée commentateur, 1982 5 Quasten 3, 309–345 6 D. Timpe, Was ist Kirchengesch.?, in: W. Dahlheim u. a. (Hrsg.), FS Robert Werner, 1989, 171–204 7 F. Winkelmann, E. von Kaisareia, 1991 8 D. S. Wallace-Hadrill, s. v. E. von Caesarea, TRE 10, 537–543.　　　　　J. RI.

[8] Eusebios. Bischof von Nikomedeia und führender Vertreter der origenistischen Tradition im arianischen Streit († 341 n. Chr.).

Zunächst Bischof von → Berytos, wurde der Schüler des Lukianos von Antiocheia vor 318 Bischof von Nikomedeia, der Residenzstadt des → Licinius. Im aufkeimenden Streit um den ägypt. Presbyter → Areios [3] und seine Trinitätslehre(→ Arianismus) stellte sich der in enger Beziehung zum Hofe stehende E. vorbehaltlos hinter diesen. Mit zahlreichen Briefen (u. a. an Paulinos von Tyros: CPG 2045) unterstützte er das Anliegen des Areios gegen dessen Bischof Alexandros von Alexandreia und ließ ihn durch eine bithynische Lokalsynode für rechtgläubig erklären. Dennoch unterzeichnete E. wenig später auf dem Konzil von Nikaia (325) die Verurteilung des Areios. Gleichwohl wurde er drei Monate nach dem Konzil wegen seiner fortgesetzten Förderung der Arianer sowie der engen Beziehungen zu Constantia, der Witwe des Licinius, durch Kaiser Constantinus [1] nach Gallien verbannt. Nach einer schriftlichen Erklärung seiner Rechtgläubigkeit wurde E. auf der sog. Nachsynode von Nikaia 327/8 rehabilitiert [1. 177f.]. Als einflußreicher kirchlicher Ratgeber Constantins erreichte er in der Folge die Absetzung einer Reihe von Bischöfen der nicaenischen Orthodoxie: 329 → Eustathios [5] von Antiocheia, 335 → Athanasios von Alexandreia, 336 → Markellos von Ankyra. Auch gelang ihm die Rekonziliation des Areios (Synode von Jerusalem 335). Um 336 weihte E. anläßlich einer got. Gesandtschaft an den Hof Ulfila zum Bischof. Ebenso taufte er in Nikomedeia den sterbenden Constantin († 22.5.337).

Der Einfluß des E. nahm unter dem arianerfreundlichen Constantius II. noch zu. 338 konnte er den bereits seit längerem angestrebten Bischofsstuhl von Konstantinopel erlangen. Die Konflikte um das Nicaenum, vornehmlich ausgetragen um die Person des Athanasios und die Theologie des Markellos von Ankyra, gingen unvermittelt weiter. Unter der Ägide des E. setzte 339 eine antiochenische Synode Athanasios erneut ab und ersetzte ihn mit mil. Gewalt durch Gregorios von Kappadokien. Zur Lösung der Probleme schlug Iulius. I. von Rom, auf der Seite des Athanasios und Markellos stehend, aber auch von den eusebianischen Bischöfen um seine Zustimmung ersucht, eine ökumenische Synode vor, welche von E. scharf abgelehnt wurde (Rekonstruktion des Briefes bei [5. 297–300]). Mitte 341 starb E.

Person und Wirken des E. werden zumeist aus negativem, von Athanasios bestimmtem Blickwinkel beurteilt (Belege [5. 27]). Die wohl E. zuzuschreibende *Epistula ad Constantina* (CPG 3503) zeichnet demgegenüber ein differenziertes Bild seiner Persönlichkeit.

1 CPG 2045–2056 (Ed.) 2 R. P. C. HANSON, The Search for the Christian Doctrine of God. The Arian Controversy 318–381, 1988, 27–32 u. ö. 2 A. LICHTENSTEIN, E. von Nikomedien, 1903 3 R. LORENZ, Das vierte Jh. (O), 1992, C111–C155 4 C. LUIBHÉID, The Arianism of Eusebius of Nicomedia, in: Irish Theological Quarterly 43, 1976, 3–23 5 E. SCHWARTZ, Gesammelte Schriften 3, 1959 6 M. SPANNEUT, s. v. E., DHGE 15, 1466–1471.   J. RI.

[9] Eusebios. Bischof von → Emesa († um 359 n. Chr.). In Edessa geb., wirkte E. nach Aufenthalten in Palaestina, Antiocheia [1] und Alexandreia [1] seit 335 als Prediger und Lehrer der Schrift wieder in Antiocheia. Nach 341 Bischof des syr. Emesa. Von seinen zahlreichen Schriften (Hier. vir. ill. 91) sind, neben diversen exegetischen Fragmenten, 29 Homilien in lat. Sprache erhalten. An → Eusebios [7] von Kaisareia orientiert, vertrat E. eine auf arianischen Vorgaben (→ Arianismus) beruhende subordinatianistische Inkarnationslehre, welche spätere typisch antiochenische Züge (→ Antiochenische Schule) vorwegnahm.

ED.: CPG 3525–3543 · B. M. BUYTAERT, Eusèbe d'Emèse, Discours conservé en Latin 1–2, 1953, 1957 (in: CPG 3525–3543).
LIT.: B. M. BUYTAERT, L'Héritage littéraire d'Eusèbe d'Emèse, 1949 · M. F. WILES, The theology of Eusebius of Emesa, in: Studia patristica 19, 1989, 267–280.   J. RI.

[10] Eusebios von Dorylaion. Der Konstantinopolitaner Laie (wohl Rhetor und Rechtsanwalt) trat bereits im J. 428 n. Chr. als erster öffentlich gegen seinen Patriarchen → Nestorios und dessen Leugnung des *theotókos*-Titels auf (Euagrios, hist. eccl. 1,9). Er parallelisierte in seinem schriftlichen Protest, den er an der Kirchentür anbrachte (CPG 2, 5940: *diamartyría/contestatio*), als erster Nestorios und → Paulos von Samosata. 448 wurde er Bischof von → Dorylaion in Phrygien. Auf der Sitzung der Konstantinopolitaner Synode (σύνοδος ἐνδημοῦσα) vom 8.11.448 reichte E. eine Anklageschrift gegen den monophysitischen Archimandriten → Eutyches [3] auf Irrlehre ein (ACO II 1/1, 100–145) und wurde deswegen auf der ephesinischen Synode vom 8.8. 449 exkommuniziert. Darauf appellierte er u. a. an Papst → Leo. I. (ACO II 2/1, 79–81) und betrieb auf dem Konzil von Chalkedon (→ Kalchedon) erfolgreich die endgültige Verurteilung des Eutyches.

E. SCHWARTZ, Acta Conciliorum Oecumenicorum (= ACO) I 1/1, 102f. bzw. I/3, 18f. · M. TETZ, Zum Streit zw. Orthodoxie und Häresie an der Wende des 4. zum 5. Jh., in: Ders., Athanasiana, 1995, 275–289.   C. M.

[11] Eusebios von Alexandreia. Als sog. »Eusebius von Alexandreia« bezeichnet man eine Sammlung von 22 (bzw. 24) Vorträgen (CPG 3, 5510–5532 = BHG 635a-z) zu verschiedenen Themen, die E. 5. Jh. entstanden sein dürften, aufgrund einer ihr beigegebenen Vita (BHG 635). Der Autor der *sermones* wird darin als angeblicher Nachfolger des → Kyrillos von Alexandreia vorgestellt, den dieser angeblich selbst designiert habe. Vielleicht ist der Autor der Vita auch der Autor von Stücken der Sammlung, die aus dem syropalästinischen Raum stammen dürfte. Eine lat. Bearbeitung liegt von drei Predigten vor (Vetus Latina I/1, 454: FREDE).

G. LAFONTAINE, Les homélies d'Eusèbe d'Alexandrie, 1966 · J. C. THILO, Über die Schriften des Eusebius von Alexandrien, 1832 · TH. ZAHN, Skizzen aus dem Leben der Alten Kirche, ³1907, 321–330.   C. M.

[12] Eusebius von Vercellae, geb. um 283 n. Chr. auf Sardinien, *lector* in Rom, erster Bischof von Vercellae, Teilnehmer an verschiedenen Synoden, 355 in den Osten verbannt, unter Kaiser → Iulianus zurückgekehrt, wirkte eifrig gegen den → Arianismus und starb am 1.8.371 in Rom. Erh. sind drei Briefe: 1. an → Constantius [2] II. als Antwort auf ein Schreiben des Kaisers mit der Aufforderung zur Teilnahme an der Synode in Mailand 354; 2. an seine Diözese, der er über Vorkommnisse im Exil berichtet; 3. an → Gregor von Elvira, dessen Glaubensstärke er rühmt. Verloren sind eine Übers. des Psalmenkomm. des → Eusebios [7] von Kaisareia und der Psalmenkomm. des → Origenes. Die Zuweisung der 7 B. *De trinitate* ist umstritten.

ED.: V. BULHART, CCL 9, 1957.
LIT.: J. DOIGNIN, in: HLL, § 584 · R. KLEIN, Constantius II. und die christl. Kirche, 1977, bes. 145–148.   J. GR.

[13] Eusebius Gallicanus. Von BARONIUS eingeführter Name für eine unter dem Namen des E. [9] von Emesa überl. lat. Predigtslg. (CPL 966), die, nimmt man die Notizen des Caesarius von Arles zu den Lemmata seiner Homilien ernst, auf den Nachlaß des → Faustus Reiensis zurückgeht, dem gewiß die 34. Predigt gehört.

ED.: A. HAMMAN, PL Suppl. 3, 1963, 545–699 (–709) · F. GLORIE, CCL 101–101B, 1970–1971.
LIT.: G. MORIN, La collection gallicane dite d'Eusèbe d'Emèse…, in: ZNTW 34, 1935, 92–115 · J. LEROY, L'œuvre oratoire de S. Fauste de Riez, 1954 · Ders., F. GLORIE, »Eusèbe d'Alexandrie«, source d'»Eusèbe de Gaule«, in: Sacris Eruditi 19, 1969/70, 33–70.   K. U.

Eustathios (Εὐστάθιος).
[1] aus Karien. Rhetor des 4. Jh. n. Chr.; studierte in Athen und ließ sich später in Tyros nieder. In der kaiserl. Verwaltung bekleidete er mehrere Ämter, die er zu seiner Bereicherung nutzte (u. a.: *rationalis summarum per orientem*), 388 war er *consularis Syriae*. Mit → Libanios war er zunächst befreundet (Lobrede: Lib. or. 44), später verfeindet (Schmährede: or. 54, vgl. auch or. 1,271–275). Andere Zeugnisse als Libanios gibt es nicht.   M. W.

[2] Neuplatonischer Philosoph und Rhetor, wohl aus der Schule des → Iamblichos. Er scheint die Schulleitung von dessen Nachfolger → Aidesios übernommen zu haben, vermutlich in Pergamon (Eunapios, vit. Soph. 6,4,6ff.). 358 n.Chr. wurde er von Constantius II. wegen seiner rhet. Fähigkeiten als Botschafter zu dem Partherkönig Sapor gesandt (Amm. 17,5,15). Zu seinen Bewunderern zählen → Libanios (epist. 123 FÖRSTER) und Kaiser → Iulianus, der ihn an seinen Hof einlud (epist. 76 HÖRTLEIN = 34 BIDEZ-CUMONT). Er war mit der philos. gebildeten Sosipatra verheiratet (Eunapios vit. Soph. 6,6,5) und starb vor 390. L.BR./Ü: J.DE.

[3] Griech. Rhetor des 4. und 5. (?) Jh. n.Chr., Verf. eines verlorenen Komm. zur Stasis-Lehre des → Hermogenes (εἰσήγησις εἰς τὰς στάσεις) und vielleicht auch zu dessen Schrift περὶ εὑρέσεως (vgl. WALZ 2,545 und 7,704). E. folgte in seinen Erklärungen hauptsächlich → Minukianos d. Ä. sowie → Porphyrios; von späteren byz. Rhetoren wird er häufig zitiert.

FR.: H. RABE, De Christophori commentario in Hermogenis librum περὶ στάσεων, in: RhM 50, 1895, 244–248. M.W.

[4] Wahrscheinlich in Konstantinopel geb., lebte von ca. 1115 bis ca. 1195 n.Chr.; zunächst Mönch und Diakon an der Hagia Sophia und zugleich Lehrer der Rhetorik, dann (ab ca. 1175 oder 1179) Erzbischof von Thessalonike. Seine Festreden, Briefe und andere Gelegenheitsschriften ([1]; darunter ein Augenzeugenbericht über die Einnahme von Thessalonike durch die Normannen im J. 1185 [2] ebenso wie kritische Schriften zum Mönchtum) lassen einen hochgebildeten Redner und tiefreligiösen Menschen erkennen. Durch seine imponierenden Kommentare (παρεκβολαί) zu Homer (Ilias [3] und Odyssee [4]), aber auch zu Pindar ([5]; nur das Prooimion ist erh.) und Dionysios Periegetes [6] zeichnet er sich als vielseitiger Gelehrter und als einer der bedeutendsten klass. Philologen der byz. Zeit aus.

1 TH.L.F. TAFEL, Eustathii metropolitae Thessalonicensis Opuscula, 1832 2 S. KYRIAKIDIS, Eustazio di Tessalonica. La espugnazione di Tessalonica, 1961 3 M. VAN DER VALK, Eustathii archiepiscopi Thessalonicensis commentarii ad Homeri Iliadem pertinentes I–IV, 1971–1987 4 G. STALLBAUM, Eustathii archiepiscopi Thessalonicensis commentarii ad Homeri Odysseam I–II, 1825/6 5 A. KAMBYLIS, Eustathios von Thessalonike. Prooimion zum Pindarkomm., 1991 6 GGM II, 201–407.

L. COHN, s. v. E. 18), RE 6, 1452–1489 · N.G. WILSON, Scholars of Byzantium, 1983, 196–204 · A. KAZHDAN, S. FRANKLIN, Studies on Byzantine Literature of the Eleventh and Twelfth Centuries, 1984, 115–195. I.V.

[5] Bischof von Antiocheia († vor 360/1 [2]). Zunächst Bischof von Beroia [3] in Syrien, wurde der auf Seiten Alexanders von Alexandreia stehende E. nach dem Tod des Philogonios 324/5 Bischof von Antiocheia [1] (dort Synode unter Ossius von Cordoba). Auf dem Nicaenum 325 als Vorkämpfer der Orthodoxie ein erbitterter Gegner des Areios und seiner Lehre, verlor er durch den bei Hofe aufkommenden → Arianismus bald dessen Unterstützung, wurde des → Sabellianismus verdächtigt und 330/1 [1] nach Thrakien verbannt. Von seinen zahlreichen Schriften ist, neben Fragmenten in Florilegien und Katenen, die gegen die origenistische Exegese gerichtete Schrift *De engastrimytho* vollständig erhalten. Seine dualistische Christologie nimmt viele spätere antiochenische Formulierungen voraus.

1 R.P.C. HANSON, The Fate of Eustathius of Antioch, in: ZKG 95, 1984, 171–179 2 R. LORENZ, s. v. E., TRE 10, 543–546.

ED.: CPG 3350–3398. J.RI.

[6] Bischof von Sebaste († um 377/380). Vor dem J. 357 n.Chr. als erster monastischer Asket zum Bischof des armen. Sebaste erhoben, gilt E. als Initiator des Mönchtums in Kleinasien (Soz. 3,14,31). In seinen theologischen Ansichten war er wechselhaft (Homöusianer, ab 360 Annäherung an die Orthodoxie); die von ihm vertretene kirchenkritische, enthusiastische Askese (radikale Kreuzesnachfolge mit scharfer Amts- und Kirchenkritik) verursachte wiederholte Konflikte (Amtsenthebung, Schüler in Gangra 340 verurteilt). Der Widerstand gegen die Gottheit des Hl. Geistes (→ Pneumatomachoi) führte 373 zum Bruch mit seinem engen Freund und Schüler → Basileios [1] von Kaisareia. Von E. sind keine Schriften erhalten.

1 J. GRIBOMONT, S. Basile et le monachisme enthousiaste, in: Irénikon 53, 1980, 123–144 2 W.-D. HAUSCHILD, s. v. E., TRE 10, 547–550. J.RI.

[7] Ein ansonsten unbekannter Autor dieses Namens hat ausweislich des Prologs, der an eine wohl auch bei → Sedulius erwähnte Diakonisse namens Syncletia gerichtet ist, eine lat. Übers. der neun Homilien des → Basileios [1] d. Gr. über das Hexaëmeron (CPG 2, 2835) angefertigt. Da sie von → Augustinus zitiert wird (Gen. ad litt. 1,18), muß sie vor 400 entstanden sein, also wenige Jahre nach dem Tod des Basileios (379). Möglicherweise stammte E. aus Italien. Eine kritische Edition legten E.A. DE MENDIETA und ST.Y. RUDBERG 1958 vor (TU 66).

B. ALTANER, Eustathius, der lat. Übers. der Hexaemeron-Homilien Basilius des Großen, in: Ders., Kleine patristische Schriften, TU 83, 1967, 437–447. C.M.

[8] von Epiphaneia [2]/Koilesyrien, lebte im 5. Jh. und verfaßte einen zwölfbändigen Abriß der Weltgesch. (χρονικὴ ἐπιτομή). Der dreibändige erste Teil reichte bis zum Fall Troias, der zweite führte in neun Büchern von Aieneias bis ins Jahr 503 n.Chr. (Euagrios, hist. eccl. 5,24). Zitate finden sich in der Suda (s. v. E.); das Werk ist aber schon im 6. Jh. von Malalas und Euagrios Scholastikos (→ Euagrios [2]) benutzt worden. Der Versuch, E. größere Partien aus Euagrios zuzuweisen [4], konnte sich nicht durchsetzen.

ED.: 1 FGH 4, 138–142 2 L. DINDORF, Historici graeci minores 1, 353–363.

Lit.: **3** G. Garitte, s. v. Eustathe d'Epiphanie, DHGE 16, 24–26 **4** L. Jeep, Quellenuntersuchungen zu den griech. Kirchenhistorikern, in: Jbb. für klass. Philol. Suppl. 14, 1885, 53–178 (bes. 159–161).   C. M.

Eustochios aus Alexandreia. Traf gegen Ende seines Lebens (ca. 269 n. Chr.) → Plotin und wurde von ihm zur Philos. bekehrt. Er wirkte auch als dessen Arzt, begleitete ihn auf seiner letzten Reise und war bei seinem Tod zugegen (Porphyrios v. Plot. 7).   V. N./Ü: L. v. R.-B.

Euteknios (Εὐτέκνιος). In dem berühmten Cod. Vindobonensis med. gr. 1 (spätes 5. Jh. n. Chr.), der Pedanius Dioskurides enthält, finden sich auch Prosaparaphrasen zu den *Thēriaká* und den *Alexiphármaka* des → Nikandros [4; 2; 5]. Der Kolophon weist sie einem ›Rhetor‹ (σοφιστής) E. zu, der in die Zeit zw. dem 3. und 5. Jh. n. Chr. zu datieren ist [3. 34–37]; demselben E. werden deswegen ohne stichhaltigen Beweis auch die in derselben Hs. folgenden anon. Paraphrasen zu den *Halieutiká* (ab 3,605) des → Oppianos [4; 6] und – schon seit C. Gesner 1555 – zu den *Ixeutiká* des → Dionysios [29] [1; 7] zugeschrieben; Ebenfalls unsicher ist die Zuweisung der in der besten Hs. überlieferten Paraphrase zu den *Kynēgetiká* [8] an E. Zum Verhältnis der Scholien zu Oppianos (noch in der Ausgabe von E. C. Bussemaker, 1849) zur Paraphrase vgl. [11].

Ed.: **1** A. Garzya, Dionysii Ixeuticon seu De aucupio libri tres, 1963 **2** M. Geymonat, Paraphrasis in Nicandri alexipharmaca, 1976 **3** I. Gualandri, Paraphrasis in Nicandri theriaca, 1968 **4** Dies., Incerti auctoris in Oppiani Halieutica paraphrasis, 1968 **5** M. Papathomopoulos, Paraphrasis in Nicandri theriaca et alexipharmaca, 1976 **6** Ders., Paraphrasis in Oppiani halieutica, 1976 **7** Ders., Paraphrasis in Oppiani ixeutica, 1976 **8** O. Tüselmann, Paraphrasis in Oppiani cynegetica, 1900. Lit.: **9** L. Cohn, s. v. E., RE 6, 1492 **10** F. Fajen, Hs. Überlieferung und sog. E.-Paraphrase der Halieutika des Oppian, 1979 **11** A. Ludwich, Aristarchs Homer. Textkritik, II, 1885, 597–599.   S. FO./Ü: T. H.

Euterpe (Εὐτέρπη; vgl. τέρπειν, »Freude bereiten«). Eine der neun → Musen, Tochter des Zeus und der → Mnemosyne (Hes. theog. 77; Apollod. 1,13; Orph. h. 76,8; schol. Apoll. Rhod. 3,1 b). Sie ist in den späteren Texten bes. für das Flötenspiel zuständig (Hor. carm. 1,1,33; schol. Eur. Rhes. 346; schol. Hes. theog. 76). Nach Apollodoros von Athen (FGrH 244 F 146) und Herakleid. fr. 159 Wehrli ist E. von Strymon Mutter des → Rhesos (vgl. Apollod. 1,18; schol. Hom. Il. 10,435; Serv. Aen. 1,469). Seit dem 4. Jh. v. Chr. ist sie als Euturpa auf etr. Spiegeln dargestellt [1; 2]. E. ist Motiv von Gemälden bei Tiepolo und Böcklin.

1 M. Bonamici, s. v. Mousa (in Etruria), LIMC 6.1, 683–685 Nr. 10–13 **2** C. De Simone, Die griech. Entlehnungen im Etruskischen, 1968–1970, 1,64; 2,27.

A. Queyrel, s. v. Mousa, LIMC 6.1, 661 Nr. 18; 671 Nr. 121 (François-Vase).   R. B.

Eutharicus, Eutharich. Enkel des Amalers Berimund, 515 n. Chr. von Theoderich d. Gr. nach It. gerufen und mit → Amalasuntha vermählt, um die Nachfolge zu sichern (Iord. Get. 298). Später wurde er von Iustinus als Waffensohn adoptiert, erhielt röm. Bürgerrecht und hieß beim Antritt seines Consulats 519, wofür Cassiodorus eine Rede (MGH AA 12,465 ff.) und wohl auch seine Chronik verfaßte, Flavius E. Cillica (CIL VI 32003). Als er 520 bei rel. Unruhen in Rom scharf eingriff, sank seine Popularität; überhaupt verhielt er sich katholikenfeindlich (Anon. Vales. 80). Schon 522/3 wurde er getötet, so daß die von Konstantinopel bestätigte Nachfolgeregelung gegenstandslos wurde.

PLRE 2,438 · H. Wolfram, Die Goten, ³1990, Index s. v. E.   M. MEI. u. ME. STR.

Eutherios. In der 1. H. des 5. Jh. Bischof von → Tyana. Als überzeugter Anhänger des → Nestorios widersetzte er sich den Anathematismen des → Kyrillos von Alexandreia. Im J. 431 wurde er auf der Synode von → Ephesos exkommuniziert. Er schloß sich → Iohannes von Antiocheia an und bezog Stellung gegen die sich anbahnende Einigung zw. ihm und Kyrillos. Als diese 433 zustande kam, trennte er sich von Iohannes. Daraufhin verlor er sein Amt und wurde zum Exil nach → Skythopolis verurteilt.

M. Tetz, Eine Antilogie des E. von Tyana, (Patristische Texte und Studien, 1), 1964.   K. SA.

Eutherius. Armenier, Heide, Eunuch, kam als Sklave an den Hof Constantins I., diente später unter Constans und war unter Iulian *praepositus sacri cubiculi* (356–360 n. Chr.). In Mailand verteidigte E. 356/7 Iulianus vor Constantius II. gegen die Anschuldigungen des Marcellus (Amm. 16,7,2 f.); nach der Erhebung des Iulianus zum Augustus 360 fungierte er als dessen Gesandter zu Constantius (Amm. 20,8,19; 9,1–4; Zos. 3,9,3 f.); 361 rief ihn Iulianus erneut an den Hof (Iul. epist. 10 Wright). Später zog er sich nach Rom zurück. Ammianus zollt ihm höchste Anerkennung (16,7,2–10).

PLRE 1, 314 f., E. Nr. 1. · H. Scholten, Der Eunuch in Kaisernähe, 1995, 214.   M. MEI.

Euthias (Εὐθίας). Attischer Komödiendichter, der um die Mitte des 4. Jh. v. Chr. bei einem Wettkampf den zweiten Platz belegte [1. test.]. Weder Stücktitel noch Fragmente sind erhalten.

1 PCG V, 540.   H.-G. NE.

Euthydemos (Εὐθύδημος).

[1] Athenischer Stratege 418/7 v. Chr. Nahm am Sizilienfeldzug teil, in dessen Verlauf er und Menandros 414/3 zu Mitfeldherrn des Nikias gewählt wurden. Noch vor Ankunft des → Demosthenes [1] wurden sie geschlagen. Der Versuch, die Ausfahrt aus dem großen Hafen von Syrakus zu erzwingen, schlug fehl (Thuk. 7,16,1; 69,4; Diod. 13,13,2–4; Plut. Nikias 20).

D. Kagan, The Peace of Nicias and the Sicilian Expedition, 1981.   W. S.

[2] E. I., griech. König Baktriens am Ende des 3. Jh. v. Chr. Nach Pol. 10,49; 11,39 stammte er aus Magnesia. E. stürzte etwa 225 Diodotos II. von Baktrien und wurde selbst von Antiochos [5] III. geschlagen, hielt aber seine Selbständigkeit. Demetrios [10] I. war sein Sohn (Strab. 11,11,1) und wahrscheinlich auch E. [3] II. Eine große Menge seiner Münzen wurde in Afghanistan und Zentralasien gefunden. Wahrscheinlich hatte er eine lange Regierungszeit. Er scheint der letzte Grieche zu sein, der auch in Sogdiana herrschte. Auf den Erinnerungsmünzen des Agathokles [7] wurde er *theós* genannt.

P. BERNARD, Fouilles d'Aï Khanoum 4, 1985, 131 ff. ·
BOPEARACHCHI 47–49, 154–161.   K. K.

[3] E. II., griech. König in Baktrien Anf. des 2. Jh. v. Chr., nur durch seine Münzen belegt. Diese zeigen ihn als einen Angehörigen der Euthydemiden, und wahrscheinlich war er ein Sohn von E. [2] I. und jüngerer Bruder von Demetrios [10] I. Vielleicht war er nur ein Unterkönig des letzteren.

BOPEARACHCHI 55 f., 168–171.   K. K.

[4] Sophist, in Platons gleichnamigem sokratischen Dialog als Vertreter der Eristik dargestellt, der Kunst, in der Diskussion mit allen Mitteln den Sieg zu erringen. Aufgrund gewisser Übereinstimmungen in den Quellen (insbes. Plat. Krat. 386d; Aristot. soph. el. 177b12 und rhet. 1401a 26) geht man im allg. von der histor. Existenz des E. und seines Bruders Dionysodoros aus. Die in Chios geborenen und später aus Thurioi verbannten Brüder kamen um 416 v. Chr. nach Athen, um berufsmäßig die *areté* (»Vortrefflichkeit«, »Tugend«) zu unterrichten. Die Sophismen, die sie in Platons Dialog einsetzen, um ihre Gesprächspartner zu widerlegen, und die sich in der Hauptsache auf Gleichklang und Mehrdeutigkeit von Wörtern gründen, lieferten Aristoteles eine Reihe von Vorbildern für seine ›Sophistischen Widerlegungen‹.

M. CANTO, L'Intrigue philosophique, 1987 · G. GROTE, Plato and the Other Companions of Socrates, 1875, 1, 519–564 · M. NARCY, Le Philosophe et son double, 1984 · R. K. SPRAGUE, Plato's Use of Fallacy, 1963.   B. C./Ü: S. P.

[5] Arzt aus Athen. Herakleides von Tarent erwähnt ihn als Verfasser eines Buches über die Namen und Heilkräfte von Gemüsesorten. Seine Vertrautheit mit einer gefälschten Abhandlung des Hesiod (Athen. 3,116a) legt die Vermutung nahe, daß er in hell. Zeit lebte, vielleicht im 2. Jh. v. Chr. Er schrieb auch über die Kochkunst und über Salzfische (vgl. Athen. 12,516c; 3,116a; 3,118b; 7,307b), doch bezog Athenaios diese Informationen wahrscheinlich aus zweiter Hand.

V. N./Ü: L. v. R.-B.

[6] s. → Sokratiker.

Euthykles (Εὐθυκλῆς). Dichter der ausgehenden Alten Komödie (?). Zwei Stücktitel und zwei Fragmente sind erhalten.

1 PCG V, 541 f.   H.-G. NE.

Euthykrates (Εὐθυκράτης).

[1] E., ein Olynthier, ließ sich angeblich 348 v. Chr. von → Philipp II. zum Verrat seiner Heimatpolis bestechen und trug damit Mitschuld an ihrer Vernichtung. E. wurde deswegen von Athen geächtet (Diod. 16,53,2; Demosth. or. 8,40; 9,56; 18,295; 19,265–267; Hyp. fr. 76 JENSEN). Ca. 345–343 vertrat er als Syndikos die Delier im Streit mit den Athenern um die *prostasía* des Heiligtums in Delphi. Gegen → Demades' Antrag, die Ächtung E.' aufzuheben und ihn sogar als athenischen *próxenos* zu ehren, ging → Hypereides wohl Anfang 336 gerichtlich vor (Hyp. fr. 76–86 JENSEN).
→ Demosthenes; Olynth

J. ENGELS, Studien zur polit. Biographie des Hypereides, ²1993, 80; 136–142 · H. WANKEL, Demosthenes Rede für Ktesiphon über den Kranz, 1976, 336–338 · W. WILL, Callidus emptor Olynthi: Zur polit. Propaganda des Demosthenes und ihrer Nachwirkung, in: Klio 65, 1983, 51–80.   J. E.

[2] Bildhauer aus Sikyon, Sohn und Schüler des → Lysippos. Von den zahlreich überlieferten Werken, zumeist Gruppen um Alexander, ist keines im Denkmälerbestand identifiziert.

G. CRESSEDI, EAA 3, 548–549, s. v. E. I · OVERBECK, Nr. 1341, 1509, 1516, 1522–1525 (Quellen).   R. N.

[3] Komödiendichter, der im 3. Jh. v. Chr. offenbar an den Lenäen zweimal erfolgreich war.

1 PCG V, 543.   H.-G. NE.

Euthymenes aus Massalia. Griech. Seefahrer wohl des 6.–5. Jh. v. Chr., fuhr entlang der Atlantikküste NW-Afrikas bis zur Mündung eines großen Flusses (Senegal?), wo er im Ozean Flächen von Süßwasser bemerkte und wo die → Etesien periodisch zur Aufstauung des Flußwassers führten; daraus und auch aus der Fauna jener Region, die mit der Ägyptens vergleichbar war (Krokodile, Flußpferde), schloß E. darauf, daß es sich um den Oberlauf des Nils handle, der hier aus dem Ozean entspringe, und daß dessen periodisches Anschwellen – im Anschluß an Thales – aus der Wirkung der Etesien zu erklären sei.

Sein Werk, wohl ein → Periplus (vgl. Marcianus von Herakleia, epit. 2, GGM 1, 565), ist verloren; allein seine These über die Nilschwelle, die vielleicht bereits Herodot (durch Vermittlung des Hekataios?) kannte (Hdt. 2,20 f.; Hekat. FGrH 1 F 278), erscheint wiederholt bei den Doxographen; vgl. Anonymus Florentinus 5 (FGrH 647 F 1,5); Aet. placita philosophorum 4,1,2 (p. 384 ff. DIELS, DG = FGrH 647 F 2,2); Lyd. mens. 4,68 p. 145 WUENSCH; Sen. nat. 4a,2,22; Plut. mor. 897 f.

FHG 4, 408–409 (überholt) · Diels, DG, 226–228 ·
F. Jacoby s. v. E. 4), RE 6, 1907, 929f. · W. Aly, Die
Entdeckung des Westens, in: Hermes 62, 1927, 299–341
(bes. 305–307) · R. Hennig, Terrae Incognitae, Bd. 1,
²1944, 80–85 · J. O. Thomson, History of Ancient
Geography, 1948, 77.   K. Bro.

Euthymides. Att. rf. Vasenmaler der Spätarchaik (510–
500 v. Chr). Signierte als Bürger Athens unter Angabe
des Namens seines Vaters Polias, der wahrscheinlich mit
dem aus ant. Schriftquellen bekannten Bildhauer Pollias
identisch ist. E. war neben → Euphronios [2], mit dem
er in künstlerischem Wettstreit stand (bekannt die
Inschr. ΗΟΣΟΥ ΔΕΠΟΤΕ ΕΥΦΡΟΝΙΟΝ auf der Amphora
in München, SA 2307), der bedeutendste Maler in der
Gruppe der sog. »Pioniere«. Er übertraf in der räuml.
Erfassung und plastischen Durchbildung menschlicher
Körper Euphronios und war in der Zeichenweise groß-
zügiger und weniger detailbesessen als dieser. Er bemalte vorzugsweise große Amphoren, doch sind auch
Hydrien, ein Volutenkrater, ein Psykter, ein Teller sowie Fragmente zweier Schalen von ihm bekannt. Seine
unpathetischen, lebensnahen und oft humorvollen Bilder sind mit wenigen großen Figuren gefüllt, deren
innere Beziehung er meisterhaft darzustellen verstand.
Er war sehr schreibfreudig und hat seinen Figuren in der
Regel Namen beigeschrieben, die er teils dem Mythos,
teils dem eigenen Lebensbereich entnahm. Sf. Gefäße
sind von ihm nicht überliefert, doch stammen möglicherweise zwei große Votivtafeln von der Athener
Akropolis von ihm, eine mit einem sf. Athenabild, die
andere mit einem Krieger in kolorierter Umrißzeich-
nung verziert. Als sein Schüler gilt der → Kleophrades-
maler. Eine *Euthymídes epóēsen*-Signatur am Fuß einer
nicht von E. bemalten Oinochoe aus dem Anfang des 5.
Jh. v. Chr. in New York hat zur Vermutung geführt, daß
er wie Euphronios [2] in späteren Jahren Besitzer einer
Werkstatt wurde.

Beazley, ARV², 26–30 · Beazley, Addenda², 155–156 ·
M. Robertson, The Art of Vase-Painting in Classical
Athens, 1992, 29–35, 56–60 · M. Wegner, Euthymides und
Euphronios, 1979.   I. W.

Euthymios I. von Konstantinopel (* um 834 n. Chr.
in → Seleukeia, † 917). Nach einer Zeit als Mönch auf
dem bithynischen → Olympos wechselte er zum Theo-
doros-Kloster vor Konstantinopel. Als Beichtvater Kaiser → Leons VI. wurde er Abt des Psamathias-Klosters,
das der Kaiser eigens für ihn errichten ließ. Nach Absetzung des Patriarchen von Konstantinopel, → Nikolaos. I. Mystikos, nahm er dessen Position ein und wil-
ligte in Übereinstimmung mit den übrigen Patriarchen
gegen das byz. Kirchenrecht in die vierte Ehe des Kaisers
(Tetragamiestreit) als Ausnahmefall ein. Nach dem Tod
Leons wurde er abgesetzt und verbannt. Seine Anhänger
spalteten sich von der Reichskirche ab. Das Schisma
hielt bis Ende des 10. Jh. Im J. 921 wurde er postum
rehabilitiert.

P. Karlin-Hayter, Vita Euthymii patriarchae
Constantinopolitani, 1970.   K. Sa.

Euthynai (εὔθυναι). Als *e.* (»Geraderichten«) werden
speziell die Prüfungen der Amtsführung von Beamten
nach deren Ausscheiden aus dem Amt bezeichnet. In
Athen vollzog sich die Prüfung in zwei Teilen: Zum
einen der *lógos* (»Rechenschaftsbericht«), der dem Umgang des Beamten mit öffentlichen Geldern galt und
von einem Gremium von zehn *logistaí* (»Rechnungs-
führern«) mit je einem *synégoros* (»Rechtsbeistand«)
durchgeführt wurde ([Aristot.] Ath. pol. 54,2), und zum
andern die *e.* im engeren Sinn, die Gelegenheit boten,
jede beliebige Beschwerde über das Verhalten des
Beamten vorzubringen, und in den Händen einer Kommission von zehn *eúthynoi* (»Ausrichtern«) lagen, von
denen jeder zwei *páredroi* (»Beisitzer«) hatte ([Aristot.]
Ath. pol. 48,3–4). Wenn die *logistaí* oder die *eúthynoi*
meinten, ein Fall sei ernst und müsse gerichtlich geklärt
werden, überwiesen sie ihn in Form einer Anklage an
ein Geschworenengericht.

Vergleichbare Verfahren sind für viele andere griech.
Staaten bezeugt, und vielfach weisen von Athen beeinflußte Orte auch gleichartige Verfahren auf. Aber es
gab auch ein Rechenschaftsverfahren in der ersten H.
des 5. Jh. in Elis, das *mastráa* genannt wurde [1. 31]; ein
Beschluß aus Korkyra aus dem 2. Jh. v. Chr. legt ein sehr
detailliertes Rechenschaftsverfahren fest (IG IX I², 694).
Ein Beschluß aus Tomi bestimmt, daß Befehlshaber, die
in einer speziellen Notsituation bestellt wurden, von der
Rechenschaftlegung befreit sein sollten (IScyth. Min.
2, 2).

1 C. D. Buck, Greek Dialects, ³1955.

Zu Athen: M. Piérart, Les ΕΥΘΥΝΟΙ Athéniens, in: AC
40, 1971, 526–573.   P. J. R.

Euthynteria. Seltener antiker t. t. aus der griech. Architektur; nach IG II², 1668, Z. 15–18 (Syngraphe des
Philon-Arsenals), bezeichnet E. die das Fundament abschließende, nivellierte Standfläche der aufgehenden
Wand eines Bauwerks; auf dieser E. erhoben sich die
→ Orthostaten. Der Begriff E. wird in der modernen
arch. Terminologie üblicherweise allgemein verwendet und meint die oberste und somit erste nivellierte,
leicht über das Bodenniveau herausragende Funda-
mentschicht beim griech. Säulenbau, auf der sich die
→ Krepis erhebt.

W. Dörpfeld, Die Skeuothek des Philon, in: MDAI(A) 8,
1883, 151 · Ebert, 11, 14 · A. Linfert u. a., Die Skeuothek
des Philon im Piräus, 1981, 18–19 · W. Müller-Wiener,
Griech. Bauwesen in der Ant., 1988, 78–79, 87, 135–136.
C. Hö.

Euthyphron (Εὐθύφρων). Athenischer Seher, Gestalt
des gleichnamigen Dialogs Platons: Der vor Gericht ge-
ladene Sokrates trifft auf E., welcher seinen Vater, der
einen des Mordes schuldigen Sklaven hat sterben lassen,
wegen fahrlässiger Tötung belangen möchte. Aus
Sokrates' Vorbehalten gegenüber diesem Vorgehen entwickelt sich eine Erörterung über das Wesen der Fröm-

migkeit. E. wird auch in Plat. Krat. 396d; 399e; 428c erwähnt.

M. L. McPherran, Socratic Piety in the E., in: H. H. Benson (Hrsg.), Essays on the Philosophy of Socrates, 1992, 220–241 • A. Tulin, Dike phonou: the right of prosecution and Attic homicide procedure, 1996 • L. Versényi, Holiness and Justice. An Interpretation of Plato's E., 1982.
R.B.

Eutokios. Der Mathematiker E. von Askalon wurde vermutlich um 480 v. Chr. geb.; die verbreitete Annahme, er sei Schüler des Architekten → Isidoros von Milet gewesen, dürfte nicht zutreffen [1. 488]. Er verfaßte Komm. zu drei Schriften des → Archimedes [1] (*Perí sphaíras kaí kylíndru*, Περὶ σφαίρας καὶ κυλίνδρου, *kýklu métrēsis*, κύκλου μέτρησις, *Perí epipédōn isorrhopíōn*, Περὶ ἐπιπέδων ἰσορροπιῶν, Texted. [3. 1–319]) und zu den ersten vier Büchern der *Kōniká* (Κωνικά) des Apollonios [13] (dem → Anthemios [3] gewidmet, Texted. [4. 168–361]). Die Komm. basieren auf vorzüglichen Quellen und enthalten wertvolles Material, z. B. über Versuche griech. Mathematiker, das Problem der → Würfelverdopplung und das der Kugelteilung zu lösen.

1 I. Bulmer-Thomas, s. v. Eutocius of Ascalon, Dictionary of Scientific Biography 4, 1971, 488–491 2 Th. L. Heath, A History of Greek Mathematics, II, 1921, 540f. 3 J. L. Heiberg (ed.), Archimedis opera, 3, ²1915 (Ndr. 1972) 4 Ders. (ed.), Apollonii Pergaei quae graece exstant, 2, 1893 5 P. Tannery, Eutocius et ses contemporains, Mémoires scientifiques, 2, 1912, 118–136.
M.F.

Eutolmios Illustrios. (Εὐτόλμιος Ἰλλούστριος). Epigrammdichter, mit den Titeln *vir illustris* und *scholastikós* ausgezeichnet. Erhalten sind fünf Gedichte, die wahrscheinlich aus der *Syllogḗ* des Palladas stammen: die Grabepigramme Anth. Pal. 7,608 und 611 (elegante Imitationen von Bianor 7,644 und Parmenion 7,184), das anathematische Epigramm 6,86 (dessen lapidare Kürze offenbar von Palladas parodiert wurde) und das epideiktische Epigramm 9,587, ein einzelnes Distichon, das einen θερμοχύτης ›ein Gefäß, aus dem man warme Getränke goß‹ beschreibt.
E.D./Ü: M.A.S.

Eutresis (Εὔτρησις). Boiot. Ort in der Nähe des h. Leuktra. Der Stadthügel, in moderner Zeit Arkophodi gen., lag an der Straße von Thespiai nach Plataiai. Die Siedlung war schon in frühhell. Zeit bed. und fand auch im homer. Schiffskatalog (Il. 2,502) Erwähnung. Später trotz eines angeblich berühmten Apollon-Orakels nur noch unselbständiger Ort im Gebiet von Thespiai. Belegstellen: Hell. Oxyrh. 19,3,387; 20,3,438; Strab. 9,2,28; Steph. Byz. s. v. E.

Fossey, 149–154.
K.F.

Eutropia
[1] Gemahlin des Kaisers Maximianus. Mutter des Maxentius und der Fausta ([Aur. Vict.] epit. Caes. 40,12). Nach 324 n. Chr. hielt sie sich als christl. Pilgerin in Palaestina auf und machte Constantin auf Entweihung der heiligen Stätte von Mambre aufmerksam (Eus. vita Const. 3,52).
[2] Halbschwester Constantins. Mutter des Nepotianus, der 350 n. Chr. in Rom zum Augustus ausgerufen wurde.
B.BL.

Eutropius
[1] Verfasser eines lat. Geschichtswerkes, das laut Widmung im Auftrag des Kaisers Valens entstanden ist. Aus dem Text ergibt sich, daß E. Teilnehmer am Perserfeldzug Iulians war (10,16,1). Die *intitulatio* einer Hs. bezeichnet ihn als *magister memoriae*. Fraglich ist, ob er mit einem der in anderen Quellen bezeugten Träger dieses Namens aus der 2. H. des 4. Jh. identisch ist: Möglicherweise war er 371/2 *proconsul Asiae*, 380–1 *praef. praet. Illyrici* und 387 *consul posterior*. Das in den Hss. *breviarium* genannte Geschichtswerk berichtet in zehn kurzen B. die röm. Geschichte von der Gründung der Stadt bis zum Tode Iovians (364). Die Darstellung ist durch Knappheit und Übersichtlichkeit geprägt. Berichtet werden fast ausschließlich kriegerische Auseinandersetzungen. Bei Bewertungen ist der Verf. nicht sparsam, aber um Ausgewogenheit bemüht. Die Sprache ist wohl mit Absicht schlicht, da das Werk in möglichst faßlicher Form einen schnellen Überblick über die röm. Geschichte geben sollte. Einzelne Formulierungen (8,8,4; 9,4) legen die Vermutung nahe, daß E. nicht Christ war, was ihn jedoch nicht hinderte, von Constantius II. ein positives Bild zu zeichnen (10,15,1) und Iulians übertriebene Feindschaft gegenüber den Christen zu kritisieren (10,16,3). Als Quelle bis zur Kaiserzeit benutzte er die Livius-Epitome. Die Benutzung Suetons erfolgte indirekt über die sog. → »Enmannsche Kaisergeschichte«, der E. dann bis zur Zeit Diocletians folgt. Die Zeitgeschichte entnahm er überwiegend eigener Kenntnis. Die Gattung des kurzen Geschichtskompendiums war in der 2. H. des 4. Jh. sehr verbreitet (Aurelius Victor, Ps.-Aurelius Victor, Festus). E.' Werk wurde mindestens zweimal ins Griech. übersetzt und von Hieronymus, Orosius und Isidor benutzt. Im MA wurde es zweimal fortgesetzt (Paulus Diaconus, Landolfus Sagax). Bis in die neuere Zeit wurde es als Schulbuch verwendet.

Ed.: MGH AA 2 Droysen • C. Santini (Hrsg.), Eutropii breviarium ab urbe condita, ²1992 • F. L. Müller, Eutropii Breviarium ab urbe condita, 1995 (mit Übersetzung und Kommentar).
Lit.: PLRE 1, 317 E. (2) • H. W. Bird, Eutropius: His Life and Career, in: Echos du monde classique 32, 1988, 51–60 • G. Bonamente, Giuliano l'Apostata e il Breviario di Eutropio, 1986 • M. P. Segolini et A. R. Corsini (edd.), Eutropii Lexicon, 1982 • v. Haehling, 211–237 • A. Momigliano, Pagan and Christian Historiography in the Fourth Century A. D., in: Ders. (Hrsg.), The Conflict Between Paganism and Christianity in the Fourth Century, 1963, 79–99.
W.P.

[2] Nach SHA Claud. 13,2 war E. ein vornehmer Dardaner, der die Nichte des Kaisers Claudius [III 2] Go-

thicus geheiratet haben soll. Ein Sohn aus dieser Ehe soll der spätere Kaiser Constantius I. gewesen sein. Die Notiz ist im Kontext von Constantins Bemühungen um die Konstruktion einer vornehmen Abstammung zu sehen (vgl. Paneg. 6 (7),2–4). PLRE 1, 316 E. (1).

[3] Sohn eines Kolonen, studierte Rhetorik und Jurisprudenz. 389 n. Chr. wurde er *consularis Syriae*. Er ist nur durch die gegen ihn gerichtete or. 4 des Libanios bekannt. PLRE 1, 318 E. (3). W. P.

[4] *Praepositus sacri cubiculi* im Osten 395–399 n. Chr., *cos.* 399, *patricius*. Eunuch unfreier Herkunft; schon unter → Theodosius I. in einer Vertrauensposition, stieg er nach dem Sturz des *praef. praet.* → Rufinus 395 unter Arcadius zu zentraler Bed. auf; er verfeindete sich jedoch sowohl mit der Kaiserin → Eudoxia [1] als auch mit kirchlichen Kreisen. Nachdem er anfangs mit → Stilicho kooperiert hatte, wurde er zu dessen Gegner und unterstützte → Gildos Abfallbewegung in Africa. Auf Druck des → Gainas 399 gestürzt und schließlich exekutiert. Zumal nach seinem Sturz aufs heftigste kritisiert, bes. eindringlich die zwei Invektiven des → Claudianus [2], die mit äußerster Vorsicht zu benutzen sind. Strittig ist daher auch, wie weit er tatsächlich die gesamte Politik zu prägen vermochte [1. 98 f.; 2. 6 f.] (PLRE 2, 440–444).

1 J. H. W. G. LIEBESCHUETZ, Barbarians and Bishops, 1990, 93 ff. 2 AL. CAMERON, J. LONG, Barbarians and Politics at the Court of Arcadius, 1993. H. L.

Eutyches (Εὐτύχης).

[1] Steinschneider des 1. Jh. n. Chr., signierte als »Sohn des → Dioskurides aus Aigeai« den Bergkristall mit Athenabüste (Berlin, SM), nach einer Statue der Athena von Velletri.

→ Athena von Velletri; Gemmen- u. Kameenschneider

ZAZOFF, AG, 317[70], 331 Taf. 92,3 · AGD II, Berlin 169 Taf. 80 und 81 Nr. 456. S. MI.

[2] (Eutyc(h)ius, Hss.), lat. Grammatiker des 4. Jh. n. Chr., Schüler des → Priscianus und Verf. einer *Ars de verbo*, wahrscheinlich identisch mit dem gleichnamigen Grammatiker, aus dessen *Excerpta De adspiratione* → Cassiodorus in seiner *Orthographia* schöpft. Die *Ars* (2 B.) hängt z. T. von Priscianus ab und beschreibt die Verbalflexionen in meist oberflächlicher und schematischer Weise, während die *Excerpta* aus einem detaillierteren Werk zu stammen scheinen. Nach der Benutzung in Glossaren zu schließen war E. im MA wohlbekannt (z. B. bei Malsacanus, Micon und dem Anon. ad Cuimnanum) und wurde von Sedulius Scottus und Remigius von Auxerre kommentiert.

ED.: GL 5,447–488 (Ars) · GL 7,199,5–202,17 (Exc.). LIT.: G. GOETZ, s. v. E. 6, RE 6, 1529 · SCHANZ/HOSIUS 4,2,238–240. P. G./Ü: U. R.

[3] Der »Häresiarch«, monophysitischer Mönch († nach 454). Seit dem Konzil von Ephesos 431 n. Chr. Parteigänger des → Kyrillos von Alexandreia, verfügte der Vorsteher des Hiobsklosters in Konstantinopel durch sein Patenkind Chrysaphios über beträchtlichen Einfluß bei Hofe. Seine auf einzelne kyrillische Formulierungen fixierte Christologie (Acta Conciliorum Oecumenicorum 2/1,1,143: ›nach der Vereinigung bekenne ich eine einzige Natur‹) war Ausgangspunkt des → Monophysitismus. Von → Eusebios [10] von Dorylaion angezeigt, wird er im November 448 durch die endemische Synode nach einem rechtlich unbefriedigenden Lehrverfahren [1] als Häretiker abgesetzt. Durch eine von Theodosios II. in Ephesos einberufene Synode (449, »Räubersynode«) rehabilitiert, wird E. in Chalkedon 451 erneut abgesetzt und exiliert.

1 G. MAY, Das Lehrverfahren gegen E. im November des J. 448, in: Annuarium historiae conciliorum 21, 1989, 1–61 2 H.-J. SIEBEN, s. v. E., LThK[3] 3, 1023 f. (Lit.). J. RI.

Eutychianus

[1] Nach Malalas (p. 332,9 ff.) röm. Offizier aus Kappadokien, der in einem annalistischen Werk Iulians Perserkrieg von 363 n. Chr. als Augenzeuge beschrieben hat (FHG 4,6). Person und Werk sind evtl. Fiktion (vgl. FGrH II B 226, p. 638 f.). PLRE 1, 319 E. (39). W. P.

[2] *Praef. praet.* (Illyrici?) 396/7 n. Chr.; *praef. praet. Orientis* 397–399; II 404/5; *cos.* 398. Strittig ist seine Identifizierung mit Typhos aus Synesios De prov., → Caesarius [3]. Ist die Identifizerung zutreffend, war er Bruder des → Aurelianus [4], *comes sacrarum larg.* ca. 388/9 und *praef. praet. Orientis*.

PLRE 1,319–321 · DELMAIRE, 115 ff. · V. HAEHLING, 78 f. H. L.

Eutychides.

Bildhauer und Maler aus Sikyon, Schüler und Sohn des → Lysippos. Seine Akmé wurde 296–293 v. Chr. angesetzt. Sein Ruhm stützt sich auf die in vielen Nachbildungen und Kopien überlieferte Bronze-Statue der Tyche von Antiocheia am Orontes, die er nicht lange nach der Neugründung (300 v. Chr.) schuf. Sie ist einer der Grundpfeiler der Chronologie hell. Plastik und war in der rundansichtigen Komposition wie in der Ikonographie von Stadtpersonifikationen zukunftweisend. Vielgepriesen war an der Arbeit des E. die veristische Oberflächenwiedergabe der Textilien. Seine Personifikation des → Eurotas galt als gleichsam »flüssig«. Ungewiß ist, ob eine Dionysos-Statue im Besitz des Asinius Pollio von E. oder einem homonymen Künstler um 100 v. Chr. stammt.

J. C. BALTY, LIMC I, 840–851, s. v. Antiocheia · T. DOHRN, Die Tyche von Antiochia, 1960 · B. FEHR, Lectio graeca, lectio orientalis. Überlegungen zur Tyche von Antiocheia, in: Visible Religion 7, 1990, 83–92 · OVERBECK, Nr. 1516, 1530–1536 (Quellen) · P. PROTTUNG, Darstellungen der hell. Stadttyche, 1995, 43–115 · B. S. RIDGWAY, Hellenistic sculpture, 1, 1990, 233–237 · STEWART 201–202, 298. R. N.

Eutychius Proculus. Lat. Grammatiker des 2. Jh.
n. Chr. aus Sicca Veneria in Africa. Lehrer des → Marcus
Aurelius (vgl. SHA Aur. 2,3. 5), der ihn in die pro-
consularische Laufbahn erhob. Sein Werk ist verloren.
E. dürfte nicht mit dem (wohl fiktiven) Grammatiker
Proculus identisch sein, dem SHA trig.tyr. 22,14 ein
(noch wahrscheinlicher fiktives) Traktat *De peregrinis re-
gionibus* zuschreibt.

A. KAPPELMACHER, s. v. E. 1, RE 6, 1534f. ·
SCHANZ/HOSIUS 3,174 · A. R. BIRLEY, Some Teachers of
M. Aurelius, in: Bonner Historia-Augusta-Colloquien
1966/7, 1968, 39f. · H. G. PFLAUM, La valeur de la source,
ebd. 1968/9, 1970, 204.   P. G./Ü: U. R.

Eutychos. Eseltreiber, der mit seinem Esel Nikon dem
Octavian vor der Schlacht bei Aktion begegnete und
zum *omen* wurde. Von E. und seinem Esel ließ Octavian
ein ehernes Bild aufstellen (Suet. Aug. 96,2; Plut. Antonius 65.5), das später nach Konstantinopel kam, aber
1204 zerstört wurde (Niketas Choniates 6 [PG
139,1049,1ff.]).
→ Omina   D. K.

Euxenides (Εὐξενίδης). Komödiendichter, der in
Athen zur Zeit des Epicharmos (noch vor dem Xerxes-
krieg) Stücke aufgeführt haben soll [1. test.]; nichts davon hat sich erhalten.

1 PCG V, 544.   H.-G. NE.

Evangeliar s. Liturgische Handschrift

Evangelium (literarische Formen)
A. DEFINITIONEN B. ANTIKE EVANGELIEN
C. EVANGELIUM UND BIOGRAPHIE
D. EVANGELIUM UND HISTORIOGRAPHIE

A. DEFINITIONEN
Evangelium (griech. εὐαγγέλιον, gute Nachricht,
»Frohbotschaft«; → Euangelion) bezeichnet nach allg.
Verständnis die vier Schriften des NT, die von Leben,
Lehren und Sterben des → Jesus von Nazareth handeln;
sie werden vier »Evangelisten« (Mt, Mk, Lk, Jo) zugeschrieben. Die (rekonstruierte) Evangelien-Quelle Q
(ca. 50–60 n. Chr.) scheint nur das Verbum zu kennen
(εὐαγγελίζονται Mt 11,5; Lk 7,23), ein Verweis auf
mündliches »Evangelisieren« Jesu, nicht auf eine Gattung; auch das Nomen ist im NT selbst nicht als Gattungsbegriff gebraucht; frühe Belege: Didache 8,2; 15,3;
5,12; Iust. Mart. apol. 1,66,3; als inscriptio in Hss.: P66
um 200 [13]. Die Literarizität der Gattung E. wurde –
nicht zuletzt aus theologischen Gründen – immer wieder bestritten [6; 14]. Einflußreich war die These OVER-
BECKS (1880ff.), es handle sich um »Urliteratur«, Ge-
brauchstexte der Gemeinde, die prinzipiell außerhalb
der zeitgenössischen Lit. stehen [12]. Dagegen werden
neuerdings neben den literargesch. Bezügen für einzelne Formen innerhalb der E. – Anekdote, Apophthegma, »letzte Worte«, Parabel (Gleichnis), fiktive Reden

(Lehrrede, Werberede → Protreptik) und Dialoge
(Streitgespräche), Bekehrungs-, Berufungsgeschichten
(vgl. Apul. met. XI, → Roman), Itinerarien, Summa-
rien, Wechsel von Massen- und Einzelszenen [3; 4] –
bes. die Beziehungen zu den »großen Gattungen« der
ant. Historiographie betont.

B. ANTIKE EVANGELIEN
Mehr als fünfzig Schriften sind überliefert, die als E.
bezeichnet werden können, sei es aufgrund ihrer Titel,
sei es als Quellen von E., sei es aufgrund des inhaltlichen
Kriteriums: »Jesus tritt redend (und handelnd) auf«
[8. 91]. Frühe E., die die kanonischen E. voraussetzen,
sind das Petrus-E., das Egerton-E. und das Thomas-E.
Das Petrus-E. berichtet vom Prozeß Jesu und vertritt die
Unschuld des Pilatus; die Darstellung von Jesu letzten
Tagen scheint von Mt abhängig [5. 2,1317–1349]. Die
vier Papyrus-Fragmente des Egerton-E. aus der Mitte
des 2. Jh. enthalten Anklänge an Jo 5 und 7–10, wohl
vermittelt durch mündliche Überlieferung. Der erhaltene Text des Thomas-E. ist gnostisch (Kap. 8; 20; 49;
96; 107): Sprüche des »lebenden Jesus«, nicht des irdischen. Der Jesus des Thomas-E. verwirft die Propheten
Israels (52) sowie Frauen, die nicht männlich geworden
sind (114). Fünf der Sprüche (42; 81f.; 97f.) mögen auf
Jesus zurückgehen; Spruch 5 scheint von Lk 8,17 abhängig.
Datierung der vier kanonischen E.: Mk wurde ca.
60–75 in Rom oder in Syrien verfaßt; Mt ca. 80–90 in
Syrien; Lk ca. 80–100; Jo 85–100, vor oder nach den
Johannesbriefen, in Ephesos oder Syrien. Von den drei
synoptischen E. unterscheidet sich Jo in folgenden
Punkten: Jesus wirkt im wesentlichen in Jerusalem, das
Gottesreich-Motiv ist nicht zentral; anstelle von Gleich-
nissen stehen lange Reden, es gibt keine → Exorzismen
und wenige Wunder. Ähnlich ist in allen vier E. der
Beginn mit Johannes dem Täufer und das Ende mit der
Passion und den Erzählungen vom leeren Grab.

C. EVANGELIUM UND BIOGRAPHIE
Unter den historiographischen Gattungen der
griech. Lit. bieten die → Biographien deutliche Parallelen zu den E. Unter → Lukians Schriften finden sich
z. B. eine »Autobiographie« und sechs *Bíoi* von Philosophen, Asketen und Kultgründern. Eine gattungs- und
traditionsgesch. Analyse, beispielsweise des ›Leben des
Demonax‹, führt auf Vorbilder, die früher liegen als Mk
[8. 115–130]. Lukian schreibt als Augenzeuge der Lehre
des Demonax [3] über sein Leben und seinen Tod (3–11;
63–67), dazu Anekdoten und Sprüche (12–62), eine
Kombination aus Leben und Lehre (βίος und διδαχή).
Der ›Demonax‹ ist eine Programmschrift der »griech.
Renaissance«; er hat ein Kerygma, ist ein Protreptikos
zur Philosophie. Ähnlichkeiten und Unterschiede zu
den E. lassen sich für die Konstitution der Gattung E.
fruchtbar machen. Die generalisierende Behauptung,
Lukians Viten seien zum Vergleich mit der Gattung E.
durchaus untauglich [6. 399f.; 14. 350], muß modifiziert werden [8. 127–129].

Zum Beweis, daß die E. *Bíoi* Jesu seien, wurde inzw. eine breite Untersuchung griech. und röm. Viten vorgelegt; soziologische (Gruppenbildung um einen charismatischen Führer) und lit. Kriterien (Titel, Gegenstand, Textlänge, Strukturen und Topik) ant. Biographien wurden ermittelt, u.a. mit Hilfe von Wortstatistiken [7], und in Beziehung zu den E. gesetzt. Eine bestimmte Varianzbreite vorausgesetzt [7. 197–199, vgl. 77, 165–167, 179], entspricht die Struktur der E. – chronologische Erzählung mit geographischer Bewegung (am deutlichsten bei Lk) und Einlage verschiedenartigen Materials – derjenigen mehrerer griech. *Bíoi*. Die lit. Einheiten, Anekdoten, Reden, sind ähnlich [7. 168; 172; 204], die Topoi vertraut: das Nichtvorhandensein einer Geburtsgeschichte ist leichter zu erklären als das Fehlen von Jesu Ahnenreihe und Bildungsgang. Der Zweck der E. ist deutlich lehrhaft und apologetisch, eines der häufigsten Ziele auch anderer ant. *Bíoi*.

D. EVANGELIUM UND HISTORIOGRAPHIE

Vor allem für das lukanische Geschichtswerk, bestehend aus E. (Lk) als erstem Teil (λόγος) und Apg als zweitem, scheint der Vergleich mit der Historiographie im engeren Sinne näher zu liegen [1; 8; 9] (→ Geschichtsschreibung). Gegenargumente aufgrund der Länge der Werke – Mt hat 18 305 Wörter, Mk 11 242, Lk 19 428 [7. 199] – scheinen nicht stichhaltig. Nach Umfang und Aufbau scheint der Vergleich mit dem augusteischen Geschichtsschreiber → Dionysios [18] von Halikarnassos fruchtbar. (a) Die mittlere Länge der Darstellungen der röm. Könige bei Dionysios ist vergleichbar: Romulus (ant. 1,76–2,56) – ca. 20 000 Wörter, Numa (ant. 2,57–76) – ca. 6000 Wörter, Tullus Hostilius (ant. 3,1–35) – ca. 13 500 Wörter etc. Dionysios hebt nicht auf den individuellen Charakter der Könige ab, sondern auf ihr ges., polit. und rel. Handeln, beispielsweise auf das »Wachsen« Roms und auf Beziehungen zw. Arm und Reich, Patriziern und Plebejern, zwei Themen, die auch für das Geschichtswerk des Lukas zentral sind [2]. Auch die Konzentration auf eine Person (ein Kriterium für *Bíos* [7. 116]: Jesus ist in Mk das Subjekt von 24 % der Verben, mit 18 % ist der Prozentsatz im *Agricola* des Tacitus ähnlich) findet sich bei Dionysios: Tarquinius Superbus ist Subjekt von 24,7 % der Sätze. Der weit geringere Prozentsatz, der auf die Könige Dareios und Xerxes bei Herodot entfällt (B. 6 und 7), ist also kein Gegenargument.

(b) Die *Antiquitates Romanae* des Dionysios erzählen die Vorgesch. Roms (1,9–70), die Königszeit – die »Biographien« der sieben Könige (1,71–4,85) – und schließlich deren Nachfolger, der jährlich wechselnden Consuln (5–20). Diese drei Epochen lassen sich vergleichen mit den drei Stadien der Heilsgesch. bei Lk/Apg: (1) Israel, die Ahnen (Lk 3,23–38; vgl. Apg 7,1–53; 13,16–41. 46f.), (2) Jesus, die zentrale Phase (Lk), und (3) die Kirche (Apg). In der dritten Phase praktizieren die Nachfolger das politische Vermächtnis der Gründer: Rom bzw. die Kirche »wachsen«, reiche Bürger bzw. Jünger »erlassen den Armen Schulden«. Die E. des Mk,

Mt, Jo sind demnach verwandt mit griech.-röm. Biographien, Lk und Apg mit der (polit.) Geschichtsschreibung.

1 D.E. AUNE, The New Testament in its Literary Environment, 1987 2 D.L. BALCH, Cultural Ideology. A Comparison of Dionysius of Halicarnassus, Roman Antiquities, and Luke-Acts, in: B.W. WINTER (Hrsg.), The Book of Acts in its First Century Setting, Bd. 4: The Book of Acts in its Theological Setting, 1998 3 K. BERGER, Hell. Gattungen im Neuen Testament, in: ANRW II 25.2, 1034–1880 4 H.D. BETZ, The Sermon on the Mount, 1995 5 R. BROWN, Death of the Messiah, 1993 6 R. BULTMANN, Die Gesch. der synoptischen Tradition, 1921. Ndr. 1987 7 R.A. BURRIDGE, What are the Gospels? A Comparison with Graeco-Roman Biography, 1992 8 H. CANCIK (Hrsg.), Markus-Philologie. Histor., literargesch. und stilistische Unt. zum zweiten E., 1984, darin: Ders., Die Gattung E. (1981) und Ders., Bios und Logos 9 Ders., The History of Culture, Rel., and Institutions in Ancient Historiography: Philological Observations Concerning Luke's History, in: Journ. of Biblical Literature 116, 1997, 681–703 10 A. DIHLE, Die Entstehung der histor. Biographie, in: SB der Akad. der Wiss. Heidelberg 3, 1987, 1–83 11 H. KOESTER, Ancient Christian Gospels: Their History and Development, 1990 12 F. OVERBECK, Werke und Nachlaß, hrsg. von E.W. STEGEMANN u.a., 1994 ff. (Bde. 1–3: Schriften bis 1898) 13 G. STANTON, The Fourfold Gospel, in: New Testament Studies 43, 1997, 317–346 14 P. VIELHAUER, Gesch. der urchristl. Lit., 1975.

DA.B./Ü: H.C.-L.

Evocati. Im 2. Jh. v. Chr. mußten die röm. Soldaten bis zu sechs Jahre Militärdienst leisten; anschließend hatten sie als *evocati* 16 Jahre lang für Einberufungen zur Verfügung zu stehen. Während der Bürgerkriege am Ende der röm. Republik versuchten einzelne Feldherren oft, erfahrene Soldaten zu überreden, zu ihren Einheiten zurückzukehren. Die so rekrutierten Truppen wurden als *e.* bezeichnet. Die *e.* besaßen einen höheren Rang als einfache Soldaten, aber einen niedrigeren als die *centuriones*. Entweder bildeten sie eine besondere Einheit, oder sie wurden in bestehende Einheiten eingegliedert. Oft waren Versprechungen von Beute und Beförderungen der Anreiz, noch einmal in den Legionen zu dienen.

Im Jahre 44 v. Chr. rief der junge C. Caesar (der spätere Augustus) eine große Zahl von Veteranen, die Caesar in Campanien angesiedelt hatte, dazu auf, in seine Dienste zu treten (Cass. Dio 45,12), und im frühen Prinzipat wurden *e.* gelegentlich wie in der Republik eingesetzt. So wurden etwa im Jahre 6 n. Chr. viele Soldaten als Folge der pannonischen Revolte wieder einberufen (Velleius 2,111,1). Augustus schuf jedoch eine spezielle Einheit von *e.*, die wie die *centuriones* einen Stab trugen (Cass. Dio 55,24,8; CIL VI 3419). Diese *e.* waren Soldaten, die entweder freiwillig oder auf Forderung des *princeps* hin nach ihrem regulären Militärdienst in der Armee blieben. Der Begriff *evocatus* bezeichnete einen mil. Rang; *e.* sind bis in das 3. Jh. n. Chr. nachgewiesen. Gegen Ende des 1. Jh. n. Chr. kamen viele *e.* aus den Einheiten der Praetorianer; sie hatten ihre 16jährige Dienstzeit beendet. Diejenigen, die in Rom blieben, unterstanden vermutlich dem *praefectus praetorio*; die Rolle des *princeps* kommt aber in dem Titel *evocatus Augusti*, der von vielen *e.* getragen wurde, zum Ausdruck.

Wahrscheinlich konnten *e.* eine Beförderung zum *centurio* oder weitere Beförderungen erwarten: ›C. Cusp(ius) Secundus leistete seinen Eid als *evocatus* ... und erfüllte diesen als *centurio*‹ (CIL III 3470; ILS 2453); einige *e.* wurden jedoch nicht weiter befördert, Pellartius Celer etwa diente 27 Jahre als *evocatus* (AE 1952,153). In Stellungen der Heeresverwaltung nahmen die *e.* besondere mil. und technische Aufgaben wahr. Die *e.* erhielten höhere Auszeichnungen als die einfachen Soldaten, was ihren Rang unterstreicht.

J. CA./Ü: A. BE.

Evocatio. Aufforderung an die Gottheiten einer belagerten Stadt, diese zu verlassen und nach Rom überzusiedeln (Plin. nat. 28,18; Serv. Aen. 2,351). Bestes und bis vor kurzem einzig verläßliches Beispiel war die *e.* der Iuno Regina aus der etr. Stadt Veii 396 v. Chr. (Liv. 5,21,3-7; vgl. 5,22,7; 23,7; 31,3), in deren Folge → Camillus den Kult auf den Aventin übertrug. Die histor. Verläßlichkeit solcher legendenhaften Berichte aus Roms Frühgesch. (vgl. [1. 193-200; 2. 162f.]) ist nicht weniger umstritten als die Echtheit der *e.* aus späterer Zeit. Bes. die viel diskutierte *e.* der Iuno aus Karthago 146 v. Chr. (Serv. Aen. 12,841) wird angezweifelt [3. 47-50]. Zwar enthält die entsprechende Formel (*carmen*) in Macr. Sat. 3,9,7 alte und echte Bestandteile, doch nennt sie Götter im Mask. Pl. statt einer Göttin (allerdings erwähnt schon Liv. 5,21,5 *deos evocatos* in bezug auf Veii, vgl. [4. 42ff.; 5. 157ff.]). Gegen die Echtheit spricht auch, daß die Stadtgöttin Iuno (Caelestis) erst viel später in Rom aufgenommen wurde. Eine Inschr. aus Isaura Vetus in Kilikien (AE 1977 Nr. 816) [6] führt jedoch zu einer neuen Deutung. Die Inschr. bezieht sich wohl auf eine *e.* von ca. 75 v. Chr., aber weist auf eine Änderung des Rituals: Die Göttin wird nicht mehr nach Rom gebracht, sondern bekommt einen neuen Kult an ihrem urspr. Ort.

Eine andere Art von *e.*, die sich bis in späte Zeit erhalten hat (Ulp. Dig. 1,8,9,2), ist die *e.* im Privatkult, durch die eine Örtlichkeit von den darauf ruhenden rel. Verpflichtungen befreit werden sollte.

1 J. PICCALUGA, Terminus, 1974 2 J. RÜPKE, Domi militiae, 1990 3 R. E. A. PALMER, Roman Religion and Roman Empire, 1974 4 V. BASANOFF, E., 1947 5 J. HUBAUX, Rome et Véies, 1958 6 J. LE GALL, in: Mélanges J. Heurgon I, 1976, 519-24.

M. BEARD, J. NORTH, S. PRICE, Religions of Rome, 1997 · A. BLOMMART, Les processus d'introduction des dieux étrangers à Athènes et à Rome, 1997 · LATTE, 43, 125, 200, 346 · G. WISSOWA, Religion und Kultus der Römer, ²1912 (Ndr. 1971), 44, 383f. H. V./Ü: H. K.

Exactor. Das Wort *e.* hat zwei unterschiedliche Bed.: Einerseits beaufsichtigten und kontrollierten *exactores* in verschiedenen Bereichen Arbeiten, andererseits handelte es sich im röm. Finanzwesen um Eintreiber von Geldrückständen.

Wie ein Brief des Plinius (Plin. epist. 9,37,3) zeigt, überwachten die *e.* auf dem Großgrundbesitz die korrekte Ausführung der Arbeiten der *coloni*. Im Bauhandwerk und im öffentlichen Bauwesen sind *e.* inschr. belegt (CIL VI 8480 = ILS 1601; 8481; 8673; 8677 = ILS 1628; CIL XII 3070 = ILS 4844); sie waren hier mit der Bauaufsicht beauftragt. Oft war der *e.* Sklave oder Freigelassener des Bauherrn. In übertragener Bedeutung wurde der Begriff *e.* auch für jemanden verwendet, der die Arbeiten von Schülern beaufsichtigte (Quint. inst. 1,3,14; 1,7,34) oder als Magistrat die Vollstreckung einer Hinrichtung überwachte (Liv. 2,5,5). Selbst der »Bienenkönig« wurde als *e.* der Arbeit der anderen Bienen bezeichnet (Sen. clem. 1,19,2). In den Münzstätten sind *exactores auri, argenti, aeris* belegt (CIL VI 42; 44 = ILS 1635). Wohl zu Recht wurden diese *e.* für kaiserliche Beamte zur Kontrolle der Münzprägung gehalten.

In der späten Republik und in der Prinzipatszeit trieben *e.* Geldrückstände ein; Gläubiger gaben den Auftrag dazu. Im Dienste eines Privatmannes (Dig. 40,5,41,17) unterschied sich die Tätigkeit des *e.* von der des → *coactor*, im Dienste des *princeps* und der Öffentlichkeit von der des → *susceptor*. Während des Prinzipats trat der *e.* niemals als gewöhnlicher Steuereinnehmer auf; er war vielmehr damit beauftragt, die dem Gemeinwesen geschuldeten Rückstände oder aber außerordentliche Abgaben einzutreiben (Caes. civ. 3,32,4; CIL VI 8434 = ILS 1523).

Noch im 4. Jh. n. Chr. waren die *e.* regelmäßig für das röm. Reich tätig; es handelte sich meist um reiche → *curiales*, die für die Eintreibung der Steuern verantwortlich waren und innerhalb der → *curia* eine hohe Stellung einnahmen. Während des gesamten 4. Jh. n. Chr. gab es eine Reihe von kaiserlichen Erlassen, die Sanktionen gegen *e.* im Falle des Mißbrauchs vorsahen (Cod. Theod. 11,1,3; 11,7,1; 11,8,1; 12,6,22).

1 E. BERNAREGGI, Familia monetalis, in: Numismatica e antichità classiche, 1974, 177-191 2 L. DE SALVO, I munera curialia nel IV secolo, in: Atti del X° Convegno internazionale dell'Accademia Romanistica Costantiniana, 1995, 291-318 3 C. LEPELLEY, Quot curiales tot tyranni, L'image du décurion oppresseur du Bas-Empire, in: E. FRÉZOULS (Hrsg.), Crise et redressement dans les provinces européennes de l'Empire, 1983, 143-156 4 J. D. THOMAS, The Office of Exactor in Egypt, in: Chronique d'Egypte, 34, 1959, 124-140. J. A./Ü: C. P.

Exagium (ἐξάγιον, στάγιον). Ursprünglich ein Münzgewicht aus der hell. Zeit (in Babylon 17,00 g schwer), ist das E. vor allem ein Münzgewicht für den Solidus nach der konstantinischen Reform (312 n. Chr.), das in der griech. sprechenden Bevölkerung sogar zum Syn. für diesen und zu *stágion* verballhornt wurde. Die

Gleichsetzung wurde dadurch erleichtert, daß der Solidus wie das E. das Gewicht von ½ Pfund (= 4,55 g) besitzt, jedoch in der byz. Zeit ein wenig leichter wird (seit dem 9. Jh.: 4,43 g).

Die *exágia* haben die Form von runden oder viereckigen Bronzescheiben, die im 4. und 5. Jh. n. Chr. die Büsten der regierenden Kaiser und teilweise den Namen der Münzstätte sowie die manchmal abgekürzte Aufschrift *exagium solidi* tragen. In der byz. Zeit haben die E. in Silber eingelegte Aufschriften, die sich auf das Gewicht beziehen, so z. B. II SOL(idi) XII, d. h. zwei Unzen = 12 Solidi, wobei eine Unze sechs Solidi ausmachen. Die E. sind jedoch ungenau im Gewicht.

F. HULTSCH, Griech. und röm. Metrologie, 1882, 327 · SCHRÖTTER, 184 · W. TRAPP, Kleines Handbuch der Maße, Zahlen, Gewichte und der Zeitrechnung, 1992, 212 f.

A. M.

Exaleiptron (Salbschale) s. Gefäßformen

Exarchat. Bezeichnung der byz. Gebiete in Italien und Nordafrika nach ihrer Reorganisation unter → Mauricius (582–602 n. Chr.), die einem Exarchen (ἔξαρχος, *patricius et exarchus*) unterstanden. Als direkter Vertreter des Kaisers besaß dieser (ähnlich der späteren Themenordnung; → Thema) zivile und mil. Gewalt und konnte in die Kirchenpolitik eingreifen (z. B. mit der Bestätigung der Papstwahl). Die ungewöhnliche Konzentration von Kompetenzen war Folge der Abwehrkämpfe gegen Slaven, Avaren und Perser, die Mittel und Soldaten im Osten banden. Administration und Verteidigung der Gebiete im Westen ruhten daher weitgehend auf lokalen Ressourcen, über die der Exarch fast vollständig verfügen konnte.

Das E. von Ravenna, 584 erstmals belegt, umfaßte alle nach dem Langobardeneinfall von 568 verbliebenen byz. Besitzungen auf dem ital. Festland, d. h. auch Rom, aber nicht Sizilien. Kämpfe mit den Langobarden schufen einen ständigen Bedarf an Soldaten aus lokalen Ressourcen, die jedoch mehr die eigenen als die kaiserlichen Interessen vertraten. An der daraus folgenden Schwächung der Macht des Exarchen im 7. und 8. Jh. änderten auch der Langobardenfeldzug und der kurze Rombesuch des Kaisers Constans [2] 663 nichts. Im 8. Jh. verlor der Exarch weiter an Einfluß, da sich das byz. Gebiet auf Süditalien konzentrierte, das vom Thema Sizilien aus unterstützt wurde. Mit der langobardischen Eroberung von Ravenna im J. 751 endeten das E. und die byz. Herrschaft in Mittelitalien, dem späteren Kerngebiet des Kirchenstaates.

Ein Exarch von Karthago wird erstmals 591 erwähnt (Gennadios), Anfang des 7. Jh. begegnet Herakleios, der Vater des gleichnamigen Kaisers, in diesem Amt. Die Gefahr der Machtkonzentration in der Person des Exarchen zeigt der Usurpationsversuch des Gregorios 646/7; mit der Einnahme von Karthago (698) und Septem (Ceuta, 711) durch die Araber endete die byz. Herrschaft in Afrika.

G. OSTROGORSKY, Geschichte des byz. Staates, ³1963, 68, 98 ff., 118, 141 f.

M. MEI.

Exauctorare. Mit dem Verb e. wird der juristische Akt bezeichnet, durch den ein röm. Feldherr einen Soldaten oder eine ganze Einheit vom Fahneneid entband. Eine solche Handlung konnte zum gesetzlich vorgesehenen Zeitpunkt vorgenommen werden, in der Zeit der Republik etwa nach einem Sieg, in der Prinzipatszeit nach Ende der gesetzlich vorgeschriebenen Dienstzeit der Soldaten (Suet. Aug. 24,2; Suet. Tib. 30; Tac. ann. 1,36,4; Tac. hist. 1,20,6). Im Ausnahmefall konnte damit eine Belohnung verbunden sein (CIL XVI 17); die Entpflichtung erfolgte dann zusammen mit der Ausstellung eines Diploms; damit gehörten die entlassenen Soldaten zu den → Veteranen. Häufig bedeutet e. auch eine Bestrafung, weniger für einzelne Soldaten als für ganze Einheiten (Suet. Vit. 10,1; SHA Alex. 12,5). Die Einheit wurde daraufhin aufgelöst und ihr Name auf Inschr. eradiert (CIL III 186 = ILS 2657; 206 = ILS 5865; VIII 17953; 17954 usw.). Diese Form der Bestrafung, die der *ignominiosa* → *missio* gleicht, war im Prinzipat weiter verbreitet als in der Republik. Die Soldaten blieben jedoch in der Armee und wurden auf andere Einheiten verteilt.

1 W. ECK, H. WOLFF (Hrsg.), Heer und Integrationspolitik, 1986 2 O. FIEBIGER, s. v. e., RE 6, 1553 3 Y. LE BOHEC, Troisième Légion Auguste, 1989, 55; 591 4 S. LINK, Konzepte und Privilegierung röm. Veteranen, 1989.

Y. L. B./Ü: C. P.

Exceptio. Im röm. Formularprozeß bezeichnet die e. (Einrede, wörtl. »Ausnahme«) das bes. Verteidigungsvorbringen des Beklagten. Sie kann sich auf den Prozeß als solchen beziehen, dient indessen insbes. als Korrektiv einer auf dem *ius civile* beruhenden → *actio*. Die Prozeßformel weist die e. als einen negativen Konditionalsatz aus, welcher an das in der → *intentio* zusammengefaßte Klagebegehren angeschlossen ist und der Verurteilungsformel (→ *condemnatio*) vorangeht. Als negative Kondemnationsbedingung und damit als Ausnahme von den Verurteilungsbedingungen konzipiert – daher der Name –, wird die e. in der Regel auf Antrag des Beklagten vom Jurisdiktionsmagistrat in das Prozeßformular aufgenommen. Mit dieser Maßgabe wird in das Streitprogramm der prozessual erhebliche Beklagtenvortrag einbezogen, mit dem einerseits die für die *actio* maßgeblichen Tatsachen zugestanden, andererseits aber besondere Umstände vorgebracht werden, die einer Verurteilung entgegenstehen. So kann der aus einem Stipulationsversprechen verklagte *promissor* die etwa fehlende Valutierung des Darlehens mit der e. *doli* (*si in ea re nihil dolo malo Auli Agerii factum sit neque fiat*, ›wenn in dieser Sache durch böse Absicht des Klägers weder etwas geschen ist noch geschieht‹) und eine formlose Erlaß-, Vergleichs- oder Stundungsabrede mit der e. *pacti conventi* (*si inter Aulum Agerium et Numerium Negidium non convenit, ne ea pecunia peteretur*, ›wenn zwischen Kläger und Beklagtem nicht vereinbart worden ist, daß dieses Geld nicht gefordert wird‹) geltend machen (vgl. Gai. inst. 4,116; 119). Der Bedrohte kann die *e. metus* erheben (Gai. inst. 4,117: Ulp. Dig. 44,4,4,33).

Gegenüber dem mit der *rei vindicatio* klagenden Eigentümer, der eine *res mancipi* verkauft, aber nicht förmlich manzipiert, sondern nur formlos tradiert hat, kann sich der Käufer als »bonitarischer« Eigentümer mit der *e. rei venditae et traditae*, einem Sonderfall der *e. doli*, verteidigen (vgl. den Digestentitel D. 21,3). Dem mit der *actio Publiciana* verklagten zivilrechtlichen Eigentümer steht die *e. iusti dominii (si ea res possessoris non sit, si non suus esset,* wenn diese Sache nicht dem Besitzer gehört/nicht seine ist) zu (vgl. Dig. 6,2,17; 6,1,72; 44,4,4,32; 21,3,2). Der Eigentümer, der sein Verkaufsmandat an den → *procurator* nach dem Verkauf, aber vor der → *traditio* widerrufen und damit den Eigentumserwerb des Käufers nach *ius civile* verhindert hat, wird mit der *e. si non auctor meus ex voluntate tua vendidit* (›wenn nicht mein Gewährsträger mit deiner Einwilligung verkauft hat‹) abgewehrt (vgl. Dig. 6,2,14). Wird eine verpfändete Sache mit Einwilligung des Pfandgläubigers verkauft, so kann sich der Käufer gegen die *actio Serviana pignus* des *creditor* mit der *e. si non voluntate creditoris veniit* (›wenn sie nicht mit Einwilligung des Gläubigers zum Verkauf gelangt ist‹) verteidigen (Dig. 20,6,8,9). Die *e.* kann der *actio* dauerhaft entgegenstehen oder sie zeitweilig hemmen. Demgemäß lassen sich *e. peremptoriae (perpetuae)* und *dilatoriae (temporales, temporariae)* unterscheiden (vgl. Gai. inst. 4, 120–125). In all diesen Fällen beruht die *e.* auf *ius honorarium* und *aequitas.* Das *ius civile* ist z. B. Grundlage für die *e. legis Cinciae* zur Abwehr von Klagen auf Vollzug verbotener Schenkungen (Paulus Vat. 310). Zu den bes. Prozeßeinreden gehört die *e. rei iudicatae vel in iudicium deductae* bei erneuter Klage über denselben Streitgegenstand (Gai. inst. 4,107), ferner die *e. praeiudicii,* welche z. B. verhindern soll, daß eine bestimmte Rechtsstellung in einem Verfahren als Vorfrage festgestellt wird, z. B. die Erbenstellung in einem Verfahren außerhalb der *hereditatis petitio* (Gai. inst. 4, 133).

Das prozessuale Verteidigungsmittel gegen die *e.* ist die *replicatio.* Z. B. kann der mit der *actio Publiciana* klagende bonitarische Eigentümer die *e. iusti dominii* des zivilrechtlichen Eigentümers mit der *replicatio rei venditae et traditae* (Erwiderung der verkauften und übergebenen Sache) aus dem Feld schlagen (Dig. 44,4,4,32). Die Replik wiederum wird mit der Duplik (*duplicatio*) abgewehrt, diese mit der Triplik (*triplicatio*) etc. Andererseits bedarf es von vornherein keiner *e.,* wenn die Klage nach guter Treue (*bona fides*) zu beurteilen ist. *In bonae fidei iudiciis exceptiones insunt* (in den auf gute Treue gestützten Gerichtsverfahren sind die *e.* enthalten).

Mit dem Verfall des Formularprozesses in der Spätant. hat die *e.* ihre prozeßtechnische Eigenart verloren. Seitdem bezeichnet sie allg. die Einrede des Beklagten. Eine solche unspezifische Bed. hat die *e.* auch im neuzeitlichen gemeinen dt. Zivilprozeß. Im 19. Jh. unterscheidet SAVIGNY von der röm. *e.* die Einrede der modernen Prozeßtheorie. Für WINDSCHEID ist die Einrede der Gegenbegriffe zum materiellrechtlichen Anspruch. Demgegenüber gehört bis heute die Einrede mit ihren beiden an die röm. *e.* angelehnten Varianten, der peremptorischen und der dilatorischen Einrede, zu den Grundbegriffen des materiellen Zivilrechts. In diesem Sinne ist auch der lat. Ausdruck *e.* nach wie vor gebräuchlich, z. B. die *e. doli* für die Arglisteinrede.

→ *aequitas; creditor; dolus; pactum; stipulatio*

M. KASER, K. HACKL, Das röm. Zivilprozeßrecht, ²1997, 256–265, 582–586 • H. HONSELL, TH. MAYER-MALY, W. SELB, Röm. Recht, ⁴1987, 506–561 • WIEACKER, RRG, 458 f. • O. LENEL, Edictum perpetuum, ³1927, Ndr. 1956, 501–513 • Ders., Über Ursprung und Wirkung der Exceptionen, 1876, Ndr. 1970 • F. EISELE, Die materielle Grundlage der E., 1871 • M. KASER, »Ius honorarium« und »ius civile«, in: ZRG 101, 1984, 1–114 • R. KNÜTEL, Die Inhärenz der e. pacti im bonae fidei iudicium, in: ZRG 84, 1967, 133–161 • A. WACKE, Zur Lehre vom pactum tacitum und zur Aushilfsfunktion der e. doli, in: ZRG 90, 1973, 220–261; 91, 1974, 251–284 • K. HACKL, Praeiudicium im klass. röm. Recht, 1976 • H. ANKUM, Pap. D. 20,1,3 pr.; »Res iudicata« and full and bonitary ownership, in: Estudios en homenaje a J. Iglesias, 1988, 1121–1149.   C. KR.

Exceptor. In allg. Bed. »Schnellschreiber« (*excipere,* »aufnehmen«; griech. Syn. ταχύγραφος, → *tachýgraphos*), i. e. S. wichtiger Subalternbeamter in der Zivil- und Militärverwaltung der Prov. (in der Spätant. auch der Diözesan- und Praefekturverwaltung) neben Rechnungsbeamten (→ *numerarius*), Wirtschaftern (z. B. → *actarius*) und Archiv- und Urkundsbeamten. Seine Aufgabe bestand im Aufnehmen von Protokollen und Ausfertigen oder Nachschreiben von Urkunden administrativer oder gerichtlicher Art (Cod. Iust. 10,12,2 – *exceptores et ceteri officiales:* Cod. Iust. 12, tit. 49 *De numerariis, actuariis et chartulariis et adiutoribus scriniariis et exceptoribus sedis excelsae ceterorumque iudicum tam civilium quam militarium*). In den zentralen Reichsoffizien gibt es dafür spezielle Büros (*ab* → *epistulis; a* → *libellis; a memoria* u. s. w.).

JONES, LRE, 587 f.   C. G.

Excerpta Barbari. In einer mittelalterlichen lat. Hs. (Parisinus Latinus 4884) ist die Übers. (um 700 n. Chr.) der alexandrinischen Fassung einer christl. Weltchronik überliefert, die seit J. J. SCALIGER wegen ihrer vulgärlat. Sprachform »E. B.« genannt wird; zugrunde liegt eine griech. Fassung des 5. Jh. n. Chr. Der erhaltene Text, der mit dem J. 387 endet, gliedert sich in drei Teile, eine Weltchronik von Adam bis Kleopatra (p. 184–280 FRICK), eine Liste von Herrschern von den Assyrern bis zu den röm. Kaisern (bis Anastasius, 491–518; der Schluß vielleicht interpoliert; p. 280–330) sowie eine Fastenchronik von Caesar bis zum J. 387, die an Teil 1 anschließt und abrupt endet (p. 330–370); die Fasten von Domitian bis Diocletian sind durch Blattausfall verloren, vgl. p. 354. In den letzten Teil eingefügt sind

Notizen aus einer Stadtchronik von Alexandreia, die die Herkunft bezeichnen.

ED.: C. FRICK, Chron. min., 1892, 183–371 (mit dem Versuch einer griech. Rückübers.) · Teil 3 bei TH. MOMMSEN, Chron. min. 1, 1892, 272–298. LIT.: C. FRICK, Chron. min. 1892, LXXXIII-CCIX · F. JACOBY, s. v. E. B., RE 6,2, 1566–1576.　　P. L. S.

Excerpta Valesiana.

Zwei verschiedene spätant. historiographische Texte, die zuerst von H. VALESIUS 1636 aus dem heutigen Cod. Berol. Phill. 1885 (9. Jh.) ediert worden sind. Das erste Exzerpt (a), betitelt *Origo Constantini imperatoris*, stammt aus einer Slg. von Kaiserbiographien (Mitte 4. Jh.) und skizziert die Vita des Kaisers Constantinus [1] I. seit dem J. 305. Das zweite (b), ein Exzerpt *ex libris chronicorum* (6. Jh.), behandelt die Epoche von 474 bis 526, bes. die Herrschaft des Theoderich; der Überlieferung tritt hier der Palatinus Latinus 927 (12. Jh.) hinzu.

ED.: J. MOREAU/V. VELKOV, E. V., ²1968, 1–10 (a), 10–29 (b) · I. KÖNIG, 1987 (a), (mit Komm.) · DERS., 1997 (b). LIT.: P. L. SCHMIDT, in: HLL, § 535 (a) · J. N. ADAMS, The text and language of a vulgar Latin chronicle, 1976 (b).　　P. L. S.

Excubiae s. Vigiliae

Excusatio

bezeichnet vielfach einen Umstand, der ein ansonsten strafbares oder zu Ersatz verpflichtendes Verhalten dieser Folgen beraubt (z. B. Paulus Dig. 13,7,16,1). Im jurist. Sprachgebrauch bezeichnet man mit *e.* vor allem die Möglichkeit des für ein Ehrenamt (*honos*) Ausersehenen, des von einer im öffentlichen Interesse auferlegten Belastung (→ *munus*) Betroffenen und bes. des als Vormund (→ *tutela*) Berufenen, sich durch Hinweis auf seine besondere Lage zu entschuldigen. Wohl von Einzelentscheidungen der zuständigen Magistrate und der Kaiser ausgehend bildet sich ein System von Entschuldigungsgründen, wie sie dann z. B. Modestinus (3. Jh.) in seinen *libri de excusationibus* darstellt. Einige Gründe für die *e.*: Alter über 70 Jahre, eine große Anzahl eigener Kinder (in Rom 3, in Italien 4, in den Provinzen 5), drei zur Zeit betreute Vormundschaften, Feindschaft mit dem Vater des Mündels. Auch Vertreter bestimmter Berufsgruppen können sich von Vormundschaften entschuldigen, sowie Personen mit körperlichen Gebrechen, sofern diese für die gestellte Aufgabe hinderlich sind. Dem Vormund wider Willen stehen 50 Tage zur Geltendmachung der *e.* zur Verfügung (Cod. Iust. 5,62,6).

A. GUZMAN, Dos estudios en torno a la historia de la tutela romana, 1976 · M. PENTA, *Potioris nominatio* ed *excusatio* tra consuetudine e legislazione imperiale, in: Index 18, 1990, 295–316.　　R. WI.

Exedra
A. TERMINOLOGIE UND DEFINITION
B. GRIECHISCH-RÖMISCHE EXEDREN
C. CHRISTLICHE EXEDREN

A. TERMINOLOGIE UND DEFINITION

E. ist ein latinisiertes griech. Wort (ἐξέδρα = Sitz im Freien bzw. außerhalb), das in republikan. Zeit in den röm. Sprachgebrauch einging. Auf der Grundlage schriftl. Quellen kann die E. als ein Raum definiert werden, der nach außen hin offen ist und meist (zwei) Säulen *in antis* aufweist. Eine E. konnte mit Sitzbänken versehen sein und war z. T. mit Statuen ausgestattet, u. a. von Göttern oder verdienstvollen Bürgern. Sie hatten entweder einen rechteckigen oder einen halbkreisförmigen Grundriß, wobei die rechteckige Form überwiegt; vielfach war eine Portikus vorgesetzt.

B. GRIECHISCH-RÖMISCHE EXEDREN

Man findet E. in unterschiedlichstem Kontext, in griech. Zeit jedoch am häufigsten in Bauzusammenhang mit einem → Gymnasion. Dort waren sie Orte des Gesprächs, der Diskussion. Einen anschaulichen Beleg für diese Funktion bietet der Abschnitt bei Vitruv über die Palaistra (5,11,2), wo der Hauptraum, das Ephebeum, als eine große, rechteckige, mit Sitzen ausgestattete E. beschrieben ist. Hinter Portiken öffneten sich weitere, geräumige und ebenfalls mit Sitzgelegenheiten versehenen E., in denen Philosophen, Rhetoren und andere Gelehrte die Möglichkeit hatten, sich zu setzen und zu diskutieren. Arch. bezeugt sind E. in griech. Gymnasien, in röm. → Thermen sowie im Zusammenhang mit öffentlichen Portiken und Heiligtümern. Durch eine Dedikation in Form einer Mosaikinschrift ist eine solche E. im sog. Heiligtum der Syrischen Götter auf Delos gesichert (IDélos 2288). Sie lag in axialer Ausrichtung gegenüber vom Theater, öffnete sich auf eine Portikus zu und bot Zugang zu einem dahinter liegenden Raum, einem Oikos. Berühmt war die E. in der Portikus des Pompeius, nahe seinem Theater-Tempel (Plut. Brutus 14; 17). Sie war Veranstaltungsort für Senatssitzungen und beherbergte eine Statue des Pompeius. E. lassen sich schließlich auch in den Villen reicher Römer nachweisen (z. B. Cic. fam. 7,23,3), ja waren lt. Vitruv (7,3,4) sogar in herkömmliche Wohnhäuser integriert. Aussagekräftige Zeugnisse liefern Papyri aus Ägypten, in denen der Hauptraum eines Hauses als E. bezeichnet wird; diese befand sich hier stets im Erdgeschoß in der Nähe des Einganges. Arch. belegt sind E. in den Wohnhäusern von Olynthos, Priene, Delos, Pompeji etc. Die meisten dieser E. öffnen sich zu einem – mitunter von Säulen gesäumten – Innenhof.

C. CHRISTLICHE EXEDREN

In der sakralen Architektur frühchristl. Zeit bezeichnet E. dagegen einen vollkommen geöffneten Raum, der allerdings meist in das Kirchengebäude integriert ist. Nach und nach wurde dann die E. mit der → Apsis im Chor einer Kirche gleichgesetzt, in der sich ebenfalls Sitzplätze befanden. Daher wird E. in der modernen Lit. oftmals als t. t. für einen halbrunden Raum verwendet.

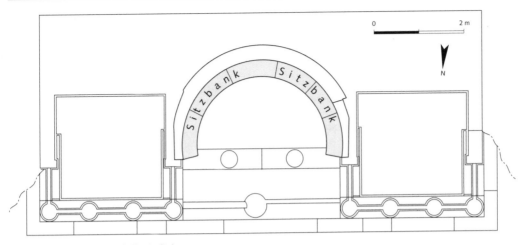

Tenos, Brunnenexedra (hell.); Aufsicht.

F. W. Deichmann, s. v. E., RAC 6, 1165–1174 ·
J. Delorme, Gymnasion, 1960, 325–329 ·
G. Hornbostel-Hüttner, Studien zur röm. Nischen-
architektur, 1979 · F. Luckhard, Das Privathaus im
ptolem. und röm. Ägypten, 1914, 77–80 · I. Nielsen,
Thermae et Balnea, ²1993, 165 und passim · S. Settis,
»Esedra« e »ninfeo« nella terminologia architettonica del
mondo romano, in: ANRW I 4, 661–745 · B. Tamm,
Auditorium and Palatium, 1963, 147–188 · S. Freifrau
von Thüngen, Die freistehende griech. E., 1994.
I. N./Ü: K. S.

Exegese A. Judentum B. Christentum

A. Judentum

Die jüd. E., die schon mit den erläuternden Glossen
und Fortschreibungen innerhalb der biblischen Texte
selbst einsetzt, dient in der Ant. v. a. der Aktualisierung
der Überlieferungen der Hl. Schrift (→ Bibel). Im
Frühjudentum begegnen zunächst Nacherzählungen
der biblischen Stoffe (sog. »rewritten bible«), z. B. das
›Jubiläenbuch‹ (ca. Mitte 2. Jh. v. Chr.) oder der *Liber
Antiquitatum Biblicarum* (ca. E. 1. Jh. n. Chr.), die narrative Lücken des Bibeltextes ergänzen, Widersprüche
ausgleichen und auch eigene Erklärungen einfügen, damit eigenständige theologische Akzente setzen.

In → Qumran ist diese Art der E. durch das *Genesis-
apokryphon* (ca. 100 v. Chr.) vertreten. Daneben findet
sich hier die Gattung des Pešer (»Deutung«). Man unterscheidet dabei zw. fortlaufenden Pešarim, die den
Bibeltext kursorisch auslegen und auf das Geschick der
Gemeinde beziehen (z. B. *Nahum-Pešer, Habakuk-Pešer*),
und thematischen Pešarim, die verschiedene Verse
kombinieren (z. B. 4Q Flor). Schließlich verstehen sich
auch die verschiedenen Regeln der Gemeinschaft – ausweislich der Überschrift des Damaskusdokumentes – als
halakhische (→ Halakha) Auslegung der Tora.

Als erster Vertreter der hell. Bibelauslegung, für die
die allegorische Deutung im Hinblick auf eine Harmonisierung von Tora und griech. philos. Trad. eine

bed. Rolle spielt, gilt Aristobulos, der eine Lehrschrift
an den jungen Ptolemaios VI. Philometor (180–145
v. Chr.) verfaßte. Sein Werk ist allerdings nur in einigen
Fr. bei → Eusebios [7] von Kaisareia überliefert. Diese
allegorische Schriftauslegung findet dann in der Penta-
teuchauslegung des → Philon von Alexandreia ihre
breiteste Entfaltung, wenn die Übereinstimmung zw.
geoffenbartem Gesetz und Naturgesetz aufgezeigt wird
und allegorische Auslegung als Weg zur wahren Gotteserkenntnis gilt (vgl. die Werke *De opificio mundi*; *De
Abrahamo*; *De Iosepho*; *Legum allegoriae*).

Schließlich kann ein Großteil der in den Jh. nach der
Tempelzerstörung entstandenen → rabbinischen Literatur als Schriftexegese bezeichnet werden, wenn
zahlreiche Midrašim den Bibeltext kursorisch auslegen
und ihn – sowohl in paränetischem als auch erbaulichem
Interesse – auf narrative Art und Weise erläutern und
aktualisieren. Auch für die → Halakha spielt der Rückgriff auf biblische Trad. und deren Interpretation eine
bed. Rolle. Für beide Bereiche, Halakha und → Hag-
gada, wurden eigene hermeneutische Regeln entwikkelt, die ihrerseits wiederum in enger Verbindung mit
der griech. Rhet. stehen. Auch ein Großteil der → Tar-
gume, d. h. der aram. Bibelübers., kann im weiteren
Sinne der jüd. Bibel-E. zugerechnet werden.

M. Hengel, Judentum und Hellenismus. Studien zu ihrer
Begegnung unter bes. Berücksichtigung Palästinas bis zur
Mitte des 2. Jh. v. Chr., ³1988, s. v. E., Philo v. Alexan-
drien · G. Stemberger, Gesch. der jüd. Lit. Eine
Einführung, 1977, 35–38, 54, 60, 80–95 · Ders., Einleitung
in Talmud und Midrasch, ⁸1992 (zur Hermeneutik: 25–40).
B. E.

B. Christentum

Zunächst benutzten die Christen unreflektiert das
vom → Judentum übernommene AT und adaptierten
dessen Auslegungstradition (→ Philon). Ab dem 2. Jh.
machte jedoch die Auseinandersetzung mit Synagoge
und Häretikern Klärungen notwendig. So bezieht nun
→ Iustinus das Zeugnis der Propheten auf den Messias

Jesus Christus, und → Eirenaios [2] verbindet als erster Schrifttheologe unter Verweis auf den allg. Glaubenssinn (*regula fidei*) kirchliche Tradition und E. Einen ersten Höhepunkt bildet → Origenes, der als Vertreter eines dreifachen Schriftsinns gilt (De principiis 4,2,4f.; Erweiterung bei Cassian. Conlationes patrum 14,8 zum vierfachen Sinn; Merkvers: *littera gesta docet, quid credas allegoria / moralis quid agas, quo tendas anagogia*. Gegenüber dieser die → Allegorese bevorzugenden Richtung (→ Eusebios [7] von Kaisareia, → Kyrillos von Alexandreia) betont eine von Antiocheia [1] ausgehende Tradition den Literalsinn (→ Diodoros [20] von Tarsos, → Theodoros von Mopsuestia). Lit. Niederschlag findet die spätant. E. in Scholien (gelegentlichen kurzen Anmerkungen), *quaestiones et responsiones* (Erklärung problematischer Textstellen) sowie den nach festem Schema [1. 418f.] aufgebauten *libri commentarii* (durchlaufende systematische Erläuterungen). Im 6. Jh. kommen die → Katenen als Zusammenstellung exegetischer Exzerpte hinzu. Erste lat. Schriftkommentare verfaßt um 300 → Victorinus von Poetovio (Pettau). Bedeutende Exegeten des Westens sind → Hieronymus, → Ambrosius von Mailand, → Augustinus und Papst → Gregorius I.

1 A. Di Berardino, B. Studer (Hrsg.), Storia della teologia, Bd. 1, 1993, 413–436 2 H. Graf Reventlow, Epochen der Bibelauslegung, Bd. 1, 1990, 104–195; Bd. 2, 1994, 9–118 3 H.J. Sieben, Exegesis Patrum, 1983 (Bibliogr.). J.RI.

Exegetai (ἐξηγηταί, von griech. ἐξηγέομαι, deuten, auslegen). Allg. die Ratgeber, Deuter, Anführer; eigentlich Ausleger des urspr. mündlich überlieferten hl. Rechtes in Athen. Es gab drei Kategorien von lebenslänglich amtierenden E.: die von den Eumolpiden bestellten *e. Eumolpidōn*, die vom delphischen Orakel bestimmten *e. Pytóchrēstoi* und die vom Demos aus den → Eupatriden gewählten *e. Eupatridōn*. [1. 24–40; 2. 34–52]. Die *e.* der Eumolpiden sorgten für die korrekte Durchführung des eleusinischen Kultes (IG I³ 78 Z. 36f.; Lys. 6,10; And. 115f.; [3; 4. 83; 5. 161–169; 6. 53f., 296]). Im 5. Jh. wurde das hl. Recht evtl. unter Verantwortung des gesamten Geschlechterverbandes ausgelegt, später durch ein Kollegium von zwei oder drei *e.* [2. 19–23, 37–42; 3. 89–92; 6. 295f.]. Noch umstritten ist der Zeitpunkt der Einführung der Ämter des *e. Pythóchrēstos* und des *e.* der Eupatriden – unter Solon (frühes 6. Jh. v. Chr.) [1. 21f.; vgl. 6. 220] oder 403 v. Chr. [2. 18–33; 7. 164–174; 4. 115] –, die Zahl der *e. Pythóchrēstoi* in klass. Zeit [1. 27–41; 7. 162–164] und ihre Speisung im → Prytaneion (IG I³ 131, 440/32). Diese nicht-eleusinischen *e.* teilten nach Anfrage von Privatpersonen und vom Demos Kultvorschriften mit, insbes. über Reinigungen und Opfer (Plat. Euthyphr. 4 cd; leg. 958 d; Demosth. 47,70; Isaios 8,38f.; Theophr. char. 16,6; IG II² 403; SEG 26, 121 Z. 13f.; [1. 41–51; 2. 29, 43, 63f.; 8]); es ist fraglich, ob die Mißachtung ihrer Auslegung strafbar war [6. 53f.]. Die seit dem 4. Jh. bekannte sakralrechtliche Lit. (*Exegetika*) entspringt z. T. ihrer Tätigkeit (FGrH 323 F 14; FGrH 352–356) [9. 6–12].

Außerhalb Athens sind an mehreren Stellen *e.* mit verschiedenen Aufgaben belegt, etwa der zum Kultpersonal gehörende und wohl als »Fremdenführer« fungierende *exēgētēs* (oder *periēgētēs*) in Olympia (Syll.³ 1021 Z. 20; Paus. 5,15,10) und die für die Munizipalverwaltung Alexandreias zuständigen *e.* [10. 102–104]. → Eleusis; Eumolpos

1 F. Jacoby, Atthis, 1949 2 J. H. Oliver, The Athenian Expounders of the Sacred and Ancestral Law, 1950 3 K. Clinton, The Sacred Officials of the Eleusinian Mysteries, 1972 4 R. S. J. Garland, Religious Authority in Archaic and Classical Athens, in: ABSA 79, 1984, 75–123 5 M. Ostwald, From Popular Sovereignty to the Sovereignty of Law, 1986 6 R. Parker, Athenian Religion: A History, 1996 7 J. H. Oliver, Jacoby's Treatment of the E., in: AJPh 75, 1954, 160–174 8 F. Bourriot, Recherches sur la nature de genos, 1976, 407–423 9 A. Tresp, Die Fr. der griech. Kultschriftsteller, 1914 10 D. Delia, Alexandrian Citizenship during the Roman Principate, 1991. A.C.

Exekias (Ἐξηκίας). Bedeutender Töpfer und Vasenmaler der att.-sf. Malweise, zw. 550 und 530 v. Chr. tätig. Seine Töpfersignatur ist auf 15 Gefäßen erh., drei davon tragen seine Malersignatur: Halsamphora in Berlin [1. Nr. 12] sowie die Bauchamphoren im Vatikan [1. Nr. 8] und in Tarent [2]. Nach ihrem Zeichenstil sind E. etwa 30 weitere Werke zugewiesen worden. Die erh. Vasenbilder müssen in einer kurzen Schaffenszeit entstanden sein, denn der → Kalos-Name Onetorides findet sich auf frühen wie auf späten Werken. Die Töpfersignatur des E. auf zwei früheren Amphoren der → E-Gruppe bezeugen seine Herkunft aus dieser Werkstatt, über die er jedoch sehr bald hinausgewachsen ist. Für seine Darstellungen hat er sich eher an → Nearchos orientiert. E. hat mehrere Gefäßformen neu gestaltet (Halsamphora, Bauchamphora Typ A, Augenschale und Kelchkrater), und seine kraftvollen, präzisen Formen haben die Töpfer der folgenden Generation entscheidend beeinflußt. Auch seine Anordnung der Dekoration sowie die Wahl und Ausführung der Ornamente wurden für längere Zeit maßgebend. Mit seinen Vasenbildern hat E. der Bildkunst neue Aussagemöglichkeiten erschlossen. Obwohl er nur über die eingeschränkten Ausdrucksmittel der sf. Malweise verfügte, ist er in geistige und seelische Bereiche vorgedrungen, die bis dahin der Dichtung vorbehalten waren. Dies gelang ihm mit neuen Bildideen und vielen sprechenden Einzelmotiven, die in durchdachten Kompositionen in Beziehung zueinander gesetzt sind. Beim »Selbstmord des Aias« auf einer Amphora in Boulogne [1. Nr. 9] ist z. B. nicht, wie bis dahin, die vollendete Tat, sondern deren Vorbereitung geschildert, wobei Gedanken und Gefühle des zum Tod entschlossenen Helden zum Ausdruck kommen. Auf der Augenschale in München [1. Nr. 21] lagert Dionysos wie ein Zecher in einem Segelschiff, an dessen Mast ein großer Weinstock emporrankt: eine Bildschöpfung, in der sich das Wesen des Gottes offenbart. Auch das Brettspiel des Achill und Aias auf der Amphora im Vatikan [1. Nr. 8] ist ein neues Bildmotiv, um die beiden ersten Helden vor Troja in einer Gegenüberstellung zu charakterisieren, und wohl nicht, wie mehrfach angenommen, die Illustration einer verlorene Episode aus dem Epos.

E.' Hauptwerke sind mit größter technischer Sorgfalt ausgeführt; die Figuren erinnern in ihrer vornehmen Würde an die gleichzeitige Bildhauerei. Daneben finden sich im Werk des E. auch bekannte Szenen in eigener Prägung. Sein besonderes Interesse gilt trojanischen Themen, wobei eine Vorliebe für → Aias auffällt. Außer Vasen hat E. noch große Tonpinakes bemalt, die für den Schmuck von Grabmonumenten bestimmt waren. Fragmente in Berlin lassen sich zu einer Serie von mindestens 15 Tafeln mit Darstellungen der Totenklage und des Trauergeleits ergänzen. Die eindringlichen Szenen und die Gesamtkonzeption dieses Frieses sind der Tafelmalerei ebenbürtig.

1 W. TECHNAU, E., 1936 2 F. G. LO PORTO, in: Atti del 16. Convegno di Studi sulla Magna Grecia, 1977, 730 Taf. 101.

BEAZLEY, ABV, 143–149, 686f. • BEAZLEY, Paralipomena, 59–61 • BEAZLEY, Addenda², 39–42 • Ders., The Development of Attic Black-Figure, 1951, 63–72 • J. BOARDMAN, Exekias, in: AJA 82, 1978, 11–25 • H. MOMMSEN, Exekias I: Die Grabtafeln, 1997 • M. ROBERTSON, A History of Greek Art, 1975, 131–135.

H.M.

Exercitatio. Ein häufiges Wiederholen einer bestimmten Handlung (γυμνασία, προγύμνασμα, μελέτη) bis zur Gewohnheit (Rhet. Her. 1,3; Cic. de orat. 2,358), dessen Ziel es war, eine Fähigkeit sowohl in physischem als auch in intellektuellem Bereich zu erwerben oder zu voller Entfaltung zu bringen. Den letztgenannten Bereich betreffen die meisten Belege aus der rht. Lit. Es handelte sich dabei um die tägliche Übung beim Schreiben, Lesen und Sprechen (Quint. inst. 10,7,27; vgl. Cic. Brut. 309), die die Naturgaben der Jungen, die Redner werden wollten, verstärken sollte (Quint. inst. 1 pr. 27) und das Lernen der einzelnen Vorschriften bis zu einer Habitusbildung ermöglichte (Quint. inst. 2,4,17; vgl. die Verbindung zwischen *e.* und *consuetudo* z. B. in Cic. de orat. 1,81; 2,32), so daß dieses stetige Üben dem Redner Improvisationen erlaubte, ohne die Zuhörer diese *ex tempore dicendi facultas* (Quint. inst. 10,7,1) spüren zu lassen (Cic. de orat. 1,152; orat. 200; Quint. inst. 10,7,7). Als notwendige Ergänzung zu der Zweiheit der Bildungsfaktoren *ars* bzw. *doctrina* und *natura* bzw. *ingenium* (Theorie und Anlage) aufgefaßt, wurde die *e.* schon bei den alten Sophisten innerhalb der bekannten Trias φύσις (*phýsis*), τέχνη (*téchnē*) bzw. ἐπιστήμη (*epistếmē*) und μελέτη (*meletḗ*; eigenes Talent, technische Anleitung, Übung) betrachtet, so wie später von Isokrates (Antid. 187; adv. soph. 14ff.), Platon (Phaidr. 269d) und Aristoteles (Diog. Laert. 5,18). Cicero schreibt der *e.* seit inv. 1,2 eine sehr große Bed. zu (vgl. z. B. de orat. 1,148ff.; 2,232; Brut. 25), der Verf. der *Rhetorica ad Herennium* schließt sein didaktisches Werk mit emphatischer Verwertung der *e.* (4,69). Quintilian, der sie als die

wirksamste Art des Lernens schätzt (inst. 2,17,13), widmet der Schilderung der vielerlei Übungen einen breiten Raum. Nicht auf die Schulübungen beschränkt, sondern lebenslang erforderlich war die *e.* an die *partes rhetorices* (→ officia orationis) wie die *partes orationis* (Redeteile) und die → *genera causarum* gebunden. V. a. Schreiben war für die *e.* erforderlich (Cic. de orat. 1,150, Quint. inst. 10,3,4–10,5,15), insbes. Übers. vom Griech. ins Lat. und Paraphrasen von allmählich schwierigeren Texten. Mit Bezug auf die *memoria* konnte der Redner sein Gedächtnis durch verschiedene Übungen verstärken (Rhet.Her. 3,39; Cic. de orat. 1,157; Quint. inst. 11,2,40). Beim Vortrag spielte die *e.* eine bes. wichtige Rolle, um die Stimme zu pflegen (Rhet.Her. 3,20; Quint. inst. 11,3,22) und der Bewegung des Körpers die passende Emphase zu geben (Rhet.Her. 3,27; Quint. inst. 11,3,29).

→ Bildung; Progymnasmata

1 B. APPEL, Das Bildungs- und Erziehungsideal Quintilians nach der Institutio oratoria, 1914 2 S. F. BONNER, Roman Declamation in the Late Republic and Early Empire, 1969 3 Ders., Education in Ancient Rome, 1977 4 L. CALBOLI MONTEFUSCO, Quintilian and the Function of Oratorical exercitation, in: Latomus 55, 1996, 615–625 5 A. N. CIZEK, Imitatio et tractatio, 1994 6 G. FUNKE, Gewohnheit, in: Archiv für Begriffsgeschichte 3, 1958, 99–118 7 H. I. MARROU, Histoire de l'éducation dans l'antiquité, 1948 8 J. MURPHY, Quintilian, On the Teaching of Speaking and Writing, 1987 9 P. SHOREY, Φύσις, Μελέτη, Ἐπιστήμη, in: TAPhA 39, 1908, 185–201 10 T. VILJAMA, From Grammar to Rhetoric, in: Arctos 22, 1988, 179–201.   L.C.M.

Exhaireseos dike (ἐξαιρέσεως δίκη). Wer behauptete, jemand sei sein Sklave, konnte in Athen gegen den Betreffenden eigenmächtig vorgehen und ihn mit sich »wegführen« (ἄγειν, *ágein*). Dagegen konnte wiederum ein Dritter auftreten, der den Ergriffenen mit einem Akt formaler Gewalt ›in die Freiheit entriß‹ (ἐξαιρεῖσθαι oder ἀφαιρεῖσθαι εἰς ἐλευθερίαν, *exhaireísthai/aphaireísthai eis eleutherían*; Aischin. in Timarchum 62; Demosth. or. 59,40; Lys. 23,9). Der Wegführende mußte dann den Ergriffenen, allerdings nur gegen Bürgenstellung, freigeben, konnte den Dritten aber mit *e.d.* verklagen. Siegte er, gehörte der Sklave ihm, und der Beklagte wurde zu einer Geldsumme verurteilt, die zur Hälfte an den Staat fiel. Möglicherweise läßt sich der Beginn der Großen Gesetzesinschr. von → Gortyn in entsprechendem Sinn deuten.

A. KRÄNZLEIN, Eigentum und Besitz im griech. Recht, 1963, 159ff. • A. R. W. HARRISON, The Law of Athens I, 1968, 178ff. • A. MAFFI, in: Symposion 1995, hrsg. von G. THÜR, J. VÉLISSAROPOULOS, 1997, 17–25.   G.T.

Exheredatio, Enterbung. Das archa. röm. Recht erlaubte die testamentarische Einsetzung eines Erben wahrscheinlich nur, wenn kein *suus heres* (Hauserbe) vorhanden war. Später wurde es möglich, einen von mehreren → *sui heredes* als Erben einzusetzen und die anderen zu enterben. In histor. Zeit war die Enterbung

von *sui* unbeschränkt möglich, mußte aber ausdrücklich im Testament geschehen. Söhne mußten unter Namensnennung, andere *sui* (Ehefrau – *uxor in manu* –, Enkel, Urenkel usw. beiderlei Geschlechtes) konnten *inter ceteros* (gemeinsam ohne Namensnennung) enterbt werden; war diese Enterbungsform nicht eingehalten, so war das Testament bei → *praeteritio* (»Übergehen«) von Söhnen ganz unwirksam, übergangene *ceteri* erhielten einen Kopfteil neben eingesetzen *sui* oder die Hälfte der Erbschaft neben *extranei* (Außenerben). Bei Einhaltung der Form war die Enterbung ohne weiteres wirksam (Dig. 28,2; Cod. Iust. 6,28). Seit Beginn der Kaiserzeit konnte ein Kind, das formal wirksam ohne Begründung enterbt war, mit der → *querela inofficiosi testamenti* (Testamentsanfechtung) ein Viertel seines gesetzlichen Erbteils erlangen. Aus der *querela* entwickelte sich das iustinianische Pflichtteilsrecht, welches in der Neuzeit in die modernen Erbrechtsordnungen überging (Dig. 5,2; Cod. Iust. 3,28).
→ Erbrecht II E; Postumus

1 HONSELL/MAYER-MALY/SELB, 463 ff. 2 KASER, RPR I, 705 ff.   U.M.

Exilarch. Der E. (aram. *rēš alūṯā*, »Oberhaupt der Diaspora«) war der Führer des babylon. Judentums und offizieller Vertreter gegenüber dem parth. König in der talmudischen und gaonischen Zeit (ca. 3.–10. Jh. n. Chr.). Wahrscheinlich wurde diese Institution, die sich vom davidischen Königshaus herleitete, während der Verwaltungsreform des Vologaeses. I. (51–79 n. Chr.) eingeführt [3]. Die erste sichere Nachricht über das Amt stammt aus dem 3. Jh. (vgl. yKil 9,4ff [32b]). Die Befugnisse des E. bestanden in juridischen und rechtlichen Entscheidungen. Da seine Kompetenz in religionsgesetzlichen Fragen aber weit hinter der der Rabbinen stand, kam es häufig zu Angriffen aus diesen Kreisen. Zudem wird auch von Auseinandersetzungen mit dem palästin. Patriarchen berichtet.

1 E. BASHAN, s. v. E., in: Encyclopedia Judaica 6, 1023–1034 2 M. JACOBS, Die Institution des jüd. Patriarchen. Eine quellen- und traditionskritische Studie zur Gesch. des Judentums in der Spätant., in: Texte und Stud. zum ant. Judentum 52, 1995, 225–231 3 J. NEUSNER, History of the Jews in Babylonia I, 1965, 50–58, 97–112; II, 1966, 92–125; III, 1968, 41–49; IV 1968, 73–124 4 G. STEMBERGER, Das klass. Judentum. Kultur und Gesch. der rabbinischen Zeit, 1979, 73–79.   B. E.

Exilium. Bezeichnung sowohl für die Verbannung als auch für den Verbannungsort. Wohl schon in der Zwölftafelzeit (5. Jh. v. Chr.) wurde zugelassen, daß der Täter eines Kapitalverbrechens durch freiwillige Flucht aus dem röm. Gebiet der Strafe (Blutrache) auswich. Im *iudicium populi* (Verfahren vor dem Volksgericht) stand dem Angeklagten bis zur Verurteilung das freiwillige *e.* offen; danach konnte der zur Urteilsvollstreckung zuständige Magistrat das Entweichen zulassen. Mit einigen Städten bestanden Verträge über die Aufnahme von

Flüchtlingen; zunächst waren es Orte ohne röm. Bürgerrecht in Latium (z. B. Tibur, Praeneste) oder das griech. Neapolis (Neapel), später außerhalb Italiens. Folgte der Flucht eine → *aqua et igni interdictio*, trat damit Bürgerrechts- und Vermögensverlust ein; bei Rückkehr drohte die Todesstrafe. Die gleiche Praxis gab es im Quaestionenverfahren (→ *quaestio*). Das *e.* ersetzte meist die Vollstreckung der Kapitalstrafe gegen *honestiores*, trug also Strafcharakter. Erstmalig wurde das *e.* in der *lex Tullia de ambitu* (63 v. Chr.) als gesetzliche Strafe (*poena legis*) vorgesehen. In der Kaiserzeit traten an die Stelle des *e.* die dauernde → *deportatio* und die befristete → *relegatio*; beide wurden von den Juristen auch als *e.* bezeichnet. Die Erfahrung des *e.* führte zu zahlreichen literarischen Auseinandersetzungen (z. B. bei Cicero, Ovid, Seneca; → Exilliteratur).

G. CRIFÒ, Ricerche sull' »e.« nel periodo repubblicano I, 1961 (dazu Rez. M. FUHRMANN, in: ZRG 80, 1963, 451–457) · Ders., L'esclusione dalla città, 1985 · E. DOBLHOFER, Exil und Emigration, 1987, · E. L. GRASMÜCK, E., 1978, 62–148 · E. LEVY, Die röm. Kapitalstrafe, in: Gesammelte Schriften 2, 1963, 334–347 · MOMMSEN, Strafrecht, 68–73.   R. GA.

Exilliteratur. Zu unterscheiden sind zwei Arten der E.: Texte, die Verbannten- oder Flüchtlingsschicksale beschreiben, und solche, die von Exilierten selbst verf. sind und ihre Erfahrungen und Empfindungen deutlich werden lassen. Im ersten Falle sind bes. → Odysseus, → Aineias, → Oidipus anzuführen, im zweiten → Cicero, → Ovid, → Seneca.

Schon in Homers Epen wird das Thema angesprochen (Hom. Il. 9,648) und darüber reflektiert (Od. 15,343–5), ebenso in der frühgriech. Lyrik (u. a. Tyrtaios fr. 6 D = Hor. carm. 3,2,13; Alk. 24 D; Thgn. 1197–1202 = Verg. ecl. 1,70 f.). Als *locus classicus* gilt Eur. Phoen. 357–442, der analytische Dialog zwischen Polyneikes und Iokaste über die zentralen Aspekte des Flüchtlingselends; ähnlich auch Isokr. or. 19,23–27 und 14,46–50. Auch in der hell. → Diatribe fand das Thema seinen Platz in verschiedenen Schriften *de exilio*, u. a. bei Teles, Musonius, Dion Chrys. 13, Plut. mor. 599a–607f, Favorinus, Cass. Dio 38,18–29, Cic. Tusc. 5,105–109 und parad. 18,27–32 sowie Sen. dial. 12.

In Prosa zeigen am deutlichsten Ciceros Briefe aus der Zeit seiner Verbannung, in der Dichtung die Werke Ovids aus dem Exil die Problematik der Heimatferne; auch Vergil hat in ecl. 1 (vgl. catal. 3 und 8) sowie in verschiedenen Figuren der *Aeneis* die leidvollen Erfahrungen der Verbannung thematisiert.

E. DOBLHOFER, Exil und Emigration, 1987 · H. FROESCH, Exul poeta, in: H.-J. GLÜCKLICH (Hrsg.), Lat. Lit., heute wirkend, 1987, 1,51–64 · G. D. WILLIAMS, Banished Voices. Readings in Ovid's Exile Poetry, 1995.   B. KY.

Exitus illustrium virorum. Kleingattung, die Werke umfaßt, welche einerseits die lit. Stilisierung der Todesumstände berühmter Männer, meist Opfer von Gewaltherrschaft, zum Thema hat: Der stoisch stilisierte Tod des Cato (Plut. Cato min. 68 ff.) oder des Seneca (Tac. ann. 15,60 ff.) reflektieren diesen Einfluß. Andererseits wird auch der Tod von (Gewalt-)Herrschern oder Feldherrn thematisiert. Der Name wird aus Plin. epist. 8,12,4 abgeleitet, der von den *exitus illustrium virorum* eines Titinius Capito spricht. Cicero verweist auf die Rhet. als Kontext, wenn er *Exitus clarissimorum virorum nostrae civitatis* als *exempla consolationis* (»tröstliche Vorbilder«) sammelt (div. 2,22). Daher erklärt sich auch die Nähe zu Exempla-Slg. (→ Valerius Maximus). Eine enge Zusammengehörigkeit besteht mit der Gattung der *Teleutaí* (3.–2. Jh. v. Chr.), deren Archetyp der Tod des Sokrates bildet. Wichtig ist aber auch die Darstellung des Todes des Kyros bei Xenophon und seine letzten Worte (Kyr. 8,7,6–28). Nahestehend sind Slg. der *novissima verba* (»letzte Worte«), ebenso die nicht auf christl.-jüd. Lit. beschränkten → *acta Sanctorum / martyrum* wie auch Beschreibungen des Endes der Peiniger.

A. RONCONI, s. v. E. I. V., RAC 6, 1558–1568. U. E.

Exkubitai (ἐξκουβῖται). Militärische Wacheinheit geringen Umfangs zum Schutz des Kaisers, die von → Leo. I. d. Gr. geschaffen wurde. Diese mil. Einheit wurde zusammengestellt, um jeglicher Ineffizienz des *tágma tôn scholôn* vorzubeugen, und von einem *comes* (dem sog. *comes excubitorum*) befehligt, der v. a. im 6. und 7. Jh. einen beträchtlichen Einfluß beim Kaiser hatte. Vom 8. Jh. an wurde der *comes* durch den *domesticus* ersetzt, der nach BURY [3. 57] einen geringeren Rang besaß. Dieser Wacheinheit gehörten weitere Offiziere wie *topotērétēs*, *chartulárioi*, *scríbones*, ein *prōtomandátōr*, *drakōnárioi*, *skeuophóroi* an. Die Soldaten der Einheit der E. erhielten einen höheren Sold als üblich, da ihre physische Überlegenheit augenfällig und Bedingung für ihre Rekrutierung war.

1 J. F. HALDON, Byzantine Praetorians, 1984
2 A. KAZHDAN, s. v. Domestikos ton exkoubiton, ODB 1, 646 f. 3 J. B. BURY, The Imperial Administrative System in the Ninth Century, with the Revised Text of the Kletologion of Philotheos, 1911. A. P. / Ü: T. H.

Exkurs (*excursus*). Unterbrechung als Form der Erweiterung und zugleich des Redeschmucks (*ornatus*) in erzählenden Texten; auch mit der Funktion eines Beweises einer im Haupttext aufgestellten Behauptung: Polybios (18,35) belegt mit einem E. über Aemilius Paulus die Unbestechlichkeit alter röm. Feldherrn; zugleich bietet er mit diesem E. einen Kontrast zu dem im Haupttext dargestellten Titus Flamininus. In der Terminologie der Rhet. gehört *excursus*, meist synonym mit *egressio, excursio, digressus / io*, παρέκβασις / *parékbasis*, zum Komplex der Abschweifung vom Thema (*genus expatiandi*, Quint. inst. 4,3,1). Quintilian behandelt den E. im Kapitel *de egressione* (inst. 4,3,1–17). Mit Blick auf die Gerichtsrede bestimmt er den E. als Überschuß der fünf gewöhnlichen *partes orationis* (4,3,14). Als Beispiel nennt er das Lob Siziliens in den Verrinen (Cic. Verr. 2,1).

Quintilian betont auch die grundsätzliche Schwierigkeit, die sich durch den Einsatz des E. zur → *amplificatio* ergibt: Der Zusammenhang muß ihn erlauben und die Darstellung darf nicht unterbrochen werden (inst. 4,3,6).

Selten wird der E. bei seiner Verwendung explizit als solcher gekennzeichnet. Thukydides spricht von ἐκβολή τοῦ λόγου (1,97,2), als er den Einschub über die → Pentekontaëtie begründet. Bisweilen wird der E. durch eine Einleitungsfloskel markiert (z. B. Sall. Iug. 95,2: Sullaexkurs). In der Schlußformel wird oft die Metapher der Rückkehr verwendet (z. B. Polyb. 18,36; Cic. Verr. 2,3,69). Bisweilen begegnet die Fiktion einer sich verselbständigenden Rede (Cic. Tusc. 5,66). Dennoch besitzen E. nicht notwendigerweise eine Begrenzung, weder hinsichtlich ihrer sprachlichen Markierung noch bezüglich des Umfangs. So konnte die *Germania* des Tacitus als separat überlieferter E. interpretiert werden [1].

E. sind Mittel, die den elaborierten Charakter eines lit. Textes unterstreichen. Sie finden sich theoretisch in allen Gattungen, auch in der Dichtung (z. B. E. über die Nilschwelle bei Lucan. 10,194–331), bes. aber seit Herodots *lógoi* in der → Geschichtsschreibung. Hier ist v. a. der Einfluß der hell. Gesch.-Schreibung wichtig (z. B. Theopompos' E. *Über die Demagogen in Athen* im 10. B. der *Philippika*). E. finden sich auch in philos. (Cic. Tusc. 5,64–66 über das Grab des Archimedes) und wiss. Texten (z. B. der E. über die Lärche bei Vitr. 2,9,15–17). Epitomatoren weisen bisweilen in den Vorworten auf die Tilgung der E. aus dem Grundtext hin (z. B. Ianuarius Nepotianus in der Val. Max.-Epitome). – Problematisch ist die Abgrenzung des E. von anderen Formen der Unterbrechung des Erzählflusses. Plinius parallelisiert *excursus* mit den → Ekphraseis der *Aeneis* oder der *Ilias* (epist. 5,6,43). Mit dem E. verwandt sind im Epos die Erzählungen des Odysseus (Hom. Od. 9–12) und des Aeneas (Verg. Aen. 2–3) von ihren Irrfahrten sowie Episoden wie die Hypsipyle-Gesch. bei Statius (Theb. 5,17–498).

1 A. A. LUND, Tacitus Germania, 1988, 17 f.

L. ECKARDT, E. und Ekphraseis bei Lucan, Diss. Heidelberg 1936 • M. v. POSER, Der abschweifende Erzähler, 1969. U. E.

Exodos (ἔχοδος, allg. »Auszug«, »Ende«). Nach Aristot. poet. 1452b 21 f. ist die E. der Teil einer Tragödie, auf den kein Chorlied (→ Stasimon) mehr folgt (Schlußakt). Von dieser weitgefaßten Definition wird man sinnvollerweise E. im engeren Sinne als den Auszug des Chores am Ende eines Dramas unterscheiden (vgl. Aristoph. Vesp. 582). Die häufigste Form in der Tragödie ist der »Ecce-Schluß«: Die Tat und der Täter werden in einer pathosgeladenen Schlußszene präsentiert (zunächst zumeist indirekt im → Botenbericht), das Geschehen wird gedeutet und verallgemeinert, und es wird ein Blick in die Zukunft geworfen (z. B. Aischyl. Pers. 908 ff.; Aischyl. Sept. 861 ff.; Soph. Trach. 971 ff.; Soph.

Ant. 1155 ff.; Soph. Oid. T. 1223 ff.; Eur. Med. 1293 ff.; Eur. Hipp. 1151 ff.; Eur. Herc. 910 ff.; Eur. Bacch. 1024 ff.). Seltener erhält in der E. die Handlung noch neue Impulse und wird erst in den letzten Szenen des Stücks zu Ende geführt (z. B. Aischyl. Eum. 778 ff.; Aischyl. Prom. 907 ff.; Soph. Ai. 1223 ff.; Soph. El. 1398 ff.; Soph. Phil. 1218 ff.; Eur. Alc. 1006 ff., Eur. Iph. T. 1284 ff., Eur. Hel. 1512 ff.). Eine Mischform findet sich bei Euripides (Eur. Ion 1106 ff.; Eur. Phoen. 1308 ff.; Eur. Or. 1549 ff.). In der Komödie bildet die E. den Höhepunkt der Exemplifikationsszenen, die den Triumph des komischen Helden vorführen, und endet häufig mit einem Komos (Aristoph. Ach., Eccl.), Hochzeitszug (Aristoph. Pax, Av.) oder einer ausgelassenen Tanzszene (Aristoph. Vesp., Lys.).

G. KREMER, Die Struktur des Tragödienschlusses, in: W. JENS (Hrsg.), Die Bauformen der griech. Tragödie, 1971, 117–141 · B. ZIMMERMANN, Unt. zur Form und dramatischen Technik der Aristophanischen Komödien II, 1985, 75–90.   B. Z.

Exomosia (ἐξωμοσία), wörtlich »Freischwören«. 1) Im Prozeßrecht Athens konnte sich ein Zeuge der Pflicht, vor Gericht zu erscheinen (und damit das von einem der beiden Prozeßparteien vorformulierte Zeugnis zu bestätigen), dadurch entschlagen, daß er außergerichtlich einen feierlichen Eid leistete, die zu bezeugende Tatsache ›nicht zu wissen‹. Die e. zog keine rechtlichen Sanktionen nach sich, nur ein positives Zeugnis vor Gericht konnte mit Klage (→ *pseudomartyrías díkē*) angegriffen werden. Eine ähnliche Einrichtung ist als *apōmosía* im Rechtsgewährungsvertrag aus Stymphalos (IPArk 17,13) belegt, nicht zu verwechseln mit der manchmal e. genannten → *hypōmosía* Athens. 2) In Athen konnte man sich der Pflicht, ein Amt, bes. eine Gesandtschaft zu übernehmen, mit feierlicher e. wegen Armut, Krankheit oder anderer wichtiger Gründe entschlagen.

A. R. W. HARRISON, The Law of Athens II, 1971, 139 f. · G. THÜR, Beweisführung vor den Schwurgerichtshöfen Athens, 1977, 140, 317 · G. THÜR, H. TAEUBER, Prozeßrechtliche Inschr. der griech. Poleis. Arkadien, 1994, 239 f.   G. T.

Exordium. Im Aufbau der Rede stellte das e. (*principium*, *pro(h)oemium*, griech. *prooímion*) den ersten Teil dar. Es hatte drei Aufgaben: den Zuhörer zu informieren, ihn aufmerksam zu machen und sein Wohlwollen zu wecken, indem es ihn auf den Rest der Rede vorbereitete (Cic. inv. 1,20). Diese Lehre, schon in Aristot. Rhetorica ad Alexandrum 1436a 33 ff. leicht wiederzuerkennen, wurde bis in die Spätant. ein beständiges Element der lat. und griech. Rhet. Anregungen für den Inhalt des e. lieferten die Person des Redners, des Gegners und des Richters sowie der Fall selbst (Arist. rhet. 1415a 26 f.; Cic. de orat. 2,321). Quint. inst. 4,1,6 f. paßte das der röm. Rechtspraxis an und unterschied die Person des *actor causae* von der des *litigator* und erhöhte

dadurch die Zahl der *personae* auf vier. Der Gebrauch des e. war v. a. von der Art der *causa* abhängig; so konnte es im *genus honestum* (*éndoxon*) fehlen (Aug. 148,30 ff. HALM), weil der Zuhörer dem Redner gegenüber bereits wohlgesinnt war. Ebenfalls überflüssig war das e., wenn die Zuhörer schon in Kenntnis des Themas waren (im *genus deliberativum*, Arist. rhet. 1415b 34 f.; bei einfachen und eindeutigen Fällen). Manchmal konnte die *vis prohoemii* in verschiedenen Augenblicken im Verlauf der Rede erwünscht sein, das e. wurde dann *merikón* genannt (Fortunatianus, ars rhet. 127,2 f. CALBOLI MONTEFUSCO). Formal mußte das e. in einem angemessenen Verhältnis zur Länge und Komplexität des Falles stehen (Cic. de orat. 2,320; Quint. inst. 4,1,62) und einen Zusammenhang mit dem Rest der Rede haben, um mit ihr ein einheitliches Gefüge zu bilden. Für Redeschmuck und Vortrag des e. mußte der Redner eine gewisse Zurückhaltung und Mäßigung in der Wortwahl beachten (Cic. orat. 124; Quint. inst. 4,1,55 f.), weil der Eindruck übertriebener Gesuchtheit Rede und Redner die Glaubwürdigkeit entzog (Cic. inv. 1,25). Eine Sonderform des e. war die *insinuatio*.

→ Partes orationis; Rhetorik

E. W. BOWER, ΕΦΟΔΟΣ and insinuatio in the Greek and Latin Rhetoric, in: CQ 52, 1958, 224–230 · G. CALBOLI, Due questioni filologiche, in: Maia 23, 1971, 115–128 · L. CALBOLI MONTEFUSCO, E., Narratio, Epilogus, 1988 · J. CHRISTES, Realitätsnähe und formale Systematik in der Lehre vom E. der Rede, in: Hermes 106, 1978, 556–573 · F. P. DONNELLY, A Function of the Classical E., in: Classical Weekly 5, 1911–1912, 204–207 · CH. KÖHLER, Die Proömientechnik in Ciceros Reden, 1968 · C. LOUTSCH, L'exorde dans les discours de Cicéron, 1994 · R. VOLKMANN, Die Rhet. der Griechen, ²1885.

L. C. M./Ü: U. R.

Exorzismus im strengen Sinne ist die rituelle Vertreibung eines Dämons (→ Dämonen), der in einem von ihm besessenen Menschen eine Krankheit verursacht, wobei die Verwendung verbaler Riten (ἐπῳδαί, *carmina*) im Vordergrund steht (Isid. orig. 6,19,55: *sermo increpationis in diabolum ut excedat*): der Beschwörer tritt in Verbalkontakt mit dem Dämon und zwingt ihn, den Menschen zu verlassen. Das griech. Grundwort ἐξορκίζειν (*exhorkízein*), das urspr. lediglich »schwören« bedeutete (seit Demosthenes; ἐξορκισμός/ *exhorkismós* = »Eid«, Pol. 6,21,6), wird mithin als »herausbeschwören« verstanden.

In diesem Sinn ist E. in der griech.-röm. Welt vor allem unter äg., doch auch jüd. Einfluß seit der hell. Zeit belegt. Ein E. läuft nach einem festen Szenario ab [1; 2. 78–82]: Der Exorzist muß den Dämon durch Namensnennung (notfalls eine vage Formel: PGM IV 1240) und rituelle Mittel zum Sprechen bringen (PGM XIII 243; ein stummer Dämon in Mk 9,25), indem er sich auf einen mächtigen, meist durch Zauberworte benannten Gott beruft (etwa PGM IV 1228–1264; 3009–3086) – wobei professionelle Exorzisten sich auch in Fremdsprachen mit dem Dämon unterhalten können (Lukian.

Philopseudes 34,15; Hier. vita Hilarionis 18). Der Dämon muß sich durch Namensnennung oder Schilderung seiner Wirkung identifizieren (Mk 5,9); er kann sein Weggehen dadurch manifestieren, daß er in einen Gegenstand fährt und ihn zerstört (vgl. den jüd. Exorzisten Eleazar vor Vespasian: Ios. ant. Iud. 8,45–47; Apollonios von Tyana: Philostr. Ap. 4,20; Jesus und die Schweineherde von Gerasa: Mk 5,12f.; Lk 8,29). Ausführliche exorzistische Riten mit den entsprechenden Beschwörungen kennen bes. die Zauberpapyri [2. 9–15].

Im jüd. E. wird als mächtiger Name derjenige des »Gottes von Abraham, von Isaak, von Jakob« benutzt (Orig. contra Celsum 4,33). Im NT stellt bes. Mk (seit dem E. in der Synagoge von Kapernaum: Mk 1,21–28) mehrfach → Jesus als exorzistischen Heiler dar. Während Jesus aber Dämonen in eigener Machtvollkommenheit vertreibt, tun dies seine Nachfolger in seinem Namen, von Paulus' Heilung einer Besessenen (πύθων, pýthōn: Apg 16,16) bis zu den Heiligen (etwa Athan. vita Antonii 63,637); doch auch jüd. (Apg 19,13f.) und pagane Exorzisten benutzen Jesu Namen (PGM IV 3021).

In einigen paganen wie christl. Berichten ist ein gewisses Mißtrauen dem mechanischen Ritus gegenüber spürbar, das auch in der Kritik des Kelsos (bei Orig. contra Celsum 4,33) laut wird. Wundermänner wie → Apollonios [14] von Tyana oder seine brahmanischen Lehrer brauchen keine Formeln, sondern suchen das Gespräch mit dem Dämon (Philostr. Ap. 4,25; 3,28), wie Hilarion (Hier. vita Hilarionis 18); der Heilige Antonius betet sogar mit dem Besessenen (Athan. vita Antonii 64,637). Doch dies ist theologische Literarisierung; die Praxis bedient sich durchgehend und erfolgreich der E.-Formel zur Krankenheilung [3].

Im weiteren Sinn bezeichnet E. jede Heilung von durch dämonische oder magische Einwirkung verursachten Störungen und Krankheiten. Derartige Riten sind im Alten Orient durch verschiedene Slg. gut belegt [4]. Dämonische Besessenheit ist zur Erklärung von Wahnsinn im Griechenland des 5. Jh. v. Chr. geläufig (etwa Soph. Trach. 1235; Eur. Hipp. 141–144), doch werden zur Heilung kathartische Riten einschließlich besonderer Diäten (→ Epilepsie: Hippokr. de morbo sacro 18,6) oder Tanz und Musik (Plat. leg. 7,790d-e) angewandt. Die magische Bindung (→ Defixio) als Ursache von Sprachhemmungen und anderen sonst unerklärlichen Problemen ist ebenfalls seit dem 5. Jh. bekannt; aufgehoben wird sie durch einen Spezialisten, der »Löser« (ἀναλύτης, analýtēs) heißt und dessen Riten unbekannt sind, die aber zum einen wohl kathartisch sind, zum andern die Zerstörung des bindenden Zaubers zum Ziel haben (Poll. 7,188, nach Magnes Lydoi fr. 4 PCG V; Phot. 1548, nach Men. Heros fr. 5 SANDBACH; Hesych. s. v. περικαθαίρων). Diese Technik ist wiederum bis in die christl. Heiligenviten belegt. – Eher selten ist die Lösung eines solchen Zaubers durch ein Polisritual [5].

Nicht immer deutlich von E., die der Heilung gelten, sind Riten und Amulette unterscheidbar, welche dämonische Angriffe überhaupt vermeiden wollen: zwar sind die beiden Bereiche in der Theorie unterscheidbar, in der rituellen Praxis jedoch sehr nahe, mit eng verwandten Formeln und Riten [6]. – Vom E. zu trennen hingegen ist die Verwendung von Beschwörungen (epoidaí) in der Medizin [7]; Dämonen sind hier nicht im Spiel. Solche Beschwörungen sind seit der Blutstillung von Odysseus' Schenkelwunde (Hom. Od. 19,457f. [8]) belegt; Platon rechnet sie zu den legitimen medizinischen Techniken (rep. 426b), ebenso die Pythagoreer (Porph. vita Pythagorae 30); Galen benutzte Homerverse (Alexander Trallianus 2,474; Iambl. v.P. 29,164).

1 C. BONNER, The Technique of Exorcism, in: Harvard Theological Review 36, 1943, 39–49 **2** J. TAMBORNINO, De antiquorum daemonismo, 1909 **3** P. BROWN, The Holy Man, in: Ders., Society and the Holy in Late Antiquity, 1982, 83 **4** J. BOTTÉRO, Mythes et rites de Babylone, 1985, 65–112; 163–219 **5** F. GRAF, An Oracle against Pestilence from a Western Anatolian Town, in: ZPE 92, 1992, 267–278 **6** R. KOTANSKY, Greek Exorcistic Amulets, in: M. MEYER, P. MIRECKI (Hrsg.), Ancient Magic and Ritual Power, 1995, 243–277 **7** W. D. FURLEY, Besprechung und Behandlung. Zur Form und Funktion von ΕΠΩΔΑΙ in der griech. Zaubermedizin, in: Philanthropia kai Eusebeia. FS A. Dihle, 1994, 80–104 **8** R. RENEHAN, The Staunching of Odysseus' Blood. The Healing-Powers of Magic, in: AJPh 113, 1992, 1–4.

P. CANIVET, A. ADNÉS, Guérisons miraculeuses et exorcismes dans l'Histoire Philotée, in: RHR 171, 1967, 53–82; 149–179 · D. C. DULING, Solomon, Exorcism, and the Son of David, in: Harvard Theological Review 68, 1975, 235–252 · R. MERKELBACH, Exorzismen und jüd.-christl. beeinflußte Texte, in: Abrasax. Ausgewählte Pap. religiösen und magischen Inhalts 4, 1996 · P. A. RODEWYK, Die dämonische Besessenheit in der Sicht des Rituale Romanum, 1963 · K. THRAEDE, s. v. E., RAC 7, 44–117.   F. G.

Exoterisch/Esoterisch

s. Philosophische Literaturformen

Exploratores. E. waren die Späher des röm. Heeres. Sie kundschafteten die Bewegungen und Aufstellungen des Feindes ebenso wie das Gelände und Positionen von Lagern aus. Im frühen Prinzipat wurden ausgesuchte Soldaten der → auxilia von ihren Einheiten für eine bestimmte Zeit abkommandiert und fungierten als Späher. Im Dakischen Krieg (105–106 n. Chr.) wurde Ti. Claudius Maximus, der damals in einer ala diente, von Traianus selbst als Späher ausgesucht und brachte dem princeps den Kopf des Königs Decebalus. Für die Mitte des 2. Jh. sind kleine Aufklärungseinheiten, die explorationes genannt wurden, belegt. Sie wurden von Praefekten oder praepositi kommandiert und oft nach der Region, in der sie dienten, benannt, wie etwa die exploratio Seiopensis aus Seiopa in Obergermanien (CIL XI 3104). Eine Gruppe von Spähern konnte auch als *numerus* bezeichnet werden (CIL III 14207; 14210). Der Einsatz von Aufklärungseinheiten ist für Britannien, Gallien, Germanien, Pannonien und Nordafrika belegt. In anderen Teilen des Imperium wurden in den Militäreinheiten wahrscheinlich einzelne Soldaten zu e. bestimmt. Späher waren in der Regel beritten, obwohl 5 der 15 Soldaten, die im Jahre 219 n. Chr. in Dura-Europus als e. der *cohors XX Palmyrenorum* geführt wurden, Fußsoldaten waren (P. Dura, 100).

Große Heere, die auf dem Schlachtfeld operierten, hatten eine besondere, wahrscheinlich von einem *praepositus* kommandierte Einheit berittener e., die vor der marschierenden Kolonne herritten und im Militärlager einen Platz in der Nähe des Tores hatten (Arr. takt. 1,1; Ps.-Hyg., De Mun. Cast. 24,30). Dem von Pseudo-Hyginus beschriebenen, aus drei Legionen und den Auxiliartruppen bestehenden Heer gehörten 200 e. an. Vegetius und andere Autoren mil. Handbücher betonten die Bedeutung einer effizienten Aufklärung (Veg. mil. 3,6; vgl. Onasandros 6,7).

1 N. Austin, B. Rankov, Exploratio, 1995 **2** M. Speidel, in: JRS 60, 1970, 142–153.   J. CA./Ü: A. BE.

Expositio totius mundi et gentium.

und *Descriptio totius mundi* sind Titel zweier anon. freier lat. Übertragungen einer 459/460 n. Chr. entstandenen, ebenfalls verlorenen, anon. griech. Handelsgeogr. Dieses Werk eines Altgläubigen behandelt Asien, Europa und Afrika bis Äg. sowie die Inseln und bietet jeweils bunte Angaben über Eigenarten, Produkte, Handel und Leben der Völker.

GGM 2, 513–528 · GLM, 104–126 · J. Rougé, E., SChr 124, 1966 · F. Martelli, Introduzione alla E., 1982 · J. Drexhage, Die E., in: Münstersche Beitr. zur ant. Handelsgesch. 2.1, 1983, 3–41.   K. BRO.

Ex(s)uperantius

[1] s. Iulius E.

[2] Stammte aus Poitiers, versuchte nach inneren Unruhen 417 n. Chr. in der Aremorica die Ordnung wiederherzustellen. 424/5 *praef. praet. Galliarum*, während einer Meuterei in Arelate erschlagen. PLRE 2, 448.
                    H. L.

Extispicin s. Divination; Omen

Extraordinarii.

Die e. waren Soldaten aus verbündeten ital. Städten; sie dienten im frühen röm. Heer als Eliteeinheiten von Fußtruppen und Reiterei. Zwölf von den *consules* ernannte Präfekten wählten die besten Soldaten aus den Kontingenten der Bundesgenossen – etwa ein Drittel der Reiterei und ein Fünftel der Fußtruppen – aus, um so die e. zu bilden (Pol. 6,26,6). Einige e. hatten die wichtige Aufgabe, die *consules* zu begleiten und als deren Leibwache zu fungieren. Sie nahmen allerdings auch als reguläre Truppen an Schlachten teil; so kämpften sie 209 v. Chr. unter M. Claudius Marcellus im Feldzug gegen Hannibal in Apulien (Liv.

27,12,14). In Gallien erteilte ihnen 194 v. Chr. der *consul* Ti. Sempronius Longus den Befehl, in das Lager eingefallene feindliche Truppen wieder zu vertreiben (Liv. 34,47,3). In dem von Polybios überlieferten Plan eines Militärlagers hatten aus den Reihen der e. ausgewählte Reiter, Freiwillige und einige Fußsoldaten, die die *consules* ständig begleiteten, ihren Platz an der *via principalis* gegenüber dem *forum* und dem *quaestorium* (Pol. 6,31); die übrigen e., Fußtruppen und Reiterei, sowie andere Auxiliareinheiten waren an einer Straße, die parallel zur *via principalis* verlief, hinter dem Zelt des Generals (*praetorium*), dem *forum* und dem *quaestorium* plaziert. Es ist unwahrscheinlich, daß die e. noch über das 2. Jh. v. Chr. hinaus existierten.

1 Liebenam, s. v. E., RE 6,2, 1696–1698 **2** A. R. Neumann, s. v. Equites E., RE Suppl. 11, 652.   J. CA./Ü: A. BE.

Exules dike

(ἐξούλης δίκη), Klage wegen »Austreibung«, war in Athen eine deliktische Klage. Sie stand privilegierten Berechtigten (z. B. den siegreichen Gläubigern in einem Prozeß) gegen diejenigen zu, die sich der berechtigten eigenmächtigen Pfändung widersetzten und den Gläubiger, der sich in formalisierter Gewaltanwendung eines Grundstücks des Schuldners bemächtigt hatte, ebenso formal wieder auswiesen. Der Ausgewiesene erhob die e. d.; konnte er seinen Zugriff als berechtigt nachweisen, wurde der Ausweisende zu einer Geldbuße in der Höhe des doppelten Wertes des Grundstücks verurteilt. Sie wurde nach einem Gesetz → Solons zwischen dem Einschreitenden und dem Staat geteilt.

E. Rabel, Δίκη ἐξούλης und Verwandtes, in: ZRG 36, 1915, 340–380 · A. Kränzlein, Eigentum und Besitz im griech. Recht, 1963, 166 · A. R. W. Harrison, The Law of Athens I, 1968, 311 f.   G. T.

Exuviae

(von *exuere*, »ausziehen, ablegen«). Unter e. (vgl. ThlL s. v. e.) versteht man neben der profanen Bed. (»abgelegte Kleidungsstücke, erbeutete Rüstung, abgezogene Haut der Tiere«) die Attribute der Gottheiten, die bei feierlichen Anlässen mitgeführt werden (Plin. nat. 7,145; Suet. Aug. 94,6; Apul. met.9,4; 11,10; 11,29). In der → *pompa circensis* (feierlicher Zug durch den → Circus) wurden sie auf bes. Wagen (*tensae*) zum → *pulvinar* gefahren (Fest. 500: *vehiculum quo exuviae deorum ludicris circensibus in circum ad pulvinar vehuntur*). Bei Val. Max. 1,1,16 (Lact. inst. 2,16,16) hält ein Knabe die e. des Iuppiter. Mz.-Bilder auf Denaren des L. Rubrius Dossenus (87/86 v. Chr.), die den Wagen mit dem Blitz des Iuppiter sowie Iuno und Minerva mit Vögeln zeigen [1; 2], werden auf die e. in der *pompa circensis* gedeutet [3].

1 H. A. Grueber, Coins of the Roman Republic in the British Museum, 1970, 1,311 Nr. 2448–2458 **2** E. A. Sydenham, The Coinage of the Roman Republic, 1952, Nr. 705–707 **3** Latte, 249 Anm. 2.

M. Malavolta, s. v. E., EV 2, 449–450 · A. Piganiol, Recherches sur les jeux romains, 1923, 26; 31.   R. B.

Ezechiel

[1] s. Propheten

[2] (Ἐζεκίηλος, Ἐζεκιῆλος). Jüd.-hell. Tragödiendichter, der vermutlich in Alexandreia (anders [5]) lebte. Die Abfassung der *Exagōgē*, des einzigen bekannten Werkes des E., von dem fünf Fr. (269 Trimeter) erh. sind, ist auf den Zeitraum zw. ca. 240 v. Chr. (*terminus post quem*: Entstehung der Septuaginta) und 100 v. Chr. (*terminus ante quem*: Zeugnis des → Alexandros [23] Polyhistor) zu datieren. Die erh. Verse (das umfangreichste Tragödienfr. nach Euripides) sind in der *Praeparatio Evangelica* (9,28,1–29,16) des → Eusebios [7] von Kaisareia überliefert, der sie aus dem Werk *Perí Iudaíōn* (Περὶ Ἰουδαίων, ›Über die Juden‹) des Alexandros Polyhistor (FGrH 273 F 19) zitiert. Die Verse 7–40a sowie 50b–54 werden auch bei Clemens von Alexandreia (strom. 1,23,155,2–7; 156,1 f.), die Verse 256–269 bei Eustathios [5] von Antiocheia (PG 18, 729 D) tradiert. Thema der *Exagōgē* ist der Auszug der Israeliten aus Ägypten, wie er in Ex 1–15 geschildert wird. Der Prolog und die vier erh. Szenen lassen sich möglicherweise fünf Akten zuordnen [3]. Die Beantwortung der Fragen nach der Akteinteilung aber, dem Vorhandensein eines Chores und ob es sich um ein Aufführungs- oder Lesedrama handelt, bleibt umstritten [2; 9]. Abweichend von der klass. Trag. ist die Einheit von Ort und Zeit nicht gewahrt. Neben den Trag. des Euripides (sowie auch des Aischylos), an denen sich E. stilistisch und metrisch orientiert [3; 5], lehnt er sich sprachlich und inhaltlich eng an die Septuaginta an [1]. Außerdem greift E. auf Überlieferungen der jüd. Bibelexegese zurück [1; 4] und verzichtet auch nicht auf eigene Personen und die Handlung betreffende Hinzufügungen.

ED.: 1 H. JACOBSON, The Exagoge of Ezekiel, 1983 2 R. KANNICHT, B. GAULY et al., Musa Tragica, 1991, Nr. 128 3 TrGF 1, Nr. 128. LIT.: 4 H. JACOBSON, Mystcism and Apocalyptic in Ezekiel's Exagoge, in: Illinois Classical Stud. 6, 1981, 272–293 5 K. KUIPER, De Ezechiele poeta Iudaeo, in: Mnemosyne 28, 1900, 237–280 6 G. VERMES et al., The history of the Jewish people in the age of Jesus Christ (175 B.C.-A.D. 135) 3, 1986, 563–566 (engl. rev. Übers. von E. SCHÜRER, Die Gesch. des jüd. Volkes im Zeitalter Jesu Christi, 1890ff.) 7 B. SNELL, Die Jamben in Ezechiels Moses-Drama, in: Glotta 44, 1966, 25–32 8 P. W. VAN DER HORST, Moses' Throne Vision in Ezekiel the Dramatist, in: Journal for Jewish Studies 34, 1983, 21–29 9 E. VOGT, Tragiker E., in: W. G. KÜMMEL (Hrsg.), Jüd. Schriften aus hell.-röm. Zeit. 4: Poetische Schriften, 1983. I. WA.

Eznik von Kolb

Eznik von Kolb (Kołp). Schüler des → Mesrop. Sein Studienfreund Koriwn gibt in der Vita des Mesrop einige Daten zur Biographie des E. Ihm zufolge ging er im Auftrag seines Lehrers und des Katholikos → Sahak um 406 n. Chr. nach → Edessa [2] (= Urfa), um das Syr. zu erlernen und um Werke syr. Kirchenväter ins Armen. zu übersetzen. Zusammen mit Koriwn brachte er um 435 griech. Bibel- und Kirchenväter-Hss. sowie die Akten der Synoden von → Nikaia und → Ephesos aus → Konstantinopolis nach Armenien. Er und Sahak nahmen anhand dieses Materials eine Revision bereits bestehender Übers. vor.

Als Bischof von Bagrewand nahm er an der Synode von Artašat (449) teil, die sich gegen die Wiedereinführung des Zoroastrismus aussprach. Neben einem nur als Fr. erh. Brief an Mesrop ist die ausführliche Abhandlung *De deo* oder ›Wider die Sekten‹ (441–448 verf.) überliefert – die ersten Originalschöpfungen in armen. Sprache. Das Werk, das z. T. von griech. Autoren (→ Epiphanios von Salamis, → Hippolytos, → Basileios [1] d. Gr. und → Ephraem) abhängig ist, richtet sich gegen die pagane griech. Philos. und weist die zeitgenössischen Sekten wie Markioniten (→ Markion), Manichäer (→ Mani) und Zoroastrier (→ Zoroastres) zurück. Ausführlich werden das Wesen Gottes, das Problem des Bösen und der freie Wille behandelt.

→ Armenia; Armenier, Armenische Literatur; Armenisch; Syrien

ED.: M. MINASSIAN, Čarkʿ ∂nddēm ʿAtandocʿ, 2 Bde., 1992. LIT.: V. INGLISIAN, RAC 7, 118–128. K. SA.

F

F (sprachwissenschaftlich)

F (sprachwissenschaftlich). Der Gebrauch des sechsten Alphabetbuchstabens Ϝ wurde im Griech. frühzeitig eingeschränkt, da der dadurch bezeichnete Laut (*u̯* im Silbenanglitt) im maßgebenden Ion.-Att. bereits bei Beginn der Überl. nicht mehr vorhanden war; in anderen Dial. ist Ϝ jedoch noch häufig bezeugt (→ Digamma). Für die aus *su̯- entstandene aspirierte Lautung gab es im Griech. die Schreibung ⟨ϜH⟩ [3. 23]. Sie wurde in Italien für den spirantischen Laut /f/ [1] verwendet, im Etr. und Venetischen im Wechsel mit ⟨HF⟩, dazu in frühlat. *FHE:FHAKED* (Fibula Praenestina, CIL I² 3). Da der Buchstabe F im Lat. nur in diesem Digraph FH vor-

kam – für /u̯/ wurde überall ⟨V⟩ verwendet –, konnte das H als überflüssig empfunden und weggelassen werden; damit stand bloßes F für den stimmlosen, mindestens in der Kaiserzeit labiodental gesprochenen Laut /f/.

Lat. /f/ [2. 163–173] ist in Erbwörtern vor allem aus wortanlautender Media aspirata entstanden: *fero* < *bher-; *fūmus* < *dhūmo-; *formus* »warm« < *gʷhormo-; *fu-d-* < *ghu-d-* (in *fundo*; vgl. χέω χυτός); vgl. ferner *frīgus* < *srīgos* (ῥῖγος). Fast nur durch Beibehaltung dieses *f-* hinter einer Fuge kam *f* auch in den Inlaut: *per-fero*, *cōn-fundo*; mit Assimilation *af-fero*, *dif-fero*. Dagegen muß das andersartige -f- von *rūfus* < **roṷdho-* auf Entlehnung beruhen.

Griech. φ wurde in vorchristl. Zeit [ph] gesprochen; lat. *f* hatte damals im Griech. noch kein genaues Gegenstück. Φ z. B. in Φάβιος beruht daher zunächst auf Lautersatz [2. 162].

→ P; V (sprachwissenschaftlich)

1 M. LEJEUNE, Notes de linguistique italique XXI, in: REL 44, 1966, 141–181 **2** LEUMANN **3** WACHTER.   B.F.

Faba s. Bohne

Fabel I. ALTER ORIENT
II. GRIECHISCHE LITERATUR
III. LATEINISCHE LITERATUR

I. ALTER ORIENT

Eine eigene Bezeichnung für die F. ist weder für das Sumer. noch das Akkad. bezeugt. Die F. ist eine kurze, fiktive Geschichte mit inhärenter Moral, deren Charaktere personifizierte Tiere sind. Auf die Moral reduziert, haben einige F. den Status eines Sprichwortes bekommen. Die F. hat ihren Ursprung in mündlicher Lit.; sie stellt eine einfache Form der Allegorie dar. Von der F. zu trennen sind Rangstreitgespräche/Tenzonen (Hauptakteure: personifizierte Tiere, Naturphänomene und Kulturobjekte), in welchen aber inhaltlich keine Allegorie vorliegt [1; 2. 150ff.]. Erste schriftliche Textzeugnisse für die sumer. F. stammen aus der 1. H. des 2. Jt. v. Chr. und bilden einen Teil des altbabylon. Schulcurriculum ([3. 19f.]; zum rhetor. Zweck der F. [4. 30ff]). Als F. seien herausgegriffen ›Esel und Hund‹, ›Löwe und Ziege‹, ›Zehn Wölfe‹ sowie ›Hund und Feige‹ [5]. Die sumer. F. ›Reiher und Schildkröte‹ [6. 51ff.] findet sich in der akkad. F. von ›Adler und Schlange‹ (eingearbeitet in den akkad. Etana-Mythos) und ist die älteste schriftlich fixierte akkad. F. (altbabylon. Zeit). Daneben sind andere akkad. Tiergesch. aus dem 1. Jt. v. Chr. erh. [2; 7–11].

Die F. hat sich von Mesopot. aus in die Nachbarländer verbreitet. Die sumer. F. ›Reiher und Schildkröte‹, im Akkad. ›Adler und Schlange‹, ist im Ägypt., Syr. und Griech. bekannt [8. 70ff.]. Die akkad. Erzählung vom ›Fuchs‹ gilt als Vorläufer von ›Reynard de Vos‹. Die aisopische F. von ›Mücke und Elephant‹ hat ihren Widerpart in der gleichlautenden akkad. F.; die sumer. F. von ›Hund und Feige‹ ist ein Vorläufer der aisopischen F. vom ›Fuchs und den Trauben‹.

1 B. ALSTER, Living Waters, 1990, 1 ff. **2** W. G. LAMBERT, Babylonian Wisdom Literature, 1960 **3** E. I. GORDON, Sumerian Proverbs, 1959 **4** R. S. FALKOWITZ, The Sumerian Rhetoric Collection, 1984 **5** E. I. GORDON, Sumerian Animal Proverbs and Fables, in: JCS 12, 1958, 1–21, 43–75 **6** G. GRAGG, The Fable of the Heron and the Turtle, in: AfO 24, 1973, 51–72 **7** R. J. WILLIAMS, The Literary History of a Mesopotamian Fable, Phoenix 10, 1956 **8** E. EBELING, Die babylon. F. und ihre Bed. für die Literaturgesch. (Mitt. der Altoriental. Ges. II/3), 1927 **9** R. J. WILLIAMS, A Stubborn Faith, 1956, 3 ff. **10** B. ALSTER, Paradoxical Proverbs and Satire in Sumerian Literature, in: JCS 27, 1975, 201–230 **11** R. S. FALKOWITZ, La Fable, 1984, 1 ff.   BA.BÖ.

II. GRIECHISCHE LITERATUR
A. FORM UND AUFBAU   B. BEZEICHNUNGEN
C. INHALTE   D. FABELSAMMLUNGEN

A. FORM UND AUFBAU

Ein unter den Begriff F. fallender griech. Text ist immer durch drei Elemente gekennzeichnet (vgl. Theon, Progymnasmata 72,27 ff.): (A) die narrative Form, (B) den frei erfundenen Inhalt (die indirekte Botschaft) und (C) die paränetische Funktion (die »Moral«), welche explizit zum Ausdruck gebracht wird und allg. Wert besitzt (die direkte Botschaft). Von zwei einander ähnlichen Texten wie z. B. Hom. Il. 2,307–18 und Corpus Fabularum Aesopicarum (= CFA) 255 ist nur der zweite eine F. Außerdem ist (C) so wichtig, daß es (B) bedingt, in dem Sinne, daß das Erfundene doch reale Mechanismen gemeinschaftlichen Lebens widerspiegeln muß. Da die Handlung in (B) wahrscheinlich zu sein hat, kommt das Element der Erfindung nicht so sehr in ihr als vielmehr in ihren Figuren zum Ausdruck: Im allg. handelt es sich um Tiere mit menschlichem Verhalten (darunter die Sprechfähigkeit), seltener Menschen, die mit Tieren reden, zuweilen Pflanzen, die ebenfalls sprechen. Kommt (C) in Form einer → Gnome hinzu, wird auch aus einer Anekdote mit ausschließlich menschlichen Protagonisten (schon im 5. Jh. v. Chr., vgl. Aristoph. Vesp. 1427 ff.) eine F.

In der äsopischen Phase (→ Aisopos) lassen manche Tiere noch Kontakt mit mythischen Symbolen erkennen (der Lerche als Urvogel, der heilige Skarabäus, der Adler des Zeus). Figuren der F. können auch Personifikationen menschlicher Gefühle (Plat. Phaid. 60b; Plut. mor. 112a; 609f) oder Urwesen wie die Erde oder Charybdis sein, aber auch Götter und Halbgötter (Zeus, Prometheus) als Adressaten der Proteste der Tiere (vgl. die sich an Zeus richtenden Tiergesandtschaften der äsopischen Tradition in Kall. fr. 192) oder als ungeschickte Verursacher jener menschlichen Fehler, die im Mittelpunkt der ursprünglichen äsopischen F. stehen. Im 6. Jh. v. Chr. wird dem Element (B) größere Wahrscheinlichkeit durch die äsopische Vorstellung verliehen, daß die Gesch. der Welt in zwei Perioden aufgeteilt ist: in eine erste, in der »Vögel, Fische und Vierbeiner« wie die Menschen sprachen, und eine zweite, auf den Zorn des Zeus über die Frechheit der Tiergesandtschaften folgende, die gegenwärtige Welt, in nur die Menschen reden (Kall. fr. 192). In der äsopischen Tradition wiederkehrende Formeln (von Xen. mem. 2,7,13 bis Max. Tyr. or. 19,2) und die Tatsache, daß in der ursprünglichen äsopischen Tradition (→ Aisopos) keine sprechenden Pflanzen belegt sind, bestätigen die Zuverlässigkeit der Nachricht des Kallimachos. Übrigens weist Kall. fr. 194 eine F. mit sprechenden Pflanzen (ein typisches Motiv der F. des ant. Vorderen Orients, → *ainos* [2]), den »ant. Lydern« zu. Texte der Weisheitslit. wie die Gesch. des → Ahiqar haben jedoch den F.-Typ mit sprechenden Pflanzen mindestens vom 5. Jh. v. Chr. an bekanntgemacht ([9. 55]; Anth. Pal. 9,3).

In der archa. Phase (7./6. Jh. v. Chr.) kann (A) durch direkte Reden erweitert werden (vgl. den archa. *ainos* bei Kall. fr. 194; Archil. IEG fr. 175–181; den *logos* des Aisopos in Vita Aesopi 135–139 PERRY); in den systematischen Sammlungen »äsopischer« F. sind nennenswerte Variationen der Länge kaum noch zu beobachten. Nur in der lit. F. (z. B. Phaedr. 4, 19; Babr. 95) kommt (A) zuweilen im archa. Typ vor.

Zumeist folgt (C) auf (B), es kann aber auch vorangehen. In beiden Fällen kann es sich um eine → Gnome (im technischen Sinne) handeln, die zuweilen vom letzten Sprecher, im allg. einem Tier, vorgetragen wird. Daß man einem Tier eine Gnome in den Mund legen konnte (wie bei Hes. erg. 210–11), wurde von Aristarchos [4] von Samothrake (schol. vet. in Hes. ad loc., p. 76 PERTUSI) beanstandet, doch hinterließ das archa. Beispiel Spuren in den äsopischen Sammlungen (vgl. Phaedr. 1, 26, 12; PRyl. 493, 129–30). Wenn (C) (B) vorangeht, wird es *promýthion* genannt, wenn es nachfolgt, *epimýthion*; letztgenanntes stellt die ältere, schon bei Hes. erg. 202–11 und in den von Aristot. rhet. 1393b erwähnten F. des Stesichoros und Aisopos belegte Form dar [2]. Über die gesamte Gesch. der griech. (und lat.) F. hin läßt sich eine variierende Kombination beider Formen des Elements (C) beobachten; *epimýthion* und *promýthion* können in F. antiker (PRyl. 493; Phaedrus) wie später Sammlungen (Aphthonius) nebeneinander angetroffen werden, so daß man nicht behaupten kann [13], das *epimýthion* hätte allmählich das *promýthion* abgelöst. Die systematischen Sammlungen neigen dazu, Element (C) mit einer Reihe stereotyper Formeln einzuleiten.

B. BEZEICHNUNGEN

Die Griechen nannten die F. *aínos* (αἶνος), *lógos* (λόγος), *mýthos* (μῦθος) [12. 123 ff.]. Mit der Bezeichnung *aínos* (nur in archa. Zeit benutzt), unterstrichen sie die paränetische und ermahnende Funktion (C) (vgl. Hes. erg. 202–11, Theon, Progymnasmata 73,33 f. und Suda α s. v. αἶνος). Der vom 6. Jh. an (→ Aisopos) benutzte Begriff *lógos* betonte das Element (A). Der Terminus *mýthos*, der vom 5. Jh. an auf die nicht-äsopische F. (Aischyl. TrGF 139) und von Platon (Phaid. 60c) an auch auf die äsopische angewandt wurde, hob das Element (B) hervor. In der Schule der Kaiserzeit dominierte der Begriff *mýthos* (vgl. die *Mythíamboi* des Babrios oder die *Dekamythía* des Nikostratos), der den Terminus *lógos* zu Beginn der byz. Zeit endgültig ersetzte. Der Begriff *parádeigma* (Aristot. rhet. 1393a 27) ist in seiner lat. Übers. *exemplum* (z. B. Phaedrus) häufig belegt. Eine erfolgreiche F. wird in der Form des Sprichwortes (→ *paroimía*) zum gemeinsamen Erbe: (A) und (B) werden auf ein Minimum reduziert, und (C) bleibt, insofern es allen bekannt ist, unausgesprochen.

C. INHALTE

Die Mehrzahl der ältesten F. dienen dazu, Typen polit. Verhaltens und Mechanismen der Macht zu beschreiben. Hes. erg. 210–11 wendet sich an Herrscher (*basileís*), die *aínoi* des Archilochos drohen Verrätern mit Rache (IEG fr. 172–81; 185–87), Stesichoros erzählt seinen gegen Tyrannen gerichteten *lógos* den Einwohnern einer sizilischen Stadt (Aristot. rhet. 1393b), Aisopos wendet sich mit einer F. an diejenigen einer ion. Stadt (Aristot. ebd.), Semonides von Amorgos beschreibt in einer F. den im Trüben fischenden Politiker (IEG fr. 8–9; vgl. Aristoph. Equ. 864 ff.), der Großkönig Kyros von Persien wendet sich mit einer F. an die griech. Gesandten (Hdt. 1,141). Das att. → Skolion über Krebs und Schlange (PMG 892; CFA 211) ermahnt polit. Verräter. Timokreon von Rhodos, ein berühmter Skolien-Autor, erinnert den Athener Themistokles an eine F. des Aisopos (PMG 729 = CFA 17).

Das Symposion war das bevorzugte Medium für die Verbreitung der bekanntesten (auch nichtgriech.) F.-Motive unter griech. Eliten (Plut. mor. 147b). Die Abbildung von fabeltypischen Tieren auf Siegeln (Skarabäen, Widderköpfe, Krebse usw.), auf Schildzeichen [16. 112 ff.] und alten Geldstücken der Poleis, die Tiersymbolik in der Orakelsprache (vgl. die Satire Aristoph. Pax 1063–86) und auf archa. Denkmälern (Frösche, eine Palme und Wasserschlangen auf dem Kypselosmonument in Delphi; Plut. mor. 399f) geben den soziokulturellen Hintergrund zu erkennen, der die Verbreitung der F. begünstigte, wo immer griech. Eliten Einfluß hatten (vgl. die Anspielungen bei Ion von Chios fr. 38,36 TrGF und Plat. Phaid. 82a).

Die Tatsache, daß die F. Gesandte, Politiker und Handelsleute auf ihren Wegen begleitete, führte die Griechen schon in der 1. H. des 5. Jh. zu der Schlußfolgerung, daß viele F. anderen geographischen und somit nicht-äsopischen Ursprungs sind. Aischylos (TrGF 139) kennt libysche F., Timokreon von Rhodos erwähnt karische und kyprische (PMG 734; 730), Aristoph. Vesp. 1427 ff. eine sybaritische. Die assyrischen (für die Griechen »syrischen«, Babr. Prolog II 2) F. des Ahiqar waren im Athen des 5. Jh. bekannt [9. 30 ff., 55 ff.] und wurden zunächst von Demokrit, dann von Theophrast einer schriftlichen Redaktion unterzogen. Der Peripatetiker → Chamaileon benannte sogar den Autor der libyschen F. (Hesych. s. v. λιβυκοί λόγοι II 595,46 LATTE). Aus diesem Material schöpften dann die *Progymnásmata* (z. B. Theon 73, 1 ff.). Auch wenn das äsopische Modell der demegorischen F., das Aristot. rhet. 1393b erneut empfahl, im polit. Kampf noch eine gewisse Vitalität [4. 400] besaß (Plut. Phokion 9,1; Plut. Demosthenes 23, 5; doch vgl. die Ablehnung dieses Modells durch Demades in CFA 63), ist die F. im 4. Jh. v. Chr., vor allem die Autoren-F., deren Gesch. sich nachzeichnen läßt, nunmehr Hinterlassenschaft ant. (nicht nur griech.) Kulturen und wird Gegenstand gelehrter Sammlungen z. B. von Rätseln (*gríphoi*), von Sprichwörtern (→ Klearchos von Soloi oder Aussprüchen der Sieben Weisen (Demetrios [4] von Phaleron).

D. Fabelsammlungen

Die erste Etappe in der Reihe »äsopischer« Sammlungen, die sich bis in die byz. Zeit hinziehen, ist die Sammlung (*synagōgḗ*) von *lógoi Aisṓpeioi* in einem einzigen Buch, die der Peripatetiker → Demetrios [4] von Phaleron (um 300 v.Chr.) unternahm (Diog. Laert. 5,80–81). Das Adjektiv *aisṓpeioi* besagt, daß hier nicht nur die F. des Aisopos (die eine kleine Gruppe ausmachten, vgl. Phaedr. Prolog IV 11–12), sondern auch alle dem äsopischen Typ verwandten F. versammelt waren, d.h. die libyschen, karischen, sybaritischen, lydischen, »syrischen« usw., vorausgesetzt, sie besaßen alle Elemente der F. (A+B+C), vgl. Theon Progymnasmata 73,1–15. Die Sammlung der Aussprüche der Sieben Weisen durch Demetrios (F 10,3 DK) legt nahe, daß die F. unter Rubriken vom Typ »der phrygische (?) Aisopos sagte« (Theon, ebd. 73,5–6) zusammengestellt waren. Nach welchem Kriterium sie innerhalb der einzelnen Gruppen angeordnet waren, ist schwer zu sagen. Wenn PRyl. 493 (Anf. 1. Jh. n.Chr.) in direkter Filiation zu der Sammlung des Demetrios [3. 26–8] steht, waren die Untergruppen vielleicht danach eingerichtet, ob es sich um F. mit Pflanzen, Tieren, Tieren und Menschen, Heroen und Göttern usw. handelte.

Was die »Moral« betrifft, so hat der systematische Stil der Sammlung gewiß dazu beigetragen, eine begrenzte Reihe von Eingangsformeln festzulegen, die sich dann mit wenigen Varianten in der gesamten Gesch. der F.-Sammlungen, ob in Versen oder in Prosa, wiederfinden [13]. Durch das Ansehen des Kompilators wurde die Sammlung, die in die Bibliothek von Alexandreia gelangte, zum maßgeblichen gelehrten Text für die nachfolgenden Jh. [14. 325]. Die hell. Dichtung, die neben den F. des Aisopos auch noch ant. lydische kennt (Kall. fr. 192; 194) und »syrische« in Versform bringt (F. des Ahiqar: Leonidas von Tarent, Anth. Pal. 9,99 [14. 322]), bietet einen geographischen Horizont der F., der sich mit der Optik eines Theophrastschülers erklären läßt. Deutliche thematische und stilistische Übereinstimmungen z.B. zw. → Phaedrus und Plutarch und zw. Ennius und → Babrios lassen sich mit dem Vorhandensein einer maßgeblichen Sammlung erklären [14. 321ff.]. Die Proömien der F., die → Maximos von Tyros im 2. Jh. n.Chr. erzählt (or. 19,2; 32,1; 15,5; 36,1), lassen Anklänge an die Symbolik der F. des Demetrios erkennen, denen kallimacheische Reminiszenzen untergemischt sind (zu or. 36,1 vgl. Kall. fr. 192,15–17). Die gleichen Anklänge finden sich in den Prologen des Babrios. Noch Himerios im 4. Jh. n.Chr. (or. LXVI 1, vgl. Aes. F 432) rühmt sich, aus der demetrianischen Sammlung zu schöpfen [14. 302]. Ein bescheidener, aber wichtiger Verbreitungskanal für F. waren die verschiedenen Sammlungen, die für die Rhetorikübungen der griech. und lat. Schule der Kaiserzeit bestimmt waren [8] und in Abständen zw. dem 2. Jh. n.Chr. und der Spätant. erschienen (vgl. die 16f. des Ps.-Dositheos in CFA II pp. 120–9 oder die 40 *mýthoi* des spätant. Rhetors → Aphthonios in CFA II pp. 133–51). Die von Ps.-Hermog. Progymnasmata p. 2,15f. Rabe erwähnte und nur in spätant. syr. Sammlungen belegte F. von den Affen, die eine Stadt gründen, läßt darauf schließen, daß auch das Corpus der sog. »F. des Syntipas« (ca. 60f.), das in byz. Redaktion erhalten ist (CFA II pp. 155–83; Aes. pp. 529–50), in der Rhetorikschule der Kaiserzeit benutzt wurde. Zw. diese beiden parallelen Überlieferungswege, den rhet. der kleinen Sammlungen (zu denen auch PKöln II 64 aus dem 2. Jh. n.Chr. gehört, vgl. Theon, Progymnasmata 75,9–10) und den gelehrten der demetrianischen Sammlung hat sich die an den Anfang des 2. Jh. n.Chr. gestellte *Dekamythía* (›Zehn Arten von *mýthoi*‹) des Sophisten → Nikostratos eingeordnet, der (vgl. Aes. T 81–2) die Grenzen der F. erweiterte, indem er geradezu »dramatische« F. aufnahm (vgl. im übrigen schon den Tragödienpassus in Phaedr. 4,7). F. wie die 12. des Babrios geben Anlaß zu der Vermutung, daß er von den *Dekamythía* beeinflußt wurde.

Unter dem Druck der neuen umfangreichen Repertorien (*Dekamythía*, *Mythíamboi* des → Babrios) nahm die (anders als schon Babrios) nicht alphabetisch angeordnete Sammlung des Demetrios, die viele neue Materialien, welche seit Jh. Eingang in den Schulbetrieb gefunden hatten, nun nicht mehr besaß, allmählich den Anschein eines antiquarischen Werkes an: Als Repertorium hatte es ausgedient. Zu diesem Zeitpunkt (Spätant. nach [1. 78–9], 9./10. Jh. nach [7]) setzt man die Kompilation der bekanntesten Sammlung äsopischer F. an, der sog. *Collectio Augustana* (= CFA I, ca. 230f., cod. G und Pa aus dem 11. Jh., Pb aus dem 13.). Der zu Unrecht unterschätzte cod. *Parisinus* Pa hat, wenn auch in äußerst schlechtem Zustand, das urspr. Proömium überliefert (Aes. T 1), das die Absicht des Redaktors kundtut, die *mýthoi* des »lydischen« Aisopos in die Sonderabteilung einer *bibliothḗkē* zu stellen, die auch Sammlungen von *kephálaia* aus Tragödien, von Apophthegmata, Gnomen und Gleichnissen (*parabolaí*) enthalte: ein byz. Enzyklopädieprojekt, das, vielleicht auch Demetrios nachahmend, den gesamten F.-Schatz der Griechen für die Nachwelt einer alphabetischen Neuordnung unterzog.

→ Ainos; Aisopos; Babrios

Aesopi Fabulae, I & II, 1925, ed. E. CHAMBRY · Aesopica I, 1952 (= 1980), ed. B. E. PERRY (= Aes.; T = Testimonia; F = Fabulae) · Corpus Fabularum Aesopicarum, I & II, 1959–70, edd. A. HAUSRATH, H. HUNGER (= CFA).

M.J.L./Ü: T.H.

III. Lateinische Literatur

Die F. ist in der lat. Lit. durch Rückgriff auf griech. lit. Ausformungen und Slg. von Anbeginn an präsent. Sie behält dabei ihre paränetische und ermahnende Funktion und dient der enthüllenden Wahrheitsrede. Zu diesem Zwecke wird sie entweder in heterogene Kontexte eingefügt und exemplifiziert ein bestimmtes Geschehen bzw. einen Sachverhalt, oder sie steht isoliert und zielt auf eine → *gnṓmē* ab.

Die erste F., die in der lat. Lit. faßbar ist, hat → Ennius in seinen *Saturae* (→ Satire) poetisch gestaltet (Enn. sat. 21–58 V.): Nach → Gellius (2,29) vermittelt Ennius durch den *apologus Aesopi* von der »Haubenlerche« den Rat: *ne quid exspectes amicos, quod tute agere possis*, ›Erwarte nichts von den Freunden, was du selbst zu tun vermagst‹ (Gell. 2,29,20 = Enn. sat. 58 V.; zu dem Verhältnis von Enn., Babr. 88 und Avianus 21 vgl. [25. 155–162, 236f.; 27]). → Lucilius fügt sodann in seine *saturae* die F. vom »kranken Löwen« ein, dessen Einladung der Fuchs nicht folgt, da alle Spuren nur in die Höhle hineinführen (Lucil. fr. 980–989 MARX = 1074–1083 KRENKEL). Ob Lucilius analog zu den frühgriech. → Iambographen persönlich angreifen und verspotten will, läßt sich aus der frg. Textüberl. nicht erschließen. Im Gefolge des Lucilius bedient sich → Horatius in seinen *Saturae* und *Epistulae* (Hor. sat. 2,1,62–65; epist. 1,1,73–75: Anspielung auf die F. vom »kranken Löwen«; vgl. später auch Sen. dial. 8,1,3) auffallend häufig der F., um in einem urban unterhaltsamen Ton verhalten zu verspotten, versteckt eine Wahrheit auszusprechen oder popularphilos. zu belehren. Neben Anspielungen auf F. (Hor. sat. 2,3,186; 199; 2,5,55f.; epist. 1,3,18–20; 1,20,14–16) gestaltet Horaz vier F. ausführlich (sat. 2,3,314–320: »Rind und aufgeblasener Frosch«; 2,6,79–117: »Stadtmaus und Landmaus«; epist. 1,7,29–33: »Fuchs mit Blähbauch«; 1,10,34–41: »Pferd und Herr«), wobei die meisten dieser F. im Kontext eines vorsichtig kritischen Nachdenkens des Horaz über sein Verhältnis zu Maecenas eingeführt werden [23; vgl. insges. 18].

Innerhalb der lat. Prosa begegnen F. zur Exemplifizierung und als rhet. Überzeugungsmittel selten (alle Stellen bei [3. 37; 21. 1732ff.]). Herausragend ist der Bericht des → Livius (2,32,5–12), Menenius Agrippa habe in einer Rede mit der F. vom »Magen und den Gliedern« (oriental. Ursprung; bei Livius ist die F. wahrscheinlich durch die jüngere Annalistik vermittelt [24. 142f.]) die aufständischen Plebejer zur Rückkehr in die Stadt bewogen. Livius selbst bezeichnet diese Art der Redekunst als unzeitgemäß und abstoßend (Liv. 2,32,8; [vgl. 29. 77f.]). → Quintilian (inst. 5,11,19) bestätigt dieses Urteil, nachdem er bereits an anderer Stelle (inst. 1,9,2) die aesopische F. dem Anfangsunterricht in der Schule zugewiesen und damit jenen Bereich ausdrücklich benannt hatte, in dem in Rom während der Kaiserzeit die F. vorrangig ihren Platz hat (weitere theoretische Überlegungen zur Bezeichnung der F. und ihrer Verwandtschaft zum Sprichwort bei Quint. inst. 5,11,20f.).

Deutlich anders beurteilt Funktion und Intention der F. der griech. Freigelassene → Phaedrus, der im ersten Drittel des 1. Jh. n. Chr. mit seiner poetischen F.-Slg. in 5 B. (nur B. 1 fast vollständig erh.) selbstbewußt und mit hohem poetischen Anspruch (vgl. bes. Phaedr. 1 prol., 2 prol.) das ant. Kleingenos der F.-Dichtung eröffnet. Er nutzt die seit den Anfängen der F. in Griechenland vorgegebenen Möglichkeiten der persönlichen Invek-

tive und der verhüllenden Kritik an polit. Verhältnissen in einem sonst in der Ant. nicht begegnenden Maße (vgl. programmatisch Phaedr. 3 prol.), fühlt sich aber gleichwohl vorrangig der Zielsetzung popularphilos. Belehrung in unterhaltender Form, wie sie auch Horaz verfolgt (sat. und epist.), verpflichtet. Seine Stoffe entnimmt Phaedrus zunächst einer hell. Slg. von Prosa-F. (möglicherweise derjenigen des Demetrios [4] von Phaleron oder einer vergleichbaren Slg.: [13. 391ff.; 14. 325ff.]), emanzipiert sich jedoch im Laufe seines Dichtens zusehends hiervon: Er greift etwa auf → Apophthegmata, Anekdotenhaftes, Novellistisches aus anderen Quellen zurück oder erfindet eigene Stoffe (Lit. zu Phaedr.: [3. 55f.]). Phaedrus scheint mit seinem hohen poetischen Anspruch und auch mit seinen unüberhörbar kritischen Tönen wenig Erfolg gehabt zu haben (Erwähnungen nur bei Mart. 3,20,5 und Avianus praef. 14 GUAGL.). → Seneca (consol. ad Polyb. 8,3) und Quintilian (inst. 5,11,19) übergehen ihn offensichtlich bewußt bei ihren Äußerungen zur aesopischen F. [26].

Den zweiten großen Beitrag zur lat. F.-Dichtung leistet → Avianus, der zu Beginn des 5. Jh. n. Chr. eine Slg. von 42 F. in Distichen vorlegt. Sie zeichnen sich durch eine deutliche Tendenz zu allg.-gültiger Moralisierung und Belehrung aus und sind im Gegensatz zu denen des Phaedrus frei von sozial- und zeitkritischen Nuancen. Die Stoffe entnimmt Avianus weitgehend → Babrios, dessen *Mythíamboi* im griech.-röm. Schulwesen der Kaiserzeit großer Erfolg beschieden war, und zwar wahrscheinlich direkt, nicht über die Vermittlung nicht näher faßbarer lat. Babrios-Paraphrasen, wie etwa der lat. Prosaversion einer griech. *Aesopia trimetria* des Rhetoriklehrers Iulius Titianus (Wende 2./3. Jh. n. Chr.), von der allein Auson. epist. 16,2,78–81 SCH. (= 9b,78–81 GREEN) berichtet [vgl. 25; 3. 69–79].

In der Spätant. (wahrscheinlich im 4./5. Jh. n. Chr.) entstand auch die einzige lat. Prosaslg. aesopischer F., die in vier sich deutlich unterscheidenden und in ihrem Verhältnis zueinander in der Forsch. kontrovers beurteilten Rezensionen überliefert ist [31; 32; 28. 404–431; 1. 2, 473–509; 20. 61–67; 3. 105–116]. Der Verf. eines in zwei Rezensionen überl. Begleitschreibens behauptet unter dem Pseudonym → Romulus, die von Aesop selbst stammenden F. ins Lat. übertragen zu haben. Der überl. Textbestand erweist die Slg. jedoch über weite Teile als eine Phaedrus-Prosaparaphrase, bei der zu einer nur auf Phaedrus rekurrierenden Urfassung (entstanden um die Mitte des 4. Jh. n. Chr.) in späteren Rezensionen insbes. im Schlußteil weitere Stoffe, etwa aus der Slg. des Pseudo-Dositheus, hinzugefügt wurden. Die Phaedrus-Paraphrasen wahren durchaus eine gewisse inhaltliche Selbständigkeit: Vergleichbar mit Avianus tendieren sie zu allg. Moralisierung und Belehrung und entschärfen die Sozialkritik der Vorlage [20. 61–67; 26. 26–28; 30].

Die große Verbreitung, die dem ant. F.-Gut im gesamten MA zuteil wurde, um dann von dort ungemindert in die Neuzeit hineinzuwirken, wurde fast ausschließlich von der poetischen F.-Slg. des Avianus und der Prosaslg. des »Romulus« getragen, die ihrerseits indirekt Babrios und Phaedrus vermittelten und somit deren Slg. als Grundstock der europ. F.-Tradition etablierten. Die originalen F. des Phaedrus wurden erst von den Humanisten wiederentdeckt, wobei die *editio princeps* Pithous (1596), die auf dem cod. Pithoeanus saec. IX als Hauptträger der unvollständigen Phaedrusüberl. basiert, den entscheidenden Schritt für die weite Verbreitung der F. des Phaedrus in der Neuzeit darstellte (zu den ma. lat. Bearbeitungen des Avianus und »Romulus« [22]; die komplizierten Vermittlungprozesse, die Bedeutung von Neubearb. und Übertragungen in die Nationalsprachen, den Beitrag von Schule und Predigt zur weiten Verbreitung und allg. Verfügbarkeit der F. im MA usw. entwickelt [20]; das Material wird präsentiert bei [19]).   J. KÜ.

→ FABEL

1 F. R. ADRADOS, Historia de la fábula greco-latina I–III, 1979–87 2 J. DALFEN, Die ὕβρις der Nachtigall. Zu der F. bei Hesiod, in: WS 107, 1994/5, 157–77 3 N. HOLZBERG, Die ant. F., 1993 4 S. JEDRKIEWICZ, Sapere e paradosso nell' antichità: Esopo e la favola, 1989 5 T. KARADAGLI, F. und Ainos, 1981 6 F. LASSERRE, La fable en Grèce dans la poésie archaique, in: Entretiens XXX, 1984, 61–103 7 M. J. LUZZATTO, La datazione della Collectio Augustana di Esopo, in: Jb. der österr. Byzantinistik 33, 1983, 137–77 8 Dies., Note su Aviano e sulle raccolte esopiche greco-latine, in: Prometheus 10, 1984, 75–94 9 Dies., Grecia e Vicino Oriente: tracce della 'Storia di Ahiqar', in: Quaderni di Storia 36, 1992, 5–84 10 Dies., Esopo, in: S. SETTIS (Hrsg.), I Greci, II 1, 1996, 1307–24 11 K. MEULI, Herkunft und Wesen der F., in: Ders., Gesammelte Schriften II, 1975, 731–56 12 M. NOJGAARD, La fable antique, I, 1964 13 B. E. PERRY, The origin of the epimythion, in: TAPhA 71, 1940, 391–419 14 Ders., Demetrius of Phalerum and the Aesopic fables, in: TAPhA 93, 1962, 287–346 15 Ders., Babrius and Phaedrus, 1965 16 J. SPIER, Emblems in archaic Greece, in: BICS 37, 1990, 107–29 17 W. WIENERT, Die Typen der griech.-röm. F., 1925. 18 F. DELLA CORTE, Orazio favolista, in: Opuscula 11, 1988, 35–41 19 G. DICKE, K. GRUBMÜLLER, Die F. des MA und der frühen Neuzeit. Ein Katalog der dt. Versionen und ihrer lat. Entsprechungen, 1987 20 K. GRUBMÜLLER, Meister Esopus, 1977 21 A. HAUSRATH, s. v. F., RE 6, 1704–1736 22 L. HERVIEUX, Les fabulistes latins depuis le siècle d'Auguste jusqu' à la fin du moyen âge, 5 Bde., 1893/4 (Ndr. 1970) 23 N. HOLZBERG, Die F. von Stadtmaus und Landmaus bei Phaedrus und Horaz, in: WJA N. F. 17, 1991, 229–239 24 L. KOEP, s. v. F., RAC 7, 129–154 25 J. KÜPPERS, Die F. Avians, 1977 26 Ders., Zu Eigenart und Rezeptionsgesch. der ant. F.-Dichtung, in: E. KÖNSGEN (Hrsg.), Arbor amoena comis, 1990, 23–33 27 C. W. MÜLLER, Ennius und Aesop, in: MH 33, 1976, 193–218 28 M. NOJGAARD, La fable antique, Bd.2: Les grands fabulistes, 1967 29 P. L. SCHMIDT, Polit. Argument und moralischer Appell: Zur Historizität der ant. Fabel im frühkaiserzeitl. Rom, in: Der Deutschunterricht 31,6, 1979, 74–88 30 K. SPECKENBACH, Die F. von der F., in: Frühma. Studien 12, 1978, 178–229 31 G. THIELE, Der Lat. Äsop des Romulus und die Prosa-Fassungen des Phädrus, 1910 **32** C. M. ZANDER, Phaedrus solutus vel Phaedri fabulae novae XXX, 1921.   M.J.L. u.J.KÜ.

Fabelwesen s. Mischwesen

Faberius. Röm. Familienname (SCHULZE, 161).

F., Privatsekretär (*scriba*, γραμματεύς) Caesars; identisch mit dem von Cicero im Frühjahr 45 v. Chr. häufiger genannten F., der von Cicero ein Darlehen erhalten hatte, bei dessen Rückzahlung Unregelmäßigkeiten auftraten, die erst Atticus beseitigen konnte (Cic. Att. 12–15). Nach der Ermordung Caesars half F. dem M. → Antonius [I 9], die Verfügungen des Dictators zu fälschen (App. civ. 3,16; Cic. Att. 14,18,1). Er ist wohl kurz danach gestorben.

H. P. BENÖHR, Fabianum negotium, in: ZRG 106, 1986, 275–320 • O. E. SCHMIDT, Der Briefwechsel des M. Tullius Cicero von seinem Proconsulat bis zu Caesars Ermordung, 1893, 289–308.   K.-L. E.

Fabia

[1] F. Zwei gleichnamige Töchter des Patriziers Ambustus. Die jüngere hatte den Plebeier Licinius Stolo geheiratet, die ältere den Patrizier Ser. Sulpicius, der aufgrund seiner Herkunft hohe Staatsämter bekleiden konnte. Als der Amtsdiener sein Kommen durch lautes Schlagen an die Haustür ankündigte, erschrak die jüngere F. und wurde von der älteren verspottet. Der Vorfall soll nach der Tradition dazu geführt haben, daß die Gekränkte bei ihrem plebeischen Ehemann darauf drang, auch den Plebeiern den Zugang zu höchsten Staatsämtern zu öffnen, was durch die Zulassung der Plebeier zum Consulat in den *leges Liciniae Sextiae* 367 v. Chr. dann auch erreicht wurde (Liv. 6,34,6–11; Flor. 1,17,1–4; Vir. ill. 20,1f.; Cass. Dio 7 fr. 29,1f.). Vgl. [1. 15,17].

[2] F. Halbschwester Terentias (Ascon. in orationem in toga candida p. 82 KIESSLING-SCHOELL), der Frau Ciceros, Vestalin vor 78 bis 53 v. Chr. (Cic. fam. 14,2,2). Wegen angeblichen Inzests mit Catilina angeklagt, jedoch freigesprochen (Sall. Catil. 15,1) [1. 61, 63f.; 2. 265].

1 R. A. BAUMAN, Women and Politics in Ancient Rome, 1992 2 D. BALSDON, Die Frau in der röm. Antike, 1979, Index s. v.   ME. STR.

[3] F. **Agrippina.** Tochter eines Consulars, entweder von Fabius [II 1 oder 2], PIR² F 74.

[4] F. **Balbin[a].** Genannt im Testament des Domitius [II 25] Tullus unter den Empfängern eines Legats.

RAEPSAET-CHARLIER, 305 Nr. 349 • G. DI VITA-EVRARD, in: Epigrafia Juridica Romana, 1989, 163.

[5] F. **Numantina.** Vielleicht Tochter von Fabius [II 14] Maximus. Verheiratet mit Sex. Appuleius [II 4], *cos. ord.* 14 n. Chr., und mit M. Plautius Silvanus; im J. 24 wurde sie wegen magischer Praktiken gegen ihn angeklagt, aber freigesprochen; ihrem frühverstorbenen Sohn Sex. Appuleius [II 5] errichtete sie in Luna das Grab, CIL XI 1362 = ILS 935.

SYME, AA, 417 f. · RAEPSAET-CHARLIER, 308 f. Nr. 353 · PIR² F 78.

[6] F. Orestilla. Angeblich Frau von Kaiser Gordian I., HA Gord. 17,4; wohl eine fiktive Person.

PIR² F 79 · R. SYME, Emperors and Biography, 1971, 4; 169 f.   W. E.

Fabianus

[1] Papst 236–250 n. Chr., Römer, gliederte die Kirche von Rom in sieben Diakonatsbezirke; aus diesen entstanden später (12. Jh.) die Kardinaltitelkirchen. F. wird erwähnt bei Eus. HE VI,29, Hier. epist. 84,10, Cypr. epist. 9,1, Novatianus (Cypr. epist. 30,5).

MGH AA 9/1,75 · LThK³ Bd. 3, 1146 f.   R. O. F.

[2] Papirius F., Philosoph und Rhetor, s. Papirius

Fabius. Röm. patrizischer Gentilname, wohl von etr. *fapi* abgeleitet [1. 162]. Nach ant. Etymologie jedoch entweder von *faba* »(Sau)bohne« (»Bohnenpflanzer«: Plin. nat. 18,10; [2]) oder von urspr. »Fodius«, »Fovius« (»Wolfsgrubenjäger«: Plut. Fabius 1,2; Fest. 77 L.), weil die Fabii mit den Quinctii urspr. die Priesterschaft der Luperci stellten; die → Lupercalia waren zudem das Familienfest der Fabii (Ov. fast. 193 ff.). Frühkaiserzeitliche Pseudogenealogie, vielleicht entstanden im lit. Umkreis von F. [II 14], führte die Familie auf Herakles zurück (Plut. und Fest. ebd.; Ov. fast. 2,237 u. a.).

Die Familie gehörte seit dem 5. Jh. v. Chr. mit den Aemilii, Claudii, Cornelii und Valerii zu den großen patrizischen Adelshäusern der röm. Republik. Nach ihr wurde die Land-Tribus Fabia benannt (wohl am linken Tiber-Ufer, nördl. von Rom und südl. der Cremera [3. 40 f.]). Der Stammbaum der frührepublikanischen Zweige der → Vibulani und Ambusti ist nicht mehr sicher zu rekonstruieren. Ihre Familiengesch., bes. die Bedeutung der Fabii im 5. Jh. v. Chr. im Zusammenhang mit der Katastrophe an der Cremera 477 (→ F. [I 37]), wurde durch Q. F. [I 35] Pictor und vor allem durch die jüngere Annalistik ausgestaltet.

Die wichtigste Familie waren seit dem 4. Jh. die Maximi. Als sie Anfang des 2. Jh. auszusterben drohte, adoptierte Q. F. Maximus (*praet.* 181) Söhne aus den Familien der patrizischen Aemilii (F. [I 23]; über dessen Bruder auch Verbindung zu den Cornelii) und der ebenfalls patrizischen Servilii (F. [I 29]). Im 1. Jh. n. Chr. erlosch die patrizische Linie endgültig. Spätere Träger des weitverbreiteten Namens haben mit diesem Zweig nichts mehr zu tun. Von einer intensiven Hinwendung zur Gesch. der Familie und der mit ihr verbundenen *gentes* zeugen im 1. Jh. v. Chr. die Bautätigkeit des F. [I 22] und dessen Auftrag an T. → Pomponius Atticus, eine Spezialgesch. dieser Familien zu schreiben, bes. aber die Eigennamen von F. [II 13–15]. Seltene

Vornamen: Kaeso (der in patrizischer Familie nur bei den Fabii und Quinctii erscheint) und Numerius.

1 SCHULZE   2 WALDE/HOFMANN 1,436   3 L. ROSS TAYLOR, The Voting Districts of the Roman Republic, 1960.

Stammbaum der jüngeren Fabii: MÜNZER, GROAG, s. v. F., RE 6, 1777 f. · G. V. SUMNER, The Orators in Cicero's Brutus, 1973, 30–32.

I. REPUBLIKANISCHE ZEIT

[I 1] Vielleicht Volkstribun 64 v. Chr. (MRR 2,162), brachte die *lex Fabia* durch, die eine Höchstzahl der Begleiter von Amtsbewerbern (→ *ambitus*) festsetzte (Cic. Mur. 71).

P. NADIG, Ardet ambitus, 1997, 45–48.

[I 2] Urheber eines zeitlich nicht fixierbaren, erstmals 63 v. Chr. von Cicero (Rab. perd. 8) erwähnten Gesetzes, das jede Anmaßung des Eigentumsrechts an Menschen (→ *plagium*) an Freien, Freigelassenen und deren Sklaven verbot.

[I 3] F., C. Praetor 58 v. Chr., Proconsul in Asia als Nachfolger des T. Ampius [I 2] Balbus 57 (MRR 2, 203; Münzprägung: [1]). Nicht identisch mit F. [I 4] (MRR 3, 86).

1 G. STUMPF, Numismatische Untersuchungen zur Chronologie der röm. Statthalter in Kleinasien, 1991, 23–28.

[I 4] F., C. 54–49 v. Chr. Legat Caesars in Gallien und im Bürgerkrieg, unter dem er sich mehrfach auszeichnete. 49 besetzte er mit drei Legionen vor den Pompeianern die Pyrenäenpässe und kämpfte auch in Spanien (Caes. civ. 1,37; 40); er starb wohl bald darauf. Ungewiß ist, ob er als Volkstribun mit seinen Kollegen Urheber eines ins J. 55 datierten Agrargesetzes, der *lex Mamilia Roscia Peducaea Alliena Fabia* [1. Nr. 54] war [2. 74, Anm. 72]; der Text ist wohl Bestandteil von Caesars Agrargesetz von 59 [3].

1 M. CRAWFORD (Hrsg.), Roman Statutes 2, 1996
2 M. GELZER, Caesar, ⁶1960   3 M. CRAWFORD, The lex Iulia agraria, in: Athenaeum N. S. 66, 1989, 179–190.

[I 5] F., Q. Aedil vor 266 v. Chr., wurde in diesem Jahr zusammen mit Cn. Apronius [I 2] wegen eines tätlichen Angriffs auf Gesandte aus Apollonia von Rom ausgeliefert, aber von der Stadt zurückgeschickt (MRR 1,200).

[I 6] F. Ambustus, C. Consul 358 v. Chr., wurde von den Tarquiniern geschlagen, wobei 307 Römer gefangen und vom Feind geopfert worden sein sollen (Liv. 7,12,6; 15,9 f.). Es liegt nahe, eine Dublette zum Schicksal des F. [I 37] an der Cremera zu vermuten.

[I 7] F. Ambustus, C. 315 v. Chr. *magister equitum* des Dictators Q. F. [I 28] Maximus Rullianus (Liv. 9,23,6–17), wahrscheinlich erfunden [1. 175, Anm. 3].

1 MOMMSEN, Staatsrecht 2.

[I 8] F. Ambustus, K. Quaestor 409 v. Chr., Consulartribun 404 (Krieg gegen die Volsker), 401, 395, 390 (?); → F. [I 12].

[I 9] F. Ambustus, M. Sohn von F. [I 8], Consulartribun 381, 369 v. Chr. Laut Livius initiierte er aus persönlichen Motiven mit seinem plebeischen Schwiegersohn C. → Licinius Stolo und L. Sextius die Zulassung der Plebeier zum Consulat (6,34,5–11). 363
Censor (?).

[I 10] F. Ambustus, M. Siegte nach annalistischer
Überlieferung als *cos. I* 360 v. Chr. über die Herniker
(MRR 1,120), schlug als *cos. II* 356 Falisker und Tarqui-
nienser (MRR 1,123), eroberte als *cos. III* 354 Tibur und
nahm Rache an Tarquinii wegen der Ermordung von
Römern (→ F. [I 6]); angeblich schloß er auch den ersten Vertrag mit den Samniten (Liv. 7,19,1–4; Diod.
16,45,8; InscrIt 13,1,69). Als *interrex* 355 und 351 soll er
als überzeugter Patrizier die Wahl von plebeischen
Consuln verhindert haben (erfolglos als Dictator 351,
Liv. 7,17,10–12; 22,2f.; 10f.). *Magister equitum* 322, *princeps senatus* seit einem ungewissen Zeitpunkt (Plin. nat.
7,133).

[I 11] F. Ambustus, N. (Cn.?). Consulartribun 406
v. Chr., eroberte die Volskerstadt Anxur (Liv. 4,59,3–
10); vielleicht Gesandter 398 zum delphischen Orakel
(MRR 1,86); 391 mit seinen Brüdern Gesandter an die
Kelten (→ F. [I 12]); Consulartribun 390 (MRR 1,94).

[I 12] F. Ambustus, Q. Soll mit seinen beiden Brüdern
F. [I 8] und [I 11] nach annalistischer Überlieferung die
Eroberung Roms durch die Gallier verursacht haben:
391 v. Chr. als Gesandte in das von den Kelten bedrohte
Clusium geschickt, beteiligten sie sich widerrechtlich
am Kampf und töteten einen keltischen Führer. Als die
Kelten die Auslieferung der Brüder forderten, wählte
das Volk sie zu Consulartribunen für 390; daraufhin zo-
gen die Kelten gegen Rom, was zur Niederlage der
Römer an der Allia und der Eroberung Roms führte
(Liv. 5,24–36; ältere, abweichende Version bei Diod.
14,113).

TH. MOMMSEN, Röm. Forschungen 2, 303–307 ·
E. MEYER, KS 2, 312–314.

[I 13] F. Buteo, M. (Cognomen: »Habicht«, »Bussard«;
genaue Bedeutung ungeklärt). Consul 245 v. Chr. mit
C. Atilius [I 11] Bulbus, kämpfte in Sizilien gegen Karthago (angeblich Seesieg und Schiffbruch bei Aigimu-
ros, Flor. epit. 1,18,30f.). Censor 241; 218 führte er oder
F. [I 30] die röm. Gesandtschaft nach Karthago, um den
Krieg zu erklären (MRR 1,241). 216 wurde er als ältester
Censorier am Jahresende Dictator zur Senatsergänzung
nach der Schlacht von Cannae (Liv. 23,22f.; MRR
1,248).

[I 14] F. Buteo, N. Bruder von [I 13]. Als Consul 247
v. Chr. belagerte er erfolglos Drepanum auf Sizilien
(MRR 1,216). 224 *magister equitum*.

[I 15] F. Buteo, Q. 188 v. Chr. Quaestor (?) in Spanien,
181 Praetor in Gallia Cisalpina, dort 180 als Propraetor
und Leiter einer Dreimännerkommission zur Anlage
einer latinischen Colonia im Raum Pisae (Liv. 40,36,13;
43,1); 168 legte er Grenzstreitigkeiten zwischen den
Kolonisten und Pisae bei (Liv. 45,13).

[I 16] F. Dorsuo, C. (oder K.). (Cognomen »langer
Rücken«), vielleicht Pontifex 390 v. Chr.; er soll während der Belagerung Roms durch die Gallier vom
Capitol aus ein Opfer am zerstörten Vestatempel dargebracht haben und unversehrt zurückgekehrt sein (Cassius Hemina fr. 19 HRR bei App. Celt. 6; Liv. 5,46; 52;
MRR 1,96).

[I 17] F. Dorsuo, M. Nahm als Consul 345 v. Chr. mit
seinem Kollegen Ser. Sulpicius Camerinus die Volsker-
festung Sora (Liv. 7,28,6) ein.   K.-L. E.

[I 18] F. Gallus, M. Röm. Epikureer und Freund Ci-
ceros (Cic. fam. 7,24–26 und 9,25,2–3), unter Cassius
[I 10] Statthalter von Damaskos. Er besaß eine Villa in
Herculaneum. Im J. 45 v. Chr. setzte er sich mit seiner
Lobschrift auf den jüngst gestorbenen Cato Uticensis
(Cic. fam. 7,24–26) in offenen Gegensatz zu Caesar.
Seine Hinwendung zum Epikureismus ist von Cicero
gut bezeugt (fam. 7,26,1; 9,25,2), war aber wahrschein-
lich nur oberflächlich.

C. J. CASTNER, Prosopography of Roman Epicureans,
²1991, 34f.   T. D./Ü: E. KR.

[I 19] F. Hadrianus, C. Marianer, Münzmeister 102
v. Chr. (?, RRC 322), vertrieb als Praetor 85 od. 84 Q.
Caecilius [I 31] Metellus Pius aus Africa, war dort 83–82
Propraetor (zur Datierung MRR 2,69; 3,86) und wurde
wegen seiner Grausamkeit von den aufgebrachten Bürgern von Utica in seinem Haus verbrannt (Cic. Verr.
2,1,70).

[I 20] F. Labeo, Q. (Cognomen: »dicke Lippen«).
Quaestor 196 v. Chr., Praetor und Propraetor 189/8;
versuchte als Befehlshaber der röm. Flotte vergeblich,
die Kreter zur Auslieferung röm. Gefangener zu bewegen, zerstörte 50 Kriegsschiffe des Antiochos [5] III.
bei Patara in Lykien und nahm Telmessos, stiftete auf
Delos dem Apollon ein Weihgeschenk (IDelos 442B Z.
103 = ILS 8765) und feierte einen Seetriumph (Pol.
21,46,3; Liv. 37,60; 38,39; InscrIt 13,1,81; Schiffs-
schnabel auf der Münze seines Enkels Q. F. Labeo 124,
RRC 273). 184 Mitglied des Dreimännerkollegiums zur
Anlage der Kolonien Potentia und Pisaurum, als Consul
183 in Ligurien, wo er mit verlängertem *imperium* bis
182 blieb. Pontifex seit 180; wurde wohl 167 noch Mitglied einer Zehnerkommission zur Neuorganisation
Makedoniens. Er war auch lit. gebildet (Cic. Brut. 81;
Suet. Vita Ter. 4).

[I 21] F. Maximus, Q. Sohn von F. [I 30], des »Cunctator«. Diente 217 v. Chr. unter seinem Vater, war 216
Kriegstribun, 215 curulischer Aedil, 214 Praetor (in
Apulien) und 213 Consul; die ungewöhnlich schnelle
Ämterfolge ohne besondere Erfolge geht wohl auf den
Einfluß seines Vaters zurück, der ihn auch als Legat begleitete (Liv. 22,44,9ff.). Er gewann Arpi in Apulien
und hielt es 212. Später noch Legat (209–8) und Gesandter (207), starb er vor seinem Vater, der ihm die Leichenrede hielt, die wohl noch Cicero las (Cato 12 u. ö.).

[I 22] F. Maximus, Q. Klagte 59 v. Chr. erfolgreich C.
Antonius [I 2] (*cos.* 63) wegen Beteiligung an der Ver-

Die Fabii Maximi und ihre Familienverbindungen (4. Jh. v. Chr. bis zum 1. Jh. n. Chr.)

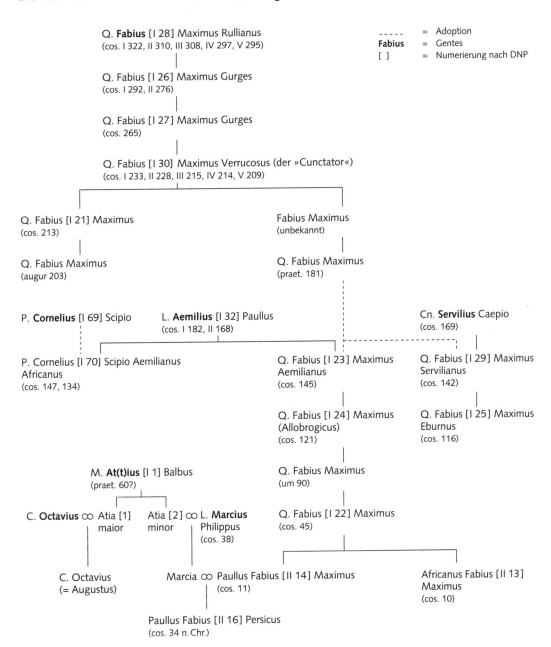

schwörung des Catilina an. Als curulischer Aedil 57 erneuerte er, stolz auf seine Zugehörigkeit zu den drei Familien der Aemilii, Cornelii und Fabii, den Triumphbogen seines Großvaters F. [I 24] Maximus (Allobrogicus), den → Fornix Fabianus (Cic. Vatin. 28; ILLRP 392a-c), und veranlaßte mit seinem Kollegen Q. Caecilius [I 32] Metellus Pius Scipio den T. → Pomponius Atticus, die Familiengeschichte der Aemilii, Cornelii und Fabii Maximi zu verfassen (Nep. Att. 18,4). Praetor

wohl 48, nahm als Legat Caesars in Spanien 45 Munda ein und erhielt schließlich als Belohnung das Suffektkonsulat 45 (vom 1. Oktober bis 31. Dezember) und einen Triumph, starb aber am letzten Amtstag. Seine Söhne waren: F. [II 13 und 14].

M. GELZER, Caesar ⁶1960, Index s. v. F.

[I 23] F. Maximus Aemilianus, Q. Sohn des L. Aemilius [I 32] Paullus und damit älterer Bruder des P.

Cornelius [I 70] Scipio Aemilianus, vom Enkel des
»Cunctator« F. [I 30], Q. F. Maximus (*praet.* 181), adop-
tiert. 168 v. Chr. kämpfte er als Knabe unter seinem
Vater bei Pydna und brachte die Siegesbotschaft nach
Rom; 167 wieder auf dem Balkan als Legat. 154 Ge-
sandter nach Pergamon, 149 Praetor (Sicilia). Als
Consul 145 mit L. Hostilius Mancinus und 144/3 als
Proconsul reorganisierte er in Spanien die röm. Armee
und errang einige Erfolge gegen → Viriatus. 134–132
Legat seines Bruders Scipio vor Numantia; um 130 vor
seinen Bruder gestorben.

[I 24] F. Maximus (Allobrogicus), Q. Sohn von F.
[I 23]. Als Quaestor 134 v. Chr. führte er vielleicht sei-
nem Onkel P. Cornelius [I 70] Scipio Freiwillige nach
Spanien zu (App. Ib. 84); 129 hielt er die von C. Laelius
verfaßte Leichenrede auf Scipio (Cic. de orat. 2,341).
Wohl 124 Praetor und 123 Propraetor in Spanien; er
erhielt auf Antrag des C. Sempronius Gracchus eine
Rüge des Senats wegen Ausbeutung der Provinzialen
(Plut. C. Gracchus 6,1). 121 Consul mit L. Opimius in
Gallia Transalpina; beendete mit seinem Vorgänger Cn.
→ Domitius [I 3] Ahenobarbus den Krieg gegen Allobroger und Arverner, triumphierte 120 oder etwas
später, errichtete auf dem Schlachtfeld an der Isèremün-
dung ein Siegesdenkmal und auf dem Forum Romanum einen Triumphbogen (→ Fornix Fabianus; Cic.
Font. 36; InscrIt 13,1,83; Strab. 4,185; MRR 1,520f.);
das Cognomen Allobrogicus ist erst seit dem 1. Jh.
n. Chr. bezeugt. Er oder F. [I 25] war 113 Gesandter
nach Kreta und 108 Censor; gestorben wohl vor 100.

[I 25] F. Maximus Eburnus, Q. Wohl Sohn von F.
[I 29]; Quaestor (?) 132 v. Chr. (Sicilia), Münzmeister (?)
127 (RRC 265), erst 119 Praetor und 116 Consul mit C.
Licinius Geta, 115–114 Proconsul in Macedonia (?,
MRR 3, 87), 113 vielleicht Gesandter und 108 Censor
(→ F. [I 24]). Er ließ seinen Sohn wegen Unzucht töten,
wurde deshalb verurteilt und ging 104 ins Exil (Val.
Max. 6,1,5; Oros. 5,16,8).

[I 26] F. Maximus Gurges, Q. (Cognomen, nach
Macr. Sat. 3,13,6 angeblich »Verschwender«), Sohn des
F. [I 28] Rullianus. *Tribunus militum* 297 v. Chr., baute
als Aedil 295 aus Strafgeldern den Tempel der Venus
Obsequens *ad circum maximum* (Liv. per. 11). Consul I
292, Proconsul 291 (Triumph über Samniten 290),
Censor 289?, Consul II 276 und erneuter Triumph über
Samniten, Lukaner und Bruttier (InscrIt 13,1,75), 273
Führer der Gesandtschaft an Ptolemaios II. Philadelphos
(MRR 1,197); Consul III 265 (?, → F. [I 27]).

[I 27] F. Maximus Gurges, Q. Sohn von [I 26] und
Vater des »Cunctator« F. [I 30]. Er (wohl nicht sein Vater) war Consul 265 v. Chr. und starb im Amt nach Verwundung in Volsinii (MRR 1,201).

[I 28] F. Maximus Rullianus, Q. (Cognomen Rullianus ungeklärt), Sohn von F. [I 10], der bedeutendste
Familienangehörige im 4. Jh. v. Chr., dessen Rolle in
den Samnitenkriegen in späterer Tradition (z. T. in
Rückprojektion der Karriere von F. [I 30]) stark ausgeschmückt wurde. 331 Aedil; 325 errang er als *magister*

equitum des Dictators L. Papirius Cursor entgegen dem
Befehl einen Sieg über die Samniten (→ Samnites); daß
ihn deswegen der Dictator zum Tode verurteilt und erst
das Volk in Rom seine Begnadigung durchgesetzt hätte,
soll die verfassungsrechtliche Anomalie erklären (Liv.
8,30–35,10). Als *cos.* I 322 weisen ihm ein Teil der Quellen Sieg und Triumph über die Samniten zu (Liv.
8,40,1–3). 315 kämpfte er als Dictator erfolglos gegen
die Samniten bei Lautulae und belagerte Sora (Liv. 9,22–
24), 313 soll er als Dictator II Nola und Fregellae erobert
haben (Diod. 19,101,37). 310 siegte er als *cos.* II über die
Etrusker und kämpfte 308 als *cos.* III gegen Samniten und
andere Stämme, 297 als *cos.* IV erneut in Samnium
(MRR 1,161; 164; 175). 295 errang er als *cos.* V mit P.
Decius [I 2] Mus, seinem plebeischen Kollegen der letzten drei Consulate, der sich in der Schlacht aufopferte,
bei Sentinum den entscheidenden Sieg über die verbündeten Samniten und Kelten, wodurch Mittelitalien
fest in röm. Hand war. Als Censor 304 beschränkte er
die Aufnahme von Bürgern ohne Grundbesitz wieder
auf die vier städtischen Tribus (Liv. 9,46,14f.).   K.-L. E.

[I 29] F. Maximus Servilianus, Q., Sohn des Cn.
→ Servilius Caepio, von Q. Fabius Maximus (*praet.* 181
v. Chr.) adoptiert; erreichte 142 das Consulat (MRR 1,
474). Kämpfte vielleicht schon 142 [1], sicher als Proconsul seit 141 in Spanien gegen → Viriatus, wobei er
nach anfänglichen Erfolgen und Eroberungen 140 in
Bedrängnis geriet und einen Frieden *aequis condicionibus*
schloß, der aber von seinen Nachfolgern ignoriert wurde (vgl. bes. App. Ib. 283–294; Liv. per. 53/54: dazu
[2.]). F. war → Pontifex und schrieb ein Werk über
Sakralrecht in mindestens 12 B. (Macr. Sat. 1,16,25),
außerdem ein Geschichtswerk (*Annales*), von dem nur 2
Fragmente über die röm. Frühzeit bekannt sind (HRR
1² 117 f.: fr. 3 ist falsch zugewiesen).

1 A. E. ASTIN, The Roman Commander in Hispania
Ulterior in 142 B. C., in: Historia 13, 1964, 245–254
2 H. SIMON, Roms Kriege in Spanien, 1962, 118–128.
                                                      W. K.

[I 30] F. Maximus Verrucosus, Q. (Cognomen Verrucosus: »die Warze«), der sog. »Cunctator« (Zauderer),
Sohn von F. [I 27], Urenkel v. [I 28], der bedeutendste
röm. Politiker im 2. Pun. Krieg. Als Consul I 233 v. Chr.
mit M. Pomponius triumphierte er über die Ligurer und
weihte einen Tempel der Honos (Cic. nat. 2,61). Er war
der prominenteste Gegner der Reformen des C. Flaminius [I 1] und suchte auch später dessen Aufstieg zu
behindern. Censor 230, *cos.* II 228, Dictator 221 (?). 219
Gegner einer sofortigen Kriegserklärung an Karthago;
er oder F. [I 13] war 218 Führer der berühmten Gesandtschaft, die das röm. Ultimatum überbrachte. Nach
der Niederlage am Trasimener See 217 wurde er durch
Volksbeschluß Dictator. F. vermied grundsätzlich eine
offene Feldschlacht mit Hannibal, woher sein späterer
Beiname »Cunctator« (in Anlehnung an Ennius [ann.
363Sk.] *unus homo nobis cunctando restituit rem*) stammt;
der Versuch, Hannibal in Campanien einzukreisen,
schlug aber fehl. Unzufrieden mit der Kriegführung er-

teilte Rom dem Reiteroberst des F., M. Minucius Rufus, gleiche Vollmachten. Dieser suchte den Kampf mit Hannibal, wurde geschlagen und nur durch F. selbst gerettet. Die Niederlage der Consuln von 216 bei Cannae zeigte die Richtigkeit von F.' Strategie: Er wurde 215 *cos. suff.* (Weihung des Tempels der Venus Erucina) und setzte auch (mit fragwürdigen Mitteln) seine Wiederwahl zum *cos. IV* 214 durch, ohne aber Entscheidendes zu erreichen; er sicherte die Wahl seines Sohnes F. [I 21] zum *cos.* 213 und war auch dessen Legat. Als *cos. V* 209 nahm er Tarentum ein und zerstörte es. 205 widersetzte er sich dem Plan des P. Cornelius [I 71] Scipio, den Krieg nach Afrika zu tragen. Er hielt noch seinem Sohn die Leichenrede und starb wohl 203.

F. verfocht ebenso machtbewußt eigene polit. Interessen (er war *princeps senatus* 209 und 204) wie er als Vertreter des alten patrizischen Adels die Ansprüche der plebeischen *nobiles* abzuwehren suchte, wofür er auch sein Amt als Augur (angeblich seit 265) und seit 216 gleichzeitig als Pontifex einsetzte – eine Ehre, die erst Caesar wieder erreichte.

Hauptquellen: Pol. 3,86ff.; Liv. 21–30; Plut. Fabius Elogium: InscrIt 13,3, Nr. 80.

[I 31] F. Pictor, C. Ließ den Tempel der Salus 304 v.Chr. mit Gemälden ausstatten und soll daher als erster das Cognomen Pictor erhalten haben (Cic. Tusc. 1,4; Plin. nat. 35,19).

[I 32] F. Pictor, C. Wohl älterer Sohn von F. [I 31] und Bruder von F. [I 33], Consul 269 v.Chr. Nach Plin. nat. 33,44 soll er die Silberprägung in Rom eingeführt haben.

[I 33] F. Pictor, N. Gesandter 273 v.Chr. (vgl. F. [I 26]), Consul 266, feierte zwei Triumphe.

[I 34] F. Pictor, N. Von Cicero als Rechts- und Geschichtsexperte bezeichnet (Cic. Brut. 81), vielleicht identisch mit dem F. Pictor, der ein Werk über Sakralrecht und Annalen in lat. Sprache verfaßte (HRR 1, 112–116).

E. BADIAN, in: JRS 57, 1967, 228 · SCHANZ/HOSIUS 1,174.

K.-L. E.

[I 35] F. Pictor, Q. Sohn des C. F. [I 32] Pictor (wohl des Konsuls von 269 v.Chr.) [4], erster röm. Geschichtsschreiber; Patrizier [3. 227–230]. Er nahm am Ligurienfeldzug von 233 (oder evtl. 223) v.Chr. teil (fr. 24 P.), auch gegen den *tumultus Gallicus* von 225 (fr. 23 P.). F. war Senator wohl nur praetorischen Ranges (Pol. 3,9,4), als er nach der Niederlage bei Cannae 216 v.Chr. als Gesandter nach Delphi geschickt wurde, um das Orakel zu befragen (Liv. 22,57,5; 23,11,1–6; Plut. Fabius Maximus 18).

Das wohl mehrere Bücher (Pol. 3,9,3) umfassende, griech. geschriebene (Dion. Hal. ant. 1,6,2) Werk, das von lat. Autoren (fr. 3; 24; 27 P.) als *Annales* (→ Annalistik) zitiert wird, ist verloren bis auf wenige Testimonien, die von der ital. (und sizilischen?: fr. 2; 3A P.) Urgesch. mit Herakles, Lanuvinus und Aeneas und ›viel später‹ (d.h. nach der albanischen Königsliste gemäß

Eratosthenischer Chronologie) von Romulus, Remus und der Gründung Roms sprechen [4] und bis 217 (fr. 26 P.)/216 v.Chr. (App. Hann. 116) reichen. Nach Dion. Hal. ant. 1,6,2 [6. 932–940] bestand das Werk aus einer ausführlichen Vor- und Gründungsgesch. Roms (dies ist mit [5. 161–165] gegen [6. 940] wörtlich zu nehmen), einer überschlägig bis unregelmäßig erzählten »Archäologie« (Königszeit; frühe und mittlere Republik) und einer wieder sehr ausführlichen Zeitgesch. ab dem 1. Punischen Krieg ([9] zu Pol. 1,14,1). Ob das Werk während (ca. 210 v.Chr. [3. 237]) oder nach dem 2. Punischen Krieg (um 200 [2. 3f.]) verfaßt ist und wo es endete (nach 209 v.Chr.: [9] zu Pol. 10,2,1–20,8; vor 213 v.Chr.: [3. 236]), ist umstritten. Die Beurteilung der Abhängigkeit von den meist nur erschlossenen Quellen – Diokles von Peparethos für die Ktisis (Plut. Rom. 3); vielleicht Timaios; Philinos von Agrigent für den 1. Punischen Krieg (Pol. 1,14,3; 15,12); dazu bes. röm. mündliche Traditionen [8], öffentliche (*annales*, → *commentarii* der *pontifices*) und private, bes. Fabianische Familienarchive (daher gelegentlich etwas fabierlastig) – bestimmt die Einschätzung der Leistung und der Tendenz des Werkes: Nicht die erfundene Rückprojektion röm. Großmachtpolitik in den Anfang [1], die zu starke Betonung röm. Größe und Sieghaftigkeit [6] oder ein betontes Desinteresse an röm. Eroberungen im Osten [5] dürften das Hauptziel dieser inhaltlich und formal sicherlich noch unausgewogenen röm. Geschichtsdarstellung gewesen sein, sondern die Richtigstellung der bisherigen romfeindlichen Zeichnungen und eine Darstellung der Zivilisation Roms und ihrer Gesch. für die griech.-sprechende Kulturwelt des Mittelmeerraumes, um die Analogie der röm. zur griech. Kultur zu betonen.

ED.: HRR, pp. 5–39; vgl. FGrH 809 · B. W. FRIER, Roman Historiography ..., Diss. Princeton 1970, 152–225.
LIT.: 1 A. ALFÖLDI, Early Rome and the Latins, 1964, 123–175 (vgl. Röm. Frühgesch., 1976, 48–82) 2 E. BADIAN, The early Historians, in: T. A. DOREY (Hrsg.), Latin historians, 1966, 1–6 3 B. W. FRIER, Libri Annales Pontificum Maximorum, 1979, 227–253 4 G. MANGANARO, Una biblioteca storica nel gimnasio a Tauromenium nel II sec. a. C., in: La Parola di Passato 29, 1974, 389–409 5 K. E. PETZOLD, Zur Gesch. der röm. Annalistik, in: W. SCHULLER (Hrsg.), Livius, 1993, 151–188 6 D. TIMPE, Fabius Pictor und die Anfänge der röm. Historiographie, in: ANRW I.2, 928–969 7 Ders., Mündlichkeit und Schriftlichkeit als Basis der frühen röm. Überlieferung, in: J. VON UNGERN-STERNBERG, H. REINAU (Hrsg.), Vergangenheit in mündlicher Überlieferung, 1988, 266–286 8 J. VON UNGERN-STERNBERG, Überlegungen zur frühen röm. Überlieferung ..., ebd. (Nr. 7), 237–265 9 F. WALBANK, A Comm. on Polybios, 1957–1979.

U. W. S.

[I 36] F. Sanga, Q. Senator, erfuhr 63 v.Chr. als Patron der Allobrogergesandten von den Plänen der Catilinarier (→ Catilina) und meldete sie Cicero (Sall. Catil. 41,4f.). 58 trat er für den verbannten Cicero ein.

[I 37] Fabii Vibulani. Die Geschichte der Familie ist eng verbunden mit der berühmten Erzählung vom Untergang der Fabier am Fluß Cremera 477 v. Chr.: Nach annalistischer Überlieferung bekleiden die drei Brüder Q., K. und M. Fabius zwischen 485 und 479 alternierend jeweils eine Consulatsstelle (Q. 485, 482, gest. 480; K. 484, 481, 479; M. 483, 480). Als 479 die ständigen Überfälle der Bewohner von Veji auf röm. Territorium zunehmen, beschließen die Fabier unter Führung des Consuls K. F., die Grenze an der Cremera auf eigene Initiative zu sichern und dafür den gesamten Clan (angeblich 306 Angehörige) mit den Klienten und Gefolgsleuten aufzubieten. Die Fabier werden 477 von den Vejentern in einen Hinterhalt gelockt und getötet; nur ein minderjähriger Sohn überlebt in Rom, der dann allein das Geschlecht weiterführt (Liv. 2,48–50; Diod. 11,53,6; Dion. Hal. ant. 9,20–22), → F. [I 38].

Histor. an dieser familiär-patriotisch ausgestalteten Episode dürfte sein, daß in der frühen Republik die großen *gentes* noch die Möglichkeit zu eigenständiger (aber wohl gesamtstaatlich akzeptierter) Kriegführung besaßen.

B. LINKE, Von der Verwandtschaft zum Staat, 1995, 157f. · J.-C. RICHARD, Historiographie et Histoire: L'expérience des Fabii à la Crémère, in: EDER, Staat, 174–199 · D. TIMPE, Das Kriegsmonopol des röm. Staates, in: EDER, Staat, 383.

[I 38] F. Vibulanus, Q. Sohn des M. F. [I 37] Vibulanus, unhistor. als Ahnherr der späteren Fabier angesehen, mehrfach Consul (I 467, II 465, III 459 v. Chr.). Kämpfte nach der Tradition gegen die Aequer, *praefectus urbi* (462, 458), war 450–449 einer der angesehensten Decemvirn, kämpfte 449 gegen die Sabiner (Liv. 3,1,41,9; Dion. Hal. ant. 10,58).

[39] F. Vibulanus (Ambustus), Q. Sohn von F. [I 38], Consul 423 v. Chr., Consulartribun 416, 414, *cos. II* 412.

K.-L. E.

II. KAISERZEIT

[II 1] C. F. Agrippinus. Senator, der vielleicht aus Ostia stammte. Praetorischer Statthalter von Thracia vor 148 n. Chr. (THOMASSON, Laterculi I 164); *cos. suff.* 148. Sein Nachkomme ist F. [II 2]. PIR² F 20.

[II 2] C. F. Agrippinus. Consularer Statthalter von Syria Coele 218/219 n. Chr.; dort von Elagabal getötet, PIR² F 19; vgl. PIR² F 17. Nachkomme von F. [II 1]; Clodius [II 2] könnte sein Nachkomme über eine Tochter sein.

[II 3] Q. F. Barbarus Antonius Macer. Cos. suff. zusammen mit Licinius Mucianus um das J. 64 n. Chr.; sein Nachkomme ist F. [II 4].

W. ECK, RE Suppl. XIV, 117.

[II 4] Q. F. Barbarus Valerius Magnus Iulianus. Praetorischer Legat der *legio III Augusta* in Africa unter Nerva, *cos. suff.* im J. 99 n. Chr.; Nachkomme von F. [II 3]. PIR² F 23.

[II 5] Q. F. Catullinus. Vielleicht Sohn von F. [II 4]. Praetorischer Legat der *legio III Augusta* im J. 128 n. Chr., als Hadrianus die Legion besuchte; *cos. ord.* 130; *curator operum publicorum*.

THOMASSON, Fasti Africani 145 · PIR² F 25.

[II 6] L. F. Cilo Septiminus Catinius Acilianus Lepidus Fulcinianus. Senator von der iberischen Halbinsel. Sein langer *cursus honorum* wird in CIL VI 1408/9 = ILS 1141/2 und AE 1926, 79 mit Varianten überliefert. Seine Laufbahn begann unter Marc Aurel; unter Commodus u. a. Legionslegat, Proconsul der Narbonensis, *praefectus aerarii militaris*, praetorischer Statthalter von Galatia. Als designierter Consul bestattete er den am 31. Dez. 192 n. Chr. ermordeten → Commodus; *cos. suff.* 193. Anhänger des Septimius Severus, der ihn während des Bürgerkrieges gegen Pescennius Niger im Osten einsetzte. Legat von Pontus-Bithynia, Moesia superior und Pannonia superior (197–201). Spätestens im J. 203 Stadtpraefekt in Rom, 204 wurde er *consul ordinarius II*. Im Konflikt zwischen Caracalla und Geta suchte er zu vermitteln, geriet jedoch selbst in Gefahr. Erst als die Stadtkohorten zu seinen Gunsten eingriffen, setzte sich Caracalla für F. ein [1]. Severus hatte ihm eine große *domus* in der stadtrömischen Regio XII geschenkt.

1 K. H. DIETZ, Caracalla, Fabius Cilo und die Urbaniciani, in: Chiron 13, 1983, 381 ff.

LTUR II 95 f. · CABALLOS, Senadores I, 132 ff. · PIR² F 27.

[II 7] C. F. Fabianus Vetilius Lucilianus. Praetorischer Statthalter von Numidien und designierter Consul unter Severus Alexander.

THOMASSON, Fasti Africani 183 f. · PIR² F 29.

[II 8] F. Fabullus. Einfacher Soldat, der am 15. Jan. 69 n. Chr. Kaiser Galba das Haupt vom Kopf schlug. PIR² F 31.

[II 9] M. F. Fabullus. War wohl *homo novus* und stammte von der iberischen Halbinsel. Er war *legatus Augusti pro praetore provinciae Africae* wohl unter Nero in außerordentlicher Funktion, später Legat der *legio XIII Gemina* und im J. 69 n. Chr. der *legio V Alaudae*.

CABALLOS, Senadores I, 135 f. · PIR² F 30; 32.

[II 10] P. F. Firmanus. Sohn eines Lucius, aus der *tribus Quirina*, vielleicht aus Spanien stammend. Legat, vielleicht in Africa; *cos. suff.* mit L. Tampius Flavianus im J. 44 oder 45 n. Chr. [1. 180 f., 188; 2. 32, 242].

1 N. FERCHIOU, Quelques inédits de Furnos Maius, in: A. MASTINO (Hrsg.), Africa Romana 2, 1985, 179–188 2 G. CAMODECA, L'archivio Puteolano dei Sulpicii, 1992.

[II 11] L. F. Iustus. Senator und *amicus* des Tacitus, der ihm seinen *Dialogus* widmete [1. 110 ff.]; auch verbunden mit Plinius dem Jüngeren; Aquilius Regulus bat F., zwischen ihm und Plinius zu vermitteln. Wohl Legionslegat 96/7 n. Chr. (Plin. epist. 1,5,8), *cos. suff.* 102 als Nachfolger von Licinius Sura. Consularer Statthalter von Moesia inferior 105 – ca. 108 (AE 1981, 746), von Syria 108/9 – ca. 112 [2. 341 ff., 346 ff.; 3. 217].

> 1 R. SYME, Ten Studies in Tacitus, 1970 2 W. ECK, Jahres- und Provinzialfasten der senatorischen Statthalter von 69/70 bis 138/139, in: Chiron 12, 1982, 281–362 3 R. SYME, Danubian Papers, 1971.
>
> CABALLOS, Senadores I, 139 ff. · PIR² F 41.

[II 12] M. F. Magnus Valerianus. Seine Laufbahn ist in CIL XI 2106 = ILS 1138 bis zum Kommando über die *legio I Italica* erhalten. *Cos. suff.* unter Commodus, 193 n. Chr. *curator operum locorumque publicorum*; 204 Teilnahme an den Säkularspielen als *XVvir sacris faciundis* [1. 238 f.].

> 1 KOLB, Bauverwaltung.
>
> PIR² F 43.

[II 13] Africanus F. Maximus. Sohn von Q. F. Maximus, *cos.* 45 v. Chr., Patrizier. Im J. 10 v. Chr. *cos. ord.*, Mitglied bei den *septemviri epulonum*, Proconsul von Africa vielleicht 6/5 v. Chr. (AE 1955, 40); Bruder von F. [II 14].

> THOMASSON, Fasti Africani, 23 f. · PIR² F 46.

[II 14] Paullus F. Maximus. Bruder von F. [II 13]; Patrizier; geb. wohl 46 v. Chr. Eng mit Augustus verbunden, verheiratet mit Marcia, einer Cousine von Augustus. Als *quaestor Augusti* begleitete er den Princeps nach dem Osten zwischen 22 und 19 v. Chr. *Cos. ord.* 11, Proconsul von Asia wohl 10/9–9/8 v. Chr. Damals führte er eine Kalenderreform in der Provinz durch: Am Geburtstag des Augustus begann das neue Jahr in Asia. Um 3 v. Chr. Statthalter in der Hispania Tarraconensis. *Pontifex* und *frater Arvalis*. Einflußreicher polit. Berater von Augustus; Förderer von Horaz und besonders Ovid. Im Frühsommer 14 n. Chr. begleitete er Augustus bei einem Besuch nach Planasia, wo Agrippa [2] Postumus interniert war; da er die Information an seine Frau (und damit an Livia) weitergab, zog er sich Augustus' Zorn zu. Deshalb wohl Selbstmord, noch vor Augustus' Tod.

> SCHEID, Recrutement, 84 ff. · VOGEL-WEIDEMANN, 336 ff. · SYME AA, 403 ff. · PIR² F 47.   W. E.

[II 15] F. Mela. Jurist augusteischer Zeit, Zeitgenosse des → Antistius [II 3] Labeo [3], bekannt nur durch 33 indirekte Zitate in Justinians Digesten [1]. Nach dem Zitat von Africanus Dig. 46,3,39 pr. schrieb F. ein Werk in mindestens 10 Büchern, wohl überwiegend honorarrechtlichen Inhalts [2].

> 1 O. LENEL, Palingenesia iuris civilis 1, 1889, 691 ff.
> 2 C. FERRINI, Opere II, 1929, 14 ff. 3 R. A. BAUMAN, Lawyers and Politics in the Early Roman Empire, 1989, 38.
>   T. G.

[II 16] Paullus F. Persicus. Sohn von F. [II 14] und Marcia. *Frater arvalis* anstelle seines Vaters im Jahr 15 n. Chr., später *sodalis Augustalis* und *pontifex*. Quaestor des Tiberius, *cos. ord.* 34. Proconsul von Asia wohl 43/4,

wo er die Finanzverwaltung in Ephesos neu regelte, IEph. Ia Nr. 17–19. *Curator alvei Tiberis* unter Claudius; 48 wird er in der Rede des Claudius über das »*ius honorum*« der Gallier erwähnt (CIL XIII 1668 = ILS 212). Er starb wohl noch vor Claudius. Seneca zeichnet ihn als degenerierten Aristokraten (benef. 2,21,4 f.; 4,30,2), doch ist sein Urteil wohl einseitig.

> VOGEL-WEIDEMANN, 334 ff. · SCHEID, Recrutement, 110 ff. · SYME, AA, 417 · PIR² F 51.

[II 17] Q. F. Postuminus. *Cos. suff.* im J. 96 n. Chr., VIDMAN, FO² 45. Hielt 97 im Senat eine Rede für Publicius Certus. Ca. 102–104 consularer Legat von Moesia inferior ([1. 338]; AE 1981, 745); Proconsul von Asia ca. 111/2 [1. 351].

> 1 W. ECK, Jahres- und Provinzialfasten der senatorischen Statthalter von 69/70 bis 138/139, in: Chiron 12, 1982, 281–362.

[II 18] F. Priscus. Vielleicht aus Tarraco stammend, Legat der *legio XIV Gemina* im J. 70 n. Chr. in Moguntiacum; Kämpfe gegen aufständische gallische Stämme.

> CABALLOS, Senadores I, 143 · PIR² F 55.   W. E.

[II 19] F. Rusticus. Junger Freund Senecas (Tac. ann. 13,20,2), wahrscheinlich aus Spanien [1. 203; 2. 179; 293]. Verfaßte – wohl in flavischer Zeit – ein Geschichtswerk, das → Tacitus als wichtige Quelle für die neronische Zeit (zitiert ann. 13,20,2; 14,2,2; 15,61,3), vermutlich auch für das Vierkaiserjahr benutzte; Tacitus schätzte F.' Stil (Agr. 10,3), kritisierte aber seine Voreingenommenheit für Seneca. Wahrscheinlich ist F. der anonyme Historiker, dem Quintilian (inst. 10,1,104) hohes Lob spendet [1.; 2. 293]. Wenn er mit dem gleichnamigen Empfänger eines Legats im Testament des → Dasumius [1] identisch ist [1. 203; 3. 201], lebte er noch 108 n. Chr. im Umkreis des Tacitus und → Plinius d. J.

> FR.: HRR 2, 112 f.
>
> 1 BARDON 2, 203 f. 2 SYME, Tacitus, 179, 289–294
> 3 J. WILKES, Julio-Claudian Historians, in: CW 65, 1971/2, 177–203, bes. 201.   W. K.

[II 20] L. F. Tuscus. *Cos. suff.* im J. 100 n. Chr. (VIDMAN, FO² 45), vielleicht aus der Baetica stammend.

> CABALLOS, Senadores I 145 · ECK, RE Suppl. XIV 117.

[II 21] F. Valens. Aus Anagnia stammend, ritterlicher Herkunft; Aufnahme in den Senat. 68 n. Chr. Legat der *legio I* in Germanien. Im Dezember 68 Verhandlungen mit Vitellius, den er am 2. Jan. 69 mit seiner Legion als Imperator akklamierte. Dieser machte ihn zu einem Heerführer gegen Galba/Otho. F. war einer der Sieger in der Schlacht von Bedriacum. Dafür erhielt er im Sept. 69 einen Suffektkonsulat. Er sollte im Abwehrkampf gegen die Flavier eine Rolle spielen, doch wurde er gefangen und in Urbinum von den Flaviern hingerichtet. Tacitus gibt eine Schilderung seiner Person (hist. 3,62).

G. Alföldy, Die Legionslegaten der röm. Rheinarmeen, 1967, 8 f. · PIR² F 68.　　　　W. E.

Fabrateria
[1] F. Vetus. Stadt der Hernici am Trerus (h. Sacco) bei Frosinone (→ Frusino) in *Latium adiectum* (*regio I*), seit Ende des 2. Jh. v. Chr. *F. Vetus* gen., bei der Kirche Santa Maria del Fiume bei Ceccano (vgl. CIL X p. 552, 5647–5661; EEpigr. 8, 888 f.). Als volsk. Stadt 330 in die Auseinandersetzungen Roms mit den Samnites verwikkelt (Liv. 8,19,1). Zunächst *civitas sine suffragio*, dann *municipium*, *tribus Tromentina* (CIL X 5657); unter *dictatores*, später von *IV viri* und *decuriones* verwaltet. Kult der Ceres und des Hercules. Zenturiationsgebiet.

[2] F. Nova. 124 v. Chr. von C. Gracchus 18 km südöstl., anstelle von → Fregellae (125 zerstört: Vell. 1,15,4) als *F. Nova* gegr. röm. *colonia* an der *via Latina*, wo der Liris mit dem Trerus bei La Civita nahe San Giovanni Incarico zusammenfließt. Verwaltet durch *II viri*. Später *municipium*, *tribus Tromentina* (CIL X 5582). Arch.: 3,2 km lange Ringmauer; Amphitheater [1].

1 L. Crescenzi, L'anfiteatro di S. Giovanni in Carico, in: Archeologia Laziale 7, 1985, 109–111.

G. Colasanti, Fregellae, 1906 · A. Nicosia, F. Nova, 1977 · S. Antonini, F. Vetus, 1988 · P. G. Monti, Un nuovo contributo alla ricostruzione della centuriazione romana nel Lazio meridionale, in: Terra dei Volsci, Contributi, 1992, 1.　　　　G. U./Ü: H. D.

Fabri. Im mil. Kontext waren *f.* Handwerker des röm. Heeres, die dem Kommando des *praefectus fabrum* unterstanden. Nach Livius (1,43,3) bildeten sie zuerst zwei eigenständige Kohorten; spätestens seit Caesar wurden sie unter die Legionssoldaten eingereiht (Caes. Gall. 5,11,3). Vegetius (2,11) nennt unter den *f.* die *f. tignarii*, *structores*, *carpentarii*, *ferrarii* und *pictores* (Zimmerleute, Maurer, Stellmacher, Schmiede und Maler). Ihre Aufgabe war es, das Winterlager zu errichten sowie Katapulte und Belagerungsgeräte herzustellen oder zu reparieren. Die von Vegetius ferner erwähnten → *fabricae*, die Waffen produzierten, gehören allerdings erst der Spätant. an. Zudem gab es Ziegeleien, Töpfereien und Kalkbrennereien des Heeres. Ob Soldaten dort nur Aufsichtsfunktionen ausübten oder selbst arbeiteten, ist ungewiß. In Britannien ist E. 1./Anf. 2. Jh. n. Chr. ein *fabricie(n)sis leg(ionis) XX V(aleriae) V(ictricis)* belegt (CIL VII 49 = ILS 2429). Die im mil. Bereich ungewöhnliche Wortwahl könnte auf einen Zivilhandwerker des Heeres verweisen. Sonst war eine Bezeichnung wie *miles tector* üblich (CIL XIII 5209; 11803 = ILS 9183).

1 G. Alföldy, Inschr. aus den Kalkbrennereien der niedergerman. Legionen in Iversheim (Kr. Euskirchen), in: Epigraphische Studien 5, 1968, 17–27 2 H. von Petrikovits, Die Spezialgebäude röm. Legionslager, in: Ders., Beiträge zur röm. Gesch. und Arch. von 1931–1974, 1976, 519–545 3 Ders., Röm. Militärhandwerk. Arch.

Forschungen der letzten Jahre, in: Ebda., 598–611 4 E. Sander, Der praefectus fabrum und die Legionsfabriken, in: BJ 162, 1962, 139–161.　　L. WI.

Fabrica, fabricenses. Urspr. bezeichnet *fabrica* lediglich das fertiggestellte Werk (ThlL VI 12 ff.), dann aber v. a. den Platz, an dem etwas hergestellt wurde.

Fabricae als Produktionsstätten von Ausrüstungsgegenständen erscheinen erstmals im direkten mil. Umfeld [11]. Die ersten fünf *f.* mit zivilen Beschäftigten wurden im Orient unter Diocletian gegründet (Ioh. Mal. 307,21 ff.). Einen Überblick über den Bestand Ende des 4. Jh. bieten Not. dign. or. 11,18 ff. bzw. Not. dign. occ. 9,15 ff. Die *f.* unterstanden bis ca. 388 dem *praefectus praetorio* (Cod. Theod. 10,22,2), dann dem *magister officiorum* (Cod. Theod. 10,22,3), der regelmäßig → *agentes in rebus* als *principes fabricarum* abkommandierte (Cod. Theod. 10,22,3). Der *magister officiorum* hatte auch Jurisdiktion über die *fabricenses* und ihre Familien (Cod. Iust. 11,10,6). Teilweise wurden sie durch ein gemeinsames *scrinium fabricarum* zusammen mit den *barbaricarii* (Cod. Iust. 12,20,5) verwaltet: *scrinio fabricarum et barbar⟨icar⟩um*. Ein eigenes *scrinium fabricensium* wird erst 539 ausdrücklich genannt (Iust. Nov. 85,3). Unklar ist die Rolle des *scrinium armorum* (Lyd. mag. 3,5). Im Osten wurden die *f.* durch vier (Not. dign. or. 11,44), im Westen durch eine unbekannte Zahl an *subadiuvae fabricarum* (Not. dign. occ. 9,43) verwaltet.

Die regionale Verteilung der *fabricae* war abhängig von den Rohstoffvorkommen (Metall, Holzkohle) und den großen Heeresgruppen der *comitatenses*. Es ist dabei zwischen den eigentl. *fabricae*, die der Waffenherstellung dienten, und anderen Einrichtungen unter staatlicher Kontrolle zu unterscheiden, die ebenfalls hochwertige Güter herstellten und dem *comes sacrarum largitionum* (Not. dign. or. 13,16–20; Not. dign. occ. 11,45–77) bzw. dem *comes privatarum* unterstanden (Not. dign. occ. 12,26 f.). Die *fabricenses* wurden wie Soldaten behandelt, was auch eine Entlassung aus der Verpflichtung einschloß, wie der Begriff *veteranus in fabrica* zeigt (CIL V 8742). Die *fabricenses* wurden wie *tirones* (Veg. mil. 2,5) an den Armen tätowiert (Cod. Theod. 10,22,4), um die Flucht zu verhindern. Aussehen und Inhalt der Tätowierung sind unbekannt. Die *fabricenses* waren persönlich frei, allerdings analog zu anderen Gruppen (*navicularii*, *pistores*, *suarii*) an ihre Pflichten gebunden. Sie besaßen Eigentumsrechte an ihren Werkstätten und Arbeitswerkzeugen, die sie vererben konnten (zum Erbrecht der *fabricenses* vgl. Theod. Nov. 6,3), hatten aber eingeschränkte Mobilität und waren in die lokale Organisation der *f.* (*corpus fabricensium*) eingegliedert, die eine kollektive Haftung (Cod. Iust. 11,10,5) und Erbrecht besaß (Theod. Nov. 6,3). Die Arbeit der *fabricenses* war durchaus für → *curiales* [1] attraktiv (Cod. Iust. 11,9,4), da sie von Einquartierungen (Cod. Theod. 7,8,8 = Cod. Iust. 12,40,4) und munizipalen Lasten (Cod. Iust. 11,10,6) befreite. Für den Einsatz ihrer Arbeitskraft und ihrer Fachkenntnis erhielten *fabricenses* als Lohn *annonae* (vgl. Iust. Nov. 85,3).

Das für ihre Arbeit notwendige Material (Metall; Cod.Theod. 10,22,2) wurde ebenso wie der Brennstoff (Holzkohle; Cod.Theod. 11,16,15; 11,16,18) bereitgestellt und durfte nicht adaeriert werden (Cod. Theod. 10,22,2). Dafür erbrachten die *fabricenses* genau beschriebene und für den Staat kostenfreie Arbeitsleistungen. Eine zusätzliche privatwirtschaftliche Betätigung scheint damit nicht ausgeschlossen, ebenso waren nicht alle Vertreter einschlägiger Berufe automatisch bei den *f.* erfaßt (Iust. Nov. 85,3 pr.). Die mil. Organisation findet in den Rangbezeichnungen *praepositus* (CIL V 8697), *tribunus* (Amm. 14,8,18 u.ö.), *primicerius* (Cod.Theod. 10,22,3 für 2 Jahre), *biarchus* (CIL V 8754), *ducenarius* (FOSS), *centenarius* (Diehl 508) ihren Ausdruck. Die lokalen *f.* scheinen in der Regel eher organisatorische Zusammenschlüsse von kleineren Werkstätten gewesen zu sein, aber keine großen geschlossenen Betriebseinheiten.

1 N. CHARBONNEL, La condition des ouvriers dans les ateliers impériaux aux IVe et Ve siècles, in: F. BURDEAU, N. CHARBONNEL, M. HUMBERT, Aspects de l'empire romain, 1964, 61–95 **2** CLAUSS, 51–54 **3** R. DELMAIRE, Les institutions du Bas-Empire romain de Constantin à Justinien. I. Les institutions civiles palatines, 1995 **4** A. DEMANDT, Die Spätant., 1989 **5** C. FOSS, The fabricenses ducenarii of Sardis, in: ZPE 35, 1979, 279–283 **6** S. JAMES, The fabricae, in: J.C. COULSTON (Hrsg.), Military equipment and the identity of Roman Soldiers, 1988, 257–331 **7** JONES, LRE, 834–836 **8** C.P. JONES, Stigma. Tattooing and branding in Graeco-Roman antiquity, in: JRS 77, 1987, 139–155, bes. 149. **9** J. KARAYANNOPULOS, Das Finanzwesen des frühbyz. Staates, 1958 **10** J.H.W.G. LIEBESCHÜTZ, From Diocletian to the Arab conquest. Change in the late Roman Empire, 1990 **11** H. VON PETRIKOVITS, Beitr. zur röm. Gesch. und Arch. I. 1931–1974, 1976, 519–545; 598–611; 612–619 **12** E. SANDER, Der Praefectus Fabrum und die Legionsfabriken, in: BJ 162, 1962, 139–161 **13** L. WIERSCHOWSKI, Heer und Wirtschaft. Das röm. Heer der Prinzipatszeit als Wirtschaftsfaktor, 1984 **14** ST. WILLIAMS, Diocletian and the Roman recovery, 1985.

                         P.H.

Fabricius. Röm. plebeischer Gentilname, wohl nicht von *faber* (»Schmied«), sondern von etr. *hapre* wie Faberius u.a. [1; 2]. Vielleicht nach Rom eingewandert [3], gelangte die Familie im 3. Jh. v. Chr. mit F. [I 3] zur Nobilität, ohne diesen Status im 2. Jh. halten zu können. In Rom gab es ein *compitum Fabricium* (Fest. 180L) bzw. einen *vicus Fabrici* (ILS 6073) zwischen Caelius und Palatin, vielleicht nach dem Wohnort von F. [I 3] benannt [4], und den *pons Fabricius,* → F. [II 1].

1 SCHULZE, 161f.; 258 **2** E. FRAENKEL, s.v. Namenwesen, RE 16, 1670 **3** MÜNZER, 62; 413 **4** G. PISANI SARTORIO, s. v. Copitum Fabricium, in: LTUR 1, 1993, 315f.

I. REPUBLIKANISCHE ZEIT

[1] F., L., 62 v. Chr. wohl Volkstribun (MRR 2, 141, Anm. 8; 174) und *curator viarum* (Cass. Dio 37,45,3), vollendete den *pons Fabricius*, die Steinbrücke zwischen

dem linken Ufer und der Tiberinsel (CIL VI 1305 = ILS 5893 = ILLRP 379; Abb. bei NASH 2, 189f.).

[2] F., Q., trat 57 v. Chr. als Volkstribun für Ciceros Rückberufung ein (MRR 2, 202).

[3] F. Luscinus, C. (zum Cognomen, »der Geblendete« s. [1]). *Homo novus*, der im Krieg gegen die Samniten und → Pyrrhos aufstieg: Er war Consul I 282 v. Chr., Consul II 278 und Censor 275 (jeweils zusammen mit Q. Aemilius [I 30] Papus). 282 kämpfte er gegen Samniten, Bruttier und Lukaner umd triumphierte (MRR 1,189). Thurioi, das er befreite, setzte ihm eine Ehrenstatue in Rom (Plin. nat. 34,32). 280 verhandelte er zusammen mit Papus und P. Cornelius [I 27] Dolabella mit Pyrrhos über die Freilassung der röm. Gefangenen aus der Schlacht von Herakleia, die er 279 trotz des Scheiterns des Friedensvertrages auch erreichte. 278 kämpfte er gegen Lukaner, Bruttier, Tarentiner und Samniten und erhielt erneut einen Triumph. 275 stieß er als Censor P. Cornelius [I 62] Rufinus aus dem Senat, weil er 10 Pfund Silbergeschirr besaß (Liv. epit. 14; Val. max. 2,9,4, u. zahlreiche a.). Er erhielt die außerordentliche Ehre, innerhalb der Stadt beerdigt zu werden (Cic. leg. 2,58). In der späteren Tradition galt F. als ein Beispiel von Bescheidenheit, Strenge und Großherzigkeit; seine Verhandlungen mit Pyrrhos (so soll er ihn vor dem Mordanschlag eines Vertrauten gewarnt haben, Gell. 3,8; Cic. off. 1,40; 386; Cic. fin. 5,64 u.a.) und sein Lebensstil waren Gegenstand zahlloser Anekdoten.

1 WALDE/HOFMANN 1, 838.

CAH 7,2, ²1989, Index s. v.

[4] F. Luscinus, C., wahrscheinlich Enkel von F. [I 3], 195 v. Chr. Praetor urbanus (Liv. 33,42,7; 43,5) und 190 Legat des Consuls L. Cornelius [I 72] Scipio Asiagenes (Liv. 37,4,2).   K.-L.E.

II. KAISERZEIT

[II 1] C. F. Tuscus. Sohn eines Gaius, aus der Tribus Aniensis. Seine Heimat war Alexandria Troas in der Provinz Asia. Er übernahm in augusteisch-tiberischer Zeit mehrere ritterliche Dienststellungen beim Heer und war an einer Aushebung beteiligt, die in Rom, vielleicht wegen der Niederlage des Varus, von Augustus/Tiberius durchgeführt wurde. Abschließend war er *praefectus equitum* in Germanien unter Germanicus (AE 1973, 501).

DEVIJVER, PME, F 18 · DEMOUGIN, Prosopographie, 189f. Nr. 216.

[II 2] A. Didius Gallus F. Veiento. Senator, wohl von A. Didius [II 2] Gallus adoptiert [1. 119]. Unter Nero als Praetorier aus dem Senat gestoßen, weil er Pamphlete gegen Senatoren veröffentlichte. Unter Vespasian wieder im Senat; seine machtvolle Stellung zeigen seine drei Consulate: 74?, 80, 83? n. Chr., sowie drei Priesterämter. Mitglied im *consilium* Domitians, auch bei Iuvenal erwähnt (4, 113; 123ff.). Er begleitete mit seiner Frau Attica Domitian vielleicht im Jahr 88/9 beim Zug gegen

Wissenschaften und Fachdisziplinen in der Antike: vereinfachter Überblick

	Wissenschaften, Künste, Techniken			Zeitstellung
Praxis	**Theoretische Wissenschaften**	**Ionische und italische Vorsokratiker: Weltdeutungsversuche**		
		Zahlenlehre	Angewandte Wissenschaften	
				6./5. Jh. v. Chr.
Sophistik: Redekunst, Pädagogik, Psychagogik	**Sokratische Philosophie:** praktische Ethik	(Thales) (Pythagoras) **Mathematik**	(Hippokrates, Hippokrateer)	Ende 5. Jh. v. Chr.
	Platonische Philosophie: Staatstheorie, Anthropologie, Ontologie, Seelenlehre		**Medizin**	4. Jh. v. Chr.
	Aristotelische Philosophie: Universalität des Denkens, Systematik der Fächer		Schulen: **Dogmatiker** (Hippokrates) **Methodiker** (Themison) **Pneumatiker** (Athenaios)	seit 3. Jh. v. Chr.

Theoretische Wissenschaften

Physik	**Ethik**	**Dialektik**	**Mathematik**	**Heilkunde**	**Sport**	**Technai**
Kosmologie	Ethologie	Logik	Arithmetik	Diagnostik	Reitkunst	Strategie
Genetik	Wertlehre	Logistik	Geometrie	Therapie	Jagdkunst	Poliorketik
Zoologie	Tugendlehre	**Wortwissenschaften**	Musik	Epidemiologie	Fischfang	Chirurgie
Botanik	Pflichtenlehre	Rhetorik	Astronomie	Diätetik (>Kochkunst)	Vogelfang	Jurisprudenz
Akustik	Anthropologie	Grammatik	Astrologie	Pharmazie	*) Fechtkunst	Hauswirtschaft
Optik	Psychologie	Philologie	Geographie	Tiermedizin	*) Athletische Disziplinen	Landwirtschaft
Mineralogie	Politik	Poetik	Gromatik	Spezialmedizin: Gynäkologie usw.		Architektur
Mechanik	Pädagogik	Sprachtheorie				Apparate- und Maschinenbau
Götterlehre	Ethnographie	Literaturlehre				
Mantik	(Paradoxographie)					

Praxis: Stilistik, Sprachreinheit, Universalbildung

Enkyklios paideia der Artes liberales

»Trivium«			»Quadrivium«				(Varronische Zusatzfächer)		Zeitstellung
Grammatik	Rhetorik	Dialektik	Arithmetik	Geometrie	Astronomie	Musiktheorie	(Medizin)	(Architektur)	seit 1. Jh. v. Chr.

*) In diesen Disziplinen ist Fachliteratur nicht nachweisbar.

Antonius [II 15] Saturninus. Auch unter Nerva verfügte er weiter über Einfluß beim Kaiser und im Senat.

1 SALOMIES, Nomenclature.

SYME, RP VII, 532ff. · PIR² F 91.　　　W.E.

Fabulla. Frau eines Asiaticus, im Testament des Domitius [II 25] Tullus als Empfängerin eines Legats genannt (AE 1976, 77); sie ist vermutlich mit der F. identisch, die bei Apollonios [14] von Tyana als Gattin eines Valerius, Proconsuls von Asia, erwähnt wird (epist. 58). Dieser ist vielleicht identisch mit Valerius Asiaticus, *cos.* 94 n. Chr., Proconsul von Asia 108/9 [1. 292ff.]. Dann wäre der Brief des Apollonios fiktiv. Vgl. PIR² F 92.

1 W. ECK, Zum neuen Frg. des sog. Testamentum Dasumii, in: ZPE 30, 1978, 277–295.　　　W.E.

Fabullus. Freund des → Catullus, Adressat des Einladungsgedichtes Catull. 13, meist gemeinsam mit Veranius genannt: Aus der Hispania Citerior schicken sie Catullus eine Serviette (Catull. 12,14ff., vgl. Catull. 9); um die Zeit seiner Reise nach Bithynien (57/6 v. Chr.) gehören sie zur Cohors eines Statthalters Piso (wohl des L. Calpurnius [I 19] Piso Caesoninus) und sehen wie Catullus ihre finanziellen Erwartungen enttäuscht (Catull. 28 und 47). Es dürfte sich also um zwei verschiedene Reisen des Paares handeln, bei der ersten (60/59) wohl um ein privates Unternehmen, zumal wenn F. aus Spanien stammte. SYME [2. 300–304] erwägt einen früheren Aufenthalt Pisos auch dort, während WISEMAN [3. 38ff.] wenig plausibel nur mit einer Reise (57/6 nach Spanien) und einem anderen Piso rechnet.

1 C. L. NEUDLING, A Prosopography to Catullus, 1955, 65f. 2 SYME, RP I 3 T. P. WISEMAN, Catullan Questions, 1969.　　　P.L.S.

Fachliteratur A. SYSTEMATISCH　B. HISTORISCH

A. SYSTEMATISCH

Die ant. F. ist 1. durch ihren Gegenstand, 2. durch ihre lit. Form, 3. durch ihre Funktion definiert.

1. GEGENSTÄNDE

F. umfaßt die allg. und speziellen Darstellungen der ant. Wiss., Künste und Techniken. Handwerkliche F. ist wenig überliefert, abgesehen z.B. vom Kochbuch des → Caelius [II 10] Apicius und den Schriften der röm. → Feldmesser; auch die Technik ist erst spät vertreten. Die praktische Vermittlung dürfte üblich gewesen sein. Bei den »Künsten« überwiegt die Rhetorik bei weitem; es dominieren die Wiss., von denen sich Philos. (mit den Sonderfächern Physik, Logik/Dialektik und Ethik), Grammatik (mit dem Sonderfach Metr.) und Medizin als Großfächer rasch verselbständigten und spezialisierten. In eigener Tradition stehen bei den Wiss. die Mathematik und Geom. (aus der Astronomie hergeleitet), weiterhin myth., antiquarische, ethnographische und geogr. Fachbücher (urspr. Teile der Historiographie und

---

Vorsokratiker - Weltdeutung

Zusammenfassung der spekulativen Antworten auf die Frage nach der ἀρχή (arché) des Seienden (Schriften περὶ φύσεως [peri physeós]) ungeachtet der beginnenden Ausdifferenzierung von Einzelfächern bei den jüngeren Vorsokratikern (z.B. ethische und arithmologische Titel).

Platonische Philosophie

Unbeschadet aller Einzeluntersuchungen der Dialoge Platons wird von einer Konvergenz des Menschen- und Weltbildes zu einer Gesamtschau ausgegangen.

Aristotelische Philosophie

Alle nacharistotelischen Philosophenschulen folgen grundsätzlich der Dreiteilung (Dialektik, Physik, Ethik) mit unterschiedlichen Schwerpunkten. Eine kanonische Wissenschaftssystematik hat Aristoteles nicht aufgestellt, sicher aber den gesamten Wissensbereich abstecken wollen.

Medizin, Pneumatiker

Diese Schule entstand erst im 1. Jh. v. Chr.

Medizin, Methodiker

Diese Schule entstand erst im 1. Jh. n. Chr.

Technai

Gemeint sind die angewandten Künste und Fertigkeiten, die nicht als Wissenschaft galten. Vermutlich gab es mehr Fachbücher, als belegt sind, z.B. für Bildhauer, Musiker (Instrumentalisten), Handwerker usw.

Jurisprudenz

Als Lehr- und Nachschlagwerke (Gesetzes- und Edikt-sammlungen) erst in der röm. Kaiserzeit.

Gromatik (Feldmeßkunst)

Lehrbücher erst seit dem 2. Jh. n. Chr.

Sprachreinheit

Gemeint sind die konservativen Bestrebungen gegen den Sprachwandel, der griech. Attizismus und der lat. Archaismus.

Wortwissenschaft

Unter diesem modernen Begriff sind die letztlich der Rhetorik zuzuordnenden Geisteswissenschaften der hell. Schulen zusammengefaßt; zur Dialektik gehören sie nur sehr bedingt. Die Rhetorik im engeren Sinn berührt sich mit der praktischen Redelehre der Sophisten; in weiteren Sinne entwickelte sie die Textwissenschaften einschließlich der Editionstechnik, Lexikographie und des Bibliothekswesens.

Trivium - Quadrivium

Frühmittelalterliche Bezeichnungen für die Wort- bzw. Sachdisziplinen der Artes liberales. Reihenfolge und Fachauswahl des Quadriviums waren lange variabel; M. Terentius Varro (1. Jh. v. Chr.) hatte sogar weitere Fächer hinzugenommen; → Artes liberales.
→ Enzyklopädie.

KL.SA.

Logographie) mit der Neigung zur Popularisierung als Poikilographie (→ Buntschriftstellerei), bei den Künsten die Musik (→ Aristeides [7] Quintilianus), auch Metr. soweit nicht Teil der Gramm. (→ Hephaistion aus Alexandreia), Bildende Kunst und Architektur (Sonderfach: Wasserleitungsbau; Apparate- und Kriegsmaschinenbau), Jurisprudenz (soweit nicht Teil der Rhet.), Kriegskunst, Sport (Reiten, Schwertkampf), Jagd (auch Fischfang) sowie Land- und Hauswirtschaft (verstanden als »Management« des Gutsherrn und der -herrin). Von den sich weiter spezialisierenden Großdisziplinen treten, besonders seit dem Hell., immer wieder Einzelfächer lit. hervor, z.B. aus der Physik: Zoologie, Botanik, Optik, Mechanik; aus der Astronomie: Astrologie, Horoskopie; aus der Medizin: Tiermedizin (→ Veterinärmedizin), Pharmazie (→ Pedanius Dioskurides), Kochkunst.

2. Literarische Formen

F. bedient sich seit ihren Anfängen im 6. Jh. v. Chr. (Thales, Anaximander) der prosaischen und poetischen Form: a) Das → Lehrgedicht, meist hexametrisch (Hesiod, Epicharmos, Parmenides) oder elegisch (Xenophanes; Ovid *Fasti*), entwickelt eine eigene Diktion, die durch das Ansprechen eines (lesenden) Schülers geprägt ist und eine didaktische Stilistik und Disposition ausbildet (*adhortatio, recapitulatio, propositio*), ohne das Poetische aufzugeben (Prooimien, Metaphern, Exkurse, z.B. Verg. georg. 4, 453–527: Orpheus und Eurydice). b) Das systematische Lehrbuch (*institutio*) gibt dem zu vermittelnden Stoff eine möglichst streng hierarchische Struktur, erstrebt eher Vollständigkeit und Abgrenzung gegen Nachbardisziplinen als didaktische Formung. Die Selbstdarstellung der Disziplin dient primär der orthodoxen Fixierung und kunstgerechten Tradierung. Oft erscheint von einem umfänglichen Fachbuch ein preiswerter Auszug (*epitoma*, → *epitomé*), der sich berührt mit c) der → *isagoge*; diese hat mäßigen Umfang und verfolgt als Einführung für den Anfänger v.a. pädagogisch-didaktische, damit auch werbende Ziele (→ Protreptik); verwandt ist in der praktischen Ethik die kynische und stoische → Diatribe. d) Beim Sachbuch treten diese Ziele, verstärkt um den Ruhm des Faches, noch schärfer hervor; es wendet sich an den Laien und stellt lit. Ansprüche (gern in den *exordia*, → Vitruvius); es ist durch Exkurse, Anekdoten und einen gewissen rhet. Schmuck um Lockerheit und Unterhaltungswert bemüht, kann auch in Form des → Dialogs, des Lehrbriefs (→ Epistel) oder des sympotischen Rundgesprächs (→ Symposion-Lit.) auftreten und läßt sich am besten als exoterische Spielart des Lehrbuchs definieren. e) Das (roh-)alphabetisch oder sachlich geordnete Lexikon (→ Lexikographie) bildet als gelehrtes Nachschlagewerk stilistisch das andere Extrem durch äußerste Verknappung der Definitionen, durch Auflistungen (z.B. Werkkataloge) und Verweise auf Parallelen und Quellen; es tritt als Universallexikon (z.B. → Stephanos von Byzanz; → Suda) oder Speziallexikon (→ Festus [6]), aber auch als reine Wörterliste (Glossar, → Glossographie) auf (→ Moeris, → Hesychios aus Alexandreia).

3. Funktionen

Grundsätzlich sind esoterische (fachinterne) von exoterischen (für die Öffentlichkeit bestimmte) Schriften zu unterscheiden. Esoterisch sind die lit. ganz freien Vorlesungsskripte (→ Aristoteles); doch schon die Vorlesungnachschriften Arrians (→ Epiktetos [2]) suchten die Veröffentlichung. In der Regel tritt das Lehrgedicht (von Mysteriendichtungen abgesehen, → Orphische Dichtung, → Hermetik) mit missionarischer Emphase an einen genannten Adressaten, stets aber zugleich an jedermann heran und benutzt die Poesie als prophetische Überhöhung (→ Empedokles [1]) oder didaktisch als ›Honig am Rand des bitteren Arzneibechers‹ (Lucr. 1,936–938 = 4,11–13); seit dem Hell. gilt die technische Meisterung schwieriger Fachinhalte als poetische Herausforderung, die der Kenner würdigen soll (→ Aratos [4]; → Manilius, → Terentianus Maurus). Das sich zunächst nur esoterisch an den Fachkollegen und den fachlichen Nachwuchs wendende systematische Lehrbuch (z.T. mit Geheimhaltungsverpflichtung: hippokratischer Eid) spricht in zunehmendem Maße auch (exoterisch) den interessierten Laien an, etwa in Rhet. (Quintilian) und Philos. (Cicero), Mythologie (Apollodor) und Landwirtschaft (Cato, Varro) und versteht sich als Teil der Allgemeinbildung (→ Enzyklopädie); im Übergang zum Sachbuch gerät es zum weitgefächerten Bildungswerk (Plinius maior) und Lesebuch (Gellius). Fachliche Sonderformen bringt die röm. Jurisprudenz hervor, neben dem Unterrichtswerk (→ Gaius [2]) vor allem Slg. von Rechtstexten und Kommentaren (→ Ulpianus, → Papinianus). Hier berührt sich das Fachbuch mit der spätant. Lexikographie, die außer dem direkten Gebrauch durch den Fachmann und Laien auch der Bewahrung des durch Traditionsabbrüche gefährdeten positiven Wissens diente.

B. Historisch

Antrieb zu den frühen Schriften *perí phýseōs* (›Über die Natur‹) der Vorsokratiker ist die Frage nach dem Ursprung des Seins (*archḗ*) in verschiedenen Bereichen, die man als erste Aufgliederung in Ontologie, Kosmogonie, Theologie und, spätestens seit der → Sophistik, Anthropologie verstehen kann. Zunächst (Anf. 5. Jh. v. Chr.) das Pythagoreische, dann (Ende 5. Jh.) auf anderem Wege das Sokratische Bemühen um eine Lebensweise auf wiss. Grundlage führt zur Ausdifferenzierung der nützlichen Spezialwiss. (Diätetik, Medizin, Musik, Astronomie, Mathematik; Ethik, Politik, Metaphysik). In Auseinandersetzung mit der Etablierung positivistischer Einzelwiss. im Peripatos setzten die hell. Schulen (um 300 v. Chr.) erneut auf den Primat der praktischen Ethik, was die autonome Entwicklung von Philologie, Mathematik und Kosmographie zumal in Alexandreia, aber auch der Medizin und Astronomie nicht behinderte (→ Zenodotos aus Ephesos, → Eratosthenes [2], → Aristophanes [4]; → Aristarchos [4], → Archimedes [1], Hipparchos aus Nikaia). Im 1. Jh. v. Chr. näherten sich alle Richtungen (Antiochos aus Askalon, Poseidonios) unter röm. Beteiligung wieder einander an, es kam zu einer vielseitigen Blüte der F. im 1. und 2. Jh. n. Chr. (Klaudios → Ptolemaios, → Heron, → Soranos, → Galenos), die im 3. Jh. dem spekulativen Neuplatonismus, auch einer gewissen Wiss.-Feindlichkeit des Christentums Platz machte, so daß sich die Wiss., von vereinzelten populärwiss. Publikationen abgesehen (→ Solinus, → Palladius, → Physiologus, → Geoponika), in die → Lexikograpie und → Artes liberales zurückzog. Die im Prinzip unselbständige röm. Wiss. dominierte seit dem 2. Jh. n. Chr. in den Disziplinen Jurisprudenz und Gramm. mit entscheidender Wirkung auf das europ. MA.

→ Fachsprache

LESKY, 253–259, 544–555, 877–891, 992–1001 · ALBRECHT 1, 450–464; 2, 982–1013 · O. GIGON, Philos. und Wiss. bei den Griechen, in: NHL 2, 1981, 231–304 · M. FUHRMANN, Die röm. F., in: NHL 3, 1974, 181–194 · D. LIEBS, Die juristische Lit., ebd., 195–208 · K. SALLMANN, Die Fachwiss. und die Ausbildung der spätant. Enzyklopädie, in: NHL 4, 1997, 195–233 · O. NEUGEBAUER, The Exact Sciences in Antiquity, ²1956 · B. L. VAN DER WAERDEN, Erwachende Wiss., 1956 · W. H. STAHL, Roman Science, 1962 · W. GRATZER (Hrsg.), A literary Companion to Science, 1990 · M. ERREN, Unt. zum ant. Lehrgedicht, 1956 · E. PÖHLMANN, Charakteristika des röm. Lehrgedichts, in: ANRW I.3, 813–901 · M. FUHRMANN, Das systematische Lehrbuch, 1960 · H. RAHN, Morphologie der ant. Lit., 1969, 142–170 · T. JANSON, Latin Prose Prefaces, 1964 · B. DEINLEIN, Das röm. Sachbuch, 1975 · A. STÜCKELBERGER, Einführung in die ant. Naturwiss., 1988 · G. WENDEL (Hrsg.), Wiss. in der Ant., 1986 · M. FUHRMANN, Die ant. Rhet., ³1990 · H. USENER, Ein altes Lehrgebäude der Philol., in: Ders., KS 2, 1913, 265–314 · H. FLASHAR (Hrsg.), Ant. Medizin, 1971 · W. KALTENSTADLER, Arbeitsorganisation und Führungssystem bei den röm. Agrarschriftstellern, 1978 · A. RIETHMÜLLER, F. ZAMINER (Hrsg.), Die Musik des Altertums, 1989 · J. ANDRÉ, L'alimentation et la cuisine à Rome, 1961. KL. SA.

Fachsprache wird meist als technische Sondersprache des Fach- und Sachbuches verstanden. In der ant. Prosa sind strenggenommen nur Rede und (seit → Herodotos) → Geschichtsschreibung gattungsmäßig als Kunstprosa festgelegt; Darstellungen von Künsten und Realfächern sind stilistisch offen: Sie reichen von der (esoterischen) trockenen Fachprosa (Vorlesungsskripte des → Aristoteles) über den (exoterischen) hochstilisierten mimetischen → Dialog bis zum feierlichen oder artifiziellen → Lehrgedicht. Für einige Schulen bleiben bestimmte Dialekte fachtypisch (z. B. Hippokratee: ion.; Pythagoreer: dor.). Charakteristisch ist meist neben einer einfachen Syntax die Konstituierung einer Fachterminologie, die sich zugleich mit den Disziplinen dank der Flexibilität der griech. Wort- und Ausdrucksbildung (Substantivierung von Adjektiven, Infinitiven, präpositionalen Junkturen) relativ mühelos bildet (z. B. τὰ ὄντα, ἡ ἄτομος, τὸ ἐφ᾿ ἡμῖν). Demgegenüber ist das Lat. zumindest in den Geisteswiss. schon als Übers.-Zielsprache, aber auch durch starrere Wortbildung und Artikellosigkeit benachteiligt und, sofern nicht die griech. Fachtermini einfach übernommen werden (z. B. *philosophia, comoedia, architectura*), auf Metaphern oder Umschreibungen angewiesen. Der lat. Stil der technischen Fachprosa ist nur selten so nachlässig und brachylogisch wie bei den → Feldmessern (z. T. vulgärsprachlich) oder → Varro (*De lingua Latina*, unfertig ediert). Die Regel bei der → *isagoge*, dem Lehrbuch und Lehrbrief (→ Fachliteratur) ist eine schlichte, nüchterne, nicht schmucklose Prägnanz, für deren Eintönigkeit sich der Autor gelegentlich entschuldigt (z. B. bei der Auflistung von *nuda nomina*).

→ Fachliteratur

H. BLÜMNER, Technologie und Terminologie der Gewerbe und Künste bei den Griechen und Römern, Bd. 1–4, ²1912 (Ndr. 1969) · M. STEPHANIDES, La terminologie des anciens, in: Isis 7, 1925, 468–477 · L. RYDBECK, Fachprosa, vermeintliche Volkssprache und NT, 1967 · J. ANDRÉ, Sur la constitution des langues techniques en latin, in: Études de Lettres 1986/1, 5–18 · C. SANTINI, N. SCIVOLETTO (Hrsg.), Prefazioni, prologhi, proemi di opere technico-scientifiche latine, 1990–92. KL. SA.

Fackel s. Beleuchtung

Factiones I. REPUBLIK II. KAISERZEIT

I. REPUBLIK

In Rom die dauernde oder zeitweilige Verbindung meist hochrangiger Personen zur Wahrung oder Durchsetzung gleicher Interessen. Anfangs im Sinne einer Verwandtschaftsbindung benutzt (Plaut. Trin. 452; 466; 490), bekommt *f.* in der späten röm. Republik einen pejorativen Sinn (»Klüngel«, »Koterie« bei [1. 103 u.ö.]) als Bezeichnung einer oligarchischen Gruppe (Cic. rep. 1,68; Caes. civ. 3,82 f.), der meist moralische Minderwertigkeit (Sall. Iug. 31,15) und immer Streben nach Macht (*dominatio*) vorgeworfen wird. Als *f.* werden etwa polit. Mitläufer (*Syllana f.*: Ps.-Ascon. 255), Verschwörer (Sall. Catil. 32,2), die Vereinigung von Caesar, Crassus und Pompeius in J. 60 v. Chr. (vgl. Cic. Att. 2,3,3 f.) oder auch die → *optimates* (Cic. rep. 3,23) bezeichnet.

Die Verbindung Mächtiger (*principes, potentes*) gehört neben → *amicitia* und *clientela* (→ *cliens*) zum Regelwerk aristokratischer Politik, doch ist die spätrepublikanische Rolle der *f.* kaum vergleichbar mit den seit dem Ende des Hannibalkrieges zu beobachtenden polit. Verbindungen (so [1. 104–110]), sondern Ausdruck der Krise [2. 162–167]. Mit der Republik endet das Treiben der *f.*; das Wort erfährt in der Kaiserzeit einen tiefen Bedeutungswandel (s. u. II.).

1 M. GELZER, Die Nobilität der röm. Republik, ²1984
2 CHR. MEIER, Res publica amissa, ²1980.

R. SEAGER, Factio: Some Observations, in: JRS 62, 1972, 53–58. W. ED.

II. KAISERZEIT

Von Rittern betriebene Organisationen, ohne die *circenses* (→ Circus [II]) im kaiserzeitlichen Rom nicht denkbar sind. Sie stellten für die Circusspiele alles Notwendige zur Verfügung: Wagenlenker mit Personal, Pferde, Sachleistungen. Die Direktoren (*domini factionum*) waren Ritter, tüchtig und so selbstbewußt, daß sie noch z.Z. Neros dem Spielgeber ihre Bedingungen diktieren konnten (Suet. Nero 22). Wie heute noch bei einem Fußballspiel erkannte der Zuschauer die miteinander konkurrierenden *f.* an den Farben: blau = *venetus*, grün = *prasinus*, rot = *russatus*, weiß = *albatus*. Zwei weitere, von Domitian eingeführte *f.* und Farben (purpurfarben = *purpureus*, goldfarben = *aureus*; Suet. Dom. 7) überdauerten diesen Kaiser nicht. In der Parteifarbe gehalten waren die kurzen Tuniken der Wagenlenker, der Pferdeschmuck und wohl auch die Wagenkästen [1]; der Zuschauer sah also einen »bunten Zug« (*discolor agmen*, Ov. am. 3,2,78). Obwohl in Rom seit der Königszeit *circenses* gefeiert wurden, erwähnt kein Autor vor Plinius (Plin. nat. 8,160) die *f.* und ihre Farben. Dies erklärt sich daraus, daß sich die *circenses* erst mit Caligula zu der röm. Sensation schlechthin entwickelten.

Noch in augusteischer Zeit besuchten den Zirkus vorwiegend Liebhaber und Kenner des Pferdesports (Ov. am. 3,2,1). Um die Wende zum 2. Jh. n. Chr. hatte sich die Situation gründlich verändert (Plin. epist. 9,6): Nicht die Schnelligkeit der Pferde oder die Kunst der Wagenlenker interessiert nach Plinius das Publikum, sondern einzig das »Tricot« (lat. *pannus* = Lappen), also die Farbe der von den Rennfahrern getragenen Tuniken; die Entscheidung für eine Farbe erfolgt ohne jede *ratio*. Plinius nennt keine Einzelfarbe, offensichtlich war die Gunst der Massen noch gleichmäßig verteilt. Eindeutig festgelegt auf blau und grün war nur der kaiserliche Hof; das belegen Suetons Biographien (Suet. Cal. 55; Nero 22; Vit. 7), Marc Aurel (1,5), die SHA (Lucius Verus 4,8; 6,2) und Cassius Dio (59,14,6; 73,17; 78,10,2; 80,14,2). Aus der – anfangs wohl zufälligen – Vorliebe der Kaiser für blau und grün dürfte es zu erklären sein, daß diese *f.* gegen Ende des 2. Jh. im Circus dominierten. Denn die Kaiser bekundeten ihren Favoriten ihre Sympathie in extravaganter Weise: Caligula ließ die Rennbahn mit Zinnober und Malachit bestreuen (Suet. Cal. 18); Nero trug als Wagenlenker eine malachitgrüne Tunika, passend dazu wurde die Rennbahn mit Malachit eingefärbt (Plin. nat. 33,90); Vitellius, Anhänger der Blauen, stiftete den Wagenlenkern *stabula* (Tac. hist. 2,94,3). Hochqualifizierte Wagenlenker, z.B. die *miliarii* Gutta Calpurnianus und Diocles, holten sich ihre Siegespalmen noch im 2. Jh. in den Farben aller vier *f.* Das verhinderte nicht, daß die Weißen und Roten im Lauf der Kaiserzeit den größeren *f.* nachgeordnet wurden, zunächst in wechselnder Kombination, endgültig in Konstantinopel in der Verbindung grün/rot, blau/weiß [2. 45–73]. Wie dieses Verhältnis ausgestaltet war ›is something of a puzzle‹ [2. 70], hängt aber sicher damit zusammen, daß alle vier *f.* von selbständigen Betrieben zu Organisationen im kaiserlichen Dienst umgestaltet wurden.

Diese Entwicklung war im 4. Jh. n. Chr. abgeschlossen, wie der Codex Theodosianus zeigt. Kaiserliche Erlasse regelten jetzt die Aufgaben der *f.* sehr genau, z.B. wie ausgediente Rennpferde zu behandeln seien, welche Pferde verkauft werden dürften, wie mit der Namengebung zu verfahren sei, wer den einzelnen *f.* Futter zu liefern habe usw. (Cod. Theod. 15,10,1; 15,10,2). Als *domini* der *f.* werden in Inschr. des späten 3. Jh. mehrfach siegreiche Wagenlenker genannt mit dem Titel *factionarius*. Die Entmündigung der *f.* war unvermeidlich: Das Monopol für die Ausrichtung der *circenses* konnte nicht in privater Hand bleiben. Die kleineren *f.* behielten außer den Farben die eigenen *stabula* in der *regio* 9 beim Circus Flaminius [3; 4]. Wie heute noch war *stabulum* ein umfassender Begriff des Pferdesports (dem modernen Begriff »Rennstall« vergleichbar). Daß die *f.* des 4. Jh. n. Chr. vorwiegend für den Kaiser tätig waren, zeigt der Fall des Stadtpräfekten Symmachus. Er besorgte selbst die Rennpferde für die *circenses*, die sein Sohn als Prätor (im J. 401 n. Chr.) ausrichten mußte. Von *f.* ist in seinen Briefen nicht ein einziges Mal die Rede [2. 8].

Kaiser Constantin I. übernahm für Konstantinopel die röm. Circusorganisation seiner Zeit: Geschultes Personal im kaiserlichen Dienst war für die Vorbereitung und Durchführung der *circenses* verantwortlich; wie in Rom gab es die Zweiteilung in Blaue und Grüne, denen die Weißen und Roten zugeordnet waren. Für die beiden Gruppen wurden zwei Ställe erbaut, das Dihippion im NW des Hippodroms [5]. Der Begriff *factiones* erscheint in byz. Quellen nie, tatsächlich gab es die *f.* in ihrer urspr. Form nicht mehr. Unter den berüchtigten »Circusparteien« (moderner Begriff) des oström. Reiches sind fanatisierte Anhänger der Circusfarben zu verstehen, die in Quellen als μέρη, δῆμοι, στασιῶται (»Abteilungen«, »Gruppierungen«, »Parteigänger«) bezeichnet werden. Mit der Organisation der *circenses* haben sie nichts zu tun. ›There is a deceptive line of continuity between the Blues and Greens of Rome and Constantinople‹ [2. 309].

1 K. PARLASCA, in: HELBIG, Bd. 3, Nr. 2470 2 A. CAMERON, Circus-Factions, 1976 3 H. JORDAN, CH. HÜLSEN, Top. der Stadt Rom im Alt. 1, 1–3, 1878, 551 4 F. COARELLI, Rom, 1974, 248 5 W. MÜLLER-WIENER, Bildlex. zur Top. Istanbuls, 1977, 232.

A. DEMANDT, Die Spätant., 1989 · L. FRIEDLÄNDER, Die Spiele, in: J. MARQUART (Hrsg.), Röm. Staatsverwaltung 3, 1885, 511–524 · HUMPHREY · P. VEYNE, Brot und Spiele, 1988, 596–631.   A. HÖ.

Fadius. Röm. Familienname, seit dem 1. Jh. v. Chr. bezeugt (SCHULZE, 132; 516).

I. REPUBLIKANISCHE ZEIT

[1] F., T. Quaestor 63 v. Chr., unterstützte 57 als Volkstribun die Rückberufung Ciceros (Cic. p. red. in sen.

21; ad Q. fr. 1,4,3; Att. 3,23,4). 52 wurde er aus unbekannten Gründen verbannt (Cic. fam. 5,18).

Syme, RP 2, 594 (Name).

[2] F. Gallus, M. der Epikureer, M. → Fabius [I 18] Gallus.   K.-L.E.

II. Kaiserzeit

[II 1] L. F. Rufinus. *Cos. suff.* im J. 113 n. Chr.; gehörte zum Kreis um Plinius. PIR² F 100.

[II 2] C. F. Rufus. Wohl Sohn von F. [II 1]; *cos. suff.* im J. 145. PIR² F 101.   W.E.

Fächer (ῥιπίς, *rhipís*; *flabellum*). F. wurden im Orient und Ägypt. von alters her als Standessymbol verwandt. Nach Griechenland kam der F. wohl erst im 5. Jh. v. Chr.; Eur. Or. 1426–1430 (erste Erwähnung) nennt den F. noch »barbarisch«, doch avancierte er schnell zu einem der wichtigsten Requisiten der Frau (vgl. Poll. 10,127), die sich mit ihm selbst Luft zufächerte oder von einer Dienerin zufächern ließ (vgl. die *flabellifera* bei Plaut. Trin. 252 und der *flabrarius* als männliches Pendant bei Suet. Aug. 82). Auf griech. Vasen und an Terrakotten (»Tanagra-Figuren«) werden F. überaus häufig in der Hand von Frauen dargestellt. Form und Material sind in der ant. Lit. kaum überliefert; bei Eur. Or. 1426–30 ist es ein kreisrundes Gebilde aus Federn, bei Hesychios (s. v. ῥιπίς) ein Flechtwerk aus Binse, doch dürften ebenso Leder, Bast, Stroh o. ä. verwendet worden sein. Man unterscheidet die herzförmigen Blatt-F. mit kurzem Griff, die bes. an den Terrakotten verschieden gefärbt oder mit Ornamenten verziert sind; dann den Feder-F., bestehend aus einem langen Stab mit einem mitunter ornamental gestalteten Aufsatz, aus dem die einzelnen Federn voneinander getrennt aufragen. In der etr. Kunst sind die Blatt- und Feder-F. ebenso häufig. Hier sind (metallene) originale F. bekannt, auch in rechteckiger Form aus einem Männergrab. Anzufügen sind etr. Elfenbeinhände als Fächerhalter.

Im Röm. sind Feder-F. – wenn auch selten – dargestellt, die (nach Athen. 6,257b und Prop. 2,24,11) aus Pfauenfedern bestanden. In der späteren Kaiserzeit tauchen zwei weitere Fächerformen auf: der Fahnen-F., von dem sich Exemplare aus Stroh erhalten haben, und der kreisrunde Rad-F., bestehend aus zwei Haltestäben zum Auf- bzw. Zuklappen, zwischen denen sich das gefältelte Fächerblatt befindet; auch von dieser Variante, die offenbar in den nördl. Provinzen des röm. Reiches beliebt waren, haben sich Frg. erhalten (York).

Nicht unerwähnt sollen auch Wedel aus Pfauenfedern bleiben. Zu trennen sind von diesen F. solche, die zum Entfachen des Feuers dienten (z. B. Aristoph. Ach. 669; 888, Anth. Pal. 6,101;306; → Hausrat).

E. Diez, Flabella, in: AA, 1955, 58–69 · E. Diez, Th. Klauser, W. Pannold, s. v. F., RAC 7, 217–236 · T. Schilp, Zur Rekonstruktion eines röm. F. (?), in: Mainzer Zschr. 73/4, 1978/9, 365–366 · A. Romualdi, in: Etrusker in der Toskana, Ausst.-Kat. Hamburg, 1987, 234–235, Nr. 32 · Die Etrusker und Europa. Ausst.-Kat. Paris-Berlin 1992/3, 127, Nr. 89–92.   R.H.

Fälschungen A. Begriff der Fälschung
B. Archaische und klassische Zeit
C. Hellenismus D. Römische Republik
E. Kaiserzeit und Spätantike

A. Begriff der Fälschung

Das Verfälschen von Texten ist fast so alt wie das Schreiben an sich. Lange vor Entstehung der griech. Lit. hatten ägypt. Schreiber fälschlicherweise behauptet, die von ihnen geschriebenen Texte seien wörtliche Kopien älterer, maßgeblicher Originale (ANET 414; 495). Jüd. und etr. Priester betonten die mysteriösen Umstände, unter denen prophetische und juristische Schriften, offensichtlich von göttlicher Hand ans Licht gebracht, aufgetaucht seien [1; 2].

Nicht jede Verfälschung eines Textes ist eine F. In vielen rel. Traditionen haben sich Autoren in der Rolle einer göttlichen oder prophetischen Person geäußert, ohne den formalen Anspruch geltend zu machen, den fraglichen Text auch tatsächlich in all seinen sprachlichen und stilistischen Details selbst verfaßt zu haben [3; 4; 5]. Echte F. kann (vgl. [6]) nur in einer Kultur stattfinden, die eine klare Vorstellung von Autorschaft hat, und in der somit die Zuweisung eines Werkes an einen realen oder auch fiktiven Autor, der dieses nicht geschrieben hat, einen bewußten Versuch darstellt, den Leser, der es erwartungsgemäß für authentisch hält, zu täuschen [6].

B. Archaische und klassische Zeit

Im Laufe des 8. und 7. Jh. v. Chr. hatten griech. Schriftsteller und Künstler eine klare Vorstellung von künstlerischer Individualität entwickelt. Im 6. und 5. Jh. v. Chr., als die ion. Philosophen neue Unt.-Methoden über das Universum und dessen Vergangenheit entwickelten, wurden neue Fragen zur Authentizität histor. Überlieferung und lit. Texte gestellt – z. B. bezüglich Homers Autorschaft einiger Gedichte des → Epischen Zyklus, die Herodot in einem Falle verneinte, in einem anderen anzweifelte (2,117; 4,32). Solon und Peisistratos wurden verdächtigt, nicht-originale Verse in den Homertext eingefügt zu haben, um Athens Bedeutung in der Vorzeit zu vergrößern (Strab. 9,1,10). Echte Werke oder Werkpartien eines bestimmten Autors wurden – in Anlehnung an die juristische Terminologie für Familienverhältnisse – entweder als »leibliche Kinder« (*gnésioi*) oder als »uneheliche« oder »Bastarde« (*nóthoi*) bezeichnet.

Die Existenz dieser Terminologie zeigt eine Entwicklung an: von der Verfälschung von Texten, die in griech. Tempeln und Städten ein normales Mittel darstellte, um Lücken in den histor. und rel. Aufzeichnungen zu füllen, zu einer raffinierteren Tradition bewußter künstlerischer F. im 6. und 5. Jh. v. Chr. Dies bedurfte der Kreativität und Überlegungen von zweierlei Art: Der Fälscher mußte sich vorstellen, wie ein Text, der in

chronologischer oder geogr. Distanz geschrieben wurde, auszusehen habe; auch mußte er erklären, warum
der Text noch vorhanden sei und wie er ihn erhalten
hätte. → Akusilaos von Argos behauptete beispielsweise, seine Mythographie entspreche der Wahrheit, da er
sie Bronzetafeln entnommen habe, die sein Vater in seinem Garten entdeckte (Suda s. v. Ἀκουσίλαος). → Ktesias begründete den Wert seiner Darstellung der pers.
Gesch. mit seiner angeblichen Benutzung offizieller
Dokumente (Diod. 2,32,4).

Die zunehmende Verfeinerung der F.-Techniken
führte zu zweischneidigen Ergebnissen: Herodot zum
Beispiel glaubte an das Alter einiger mit Inschr. versehener Dreifüße, die er in Theben gesehen hatte, da die
Verse auf ihnen mit Buchstaben geschrieben waren, die
er für »kadmeisch« hielt. Der Gebrauch einer archa.
Schrift ließ in diesem Fall einen späten Text erfolgreich
als alt erscheinen (5,59–61). Der Historiker → Theopompos (4. Jh. v. Chr.) benutzte das gleiche Argument
in umgekehrter Richtung: Der Kallias-Friede aus dem
5. Jh. müsse eine F. sein, da er im ion. Alphabet aufgeschrieben wurde, das man in Athen nicht vor dem Ende
des Jh. benutzt habe (FGH 115 F 154).

C. HELLENISMUS

Die erste Blütezeit der lit. F. war der Hell. Die scharfe Konkurrenz der großen → Bibliotheken von Alexandreia, Pergamon und Pella trieb die Preise für die Werke
der großen griech. Schriftsteller in die Höhe, und um
den Bedarf an Neuerwerbungen zu decken, stellten Fälscher viele unechte Werke in Prosa und Versen her (vgl.
Gal. 15,105; 17,1,607 KUHN). Die alexandrinischen Philologen entwickelten aufwendige kritische Hilfsmittel
(wie z. B. die *Pínakes* des → Kallimachos), um die Leser
vor Täuschung zu schützen. Ihre Bemühungen waren
nur z. T. erfolgreich: Im Corpus der att. Redner wurden
viele Werke tradiert, die Kaikilios von Kaleakte und andere Philologen verurteilten. Die Sammlung der Werke
des Hippokrates enthielt im 2. Jh. n. Chr. eine Reihe
von Schriften, die Galen sowohl aus stilistischen als auch
inhaltlichen Gründen für unecht hielt [7].

Obwohl bei den Griechen schon jahrhundertelang
unechte Orakel umliefen, regte der für die hell. Welt
charakteristische aggressive Wettbewerb zw. den Glaubensrichtungen die Produktion unechter Werke in einem neuen Ausmaß und auf einer neuen Stufe des intellektuellen Ehrgeizes an. Einer oder mehrere griech.
sprechende Juden fälschten z. B. das h. als Aristeasbrief
bekannte Werk perfekt, vermutlich im 2. Jh. v. Chr.
Der Brief, eine komplette Fiktion, enthielt selbst Dokumente, die seine Glaubwürdigkeit stützen sollte: Keine erh. griech. F. aus so früher Zeit zeigt eine solch
systematische Anstrengung, Techniken der Textkritik
zu benutzen, um die Vergangenheit wiederzuerschaffen. Ähnliche Mühe machte man sich bei der massiven
Produktion unechter rel. Schriften und sibyllinischer
Prophezeiungen. Die Verbreitung solcher Werke führte
spätestens bis zum 1. Jh. n. Chr. dazu, daß die Wissenschaftler und Historiker einige Grundregeln für die kri

tische Unt. entwickelten. Iosephos z. B. argumentierte,
die offiziellen, von Priestern aufbewahrten Aufzeichnungen seien glaubwürdiger als die Schriften einzelner
Privatleute wie die der griech. Historiker (Contra Apionem 1,130; 1,107; 1,28).

D. RÖMISCHE REPUBLIK

Sibyllinische Prophezeiungen florierten trotz Ciceros Einwand, daß sie nicht auf Inspiration von Prophetinnen, sondern auf die bewußte Erfindung von
Autoren zurückzuführen seien. Ebenfalls wurden lit. F.
ohne ersichtliches Motiv geschaffen. Varro schätzte, daß
109 der 130 sich zu seiner Zeit (1. Jh. v. Chr.) im Umlauf
befindlichen Werke des Plautus unecht waren. Wie dieses Beispiel zeigt, folgten röm. Gelehrte schnell dem
Vorbild der Griechen, u. a. auf der Grundlage stilistischer Kriterien Listen für echt gehaltener Werke zu erstellen [8].

E. KAISERZEIT UND SPÄTANTIKE

Die wachsende Verbreitung des Christentums beschleunigte die Produktion unechter Dokumente, wie
z. B. die angeblich in den Archiven von Edessa erhaltene
Korrespondenz zw. Jesus und König Agbar; diese gingen in die ›Kirchengesch.‹ des Eusebios (1,13; 2,16) ein,
der ersten ausführlichen Sammlung von Dokumenten
über die Gesch. des frühen Christentums. Anhänger anderer Offenbarungen produzierten ebenfalls gefälschte
Schriften – pseudonyme Werke, welche die Standardmittel der Fälscher einsetzen, um glaubhaft zu machen,
daß sie tatsächlich von den angegebenen Autoren geschrieben worden seien. So bezeichnete einer dieser
Texte, der angeblich von dem ägypt. Weisen → Hermes
Trismegistos stammte, sein Griech. deutlich als eine inadäquate Übers. der markanten Sprache des ägypt. Originals (16,2).

Die Herstellungs- und Nachweismethoden für F.
überschritten rel. und kulturelle Grenzen. Iulius Africanus, ein erfahrener Literaturwissenschaftler und
Bibliothekar, der bestens mit den gängigen F.-Praktiken
vertraut war, wandte in einem ausführlichen Brief an
Origenes alle ant. wiss. Testmethoden an, um zu zeigen,
daß die Gesch. von Susanna und den Ältesten im LXX-
Text des Buches Daniel nicht authentisch sein könne.
Origenes' energische Antwort fand zu jedem Einwand
plausible Gegenargumente [9]. Zur gleichen Zeit versuchte der pagane Gelehrte Porphyrios anhand von ähnlichen Kriterien wie Africanus, die Unechtheit des
gesamten Buches Daniel nachzuweisen. Sämtliche
Techniken der F. und F.-Kritik finden sich in der
→ *Historia Augusta* (4. Jh. n. Chr.), der komplexesten,
großartigsten und unerklärlichsten F. der Antike.

Ausgefeilte lit. F. und ihre differenzierte kritische
Aufdeckung haben in der ant. Überlieferung die Bemühungen namhafter Intellektueller für sich in Anspruch genommen. Die in einem dialektischen Verhältnis zueinander tätigen Fälscher und Kritiker schufen
Methoden, sich die Vergangenheit vorzustellen und
Dokumente zu analysieren; diese wurden auch in der
mod. Wiss. weiter benutzt. Trotzdem bleiben die Mo

tive für die lit. F. aus der Ant. und aus der Zeit danach oft im Dunkeln.

→ FÄLSCHUNGEN

1 J. LEIPOLDT, S. MORENZ, Heilige Schriften, 1953
2 W. SPEYER, Bücherfunde in der Glaubenswerbung der Ant., 1970 3 N. BROX, Falsche Verfasserangaben, 1975
4 J. J. COLLINS, The Apocalyptic Vision of the Book of Daniel, 1977 5 D. G. MEADE, Pseudonymity and Canon, 1988 6 W. SPEYER, Die lit. F. im heidnischen und christl. Alt., 1971 7 W. SMITH, The Hippocratic Tradition, 1979
8 J. E. G. ZETZEL, Latin Textual Criticism in Antiquity, 1981
9 N. DE LANGE (Hrsg.), Origen, Lettre à Africanus sur l'histoire de Suzanne, 1983 10 A. MOMIGLIANO, Secondo contributo alla storia degli studi classici, 1960, 105 ff.
11 R. SYME, Ammianus and the Historia Augusta, 1968
12 Ders., Emperors and Biography, 1971 13 T. D. BARNES, The Sources of the Historia Augusta, 1978.

AN. GR./Ü: J. S.

Faenius Rufus, L. Ritter, der im J. 55 n. Chr. durch Unterstützung Agrippinas [3] *praefectus annonae* wurde und beim Volk in Rom über Ansehen verfügte. 62 von Nero zum *praefetus praetorio* neben Tigellinus ernannt; als dieser ihn anklagte, mit Agrippina ein Verhältnis gehabt zu haben und Nero ihm mißtraute, schloß er sich der pisonischen Verschwörung an. Nach deren Aufdeckung wurde er hingerichtet. Ob die *horrea Faeniana* auf ihn zurückgehen (CIL VI 37796), muß sehr unsicher bleiben.

H. PAVIS D'ESCURAC, La préfecture de l'annone, 1976, 322 · PIR² F 102.   W. E.

Färberei (Textilien). Unter Färben (βάπτειν, *tinguere*) versteht man das Eintauchen des zu färbenden Materials in ein Farbbad (βάμμα). Die dadurch entstehende Färbung ist das Ergebnis einer chemisch-physikalischen Verbindung zwischen der molekularen Struktur der Textilien und der Färbemittel.

Die F. (βαφική, *tinctura*) war in der Ant. hochentwikkelt, wie die erh. originalen Stoffreste zeigen, die nicht nur in handwerklicher und künstlerischer Hinsicht, sondern auch wegen der Frische und der Leuchtkraft ihrer Farben immer wieder Bewunderung hervorrufen. Beim Färben geht es wesentlich darum, eine dauerhafte und waschechte Farbgebung zu erzielen; dafür war eine Reihe von Vorarbeiten erforderlich. Da die wenigsten Naturfarben tief genug in die Fasern eindringen können, um eine wasch- und lichtechte Färbung zu erreichen, mußte das zu färbende Material sorgfältig vorbereitet werden. Die Fasern wurden zunächst gereinigt, Wolle etwa mit der Seifenwurzel (στρούθιον, *strúthion*). Dadurch wurde die Wolle, befreit von Fett und Schmutz, weich und elastisch. Danach wurden die Fasern mit sauren, leichtlöslichen Metall- und Mineralsalzen gebeizt. In den Laugenbädern trennt sich das Metall von der Säure, wird sodann von der Faser aufgesogen und geht schließlich beim Färbvorgang mit der Farbe eine feste Verbindung ein. Von der Art, der Menge und der Qualität der Beizmittel (neben Alaun auch ver-

schiedene Pflanzen wie die Blätter oder Wurzeln des Granatapfels) hängt entscheidend das Ergebnis der F. ab. Die Fasern konnten ungesponnen, als Garn, aber auch in bereits gewebtem Zustand gefärbt werden. Das Material wurde in das nach bestimmten Rezepturen angerichtete Farbbad gelegt und zum Kochen gebracht. Dabei wurden tierische Fasern wie Wolle sanft erhitzt, um sie vor dem Verfilzen zu bewahren. Ganz sorgfältig ging man mit Seide um, anders als mit Baumwolle, Leinen oder Hanf. Nachdem die Stoffe die gewünschte Farbe erhalten hatten, wurden sie solange gespült, bis das Spülwasser keine Farbrückstände mehr enthielt.

Die Farbstoffe entzog man verschiedenen organischen Materialien vegetabilischen und animalischen Ursprungs. Die meisten → Farben wurden aus Pflanzen gewonnen. Färbende Pflanzenteile, etwa Blätter, Triebe, Blüten, Früchte oder Wurzeln, wurden gesammelt, getrocknet, zerkleinert und in dieser Form als Färbemittel gebraucht. Zu den animalischen Farbstoffen gehörte der teure und wertvolle → Purpur (πορφύρα, *purpura*), ein Saft, den bestimmte Schneckenarten sterbend von sich geben (Plin. nat. 9,124–140; Strab. 16,2,23). Kostbar war auch der Farbstoff, der aus den verschiedenen Arten der Schildlaus (κόκκος, *coccus*) gewonnen wurde, eines auf Bäumen und Pflanzen lebenden Parasiten (Plin. nat. 9,141; 16,32; Paus. 10,36,1 f.).

Über die eigentliche Tätigkeit der Färber bieten die ant. Autoren keine Informationen, so daß die Techniken des Färbens und die Arbeitsvorgänge in den Werkstätten weitgehend unbekannt sind; die Färber selbst waren wenig geachtet (Plut. Perikles 1). Die Werkstätten müssen wegen der Farbstoffe, v. a. bei der Herstellung der Purpurfarbe, einen sehr üblen Geruch verbreitet haben. Die zahlreichen Purpur-F. machten Tyros zwar reich, aber auch zugleich berüchtigt wegen der Geruchsbelästigung (Strab. 16,2,23). Wie der arch. Befund (etwa in Pompeii) zeigt, sind die F. aber nicht immer aus den Städten verbannt worden. Eine hell. F. wurde in Isthmia bei Korinth arch. nachgewiesen; in dieser Werkstatt wurden zahlreiche Gefäße gefunden, die zum Färben oder zur Aufbewahrung der Farbstoffe gedient haben; der Fund von Webgewichten macht wahrscheinlich, daß in dieser F. auch gewebt wurde.

1 E. J. W. BARBER, Prehistoric Textiles. The Development of Cloth in the Neolithic and Bronze Ages with special Reference to the Aegean, 1991 2 BLÜMNER, Techn. 1, 225–256 3 C. KARDARA, Dyeing and Weaving Works at Isthmia, in: AJA 65, 1961, 261–266 4 C. P. KARDARA, Βαφή, βαφεία και βαφαί κατά την αρχαιότητα, in: Hesperia 43, 1974, 447–453 5 W. O. MOELLER, The Wool Trade of Ancient Pompei, 1976, 35–39 6 J. P. WILD, Textile Manufacture in the Northern Roman Provinces, 1970, 79–82.

A. P.-G.

Faesulae. Stadt in Nord-Etruria (*regio VII*) auf einer Anhöhe über Florenz nördl. des Arno, h. Fiesole. Etr. ON Vipsl [1. 675 ff.]. Von Pol. 2,25,6 bei der kelt. Invasion von 225 v. Chr. erwähnt. Von F. marschierte

Hannibal 217 zum Trasimenischen See (Pol. 3,80; 82). Im Bundesgenossenkrieg wurde F. von L. Porcius Cato zerstört (Flor. 2,6,11). Später war F. sullanische Veteranenkolonie (Cic. Catil. 3,14; Sall. Catil. 28), *tribus Scaptia*. 63 v. Chr. stand die Stadt auf Seiten Catilinas (Sall. Catil. 24).

Stilicho schlug hier 405 n. Chr. die Goti unter Radagais (Oros. 7,37); 539 von Belisar besetzt (Prok. BG 2,24). Seit dem 5. Jh. Diözese. Arch. Befund: Wenige Überreste aus der Eisenzeit; nachträglich ausgebesserte Stadtmauer des 3. Jh. v. Chr. (2570 m lang) [2]; etr.-röm. Tempel mit Altar; daran angrenzend gut erh. Theater, Thermen; seit dem 6. Jh. v. Chr. typische Grabstelen. Seit dem 3. Jh. Nekropolen auf dem Bargellino. Röm. Aquädukt aus Montereggi. Beim Theater langobardischer Friedhof [3]. Arch. Museum. Inschr. Belege: CIL XI p. 298 f., 1543–1576.

1 M. PALLOTTINO, Testimonia Linguae Etruscae, ²1968 2 M. MORCIANO, La lettura delle mura di F., in: Journal of Ancient Topography 4, 1994, 161–176 3 O. VON HESSEN, Die langobardischen Grabfunde aus F., 1966.

M. LOMBARDI, F., 1941 · A. DE AGOSTINO, F., 1954 · P. BOCCI, Nuovi scavi del tempio di Fiesole, in: SE 29, 1961, 411–415 · Dies., F., in: NSA 1961, 52–62 · M. FUCHS, Il teatro romano di F., 1986 · M. SALVINI, F., 1990.

G. U./Ü: H. D.

Fagifulae. Stadt der Samnites Pentri (*regio IV*) auf einem Hügel rechts des Tifernus. 217 v. Chr. durch Q. Fabius Maximus von den Karthagern zurückgewonnen (Liv. 24,20,5). *Municipium, tribus Voltinia* (Plin. nat. 3,107; CIL IX p. 237). Lokalisiert bei der Kirche Santa Maria di Faífula (Faífoli) bei Montágano nördl. Campobasso. Inschr. Belege: CIL IX 2551–2561; EEpigr 8, 109.

A. DEGRASSI, Quattuorviri, in: Ders., Scritti vari 1, 1962, 150 ff. · G. DE BENEDETTIS, F., in: S. CAPINI (Hrsg.), Samnium. Archeologia del Molise, 1991, 259 f.

G. U./Ü: V. S.

Fagus s. Buche

Fahnenflucht s. Deilias graphe; Desertor

Fajum. Große Oase ca. 80 km südwestl. von Kairo mit See im Norden. Name von ägypt. *pȝ-jm* (»das Meer«, ältere Namen *tȝš*, »Seeland« und *š-rsj*, »südlicher See«, griech. ἡ λίμνη bzw. Κροκοδιλοπολίτης νομός, ab 256/5 Ἀρσινοίτης νομός). Der Hauptort Šdjt (→ Arsinoë [III 2]) wird schon früh erwähnt, aber erst in der 12. Dyn. wurde das F. durch Dammbauten erschlossen, v. a. unter Amenemhet III. (ca. 1853–1808), der noch in röm. Zeit als Lokalheros galt. Hauptgott war stets der Krokodilgott Suchos (*Sbk*; vgl. Strab. 17,811; Hdt. 2,69; 2,148). Bis zur griech. Eroberung gibt es kaum Quellen. Das F. wurde v. a. für Jagd und Fischerei genutzt. Durch neue Dämme (Stausee am Eingang des F.) und Bewässerung der Wüstenränder durch → Ptolemaios II. wurde eine

intensive Nutzung möglich; eine Ansiedlung griech. Soldaten erfolgte in ca. 30–40 neuen Ortschaften. In der Spätant. wurden die meisten dieser Siedlungen aufgegeben. In ihnen haben sich zahllose demotische und griech. Papyri erhalten.

→ Herakleopolis

D. ARNOLD, s. v. Fajjum, LÄ 2, 87–93.   K. J.-W.

Falacrinae, Falacrinum. Siedlung der Sabini (*regio IV*) an den Quellen des Avens im Gebiet von Reate an der Grenze zum Picenum. Station der *via Salaria* (Itin. Anton. 307; Tab. Peut. 5,4), bei der Kirche S. Silvestro in Falacrino in Collicelle (Cittareale, Rieti). Geburtsort des Vespasianus (Suet. Vesp. 2,1). Inschr.: CIL IX, p. 434.

NISSEN Bd. 2, 468 · N. PERSICHETTI, Viaggio archeologico della via Salaria, 1893, 79 f.   G. U./Ü: V. S.

Falarica s. Pilum

Falcata. Von *falcatus* (»sichelförmig«) abgeleiteter moderner t. t., der die etwa 60 cm lange Hieb- und Stichwaffe des iberischen Fußkämpfers mit kaum gekrümmtem Rücken, s-förmig geschwungener Schneide und nach unten gebogenem Knauf mit Vogel- oder Pferdekopfenden bezeichnet. Die Verbreitung der spätestens seit der 2. H. des 5. und bis ins 1. Jh. v. Chr. belegten, unmittelbar auf ital. Hiebschwerter zurückgehenden F. konzentriert sich auf den hispanischen SO (→ Contestani, → Bastetani).

→ Schwert

F. QUESADA SANZ, Arma y símbolo: la f. ibérica, 1992.   M. BL.

Falcidius. Ital. Eigenname (SCHULZE 272).

F., C. (P.?), Volkstribun 41 v. Chr. und Urheber eines der letzten bekannten Plebiszite (*lex Falcidia*), das dem Erblasser vorschrieb, nur so viel Legate vorzunehmen, daß dem Erben ein Viertel der Hinterlassenschaft (*quarta Falcidiana*) verblieb (Dig. 35,2; Gai. inst. 2,227).

KASER, RPR 2, 756 f.   K.-L. E.

Falerii

[1] Hauptort der (nicht etr.) Falisci in Süd-Etruria auf einem Tuffsporn der östl. Monti Cimini zw. zwei rechten Nebenflüssen des Tiberis (Vicano und Fosso Maggiore). Gründung des argiv. Helden → Halesus (Ov. fast. 4,73), nach anderen eine chalkidische Gründung (Iust. 20,1,13). Mit eigenem ital. Dialekt (Strab. 5,2,9; [1; 2; 3]). Kult der sabinischen Iuno Curitis; ebenfalls sabinisch der Kult des Ianus Quadrifrons (Serv. Aen. 7,607); weitere Kulte: Minerva, Mars, Apollo auf dem Mons Soracte, der sich im Stadtgebiet befand. Im 5. Jh. v. Chr. war F. zunächst mit → Fidenae (Liv. 4,17; 18; 32), dann mit → Veii verbündet (Liv. 5,8; 17; 18); im J. 394 wurde F. von Camillus eingenommen (Liv. 5,26 f.). Im 4. Jh. war F. mit Tarquinii verbündet (Liv. 7,16). 351 v. Chr. wurde ein 40jähriger Waffenstillstand mit Rom geschlossen, der im J. 343 in ein *foedus* umgewandelt

wurde (Liv. 7,22; 38). F. lehnte sich 293 (Liv. 10,45) und 241 (Pol. 1,65) gegen Rom auf; von den Römern 241 zerstört, büßte F. 15000 Einwohner und die Hälfte des Territoriums ein (240 Triumph des Q. Lutatius Cerco, CIL I², p. 47; Zon. 8,18). Von der schwer einnehmbaren Anhöhe 5 km nach Westen in die Ebene verpflanzt (→ F. [2] Novi). Im MA wurde F. wieder besiedelt (Viterbo); h. Civita Castellana.

Der Ort lag urspr. auf dem Vignale im NO der h. Stadt (Tempel-Terrakotten aus archa. Zeit). F. breitete sich über das Gebiet der späteren ma. Siedlung aus, umgeben von einer Tuffstein-Mauer in *opus quadratum* (Nordtor im Kloster Santa Maria del Carmine). Im Stadtteil Celle befindet sich evtl. ein Tempel der Iuno Quiritis (Dion. Hal. ant. 1,21; Ov. fast. 6,49). Nekropolen (Anf. 7./3. Jh. v. Chr.) liegen auf den Hügeln von Montarano und Celle im NO sowie Penna und Valsiarosa im SW der Stadt. – Ovid beschreibt in den *Amores* F. als Heimat seiner Frau (am. 3,13).

[2] F. Novi. Neuzeitliche Bezeichnung des Ortes an der *via Amerina* zw. Nepet und Horta (Tab. Peut. 5,4), wo F. 241 v.Chr. neugegr. wurde. *Municipium, tribus Horatia*. Unter den Gracchen oder den Triumvirn [7. 217,5] *colonia Iunionia Faliscorum*. Die Stadt war Heimat des Dichters Annius. Kolonie unter Gallienus. Zentrum der Leinenproduktion; Rinderzucht. Seit dem 5. Jh. Diözese. Im 11. Jh. wurde F. von den Bewohnern, die nach Civita Castellana (F. [1]) zurückkehrten, verlassen. F. lag in der Nähe der Kirche Santa Maria di Fàlleri.

Arch. Befund: Gut erh. ist der nahezu dreieckige Mauergürtel von 240–230 v.Chr. (über 2 km lang, 9 Tore, 50 Türme); F. weist einen regelmäßigen Grundriß mit west-östl. Hauptachse und *insulae* (1 *actus*) auf [6]; Forum, Theater (Fortuna-Statue im Antiken-Museum Berlin; Silene im Louvre); vor den Mauern ein Amphitheater; *via sacra, via Augusta*. Nekropolen im Süden und im Osten (Tre Camini, Pratoro) Mausoleen im Osten und Norden. Christl. Katakomben [4].

F. ist wahrscheinlich nicht identisch mit Aequum Faliscum, das wohl bei Grotta Porciosa zu suchen ist [5].

1 G. GIACOMELLI, La lingua falisca, 1963 2 Dies., Il Falisco, 1978, 505–542 3 G. MAETZKE (Hrsg.), La civiltà dei Falisci, 1990 4 E. DE LOUET, F., in: Bullettino d'Archeologia Cristiana 3, 1880, 69–71 5 O. CUNTZ, Aequum Faliscum, in: Jahresh. 2, 1899, 87f. 6 F. CASTAGNOLI, Ippodamo, 1956, 84 7 F. BLUME, K. LACHMANN (ed.), Die Schriften der röm. Feldmesser 2 Bde., 1848ff.

F. BARNABEI, A. COZZA, A. PASQUI, Antichità del territorio Falisco, in: Monumenti degli Scavidi Antichi dell' Accademia dei Lincei 4, 1894, 5–104 • M. TAYLOR, H. C. BRADSHAW, Architectural Terra-cottas from two temples at F. V., in: PBSR 8, 1916, 1–34 • L. A. HOLLAND, The Faliscans in prehistoric times, in: Papers of the American Academy in Rome 5, 1925 • B. GÖTZE, Ein röm. Rundgrab in F., 1939 • M. FREDERIKSEN, J. B. WARD-PERKINS, The Ancient Road Systems of the Central and Northern Ager Faliscus, in: PBSR 25, 1957, 67–136 • C. BATTISTI, L'antica F., in: L'Universo 45, 1965, 845–854 • G. PULCINI, F.

veteres, F. novi, Civita Castellana, 1974 • T. W. POTTER, A Faliscan Town in South Etruria, 1976, 33f. • I. DI STEFANO MANZELLA, F. Novi negli scavi degli anni 1821–1830, in: Memorie della Pontificia Accademia romana di Archeologia 12,2, 1979 • Ders., Supplementa Italica, N. S. 1, 1981, 101–176 • BTCGI 5, 1987, 323–368 • A. COMELLA, I materiali votivi di F., 1986 • Dies., Le terrecotte architettoniche del santuario dello Scasato a F.: scavi 1886–1887, 1993 • M. ANDREUSSI, s. v. Falisci, EV 2, 457f.

G.U./Ü: H.D.

Falesia. Hafen an der etr. Küste gegenüber von Ilva (h. Elba), 12 Meilen südl. von Populonia (Itin. Anton. 501; *Faleria*, Rut. Nam. 1,371, ist in F. zu korrigieren! [2]). Im MA Porto di Felesa [1], h. Piombino (Livorno).

1 G. TARGIONI TOZZETTI, Relazione d'alcuni Viaggi fatti in diverse parti della Toscana 4, 1751, 250 2 R. GELSOMINO, Nota a Rut. Nam. 1,371, in: Rivista di Cultura Classica e Medioevale 15, 1973, 35–47. G.U./Ü: V.S.

Falisci. Volksstamm nö von Rom zw. den Monti Cimini und dem Tiber, kulturell eng verbunden mit den Latinern und Etruskern. Hauptort war → Falerii (Civita Castellana), daneben → Narce (Fescennium?), → Capena, Nepi (→ Nepet) und Sutri (→ Sutrium). Seit dem 8. Jh. v. Chr. blühten Falerii und Narce, unter Einfluß des etr. → Veii. Die Fossa-Bestattungen (→ Grabbauten) enthalten neben ital. Bronze- und Tonwaren auch orient. Importe (nordsyr. Siegel und assyr. Bronzeschale mit Keilschrift-Inschrift, beide aus Falerii), seit E. 7. Jh. sind Kammergräber nachgewiesen. Kultzentren seit dem 6. Jh. waren der Berg → Soracte (Hauptgott Soranus) und Tempel in Falerii (Celle, Vignale, Sassi Caduti) mit reicher Ausstattung an Tonplastik. Im 4. Jh. kam es zur Gründung einer bed. Keramikindustrie mit Bemalung in der Tradition der att. rf. Vasenmalerei (Aurora-Maler u. a.). Mit der Eroberung von Falerii (241 v. Chr.) begann die kulturelle und polit. Dominanz Roms.

→ Faliskisch

G. COLONNA, I F., in: G. PUGLIESE CARRATELLI (Hrsg.), Italia omnium terrarum alumna, 1988, 522–524 • G. MAETZKE (Hrsg.), La civiltà dei F. Atti del XV Convegno di Studi Etruschi ed Italici, 1990. A. NA.

Faliskisch ist dürftig durch ca. 280 im allg. fragmentarische Inschriften v. a. aus Falerii (Civita Castellana; nach Zerstörung 241 v. Chr. Falerii Novi, heute S. Maria di Falleri) bekannt. Sie setzen um 650 v. Chr. (Alt-F.) mit wenigen längeren Texten ein [2. Nr. 241–243], werden zahlreicher seit dem 5. Jh. (Mittel-F.; im allg. stereotyp bis auf [2. Nr. 244] *foied vino pipafo / pafo, cra carefo = hodie vinum bibam, cras carebo*). Das Neu-F. (seit 240 v. Chr.) zeigt starken lat. Einfluß. Im 2. Jh. v. Chr. erlischt die Sprache. Ca. ⅔ der Texte sind funerär, der Rest (zumeist auf Gefäßen) v. a. Besitzer- und Weihinschriften; knapp ¼ enthält appellatives Wortgut.

Das f. Alphabet ist aus dem südetr. abgeleitet, hat aber *D O X* /ks/ bewahrt. Für fehlendes *B G* steht *P* bzw. (im allg.) *C*, für /f/ das Zeichen ↑ (aus → Digamma). Wie die ältesten etr. und lat. Inschr. gebraucht [2. Nr. 241] *K* vor *a*, *C* vor *e i*, *Q* vor *o u* (*karai sociai eqo*).

Das F. ist eng verwandt mit dem Lat. Wie dieses zeigt es (gegen Osk.-Umbr./Sabellisch) Bewahrung von ur-idg. *k^w* (*cuando*; sabell. > *p*); *-ai* im Nom. Pl. 1. Dekl. (*sociai*, sabell. *-as*); Akk. Sg. *med* »mich« (sabell. *meom*); labiales Fut. (*care-f-o*, sabell. *-s-*) u. a.; zum Lexikon vgl. *f/hileos, -a* versus osk. *puklo-* »Sohn«, *futir* »Tochter«. Divergenzen ergeben sich z. T. durch Bewahrung des Älteren (spirantische Vertretung von *b^h* als β (>F<) (wie im pränestinischen Lat.) versus lat. *b*; Dat. Sg. 2. Dekl. *-oi* versus lat. *-ō*); z. T. durch f. Neuerungen: *au > ou > o*: *pola*; *d^h > δ > β* (>F<): *efiles = aediles* [Wz. *h₂aid^h-*]; *f > h* (seit Mittel-F.; *hilea*, gloss. *haba = faba*; hyperkorrekt *foied* [s.o.] < *g^hoi-diēd*). Das F. unterscheidet sich mithin vom Stadtröm. kaum stärker als die (schlecht bezeugten) latin. Dialekte. Wegen seiner frühen Abtrennung von diesen durch das Etr. (wohl Ende 2. Jt.) ist es jedoch für die histor. Zeit nicht mehr dem latin. Dialektkontinuum zuzuordnen: das *nomen Latinum* schließt die Falisker nicht mit ein (und hat sich also erst nach deren Abspaltung konstituiert).

QUELLEN: 1 CIE 8001–8600 2 VETTER, 277–331. LIT.: 3 G. GIACOMELLI, La lingua falisca, 1963 4 Dies., Il Falisco, in: PROSDOCIMI, 505–542 5 G. MAETZKE (Hrsg.), La civiltà dei Falisci. Atti del XV Convegno di Studi Etruschi ed Italici, 1990 6 R. E. WALLACE, B. D. JOSEPH, On the Problematic *f/h* Variation in Faliscan, in: Glotta 69, 1991, 84–93.   GE. ME.

Falken. Während die ἱέρακες im allg. die Habichte und die ἰκτῖνοι die Weihen bezeichnen, läßt sich von den F. nur der Turmfalke (Falco tinnunculus) identifizieren. Κερχνῆς nennt ihn Aristophanes (Av. 1181 bei Ail. nat. 12,4), κεγχρίς Aristoteles (hist. an. 6,2,559a 26; *cenchris*, Plin. nat. 10,143 f.). Nach Aristot. hist. an. 6,1,558b 28–30 hat er vier oder mehr rote Eier (ebenso Plin. nat. 10,143 f.), einen Kropf (hist. an. 2,17,509a 6) und trinkt relativ viel (8,3,594a 1 f.). Plinius behauptet eine Freundschaft des *tinnunculus* mit den Haustauben, welche er gegen Habichte verteidige (nat. 10,109). Wie Plinius überliefert Columella (8,8,7) eine Empfehlung des Demokrit: Durch vier unter die Ecken des Taubenhauses gesetzte Tontöpfe mit jeweils einem lebend darin eingeschlossenen Jung-F. könne man eine dauernde Bindung der Tauben an ihren Schlag bewirken. Nach Plin. nat. 29,127 vermindert der Kot des *cenchris* die weißen Flecken im menschlichen Auge. Nikander (bei Antoninus Liberalis 9) läßt die Musen eine der Töchter des Pieros (→ Pierides) in diesen Vogel verwandeln [1. 135]. → Greifvögel

1 D'ARCY W. THOMPSON, A Glossary of Greek Birds, 1936, Ndr. 1966.   C. HÜ.

Falschmünzerei s. Münzfälschung

Falsum. Das Fälschungsverbrechen im röm. Recht. Gell. 20,1,53 nennt die falsche Zeugenaussage, die schon nach den XII Tafeln mit dem Tode bestraft worden sein soll, *testimonium falsum*. Dies dürfte aber nichts mit den Straftaten zu tun haben, für die Sulla (wohl 81 v. Chr.) in der *lex Cornelia testamentaria nummaria* ein öffentliches Verfahren (*quaestio de falso*) eingeführt hat (Digestentitel 48,10). Die Jurisprudenz der Kaiserzeit behandelt bei dem sullanischen Gesetz außer der Testaments- und Münzfälschung z. B. die Zeugen- und Richterbestechung und die Kindesunterschiebung. Die einfache Urkundenfälschung wurde vermutlich durch Senatsbeschluß ebenfalls der Strafdrohung der *lex Cornelia* unterworfen (Ulp. coll. 8,7,1; Inst. Iust. 4,18,7). Das *f.* war nach der *lex Cornelia* ein Kapitalverbrechen (→ *capitale*), konnte also mit dem Tode bestraft werden. Aus der – vielleicht bloß zusätzlich angeordneten – → *aqua et igni interdictio* dürfte sich in der Kaiserzeit die Verurteilung Freier zur Deportation entwickelt haben (Inst. Iust. 4,18,7: *poena in servos ultimum supplicium* ... , *in liberos vero deportatio*).

R. RILINGER, Humiliores-Honestiores, 1988, 142–156.
                                                          G. S.

Fama (griech. Φήμη: Hesiod; vgl. Ὄσσα: Homer). Personifikation der öffentlichen Rede unter dem Aspekt ihres Entstehens, Anschwellens und Wirkens als Gerücht und (guter oder übler) Nachrede. Wie → Peitho und → Eris gehört sie zu einer Gruppe figuraler Vorstellungen von der kommunikativen Macht und Eigendynamik der Sprache, die mit Attributen des Göttl.-Dämonischen ausgestattet wird. Ihre Bedrohlichkeit besteht darin, daß durch die Vielstimmigkeit ihrer Rede die Differenz von Fiktion und Wahrheit bzw. zw. diametral entgegengesetzten Werten verwirrt und außer Kraft gesetzt wird (vgl. Ach. Tat. 6,10,4–5, wo sie eine Tochter der *Diabolé* (»Verleumdung«) genannt wird). Kaum faßbar in Spuren ritueller Praxis (Paus. 1,17,1), läßt sich F. nahezu ausschließlich als didaktisch oder ep. konzipierte Allegorie belegen [1; 5]. Im frühesten namentlichen Beleg bezeichnet Hesiod sie als eine Gottheit, weil sie, einmal in aller Munde, unvergänglich sei (erg. 760–764). In myth. Einkleidung erhält sie bei Verg. Aen. 4,173–197 eine genealogische Anbindung als letzter Abkömmling aus der Generation der → Giganten. Herkunftsmerkmal ist dabei F.s immenser Größen- und Kräftezuwachs, während sie sich fortbewegt: Anfangs klein und ängstlich, wächst sie sich in rasender Schnelle zum Ungeheuer aus, das den Raum zwischen Erdboden (der mütterlichen Gaia) und Himmel (dem Vater Uranos) ausfüllt. Anders als das von Zeus gestreute Gerücht *Ossa* (Hom. Il. 2,93 f.; Od. 24,413 f.), bedroht F. durch ihre Mittelposition zw. menschlichem und göttl. Lebensraum potentiell beide Sphären. Bei Val. Fl. 2,117–125 wird daher von Iuppiter niedergehalten, um nur in der irdischen Region Furcht verbreiten zu können.

Wo eine prägnante Ekphrasis der F. überl. ist, wird sie als geflügelt beschrieben. Nach Vergil ist ihr Körper mit ebenso vielen Augen, Mündern, Zungen und Ohren wie Federn besetzt (anders [2]). Bei Stat. Theb. 3,425–431 trägt sie als Vorhut des Mars und seines Streitwagens Stachel und skythischen Helm; nach Claudian besitzt sie ein Paar schwarzer Schwingen (De bello Gothico 5,201). Nur Ovid setzt mit seiner Gestaltung der F. (met. 12,39–63) direkt am Problem ihrer Latenz an, indem er ihr rein akustisches Wesen in der Struktur ihres erzernen Palastes am zentralen Ort zw. Himmel, Meer und Erde indirekt sichtbar macht: F.s *domus*, deren zahllose Öffnungen Tag und Nacht offenstehen, um die Stimmen der Welt zu bündeln, repräsentiert alle Eigenschaften der unkörperlichen F. selbst. Ihr Hofstaat, zusammengesetzt aus personifizierten Intensitätsgraden öffentlicher Rede (*rumores, confusa verba, susurri*) und ihrer massenpsychologischen Effekte (*credulitas, error, vana laetitia, consternati timores, seditio repens*), stellt eine Phänomenologie des Gerüchts in den Vorhöfen der Macht dar.

1 F. BÖMER, P. Ovidius Naso, Met. B. 12f., 1982, 24f.
2 R. R. DYER, Vergil's Fama: A new interpretation, in: G & R 36, 1989, 28–32 3 W. FAUTH, Die F. bei Vergil und Ovid, in: Anregung 11, 1965, 232–238 4 H. KAUFFMANN, s. v. F., Reallexikon zur dt. Kunstgesch., Bd. 6, Sp. 1425–1445 5 A. S. PEASE, Aeneidos lib. IV, 1935, 211ff.　　　HA.J.S.

Fames (griech. λιμός). Personifikation des Hungers (→ Limos); auch mächtigste der Furien (→ Furiae) genannt (Serv. Aen. 6,605), die nicht zu stillenden Heißhunger hervorruft (bei Plaut. Stich. 155–170 bezeichnet der nimmersatte Parasit die F. als seine Mutter). Sie wird häufig im Kat. der großen Übel aufgeführt, die den Eingang zur Unterwelt bevölkern (Verg. Aen. 6,273–281; Sen. Herc. f. 650ff.; Claud. carm. 3,30ff.). Ovid (met. 8,796–822) läßt die F. – meisterhaft als abgemergelte, selbst dem Hungertod nahe Gestalt dargestellt – in der öden Gegend des Kaukasus wohnen.

F. BÖMER, P. Ovidius Naso, Met. 8–9, 1977, 235f.　　B.SCH.

Familie I. ALTER ORIENT II. ÄGYPTEN
III. IRAN, SĀSĀNIDENPERIODE
IV. GRIECHENLAND UND ROM
V. FRÜHES MITTELALTER

I. ALTER ORIENT
Die F. in Mesopot. war patrilinear organisiert; Reste von matrilinearen F.-Strukturen finden sich in hethit. Mythen, bei den amoritischen Nomaden des frühen 2. Jt. v. Chr. sowie den arab. Stämmen des 7. Jh. v. Chr. In der Regel herrschte Monogamie; Heirat mit Nebenfrauen minderen Rechts war möglich, Polygamie ist v. a. in den Herrscher-F. bezeugt. Die F. bestand aus dem Elternpaar und seinen Kindern, über deren Zahl keine verläßlichen Angaben möglich sind. Unverheiratete Brüder des F.-Oberhauptes konnten Teil der F. sein.

Die Funktion der F. als Solidargemeinschaft war abhängig von den ökonom. Bedingungen und Strukturen einer Agrargesellschaft. Vor allem in Perioden, in denen die landwirtschaftliche Produktion durch Zuweisung von Feldern (ca. 6 ha, ausreichend für die Subsistenz einer F.) an dienstpflichtige Untertanen bestimmt war, war der Arbeitseinsatz aller F.-Angehörigen gefordert. Wenn Kinder nicht vorhanden waren, diente die Adoption – meist freigelassener Sklaven oder agnatischer F.-Angehöriger – als Vorsorge für das Alter. Die F.-Zugehörigkeit hatte Konsequenzen hinsichtlich erbrechtlicher Ansprüche. Reale und fiktive → Genealogien legitimierten Status, Eigentums- und Besitzrechte. Im 3. und 2. Jt. v. Chr. sind in Babylonien, Elam sowie Assyrien fratriarchale Formen der Thronfolge bezeugt. Handwerkliche Berufe sowie Funktionen innerhalb institutioneller Haushalte waren familiengebunden. F.-Namen sind in Babylonien (nicht in Assyrien!) seit dem 8./7. Jh. v. Chr. gebräuchlich.
→ Arbeit; Ehe; Frau; Gesellschaft

J. N. POSTGATE, Early Mesopotamia, 1992, 88–108 (Household and Family) · C. WILCKE, Familiengründung im alten Babylonien, in: E. W. MÜLLER (Hrsg.), Geschlechtsreife und Legitimation zur Zeugung, 1985, 213–317.　　　J.RE.

II. ÄGYPTEN
In Ägypten heiratete man gewöhnlich in gleichen sozialen Kreisen. Ehen zw. Cousin und Cousine, Onkel und Nichte, seltener zw. Halbgeschwistern vom gleichen Vater waren erlaubt. Die in ptolem. Zeit übliche Ehe zw. Vollgeschwistern kam in pharaonischer Zeit selten vor. Ein Mann sollte heiraten, sobald er eine F. ernähren konnte. In der Oberschicht wird dies nach Beendigung der Ausbildung, d. h. mit ca. 20 Jahren der Fall gewesen sein. Mädchen heirateten nach Erlangen der Reife mit 12 bis 14 Jahren. Der Mann hielt beim Vater der Braut, war er verstorben, bei der Mutter oder einem Onkel um die Hand des Mädchens an. Sie unterzeichneten den Vertrag, den sie aufbewahrten, einer dritten Person oder einem Tempelarchiv anvertrauten. Von 536 v. Chr. an sind die überlieferten Eheverträge von den Partnern selbst unterzeichnet. In ihnen sind die Rechte der Frau und ihrer Kinder im Falle einer Scheidung festgelegt. Beide Partner konnten eine Scheidung verlangen und wieder heiraten. Da die Habe des Mannes gewöhnlich zu einem Drittel an die Frau, zu zwei Dritteln an die gemeinsamen Kinder ging, wurde die Scheidung einem Mann sehr erschwert. War die Frau schuldig, ging sie ihrer Rechte an dem Mann verlustig, behielt jedoch ihre eigene Habe, über die sie frei verfügen konnte.

Die Einehe war üblich. Konnte es sich ein Mann leisten, so konnte er in pharaonischer Zeit auch mehrere Frauen haben oder mit abhängigen Frauen verkehren. Die Kinder der ersten Frau waren jedoch die Haupterben. Ehebruch mit einer verheirateten Frau war nicht erlaubt. Lit. Texte erwähnen die Todesstrafe für Ehebruch, Gerichtsakten die Androhung des Abschneidens von Nase und Ohren, einhundert Schläge oder Verbannung in die Bergwerke. Vom Vollzug der Strafen lesen wir nichts. In der Spätzeit sind für Priester hohe Geldstrafen und Verlassen der Gemeinschaft belegt. Konnte eine Frau sich nicht durch einen Schwur reinwaschen, durfte ihr Mann sie verstoßen.

Ärmere Paare konnten im Haus der Eltern des Mannes wohnen (patrilokal). Seltener lebten sie im Elternhaus der Frau, oder der Mann begnügte sich mit Besuchen bei ihr (matrilokal). Konnte er es sich leisten, sollte ein Mann einen eigenen Hausstand gründen (neolokal). Lit. Texte, Haushaltslisten, die Bezeichnung der Frau als Herrin des Hauses und die Größe der Häuser deuten auf die Kleinfamilie. Für Verfehlungen des Mannes konnten seine Frau und die Kinder haftbar gemacht werden.

Die ägypt. Termini für Familie deuten allerdings auf urspr. größere Einheiten. Ein Mann sollte seine Frau lieben und im Haushalt respektieren, doch ihr keine Macht überlassen. Darstellungen zeigen die gemeinsame Teilnahme von Ehepaaren an Gastmählern; zu F.-Ereignissen wurden sie von ihren Kindern begleitet. Im AR (2700–2190 v.Chr.) nahmen gelegentlich Kinder am Totenmahl der Eltern teil. Sein Amt seinem Sohn zu vererben, war ein sehnlicher Wunsch eines Mannes der Mittel- und Oberschicht. Eignung und die Zustimmung des Königs waren dazu jedoch erforderlich. So konnten manche Ämter über Generationen in bestimmten F. bleiben. Wollte ein König die Macht einer F. brechen, konnte er seine Zustimmung verweigern. Kinder sollten für ihre kranken oder alten Eltern sorgen, ihr Begräbnis ausrichten und den Totenkult vollziehen. Waren sie dazu nicht bereit, konnten sie ihres Erbes oder eines Teils des Erbes verlustig gehen.
→ Frau

E. FEUCHT, Das Kind im Alten Ägypten, 1995.   E. FE.

III. IRAN, SĀSĀNIDENPERIODE

Oberhaupt der F. unter den Sāsāniden (3.–7. Jh. n. Chr.) war der Hausherr (*kadag-xwadāy*), dem die juristische und geschäftliche Vertretung der F. nach außen und die Versorgung der unterhaltsabhängigen Frauen und Kinder oblag.

Das sāsānidische F.-Recht kannte drei verschiedene Eheformen, die zu unterschiedlichen Zwecken geschlossen wurden: die »vollberechtigte« Ehe (*pādixšāy*), die »Hilfsehe« (*čagar*) und die »Konsensehe« (*xwasrāyūn/ēn*). In der vollberechtigten Ehe war die Frau Hausherrin (*kadag-bānūg*); sie unterstand der Ehegewalt des Mannes und hatte einen Anspruch auf einen Teil seines Nachlasses. Die Kinder aus dieser Eheform galten als legitime, erbberechtigte Nachkommen des Vaters. Für den Fall, daß der Hausherr nicht zeugungsfähig war oder kinderlos verstarb, war die Hausherrin verpflichtet, mit einem anderen Mann für ihn Kinder zu gebären. Zu diesem Zweck wurde die »Hilfsehe«, in der die Frau weder der Ehegewalt des Mannes unterstand noch erbberechtigt war, mit einem nahen Verwandten des ersten

Ehemannes oder einem beliebigen anderen Mann geschlossen. Die Kinder aus dieser Verbindung galten juristisch als Kinder des ersten Mannes. Diese Institution der »stellvertretenden Zeugung« (*strīh*), die der Kinderlosigkeit vorbeugen sollte, war gegen Ende der Sāsānidenperiode in den vermögenden Schichten sehr weit verbreitet. Für den Fall, daß der Hausherr keine vollberechtigte Ehefrau hinterließ, konnten auch andere Personen aus seiner Abstammungsgruppe mit der Aufgabe der Kinderzeugung (als *stūr*) beauftragt werden. Bei der »Konsensehe« ging eine Frau eigenmächtig, ohne Einwilligung ihres Vormundes, eine Ehe ein. Obgleich sie als rechtsgültige Ehe akzeptiert wurde, blieb die Frau – anders als bei der vollberechtigten Eheform – in der Munt des Vaters bzw. Bruders und wechselte nicht in die Abstammungsgruppe des Ehemannes. Die gen. Ehen konnten auch zeitlich begrenzt eingegangen werden. Bezeugt sind außerdem Inzesteheschließungen, die im Zoroastrismus als bes. verdienstvoll galten.

M. MACUCH, Inzest im vorislam. Iran, in: AMI 24, 1991, 141–154 • Dies., Rechtskasuistik und Gerichtspraxis zu Beginn des 7. Jh. in Iran, 1993 • Dies., Das sasanid. Rechtsbuch »Mātakdān i hazār dātistān« (Teil 2), 1981 • A. PERIKHANIAN, The Book of a Thousand Judgements, 1997.   M. MA.

IV. GRIECHENLAND UND ROM
A. GRIECHENLAND   B. ROM
C. FAMILIENDARSTELLUNGEN

A. GRIECHENLAND
1. ALLGEMEINES: DEFINITORISCHE FRAGEN
2. BINNENSTRUKTUREN   3. ÄUSSERE EINBINDUNG
4. VARIANTEN

1. ALLGEMEINES: DEFINITORISCHE FRAGEN
Für den mod. Begriff F. gibt es kein genaues Äquivalent im Griech.; am nächsten kommt ihm das Wort οἶκος bzw. οἰκία (→ *oíkos, oikía* = Haus, Hof). Sofern dies einen Personenverband bezeichnet, gehörten zu diesem in der Regel der Familienvater, seine Ehefrau, die gemeinsamen Kinder sowie die Sklaven des Hauses (Aristot. pol. 1253b 2 ff.); es geht also um die Kernfamilie als alltägliche Lebensgemeinschaft (ebd. 1252b 13 f.). Sie war zugleich eine wirtschaftliche Einheit – idealtypisch der Hof eines Gespannbauern (Hes. erg. 405) – mit Mann, Frau, Kindern, Gesinde, die jeweils spezifische Tätigkeiten ausübten, wobei die Frau auf den inneren Bereich beschränkt blieb (Xen. oik. 7,22 ff.).

Die dominierende Rolle kam dem Vater zu. Er war in bezug auf alle F.-Angehörigen der Herr (κύριος, → *kýrios*), ohne die dauerhafte Gewalt eines → *pater familias*: Spätestens mit der Gründung eines eigenen Hausstandes trat ein Sohn aus dieser Unterordnung heraus – häufig wurde der Vater zugleich auf das Altenteil gesetzt – und übernahm den *oíkos*, was oft mit Konflikten verbunden war. Der F.-Vater vertrat die gesamte F.

in kultischer und rechtlicher Hinsicht. Insofern stellt die F. einen strikt patrilinearen Verband dar. Die F. war ein integraler Bestandteil der Polis (›Jede Polis ist aus Häusern, *oikíai*, zusammengesetzt‹, Aristot. pol. 1253b 1 f.), denn die Voraussetzung für den Rechtsstatus des Politen war an dessen Herkunft aus einer rechtsgültigen Verbindung – in Athen seit dem sog. Bastardgesetz des Perikles aus dem Jahre 451 v. Chr. einer Ehe zwischen einem Bürger und einer Bürgerin – gebunden. Insofern war die F. auch Gegenstand der Gesetzgebung der Polis, die v. a. an der Bewahrung und dem Schutz der F. sowie ihrer Mitglieder und der Regelung möglicher Konflikte zwischen Familien interessiert war. Dabei ging es besonders um das konfliktträchtige Feld der Erbschaften.

2. Binnenstrukturen

Wesentliches Element des *oíkos* war die eheliche Verbindung von Mann und Frau (Aristot. pol. 1253b 9 f.); die → Ehe, die grundsätzlich monogam war, bestand rechtlich in der Vereinbarung (→ *engýesis*) zwischen dem Vater bzw. dem Vormund der Braut und dem Bräutigam. Die Eheschließung selbst wurde im sozialen Umfeld zeremoniell als Wechsel von einem *oíkos* zum anderen begangen: Die Braut wurde demonstrativ von dem alten in das neue Haus geleitet und dort von der Mutter des Bräutigams empfangen, wobei sie eine Fakkel mit dem Herdfeuer ihrer alten F. in das neue Haus mitführte. Dort umschritt sie das Herdfeuer (→ Hochzeitsbräuche). Der Wechsel wurde in Athen der → Phratrie mitgeteilt (Isaios 3,76; 8,18; Demosth. or. 57,43; 57,69; Poll. 3,42; Hesych. s. v. γαμηλία). Entsprechend kehrte im Falle der → Ehescheidung die Frau in ihre alte F. bzw. in den *oíkos* ihres Vormundes zurück.

Da die Wahrung des Bestandes der F. ein wesentliches rel., polit., soziales und ökonomisches Anliegen war, kam der Zeugung (Demosth. or. 59,122) und der Erziehung der Kinder entscheidende Bedeutung zu. Die sakrale Aufnahme des neugeborenen Kindes in die F. wurde – in Athen – ebenfalls durch Umschreiten des Herdfeuers am 5. bzw. 10. Tag nach der Geburt (*amphidrómia*, Herumtragen des Neugeborenen durch Freunde der Eltern, verbunden mit der Namensgebung; Aristoph. Lys. 757 mit schol.; Plat. Tht. 160e mit schol.) vollzogen, die soziale und polit. Registrierung durch Anzeige bei der Phratrie, womit zugleich die Anerkennung seitens des Vaters zum Ausdruck gebracht wurde. Gegenüber seinen Kindern war der Vater der Herr (*kýrios*), doch wurde seine Gewalt durch soziale Normen und Gesetze, die dem Schutz der Kinder vor bestimmten Zugriffen (z. B. Verkauf in die Sklaverei [8. F 26]) dienten, eingeschränkt. Während die Söhne mit der Absolvierung der → *ephēbeía* die polit. Mündigkeit und damit auch das Recht zur Gründung eines eigenen Hausstandes erreichten, blieben die Töchter bis zum Tod des Vaters unter dessen Gewalt, danach unter der des nächsten männlichen Seitenverwandten (z. B. des Bruders, Vaterbruders) – sofern sie nicht durch Heirat in einen anderen *oíkos* wechselten. Eltern und Kinder hatten auch wirtschaftlich einander zu unterstützen, bis

hin zur Altersversorgung der Eltern, zu der nach Solon die Kinder aber nur unter der Voraussetzung verpflichtet waren, daß die Eltern für ihre Ausbildung und damit eine angemessene wirtschaftliche Existenz gesorgt hatten (Aristoph. Av. 1353 ff.; Demosth. or. 24,107; Plut. Solon 22,1; Ail. nat. 9,1; Diog. Laert. 1,55; Lib. or. 11,14). Der Gesichtspunkt der Konstanz des F.-Verbandes kam bes. im Generationenwechsel, d. h. im → Erbrecht und im → Totenkult zum Ausdruck. Beim Tod des Vaters erbten die Söhne zu gleichen Teilen (Isaios 6,25). Die Töchter hatten in Athen kein Erbrecht, dafür aber einen Anspruch auf Mitgift (→ *proíx*), wie das in den → Eheverträgen festgelegt war (Hesych. s. v. ἐπίδοσις); doch gab es in anderen Gebieten Griechenlands zusätzlich auch Erbanteile für Töchter. Waren keine männlichen Erben vorhanden, ging das F.-Gut an eine »Erbtochter« (→ *epíklēros, patrúchos*) über, die den nächsten männlichen Verwandten nach den Regeln der → *anchisteía* zu heiraten hatte, wobei eine bereits bestehende Eheverbindung aufgehoben wurde. Eigentlicher Erbe war dann ein Sohn (bzw. die Söhne) aus dieser Verbindung, ein Enkel des Erblassers. Damit war der Übergang des *oíkos* an einen fremden *oíkos*-Herren (den – möglichen – Ehemann der Tochter aus einer anderen F.) verhindert, die Kontinuität des *oíkos* in der alten F. gewahrt. Ausdruck dieser Kontinuität waren auch die Verpflichtungen der Kinder gegenüber ihren verstorbenen Eltern, von dem Vollzug der Bestattung selbst (Aufbahrung im Hause, Leichenklage, Leichenzug aus dem Hause zum Begräbnisplatz) über die regelmäßigen Totenopfer bis hin zu rechtlichen Maßnahmen, z. B. Racheakten für Unrecht, das den Eltern bzw. Verwandten geschehen war. Charakteristischerweise entsprachen solche Verpflichtungen sehr genau den Regeln des Erbganges. Sie zeigen zugleich, wie die Einbindung des *oíkos* in den weiteren F.-Zusammenhang organisiert war.

3. Äussere Einbindung

Neben der markanten Betonung der Kontinuität ist die hohe Eigenständigkeit für die griech. F. kennzeichnend. Sie war nicht fest in übergreifende familiale Organisationen eingebunden, die feste Verbände bildeten (etwa Clans oder Sippen). So erfassen wir das weitere Umfeld der F. v. a. mit dem Blick auf die Rechte und Pflichten, die bestimmte Personen in Relation zu dem Oberhaupt einer F. hatten. Dabei handelte es sich um die *anchisteía* (ἀγχιστεία), einen Kreis von Verwandten, der bis zu den Kindern der Vetter ersten Grades (also den Enkeln des Onkels) reichte. Sie hatten Rechte und Pflichten im Hinblick auf die Erbschaft (einschließlich der Heirat der »Erbtochter«), in einer abgestuften Reihenfolge (wobei die männliche bzw. agnatische vor der weiblichen bzw. cognatischen Linie rangierte) sowie Hilfs- und Racheverpflichtungen (IG I³ 104, 13–25; Isaios 7,22; 8,34; 11,2; 11,11 f.; Demosth. or. 43,27; 43,43; 43,51; 43,57).

Letzteres galt auch für die Verschwägerten (Schwiegersöhne bzw. -väter, Schwäger: IG I³ 104, 22), die unabhängig von den zwischen ihnen bestehenden Verwandtschaftsbeziehungen nicht selten einen engeren Freundeskreis bildeten, sowie für die → Phratrie-Angehörigen (φράτερες, φράτορες, vgl. IG I³ 104, 18 und 23), die sich als weitere Abstammungsgemeinschaft verstehen lassen (etwa durch Zurückführung auf einen gemeinsamen, in der Regel mythischen Ahnherrn) und für die Kontrolle des Personenstandes (bei Geburten) wichtig waren, aber abgesehen von bestimmten Kulthandlungen nicht als fester polit.-sozialer Verband auftraten. Ebensowenig lassen sich die »Geschlechter« (géné) als familienübergreifende Gruppen mit gemeinsamem Besitz und kollektiver Organisationsform verstehen.

4. VARIANTEN

Wegen der Quellenlage bezieht sich unsere Kenntnis im wesentlichen auf das Athen der klass. Zeit (5./4. Jh. v. Chr.). Die dort geltenden Regeln dürften allerdings recht verbreitet gewesen sein. Doch gab es auch erhebliche Unterschiede: Im Recht von → Gortyn war – und im übrigen Kreta wird dies nicht viel anders gewesen sein – ein Erbrecht auch für Töchter im halben Umfang des männlichen Erbteils vorgesehen bzw. konnte die Mitgift als Erbanteil gewertet werden (ICret 4,72, 4,48ff.), und generell hatten Frauen eigenes Vermögen, das dem Zugriff ihres Ehemannes entzogen war. Entsprechende Regeln gab es auch für die Erbtöchter (ebd. 5,9ff.; 7,27ff.; 4,76 B 1ff.). Darüber hinaus existierten, gerade mit dem Blick auf diese, bestimmte Rechte auch der cognatischen Verwandten. Es gibt gute Gründe für die Annahme, daß die Rechtslage in Sparta ähnlich war. Allerdings war die Familienstruktur in Sparta in hohem Maße von der markanten Einordnung der spartiatischen Individuen in die Polisgemeinschaft geprägt: Die Jungen waren ab dem 7. Lebensjahr durch das System der → agōgé der Aufsicht ihres Vaters entzogen. Ferner hatten die Frauen, abgesehen von den erwähnten Besitzrechten, eine starke Position in der Verwaltung des gesamten F.-Vermögens, und durch die gelegentlich praktizierte Polyandrie, z.B. das »Ausleihen« fruchtbarer Gattinnen an Freunde, konnte dies auch auf mehrere Güter (klároi) ausgedehnt werden.

In der hell. Epoche zeigt sich – jedenfalls in den v. a. aus Ägypten stammenden Eheverträgen – eine stärkere Rolle der Kernfamilie selbst gegenüber dem starken Gewicht der patrilinearen Deszendenz (die Mitgift fiel nicht mehr an den Brautvater zurück), darüber hinaus wuchs der Spielraum der Frau, die (wenn auch mit Zustimmung ihres kýrios) den Ehevertrag selbst abschließen konnte.

→ Ehe; Frau; Freundschaft

1 F. BOURRIOT, Recherches sur la nature du genos, 1976 2 BUSOLT/SVOBODA I 3 M. DETTENHOFER, Die Frauen von Sparta. Gesellschaftliche Position und polit. Relevanz, in: Klio 75, 1993, 61–75 4 S. HODKINSON, Land Tenure and Inheritance in Classical Sparta, in: CQ 36, 1986, 378–406 5 N. M. KENNELL, The Gymnasium of Virtue, 1995 6 W. K. LACEY, The Family in Classical Greece, 1968

7 C. REINSBERG, Ehe, Hetärentum und Knabenliebe im ant. Griechenland, 1989 8 E. RUSCHENBUSCH, ΣΟΛΩΝΟΣ NOMOI (Historia Einzelschr. 9), 1966, F 26–31; 47–58 9 C. VATIN, Recherches sur le mariage et la condition de la femme mariée à l'époque hellénistique, 1970 10 R. F. WILLETS, The Law Code of Gortyn, 1967.   H.-J. G.

B. ROM

1. DEFINITION

In der röm. Ges. wurde die rechtlich anerkannte legitime von der natürlichen F. unterschieden, zu der das oft durch Eheverbote bedingte Konkubinat gehörte. Die Quellen informieren hauptsächlich über die legitime F., und hier vorwiegend über die F. der Oberschicht, obwohl es auch in den Unterschichten und selbst bei Sklaven familienähnliche Verbindungen gab. Im Recht bezeichnet *familia* 1. alle Personen, die sich unter der *potestas* (Gewalt) des → *pater familias* befanden, Ehefrau, Töchter, Söhne und deren F., Sklaven (*iure proprio plures personae, quae sunt sub unius potestate aut natura aut iure subiectae*), dazu den gesamten Besitz dieser Gemeinschaft (Dig. 50,16,195,2, KASER, RPR 22f.). Ulpianus bezieht sogar neben den Sklaven auch die Freigelassenen und *alieni* (unter fremder Gewalt Stehenden) mit ein (Dig. 47,8,2,14); 2. alle Agnaten (→ *agnatio*), die von einem gemeinsamen Stammvater abstammen (Dig. 50,16,195,4). In dieser Definition ist die Ehefrau nur dann eingeschlossen, wenn sie eine Ehe *in manu* eingegangen war, die schon in der Republik selten geworden war. Außerhalb des rechtlichen Bereichs konnte der Begriff *familia* jedoch auch für freundschaftlich verbundene Gruppen wie etwa die *cohors* des Statthalters oder aber auch für Teilgruppen wie die *familia Caesaris* verwendet werden. Schon daraus geht hervor, daß der Begriff *familia*, begründet durch die sozialen und polit. Strukturen Roms, sich den mod. Kategorien des Begriffs F. entzieht, der zunächst die Mitglieder eines Hausstands, d. h. Ehefrau und Kinder, und eventuell die weitere Verwandtschaft einschließt.

Auch der Begriff der → *domus* entspricht dem der mod. F. nicht: Zunächst einmal war damit der Raum, in dem eine Hausgemeinschaft lebte, dann aber auch diese selbst gemeint, d. h. Ehegatten, Kinder, Sklaven; während der Begriff *familia* im weiteren Sinne die agnatische Verwandtschaft einschließen konnte, umfaßte *domus* im weiteren Sinne sowohl die agnatische als auch die cognatische Verwandtschaft, wofür in der Prinzipatszeit die *domus Caesaris* ein Beispiel ist. Schließlich konnte *domus* auch das Vermögen eines Hauses bedeuten, das notwendig war, um dessen sozialen Status aufrecht zu erhalten. Hinzu kommt, daß der Begriff *familia* und damit auch die agnatische Abstammung, die in dem Namen zum

Ausdruck kam, in republikanischer Zeit aufgrund der besonderen polit. Strukturen eine größere Rolle spielte als in der Prinzipatszeit, in der für die F. die glänzende Repräsentation, die sich in der *domus* (als Raum) manifestierte, immer wichtiger wurde. Zusammenfassend ist zu sagen, daß die Römer keinen Begriff bildeten, der auf die mod. F. – Eltern und Kinder – anwendbar wäre, daß vielmehr ein weiteres Beziehungsgeflecht als die Keimzelle der Gesellschaft galt.

2. Familie als soziale Einheit

Die soziale Einheit, die unter der Gewalt des *pater familias* stand, konnte theoretisch aus mehr als zwei Generationen bestehen, in der Realität umfaßte sie aber meist Eltern und Kinder, außerdem die Haussklaven. In diese Einheit griff das Gemeinwesen erst in der Prinzipatszeit mit Gesetzen ein, zuvor regelte das Recht wie etwa das Dotal- und → Erbrecht, später das Vormundschaftsrecht vorwiegend die Beziehungen zwischen F., d. h. es wurde erst bei der Bildung oder Auflösung einer F. wirksam. Mit der → *patria potestas* (»hausväterlichen Gewalt«) besaß der *pater familias* die volle Verfügung über die Personen der F., gleich welchen Alters, und über das gemeinschaftliche Eigentum. Er entschied über die Aufnahme in den und die Entlassung aus dem F.-Verband. Ihm geborene Kinder bedurften nach der → Geburt seiner Anerkennung; ebenso konnte er Kinder durch → *emancipatio* und seine Frau durch Scheidung wieder aus dem F.-Verband entfernen oder Fremde durch → Adoption oder Adrogation in diesen aufnehmen. Er hatte auch die Strafgewalt, die jedoch durch Mitwirkung eines Hausgerichts, bestehend aus Verwandten und Freunden, eingeschränkt war. Er allein war folglich urspr. rechtsfähig bzw. Rechtssubjekt, d. h. *sui iuris*. Die *patria potestas* schloß die Kinder und die Ehefrau von Eigentum und Forderungen aus; sie waren *alieni iuris*, jedoch geschäftsfähig mit Ausnahme der Frauen, die für jedes Geschäft formal die Zustimmung eines Tutors brauchten (→ *tutela*). Der *patria potestas* blieben selbst Söhne, die eigene F. hatten, zu Lebzeiten ihres Vaters weiterhin unterworfen, gleichzeitig konnten sie jedoch alle polit. Rechte eines Bürgers wahrnehmen, sogar die höchsten Ämter bekleiden.

Dies läßt vermuten, daß der rigiden Ausübung der *patria potestas* Grenzen gesetzt waren: Sie wurde durch die Erwartung eingeschränkt, daß ihr Inhaber im Interesse des F.-Verbandes handelte und die seiner *potestas* unterworfenen F.-Mitglieder in der Öffentlichkeit vertrat; andererseits aber mußte der *pater familias* auch im Interesse der *res publica*, des Gemeinwesens, handeln. Das erklärt, daß der Vater in Einzelfällen Kapitalstrafgewalt beanspruchte, wenn sich ein Sohn eines Staatsverbrechens schuldig machte. Auch die Tatsache, daß selbst die *in manu* verheiratete Frau schon früh die Scheidung verlangen und die Hausgemeinschaft verlassen konnte, relativierte die strikte Herrschaft des *pater familias*. Zudem änderten sich schon in republikanischer Zeit die rechtlichen Beziehungen zwischen den F.-Mitgliedern zugunsten derer, die der *patria potestas* un-

terworfen waren. Die Söhne erhielten ein *peculium* (Sondergut), die strenge *manus*-Ehe wurde früh durch die gewaltfreie Ehe abgelöst; v. a. aber konnte die Ehefrau, wenn sie *sui iuris* war, über ihr Vermögen frei verfügen. Mit Beginn der Prinzipatszeit wurden Fragen der F. zunehmend gesetzlich geregelt. Die Ehegesetze des Augustus machten nicht nur den Ehebruch zu einem Verbrechen, sie griffen in die freie Verfügung über das Erbe ein. Außerdem wurden die Heiratsmöglichkeiten des Senatorenstandes mit dem Ziel, ihn sozial nach unten abzugrenzen, eingeschränkt.

3. Eheschliessung

Rechtliche Voraussetzung für die Existenz einer Familie war ein *iustum* → *matrimonium*, d. h. eine Ehe zwischen zwei geschlechtsreifen, durch → *conubium* verbundenen, ehewilligen Personen mit dem Ziel, Nachkommen hervorzubringen. Dabei bestand das Verbot, Verwandte bis zum 6. Grad zu heiraten und dies nicht nur in agnatischer, sondern auch in cognatischer Linie; dies galt auch für Adoptivsöhne, die damit, obwohl theoretisch nicht blutsverwandt, voll als Mitglieder der neuen Verwandtschaft gezählt wurden. In einigen Fällen wurde allerdings der Sohn des Mutterbruders adoptiert; hier sind Scipio Aemilianus (*cos.* 147 v. Chr.) und M. Cato Licinianus (*praetor designatus* 152 v. Chr.) zu nennen. Da die Namen von Ehefrauen nur selten überliefert sind, ist nicht auszuschließen, daß Adoptivsöhne häufiger aus der cognatischen Verwandtschaft stammten und deswegen die Eheverbote auf sie ausgedehnt wurden. Scipio Aemilianus wiederum heiratete die Tochter der Vaterschwester, möglicherweise ein Hinweis auf die Präferenz von Heiraten unter *cognati* jenseits des 6. Grades. Unter Kaiser Claudius wurde diese Einschränkung auf Verwandte bis zum 4. Grad herabgesetzt.

Die Eheschließung war ein rein privater Akt, wobei die Frau entweder in die *potestas* ihres Mannes überging (*conventio in manum*) oder aber in der *potestas* ihres Vaters verblieb; gegebenenfalls war sie weiterhin *sui iuris*. Verbunden mit der Eheschließung war die → *dos* (Mitgift), die in der Ehe für den Unterhalt der Frau zur Verfügung stand, nach einer möglichen Scheidung jedoch der Frau überlassen werden mußte, die so ihren Unterhalt finanzieren und eine weitere Ehe eingehen konnte. Mit dem Eintritt in die *manus*-Ehe wurde die Frau Mitglied der F. ihres Ehemannes (*filiae loco*), doch trug sie weiter den Namen der → *gens*, aus der sie stammte, mit dem Zusatz des Praenomens ihres Vaters oder Ehemannes im Genitiv. Die Allianzen zwischen aristokratischen Geschlechtern, sei es durch Adoption, sei es durch Ehe, manifestierten sich stets durch den Namen. Die Gesetze, die die Ehe und die Stellung der Ehefrau betrafen, wurden vorwiegend im Erbfall relevant und galten daher zunächst einmal für die Ehen der Oberschicht. Mit Familien, die nicht ein *iustum matrimonium* zur Voraussetzung hatten, etwa wenn ein Partner minderen Rechtes war, beschäftigten sich die Juristen in der Prinzipatszeit zunehmend, doch auch hier lediglich unter dem Aspekt, Müttern oder Kindern aus diesen Verbindungen die Erb- und Testierfähigkeit zu erleichtern oder zu ermöglichen.

4. FAMILIE UND ÖFFENTLICHKEIT

Der patriarchalische Charakter der röm. Ges., der sich im Patronat der Aristokraten über ihre Klientel ausdrückt, prägte auch das Verhältnis zwischen den einzelnen Mitgliedern einer *domus*: Hier wie dort herrschte eine Hierarchie, die einerseits von *auctoritas* (»Autorität«) und *obsequium* (»Gehorsam«), andererseits von gegenseitiger *fides* (»Zuverlässigkeit«) und Fürsorgepflicht bestimmt war. Daneben waren andere Werte für die *domus* verbindlich: *Concordia* (»Eintracht«), die zwischen den Ehepartnern herrschen sollte, die gegenseitige Achtung, die sich die Partner schuldeten, die *pietas* (»Ehrfurcht«) der Kinder den Eltern gegenüber und die *caritas* (»Respekt«) der Eltern gegenüber ihren Kindern (Cic. ad Brut. 20,2) sind Wertvorstellungen, die ebenso für die polit. Organisation galten. Und wie in einer aristokratischen F. die erwachsenen Söhne zusammen mit ihrem Vater die Leistungen ihrer *gens* für die *res publica* fortzuführen suchten, so erfüllte auch die Ehefrau, obwohl sie von der polit. Mitbestimmung ausgeschlossen war, als Vertreterin ihrer *gens* und als *matrona* Funktionen in der Öffentlichkeit. *Matronae* nahmen kultische Aufgaben wahr, darüber hinaus wurden sie als Kollektiv in republikanischer Zeit zur finanziellen Unterstützung des Gemeinwesens herangezogen; in einigen Fällen versuchten die Frauen auch, demonstrativ auf die Politik einzuwirken (vgl. etwa Liv. 34,1–8,3). Im Prinzipat war dann der *conventus matronarum* auf einen kleinen Kreis vornehmer Damen beschränkt, die sich vorwiegend um die Etikette kümmerten.

5. FAMILIE IN RELIGION UND KULT

Im Sakralrecht war die F. allerdings eine abgeschlossene Gemeinschaft. Dabei ist zwischen dem häuslichen Kult und dem eigentlichen F.-Kult zu unterscheiden: Gemeinsam verehrten alle Mitglieder einer häuslichen Gemeinschaft Vesta, die Göttin des Herdes, zusammen mit den *di → penates*, den Schutzgöttern des häuslichen Wohlstandes, außerdem den → *Lar familiaris* (in der Prinzipatszeit *Lares familiares*) und den → *genius* des Hausherrn, der gleichzeitig als der *genius domus* oder *familiae* erscheint (CIL X 6302). Die F.-Mitglieder leisteten ihren Eid beim *genius* des Hausherrn. Am Kult der *divi parentes*, der Elterngötter (drei Generationen individueller Vorfahren) und *di manes* (unterirdische Gewalten) nahmen alle teil, die der *potestas* des *pater familias* unterstanden; nur die Ehefrau *in manu* wurde in die Kultgemeinschaft der *sacra familiae* aufgenommen.

6. ERBREGELUNGEN

Starb der *pater familias*, so erbten Söhne und Töchter, die sich in seiner *potestas* befanden, zu gleichen Teilen. Ohne Nachkommen endete sein Haus, ohne daß – wie etwa in Griechenland – für seine Weiterexistenz gesorgt wurde (Epiklerat; jüd. Levirat). Als Erben traten dann die Agnaten und Gentilgenossen und seit der praetorischen → *bonorum possessio* in der späten Republik auch die Cognaten bis zum 6./7. Grad ein. Bis zum Ende des

3. Jh. v. Chr. konnte der *pater familias* testamentarisch sein gesamtes *patrimonium* (Vermögen) durch Legate an Nichtfamilienmitglieder und durch Freilassungen aufsplittern (Gaius inst. 2,224), ohne seine Söhne, die er allerdings ausdrücklich enterben mußte, später auch alle männlichen Nachkommen, zu bedenken. In der Folgezeit wurde der Versuch unternommen, mit der *lex Furia* und 169 v. Chr. mit der *lex Voconia* diese testamentarische Verfügungsgewalt einzuschränken, was jedoch erst mit der *lex Falcidia* 40 v. Chr., die den Erben ein Viertel des Vermögens sicherte, voll gelang. In der aristokratischen Oberschicht wurde also nicht darauf gesehen, den Besitz in der F. zu halten. Heirat, Legate und Adoptionen waren keine Instrumente zur Sicherung eines Vermögens, sondern sind vielmehr unter dem Aspekt der Herstellung von polit. Allianzen zu sehen. Immerhin wurde die mangelnde Bereitschaft, für Nachkommen zu sorgen, als Problem empfunden; Augustus versuchte, durch das *ius trium liberorum* (»Dreikinderrecht«) einen Anreiz für Oberschichts-F. zu schaffen, Kinder groß zu ziehen.

7. FAMILIE ALS HAUSGEMEINSCHAFT

Die *domus* bot als Raum den Rahmen für vielfältige Aktivitäten und für die Sonderstellung der F.: Im Atrium empfing der Hausherr jeden Tag den Morgengruß seiner → *clientes*, und da hier die Schränke mit den *imagines* (Ahnenmasken) der Vorfahren standen, die sich um die *res publica* verdient gemacht hatten (Plin. nat. 35,6), waren die Verdienste und die Würde des Hauses für jeden Eintretenden offensichtlich. Dieser Eindruck wurde noch durch die Stemmata verstärkt, die unter Einschluß der gesamten agnatischen und cognatischen Verwandtschaft die Wände zierten (Plin. nat. 35,6; Suet. Galba 2).

Es ist für uns nur schwer vorstellbar, wie die emotionalen Beziehungen zwischen den Mitgliedern einer so gearteten Hausgemeinschaft aussahen, zumal die erhaltenen Grabinschriften oft wiederkehrende Formeln enthalten. Die Kinder wuchsen in vielen Fällen zusammen mit den Kindern der Sklaven auf, wurden oft auch in jüngerem Alter von Sklaven erzogen, was zweifellos zu emotionalen Bindungen führte, zumal die Abwesenheit des Vaters, die seit der mittleren Republik häufigen Scheidungen und dazu eine vergleichsweise hohe Sterblichkeit bei Geburten die Entwicklung von emotionalen Beziehungen zu den Eltern erschwerten. Insgesamt verband die engere wie die weitere *domus* ein starkes Gefühl der Solidarität, das sich auch auf Halbbrüder und -schwester und auf deren Kinder erstrekken konnte. Die unterschiedlichen Bezeichnungen für Verwandte mütterlicher- bzw. väterlicherseits (*matertera* – die Schwester, *avunculus* – der Bruder der Mutter; *amita* – die Schwester, *patruus* – der Bruder des Vaters) haben zu der Vermutung geführt, daß ihnen urspr. unterschiedliche Funktionen zukamen, die zum Teil noch im Kult faßbar sind. In Verbindung mit den Heiratsverboten, die gleichermaßen für agnatische wie cognatische Verwandte galten, scheint dies dafür zu sprechen, daß

ein urspr. vorhandenes cognatisches Verwandtschaftssystem mit der Entwicklung des polit. Systems hinter
der Betonung agnatischer Strukturen und der *patria potestas* zurücktrat (vgl. Gai. inst. 1,156), jedoch nie ganz
verschwand und in der Prinzipatszeit wieder zunehmend seine Berücksichtigung fand.

→ Agnatio; Cognatio; Ehe; Frau; Gens; Verwandtschaft; Verwandtschaftssystem; FAMILIE

1 J. ANDREAU, H. BRUHNS (Hrsg.), Parenté et stratégies
familiales dans l'antiquité romaine, 1990 2 M. BETTINI,
Antropologia e cultura romana, 1988 3 K. R. BRADLEY,
Discovering the Roman family, 1991 4 S. DIXON,
The Roman family, 1992 5 R. KERTZER, P. SALLER (Hrsg.),
The family in Italy from antiquity to the present, 1991
6 D. B. MARTIN, The construction of the ancient family.
Methodical considerations, in: JRS 86, 1996, 39–60
7 J. MARTIN, Zur Anthropologie von Heiratsregeln und
Besitzübertragung, in: Historische Anthropologie 1, 1993,
149–162 8 B. RAWSON (Hrsg.), Marriage, divorce and
children in ancient Rome, 1991 9 Dies., (Hrsg.), The family
in ancient Rome, 1986 10 Dies., P. WEAVER (Hrsg.), The
Roman family in Italy, 1997 11 R. P. SALLER, Patriarchy,
property and death in the Roman family, 1994 12 B. D.
SHAW, Seasons of death, in: JRS 86, 1996, 100–138
13 Y. THOMAS, A Rome: pères citoyens et cités des pères, in:
A. BURGUIÈRE et al. (Hrsg.), Histoire de la famille I, 1986,
195–229 (Gesch. der Familie I, 1996). M. D. M.

C. FAMILIENDARSTELLUNGEN
1. ARCHAISCHES UND KLASSISCHES GRIECHENLAND
2. HELLENISMUS 3. ROM

1. ARCHAISCHES UND KLASSISCHES GRIECHENLAND

Im Spannungsfeld zwischen → Privatheit und Öffentlichkeit ist in der griech. Kunst die explizite bildliche Darstellung von F. als dem Verbund von Mann,
Frau und engen Verwandten über mehrere Generationen hinweg ein der Privatsphäre grundsätzlich zu-
widerlaufendes Motiv und bleibt deshalb zunächst eine
seltene Ausnahme; häufiger finden sich F.-Darstellun-
gen hingegen in der etr. Kunst (Sarkophagdeckel z. B. in
Rom, Villa Giulia). Griech.-ion. Statuengruppen wie
die des → Geneleos aus dem Heraion von → Samos
(Mitte 6. Jh. v. Chr.) stehen in östl.-kleinasiatischer Tradition; sie zeigen das stolze Familienoberhaupt als Be-
herrscher und »Besitzer« von Frau und Kindern und
dienten, ganz analog der bildlichen Präsentation von lu-
xuriösen Ausstattungsgegenständen, Jagdhunden oder
kostbaren Reitpferden, zur Demonstration von Reichtum und Sozialprestige. In der Art eines Ausschnitts
fungierten häufig die jugendlichen Korenstatuen
(→ Plastik) in Heiligtümern (wie etwa der Akropolis
von Athen): Auch sie verbildlichten, in statuarisch-chif-
frenhafter Verkürzung, aus der archa.-aristokratischen
Lebenswelt des 6. Jh. v. Chr. den Aspekt »Familie mit
wohlgeratener Tochter«, so wie sie sich in der Realität
bei Festen und Feierlichkeiten öffentlich im Heiligtum
oder im Festzug präsentierte; eine vollständig-unver-

kürzte bildliche Darstellung zeigt eine bemalte hölzerne
Votiv-Tafel in Athen (NM, korinth., um 540 v. Chr.).
Ebenfalls selten sind nichtmythische Familienszenen in
der att. Vasenmalerei, meist im Kontext von »Kriegers
Abschied« (z. B. wgr. Lekythos in Berlin, Antiken-
Mus., um 470 v. Chr.). Vereinzelt können sich Sieger-
statuen in griech. Heiligtümern durch spätere Ergän-
zungen zu Familiengruppen ausformen (Denkmal des
Theopompos I. und Diagoriden-Denkmal in Olympia).

Nicht die Familie im Sinne eines Verwandtschafts-
verbundes, sondern die *oikía* (οἰκία; → *oíkos*) als patriar-
chalisch beherrschte Hausgemeinschaft, die Ehefrau,
Kinder, Sklaven und materiellen Besitz weiterhin auf
prinzipiell gleicher Ebene abbildet, findet sich auf den
spätklass., mehrfigurigen att. Grabreliefs in Athen thematisiert. In immer neuen Ausschnitten, die erst in der
Zusammenschau vieler Denkmäler vor Ort ein kom-
plettes Bild ergeben, wird hier (neben der Ehrung des
Verstorbenen) der Staat, die Polis als die Keimzelle der
Wertegemeinschaft der Bürger thematisiert – ein Phänomen, das zugleich Privatheit in die Öffentlichkeit
transferiert wie auch zum Spiegel einer auf Rückzug in
die häusliche Sphäre bedachten, sich von öffentlich-
polit. Betätigung abwendenden spätklass. Gesellschaft
wird.

2. HELLENISMUS

Ohne unmittelbaren inhaltlichen und typologischen
Anschluß an die archa. und klass.-griech. Formen entstehen im Frühhell. erste F.-Darstellungen im Rahmen
monarchisch-dynastischer Herrschaftskonzeptionen,
wobei der im einzelnen gewählte Darstellungsmodus
die Aspekte »lebende Familie«, »Ahnen« und »genealogische Ableitung bzw. Inbeziehungsetzung zur Götterwelt« des öfteren komplex miteinander vermengt (und
in dieser Eigenart wohl auf frühere orental.-ägypt.
Bildkonzepte der Herrscherrepräsentation zurückver-
weist). Frühe Beispiele, die noch den im polit.-ges.
Rahmen der Polis angesiedelten Typus des ehrenden
Feldherrenbildes mit allerdings bereits deutlicher dynastischer Akzentuierung fortsetzen, fanden sich auf der
Akropolis von Athen (Denkmal für Konon und Timotheos; Denkmal für Pandeites und Pasikles, 2. H. des
4. Jh. v. Chr.). Das nach 336 v. Chr. in Delphi geweihte
Anathema des thessalischen Tetrarchen → Daochos II.
zeigt den Herrscher, seinen Sohn sowie die männlichen
Vorfahren aus vier Generationen in heroisierender Pose
zusammen mit einem nur unspezifisch überlieferten
Götterbild (vielleicht Apollon); suggeriert wird hier zugleich die ewige Bestand seiner Dynastie wie auch ihre
Legitimation aus den Leistungen der Vergangenheit und
ihre harmonische Übereinkunft mit den griech. Göttern als Garanten für eine gute Zukunft.

Das sog. Philippeion in Olympia, vom Makedonen
Philipp II. 338 v. Chr. als Denkmal für den Sieg bei
Chaironeia begonnen und unter Alexander [4] d. Gr.
vollendet, präsentierte in einer tempelförmigen, der
griech. → Tholos entlehnten Bauform den Herrscher
Alexander, seine Eltern Philipp und Olympias sowie

seine Großeltern Amynthas und Eurydike in aufwendigst gestalteten Goldelfenbeinstatuen, die von dem Bildhauer → Leochares gefertigt wurden. Das an prominentester Stelle am Zugang zur Altis plazierte Monument wurde zum Prototyp der Inszenierung hell. Herrscherfamilien. Adaptionen solcher Personenverbildlichung finden sich als bes. Repräsentationsmaßnahmen bisweilen, im Aufwand reduziert, auch im privaten Bereich, z. B. in den Porträtstatuen des Ehepaars Kleopatra und Dioskurides auf Delos (138 v. Chr.) oder als Weihgeschenke in Heiligtümern (»Aitolisches Familiendenkmal« und das Denkmal für Phoinix, Epikteta und ihre Söhne, beide in Delphi, 3. Jh. v. Chr.).

3. ROM

In der röm. Kaiserzeit waren durchdacht konzipierte Darstellungen der kaiserlichen F. bereits im Umkreis des Augustus eine Bildchiffre für Beständigkeit und Kontinuität, durch die gezielte Inszenierung oder auch Weglassung einzelner Personen darüber hinaus auch ein gängiges Mittel der Nachfolgepropaganda. Bildmedien sind dabei v. a. Staatsreliefs (Fries der → Ara Pacis Augustae), Münzen und Kameen (Gemma Augustea in Wien, KM; Grande Camée de France in Paris, Bibliothèque Nationale). In verschiedenen Denkmälern wird im Adoptivkaisertum des 2. Jh. n. Chr. die kaiserliche F. zum Rahmen von Adoptionsvorgängen (z. B. auf der sog. Adoptions-Platte vom Parthermonument aus Ephesos in Wien, KM). Die Gründung einer neuen, familienbezogenen Dynastie durch den röm. Kaiser Septimius Severus als Reaktion auf die seiner Herrschaft vorangegangenen Thronwirren und damit als proklamierter Endpunkt einer als krisenhaft empfundenen Entwicklung ist in nahezu allen Bildmedien dieser Zeit (Mz., Gemmen und Kameen, Staatsreliefs etc.) durch die einträchtige Darstellung des Kaisers, seiner Ehefrau Iulia Domna und seiner Söhne Caracalla und Geta intensiv propagiert worden (vgl. bes. das ägypt. Tafelbild in Berlin, Antiken-Mus., mit nach dessen → damnatio memoriae eradiertem Geta). Spätant. Darstellungen der Kaiserfamilie gehören meist in den Kontext des Hofzeremoniells (z. B. die F. des Iustinian auf den Mosaiken von S. Vitale in Ravenna); eine Angleichung an solche zeremoniellen Kontexte zeigen auch F.-Darstellungen der Aristokratie, z. B. auf dem Elfenbeindiptychon des Eucherius (nach 396 n. Chr., Monza, Dom-Mus.).

Dem Privatleben im engeren Sinne zugehörige F.-Darstellungen sind in der Bildwelt der röm. Ant. weiter verbreitet als in der griechischen. Diejenigen auf röm. Grabreliefs der späteren Republik und der frühen Kaiserzeit thematisieren in erster Linie die F. als einen juristischen Faktor des bürgerlichen Lebens und umschreiben den Status des Grabinhabers als Freigelassenen, der autonom agieren kann (z. B. Grabrelief des Publius Aiedius in Berlin, 1. Jh. n. Chr., Staatl. Mus.; Familiengrabrelief in Kopenhagen, spätes 1. Jh. v. Chr., NCG). Grabreliefs mit F.-Darstellungen aus späterer Zeit zeigen oft die Weitergabe der »väterlichen Gewalt« an den Sohn (»Elternpaar-Pfeiler«, 3. Jh. n. Chr., in

Trier, Landes-Mus.). In den Privatbereich verweisen auch die Ehepaar-Darstellungen auf röm. Goldgläsern, die meist zusätzlich mit Trinksprüchen verziert waren (z. B. Goldglas-Scherbe in Rom, Bibliotheca Vaticana). Zahlreich sind schließlich gemalte F.-Darstellungen in christl. Katakomben (z. B. die F. des Theotecnus aus dem 6. Jh. n. Chr. in der Ianuarius-Katakombe von Neapel).

J. BERGEMANN, Demos und Thanatos. Unt. zum Wertesystem der Polis im Spiegel der att. Grabreliefs des 4. Jh. v. Chr., 1997 · A. BORBEIN, Die griech. Statue des 4. Jh. v. Chr., in: JDAI 88, 1973, 79–90 · B. FEHR, Bewegungsweisen und Verhaltensideale ..., 1979 · Ders., Kouroi e korai, in: S. SETTIS u. a., I Greci. Storia, Cultura, Arte, Società, Bd. 1, 1996, 810–813 · CH. HABICHT, Ein kaiserliches Familiendenkmal aus Lindos, in: ZPE 84, 1990, 113–120 · B. HINTZEN-BOHLEN, Die Familiengruppe. Ein Mittel zur Selbstdarstellung hell. Herrscher, in: JDAI 105, 1990, 129–154 · H. J. KIENAST, Die Basis der Geneleos-Gruppe, in: JDAI(A) 107, 1992, 29–42 · A. MCCANN, The Portraits of Septimius Severus (Memoirs of the American Academy in Rome 30), 1968 · A. MLASOWSKY, Nomini ac fortunae: Die Sukzessionspropaganda der röm. Kaiser von Augustus bis Nero im Spiegel der Reichsprägung und der arch. Quellen, in: JDAI 111, 1996, 249–388 · H. MÖBIUS, Zweck und Typen der röm. Kaiserkameen, in: ANRW II 12.3, 32–88 · A. RAWDAN, Die Darstellung des regierenden Königs und seiner Familienangehörigen in den Privatgräbern der 18. Dyn., 1969 · U. RÖSSLER-KÖHLER, Die rundplastische Gruppe der Frau Pepi und des Mannes Ra-Schepses. Bemerkungen zur Ikonographie von Familiendarstellungen des Alten Reiches, in: MDAI(K) 45, 1989, 261–274 · L. SCHNEIDER, Zur sozialen Bedeutung der archa. Korenstatuen (Hamburger Beitr. zur Arch., 2. Beih.), 1975 · D. SOECHTING, Die Porträts des Septimius Severus, 1972 · H. V. STEUBEN, Die Geneleosgruppe in Samos, in: Armagani. FS für J. Inan, 1989, 137–144 · W. TRILLMICH, Familienpropaganda der Kaiser Caligula und Claudius, 1978 · P. ZANKER, Grabreliefs röm. Freigelassener, in: JDAI 90, 1975, 267–315.   C. HÖ.

V. FRÜHES MITTELALTER

Alle Fragen zur F. in den Jh. zwischen dem polit. Zusammenbruch des röm. Reiches und der karolingischen Grundlegung West- und Mitteleuropas sind mit der räumlich und zeitlich unscharfen Genese und Verbreitung des erst später empirisch greifbaren europ. Heirats- und F.-Haushaltsmusters unlösbar verbunden. Dabei handelt es sich um die Dominanz des gattenzentrierten, kernfamilialen Haushaltes, der auf der späten Heirat von nahezu gleichalten Eheleuten und der Zugehörigkeit von nicht verwandtem Gesinde zum Haushalt basierte. Das Bündel sehr unterschiedlicher Entwicklungen ergibt bislang noch kein gültiges Bild eines Strukturwandels der F. als Kerngebilde der sozialen Beziehungen.

Seit dem 4. Jh. n. Chr. setzten kirchliche und staatliche Endogamieverbote (etwa Levirat, Nichten- und Cousinenehe) ein, die bis weit ins MA hinein ausgeweitet wurden. Schon früher begann die Schwächung der klass. → *patria potestas*: Dem → *pater familias* wurden wichtige patriarchalische Befugnisse gegenüber der Ehefrau und der *familia* weitgehend genommen, als Christ verlor er seine Funktion als Hauspriester und wurde neben seiner Gattin zum Mitglied der lokalen christl. Gemeinde. In Theologie (Patristik) und Kirchenrecht (Konzilien, Synoden) wurde die Sexualethik einerseits von der Duldung des allein nachkommenorientierten Geschlechtsverkehrs innerhalb der Ehe und andererseits von der Forderung lebenslanger Enthaltsamkeit bestimmt. Für alle sozialen Gruppen und Stände wurde die unauflösbare Monogamie für verbindlich erklärt. Grundlegende Tragweite dürfte schließlich dem neuartigen Verständnis von Verwandtschaft zukommen: Neben der Blutsverwandtschaft durch Geburt und Heirat gewann die durch die Neugeburt der Taufe gestiftete geistliche Verwandtschaft mit all ihren Möglichkeiten für ergänzende oder überlagernde Bindungsmöglichkeiten an Bedeutung.

Mit diesen spätröm. und christl.-kirchlichen Gegebenheiten, Anforderungen und Dispositionen trafen nun die unterschiedlichen gentilen Gruppierungsgewohnheiten innerhalb der Völkerwanderungsreiche zusammen. Sie spiegeln sich am deutlichsten in den einschlägigen Passagen der frühma. Volksrechte (*leges*) wider. Im Rahmen jeweils anderer Formen der Landnahme, Überschichtung und Mission bildeten sich differierende F.-Konstellationen zwischen Ehe und Clan heraus, für die jedoch gleiche Trends gelten: der allmähliche Übergang vom Clan (nicht der sog. german. »Sippe«) zur *lineage*, die Ruralisierung und Schrumpfung der Haushalte auf kernfamilial fokussierte Einheiten mit Sklaven oder Gesinde, das interständische Konnubium mit variabler Standesvererbung sowie die Ausbreitung von Bindungsweisen, die vielfältigen Schutz bieten konnten (parrochiale Verbrüderungen, grundherrliche *familia*).

Doch was in der Forsch. für das frühe MA bisher im Detail herausgearbeitet werden konnte, läßt sich meist nur als spezifischer Einzelfall deuten. Erst im 9. Jh. werden dort, wo die Überl. genaueren Einblick gestattet, die Konturen des alteurop. Musters des gattenfamilialen Hauses bzw. Haushaltes – sowohl im Adel als auch in der bäuerlichen Hintersassenschaft – in Umrissen erkennbar.

→ FAMILIE

1 W. AFFELDT u. a. (Hrsg.), Frauen im Früh-MA, 1990
2 A. BURGUIERE u. a. (Hrsg.), Histoire de la famille, 1, 1986 (dt.: Gesch. der F., 1996) 3 J. GOODY, The development of the family and marriage in Europe, 1983
4 A. GUERREAU-JALABERT, Spiritus et caritas. Le baptême dans la societé médiéval, in: F. HERITIER-AUGE, E. COPET-ROUGIER (Hrsg.), La parenté spirituelle, 1996, 133–203 5 J. HAJNAL, European Marriage Patterns in Perspective, in: D. V. GLASS, D. E. C. EVERSLEY (Hrsg.), Population in history, 1965, 101–143 6 D. HERLIHY, Medieval households, 1985 7 R. LE JAN, Famille et pouvoir dans le monde Franc (VIIe – Xe siècle), 1995 8 J. U. KRAUSE, F.- und Haushaltsstrukturen im spätant. Gallien, in: Klio 73, 1991, 537–562 9 M. MITTERAUER, Historisch-anthropologische Familienforsch. Fragestellungen und Zugangsweisen, 1990 10 A. C. MURRAY, Germanic Kinship Structure, 1983 11 P. L. REYNOLDS, Marriage in the Western Church, 1994 12 S. F. WEMPLE, Women in Frankish Society. Marriage and the Cloister 500–900, 1981.
LU.KU.

Familiendarstellungen s. Familie IV. C.

Familienplanung. Obgleich in der ant. Gynäkologie zwischen Abtreibung und Empfängnisverhütung unterschieden wurde (Soran. 1,60), sind die entsprechenden Mittel und Praktiken nicht exakt voneinander zu trennen, weil einerseits die Unterbrechung der als Prozeß angesehenen Konzeption in einem frühen Stadium der Schwangerschaft durchaus als kontrazeptiv bewertet wurde und andererseits angesichts fehlender Kenntnisse über den Zeitpunkt der Empfängnis ein kontrazeptiv eingesetztes Mittel auch als Abortiv wirken konnte. Als eine Form der F. ist auch die → Kindesaussetzung anzusehen.

Trat Empfängnisverhütung in der hippokratischen Medizin auch deutlich hinter dem Ziel der Förderung von Empfängnis zurück, so empfahl sie doch mit dem *mísy* (Kupfererz) einen Stoff, der eine Konzeption für ein Jahr zu verhindern in der Lage sei (Hippokr. mul. 1,76; nat. mul. 98). Ant. Ärzte waren zugleich jedoch der irrigen Meinung, die fruchtbaren Zyklus-Tage seien die Tage unmittelbar vor und nach der Menstruation, und rieten den Frauen, die eine Schwangerschaft vermeiden wollten, zur Enthaltsamkeit in dieser Zeit (Soran. 1,61). Die Ant. kannte eine Vielzahl von Verhütungsmitteln, die von recht wirkungsvollen, in Essig, Öl oder Zedernharz getränkten Okklusiv-Pessaren bis zu Amuletten mit vermeintlich magischer Wirkung reichten. Ein Teil dieser Mittel, v. a. die meisten oral verabreichten, besaß durchaus auch abortative Effekte. Ob die äußerst seltene Erwähnung des *coitus interruptus* als Zeichen geringer oder im Gegenteil üblicher Anwendung zu werten ist, bleibt umstritten. Soranos empfiehlt koitale und postkoitale Techniken zur Vermeidung des tiefen Eindringens des Samens in den Uterus, aber auch Scheidenspülungen und den Genuß kalter Getränke (Soran. 1,61 ff.). Das Niveau ehelicher Fertilität (bzw. der Abstand zwischen zwei Geburten) wurde auch durch mütterliches Stillen, zuweilen in Verbindung mit nachgeburtlicher sexueller Abstinenz beeinflußt.

Über Ziele und Ausmaß ant. Empfängnisverhütung wird in der Forschung intensiv diskutiert: Lange Zeit wurde die These vertreten, daß weithin praktizierte F. (»family limitation«) als besondere Form der Geburtenkontrolle erst ein neuzeitliches Phänomen sei und auf allgemeiner Verfügbarkeit wirksamer empfängnisverhütender Mittel beruhe; demgegenüber wurde mit dem Hinweis auf einen angeblichen Bevölkerungsrückgang in der frühen Prinzipatszeit die Auffassung geäußert, im Laufe der Zeit habe sich unter den Frauen ein profundes

Wissen um verläßliche Kontrazeptiva herausgebildet und sei zur Begrenzung der Familiengröße auch weithin mit Erfolg angewandt worden. Dieser Annahme ist jetzt aufgrund einer genauen Auswertung ägypt. Haushaltsdeklarationen widersprochen worden. Das Wissen um effektive Empfängnisverhütung wurde wahrscheinlich im nichtehelichen Zusammenhang erworben und von dort (durch medizinische Schriften und durch → Hebammen) in Oberschichtfamilien und möglicherweise auch in ärmeren Familien verbreitet. Dabei diente Empfängnisverhütung in erster Linie wohl dem Schutz der Gesundheit der Mutter und weniger der bewußten Begrenzung der Familiengröße. Allerdings scheint F. nur in einem Umfang und auf eine Weise praktiziert worden zu sein, die die natürliche Fertilität nicht entscheidend beeinflussen konnte.

Empfängnisverhütung wurde – anders als Abtreibung und Kindesaussetzungen – nur selten verurteilt; in der philos. Lit. galt allerdings die Kindeszeugung als der wichtigste Zweck der Ehe (Plat. leg. 783d–784d; Musonius Rufus 12f.). Trotz der Verdammung durch einzelne Kirchenväter wurden Praktiken der Empfängnisverhütung nicht mit Kirchenstrafen belegt.
→ Abortiva; Abtreibung

1 E. Eyben, Family Planning in Graeco-Roman Antiquity, in: AncSoc 11/12, 1980/81, 5–82 2 M.-T. Fontanille, Avortement et contraception dans la médecine gréco-romaine, 1977 3 B. W. Frier, Natural Fertility and Family Limitation in Roman Marriage, in: CPh 89, 1994, 318–333 4 K. M. Hopkins, Contraception in the Roman Empire, in: Comparative Studies in Society and History 8, 1965/66, 124–151 5 J. M. Riddle, Contraception and Abortion from the Ancient World to the Renaissance, 1992.
J. W.

Fan Ye. Chinesischer Autor einer Dynastiegeschichte, die u. a. Informationen über die Geographie des Partherreichs und parthisch-chinesische Kontakte enthält. 398 n. Chr. in eine Familie von kaiserlichen Beamten Chinas hineingeboren, bekleidete F. selbst u. a. die Ämter eines Vorstehers eines Verwaltungsbezirks und des Generals der Garde. Unter Kaiser Wen (Sung-Dyn.) in eine Verschwörung verwickelt, wurde er 446 n. Chr. hingerichtet, was die Fertigstellung der auf 100 Kapitel angelegten ›Gesch. der Späteren Han-Dynastie (25–220 n. Chr.)‹, *Hou Hanshu*, verhinderte (10 Kap. ›grundlegende Annalen‹, *benji*, der Kaiser und Kaiserinnen, 80 biograph. Kap., *liezhuan*, und 10 histor. Darstellungen einzelner Sachgebiete). Die h. Fassung, die auf die im 12. Jh. um acht Monographien in 30 Kapiteln des Sima Biao (240–306) erweiterte Ausgabe zurückgeht, ist für die Kenntnis der späten Han-Zeit grundlegend. F. stützte sich in Ermangelung von Akten und Dokumenten auf sekundäres Material, das er jedoch in bemerkenswerter Weise sprachlich und stilistisch umformte. Die Nachrichten über die Gebiete des Westens, v. a. das Partherreich (*Anxi*) der J. zw. 91 und 123 n. Chr., verdanken sich bes. einem Bericht des Ban Yong an den Kaiser.

H. Bielenstein, The Restoration of the Han Dynasty, in: Bull. of the Museum of Far Eastern Antiquities 26, 1954, 3–209; 31, 1959, 1–287; 39, 1967, 1–198; 51, 1979, 1–300 · E. Chavannes, Les pays d'occident d'après le Heou Han Chou, in: T'oung Pao[2] 8, 1907, 148–219 · M. Kordosis, China and the Greek World, 1992 · D. D. Leslie, K. H.J. Gardiner, The Roman Empire in Chinese Sources, Rom 1996 · H. Schmidt-Glintzer, Gesch. der chines. Lit., 1990, 131–133.
J. W.

Fannia

[1] F. versteckte 88 v. Chr. den geächteten C. Marius in ihrem Haus in Minturnae, nachdem sie im J. 100 durch seine Hilfe in einem Scheidungsverfahren gegen C. Titinius ihre Mitgift zurückerhalten hatte (Val. Max. 8,2,3; Plut. Marius 38,3–9).
K.-L. E.

[2] Vielleicht ist Clodia F. der volle Name. Tochter des Senators und Stoikers Clodius [II 15] Thrasea Paetus und der Arria [2]. Frau von Helvidius Priscus, den sie unter Nero und Vespasianus ins Exil begleitete. Auf ihre Bitte verfaßte Herennius Senecio eine Biographie ihres Mannes, weshalb sie von Domitianus verbannt wurde. Nach dessen Tod unterstützte sie Plinius bei seinem Versuch, ihren Stiefsohn Helvidius zu rächen.

Raepsaet-Charlier 232f. Nr. 259 · PIR[2] F 118.
W. E.

Fannius. Plebeischer Gentilname (Schulze 266; 424), seit dem Beginn des 2. Jh. v. Chr. histor. bezeugt. K.-L. E.

I. Republikanische Zeit

[I 1] F. M. f., C. Röm. Senator und Historiker (in Cic. Brut. 99 falsch von einem Verwandten abgegrenzt). F. zeichnete sich 146 v. Chr. mit Ti. Gracchus bei der Erstürmung Karthagos aus (Plut. Gracchi 4,6), kämpfte 141 als *tribunus militum* in Spanien (App. Ib. 287), war Schwiegersohn des C. → Laelius und hörte → Panaitios (Cic. Brut. 100f.). 122 erreichte er, unterstützt von C. Gracchus (→ Sempronius), das Consulat (MRR 1, 516), wandte sich aber in einer aufsehenerregenden Rede gegen dessen Bürgerrechtspolitik (ORF4 Nr. 32, fr. 1–5). Wahrscheinlich nach 120 schrieb er ein Geschichtswerk in mindestens 8 B., das trotz seines Titels *Annales* vielleicht nur die Zeitgeschichte behandelte. Fragmente bezeugen die Berücksichtigung der Innenpolitik und direkte Reden führender Politiker (HRR I[2], 140 fr. 5: Q. → Caecilius [I 27] Metellus Macedonicus).

M. → Iunius Brutus fertigte eine → Epitome des Werkes an (Cic. Att. 12,5,3); Sallust schätzte es wegen seiner Wahrhaftigkeit (hist. 1,4 M.).

Fr.: HRR I[2] 139–141.
Lit.: E. Badian, Early Historians, in: Latin Historians, 1966, 1–38, bes. 14f. · F. Cassola, I Fanni in età repubblicana, in: Vichiana 12, 1983, 84–112, bes. 86–96 · Schanz/Hosius 1, 198–200 · G. V. Sumner, The Orators in Cicero's Brutus, 1973, 53–55.
W. K.

[I 2] F., C. 61 v. Chr. Nebenkläger gegen P. Clodius [I 4] Pulcher, widersetzte sich als Volkstribun 59 Caesar

(Cic. Sest. 113; Vatin. 16 u. a.) und wurde von L. → Vettius der Verschwörung gegen Pompeius beschuldigt (Cic. Att. 2,24,3); danach wohl Aedil und Praetor. Im Bürgerkrieg auf der Seite des Pompeius, sollte er mit propraetorischem Imperium als Statthalter Sicilia übernehmen, ging dann aber 49/8 in gleicher Funktion nach Asia (Münzprägung: [1. 35–40]; Titel pr[aetor] oder pr[o praetore]). Cicero hielt ihn 48 wohl fälschlich für tot (Att. 11,6,6), da ein F. 43 als Gesandter des Senats zu Sex. Pompeius erwähnt wird (Cic. Phil. 13,13). Er trat auf dessen Seite, wurde geächtet, floh mit ihm nach Sizilien (App. civ. 4,354) und nahm bei ihm eine hohe Stellung ein; erst 35 ging in Asia zu M. Antonius [I 9] über (App. civ. 5,579). Er war spätestens seit 57 Pontifex (Cic. har. resp. 12; vgl. die Mz. [1]).

1 G. STUMPF, Numismatische Untersuchungen zur Chronologie der röm. Statthalter in Kleinasien, 1991.

[I 3] **F., L.** Anhänger des C. Flavius [I 6] Fimbria, flüchtet mit L. Marius 85 v. Chr. zu Mithradates VI., stellte mit jenem 79 die Verbindung zu Q. Sertorius in Spanien her (Cic. Verr. 2,1,87; Ps.-Ascon. 244ST.). 73 focht er als Feldherr des Mithradates gegen Rom und kehrte nach 72 durch die Vermittlung des L. Licinius Lucullus nach Rom zurück (App. Mithr. 286–290). 68/7 Legat im Heer des Lucullus (Cass. Dio 36,8,2).

[I 4] **F., M.** Plebeischer Aedil und Münzmeister 86 v. Chr. (RRC 351), dann Richter, 80 Praetor und Vorsitzender des Gerichtshofes für Mordprozesse (Cic. S. Rosc. 11 f.).

[I 5] **F. Chaerea, C.** Vielleicht Freigelassener. Sein Sklave Panurgos war von dem Schauspieler Q. → Roscius ausgebildet und dann von Q. Flavius aus Tarquinii ermordet worden. F. und Roscius erhielten auf ihre Klage Schadenersatz, prozessierten aber (wohl 76 v. Chr.) gegeneinander, wobei F. durch P. Saturius, Roscius durch Cicero verteidigt wurde (Pro S. Roscio comoedo).

[I 6] **F. Strabo, C.** Praetor spätestens 164 v. Chr., erließ als Consul 161 mit M. Valerius Messalla die lex Fannia zur Aufwandsbeschränkung bei Gastmählern (Gell. 2,24,3; Plin. nat. 10,139; Athen. 6,108; Macr. Sat. 3,17,5) und wies griech. Philosophen und Rhetoren aus Rom aus (Gell. 15,11,1). 158 leitete er eine Gesandtschaft nach Illyrien (Pol. 32,18,3 f.), 154 nach Pergamon (Pol. 33,9,3).

E. BALTRUSCH, Regimen morum, 1989, 81–85.   K.-L. E.

II. KAISERZEIT

[II 1] **F. Caepio.** Beteiligt an einer Verschwörung gegen Augustus, nach Cassius Dio im J. 22 v. Chr. (54, 3). Da die Verschwörung verraten wurde, floh er; von Tiberius, Augustus' Stiefsohn, angeklagt, wurde er in Abwesenheit verurteilt. Ein Sklave verriet ihn, worauf er hingerichtet wurde. PIR² F 117; L 218; SYME, AA 387 ff.
W. E.

Fanum (Etym.: *dʰh₁s-no-; aber osk.-umbr. fēsnā < Vollstufe *dʰeh₁s- [1]). Allg. Ausdruck für den hl., der Gottheit von den → pontifices (Varro ling. 6,54; Fest. 78 L.) geweihten Ort (locus sacer, Liv. 10,37,15). Zunächst Bezeichnung für die Örtlichkeit ohne Rücksicht auf die Form und Funktion der sich im hl. Bezirk befindlichen Kultstätte (z. B. Hain, Quelle, Höhle, Tempel, Altar o. ä.). Später bedeutet f. eigentlich nur noch das altertümliche Heiligtum im Gegensatz zum Tempel (aedis) im architektonischen Sinne. Versuche einer Abgrenzung zu → delubrum sind zweifelhaft. Ferner werden mit f. auch die Plätze benannt, an denen die Liegen (lecti) für das → lectisternium aufgestellt wurden. Sowohl die Auswahl der lecti-Plätze als auch die der Orte für das f. in einer neugegründeten Stadt wird mit f. sistere (Fest. 476 L.) bezeichnet. F. sistere kann auch im Sinne von locum consecrare (»einen Ort heilig machen«) verwendet werden. Der Gegensatz dazu ist profanare (= »wieder profan machen«) (Fest. 256 L.; 295 L.; Macr. Sat. 3,3,4). In erweiterter Bed. werden mit fana die Tempel der nicht röm., meist oriental. Götter bezeichnet. Daraus leitet sich fanaticus (»zum Heiligen gehörig« > »von der Gottheit ergriffen«) als Bezeichnung für das Tempelpersonal oriental. Gottheiten ab (→ Bellona, Iuv. 4,123; → Isis, CIL VI 2234; → Magna Mater, CIL VI 490). F. findet sich z. T. auch als Bestandteil in ant. Ortsnamen wieder, z. B. Fanum Voltumnae, Fanum Martis, Fanum Fortunae.

1 WALDE/HOFMANN I, 454.

H. JORDAN, Über die Ausdrücke aedes, templum, f., delubrum, in: Hermes 14, 1879, 577 f.   A. V. S.

Fanum Fortunae. Umbrische Stadt nördl. der Mündung des Metaurus (regio VI) mit Hafen, wo die via Flaminia die Küste der Adria erreicht, h. Fano (Pesaro; Itin. Gaditanum 95; Itin. Anton. 126; Itin. Burdig. 615; Tab. Peut. 5,2). Der ON ist vom Fortuna-Kult abgeleitet. F. besaß den Status eines municipium, tribus Pollia. Von Caesar wurde die Stadt nach Überschreiten des Rubico besetzt (Caes. civ. 1,11,4); unter Augustus war sie Veteranenkolonie Iulia Fanestris (CIL XI 6232); mit basilica des Vitruvius (5,1,6–10; [1; 2]). Im 4. Jh. n. Chr. war F. colonia Flavia Fanestris. Von Vitigis im J. 545 n. Chr. zerstört (Prok. BG 3,11; 25). Erhalten ist ein Ehrenbogen für Augustus, durch CIL XI 6218 f. mit den Stadtmauern auf 9 n. Chr. datiert, von Constantinus restauriert; Rundtürme. Die via Flaminia bildete die Hauptachse der Stadt mit orthogonalem Grundriß. Zur frühchristl. Phase s. [3].

1 F. PELLATI, La basilica di Fano e la formazione del trattato di Vitruvio, in: RPAA 23–24, 1947/8, 153–174 2 J. PRESTEL, Des M. Vitruvius Pollio Basilika zu F. F., 1900 3 G. BINAZZI, Regio VI. Umbria (Inscriptiones Christianae Italiae 6), 1989, 192–198.

N. ALFIERI, Per la topografia storica di F. F., in: Rivista Storica dell'Antichità 6–7, 1976/7, 147–171 · N. DOLCI, Le fogne romane di F., 1979 · F. BATTISTELLI, A. DELI,

Immagine di F. romana, 1983 · BTCGI 7, 1989, 410–415 · N. ALFIERI, L'urbanistica di F. F., in: Ders., F. Milesi, F. romana, 1992, 77–86.   G. U./Ü: H. D.

Far. Urspr. wohl »Korn« im Sinne von Getreide [1]. In gesch. Zeit zielte der Name aber speziell auf Speltweizen im Gegensatz zu Dreschweizen (*triticum*). Synonyme sind *ador* und *alicastrum*, offenbar eine Abkürzung für *f. adoreum*. Plin. nat. 18,82 behauptet, daß sich die Anbaugebiete von *far* (Emmer) und ζειά/*zeiá* (ζέα/*zéa*) ausschließen. Nach Dion. Hal. ant. 2,25,2 sind jedoch beide Getreidearten ebenso wie die in Gallien, It. und anderswo angebaute *arinca* (ὄλυρα) identisch. Vom gegen Kälte sehr widerstandsfähigen (Plin. nat. 18,83, vgl. Colum. 2, 8,5) *f.* (= *semen adoreum*) kennt Colum. 2,6,3 vier Sorten (*Clusinum*; *vennuculum rutilum et candidum*; *halicastrum = semen trimestre*, die an Gewicht und Qualität beste). Alle sind mit dem tetraploiden Emmer (Triticum dicoccum Schübler) zu identifizieren, da das urspr. diploide Einkorn (Triticum monococcum L., τίφη/*típhē* oder ζέα ἁπλῆ/ *zéa haplḗ*) wohl nur in Kleinasien und der hexaploide Spelt oder Dinkel (Triticum spelta L.) nur in SW-Deutschland und der Schweiz vorkamen (dort h. wieder kultiviert). In der Kaiserzeit bezeichneten die Römer den Spelt folgerichtig als *spelta* oder *scandula* (*brace*, *bracis* und *spica* sind unsicher). Bis ins 2. Jh. v. Chr. war *f.* das Hauptgetreide Roms, das sich nach dem Rösten (Ov. fast. 1,693) nicht zu Brot verbacken, sondern nur zu Brei (*puls*, Plin. nat. 18,83; vgl. Plaut. Most. 828: *pultiphagi barbari*) verarbeiten ließ. Das danach (vielleicht aus Griechenland) eingeführte *triticum* als Brotgetreide verdrängte allmählich sowohl *f.* als auch *puls*. Die *pistores* wurden dadurch von Herstellern von Graupen (*alicae*; vgl. Plin. nat. 22,128) aus *f.* durch Stampfen in Mörsern (Plin. nat. 18,107 f.: *pistores qui far pisebant*; Serv. Aen. 1,179) zu Müllern und Bäckern. Im frühen Griechenland lebte man dagegen von Gerste (κριθή/*krithḗ*, *hordeum*) und ihren Produkten ἄλφιτα/ *álphita = polenta*) und μᾶζα/*máza*, nicht aber von *f.* und *puls*, jedoch behielten diese in Rom in Form von *mola salsa* (Plin. nat. 18,7 und 31,89) und *libum* (Fladen mit Käse, Cato agr. 75) sowie *puls fitella* (Opferbrei, Plin. nat. 18,84) ebenso wie die Gerste in Griechenland immer ihre Bed. als Opferspeise (vgl. Val. Max. 2,5,5).

1 WALDE/HOFMANN.

N. JASNY, The Wheats of Classical Antiquity, 1944.   C. HÜ.

Farben. Die in der Renaissance aufkommende Vorstellung einer »weißen Antike« erreichte mit J. J. WINCKELMANNS Ästhetik im Klassizismus ihren Höhepunkt und änderte sich erst in der 1. H. des 19. Jh. langsam, z. B. durch Werke wie *De l'Architecture polychrome chez les grecs* des Architekten J. HITTORF von 1830 (Entdeckung der architektonischen → Polychromie). Diese Auffassung war, neben der schlechten Erhaltung von Farbresten an Skulptur und Architektur und dem fast völligen Fehlen originaler griech. → Malerei, mit ein Grund für die bis vor kurzem eher spärlichen koloritgeschichtlichen Untersuchungen.

Jedoch weiß man heute aufgrund neuer Funde, verfeinerter naturwissenschaftlicher Untersuchungsverfahren und einer Neuauswertung der Schriftquellen, daß F. ein elementares Gestaltungsmittel in Leben und Kunst der alten Mittelmeerkulturen war. Buntfarbigkeit gab es im ägypt. Kunstschaffen seit alters her. Im 7. Jh. v. Chr. wurden die dort und im Alten Orient gebräuchlichen Farbstoffe in die griech. Malerei übernommen. Neue Unters. zeigen, daß sich die Farbpalette nicht nur auf Schwarz, Weiß, Rot und Gelb beschränkte, sondern Blau und Grün gleichwertig vorkamen. Seit der griech. Klassik wurden die einzelnen Töne auch gemischt. In der Ant. wurden Pigmente aus organischen, d. h. tierischen und pflanzlichen, oder anorganischen Substanzen, d. h. Erden und Mineralien gewonnen, aber auch künstlich hergestellt. Über die Herstellung berichtet vor allem Plinius (nat. 33 ff.). Weiß entstand aus verschiedenen Kreiden, Gelbtöne aus eisenhaltigem Ocker, Rot aus eisenoxydhaltigen Röteln, aber auch aus Purpurschnecken, Blau aus gemahlenem blauen Glas oder Lapislazuli, Grün aus Malachit oder grünen Kreiden, Schwarz aus verbrannten organischen Stoffen wie z. B. Holzkohle. Plinius unterscheidet *colores singuli*, *austeri* und *floridi* und beschreibt damit maltechnische Verfahren des Farbauftrags (gemischt/ungemischt) sowie ästhetische Wirkung im Bild (stumpf/leuchtend). In der Forsch. ist diese Interpretation, auch hinsichtlich der daraus gefolgerten Unterscheidung in Deck- und Lasur-F. und deren Spezifizierung, weiterhin umstritten.

Die Pigmente wurden auch zum Färben von Textilien und Leder benutzt; der F.-Handel stellte für bestimmte Gebiete, wie z. B. Sinope am Schwarzen Meer, das ein Monopol für die beste rote Erde besaß, einen bedeutenden Wirtschaftsfaktor dar. Auch waren manche Pigmente in der Herstellung sehr teuer, und deren Verwendung erhöhte das Prestige von Auftraggeber und Nutzer, wie z. B. beim → Purpur oder → Lapislazuli. Viele Begriffe der griech. Dichtung seit Homer lassen auf eine differenzierte Farbauffassung der Griechen schließen, wobei für die Archaik Hell-Dunkel-Kontraste und die Identität von Farbe und Licht betont werden. Farbwörter erklären Struktur und Stofflichkeit eines Gegenstandes, nicht primär die Oberflächentönung. Das spiegelt sich bereits in Diskursen zu F. und ihren Mischungen bei Naturphilosophen wie z. B. → Alkmaion [4] und → Empedokles, die später auf die Farblehren von → Demokrit und → Theophrast wirkten, oder von → Platon und → Aristoteles interpretiert wurden. Auch die Maler selbst entwickelten Theorien zur F., z. B. die mit beschränktem, einheitlich tonigem Kolorit gestaltende Vierfarbmalerei (Gelb, Rot, Weiß, Schwarz) der Spätklassik, deren berühmtester Vertreter → Apelles [4] war.

BLÜMNER, Techn. IV, passim · V. BRINKMANN, Die Friese des Siphnierschatzhauses, 1994, 39–51 · J. GAGE, Kulturgeschichte der Farbe, 1994 · A. HERMANN,

	Aus Mineralien und Erden gewonnene Pigmente	Aus pflanzlichen und tierischen Materialien gewonnene Pigmente	Künstlich hergestellte Pigmente
BLAU	Armenischblau Azurit $2\,CuCO_3 \cdot Cu(OH)_2$ *Armenium* 35, 30; 47 »Skythisches Himmelblau« Lapislazuli(?) *Scythicum caeruleum* 33, 161; 35, 45f.; 49	Indigo Indigofera $C_{16}H_{10}N_2O_2$ *Indicum* 35, 30; 42f.; 46; 49	Ägypt. Blau kupferhaltiges Glasfrittenpulver $Ca\,Cu\,Si_4O_{10}$ *Puteolanum* 33, 161f.
GRÜN	Berggrün, Malachit $CuCO_3 \cdot Cu(OH)_2$ *chrysocolla* 33, 90; 35, 30; 47 Appianisches Grün Grünerde *Appianum* 35, 48f.		
GELB	Gelber Ocker Verwitterungsprodukt von Eisenerz und Feldspat mit Eisenoxidhydroxid α-FeO(OH) *Ochra*, ὤχρα (óchra) 35, 30; 35; 39; 37, 179; 183 Rauschgelb Arsensulfid As_2S_3 *auripigmentum* 33, 79; 35, 30; 49		Bleigelb gebranntes Bleiweiß *cerussa usta* 35, 30; 38
ROT	Rötel Eisenoxid Fe_2O_3 μίλτος (míltos), *rubrica* 33, 115; 35, 30; 33; 35 Sandarach Realgar As_4S_4 *sandaraca* 35, 30; 39 Sinope-Erde roter Ocker *Sinopis* 35, 30f.; 36; 40; 50 Zinnober Quecksilbersulfid HgS *minium* 33, 113f.; 35, 30; 33f.; 40; 45	Drachenblut Drachenblutharz *cinnabaris* 33, 116; 35, 30 Purpur Farbstoff aus der Purpurdrüse der Purpurschnecke *purpurissum* 35, 30; 44f.; 49	Scharlach Rötel + Sandarach, geröstet *sandyx* 35, 30; 40 Syrischrot Sinope-Erde + Sandyx *Syricum* 35, 30; 40 »Goldleim« Sinope-Erde + gelber Ocker + Kaolin (zum Vergolden) *leucophorum* 35, 36
WEISS	Kreiden $CaCO_3$ Eretria-Erde, *Eretria terra*, 35, 30; 37f.; 192; 194 Selinusische Kreide, *creta Selinusia*, 35, 46 Kimolische Kreide, *Cimolia creta*, 35, 36; 194ff.; 198 Paraetonisches Weiß, *Paraetonium*, 35, 30; 36 Silberkreide, *creta argentaria*, 35, 44; 199 Weiße Tonerden: Melos-Erde, Μηλία sc. γῆ (Mēlía gé) *Melinum* 35, 30; 37; 49f.		Bleiweiß basisches Bleicarbonat $2\,PbCO_3 \cdot Pb(OH)_2$ *cerussa* 34, 175; 35, 37f.; 49
SCHWARZ	Schwarz Kohle, Ruß »*atramentum*« 35, 30; 41f.; 50	Tresterschwarz Weintrester *tryginon* 35, 42 Elfenbeinschwarz gebranntes Elfenbein *elephantinum* 35, 42	

Antike Pigmente bei Plinius
Angegeben sind die moderne Bezeichnung,
der Pigmentstoff, die ant. Bezeichnung und
die Belege bei Plinius, *Naturalis historia*.

M. HAA.

M. Cagiano de Azevedo, s. v. F., RAC 7, 358–447 ·
E. Karakasi, Die prachtvolle Erscheinung der Phrasikleia,
in: Antike Welt 28, 1997, 509–517 · N. Koch, De Picturae
Initiis, 1996, passim · R. König, G. Winkler (Hrsg.),
Plinius, Naturkunde, Buch 35,²1997 · I. Scheibler, Griech.
Malerei der Ant., 1994, 100–106 · H. Schweppe, Hdb. der
Naturfarbstoffe II 3, 1993 · K. Yfantidis, Die Polychromie
der hell. Plastik, 1984, 128–149.

Abb.-Lit.: E. Berger, Die Maltechnik des Altertums,
1904, Ndr. 1973, 260–262 · J. André, Étude sur les termes
de couleur dans la langue latine, 1949 · S. Augusti, I colori
pompeiani, 1967 · E. Riedel, Bibliogr. über die Pigmente
der Malerei, in: Berliner Beitr. zur Archäometrie 10, 1988,
173–192 · D. G. Ullrich, Malpigmente der Klassik und
des Hell. im östl. Mittelmeerraum, in: Akten des 13.
Internationalen Kongr. für Arch., Berlin 1988, 1990,
615–617 · Pigments et colorants de l'antiquité et du
moyen-âge … Kongr. Paris 1988, 1990.   N. H.

Farfarus. Linker Nebenfluß des Tiberis im Gebiet der
Sabini (Ov. met. 14,330; Sil. 4,182), latinisiert *Fabaris*
(Verg. Aen. 7,715; Vibius Sequester 148), h. Farfa, fließt
an Trebula Mutuesca vorbei.

Nissen Bd. 2, 478 · M. P. Muzzioli, s. v. Fabaris, EV 2, 451.
                                                G. U./Ü: V. S.

Farn. *Felix, dryopteris* und *polypodium* sind die Namen
der drei F.-Gattungen bei Plinius, welche alle durch das
Fehlen von Blüten und Samen gekennzeichnet sind.
Von *felix* kennt Plin. nat. 27,78–80 zwei Arten, von denen die eine bei den Griechen wegen ihrer Fiederblätter
als πτέρις (*ptéris*) bzw. βλάχνον (*bláchnon*) und als männlich bezeichnet wird (vielleicht Aspidium filix mas L.,
der Gemeine Wurmfarn, vgl. Dioskurides 4,184 p.
2,332 f. Wellmann = 4,183 p. 471 f. Berendes), die andere aber als Frauen-F. θηλυπτερίς (*thēlypterís*) bzw.
νυμφαία πτέρις (*nymphaía ptéris*; Dioskurides 4,185 p.
2,333 Wellmann = 4,184 p. 472 Berendes).
Die Wurzeln beider galten als gute Schweinenah-
rung. Erst im dritten Jahr dürfe man sie ausgraben und
u. a. als Abführ- und Wurmmittel verwenden. Frauen
sollten von keiner Art etwas einnehmen, da dadurch
eine Fehlgeburt bzw. Unfruchtbarkeit hervorgerufen
werde. Der *dryopteris* bei Plin. nat. 27,72 (= Dioskurides
4,187 p. 2,335 Wellmann = 4,186 p. 473 Berendes) ist
wohl mit dem Eichenfarn (Polypodium dryopteris L.)
identifizierbar. Aufgrund seiner ätzenden Wirkung (*vis
caustica*) empfiehlt ihn Plinius als Enthaarungsmittel. *Polypodium* oder *filicula* ist bei Plin. nat. 26,58 (= Dioskurides 4,186 p. 2,334 Wellmann = 4,185 p. 472 f. Berendes) eine auf Gestein oder unter alten Bäumen wachsende F.-Art, wahrscheinlich Polypodium vulgare L. Ihr
Wurzelsaft sollte als Beigabe zur Nahrung gegen Verstopfung wirken sowie Galle und Schleim abführen.
Man düngte gelegentlich auch die Felder mit F. (Plin.
nat. 17,54). Für Palladius ist der F. nur ein auszurotten-
des Ackerunkraut (agric. 6,3,3 und 8,1,1).   C. Hü.

Farnus s. Esche

Farrago war eine Mischsaat (Mengkorn, Mischel, mé-
teil, mistura), die für die Ernährung bis in das 20. Jh.
n. Chr. verwendet wurde, doch bereits in der Ant. weitgehend zu Viehfutter abgesunken war; so diente *f.* als
Grün- oder Trockenfutter sowie zum Abweiden für
Zug- (Fest. 81 L.) und Kleintiere. Sie bestand aus dem
Dreschabfall des Emmers (*ex recrementis farris*, Plin. nat.
18,142) und Unkrautsamen, wovon dieser Spelzweizen
viel mitführt; *f.* konnte auch mit Wickensamen vermischt gesät werden (Varro rust. 1,31,5; Plin. nat.
18,142). Columella schätzte *f. hordeacea* (2,7,1 f.; 2,10,31;
11,2,99); *f. triticea* zogen Veterinäre vor (Veg. mulomedicina 1,22,7). Gesät wurde *f.* wie anderes Futter (*siliqua,
vicia, lupinum, avena*) Ende September (Colum. 11,2,71;
vgl. 2,10,24) und konnte sehr früh mehrmals abgewei-
det oder im Mai geschnitten werden (Varro rust. 1,31,4;
Colum. 2,10,31). Sie galt als Kraftfutter und als reini-
gend (Varro rust. 1,31,5; Verg. georg. 3,205). Die Form
ferrago war schon Varro bekannt (rust. 1,31,5: *ferro caesa
ferrago dicta*); in übertragener Bed. verwendete Iuvenal
das Wort für lit. Vermischtes (1,86). So wurde es auch
seit dem 17. Jh. in mod. Sprachen übernommen (engl.;
franz.; span.: fárrago; it.: farragine).

1 G. Comet, Le paysan et son outil, 1992, 252 f.
2 A. Ernout, Philologica III, 1965, 136–138 3 T. L.
Makrey, in: D. R. Harris, G. C. Hillman (Hrsg.),
Foraging and Farming, 1989, 589–593 4 F. Olck, s. v. f., RE
6.2, 1999 f.   E. C.

Fas ist als »das göttl. Erlaubtsein« zu begreifen; sein Gegensatz ist *nefas*. Abgeleitet davon ist das Adj. *fastus*.
Zuerst erscheinen *f.* und *nefas* in Verbindung mit Verben
(z. B. *f. est*), später auch als Subst. in Ausdrücken wie
contra fas. Umstritten ist die Abstammung: 1. aus **fēs-/
*fas- <*dʰ(e)h₁s-* wie *festus, feriae, fanum*; 2. aus **fā-
<*bʰeh₂–* wie *fari, fama, fabula, fatum* [1]. Die Verwandt-
schaft zw. *fari* und dem Adj. *fastus* wurde schon von
Varro (ling. 6, 29–30; 53) anerkannt. Nach [2] bezeichnet *fari* die vom Sprecher und von der Bed. losgelöste
Existenz der Aussage, und in diesem Sinn bedeutet *f.*
»das Erlaubte durch Göttersspruch«.
Die Gegenüberstellung von → *ius*, dem Recht der
Menschen, und *f.*, dem Recht der Götter (Serv. georg.
1,269) ist für die ältere Zeit nicht vertretbar [3]: *f.* kann
nicht mit den *iura divina* gleichgesetzt werden [4]. Die
Unterscheidung geschieht vielmehr aufgrund des normativen Charakters: *f.* bezeichnet alles, was von religiösen Verboten frei ist, und nicht unbedingt – im Gegensatz zu *ius* – das, was gemacht werden muß oder rechtens
ist. Nach [5] fungiert *f.* als komplementärer Begriff von
sacrum. Groß geschrieben stehen F (*fas*) und N (*nefas*) in
den Kalendern als Hinweis für den Tagescharakter [6].

1 Ernout/Meillet, s. v. f. 2 É. Benveniste, Le vocabulaire
des institutions indo-européennes, Bd. 2, 1969, 133 ff.
3 A. Magdelain, Essai sur les origines de la sponsio, 1943
4 H. Fugier, Recherches sur l'expression du sacré dans la
langue latine, 1963, 127 ff. 5 Latte, 38–39 6 G. Wissowa,
Rel. und Kultus der Römer, 1912, 438.

H. van den Brink, Ius Fasque, 1968 · P. M. de Carvalho, Note de sémantique latine: F., fastus – feriae, festus etc., in: REA 73, 1971, 319–326 · C. A. Peeters, F. et nefas, 1945, 159ff.   FR. P.

Fasan. Der als Hahn farbenprächtige F. (Phasianus colchicus, φασιανός sc. ὄρνις, phasianus bzw. phasiana sc. avis) stammt urspr. aus dem Gebiet um den namengebenden Fluß Phasis (h. Rioni, südl. des Kaukasus) in Kolchis (Agatharchides fr. 15 JACOBY FGrH 86 bei Athen. 9,387c, vgl. Mart. 13,72). Seit dem 5. Jh. v. Chr. wurde er – als einziger Hühnervogel erfolgreich – in die Wildbahn des griech.-röm. Kulturraums eingeführt. Aristophanes, der ihn als erster erwähnt (Nub. 108), verspottet den Fasanenzüchter Leogoras. Erst im Hell. bei den Ptolemäern (Athen. 9,387e und 14,654b-c) und in der röm. Kaiserzeit ist F.-Zucht wieder belegt (vgl. Colum. 8,8,10; Mart. 13,45 u. ö.).

Als Symbol für Tafelluxus (u. a. bei Sen. dial. 12,10,2f. und Plin. nat. 19,52) wurde der Genuß seines Fleisches von christl. Moralisten (Clem. Al. Paidagogos 2,1; Ambr. Hexameron 6,5; Ambr. de Helia et Ieiunio 8,24 SCHENKL, bes. aber Hier. epist. 54,12; 79,7; 100,6; 107,10 u. ö.) bis ins 16. Jh. immer wieder verurteilt [1. 106ff.]. Das von Medizinern (wie Gal. de bonis malisque suc. 3,1 und de alim. fac. 3,18,3 KÜHN) als ebenso vortrefflich wie bekömmlich eingestufte Fleisch [1. 146ff.] wurde teuer bezahlt (Edictum Diocletiani: 250 Denare für den Masthahn). Einzelheiten zu Aufzucht und Mast finden sich bei Pall. agric. 1,29,1–4 und Geop. 14,19. Zwei griech. Grabinschr. von »Fasanenmeistern« (φασιανάριοι) sind bekannt [1. 270f.]. Bes. das Fett diente seit der Spätant. u. a. als Bestandteil von Salben [1. 222ff.]. Zoologisch beschreibt ihn bereits Aristoteles mit seiner Vorliebe für das Sandbaden wegen seiner Anfälligkeit für Läuse (hist. an. 8(9),49B, 633b 2; 5,31,557a 11ff.), doch irrt er in der Angabe, die Weibchen (er hält sie für kleiner als die Männchen, Aristot. fr. 580 ROSE bei Athen. 14,654) legten gesprenkelte Eier (hist. an. 6,2,559a 24f. = Plin. nat. 10,144). Die auch meist auf spätant. Mosaiken vom 3. bis 6. Jh. n. Chr. (vorläufiger Katalog bei [1. 432–483]) deutlich erkennbaren Federohren erwähnt zuerst Plinius (nat. 10,132; 11,121). Auch in Miniaturen in Hss. wurde er häufig dargestellt [2. 380–414]. In der ma. Lit. spielte die Jagd [1. 311ff.] auf den F. eine ebenso wichtige Rolle wie sein Fleisch als fürstliche Speise [1. 66ff.].

1 C. W. HÜNEMÖRDER, Phasianus colchicus, Studien zur Kulturgesch. des F., Diss. Bonn 1966 (Druck 1970) 2 Ders., Die Ikonographie des Fasans in der abendländisch-christl. Buchmalerei, in: FS für C. Nissen, 1973, 380–414.   C. HÜ.

Fasciae. Bandagen, Binden, Gurte der unterschiedlichsten Art; sie waren aus verschiedenen Materialien (Filz, Leder, Leinen, Wollstoff) und konnten weiß oder bunt sein. Unter die f. fallen zum einen die Gurte des Bettes (lectus, → Kline), auf denen die Matratze auflag, ferner → Windeln (σπάργανα, spárgana) und schließlich f. cru-rales, Binden, die die Unterschenkel (f. tibiales) bzw. Oberschenkel (→ feminalia) gegen Kälte schützen sollten. Bei Männern galt die Verwendung der f. als weibisch und war nur für Kränkelnde angebracht, doch trugen solche f. auch Augustus (Suet. Aug. 82,1) und Pompeius (Cic. Att. 23,1; Val. Max. 6,2,7). Daneben gehörten die f. crurales zur Ausstattung der Jäger und Hirten. Auch gab es f. pedules, die man über die Füße und Schuhe zog; f. heißen ferner die chirurgischen Bandagen und f. pectorales waren die Busenbinden der Frauen. Sie wurden auf der Haut getragen und dienten zum Verhüllen der Brüste oder zu ihrer Stütze; in diesem Fall legte man sie unterhalb an. Straff umgelegt sollten sie ein übermäßiges Wachsen derselben verhindern. Einem ähnlichen Zweck dienten die mamillae oder das → strophium. Bildliche Darstellungen der f. pectorales sind in der griech. und röm. Kunst nicht allzu häufig, wobei vereinzelt durch die Anfügung von Trägerriemen über die Schultern der Eindruck eines modernen Büstenhalters entsteht (→ Badehose). Auch die Lederriemen, die die kurze → Tunica der Wagenlenker (agitatores) hielten, wurden f. genannt.

→ Badehose; Kleidung   R. H.

Fascinum s. Magie

Fasti A. BEGRIFF B. TAGESQUALIFIKATIONEN C. VERBREITUNG D. MAGISTRATSLISTEN

A. BEGRIFF

Als Adj. zu lat. fās (»göttliches Recht«; eine etym. Verbindung mit *fēs oder *fās und den davon abgeleiteten Begriffen fēriae, fēstus und fānum ist nicht zu beweisen [11. 134]) gebildet, findet sich fastus in technischer Sprache nur in der Zusammensetzung mit dies und bezeichnet dann in Rom Tage, an denen bestimmte öffentliche Handlungen als erlaubt galten. Dieser Begriff gab einer kalendarischen Zusammenstellung solcher Tage – in der die dies f. überwiegen – den Namen F. Wie die graphische Form verdrängte auch der Name spurlos alle etwaigen konkurrierenden Konzepte von → Kalendern in Rom. Die seit spätrepublikanischer Zeit geläufige Erweiterung durch jahrweise geordnete Listen von Magistraten konnte – pars pro toto – insgesamt als F. bezeichnet werden, auch wenn das Interesse der Liste galt. Die moderne Verwendung des Begriffs als t. t. solcher Listen und die Ausweitung auf Listen anderer Art ist durch den ant. Sprachgebrauch nicht gedeckt.

Histor. greifbar sind F. in Rom seit dem Ende des 4. Jh. v. Chr., als Cn. Flavius, ein scriba (pontificius?) des Ap. → Claudius [1 2] Caecus, neben Prozeßformeln auch eine vollständige Übersicht über potentielle Gerichtstermine publiziert haben soll (Liv. 9,46; Cic. Mur. 25; Plin. nat. 33,17) und damit im Rahmen des Reformprogramms des Claudius öffentliche und v. a. senatorische Kontrolle über traditionelle Institutionen wie die Priesterschaft der pontifices herstellte, die zuvor mit ihren Einzelentscheidungen die rechtliche und polit. Qualität der Tage bestimmt hatten [20. 246 ff.]; die Tatsache, daß ein verschriftlichter Kalender wohl schon seit der frühen Republik existiert, aber gerade die F.-Informationen nicht geboten hatte, führte in Anbetracht des Fehlens alternativer Begriffe für Kalender schon in der späten Republik zur Verwirrung über die histor. Entwicklung (Cic. Att. 6,1,8).

B. Tagesqualifikationen

Das einzige republikanische Exemplar von F., das Wandgemälde der F. Antiates, stammt aus einem wohl privaten Kontext im latin. Küstenort Antium. Die hier greifbare Differenzierung der Tage mit den Noten *F, N, NP, EN, C* und einigen wenigen noch spezielleren Fällen ergibt sich aus dem Zwang, systematisch und in schriftlicher Form jedem Tag im Jahr seinen Rechtscharakter zuzuweisen; das weitgehende Fehlen der hier verwendeten Begrifflichkeit in den erh. Resten der Sakrallit. hat zu Zweifeln am hohen Alter einzelner Regelungen [10], ja des gesamten Systems [20] geführt.

Grundlegend ist die Unterscheidung von *dies f.* (*F*) und *nefasti* (*N*). Die antiquarische Erörterung des Kalenders (Varro ling. 6,12–34; Macr. Sat. 1,12–16) ist von der (problematischen, s.o.) Etymologie *fās* und *fari* geprägt und charakterisiert die *dies nefasti* als jene Tage, an denen der Praetor die prozeßkonstituierende Formel *do, dico, addico* nicht sprechen darf (Varro ling. 6,29 f.); aus analogem Grund dürften keine Volksversammlungen (→ *comitia*) stattfinden. Die Regelungen betreffen wichtige »Schnittstellen« der Interaktion von *populus* und magistratischem Apparat, sie greifen nicht in den mil., wirtschaftlichen oder privaten Bereich ein. Mit der Umwandlung der meisten *dies f.* in *dies comitiales* (*C*) [10. 106–111], die noch vor der *lex Hortensia* des Jahres 287 v. Chr. erfolgt sein muß [20. 279], wurde noch einmal eine Differenzierung zwischen dem polit. Bereich (*comitia* und seit 287 wohl auch *concilia plebis*; anders [10] nach [7. 23]) und dem privatrechtlichen erreicht, die die *nundinae* und normalerweise auch Kalenden und Nonen samt ihrem jeweiligen Folgetag wenigstens dem letztgenannten Bereich öffnete.

Die weiteren Differenzierungen lassen vor allem rel. Motive erkennen: Hinter der Sigle *NP* verbergen sich die → *feriae*, rel. mit weitergehenden Tätigkeitseinschränkungen belegte Tage, die als Eigentum jeweils angegebener Gottheiten galten. Die Auflösung der Abkürzung, die keine ant. Quelle liefert, ist umstritten; gegen das spätestens seit [4. 438] übliche *nefas feriarum publicarum* (o.ä., [10. 76]: *dies nefasti publici*) schlägt [20. 259] unter Verweis auf die stereotype Sanktionierung von Verstößen gegen *feriae*-Regelungen mit *piaculum esto!* jetzt *N(efas) P(iaculum)* vor (unakzeptabel sind [16. 227; 19. 18]). An drei Tagen schlägt der Charakter von *N* nach *F* erst nach Abschluß einer bestimmten Handlung um: *Q(uando) R(ex) C(omitiavit) F(as)* (24. März und Mai) sowie *Q(uando) St(ercus) D(elatum) F(as)* (15. Juni), letzteres auf den Abschluß der Reinigung des Vesta-Tempels bezogen. Noch komplizierter ist der Sachverhalt bei den mit *EN* markierten Tagen, die morgens und abends mit *nefas* beurteilt werden, zwischen dem Töten des Opfertieres im zentralen Ritual des Tages und dem Abschluß seiner Zubereitung aber als *fas* gelten. Der antiquarische Terminus *dies intercisi* (Varro ling. 6,31 u.ö.) hat in Verbindung mit der zugehörigen fragmentierten Formulierung des Verrius Flaccus (F. Praenestini zum 10. Januar: *[endo] pro in ponebatur*) zu der sprachgeschichtlich unmöglichen [9], aber allg. akzeptierten Auflösung der Abkürzung mit *dies en(do)tercisi* geführt; unter Annahme einer Haplographie schlägt [20. 268 f.] *Endoitio Exitio Nefas* vor.

C. Verbreitung

Spätestens seit Ciceronianischer Zeit dürften F. in Rollen- (s. Ov. fast. 1,657; Cic. Att. 4,8a,2), später in Kodexform (→ Chronograph von 354) weite Verbreitung gefunden haben. Auffälliger ist das häufige Vorkommen als großflächiger Wandschmuck privater Räume; dazu zählen die F. Antiates maiores aus den 60er Jahren des 1. Jh. v. Chr. sowie – allesamt stadtröm. – die F. plateae Manfredo Fanti (kurz vor 19 v. Chr.), die wohl tiberianischen Fasti Viae Graziosa und die gewaltige Portikusmalerei der spätantoninisch-severischen (etwa letztes Drittel 2. Jh. n. Chr.) F. porticus [12; 15]. Zu erklären ist aber insbesondere die rasche Verbreitung oft mehrere Quadratmeter großer inschr. Ausführungen der F. in Marmor in der frühen Prinzipatszeit. Zumeist frg. erh. sind folgende F.-Inschr. (in – soweit festzustellen – chronolog. Folge; + gibt die sichere, ? die mögliche Existenz zugehöriger Magistratslisten an):

FRÜHAUGUSTEISCH:
F. fratrum Arvalium (Anfang 20er J. v. Chr.?; Rom) +
F. Pinciani (um 20 v. Chr.; Rom) +
F. Lateranenses (frühaug.?; Rom) ?
AUGUSTEISCH:
F. Sabini (nach 19 v. Chr.; Regio Sabina) ?
F. Caeretani (Caere) +
F. Esquilini (spätestens 7 v. Chr.; Rom) +
F. Maffeiani (Rom)
F. Nolani (Nola) ?
F. Paulini (Rom) ?
F. Ostienses (sicher vor 2 n. Chr.; Ostia) +
F. Oppiani (Ende 1. Jh. v. Chr.; Rom) ?
F. magistrorum vici (um 7 v. Chr.; Rom) +
SPÄTAUGUSTEISCH:
F. Viae Ardeatinae (Rom) ?
F. villae Maxentii (aug.?; Rom) ?
F. Palatii Urbinatis (aug.?; Urbinum Metaurense?) ?
F. Venusini ([vor] 4 n. Chr.; Venusia) +
F. Cuprenses (Anf. 1. Jh. n. Chr.; Cupra Maritima) +
F. Praenestini (6/9 n. Chr.; Praeneste) +
F. Vallenses (nach 7 n. Chr.; Rom) +
F. Tusculani (schon tib.?; Tusculum) ?
FRÜHE KAISERZEIT (EVTL. NOCH AUGUSTEISCH):
F. Capuani (Capua)
F. Quirinales (Rom) ?
F. Fandozziani (Rom) ?
F. Viae Lanza (Rom) ?
F. Viae Tiburtinae (Rom) ?
F. Tarentini (Calabria?) ?

TIBERIANISCH:

F. Sorrinenses maiores (noch spätaug.?; Sorrina) ?
F. Farnesiani (noch spätaug.?; Rom?) ?
F. insulae Tiberinae (noch spätaug.?; Rom) ?
F. Vici Iugarii (noch spätaug.?; Rom) ?
F. Viae Principe Amedeo (tib.?; Rom) ?
F. Foronovani (tib.?; Forum novum/Sabina)
F. Vaticani (Rom) ?
F. Verulani (Verulae) ?
F. Amiterni (Amiternum) +
F. Allifani (Allifae/Campania)
F. Tauromenitani (tib.?; Tauromenium/Sicilia) +
F. Viae dei Serpenti (nach 23 n.Chr.; Rom) ?
F. Antiates maiores (31 n.Chr.?; Antium) +

NACHTIBERIANISCH:

F. Pighiani (unter Caligula; Rom?) ?
F. aedis Concordiae (Datier. unsicher; Rom) ?
F. Sorrinenses minores (claudisch?; Sorrina)
F. Tusculani (späteres 1.Jh.?; Tusculum)
F. Lanuvini (2. Jh.; Lanuvium) ?
F. Guidizzolenses (2. Jh.?; Brixia; mit → Feriale)

Aufgrund ihres Inhalts sind die F. seit [4] als rel. Dokument gelesen worden, als Abschriften eines stadtröm., pontifikalen Urexemplars. Diese »synoptische« Lektüre hat die Analyse der Einzelexemplare verhindert; sie stimmt nur scheinbar mit der Perspektive ant. F.-Kommentatoren überein (Verf. von *Libri fastorum* – Komm., keine Buchkalender – sind u.a. Ovid und Verrius Flaccus; davon zu trennen sind systematische Abh. *De anno*; Werke bei [1. xxv-xxvi]). Mit Ausnahme der F. Praenestini, die von → Verrius Flaccus stammende Komm. enthalten, fehlt innerhalb der eigentlichen Kalenderdarstellung jede lokale oder auf eine Gruppe bezogene Spezifikation. Damit scheidet eine Verwendung als gruppenbezogenes → *feriale* aus; die zahlreichen Fehler sprechen auch gegen ein zentral überwachtes rechtliches Dokument [20. 165ff.]. Näher liegt es, die aufwendigen Reproduktionen, welche sich schnell über Mittelitalien und selbst in Gebiete, die mit einem (griech.) lunisolaren Kalender rechnen (Tauromenium), verbreiten, als Zeichen der Loyalität gegenüber dem mit röm. Trad. identifizierten Augustus zu deuten: Kaiserfeste dringen ja schon seit den letzten Lebensjahren Caesars in den röm. Festkalender und auch in die F. ein. In der Geschwindigkeit der Veränderung des kaiserlichen Festbestandes könnte man auch ein Motiv für die stark verringerte Erstellung inschr. F. schon in der Mitte des 1.Jh. n.Chr. sehen [20. 417ff.].

Als Texttyp blieben die F. attraktiv, wenn auch schon seit Ende des 1. Jh. n.Chr. ohne das obsolet gewordene, durch *dies festi* und *feriae* im Sinne von »Ferien« ersetzte namengebende Element der Tagescharaktere. Der einem Christen gewidmete ›Chronograph von 354‹ zeigt, wie noch ohne Eingriffe in den Kalendertext F. Bestandteil eines christl. Ensembles werden konnten; mit der Durchsetzung des Iulianischen Kalenders konnte auch die Form der F. von der Kirche als Bewahrerin kalendarischer Trad. im MA übernommen werden; die Darstellung der F. prägt noch moderne westl. Kalender.

Isolierte Zeugnisse der Rezeption der ant. F. sind die F. des → Polemius Silvius von 448/9 n.Chr. (F. als Rahmen antiquarisch-kalendarischer Gelehrsamkeit) und das Kalendarium marmoreum aus Neapel (9. Jh.), eine über 5 m breite Marmortafel, die in 12 Monatsspalten jedem Tag mindestens einen Heiligen zuordnet [5].

D. MAGISTRATSLISTEN

Eine andere Entwicklung nahm der Listenteil des F.-Ensembles, der zwar bis zum ›Chronographen von 354‹ mit der Kalenderdarstellung verbunden bleiben, aber schon in augusteischer Zeit auch separat erscheinen konnte (F. Capitolini). Im Ensemble betrachtet boten Magistratslisten nicht nur die Möglichkeit zur einfachen Fortschreibung und damit zur Aktualisierung des Dokuments bis hin zur Form der → Chronik (→ Fasti Ostienses; *Consularia*), sondern auch zur Spezifizierung in der Ergänzung der stadtröm. *consules* und *censores* durch lokale oder kollegiale, vereinsleitende Magistrate [22] (z.B. in den F. magistrorum vici).

Über die F. Antiates maiores, deren Consuln- und Censorenliste um 170 v.Chr. begonnen haben dürfte, kann man solche Zusammenstellungen bis in die Zeit des M. Fulvius Nobilior zurückverfolgen [21]; die verbreitete Annahme älterer F., die sich etwa auf die Erwähnung der (vermutlich fiktiven) *libri lintei* stützt (dazu [13]), ist auf Kritik gestoßen [21]. Unzweifelhaft ist, daß chronologisch geordnete Consullisten im 2. und 1. Jh. v.Chr. ein zentrales Medium zur »Rekonstruktion« einer eigenen gentilizischen Ansprüchen genügenden Vergangenheit (→ Genealogie), v.a. in der frühen Republik, bildeten. In diesem Sinne ist »Fastenkritik« zu einer wichtigen Methode im wiss. Aufarbeitung der frühen röm. Gesch. geworden; die Existenz der Namensträger und die Ansprüche auf Konsulate und andere Spitzenämter (und die damit implizierte Verfassungsgesch.; → Consul, → Consulartribun) ist bis ins 4. Jh. v.Chr. hinein Gegenstand grundsätzlicher Zweifel [8; 17; 18]; mit einzelnen Fälschungen muß auch in der Folgezeit gerechnet werden (umfassende Analyse und radikale Kritik: [23]).

→ Feriae; Feriale; Genealogie; Kalender

ED.: 1 T.MOMMSEN, CIL 1²,1 (Kalender) 2 InscrIt 13,1, 1949 (Magistratslisten) 3 InscrIt 13,2, 1963 (Kalender; für Neufunde s. Nr. 20).
LIT.: 4 G.WISSOWA, Rel. und Kultus der Römer, ²1912 5 D.MALLARDO, Il calendario marmoreo di Napoli, in: Ephemeris Liturgica 58, 1944, 116–177; 59, 1945, 233–294; 60, 1946, 7–26 6 L.R. TAYLOR, New Indications of Augustan Editing in the Capitoline F., in: CPh 46, 1951, 73–80 7 Dies., Forerunners of the Gracchi, in: JRS 52, 1962, 19–27 8 R.WERNER, Der Beginn der röm. Republik, 1963 9 M.E.H. HERMANS, Endotercisus, in: MH 21, 1964, 173–176 10 A.K. MICHELS, The Calendar of the Roman Republic, 1967 (Ndr. 1978) 11 É. BENVENISTE, Indoeurop. Institutionen, 1993 (frz. 1969) 12 F.MAGI, Il calendario dipinto sotto Santa Maria Maggiore, 1972 13 J.PINSENT, Military Tribunes and Plebeian Consuls, 1975 14 R.T. RIDLEY, Fastenkritik, in: Athenaeum 58, 1980, 264–298 15 M.R. SALZMAN, New Evidence for the Dating of the

Calendar at Santa Maria Maggiore in Rome, in: TAPhA 111, 1981, 215–227 **16** P. BRIND'AMOUR, Le calendrier romain, 1983 **17** K. J. HÖLKESKAMP, Die Entstehung der Nobilität, 1987 **18** J. BLEICKEN, Gesch. der röm. Republik, ³1988 **19** G. RADKE, F. Romani, 1990 **20** J. RÜPKE, Kalender und Öffentlichkeit, 1995 **21** Ders., F., in: Klio 77, 1995, 184–202 **22** Ders., Gesch.-Schreibung in Listenform, in: Philologus 141, 1997, 65–85 **23** F. MORA, F. e schemi cronologici, 1998. J. R.

Fasti Ostienses. Frg. erh. Marmorkalender mit beigefügter Liste der röm. Konsuln und Suffektkonsuln sowie der ostiensischen *duumviri*, die durch umfangreiche histor. Notizen aus Rom und Ostia erweitert ist und damit den Charakter einer Chronik gewinnt. Während vom Kalender nur Frg. aus drei Monaten faßbar sind, die z. T. sehr ausführliche Anm. zu den einzelnen Festen aufweisen, zählt der magistratisch-historiographische Teil zu den bedeutendsten lat. Inschr. Die Frg. umfassen – mit Lücken – den Zeitraum von 49 v. Chr. bis 175 n. Chr. Die Abfassung der F. O. wurde wahrscheinlich vor 2 n. Chr. begonnen [1. 174]; sie dürften ungefähr mit der Zeit Sullas eingesetzt haben [2. 144] und wurden über nahezu zwei Jh. fortgesetzt. Mit ihrer Führung war wohl, in Anlehnung an das Vorbild der röm. Pontifikalannalen [3], der *pontifex Volcani* betraut, so daß die F. O. urspr. als Wandverkleidung eines nicht genau lokalisierten Vulkan-Tempels gedient haben könnten [2. 147f.]. Die in der Dokumentation weitgehend konstant gehaltene Abfolge – stadtröm. Magistrate, histor. Notizen, lokale Funktionsträger – läßt vermuten, daß die Eintragungen stets gesammelt am Beginn des Folgejahres vorgenommen wurden; nur in Ausnahmefällen ist eine später erfolgte Abfassung anzunehmen [2. 144f.]. Neben der Einbeziehung lokaler Beamter und Ereignisse liegt das Hauptgewicht auf den Vorgängen in Rom und am Kaiserhof: Todesfälle, Geburten, Geldgeschenke, Triumphe, Tempeldedikationen und Spiele nehmen in der Darstellung breiten Raum ein. Als Quelle für die z. T. mit genauer Tagesangabe belegten Ereignisse könnten u. a. die *acta diurna populi Romani* gedient haben [4]. Aufgrund der Ausführlichkeit und Vielfalt der gelieferten Informationen stehen die F. O. lit. Texten wie den Breviarien zur röm. Gesch. (z. B. des → Velleius Paterculus) nahe [3].

ED.: **1** InscrIt 13.1, 173–241 (Beamtenliste); 13.2, 104–106 (Kalender) **2** FO² (nur Beamtenliste).
LIT.: **3** J. RÜPKE, Gesch.-Schreibung in Listenform, in: Philologus 141, 1997, 65–85 **4** A. STEIN, Die röm. Staatszeitung und die F. O., in: HZ 149, 1934, 294–298.
B. BR.

Fastidius. Bischof in Britannien im 5. Jh. n. Chr., nach Gennadius (vir. ill. 57) Verf. von zwei Schriften: *De vita Christiana (ad Fatalem)* und *De viduitate servanda.* Seine Zugehörigkeit zu den Pelagianern (→ Pelagios), die im Chronicon des → Prosper Tiro zum J. 429 (MGH AA 9,1, 472) genannt werden, ist nicht bewiesen. Sieht man von der im Sermo 20 des → Caesarius von Arles (CPL

1008) benutzten *Epistula ad Fatalem* (vgl. CPL 763) ab, ist jede Zuweisung von Texten, auch jene des sog. *Corpus Caspari* (CPL 732–736), umstritten.

F. G. NUVOLONE, s. v. F., Dictionnaire de Spiritualité 12, 2912–2914. K. U.

Faszie s. Ornament

Fatima (Fāṭima). Tochter des → Mohammed und seiner ersten Frau Ḥadīǧa, Frau des späteren Kalifen → ʿAlī b. Abī Ṭālib (→ Ali), Mutter von al-Ḥasan und al-Ḥusain, genießt als einzige der Prophetentöchter allg. Verehrung unter den Muslimen, die ihr außerordentliche Eigenschaften zuschreiben. Bes. unter den → Schiiten und Ismailiten gilt sie als wundertätige Frauengestalt, in der christl. (Gleichsetzung mit der Jungfrau Maria) und gnostische Züge (F. als Verkörperung des Lichts) zusammenkommen. Über die histor. Person F. ist wenig bekannt.

H. LAMMENS, Fāṭima et les filles de Mahomet. Notes critiques pour l'étude de la Sīra, 1912 • L. MASSIGNON, La notion du voeu et la dévotion musulmane à Fāṭima, in: Studi orientalistici in onore di Giorgio Levi della Vida II, 1956, 102–126 • L. VECCIA VAGLIERI, s. v. F., EI² 2, 841b–850a.
I. T.-N.

Fatum s. Schicksal

Faunus. Röm. Gott des Draußen, der früh mit dem griech. → Pan identifiziert wurde. In der Dichtung und v. a. in der bildenden Kunst fallen die beiden überhaupt zusammen: F., der Liebhaber der → Nymphen (Hor. carm. 3,18,1) und der unersättliche Erotomane [1], stammt aus der hell. Myth. Eine eigene Ikonographie besitzt F. nicht [2; 3]. Wie Pan ist er mit Wald und Gebirge sowie mit Ziegen und Schafen verbunden. Eigenständiger ist seine Rolle als Urheber von Alpträumen und numinosen Stimmen und dann als Weissager überhaupt, die Verbindung mit den → Lupercalia und die Einbindung in die Reihe der ital. Urkönige. Ob der weit häufigere Pl. *Fauni* (belegt seit Enn. ann. 207) dem griech. Pl. *Panes* nachgebildet oder eigenständig ist, ist unklar.

A. FAUNUS ALS GOTT DES DRAUSSEN
B. KULT C. MYTHOLOGIE

A. FAUNUS ALS GOTT DES DRAUSSEN

F. gehört, wie Pan, fest zur wenig zivilisierten Natur außerhalb der Stadt und jenseits des Ackerlands (Verg. Aen. 10,551); in diesem Sinn ist er autochthon (Verg. Aen. 8,314) und wird mit → Silvanus zusammengestellt. Entsprechend gilt er als Gott des Kleinviehs, mit dem er sich als *Inuus* auch sexuell beschäftigt (Serv. Aen. 6,775); Ovid bindet dies in eigener Mythenschöpfung gar in die Aitiologie der Lupercalia ein (fast. 2,423–446). Die damit verknüpfte Ableitung des Namens von *favere*, »wohlgesonnen sein« (Serv. auct. georg. 1,10), allerdings ist nicht haltbar, weil eine solche Funktion unbelegt ist;

ebenso falsch ist das moderne Verständnis des F. als Windgott (Favonius: [4]). Als Gottheit der »wilden Natur« erscheint F. in verschiedenen kobold- oder gespensterhaften Rollen. Er kann unsichtbar Menschen erschrecken (bestimmte Hündinnen können die F. sehen: Plin. nat. 8,42,151) und überfallen (Dion. Hal. ant. 5,16,2f.) und in einer Art Besessenheit Alpträume bringen (Serv. Aen. 6,775); Heilung schreibt man bestimmten volksmedizinischen Rezepten zu (Plin. nat. 25,10,29; 30,24,84). Schon Ennius (ann. 207) verbindet *Fauni* und *vates*; ihre zukunftskündenden Stimmen wurden etwa in der Krise einer Schlacht gehört (Cic. div. 1,45,101), sind aber so häufig (Cic. nat. deor. 3,6,15), daß die übliche ant. Etym. den Namen F. überhaupt von *fari* im Sinne von »weissagen« ableitet (Varro ling. 7,36). Als Gott solcher Stimmen heißt er auch *Fatuus* und *Fatuclus* (Serv. Aen. 6,775). Häufiger als *Fatuus* ist *Fatua*, die mit Fauna identifiziert (schon in den *libri pontificales*, Labeo bei Macr. Sat. 1,12,21) und als ekstatische Prophetin bezeichnet wird (Iust. 43,1,8). − Lit. wird F. zum Orakelgott, dessen Inkubationsorakel in Albunea Vergil nach eigener Erfindung beschreibt (Aen. 7,81−91, vgl. Ov. fast. 4,649−668 [5. 176 Anm. 2]), während Calpurnius einen in die Rinde eines Baumes eingeschriebenen Orakeltext des F. vorführt (ecl. 1,33−88).

B. KULT

In Rom hat F. sein Heiligtum außerhalb des → *pomerium* und jenseits des festen Landes auf der Tiberinsel; der Tempel wurde aus Strafgeldern der *pecuarii* (»Viehzüchter«) gebaut und am 13. Februar 194 v.Chr. geweiht (Liv. 33,42,10; 34,53,3f.). Unmittelbar danach, am 15. Februar, folgten die → Lupercalia (Fasti Esquilini; Ov. fast. 2,193f.), als deren Gott F. gilt, wobei er wegen des Festnamens mit dem arkad. → Pan Lykaios fest verbunden ist (Dion. Hal. ant. 1,80,1 nach Aelius Tubero fr. 3 PETER; Liv. 1,5,2). Der Gott fügt sich zur »wilden und vorzivilisatorischen Bruderschaft« der *Luperci* (Cic. Cael. 26). Ergebnis eher denn Grund dieser Verbindung ist, daß das → Lupercal am Palatin zur Grotte des F. wird. Wohl auf die Lupercalia zielt auch Augustins Behauptung, Romulus habe den Kult des F. in Rom eingerichtet (civ. 4,23). Demgegenüber fehlen Zeugnisse für Privatkult des F. vollständig; möglicherweise ist er hier durch Silvanus ersetzt [6], mit dem er aber erst spät identifiziert wird (Ps.-Aur. Vict. origo gentis Romanae 4,6). − Inwieweit die ländlichen Feste des F. in der Dichtung realen Kult und nicht hell. idealisiertes Landleben spiegeln, ist schwer zu entscheiden (Hor. carm. 1,4,11; 3,18,1−16; Calp. ecl. 5,24−31).

C. MYTHOLOGIE

Im Mythos erscheint F. regelmäßig als Urkönig der → Aborigines und Sohn des → Picus (Verg. Aen. 7,48); beide fügen sich als *numina silvestria* (»Waldgottheiten«) und *di agrestes* (»ländliche Gottheiten«) (Ov. fast. 3,303; 315) in die Vorzeit vor der Gründung der Stadt; der Specht (*picus Martius*) ist auch im Volksglauben mit F. verbunden (Plin. nat. 25,10,29). Vielleicht ist bereits der

ps.-hesiodeische Agrios die Hellenisierung des F. [7. 48]; in späten Überlieferungen bewirtet er anstelle des → Euander Hercules in Rom (Derkyllos FGrH 288 F 2). Eng verbunden wird F. mit dem weibl. Gegenstück *Fauna*, die als seine Frau oder Tochter gilt. Ein Kult der Fauna ist nicht bezeugt, doch wird sie regelmäßig mit → Bona Dea, → Fatua, → Ops und → Maia identifiziert (Macr. Sat. 1,12,21).

1 E. FANTHAM, Sexual comedy in Ovid's Fasti, in: HSPh 87, 1983, 185−216 2 P. POUTHIER, P. ROUILLARD, F. ou l'iconographie impossible, in: L. KAHIL et al. (Hrsg.), Iconographie classique et identités régionales, 1986, 105−110 3 Dies., s.v. F., LIMC 8.1, 582f. 4 L. LUSCHI, Cacu, Fauno e i venti, in: SE 57, 1991, 109−117 5 R. HEINZE, Vergils ep. Technik, ³1928 6 G. WISSOWA, Rel. und Kultus der Römer, 1912, 213 7 T.P. WISEMAN, Remus. A Roman Myth, 1995.

J. GAGÉ, Énée, F. et le culte de Silvain »Pélasge«, in: MEFRA 73, 1961, 69−138 · LATTE, 83f. · E.C.H. SMITS, F., 1946 · T.P. WISEMAN, The god of the Lupercal, in: JRS 85, 1995, 1−22 · G. WISSOWA, Rel. und Kultus der Römer, 1912, 208−216.   F.G.

Fausta. Flavia Maxima F. Tochter des Kaisers Maximianus und der Eutropia, noch minderjährig Ende 307 n.Chr. mit Constantinus [1] verheiratet, um die Allianz zwischen dem in die Politik zurückgekehrten Maximianus und Constantinus zu festigen. Mutter von drei Kaisern: Constantinus [2], Constantius [2] und Constans [1]. Ende 324 wurde sie mit Helena zur Augusta erhoben, wenig später aber unter ungeklärten Umständen auf Befehl ihres kaiserlichen Gemahls umgebracht.

PLRE 1, 325f. · J.W. DRIJVERS, Flavia Maxima F., in: Historia 41, 1994, 500−506.   B.BL.

Faustina

[1] Annia Galeria Aurelia F. Tochter Marc Aurels und F.s [3]. Geb. wohl 151 n.Chr. [1. 108, 247; 2. 161], verheiratet mit Cn. Claudius [II 62] Severus, cos. II 173. Ihr Sohn war Ti. Claudius [II 65] Severus Proculus, cos. ord. 200. PIR² C 1028.

1 A.R. BIRLEY, Marcus Aurelius, ²1988 2 W. AMELING, Die Kinder des Marc Aurel..., in: ZPE 90, 1992, 147−166.

[2] Annia Galeria F. Gemahlin des → Antoninus [1] Pius. Tochter des → Annius [II 15] Verus, cos. III 126 n.Chr., und der Rupilia F. Aus der Ehe mit Antoninus Pius stammten vier Kinder, von denen nur F. [3] die Eltern überlebte. Nach der Herrschaftsübernahme durch Pius erhielt sie den Augustanamen. Vor dem 24. Okt. 140 gestorben; am selben Tag durch Senatsbeschluß konsekriert; vor dem 13. Nov. mit einem *funus censorium* geehrt und im Mausoleum Hadriani bestattet (ILS 349). Am Rande des Forum Romanum wurde ihr ein Tempel errichtet (ILS 348). Zu ihrem Andenken wurde eine Alimentarstiftung für *puellae Faustinianae* eingerichtet. [1. 403ff.].

PIR² A 715.

1 L. VIDMAN, in: Sodalitas. Scritti Guarino I, 1984.   W.E.

[3] Annia Galeria F. Gemahlin des Kaisers Marc Aurel. Tochter von F. [2] und → Antoninus [1] Pius. Geb. 16. Febr. ca. 130 n.Chr. [2. 34f.]. Auf Anordnung Hadrians am 25. Febr. 138 mit L. Verus verlobt; nach Hadrians Tod Lösung der Verbindung und neue Verlobung mit Marc Aurel, dem anderen Adoptivsohn des Pius. Spätestens April 145 Heirat; aus diesem Anlaß wurden Münzen mit den Porträts des Paares geprägt, an die stadtrömische *plebs* wurde wohl am selben Tag ein *congiarium* gegeben (FO² 50).

Im Laufe der langen Ehe gebar sie insgesamt mindestens vierzehn Kinder, von denen nur wenige sie überlebten [2. 247f.; 5]. Auf Münzen wird ihre *fecunditas* (»Fruchtbarkeit«) gerühmt. Die erste Tochter, Domitia F., wurde am 30. Nov. 147 geb.; am 1. Dez. erhielt F. den Augustanamen und Marc Aurel die *tribunicia potestas* (FO² 51). Manche der in den folgenden Jahren geborenen Kinder starben schnell nach der Geburt, die generell auf den Münzen verzeichnet wurde. Die Kinder und die Mutter wurden auch oft im Briefwechsel Frontos mit Marcus Aurelius erwähnt, ebenso alltägliche Vorkommnisse und Krankheiten [4. Index, S. 279]. Im J. 161 wurde ihre Tochter Lucilla mit L. Verus, dem Mitherrscher Marc Aurels, verlobt; die Heirat fand 164 statt. Am 31. Aug. 161 wurde ihr Sohn Commodus, der spätere Kaiser, geb., um 170 die letzte Tochter Vibia Aurelia Sabina.

Während der Markomannenkriege war F. mit ihrem Mann in Carnuntum, vielleicht eine Reaktion auf Gerüchte, sie habe Affären mit Männern, vor allem Gladiatoren. Dort Einflußnahme im Prozeß gegen Herodes Atticus. 174 wurde sie nach dem Sieg über die Quaden mit dem Titel *mater castrorum* ausgezeichnet – vielleicht auch eine Kompensation für den ungeliebten Aufenthalt an der Donau. Nach Cassius Dio (71,22,3) und HA Aur. (24,6) soll F. den Statthalter von Syrien, Avidius [1] Cassius, aufgefordert haben, im Fall des Todes ihres Gatten die Herrschaft zu übernehmen und sie zu heiraten. Avidius wurde 175 zum Kaiser proklamiert – auf Grund einer falschen Todesnachricht. Diese Rebellion brach nach wenigen Monaten zusammen; Marcus Aurelius ging dennoch nach dem Osten, F. begleitete ihn.

Ende 175 / Anf. 176 starb F. in Halala, einem Dorf in Kappadokien, das zur Stadt Faustinopolis erhoben wurde. Der Senat machte sie zur *diva*, auf Münzen wurde ihres Todes gedacht, eine Alimentarstiftung zu ihrer *memoria* eingerichtet: *novae puellae Faustinianae*. Dies waren wohl bewußte Maßnahmen von Marcus Aurelius, um gegen Gerüchte über sie vorzugehen. Seine Trauer um sie dürfte philosophisch gezügelt, aber echt gewesen sein. Im Gegensatz zur Überlieferung zeichnet er in seinen ›Selbstbetrachtungen‹ (εἰς ἑαυτόν) von ihr ein vorteilhaftes Bild.

LIT.: **1** PIR² A 716 **2** A.R. BIRLEY, Marcus Aurelius, ²1988 **3** RIC III 268ff. **4** M.P. VAN DEN HOUT (ed.), Fronto. Epistulae, 1988 **5** W. AMELING, Die Kinder des Marc Aurel, in: ZPE 90, 1992, 147–166.

PORTRÄTS: **6** FITTSCHEN-ZANKER III 20ff. Nr. 19ff. **7** K. FITTSCHEN, Die Bildnistypen der Faustina Minor ... , 1982. W.E.

[4] Dritte und letzte Gattin des Kaisers Constantius [2] II. seit Anfang 361 n.Chr. (Amm. 21,6,4). Der Usurpator → Prokopios erlangte später die Sympathie der Truppen, indem er sie und ihre Tochter Constantia [3] zwang, ihn auf seinem Feldzug zu begleiten (Amm. 26,7,10; 9,3). PLRE I, 326. K.G.-A.

Faustinupolis (Φαυστινούπολις, *colonia Faustinopolitanorum*). Urspr. das Dorf Halala 24 km südöstl. von Tyana, h. Başmakcı. Hier starb 176 n.Chr. → Faustina d.J. (SHA Aur. 26,4; 9), weshalb F. von M. Aurelius zur *colonia* erhoben wurde. Seit 431 als Bistum belegt.

M.H. BALLANCE, Derbe and F., in: AS 14, 1964, 139–145 · R.P. HARPER, s.v. F., PE, 326 · HILD/RESTLE, 258f. · T. DREW-BEAR, Inscriptions de Cappadoce, in: J. DESCOURTILS (Hrsg.), De Anatolia Antiqua, 1991, 130–149 · M. COINDOZ, Cappadoce méridionale, in: B. LE GUEN-POLLET, O. PELON, La Cappadoce méridionale, 1991, 83. K.ST.

Faustinus

[1] s. Faustulus

[2] Begüterter Freund des Dichters → Martial, der ihm B. 3 (3,2) und 4 (4,10) widmete; er besaß Villen in Baiae (3,58), Tibur (4,57), Tarracina (10,51,8) und Trebula (5,71). PIR² F 127. K.-L.E.

[3] Wahrscheinlich 273 n.Chr. Statthalter der Provinz Belgica unter → Esuvius [1] Tetricus, gegen den er nach Polemius Silvius (Chron. min. I, 522 MOMMSEN) als Usurpator in Trier Truppen aufwiegelte (Aur. Vict. Caes. 35,4).

PIR² F 131 · PLRE I, 326 (F. I) · KIENAST, ²1996, 249. T.F.

[4] Der Presbyter F. wirkte gegen Ende des 4.Jh. n.Chr. in Rom bei den sogenannten »Luciferianern« (→ Lucifer), einer streng »altnizänischen« Gemeinde, die sich von der röm. Mehrheitskirche und ihrem neunizänischen Bekenntnis abgesondert hatte. In einer Bittschrift an die Kaiser → Valentinianus II., Theodosius und Arcadius protestierte F. freilich gegen diese Bezeichnung seiner Gruppe und den gegen sie erhobenen Häresieverdacht (*De confessione verae fidei*; CPL 1571, § 86). F. schrieb vor 386, vielleicht auf Bitten der Gattin des Kaisers Theodosius, eine trinitätstheologische Abhandlung (*De Trinitate ad Augustam Flacillam*; CPL 120), die die entsprechenden Werke des → Athanasios, → Hilarius und → Ambrosius verwendet. Das urspr. origenistische und dann auch neunizänische Bekenntnis zu den drei Hypostasen des Vaters, Sohnes und Hl. Geistes bekämpft er außerdem in seiner *Confessio fidei* an Theodosius (CPL 119), indem er es stets als häretisches Bekenntnis zu drei *substantiae* bezeichnet.

M. SIMONETTI (Hrsg.), Faustini Opera (= CCL 69), 1967, 285–392 · Dies., Note su F., in: Sacris Erudiri 14, 1963, 50–98. C.M.

Faustkampf (πυγμή, πύξ; *pugilatio, pugilatus*). Die Disziplin ist bereits in vorgriech. Zeit nachweisbar (Äg. [1. N 1–2]; Mesopotamien [2. Abb. 69; 3. 16f.]) und tritt auch in ant. Randkulturen auf (Etrurien [4. 181–268]; Situlenkunst [4. 168–174; 185f.; 226–231]; Lukanien [5. 54f.]). Im frühgriech. Ägäisraum belegen eindrucksvolle Dokumente aus Thera (Fresko der sog. boxenden Prinzen) [6. Taf. 38; 7. 43–45] und der Bildschmuck eines Rhytons aus Hagia Triada [6. Taf. 106f.; 7. 43–45]) ihre Existenz [8]. Die älteste lit. Schilderung eines F., der in der Epik bis zu den *Dionysiaká* des Nonnos zahlreiche folgen [9], findet sich in der *Ilias* (Hom. Il. 23,651–699) im Rahmen der Leichenspiele für Patroklos, wo die Athleten, gegürtet und mit Faustriemen (ἱμάντες) versehen, nach herausfordernden Reden in hartem Schlagabtausch begriffen sind. Sein blutiges Ende, das mit der Kampfunfähigkeit des Verlierers eintritt, ist kennzeichnend für die Härte dieser Disziplin, der man nur durch Zurücktreten von der Meldung oder durch Aufgabe (ἀπαγορεύειν) [10. 10] entgehen konnte. Da nicht in Gewichtsklassen eingeteilt wurde (wohl aber in Altersklassen), waren die Gewinnchancen für einen großen, schweren Kämpfer (Philostr. *Perí gymnastikḗs* 34) am günstigsten. Dennoch gab es Athleten, die mehr auf Technik als auf Kampfkraft setzten (z. B. Hippomachos bei Paus. 6,12,6; Melankomas bei Dion Chrys. orationes 28,29; vgl. Verg. Aen. 5,430f.).

Gekämpft wurde ohne zeitliche Begrenzung und ohne Pause; der Aktionsraum des Kampfpaares wurde gelegentlich durch Absperrung [2. Abb. 81f.] oder gegenseitiges Anbinden [7. 44 sowie Abb. 10f.] begrenzt. Onomastos aus Smyrna, erster F.-Sieger in Olympia (23. Ol. = 688 v. Chr.) [11. Nr. 29], soll die ersten Regeln verfaßt haben. Die in der Sekundärlit. häufig überspitzt formulierte Ansicht, nur Kopftreffer seien erlaubt gewesen, ist nicht überzeugend [12. 293f.]; daß diese am wirkungsvollsten waren, steht außer Zweifel. Das in satirischen Epigrammen verwendete Bild des bis zur Unkenntlichkeit verunstalteten Boxers, der deshalb seines Erbes verlustig geht (Anth. Pal. 11,75 [13. 204–209]), wird mit der Wirklichkeit häufig genug übereingestimmt haben. Ein getreues Abbild eines vom Kampf gezeichneten, durch Schlagwirkung aus zahlreichen Wunden blutenden Faustkämpfers stellt die späthell. Sitzstatue des sog. Thermenboxers dar, die in der Tradition des Heraklesbildes geschaffen wurde, dem Ideals aller Athleten [14. 150–174; 201–203]. Die für die archa. und klass. Zeit gut bezeugte Teilnahme der Oberschicht am F. darf auch noch für spätere Zeiten angenommen werden [15. 73f.; 78f.]. Die rhodische Aristokratenfamilie der Diagoriden, die im 5. Jh. v. Chr. in drei aufeinander folgenden Generationen vier Olympiasieger im F. stellte, ist ein illustres Beispiel für die Beteiligung des Adels an dieser Disziplin [16. 136–138]. Das Training geschah wegen der Verletzungsgefahr mit gepolsterten Fausthandschuhen (σφαῖραι) und Kopfschutz (ἀμφωτίδες) und sah Arbeit am Sandsack (κώρυκος) sowie Schattenboxen (σκιαμαχεῖν) vor [12. Reg. s. vv.].

Berühmtester Faustkämpfer der Ant. war Theogenes von der Insel Thasos mit 1300 Gesamtsiegen (einschließlich der Erfolge im → Pankration), der 22 Jahre lang in seiner Spezialdisziplin unbesiegt blieb [17. Nr. 37].

In Rom gab es neben der griech. auch eine eigene Tradition von F., auch in Form von Gruppenkämpfen (*pugiles catervarii*) [18. 1313f.], für die Augustus eine Vorliebe hatte (Suet. Aug. 45,2). Hier wurde auch mit dem *caestus* [19; 2. 75–79; Stellen und Lit.: 11. 277] ein brutaler Fausthandschuh entwickelt, der metallene Bestandteile (und häufig zum Schutz vor Treffern zugleich bis über die Oberarme reichende Bandagen) enthielt. Seine Schlagwirkung übertraf die der effektiven ledernen Schlagriemen (ἱμάντες ὀξεῖς), die in Griechenland ab dem 4. Jh. v. Chr. die einfachen Lederriemen ablösten, noch beträchtlich [2. 68–70].

1 W. DECKER, M. HERB, Bildatlas zum Sport im Alten Äg., 1994 2 M. POLIAKOFF, Combat Sports in the Ancient World, 1987 3 R. ROLLINGER, Aspekte des Sports im Alten Sumer, in: Nikephoros 7, 1994, 7–64 4 J.-P. THUILLIER, Les jeux athlétiques dans la civilisation étrusque, 1985 5 A. PONTRANDOLFO, A. ROUVERET, Le tombe dipinte di Paestum, 1992 6 S. MARINATOS, M. HIRMER, Kreta, Thera und das myk. Hellas, 1959, Ndr. 1986 7 S. LASER, Sport und Spiel (ArchHom T), 1987 8 J. COULOMB, Les boxeurs minoëns, in: BCH 105, 1981, 27–40 9 F. FIEDLER, Der F. in der griech. Dichtung, in: Stadion 18, 1991, 1–67 10 M. POLIAKOFF, Studies in the Terminology of Greek Combat Sports, ²1986 11 L. MORETTI, Olympionikai, 1957 12 G. DOBLHOFER, P. MAURITSCH, U. SCHACHINGER, Boxen (Quellendokumentation zur Gymnastik und Agonistik im Alt. 4), 1995 13 L. ROBERT, Les épigrammes satiriques de Lucillius sur les athlètes. Parodie et réalités, in: Entretiens 14, 1968, 181–295 14 N. HIMMELMANN, Herrscher und Athlet, 1989 15 H. W. PLEKET, Zur Soziologie des ant. Sports, in: MededRom 36, 1974, 57–87 16 W. DECKER, Sport in der griech. Ant., 1995 17 J. EBERT, Epigramme auf Sieger an gymnischen und hippischen Agonen, 1972 18 E. MEHL, J. JÜTHNER, s. v. Pygme, RE Suppl. 9, 1306–1352 19 J. JÜTHNER, s. v. caestus, RE 3, 1319–1321.

W. RUDOLPH, Olympischer Kampfsport in der Ant., 1965.
W. D.

Faustulus. Ziehvater von → Romulus und Remus, Ehemann der → Acca Larentia. Nach der auf Diokles [7] und Fabius Pictor (Dion. Hal. ant. 1,79,4; Plut. Romulus 3,1,19a; 8,9,22c; Ps.-Aur. Vict. origo 20,1) zurückgehenden Trad. [1. 9f.] ist F. entweder → Amulius' Oberhirt, dem die anderen Hirten die neugeborenen Brüder Romulus und Remus übergeben (Dion. Hal. ant. 1,79–83), oder derjenige, der die Zwillinge mit der Wölfin am Ufer des Tiber gefunden hat (Liv. 1,4). Er übergibt seinerseits die Kinder seiner Frau Acca, die eben ein Kind geboren hat, das kurz danach stirbt (Dion. Hal. ant. 1,79,9f.). Nach der rationalisierenden Version der jüngeren Annalistik (Valerius Antias, Licinius Macer) [1. 14] ist F. ein Arkader, Begleiter des → Euander, dem → Numitor die Kinder zur Erziehung heimlich übergibt (Dion. Hal. ant. 1,84,3 f.; Plut. Romulus 6,1,20c; Ps.-Aur. Vict. origo 19,7). Da sich F. und die Zwillinge im Dienst bei Amulius befinden, wird die Figur des Faustinus, F.' Bruder und Numitors Hirt, eingeführt, der den Kontakt zw. den Jungen und dem Großvater aufrechterhält. F. offenbart Romulus und Remus ihren königlichen Ursprung. Er wird während des Streits um die Gründung Roms zw. Romulus und Remus erschlagen (Dion. Hal. ant. 1,87,1–2; Ps.-Aur. Vict. origo 23,5; Plut. Romulus 10,2,23bc). Nach Ovid (fast. 5,453 ff.) lebt F. auch noch nach der Ermordung von Remus: Dessen Seele erscheint ihm und Acca und bittet sie, bei Romulus ein Fest zu seinen Ehren zu beantragen.

Das Grabdenkmal des F. soll angeblich einen Löwen dargestellt und sich auf dem Forum befunden haben (Dion. Hal. ant. 1,87,2). Der Lapis Niger beim Comitium wird u. a. auch mit dem Grab des F. gleichgesetzt [2]. Über die Identifikation des *tugurium Faustuli* mit der *casa Romuli* s. [3].

1 TH. MOMMSEN, Röm. Forschungen Bd. 2, 1879 (Ndr. 1962) 9 f. 2 F. COARELLI, Il foro romano, 1986, 166 ff. 3 Ders., s. v. casa Romuli, LTUR 1, 241.

F. CASSOLA, Le Origini di Roma e l'età regia in Diodoro, in: E. GALVAGNO, C. MOLÈ VENTURA (Hrsg.), Mito Storia Tradizione, 1991, 273–324 · H.-J. KRÄMER, Die Sage von Romulus und Remus in der lat. Lit., in: H. FLASHAR, K. GAISER (Hrsg.), Synusia, Festgabe für W. Schadewald, 1965, 355–402 · J.P. SMALL, s. v. F., LIMC 4.1, 130 ff.   FR. P.

Faustus. Angeblich altes lat. Praenomen (Liber de praenominibus 4), aber histor. (in der Bedeutung »der vom Glück Begünstigte«) erst bezeugt für F. Cornelius [I 87] Sulla, den Sohn des Dictators Sulla, und seine Nachkommen (→ Cornelius [II 57] und [II 60]). Beiname der Anicii (→ Anicius [II 2–6]); auch beliebter Sklavenname.

SALOMIES, 28 · H. SOLIN, Die stadtröm. Sklavennamen, 1, 1996, 82–85 · SYME, AA, Stemma XVI.   K.-L. E.

[1] Anicius Acilius Glabrio F. entstammte der bedeutendsten spätröm. Senatorenfamilie, war unter Honorius und Valentinianus III. dreimal *praefectus urbi Romae*, 437/8 n. Chr. und 442 *praefectus praetorio Italiae Africae et Illyrici* (ILS 1283) und 438 *consul*. Am 25. Dezember des Consulatsjahres versammelte sich der Senat in seinem Hause, um durch ihn den eben vollendeten Codex Theodosianus entgegenzunehmen (Cod. Theod. 1,2,1–4).

PLRE 2, 452–454 · A. CHASTAGNOL, Fastes de la Préfecture de Rome, 1962, 286–289 · J. HARRIES, J. WOOD, The Theodosian Code, 1993, 19–22.   K.P.J.

[2] Flavius Anicius Probus F. iunior Niger. *Consul* 490 n. Chr., wurde als *magister officiorum* wohl 491 von → Theoderich nach Konstantinopel geschickt, um dessen Herrschaft zu legalisieren (Anon. Valesianus 11,53; 12,57). Obwohl er dort bis ca. 493 blieb, hatte er keinen

Erfolg. 503–505/6 war er *quaestor palatii* und 507–512 *praefectus praetorio* im Ostgotenreich. → Ennodius schickte ihm zwischen 501 und 512 viele Briefe.

PLRE 2, 454–456 · I. KÖNIG, Aus der Zeit Theoderichs d. Gr., 1997, 127, 138 f. · J. MOORHEAD, Theoderic in Italy, 1992.   K.P.J.

[3] F. Reiensis. Bischof von Reii (Riez), * kurz vor 410 n. Chr. in Britannien, Mönch auf der Insel Lerinum (h. Lérins, vor der südfrz. Küste), seit 434 dort dritter Abt, seit ca. 460 Bischof von Riez, 477–484/5 durch Eurich verbannt, † um 495. In der Provence als Heiliger verehrt (Fest: 28. Sept.). Auf Synoden von Arles und Lyon (um 475) und in 3 B. *De gratia dei* (CPL 961) wendete er sich gegen den Prädestinatianismus des Lucidus. Indem F. die der (äußeren) Gnade vorausgehende grundsätzliche Möglichkeit des gefallenen Menschen zum Guten (*possibilitas boni*) betonte, geriet er insbes. seit 519 bei → Johannes Maxentius und → Fulgentius v. Ruspe in den Verdacht, ein Pelagianer (→ Pelagios) zu sein. Die 2. Synode von Oranges (529) unter Caesarius von Arles richtete sich, ohne F. zu nennen, gegen seine Lehre. Gennadius verteidigte (vir. ill. 86) die Gnadenlehre des F.; Sidonius Apollinaris dichtete ein Eucharisticon auf F. (carmen 16). In einem Brief (epist. 3 CSEL 21 = 20 MGH AA 8) vertrat F., um Gottes Andersartigkeit zu betonen, die Körperlichkeit der Engel und der Seele, was → Claudianus [4] Mamertus zu seiner Schrift *De statu animae* (CPL 983) veranlaßte. V. a. bei → Eusebius [13] Gallicanus und umfangreicher in den Predigt-Slgg. des → Caesarius [4] von Arelate ist der reiche homiletische Nachlaß des F. (CPL 965–975a) in überarbeiteter Form erh. geblieben.

ED.: Zu CPL 961–977 vgl. A. HAMMAN, PL Suppl. 3, 1963, 492–545. LIT.: É. GRIFFE, Les sermons de F. R., in: BLE 61, 1960, 27–38 · C. TIBILETTI, F. R. nei giudizi della critica, in: Augustinianum 21, 1981, 567–587 · Ders., Polemiche in Africa contro i teologi provenzali, in: Augustinianum 26, 1986, 499–517 · TH. A. SMITH, De gratia, 1990.   K.U.

[4] Faustos von Byzanz. Die umfangreiche Schrift ›Geschichte Armeniens‹, die in klass. Armenisch von der Gesch. Großarmeniens im 4. Jh. n. Chr. handelt, wurde schon früh F. zugewiesen. Lazar von P'arpec'i (5. Jh.), der sein Werk als dritte Gesch. Armeniens versteht (nach → Agathangelos [2] und F.), bezeugt F.' Beinamen, der sich auf den Ort seiner lit. Wirksamkeit beziehe. In Wirklichkeit jedoch ist der Beiname des F. eine Ableitung des mißverstandenen Titels seiner Schrift Buzandaran Patmut'iwnk' (»Histor. Komm.«), was zu »Byzanz« bzw. »Buzanda«/»Podandos« als Ortszuweisung führte. Der Verf. war ein armen. Geistlicher, der von einem geeinten Armenien im 4. Jh. ausging.

Sein urspr. in griech. Sprache (vor der Erfindung der armen. Schrift) verf. Werk ist nur in einer armen. Fassung aus der 2. H. des 5. Jh. erh., die vier von urspr. sechs Bänden umfaßt. Das Werk ist die einzige grundlegende Quelle für die Gesch. Armeniens im 4. Jh. → Prokopios zieht es für seine Schilderung der regionalen Ereignisse heran (Prok. BP 1,5,9–40 und Prok. aed. 3,1,6 sind von 4,52ff. und 5,7 der Schrift des F. abhängig). Das Werk weist den Autor als Kenner des Landes und der Sprache aus, der bemüht ist, sorgfältig und objektiv die Ereignisse dieser Zeit, die Machtkämpfe zw. dem Adel und der Kirchenführung zu schildern. → Armenia; Armenier; Armenisch

M. LAUER, Des F. Geschichte Armeniens, 1879 (Ed.) • N. G. GARSOÏAN, The Epic Histories attributed to P⟨awstos Buzand (Buzandaran Patmut⟨iwnk⟨), 1989 (Ed. und Lit.).
K. SA.

Faventia. Stadt der östl. Aemilia an der *via Aemilia* (Itin. Gaditanum 90; Itin. Anton. 100; 126; 287; Itin. Burdig. 616; Tab. Peut. 4,5) am Übergang über den Anemo (Lamone), h. Faenza. Spätrepublikanische Gründung (Auguralname), *municipium, tribus Pollia* [5. 93]. 82 vom Bürgerkrieg in Mitleidenschaft gezogen (Liv. epit. 88; Vell. 2,28; App. civ. 1,91). Berühmt für Wein- (Varro rust. 1,2,7) und Leinen-Produktion (Plin. nat. 19,9). Frühchristl. Diözese. Vorgesch. Siedlung auf dem colle di Persolino; Siedlung des 6. Jh. v. Chr. auf der Piazza d'Armi. Aus röm. Zeit: Orthogonaler Grundriß, orientiert an der *via Aemilia*; Stadtmauern aus *opus quadratum*. F. dehnte sich in der Kaiserzeit bis über die Mauern aus. Augusteische und spätröm. Mosaiken [1]. F. war Verkehrsknotenpunkt, im Norden nach Ravenna und Classis, im Süden nach Etruria (Itin. Anton. 283) [2; 3]. Zenturiationsgebiet. Der → *cardo maximus* verlief in der Verlängerung des Corso Garibaldi; *villae* [4].

1 G. V. GENTILI, Mosaici augustei e tardoromani, in: V. RIGHINI (Hrsg.), Un museo archeologico per F., 1980, 419–501 2 A. MOSCA, La via Faventina, in: N. ALFIERI (Hrsg.), La viabilità tra Bologna e Firenze nel tempo (Atti del Convegno ... 28 settembre – 1° ottobre 1989), 1992, 179–188 3 Dies., Via Quinctia, in: Journal of Ancient Topography 2, 1992, 91–108 4 P. MONTI, Le ville romane del Faentino, in: G. C. SUSINI (Hrsg.), La villa romana, 1971, 75–102 5 W. KUBITSCHEK, Imperium Romanum tributim discriptum, 1889.

G. ROSSINI, Le antiche iscrizioni romane di F., 1938 • A. MEDRI, F. romana, 1943 • G. C. SUSINI (Hrsg.), Studi Faentini in mem. di mons. G. Rossini, 1966 • V. RIGHINI (Hrsg.), Un museo archeologico per F., 1980 • Dies. (Hrsg.), Archeologia a F., 1990.
G. U./Ü: H. D.

Favonius. Seltener röm. Familienname, in Latium vorkommend (SCHULZE 563).
[1] F., M. Aus munizipaler Oberschicht stammend, Anhänger des M. → Porcius Cato (Uticensis), dessen polit. und persönl. Unnachgiebigkeit er zu imitieren suchte, was ihm Mißgunst und zahlreiche Wahlniederlagen eintrug. 61 v. Chr. griff er P. Clodius [I 4] Pulcher an, 60 klagte er erfolglos Q. Caecilius [I 32] Metellus Pius Scipio an. In den 50er Jahren opponierte er vergeblich gegen Caesar, Pompeius und Crassus; 53 oder 52

Aedil, 49 (nach einer Wahlniederlage) Praetor. Im Bürgerkrieg kämpfte er als scharfer Gegner einer Verständigung mit Caesar (Cic. fam. 7,15,2) auf der Seite des Pompeius, dem er allerdings (wie den übrigen Senatsmitgliedern) kritisch gegenüberstand (Plut. Pompeius 60; 67). Nach dessen Tod wurde er von Caesar begnadigt, hielt sich aus der Politik und aus der Verschwörung gegen ihn heraus (Plut. Brutus 12,2). Er schloß sich aber doch den Caesar-Mördern an, wurde bei Philippi gefangengenommen und hingerichtet.

C. F. KONRAD, Notes on Roman Also-Rans, in: J. LINDERSKI (Hrsg.), Imperium sine fine, 1996, 123 (Lit.).
K.-L. E.

[2] F. Eulogius. Unter dem Namen F. E. ist eine *Disputatio de somnio Scipionis scripta* überliefert, die einem gewissen Superius, *consularius provinciae Byzacenae* (Subscriptio), gewidmet ist. Dieser F. E. wird mit jenem E. identifiziert, von dem Augustinus anläßlich eines Traumes *apud Mediolanum*, d. h. zwischen 384 und 386 n. Chr., als einem ehemaligen Schüler, nun Rhetor in Karthago, spricht (Aug. De cura pro mortuis gerenda 11,13). F.' Werk ist aus zwei Teilen ungleicher Länge zusammengesetzt: einem Handbuch (2–19) der Arithmetik, das den Zahlen 1–9 gewidmet ist (anknüpfend an Cic. rep. 6,12), und Anfangsgründen der Musiktheorie (21–27), die zum Verständnis von Ciceros Darlegung der Sphärenharmonie (rep. 6,18) notwendig ist. Der fachliche Gehalt ist elementar und erlaubt weder eine Bestimmung des Verhältnisses zum Komm. des → Macrobius noch eine Identifikation der Quellen; vielleicht verwendete F. E. einen Vergilkomm. des → Marius Victorinus. Ob F. E. Christ war oder nicht, läßt sich nicht klären.

ED.: A. HOLDER, 1901.
ÜBERS.: R. E. van WEDDINGEN, 1957 (frz.) • L. SCARPA, 1974 (it.).
LIT.: S. GERSH, Middle Platonism and Neoplatonism 2, 1986, 743–745 • M. SICHERL, s. v. F. E., RAC 7, 636–640.
J. F./Ü: U. R.

Favorinus. Rhetor mit philos. Interessen, Autor der → Buntschriftstellerei, Vertreter der → Zweiten Sophistik, geb. um 80–90 n. Chr. in Arelate. Sein Leben schildern Philostr. soph. 1,8 und die Suda (s.a. Gell. 16,3,1 u.ö.). Er wurde als Hermaphrodit beschrieben (Philostr.: ἀνδρόθηλυς, εὐνοῦχος; Polemon bei FÖRSTER Scriptores physiognomonici 1,160,10: *sine testiculis natus*, vgl. [6]). Ausgebildet wohl in Massalia, hörte er in Rom (?) Dion Chrysostomos und wurde gefeierter Redner. In Ephesos geriet er in einen langwierigen Streit mit → Polemon. Zeitweilig verlor er die Gunst Hadrians. Seine Schrift Περὶ φυγῆς (*Perí phygḗs*), mit Ortsbezug auf Chios, deutet auf Verbannung; doch da die sonstige biographische Trad. von einer solchen nichts weiß, ist auch Fiktion zu erwägen [8]. Mit dem Kaiser ausgesöhnt, lebte er (als *eques*: [Dion Chrys.] 37,25) bis zu seinem Tod Mitte des 2. Jh. erneut in Rom. Schüler und Freunde waren u. a. → Herodes Atticus, → Gellius, → Fronto und → Plutarch (der ihm *De primo frigido* widmete). Gleich sicher im Griech. (das er bevorzugte) und Lat., zeigte er sich bewandert in beiden Lit. Man rühmte die Anmut seines Ausdrucks. Seine philos. Neigung galt der akademisch-skeptischen Richtung.

Erh. sind von zahlreichen Schriften drei, z. T. im Corpus des Dion Chrysostomos überlieferte Reden (die Zuweisung ist nur im Falle von *Perí phygḗs* völlig sicher): 1. [Dion Chrys.] or. 37, der *Korinthiakós*, voll ›kleinlichen Haschens nach Effekten‹ [13], in Korinth vorgetragen, über F.' wechselhafte Beziehungen zu dieser Stadt; 2. [Dion Chrys.] or. 64, ›Über das Glück‹ (Περὶ Τύχης), F. zugewiesen durch J. GEEL und A. SONNY [3]; 3. ›Über die Verbannung‹ (Titel wohl Περὶ φυγῆς): umfangreiche Reste auf einem 1931 publizierten Papyrus [4], Widerlegung der vier Gründe, aus denen Menschen die Verbannung fürchteten: Sehnsucht nach der Heimat, Verlangen nach Freunden und Verwandten, Wunsch nach Reichtum und Ehre sowie Gefühl mangelnder Freiheit. Die Sammelwerke ›Denkwürdigkeiten‹ (Ἀπομνημονεύματα) in mindestens 5 und ›Bunte Geschichte‹ (Παντοδαπὴ ἱστορία) in 24 Büchern wurden von → Diogenes [17] Laertios benutzt. Von ca. 20 weiteren Schriften z. T. philos. Inhalts (›Die Tropen der Pyrrhoneer‹, 10 B.; ›Plutarch oder über die Grundlehre (?) [διάθεσις] der Akademie‹; ›Gegen Epiktet‹) sind nur Titel und Fr. erh.

1 A. BARIGAZZI (Hrsg.), F. di Arelate, Opere, 1966 2 E. MENSCHING (Hrsg.), F. von Arelate, Fr., 1. Teil 1963 (mehr nicht erschienen) 3 A. SONNY, Ad Dionem Chrysostomum analecta, 1896, 219 ff. 4 M. NORSA, G. VITELLI (Hrsg.), Il papiro vaticano gr. 11. Φαβωρίνου περὶ φυγῆς, 1931 5 B. HÄSLER, F. Über die Verbannung, 1935 6 H. J. MASON: Reifenstein's syndrome in antiquity, in: Janus 66, 1979, 1–13 7 CH. K. CALLANAN, A. BERTINI MALGARINI, Übersehene F.-Frg. aus einer Oxforder Hs., in: RhM 129, 1966, 170–183 8 S. SWAIN, F. and Hadrian, in: ZPE 79, 1989, 150–158 9 G. ANDERSON, The Second Sophistic, in: D. A. RUSSELL (Hrsg.), Antonine Literature, 1990, 91–110 10 A. BARIGAZZI, F. di Arelate, in: ANRW II 34.1, 556–581 11 E. AMATO, Studi su F.: Le orazioni ps.-crisostomiche, 1995 12 M.-L. LAKMANN, F. v. Arelate, in: Vir bonus dicendi peritus. FS A. Weische, 1997, 233–243 13 E. NORDEN, Die ant. Kunstprosa, ²1909, 423.

E.-G. S.

Fayence. Der Begriff F. bezeichnet eine Irdenware mit deckender Zinnglasur porzellanähnlichen Aussehens, die im 13. Jh. n. Chr. erstmals in Spanien produziert und über Mallorca verhandelt wurde (*Majolica*), ihren Namen jedoch von einer seit dem 16. Jh. in Anlehnung an chinesisches Porzellan im norditt. Faenza hergestellten Irdenware bekam.

In der arch. Lit. ist F. ein gebräuchlicher, aber unkorrekter Begriff für ein glasähnliches, silikatisches, glasiertes oder unglasiertes Produkt kreidiger bis sandiger Konsistenz (daher zutreffender Kieselkeramik). Dessen Grundmaterial besteht in der Regel aus gemahlenem Quarzsand, Soda, Natron und Kalk, farbgebenden Zuschlägen und zufälligen Verunreinigungen, das durch Mischung mit Wasser und geringen Mengen Töpferton formbar wird und als Träger für farbige Glasuren dient. Beim Brennen des Objektes entsteht durch Verglasen der Oberfläche zunächst eine dünne, natürliche Glasur. Die charakteristische, kräftig farbige, harte, künstliche Glasur wird aus denselben Grundsubstanzen und, je nach gewünschter Farbe, Spuren von Eisen (Rot/Grün/Schwarz), Mangan (Braun/Dunkelrot/Grün), Antimon (Gelb), Kupfer (Blau/Grün), Kalzium (Blau) oder Kalk (Weiß) sowie Pflanzenasche hergestellt; sie entsteht nach einem weiteren Brand, dem sog. Glasurbrand. Die Bestandteile von Grundsubstanz und Glasur können je nach Provenienz und Alter der F. stark variieren, regional aber über lange Zeiträume hinweg unverändert bleiben.

F. ist einer der ältesten und, wegen der leichten Verfügbarkeit der Grundsubstanzen, zugleich billigsten vom Menschen hergestellten künstlichen Werkstoffe. Die frühesten Nachweise für F. sind aus Ägypten und Mesopotamien bekannt und reichen bis in die 2. H. des 4. Jt. v. Chr. zurück. Seit der Frühbrz. diente F. in Ägypten, im Vorderen Orient, in Mykene und auf Kreta, sowie seit der Spätbrz. in Nordsyrien, auf Zypern und im östl. Mittelmeerraum zur Fertigung handwerklich und künstlerisch hochentwickelter Produkte. Neben Perlen und Amuletten waren es kleine Tier- und Menschenskulpturen, verschiedenste Gefäße offener und geschlossener Form, Einlegearbeiten für Schmuck und Möbel sowie Wanddekorationen und Ziegel.

Während der 1. H. des 7. Jh. begann auf Rhodos, gelegen am östl. Rand der Ägäis und auf der Handelsroute von der phöniz. Levante und Zypern nach Westen, die Produktion orientalisierender F. in Form figürlicher Balsamarien, »Pilgerflaschen« und Miniaturkännchen für den ost- und zentralmediterranen Markt. Sie stand von Anfang an in enger Verbindung mit der seit Mitte des 8. Jh. u. a. auch auf Rhodos etablierten phöniz. Parfümindustrie.

Vom E. des 7. Jh. an wurde die rhodische F.-Produktion durch Erzeugnisse aus Naukratis erweitert. Hier wurden nicht nur eine Produktionsstätte mit Gruben für die Rohstoffgewinnung und zur Weiterverarbeitung vorbereitetes Material entdeckt, sondern auch Tonmodel, Skarabäussiegel, Amulette, figürliche Anhänger ägypt. und griech. Prägung (Katzen, nackte Frauen, Gottheiten, Flöten- und Lyraspieler) sowie noch immer Salben- und Parfümbehälter korinth. und rhodischer Form (→ Aryballoi [2] und Kopfgefäße, teils mit ägypt. Namenskartuschen), die von hier aus im gesamten Mittelmeerraum starke Verbreitung gefunden hatten.

LIT. UND ABB.-LIT.: K. GALLING, s. v. F., Biblisches Reallex., 154 ff. · R. J. CHARLESTON, Roman Pottery, 1955 · J. V. NOBLE, The Technique of Egyptian F., in: AJA 73, 1969, 435–439 · D. BURR THOMPSON, Ptolemaic Oinochoai and Portraits in F., 1973 · H. HODGES, Artifacts,

Techniken der Glasurherstellung

1. Selbstglasur durch Effloreszenz der Salze beim Trocknen

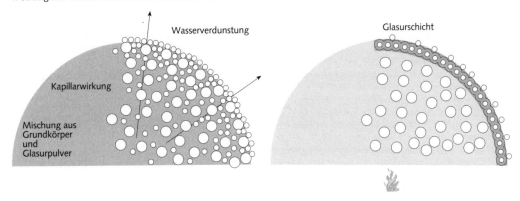

2. Selbstglasur durch Einlegen in Glasurpulver zum Brennen

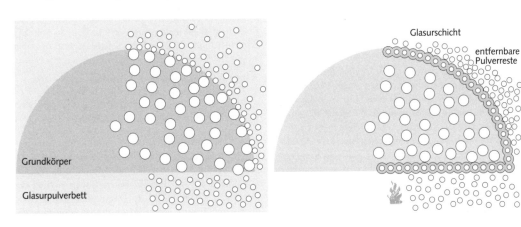

3. Glasurauftrag nach dem Trocknen (Tauchen, Gießen, Bestreichen)

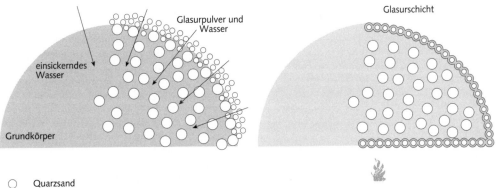

◯   Quarzsand

∘   Alkalisalze

    Brand

⊙⊙⊙   Aufgrund der Reaktion mit den Alkali-
salzen verschmelzende Quarzpartikel

Das geformte Objekt wird getrocknet und anschließend
gebrannt. Beim Brand wirken die Alkalisalze des Glasurpulvers
auf die Quarzpartikel des Grundkörpers als Schmelzmittel.
Die verschmolzenen Quarzpartikel bilden die Glasur.

M. HAA.

1976 · B. Nolte, s. v. F., LÄ 2, 138–142 · J. Dayton,
A. Dayton, Minerals, Metals, Glazing, and Man, 1978,
25 f., 35–38, 434 f. · V. Webb, Archaic Greek F., 1978 (mit
umfangreicher Bibliogr.) · P. Vandiver, Faience Vessels,
in: Egypt's Golden Age: The Art of Living in the New
Kingdom 1558–1085 B. C. Ausstellungskat. Boston, 1982,
140 f. · A. Kaczmarczyk, R. E. M. Hedges, Ancient
Egyptian Faience. An Analytical Survey of Egyptian Faience
from Predynastic to Roman Times, 1983 · J. Riederer,
Arch. und Chemie – Einblicke in die Vergangenheit.
Ausstellungskat. Berlin, 1987, 199–201 · M. S. Tite, I. C.
Freestone, M. Bimson, Egyptian Faience: An Investigation
of the Methods of Production, in: Archaeometry 25,1,
1983, 17–27 · P. T. Nicholson, Egyptian F. and Glass
(Shire Egyptology Series 18), 1993, 9–17. · P. T.
Nicholson, Egyptian F. and Glass, Shire Egyptology Series
No. 18, 1993, 9–17.   CH.B.

Febris. Personifikation des Malariafiebers. Rom, urspr.
in sumpfigem und somit stark malariagefährdetem Gebiet gelegen, errichtete der F. schon früh Heiligtümer
(Cic. leg. 2,28; Aug. civ. 3,25). Überl. sind ein Haupt-
heiligtum auf dem Palatin (Plin. nat. 2,16; Cic. nat.
deor. 3,63; Ail. var. 12,11) und weitere Tempel auf dem
Quirinal und bei den *Mariana monumenta* (Esquilin?)
(Val. Max. 2,5,6). Vom Fieber Befallene weihten in ihrem Heiligtum auf dem Quirinal *remedia*, die an ihren
kranken Körpern befestigt gewesen waren (Val. Max.
2,5,6). Nebst der F. sind aus späterer Zeit auch die Personifikationen des Wechselfiebers, *Tertiana* (CIL 7,999)
und *Quartana* (CIL 12,3129) bezeugt. F. gehört zu den
unheilbringenden Gottheiten, denen man kult. Verehrung zukommen ließ, damit sie inaktiv blieben (vgl.
→ Robigus). Die Verehrung des Fiebers und anderer
solcher »Negativ-Gottheiten« wurde schon von Cicero
(nat. deor. 3,25) abgelehnt und von den christl. Autoren
als Argumente gegen die pagane Rel. angeführt (Aug.
civ. 2,14; Min.Fel. 25; Lact. inst. 1,20,17). Seneca läßt F.
die einzige treue göttl. Begleitung für Kaiser Claudius
ins Jenseits sein (apocol. 6).
→ Fieber   B.SCH.

Fechten s. Sport

Fecunditas. Personifikation der Fruchtbarkeit, die erst
im Zusammenhang mit dem Kaiserhaus geschaffen
wurde. Als → Poppaea Sabina 63 n. Chr. Nero eine
Tochter gebar, wurde der F. auf Senatsbeschluß ein
Tempel geweiht (Tac. ann. 15,23). Seit Antoninus Pius
wurde F. auf die Rs. von Mz. gesetzt. Sie ist häufig mit
Kindern auf den Armen oder an ihrer Seite, gelegentlich
auch mit Füllhorn dargestellt [1].

1 T. Ganschow, s. v. F., LIMC 8.1 (Suppl.), 583 ff.   B.SCH.

Feder (κάλαμος, *calamus*). Neben dem → Griffel war
die F. das zweite unentbehrliche Schreibgerät der Ant.
Sie diente zum Beschreiben von → Papyrus und → Pergament, ferner der geweißten bzw. unbeschichteten
Holztäfelchen mit roter oder schwarzer → Tinte. Die
aus den Stengeln von Schilfrohr (κάλαμος, *calamus*) an-

gefertigten F. spitzte man mit einem F.-Messer (σμίλη,
scalprum librarium) an und versah sie mit einem Spalt in
der Mitte, so daß sie in ihrem Aussehen durchaus modernen Stahl-F. ähnelten und entsprechend funktio-
nierten (Pers. 3,10–14). Nach längerer Benutzung
konnte man stumpf gewordene F. mit einem Bimsstein
oder dem Messer wieder schärfen. Ihr gerundetes oberes
Ende mag dazu gedient haben, verdickte Tinte durch
Umrühren mit Wasser wieder flüssig zu machen bzw.
Schreibfehler auszukratzen. Aufbewahrt wurden F. in
einer *calamaria theca* (Suet. Claud. 35,2; vgl. Mart. 14,19).
Grabdenkmäler der mittleren und späten Kaiserzeit zeigen mehrere *calami* (und Griffel) in solchen Behältnis-
sen, an denen ein Tintenfaß mittels eines Bandes befestigt ist [1. 228–238 Abb. 15–27]. Neben den aus den
namengebenden Naturprodukten verfertigten F. gab es
solche aus Bronze, die sich verschiedentlich insbesondere aus der röm. Zeit erhalten haben (Anth. Pal. 6,227
erwähnt eine silberne F.; griech. ist das br. Exemplar aus
Athen, 2. Hälfte 5. Jh. v. Chr., gefunden mit einem Pa-
pyrusfr. [2]). Recht selten ist der Schreibvorgang mit der
F. auf röm. Denkmälern dargestellt [z. B. 3. 69 Abb. 43].
Die Nutzung von Vogel-F. als Schreibgerät ist offenbar
jünger (Isid. orig. 6,14; 6./7. Jh. n. Chr.).

1 D. v. Boeselager, Funde und Darstellungen röm.
Schreibzeugfutterale, in: Kölner Jb. für Vor- und
Frühgesch. 22, 1989, 221–239 2 BICS 30, 1983, 147, 150
3 H. Blanck, Das Buch in der Ant., 1992, 64–71.   R.H.

Feige. In Südeuropa ist die F. mindestens seit dem
Neolithikum heimisch, wie Fruchtfunde aus Lerna, Argolis und aus der Bronzezeit am Mincio dokumentieren. Die ersten lit. Erwähnungen finden sich in der
Odyssee (z. B. Hom. Od. 11,588; 12,103). Die F. wird
durch zwei sommergrüne Arten der Gattung *Ficus* der
Moraceae vertreten: (a) Ficus carica L. als ἐρινεός (*erineós*),
die Ziegen-F. als Wildform neben der συκῆ (*sykḗ*), der
kultivierten Eß-F., die durch eine männliche Pflanze
(*caprificus*) von (a) bestäubt wurde. (b) die Sykomore
oder Maulbeer-F., Ficus sycomorus L. (συκόμορος, συ-
κόμορον bei Theophr. h. plant. 4,2,1–2 und Dioskurides
1,127 p. 1,116f. Wellmann = 1,181–182 p. 145 f. Berendes). Anläßlich des Alexanderzuges nach Indien erfuhr Theophrast von der immergrünen Riesen-F. Ficus
bengalensis (Banyan) mit Stützwurzeln (h. plant. 1,7,3
und 4,4,4; vgl. Diod. 17,90; Strab. 15,1,694; Plin. nat.
12,22f. u. a. [3. 158–190]). Ob auch die h. in Südit. häufig angepflanzten Arten Ficus benjamina und magno-
loides schon in der Ant. bekannt waren, weiß man
nicht. Der Gummibaum (Ficus elastica Roxb.), in Mitteleuropa eine häufige Zimmerpflanze, wurde später
eingeführt.

Die Sykomore (bei Plin. nat. 13,56f. *ficus aegyptia*)
lieferte das Holz für Mumiensärge. Ihr abgezapfter
Milchsaft wird von Dioskurides z. B. gegen Magenlei-
den und Schlangenbisse empfohlen und dient bei Plinius wie Lab für die Käsezubereitung (nat. 16,181). Die
Eß-F., von der es verschiedene Sorten gab (Plin. nat.

15,68–72), baute man überall am Mittelmeer als Obst an (viele Einzelheiten bei Plin. nat.); die auch h. noch gerne getrockneten Früchte (ἰσχάς zuerst nach Alexis bei Athen. 3,75b, vgl. Athen. 14,652 b ff.; Plin. nat. 15,82) werden durch künstliche Bestäubung mit Pollen der Ziegen-F. (ἐρινασμός, *caprificatio*) durch F.-Wespen, ψῆνες (*culices* Plin. nat. 15,80), erzielt (das Verfahren erwähnen u. a. Hdt. 1,93, Aristot. hist. an. 5,32,557 b 25–31, Theophr. h. plant. 2,8,1–4 und c. plant. 2,9,5, Plin. nat. 15,79–81 und Athen. 3,76 d-e [1]). Eine Anekdote über eine aus Karthago stammende F.-Frucht (*pomus*) bezieht sich bei Plin. nat. 15,74 f. auf die Forderung des älteren Cato nach Zerstörung der punischen Hauptstadt. Medizinische Verwendung erwähnen Dioskurides (1,128 p. 1,117–120 Wellmann = 1,183–186 p. 147–150 Berendes) und Plin. nat. 23,117–130 (u.ö.).

In Rel. und Mythos spielten F. eine gewisse Rolle: Ein heiliger F.-Baum wuchs als angebliches Geschenk der Demeter an Phytalos zwischen Athen und Eleusis (Paus. 1,37,2). Die kapitolinische Wölfin soll Romulus und Remus unter einer alten F. gesäugt haben (Plin. nat. 15,77); der *ficus ruminalis* ist daher nach der *rumis* = Zitze des Tieres genannt. Dort werden auch weitere bekannte F.-Bäume erwähnt. F. werden, wie auch die Weintrauben, mit Dionysos in Verbindung gebracht: Einer seiner Beinamen (wie auch des Platon [2. 151]) lautete φιλόσυκος (»Feigenliebhaber«) Auch zu Hermes und Priapos (Hor. sat. 1,8,1 ff.) bestanden Beziehungen.

→ Obstbäume

1 F. Olck, s.v. F., RE 6, 2100–2151 2 H. Baumann, Die griech. Pflanzenwelt, 1982 3 H. Brezl, Botanische Forschungen des Alexanderzuges, 1903.   C. Hü.

Fel-Temp-Reparatio-Typ s. Maiorina

Feldmesser. Das Abstecken von Feldern bzw. ausgedehnten Flurgebieten, Städten, Tempelbezirken, mil. Lagern ebenso wie die Bestimmung der Richtung von Landstraßen, Wasserleitungen u. ä. setzte eine Reihe von Meßarbeiten voraus, die von technisch ausgebildeten F. durchgeführt wurden. Diese Arbeiter wurden in den röm. Quellen, aus denen uns die vielseitige Problematik dieser spezifischen Disziplin ausschließlich bekannt ist, u. a. als *mensores* (*agrorum*), *agrimensores*, *metatores*, *finitores* und *gromatici* bezeichnet. Die letztgen. Bezeichnung wird vom → *groma*, dem für Messungsarbeiten angewandten Visiergerät, abgeleitet. Die lat. t.t. stammt vom griech. γνῶμα/γνώμων (etr. Vermittlung?).

Die Grenzziehung war mit einer bestimmten sakralen Prozedur verbunden, wofür urspr. die Auguren zuständig waren. Es ist wahrscheinlich, daß die F. anfangs den Auguren als Hilfskräfte dienten. Die Praxis der Vermessungen von Tempelgebäuden und Stadtbezirken entwickelte sich in Rom offensichtlich unter etr. Einfluß. Die Hauptaufgabe der F. bestand in der Festlegung des Orientierungskreuzes, d. h. in der Bestimmung der Nord-Süd- und Ost-West-Linie an einem konkreten Zentralpunkt und in der Festlegung der in gegebenen Abständen laufenden Parallelen in den beiden Richtungen.

Die intensive Entfaltung der Städte im röm. Reich seit dem 2. Jh. v. Chr., die steigende Zahl der *coloniae* im 1. Jh. und die wachsende Zahl der Militärbauten in der Kaiserzeit führten dazu, daß die Vermessungsarbeiten, die in verschiedenen Branchen zu erfüllen waren, immer mehr Arbeitskräfte benötigten. In der profanen Sphäre entwickelte sich die Disziplin der F. nunmehr auf einer unabhängigen und berufsmäßigen Grundlage. Die Aufstellung von Flurkarten, die Ackerverteilung, die Entscheidungsfindung in Streitfragen, die im Zusammenhang mit dem Grundstücksrecht entstehen konnten, bildeten einen wichtigen Bestandteil ihrer Tätigkeit.

Neben der zivilen Sphäre spielten die F. im röm. Militär eine bes. bed. Rolle. Bei den Lagervermessungen (*castrametationes*; → *castra*) wurden lange Zeit sachkundige Legionäre als F. eingesetzt. Caesar benutzte zu diesem Zweck einfach seine *centuriones*. In der Kaiserzeit verfügte jede Legion über eine bestimmte Zahl von spezialisierten F., die auch für die Auxiliartruppen bezeugt sind. Es ist wahrscheinlich, daß die aus dem Militärdienst entlassenen F. als Zivilpersonen in ihrer Disziplin weiter tätig waren. Die F. (*mensores*) im kaiserlichen Dienst kommen noch in der Spätant. vor: Der an ihrer Spitze stehende *primicerius* war dem *magister officiorum* untergeordnet (Cod. Theod. 6,34 = Cod. Iust. 12,27).

Die von den röm. F. erzielten Ergebnisse sind beachtenswert: vgl. z. B. die erh. Reste der röm. Flurteilung in *centuriae quadratae* (*centuriatio*), die Struktur und das Straßennetz der röm. Städte (z. B. Lambaesis in Nordafrika und Pompeii in Campania), die Grundrisse der Lager und anderer Militärbauten u. ä. Die Genauigkeit der Messungen wurde dabei mit verhältnismäßig einfachen technischen Mitteln erzielt.

Die Probleme, die das Abstecken der Felder mit sich brachte, erweckten rege Aufmerksamkeit, die sich in der verhältnismäßig reichen Fachlit. widerspiegelt. Zu solchen Autoren zählen z. B. Frontinus (1. Jh. n. Chr.), Celsus, Balbus, Hyginus, M. Iunius Nipsus, Siculus Flaccus (2. Jh.) und Agennius Urbicus (4./5. Jh.). Textausgaben: [1; 2].

1 F. Blume, K. Lachmann, T. Mommsen, A. Rudorff (Hrsg.), Die Schriften der röm. F., 2 Bde., 1848/1852 2 C. Thulin (Hrsg.), Opuscula agrimensorum Romanorum I 1, 1913.

A. Schulten, Die röm. Flurteilung, 1898 · A. Josephson, Casae litterarum, 1950 · F. Castagnoli, Le ricerche sui resti della centuriazione romana, 1958 · A. Piganiol, Les documents cadastraux de la colonie romaine d'Orange, 1962.   J. Bu.

Feldzeichen. Die F. des röm. Heeres erfüllten eine wichtige taktische Funktion: die Übermittlung der Befehle des Feldherrn; in diesem Falle wurden sie vom Klang des *cornu* begleitet (Veg. mil. 2,22). Aufgrund ihrer Bed. erlangten sie eine geradezu rel. Geltung (vgl.

etwa Tac. ann. 1,39,4). Der Überl. nach soll Romulus an die erste Legion Tierzeichen wie den Adler, den Wolf, das Pferd, das Wildschwein und den Minotaurus vergeben haben (Plin. nat. 10,16).

signum   aquila   vexillum

Feldzeichen des röm. Heeres.

Jeder der dreißig Manipel erhielt damals angeblich ein *signum* (Ov. fast. 3,115; Plut. Romulus 8). In der Republik wurden die *hastati* während des Kampfes auch *antesignani* genannt, da sie vor den Feldzeichen der Legion kämpften (Liv. 8,8,5; 9,39,7). In Friedenszeiten wurden die F. den Quaestoren übergeben und im → *aerarium populi Romani* aufbewahrt (Liv. 3,69,8).

Die Einheiten der verbündeten Städte, der *socii*, erhielten *signa* für die Infanterie und *vexilla* für die Reiterei. Marius übergab jeder Legion einen Adler aus Silber, der ihr Wahrzeichen wurde. Dieser Adler (*aquila*) war das gemeinsame F. einer ganzen Legion, das von der ersten Kohorte geführt wurde (Veg. mil. 2,6; 2,13; [6]). Es besteht Übereinstimmung darüber, daß das *signum* F. des Manipel blieb. Die These, daß auch die *cohortes* der Legionen solche *signa* erhielten, ist nicht überzeugend, denn in dem angeführten Text (Caes. Gall. 2,25,1) ist nicht von dem, sondern von einem *signifer* der 4. Kohorte die Rede. In der Prinzipatszeit erhielten die Praetorianerkohorten – und vielleicht auch die *centuriae* – *signa*, die mit dem Bildnis (*imago*) des *princeps* versehen waren, und zwar ein *signum* für jeden Manipel. Die *urbaniciani* folgten dem Modell der Praetorianer, während die *vigiles* nur ein *vexillum* für jede Kohorte hatten. Die Legionen bewachten ihren Adler, der in dieser Zeit aus Gold gefertigt war, und vertrauten ihn einem *aquilifer* an (Tac. ann. 1,39,4; hist. 1,56,2; 2,89,1; vgl. auch ILS 2338–2342); dieses F. der Legionen hatte die Form eines Adlers, der den Blitzstrahl Iuppiters in den Krallen hielt. Er

war an der Spitze einer langen Lanze angebracht. Jede Legion besaß zudem mehrere Embleme, Gott, Tier oder Tierkreiszeichen.

Ein Soldat, der *imaginifer*, trug das Porträt oder *imago* des *princeps*. Das *signum* blieb in der Legion und in anderen Einheiten das F. des Manipel; es wurde einem *signifer* anvertraut. In der Prinzipatszeit stellte das *signum* eine mehr oder weniger reich verzierte lange Lanze dar: Quaste und Mondsichel am unteren Ende, Scheiben in der Mitte, Krone, Hand und eine kurze Querstange mit Bändern an der Spitze. Die Kohorten der *auxilia* wie auch die *numeri* der Infanterie wurden durch ihr *signum* identifiziert. Jede Einheit der Reiterei folgte einem *vexillum*, das von einem *vexillarius* (die Form *vexillifer* ist falsch) getragen wurde; dies war natürlich bei den *alae* und den *turmae* der Fall. Das *vexillum* war ein Viereck aus Stoff, das von einer horizontalen Stange herunterhing; diese wiederum war an einer langen Lanze befestigt. Die *signiferi turmae* und die *imaginiferi* sind auch für die *auxilia* belegt [1]. Die Reiterei erhielt im Laufe des 2. Jh. n. Chr. neue, unseren Windsäcken ähnelnde Feldzeichen, die *draco* (Drachen) genannt wurden. Bei den *equites singulares Augusti* findet man ebenfalls die Dienstgrade des *signifer* und des *vexillarius*. In Friedenszeiten wurden alle F., besonders die *signa* und die *aquilae*, in einem kleinen Heiligtum, im *aedes signorum*, aufbewahrt, das sich hinter den *principia*, im Zentrum des Lagers befand. Auch die Marine erhielt Feldzeichen: Jeder Trierarch wurde von zwei *signiferi* unterstützt; jedes Schiff und jeder Verband von Schiffen identifizierte sich mit einem *vexillum* [10].

Die Armee der Spätant. scheint die alten F. im wesentlichen beibehalten zu haben, hat ihnen aber nur zweitrangige taktische Aufgaben zugewiesen. Der *aquilifer* (Veg. mil. 2,7) wie auch der *signifer* (CIL 5, 5823; Amm. 25,5,8), der von dieser Zeit an oft als *semaforus* bezeichnet wurde (CIL 5, 8752; ILS 2802), haben überlebt. Der *signifer* war nun der *centuria* zugeordnet, während der *draconarius* das F. der Kohorte trug (ILS 2805). Das *vexillum* diente der *turma* als F. (Veg. mil. 2,14; Amm. 27,10,9; 27,10,12). Selbst das kaiserliche *imago* hat im Gegensatz zu manchen Behauptungen überlebt, allerdings nur für kurze Zeit; es wurde vom *imaginarius* getragen (Veg. mil. 2,7). Hinzu kam seit der Schlacht an der Milvischen Brücke im Jahre 312 das *labarum*; in dieses F. waren die griech. Buchstaben X und P, das Monogramm Christi, eingraviert (Eus. vita Const. 1, 28–31).

1 G. L. CHEESMAN, The Auxilia of the Roman Imperial Army, 1914, 39 2 J. C. N. COULSTON, The Draco Standard, in: Journal of Roman Military Equipment Stud. 2, 1991, 101–114 3 A. VON DOMASZEWSKI, Die Fahnen, in: Aufsätze 1972, 1–80 4 M. DURRY, Cohortes prétoriennes, ²1968, 104 5 R. GROSSE, Röm. Mil.-Gesch., 1920, 229–234 6 J. HARMAND, L'armée et le soldat, 1967, 237–238 7 LE BOHEC, 50–51 und 262–263 8 W. LIEBENAM, s. v. F., RE 6, 2151–2161 9 H. M. D. PARKER, Legions, ²1980, 261–263 10 M. P. SPEIDEL, The Master of the Dragon Standards, in: Ders., Roman Army Studies 2 (Mavors 8), 1992, 390–395.

Die Feldzeichen der römischen Legionen in der Prinzipatszeit

Einheit	1.–2. Jh.	Gallienus (253–268)	Victorinus (269–271)	Carausius (286–293)
Leg. I Adiutrix	Steinbock, Pegasus	Steinbock, Pegasus		
Leg. I Italica	Wildschwein, Stier, Bos Marinus	Wildschwein, Stier		
Leg. I Minerva	Minerva, Widder	Minerva	Widder	Widder
Leg. II Adiutrix	Wildschwein, Pegasus	Wildschwein, Pegasus		
Leg. II Augusta	Steinbock, Pegasus, Mars			Steinbock
Leg. II Italica	Wölfin, Steinbock, Storch	Wölfin und Zwillinge, Steinbock		
Leg. II Parthica	Centaurus	Centaurus		Centaurus
Leg. II Traiana	Hercules			Hercules
Leg. III Augusta	Steinbock, Pegasus			
Leg. III Gallica	Stier			
Leg. III Italica	Storch	Storch		
Leg. IV Flavia	Löwe	Löwe	Löwe	Löwe
Leg. IV Macedonica	Stier, Steinbock			
Leg. V Macedonica	Stier, Adler	Adler	Stier	
Leg. VI Victrix	Stier			
Leg. VII Claudia	Stier, Löwe	Stier		Stier
Leg. VIII Augusta	Stier	Stier		Stier
Leg. X Fretensis	Stier, Wildschwein		Stier	
Leg. X Gemina	Stier	Stier		
Leg. XI Claudia	Neptun	Neptun		
Leg. XII Fulminata	Blitz			
Leg. XIII Gemina	Löwe	Löwe	Löwe	
Leg. XIV Gemina	Steinbock, Adler	Steinbock	Steinbock	
Leg. XVI Flavia	Löwe			
Leg. XX Valeria	Wildschwein, Steinbock		Wildschwein	Wildschwein
Leg. XXI Rapax	Steinbock			
Leg. XXII Primigenia	Steinbock, Hercules	Steinbock	Steinbock	Steinbock
Leg. XXX Ulpia	Neptun, Steinbock, Iuppiter	Neptun	Steinbock	Neptun

Y.L.B./Ü: C.P.

Felicissimus. Leiter des Fiskus unter Aurelianus [3] (SHA Aurelian. 38,3), stiftete 271 oder 274 n. Chr. die Arbeiter zur Münzfälschung an. Als dies bekannt wurde, organisierte er einen Aufstand auf dem mons Caelius, den die kaiserlichen Truppen nur unter großen Verlusten niederschlagen konnten. F. fand dabei den Tod (Eutr. 9,14; Aur. Vict. Caes. 35,6; [Aur. Vict.] epit. Caes. 35,4; Suda s. v. μονιτάριοι). Polemius Silvius (Chron. min. 1, 521f. MOMMSEN) zählt ihn zu den Usurpatoren.

PIR² F 140 • PLRE 1, 331f. 1 • KIENAST, ²1996, 238.   T. F.

Felicitas. Die röm. Göttin F., meist als bekränzte Gestalt mit Füllhorn und Heroldsstab (*caduceus*) dargestellt [1], ist das personifizierte Glück oder gute Gelingen, das im Gegensatz zu → Fortuna dauerhaft sein soll (Val. Max. 7,1). Ihren ersten Tempel in Rom, der aus der Beute der Spanienfeldzüge des L. Lucinius Lucullus erbaut wurde (Cass. Dio 43,21,1; 76,2) erhielt sie kurz nach 146 v. Chr. im Velabrum (Suet. Iul. 37). Einen weiteren (zusammen mit Venus Victrix, Honos und Virtus) errichtete Pompeius 55 v. Chr. auf seinem Theater, was jährlich am 12. August mit einem Opfer gefeiert wurde (CIL I² 1 p. 217; 244; 324). Andere Opfer fanden am 1. Juli und 9. Oktober für die kapitolinische F. statt (CIL I² 1 p. 214; 245). Eine Kultstätte auf dem Marsfeld ist ebenfalls bezeugt (CIL I² 1 p. 252,11). F. teilte urspr. Imperatoren, die sich militärisch verdient gemacht hatten, ein gutes Schicksal zu. Sie erhielt seit dem Dictator Sulla, der sich → *felix* nannte, bis zur Kaiserzeit eine immer größere Bed. So ließ ihr Caesar an der Stelle der alten *curia* von Faustus Sulla einen Tempel errichten (Cass. Dio 44,5,2) und benutzte ihren Namen in der Schlacht bei Thapsos als Parole (Bell. Afr. 83). Die Kaiser wandelten sie dann zur *F. Augusta* um, die den anhaltenden Glückszustand des *Imperium Romanum* versinnbildlichen sollte. Sie übten ihren Kult aus, stifteten Altäre und Statuen (CIL I² 1 p. 229; Suet. Tib. 5) und ließen ihr Bild bis in konstantinische Zeit (1. H. 4. Jh. n. Chr.) oft auf Münzen prägen. Die F. konnte auch für Fruchtbarkeit stehen (CIL IV 1454). → Infelix arbor

1 T. GANSCHOW, s. v. F., LIMC 8.1 (Suppl.), 585–591.

H. ERKELL, Augustus, F., Fortuna, 1952, 45–128 •
E. WISTRAND, F. imperatoria, 1987.   B. SCH.

Felix. Röm. Cognomen (»der Glückliche«), in republikanischer Zeit zunächst Beiname des Dictators L. Cornelius [I 90] Sulla und seiner Nachfahren (Cornelius [II 59–61]); in der Kaiserzeit als glückverheißende Bezeichnung eines der häufigsten Cognomina überhaupt und häufigster Sklavenname.

DEGRASSI, FCIR 252 • KAJANTO, Cognomina 29, 272f. •
H. SOLIN, Die stadtröm. Sklavennamen 1, 1996, 86–93.
K.-L. E.

[1] Steinschneider aus der Zeit der röm. Republik, wohl Zeitgenosse des → Dioskurides [8], zusammen mit → Anteros inschr. als *gemari de sacra viam* genannt [1. 44

u. Anm. 40]. Signierte den berühmten Sardonyx mit Darstellung des Palladionraubes und Besitzerinschr. des Calpurnius Severus in griech. Schrift, Oxford, AM [1. Taf. 39,1f.; 2. 287 Anm. 126 (Lit.), Taf. 81,4].
→ Steinschneidekunst, Steinschneider

1 M. L. VOLLENWEIDER, Die Steinschneidekunst und ihre Künstler in spätrepublikanischer und augusteischer Zeit, 1966 2 ZAZOFF, AG.   S. MI.

[2] war unter Constantius II. zunächst *notarius*, dann nach Iulians Usurpation 360 n. Chr. diesem als *magister officiorum* zugeordnet (Amm. 20,9,5). Von Iulian wurde er 362 zum *comes sacrarum largitionum* befördert (Cod. Theod. 9,42,5; 11,39,5). Unter dessen Einfluß wandte er sich wieder vom Christentum ab (Lib. or. 14,36). Er starb schon 362/3 (Amm. 23,1,5). PLRE 1, 332 (F. 3).
W. P.

[3] Röm. Senator aus dem Umfeld des Symmachus (Korrespondenz: epist. 5,47–54), Heide. Bei → Eugenios [2] einflußreich, fiel aber nicht in Ungnade: unter Honorius von 395/6 bis 397 n. Chr. *quaestor sacri cubiculi*, 398 *praefectus urbi Romae*.

PLRE 2, 458f. • v. HAEHLING 398f.   H. L.

[4] **F. I.** Papst 268–273, Römer, erwähnt von Eus. HE 7,30,23. Unter ihm wurde, nach dem Streit um Paulus von Samosata, die Kirchengemeinschaft mit Antiocheia wiederhergestellt. Kaiser Aurelian hatte verfügt, daß der dortige Bischofssitz dem gehören solle, mit dem die »Bischöfe Italiens und Roms in Verbindung stünden«.

L. DUCHESNE (ed.), Liber pontificalis, Bd. 1, 1886 (Ndr. 1955), CXXV; 158.

[5] **F. II.** Gegenpapst (355–358), von Kaiser Constantius II. als Freund der Arianer (→ Arianismus) begünstigt, während Liberius (352–366) in die Verbannung ging; F. wurde jedoch vom Volk abgelehnt und mußte Rom nach dessen Rückkehr (358) verlassen. Seit dem 6. Jh. als rechtmäßiger Papst betrachtet und, aufgrund einer Verwechslung, als Märtyrer gefeiert (29. Juli).

L. DUCHESNE (ed.), Liber pontificalis, Bd. 1, 1886 (Ndr. 1955), CXXIIIff.; 211 • H. JEDIN (Hrsg.), Handb. der Kirchengesch., Bd. II/1, 1973, 258f.   R. O. F.

[6] **Flavius Constantius F.** Reichsfeldherr im westl. Reichsteil 425–430 n. Chr., wurde von → Valentinianus III. und → Galla [3] Placidia nach der Unterdrückung der Usurpation des Iohannes zum *magister utriusque militiae* ernannt (ILS 1293; 1298; Chron. min. 2,21 MOMMSEN). Er konnte 427 das von den Hunnen besetzte Pannonien zurückgewinnen, bekämpfte den *comes Africae* → Bonifatius [1], wurde 428 *consul*, unterlag aber im Machtkampf dem Heermeister → Aetius [2] und wurde von Soldaten in Ravenna erschlagen (Chron. min. 1,301, 473; 2,22, 77f.; Iohannes Antiochenus fr. 201 FHG IV 614f.).

PLRE 2, 461f. • A. DEMANDT, s. v. magister militum, RE Suppl. 12, 653f.   K. P. J.

[7] Gebildeter → Manichäer, bekannt durch sein Streitgespräch mit → Augustinus. Augustinus forderte ihn auf, entweder Hippo zu verlassen oder sich einer öffentlichen Disputation zu stellen; diese fand im Dez. 404 statt. F. erklärte sich für überwunden und schwor dem Manichäismus ab (vgl. Aug. Contra Felicem, CSEL 25,2). F. ist vermutlich derjenige *conversus ex Manichaeis*, der alle ihm bekannten Manichäer angab (PL 42,518).

RO.F.

Felix Arbor s. Infelix Arbor

Felskammergrab s. Grabbauten

Fenchel (*feniculum* zuerst bei Plaut. Pseud. 814, mlat. *feniculum* oder *fenuclum*, μάραθ(ρ)ον). Ein Doldengewächs (Umbelliferae), das aus dem östl. Mittelmeergebiet eingeführt wurde. Vom nahe verwandten → Dill (*anethum*) unterscheidet er sich bes. durch seine Größe und die Mehrjährigkeit. Als Gemüse und als stark und scharf riechendes Gewürz (vgl. u.a. Plin. nat. 19,186) wurde er bes. auch in Weinbaugebieten Deutschlands angebaut [1. 26] (Aussaat in It. nach Pall. agr. 3,24,9 im Februar). Der bekannte att. Ort Marathon heißt wohl eher nach den F.-Feldern als nach einem gleichnamigen Ortsheros (Plut. Thes. 32; Paus. 1,16). Kränze aus F. wurden im Dionysos-Kult und bestimmten Mysterien geflochten (Demosth. 18,260). Sein Saft fand Anwendung in der Augenheilkunde. Man entnahm ihn dem Stengel, frischen Samen bzw. der Wurzel, trocknete ihn in der Sonne und versetzte ihn mit Honig (Plin. nat. 20,254; weitere Anwendungen: 20,43; 20,256f. u.ö.; auch Dioskurides 3,70 p. 2,81 WELLMANN = 3,74 p. 308f. BERENDES). Man liebte auch den mit F. zubereiteten Gewürzwein (Pall. agr. 11,14,6).

→ Gewürze

1 G.E. THÜRY, J. WALTER, Condimenta. Gewürzpflanzen in Koch- und Backrezepten aus der röm. Ant., 1997.

C.HÜ.

Fenestella. Röm. Historiker der frühen Kaiserzeit; die genauen Lebensdaten sind unsicher: Nach Hieronymus starb er siebzigjährig 19 n.Chr. (chron. p. 172 HELM), nach Plinius erst ›am Ende der Herrschaft des Tiberius‹ (*novissimo Tiberii Caesaris principatu*; nat. 33,146). F. schrieb ein annalistisches Geschichtswerk in mehr als 22 Büchern (fr. 21 PETER aus B. 22 [= HRR 2, 85f.] betrifft 57 v.Chr.), das von der röm. Frühzeit bis zur späten Republik reichte oder sogar die augusteische Zeit einschloß (fr. 24 PETER [= HRR 2, 86]). Die Fragmente bezeugen außergewöhnliches Interesse an gelehrt-antiquarischen Fragen (Etym.; Staatsrecht; Kulturgesch.; sogar literarhistor. Details); Seneca zählt F. daher zu den *philologi* (epist. 108,31). Die Annahme separater Schriften über die Gesch. des Luxus und über Ciceros Leben [5] wird heute im allg. abgelehnt [1. 61; 2. 148¹; 6. 596]. Unsicher ist, ob F. auch Gedichte verfaßte (so nur Hier. chron.).

F.s Werk wurde wegen seiner *diligentia* (vgl. Lact. inst. 1,6,14) und Materialfülle geschätzt; benutzt besonders von → Asconius Pedianus (über die Zitate hinaus: [4]), → Plinius d. Ä. und → Plutarch (zum Ausmaß [3]). Diomedes (GL 1,365,7) kennt *epitomae* in mindestens 2 B.

FR.: HRR 2, 79–87 · ACCORNERO (s.u.), 70–81.

LIT.: 1 P. ACCORNERO, F., in: Atti Torino 112, 1978, 43–88 2 BARDON 2, 147f. 3 G. DELVAUX, L'annaliste Fénestella et Plutarque, in: Les Ét. classiques 57, 1989, 127–146 4 B. MARSHALL, Asconius and F., in: RhM 123, 1980, 349–354 5 R. REITZENSTEIN, Ein verkanntes Werk F.s, in: FS J. Vahlen, 1900, 409–424 6 SCHANZ/HOSIUS 2⁴ 595f.

W.K.

Fenni. Ein für Tacitus ›unzivilisiertes und sehr armes‹ (*mira feritas, foeda paupertas*), aber ›glückliches‹ (*beatius arbitrantur*) Jägervolk im Norden, dessen Zuordnung zu den Germanen oder Sarmaten offen bleibt (Tac. Germ. 46). Sie waren gewiß mit den als »Nachbarn« der Goten angesehenen *Phínnoi* (Φίννοι) in Nordskandinavien identisch (Ptol. 2,11,16: Hs. X; 3,5,8; vgl. Iord. Get. 3,22: *mitissimi*), nicht aber mit den Suomi-Finnen, die erst in der 2. H. des 12. Jh. so benannt wurden. Aufgrund der bei Tac. Germ. 46 geschilderten Lebensgewohnheiten wurden die F. mit den Lappen gleichgesetzt, doch ist auch das nicht unumstritten.

H.H. BARTENS, s.v. Finnische Völker, RGA 9, 70–77 · A.A. LUND, Kritischer Forsch.-Ber. zur *Germania* des Tacitus, in: ANRW II 33.3, 1989–2222, bes. 2182–2188.

K.DI.

Fenster I. ALTER ORIENT UND ÄGYPTEN II. GRIECHENLAND UND ROM

I. ALTER ORIENT UND ÄGYPTEN

An altoriental. Wohnhäusern gab es zumeist nur kleine hochgelegene F.-Schlitze. Innere Räume größerer Architekturkomplexe erforderten bes. → Beleuchtung durch Obergaden oder verschließbare Oberlichter in den Decken. Der Befund in Ägypten ist prinzipiell ähnlich. Weite F.-Öffnungen besaßen dort teilweise reich verzierte F.-Gitter.

D. ARNOLD, s.v. F., Lex. der ägypt. Baukunst, 80–82 · G. LEICK, A Dictionary of Near Eastern Architecture, 1988, 242–244.

U.S.

II. GRIECHENLAND UND ROM

Als Mittel zur → Beleuchtung eines umbauten Innenraums oder als eine bauliche Maßnahme zur Ermöglichung einer Aussicht auf die Umgebung werden F. seit dem mittleren 2. Jt. in den Architekturen der Mittelmeerländer allmählich üblich und ersetzen die bis dahin geläufigen Licht- oder Abzugsöffnungen im oberen Wandbereich im Wetterschatten des Dachüberstands. F. finden sich am min. → Palast und Bürgerhaus [5; 16. 8–20 mit Fig. 8] ebenso wie am frühen ital.-etrusk. und geometrisch-griech. → Haus; inwieweit jedoch die etrusk.

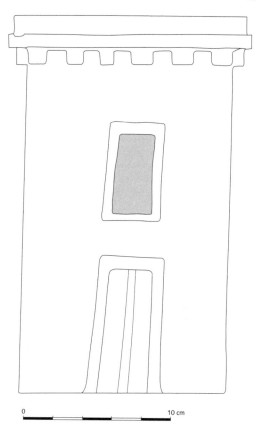

Hausmodell, Samos, Vathy Arch. Museum Inv. C 25
(1. H. 6. Jh. v. Chr.), Ansicht.

Grabarchitektur [15. 164–166], die zahlreich erh. tönernen Hausmodelle des 8. und 7. Jh. v. Chr. [17. 153–154]
und die in Hinblick auf F. meist wenig aussagekräftigen
Ton-Urnen in Hausform [1. 86 mit Abb.; 15. 164] die in
ihrem Aufbau selten erhalten gebliebene reale Profan-
Architektur der Frühzeit spiegeln, ist im Detail ebenso
umstritten wie der Grad der Exaktheit späterer Wiedergaben in den verschiedensten Bildmedien (u. a. Malerei,
Mosaik, Relief [7]).

Die griech. Profanarchitektur geom., archa. und
klass. Zeit ist nur selten so gut erhalten geblieben, daß
sich die Position des F. durch eine Aussparung in der
aufgehenden Wand im arch. Befund sicher belegen läßt;
die vermutlich hölzerne Konstruktion der F.-Rahmen
und -Flügel bleibt weitestgehend unbekannt [14. 107–
108]. Verschiedene Bauinschr. des 5. und 4. Jh. v. Chr.
bezeichnen das F. mit dem von der Tür abgeleiteten
Terminus θυρίς, θυρίδες (thyrís, thyrídes) [11. 11–12;
EBERT]. Die »Pinakothek« der athenischen Propyläen
war durch zwei von dor. Pilastern gerahmte, langrechteckige F. illuminiert; die z. T. bis zum Dachansatz erh.
Quaderstein-Häuser von Ammotopos/Orraon (Epirus)
[11. 11–12] zeigen kleine F.-Öffnungen mit massivem
steinernen Sturz und Laibung in z. T. erheblicher Höhe
der Wand. Griech. → Tempel sind demgegenüber nur
selten durch F. beleuchtet gewesen; bekannte Ausnahmen sind auf der Athener Akropolis das Erechtheion
mit seinen großflächigen F.-Öffnungen an der Westseite und den zwei kleinen, einst wohl mit Steinplatten
verschlossenen F. an der Ostwand [19. 208–215], vielleicht auch der → Parthenon (F. in der Ostwand der
Cella [9]) sowie auf Delos der Tempel der Athener

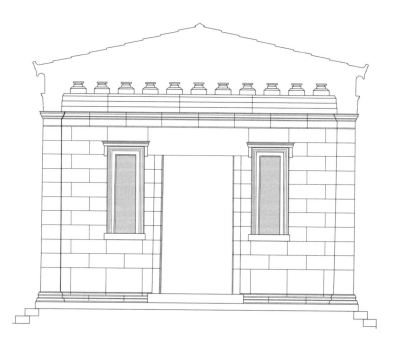

Athen, Erechtheion
(421–409/6 v. Chr.),
Fenster an der Ostseite.

([13. 220–227], zusammenfassend: [20]). Alle diese F.-Öffnungen waren, analog der → Tür, wohl durch großmaschige Gitter aus Holz oder Metall, möglicherweise auch mittels Steinplatten verschlossen, diejenigen der profanen Hausarchitektur zudem überwiegend mit hölzernen Läden.

Die F. spätklass.-hell. Peristylhäuser weisen in der Regel zum Hof, nur selten zur Straße in den öffentlichen Raum; sie sind dann uneinsehbar hoch in der Wand angebracht [8. 290; 11. 11–16]. Mit der Ausprägung einer mehrstöckigen Wand-Architektur und den damit einhergehenden neuartigen Strukturierungsmustern einer Fassade im frühen Hell. kommt dem F. eine neue, wand- und fassadengliedernde Funktion zu [10. 253–256], die in der röm. Repräsentationsarchitektur ihre nahtlose Fortsetzung findet und das F. hier zu einem der Nische grundsätzlich gleichrangigen architektonischen Gestaltungselement macht (z.B. an der Porta Nigra in Trier).

F. in etr. und röm. Häusern sind bei Verbund-Bebauung innerhalb einer → *insula* in der Regel nach Innen, etwa auf den Garten oder das Peristyl hin orientiert; die sich zur Straße öffnenden F. sind demgegenüber klein und vergleichsweise hoch in der Mauer gelegen. In der röm. → *villa*, die seit dem späten 2. Jh. v. Chr. zunehmend bewußt in die Landschaft plaziert wird und Landschaftspanoramen nicht nur passivisch in Anspruch nimmt, sondern Aussichtsprospekte bewußt und bis in architektonische Details hinein formt [3], kommt dem F. eine wichtige Rolle als Steuerungsinstrument einer konstruierten Aussicht oder als Rahmung von Naturerscheinungen wie Sonnenauf- oder Untergänge zu (vgl. z.B. die Villenbriefe des Plinius

Verona, SW Haupttor (sog. Porta dei Borsari),
Mitte 1. Jh. n. Chr.

[4. 1–14, 201] oder Cic. Att. 2,3,2 [3. 56–57 mit Anm. 131]); in ähnlichem Sinne sind die zahlreichen Schein-F. in der röm.-kampanischen → Wandmalerei des 2. und 3. Stils zu verstehen, die illusionistische Garten- oder Landschaftsbilder rahmen [18. 48–52].

1 M. CRISTOFANI, Die Etrusker, 1985 2 D. BAATZ, Fensterglastypen, Glasfenster und Architektur, in: DiskAB 5, 1991, 4–13 3 B. FEHR, Plattform und Blickbasis, in: MarbWPr 1969, 31–65 4 R. FÖRTSCH, Arch. Komm. zu den

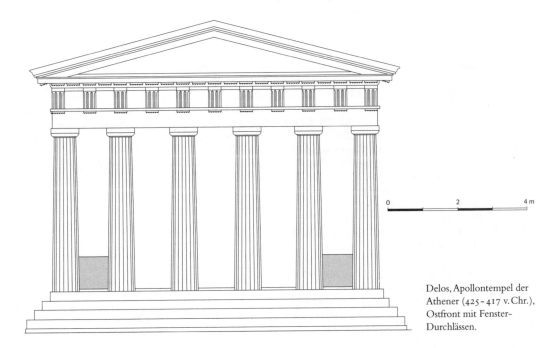

0   2   4 m

Delos, Apollontempel der Athener (425-417 v. Chr.), Ostfront mit Fenster-Durchlässen.

Villenbriefen des jüngeren Plinius, 1993 **5** J. W. Graham, Windows, Recesses, and the Piano Nobile in the Minoan Palaces, in: AJA 64, 1960, 329–333 **6** R. Günther, Wand, F. und Licht in der spätantik-frühchristl. Architektur, 1965 **7** W. Herbig, Das F. in der Architektur des Altertums, 1929 **8** W. Hoepfner, E. L. Schwandner, Haus und Stadt im klass. Griechenland, 1986 **9** M. Korres, Der Pronaos und die F. des Parthenon, in: E. Berger (Hrsg.), Parthenon-Kongreß Basel 1982, 1984, 47–54 **10** H. Lauter, Die Architektur des Hell., 1986 **11** Ch. Löhr, Griech. Häuser nach 348 v. Chr.: Hof, F., Türen, in: W.-D. Heilmeyer, W. Hoepfner (Hrsg.), Licht und Architektur, 1990, 10–19 **12** W. L. MacDonald, The Architecture of the Roman Empire II, 1986 **13** D. Mertens, Der Tempel von Segesta und die dor. Tempelbaukunst des griech. Westens in klass. Zeit, 1984 **14** W. Müller-Wiener, Griech. Bauwesen in der Ant., 1988 **15** F. Prayon, Frühetr. Grab- und Hausarchitektur, 1975 **16** D. S. Robertson, Greek and Roman Architecture, ²1943 **17** Th. Schattner, Griech. Hausmodelle, 15. Beih. MDAI(A), 1990 **18** K. Schneider, Villa und Natur. Eine Studie zur röm. Oberschichtkultur im letzten vor- und ersten nachchristl. Jh., 1995, 48–52 **19** L. Schneider, Ch. Höcker, Die Akropolis von Athen, 1990, 208–215 **20** Ch. Skrabei, F. in griech. Tempeln, in: W.-D. Heilmeyer, W. Hoepfner (Hrsg.), Licht und Architektur, 1990, 35–42 **21** D. Sperl, Glas und Licht in Architektur und Kunst, in: W.-D. Heilmeyer, W. Hoepfner (Hrsg.), Licht und Architektur, 1990, 61–71 **22** J. B. Ward-Perkins, Roman Imperial Architecture, 1970, 415–466. C. Hö.

Fenus nauticum. Das röm.-hell. Seedarlehen (vgl. die Titel *de nautico fenore* Dig. 22,2 und Cod. Iust. 4,33); der Name begegnet erstmals gegen Ende des 3. Jh. n. Chr. in einem Reskript Diocletians und Maximians (Cod. Iust. 4,33,4) und meint hier soviel wie Darlehenskapital zu Seezinsen. Bei den klass. Juristen heißt der Darlehensgegenstand etwa *mutua pecunia nautica* (Cerv. Scaevola Dig. 45,1,122,1) oder *pecunia traiecticia*. Diese wird von Modestinus definiert als *pecunia quae trans mare vehit* (Dig. 22,2,1). Indessen dient der Kredit zur Finanzierung von Warenexporten und -importen über See. Das *f. n.* entspricht dem δάνειον ναυτικόν (*dáneion nautikón*), einem der Institute des griech. Seerechts, die von den Römern in republikanischer Zeit im Zuge der Eroberung des Mittelmeerraumes rezipiert wurden. Die Griechen kannten das δάνειον ἑτερόπλουν (*dáneion heteróplun*) für eine einfache Seefahrt zum Zielort wie auch das δάνειον ἀμφοτερόπλουν (*dáneion amphoteróplun*) für die Hin- und Rückfahrt. Einen Einblick in die Verhältnisse des 4. Jh. v. Chr. bieten Seedarlehensurkunden, die im Corpus der Demosthenes-Reden überliefert sind, u. a. in der Rede ›Gegen Lakritos‹ (Demosth. or. 35). Von der röm. Übernahme der griech. Praxis im 2. Jh. v. Chr. zeugt Plutarchs Bericht über die Seedarlehen des Cato maior (Plut. Cato maior 21,5–7). Ob sich die Tabulae Pompeianae 13 und 34 aus den Jahren 38 und 52 n. Chr. auf einen *f. n.* beziehen, ist umstritten.

Für das *f. n.* ist kennzeichnend, daß abweichend vom gewöhnlichen Darlehen (*mutuum*) der Gläubiger die Seegefahr (*periculum maris*) trägt. Verwirklicht sich eine typische Seegefahr, etwa durch Schiffbruch (*naufragium*), so ist der vertragstreue Schuldner nicht zur Rückzahlung des Darlehens verpflichtet. Insoweit hat das Seedarlehen damit eine versicherungsähnliche Funktion. Dem besonderen Gläubigerrisiko entsprechen auf der anderen Seite *usurae maritimae*, d. h. der Höhe nach zunächst unbegrenzte »Seezinsen« (vgl. Paul. sent. 2,14,3). Erst Justinian hat den jährlichen Zinssatz auf 12 % beschränkt (Cod. Iust. 4,32,26,2). Als wohl typisches Beispiel für eine Vertragsgestaltung im einzelnen kann das Seedarlehen des Callimachus (Dig. 45,1,122,1) angesehen werden (dazu [6]). Dem Gutachten Scaevolas hierzu liegt eine Stipulationsdarlehensurkunde in Form eines Chirographum mit folgenden Angaben zugrunde: Ort des Vertragsschlusses (Berytus), Zielort der Seefahrt (Brundisium), Laufzeit des Darlehens (200 Tage), spätester Zeitpunkt für den Antritt der Rückfahrt (*intra idus Septembres*), bei Terminüberschreitung sofortige Fälligstellung, für diesen Fall Einziehungsermächtigung eines Begleitsklaven, Verpfändung der finanzierten Waren. Die Zinsen waren in die zurückzuzahlende Gesamtsumme einbezogen, bereits vorausbezahlt oder bei der Valutierung als Disagio einbehalten. Offen bleibt, ob die Zinsabrede im Falle des Seedarlehens auch ohne Stipulationsform verbindlich war. Diese Form war wohl ebenso üblich wie ein bes. Vertragsstrafeversprechen (*poena pecuniae traiecticiae*) für den Fall verspäteter Rückzahlung (vgl. Dig. 22,2,9; 44,7,23).

Das ant. *f. n.* wurde von den ma. und neuzeitlichen Seerechten fortentwickelt. Im Statut von Marseille (1253) ist es umschrieben als *mutuum portandum in aliquod viagium ad fortunam vel resigum ipsius mutuantis*. Die Ordonnance de la marine von 1681 erwähnt den »contrat à grosse aventure« oder »à retour de voyage« unter den »contrats maritimes« (Livre III, Titre V; vgl. auch art. 311 Code de Commerce 1808: »contrat à la grosse«). Dieser Vertrag entspricht der in niederländischen, dt. und nordeurop. Seerechten bekannten Bodmerei (abgeleitet von Boden, Bodem im Sinne von Schiffsboden). Der Bodmereivertrag hat die Pfandhaftung von Schiff und Ladung zum Gegenstand, mit der Maßgabe, daß der Darlehensgeber die Gefahr für die verbodmeten Gegenstände trägt (vgl. die seit 1972 aufgehobenen §§ 679 ff. Handelsgesetzbuch von 1900). Bodmereigelder werden in §§ 779, 803 Handelsgesetzbuch als Gegenstand eines Seeversicherungsvertrages erwähnt. ›No arrival, no sale‹ – Bestimmungen, wie sie im amerikanischen »Uniform Commercial Code« von 1956 erwähnt sind, stehen ebenfalls in der Tradition des *f. n.*

→ Darlehen; Mutuum; Naufragium; Poena; Stipulatio

1 L. Goldschmidt, Unt. zur l. 122 § 1 D. de V. O. (45,1), 1855 **2** J. Rougé, Recherches sur l'organisation du commerce maritime en Méditerranée sous l'empire Romain, 1966, 345–360 **3** Martino, WG, 152–158 **4** G. Purpura, Testimonianze storiche ed archeologiche di traffici marittimi di libri e documenti, in: Annali del Seminario Giuridico dell' Università di Palermo 44, 1996, 369–375 **5** H. Ankum, Quelques observations sur le prêt maritime dans le droit romain préclassique et classique, in: S. ADAM (Hrsg.), Symbolès, 1994, 105–113 **6** C. KRAMPE, Der Seedarlehensstreit des Callimachus, in: Collatio iuris Romani, Études Hans Ankum, 1995, 207–222 **7** P. GRÖSCHLER, Die tabellae-Urkunden aus den pompejanischen und herkulanischen Urkundenfunden, 1997 (= Freiburger Rechtsgesch. Abh., N.F., Bd. 26), 160–162 **8** K. TANEV, F. n., in: Orbis Iuris Romani, 1998.

C. KR.

Fer(c)tum s. Strues

Ferentinum. Stadt der Hernici in *Latium adiectum* auf einem Berg (404 m) an der *via Latina*, 24 Meilen vor Anagnia und 7 Meilen vor Frosinone, h. Ferentino (Frosinone) am Trerus (h. Sacco; Itin. Anton. 305; Tab. Peut. 6,2). Von Volsci 413 besetzt, später den Hernici zurückgegeben (Liv. 4,51ff.); 361 vom *consul* Licinius Calvus erobert (Liv. 7,9). Hielt während des Aufstands der Hernici 306 zu Rom, erlitt 211 schwere Verwüstungen durch Hannibal. Seit 195 v.Chr. im Besitz des *ius Latii* (Liv. 34,42,5). Während der gracchischen Reformen kam es zu Übergriffen röm. Magistrate (Gell. 10,3,5); *municipium*, *tribus Publilia*; bezeugt sind *IV viri* [1. 19, 22]. In der Kaiserzeit sind *Ferentinates Novi* inschriftlich belegt (CIL X 5825; 5828), was auf die Existenz einer *colonia* schließen läßt. Bischofssitz seit dem 4. Jh.

Arch. Befund: Erhalten sind röm. Stadtmauern mit Toren und Türmen; Akropolis mit Befestigungsanlagen aus sullanischer Zeit (CIL X 5837–5840) auf mächtigen Mauern mit einem Vorbau über Wehrgängen (Vescovado); Markt republikanischer Zeit; Theater; Schwefelbäder. Vor der Porta Maggiore liegt das Felsgrab des A. Quintilius aus traianischer Zeit (CIL X 5853).

1 W. KUBITSCHEK, Imperium Romanum tributim discriptum, 1889.

T. ASHBY, F., in: MDAI(R) 24, 1909, 1–58 · A. BARTOLI, F., F. novum, F. maius, in: RPAA 26, 1950/1, 153–156 · Ders., F., in: Rendiconti Acc. Lincei 9, 1954, 470–506 · G. GULLINI, I monumenti dell' Acropoli di Ferentino, in: ArchCl 6, 1954, 185–216 · H. SOLIN, Regio I, F., in: Supplementa Italica 1, 1981, 23–69 · R. GELSOMINO, F. nel sistema viario romano, 1986 · C. BIANCHI, F. in Hernicis, 1989 · A.M. RAMIERI, F. dalle origini all'alto medioevo, 1995 · L. QUILICI, S. QUILICI, Opere di assetto territoriale ed urbano, 1995.   G.U./Ü: H.D.

Ferentis, Ferentium. Stadt in Süd-Etruria (*regio VII*), für das 8./6. Jh. v. Chr. auf einem Ausläufer des Poggio San Francesco nachgewiesen (305 m), h. Ferento, 9 km nördl. von Viterbo, auf einer Anhöhe zw. zwei rechten Nebenflüssen des Tiberis. In röm. Zeit nach NO auf die andere Seite des Flusses verlegt (306 m; Pianicara). Das Territorium wurde unter den Gracchen vergeben [1. 216]; *municipium*, *tribus Stellatina*. Aus F. stammte die *gens Salvia*, außerdem Otho (Tac. hist. 2,50; Suet. Otho 1,1) und Flavia Domitilla (Suet. Vesp. 3). Die Stadt verfiel in der späten Kaiserzeit; sie war bis ins 7. Jh. Bischofssitz. 1172 wurde sie von Viterbo zerstört.

Arch. Befund: Reste von Schanzen; die Stadtmauern an der Bergkante sind abgerutscht; regelmäßiger Stadtplan. Auf dem Forum befindet sich ein Augusteum (CIL XI 7431), im südwestl. Teil der Stadt ein Theater (Statuen im Museum von Florenz), ferner große Thermenanlagen. Ein Amphitheater liegt im NO; etr. Nekropolen auf dem Poggio del Talone, röm. bei Pianicara (Grabmal der *gens Salvia*), eine unterirdische christl. Grabanlage bei S. Eutizio. Auf dem Territorium von F. sind verschiedene röm. Brücken erh. Grabungsfunde und Inschr. im Museo Civico in Viterbo.

1 F. BLUME, K. LACHMANN (ed.), Die Schriften der röm. Feldmesser, 2 Bde, 1848ff.

A. GARGANA, F., guida degli scavi, 1935 · Ders., Il teatro di F., 1937 · R. ROSSI DANIELLI, F., 1959 · C.F. GIULIANI, Bolsenae F., in: Quaderni dell' Istituto di Topografia Antica dell' Università di Roma 2, 1966, 67–70 · P. GIANNINI, F., 1971 · BTCGI 7, 1989, 427–443 · P. PENSABENE, Il teatro romano di F., 1989 · Ders., Monumenti medievale a F., in: Rivista di Studi Liguri 59/60, 1993/4, 267–296.

G.U./Ü: H.D.

Feretrius. Beiname → Iuppiters ungeklärter Bed., der schon in der Ant. Anlaß zu etym. Spekulationen gab, die antiquarische wie polit. Interessen spiegeln; dabei wurden Name und Kult des Gottes in Beziehung gesetzt. Die Herleitungen reichten von *ferre* (*arma*: Prop. 4,10,47; Liv. 1,10,5–6; vgl. R. Gest. div. Aug. 19: *tropaiophóros*; *pacem*: Fest. 81 L.), *feretrum* (Gestell, auf dem man die erbeuteten Waffen im Triumphzug trug: Plut. Marcellus 8) bis zu *ferire* (*ense ducem*: Prop. 4,10,46; Iuppiter, der mit seinem Blitz »schlägt«: Plut. Marcellus 8; *ferire foedus* [sc. fetiales], vgl. Fest. 81 L.).

Das Heiligtum des Iuppiter F. auf dem Kapitol galt als ältester Tempel Roms (Liv. 1,10,7); angeblich von Romulus gegründet, wurde er (verfallen, ohne Dach: Nep. Att. 20,3) von Augustus wiederhergestellt. Zum Tempelinventar gehörten das *sceptrum*, der *lapis silex* und die *spolia opima*. Der Kult des Iuppiter F. umfaßte zwei Bereiche: 1. → *dedicatio* der *spolia opima* (»fette Beuterüstung«): Eine Weihung der vom feindlichen Heerführer im Zweikampf erbeuteten Rüstung sollen nur Romulus, A. Cornelius Cossus und M. Claudius Marcellus vollzogen haben (vgl. Fest. 204 L.). Dieser seltene rituelle Akt förderte das Prestige einzelner und gewann unter Augustus polit. Bed. (vgl. Liv. 1,10,7; 4,20; Cass. Dio 51,24,4). 2. Von größerer Bed. für die Kultpraxis war Iuppiter F. als Schwurgott. Die → *fetiales* schworen beim *sceptrum* und schlossen mit dem *lapis silex*, einem Feuerstein, dem man aufgrund seines hohen Alters und dauerhaften Materials wohl göttl. Kraft zuschrieb, staatl. Bündnisverträge (Fest. 81 L.). Für eine kultische Verehrung des Steins in histor. Zeit gibt es keinerlei Anzeichen (auch nicht Serv. Aen. 8,641). Noch in der Kaiserzeit lautete bei vielen Anlässen die höchste Schwurformel: [per] *Iovem lapidem* (»bei Iuppiter dem Stein«; Gell. 1,21,4).

S. J. HARRISON, Augustus, the poets and the spolia opima, in: CQ 39, 1989, 408–414 • SIMON, GR, 108; 242 • L. A. SPRINGER, The Cult and Temple of Iuppiter F., in: CJ 50, 1954/55, 27–32. HE. K.

Feriae ist das lat. Wort für »Feiertag«; das Plural-Wort wird häufig in singularischer Bedeutung verwendet (vgl. *Kalendae, Nonae, Idus, nundinae*). Die alte Form (Paul. Fest. 76 L., 323 L.[1]) ist *fesiae* (vgl. das etymologisch verwandte *festus*). *Dies feriatus* ist ein häufig vorkommendes Synonym. Opfergaben und vorgeschriebene Rituale konnten regelmäßiger Bestandteil von bestimmten Feiertagen sein. Die *f.* zeichneten sich im wesentlichen durch das Einstellen aller profanen Aktivitäten aus.

Es gab entsprechend den *sacra* (Fest. 284 L.) zwei breite Kategorien von *f.*: *privatae* und *publicae*. *F. privatae* bezeichneten familiäre oder persönliche Anlässe wie Geburt, Tod und Durchgangsriten. Bedeutende *gentes*, wie z. B. die Iulii, Claudii und Aemilii, hatten ihre eigenen besonderen Feiertage (Macr. Sat. 1,16,7). Der Begriff *f.* bezog sich sogar auf individuelle Personen, die aus einem bestimmten Grund verpflichtet waren, ein → *piaculum* oder eine *expiatio* zu leisten (ebd.).

F. publicae waren Staatsrituale, die von der ganzen Bevölkerung oder einem bestimmten Teil der Gesellschaft begangen wurden. *F. stativae* waren jährliche Rituale, die immer am gleichen Tag gefeiert wurden; *f. conceptivae* wurden an einem Tag gefeiert, der jährlich von den Staatspriestern verkündet wurde. *F. imperativae* waren außergewöhnliche Feiertage, die von Magistraten mit *imperium* für besondere Umstände verordnet wurden, z. B. um für *prodigia* und Katastrophen zu sühnen oder Siege zu feiern.

Serv. georg. 1,268 betont das Primat der Aktivitäten für die Götter (einschließlich Ritualen oder Liturgien) im Gegensatz zur menschlichen Arbeit an diesen Tagen. Die Atmosphäre sollte harmonisch und friedvoll sein; Cic. leg. 2,55 beschreibt sie als *quieti dies* der Götter. Die Bürger sollten an *f.* von (gerichtlichem) Streit Abstand nehmen (Cic. div. 1,102; vgl. Isid. nat. 1,4). Körperliche Gewalttaten an *f.* bedurften bes. Sühnung (Macr. Sat. 1,15,21). Der *feriatus dies* war, zumindest theoretisch, ein Ruhetag für Sklaven und Herren. Cicero (leg. 2,19) empfiehlt letzteren, die *f.* mit ihren Sklaven, die die Ruhe verdienen (2,29), zu feiern, sobald angemessene Arbeiten verrichtet sind (s.a. Tib. 2,1,5 und 23f.; Ov. fast. 1,665–670). An den → *Saturnalia, f. servorum* (CIL I², 269), hatten die Sklaven Narrenfreiheit. Nach den Ausführungen Catos (agr. 138) kamen sogar Arbeitstiere in den Genuß eines gewissen Aufschubs ihrer Arbeit, abgesehen von der unbedingt notwendigen: Das menschliche Überleben, so kann man diese Regelungen deuten, hängt von der erfolgreichen Ausführung der richtigen Arbeit zum richtigen Zeitpunkt ab. Arbeit, bes. im landwirtschaftlichen Bereich, ist daher symptomatisch für die menschliche Sterblichkeit und aus diesem Grund während der *f.*, wenn die Anwesenheit der Unsterblichen angerufen wurde (s. Tib. 2,1,1–10; Catull. 64,384–388, vgl. Vers 38–42; [4. 58–68]), unangemessen.

Neben den beweglichen und aus aktuellem Anlaß angesetzten *f.* [6. 204f.] existierten mindestens 61 *f. publicae* mit festen Daten (vgl. Colum. 2,12,9), darunter alle Iden, die Kalenden von März, Juni und Oktober sowie die *Nonae Caprotinae*. Bei dieser Anzahl versuchten die Römer, *religio* mit praktischen Notwendigkeiten (bes. im landwirtschaftlichen Bereich) zu vereinbaren. Es gab gelehrte Interpretationen, zu der Frage, welche Arbeiten während der *f. publicae* gestattet waren und welche nicht. Im allg. waren größere Arbeiten, bes. wenn sie ein Aufbrechen der Erde erforderten (was den chthonischen Bereich berührt) oder mit den Toten (und damit der Unterwelt) zu tun hatten, verboten. Geringere Arbeiten, die heilende oder wachstumsfördernde Eigenschaften hatten (z. B. Düngen und einige Anbauarten), die die Freude am Tag steigerten oder Teil von Ritualen waren, waren erlaubt. Es befanden sich unter den gestatteten Arbeiten solche, die mit der Sonne und dem Licht zu tun hatten (z. B. das Ausbreiten von Äpfeln, Birnen und Feigen zum Trocknen: Colum. 2,21,3). Spezielle Regelungen wurden für die Händler und Handwerker getroffen, die ihre Arbeit auch während vieler Feiertage fortsetzten. Es wurde lediglich Wert darauf gelegt, daß der Anblick dieser schwer Arbeitenden nicht die Festlichkeiten störte. Fest. 292 L. beschreibt die *praeciamitatores*, die den *flamines* (wohl auch anderen Priestern, vgl. die *calatores* in Serv. georg. 1,268) durch die Stadt voranschritten und alle dazu aufforderten, ihre Arbeit einzustellen, bevor die Priester vorbeigingen.

Die kasuistische Interpretation des Sakralrechts vergrößerte den Spielraum in der Kaiserzeit (vgl. Verg. georg. 1,268–275 mit Varro bei Serv. auct. georg. 1,270 und Colum. 2,21,2). Das Referat des Macrobius (Sat. 1,16,9–11) beweist mit seinen Vergangenheitsformen, daß die Regelungen am Anfang des 5. Jh. n. Chr. obsolet waren. Die Bauernkalender und das → *Feriale Duranum* aus dem 3. Jh. n. Chr. zeigen die lokale und institutionelle Regelungsvielfalt; im Gegensatz zur Republik konnten juristische Prozeduren im Einvernehmen der Konfliktparteien auch an *f.* fortgesetzt werden (Ulpian Dig. 2,12,6; [6. 210f.] für die Folgezeit). Bereits Claudius (Cass. Dio 60,17,1) und Vespasian (Tac. hist. 4,40) reduzierten die ständig wachsende Zahl der *f.*: Solche Umschichtungen fanden in der gesamten Kaiserzeit statt.

1 G. WISSOWA, Religion und Kultus der Römer, ²1912, 432–449 2 Ders., s. v. F., RE 6, 2212–2213 3 C. JULLIAN, s. v. F., DS 2, 1042–1066 4 P. BRAUN, Les Tabous des F., in: Année sociologique 3, 1959, 49–125 5 K. NICOLAI, »Feiertage und Werktage im röm. Leben ...«, in: Saeculum 14, 1963, 194–220 6 F. M. DE ROBERTIS, Lavoro e lavoratori nel mondo romano, 1963, Ndr. 1979, 200–211 7 A. K. MICHELS, The Calendar of the Roman Republic, 1967, 61–83 8 D. P. HARMON, The Family (Public) Festivals of Rome, in: ANRW II 16.2, 1592–1603 (1440–1468).

D. P. H.

Feriae Latinae. Die Bundesfeier aller latinischen Städte auf dem Albanerberg. Festgott war → Iuppiter Latiaris. Rom hatte die Leitung inne; die Nachrichten über Stiftung, Veränderung und Entwicklung des Fests beziehen sich durchweg auf die mythische Urgesch. (Dion. Hal. ant. 4,49; 6,95; Plut. Camillus 42,5 p. 151; Strab. 5,3,2 p. 229). Diesen → *feriae conceptivae* (Varro, ling. 6,25) kam große polit. Bedeutung zu: Die Consuln hatten sie gleich nach ihrem Amtsantritt anzusagen, erst nach der Feier durften sie zum Heer abgehen (Liv. 21,63,5; 8; 22,1,6; 44,19,4; Cass. Dio 46,33,4). Rom war, wie die Latinerstädte, durch alle Beamten vertreten; ein junger Mann aus vornehmer Familie wurde zum *praefectus urbi feriarum Latinarum causa* ernannt (CIL VI 1421; Cass. Dio 49,42,1; 53,33,3). Während der Feier herrschte Waffenruhe (Dion. Hal. ant. 4,49,2; Macr. Sat. 1,16,16f.). Reste von kaiserzeitlichen → *fasti* fanden sich auf dem Albanerberg (InscrIt XIII,1,143ff.).

Die Feier wurde in Form einer → *lustratio* (Cic. div. 1,17–18), also eines Umgangsritus, begangen, wie es für Veranstaltungen, die der sozialen Integration dienten, üblich war. Vermutlich als Voropfer wurde bei den *f.L.* Milch dargebracht (Cic. loc. cit.); Opfertier war urspr. ein weißer (Arnob. 2,68), später auch rötlicher Stier. Der Fleischverteilung kam hohe Symbolkraft zu: Rom stellte das Opfertier für den Kult; die Vertreter aller latinischen Gemeinden mußten um ihren Anteil bitten (*carnem petere*: Varro, ling. 6,25; Cic. pro Planc. 23) – eine Inszenierung des röm. Hegemonialanspruches (Dion. Hal. ant. 4,49,3). Die Gegengaben der Latiner waren weniger prestigeträchtig: Lämmer, Käse, Milch und dgl. (Dion. Hal. ebd.). Ihr unterlegener Status wurde zusätzlich dadurch betont, daß ihre Beamten ein Gebet für Rom, *populo Romano Quiritium*, sprachen (Liv. 41,16,1). Peinlich genau wurde auf die korrekte Durchführung des Rituals geachtet; Störungen machten die Wiederholung (*instauratio*) erforderlich. Dies geschah z.B., als der Magistrat von Lanuvium vergaß, für das röm. Volk zu beten (ebd.), als die Vertreter von Ardea (Liv. 32,1,9) bzw. von Laurentum (Liv. 37,3,4) protestierten, weil sie keinen angemessenen Anteil am Opferfleisch erhalten hatten, oder als ein Wettersturz die *f.L.* unterbrach (Liv. 40,45,2). Die gelungene Durchführung des Bündnisrituals wurde durch das vom Berg weithin in die Nacht leuchtende Opferfeuer angezeigt (Lucan. 1,550; 5,402).

Schwer zu greifen sind Nachrichten über den Festbrauch des Schaukelns (*oscillatio*: Fest. 212 L.; Schol. Bobiensia in Cic. Planc. 23) und über mögliche parallele Veranstaltungen in den beteiligten Städten, etwa das Wagenrennen auf dem Capitol, dessen Sieger Absinth zu trinken bekam (Plin. nat. 27,45). Angebliche Menschenopfer bei den *f.L.* gehören zur christl. Propaganda seit dem 2. Jh. (Tatianus 29; Tert. apol. 9; Min. Fel. 30,4; Prud. Contra Symmachum 1, 396).

→ Alba Longa; Latinischer Bund; Opfer

LATTE, 144ff. • B. LIOU-GILLE, Naissance de la lingue latine. Mythe et culte de fondation, in: RBPh 74, 1996, 73–97 • D. SABBATUCCI, La religione di Roma antica, 1988, 305ff. • CH. WERNER, De feriis Latinis, 1888.   D.B.

Feriale   A. BEGRIFF
B. SOZIALSTRUKTUREN   C. EXEMPLARE

A. BEGRIFF

Als *f.* bezeichnet sich in der Überschrift eine kampanische Inschr. aus dem Jahr 387 n. Chr., die eine Liste von sieben jährlich gefeierten Ritualen bietet (InscrIt 13,2,283). Von diesem Text, dem sog. F. Campanum, wurde der Begriff in der Forsch. auf ähnliche Zusammenstellungen im lat. Bereich übertragen: Im Unterschied zu eigentlichen Kalenderdarstellungen (→ *fasti*) führen *ferialia* nicht alle Tage des Jahres auf, sondern nur jene, die durch spezifizierte Rituale ausgezeichnet sind. Es ist sinnvoll, *f.* als Begriff der Wissenschaftssprache auch auf vergleichbare schriftliche Zusammenstellungen in anderen Kulturen zu übertragen [13. 525] und damit den Begriff des »Opferkalenders« zu ersetzen, der nicht erkennen läßt, ob die Daten-Zusammenstellung durch Markierung von Tagen in einem (vollständigen) Kalender erfolgt oder in Form einer auf die einschlägigen Tage beschränkten Liste. Da *ferialia* einem konkreten Zweck und (nur) einer best. Gruppe dienen, bedarf die Datenliste üblicherweise eines erläuternden Vorspanns. Formgeschichtlich ist es daher sinnvoll, auch jene Texte als *f.* zu bezeichnen, die in andere Gattungen (Altargesetze, Testamente, Ritualtexte) eingebettet sind.

B. SOZIALSTRUKTUREN

Im Unterschied zur eher deskriptiven Gattung der *fasti* hat das *f.* normativen Charakter. Es schreibt für eine Gruppe, teilweise für einen einzelnen Ort kalendarisch geregelte rel. Verpflichtungen fest. Dabei kann es sich um Angehörige eines Verstorbenen handeln, die testamentarisch (publiziert in einer Grabinschr.) zu regelmäßigem Totenkult verpflichtet werden; um Mitglieder eines Vereins, deren Fest- und Gedenkordnung Teil einer *lex collegii* ist (z.B. CIL 14,2112) oder als Graffito im Versammlungsraum (→ *schola*) festgehalten wird (Text: [4. 625–630]; dazu [13. 530f.]; möglicherweise diente das F. Cumanum, InscrIt 13,2,279, einem Collegium von *Seviri Augustales*; vgl. [1]). Die Verpflichtungen röm. Mil.-Einheiten könnten in einer Dienstanweisung geregelt worden sein, die im → F. Duranum greifbar ist. Ein *f.* größerer Priesterschaften fehlt, die *acta* der → *Arvales fratres* sind Protokollauszüge und enthalten keine präskriptiven Texte.

Ein schriftlich fixiertes *f.* eines größeren Ortes ist nicht bekannt. In Anbetracht der Vielzahl und Variabilität kultischer Verpflichtungen einer Polis in einem polytheistischen System, die in einem solchen Text zu kanonisieren wären, bildet Mündlichkeit, etwa in Form monatlicher (Varro ling. 6,28) oder jährlicher Ankündigungen, das geeignetere Medium. Für eine komplexere lokale Ges. können auch wöchentliche (→ Woche) bzw. monatliche Rhythmen (für Athen s. [8. 13–24]) größere Bed. besitzen, während es für freiwillige Zusammenschlüsse innerhalb der Polis (etwa Vereine) gerade darauf ankommt, Zeitmuster zu entwickeln, die mit den gesamten Rhythmen kompatibel sind. Die Orte selbst sind, auch unter röm. Imperium, sehr frei in der Festlegung ihres *f.* Selbst für *coloniae civium Romanorum* stellt die spätrepublikanische *lex Ursonensis* (CIL I², 594 = ILS 6087) die Festauswahl völlig frei (Kap. 64); ohne terminliche Fixierung werden in dem aus Rom stammenden Rahmengesetz lediglich drei Spieltage für die Kapitolinische Trias (Iuppiter, Iuno und Minerva) und ein Festtag für die eng mit der Gründung Caesars verbundene Venus vorgeschrieben (c. 70f.). Mit der Kaiserzeit gewannen die Festtage (*dies natalis, dies imperii*) v. a. der regierenden Dynastie zunehmend verpflichtenden Charakter; sie bildeten nicht nur eine wichtige Vorgabe für die zeitliche Selbstorganisation von Städten [13. 515ff., 544f.], sondern auch für private rel. Aktivitäten [7].

C. EXEMPLARE

1. Etruskisch: Aus dem frühen 5. Jh. v. Chr. stammt die *Tabula Capuana.* Das erh. Frg. (wohl für Frühjahr und Frühsommer) bietet kalendarisch geordnet detaillierte Anweisungen für die Durchführung von Ritualen (zumeist Opfern), die verschiedene göttl. Adressaten betreffen. Die verantwortlichen Priester und Gruppen werden benannt; geogr. erstreckt sich ihre Aktivität über Capua hinaus (zuletzt [14]). Ein vergleichbarer, noch einmal ausführlicherer Ritualtext in Form eines *f.* findet sich aus spätrepublikanischer Zeit im → *liber linteus* der Agramer Mumienbinden [12; 9; 6. 103–110].

2. Griechisch: Neben Regelungen innerhalb umfangreicherer Sakralgesetze stehen bes. die selbständigen *ferialia* der att. Demen [3], die kultische Verpflichtungen z. T. sehr präzise beschreiben. Ihr bes. Interesse liegt in der Regelung finanzieller Lasten des Kultes [2; 10. 185–208]; das *f.* aus Erchia (SEG 21,541) gliedert die Festliste sogar spaltenweise nach den fünf individuellen Kostenträgern.

3. Römisch: In Konkurrenz zu den vollständigen Kalendern, den *fasti*, scheint sich eine eigene stabile epigraphische Form des *f.* zunächst nicht entwickelt zu haben. Erwähnenswert sind neben den schon genannten größeren Inschr. des F. Cumanum (spätaugusteisch) und F. Campanum sowie dem → F. Duranum noch die sog. Fasti Guidizzolenses, eine nahe Brixia gefundene, frg. erh. Inschr., die ein auf Zahlen reduziertes Kalenderschema (als Steckkalender gestaltet) mit einem *f.* kombiniert, das für die zweite Jahreshälfte sieben Feste aufführt und am ehesten in das 2. oder 3. Jh. n. Chr. gehört: der einzige bekannte Fall einer Kombination von *f.* und dem (allein in der röm. Kultur) verschriftlichten Kalender [13. 160–164]. Schon im → Chronographen von 354 finden sich dann christl. *ferialia* in der Form von Listen der *dies depositionis* bzw. *natales*: den Todes-/Bestattungs- und damit neuen Geburtstagen der Märtyrer. Darstellerisch erweist sich die Kombination dieser im iulianischen Kalender (Sonnenjahr) fixierten Daten mit dem vom Mondlauf bestimmten Osterfestkreis als Problem, das in die ma. Computus-Darstellungen (langfristiger graphischer Schemata zur Berechnung

des christl. Kalenders [11]) führt.
→ Kalenderwesen

LIT.: **1** T. MOMMSEN, Das Augusteische Festverzeichnis von Cumae, in: GS 4, 1906, 259–270 **2** M. JAMESON, Notes on the Sacrificial Calendar from Erchia, in: BCH 89, 1965, 154–172 **3** ST. DOW, Six Athenian Sacrificial Calendars, in: BCH 92, 1968, 170–186 **4** P. CASTRÉN, Graffiti di Bolsena, in: MEFRA 84, 1972, 623–638 **5** F. GRAF, Zum Opferkalender des Nikomachos, in: ZPE 14, 1974, 139–144 **6** A. J. PFIFFIG, Religio Etrusca, 1975 **7** P. HERZ, Unt. zum Festkalender der röm. Kaiserzeit nach datierten Weih- und Ehreninschr., 2 Bde., Diss. Mainz 1975 **8** D. MIKALSON, The Sacred and Civil Calendar of the Athenian Year, 1975 **9** F. RONCALLI, Carbasinis voluminibus implicati libri, in: JDAI 95, 1980, 227–264 **10** D. WHITEHEAD, The Demes of Attica 508/7–ca. 250 B.C., 1986 **11** A. BORST, Computus, 1990 **12** I. EDLUND-BERRY, Etruscans at Work and Play, in: Kotinos. FS E. Simon, 1992, 330–338 **13** J. RÜPKE, Kalender und Öffentlichkeit, 1995 **14** M. CRISTOFANI, Tabula Capuana, 1995.

ED.: InscrIt 13,2,279ff. bietet nur (scheinbar) selbständige lat. Ferialia · LSCG 1 f.; 7; 17f.; 20; 62; 96; 128; 151; 165; 169 (griech.). J. R.

Feriale Duranum. 1931/32 bei Ausgrabungen in der Garnisonsstadt Dura-Europos (Prov. Mesopotamia) gefundener Papyrus mit einem ursprünglich für den Dienstgebrauch der *cohors XX Palmyrenorum* gedachten Festkalender aus der Regierungszeit des Severus Alexander (2/3, Anfang Januar bis Ende September erh.). Neben dem Datum und dem Anlaß des Festes finden sich auch Angaben zur Art des zu verwendenden Opfertieres. Etwa drei Viertel des Festbestandes sind mit ausreichender Sicherheit erschlossen: 1. Neben aktuellen Festen des regierenden Kaisers Severus Alexander (*dies imperii, dies Caesaris*) und seiner engsten Familie finden sich auch dynastisch relevante Feiern wie *dies natales* und *dies imperii* der divinisierten Vorgänger und ihrer Ehefrauen (bes. Severer, Antonine). Das Fortleben einer Geburtstagsfeier des nichtdivinisierten Germanicus am 24. Mai ist enigmatisch. – 2. Eine Gruppe aus Festtagen mit spezieller Relevanz für das Militär (*rosaliae signorum*, Tag der Entlassung). – 3. Eine Gruppe mit Festen des stadtröm. Festkalenders (Mars Pater, Quinquatria, *dies natalis urbis Romae, circenses Martiales*, Vestalia, Neptunalia, *circenses Salutares*), zu denen noch die Neujahrsfeiern am 1. Januar und die *nuncupatio votorum* am 3. Januar treten. Für den verlorenen Teil sind neben einigen *d. n.* noch Saturnalia, Augustalia und Armilustrium anzunehmen. Das Feriale ist ein Zeugnis der offiziellen Heeresreligion, das keine Rücksicht auf die ethnischen und religiösen Verhältnisse innerhalb der Truppe nimmt (orientalische Kulte fehlen) und reichsweite Gültigkeit beansprucht. Es dürfte im Grundbestand auf die julisch-claudische Zeit zurückgehen und ist wie der offizielle Festbestand einer permanenten Aktualisierung unterworfen.

ED.: R. O. FINK, Roman military records on papyrus, 1971, Nr. 117 (ältere Lit.).

LIT.: C. HOPKINS, The discovery of Dura-Europos, 1979 · R. O. FINK, A. S. HOEY, W. F. SNYDER, The F. D., in: YClS 7, 1940, 1–221 (Erstpublikation) · W. F. SNYDER, Public anniversaries in the Roman empire, in: ebd., 223–317 · A. D. NOCK, The Roman army and the Roman religious year, in: Harvard Theological Review 45, 1952, 187–252 · J. F. GILLIAM, The Roman military feriale, in: Harvard Theological Review 47, 1954, 183–196 · P. HERZ, Unt. zum Festkalender der röm. Kaiserzet nach datierten Weih- und Ehreninschriften, 2 Bde, 1975 · Ders., Kaiserfeste der Prinzipatszeit, in: ANRW II 16.2, 1978, 1135–1200 · TH. PEKÁRY, Das Opfer vor dem Kaiserbild, in: BJ 186, 1986, 91–103 · D. FISHWICK, Dated inscriptions and the F. D., in: Syria 65, 1988, 349–361 = The imperial cult in the Latin West II,1, 1991, 593–608 · O. STOLL, Die Fahnenwache in der röm. Armee, in: ZPE 108, 1995, 107–118 · Ders., Excubatio ad signa, 1995.   P. H.

Fer(i)culum, seltener *feretrum* (z. B. Ov. met. 3,508; 14,747). Damit werden Tragevorrichtungen unterschiedlicher Form bezeichnet, die zum Befördern von Sachgütern nötig waren, speziell aber solche Gerüste, auf denen bei Aufzügen (Triumph, Bestattung o. ä.) Gegenstände präsentiert wurden, z. B. Beutestücke, Gefangene, Götterbilder u. a. (Suet. Caes. 76); ferner diente das *f.* zum Transport des Verstorbenen oder der Dinge, die mit ihm bestattet oder verbrannt werden sollten (Stat. Theb. 6,126). *F.* nannte man auch (→ Hausrat) das Speisebrett, die flache Schüssel, mit welchen Speisen beim Mahl aufgetragen wurden (z. B. Petron. 39,1; 39,4 u. ö.; Prop. 4,4,76; Apul. met. 2,19,3; Hor. sat. 2,6,104).

W. HILGERS, Lat. Gefäßnamen, in: BJ, 31. Beih. 1969, 180–181 · E. KÜNZL, Der röm. Triumph, 1988, 74–80 · J. KÖHLER, Zur Triumphalsymbolik auf dem Feldherrnsarkophag Belvedere, in: MDAI(R) 102, 1995, 371–379.
R. H.

Fernhandel s. Handel

Feronia. Name einer Göttin mit mehreren Kultstätten in Mittelitalien, die außerhalb städtischer Zentren lagen, sowie einem Quellheiligtum in Aquileia. Etym. des Namens und Herkunft des Kultes sind unklar. Die mod. Forsch. nimmt mit Varro ling. 5,74 an, daß es sich um eine sabinische Gottheit handelt. Etrurien als Ursprungsgebiet des Kultes wird entgegen früheren Annahmen h. allg. abgelehnt [1. 309; 2. 407]. Für die sabinische Herkunft sprechen v. a. arch. Befunde, d. h. die Situierung ihrer Heiligtümer in sabinischen und sabinisch beeinflußten Gebieten (Amiternum, Capena, Pisaurum, Tarracina, Trebula Mutuesca).

Die bedeutendsten Kultstätten befanden sich in Capena/Mons Soracte und Tarracina: In → Capena, im → *lucus Feroniae,* wurden bei Grabungen seit den 1950er Jahren zahlreiche Votivterrakotten gefunden. Es handelt sich um Nachbildungen verschiedener Körperteile und Tiere aus dem landwirtschaftlichen Bereich. Während die Körperteile auf eine Heilgottheit deuten, hat man in den Tierbildnissen eine Bestätigung für den »agrari-

schen Charakter« der Göttin gefunden, der nach Liv. 26,11,9 von den Capenaten die Erstlinge der Früchte geopfert wurden (zum jährlichen, von Sabinern und Latinern besuchten Jahrmarkt, der anläßlich des Opfers stattfand, vgl. Dion. Hal. ant. 3,32,1; zur religiösen → Ekstase von am Kult Beteiligten, die mit bloßen Füßen über glühende Kohlen gingen, vgl. Strab. 5,226 und Varro bei Serv. Aen. 9,787). Der Kult dauerte nach Gründung der sullanischen Kolonie Lucus Feroniae an; in der Kaiserzeit wurde in das Heiligtum ein Bau für den Kaiserkult integriert [3. 168].

Im Heiligtum in → Tarracina fanden Freilassungen von Sklaven in der Form statt, daß die Kandidaten sich mit geschorenem Haupt auf einen Steinsitz setzten und sich nach der Zeremonie mit dem → *pilleus* (= Hut und zugleich Zeichen der Freigelassenen) erhoben (Inschr. auf dem Sitz nach Serv. Aen. 8,564: *Bene meriti servi sedeant, surgant liberi*).

Das Alter und die Form des F.-Kultes in Rom sind ungewiß. Bekannt sind lediglich der Stiftungstag des Heiligtums auf dem Campus Martius (13. November, CIL I² p. 335, vgl. auch [4. 197]) und eine nicht näher definierte Beziehung zu Freigelassenen (Liv. 22,1,18 berichtet von der im J. 217 v. Chr. anläßlich eines → *prodigium* durch den Senat angeordneten Geldspende von freigelassenen Frauen für ein Weihegeschenk der F.).

1 PFIFFIG 2 G. DUMÉZIL, La rel. romaine archaïque, 1966 3 SCHEID, Collège 4 SCULLARD.

P. LONGO, F. Un culto sabino nel territorio volsco, in: La valle Pontina nell'antichità: Atti del convegno, 1990, 59–62 · RADKE, 124 ff. · A. M. SQUBINI MORETTI, Statue e ritratti onorari da Lucus Feroniae, in: Rendiconti della Pontifica Accademia 55–56, 1982–84, 71–109.   C. F.

Ferrandus. Diakon in Karthago, † 546/547, Schüler und Freund des Bischofs → Fulgentius von Ruspe, über den er bald nach dessen Tod (532) eine Vita verfaßte (Autorschaft nicht einhellig anerkannt). Von F. stammt die erste Sammlung (*Breviatio canonum*) des nordafrikanischen Kirchenrechts (Synodalbeschlüsse, in 232 kurzen Merksätzen zusammengefaßt). Von ihm erhalten sind ferner 14 Briefe, die vor allem theologische Fragen behandeln (Monophysitismus, Dreikapitelstreit).

PL 65,117–150; 67,949–963; 88,817–830 · LThK², 4,87 · H. JEDIN (Hrsg.), Hdb. der Kirchengesch., Bd. II/2, 1975, 188.   R. O. F.

Ferreolus. Gallischer Aristokrat, Enkel des Afranius Syagrius, *consul* 381 n. Chr., durch seine Frau Papianilla verschwägert mit → Sidonius Apollinaris (Sidon. epist. 1,7,4; 7,12,1 f.; carm. 24,35–38). Er unterstützte als *praefectus praetorio Galliarum* 451 → Aetius [2] bei der Abwehr der Hunnen, schützte 452/3 Arelate vor den Goten und gewährte Steuererleichterungen in Gallien (Sidon. epist. 7,12,3). 469 klagte er als Gesandter seiner Heimat in Rom den Amtsnachfolger Arvandus an (Sidon. epist. 1,7,4; 9).

PLRE 2, 465 f. · J. HARRIES, Sidonius Apollinaris and the Fall of Rome, 1994.   K. P. J.

Fescennini versus. Improvisierte Verse, die bei Hochzeiten gesungen wurden und zur Kategorie häufig anzutreffender apotropäischer Obszönität gehörten. Der Brauch wurde selbst in christl. Zeiten weiter gepflegt. Der Grund für die (ungesicherte) etym. Herleitung des Namens von *Fescennia* oder *-ium*, einer falisk. Stadt im Süden Etruriens, ist unklar. Die andere Ableitung von *fascinum* (Paul. Fest. 76; vgl. 76, wo er die Form *Fescemnoe* bietet) ist sprachwiss. unmöglich. Lit. Versionen finden sich in → Catull 61,119 ff. (wo die früheren homosexuellen Verhältnisse des Bräutigams thematisiert werden) und → Claudianus [2], *De nuptiis Honorii Augusti* (hier bezieht sich die einzige sexuelle Anspielung auf die Hochzeitsnacht). Auch → Annianus schrieb einige *f.v.* (COURTNEY 387; 390). Hor. epist. 2,1,145 verwendet *Fescennina licentia* in untechnischem Sinn für abwechselnde (vgl. Liv. 7,2,7) Beschimpfungsrufe in ausgelassener Stimmung. Als allg. Beschimpfung, aber wahrscheinlich mit sexuellem Inhalt, schrieb Octavian *f.v.* gegen Pollio (Macr. Sat. 2,4,21).

G. WISSOWA, s. v. F.v., RE 6, 2222 f.   ED.C./Ü: M.MO.

Fest, Festkultur I. ALTER ORIENT
II. ÄGYPTEN III. GRIECHENLAND IV. ROM

I. ALTER ORIENT

Der altmesopot. Kalender beruht auf dem Mondlauf mit seinen Phasen, die dementsprechend monatlich kultisch begangen werden (1., 7., 15. Tag). Jährliche F. sind häufig mit dem agrarischen Zyklus (Aussaat, Ernte) verbunden, wobei regionale Unterschiede (z. B. Bewässerungs- oder Regenfeldbau) zu beachten sind. Nichtzyklische F. betreffen in der Regel den Herrscher (Krönung, Tempel- oder Palastbau, Krieg, Tod). Im Bereich der Familie werden Einschnitte im Lebenslauf (Hochzeit, Tod) gefeiert, alljährliche Familien-F. gelten der Ahnenverehrung.

Zentrale handelnde Person eines F. ist der König: er vertritt sein Land im Kult gegenüber der Gottheit, ihm gilt auch der gewährte Segen für das Land. Dem König zur Seite stehen Priester und Kultpersonal in mehr oder weniger aktiver Rolle. Das Volk kann wohl nur bei Prozessionen im Rahmen eines F. den offiziellen Kult erleben. Die hierarchische soziale Ordnung stellt mit ihrer göttl. Legitimation somit ein wesentliches Element altoriental. F. dar. F. bieten den Rahmen königlicher Repräsentation; als Festgäste werden hohe Beamte sowie ausländische Gesandte bewirtet und mit Geschenken bedacht; damit wird ihre Loyalität gewürdigt und gefestigt und das gegenseitige Verhältnis demonstriert. Wie v. a. für einmalige Anlässe (z. B. Tempel- oder Palasteinweihung) bezeugt, bedeuten F. zudem Erleichterungen für die Bevölkerung, z. B. Arbeitsbefreiung und bes. Verköstigung.

Neben den F. der Staatsheiligtümer unter direkter Obhut des Königs gibt es solche auf lokaler Ebene, bei denen ein Provinzgouverneur o. ä. als oberster Ze-

lebrant erscheint. Solche lokalen F. können in den staatlichen F.-Kalender eingebunden sein (z. B. durch Anwesenheit des Königs). In Babylonien kennt man im Rahmen von F. Besuchsfahrten von Göttern in ein kultisches Zentrum. Soziale Gruppen, die sich in F. definieren, begegnen selten; es gibt aber z. B. Frauen-F. Familien-F. finden v. a. im Rahmen der Ahnenverehrung statt; eine rechtliche Bindung kann durch ein Bankett nach Kauf- oder Vertragsabschluß vertieft werden.

Der Herrscher stiftet die für F. nötigen Bauten (Festhäuser) oder Kultgegenstände (z. B. Boot, Kultgefäße). Der Unterhalt von F. obliegt dem König oder dem lokalen Machthaber, der Tempel trägt aus seinen Besitzungen bei, doch können auch Abgaben erhoben werden.

Zu den F.-Riten gehören: das Rezitieren von Hymnen, Gebeten oder Klagen mit der entsprechenden Gestik, mit Musik und Tanz; Libationen, blutige und unblutige Opfer, wobei über die weitere Verteilung der Nahrungsmittel (Festmahl) kaum etwas bekannt ist; Prozessionen, insbes. in Babylonien zu Schiff; Bekleiden bzw. Baden der Götterstatue.

Ritualtexte sind ab dem 2. Jt. reichlich überliefert Ein Teil der keilschriftlichen Lit. (Mythen, Hymnen, Gebete) hat seinen »Sitz im Leben« in F., auch wenn die Zuweisung oft noch nicht möglich ist. Zu nennen ist hier die Rezitation sumer. Klagelieder im 2. und 1. Jt., als das Sumer. als gesprochene Sprache ausgestorben war; vergleichbar werden bei hethit. F. Gebete und Hymnen in anderen Sprachen als Hethit. dargeboten (v. a. Hattisch, Luwisch, Palaisch).

Als Quellen stehen v. a. Abrechnungen über Ausgaben für den Kult und für das 2.–1. Jt. Ritualtexte zur Verfügung; daneben bieten etwa lit. Texte, Königsinschr. oder Briefe Hinweise.

→ Akītu-Fest; Hieros gamos; Neujahrsfest

M. E. COHEN, The Canonical Lamentations of Ancient Mesopotamia, 1988 · Ders., The Cultic Calendars of the Ancient Near East, 1993 · V. HAAS, Gesch. der hethit. Rel., 1994 · B. PONGRATZ-LEISTEN, Ina šulmi īrub (BaF 16), 1994 · J. RENGER, Isinnam epēšum. Überlegungen zur Funktion des F. in der Gesellschaft, in: A. FINET (Hrsg.), Actes de la XVIIᵉ Rencontre Assyriologique Internationale, 1970, · W. SALLABERGER, Der kultische Kalender der Ur III-Zeit, 1993.   WA.SA.

II. ÄGYPTEN

Chronologisch entwickelt sich eine Unterscheidung ägypt. F. sakralen Charakters in zwei Gruppen: monatlich wiederkehrende F. und Jahres-F. Monats-F. sind an den Mondphasen orientiert und werden in der Abgeschlossenheit des Tempels gefeiert, während die durch das Sonnenjahr bedingten Jahres-F. meist Prozessions-F. sind. Monats-F. sind eintägig, Jahres-F. mehrtägig. Von F. überregionaler sind solche regionaler bzw. lokaler Bed. zu scheiden, die sich zu Reichs-F. entwickeln können. Über einige lokale ägypt. Feste, in deren Mittelpunkt immer die Ortsgottheit steht, berichtet

Hdt. 2,59–63. Einzelne F. vereinen oft zwei bis drei von vier grundlegenden Sinndimensionen: die naturzyklische, götterweltlich-mythische, königstheologische und funeräre (königlich und privat). Weitere, teils einmalige F., sind durch Königsdogma und Königskult bestimmt (Thronbesteigung, Krönung, Erneuerungsfest, Tempelgründung, Trauerfest, Siegesfeier). Daneben existieren private F. (Geburt, Tod, Ahnenverehrung).

F.-Leiter ist theoretisch der Pharao, der aber nur bei großen F. persönlich auftritt. Hohe Zivilbeamte bzw. Priester vertreten ihn, assistiert von Priestern, Beamten und Gruppen von Tänzern, Sängern, Ruderern usw. Rezitationen, rituelle Handlungen (u. a. am Götterbild), Kultspiele, Musik und Tanz, Darbringung von Opfergaben (z. B. Speisen, Getränke, Blumen), Räuchern und Libieren bestimmen das F.-Geschehen, bes. aber die Bewegung des Götterbildes mit seinem Gefolge in Prozession, im Tempel unter Ausschluß der Bevölkerung, außerhalb unter deren Beteiligung. Damit wird im F. ein wichtiger Gegensatz zu Ruhe und Abgeschlossenheit des sakralen Alltags geschaffen. Prozessions-F. sind ein Ort a) der Kommunikation verschiedener sozialer Gruppen und der Kommunikation mit den Toten; b) der Selbstdarstellung der Akteure (König, hohe Beamte, Priester; auch Akrobaten, Tänzer, Musiker) im Gefolge der Gottheit. Für das Volk sind sie die einzige Form der Teilnahme am Götterkult als wesentlicher Teil des rel. Lebens.

Das Prozessions-F. als wichtigste Form verlangt nach einer eigenen Festarchitektur (Erscheinungshallen, Tore, Stationsheiligtümer, Prozessionsstraßen) und Kultgeräten (Barken, Schreine). Der ökonomische Aspekt findet auch in immensen zusätzlichen Lieferungen von Nahrungsmitteln an die Tempel und ihre Redistribution an Bedienstete und Festteilnehmer (als Zeichen der Fülle) seinen Niederschlag.

Von den F. rel. Charakters ist der eher häusl.-private »Schöne Tag« zu trennen. Dieser ist ein Spontan-F. und nicht kalendarisch festgelegt, kann aber durch ein rel. F. veranlaßt sein. Ihn illustrieren Gastmahlszenen aus Gräbern des 15./14. Jh. v. Chr. als ästhetische Inszenierung, die mit Musik, Tanz, Speise und Trank betont sinnlich-erotisch ist. Diese F. vereinen Menschen der Oberschicht.

Späte F.-Kalender, die auf dem Wandeljahr von 365 Tagen beruhen, geben detaillierte Anweisungen zum Ablauf rel. F. Den Zusammenhang von F.-Lit. und Schrift versinnbildlicht der Vorlesepriester, der, als Gebieter über die F.-Rollen, die Rezitationslit. im F. als ihrem einzigen Rahmen aktualisiert. Im Umkreis des »Schönen Tages« entwickeln sich neben F.- und Trinksprüchen die Harfnerlieder, die die Vergänglichkeit alles Irdischen (u. a. das unerfreuliche Los der Toten) beklagen und zum F.-Genuß auffordern. Dieser Widerspruch zu zentralen ägypt. Anschauungen kann als Ausdruck der eigenen lebensweltlichen Dimension des F. interpretiert werden.

Quellen des NR (1530–1070 v. Chr.) zeigen eine deutliche Sakralisierung des Diesseits im F. als dem Ort ausgeprägter Gottesnähe, so daß der Tote sich einerseits wünscht, an F. teilzunehmen, andererseits seine aktive Teilnahme an F. zu Lebzeiten als Zeichen seiner Eingeweihtheit betont.

H. ALTENMÜLLER, s. v. Feste, LÄ 2, 171–191 · J. ASSMANN, Der schöne Tag. Sinnlichkeit und Vergänglichkeit im Altägypt. Fest, in: W. HAUG, R. WARNING (Hrsg.), Das Fest, 1989, 3–28 · Ders., Das ägypt. Prozessionsfest, in: Ders., T. SUNDERMEIER (Hrsg.), Das F. und das Heilige, 1991, 105–122 · Ders., Geheimnis, Gedächtnis und Gottesnähe, in: Ders. et al. (Hrsg.), Thebanische Beamtennekropolen, 1995, 281–293 · A. GRIMM, Die altägypt. Festkalender in den Tempeln der griech.-röm. Epoche, 1994 · A. J. SPALINGER, The Private Feast Lists of Ancient Egypt, 1996.
HE. FE.

III. GRIECHENLAND
1. ÖFFENTLICHKEIT UND KOMMUNIKATION
2. »FESTKULTUR« 3. FESTKRITIK UND KONTINUITÄT IM ANTIKEN CHRISTENTUM
4. KULTURWISSENSCHAFTLICHE KATEGORIEN
5. TYPEN GRIECHISCHER FESTE 6. ELEMENTE DES KOMPLEXEN RITUALS 7. FEST UND RELIGION
8. FEST ALS ORT DER IDENTITÄT DER SOZIALEN GRUPPE 9. REGLEMENTS: MÜNDLICHE ANWEISUNGEN UND SCHRIFTLICHE FIXIERUNG
10. FEST UND DICHTUNG 11. AGONE
12. FEST UND MARKT; ÖKONOMISCHES

1. ÖFFENTLICHKEIT UND KOMMUNIKATION
F. sind Orte der Kommunikation; eine der zentralen Gelegenheiten, an denen in der griech. Polis Öffentlichkeit hergestellt wird [1]. Sie vereinen die sozialen Gruppen und realisieren so deren Identität, vom Altersjahrgang der Mädchen bis hin zur pan-hellenischen Öffentlichkeit. Die F.-Öffentlichkeit umfaßt mehr als die auf freie erwachsene Männer eingegrenzte polit. Öffentlichkeit [2. 582; 3]. In ihrer Funktion umfassen die F. in der Regel ein rel. Element, aber nie exklusiv. Eine Gliederung nach Göttern (unangefochten seit [4]) oder eine Eingrenzung auf die »rel. Bed.« [5] verkürzt die vielfältigen Gelegenheiten, die das F. bietet, zu Gottesdienst, gemeinsamem Essen, Aufführungen, Tänzen, Selbstdarstellung und Erfahrung der sozialen Gemeinschaft, der man zugehört, und ihren Rollen, in die ihre Mitglieder durch F. eingeführt und bestätigt werden. – Für Rom und die Städte unter dem *imperium* gilt Ähnliches; dort kommt hinzu die Repräsentation der Herrschaft Roms über die Städte und deren Aufnahme oder Ablehnung (dazu → Ludi; Herrscherkult).

2. »FESTKULTUR«
Wer der modernen Industriegesellschaft kulturkritisch vorhält, sie sei nicht mehr fähig, F. zu feiern [6], ist versucht, in der Ant. das Gegenbild einer F.-Kultur zu konstruieren. In der ideologischen Zuspitzung gilt das Dionysische und Orgiastische oder die Rückkehr ins schöpferische Chaos als die Alternative zur Moderne

[7; 8]; in einer anderen Argumentationslinie steht das Kindlich-Spielerische bzw. das Agonistische der Griechen im Vordergrund [9; 10; 11; 12]. Beide Argumentationen gehören zur Debatte um die Entkirchlichung und den neopaganen Laizismus seit der Frz. Revolution [13; 14; 15; 16; 17] und wurzeln weiterhin in der Kultkritik der Reformation [18; 19; 20].

3. FESTKRITIK UND KONTINUITÄT IM ANTIKEN CHRISTENTUM

Wenn das apologetische Programm »Ant. und Christentum« in der Darstellung des Dionysoskultes in den *Bacchae* des Euripides den Typus des ant. F. sieht [21. 750], stellt es sich in die Tradition der altkirchlichen F.-Kritik. Die Theologen warnen davor, der Teufel dringe bei den F. in die Seelen, deshalb solle man sich fernhalten (Tert. de spectaculis 14–27; Aug. conf. 3,2) [22]. Gleichzeitig sind die Christen als Bürger auf die festliche Öffentlichkeit und den Kalender angewiesen; sie besetzen die städtischen F. Bestehende F.-Programme werden dabei verändert oder umbenannt [23; 24; 25]. Die Tempelschließungen des 4. Jh. nehmen die F. aus (Cod. Theod. 16,10,3; 17; 19). Kultkritik kann zu Veränderungen und zu Brüchen in den Ritualen führen, nicht aber zu ihrer Abschaffung; meist ändert sich nur die Begründung und Bed.

Die christl. F.-Kritik führt nur die ant. Kritik fort: Jüd. war sie verschärft durch das F.-Monopol des Jerusalemer Tempels (Am 5,21; Ez 8;14;22) bzw. dessen Vernichtung 70 und röm. Besetzung 133 n.Chr. (spiritualisiert und eschatologisiert in Hebr 12,22) [21. 754f.; 26; 27; 28]; bei den Griechen weniger ausgeprägt, doch wohlbekannt, so in der ›Odyssee‹ (Hom. Od. 20,165–358; 21,144–147; vgl. 22,310 [29. 293f.; 477–501]) und bei Platon (Plat. leg. 2,653cd [30]).

4. KULTURWISSENSCHAFTLICHE KATEGORIEN

Zw. positivistischer Sammlung der Quellenbelege und polemischer oder apologetischer Konstruktion der ant. F.-Kultur ist die kulturwiss. Bearbeitung zu kurz gekommen. Die Quellenbelege zu den ant. F. kennen wir aus spätant. Lex., die etym. spekulieren oder die zeitgenössische Anspielungen in der Lit. kommentieren (Scholien). Erst die Auslandsgriechen in Alexandreia [31] oder das röm. Publikum kannten die F. nicht mehr aus der F.-Praxis. Die Zeitgenossen geben dem von Publikum und Dichter gemeinsam erlebten F. einen Sinn, parodierend oder überhöhend (etwa Hom. h. 4,100–141), woraus sich nicht die Praxis rekonstruieren läßt. Die Lit. spiegelt F.-Ideologie, gibt keine Ritualanweisung, s. 9. [32; 33]. In der modernen F.-Theorie verdeckt die Entgegensetzung des F. zum Alltag (»der gebotene Exzeß« aus der Tretmühle [34]; Zweidimensionalität in Alltagsorientierung und Sinnstiftung bzw. -suche [35]) Sinngebung und Motivation, die von den F. in die Normalität ausgehen. Spielerische Umkehr im F. bestätigt in der Regel gerade die Normalordnung [29. 1–37, 573–589]; Spielregeln begrenzen das spielerische Element, am striktesten die Zeit von Anfang und Ende des F. Dem Spiel ist aber die Wechselbeziehung

vorausgesetzt: Akteure dieses Jahres sind im nächsten Jahr Zuschauer und umgekehrt [36]. Zu fragen ist demnach nach der Funktion der F. innerhalb der Selbstorganisation der Gesellschaft im Wechselspiel mit anderen Netzen der Kommunikation, wie z.B. Heiratsregeln, Tauschbeziehungen, Gerichts- und polit. Versammlungen. Mit zunehmender Verfestigung von Verfahrensweisen (»Staat«) verändern sie teilweise ihre Funktion, ohne je ganz in Selbstrepräsentation der Herrschaft aufzugehen (»Säkularisierung«) [37; 38].

5. TYPEN GRIECHISCHER FESTE

Während durch die Handbücher von NILSSON und DEUBNER eine Deutung der F.-Rituale »urspr.« auf Agrarmagie und Fruchtbarkeit hin (in der Tradition von MANNHARDT und FRAZER) fast monopolisierte Geltung besaß [5. IV und Ndr. 1995 VII* (F. Graf); 39], erweisen sich durchwegs [40; 41; 42; 43; dagegen 31] soziale und polit. Bed. als die entscheidende Bedeutungsebene. Doch bleiben differenzierte Typen mit den verschiedenen Funktionen der Polis verbunden: Neujahrs-F.; F. der Aufnahme der Jugendlichen unter die Erwachsenen (»Initiation«); Frauen-F.; mil. F. (etwa die Karneia in Sparta, s. Demetrios bei Athen. 4,141e-f), vom okkasionellen wie dem Epitaphios bis zum Jahres-F. eines Sieges über die Nachbar-Polis, das über Generationen eigene Identität und Feindbild wachhält (wie Marathon, vgl. Hdt. 6,105–112; Paus. 8,48,4f.) [44; 45; 46; 47]; saisonale und bäuerliche Anlässe stehen hinter sozialen Zusammenhängen zurück.

6. ELEMENTE DES KOMPLEXEN RITUALS

Im Ablauf lassen sich vier Abschnitte unterscheiden: Prozession, darunter auch Maskenumzüge; Opfer und F.-Mahl; Chor und Tanz; Agone (→ Wettbewerb, künstlerisch) [41. 163–178; 48]. Unterschiedliche Gestaltung geben den F. ihr Gepräge. Doch über die F.-Typen hinweg übernehmen die Organisatoren Elemente aus anderen F., die dort attraktiv waren. Die Aufnahme weiterer Rituale (z.B. den Waffentanz [49]) in das komplexe Ritual ist kaum begrenzt, es sei denn ökonomisch [50; 51]. Mythen versuchen, die Rituale durch eine Erzählung zu einer Sequenz zusammenzubinden, ohne Zwang zur Vollständigkeit [29. 202–276]. F. können mehr als einen Tag, oft drei Tage dauern; jeder der Tage behielt jedoch seinen eigenen Charakter und Namen. Längere F.-Perioden wie in Vorbereitung der → Panathenaia [41. 346–354] oder saisonale Schwerpunkte wie Dionysos im späten Winter lassen sich wahrnehmen, sind aber als gewollte Einheit nicht dokumentiert.

7. FEST UND RELIGION

Der Kalender ist nach Göttern organisiert und benennt die Monate nach den Götter-F., bereits in myk. Zeit [52; 53; 54]. Doch scheint er nicht theologisch (wie ein »Kirchenjahr«) organisiert zu sein. Zudem ist kaum ein F. exklusiv nur mit einem Gott, umgekehrt sind F. gleichen Typs mit unterschiedlichen Göttern verbunden. Daß F. älter seien als ihre Verbindung mit bestimmten Göttern der griech. *Polis*-Panthea ist lange beobachtet worden [55; 56]. Hier gilt es, stärker den histor. Ort und die Zeit der Einrichtung der F. zu beachten als zu theologisieren, d. h. nach wesensmäßigen Übereinstimmungen zw. Gottheit und »ihrem« F. zu suchen. Entscheidend ist die Strukturierung im internen Pantheon der Polis, wie in den Beziehungen und Abgrenzungen nach außen [57]. Aus den sprachlichen Bezeichnungen ergeben sich keine klaren Unterscheidungen zw. Fest/Feier, Trauer/Freude, religiös/profan: ἑορτή (heortḗ), πανήγυρις (panḗgyris) (oder einfach ἀγορά [agorá]), παννυχίς (pannychís), θεοξένια (theoxénia) [58; 59]. Wenn Platon die Götter F. einrichten läßt und ihnen einen ethisch-rel. Zweck zuweist (Plat. leg. 2,653cd), versucht er ihnen eine menschlicher Willkür, damit gerade auch der demokratischen Mehrheit entzogene Begründung zu geben. F. wären dann der kommunikative Ort, an dem Rel. der Gesellschaft nomothetisch gegenübertritt, der Dichter sollte die Aufgabe eines Theologen übernehmen. Zu einer Ausdifferenzierung von Rel. ist es aber gerade nicht gekommen; Träger der F. sind die jeweiligen sozialen Gruppen; selbst »Staatskulte« bilden keine geschlossen organisierte Gruppe, sondern bezeichnen v. a. die Übernahme in öffentliche Finanzierung [60]. F. werden immer kollektiv gefeiert; individuelle Lebenszyklen werden über die Alters- und Geschlechtsklassen wieder zu kollektiven F. an einem festen Termin gefeiert, gespiegelt in dem F. eines göttl. oder heroischen Repräsentanten der sozialen Gruppe (etwa Artemis als Mädchen, wie in Brauron). Gruppenidentität wird über die genealogische Ableitung von einem gemeinsamen, fiktiven Ahnen konstruiert (so Ion, Sohn des Apollon, als Stammvater der Ionier: Eur. Ion 1553–1605) oder reflektiert die jetzt geübten Regeln durch den Mythos, wie es zu ihrer Einrichtung kam »beim ersten Mal« (vgl. Hes. theog. 555–557), nicht jedoch als positiver Ursprungsmythos, dessen Ordnung von Gott geschaffen (in illo tempore – so [8]) und deshalb unveränderbar wäre, sondern als didaktisches Paradigma [61].

8. FEST ALS ORT DER IDENTITÄT DER SOZIALEN GRUPPE

Wie die griech. Polisgesellschaft insgesamt, so reflektiert auch ihre Rel. die geringe Bed. von verwandtschaftlichen Strukturen gegenüber genossenschaftlichen Zusammenschlüssen [62; 63; 64]. Diese bedürfen der regelmäßigen Vergewisserung in F., um die Grenzen, die Regeln, die Verknüpfungen zu den anderen Gruppen oder den benachbarten Poleis festzustellen, zu erinnern und (oft in spielerischer Verkehrung) aufzuführen. Die Polis ist die Bezugsebene [65], unterhalb derer die Familie, die Phratrie, die Phyle und die Nachbarschaft, die Männer, die Frauen, die Jugendlichen je ihre F. feiern; oberhalb der Polis-Ebene stehen die landschaftlichen Zusammenschlüsse in zentralen und überlokalen Heiligtümern; schließlich definieren panhellenische F., wer Grieche ist und worin er sich von Barbaren unterscheidet [66]. Die Behauptung Herodots (Hdt. 2,49–58), die Namen der Götter und die F. hätten

die Griechen aus Äg. geerbt, ist eher als Altersargument zu werten denn als ein histor. Befund. Direkte Übernahmen aus dem Orient sind auch in der Bronzezeit nicht zu belegen (→ Adonis), aber die Verarbeitung von Erfahrungen oriental. F. sind erkennbar [67. 121–132; 68]. Das Feiern gleicher F. durch die auch sprachlich differenzierten Ionier und Dorier (wie Anthesterien und Karneen) ist Zeichen des Dazugehören-Wollens.

9. REGLEMENTS: MÜNDLICHE ANWEISUNGEN UND SCHRIFTLICHE FIXIERUNG

Um im voraus zu wissen und nachprüfen zu können, wann die verschiedenen F. stattfinden, welche Gruppe sie ausrichten und finanziell ausstatten muß, welches Opfertier gefordert ist, notieren dies öffentlich zugängliche Kalender aus Stein oder Metall (auch etwa in den Demen Athens, also nicht nur ein zentraler Staatskalender, wie der von Nikomachos um 400 v. Chr. redigierte an der Königs-Stoa [69. beginnend mit Solon fr. 81–86 RUSCHENBUSCH; 70; 71]. In hell. Zeit erfüllen Stiftungsurkunden die Funktion der öffentlichen Erinnerung an den Stiftungszweck und an den Stifter (euergétēs) [37; 72]. Ein anderes Genus von Inschr. stellt die Bed. der Stadtgottheit dar, indem sie die zum F. geladenen F.-Gesandten ›aus aller Welt‹ nennt, die theoroí bzw. ihre Gastgeber in der Polis [73; 74; 75]. Die Einladung selbst rufen Herolde aus, verbunden mit einem Friedensgebot (ekecheiría) [21. 767–785]. F. konnten so Kriege verzögern; andererseits wurden F. einer Stadt genutzt zu Überfällen (Thuk. 5,82,2f.; Pomp. Trog. 43,4). Umgekehrt ist im Nikias-Frieden (422/21 v. Chr.) bestimmt, daß der während des Krieges unterbrochene Zugang zu den pan-hellenischen Heiligtümern wieder frei erreichbar sein soll (Thuk. 5,18; vgl. die komische Umkehrung bei Aristoph. Av. 188–193). Der Ablauf des F. wurde von Herolden ausgerufen; Ordnungen regelten teils sehr minutiös das Verhalten von Teilnehmern und Besuchern [76; 77].

10. FEST UND DICHTUNG

Die F.-Gemeinde bildet das Publikum für die primär aufgeführte, sekundär verschriftlichte Poesie [78; 79]; noch Herodots ›Historien‹ sind zuerst mündlich im F. veröffentlicht. Die funktionale Einbindung der frühgriech. »Lit.« ist unterschiedlich stark, sie geht von liturgischen Formen wie hýmnos klētikós oder paián über epiníkion, thrénos oder epithalámion bis zum Großepos [29. 277–291] oder der mehrere spezifische Gattungen vereinigenden Trag. [80]. In jedem Fall ist aber das F. mehr als nur der Anlaß zum Dichten; es ist der »Sitz im Leben«, der Dichter und Hörern vorgegeben ist [81]. Die gemeinsam erlebte Aufführung des Rituals und seine Bed. macht die Einheit von Dichter und Publikum zur aktuellen Gegenwart. Da die rel. Bed. nur eine von mehreren ist, kann eine Emanzipation der Lit. aus rel. Ursprüngen nicht als die Regel der Entwicklung gelten. Noch das entwickelte Drama etwa enthält liturgische Stücke [82; 83]. Doch sind nicht rituelle Rigorosität und genaue Wiederholung hieratisch-festgeschriebener Texte gefordert, sondern Differenz und Phantasie der

Deutung, weil das F.-Programm die Konkurrenz der Aufführungen und die Wahl des Siegers vorschreibt [84; 85].

11. AGONE

Damit stehen die Dichter von Lit. in der gleichen Bedingung wie die Tänzer (vgl. Antiph. or. 6), Musiker und Sportler eines zeitlich, lokal und sozial definierten Zielpunktes mit seiner Einmaligkeit und Herausforderung, um, besser vorbereitet, den Geschmack des Publikums zu treffen und als Sieger Ansehen zu gewinnen. Die Agone (→ Wettbewerb, künstlerisch) sind nach Disziplinen und nach Alter und Geschlecht der Konkurrenten geordnet [86]. Teils konnte sich eine Professionalität herausbilden; mehr als der Wert der (möglichen) Siegespreise verschafft aber die Unterstützung der sozialen Gruppen (Stadtteile, Demen usw.) einem der ihren den Freiraum zur Vorbereitung.

12. FEST UND MARKT; ÖKONOMISCHES

F. sind auch ökonomisch von Bed., indem sie – qualitativ und quantitativ mehr als den alltäglichen – Konsum herausfordern und ermöglichen [87; 88]: Die Stadt bzw. die sozialen Gruppen in ihr mehren ihr Prestige durch Aufträge an Künstler, teure Materialien (wie sie etwa die Bronzegefäße und -werke von Werkstätten darstellen, die von F. zu F. wandern [89; 90]), aufwendige Bauten, quantitative und qualitative Steigerung gegenüber Konkurrentinnen; notwendig wird die Infrastruktur für den F.-Tourismus; Märkte im Zusammenhang der F. werden nötig, um spezifische Bestandteile für das F. zur Verfügung zu halten (wie die Weinkannen zum Choen-F., vgl. → Anthesteria; Aristoph. Ach. 719–1234; Thuk. 6,44,2f.) [91]. Dagegen ist eine volkswirtschaftliche Belastung durch die Zahl der F.-Tage, etwa achtzig im klass. Athen, aber bis zu zweihundert im kaiserzeitlichen Rom, nicht zu bedeutend, da die Teilnahme nicht gefordert, die Arbeitsruhe nicht erzwungen und lokal begrenzt war, zumal die F. ohnehin eher in Zeiten geringeren Arbeitsanfalls gefeiert wurden [92].

Perikles sieht in den F. eines der Merkmale, durch die Athen die anderen Poleis übertrifft (Thuk. 2,38; 1,70); der »alte Oligarch« wittert ökonomische Interessen (Xen. Ath. pol. 3,2; 3,8) [2. 569]. F. gaben die Gelegenheit und forderten Spitzenleistungen der griech. Kultur. Nur in ihnen gab es die Herausforderungen dazu.
→ FEST; FESTKULTUR

1 B. GLADIGOW, Struktur der Öffentlichkeit und Bekenntnis in polytheistischen Rel., in: H. G. KIPPENBERG, G. G. STROUMSA (Hrsg.), Secrecy and Concealment (Studies in the History of Religions 65), 1995, 17–35 **2** C. MEIER, Zur Funktion der F. in Athen im 5. Jh. v. Chr., in: W. HAUG, R. WARNING, Das F., 1989 **3** J. HENDERSON, Comic hero versus political élite, in: A. H. SOMMERSTEIN u. a. (Hrsg.), Tragedy, Comedy and the Polis, 1993, 307–320 **4** C. ROBERT, in: GGA 161, 1899, 524 f. **5** NILSSON, Feste, S. III–V **6** W. GEBHARDT, F., Feier und Alltag, 1987 **7** R. CAILLOIS, L'homme et le Sacré, ²1949, dt. 1988 **8** M. ELIADE, Le mythe de l'éternel retour, 1949, 227 f. **9** J. G. HERDER, Auch eine Philos. der Gesch. zur Bildung der Menschheit, 1774 = Bibliothek Dt. Klassiker 105, 1994, 85 **10** J. BURCKHARDT, Griech. Kulturgesch. 4, ³1902, 61–168 **11** J. HUIZINGA, Homo ludens, 1938, 20–33, 75–79 **12** G. DÖRR, s. v. Agon/agonal, HrwG I, 1988, 415–417 **13** M. OZOUF, La fête révolutionnaire: 1789–1799, 1976 **14** U. RAULFF, Ein Historiker des 20. Jh.: Marc Bloch, 1995, 323–345, 397–401 **15** C. A. LOBECK, Aglaophamus, 1829 **16** F. NIETZSCHE, Geburt der Trag., 1872, c. I **17** H. CANCIK, Nietzsches Ant., 1996, 50–63, 107–121 **18** J. HEERS, Fêtes des fous et Carnevals, 1983 **19** H.-D. ALTENDORF, P. JEZLER (Hrsg.), Bilderstreit, 1984 **20** M. MAURER, F. und Feiern als histor. Forschungsgegenstand, in: HZ 253, 1991, 101–130 **21** T. KLAUSER, s. v. F., RAC 7 **22** F. v. d. MEER, Augustinus der Seelsorger, 1951, 72–83 **23** H. USENER, Das Weihnachtsfest, 1899 **24** T. BAUMEISTER, s. v. Höhenkult, RAC 15, 986–1015 **25** J. RÜPKE, Kalender und Öffentlichkeit, 1995, 471–484 **26** T. KLAUSER, Der Festkalender der Alten Kirche, in: H. FROHNES, U. W. KNORR (Hrsg.), Kirchengesch. als Missionsgesch. 1, 1974, 377–388 **27** E. OTTO, T. SCHRAMM, F. und Freude, 1977 **28** M. HENGEL, A. M. SCHWEMER (Hrsg.), Königsherrschaft Gottes und himmlischer Kult, WUNT 55, 1991 **29** C. AUFFARTH, Der drohende Untergang, 1991 **30** H. YUNIS, A New Creed, 1988, 29–58 **31** G. BAUDY, Das alexandrinische Erntefest, in: Mitt. für Anthropologie und Religionsgesch. 6, 1991, 5–110 **32** A. HENRICHS, Greek Maenadism from Olympias to Messalina, in: HSPh 82, 1978, 121–160 **33** J. BREMMER, Greek Maenadism reconsidered, in: ZPE 55, 1984, 267–286 **34** S. FREUD, Totem und Tabu 1912/13, Studienausgabe 9, 1974, 425 **35** J. ASSMANN, Der zweidimensionale Mensch, in: J. ASSMANN, TH. SUNDERMEIER (Hrsg.), Das F. und das Heilige, 1991, 13–30 **36** W. PUCHNER, Brauchtumserscheinungen im griech. Jahreslauf und ihre Beziehungen zum Volkstheater, 1977, 342 **37** A. CHANIOTIS, Sich selbst feiern?, in: M. WÖRRLE, P. ZANKER (Hrsg.), Stadtbild und Bürgerbild im Hell., Vestigia 47, 1995, 147–172 **38** J. KÖHLER, Pompai. Untersuchungen zur hell. Festkultur, Europ. Hochschulschriften 38. 61, 1996 **39** DEUBNER **40** W. BURKERT, Homo necans, 1972 **41** BURKERT **42** B. GLADIGOW, in: GGA 235, 1983, 1–16 **43** H. S. VERSNEL, Transition and Reversal in Myth and Ritual, 1993, 16–89 **44** W. K. PRITCHETT, The Greek State at War Bd. 3, 1979, 154–229 **45** W. BURKERT, Krieg, Sieg und die olympischen Götter der Griechen, in: F. STOLZ (Hrsg.), Rel. zu Krieg und Frieden, 1987, 69–87 **46** R. LONIS, Guerre et rel. à l'époque classique, 1979 **47** A. J. HOLLADAY, M. D. GOODMAN, Religious Scruples in Ancient Warfare, in: CQ 36, 1986, 151–171 **48** C. CALAME, Morfologia e funzione della festa nell' antichità, in: AION, sezione filologico-letteraria 4/5, 1982/83, 3–21 **49** S. H. LONSDALE, Dance and Ritual Play in Greek Rel., 1993, 137 f. **50** C. CALAME, Mythe et rite en Grèce: des catégories indigènes?, in: Kernos 4, 1991, 179–204 **51** B. GLADIGOW, s. v. Ritual, HrwG 4 (in Vorbereitung). **52** B. D. MERITT, The Athenian Year, 1961, 204–206 **53** C. TRÜMPY, Untersuchungen zu den altgriech. Monatsnamen und Monatsfolgen, Bibliothek der klass. Alt.wiss. 2.98, 1997 **54** C. TRÜMPY, Nochmals zu den myk. Fr-Täfelchen, in: SMEA 27, 1989, 191–234 **55** E. MEYER, Gesch. des Alt. 1.2, 1913, 732 **56** SCHLESIER, 112 **57** GRAF, 367–372 u. ö. **58** J. D. MIKALSON, The Heorte of Hertology, in: GRBS 23, 1982, 213–221 **59** L. ZIEHEN, s. v. Panegyris, RE 18, 581–583 **60** S. B. ALESHIRE, Towards a Definition of »State Cult« for

Ancient Athens, in: R. Hägg (Hrsg.), Ancient Greek Cult Practice from the Epigraphical Evidence, 1994, 9–16 **61** J. Bremmer, What is a Greek myth?, in: J. Bremmer (Hrsg.), Interpretations of Greek Mythology, 1987, 1–9 **62** K. W. Welwei, Ursprünge genossenschaftlicher Organisationsformen in der archa. Polis, in: Saeculum 39, 1988, 12–23 **63** E. Stein-Hölkeskamp, Adelskultur und Polisgesellschaft, 1989 **64** P. Schmitt-Pantel, La cité au banquet, Collection de l'École Française de Rome 157, 1992 **65** W. Burkert, Die ant. Stadt als Festgemeinschaft, in: P. Hugger, W. Burkert (Hrsg.), Stadt und F., 1987, 25–44 **66** C. Morgan, Athletes and Oracles: the transformation of Olympia and Delphi in the eighth century BC, 1990 **67** W. Burkert, Herodot über die Namen der Götter, in: MH 42, 1985 **68** S. P. Morris, Daidalos and the Origins of Greek Art, 1992 **69** R. Parker, Athenian Rel., 1996, 43–53 **70** Whitehead, 176–208 **71** M. H. Jameson, D. R. Jordan, R. D. Kotansky, A Lex Sacra from Selinous (Greek, Roman, and Byzantine Monographs 11), 1993 **72** M. Wörrle, Stadt und F., 1989 **73** A. Plassart, Inscriptions de Delphes, in: BCH 45, 1921, 1–85 **74** P. Charneux, Liste argiennes de théarodoques, in: BCH 90, 1966, 156–239, 710–714 **75** S. Miller, The Theorodokoi of the Nemean Games, in: Hesperia 57, 1988, 147–163 **76** κάπηλοι-Inschr. von Samos SEG 27, 1977, 545 **77** Andania: Syll.³ 736; Amorgos: Syll.³ 981 **78** W. Rösler, Dichter und Gruppe, 1980 **79** J. Herington, Poetry into Drama, 1985 **80** W. Burkert, Wilder Ursprung, 1990, 13–39 **81** R. Kannicht, Thalia, in: W. Haug, R. Warning, Das F., 1989, 29–52 **82** A. Henrichs, Warum sollte ich tanzen?, 1996 **83** A. M. Bowie, Aristophanes, 1993 **84** Pickard-Cambridge/Gould/Lewis **85** J. Henderson, The Demos and the Comic Competition, in: J. J. Winkler, F. I. Zeitlin (Hrsg.), Nothing to do with Dionysos?, 1990, 271–313 **86** D. G. Kyle, Athletics in Athens, ²1993 **87** C. Auffarth, Hera und ihre Stadt Argos, Kap. 4 (in Vorbereitung) **88** V. Lanternari, La grande festa, (1959) ²1976 **89** Ch. Risberg, Metal Working in Greek Sanctuaries, in: T. Linders, B. Alroth (Hrsg.), Economics of Cult in the Ancient Greek World, Boreas 21, 1992, 33–40 **90** M. Guggisberg, Terrakotten von Argos, in: BCH 112, 1988, 167–227, 235–243 **91** L. de Ligt, P. W. de Neeve, Ancient Periodic Markets: Festivals and Fairs, in: Athenaeum 66, 1988, 391–416 **92** H. Kloft, Arbeit und F.: Ant., in: P. Dinzelbacher (Hrsg.), Europ. Mentalitätsgesch., 1993, 326–336.

J. D. Mikalson, The Sacred and Civil Calendar of the Athenian Year, 1975 · A. Mommsen, Heortologie, 1864; neu als: F. der Stadt Athen im Alt., 1898 · Nilsson, Feste · E. Simon, Festivals of Attica, 1983.   C. A.

IV. Rom
s. → Ludi

Festtracht. Man kann davon ausgehen, daß bei privaten und öffentlichen Festen die Kleidung durch eine bes. Färbung bzw. Verzierung gegenüber der Alltagskleidung hervorstach; so erhielten in → Sybaris die Frauen, die an den Festen der Stadt teilnahmen, ein Jahr vorher darüber Nachricht, um sich entsprechend vorzubereiten (Athen. 12,521c; Plut. mor. 147e). Ein Auftreten in der Öffentlichkeit setzte ein sauberes Erscheinen voraus (vgl. Plat. symp. 174a). Bei festlichen Anläs-

sen wurde verschiedentlich ein Umhang, ξυστίς (*xystís*) genannt (Aristoph. Lys. 1190, Nub. 70; Theokr. 2,74; Plut. Alkibiades 32,2), getragen. Als F. galten auch die »phönikisch«-roten Chitone, die die athen. Metöken beim panathenäischen Festzug (→ Panathenaia) trugen (z. B. Phot. s. v. σκάφας). Bei der Hochzeit konnte die Gewandung der Braut purpurfarben sein, doch ist für Braut und Bräutigam eher weiße Kleidung belegt (Eur. Alc. 923). Ähnliches gilt im Röm. bei dem Anlegen der *toga virilis* und an anderen Festtagen (Ov. fast. 4,619; 5,355), bei Kulthandlungen (Athen. 4,149e), bei Opfern oder der → *pompa* eines Gottes, ferner z. B. auch bei der *pompa circensis*, wo noch häufig das Tragen von Lorbeerkränzen hinzukommt (Cass. Dio 62,4,1 f.). Nach Mart. 14,1 wird am Saturnsfest ausnahmsweise die *synthesis* (eigentlich ein Haus- und Tischgewand) getragen. Bemerkenswert sind die krokosfarbenen Gewänder der Mädchen, die die Weihe zum Dienst der → Artemis Brauronia antreten, und das purpurfarbene Gewand der → Hellanodiken der Olympischen Spiele sowie das dunkle der Richter bei den Nemeen. Beim → *adventus Augusti* ist die weiße Kleidung, z. T. bei Offizieren (Tac. hist. 2,89,2, vgl. Plut. Pompeius 40,2 f.) belegt, und nennenswert ist in diesem Zusammenhang die bes. Gewandung des Triumphators (→ Triumphus). Als F. mag auch das verordnete Tragen der → Toga beim Erscheinen im Theater, Circus und vor dem Kaiser gelten (z. B. Mart. 2,29; 5,19; Iuv. 11,204; SHA Comm. 16; SHA Sept. Sev. 1; SHA Hadr. 22,2; vgl. Iuv. 1,96; Mart. 5,22 u. ö. für das Auftreten der Clienten). Wenn sich bei der Ankunft des M. → Antonius [I 9] die Bürger als Mänaden, Satyrn und Pane verkleiden (Plut. Antonius 24,3), ist dies eine nicht als F. zu bezeichnende Besonderheit.

→ Dienst- und Ehrentracht; Kleidung; Trauerkleidung

E. Künzl, Der röm. Triumph, 1988, 85–90 · Mommsen, Staatsrecht III, 215–221 · O. Nussbaum, s. v. Geleit, RAC 9, 908–1049 · A. Pekridou-Gorecki, Mode im ant. Griechenland: Textile Fertigung und Kleidung, 1989, 121–123 · H. Rühfel, Kinderleben im klass. Athen, 1984, 115.   R. H.

Festus
[1] s. Marcius Festus
[2] Iulius F. Hymetius war um 350 n. Chr. *corrector Tusciae et Umbriae*, später *praetor urbanus* und *consularis Campaniae cum Samnio* (vor 355). 362 war er *vicarius urbis Romae* (Cod. Theod. 11,30,29) und 366–368 *proconsul Africae* (Cod. Theod. 9,19,3; die gesamte Laufbahn in ILS 1256). Als *proconsul* linderte er eine Hungersnot in Karthago und wurde dabei wegen eines falschen Betrugsvorwurfs zu einer Geldbuße verurteilt (Amm. 28,1,17 f.). Um 370/1 wurde er vom Senat wegen Hochverrats nach Dalmatien verbannt (Amm. 28,1,19–23), aber nach dem Tod des Valentinianus I. rehabilitiert (ILS 1256). Er war wie seine Gattin Praetextata nicht Christ (Hier. epist. 107,5). PLRE 1, 447 (Hymetius).

[3] F. stammte aus Tridentum (h. Trento). Er war *consularis Syriae* (365 oder 368 n. Chr.), *magister memoriae* und 372–378 *proconsul Asiae* (die Laufbahn bei Amm. 29,2,22). In letzterem Amt ließ er die heidnischen Philosophen Coeranius (Amm. 29,2,25) und Maximus (Lib. or. 1,158) hinrichten. Nach heidnischer Tradition starb er an einem 3. Januar (wohl 380), nachdem er einen Nemesis-Tempel besucht hatte (Eun. vit. soph. 7,6,11–13). Evtl. ist er identisch mit dem gleichnamigen Verfasser eines *breviarium*, der ebenfalls *magister memoriae* war. PLRE 1,334 (F. 3). W. P.

[4] F. Rufius. Verf. eines → Breviariums röm. Gesch. Die communis opinio setzt den in einem Strang der Textüberl. mit dem Gentilnamen Rufius versehenen Festus gleich mit dem bei Amm. 29,2,21 f. genannten *F. quidam Tridentinus* [1]. Laut Ammianus entstammte dieser kleinen Verhältnissen, machte aber durch Hilfe des Maximinus unter Valens Karriere, mit dem er 364 n. Chr. in den Orient ging. Er verwaltete dort Syria, wurde ca. 370 Nachfolger des Eutropius als *magister memoriae* und löste diesen 372 als *proconsul* von Asia ab. Er starb 380, nach seiner Abberufung.

Das Breviarium setzt das Werk seines Vorgängers → Eutropius [1] voraus. Auch F. beschließt seine Darstellung 364 mit der Auslieferung von Nisibis durch Iovianus. F. akzentuiert jedoch völlig neu: Die Ausdehnung und Politik Roms an der Ostgrenze (Kap. 15–30) werden chronologisch berichtet und bilden den Hauptteil, gleichsam als Exemplum für einen neuen Perserkrieg. Der Anfangsteil liefert einen knappen, nicht chronologischen Überblick über die röm. Gesch. nach Epochen (Kap. 2) und den Provinzerwerb im Westen. Verwaltungsaspekte treten immer wieder in den Vordergrund. Vorrangige Quelle ist Eutropius, ergänzt durch Florus und eine in den Bereich der Liviusepitome gehörige Quelle.

1 B. BALDWIN, F. the Historian, in: Historia 27, 1978, 197–217 2 J. W. FADIE, The Breviarium of F., 1967. U. E.

[5] Flavius Rufius Postumius F. war 472 n. Chr. *consul*, später *patricius* und *caput senatus*, wurde 497 nach Konstantinopel geschickt und erlangte die Anerkennung von → Theoderichs Herrschaft über Italien durch → Anastasios [1]. Er kehrte mit den *ornamenta palatii* zum König zurück (Anon. Valesianus 12,64). Im Papststreit seit 498 war er gegen Symmachus und für Laurentius, dem er Asyl gewährte (Lib. Pontificalis ed. DUCHESNE 1, 46; 260).

PLRE 2, 467–469 · I. KÖNIG, Aus der Zeit Theoderichs d. Gr., 1997, 132, 156–61 · J. MOORHEAD, Theoderic in Italy, 1992. K. P. J.

[6] Sex. Pompeius F. Verf. einer alphabetischen Realenzyklopädie *De verborum significatione*, in Verkürzung (vgl. p. 242,28 ff. L.) des gleichnamigen Werks des spätaugusteischen Antiquars → Verrius Flaccus (V.). Der Name ihres Adressaten (Artorius Rufus) führt nach Südgallien, die maßvoll archaisierende Position der

Schrift in die 2. H. des 2. Jh. n. Chr. V.' etwa 80 B. wurden auf 20 verkürzt, obsolete Lemmata gestrichen; von dem Rest war das primär sprachgesch. Interessierende für ein zweites Werk (s. u.) vorgesehen. Die Zweiteilung der einzelnen Buchstabenreihen geht indes bereits auf V. zurück ([1. 2 ff.], zu Kritik an V. [1. 7 ff. 104 ff.]). In der Spätant. war die Benutzung der Enzyklopädie in Konkurrenz mit der Vollfassung des V. noch relativ selten, im 6.–8. Jh. indes bot sich F. der glossograph. Trad. als Repertoire an. Im MA blieb die Benutzung des (wohl über Monte Cassino vermittelten) Textes eher spärlich und auf It. beschränkt, wo die Epitomierung durch den karolingischen Gelehrten → Paulus Diaconus (Monte Cassino, um 787) die Vorlage zumal um die Belege aus dem archa. Lat. verkürzte. F. selbst wurde erst im Rom des 15. Jh. nach der Entdekkung des Archetyps, Neapel IV. A.3 (Ende 11. Jh.), lükkenhaft und beschädigt erh.), zumal durch Pomponio Leto und Polizian erneut bekannt. Nach p. 242,30 ff. sollte das primär sprachgesch. Material aus V. in eine kürzere Schrift *Priscorum verborum cum exemplis* übertragen werden, die Nonius benutzt haben könnte [13. 239].

→ Glossographie

ED.: J. J. SCALIGER, 1575/6 (Komm.) · C. O. MÜLLER, ²1880 · E. THEWREWK, 1889 · W. M. LINDSAY, 1913 · Ders., Gloss. Lat. 4, 1930, 71–467.
LIT.: 1 R. REITZENSTEIN, Verrianische Forschungen, 1887 2 A. SIMONELLI, S. P. F. negli studi dell' ultimo trentennio, in: Orpheus 12, 1991, 171–203 3 G. GOETZ, CGL 1, 1923, 10 ff. (auch P. WESSNER, ebd., 309–369) 4 W. M. LINDSAY, H. J. THOMSON, Ancient Lore in Medieval Latin Glossaries, 1921, Vff. 5 LINDSAY 1930, 75 ff. 6 K. NEFF, De Paulo Diacono Festi epitomatore, 1891 7 W. STRZELECKI, Quaestiones Verrianae, 1932, 3 ff. 8 F. BONA, Contributi allo studio della composizione del De verborum significatu di Verrio Flacco, 1964, 30 ff. 9 R. BIANCHI, Due citazioni attribuite a F., in: Atti e memorie dell' Arcadia 3,7, 1980/81, 235–262 10 S. LANCIOTTI, Una stranezza del Vat. Lat. 3369, in: Studi Urbinati 62, 1989, 221–251 11 W. BRACKE, La première »edition« humaniste du De verborum significatione, in: Revue d'histoire du textes 25, 1995, 189–215 12 A. GRAFTON, Joseph Scaliger 1, 1983, 134–160 13 P. L. SCHMIDT, in: HLL § 440. P. L. S.

Fetiales. Röm. Priester, die ein → *collegium* von 20 Mitgliedern auf Lebenszeit bildeten. Sie wurden unter den vornehmen Familien kooptiert (Dion. Hal. ant. 2,72). Der Name wurde mit *foedus* (Serv. Aen. 1,62), *fides* (Varro ling. 5,86) und *ferire* (Fest. 81 L.) verbunden. Der Tradition nach wurde dieses *collegium* entweder von Numa (Dion. Hal. ant. 2,72,1; Plut. Numa 12,4–13,67f–68c; Camillus 18,137b-f), von Tullus Hostilius (Cic. rep. 2,31) oder von Ancus Marcius (Liv. 1,32,5; Ps. Aur. Vict. de viris illustribus 5,4; Serv. Aen. 10,14) gestiftet.

Die *f.* wahren das *ius fetiale* (Cic. off. 1,36; Liv. 9,9,3), d. h. den sakralen Rechtsverkehr von Volk zu Volk [1; 2]. Sie vermitteln diplomatische Entscheidungen des → Senats: der *f.* ist *publicus nuntius populi Romani* (Liv.

1,32,6). Die *f.* handeln zu zweit: der *verbenarius* und der *pater patratus*. Eine genauere Beschreibung der Rolle der *f.* findet sich bei Livius in seinem Bericht über den Krieg zw. Römern und Albanern (Liv. 1,24,3 ff.): Nachdem der *verbenarius* den *pater patratus* mit auf der *arx* gepflückten hl. Kräutern berührt hat, treffen sich die *patres patrati* beider Völker zur Schließung eines *foedus*; sie schlagen mit einem Stein ein Ferkel und beschwören dabei Iuppiter, das eidbrecherische Volk so zu schlagen, wie hier das Opfertier geschlagen werde. Im Falle des Eidbruchs treten die *f.* des geschädigten Volkes mit der Forderung nach Genugtuung an die *f.* des anderen Volkes heran (*rerum repetitio*). Wenn die Forderung erfolgreich ist, werden die Schuldigen vom *pater patratus* dem gegnerischen Volk übergeben. Andernfalls wird der Senat des geschädigten Volkes nach 33 Tagen den Krieg erklären (Liv. 1,32,5 ff.). Bei der Kriegserklärung wirft der *pater patratus* eine in Blut getauchte Lanze (→ *hasta*) ins feindliche Gebiet und spricht eine Formel aus (Liv. 1,32,12 ff.) [3]. Bei Überseekriegen wird der Ritus symbolisch in Rom selbst vollzogen: Der *pater patratus* wirft die Lanze in ein Stück Land beim Tempel der → Bellona, welches das Feindesland symbolisiert, z. B. bei der Kriegserklärung des Augustus an Marcus Antonius und Kleopatra (Cass. Dio 50,4,5) und derjenigen des Marcus Aurelius an die Skythen 178 n. Chr. [4].

1 G. Dumézil, Remarques sur le ius fetiale, in: REL 34, 1956, 93–108 2 C. Saulnier, Le rôle des prêtres fétiaux et l'application du »ius fetiale« à Rome, in: Revue historique du droit français et étranger 58, 1980, 171 ff. 3 J. Bayet, Le rite du fécial, in: MEFRA 52, 1935, 39–76 4 J. Rüpke, Domi militiae, 1990, 105 ff.

M. Beard, J. North, Pagan Priests. Rel. and Power in the Ancient World, 1990, 17 ff.; 177 ff. · J. H. W. G. Liebeschuetz, Continuity and Change in Roman Rel., 1979, 62 ff. · J. Scheid, Les prêtres officiels sous les empereurs julio-claudiens: ANRW II 16.1, 610–654 · L. Schumacher, Die vier hohen röm. Priesterkollegien unter den Flaviern, den Antoninen und den Severern, 69–235 n. Chr., in: ANRW II 16.1, 655–819 · Th. Wiedemann, The fetiales, in: CQ 36, 1986, 478–490 · G. Wissowa, Rel. und Kultus der Römer, 1912, 550 ff.

FR. P.

Fett. Aus pflanzlichen oder tierischen Zellen gewonnener, flüssiger, halbfester oder fester Stoff, der für die menschliche → Ernährung als Energielieferant und Geschmacksträger von großer Bed. ist. In der Frühzeit der Ant. dominierten → Butter, Schmalz und Talg. Der Verbrauch dieser tierischen F. blieb später insbesondere im Norden der ant. Welt hoch; im mediterranen Raum erhielt schließlich das Olivenöl den absoluten Vorrang. Obwohl verhältnismäßig teuer (CIL III 2, p. 827 3,1–3; 4,10–11; p. 828 4,49–50), genoß das Olivenöl unter den F. das höchste Ansehen in der klass. ant. Küche (Athen. 4,169e; 170b; 173e-f). Es wurde an trockene Nahrungsmittel wie Salat und rohes → Gemüse, an Saucen, Süßspeisen und Kuchen gegeben und diente auch zum Braten sowie zur Lebensmittelkonservierung (Plin. nat. 18,308; 19,143).

J. André, L'alimentation et la cuisine à Rome, ²1981, 181–185 · A. Dalby, Siren Feasts. A History of Food and Gastronomy in Greece, 1996 · A. S. Pease, s. v. Oleum (Öl), RE 17, 2454–2474.

A. G.

Fettaugenmode. Griech. Schriftart der 2. H. des 13. Jh. bis zum Anf. des 14. Jh. (gleichzeitig mit der ersten Palaiologenzeit), die durch einen auffallenden Gegensatz zw. dem kleinen, gerundeten und oft krummen Kern der meisten Buchstaben und den übergroßen Rundungen von Omikron, Sigma, Beta, Ypsilon, Alpha und Omega sowie durch das Einschreiben von Kleinbuchstaben in Omikron, Ypsilon und Omega gekennzeichnet ist und damit das völlige Zerfallen des ant. Minuskelkanons (→ Minuskel) bestens repräsentiert. So erweckt die Schrift den Eindruck von Fettaugen auf einer Suppe [1. 101–102]. Diese Manier, die aus der mittelbyz. → Kanzleischrift abzuleiten ist und auch in den Urkunden der frühen Palaiologenzeit zuweilen auftaucht, wird hauptsächlich in Hss. profaner Autoren verwendet. Einflüsse oder Elemente von F. sind auch in anderen Buchschriften wie der otrantinischen Barockschrift (→ Südital. Schrift) und des → »Metochitesstiles« und später bei einzelnen Kopisten des 15. und 16. Jh. nachweisbar.

1 H. Hunger, Ant. und ma. Buch- und Schriftwesen, in: Gesch. der Textüberlieferung der ant. und ma. Lit. I, 1961.

H. Hunger, Die sog. F.-Mode in griech. Hss. des 13. und 14. Jh, in: Byz. Forsch. 4, 1972, 105–113 (Ndr. mit Addenda: Byz. Grundlagenforsch., 1973, II). P. E.

Feuer (πῦρ, *ignis*).
A. Herstellung   B. Griechische Mythologie
C. Griechischer Kult   D. Griechische
Philosophie   E. Römische Religion

A. Herstellung

Im praktischen Leben verwendeten die Griechen schon seit homer. Zeit F. zum Kochen, Schmieden, Opfern, Brennen von Keramik, zur Brandbestattung, Wärmung, Beleuchtung, als Signal, Waffe, zur Reinigung und zur Gewinnung von Erz. Man rieb Stöcke (πυρεῖα, Theophr. De igne 64 Coutant) aneinander oder schlug geeignete Steine zusammen, um F. zu zünden, hielt als Feuerquelle eine ständig brennende Öllampe oder einen glühenden → Narthex-Stab bereit (Hes. theog. 567).

B. Griechische Mythologie

Entsprechend der menschlichen Arbeitsteilung entwickelten sich weibliche oder männliche Götter, die für verschiedene Arbeiten mit F. als Stifter oder Patron zuständig waren: → Hestia, die Herdgöttin nahm einen zentralen Platz im Heim und Staat (→ Prytaneion oder Tempel) ein [1], und verkörperte durch ihre Keuschheit und die Bindung an den Herd (vgl. Hom. h. 5,29 f.) das von einer Ehefrau oder Tochter erwünschte Verhalten. → Hephaistos, Gott des handwerklichen F., sowie die

Telchinen, die → Daktyloi Idaioi, waren für solche Metall- und Keramikarbeiten zuständig, die F. benötigten. Teils stellte man eine Verbindung auf mythischer Ebene zw. Schmieden und vulkanischem F. her, indem man die Werkstatt der göttl. Schmiede in unterirdischen Höhlen oder in Vulkanen lokalisierte (Hephaistos auf Lemnos: Hom. Il. 1,593; in Thetis' Höhle: Hom. Il. 18,398–400; Kyklopen im Aetna: Kall. h. 3,46f., der vulkanische Charakter des Aetna wurde dem feuerspeienden, von Zeus gefangengehaltenen Ungeheuer → Typhon zugeschrieben: Pind. O. 4,11f.) [2; 3]. Mit der göttlichen Gabe des himmlischen F. verband sich ein Mythenkomplex, den Hesiod zweimal aufgreift (theog. 535f.; erg. 47f.): Als sich Götter und Menschen einst schieden (ἐκρίνοντο), versuchte der Titanensohn → Prometheus mit einer für die Menschheit günstigen Verteilung des Opferfleisches Zeus zu täuschen. Erbost darüber enthielt Zeus den Menschen das F. vor; Prometheus raubte es und übergab es den Menschen; er wurde dafür qualvoll bestraft. Die Menschen bestrafte Zeus durch die Übergabe der → Pandora, die ein Faß voller Übel in die Welt brachte [15. 181–201]. Hinter diesem Mythenkomplex verbergen sich einige Züge der griech. Eheschließung, da mit der Übergabe einer Braut vom väterlichen Haus an das des Bräutigams auch F. in Form eines Fackelzuges nach gemeinsamem Mahl überbracht wurde [4] (→ Hochzeitsbräuche).

C. GRIECHISCHER KULT

Aus dem Kochritual entwickelten sich für die griech. Rel. zentrale Kulthandlungen: der Fackellauf (→ *lampadedromía*) zur Überbringung von neuem, kultisch reinem F. an eine neue Feuerstelle; das Brandopfer selbst, wobei man zw. dem Vernichtungsopfer (Holokaust) und dem mit den Göttern geteilten Opfermahl (*thysía*) unterschied; *amphidrómia*, um ein neugeborenes Kind mit dem häuslichen Herd vertraut zu machen. Fackellicht war ein prägendes Element nächtlicher Feiern (*pannychís*), spielte im Hauptakt der eleusinischen → Mysterien im Telesterion eine zentrale Rolle und war namengebend für die Nachtfeier auf dem → Parnassos (*phánai*). Aus dem Brandopfer entwickelten sich auch ausgesprochene Feuerfeste wie z.B. die Daidala, zu Ehren von Zeus und Hera bei Plataia gefeiert [5; 15. 201f.] (→ Hera), oder das mit riesigem F. verbundene Opfer für → Artemis Laphria in Patrai [15. 116–141].

In Verbindung mit der Brandbestattung kam dem F. eine eschatologische Dimension zu: Als »Paß« zur Unterwelt bekam der homer. Held seinen »Anteil an F.« (z.B. Hom Il. 23,75f.). Ein Fluß Pyriphlegethon, »Feuersbrunst«, umzingelte das Jenseits; den eleusinischen Mysten, denen die Erleuchtung der → *epopteía* zuteil geworden war, war ein glücklicheres Los im Jenseits versprochen. Im Mythos gelangten Herakles, Asklepios und Semele durch Flammentod zur Göttlichkeit. Inhalt und Fundus des orphischen Derveni-Pap. legten eine Verbindung zwischen Brandbestattung, Kosmologie und Jenseitsglauben nahe [6]. F. in Form einer »Feuertaufe« bot die Möglichkeit, schon zu Leb-

zeiten in höhere Sphären zu gelangen: Im homer. Hymnus (2,239f.) hätte Demeter das Königskind → Demophon [1] durch nächtliche Feuertaufe unsterblich gemacht, wenn sie nicht dabei gestört worden wäre; bes. im → Dionysos-Kult sind Riten belegt, die einen scheinbar schmerz- und verbrennungslosen Umgang mit F. implizieren (Eur. Bacch. 757f.; Feuerlauf im Kult der Artemis Perasia: Strab. 12,2,7). Möglicherweise geht der in Nordgriechenland noch heute geübte Feuerlauf, Anastenaria, auf diese zurück [7; 15. 212f.]. Die Vorstellung, irdisches Dasein könne durch F. überwunden werden, geht auf dessen reinigende Kraft zurück [8], denn die Beseitigung bzw. Überwindung des Körpers ließ Hoffnung auf ein unkörperliches Dasein aufkommen (Iambl. de myst. 5,12).

D. GRIECHISCHE PHILOSOPHIE

Auch in der Philos. spielte F. eine wichtige, vielseitige Rolle. Im Zuge der frühion. Spekulation über Ursprung und Zusammensetzung des Kosmos machte → Herakleitos F. zum Grundstoff und Sinnbild des Universums (12 B 30f. DK: ›Der Kosmos ist ein ewiglebendes F., das sich in Maßen löscht, in Maßen aufflammt‹; 12 B 90 DK: Alle Dinge lassen sich gegen einen entsprechenden Wert an F. umtauschen, so wie Waren gegen Geld getauscht werden) [9]. → Empedokles [1] machte F. unter der Bezeichnung »Helios« oder »Hephaistos« zu einer der vier »Wurzeln« (ῥιζώματα/ *rhizṓmata*) seiner Kosmogonie (zusammen mit Luft, Wasser und Erde), die sich unter dem Einfluß zweier kosmischer Mächte – Liebe und Streit (φιλία/*philía*; νεῖκος/*neíkos*) – zu neuer Materie binden bzw. auflösen.

Diese vier Grundstoffe wurden zu festen Bestandteilen der Vierelemententheorie (→ Elementenlehre) für das Universum (bei Aristoteles fünf Elemente: Der himmlische Äther sei von den vier sublunaren Elementen grundsätzlich verschieden), welche die physikalische Welt in zweierlei Weise zu erklären suchte: Einerseits bildeten alle Lebewesen und nicht beseelte Gegenstände eine Mischung aus diesen vier Elementen, wobei F. das wärmende, lebensspendende sei; andererseits bestehe der Kosmos selbst (nach gängigster geozentrischer Auffassung) aus einem runden Kern aus Erde, der von konzentrischen Schichten aus Wasser, Luft und – am äußersten Rand – Äther (= F.) umgeben sei. Die glühenden Himmelskörper stellten Konzentrationen des Äthers dar. Ein entgegengesetztes Bild begegnet aber bei manchen Pythagoreern (→ Pythagoreische Schule), die F. zum zentralen Herd des Universums erklärten, um welchen unsere Erde und die anderen Himmelskörper kreisen (ἑστία τοῦ παντός: Philolaos bei Aetios [2] 2,7,7 DIELS, DG) [10]; dieser »Weltherd« sei gleichzeitig Sitz und Machtzentrum des weltlenkenden Zeus (Διὸς φυλακήν, Simpl. cael 230a 9). Auch bei den Stoikern (→ Stoizismus) wurde ätherisches F. mit dem Weltlogos (→ Logos) in enge Beziehung gebracht: »Kreatives F.« (πῦρ τεχνικόν (*pyr technikón*) sei für die Entstehung des Universums verantwortlich; Zeus lenke die Welt mit feurigem Blitz (s. Kleanthes, Zeushymnus fr. 1,10

CollAlex); im F. löse sich das Weltall in regelmäßigen Zeitabständen auf (ἐκπύρωσις/*ekpýrōsis*) [11].

E. RÖMISCHE RELIGION

Hier ist die Überlagerung eines einheimischen Substrats durch fremde (bes. griech.) Einflüsse erkennbar. Ein alter, am Palatinhügel angesiedelter Feuerkult des → Cacus und seiner Schwester Caca (vgl. Serv. Aen. 8,190: *in quo ei (sc. Cacae) pervigili igne sicut Vestae sacrificabatur*) scheint in ähnlicher Form durch den zu Ehren der → Vesta (= Ἑστία/*Hestía*) im kleinen Rundbau nahe der *regia* gefeierten Kult des Staatsherdes weitergeführt worden zu sein; den Priesterinnen der Vesta (Vestalinnen) oblag die Überwachung eines ewig brennenden Feuers (*ignis inextinctus*: Ov. fast. 6,297) [12]. Obwohl die Vestalinnen während ihrer Amtszeit zu Keuschheit verpflichtet waren, verbinden sich die Geburtslegenden mehrerer Staatsgründer (bes. Romulus, aber auch Servius Tullius, Caeculus [13; 14]) mit der außerehelichen Verbindung einer Vestalin mit einem göttl. Vater. Eine Verbindung zw. den Schutzgöttern eines röm. Hauses, den → Penaten, und dem zur Aufbewahrung bes. Heiligtümer bestimmten *penus* (Kammer / Tresor) im Vesta-Heiligtum scheint nicht ausgeschlossen. Der altital. Feuergott Volcanus (wahrscheinlich ein etr. Name; → Vulcanus) hatte urspr. eine engere Beziehung mit dem Vulkanismus (vgl. die Kultorte in Puteoli: Strab. 5,4,6; Mutina: Plin. nat. 2,240) als Hephaistos, mit dem er später aber als Gott des handwerklichen Feuers und der Schmiedekunst immer stärker identifiziert wurde. Am Volcanalia-Fest im August wurden für ihn lebende Fische aus dem Tiber ins F. geworfen (vgl. Varro ling. 6,20). Sowohl seine Beinamen Mulciber und Quietus als auch eine Assoziation mit der → Stata Mater (»welche die Flammen zum Stillstand bringt«) deuten auf eine wichtige Funktion des Gottes, die Gefahr einer vernichtenden Feuersbrunst zu bannen.

→ Energie; Herd

1 L. GERNET, The Anthropology of Ancient Greece, (engl. Übers. von J. HAMILTON, BLAISE NAGY), 1981, 322–39 2 M. DÉTIENNE, La cité et son autonomie. Autour d'Hestia, in: Quaderni di storia 11.22, 1985, 59–78 3 M. DELCOURT, Héphaistos ou la légende du magicien, ²1982 (¹1957) 4 L. SÉCHAN, Le mythe de Prométhée, ²1985 (¹1951) 5 L. PRANDI, L'Heraion di Platea e la festa dei Daidala, in: M. SORDI (Hrsg.), Santuari e politica nel mondo antico, 1983, 82–94 6 G. W. MOST, The fire next time. Cosmology, allegoresis, and salvation in the Derveni Papyrus, in: JHS 117, 1997, 117–35 (bes. S. 131–4) 7 L. M. DANFORTH, Firewalking and Religious Healing. The Anastenaria of Greece and the American Firewalking Movement, 1989 8 K. P. HATZIJOANNOU, Η χρήση του καθάρσιου πυρός για τον εξαγνισμό και την αθανασία στον ελληνικό χώρο, in: Ἡ Ἐπιστιμονικὴ ἐπετηρὶς τῆς φιλοσοφικῆς Σχολῆς τοῦ Ἀριστοτελίου Πανεπιστιμίου Θεσσαλονίκης, Τμῆμα φιλοσοφίας 12, 1973, 53–69 9 C. D. C. REEVE, Ekpyrosis and the priority of fire in Heraclitus, in: Phronesis 27, 1982, 299–305 10 W. BURKERT, Weisheit und Wissenschaft: Studien zu Pythagoras, Philolaos und Platon, 1962, 315–335 11 A. A. LONG, Heraclitus and Stoicism, in: Philosophía 5–6, 1975–6, 133–53 12 H. HOMMEL, Vesta und die frühröm. Religion, in: ANRW I.2, 397–420 13 A. BRELICH, Vesta, 1949, 95–103 14 H. J. ROSE, De virginibus Vestalibus, in: Mnemosyne 54, 1926, 440–448 (zum Kultus) 15 W. D. FURLEY, Studies in the use of fire in ancient Greek religion, 1981.

M. DELCOURT, Pyrrhos et Pyrrha. Recherches sur les valeurs du feu dans les légendes helléniques, 1965 · W. BURKERT, Neues F. auf Lemnos: Über Mythos und Ritual, in: Ders., Wilder Ursprung. Opferritual und Mythos bei den Griechen, hrsg. von G. W. MOST, 1990, 60–76.   W.D.F.

Feuer, griechisches. Einem Flammenwerfer ähnliche Waffe der byz. Marine, zuerst erwähnt bei der Abwehr des arab. Angriffs auf Konstantinopel 674–678 n. Chr. Ihre Funktionsweise wurde mehrere Jh. lang erfolgreich geheimgehalten. Vermutlich wurde (aus natürlichen Quellen gewonnenes) Erdöl in einem Druckbehälter erhitzt, mit Luftdruck durch ein Metallrohr ausgeschleudert und entzündet. Die Flammen brannten auf dem Wasser weiter und waren schwer löschbar.

→ Kallinikos

J. F. HALDON, M. BYRNE, A Possible Solution to the Problem of Greek Fire, in: ByzZ 70, 1977, 91–99 · TH. KORRES, Ὑγρόν Πῦρ, 1985.   AL.B.

Fibel (lat. *fibula*, von *figibula*; *figere*, »heften«, »stecken«), mehrteilige Gewandnadel. Aufgrund von Typen- und Dekorvielfalt eine der wichtigsten Leitformen für die Differenzierung und Phasenabfolge vor- und frühgesch. Kulturen. Zu Typen und Kulturen → Nadel.
    F.PR.

Fibrenus. Linker Nebenfluß des Liris in Latium im Gebiet zw. Sora und Arpinum, h. Fibreno. An der Mündung lag Ciceros *villa* (Cic. leg. 2,6), von der man Reste in der Abtei San Domenico bei Isola del Liri zu erkennen glaubt.

NISSEN Bd. 2, 670.   G.U./Ü: V.S.

Fichte. Drei Coniferengattungen umfaßt dieser Name (πεύκη, *picea*, abgeleitet von *pix* = Pech), nämlich (a) die eigentliche F. oder Rottanne Picea abies [L.] Karst. = excelsa Link, die fast überall am Mittelmeer fehlt, (b) die Tanne (*abies*, ἐλάτη, in manchen Arten auf mediterranen Bergen) und (c) die → Föhre (*pinus*, πίτυς, πεύκη). Das aus den Südalpen und Gebirgen auf dem Balkan in großem Stil geschlagene F.- und Tannenholz diente seit der Ant. als Bauholz – u. a. für Schiffe und ihre Masten [1. 38] – oder als Brennholz. Plin. nat. 16, 225 empfiehlt das gut zu verleimende Holz der *abies* für Türfüllungen und Einlegearbeiten der Tischler. Das Holz der Hasel-F. (Schindeltanne, P. abies forma fissilis) lieferte Dachschindeln (*scandulae*, vgl. Plin. nat. 16,42) und Musikinstrumente. Die Zapfen der F. stellten als στρόβιλοι/ *stróbiloi*, κῶνοι/*kōnoi* (*coni*) das Modell für die mathematischen Kegel dar.

→ Nadelhölzer

1 H. BAUMANN, Die griech. Pflanzenwelt, 1982.   C.HÜ.

Fictio. Die noch in modernen Gesetzen angewendete Technik der Fiktion zur Anordnung von Rechtsfolgen für einen anderen als den urspr. geregelten Sachverhalt durch die Unterstellung, die Sachverhalte seien entgegen der Wirklichkeit identisch, geht auf die röm. Jurisprudenz zurück. Ausgangspunkt der Entwicklung ist die sakrale Regel *simulacra pro veris accipiuntur* (›die Bilder werden als Wirklichkeit akzeptiert‹): Die Priester als erste Experten des Rechts in der röm. Frühzeit haben die Vorstellung, die sich in der Sakralregel ausspricht, auf das Recht übertragen. Der Gewinn für das Recht lag darin, daß der Bestand an rechtlichen Formen und Gestalten auf diese Weise bewahrt, die Bedürfnisse zur Regelung neuer Sachverhalte aber trotzdem erfüllt werden konnten. Die *f.* im röm. Recht war somit ein wichtiges Mittel der Rechtsfortbildung. Daher wurde sie vor allem vom → Praetor verwendet.

Frühe Beispiele sind die Geschäftstypen zur Änderung des persönlichen Status wie die förmliche → *emancipatio*, die mit (dreimaligem) fiktivem Verkauf arbeitet, oder die *adrogatio* (→ Adoption), die so tut, als ob der zu Adoptierende ›von diesem Vater und dieser Mutter der Familie geboren sei‹ (*ex eo patre matreque familias natus esset*, Gell. 5,19,9). Hauptanwendungsgebiet der *f.* sind jedoch die Prozeßformeln. So fügte der Praetor früh in bestimmte Klagen die Klausel *si civis esset* (›als wenn er Bürger wäre‹) ein, um so z.B. die Klage wegen Sachentwendung oder Schädigung (*actio furti* und *actio legis Aquiliae*) auch Nichtbürgern zu ermöglichen (Gai. inst. 4,37). Eine andere *f.* gilt für den Besitzer, der eine Sache gekauft hat, mangels Eigentums des Verkäufers aber nicht Eigentümer geworden ist, sondern die Sache nur nach Ablauf eines Jahres durch Ersitzung erwerben kann: In der Zwischenzeit wird der Käufer geschützt, ›als ob er schon ein Jahr lang besessen hätte‹ (*anno possedisset*, vgl. Gai. inst. 4,36).

Dieselbe Motivation wie den Praetor leitet die Juristen bei der Formulierung von *f.* Ist z.B. für einen Geschäftspartner eine Bedingung (→ *condicio*), von der die Geschäftswirkung abhängen soll, nachteilig und vereitelt er den Eintritt dieser Bedingung, ist der Fall nach Julian und Ulpian (Dig. 35,1,24; 50,17,161) so zu behandeln, als wäre die Bedingung eingetreten. Dies ist in Deutschland noch heute geltendes Recht (§ 162 Bundesgesetzbuch).

WIEACKER, RRG, 324f. •
DULCKEIT/SCHWARZ/WALDSTEIN, 164. G.S.

Fictores (»Opferkuchenformer«, Bäcker). Hilfspersonal der → *pontifices* (*f. pontificum*: CIL VI 1074; 10247) und Vestalinnen (*f. virginum Vestalium*: CIL VI 786; 2134; Varro ling. 7,44, Cic. dom. 139), dessen Einrichtung von Ennius (ann. 115) auf Numa zurückgeführt wird. Die *f.* stellten das für das Opfer benötigte frische Gebäck (*liba*) her – eine Aufgabe, die sie wohl von den Vestalinnen übernommen hatten – und waren z.T. bei den Opfern selbst anwesend. Vgl. *strufertarii* (Fest. 85 L.), die → *strues* und *fertum* darbrachten.

M. IHM, s.v. F., RE 6, 2271 • LATTE, 410 • F. FLESS, Opferdiener und Kultmusiker auf stadtröm. histor. Reliefs, 1995, 21 Anm. 11 Taf. 4,1 • A.V. SIEBERT, Instrumenta sacra, 1998. A.V.S.

Ficulea. Stadt in Latium, nordöstl. von Rom an der *via Ficulensis* (Liv. 3,52,3), nachmals *via Nomentana* [1. 43], lokalisiert bei Casale di Marco Simone Vecchio. Von Aborigines gegr. (Dion. Hal. ant. 1,16), dann von den Prisci Latini; von Tarquinius Priscus erobert (Liv. 1,38,4); *municipium* (Plin. nat. 3,64). Atticus (Cic. Att. 12,34) und Martialis (6,27,2) hatten bei F. Besitzungen.

1 A. NIBBY, Analisi storico-topografico-antiquaria della carta dei dintorni di Roma 2, 1837.

L. QUILICI, S. QUILICI GIGLI, F., 1993. G.U./Ü: V.S.

Fideicommissum. Das seit dem 2. Jh. v. Chr. (Ter. Andr. 290–298) neben dem *legatum* (Vermächtnis) auftretende *f.* (wörtl.: »das in Treue Anvertraute«) war eine Bitte des Erblassers an einen Erben oder Vermächtnisnehmer, einem Dritten etwas aus der Erbschaft oder die ganze Erbschaft auszufolgen. Da ein *f.* den Beschränkungen des zivilen Erbrechts nicht unterlag, diente es dazu, jemandem etwas letztwillig zuzuwenden, der nicht Erbe sein oder ein Legat empfangen durfte (Nichtbürger; Frauen nach der *lex Voconia*, → Erbrecht II D; Unverheiratete und Kinderlose nach der *lex Papia*, → *caducum*), oder dazu, die Legatsgrenze von drei Vierteln der Erbschaft nach der *lex Falcidia* (→ *legatum*) zu überschreiten. Die Bitte konnte innerhalb oder außerhalb des Testaments, vor allem in einem Intestatkodizill (→ *codicilli*) in beliebiger Form ausgesprochen werden. Das *f.* war nicht klagbar, nur nach der Erbsitte erwartete man die Erfüllung (wenn dies möglich war). Wollte der Erblasser sichergehen, daß sein Wille erfüllt wurde, so mußte er den Bedachten zum Erben oder Vermächtnisnehmer einsetzen, dabei aber die Beschränkungen beachten. Unter Augustus wurden Fideikommisse klagbar (Inst. Iust. 2,23,1; 25 pr.); damit war eine Möglichkeit geschaffen, ohne jede Beschränkung durchsetzbar zu testieren. Das *SC Pegasianum* (unter Vespasian) stellte aber Fideikommisse hinsichtlich der *leges Falcidia* und *Papia* den Legaten gleich; Justinian vereinheitlichte alle Vermächtnistypen (Cod. Iust. 6,43,2).

Die altzivile Regel *semel heres semper heres* (»einmal Erbe, immer Erbe«) schloß eine Vor- und Nacherbschaft grundsätzlich aus; das *f. hereditatis* eröffnete aber die Möglichkeit, die Erbschaft an einen Dritten zu übertragen und ihm so die wirtschaftliche Erbenstellung zuzuwenden (wobei der eingesetzte Erbe formell *heres* blieb, ohne die Erbschaft zu behalten). Hierbei befahl der Erblasser dem Erben (oder auch einem Erbschaftsfideikommissar), die Erbschaft (oder einen Bruchteil derselben) nach Ablauf einer Frist oder Eintritt einer Bedingung herauszugeben. Der Beschwerte mußte die Erbschaft zum symbolischen Preis von 1 HS an den Fideikommissar verkaufen und durch → *in iure cessio* tragen; dabei versprach der Beschwerte, durch → *stipulatio* alles, was er noch aus der Erbschaft erwerben würde, herauszugeben, der Fideikommissar aber, für die noch offenen Nachlaßschulden einzustehen. So hatte der Fideikommissar praktisch die Stelle eines Nacherben. Der persönlich weiterhin für die Nachlaßschulden haftende Erbe konnte für diese aus der Stipulation zwar Rückgriff nehmen, trug aber das Risiko der Insolvenz des Fideikommissars.

Deshalb schlugen viele Erben die Erbschaft aus (→ *abstentio*) und machten dadurch auch das *f.* hinfällig. Das *SC Trebellianum* (55 n. Chr.) ordnete daher an, daß die mit der Erbenstellung verbundenen Erbschaftsforderungen und -schulden mit der Herausgabe ohne weiteres auf den Fideikommissar übergingen. Dennoch schlugen weiterhin manche Erben aus, da die mit einem *f. hereditatis* belastete Erbschaft für sie keinen Anreiz bot. Das *SC Pegasianum* bestimmte daher, daß ein Erbe zum Antritt und zur Herausgabe der Erbschaft gezwungen werden konnte, und gewährte zum Ausgleich einem freiwillig antretenden Erben ein Viertel der Erbschaft. Den Übergang der Forderungen und Schulden schloß das *SC Pegasianum* aber gerade für den Fall des freiwilligen Antritts wieder aus, Erbe und Fideikommissar mußten sich dann wie beim Teilungslegat (→ *legatum*) durch Stipulationen sichern (Gai. inst. 2,247–259). Der dadurch eingetretene unbefriedigende Rechtszustand wurde erst 533 n. Chr. bereinigt, indem die Vorteile von *SC Trebellianum* und *Pegasianum* (Übergang der Erbhaftung auf den Fideikommissar; Recht des Erben auf das Viertel) kombiniert und Nachteile des *SC Pegasianum* aufgehoben wurden (Inst. 2,23,7). Das justinianische *Trebellianum* galt im Gemeinen Recht, wo das Universal-*f.* (*fideicommissaria* → *substitutio*) zur Nacherbeinsetzung diente.

→ Erbrecht II. G.

1 Honsell/Mayer-Maly/Selb, 496ff. 2 D. Johnston, The Roman Law of Trusts, 1988 3 Kaser, RPR I, 757ff.; II 549ff., 563f. 4 U. Manthe, Das senatus consultum Pegasianum, 1989 5 P. Voci, Diritto ereditario romano II ²1963, 223ff.   U.M.

Fidelis (Φιδέλιος) aus Mailand. Anwalt in Rom und 527/8 n. Chr. *quaestor palatii* des Ostgotenkönigs → Athalaricus (Cassiod. var. 8,18 f.). 536 wurde er von den Bürgern Roms und Papst Silverius zu → Belisarios geschickt, um die Stadt zu übergeben (Prok. BG 1,14,5). Im oström. Dienst war er 537/8 *praefectus praetorio*. 538 geriet er bei Ticinum in die Hände der Goten, die ihn als Verräter töteten (Prok. BG 1,20,19f.; 2,12,27f.; 34f.).

PLRE 2, 469f. · Stein, Spätröm. R. Bd. 2, 348, 354.   K.P.J.

Fidenae. Latinische Stadt auf einem Hügel links des Tiberis an der *via Salaria* (Tab. Peut. 5,5), fünf (Dion. Hal. ant. 2,53) oder sechs (Eutr. 1,4,19) Meilen von Rom entfernt. Seit der Eisenzeit besiedelt [1], nahm an den *feriae Latinae* auf dem *mons Albanus* teil (Plin. nat.

3,69). Im 5. Jh. mit Veii verbündet (Liv. 4,17ff.). In der Zeit des Horatius (epist. 1,11,8) fast ganz verlassen. 27 n. Chr. forderte der Einsturz des hölzernen Amphitheaters viele, v. a. aus Rom stammende Opfer (Tac. ann. 4,63; Suet. Tib. 40). Im Stadtgebiet wurde Tuffstein abgebaut (Vitr. 2,7,1). Ruinen zw. Villa Spada (Wohnviertel) und Castel Giubileo (*arx*).

1 A. M. Bietti Sestieri, F., in: Archeologia Laziale 10, 1990, 115–120.

Nissen 2, 604ff. · G. Garbugino, s.v. F., EV 2, 509 · L. Quilici, S. Quilici Gigli, F., 1986.   G.U./Ü: V.S.

Fidenas. Röm. Cognomen (»Sieger über Fidenae«), überliefert für Sergii und Servilii der frühen Republik (5./4. Jh. v. Chr.); der Dictator Q. → Servilius Priscus soll 435 die Stadt Fidenae in Latium erobert und danach den Beinamen erhalten haben (Liv. 4,45,5).

Kajanto, Cognomina 181 · F. Münzer, s.v. Servilius, RE II A 2, 1789f.; 1803f. · W. Reichmuth, Die lat. Gentilicia, 1956, 55.   K.-L.E.

Fidentia. Auguralname einer Stadt der westl. Aemilia (*regio VIII*) an der *via Aemilia* (Itin. Anton. 288; Itin. Burdig. 616; Tab. Peut. 4,3) am Übergang über den Stirone, im MA Borgo San Donnino, seit 1927 Fidenza (Parma). Im 2. Jh. v. Chr. gegr. *municipium*; in den Bürgerkriegen von Lucullus belagert (82 v. Chr.; Plut. Sulla 17; Vell. 2,28; Liv. epit. 88). Niedergang zum *vicus* Fidentiola (Itin. Anton. 99; 127).

A. Aimi, Storia di F., 1982 · M. Calvani Marini, F., 1977 · M. Catarsi, Il territorio fidentino nell'antichità, in: G. Ferrarini, C. Cropera (Hrsg.), F., 1994, 12–55 · P.L. Dall'Aglio, Agiografia e Topografia antica, in: Journal of Ancient Topography 1, 1991, 57–70.   G.U./Ü: V.S.

Fides I. Religion II. Recht

I. Religion

F. ist die kultisch verehrte Personifikation der Treue und Wahrhaftigkeit [1]. Nach Varro (ling. 5,74) wurde sie von den Sabinern übernommen; ihr Kult ist noch am Ende des 2. Jh. n. Chr. bezeugt (Tert. apol. 24,5). F. wird als Frau mit Kranz oder Schleier auf dem Kopf und mit → *chitón* und *péplos* bekleidet dargestellt [2]. Sie kommt oft in der Dichtung, selten in der Prosa vor. Sie gilt als uralte Gottheit (Sil. 1,329f.; 2,484ff.) und wird deswegen als *cana* gekennzeichnet (Verg. Aen. 1,292). Die legendäre Stiftung ihres Tempels auf dem Palatin geht nach Agathokles *Perí Kyzíkū* (Fest. 328 L.) auf Rhome, Aeneas' Enkelin, zurück. Jedoch nennen die meisten Quellen (Liv. 1,21,4; Dion. Hal. ant. 2,75,3; Plut. Numa 16,1,70f.) → Numa als Tempel- und Kultstifter. Der Tempel der *F. publica* oder *populi Romani* befand sich in histor. Zeit beim Iuppitertempel auf dem Kapitol (Cic. off. 3,104). Er wurde von Atilius [I 14] Calatinus zw. 258 und 247 v. Chr. erbaut, dann 115

v. Chr. von Aemilius [I 37] Scaurus (Cic. nat. deor. 2,61) erweitert und restauriert [3]. An den Wänden oder nahe am Tempel befanden sich völkerrechtliche Verträge und Militärdiplome. Dion. Hal. ant. 5,68,4 berichtet von Opfern das ganze Jahr über. Der Tempelgeburtstag wurde am 1. Oktober rituell begangen (Fast. Amiterni CIL I,1², p. 245; Fast. fratrum Arvalium CIL I,1², p. 214): An diesem Tag fuhren die → *flamines maiores* auf einem bedeckten Wagen zum Tempel. Ihre rechten Hände waren bis an die Finger in ein weißes Tuch eingehüllt (Liv. 1,21,4; Serv. Aen. 1,292; 8,636). Die Verhüllung ist so charakteristisch für diesen Ritus, daß F. selbst als »in einem weißen Tuch verhüllt« beschrieben wird (Hor. carm. 1,35,21–22: *albo rara F. colit velata panno*). Nach Livius (loc. cit.) weist die verhüllte Hand darauf hin, daß die Treue geschützt werden muß und daß die rechte Hand, in der sich die Treue befindet, heilig (*sacrata*) ist, nach Servius (loc. cit.; vgl. auch Mythographi Vaticani 2,89), daß die Treue verborgen zu halten ist. Anscheinend soll dieses Ritual die rechte Hand, durch deren Schlag Bünde geschlossen werden, unter die Macht der F. stellen: Die Göttin soll die treuen Bünde schützen und gegen die untreuen wachen.

1 G. Wissowa, Rel. und Kultus der Römer, 1912, 133–134
2 D. E. M. Nash, s. v. F., LIMC 4.1, 132 ff.
3 G. Freyburger, F. Études sémantique et religieuse depuis les origines jusqu'à l'époque augustéenne, 1986, 229 ff.

J. H. W. G. Liebeschuetz, Continuity and Change in Roman Rel., 1979, 175 ff. • G. Piccaluga, F. nella religione romana, in: ANRW II 17.2, 703–735 • Radke, 128.   FR. P.

II. Recht

In Rom hat sich die *f.* zu einem der wichtigsten Rechtswerte überhaupt entwickelt. Nach der Formulierung Ciceros (off. 1,23) ist sie sogar schlechthin die Grundlage der → Gerechtigkeit (*fundamentum iustitiae*). Definiert wird die *f.* hierbei als Beständigkeit und Wahrhaftigkeit des gegebenen Wortes und des Vereinbarten (*dictorum conventorumque constantia et veritas*). In moderner Rechtsterminologie kommt das Vertrauen der röm. *f.* am nächsten ([1. 4] im Anschluß an [2]). Die Einordnung als bloße Erwartung [vgl. 3. 148] mag demgegenüber zwar den Vorteil haben, eine größere Bedeutungsvielfalt zu umschreiben, hat aber den entscheidenden Nachteil sozialethischer Farblosigkeit. Während der griech. Parallelbegriff der πίστις (→ *pístis*) ganz in der Sozialethik freundschaftlicher Beziehungen angesiedelt geblieben ist (vgl. Aristot. eth. Nic. 1162b 31), hat die Integration der *f.* in das positive Recht dem röm. Erbe erst seine bes., ins nachant. Europa fortwirkende Qualität gegeben.

Eine Vor- oder Frühgesch. der *f.* im Recht ist kaum rekonstruierbar [4. 506]. Das Schutz- und Treueverhältnis des *patronus* zu seinem → *cliens* wird jedenfalls schon von den Zwölftafeln (8,21) durch Strafandrohung geschützt, ist also im 5. Jh. v. Chr. eine rechtliche, nicht etwa eine soziale Beziehung. Ihre Prägung durch

die *f.* wird von den Römern stets betont. Berührungspunkte mit diesem Verhältnis hat die → *deditio* des röm. Völkerrechts (*ius gentium*), die zu einer Art Klientelverhältnis der sich unterwerfenden Gemeinschaft zu Rom führt. Gerade dieser Anwendungsbereich der *f.* ist in letzter Zeit eingehend untersucht worden [1; 3]. Die Normativität des Völkerrechts beruht auf der *f.* So kann z. B. der Bruch der *f. publica*, des für den Staat auch gegenüber Nicht-Römern in Anspruch genommenen Vertrauens, die Auslieferung (*noxae deditio*, → *noxa*) des röm. Rechtsbrechers an die Opfer nach sich ziehen.

Spätestens seit Plautus wird die *f.* immer häufiger als *bona f.* (»gute Treue«, moderner: Treu und Glauben) qualifiziert (dazu [5. 33]). Diese Formel war vor allem die Grundlage für eine ganz neue Betrachtung des privaten Schuldrechts: Seit dem 2. Jh. v. Chr. war anerkannt, daß wegen der *bona f.* formlos begründete Versprechen zum Kauf, zur Miete, zu Dienstleistungen, zu Geschäftsbesorgungen und zum Zusammenwirken in einer Ges. rechtlich bindend seien. Auf ihre Erfüllung konnte man in einem *bonae fidei* → *iudicium* klagen (dazu differenzierend [4. 441 ff., 449, 453 ff.]). Es liegt daher nahe, den Unterschied der *bona f.* zur schlichten *f.* darin zu sehen, daß nunmehr die *f.* »objektiviert« wurde [1. 43 f.]: Aus einem Mittel zur privaten Gestaltung durch den Abschluß von Verträgen im Vertrauen auf deren Einhaltung wurde nun ein Beurteilungskriterium für ein staatliches Organ: den → *praetor*. Führend mag dabei der *praetor peregrinus* gewesen sein; denn anders als die formalen Geschäfte des → *ius civile* waren die formlosen Verpflichtungen *ex f. bona* im allg. von vornherein Nicht-Römern zugänglich. Wegen ihrer hohen Praktikabilität haben sie aber vor allem die Formalgeschäfte im Rechtsverkehr unter Römern zurückgedrängt. Einige Typen der *bonae fidei iudicia* (z. B. die schon ihrem Namen nach auf *f.* beruhende → *fiducia*) waren sogar auf röm. Bürger beschränkt.

Ebenfalls noch in republikan. Zeit hat die *f.* innerhalb der *bonae fidei iudicia* nochmals eine neue Bedeutung erhalten: Sie wird nun zu einem rechtlichen Maßstab für den Inhalt der Verpflichtungen. Diese neue Anforderung an die Loyalität der Partner eines Schuldverhältnisses kann sogar den bisherigen Sinn der *f.* – nämlich die strikte Bindung an das gegebene Wort – wieder aufheben und ›das billige Nachlassen von der Schärfe des eigenen Anspruchs‹ einschließen [4. 506]. Dies gab der Beurteilung durch den *praetor* und den → *iudex* eine hohe Flexibilität: Die Verteidigung des Schuldners wegen arglistigen Verhaltens des Gläubigers (→ *exceptio*, → *dolus*) war ebenso möglich wie die Beachtung formloser (Neben-)Abreden (→ *pactum*). Wohl sonst nirgendwo konnten sich Gerechtigkeitsgefühl und praktischer Sinn der röm. Rechtswiss. besser entfalten als in der Beratung des Praetors bei der Gestaltung des *bonae fidei iudicium*.

So wie der heute noch in den europä. Schuldrechten herrschende Grundsatz von Treu und Glauben (z. B. § 242 Bundesgesetzbuch) auf die röm. *bona f.* zurückgeht, hat auch der »gute Glaube« des modernen Rechts als Grundlage zum Erwerb von dinglichen Rechten eine röm. Wurzel: Das röm. Recht kannte zwar keinen unmittelbaren rechtsgeschäftlichen Erwerb vom Nichtberechtigten, aber den Erwerb durch Ersitzung (→ *usucapio*); und hierfür war *bona f.* hinsichtlich der (in Wahrheit nicht bestehenden) Berechtigung des Veräußerers Voraussetzung. Sie scheint zur selben Zeit als Merkmal wirksamer Ersitzung herausgearbeitet worden zu sein, zu der sich die *bonae fidei iudicia* durchgesetzt haben. Ein innerer Zusammenhang, etwa in Gestalt des Vertrauensschutzes als Ethos eines entwickelten Rechtsverkehrs, ist daher nicht unwahrscheinlich.

1 D. Nörr, Die F. im röm. Völkerrecht, 1991 2 R. Heinze, F., in: Hermes 64, 1929, 140–166 3 D. Nörr, Aspekte des röm. Völkerrechts, 1989 4 Wieacker, RRG 5 L. Lombardi, Dalla »f.« alla »bona f.«, 1961.

C. Becker, s. v. F., RAC 7, 801–839 · M. Bretone, Gesch. des röm. Rechts, dt. 1992 (nach der 3. it. Aufl. 1989), 98–101 · M. Kaser, Ius gentium, 1993, 35 ff., 126 · D. Nörr, Mandatum, f., amicitia, in: D. Nörr, S. Nishimura (Hrsg.), Mandatum und Verwandtes, 1993, 13–37. G. S.

Fiducia. Terminus für »Treuhand«, zuweilen (etwa Paul. sent. 2,13,1) auch für den Gegenstand der Treuhand. *F.* begegnet in vielen Teilen des röm. Privatrechts: Im Personenrecht gibt es die *coemptio* der Frau (eine Form der → *mancipatio*, Gai. inst. 3,113) nicht nur zum Zwecke der Ehe (*matrimonii causa*), sondern auch zum Zwecke der Treuhand (*fiduciae causa*), etwa um eine Vormundschaft (→ *tutela*) zu vermeiden und eine andere (eines *tutor fiduciarius*) zu begründen (Gai. inst. 1,114; 115). Personenrecht und Schuldrecht (Schadensersatzrecht) verbinden sich in der treuhänderischen *noxae deditio* (→ *noxa*, → *noxalis actio*, vgl. Papin. Coll. 2,3,1).

Im Sachenrecht begegnet *f.* als Sicherungstreuhand (*f. cum creditore contracta*, mit dem Gläubiger vereinbarte *f.*), vor allem in unsicheren Zeiten auch als Verwaltungstreuhand (*f. cum amico* – mit einem Freund – contracta, Gai. inst. 2,59 f.). Die Treuhandabrede (*f. contracta*) schließt sich an eine *mancipatio* oder → *in iure cessio* an (Gai. inst. 2,59; 3,201; Isid. orig. 5,25,23). Eine *mancipatio* mit *pactum conventum* (Abrede) über die Treuhand bezeugt die *formula Baetica* (1./2. Jh. n. Chr., FIRA III Nr. 92). *Fidi fiduciae causa* dort sind alte Formelworte, vgl. z. B. Plaut. Trin. 117 und 142. Der Fiduziar ist zur *fides* verpflichtet (Cic. top. 10,41). Obwohl formell Eigentümer, verpflichtet er sich in der Treuhandabrede, mit der Sache in bestimmter Weise zu verfahren, wie z. B. an den Fiduzianten zurückzuübertragen: bei der Sicherungstreuhand nach Schuldtilgung (*mancipatio Pompeiana* von 61 n. Chr., p.3, Z.1 ff., FIRA III Nr. 91), bei der → *donatio mortis causa* (Schenkung auf den Todesfall) nach Vorversterben des Empfängers (Papin. Dig. 39,6,42 pr. mit *traditionibus* statt *mancipationibus* und *bona fide* statt *f.*). Der Rückübertragungsverpflichtung dient

die *actio fiduciae*, ein *bonae fidei* → *iudicium* (Gai. inst. 4,62) mit der Folge der Infamie (→ *infamia*; Gai. inst. 4,182). Hat der Fiduziant (wieder) Besitz, kann er Eigentum durch Rückersitzung (*usureceptio*) wiedererwerben (s. auch → *usucapio*; Gai. inst. 2,59 f.). Vor dem Rückwerb kann er z. B. die Sache wie sonst nur ein Eigentümer *per praeceptionem* (in Vorwegnahme) vermachen (Gai. inst. 2,220). Außer bei Tilgung (1) der gesicherten Schuld endet die *f.* auch bei Nichtzahlung trotz Fälligkeit der gesicherten Forderung (2): Dann hat der Gläubiger das Recht zur Verwertung der Sache. Das Ende der *f.* auf diesen beiden Wegen bezeugt die *formula Baetica* in den Worten *usque eo is fundus eaque mancipia fiduciae essent, donec* (1) *ea omnia pecunia persoluta* (2) *fidesve L. Titi soluta liberataque esset* (›solange sollen dieses Grundstück und diese *mancipia f.* sein, (1) bis dieses ganze Geld bezahlt oder (2) die Treue(verpflichtung) des L. Titius erloschen sei‹, Z. 9 ff.). Im folgenden ersetzt die *formula* den an sich eintretenden »Verfall« durch ein Verkaufsrecht des Fiduziars (Z. 11 ff.). Im Fall des Mindererlöses soll die Restforderung fortdauern, im Fall des Mehrerlöses der Gläubiger den Überschuß herausgeben (FIRA III Nr. 91 p.3 Z. 12 ff.). Später versteht sich das von selbst: Die *f.* wird nach pfandrechtlichen Regeln begründet (Gai. inst. 2,60: *contrahitur . . . pignoris iure . . .*). Die Entgegennahme von Kindern zu Pfand oder *f.* führt zur Strafe der → *deportatio* (Paul. sent. 5,1,1).

Die *f.* begegnet auch im Erbrecht. Der mit einem Universalfideikommiß (→ *fideicommissum*) beschwerte Erbe ist *heres fiduciarius*, die auszuhändigende Erbschaft ist *hereditas fiduciaria*, Iavolenus Dig. 36,1,48 (46); Ulp. Dig. 12,1,9,1).

Justinian hat im → *Corpus iuris* mit der *mancipatio* und *in iure cessio* auch die *f.* aus dem Sachenrecht entfernt. An die Stelle der *f. cum creditore contracta* trat das → *pignus*, z. B. in Dig. 10,2,28 (vgl. Gai. inst. 2,220). An die Stelle der *f. cum amico contracta* trat etwa das – ohnehin in der → *amicitia* wurzelnde (Paul. Dig. 17,1,1,4) – *mandatum* (Auftrag): Dig. 17,1,27,1 (mit *tradidero* statt *mancipavero*) und ebd. 30 (mit *mandati* statt *f.*).

Kaser, RPR I 47, 79, 83, 324, 415, 460–463; II 275, 313 · Ders., Studien zum röm. Pfandrecht, 1982 · A. Manigk, s. v. F., RE 4, 2287–2316 · G. Noordraven, De f. in het Romeinse recht 1988 (dazu Rez. F. B. J. Wubbe, in: ZRG 108, 1991, 515–523). D. SCH.

Fieber (πυρετός, *febris*) bezeichnet eigentlich ein Symptom, eine erhöhte Körpertemperatur, doch wird der Begriff von allen ant. medizinischen Autoren häufig zur Bezeichnung einer Krankheit oder einer Krankheitsklasse verwendet. Im mod. diagnostischen Sprachgebrauch deckt der Begriff eine Reihe von Zuständen ab, so daß die Identifizierung jedes antiken »F.« ohne weitere Untergliederung von F.-Arten oder ohne sonstige Symptombeschreibung zum Scheitern verurteilt ist. Solche Identifizierungshilfen können in Angaben zur Periodizität bestehen wie z. B. beim Tertiana- oder Quartana-F., bei dem Phasen hohen F. mit Phasen normaler Körpertemperatur abwechseln, oder in charakteristischen Symptomen wie beim ἠπίαλος πυρετός, dem Schüttel-F., bei dem Zittern und Benommenheit dem Temperaturanstieg vorangehen, oder beim καῦσος, einem den ganzen Körper durchziehenden Brennen, das mit einem Kältegefühl an der Körperoberfläche gepaart ist.

F.-Krankheiten waren äußerst verbreitet, v. a. → Malaria, und die Römer riefen die personifizierte → Febris (und während der Kaiserzeit Quartana und Tertiana, CIL 7,99; 12,3129) an, solche F.-Anfälle abzuwehren oder zu heilen. Das mit einem bestimmten periodischen Verlauf auftretende Malaria-F. lieferte auch das Modell für die ant. Vorstellung vom Krankheitsverlauf, nämlich Ausbruch, Verschlimmerung bis zur Krisis und schließlich Remission oder Heilung. Die durch Berührung bzw. Beobachtung leicht zu erkennenden F.-Krankheiten wurden auch nach den Körpersäften differenziert, die am Krankheitsgeschehen Anteil haben sollten (vgl. melancholisches F.), auch danach, ob sie sich auf den gesamten Körper auswirkten wie beim hektischen F. oder beim Faul-F. Letztere Spielarten galten gemeinhin als die gefährlichsten, während Quartana-F. als wesentlich harmloser eingestuft wurde. Das gallige Sommer-F. wurde wegen seines häufigen Auftretens von Galen und hippokratischen Autoren sogar als Teil der natürlichen Körperhaushaltung beschrieben. In hippokratischer Trad. stand F., das zu akuten Krankheiten führte, häufig mit der Galle in Verbindung. Solche Krankheiten erklärte man mit einer Überproduktion von Hitze, die sich wiederum auf äußere Ursachen wie übermäßige Sonneneinstrahlung oder innere Ursachen wie Völlerei oder Verstopfung der Poren mit nachfolgender Störung der »Kochung« zurückführen ließ. Zu den therapeutischen Maßnahmen zählten Purgieren und Aderlaß, was die Temperatur wenigstens zeitweise gesenkt haben dürfte, ferner eine reduzierte Kost und sorgfältige Pflege – v. a. zur Zeit der Krisis.

→ Galen; Hippokrates

1 W. F. BYNUMY, V. NUTTON, Theories of Fever from Antiquity to the Enlightenment, 1981 2 M. D. GRMEK, Les maladies à l'Aube de la Civilisation occidentale, 1983 3 R. SALLARES, The Ecology of the Ancient Greek World, 1991.   V. N./Ü: L. v. R.-B.

Figulus. Röm. Cognomen (»Töpfer«), in den Fasten der republikanischen Zeit für die Familie der Marcii und den Schriftsteller P. → Nigidius F. bezeugt.

KAJANTO, Cognomina 322.   K.-L. E.

Figura etymologica s. Figuren

Figuren (lat. *figura*; griech. σχῆμα, *schéma*; engl./frz. *figure*).
A. ÜBERBLICK B. TERMINOLOGIE
C. GESCHICHTLICHER ABRISS D. DEFINITIONEN
E. FRAGESTELLUNGEN DES FUNKTIONAL-PRAGMATISCHEN ANSATZES

A. ÜBERBLICK

F. sind Gestaltphänomene der Sprache jenseits der gramm. Primärstruktur. Sie werden in der Rhet. im Rahmen der → *elocutio* unter der Rubrik *ornatus* (Schmuck) behandelt und zumeist als Abweichungen vom normalen Sprachgebrauch definiert; schlechte Dosierung stellt einen Ausdrucksmangel dar (Quint. inst. 9,3,3). Die F.-Lehre setzt voraus, daß es ein rohes Gerüst von Argumenten in einfachen Worten gibt, das bekleidet und ausgeschmückt werden muß. Dieser Vorgang wird je nach Textsorte (Dichtung, Gerichtsrede etc.) und Redesituation unterschiedlich ausfallen und einen jeweils anderen Erwartungshorizont der Rezipienten berücksichtigen. Gebrauch und Erkennen von F. setzen ein kulturell generiertes Wissen voraus: Eine häufiger gebrauchte Figur muß erst als solche erkannt und isoliert werden, um in den rhet. Klassifikationen konventionalisiert werden zu können.

Die F.-Lehre, die eine ungebrochene Kontinuität über das MA bis in die Neuzeit aufweist, tritt entweder als Teil von breiter angelegten Rhet.-Hdb. oder in separaten Darstellungen auf. Zu unterscheiden sind zwei Ansätze: Der logisch-strukturale Ansatz, der in der ant. Rhet. im Vordergrund steht, zielt auf eine Slg., Benennung und Klassifizierung der F., wohingegen der funktional-pragmatische die Funktionen und Wirkungsmöglichkeiten der F. im Rahmen der Rezipientensteuerung sowohl hinsichtlich Textverfertigung als auch Textinterpretation untersucht. Die logisch-strukturale Betrachtung schlug sich in einer so großen Zahl von F.-Taxonomien (oft mit schematischen Tabellen) nieder, daß man diese mit der Rhet. schlechthin gleichzusetzen begann: Sie bewegen sich im Spektrum von pragmatischer Handhabung bis zu spitzfindigen Unterteilungen [1]. Schon Rhet. Her. 1,1,1 und Quint. inst. 9,1,22 warnten vor einer als lebensferne Kunst betriebenen Rhet., wie sie nach dem 18. Jh. speziell die F.-Lehre diskreditieren sollte: Auch Laien sprächen ohne Unterricht in F. und seien durch diese zu beeindrucken. Genau diese Beobachtung führte zu einer Rehabilitierung der F.-Lehre durch den modernen Strukturalismus, der die Rhet. insgesamt als Versuch wertet, ein überzeitliches, für alle Sprachen gültiges System der Ausdrucksstrategien zu entwickeln, die ihre Begründung nicht in der linguistischen Systemgrammatik finden [15]. Die F.-Lehre im Rahmen von Rhet.-Hdb., Poetiken und Stilistiken kann somit als ein Grundpfeiler der mod. Linguistik und Semiotik betrachtet werden, und zwar jener Linguistik, die sich mit dem Verhältnis von Form und Inhalt der Sprache und den Fragen einer infiniten Satzgenerierung (Rhet. Her. 4,43,56; Quint.

inst. 9,1,16) beschäftigt. Die universale Anwendbarkeit der F.-Lehre wurde schon von Cic. opt. gen. 5,14, allerdings mit negativem Vorzeichen, angesprochen: Das aus der griech. Rhet. bekannte System der F. könne nicht ohne Modifikationen auf das anders strukturierte Lat. übertragen werden. Auch Rhet. Her. 4,10 verzichtet darauf, die griech. Terminologie auf das Lat. zu übertragen, und greift deshalb zu einem dem Lat. angemessenen deskriptiven Modell. Diese Transformation der F.-Lehre läßt sich auch in bezug auf die mod. Sprachen Europas beobachten, die sich zudem häufig an der Stilistik des Lat. orientierten. Ein modernes Kompendium im Geiste der ant. Rhet. bietet Lausberg, das aber wegen der theoretischen Einseitigkeit – die F. werden zumeist nur nach einem Kriterium klassifiziert [9] – in der Forsch. umstritten ist [7].

B. TERMINOLOGIE

Das Phänomen der Oberflächenstrukturierung von Sprache wurde zwar früh in der Dichtung beobachtet, aber erst spät mit dem t.t. *figura* benannt. Der griech. Ausdruck *schéma* (Cic. Brut. 275; Quint. inst. 9,1,1) wurde möglicherweise seit → Theophrastos prägnant verwendet. Rhet. Her. spricht von *verborum exornatio* und *sententiarum exornatio* (4,13,18); Cicero verwendet schon *figurae*, aber noch nicht terminologisch (opt.gen. 14); in anderen Werken spricht er von *lumina orationis* (orat. 135), *conformatio verborum* und *conformatio sententiarum* (de orat. 3,96). Quintilian erklärt den als selbstverständlichen t.t. gebrauchten Begriff *figura* als metaphorische Erklärungshilfe, in der die Sprache dem menschlichen Körper analogisiert werde (10,1,10): Sprache ohne F. entspräche dem ruhenden oder sogar leblosen Körper, der weniger ansprechend sei als einer in Bewegung (d.h. mit F.), der Lebhaftigkeit und Expressivität vermittle. In diesem Bild ist schon die heutige Problemstellung präsent, die jede Form von Sprache als figurative Ausdrucksweise wertet. Es korreliert zudem mit dem weiteren Gebrauch von *figura*, mit dem auch die drei → *genera dicendi* (Rhet. Her. 4,11; Cic. de orat. 3,212) bezeichnet werden. In der mod. Poetik sieht man alle Arten dichterischer Verschlüsselung, gar die Dichtung als solche als F. an [7. 304]. *Schéma* und *figura* blieben bis über das MA hinaus in Gebrauch, auch wenn F. sich als der häufiger verwendete Begriff bis in die Nationalsprachen rettete.

C. GESCHICHTLICHER ABRISS

Aristoteles' Rhet. entwirft noch kein klares Ordnungsmodell der F., sondern zeigt lediglich unterschiedliche Möglichkeiten und Wirkungen des Redeschmucks hinsichtlich Wortgebrauch, Anordnung und Rhythmus auf, die vom normalen Sprachgebrauch abweichen. Hervorragende Theoretiker speziell der F.-Lehre waren → Anaximenes [2], → Theophrastos, der die F. im Rahmen seiner *Lexis* (*Perí léxeōs*) behandelte, und → Gorgias d.J., dessen Werk durch die Übers. des → Rutilius Lupus zumindest in groben Zügen bekannt ist.

Die erste lat. Rhet., die → *Rhetorica ad C. Herennium*, auf der die meisten ma. und neuzeitlichen F.-Lehren fußen, bezieht sich auf nicht namentlich genannte griech. Vorbilder, die der Anon. in der Übertragung auf das Lat. vereinfacht (4,10). Er stellt 65 F. vor (45 Ausdrucks-F., 20 Inhalts-F.; 4,18; 4,69), unter die er auch die Tropen (→ Tropus) subsumiert, da es sich auch bei diesen um figürliche Rede handle. Quint. inst. 9,1,25 schließt sich in seiner Behandlung der F. an Cicero (de orat. 3,201 ff.) an, der einen mittleren Weg zwischen extremer Klassifizierung und praktischer Ausrichtung einschlage und versuche, die F. in verschiedenen Übergruppen zu klassifizieren. Als wichtige Autoren späterer F.-Lehren seien Ps.-Demetrius, → Alexandros [25], → Hermagoras, Phoibammon, Marius Plotius → Sacerdos, → Charisius [3], → Diomedes [4] und → Donatus' [3] gramm. Schrift *Ars Maior* genannt, die neben der Rhet. Her. die nachhaltigste Rezeption erfuhr [14] (ausführlich zur Gesch. der F. [10]).

D. DEFINITIONEN

In der Gesch. der Rhet. umfaßten die Definitionen der F. heterogene Phänomene. Ein dichotomisches Modell unterteilt die F. ohne Berücksichtigung der Tropen in Gedanken- und Wort-F. (Cic. de orat. 3,200); die trichotomische Klassifizierung unterteilt in Tropen (die als Einwort-F. gewertet werden), Gedanken- und Wort-F. (Rhet. Her. 4). Die individuelle Gewichtung führte zu einem nur relativ stabilen, dennoch traditionsbildenden Klassifizierungssystem, wobei das trichotomische Modell die größere Nachwirkung hatte. Die Konstante beider Modelle ist die Unterteilung in Ausdrucks-F., die ihrerseits in gramm. und rhet. F. geschieden werden, sowie in Gedanken-F.

(I) F. des Ausdrucks oder Wort-F. (*figurae verborum* oder *figurae elocutionis*: Quint. inst. 9,3) sind Durchbrechungen des normalen Satzschemas (Cic. orat. 135). (1) Gramm. F. (Quint. inst. 9,3,2) entstehen durch Verstoß gegen die gramm. Regeln des Wortgebrauchs und der Satzfügung, etwa der Barbarismus (umgangssprachl. Ausdruck, Gräzismus, etc.) oder der Solözismus (Verstoß gegen syntaktische Richtigkeit). (2) Die rhet. Wort-F. werden gemäß dreier Änderungskategorien (*quadrupertita ratio*) unterschieden, wobei schon bei Quintilian ein Bewußtsein dafür besteht, daß F. nicht nur auf dem Prinzip der Abweichung, sondern auch auf ›der außersprachlich motivierten Auswahl von Gestaltungsmöglichkeiten beruhen, die die Sprachen bereithalten‹ [7. 296]: a) Auslassungen (*detractio*/*diminutio*) von sonst in der Syntax unverzichtbaren Wörtern, wie beim Zeugma oder der Ellipse, verlangen eine stillschweigende Ergänzung durch den Rezipienten. b) Unter Hinzufügung (*adiectio*) fallen insbesondere alle F. der Häufung und der Wiederholung von Wörtern, Lauten oder der Kombination von beidem. Sie dienen vordringlich der Affektsteigerung. Zu diesen zählen Anapher, Epanalepse, Epipher, Anadiplose, Klimax, Symploche, Polyptoton (*figura etymologica*), Paronomasie, Synonymie, Polysyndeton, Asyndeton. c) Umstellungen (*transmuta-*

tio) sind bewußte Änderungen in der normalen Wortfolge, wie Parallelismus, → Antithese, Chiasmus, Hyperbaton (oft kombiniert mit Homoioteleuton und Homoioptoton) und Anastrophe.

(II) Gedanken- oder Sinn-F. (*figurae sententiae*: Quint. inst. 9,2) betreffen die Gedankenführung, nicht die Wort- oder Satzfügung. Die in den verschiedenen Rhetoriken unterschiedlich eingeordneten Gedanken-F. bilden eine offene Gruppe. Einige davon sind an der Grenze zu Tropen anzusetzen oder in anderen Klassifizierungen sogar gänzlich den Tropen, die der 4. Änderungskategorie (*immutatio*, Ersatz) folgen, zugeordnet. Die Möglichkeit einer genauen Unterscheidung der Ausdrucks- von den Gedanken-F. wurde kontrovers beurteilt: Cicero (de orat. 3,200) postulierte, daß die Differenz der beiden Kategorien darin läge, daß eine Ausdrucksfigur zerstört sei, wenn man ihr ein Wort entziehe; eine Gedankenfigur hingegen, die er in ihrer Bedeutung höher einschätzte (orat. 136), bleibe bei unterschiedlicher Formulierung dieselbe. Quintilian modifizierte dies dahingehend, daß eine Gedankenfigur durch verschiedene Wort-F. ausgedrückt werden könne, daß aber selbst dies Haarspalterei sei, weil beide oft in ihrer Wirkung nicht voneinander getrennt werden könnten (inst. 9,1,15). Zu den Gedanken-F. zählen die der Anrede und der Frage, bzw. solche, die sich auf die Sache (Evidenz, → Vergleich) beziehen oder sich an das Publikum wenden (Rhet. Frage, Lizenz).

E. Fragestellungen des funktional-pragmatischen Ansatzes

Ein zentrales Problem der F.-Lehre, das auch in der ant. Rhet. differenziert gesehen wurde, ist, welchen Beitrag der Schmuck zur Inhaltsvermittlung leistet, also welches Verhältnis von Oberflächen- und Tiefenstruktur einer sprachlichen Aussage besteht. Die Diskussion dieser Frage ist nicht der funktionalpragmatischen Betrachtung vorbehalten, sondern immer auch ein Nebenprodukt der Klassifizierungsschemata. Schon Aristoteles notierte in seiner Rhet. (3,11,15 = 1413a) die emotive, affektsteigernde Wirkung von Oberflächenphänomenen, die aber gleichzeitig auch der Erkenntnishilfe und der Memorierung des Gesagten diene [7. 326]. Dies ist im Ansatz das in späteren Theorien auftretende affektfunktionale Modell. Cicero (wie auch z.B. Isokr. or. 12,2; Rhet. Her. 4,32) warnte vor Effekthascherei, in der der Redeschmuck über den Inhalt trete. Nicht zuletzt die Mißachtung dieser Warnung führte zur neuzeitlichen Rhet.-Kritik. Neben der Affekterregung sieht der Autor der Rhet. Her. eine wichtige Funktion der F. in der Erzeugung von Glaubwürdigkeit (4,41), Quintilian hingegen in der aufmerksamkeitssteigernden Abwechslung (inst. 9,1,11; 9,1,21). Er mißt aber dem *ornatus* in der Rezeptionsästhetik (vgl. Cic. Brut. 275; de orat. 3,190–208) auch einen Selbstwert zu (inst. 8,3,61; vgl. Cic. orat. 138), zumal der Rezipient durch die F. erfreut werde und deshalb eher bereit sei, dem Gesagten zuzustimmen.

Im Anschluß an die ant. Rhet. können F. nicht nur als Hilfsmittel der Überzeugung oder Belehrung angesehen werden: Im Versuch, sich auszudrücken, muß immer auf F. oder figurative Sprache zurückgegriffen werden, da Sprache nicht eine bloße Materialisierung des Gedankens ist, sondern auch etwas hinzufügt. In den neueren Forsch.-Beiträgen zu den F. wird der prinzipiell figurative Charakter der Sprache betont, ja Figurativität als Merkmal von Sprache überhaupt angesehen. Auf dem Hintergrund der modernen Forsch.-Ergebnisse sollte auch das Potential der ant. Beobachtungen einer erneuten Sichtung unterzogen werden.

→ Figurenlehre

1 R. BARTHES, Das semiologische Abenteuer, 1988, 15–101 2 D. BREUER, Rhet. Figur, in: C. WAGENKNECHT (Hrsg.), Zur Terminologie der Lit.-Wiss., 1988, 223–238 3 J. DUBOIS u. a., Rhétorique générale, 1970 (dt. 1974) 4 G. GENETTE, Figures, 1966 5 K. H. GÖTTERT, Einführung in die Rhet., 1991, 40–65 6 J. KNAPE, s. v. Elocutio, HWdR 2, 1022–1083 7 Ders., s. v. F.-Lehre, HWdR 3, 289–342 8 M. LANDFESTER, Die Kunstsprachen, 1997 9 LAUSBERG, §§ 453–1082 10 J. MARTIN, Antike Rhet., 1974, 248–315 11 H. F. PLETT, Die Rhet. der F., in: Ders., Rhet., 1977, 125–165 12 J. RICHTER-REICHHELM, Compendium scholare troporum et figurarum, 1988 13 G. O. ROWE, s. v. Style, Handbook of Classical Rhetoric in the Hellenistic Period 330 B. C.–A. D. 400, ed. S. E. PORTER, 1997, 121–158 14 U. SCHINDEL, Die lat. F.-Lehre des 5.–7. Jh. und Vergils Donatkomm., 1975 15 T. TODOROV, Théories du symbole, 1977 (dt. 1995).   C. W.

Figurengedichte. Gedichte, die einen Gegenstand abbilden. Semiotisch gesehen verbinden sie graphisch-ikonische und sprachlich-symbolische Zeichen [4. 140; 3]. Deren simultanes Erscheinen hat Auswirkungen auf den Rezeptionsvorgang, der sich zwischen dem Lesen der Wörter und dem Sehen des Bildes hin- und herbewegt (F. können nur visuell vollständig wahrgenommen werden). Zu unterscheiden sind: (a) Umrißgedichte, bei denen aufgrund polymetrischer Verse die äußeren Konturen des Gegenstandes wiedergegeben werden, auch → Technopaignia genannt (»Scherze, in denen sich die Kunst des Dichters zeigt«: der Begriff stammt urspr. von → Ausonius, opusc. 16,1 PRETE, der ihn allerdings anders verwandte). (b) Gittergedichte, in denen die Figur durch Rubrizierung bestimmter Buchstaben sichtbar wird; ihr meist in Hexametern gehaltener Grundtext ist quadratisch oder rechteckig angelegt; zusätzlich ergeben die hervorgehobenen Buchstaben einen eigenen Text (Intext).

Erh. sind die griech. Technopaignia des → Simias (Axt, Flügel, Ei), des → Theokritos (Syrinx: Echtheit umstritten) und des → Dosiadas (Altar). Syrinx und Altar zeichnen sich zusätzlich durch eine rätselhafte Sprache aus, die zum Verständnis der Gedichte entschlüsselt werden muß. Ein zweiter Altar wird einem Besantinos (L. Julius Vestinus?, unter Hadrian) zugeschrieben. Die griech. F. sind in der → Anth. Pal. (15,21 ff.) und in den Bukoliker-Hss. überl. Lat. Umrißgedichte verfaßten

→ Laevius (1. Jh. v. Chr.) und → Publilius Optatianus Porfyrius (unter Constantinus [1]), der nach hell. Vorbild eine ›Syrinx‹, einen ›Altar‹ und als Neuschöpfung eine ›Wasserorgel‹ anfertigte. In diesen F. veränderte er die hergebrachte Form insofern, als er nicht mehr polymetrisch dichtete, sondern gleiche Metren mit unterschiedl. Buchstabenzahl verwandte. Daneben gilt Porfyrius als Erfinder der Gittergedichte, von denen er mehr als 20 abfaßte. Sein berühmtester Nachfolger ist Hrabanus Maurus. Auch die bildhaften Textdarstellungen in den Zauberpapyri (Trauben, Flügel, Kugeln) können im weitesten Sinne zur figuralen Dichtung gezählt werden. Die hell. F. haben in der barocken Dichtung fortgewirkt, die die Technik übernommen und weiterentwickelt hat [1].

→ Figuren; FIGURENGEDICHT

1 J. ADLER, U. ERNST, Text als Figur, 1987, 58–211
2 U. ERNST, Carmen figuratum, 1991 3 T. A. SEBEOK, Theorie und Gesch. der Semiotik, 1979, 105–112 4 CH. WEISS, Seh-Texte, 1984 5 G. WOJACZEK, Daphnis. Unt. zur griech. Bukolik, 1969, 56–126 6 Ders., Schlüssel und Schlange, in: WJA 14, 1988, 241–252.　　　SE. P.

Figurengefäße. In kombinierten Techniken plastisch gearbeitete Gefäße; F. von Koroplasten, oft aus gleichen Matrizen wie die Statuetten stammend (Terrakotten). Vorläufer in Anatolien, Ägypten und im Alten Orient. Griech. F. aus Ton (Vögel, Rinder, Pferde) vermehrt seit dem 14. Jh. v. Chr. [1]. Reiche Produktion von Salbgefäßen mit Glanztonbemalung im 7.–6. Jh. v. Chr. u. a. in Korinth [2], Rhodos [3] und Böotien: ganze Figuren, Büsten, Köpfe, Glieder, Tiere, Tierprotomen, Mischwesen, Früchte [4]. In Athen entstehen seit 500 v. Chr. die Kopfgefäße des Charinos und jüngerer Werkstätten [5]; par. stellt Sotades Rhyta mit plast. Gruppen (Amazone zu Pferd, Kamelführer, Schwarzer und Krokodil) her [6]. Mit farbig gefaßten Figurengruppen (Eros-Aphrodite, Boreas-Oreithyia, Dionysos, Flügelwesen) ist eine Gattung att. Lekythen und Kännchen des 4. Jh. v. Chr. verziert [7]. Hell. F. tragen in der Regel nurmehr schwarzen oder roten Überzug, seltener Glasur [8]. Motive sind Götterfiguren, schwarze Knaben, Schauspieler, Karikaturen [9; 10]. Einige kaiserzeitl. Werkstätten in Nordafrika behalten alexandrin.-hell. Grotesktypen bei [11]. – F. dienten vorwiegend als Weihgeschenke oder Grabbeigaben, in der Kaiserzeit auch als Luxusgefäße aus Glas, Br. und Edelmetall.

→ Askos; Rhyton; Sotades; Terrakotten

1 M. A. GUGGISBERG, Frühgr. Tierkeramik, 1996 2 W. R. BIERS, Mass Production, in: Hesperia 63, 1994, 509–516 (Technik) 3 J. DUCAT, Les vases plastiques rhodiens, 1966 4 S. A. IMMERWAHR, The Pomegranate vase, in: Hesperia 58, 1989, 297–410 5 J. D. BEAZLEY, Charinos, in: JHS 49, 1929, 38–78 6 L. KAHIL, Un nouveau vase plastique du potier Sotades, in: RA 1972, 271–284 7 M. TRUMPF-LYRITZAKI, Gr. Figurenvasen, 1969 · O. DEUBNER, Boreas und Oreithyia. Eine attische Figuren-Lekythos, in: Boreas 2, 1979, 53–58

8 K. PARLASCA, Kleinasiatische Terrakotten mit Bleiglasur, in: MDAI(Ist) 40, 1990, 198–199 9 M. SGUAITAMATTI, Vases plastiques hellénistiques de Grande Grèce et de Sicile, in: Numismatica e Antichità classiche 20, 1991, 117–146 10 R. A. LUNSINGH SCHEURLEER, Finally Awake, in: BABesch 68, 1993, 195–202 11 J. W. SALOMONSON, Der Trunkenbold und die Trunkene Alte, in: BABesch 55, 1980, 65–134 12 M. BARBERA, Il tema della caricatura in alcune forme vascolari di età imperiale, in: BABesch 67, 1992, 169–182.

R. H. HIGGINS, Cat. of Terracottas Brit. Museum 1, 1954, 43–60, 2, 1959 · I. RICHTER, Das Kopfgefäß, 1967 · E. REEDER WILLIAMS, Figurine Vases from the Athenian Agora, in: Hesperia 47, 1978, 356–401 · E. WALTER-KARYDI, Die Themen der ostion. figürl. Salbgefäße, in: Münchner Jahrbuch der bildenden Kunst 36, 1985, 7–16.　　　I. S.

Filocalus, Furius Dionysius. Röm. Kalligraph des 4. Jh. n. Chr., der das monumentale Majuskelalphabet spätlat. Inschr. geschaffen haben könnte [2; 3]. Sein frühestes bezeugtes Werk ist der → Chronograph von 354 [4]. Später verfaßte er die Inschriften der → Epigrammata Damasiana; zu Papst → Damasus' Epitaph für den Märtyrer Eusebius fügte F. seinen Namen hinzu und bezeichnet sich als *cultor* und *amator* (Bewunderer und persönlicher Freund) dieses Papstes. F. dürfte daher ein geachteter, wenn nicht aristokratischer Christ gewesen sein. Das legt nahe, ihn mit jenem F. zu identifizieren, der gemeinsam mit einer Melania, wohl der aristokratischen Asketin → Melania d. Ä., in Anth. Lat. 120 genannt wird [1].

1 A. CAMERON, F. and Melania, in: CPh 87, 1992, 140–144 2 A. FERRUA, Epigrammata Damasiana, 1942 3 Ders., F., l'amante della bella lettera, in: Civiltà cattolica 1, H. 2125, 1939, 35–47 4 M. SALZMAN, On Roman Time, 1990.
M. SA./Ü: U. R.

Filter. F. dienten zum Durchseihen und Filtern von Wasser, Wein, Ölen, Parfüm, Essig, Honig und flüssiger Medizin. Hierzu verwandte man verschiedene Materialien: Tücher aus Leinen, Bastgeflechte, Asche, Ton oder Holz. Die griech. und röm. Ant. kannte ferner unterschiedliche Filtergefäße (ἠθμός/*hēthmós*, ὑλιστήρ/*hylistēr*, *colum*, *infundibulum*, *saccus* u. a.), zu denen die maked. Prachtgeräte hell. Zeit gehören, dann die v. a. aus der röm. Kaiserzeit bekannten metallenen Kellen mit siebartigem Boden und Weinsiebe (Hildesheimer Silberfund, Schatzfund von Kaiseraugst u. v. m.), daneben etrusk. Oinochoen mit Sieböffnung bzw. konischer Öffnung oder tönerne Kellen. Auch die daunischen »Ausgußgefäße« (→ Daunische Vasen) mit durchlöcherter Mündung gehören hierhin.

R. PETROVSZKY, Studien zu röm. Bronzegefäßen mit Meisterstempeln, 1993 · Pompeji wiederentdeckt, Ausst.-Kat. Hamburg 1993, 191, Nr. 89 · J. VOKOTOPOULOU, Führer durch das Arch. Museum Thessaloniki, 1996, 161, 208, 211.
R. H.

Fimbria. Röm. Cognomen (»Franse«, »Locke«), in republikanischer Zeit in der Familie der Flavii, auch in der Kaiserzeit bezeugt.

KAJANTO, Cognomina 223.   K.-L.E.

Fimbriae (κροσσοί, *krossoí*; θύσανοι *thýsanoi*). Eigentlich die am Stoffrand stehengelassenen Fadenenden, die – mehrere zusammengeknotet oder einzeln hängend – Stoffe aller Art wie Tücher, Decken, Gewänder verzierten. Sie konnten auch gesondert gearbeitet und angenäht sein. So werden z. B. das ταραντῖνον (*tarantínon*), ein Luxusgewand, oder die *rica*, ein röm. Kopftuch, ausdrücklich als mit *f.* besetzt definiert (Fest. 288,10; Non. 549,9). Bereits die oriental. und ägypt. Gewänder weisen *f.* auf; ebenso sind sie in der griech., etrusk. und röm. Kunst dargestellt, wie auch erh. Stoffe *f.* aufweisen.

> W. H. GROSS, s. v. F., KlP 2, 548 • U. MANDEL, Zum Fransentuch des Typus Colonna, in: MDAI(ist) 39, 1989, 547–554 • W. SCHÜRMANN, Zur Deutung der Fransentücher im hell.-röm. Ägypten, in: Beiträge zur Ikonographie und Hermeneutik, FS N. Himmelmann, 1989, 297–330 • A. STAUFFER, Textilien aus Ägypten aus der Sammlung Bouvier, Ausst.-Kat. Fribourg 1992.   R.H.

Fines, ad Fines

[1] h. Vinxt. Ort an der Stelle (bei Sinzig), wo die Straße zw. Bonn und Remagen die Grenze zw. Germania Inferior und Superior erreicht (*Obrinkas* Ptol. 29,2; 8f.; vgl. *Abrinkas* Markianos 2,28, < kelt. **aber* »Mündung«). Dort wurden Altäre für die *(Nymphae) Fines* und auf beiden Seiten Beneficiarier- bzw. Soldateninschr. (CIL XIII 7713; 7724; 7731f.) gefunden.

> C. B. RÜGER, Germania Inferior, 1968, 47–49.   K.DI.

[2] h. Pfyn bei Frauenfeld (Schweiz), *vicus* des 1.–3. Jh. in Raetia an der Grenze zur Germania Superior (vorher Gallia, später Maxima Sequanorum); 300 m südöstl. davon lag seit ca. 300 n. Chr. hoch über der Thur ein spätröm. Kastell (1,5 ha), das wohl bis Mitte des 5. Jh. bestand.

> TIR L 31,18 • J. BUERGI, Pfyn. Ad Fines, in: Arch. der Schweiz 6, 1983, 146–160 • W. DRACK, R. FELLMANN, Die Römer in der Schweiz, 1988, 470f. • J. GARBSCH, P. KOS (Hrsg.), Das spätröm. Kastell Vemania bei Isny, 1, 1988, 118 • M. HARTMANN, Bemerkungen zu den Mz.-Funden aus Pfyn, in: SM 42, 1992, 126–129.   K.DI.

[3] s. Ad Fines

Fingerschmuck s. Schmuck

Finis. Grenze, insbes. zw. Grundstücken (z. B. Cels. Dig. 41,2,18,2). Der Grenzstein (→ *terminus*) war heilig; wer ihn auspflügte, war nach einer dem → Numa Pompilius zugesprochenen Bestimmung samt dem Gespann verflucht (*sacer*, Paul. Fest. 505,20f. L.). Die Äcker waren durch einen 5 Fuß breiten, nach den Zwölftafeln (tab. VII 4) unersitzbaren (s. → *usucapio*) Grenzrain getrennt (Cic. leg. 1,12,55f.).

Die Grenzbereinigungsklage (*actio finium regundorum*) war eine *actio in personam* (persönliche Klage) und doch *pro vindicatione rei* (auf Herausgabe, Paul. Dig. 10,1,1). Sie betraf vor allem ländliche Grundstücke, gelegentlich auch große Gärten in Rom (*controversia de fine*, Paul. Dig. 10,1,2 pr.; Ulp. Dig. 10,1,4,10), ferner ungleiche Zuweisungen in assignierten Gebieten (*controversia de modo*, Mod. Dig. 10,1,7, → *adsignatio*). Unter Mitwirkung der → Feldmesser hatte der Richter zunächst den alten Grenzverlauf festzustellen; mißlang dies, setzte er den Grenzverlauf neu fest, notfalls durch ein anderes Gebiet. Durch → *adiudicatio* (richterliche Gestaltung) verlieh er neues Eigentum; zugleich verurteilte er den Begünstigten zu einer Ausgleichszahlung (Ulp. Dig. 10,1,2,1; Gai. ebd. 3). Der Richter hatte die Grenzabstände zu berücksichtigen, die das Zwölftafelgesetz nach dem Vorbild des Solonischen Gesetzes für Bauten und Anpflanzungen festgelegt hatte (Gai. Dig. 10,1,13).

Des weiteren begegnet *f.* als Landesgrenze (*f. provinciae*, *f. patriae*, Dig. 1,18,15; 47,18,1,1). Übertragen verwendet wird *f.* in bezug auf einen Rechtsbehelf (*actio*, Dig. 47,4,1,2), einen Rechtsbegriff (*culpa lata*, Dig. 50,16,223) oder ein Verhalten (*deliberare*, Gai. inst. 2,164). Weiter begegnet *f.* im Sinne von Betrag (Gai. inst. 4,57), Satz (Dig. 50,16,124) oder Ende (*litium, vitae*, Dig. 41,10,5 pr.; 36,1,67,1).

> FLACH, 25–28 • KASER, RPR I, 138, 142f., 409f.; II, 272, 593 • O. BEHRENDS, Bodenhoheit und privates Bodeneigentum im Grenzwesen Roms, in: Die röm. Feldmeßkunst, AAWG 193, 1992, 192–284 • R. KNÜTEL, Die actio finium regundorum und die ars gromatica, ebd., 285–310 • zu beiden Rez. F. STURM, in: ZRG 114, 1997, 548–55 • F. T. HINRICHS, Zur Gesch. der Klage finium regundorum, in: ZRG 111, 1994, 242–279.   D.SCH.

Finken. Da sowohl Griechen als auch Römer viele kleine Singvögel nicht beachteten, sind auch die Belege nicht eindeutig. Ma. Miniaturen zeigen beide bunten F.-Arten relativ häufig (Buchfink z. B. [2. fig. 37 b]; Stieglitz z. B. [2. fig. 10, 11 a-b, 15, 42, 44].

1) Buchfink (Fringilla coelebs L.), σπίζα, σπιζίον, σπίνος, φρυγίλος (Aristoph. Av. 763), ποικιλίς (Deutung unsicher, Aristot. hist. an. 8(9),1,609a 6f.), *fring(u)illa* (*-us* Mart. 9,5,7). Ein Singvogel mit einem traurig klingenden (Mart. ebd.) Gesang (*fringulire, friguttire* Varro ling. 7,104; Paul. Fest. p. 90). Am frühen Morgen galt er als Vorzeichen für Sturm (Avien. Arati Phaenomena 1761). Im Sommer bevorzugt er warme Gegenden, im Winter kühle (Aristot. hist. an. 8(9),7,613b 3–5). Er hängt (Soph. fr. 398 NAUCK[2]) kopfüber in den Hecken (was mehr für den Erlenzeisig spricht) und lebt wie andere Arten von Körnern und Würmern (Aristot. hist. an. 7(8),3,592b 16f.). Von Aristophanes (Av. 875) wird er scherzhaft mit dem Fruchtbarkeitsgott → Sabazios identifiziert.

2) Distelfink, Stieglitz (Carduelis carduelis), ἀκανθίς, ἀκανθύλλις, ἀστραγαλῖνος, *acanthis, acalanthis, carduelis, cardelis* (Petron. 46). Man fängt ihn nach

→ Dionysios [29] 3,2 [1. 39] wie den Buchfinken (*spínos*) mit Leim aus Misteln (ἰξός/*ixós*). Der Vogel lebt kümmerlich und ist unansehnlich, singt aber kräftig (Aristot. hist. an. 8(9),17,616b 31 f.; vgl. Theokr. 7,141; Verg. georg. 3,338; Calp. 6,7; Paul. Nol. 23,12). Eher eine Meisenart ist wohl die *acanthis*, ein ›sehr kleiner Vogel‹ (*avis minima*), der 12 Eier hat (Plin. nat. 10,175). Da der F. wie andere Vögel und wie der Esel von Disteln lebt, soll er nach Aristot. hist. an. 8(9),2, 610 a 4 ff. (= Plin. nat. 10,205; Ail. nat. 4,5) mit diesen in Feindschaft leben. In Rom wurde er, wie heute noch in südl. Ländern, gerne als munterer Sänger im Käfig gehalten und sogar abgerichtet (Plin. nat. 10,116; vgl. Petron. 46). Eine Tochter des maked. Stammheros Pieros wurde angeblich in diesen F. verwandelt (Antoninus Liberalis 9). Von Aristophanes (Av. 872) wird die Göttin Artemis in unverständlicher Anspielung als Distelfink bezeichnet.
→ Singvögel

1 A. GARZYA (ed.), Dionysii Ixeuticon libri, 1963
2 B. YAPP, Birds in medieval manuscripts, 1981.   C.HÜ.

Finsternisse A. IM ABERGLAUBEN
B. IN DER ASTROLOGIE   C. IN DER ASTRONOMIE

A. IM ABERGLAUBEN

F. stören die gewohnte Regelmäßigkeit von Tag und Nacht und erschreckten die Menschen, solange sie die Phänomene nicht erklären konnten. In früher Zeit glaubte man, die Gestirne litten durch die Macht von → Dämonen, und versuchte, das Leiden durch Erzklang oder lautes Geschrei zu beenden. Andererseits sollen thessal. Hexen den Mond durch magische Praktiken auf die Erde herabgezwungen haben (Plat. Gorg. 513a, Hor. epod. 5,46; 17,77; Verg. ecl. 8,69, Ov. met. 7,207 f.). Man deutete Verfinsterungen auch als Zeichen von Trauer und Schrecken der Natur (συμπάθεια, *sympátheia*; Diog. Laert. 4,64) über menschliche Frevel oder über den Sturz oder Tod eines Helden bis hin zum Tod Christi. Die Opposition von Sonne und Mond wurde als Kampf gedeutet (Liv. 22, 1,9) und auf einen kriegerischen Antagonismus übertragen (Griechen und Perser im April 480 v.Chr.: Hdt. 7,37, umgekehrt Lyd. De ostentis 9). In Rom gehörten die F. zu den *prodigia*, d. h. den Anzeichen göttlichen Zorns, der durch *procuratio* (→ Sühneriten) besänftigt werden mußte. Sie wurden in den Annalen verzeichnet und gelangten so in die lit. Werke. Die Dichtung profitierte von der schaurigen Stimmung der F., neben der Lyrik bes. das Epos, nachdem man – spätestens seit Plutarch – bereits zwei Homerstellen (Il. 17,366; Od. 20,356) auf F. hin interpretiert hatte [3. 2331 f.].

B. IN DER ASTROLOGIE

F. kündigten den Tod eines Herrschers oder Helden an, ferner Mißwuchs, Hungersnot, Pest, Krieg, Aufruhr oder die Zerstörung von Städten. Dabei zeigten die betreffenden Tierkreiszeichen nach den verschiedenen Systemen der astrologischen Geographie [4. praef. XII-XVII] die betroffenen Länder an (Nechepso-Petosiris

frg. 6 RIESS bei Heph. 1,21, vgl. Lyd. De ostentis 9, ferner Manil. 4,818–865 über die *signa ecliptica*). Ptolemaios achtet auf die Farben der F. (apotelesmatika 2,10). Seit dem 1. Jh. n.Chr. bezog man auch die Pseudoplaneten der auf- und absteigenden Mondknoten (ἀναβιβάζων/*anabibázōn* und καταβιβάζων/*katabibázōn*; → Ekliptik) mit einer Umlaufzeit von ca. 18,5 Jahren in gegensätzlicher Richtung, also von Osten nach Westen, als drakonitischen Körper der neunten Sphäre mit Kopf und Schwanz in die Prognosen ein [5], ältestes Zeugnis ist Dorotheus Sidonius 5,43 bei Heph. 3,16,11–13 (388 PINGREE).

C. IN DER ASTRONOMIE

In Mesopotamien sind Mond-F. auf Tontafeln seit der 2. H. des 2. Jt. v.Chr. überl., die älteste sicher datierbare Nachricht betrifft die Sonnen-F. am 3.5.1375 v.Chr. [9]. Die Daten gingen in die babylon. Mondrechnung des um 500 v.Chr. erfundenen »Systems A« ein. Seit dem 4. Jh. rechnete man mit der Sarosperiode von 223 synodischen Monaten (= 18 Jahre und 10 ⅓ Tage, das Dreifache davon = ἐξελιγμός/*exeligmós*, 54 Jahre und 31 Tage). Voraussagen sind seit dem 7. Jh. überliefert. Hipparchos und Ptolemaios benutzen babylon. Aufzeichnungen von 730 bis 82 v.Chr. [7], umgekehrt wird die spätbabylon. Astronomie von der griech. Wiss. beeinflußt. Beobachtungen der Ägypter bezeugt Diod. 1,50,1–2; sie sollen in 48863 Jahren 373 Sonnen-F. und 832 Mond-F. gesammelt haben (Diog. Laert. pr. 2), doch sind diese Angaben unsicher.

Als erster soll Thales von Milet den Ioniern die Sonnen-F. vom 24.8.585 v.Chr. vorausgesagt haben (Hdt. 1,74,3) [6. 52–54], Anaximenes (A 16 DK) als erster erkannt haben, daß der Mond sein Licht von der Sonne empfängt. Andere nehmen Pythagoras als den Entdecker an. Thukydides weiß, daß Sonnen-F. nur bei Neumond stattfinden, und berichtet, daß bei einer totalen Sonnen-F. einzelne Sterne sichtbar wurden (2,28). Hipparchos soll ortsabhängige F.-Tabellen für 600 Jahre im voraus aufgestellt haben (Plin. nat. 2,53). Während die Voraussagen für die Mond-F. recht genau waren, wichen sie bei den Sonnen-F. teilweise ab, weil man die Parallaxe des Mondes nicht berücksichtigte. Eine gültige Zusammenfassung der Berechnungsmethode gibt Ptolemaios (syntaxis, B. 6) im Anschluß an frühere Methoden, die wohl schon aus der Zeit um 200 v.Chr. stammen und sich auch nach Indien verbreitet haben.

Als Begleiterscheinungen der F. werden Erdbeben, Winde, Wolken und Regen, Sternschnuppen und Höfe sowie Donner genannt. Man beobachtete die verfinsterte Sonne in spiegelnden Flächen (auch Wasser), *pelves* (Pfannen oder Schüsseln) mit Öl oder Pech (Sen. nat. 1,12,1), mit einem Sieb, einem breiten Baumblatt oder den verschränkten Händen. Die Beobachtungen dienten auch dazu, Größe (Kleomedes 2,3,67–80: die Erde muß größer sein als der Mond) und Abstand der Gestirne, die Parallaxe sowie die geogr. Länge von Beobachtungspunkten zu bestimmen (Plin. nat. 2,180; Ptol. geographia 1,4). Philippos von Opus hat ein Werk

Περὶ ἐκλείψεως σελήνης (›Über die Mondfinsternis‹) geschrieben, weitere Werke von Orion, Apollinarios, dann auch von Hipparchos und Ptolemaios bezeugt Achilles, introductio in Aratum 19 p. 47,14 MAASS. Man unterschied gewöhnlich zw. totalen (τέλειοι, *téleioi*) und partiellen F. (ἀπὸ μέρους, *apó mérus*: Kleomedes 2,6,152), singulär ist die Dreiteilung bei Ps.-Eudoxos, ars 19,12–15 BLASS: μηνοειδεῖς (= ἐλάσσους; mondgestaltige, kleinere) – ἀψιδοειδεῖς (μείζους; schleifenförmige, größere) – ᾠοειδεῖς (ἔτι μείζους; eiförmige, noch größere).

Eine nützliche Liste der F. für die Jahre 900 v. Chr. – 600 n. Chr. bieten [2] und (mit bes. Berücksichtigung der überwiegend ungenauen oder falschen ant. Belege) [3. 2352–2364], Berichtigungen [8. 509–519].

1 A. BOUCHÉ-LECLERCQ, L'astrologie grecque, 1899
2 F. K. GINZEL, Spezieller Kanon der Sonnen- und Mond-F. für das Ländergebiet der klass. Altertumswiss., 1899
3 F. BOLL, s. v. F., RE 6, 2329–2364 4 A. E. HOUSMAN (ed.), M. Manilii astronomicon liber quartus, 1920, Ndr. 1972, ²1937 5 W. HARTNER, The pseudoplanetary nodes of the moon's orbit in Hindu and Islamic iconographies, in: Ars Islamica 5, 1938, 113–154 6 O. GIGON, Der Ursprung der griech. Philos., 1945 7 B. L. VAN DER WAERDEN, Drei umstrittene Mond-F. bei Ptolemaios, in: MH 15, 1958, 106–109 8 A. DEMANDT, Verformungstendenzen in der Überlieferung ant. Sonnen- und Mondf., 1970 9 F. R. STEPHENSON, The earliest known record of a Solar Eclipse, in: Nature 228, 1970, 651 f. 10 O. NEUGEBAUER, A History of Ancient Mathematical Astronomy, 1975 11 W. RICHTER, Lunae labores, in: WS NF 11, 1977, 96.

W. H.

Firmicus Maternus, Iulius. Entstammte einer angesehenen Familie, nicht unbedingt senatorischen Ranges, wahrscheinlich aus seinem späteren Wohnort Syracus. Lat. wie griech. gebildet, gab er eine Anwaltstätigkeit in Rom während der Arbeit an den *Matheseos libri VIII* auf. Zwischen Ende 334 n. Chr. und Anfang 337 für seinen Freund Lollianus Mavortius, Statthalter Campaniens und Proconsul von Africa, abgefaßt, stellt es das umfangreichste astrologische Handbuch lat. Sprache dar. In dem neuplatonisch inspirierten B. 1 verteidigt F. die Astrologie als Heilsmysterium und bietet in den restlichen, von Gebeten unterbrochen, das Technische, zumeist in lat. Termini. Nach seiner Konversion zum Christentum enttarnte sicher derselbe F. M. zwischen 343 und 350 in *De errore profanarum religionum* die Götter der »Heiden« als zwielichtige Menschen (2–17), und die mit den christl. vergleichbaren Zeichen und Riten in (neuplatonisch überhöhten) Mysterienkulten zudem als teuflische Nachäffungen ersterer (18–27). Er rief (28 f.) allg. zu Bekehrung und die Kaiser (unter Verwendung eines Florilegiums, das ursprünglich die Christen in der Verfolgung um 250 vom Abfall abhalten sollte; Cypr. de fortitudine 2–5) erstmals zu gewaltsamer Ausrottung der nichtchristlichen Kulte auf. – Die *Consultationes Zacchaei et Apollonii* wurden ihm von G. MORIN fälschlich zugeschrieben. Zu verlorenen oder in Aussicht gestellten Werken [1. 88].

ED.: MATH.: W. KROLL, F. SKUTSCH, 1897–1913 (ND 1968) · P. MONAT, 1992 (B. 1–2) · J. R. BRAM, 1975 (engl. Übers.) · ERR.: R. TURCAN, 1982 · A. PASTORINO, 1956 (²1969) · K. ZIEGLER, 1953.
LIT.: 1 W. F. HÜBNER, A. WLOSOK, in: HLL § 515
2 K. ZIEGLER, s. v. F. M., RAC 7, 946–959
3 A. QUACQUARELLI, La sicilianità di F. M., i suoi Matheseos libri e la cultura cristiana delle scienze nel 4° secolo, in: Vetera Christianorum 25, 1988, 303–342 4 J. M. VERMANDER, Un arien d'occident méconnu: F. M., in: Bulletin de Littérature Ecclésiastique 81, 1980, 3–16
5 K. HOHEISEL, Das Urteil über die nichtchristl. Religionen im Traktat De errore ... des Iul. F. M., Diss. Bonn 1972 6 G. BLASKÓ, Grundlinien der astrologischen Weltanschauung nach der Mathesis des F. M., Diss. Innsbruck 1956.

KA. HO.

Firmillianos. Bedeutender Bischof von → Kaisareia/ Kappadokien (gest. 268 n. Chr.). Kurz nach 230 Bischof, betrieb er um 250 die Absetzung des dem Novatianus zuneigenden Bischofs Fabius von → Antiocheia [1]. Im Ketzertaufstreit stellte sich der enge Freund des → Origenes gegen den röm. Bischof Stephanus I. auf Seiten des → Cyprianus [2] von Karthago. Von diesem informiert, antwortete er im Herbst 256 [1. 248] mit einem urspr. griech. verfaßten Brief (Cypr. epist. 75 [CCL 3C,582–604]), in welchem er die Forderungen Stephanus' nach Aufgabe der Ketzertaufe und dessen autoritär-primatiales Gebaren in schärfstem Ton ([1. 250], mit Begriffen wie *audacia, stultitia* u. ä.) zurückweist. Von Stephanus exkommuniziert (Eus. HE 7,5,4), präsidierte F. der ersten Synode gegen → Paulos von Samosata und starb auf dem Weg zur zweiten Versammlung.

1 G. W. CLARKE, The Letters of St. Cyprian of Carthage. Vol. 4, 1989 (Ancient Christian Writers 47), 246–276 (Lit.)
2 P. NAUTIN, s. v. Firmilien, DHGE 17, 249–252. J. RI.

Firmum Picenum. Siedlung aus der frühen Eisenzeit; Stadt im Picenum, *regio V*, auf einer Anhöhe (319 m) am rechten Ufer der Tinna, h. Fermo (Ascoli P.), 8 km von der Küste der Adria entfernt, wo der Hafen lag (Φίρμον Πικηνόν· ἐπίνειον ... Κάστελλον, Strab. 5,4,2 oder *castellum Firmanorum*, Plin. nat. 3,111). 264 v. Chr. Kolonie mit *ius Latii* (Vell. 1,14,7), fünf *quaestores*. Hielt im Krieg gegen Hannibal zu Rom, im Bundesgenossenkrieg röm. Stützpunkt (App. civ. 1,47). Nach den Bürgerkriegen wurden Veteranen der 4. Legion in F. P. angesiedelt (CIL IX 5420; [2. 226,2]). In den Kriegen gegen die Goti byz. Ort. Aus der Zeit der latin. *colonia* Stadtmauer in *opus quadratum* mit Ausbesserungen aus augusteischer Zeit; Tempel und frühchristl. Reste unter der Kathedrale (6. Jh., F. P. als Diözese bezeugt); Theater und Zisternen [1]. Inschr.: CIL IX, p. 508.

1 P. BONVICINI, Le cisterne romane di F., 1972 2 F. BLUME, K. LACHMANN (ed.), Die Schriften der röm. Feldmesser, 2 Bde., 1848 ff.

NISSEN Bd. 2, 423–425 · G. NAPOLETANI, F. nel Piceno, 1907 · L. POLVERINI (Hrsg.), F. P., 1987 · L. PUPILLI, F.,

Antiquarium, 1990 · G. BINAZZI, Picenum (Inscriptiones Christianae Italiae 10), 1995, 24–29.   G.U./Ü: H.D.

Firmus

[1] Der Senator ist in einer fragmentarischen Inschrift aus Arretium bezeugt, CIL XI 1834 = ILS 1000. Nach [1], der sich auf AE 1967, 355 stützt, soll der Name C. Petillius C. f. Pom. Firmus lauten. Als *tribunus* der *legio IV Flavia* hat er an einem Feldzug teilgenommen und dann *dona militaria* erhalten. Er war *quaestor Vespasiani* und wurde vom Senat mit *ornamenta praetoria* ausgezeichnet. Vielleicht ein Sohn des → Petillius Cerialis [2. 81 ff.].

PIR² F 159.

1 BOSWORTH, in: ZPE 39, 1980, 267 ff.   2 T. FRANKE, Die Legionslegaten der röm. Armee ..., 1991.   W.E.

[2] Kaufmann aus Seleukeia, durch weitreichenden Handel (bis nach Indien) zu Reichtum und Macht gelangt, organisierte als Bundesgenosse der Zenobia 273 n. Chr. eine Revolte der Alexandriner, die zur Unterbrechung der Kornversorgung Roms führte. Aurelianus [3] konnte den Aufstand unterdrücken (SHA quatt. tyr. 3–6; Aurel. 32,1–3; Prob. 24,7; Zos. 1,61,1).

PIR² F 162 · PLRE I, 339 F. 1 · KIENAST, ²1996, 238.   T.F.

[3] Sohn des maurischen Fürsten Nubel, Bruder des Gildo und des Mascezel (Amm. 29,5,2; 6; 11). Angeklagt, seinen dritten Bruder Zammac umgebracht zu haben (Amm. 29,5,1 f.), wurde er Anführer eines Aufstandes maurischer Stämme gegen den *comes Africae*, Romanus (Amm. 29,5,3; [Aur. Vict.] epit. Caes. 45,7). Durch röm. Truppen wurde er um 372 n. Chr. zum Kaiser erhoben (Amm. 29,5,20; Zos. 4,16,3). Er unterstützte die Donatisten (Aug. contra epist. Parmeniani 1,10,16). 374/5 wurde er vom *magister militum* Theodosius, dem Vater des späteren Kaisers Theodosius I., besiegt und beging Selbstmord (Amm. 29,5,4–55). PLRE 1,340 (F. 3).   W.P.

Firuzabad

(Fīrūzābād). Stadt 110 km südl. von Šīrāz, Iran. In der von Bergkämmen umschlossenen Ebene von F. errichtete der Kleinfürst Ardašīr Papakan, Begründer des Sāsānidenreiches noch vor 224 n. Chr., seine kreisförmige Residenzstadt Ardašīr Ḫurra. Er löste damit den Machtkampf mit dem parth. Großkönig von Iran, Artaban IV. (213–224 n. Chr.), aus, dessen für ihn siegreicher Ausgang durch zwei Felsreliefs in der Zugangsschlucht zur Ebene verherrlicht ist. Der befestigte Palast über der Schlucht entstand vor, der größere Palast in der Ebene nach der Entscheidungsschlacht. Ein teilweise erh. Turmbau im Mittelpunkt der Rundstadt dürfte neben symbolhafter Bed. auch praktische Aufgaben bei der radial-konzentrischen Landaufteilung der Ebene gehabt haben. Die Umbenennung des zu Gōr verkürzten Namens in F. erfolgte durch die Būyiden ʿAḍud ad-Daula (949–983 n. Chr.).

D. HUFF, Architecture sassanide, in: Splendeur des sassanides: l'empire perse entre Rome et la Chine (224–642). Ausstellungskat. Musées royaux d'Art et d'Histoire, 1993, 45–61 · P. SCHWARZ, Iran im Mittelalter nach den arab. Geographen, 1969, 56–59 · L. VANDEN BERGHE, Bibliographie analytique de l'Iran ancien, 1979, 70–71.   D.HU.

Fische. Aristoteles kennt die Fische (ἰχθύς, Pl. ἰχθύες), die heutige Klasse der Wirbeltiere, als Untergruppe der Wassertiere (ἔνυδρα) fast noch besser als die der Vögel und bietet in der *Historia animalium* etwa 133 Namen. Davon müssen jedoch viele Meeres-F. unidentifiziert bleiben. Seine Informanten waren erfahrene Fischer, die er z. B. auf dem reichen F.-Markt in Athen ausfragte. Deutlich unterscheidet er die im Dunkeln phosphoreszierenden Knorpel-F. als σελάχη (von σέλας, »Licht«) [1. 55], nämlich → Haie und → Rochen, von den gewöhnlichen Knochen-F. und wiederum unter letzteren nach ihren Lebensräumen *thaláttia* (Meeresfische) und *potámia* (Flußfische) sowie nach Meereszonen wie dem Uferbereich, dem steinernen Grund, der Tiefe. Hauptstellen bei Aristoteles: hist. an. 2,13,504b 13–505b 4 (Äußeres); 4,8,533a 25–534b 10 (Geruchsvermögen); 4,10,536b 32–537b 3 (Schlaf und Wachen); 4,11,538a 1–b 2 (Parthenogenese beim → Aal, Geschlechtsunterschiede); 5,5,540b 6–541a 3 (Zeugung); 5,9,542b 32 – 5,11,543b 31 (Laichzeiten); 6,10,564b 14 – 6,12,566b 6; 6,13,567a 17 – 6,17,571b 2 (Einzelheiten der Vivi- und Oviparie); 7(8),2,591a 7–592 a 29 (Ernährungsweise) 7(8),13, 597 b 31–599a 3 (Wanderungen); 7(8),15, 599b 2–600a 10 (Winterschlaf); 7(8),19,601b 9– 7(8),20,603a 11 (?) (Wachstum und Krankheiten); 8(9),2,610b 1–19 (Freund- und Feindschaften) und 8(9),37,620b 10–621b 28 (Besonderheiten). Die gleichfalls im Wasser lebenden Säugetiere wie → Delphin und → Wal werden aber nicht immer deutlich von den F. geschieden. Viviparie bei Knorpelfischen war Aristot. gut bekannt.

Plin. nat. B. 9 und 32 bietet ohne jegliche Trennung von Fischen und Wassersäugern ähnlich viel Material, darunter wie Aristot. hist. an. 2,14,505b 18–22 den einzigen »Sagenfisch«, den Schiffshalter *echenais/echeneis* = *remora* (Plin. nat. 9,79 und 32,2–6; vgl. Ail. nat. 2,17 [1. 59 f.]). Dieser F. entsprang dem Bedürfnis, die schiffahrtshemmenden, kaum berechenbaren Strömungen des Schwarzen Meeres zu erklären. Weitere wichtige Quellen zur ant. F.- Kunde sind – außer Ailianos [2] – Athenaios [3], welcher u. a. Fragmente des Aristoteles-Schülers Klearchos von Soloi und des Zoologen Dorion zitiert, sowie Oppians *Halieutika* und Ovids gleichnamiges Lehrgedicht. Bei den Römern spielte seit 100 v. Chr. die Zucht von Edel-F. in bes. F.-Teichen (Einzelheiten bei Colum. 8,16–17) eine besondere Rolle für den Tafelluxus [2. 2,339 ff.].

Zur rel. Bed. des F. → Ichthys.

1 R. STRÖMBERG, Studien zur Etymologie und Bildung der griech. Fischnamen, 1943   2 KELLER.   C.HÜ.

Fischerei, Fischereigewerbe   I. Alter Orient II. Ägypten   III. Griechenland und Rom

I. Alter Orient

Bes. im Süden Mesopotamiens mit seinen Flußläufen, Kanälen und Sümpfen wurde durch F. das Nahrungsangebot wesentlich ergänzt, hinzu kam Fischzucht in Teichen für Frischfisch. F. wurde v. a. mit Reusen und Netzen, seltener Speeren betrieben. Das Fanggut wurde stückweise oder in Hohlmaßen, kaum nach Gewicht gemessen. Auch konservierter Fisch (Dörren, Räuchern, Salzen) diente als Nahrungsmittel, ferner war er für den Handel mit den rohstoffreichen Bergländern im Osten geeignet. Meeres-F. (mit Netzen) im Pers. Golf spielte eine geringe Rolle. Für die Nutzung der Gewässer wurde im 3. und der 1. H. des 2. Jt. Silber anstelle von Fisch an den Staat gezahlt.

→ Fischspeisen

> R. K. Englund, Organisation und Verwaltung der Ur III-F., 1990 • A. Salonen, Die F. im alten Mesopot. (Annales Academiae Scientiarum Fennicae Ser. B, Tom. 166), 1970 • M. Van de Mieroop, Society and Enterprise in Old Babylonian Ur, 1992, 181–183.   WA.SA.

II. Ägypten

Fisch war seit der ägypt. Vorgesch. das wichtigste proteinhaltige Nahrungsmittel des größten Teils der Bevölkerung. Funde von Teilen von Fangwerkzeugen, bildliche Quellen in Gräbern und Schriftzeugnisse informieren über F. im Nil und in den Gewässern des → Deltas [1] und des → Fajum; mit Meeres-F. ist zu rechnen. Von ökonomischer Bed. war v. a. F. mit Schleppnetzen und Reusen. Fischer werden als einfache Leute dargestellt; Bilder von Grabherren beim Fischen mit Speer oder Angel sind rel. konnotiert oder illustrieren den Zustand der Muße. Frischer und getrockneter bzw. gesalzener Fisch diente als Redistributions- und Handelsgut.

> D. J. Brewer, R. F. Friedman, Fish and Fishing in Ancient Egypt, 1989 • D. Sahrhage, Fischfang und Fischkult im alten Ägypten, 1997.   HE.FE.

III. Griechenland und Rom

In den Epen Homers wird F. meist in Gleichnissen erwähnt (z. B. Il. 16,406ff.; Od. 12,251ff.; 22,384ff.). Die den Fleischgenuß vorziehenden Helden betreiben Fischfang nur bei quälendem Hunger (Hom. Od. 12,330ff.; 4,368f.). Dennoch hebt Odysseus unter den Segnungen eines von einem gerechten König regierten Landes neben dem Gedeihen von Getreide, Obst und Vieh den Fischreichtum hervor (Hom. Od. 19, 108ff.). F. diente schon früh der Nahrungssicherung und wurde sowohl auf dem Meer – meist in Küstennähe – als auch in Flüssen oder Seen betrieben. Die Fangmethoden, die von Platon im *Sophistés* systematisch aufgelistet werden (Plat. soph. 219a–221c), variierten je nach Fischart, Fanggründen und -zeiten. Die Fischer benutzten Angelhaken unterschiedlicher Größe und Form aus Kno-

chen, Horn, Bronze bzw. Kupfer; Mehrfachhaken wurden zum Fang größerer Fische oder zum Fischfang auf dem Meeresboden verwendet; die Angelschnur war aus Roßhaar oder Flachs, es wurde auch ohne Rute geangelt (Opp. hal. 3,76ff.). Aus farbigen Wollfäden fertigten griech. Fischer einen Köder, der sich bei der F. im Meer (Ail. nat. 15,10) und in maked. Flüssen bewährte (Ail. nat. 15,1). Zum Fischstechen wurden lange Speere, Harpunen oder mehrzinkige Gabeln eingesetzt, der Dreizack fand v. a. beim Thunfischfang Verwendung (Aristoph. Vesp. 1087; Opp. hal. 3,88ff.). Ertragreicher als mit Angel, Harpune oder Dreizack war F. mit Reusen, meist aus Binsen oder Rohr geflochtene (Plin. nat. 21,114) trommelartig gespannte Netze, deren Eingänge trichterförmig angelegt waren, so daß die Fische hinein, aber nicht mehr herausgelangten (Opp. hal. 4,53ff.). Das wichtigste Werkzeug war das Netz (Opp. hal. 3,80ff.). Häufig gebraucht wurde das von einer Person ausgeworfene Wurfnetz, das sofort wieder eingezogen wurde; es handelte sich um ein festes, aus dicken Stricken geflochtenes Beutelnetz, das durch einen an seinem Rand befestigten eisernen Reifen offengehalten und mit Seilen gezogen wurde. Daneben gab es auch Schleppnetze, die unten mit Steinen oder Blei beschwert wurden, um es in vertikaler Lage zu halten; Korkstücke hielten es an der Oberfläche (Aischyl. Choeph. 506f.); auf diese Weise erweiterte das Schleppnetz sich zu einer breiten Tasche, während die Fischer das Netz von Booten aus nachzogen (Verg. georg. 1,142). Auf Euböa gingen Fischer nachts im Fackelschein auf Fischfang (vgl. Plat. soph. 220d), wobei sie Delphine als »Helfer« einsetzten (Opp. hal. 5,425ff.). Selbst F. mit Gift wurde praktiziert (Opp. hal. 4,647–693).

Ausführlich wird der Thunfischfang in der ant. Lit. beschrieben (Plin. nat. 9,44–53; Ail. nat. 15,5; Opp. hal. 3,620–648; Philostr. imag. 1,13). Es war bekannt, daß die Thunfische zu bestimmten Jahreszeiten (Mai bis Oktober; Aristot. hist. an. 599b) in großen Schwärmen durch das Mittelmeer zogen. An den entsprechenden Stellen der Küste hat man von Thunfischwarten zunächst Ausschau nach den heranziehenden Fischschwärmen gehalten (Aristoph. Equ. 313) und dann auch die Fischerboote dirigiert. Solche Thunfischwarten sind für die etrurische Küste sowie für Nordafrika belegt (Strab. 3,2,7; 5,2,6; 5,2,8; 17,3,16). Beim Thunfischfang arbeiteten oft zahlreiche Fischer zusammen (vgl. auch Strab. 1,2,16: Schwertfische). Aristoteles schildert die hochsommerliche F. am Bosporos während des sog. »Umwendens« des Meeres (hist. an. 600a), wenn der Sirius aufgeht. Im Winter fing man am Schwarzen Meer Störe, die in ihrer Größe Delphinen glichen (Strab. 7,3,18); die Bewohner der Pontusgegenden schlugen zur F. ihre Zelte auf dem Eis auf und fischten in Eislöchern (Aristot. meteor. 348b).

Die F. konnte durchaus zum Reichtum einer Stadt beitragen; dies gilt etwa für Byzanz (Plin. nat. 9,50f.; Tac. ann. 12,63). Das wichtigste erhaltene Werk zur F.

sind die umfangreichen, in Hexameter verfaßten *Halieutiká* des Oppianos (5 B., spätes 2. Jh. n. Chr.), die nicht allein die Fischarten und ihre Lebensweise beschreiben (hal. 1–2), sondern auch umfassende Informationen zur F. bieten. Nur frg. überl. ist ein bei Plinius bezeugtes (Plin. nat. 32,11–13) Buch Ovids über die F. In der Anthologia Graeca finden sich aufschlußreiche Epigramme zum Leben der Fischer (Anth. Gr. 6,4f.; 6,23–30; 6,33; 6,38; 6,89f.; 6,105; 6,230).

1 H.-G. BUCHHOLZ u. a., Jagd und Fischfang (ArchHom J), 1973 2 T. GALLANT, A Fisherman's Tale, 1985 3 H. HÖPPNER, Halieutika, 1931, 109 ff.   CH. KU.

Fischspeisen (und Meeresfrüchte).

Sammelbegriff für Speisen, die aus Fischen, Krebs- und Weichtieren zubereitet werden. Das sortenreiche Angebot von Fischen und Meeresfrüchten im Mittelmeerraum fiel je nach Fangsaison und -gebiet höchst unterschiedlich aus; auch änderte sich der Verbrauchergeschmack mit der Zeit. Aus der großen Zahl der für F. eingesetzten Arten (vgl. die Kataloge bei Plin. nat. 9,43–104; Athen. 3,30–36; 7,277–330; 8,355–358; Auson. Mos. 75–149) sind neben dem → Thunfisch insbesondere → Krebse, → Muscheln, → Schnecken und → Tintenfische hervorzuheben, die in der Ant. eine wichtigere Rolle in der Ernährung spielten als heute. Meeresfische erster Qualität kosteten Anfang des 4. Jh. n. Chr. durchschnittlich doppelt so viel wie Schweinefleisch (CIL III 2, p. 828 5,1; 2; vgl. p. 827 4,1); große Exemplare wurden zu Phantasiepreisen gehandelt (Plut. symp. 4,4,668). Die von Feinschmeckern weniger geschätzten Süßwasserfische, die nur im Binnenland auf den Tisch kamen (vgl. aber Plin. nat. 9,68), waren deutlich billiger als Meeresfische (CIL III 2, p. 828 5,3–4).

Da sich Fisch ohne Kühlung nicht lange hält, waren Fischkonserven wie Salz- oder fermentierter Fisch (letzterer in Form des breiartigen *hallex* oder des flüssigen *garum*; Plin. nat. 31,94–95) in der ant. Welt weit verbreitet. Dabei dominierten die Konserven aus Meeresfischen; sie waren viel preiswerter als frischer Fisch (CIL III 2, p. 827 3,6–7; p. 828 5,5).

Rund zwei Drittel der aus der Ant. bekannten F. wurden aus Meeresfischen und Meeresfrüchten hergestellt, der Rest aus Süßwasserfischen. Zubereitung: Fische und Meeresfrüchte wurden auf dem Rost gegrillt (Apicius 10,1,6–9; 11–13) oder gekocht (Apicius 10,1,2–5), hingegen nur selten in Fett gebraten. Salzfisch wurde zuvor gewässert (Apicius 9,11–13). In der feinen Küche begleiteten teilweise höchst komplizierte Saucen die F. (Apicius 10,1). Im 1. Jh. v. Chr. waren F. Gegenstand von heute verlorener Speziallit. (vgl. z. B. Dorion; → Epainetos). Den Unterschichten diente billiger frischer, gesalzener oder fermentierter Fisch als Beilage zu ihrer Hauptspeise, dem Brei von Hülsenfrüchten oder dem Brot von Gerste bzw. Weizen (Aristoph. Equ. 678–679); in Küstenregionen galt Fisch geradezu als Inbegriff der Beilage (Athen. 7,276e-f; Plut. symp. 4,4,667f). In den besseren Kreisen wurden Meeresfrüchte, kleinere Fische, auch hochwertige Fischkonserven als Vorspeise gereicht; dagegen kamen größere Fische (die im übrigen ein begehrteres Luxusprodukt als Fleisch waren [Plut. symp. 4,4,2,668]) in der Regel zum Hauptgang auf den Tisch. F. nahmen bei den Küstenbewohnern mehr Platz in der Ernährung ein als heute. Doch auch in weiter vom Meer entfernten Gegenden war Fisch, zumal in konservierter Form, ein Nahrungsmittel, das sich breitere Schichten leisten konnten (Ter. Andr. 369). Frischer hochwertiger Fisch ab einer bestimmten Größe (z. B. Muräne, Rotbarbe, Stör) blieb allerdings stets den reichen Leuten vorbehalten (Plin. nat. 9,67–68; Athen. 7,302e), die edle F. als Ausweis für eine feine Küche schätzten (Iuv. 4). Deshalb wirkten F. in hohem Maße sozial distinktiv.

J. ANDRÉ, L'alimentation et la cuisine à Rome, ²1981, 95–113 · A. DALBY, Siren Feasts. A History of Food and Gastronomy in Greece, 1996 · J. ENGEMANN, s. v. Fisch, Fischer, Fischfang, RAC 7, 959–1097 · E. FOURNIER, s. v. Cibaria, DS 1,2, 1162–1168 · N. PURCELL, Eating Fish. The Paradoxes of Seafood, in: J. WILKINS, D. HARVEY, M. DOBSON (Hrsg.), Food in Antiquity, 1995, 132–149 · J. WILKINS, Social Status and Fish in Greece and Rome, in: G. MARS, V. MARS (Hrsg.), Food, Culture and History Bd. 1, 1993, 191–203.   A. G.

Fischteller.

Unter F. versteht die arch. Forschung Teller, die fast ausschließlich mit Fischen und anderen Meerestieren (Muschel, Tintenfisch, Garnele, Krabbe, Zitterrochen u. v. a. m.) in Malerei verziert sind; selten sind andere Motive (z. B. Hippokamp, Heuschrecke, Frauenkopf oder rein florale Ornamentik). Die F. haben einen breitem Standring und einen unterschiedlich hohen Stiel. Ihre Platte, mit nach außen umgebogenem Rand, neigt sich muldenförmig zum vertieftem Zentrum hin. Als keramisches Werkstück ist diese Tellerform bereits der spätarcha. Zeit bekannt, doch erst gegen Ende des 5. Jh. v. Chr. verzierte man sie mit dem namengebenden Hauptmotiv. Der Höhepunkt der Produktion setzte in den westgriech. Keramikzentren (mit Ausnahme Lukaniens) um 350 v. Chr. ein, aus denen über 1000 Exemplare bekannt sind, sie lief um 300 v. Chr. aus. Ungeklärt ist die Frage nach einer profanen, sepulkralen oder kult. Funktion der F., jedoch scheint ein Bleitisch aus Milet mit Speisen und einem F. mit kreisförmig angeordneten Fischen darauf für einen profanen Gebrauch als Eßteller [1. Taf. 21] zu sprechen; ungewiß ist ihre Verwendung beim *kóttabos én lekánē* (→ Kottabos). Formverwandt sind die späteren hell. schwarzgefirnißten Teller.

1 W. SCHIERING, Milet: Eine Erweiterung der Grabung am Athenatempel, in: MDAI(Ist) 29, 1979, 100–101.

I. MCPHEE, A. D. TRENDALL, Greek Red-figured Fish-plates, AK 14. Beih., 1987 · Dies., Addenda to Greek Red-figured Fish-plates, in: AK 33, 1990, 31–51 · R. LINDNER, Att. F., in: AA, 1985, 251–254 · D. KUNISCH, Griech. F., 1989 · N. ESCHBACH, Bewohner des Meeres, in: W. MARTINI, W. HORNBOSTEL, Bilder der Hoffnung.

Jenseitserwartungen auf Prunkgefäßen Süditaliens, Ausst.-Kat. Gießen-Hamburg 1995, 64–65, Nr. 25 • R. HURSCHMANN, Die unterital. Vasen des Winckelmann-Instituts der Humboldt-Universität zu Berlin, 1996, 21–22, Nr.6 • S.J. ROTROFF, Hellenistic Pottery, in: Agora 29, 1997, 417–418, Nr. 1713–1719. R.H.

Fischzucht s. Piscina

Fiscus. In der Zeit der späten Republik bezeichnete das Wort *f.* einerseits ein Behältnis für die Aufbewahrung von Geld, andererseits bereits öffentliche Gelder, die einem Promagistrat in der Prov. zur Verfügung gestellt wurden (Cic. Verr. 2,3,197). Ferner verstand man unter *f.* auch das Privatvermögen eines röm. Bürgers. In der Prinzipatszeit war der *f.* die Kasse des *princeps*; da dieser über den *f.* allein verfügen konnte, besaß er die Möglichkeit, auch mit diesen finanziellen Mitteln einen erheblichen Einfluß auf die Politik zu nehmen. Dies gilt schon für Augustus, der große Geldsummen für Landzuteilungen und für die Versorgung von Soldaten aufwendete und das *aerarium* durch Zahlungen aus seinem eigenen Vermögen finanziell unterstützte (R. Gest. div. Aug. 16f.). Noch Tiberius hat zwischen der Verwaltung seines Privatvermögens und öffentlichen Aufgaben strikt getrennt (Tac. ann. 4,15,2). Obwohl *f.* und *aerarium* in der Lit. wiederholt einander gegenübergestellt werden (Tac. ann. 2,47,2; 6,17,1; Plin. paneg. 36; 42,1), bleibt unklar, wie die Funktionen von *f.* und *aerarium* genau zu unterscheiden sind. Dem *f.* wurden durchaus auch öffentliche Einnahmen zugeführt, darunter etwa konfiszierte Vermögen (*bona damnatorum*; *bona caduca* und *vacantia*) oder aber Abgaben aus den Prov. (Gallien: Suet. Aug. 40,3); die Einkünfte aus Ägypten hingegen gelangten nach Velleius Paterculus (Vell. 2,39,2) in das *aerarium*. Zwar hält Seneca noch an der Fiktion fest, bei dem *f.* handele es sich um eine private Kasse des *princeps* (Sen. benef. 7,6,3), aber nach Auffassung des Tacitus war es unwesentlich, ob Geld dem *aerarium* oder dem *f.* zugewiesen wurde (Tac. ann. 6,2,1). Bei Seneca und Plinius erscheint das Privatvermögen des *princeps* als *patrimonium*, bei Plinius steht es neben dem öffentlichen Vermögen, dem *imperium* (Sen. benef. 7,6,3; Plin. paneg. 50,2; vgl. schon R. Gest. div. Aug. 17,2). Da der Einfluß des *princeps* auf die Verwendung der Gelder des *aerarium* ständig wuchs, war die Trennung beider Kassen schließlich polit. bedeutungslos. Seit der Mitte des 3. Jh. n. Chr. umfaßte der Begriff *f.* jedenfalls alle Einnahmen und Besitzungen des Imperium Romanum, wobei die Entwicklung, die dazu geführt hatte, nicht klar nachgezeichnet werden kann.
→ Aerarium

1 P.A. BRUNT, The *F.* and its Development, in: Ders., Roman Imperial Themes, 1990, 134–162 2 F. MILLAR, The Emperor in the Roman World, 1977, 188–190; 197–200 3 Ders., The *F.* in the First Two Centuries, in: JRS 53, 1963, 29–42. H. SCHN.

Fiscus Iudaicus. Die der jüd. Bevölkerung nach der Eroberung Jerusalems (70 n. Chr.) durch Vespasianus auferlegte Sondersteuer von zwei Drachmen pro Kopf (Ios. bell. Iud. 7,218). Der *f. I.* löste die für den jüd. Tempel erhobene Halbschekel-Steuer ab und wurde als Strafmaßnahme empfunden, da er dem Tempel des Iuppiter Capitolinus in Rom zugeführt wurde. Unter Domitianus wurde der *f.I.* als Maßnahme zur Verhinderung von Konversionen rigoros eingezogen (Suet. Dom. 12,2) [3; 4; 7], aber bereits unter Nerva wurde die Einziehung gelockert [1; 4]. Die Erhebung des *f.I.* ist bis in die Mitte des 3. Jh. n. Chr. belegt (Orig. epist. ad Africanum 14).

1 M. GOODMAN, Nerva, the *Fiscus Judaicus* and Jewish Identity, in: JRS 79, 1989, 40–44 2 C.J. HEMER, The Edfu Ostraka and the Jewish Tax, in: Palestine exploration quarterly 105, 1973, 6–12 3 G. VERMES et al. (Hrsg.), The history of the Jewish people in the age of Jesus Christ (175 B.C.-A.D. 135) 2, 1979, 271–273; 3, 1986, 122f. (engl. rev. Übers. von E. SCHÜRER, Die Gesch. des jüd. Volkes im Zeitalter Jesu, ¹1890ff.) 4 P. SCHÄFER, Judeophobia. Attitudes towards the Jews in the Ancient World, 1997, 113–116 5 E.M. SMALLWOOD, The Jews under Roman Rule. From Pompey to Diocletian, 1976 6 M. STERN, Greek and Latin Authors on Jews and Judaism 2, 1980, Nr. 320 7 L.A. THOMPSON, Domitian and the Jewish Tax, in: Historia 31, 1982, 329–342. I. WA.

Fissi dies s. Fasti

Fistula s. Wasserleitungen

Fixsterne I. ALTER ORIENT
II. GRIECHENLAND UND ROM

I. ALTER ORIENT
Zwischen F. und Planeten wird im Sumer. und Akkad. kein Unterschied gemacht: für beide wird MUL bzw. *kakkabu* verwendet. Dennoch ist die Bewegung der Planeten gegenüber den F. bekannt. Einzelne F. haben kaum eigene Namen (z. B. *Li₉-si₄* = Antares), sondern sind meist zu → Sternbildern gruppiert. Nach ihrer Stellung am Himmel werden sie zuerst grob in den sog. → Astrolabien (frühestes Exemplar um 1100 v. Chr.) geordnet, dann genauer im astronomischen Kompendium MUL.APIN (um 1000 v. Chr.) [1]: die sog. »Wege« der Götter Enlil, Anu und Ea entsprechen Abschnitten des Horizonts im Osten, über denen die F. aufgehen [2. 31]. MUL.APIN ordnet die F. auch nach ihren Auf- und Untergängen im Lauf des Jahres an. In den Beobachtungstexten des 1. Jt. v. Chr. werden die Positionen von Mond und Planeten relativ zu bestimmten F. in der Nähe der Ekliptik, den sog. Normalsternen, angegeben [3. 43–50]. → Astronomie; Zodiakos

1 H. HUNGER, D. PINGREE, MUL.APIN, An Astronomical Compendium in Cuneiform, 1989 2 E. REINER, D. PINGREE, Babylonian Planetary Omens 2, 1981, 17f. 3 A.J. SACHS, Babylonian Observational Astronomy, in: F.R. HODSON (Hrsg.), The Place of Astronomy in the

Ancient World, 1974, 43–50 **4** E. WEIDNER, S. v. F. RLA 3,
72–82.   H. HU.

II. GRIECHENLAND UND ROM

Nach griech. Vorstellung waren die F. an der In-
nenseite der Himmelshohlkugel »angeheftet« (*[in-, ad]-*
fixae) wie Nägel (Anaximenes A 14 DK: ἥλων δίκην κα-
ταπεπηγέναι), der griech. Terminus lautet ἀπλανής (=
inerrans, inerrabilis) sc. ἀστήρ. Im Gegensatz zu den Planeten nehmen sie nur an der scheinbaren täglichen Rotation des Himmels teil, und zwar am Äquator am
schnellsten und zu den Polen hin gegen Null abneh-
mend. Die irreführende Bed. »feststehend« findet sich
seit Seneca (nat. 7,24,3: *fixum et immobilem populum*).

In Homers *Ilias* begegnen Pleiaden, Hyaden, Orion
und die Bärin (= Wagen), in der Odyssee auch Bootes.
Die Zirkumpolarsterne dienten der nächtlichen Orientierung der Seefahrer, wobei die Phöniker die kleine,
dafür aber genauere und polnähere Bärin, die Griechen
die große nutzten (Arat. 37–44). Die tägliche Rotation
diente der Bestimmung der Nachtzeit, die jährlichen
Auf- und Untergänge der Einteilung der bäuerlichen
Arbeit. Man unterschied acht Phänomene: den scheinbaren oder wirklichen Auf- und Untergang, jeweils am
Abend (akronychisch) oder am Morgen (heliakisch).
Zusammen mit Wetterzeichen (ἐπισημασίαι) wurden
sie (bes. die von Pleiaden, Capella und Sirius) auf
→ Parapegmen verzeichnet. Als Sturmbringer spricht
Arcturus den Prolog im plautinischen *Rudens*. Eudoxos'
Katasterismoí zählen einzelne F. innerhalb der einzelnen
Sternbilder auf, aber noch ohne Positionsangaben (faß-
bar bei Hyg. astr. 3). Gemeinsame Aufgänge von F. oder
ganzen Sternbildern mit Teilen der → Ekliptik hat Eu-
doxos von Knidos notiert, auf dem die einflußreichen
Phainómena des → Aratos [4] beruhen; beide werden
von Hipparchos kritisiert.

Kataloge von F. sind für Eudoxos bezeugt (die vom
Anon. Commentatorium in Aratum Reliquiae p.
128,13 MAASS angegebene Zahl von 1080f. – und zwar
nur für die bestimmten Sternbildern zugeordneten – ist
sicher zu hoch gegriffen). Der anläßlich der Beobachtung einer Nova im Jahr 134 v. Chr. entstandene und
teilweise erh. Katalog des Hipparchos [1; 4] hat wohl ca.
760–850 Sterne umfaßt. Als Koordinaten dienten die
Deklination (= Abstand zum Himmelsäquator) und die
Mitkulmination (= Länge des gleichzeitig kulminieren-
den Grades der Ekliptik). Weil dieses Verfahren breiten-
abhängig ist, wurde es in der Neuzeit durch äquatoriale
Längen ersetzt. Nach ihrer Position gliedern sich die F.
in drei Gruppen: auf dem ca. 12° breiten Band der
Ekliptik, nördlich oder südlich davon. Für die Folgezeit
maßgeblich wurde der Katalog des Ptolemaios (Syntaxis
7,5–8,1; danach Hephaistion v. Theben, Apotelesmatika 1,3–5) mit nach eigener Summierung 1022 Sternen in
sechs Größenklassen: 15 erster, 45 zweiter, 208 dritter,
474 vierter, 217 fünfter, 49 sechster Größe sowie 5 ne-
belhaften (νεφελοειδεῖς), dazu noch die Coma Bereni-
kes. Ptolemaios addiert zu den Längen seines Vorgängers auf Grund seines zu hohen Präzessionswertes

(→ Ekliptik) in der Regel 2° 40'. In den Apotelesmatika
(1,9) bestimmt er die κρᾶσις (»Mischung«) der F. oder
von Teilen von Sternbildern nach dem Temperament
von meistens zwei Planeten (die nebelartigen F. gleichen dem Mond). Obwohl die Farbe der F. den Ausgangspunkt gebildet haben dürfte [3], spielen auch
myth. Spekulationen eine Rolle [7]. Der Katalog des
Theon von Alexandreia verzeichnet in seinen
Πρόχειροι κανόνες (»Handliche Tafeln«) nur – von Regulus angefangen – die F. der Ekliptik; andere anon.
Verzeichnisse mit Deutungen s. CCAG V 1 (1904), 212–
226. Einflußreich blieb v. a. ein (später auch erweitertes)
Verzeichnis der 30 hellsten F. erster oder zweiter Größe
[3. 77–82]. Firm. math. 6,2 hebt die vier *stellae regales*
hervor, die nach den vier Weltgegenden ausgerichtet
sind: Aldebaran und Antares, die als zwei der sechs röt-
lichen Sterne (ὑπόκιρροι) schon im Katalog der *Sýntaxis*
genau gegenüberliegen, sowie Regulus und Fomalhaut.

Entfernung und Größe der F. wurden zwar diskutiert, aber bei weitem unterschätzt. Deshalb konnte man
auch (mit Ausnahme des Mondes) die Parallaxe nicht
beobachten. Selbst eine Eigenbewegung der F. zog man
in Betracht, doch konnte sich diese Theorie nicht
durchsetzen. Ihre Form stellte man sich in Analogie zu
Sonne, Mond und Erde als Kugel vor, die gegenüber
kegel- oder pyramidenförmigen Hypothesen dem
Postulat einer vollkommenen supralunaren Welt ent-
gegenkam. Die Substanz der F. bildete das Feuer; man
stritt allerdings darüber, ob dieses Feuer als ätherische
πέμπτη οὐσία (→ Quinta essentia) vom irdischen Feuer
zu trennen sei oder nicht. Wegen ihrer Feuernatur galten die F. als göttlich, teilweise auch als Erscheinung des
unsterblichen Teils menschlicher Seelen nach dem Tod.
→ Astrologie; Astronomie; Euktemon; Kalender;
Milchstraße; Sternbilder; Zodiakos

1 F. BOLL, Die Sternkataloge des Hipparch und des
Ptolemaios, Bibliotheca Mathematica III 2, 1901, 185–195
2 Ders., s. v. F., RE 6, 2407–2431 **3** Ders., Ant.
Beobachtung farbiger Sterne, 1916 **4** H. VOGT, Versuch
einer Wiederherstellung von *Hipparchs* Fixsternverzeichnis,
in: Astron. Nachr. 224, 1925, 17–32 **5** S. FERABOLI, Sulle
tracce di un catalogo stellare preipparcheo, in: Mosaico (FS
U. Albini), 1993, 75–82 **6** H. HUNGER, D. PINGREE, MUL.
APIN, An Astronomical Compendium in Cuneiform, 1989
7 W. HÜBNER, Astrologie et myth. dans la Tétrabible de
Ptolémée d'Alexandrie, in: Sciences exactes et sciences
appliquées à Alexandrie, 1998.   W. H.

Flaccinator. Röm. Cognomen, → Folius [I 2–3].

Flaccus. Röm. Cognomen (»schlappohrig«), wohl
urspr. Individualcognomen, in republikanischer Zeit
besonders verbreitet in den senatorischen Familien der
Fulvii, Norbani und Valerii, in der Kaiserzeit auch bei
zahlreichen weiteren Familien. Beiname des Dichters
Q. → Horatius F.

DEGRASSI, FCap. 144 · DEGRASSI, FCIR 252 · KAJANTO,
Cognomina 240.   K.-L. E.

[1] Statilius F. Epigrammdichter. Das *cognomen* F. wird oft in Kombination mit dem *nomen* Statilius genannt (Στατύλλιος Φλάκκος). Er lebte Anfang des 1. Jh. n. Chr., wenn die lat. Version von Anth. Pal. 7,542 tatsächlich Werk des Germanicus ist. Bewiesen ist weder die Identifizierung mit dem bei Philippi gefallenen Epikureer Statilius (42 v. Chr.) noch mit dem F., an dessen Tod Sen. epist. 63.1 erinnert. Die Zugehörigkeit seiner 14 Epigramme (6,165 ist vielleicht einem anderen F. zuzuweisen, vgl. FGE 46–49) zum »Kranz« des Philippos ist rein hypothetisch. Die meist konventionellen Gedichte – Liebes-, anathematische, Grab- sowie epideiktische Epigramme – weisen dennoch *hapax legomena* (vgl. 6,196), exzentrische Themen (9,37 und 117) sowie raffinierte Variationen desselben Themas auf (12,25–27, vgl. Tullius Laureas 12,24; vielleicht auch 9,44–45).

GA II 1,422–431; 2,451–457.   M. G. A./Ü: M. A. S.

[2] Dichter aus Patavium (Mart. 1,76,2; 10,48,5), Freund Martials (Mart. 1,61,4), bereiste 93/4 n. Chr. Zypern (Mart. 8,45,1; 7f.; 9,90,9).   M. MEI. u. ME. STR.

Flachs s. Leinen

Flacilla. Aelia Flavia F. Erste Frau des Kaisers Theodosius I.; aus der ca. 376 n. Chr. geschlossenen Ehe gingen drei Kinder hervor: die späteren Kaiser → Arcadius und → Honorius sowie → Pulcheria. 379 wurde F. zur *Augusta* ernannt. Die überzeugte Anhängerin des nicaenischen Christentums (Soz. 7,6; Theod. hist. eccl. 5,19) galt als fromm und mildtätig. Als sie 386 in Skotumis (Thrakien) starb, hielt Gregorios [2] von Nyssa die Leichenrede (PG 46, 877–892). Ihre Statue wurde im Senatsgebäude aufgestellt (Them. or. 19,228b). PLRE 1, 341 f.   K. G.-A.

Flächenmaße I. ALTER ORIENT II. ÄGYPTEN III. GRIECHENLAND UND ROM

I. ALTER ORIENT

In Mesopot. begegnen (auch gleichzeitig) bei F. unterschiedliche Konzepte. Das älteste, seit dem späten 4. Jt. v. Chr. bezeugte, beruht auf den Längenmaßeinheiten von Quadraten oder Rechtecken und ist so den Bedürfnissen der Feldvermessung angepaßt: 1 × 1 Rute (6 m) = 1 Quadratrute (»Beet«) (36 m²); Grundeinheit für Feldflächen ist 1 »Feld«, »Deich« (0,36 ha). Im 1. Jt. fußt das babylon. System (für kleinere Flächen) auf einem Rechteck mit fester Seite zu 1 »Rohr« (= 7 Ellen) und variabler Seitenlänge, deren Länge die Fläche angibt. In Assyrien (ab Mitte 2. Jt.) und in Babylonien ab dem 7. Jh. werden F. als → Hohlmaße ausgedrückt, die als Menge des für die jeweilige Fläche benötigten Saatguts aufzufassen sind: z. B. in Babylon 1 »Kor« (180 l) = 54 000 Quadratellen (etwa 1,35 ha), in Assyrien 1 »Esellast« (ca. 80 l) = etwa 1,8 ha.

J. A. FRIBERG, Seeds and Reeds Continued, in: BaM 28, 1996, 251–365 · M. A. POWELL, s. v. Maße und Gewichte, RLA 7, 477–488.   WA. SA.

II. ÄGYPTEN

Grundlage der ägypt. F. ist das Längenmaß der »Königs-« bzw. »Gotteselle« von ca. 52,5 cm. Die Fläche von 100 × 100 Ellen = 2756,25 m² wird zu allen Zeiten als *Setjat*, griech. *árura* bezeichnet. Durch eigene Termini unterschieden werden zu bestimmten Zeiten die Fläche von 10 × 10 Ellen mit ihren Bruchteilen ½, ¼, ⅛, die von 10 × 100 Ellen und die Fläche von 10 *árurai*. Demotische Texte differenzieren zw. Quadratelle (1 × 1 Ellen), Bodenelle (1 × 100 Ellen) und *árura*. Eigene Zeichen dienen zur Angabe der Bruchteile (½, ¼, ⅛, ¹⁄₁₆, ¹⁄₃₂) der *árura*. Diese hatte wohl in verschiedenen Landesteilen real unterschiedliche Größe. Stoffflächen werden in ältester Zeit, basierend auf der Elle, mit bes. Schriftzeichen notiert. Im Demotischen ist ein F. der Stoffelle von unbekannter Größe belegt.

W. HELCK, S. VLEEMING, s. v. Maße und Gewichte, LÄ 3, 1200 f., 1210 · S. VLEEMING, Demotic Measures of Length and Surface, Chiefly of the Ptolemaic Period, in: P. W. PESTMAN, Textes et études de Papyrologie grecque, démotique et copte (Papyrologica Lugduno-Batava 23), 1985, 208–229.   HE. FE.

III. GRIECHENLAND UND ROM

Urspr. diente wohl überall die Menge der an einem Tage oder in einem Arbeitsgang (vom Anschirren bis zum Ausschirren) zu bearbeitenden Bodenfläche als Maßeinheit. Nachdem man zu festen Normen fortgeschritten war, bildeten mit einer erheblichen Ausnahme (s. u.) die Quadrate vom 100fachen der Längenmaßeinheit, der Elle oder des Fußes, die gängigen F. So maß die → *árura* (ἄρουρα, griech. Bezeichnung für die ägypt. Maßeinheit *Sett/ Setjat*), 100 Ellen (zu 52,5 cm) im Geviert, also 2756 m². Ein Quadrat mit Seitenlänge von 100 Fuß (von wechselnder Norm und somit von ca. 26,9– 35 m) stellt das griech. *p(e)léthron* (π(ε)λέθρον) dar. Das Wort bezeichnet zunächst ein Längenmaß, gehört wohl zum Stamm πελ- = wenden (der Pflugstiere), meint also Furchenlänge, doch scheint ein F. dieser Größe schon bei Hom. Il. 23,164 vorzukommen. Als ¹⁄₁₀₀ des *pléthron* findet sich die → *ákaina* (ἄκαινα), eigentlich Treibstekken, dann Meßlatte zu 10 Fuß, schließlich Fläche dieser Seitenlänge. Auch der Fuß (→ *pús*, ποῦς), ja sogar der → *dáktylos*, die Fingerbreite, begegnen als F., letzterer wohl nur im mathematisch-technischen Bereich. – Ungewisser Größe sind die hom. → *gýe* (γύη) und der unterital. *gýēs* (γύης), welcher »Krummholz, Joch« bedeutet und somit auf »Morgen« oder »Tagewerk« führt.

Dem → *pléthron* entspricht (auch in der Etymologie) der *versus* oder *vorsus* der Italiker, eine Fläche von 100 osk. Fuß (zu 27,5 cm) im Geviert, also 757 m². Sein Analogon bei den Römern bildet der → *actus quadratus*. Grundbedeutung ist gleichfalls Furchenlänge. Das Maß folgt aber dem duodezimalen System und hält somit 120 Fuß (zu 29,6 cm) im Geviert, also 35,52 × 35,52 = 1262 m². Die Einheit, den → *as* des röm. F., stellt jedoch sein Doppeltes dar, das → *iugerum*, ein Rechteck von 120 × 240 Fuß und 2523 m², das Tagewerk, das mit einem Gespann (*iugum*) zu bewältigen war. Das *iugerum* wurde (gleich dem *as* und der → *libra*) unzial geteilt. Sein → *scripulum* (¹⁄₂₈₈ = 8,76 m²) bildet eine Fläche von 10 Fuß Seitenlänge = 1 → *decempeda quadrata*. Kleinstes Feldmaß war das *dimidium scripulum* (das System etwa bei Colum. 5,1). Außerhalb dieser Reihe steht das *clima* = 60 × 60 Fuß, also ¼ *actus*. Als von den Feldmessern verwendetes Mehrfaches des *iugerum* nennt Varro rust. 1,10 das → *heredium* (2), die *centuria* (200, → Limitation) und den → *saltus* (800). Doch galten diese Werte nicht überall und jederzeit. An Kleinmaßen findet sich der *pes quadratus* ebenso wie seine Teile bis herab zur → *uncia* und zum *digitus*. Der gallische *arapennis* entsprach dem *actus*, das *iugum* in Spanien dem *iugerum*, andernorts einer Steuerhufe wechselnder Größe. Unbekannt ist die Norm der narbonensischen *libra*. Eine andere Art der Flächenbemessung stellt das in der Cyrenaica und vielleicht auch in Sizilien (Cic. Verr. 2,3,112) begegnende μέδιμνον dar. Es handelt sich um ein nach der benötigten Saatmenge von 1 → *médimnos* (μέδιμνος) genormtes F. in der Größe von etwa 1 *iugerum*.

H. Büsing, Metrologische Beiträge, in: JDAI 97, 1982, 1–45 · O. A. W. Dilke, The Roman Land Surveyors: An Introduction to the Agrimensores, 1971 · Ders., Mathematik, Maße und Gewichte in der Ant., 1991 · U. Heimberg, Röm. Landvermessung, 1977 · F. Hultsch, Griech. und röm. Metrologie, ²1882, 39–42, 82–88.

                               HE. C.

Flamines. Röm. Priester, die mit dem → Pontifex, dem → Rex sacrorum und den → Vestales das *collegium pontificum* bilden und zu den *collegia maiora* gehören. Sie sind für den Kult einzelner Gottheiten zuständig (Cic. leg. 2,20). Drei *f. maiores* versehen den Kult der alten Staatsgötter Iuppiter (*flamen Dialis*), Mars (*flamen Martialis*) und Quirinus (*flamen Quirinalis*); daneben stehen zwölf *f. minores* (Volcanalis, Cerialis, Carmentalis, Portunalis, Volturnalis, Palatualis, Furrinalis, Floralis, Falacer, Pomonalis und zwei weitere unbekannte). Das alte Priesteramt geht der Tradition nach auf → Numa zurück (Varro ling. 7,45; Cic. rep. 2,26; Liv. 1,20,2). Die *f.* wurden vom Pontifex Maximus ernannt. Die drei *f. maiores* stammten aus Patrizierhäusern (Cic. dom. 38; Fest. 137 L.; Tac. ann. 4,16) [1]. Ihr Amt war auf Lebenszeit – wobei der *flamen Dialis* es nach dem Tod der *flaminica*, seiner Frau, niederlegen mußte (Gell. 10,15,22; Plut. qu. R. 50,276e-f).

Der *flamen Dialis* wird als »jeden Tag feiernd« (*cotidie feriatus*, Gell. 10,15,16) bezeichnet und trennte sich nie von seiner religiösen Rolle: Er trug immer die *toga praetexta* – im Gegensatz zu den beiden anderen *f. maiores*, die sie nur während des Dienstes trugen (Serv. Aen. 8,552) – und eine Mütze aus Leder, die von einem Opfertier für Iuppiter stammte und an deren Spitze ein mit einem Wollfaden umwickeltes Holzstäbchen war (Gell. 10,15,32; Serv. Aen. 2,683; Fest. 9 L.). Er verfügte über die → *sella curulis* (Liv. 1,20,2; 27,8,8; Plut. qu.R. 113,291b-c) und einen → Lictor (Fest. 82 L.). Er mußte

von Eltern stammen, die eine Hochzeit durch → *confarreatio* geschlossen hatten, und selbst in solcher Ehe leben (Tac. ann. 4,16; Serv. Aen. 4,103; 374). Zahlreiche Verbote verhinderten, daß er rituell verunreinigt wurde (Gell. 10,15 nach Fabius Pictor; s. auch Plut. qu. R. 109–112,289f–291b) [2]: Er durfte u. a. kein Pferd besteigen (Plin. nat. 28,146; Plut. qu. R. 40,274b-e; Fest. 71 L.), kein Heer sehen (Fest. 295 L.), keinen Eid ablegen, keinen Ring tragen, keinen Menschen in Ketten sehen (Serv. Aen. 2,57), keinen Knoten auf sich haben (Fest. 72 L.), kein Mehl, keine Hefe, kein rohes Fleisch, nicht Ziege, Hund, Efeu (Fest. 72 L.) oder Bohnen (Plin. nat. 18,119) berühren, sehen oder nennen und sein Bett nicht länger als zwei Nächte verlassen; auch mußte er alle Kontakte mit dem Tod und Gräbern vermeiden. Andere Verbote betrafen seine Haare und Nägel. Der *flamen Dialis* opferte an den Iden ein Schaf (Ov. fast. 1,587f.; Macr. Sat. 1,15,16), zelebrierte mit dem Pontifex Maximus die *confarreatio* (Serv. georg. 1,31). Er nahm mit der *flaminica* an den Reinigungsriten im Februar (Ov. fast. 2,21ff.), an den → Lupercalia (Ov. fast. 2,282f.) – mit dem ungelösten Problem, wie sich dies mit dem Hundeopfer des Festes (Plut. qu. R. 68,280b-c) und der Anwesenheit der Ziege verträgt, die von den Luperci geopfert und deren Haut in Form von Riemen getragen wurde (Plut. Romulus 21,6ff., 31bff.; Fest. 75 L.) – und an den → Vinalia (Varro ling. 6,16) [3] teil. Die Beschreibung des *flamen Dialis* als eine ›lebendige und hl. Statue des Gottes‹ (Plut. qu. R. 111, 200a-d) veranlaßte Dumézil zu der Auslegung, daß seine Bed. (und die der anderen *f. maiores*) vielmehr in seinem Wesen – Mittler zw. Göttern und Menschen – als in seinen Taten lag [4; 5].

Die *flaminica* nahm am Amt ihres Mannes teil und war ebenso von Verboten betroffen. Ihre Ehe mit dem *flamen* war unlösbar (z.B. Ov. fast. 6,232). Sie trug ein rotes Kleid, Sandalen aus der Haut eines Opfertiers und ein Kopftuch mit einem Zweig einer *arbor felix* (Gell. 10,15,28; Serv. Aen. 4,137). Sie ging mit ungekämmtem und ungeschmücktem Haar (Gell. 10,15,30) zu den → Argei, an den Nundinae opferte sie dem Iuppiter einen Widder in der Regia (Macr. Sat. 1,16,30) [6].

Über die anderen zwei *f. maiores* ist weniger überliefert. Der *flamen Martialis* opferte am 15. Oktober dem Mars ein siegreiches Pferd. Der *flamen Quirinalis* opferte am 25. April (→ Robigalia) dem Robigus (Ov. fast. 4,907ff.), am 21. August (→ Consualia) mit den Vestalinnen dem Consus (Tert. de spectaculis 5,7), am 23. Dezember (→ Larentalia) mit dem Pontifex Maximus am Grab der → Acca Larentia (Gell. 7,7,7; Macr. Sat. 1,10,15). Zusammen vollzogen die *f. maiores* den Ritus der → Fides. An Feiertagen war es den *f.* verboten, Leute arbeiten zu sehen (Macr. Sat. 1,16,9).

Über die *f. minores* ist nicht viel bekannt. Jedenfalls gehören die ihnen zugeteilten Götter zum ältesten Bestand der röm. Rel. Vermutlich nahm die Zahl der *f. minores* im Laufe der Zeit ab: Augustinus (civ. 2,15) erwähnt nur die drei *f. maiores*. In der Kaiserzeit wurde die

Priesterschaft erweitert durch die *f. Augustorum*, d. h. die *f.* der vergöttlichten Kaiser und Kaiserinnen [7].

1 Th. Mommsen, Röm. Forschungen, Bd. 1, 1879, 78
2 F. Graf, Plutarco e la religione romana, in: I. Gallo (Hrsg.), Plutarco e la religione, 1996, 269–283 3 Dumézil, 195 f. 4 Dumézil, 572 5 J. Scheid, Le flamine de Jupiter, les Vestales et le général triomphant, in: Le temps de la reflexion 7, 1986, 213–230 6 N. Boels, Le statut religieux de la flaminica Dialis, in: REL 51, 1973, 77–100 7 D. Fishwick, Flamen Augustorum, in: HSPh 74, 1970, 299–312.

M. Beard, J. North, Pagan Priests. Rel. and Power in the Ancient World, 1990, 17 ff.; 177 ff. · J. H. W. G. Liebeschuetz, Continuity and Change in Roman Rel., 1979, 301 ff. · J. Scheid, Les prêtres officiels sous les empereurs julio-claudiens, in: ANRW II 16.1, 610–654 · L. Schumacher, Die vier hohen röm. Priesterkollegien unter den Flaviern, den Antoninen und den Severern, 69–235 n. Chr., in: ANRW II 16.1, 655–819 · J. H. Vanggaard, The Flamen, 1988.   FR. P.

Flamingo

Flamingo (Phoenicopterus ruber L., φοινικόπτερος, *phoenicopterus*). Nach seinen z. T. scharlachroten Flügeln benannter Schreitvogel, unverwechselbarer, scheuer Brutvogel in Nordafrika und Südasien, heute auch in der Camargue (Südfrankreich). Als seltener Import wurde er zuerst von Aristophanes (Av. 270 ff.) und auch von Kratinos (fr. 114 Kock = 108 Edmonds) erwähnt. Die Beobachtung gewaltiger Flüge durch den Alexanderhistoriker Kleitarchos (FGrH 137 F 21) findet sich als Reflex (ohne den F. explizit zu nennen) bei Ail. nat. 17,23. Die Römer schätzten ihn als Delikatesse (Cels. 2,18; Iuv. 11, 139; zwei Rezepte bei Apicius 6,1), insbes. seine große Zunge (Sen. epist. 110,12; Plin. nat. 10,133 unter Berufung auf Apicius; Mart. 13,71; Suet. Vit. 13,2). Nach Mart. 3,58,14 wurde er bei Baiae gemästet. Caligula bevorzugte ihn an bestimmten Tagen als Opfertier für seine eigene Göttlichkeit (Suet. Cal. 22,3). Es sind u. a. Darstellungen auf Mosaiken erhalten [1. 2,212; vgl. 2,235 und Taf. 119].

1 Keller 2 Toynbee, Tierwelt.   C. Hü.

Flamininus

Flamininus. Seltenes röm. Cognomen, abgeleitet von *flamen* und den Sohn eines *flamen* bezeichnend, in republikanischer Zeit in einem Zweig der patrizischen Familie der Quinctii erblich geworden. Bedeutendster Namensträger ist T. → Quinctius Flamininus (*cos.* 198 v. Chr.).

H. Gundel, s. v. Quinctius, RE 24, 1038 · J. Reichmuth, Die lat. Gentilicia, 1956, 74.   K.-L. E.

Flaminius

Flaminius. Röm. plebeischer Gentilname (Berufsbezeichung, vom Priesteramt des *flamen* abgeleitet [1]). Namensträger sind seit dem 3. Jh. v. Chr. hervorgetreten. Die Familie dürfte aber älter sein, wie die Ortsnamen *campus Flaminius* und *prata Flaminia* zeigen (Varro ling. 5,154; Liv. 3,54,15; 3,58,7), die aber auch als »Grundbesitz der *flamines*« gedeutet werden können (Oros. 5,18,27; [2]). Via Flaminia → F. [1].

1 Schulze 108; 332 2 F. Coarelli, s. v. Campus Flaminius, LTUR 1, 1993, 219.

[1] F., C. *Homo novus*, der seine Karriere gegen den Widerstand eines großen Teiles der Nobilität durchsetzte. Die senatorische Geschichtsschreibung – vertreten durch Polybios, Livius, die auf Q. → Fabius Pictor fußen, und die von ihnen abhängigen Quellen – zeichnet das Bild eines volksfreundlichen Demagogen, während er in der späteren popularen Tradition als Vorläufer der Gracchen gilt (Cic. ac. 2,13). Als Volkstribun 232 v. Chr. brachte er angeblich gegen den heftigen Widerstand des Senats unter Führung von Q. Fabius [I 30] Maximus Verrucosus ein Gesetz durch, das die Verteilung des → *ager Gallicus* (des von Rom eroberten Gebietes der Senonen zwischen Sena Gallica und Ravenna) an bedürftige röm. Einzelsiedler (Viritanassignation) vorsah (Pol. 2,21; Cic. Cato 11; Brut. 57 u. a.). Diese Besiedlung wird von Polybios als Grund für den gallischen Angriff 225 und für einen ›Wandel zum Schlechteren im Volk‹ bezeichnet.

Als Praetor 227 verwaltete er als erster regulärer Statthalter erfolgreich Sicilia (vgl. Liv. 33,42,8). Als Consul 223 besiegte er zusammen mit dem Kollegen P. Furius [I 27] Philus die gallischen Insubrer jenseits des Po (Pol. 2,32 f.); wegen angebl. Mißachtung ungünstiger Vorzeichen wollte der Senat sein Consulat zunächst nicht anerkennen und verweigerte ihm auch einen Triumph, den er dann aber mit Zustimmung des Volkes durchführte (Liv. 21,63,2; Plut. Marcellus 4). Wahrscheinlich 221 war er Reiteroberst seines polit. Gegners Q. Fabius Maximus; beide mußten ihr Amt aufgrund eines rel. Fehlers niederlegen. 220 war er zusammen mit L. Aemilius [I 27] Papus Censor (Liv. 23,23,5); sie beschränkten die Einschreibung der Freigelassenen auf nur vier Tribus (Liv. per. 20). F. baute die *via Flaminia* von Rom nach Ariminum, wohl um eine Verbindung zum neubesiedelten *ager Gallicus* herzustellen, und errichtete auf dem Marsfeld den noch bis in die Spätantike existierenden *circus Flaminius* [1]. 218 unterstützte er (nach Livius als einziger Senator) die *lex Claudia*, die den Seehandel von Senatoren stark einschränkte (Liv. 21,63,3).

Im 2. Pun. Krieg war er 217 erneut Consul, trat sein Amt aber nicht in Rom, sondern in Ariminum an, was ihm den Vorwurf der Mißachtung der Auspizien eintrug; auch weiterhin soll er ungünstige Vorzeichen nicht berücksichtigt haben (Liv. 21, 63; 22,1,5ff.; Cic. div. 1,77 f. u. a.). F. übernahm das Heer bei Arretium, wurde aber von Hannibal umgangen und geriet beim Nachrücken im Morgennebel des 21. Juni am Trasimener See in einen Hinterhalt. Das gesamte Heer wurde vernichtet, F. fiel, seine Leiche wurde nicht gefunden (Pol. 3,80–85; Liv. 22,4–7 u.a). Der Tag der Schlacht galt nach Ovid (fast. 6,765–768) als *dies ater*. F.' Karriere zeigt, daß entgegen der senatorischen Tradition nicht der ganze Senat gegen ihn stand, sondern er wohl Unterstützung in der plebeischen Nobilität hatte; das Bild eines »demokratischen« Volksführers ist modern überzeichnet.

1 A. Viscogliosi, s. v. Circus Flaminius, LTUR 1, 1993, 269–272.

R. Develin, C. F. in 232 BC, in: AC 45, 1976, 638–643 · Ders., The Political Position of C. F., in: RhM 122, 1979, 268–277 · A. M. Eckstein, Senate and General, 1987, 10–17; 31 · R. Feig Vishnia, State, Society and Popular Leaders in Mid-Republican Rome 241–167 BC, 1996, 11–48 · L. Oebel, C. F. und die Anfänge der röm. Kolonisation im *ager Gallicus*, 1993 · J. v. Ungern-Sternberg, The End of the Conflict of the Orders, in: Social Struggles in Archaic Rome, 1986, 352–377.

[2] F., C. Sohn von F. [1], 209 v. Chr. Quaestor des P. Cornelius [I 71] Scipio (Africanus); 196 gab er als curulischer Aedil verbilligtes Getreide aus, das die Sizilier ihm im guten Gedenken an seinen Vater zur Verfügung gestellt hatten (Liv. 33,42,8). 193 war er Praetor in Hispania citerior, wo er bis 190 erfolgreich gegen die Keltiberer kämpfte. Als Consul 187 verteidigte er den ehemaligen Kollegen M. Fulvius Nobilior gegen die Vorwürfe seines Amtskollegen M. Aemilius [I 10] Lepidus (Liv. 38,43,8–44,3). Er kämpfte erfolgreich in Ligurien und baute eine Straße von Bononia nach Arretium (Liv. 39,2,1–11). Ab 183 war er Mitglied einer Dreierkommission zur Gründung der *colonia* Aquileia, die 181 erfolgte (Liv. 39,55,6; 40,34,2 f.).

[3] F., C. 67 v. Chr. curulischer Aedil, 66 Richter in der *quaestio de sicariis* (»Gerichtshof für Meuchelmord«), vielleicht identisch mit dem C. F., der Ende 63 Catilina bei Arretium aufnahm (Sall. Catil. 36,1).   K.-L.E.

Flanona (h. Plomin/Kroatien); Ort an der östl. Küste der Halbinsel Histria in Liburnia, Prov. Dalmatia. Eine frühere liburnische Festung über der Bucht von F. gab der gesamten Bucht von Kvarner den Namen: *sinus Flanaticus* (Plin. nat. 3,139; Artemidoros bei Steph. Byz. s. v. Φλάνων). F. wurde wohl unter Augustus (eher als unter Tiberius) *municipium*, bezeugt sind *tribus Claudia* und *Sergia* (AE 1973, 477); eine der führenden Familien waren die Aquilii. Die Einwohner heißen bei Plinius *Flanonienses Vanienses* (nat. 3,130). Im späten 2. Jh. n. Chr. *res publica Flanatium* gen., als Cn. Papirius Secundinus von Pola als *curator* die Angelegenheiten von F. überwachte (InscrIt X 1,88 = CIL V 60). In F. ließ Constantius II. Gallus 354 n. Chr. töten (Sokr. 2,34,3 f.). Evtl. wegen ihrer geringen Bed. in der Spätant. wird F. vom Geographus Ravennas nicht erwähnt. Erhalten sind spärliche röm. Überreste. Der liburnische Charakter von F. spiegelt sich im Namen und in den Kulten der einheimischen Göttinnen Sentona, Ica, Iria (Venus) und Minerva Flanatica wider; die letztgenannte wurde auch im Gebiet von Parentium verehrt (InscrIt X 2,94).

Š. Mlakar, Istra u antici, 1962, 37 f. · J. J. Wilkes, Dalmatia, 1969.   M. Š. K./Ü: I. S.

Flasche s. Gefäßformen

Flavia

[1] F. Domitilla. Tochter des Flavius Liberalis aus Ferentum in Etrurien [2. 210, 1447]. Erst Geliebte des Ritters Statilius Capella, heiratete sie später → Vespasianus. Aus der Ehe gingen die Söhne Titus, Domitian und eine Tochter F. [2] hervor ([Aur. Vict.] epit. Caes. 10,1; 11,1). Zunächst nur latinischen Rechts, erhielt sie später durch das Auftreten ihres Vaters als *adsertor* röm. Bürgerrecht. Sie starb noch vor dem Regierungsantritt Vespasians am 1. Juli 69 n. Chr. (Suet. Vesp. 3) und wurde nicht divinisiert. Eine Sesterzprägung aus den Jahren 80/1 erinnert an sie: RIC 2, p. 134, Nr. 153–154; BMCRE 2, p. 270 f. Nr. 226–229 [1. Nr. 367; 2. 210, 621; 3]. PIR² F 416.

[2] F. Domitilla. Tochter von F. [1] und Vespasianus, ihr Ehemann wahrscheinlich Q. Petillius Cerialis Caesius Rufus [4. 67 f.]. Nach ihrem Tod vor dem 1. Juli 69 n. Chr. erscheint sie auf Münzen als *Diva* und *Augusta* (RIC 2, p. 124 Nr. 69–73; BMCRE 2, 246 Nr. 136–138, p. 249 Nr. 148, p. 251 Nr. 14, p. 312 Nr. 68). Bekannt sind auch ein *sacerdos divae Domitillae* (CIL V 2829 = ILS 6692) und ein Tempel in Ferentum (AE 1962, 272; AE 1963, 83). [1. Nr. 368; 2. 261; 3]. PIR² F 417.

[3] F. Domitilla. Tochter der F. [2]. Ihr Ehemann war T. Flavius Clemens, *cos.* 95 n. Chr., ein Cousin des Domitianus. 95 wurden beide durch Domitian mangelnder Rechtgläubigkeit angeklagt und verurteilt (Suet. Dom. 15,1). F. wurde nach Pandateria (so Cass. Dio 67,14,2), oder nach Pontia (so Eus. HE 3,18,4, dort falsch als Nichte des Clemens bezeichnet) verbannt. Sie hinterließen sieben Kinder (CIL VI 8942 = ILS 1839); die beiden überlebenden Söhne wurden von Domitian Vespasian und Domitian genannt und von Quintilianus erzogen (Quint. inst. 4, praef. 2). Ob sie Christin (Eus. a. a. O.) oder Jüdin war, ist ungewiß. Sie stiftete eine Grabstätte (Coemeterium D.) an der via Ardeatina (ihr Grabmal CIL VI 10098 = ILS 5172 [1. Nr. 369; 3]). PIR² F 418.

1 Raepsaet-Charlier 2 Vogel-Weidemann
3 H. Temporini, Die Frauen am Hofe Traians, 1979
4 Birley.   ME. STR.

[4] F. Pollitta. *Clarissima femina* aus Sardeis, wo sie im J. 211 n. Chr. als Euergetin wirkte. AE 1993, 1505.   W.E.

[5] F. Titiana. Tochter des T. F. (Claudius) Sulpicianus, Frau des Pertinax [1. 267], dessen Tod 193 n. Chr. sie überlebte (SHA Pert. 13,7). Trotz des Widerspruchs durch Pertinax, sie zur *Augusta* zu erheben (Cass. Dio 73,7,1; SHA Pert. 5,4; 6,9 vgl. dazu [2. 34,169]), gibt es Inschriften, die sie so bezeichnen (ILS 410). Ihr Sohn ist P. Helvius Pertinax.

Raepsaet-Charlier Nr. 383 · PIR² F 444.

1 Birley 2 H. Temporini, Die Frauen am Hofe Traians, 1979.   ME. STR.

Flavia Solva. Stadt in Noricum, h. Wagna bei Leibnitz. Seit Vespasianus *municipium* (Plin. nat. 3,146); Zerstörung durch Einfall von Marcomanni um 170 n. Chr., danach Wiederaufbau. Orthogonales Straßensystem mit *insulae*, Gräberfeld (spätant. auf dem Frauenberg).

E. Hudeczek, F. S., in: G. Christian (Hrsg.), Leibnitz, 1988, 21–54 · M. Hainzmann, E. Pochmarski, Die römerzeitlichen Inschr. und Reliefs von Schloß Seggau bei Leibnitz, 1994.   H. GR.

Flavianus

[1] *Praefectus praetorio* mit (Geminius) Chrestus im Jahre 222 oder 223 n. Chr. Als ihnen auf Drängen der Iulia Mamaea Domitius → Ulpianus von Severus Alexander als Praetorianerpraefekt übergeordnet wurde, meuterte die Garde, worauf Ulpianus F. und Chrestus töten ließ (Cass. Dio 80,2,2; Zos. 1,11,2). PIR² F 180.   T. F.

[2] **Virius Nicomachus F.** Dominierende Gestalt der stadtröm. nichtchristl. Aristokratie im letzten Viertel des 4. Jh. n. Chr. Eine enge Freundschaft verband ihn mit Q. Aurelius → Symmachus, von dem zahlreiche Briefe an ihn erhalten sind (Symm. epist. 2,1–91). Er war 364/5 *consularis Siciliae*, 377 *vicarius Africae* und unterstützte dabei evtl. die Donatisten (Aug. epist. 87,8). Er setzte sich für die Belange von Leptis Magna ein (Amm. 28,6,28). 382/3 (oder 389/390) war er *quaestor sacri palatii*, 390 *praefectus praetorio Italiae, Illyriae et Africae*. Er unterstützte die Usurpation des Eugenios [2], der ihn nochmals zum *praefectus praetorio* ernannte (393–4) und 394 zum Consul erhob (vgl. das Ämterverzeichnis ILS 2947). Sechzigjährig brachte er sich angesichts der Niederlage des Eugenios gegen Theodosius I. (5. 9. 394) um (Rufin. 11,33).

Wahrscheinlich gegen ihn gerichtet ist das um 394/5 entstandene anonyme christl. Schmähgedicht *Carmen contra paganos* (auch *carmen adversus Flavianum*, Text: Anth. Lat., ed. F. Bücheler, A. Riese, I 1, Nr. 4, S. 20–25). Er übersetzte Philostrats Vita des Apollonius von Tyana ins Lat. (Sidon. epist. 8,3,1) und verfaßte (ebenfalls verlorene) *Annales* (ILS 2948), die er Theodosius I. widmete und die möglicherweise Ammian als Quelle vorgelegen haben. Sein Andenken wurde selbst von Christen in Ehren gehalten (Ambr. obit. Theod. 4; ILS 2948). Macrobius läßt ihn in den *saturnalia* auftreten (vgl. Sat. 1,1,4). Er war Vater von F. [3].

PLRE 1, 347–349 · J. J. O'Donnell, The Career of Virius Nicomachus F., in: Phoenix 32, 1978, 129–143 · Th. Grünewald, Der letzte Kampf des Heidentums in Rom?, in: Historia 41, 1992, 462–487.   W. P.

[3] **Nicomachus F.** Sohn des bekannten Hauptes der stadtröm. paganen Senatsaristokratie (→ F. [2]), war *proconsul Asiae* 382/3 n. Chr. und *praefectus urbi Romae* 393–4 unter dem Usurpator → Eugenios [2] (Symm. epist. 2,24; 7,104). Nach dessen Tode und dem Selbstmord seines Vaters flüchtete er in das Asyl einer Kirche und trat zum Christentum über (Aug. civ. 5,26,1). Unter Honorius rehabilitiert, war er nochmals 399–400 und 408 Stadtpraefekt von Rom (Symm. epist. 4,4; 7, 93; Cod. Iust. 2,15,1). 414 wurde er zur Neuordnung der Verhältnisse nach Africa entsandt (Cod. Theod. 7,4,33). Als *praefectus praetorio Italiae Illyrici et Africae* 431/2 erreichte er die Rehabilitierung seines Vaters (ILS 2948).

Er war an der Revision der 1. Liviusdekade beteiligt (*subscriptio* zu Liv. B. 6–8), → Symmachus schickte ihm die Briefe 6,1–81.

PLRE 1, 345–47 · A. Chastagnol, Fastes de la Préfecture de Rome, 1962, 239–44 · v. Haehling 323 f.   K. P. J.

Flavinium. Ort in der *regio VII* (Etruria) am Südfuß des → Soracte (Verg. Aen. 7,696; Serv. Aen. ad 1; Sil. 8,490), wo nach Sil. 13,85 der Capenas (h. Gramiccia?) Überschwemmungen verursachte.   G. U./Ü: V. S.

Flaviopolis. Stadt im NO der Kilikia Pedias, aufgrund von Inschr. und Gebäuderesten bei Kadirli vermutet. F. wurde bei der Neuordnung von Kilikia durch Vespasian 73/4 n. Chr. gegr., 260 n. Chr. vom Sāsānidenkönig Šapur. I. erobert.

H. T. Bossert, U. B. Alkim, Karatepe, Kadirli and its environments, 1947, 17–22 · M. Gough, s. v. F., PE, 330 · Hild/Hellenkemper, s. v. Phlabias, 378 f.   M. H. S.

Flavius. Röm. plebeischer Gentilname, abgeleitet von dem Individualcognomen *Flavus* (»der Blonde«) durch Zugehörigkeitssuffix *-ius*, abgekürzt *Fl*. Die Träger des bereits in republikanischer Zeit häufigen Namens waren zunächst polit. unbedeutend; erst F. [I 5] gelangte in die röm. Nobilität. In der Kaiserzeit wurde der Name durch die Bürgerrechtsverleihungen der flavischen Kaiser Vespasian, Titus und Domitian (68–96 n. Chr.) im röm. Reich weitverbreitet. In der Spätantike (4.–6. Jh.) war *Fl.* zunächst *gentilicium* der Familie → Constantinus' I. (sog. 2. Flavische Dynastie). Auch german. Generäle nahmen bei ihrem Eintritt in röm. Dienste öfter *Fl.* in ihren Namen auf. Besonders im Osten des Reiches galt in dieser Zeit *Fl.* als Höflichkeitsbezeichnung, die dem aristokratischen Individualnamen vorangestellt wurde, war also kein eigentlicher Bestandteil des Namens (häufig in Consuldatierungen).

Bagnall 36–40 · Schulze 167.

I. Republikanische Zeit

[I 1] **F., C.** Im J. 57 v. Chr. als Freund von Ciceros Schwiegersohn C. Calpurnius [I 20] Piso bezeugt, 46 von Cicero dem M. Acilius [I 9] Caninus empfohlen (fam. 13,31). 44 versuchte er, für die Caesar-Mörder bei den röm. Rittern unter Führung von Atticus Geldmittel zu erlangen (Nep. Att. 8,3). 42 fiel er als *praefectus fabrum* des Brutus bei Philippi und wurde von diesem besonders betrauert (Plut. Brutus 51,2); nicht identisch mit dem Münzmeister 43–42 unter Brutus C. F. Hemic[...], *legatus pro praetore* (RRC 504).   K.-L. E.

[I 2] **F., Cn.** [1]. Der Schreiber des Censors Appius Claudius [I 2] Caecus soll 304 v. Chr. die von Pomponius (Dig. 1,2,2,7) *ius Flavianum* genannte Sammlung von prozessualen Spruchformeln (*legis actiones*) und den Gerichtskalender (*dies fasti*) veröffentlicht haben, was man (Cic. Mur. 25; Liv. 9,46,5; Plin. nat. 33,17) als

Bruch des Monopols der Pontifikaljurisprudenz und den Beginn ihrer Laisierung gedeutet hat [2].

1 MRR I, 168 2 WIEACKER, RRG 524 ff.   T.G.

[I 3] F., L. Beantragte als Volkstribun 60 v. Chr erfolglos ein Ackergesetz zugunsten der Veteranen des Pompeius (Cic. Att. 1,18,6; 19,4; Cass. Dio 37,49 f.). Als Praetor 58 geriet er in einen Konflikt mit P. Clodius [I 4] Pulcher, weil dieser den Armenierprinz Tigranes, der dem F. von Pompeius zur Bewachung anvertraut war, entführt hatte (Ascon. 47 f.; Cass. Dio 38,30,1 f.). Vielleicht identisch mit dem 49 von Caesar als Verwalter für Sizilien vorgesehenen F. (Cic. Att. 10,1,2).

E. BADIAN, The Auctor of the lex Flavia, in: Athenaeum 55, 1977, 233–238.

[I 4] F., M. War als Sekretär (*scriba*, d. h. eventuell *pontifex minor*) an der Kalenderreform Caesars 46 v. Chr. beteiligt (Macr. Sat. 1,14,2 f.).

J. RÜPKE, Kalender und Öffentlichkeit, 1995, 372 f.

[I 5] F. Fimbria, C. *Homo novus*, der zunächst das Volkstribunat und (spätestens 107 v. Chr.) die Praetur bekleidete und 104 zusammen mit C. Marius Consul war. Wohl nach der Verwaltung einer Provinz wurde er von M. Gratidius [I 2] wegen Erpressung angeklagt, aber freigespochen (Cic. Font. 24; 26; Brut. 168). 100 gehörte er zu den entschiedenen Gegnern des L. Appuleius [I 11] Saturninus (Cic. Rab. perd. 21); gestorben vor 91. Cicero würdigte mehrfach seine polit. Haltung und sein rhet. Talent (Planc. 12; Brut. 129 u.a).

[I 6] F. Fimbria, C. Sohn von F. [I 5], Anhänger des C. Marius und des L. Cornelius [I 18] Cinna im Bürgerkrieg. In Cinnas Auftrag schloß er 87 v. Chr. ein Bündnis mit den Samniten (Granius Licinianus p. 16 CRINITI). Bei der Einnahme Roms ließ F. mehrere Angehörige der Nobilität ermorden (Liv. per. 80; Flor. 2,9,14; Aug. civ 3,27) und unternahm einen Mordanschlag gegen den *pontifex maximus* Q. → Mucius Scaevola (Cic. S. Rosc. 33; Val. Max. 9,11,2). 86 begleitete er als Legat den Consul L. → Valerius Flaccus in den Osten, um L. Cornelius [I 90] Sulla auszuschalten, entzweite sich aber bald mit ihm. Nach einer Meuterei des Heeres, in der Flaccus erschlagen wurde, übernahm F. selbst den Oberbefehl. Als Feldherr erfolgreich, aber skrupellos (Zerstörung von Ilion), eroberte er Bithynien und schloß Mithradates VI. in Pitane ein, den jedoch L. → Licinius Lucullus, Flottenkommandant Sullas, zur See entkommen ließ. Nach dem Frieden vom Dardanos (85) zwischen Mithradates und Sulla griff Sulla F. an, dessen Heer überlief. F. beging Selbstmord (Liv. per. 82 f.; ausführlich App. Mithr. 203–249; MRR 2, 56; 59; 3, 92). Seine Truppen mußten unter Lucullus weiterdienen und konnten erst 67 nach Italien zurückkehren.

A. KEAVENEY, Sulla, 1982, Index s. v. F.

[I 7] F. Pusio, C. Röm. Ritter, 91 v. Chr. scharfer Gegner der *lex iudiciaria* des Volkstribunen M. → Livius

Drusus (Cic. Cluent. 153); vielleicht von einem Sklaven ermordet (Val. Max. 8,4,2).   K.-L.E.

II. KAISERZEIT

[II 1] T. F. Abascantus. Kaiserlicher Freigelassener, *ab epistulis* Domitians, dessen Tätigkeit sein *amicus* Statius beschreibt (Stat. silv. 5,1,81 ff.; CIL VI 8598 f.), der Domitian auf Feldzügen begleitete (Stat. silv. 5,1,127 ff.). Seiner Frau Priscilla errichtete er um 95 n. Chr. an der via Appia am Fluß Almo ein prächtiges Marmorgrab, das ein Jahr nach ihrem Tod noch nicht vollendet war (Stat. silv. 5,1,222 ff.; CIL VI 2214.). PIR² F 194.

[II 2] F. Aelianus. Consularer Legat von Pannonia inferior 228 n. Chr.; vielleicht identisch mit dem Flav[ius...]ian[us], Statthalter von Germania inferior 231. ECK, Statthalter 213; PIR² 196.

[II 3] F. Antiochianus. Senator aus dem Osten des Reiches, vielleicht aus Phrygien, IGR 4, 893. Cos. ord. II 270 n. Chr., PIR² F 203. Vielleicht verwandt mit F. [II 4].

[II 4] F. Antiochus. Cos. *suff.* in einem unbekannten Jahr vor 244/249 n. Chr.; in dieser Zeit als consularer Statthalter von Syria Coele bezeugt [1]. Vielleicht Vater von F. [II 3].

1 Dura Europos. Final Report 5, 1, 1959, 173 ff. Nr. 38.

[II 5] M. (F.) Aper. Senator aus Gallien, der es zumindest bis zur Praetur brachte; wohl Vater von F. [II 6]. Von Tacitus als Gesprächspartner im *Dialogus* eingeführt, SYME, RP II 701 f.; VI 226 f.; PIR² A 910; F 206.

[II 6] [M.] F. Aper. Senator, der im J. 105 n. Chr. im Senat intervenierte; damals wohl consularen Ranges, vielleicht cos. *suff.* 103, wohl Sohn von F. [II 5], Vater von F. [II 7]. SYME, RP VI 226 f.; VIDMAN, FO² 46. 98.

[II 7] M. F. Aper. Sohn von F. [II 6]. Statthalter von Lycia-Pamphylia im J. 125 n. Chr., cos. ord. 130.

W. ECK, in: Chiron 13, 1983, 160 ff. · WÖRRLE, Stadt und Fest, 1988, 35 ff. · PIR² F 208.

[II 8] M. F. Aper. Cos. *suff.* ca. 155/160 n. Chr., cos. ord. II 176; Sohn von F. [II 7], ALFÖLDY, Konsulat 194; PIR² F 209.

[II 9] T. F. Aper Commodianus. Cos. *suff.* vor 222 n. Chr., consularer Statthalter von Germania inferior 222 und 223. ECK, Statthalter 207 f.; PIR² F 210.

[II 10] F. Archippus. Philosoph, der aus Prusias in Bithynien stammte. Er war vom Proconsul Velius (oder Vettius) Paulus um 79/80 n. Chr. wegen Fälschung eines Testaments zur Bergwerksarbeit verurteilt, später aber von Domitian vor dem J. 86 restituiert und privilegiert worden; vermutlich erhielt er damals auch das röm. Bürgerrecht. Unter Traian wurde er vor Plinius angeklagt, weil er auf seine Immunität pochte. Traian bestätigte ihm diese wie zuvor schon Nerva (Plin. epist. 10,58–60). Eine Anklage von seiner Seite gegen Dion [I 3] Chrysostomos blieb ohne Erfolg (Plin. epist. 10,81 f.).

C. P. JONES, The Roman World of Dio Chrysostom, 1978, 100 ff.

[II 11] T. F. Artemidorus. Bürger von Adana und Antiocheia in Syrien. Als Pankratiast siegreich, auch beim ersten kapitolinischen Agon unter Domitian, PIR² F 221.

[II 12] Q. F. Balbus. Proconsul von Achaia (IGLS XIII 9074); praetorischer Statthalter von Arabia wohl unter Caracalla oder Elagabal, anschließend *cos. suff.* PIR² F 227.   W.E.

[II 13] F. Boethus aus Ptolemais in der Prov. Syria Palaestina, Förderer Galens (Gal. 2,215; 19,13). *Consul suffectus* vor 163 n.Chr. (Gal. 2,215), verließ Rom vor 166 als *legatus proconsularis* seiner Heimatprov. Dieses Amt übte er bis zu seinem Tod aus (Gal. 19,16). Seine Frau sowie sein Sohn Kyrillos zählten zu den Patienten Galens zur Zeit von dessen erstem Romaufenthalt (Gal. 14,641; 635). Als Liebhaber der Philos. und Lit. (Gal. 14,5) sowie als Schüler des Alexandros von Damaskos und Freund des Philosophen Eudemos bevorzugte er die aristotelische Philos. (Gal. 14,625; 612). Wißbegierig nahm er an Galens Sektionen teil und ließ sich die Protokolle zur Nachbereitung kopieren (Gal. 14,630). Auf seine Nachfrage hin schrieb Galen mindestens neun in der Mehrzahl anatomische Traktate, darunter *De usu partium* und *De placitis Hippocratis et Platonis*. Diese Schriften nahm F. B. mit nach Palaestina oder ließ sie sich dorthin zustellen.

→ Galenos   V.N./Ü: L.v.R.-B.

[II 14] F. Caper. Grammatiker um 200 n.Chr. Seine Schriften, v.a. *De Latinitate*, repräsentieren jene Richtung der röm. Gramm., die seit → Verrius Flaccus die modernere Sprachentwicklung mit der älteren kontrastierte und sich in Orthoepie (Anwendung korrekter gramm. Formen, Wortwahl in der gebildeten Sprache) wie Orthographie um die Festlegung einer Sprachnorm bemühte. F. C. steuert in der Ablehnung einer extrem analogistischen Fixierung wie einer archaisierenden Engführung einen mittleren Kurs und ist zugleich darum bemüht, die sprachlichen Eigentümlichkeiten der *veteres* zu registrieren.

Werke: 1. *De dubiis generibus*, eine Zusammenstellung der Nomina mit wechselndem gramm. Geschlecht, war wohl als Vorarbeit zu *De Latinitate* gedacht und lebt in Nonius, B. 3 (*De indiscretis generibus*) und dem *Anonymus De dubiis nominibus* (GL 5,567–594) nach. – 2. F.C.s Hauptwerk *De Latinitate* war nach Art der üblichen *Artes* in der Reihenfolge der Wortarten angelegt und versuchte, aus einer Fülle von Einzelbelegen die korrekte Schreibart, gramm. Genus, (Flexions-)Form oder Ausdrucksweise herauszufiltern. Einen Eindruck des Originals vermitteln der Anon. bei Char. 1,15; Prisc. 6 sowie Ps.-Probus, *De nomine*. Vorausgesetzt sind die *Dubii sermonis libri* des älteren → Plinius, die F. C. nach den direkten Vorgängern Probus, Terentius Scaurus und Caesellius Vindex modernisierte. Beginnend mit → Iulius Romanus wurden F.C.s Materialien von der am gelehrten Detail interessierten artigraphischen (Diomedes; Priscianus, zumal B. 3–10), lexikographischen (Arusianus Messius) und Komm.-Tradition (Servius)

verwendet und zu Lasten des Originals gleichsam aufgesaugt. Restexzerpte sind in der spätant., unter F.C.s Namen laufenden Schrift *De orthographia* (GL 7,92–107) mit der Prosafassung eines gramm. Lehrgedichts und F.C.s erstem Werk verschmolzen, in *De verbis dubiis* (GL 7,107–112) erh. – 3. Auch an der Existenz von *Commentarii in Ciceronem*, mindestens zu den Reden, ist nicht zu zweifeln (vgl. Hier. adversus Rufinum 2,9).

G. KEIL, De F. C. grammatico, in: Dissertationes philologicae Halenses 10, 1889, 245–306 · L. JEEP, Priscianus, in: Philologus 68, 1909, 1–51 · A. HOELTERMANN, De F. C. grammatico, 1913 · K. BARWICK, Remmius Palaemon, 1922, 191 ff. · W. STRZELECKI, De F. C. Nonii auctore, 1936 · Ders., De Ps.-Capri 'orthographia', 1949 · P. L. SCHMIDT, in: HLL, § 438. 492.1.   P.L.S.

[II 15] T. F. Claudianus. *Cos. suff.* im J. 179 n.Chr. (AE 1990, 1023 = RMD III 185). Möglicherweise ist auf ihn CIL VI 1413 zu beziehen. PIR² F 236.

[II 16] T. F. Clemens. Sohn von F. [II 41]. Jüngerer Cousin Domitians, vor 69 n.Chr. geboren, da er sich vermutlich während der Kämpfe mit den Vitellianern auf dem Kapitol befand. Verheiratet mit Flavia [II 3] Domitilla, von der er mehrere Kinder (vielleicht sieben) hatte. Zwei seiner Söhne bestimmte Domitian als seine eigenen Nachfolger, weshalb er ihnen die Namen Vespasianus und Domitianus gab. Im J. 95 *cos. ord.* zusammen mit Domitian (VIDMAN, FO² 45). Noch im J. 95 von Domitian hingerichtet; der Grund angeblich Gottlosigkeit. Ob damit Hinneigen zum Judentum oder Christentum gemeint ist, bleibt unklar; getaufter Christ kann er nicht gewesen sein. PIR² F 240.

[II 17] L. F. Cleonaeus. Nach CIL VI 31808 (= [1] = CIL VI 41123) *VII vir epulonum*; vermutlich in der Zeit Marc Aurels. Falls auch CIL VI 1545 = 41124 auf ihn zu beziehen ist, gelangte er bis zum Consulat und zur *cura alvei Tiberis*.

1 G. CAMODECA, in: EOS 1,539 ff.

[II 18] T. F. Coelianus. *Cos. suff.* im J. 289 n.Chr., vermutlich von Mai bis August, CIL X 4631 = InscrIt XIII 1, p. 269; W. ECK, in: ZPE 118, 1997, 275 ff. PIR² F 246.

[II 19] T. F. Constans. Als *praefectus praetorio, eminentissimus vir* dedizierte er der Göttin Vagdavercustis in Köln einen Altar; möglicherweise stammte er aus der Kolonie [1. Anm. 19]. Vielleicht identisch mit dem Procurator von Dacia inferior im J. 138 n.Chr. PIR² F 247.

1 W. ECK, in: EOS 2, 545.

[II 20] T. F. Damianus. Bürger von Ephesos, Sophist, der nach Philostratos seine Heimatstadt reich mit Bauten ausstattete (Philostr. soph. 2,23), wo er mit 70 Jahren starb. Dort wurde auch sein Sarkophag gefunden. Drei seiner Söhne, T. F. Damianus, T. F. Phaedrus und T. F. Vedius Antoninus, wurden Anfang des 3. Jh. n.Chr. Consuln.

PIR² F 253 · H. HALFMANN, in: EOS 2, 629 · C. SCHULTE, Die Grammateis von Ephesos, 1994, 184 ff.

[II 21] T. F. Decimus. *Cos. suff.* wohl zu Anfang der Herrschaft des Septimius Severus, Proconsul von Africa im J. 209 n. Chr. THOMASSON, Fasti Africani 82.

[II 22] [T.] F. Decimus. *Cos. suff.* wohl Nov./Dez. 289 n. Chr. (CIL X 4631 = InscrIt XIII 1, p. 269).

W. ECK, in: ZPE 118, 1997, 275 ff.

[II 23] (F.) Domitianus. Sohn von F. [II 16]. Domitian bestimmte ihn mit seinem älteren Bruder F. [II 48] Vespasianus, obwohl beide noch sehr jung waren, zu seinen Nachfolgern. → Quintilianus wurde ihr Lehrer. PIR² F 257. 397.

[II 24] F. Earinus. Kastrierter Liebling des Domitianus. Stammte aus Pergamon, kaiserlicher Freigelassener. PIR² F 262.

[II 25] T. F. Geminus. Ritter in der severischen Zeit. Nach ritterlichen *militiae* Procurator für den Census in der Belgica und Statthalter der Alpes Atrectianae und der Vallis Poenina.

F. BÉRARD, in: Gallia 52, 1995, 347 ff.

[II 26] T. F. Italicus. Ritterlicher Statthalter von Dacia inferior im J. 133 n. Chr. (AE 1962, 255 = RMD I 35). PFLAUM Suppl. 42 f.

[II 27] F. Iulianus. Praetorischer Legat von Cilicia im J. 217 n. Chr. (AE 1954, 8); unter Elagabal praetorischer Legat von Arabia.

W. ECK, RE Suppl. 14, 120 f. · PIR² F 295.

[II 28] F. Iuvenalis. Praetorianerpraefekt unter Didius [II 6] Iulianus, dann auch unter Septimius Severus; vielleicht aus Africa stammend.

A. BIRLEY, The African Emperor, 1988, 102 f. · PIR² F 300.

[II 29] T. F. Longinus Q. Marcius Turbo. Ritter, wohl von dem hadrianischen Praetorianerpraefekten Marcius Turbo adoptiert. Nach ritterlichen Offiziersstellungen Quaestor von Aelius Caesar im J. 137 n. Chr., nach der Praetur Legionslegat und Statthalter der Lugdunensis. Ca. 149 *cos. suff.*; 151/2 *curator operum publicorum*; um 154/156 Statthalter von Moesia inferior.

KOLB, Bauverwaltung 208 f. · PIR² F 305.   W. E.

[II 30] F. Manlius Theodorus → Theodorus

[II 31] F. Maternianus. Wohl Ritter, Stellvertreter des Praetorianerpraefekten in Rom, als Caracalla im Osten weilte. Er warnte den Kaiser brieflich vor Macrinus, der die Magier wegen der Zukunft befragt hatte, was als Hochverrat galt. Da der Brief abgefangen wurde, ließ Macrinus F. später töten. PIR² F 317.

[II 32] F. Mon[tanus] Maximil[lianus?]. Proconsul in Asia im 3. Jh. n. Chr., IEph. III 698.

[II 33] T. F. Pergamus. Kaiserlicher Freigelassener; Procurator auf Corsica, in der Narbonensis, in der regio Syriatica und in der Provinz Asia, IEph. III 855. 855A.

[II 34] T. F. Philinus. *Cos. suff.* im frühen 3. Jh. n. Chr. Er stammt aus Thespiae. AE 1953, 51.

C. P. JONES, in: GRBS 21, 1980, 378 f. · W. ECK, RE Suppl. 14, 121 · PIR² F 331.

[II 35] T. F. Piso. Ritter. Er nahm an dem kaiserlichen *consilium* über das Bürgerrecht des Zegrenserfürsten Aurelius Iulianus im J. 177 n. Chr. teil (AE 1971, 534. *Praefectus annonae* im J. 179, AE 1973, 126; *praefectus Aegypti* im J. 182, PFLAUM, Suppl. 47 f.

[II 36] [?F]l. Postumus. Consularer Statthalter der Tres Daciae ca. 211/213 n. Chr. AE 1978, 678; PISO, FPD 168 f.

[II 37] F. Ranius Pollio Flavianus. Sohn des Legaten von Asia F. Pollio Flavianus; die Familie stammt aus Africa. AE 1993, 1734; 1748.

PIR² F 340 · W. ECK, RE Suppl. 14, 121 · M. CORBIER, in: EOS 2, 708 f.

[II 38] P. F. Pudens Pomponianus. Senator, der aus Thamugadi stammte und es bis zum Proconsulat von Creta et Cyrenae brachte. SEG 36, 1464; M. LE GLAY, in: EOS II 772; PIR² F 346.

[II 39] (F.) Sabinus. Sohn des T. F. Petro aus Reate im Sabinerland. Zunächst bei der Zollerhebung in Asia tätig, später wirkte er als Geldverleiher bei den Helvetiern. Ob er ritterlichen Rang hatte, ist unsicher. Verheiratet mit Vespasia Polla. Seine Söhne waren F. [II 40] und der spätere Kaiser → Vespasianus. PIR² F 351; DEMOUGIN 245 f.

[II 40] T. F. Sabinus. Sohn von F. [II 39] und Vespasia Polla, älterer Bruder des späteren Kaisers Vespasianus. Nach Tacitus hist. 3,75,1 (zum J. 69 n. Chr.) war er 35 Jahre im Dienst der *res publica* tätig. Ob dies einen Beginn seiner Laufbahn im J. 34 bedeutet, ist unsicher; geb. jedenfalls vor 9 n. Chr. Als Legionslegat am Britannienfeldzug des Claudius [III 1] beteiligt (BIRLEY 224), *cos. suff.* wohl im J. 47 [1; 2. 263]. Für sechs Jahre Statthalter von Moesia; wahrscheinlich vorgesehen für die Durchführung des Census in Gallien, dann aber 61 zum Stadtpraefekten ernannt (das Amt hatte er vielleicht schon früher innegehabt). Von Galba im J. 68 abgesetzt, von Otho wieder ernannt, blieb er auch unter Vitellius in diesem Amt. Auch nach der Erhebung seines Bruders Vespasian zum Kaiser beließ ihn Vitellius in seiner Funktion. Im Spätherbst 69 handelte F. mit Vitellius dessen Rücktritt aus; als der Plan scheiterte, kam es zu Kämpfen zwischen den Stadtkohorten unter Sabinus und den Vitellianern auf dem Kapitol, wobei Sabinus am 19. oder 20. Dez. getötet wurde. Anf. 70 erhielt er ein *funus censorium*, CIL VI 31293. Sein Sohn ist F. [II 38]. Eine Tochter heiratete Caesennius [3], *cos. ord.* 61.

1 S. PANCIERA, in: EOS I 609 ff. 2 G. CAMODECA, L'archivio Puteolano dei Sulpicii, 1992.

[II 41] T. F. Sabinus. Wohl Sohn von F. [II 40]. Als designierter Consul im J. 69 n. Chr. Befehlshaber othonischer Truppen; Anschluß an Vitellius; *cos. suff.* von April bis Ende Juni 69; 72 *cos. suff.* II. *Curator operum publicorum* unter Titus oder kurz vorher. Seine Söhne sind F. [II 16] und [II 42]. KOLB, Bauverwaltung 155; PIR² F 354.

[II 42] T. F. Sabinus. Wohl Sohn von F. [II 41]; Bruder von F. [II 16]. Während der Kämpfe gegen die Vitellianer auf dem Kapitol anwesend. Verheiratet mit Iulia, Titus' Tochter. 82 n. Chr. *cos. ord.* zusammen mit Domitian; später von diesem hingerichtet; die Gründe sind nicht klar.

> C. P. JONES, The Roman World of Dio Chrysostom, 1978, 46 f. · B. W. JONES, The Emperor Domitian, 1992, 44 ff. · PIR² F 355.

[II 43] F. Scaevinus. Senator, der an der pisonischen Verschwörung gegen Nero teilnahm, aber von seinen Sklaven verraten wurde. PIR² F 357.

[II 44] L. F. Silva Nonius Bassus. Senator aus Urbs Salvia. Verwandt mit → Salvius Liberalis, vielleicht auch mit dem flavischen Kaiserhaus. Aufnahme in den Senat unter Nero, von Vespasian und Titus unter die Praetorier aufgenommen, Legat der Provinz Iudaea, wo er die Festung Masada im April 73 oder 74 n. Chr. eroberte. 81 *cos. ord.* Er baute in Urbs Salvia das Amphitheater.

> W. ECK, Senatoren von Vespasian bis Hadrian, 1970, 93 ff. · Ders., in: Picus 12/13, 1992/93, 87 ff. · H. M. COTTON, in: ZPE 78, 1989, 157 ff. · M. F. FENATI, Lucio Flavio Silva Nonio Basso e la Città di Urbisaglia, 1995.

[II 45] T. F. (Claudius) Sulpicianus. Wohl aus Hierapytna auf Creta stammend. Senator, *frater Arvalis* mindestens seit 170/176 n. Chr.; *cos. suff.* unter Marc Aurel, *proconsul Asiae* unter Commodus (SEG 30, 1349). CIL VI 31712 (cf. Addenda in CIL VI suppl. VIII zu 31712) ist auf ihn zu beziehen. Schwiegervater von Pertinax, der ihn 193 zum Stadtpraefekten machte. Als er sich nach dessen Tod um die Kaiserwürde bemühte, war Didius [II 6] Iulianus erfolgreich; F. verlor das Amt des Stadtpraefekten. Wohl im J. 197 von Septimius Severus als Anhänger des Clodius [II 1] Albinus getötet.

> HALFMANN 187 f. · SCHEID, Collège 87 f., 410 ff. · PIR² F 373.

[II 46] Q. F. Tertullus. *Cos. suff.* 133 n. Chr., Proconsul von Asia 148/9. AE 1981, 845 = RMD II 100; PIR² F 376.

[II 47] F. Ulpianus. Praetorischer Statthalter von Cilicia 202 n. Chr. (THOMASSON, I 291); *cos. suff.*; consularer Statthalter von Moesia inferior ca. 210–212/3.

> D. BOTEVA, in: ZPE 110, 1996, 244 f.

[II 48] (F.) Vespasianus → F. [II 23].   W. E.

Flavus. Röm. Cognomen (»goldgelb«, »blond«, wohl nach der Haarfarbe), in republikanischer Zeit bei C. Alfius [I 6] F., der Familie der Decimii, Sp. → Larcius F. und L. → Lucretius Triticipinus F.

> KAJANTO, Cognomina 227.   K.-L. E.

[1] Bruder des → Arminius aus cheruskischem Stammesadel. Sohn des → Segimerus, Schwiegersohn des Chattenprinceps Actumerus (Tac. ann. 11,16,1), Vater des → Italicus [1. 201 f.]. F. stand auch nach 9 n. Chr. auf röm. Seite. Bezeugt sind Einsätze unter → Tiberius (dabei verlor er ein Auge), → Germanicus (16 n. Chr.) und mil. Auszeichnungen; die genaue Laufbahn ist unsicher. Tacitus stellt dem »Verräter« F. den *liberator* Arminius in der fiktiven Streitrede über die Weser gegenüber: F. rühmt die *magnitudo Romana.* Arminius preist die Freiheit der Väter (Tac. ann. 2,9 f.). Noch 47 n. Chr. nennt man F. *explorator* (Tac. ann. 11,16,3), d. h. wohl »Spion« [2. 43]. Als Gegenbild zum »Befreier« Arminius begegnet der »Kollaborateur« F. seit dem Humanismus in nationalistischen Darstellungen des röm.-german. Konflikts.

> 1 A. BECKER, Rom und die Chatten, 1992 **2** D. TIMPE, Arminius-Studien, 1970 **3** Ders., s. v. F., RGA 9, 174 f.
>   V. L.

Fledermaus. Wegen ihres abendlichen Erscheinens hieß sie νυκτερίς (*nykterís*) bzw. *vespertilio*. Aus dem Orient kannte man wohl auch den Flugfuchs (Pteropus medius Tem.) als ἀλώπηξ (*alópēx*, Aristot. hist. an. 1,5,490a 7) bzw. νυκταλώπηξ (*nyktalópēx*, Ps.-Kallisthenes 3,17,21; Strab. 16,1,7 = p.739; vgl. Hdt. 3,110, danach Plin. nat. 12,85). Die Ordnung der Pelzflatterer Chiroptera wird von Aristot. hist. an. 1,1,487b 22 f. und 490a 7 f. als Hautflügler (δερμόπτερα, vgl. Plin. nat. 11,228: *siccis membranis volat*) in die Nähe der Vögel gerückt. Plin. nat. 10,168 charakterisiert die F. als von Stechmücken (*culices*) lebendes Flugtier (*volucrum animal*) mit Milchnahrung für die beiden im Fluge mitgeführten Jungen. Macrobius (Sat. 7,16,7) und Aristophanes von Byzantion (epitome 2,436–440: hervorragende Beschreibung!) betrachten sie trotz ihrer unsicheren systematischen Stellung (*incerta natura*, Macr. ebd.) als Säugetier. Hom. Od. 12,433 erwähnt ihre Hängestellung und 24,6–8 ihren schwirrenden Flug unter Ausstoßen von piepsenden Lauten (t.t. τρίζειν/*trízein*; *stridere*, Anth. Lat.).

Die F. gilt als klug (Aisop. 84; 182 H.), aber furchtsam (Aisop. 181 H.). Ihre unheimliche nächtliche Aktivität suchte man mit Hilfe des Rauches von Efeublättern (Geop. 15,1,14) zu unterbinden. Plinius empfiehlt ihr Herz gegen Ameisen (nat. 29,92), ihren getrockneten Kopf gegen Schläfrigkeit (nat. 30,140), ihr Blut oder Gehirn zur Beseitigung von Haaren (nat. 30,132), ihr Blut mit Igelgalle und Wasser (nat. 30,121) gegen Hautflechten (*vitiligines*) und anderes mehr (vgl. Geop. 12,8). Zum Schutz gegen die F. sollen die Störche, deren Eier die F. angeblich in (unfruchtbare) Windeier verwandelt, Platanenblätter aufs Nest legen (Ail. nat. 1,37; vgl. Plin. nat. 24,44; Geop. 15,1,18; S. Emp. P. H. 1,58). Zu diesen (Ail. nat. 1,37) lebte sie daher in Feindschaft, ebenso zur Eule (Dionysios [29] 1,16 [1. 12]) und zum Wiesel (Aisop. 182 HAUSRATH). Der Sage nach sollen die Minyastöchter (nur eine bei Antoninus Liberalis 10 nach Nikander; Ail. var. 3,42) in F. verwandelt worden sein (Ov. met. 4,402 ff., ohne Nennung des Tiernamens; Plut. qu. Gr. 38). Als Spitzname taucht »F.« bei

Aristophanes auf, der den blassen und mageren Sokratesschüler Chairephon als *Nykterís* bezeichnet (Aristoph. Av. 1564; [2. 1,12]). Ulpian nennt nächtliche Fußgänger *vespertiliones* (Dig. 21,2,31).

1 A. GARZYA (ed.), Dionysii Ixeuticon libri, 1963 2 KELLER.
C. HÜ.

Fleischkonsum I. GRIECHENLAND II. ROM

I. GRIECHENLAND

Die Ernährung der Griechen war in der Ant. weitgehend vegetarisch und bestand wie in den meisten prämodernen Agrarges. aus Getreide, Hülsenfrüchten, Gemüse und Früchten. Oliven (eingelegt oder in Form von Öl), Käse, Fisch und Fleisch ergänzten die Nahrung und lieferten tierische und pflanzliche Fette; für die meisten Menschen bestand nur ein kleiner Teil ihrer Nahrung aus Fleisch. Die lit. Zeugnisse können hier irreführend sein: Die Helden der Epen Homers scheinen von Fleisch gelebt und große Herden besessen zu haben, und die Zubereitung einzelner Teile von Tieren wird ausführlich von den Komödiendichtern Athens beschrieben, die im 3. Jh. n. Chr. von Athenaios in großer Zahl zitiert werden (Athen. 94c–96f). Obgleich bei Homer die Helden große Viehherden besaßen, wurde die zivilisierte Menschheit als σιτοφάγος (»kornessend«, Hom. Od. 9,191; vgl. Hdt. 4,109,1) bezeichnet. Das Interesse der Komödiendichter an den Festessen zeigt, wie knapp Fleisch normalerweise war.

Dennoch spielte Fleisch eine wichtige Rolle im sozialen Leben; Tieropfer, die Göttern und Heroen dargebracht wurden, gehörten zu den wichtigsten Kulthandlungen der Griechen und stellten bedeutende soziale Ereignisse für die gesamte Bürgerschaft einer Polis dar. Die große Mehrzahl an Knochen von Haustieren wurde in Heiligtümern gefunden. Fast jeder Schlachtvorgang war ein Geschenk an die Götter, obwohl praktisch alle eßbaren Teile der geopferten Tiere von den Menschen, die der Kulthandlung beiwohnten, verzehrt wurden; bisweilen wurde verlangt, daß dies im Heiligtum selbst geschah, bisweilen konnte das Fleisch auch zu Hause gegessen werden. In einzelnen Fällen wurde das Fleisch verkauft, wie es etwa in Thorikos (Attika) verlangt wurde (SEG 33,147, um 430 v. Chr.). Tiere, die Mißbildungen aufwiesen oder verletzt waren, sowie Pflug- oder Zugochsen durften nicht geopfert werden und wurden daher im einzelnen Haushalt geschlachtet und verzehrt.

Hauptsächlich wurden Haustiere für Opfer verwendet: Schweine, Ziegen, Schafe und Rinder. In den meisten Regionen Griechenlands konnten allein Ziegen und Schafe gehalten werden, die daher häufiger als Rinder geopfert wurden; in der klass. Epoche dienten v. a. junge Schweine diesem Zweck. In späteren Jahrhunderten hat man zunehmend auch das Fleisch von ausgewachsenen Schweinen gegessen.

Der Anteil von Fleisch an der Ernährung war ohne Zweifel von der Kaufkraft der Bevölkerung und von örtlichen Gegebenheiten abhängig. In Bergregionen wie Epeiros und Illyrien, in denen es eher Viehzucht als Ackerbau gab, wurde mehr Fleisch produziert und konsumiert. Dicht bevölkerte Regionen wie etwa Attika hatten hingegen kaum ausreichend Weideflächen für Tiere. Da aber für die häufigen Feste gerade in Athen viele Opfertiere benötigt wurden, mußten diese wahrscheinlich eingeführt werden; über derartige Importe fehlen jedoch genauere Angaben.

1 A. BURFORD, Land and Labour in the Greek World, 1993, 146–156 2 ISAGER/SKYDSGAARD, 89–93 3 M. JAMESON, Sacrifice and Animal Husbandry in Classical Greece, in: WHITTAKER, 87–119 4 W. RICHTER, s. v. Ziege, RE 10A, 415–418 5 V. ROSIVACH, The System of Public Sacrifice in Fourth-Century Athens, 1994. MI. JA./Ü: A. BE.

II. ROM

Grundsätzlich waren im Imperium Romanum viele Fleischsorten verfügbar, aber ein großer Teil der Bevölkerung hat allenfalls sporadisch Fleisch gegessen. Hauptsächlich wurden Schweine, Rinder, Schafe und Ziegen geschlachtet, wobei das Schwein das einzige ausschließlich für die Fleischerzeugung gezüchtete Tier war (Varro rust. 2,4; Colum. 7,9–11; Plin. nat. 8,205–213); Euter, Leber und andere Teile des Schweines werden im → Edictum [3] Diocletiani unter den Nahrungsmitteln eigens aufgeführt (4,4 ff.). Es existierte ein überregionaler Vieh- und Fleischhandel mit großen Märkten in It. (etwa Campi Macri in Gallia Cisalpina; Varro rust. 2 praef. 6), aber auch in Rom (Forum boarium, suarium). Der *censor* Ti. Sempronius Gracchus ließ bereits 169 v. Chr. Läden für Schlachter in Rom bauen (Liv. 44,16,10 f.). Im Umfeld großer Städte ist eine gezielte Zucht von Geflügel und Kleintieren für den Bedarf wohlhabender Familien anzunehmen (*pastio villatica*; Varro rust. 3). Wahrscheinlich gab es auch Märkte für Jungtiere (Colum. 7,9,4); viele Tiere, etwa Hasen oder Geflügel, wurden lebend auf dem Markt angeboten. Da Kühlmöglichkeiten fehlten, wurde Frischfleisch vorwiegend im Herbst und Winter verzehrt. Die Konservierung erfolgte durch Salzen (Cato agr. 162; Colum. 12,55), Räuchern und Lufttrocknen. Das Fleisch von Opfertieren war für die Versorgung der Bevölkerung mit Frischfleisch von Bed.; für die Christen war der Verzehr dieses Fleisches problematisch, zumal wenn dessen Herkunft bekannt war; sie waren daher von den Fleischmärkten weitgehend ausgeschlossen (1 Kor 8; 10,14–33; vgl. Plin. epist. 10,96,10).

Die stadtröm. Bevölkerung wurde in der Prinzipatszeit durch den freien Handel mit Fleisch versorgt; in der Spätant. wurde Fleisch zum Bestandteil der öffentlichen Lebensmittellieferungen für die Verwaltung, das Heer und die Bevölkerung der Hauptstädte (Rom, Konstantinopel). In Rom wurde die Fleischversorgung seit Beginn des 4. Jh. n. Chr. durch die Verwaltung organisiert (*tribunus fori suarii*; vgl. Zos. 2,9,3). Die *plebs frumentaria* erhielt seit Anfang des 5. Jh. n. Chr. Fleisch während der Monate November bis März (monatlich 5 röm. Pfd., also ca. 8 kg im Jahr). Insgesamt sollten pro Tag 4000 Rationen ausgeteilt werden; es kann damit auf eine Zahl von etwa 120 000 Empfängern geschlossen werden (Cod. Theod. 14,4,10,3; 14,4,10,5 vom 29.7.419 n.Chr.). Die *suarii*, die für die Lieferung der Schweine zuständig waren, bildeten ein *corpus* (die Edikte zu den *suarii*: Cod. Theod. 9,30,3; 14,4; Nov. Val. 36). Die Aufnahme von Fleisch in die öffentlichen Lebensmittellieferungen deutet wahrscheinlich auf eine Änderung der Eßgewohnheiten in Rom während der Spätant. hin. Bildliche Darstellungen von Fleischern und dem Fleischverkauf finden sich auf zahlreichen Grabreliefs in It.

→ Ernährung; Fleischspeisen

1 J. ANDRÉ, L'alimentation et la cuisine à Rome, ²1981 2 S. J. B. BARNISH, Pigs, plebeians and potentes. Rome's economic hinterland c. 350–600 AD., in: PBSR 55, 1987, 157–185 3 M. CORBIER, The ambiguous status of meat in ancient Rome, in: Food & Foodways 3, 1989, 223–264 4 J. FRAYN, The Roman meat trade, in: J. WILKINS, D. HARVEY, M. DOBSON (Hrsg.), Food in antiquity, 1995, 107–114 5 P. HERZ, Studien zur röm. Wirtschaftsgesetzgebung. Die Lebensmittelversorgung, 1988, 277ff. 6 M. ISENBERG, The sale of sacrificial meat, in: CPh 70, 1975, 271–273 7 JONES, LRE, 702ff. 8 W. RINKEWITZ, Pastio Villatica, 1984 9 I. SCHWARZ, Diaita. Ernährung der Griechen und Römer im klass. Altertum, 1995 10 B. SIRKS, Food for Rome, 1991, 361–387. 11 ZIMMER, 1–17; 180. P.H.

Fleischspeisen. Sammelbegriff für Speisen aus dem Muskelgewebe und den Innereien von Säugetieren und Vögeln. In der Ant. bereitete man F. zu einem kleineren Teil aus Vögeln (z.B. → Amsel, → Drossel, → Ente, → Gans, → Huhn, → Taube, → Wachtel) und Wild (insbesondere → Hase, Rotwild (→ Hirsch), Wildschwein (→ Schwein), in röm. Zeit zusätzlich auch Kaninchen und Haselmaus). Die meisten F. wurden aus dem Fleisch der Haustiere → Schaf, → Schwein, → Rind und → Ziege gekocht. Aus dieser Gruppe ist bes. das Schwein hervorzuheben, weil es als einziges Haustier ausschließlich zum Schlachten gehalten wurde und seit der griech. Klassik bzw. der späten röm. Republik für das meiste und qualitativ beste Fleisch sorgte (Varro rust. 2,4,10; Plin. nat. 8,209). Letzterer Aspekt schlug sich auch im Preis nieder: Schweinefleisch kostete Anfang des 4. Jh. n.Chr. fünfzig Prozent mehr als das Fleisch der übrigen Schlachttiere (CIL III 2, p. 827 4,1–3).

Mangels der heute bekannten Kühlmethoden mußte Fleisch sofort verbraucht oder durch Pökeln, Räuchern, Trocknen oder Verwurstung haltbar gemacht werden. Fleischkonserven wie Schinken, Speck oder Würste waren ein vergleichsweise teures Handelsgut (CIL III 2, p. 827 4,7–16).

Das in der Küche verwendete Fleisch war mit Ausnahme des Schweinefleisches meist zäh und mager. Deshalb wurde es regelmäßig weich gekocht, bevor es geröstet oder im Ofen bzw. in der Pfanne gebraten wur-

de. Daß diese Art der Zubereitung auch in der feinen Küche der Oberschicht begegnet (Apicius 6,9,1; 7,10; 8,8,1), die grundsätzlich zartes Fleisch junger Tiere bevorzugte (Iuv. 11,66–67), zeigt, daß es sich dabei auch um eine Mode handelte. Die Unterschichten aßen Fleisch – wenn überhaupt – nur als Beilage zur Hauptspeise, dem Brot bzw. dem Brei aus Hülsenfrüchten; dabei kamen selten mehr als Speck oder billige Innereien wie Kaldaunen auf den Tisch. Dagegen wurden Mahlzeiten in vornehmen Haushalten gern mit Vorspeisen von Geflügel und hochwertigen Innereien eröffnet (Apicius 4,5,1–2); insbesondere Gebärmutter (→ *uterus*), Euter und Leber des Schweins galten als → Delikatesse. Die Hauptspeise bildete dann häufig ein ganzes gebratenes Tier (z.B. ein Fasan oder ein Ferkel), begleitet von einer aufwendigen Sauce.

Der regelmäßige Verzehr von F. hing überwiegend vom Einkommen ab. Während in der ant. Welt urspr. die vegetarische Nahrung vorgeherrscht hatte, stieg mit wachsendem Reichtum die Nachfrage nach Fleisch in Griechenland und später auch in It. (Athen. 10,419–420; Plaut. Pseud. 810–825). Das Angebot verbesserte sich, und in der röm. Kaiserzeit schließlich wurde in allen Schichten Schlachtviehfleisch gegessen (Iuv. 11,78–85). Dabei hielt sich der Verbrauch vor allem in den städtischen Unterschichten weiterhin in engen Grenzen, während F. in vornehmen Kreisen ein alltägliches Genußmittel waren.

→ Ernährung; Fleischkonsum

J. ANDRÉ, L'alimentation et la cuisine à Rome, ²1981, 114–148 · L. BODSON (Hrsg.), L'animal dans l'alimentation humaine: les critères de choix, 1988 · A. DALBY, Siren Feasts. A History of Food and Gastronomy in Greece, 1996 · E. FOURNIER, s.v. Cibaria, DS 1,2, 1157–1162 · J. HAUSSLEITER, s.v. Fleisch II (als Nahrung), RAC 7, 1105–1110 · F. ORTH, s.v. Kochkunst, RE 11, 944–982. A.G.

Flevum. German. Name (»das flutende, strömende [Gewässer]«) für den nördlichsten Mündungsarm des Rheins: Plin. nat. 4,101 (*F. ostium*); Mela 3,24 (*lacus Flevo*, ehem. Zuidersee, h. Ijsselmeer); vgl. Ptol. 2,11,12. Tac. ann. 4,72,3 nennt ein von Frisii 28 n.Chr. belagertes röm. *castellum F.*, das bei Velsen lokalisiert wird [1]. Ob die *Flevi* im Laterculus Veronensis 13 von F. abgeleitet sind, ist strittig [2; 3].

→ Rhenus

1 J.-M. A. W. MOREL, A. V. A. J. BOSMAN, Velsen-Noord Spaarndammer polder, in: Archeologische Kroniek van Holland 1, 1989 (1990), 311–314 2 O. BREMER, Ethnographie der german. Stämme, ²1904, 146 3 SCHÖNFELD, 88.

G. NEUMANN, s.v. F., RGA 9, 191. K.DI.

Flexion. Überbegriff über alle Arten von Veränderungen, die bei der Bildung von Formen zu einem gegebenen Stammwort (Lemma) auftreten; die F. umfaßt die Dekl. als die Bildung nominaler (subst., adj. und pronominaler) und die Konjugation als die Bildung verbaler Formen. Bei der F. treten verschiedene Verfahren zutage, die sich grob in affixale und eigentliche flexivische einteilen lassen; in den idg. Sprachen des Altertums, aber auch der Neuzeit sind beide gleichermaßen vertreten.

Die affixalen Verfahren umfassen ihrerseits Präfixe (vorangestellte), Suffixe (nachgestellte) und Infixe (eingefügte Elemente). Als präfixale Bestandteile der Verbalflexion lassen sich z. B. das Augment des griech. Verbums, das *ge-* in dt. Ptz. (z. B. *ge-schrieben*) oder, als Sonderfall, reduplikative Elemente wie griech. λε- in λέλοιπα oder *pe-* in lat. *pe-perī* auffassen; Präverbien wie griech. περι- oder lat. *per-* sind demgegenüber nicht Mittel der Flexion, sondern der → Wortbildung, da mit ihnen neue selbständige Stammwörter gebildet werden. Als suffixale Elemente, die dem Bereich der F. zuzurechnen sind, können zunächst alle Arten von Endungen gelten, mit denen in den idg. Sprachen die nominalen Kategorien des Kasus, des Numerus und (teilweise) des Genus sowie die verbalen Kategorien der Person und des Numerus sowie (teilweise) des Tempus, des Modus und der Diathese (*genus verbi*) ausgedrückt werden. So kennzeichnet z. B. die Endung -α in einer griech. Nominalform wie πόδα, »den Fuß«, zugleich den Kasus Akk. und den Numerus Sing., die Endung -α in einer Verbalform wie λέλοιπα, »ich habe verlassen«, zugleich die 1. Person, den Sing., und (im Zusammenspiel mit der Reduplikation und dem Wurzelablaut, s.u.) das Perf., den Ind. und das Akt. Als Flexionselemente sind darüber hinaus verschiedene in älteren idg. Sprachen anzutreffende verbale Stammbildungssuffixe anzusehen wie z. B. das Präs.-Stammsuffix -νῡ- in griech. ζεύγ-νυ-μι »ich verbinde« gegenüber dem Aor.-Stammsuffix -σ- in ἔζευξα (ἔ-ζευγ-σ-α) »ich verband« oder das lat. -ē- des Präs.-Stammes in *pend-ē-s* »du hängst« gegenüber dem durch Reduplikation und bes. Endungen gekennzeichneten Perf. *pe-pend-istī* »du hast gehangen«. Derartige Suffixe können vielfach auch in Kombination auftreten wie im Falle des lat. Impft. *pend-ē-bā-s* »du hingst«, das das Impft.-Suffix -*bā-* neben dem Präs.-Stammsuffix -ē- enthält. Nicht immer leicht ist auch bei Suffixen die Scheidung zw. flexivischer, d. h. auf die Formenbildung, und derivativer, d. h. auf die Wortableitung bezogener Geltung. Als derivativ ist z. B. das griech. Suffix -ε- (< *-ej) in φοβέω »ich erschrecke, verscheuche« aufzufassen, das (im Zusammenspiel mit dem Wurzelablaut, s.u.) die sekundäre Bildung eines Kausativs (»ich veranlasse zu flüchten«) zu zugrundeliegendem φέβομαι »ich flüchte«, darstellt; auf einem entsprechenden Ableitungsvorgang beruhen lat. Verben wie *mon-ē-re* »ermahnen« (eigentlich »nachdenken machen«, zu *me-min-ī* < *me-men-) oder *noc-ē-re* »schaden« (eigentlich »untergehen lassen«). Infixe treten in den idg. Sprachen nur vereinzelt in Erscheinung. Faßt man als »Wurzel« dasjenige Element auf, das gewissermaßen den gemeinsamen Nenner aller von einem Wort bildbaren Formen ausmacht, so sind als Infixe strenggenommen nur solche Bestandteile zu bezeichnen, die bei der

F. in die Wz. eingefügt werden. Als ein aus der Grundsprache ererbtes Infix kann das in allen alten idg. Sprachen auftretende -*n*-Element genannt werden, das bei der Bildung von Präs.-Stämmen auftritt wie z. B. in lat. *(re)-li-n-qu-ō* »ich verlasse«, gegenüber Perf. *(re)-līqu-ī* »ich habe verlassen« (Wz. -*liqu-* ← uridg. *-likʷ-, griech. -λιπ-); im Lat. ist dieses Infix vielfach sekundär vom Präs.-Stamm auf andere Stämme übertragen worden wie z. B. bei *fingō* »ich forme« → Perf. *finxī* (aber nicht infigiertes Ptz. *fictus*; Wz. -*fig-* ← uridg. *-dʰiǵʰ-) oder *iungō* »ich verbinde« → Perf. *iūnxī* und → Ptz. *iūnctus*; die nicht infigierte Wz. -*iug-* (← uridg. *-i̯ug-, → griech. -ζυγ-) ist sichtbar im Subst. *iugum* »Joch« (← uridg. *i̯ug-o-m, → griech. ζυγόν, dt. *Joch*).

Den affixalen Formenbildungselementen stehen solche flexivische Verfahren gegenüber, bei denen Elemente des Wortinneren abgewandelt werden (sog. »innere Flexion«). In den idg. Sprachen betrifft dies v. a. eine systematische vokalische Abänderung, die man als → Ablaut bezeichnet und die in älterer Zeit für die nominale und verbale F., aber auch für die Wortderivation in gleichem Maße charakteristisch war. Als Ablaut stellt sich z. B. der zw. griech. λείπ-ω (Präs.) »ich verlasse« und λέ-λοιπ-α (Perf.) »ich habe verlassen« zu konstatierende Wandel des in der Wz. enthaltenen Vokals (-ε- versus -o- als »Abtönung«) dar, in Formen wie Aor. ἔ-λιπ-ον »ich verließ« darüber hinaus ganz schwindet (»Null-« oder »Schwundstufe«); ein vergleichbares Ablautschema zeigt innerhalb des Stammbildungssuffixes das Dekl.-Paradigma von Wörtern wie griech. πατήρ »Vater«, wo neben der sog. »Dehnstufe« im Nom. Sg. (-η- = -ē-) die »Vollstufe« (-ε- = -e-) im Akk. Sg. πατέρα und die »Schwundstufe« in Formen wie dem Gen. Sg. πατρός auftreten, darüber hinaus in der Derivation die »abgetönte Dehnstufe« (-ω- = -ō-) im Nom. Sg. εὐπάτωρ »adelig, von gutem Vater (abstammend)« und die »abgetönte Vollstufe« (-o- = -o-) im dazugehörigen Akk. Sg. εὐπάτορα. Durch lautliche Veränderungsprozesse (→ Sprachwandel) und durch die Wirkung von → Analogie sind urspr. Ablautsverhältnisse in den idg. Einzelsprachen vielfach entstellt oder beseitigt worden; so ist im lat. Präs. *(re)-linqu-ō* und Perf. *(re)-līqu-ī* aus dem urspr. Wechsel zw. »Schwundstufe« (*-li-n-kʷ-) und »abgetönter Vollstufe« (*-loikʷ-) ein sekundärer »Ablaut« von -*i*- und -*ī*- entstanden, indem sich *-oi̯- zu -ī- entwickelte; im Akk. *patrem* von lat. *pater*, »Vater« wurde die urspr. »Vollstufe« (*pₐtér-m̥ → griech. πατέρα) analogisch durch die Schwundstufe verdrängt.

Die menschlichen Sprachen können, je nachdem, welche Formenbildungsverfahren sie bevorzugen, in verschiedene Typen eingeteilt werden. Dabei stehen die idg. Sprachen, die, wie dargestellt, alle denkbaren Elemente nebeneinander verwenden, als sog. »flektierende« z. B. den sog. »agglutinierenden« Sprachen gegenüber, bei denen (vorwiegend suffixale) Elemente mit eindeutigem Bezug zu jeweils einer funktionalen Kategorie auftreten (vgl. z. B. türk. *ev* »Haus«, *ev-im* »mein Haus«, *ev-im-de* »in meinem Haus«, *ev-ler* »Häuser«, *ev-*

ler-im »meine Häuser«, *ev-ler-im-de* »in meinen Häusern«). Bisweilen wird der Begriff F. eingeschränkt lediglich für solche grammatischen Formenbildungsverfahren gebraucht, bei denen eine eindeutige Zuweisung bestimmter lautlicher Elemente zu einzelnen funktionalen Kategorien im Gegensatz zu agglutinativen Verfahren der dargestellten Art nicht möglich ist (s.o. zur griech. Endung -α in λέλοιπα) [1].

→ Ablaut; Analogie [2]; Sprachwandel; Wortbildung

1 RIX, HGG, 109f.

GRIECH.: KÜHNER/BLASS, § 94–324 · SCHWYZER, Gramm., 415–817.
LAT.: KÜHNER/HOLZWEISSIG, § 55–208 · LEUMANN, 258–624 · F. NEUE, C. WAGENER, Formenlehre der lat. Sprache, 4 Bde., ³1892–1905 · SOMMER, 314–618.   J.G.

Fliege. Unter der von Aristoteles zu den Zweiflüglern (δίπτερα) gerechneten μυῖα (μῦα, *musca*) wurde nicht nur die Stuben-F., sondern auch die Bremse oder Blinde F. (auch κυνόμυια) und die Schmeiß-F. verstanden. Bei Aristoteles, Plinius und Lukianos (*Muscae Encomium* = ›Lob der F.‹) ist meistens die Stuben-F. gemeint, aber auch der Stachel der Bremse (Aristot. hist. an. 1,5,490a 20; 4,7,532a 21; Plin. nat. 11,100; Lukian. Muscae Encomium 6) sowie das Summen im Flug (Aristot. hist. an. 4,9,535 b 9–11; Plin. nat. 11,266) werden erwähnt. Homer (Il. 2,469; 16,639–641; 4,131) spielt auf den zudringlichen Flug der Bremsen um Vieh, Melkeimer und Kleinkind an, sowie um Leichen, die durch die »Würmer« der Schmeiß-F. angeblich zerfressen werden (Il. 19,25 ff.; vgl. auch Theophr. char. 25,5; Paus. 10,28,7). Man kannte zwar ihre Maden (σκώληκες, Aristot. hist. an. 5,1,539b 11; 5,19,552a 21; Plin. nat. 10,190: *vermiculus*), wußte jedoch nichts von ihren sehr kleinen Eiern oder Puppen. Ihre Begattung beschreibt Aristoteles falsch (hist. an. 5,8,541b 34ff.). Nahezu sprichwörtlich waren ihre Aufdringlichkeit und Unverschämtheit (Phaedr. 5,3; Ail. nat. 7,19; Horapollon 1,51), ähnlich ihre Naschsucht (Hom. Il. 16,641; Aisop. 292f.). Die F. galt ferner als mutig (Hom. Il. 17,750; Lukian. Muscae Encomium 5), teils dumm (Plin. nat. 29,106), teils klug (Lukian. ebd.). Zur Abwehr von F. benutzte man verschiedene Arten von Wedeln (μυισόβη/*myisóbē*, *muscarium*: Aristoph. Equ. 60; Vesp. 597; Men. fr. 437 KÖRTE²; Syll³ 367; Mart. 3,82,12 u.ö.) sowie Pflanzensäfte und Chemikalien (Colum. 7,13,1; Plin. nat. 20,184; 24,53; 25,61 und 34,167; Geop. 13,12). Gejagt wurden die F. von Spinnen (Aristot. hist. an. 1,1,488a 18; Nik. Ther. 735; Plin. nat. 29,87) und Wespen (Aristot. hist. an. 8(9),42,628b 34ff.; Plin. nat. 11,72).

Ihr angeblich zähes Leben gab ihnen verderbliche dämonische Macht (Apul. met. 2, 22; vgl. Eurynomos bei Paus. 10,28,7). Der apotropäische Gott Myiodes wurde später zu Zeus Apomyios (Paus. 5,14,1; Plin. nat. 29,106; Ail. nat. 5,17) und Myiagros (Paus. 8,26,7; Plin. nat. 10,75; vgl. [1. 441], den KELLER [2. 2,449] mit Baalzebub, 2 Kg 1,2, identifiziert). Hercules sollte seinen Tempel auf dem Forum boarium in Rom gegen F.

schützen (Plin. nat. 10,79; Plut. qu. Rom. 90). Die Lästigkeit der F. führte zur Einführung des Myia als Figur des Parasiten (Antiphon fr. 195 CGF; Plaut. Poen. 690ff.; Anth. Pal. 16,9; Apoll. Rhod. 4,1453). Ein Komödienvers bei Lukian. Muscae Encomium 11 erwähnt eine Hetäre Myia. Gegen den bösen Blick sollten F. auf Gemmen schützen [vgl. 3. Taf. 29,29–30 und 39 sowie Taf. 24,37). Plin. nat. 34,83 (vgl. 36,43) erwähnt eine Darstellung in der Kleinkunst. Im Sprichwort kommt vor: ›aus der F. einen Elefanten machen‹ (Lukian. Muscae Encomium 12), ›eine F. im Gehirn‹ (Phaedr. 4,23) und ›so viel wie eine F.‹ (d.h. fast nichts) bei Herondas 1,15 (vgl. Suet. Dom. 3,1). Bei Lukian. Muscae Encomium 10 findet sich eine Verwandlungssage.

→ Insekten

1 NILSSON, Feste 2 KELLER 3 F. IMHOOF-BLUMER, O. KELLER, Tier- und Pflanzenbilder auf Münzen und Gemmen des klass. Alt., 1889, Ndr. 1972.   C.HÜ.

Fliegenfänger. Diese Singvogelfamilie ist im Mittelmeerraum nur durch zwei Arten vertreten: (a) den Grau- (Muscicapa striata Pall.) und (b) den Trauerschnäpper (M. albicollis Temminck). Beide werden in der Ant. nicht unterschieden, ihre Identifizierung ist daher weder in zoologischen Angaben noch in den ant. Abbildungen (etwa auf Mosaiken [1. Bd. 2, 119]) möglich. Der ant. Name συκαλλίς/*sykallís*, *ficedula* leitet sich von der bereits von Aristoteles (hist. an. 8(9),3,592b 21f. und 28f.) indirekt widerlegten Ansicht ab, er fresse Feigen. Aristoteles' Behauptung, der μελαγκόρυφος (die Mönchsgrasmücke) verwandle sich zu bestimmter Zeit in eine *sykallís* (hist. an. 8(9),49b,632b 31ff.; vgl. Geop. 15,1 und Plin. nat. 10,86) paßt jedoch eher auf die Zwillingsarten der Sumpf- (Parus palustris L.) und Weidenmeise (Parus atricapillus L.); Alexandros von Myndes bei Athen. 2,65b vertritt diese Deutung. Die hohe Wertschätzung des F. als Leckerbissen ist unbestritten (Epicharmos bei Athen. 2,65 b; Lucil. 978 M., zusammen mit Turteltauben; Petron. 33; Iuv. 14,9; Mart. 13,49; Favorinus bei Gell. 15,8; Poll. 6,77). Im Edictum Diocletiani 4,36 wurden die Höchstpreise für 10 F. auf 40 Denare gegenüber 60 für 10 Drosseln festgelegt. Dioskurides 2,56 p. 1,138 WELLMANN = 2,60 p. 169 BERENDES empfiehlt ihr Fleisch zur Schärfung der Sehkraft.

1 KELLER.   C.HÜ.

Floh (ψύλλα, ψύλλος, *pulex*). Von den nahezu 2000 Arten sind durch Funde für die Ant. bisher nachgewiesen [2]: (a) der Menschenfloh Pulex irritans L.; (b) der Hundefloh Ctenocephalides canis Curt.; (c) der Ratten- und Mäusefloh Nosopsyllus sp. Für alle drei Arten liegen F.-Reste des 2.–4. Jh. n.Chr. vor (Grabungen in England). Die ant. Lit. unterscheidet dagegen noch nicht nach Arten, sondern nur nach Wirten (was eine klare Trennung der Arten nicht zuläßt, da F. nicht auf jeweils einen einzigen Wirt fixiert sind). Die Autoren nennen den F. des Huhns (Colum. 8,5,3; Varro rust. 3,9,8); den

F. des Hundes (Colum. 7,13,2; Geop. 19,3,2; Varro rust. 2,9,14]; und v.a. den F. als Humanparasiten [1. 241; 4. 102–104; 5. 278]. Sein Vorkommen wird durch ungenügende Wohnungshygiene begünstigt, und er ist u.a. als ein Überträger der Pest und des Murinen Fleckfiebers von medizinischem Interesse. Die Ant. jedoch hatte dem F. gegenüber noch keine gesundheitlichen Bedenken [5. 278]; man empfand ihn nur als lästig und v.a. als einen nächtlichen Störenfried. Gegen den F. und den Juckreiz seiner Stiche dienten Rückenkratzer (Mart. 14,83), Magie und vorwiegend pflanzliche Präparate ([1. 241f.; 4. 102f.; 5. 278]; über ein falsch auf die F.-Jagd bezogenes Zeugnis vgl. 6]). Zur Zoologie des F. äußert sich bes. Aristoteles (z.B. part. an. 1,4,683a 33–36 zu den Sprungbeinen). Aus der Beobachtung des Zusammenhangs zw. F.-Plage und Staub entstanden die aristotelische Lehre von der Urzeugung des Tieres aus Staub und Isidors falsche Herleitung des Wortes *pulex* von *pulvis* (orig. 12,5, 15).

1 I.C. BEAVIS, Insects and Other Invertebrates in Classical Antiquity, 1988, 240–242 2 A.R. HALL, H.K. KENWARD, Environmental Evidence from the Colonia, The Archaeology of York 14, 6, 1990 3 KELLER, 2,400–401 4 W.RICHTER, s.v. Floh, RE Suppl. 15, 101–104 5 G.E. THÜRY, Zur Infektkette der Pest in hell.-röm. Zeit, in: FS 75 Jahre Anthropologische Staatssammlung München 1902–1977, 1977, 275–283 6 Ders., Flohjagd mit der Lampe?, in: Arch. der Schweiz 17, 1994, 120–122. G.TH.

Flora. Ital. Göttin, deren Verehrung außer in Rom an verschiedenen Orten Mittelitaliens belegt ist (Agnone, Amiternum, Furfo, Pompeji). Die Blüte (*flos*), auf die sich ihr Name bezieht, wird von den ant. Quellen auf das Getreide (Aug. civ. 4,8), den Wein (Lact. inst. 1,20,7) oder auf jedes Blühen bezogen (Fast. Praenestini zum 28. April). Sie ist nicht nur in Rom eng mit → Ceres verbunden: in Agnone heißt sie *F. Cerialis* (dat. *Fluusaí Kerríiai*), in Rom liegt ihr Haupttempel unmittelbar bei demjenigen für Ceres und Liber [1]. Sie ist mit → Robigus, der Schutzgottheit vor Getreiderost, verbunden (Varro rust. 1,1,6) und wird mit Demeters Tochter → Kore identifiziert (Plin. nat. 36,4,23; Ampelius, Liber memorialis 9,11).

F.s Kult in Rom ist alt, da sie ihren eigenen *flamen Floralis* hat (Varro ling. 7,45), und nichts bestätigt die moderne Ansicht, daß sie aus Griechenland eingeführt sei [2; 3]. Nach Varro weihte Titus Tatius ihren ersten Altar (ling. 5,74): auch wenn dies mythische Aitiologie ist, weist es auf die röm. Auffassung des hohen Alters ihres Kultes. Ihr ältester Tempel lag auf dem Quirinal [4], einen zweiten erhielt sie zusammen mit der Einführung der → Floralia im Jahre 238 v.Chr. auf Anraten der Sibyllinischen Bücher am Circus Maximus (Tac. ann. 2,49) [5]: Stiftungstag war der 28. April (Fast. Praenestini); Augustus besorgte einen Neubau, den Tiberius am 13. August weihte (Fast. Allifani). Ihrem Hauptfest, den → Floralia (28. April), wohnte ein erotisch-üppiger Charakter inne, der sich zu den Charakteristiken einer Gottheit kommender Fülle fügt.

1 H. LE BONNIEC, Le culte de Cérès à Rome, 1958, 195–202 2 G. WISSOWA, Rel. und Kultus der Römer, 1912, 197f. 3 F. ALTHEIM, Terra Mater, 1931, 132–146 4 F. COARELLI, s.v. F., templum, LTUR 2, 254 5 E. PAPI, s.v. F., aedes, LTUR 253f.

P. MINGAZZINI, Due pretese figure mitiche. Acca Larenzia e F., in: Athenaeum 2, 1947, 140–165 · V. HOŠEK, s.v. F., LIMC 4.1, 137–139. F.G.

Floralia. Zu Ehren der »Mutter → Flora« gefeierte → *ludi* (Cic. Verr. 2,5,36), die sich vom Tempelgeburtstag am 28. April (Verrius Flaccus, *Fasti Praenestini* zu diesem Datum; Ov. fast. 4,947) bis Anfang Mai erstreckten (Ov. fast. 5,183ff.). F. sind auch für Pisaurum (CIL XI 6357), Alba Fucens (CIL IX 3947) und Cirta (CIL VIII 6958) belegt (s. auch die Agnone-Bronze [1]). Die Bauernkalender (→ *menologia*) und die *Fasti Venusini* verzeichnen zum 3. Mai ein Opfer an Flora, das mit den F. zusammenhängen dürfte [2. 197⁴; 3]. Dem Mythos nach hatte schon der Sabiner Titus Tatius für Flora einen Altar errichtet (Varro ling. 5,74). Doch wurden die F. laut Plin. nat. 18,286 und Vell. 1,14,8 erst im 3. Jh. v.Chr. institutionalisiert, nach Ov. fast. 5,329 ab 173 jährlich gefeiert. Sie galten als volkstümliches, »plebeisches« Fest.

Die F. markieren eine wichtige Phase in der Getreideentwicklung, nämlich die Blütezeit (Varro, Antiquitates 172 CARDAUNS bei Aug. civ. 4,8). Von deren ungestörtem Verlauf und von der erfolgreichen Befruchtung (vgl. Verrius Flaccus, *Fasti Praenestini* zu diesem Datum) hängt der Ernteertrag ab (Ov. fast. 5,261ff., auch mit Bezug auf Wein, Oliven usw.). Das unscheinbare Blühen der wichtigsten Wirtschaftspflanzen wurde durch üppigen Blumenschmuck (→ Rosen auf den Tischen, Kränze: s. bes. Ov. fast. 5,194; 335f.; 359f.) sinnfällig inszeniert. Aus dem bei Paul. Fest. 81 L. genannten *florifertum* und der von Lucr. 5,739f. geschilderten Flora, die für → Ceres den Weg mit Farben und Düften bestreut, läßt sich auf eine Blumen- und Getreideprozession zum Heiligtum schließen [2. 198]. Weitere Ritualelemente sind u.a. eine im Circus veranstaltete Hasen- und Ziegenjagd (Ov. fast. 5,371ff.; Mart. 8,67,4) sowie das Ausstreuen von Hülsenfrucht-Samen (Erbsen, Bohnen) unters Volk (Pers. 5,177–79 mit schol.; Hor. sat. 2,3,182), mit deutlichen Anspielungen auf den sexuellen Aspekt des Blütenfests, den auch der von Ov. fast. 5,229ff. erzählte Mythos von der Empfängnis des Mars durch Iuno thematisiert. Wenn das Fest auch allg. als ausgelassen und fröhlich galt und die aufgeführten Schauspiele der leichten Muse zuzurechnen waren (Ov. fast. 5, 331ff.), konnte die erotische Seite doch nur im Rahmen der ges. Konventionen ausgelebt werden – oder eben stellvertretend von berufsmäßigen Liebesdienerinnen, die an diesem Tag ein Fest feierten und sich besonders freizügig zeigten (Sen. epist. 97,8 u.a.). → Ceres; Getreide

1 VETTER, 147 2 G. WISSOWA, Rel. und Kultus der Römer, ²1912, 197f. 3 LATTE, 73f.

F. Bömer, P. Ovidius Naso. Die Fasten 2: Kommentar, 1958, zu Ov. fast. 5, 183 ff. • W. W. Fowler, The Roman Festivals of the Period of the Republic, 1908, 91 ff. • H. Le Bonniec, Le culte de Cérès à Rome. Des origines à la fin de la République, 1958, 196 ff. D. B.

Florentia

[1] Stadt in Nord-Etruria, *regio VII*, am rechten Ufer des Arnus unterhalb → Faesulae, h. Firenze. Siedlung aus der Villanova-Zeit [3]. Röm. Kolonie, evtl. in den 40er oder 30er Jahren gegr. (Tac. ann. 1,79,1; [6. 1,213]), *tribus Scaptia* [5. 84]. Die Ortswahl für die Gründung wurde durch eine seit der Villanova-Kultur benutzte Furt über den Arnus begünstigt, an der sich die *via Cassia* (Itin. Anton. 285; Tab. Peut. 4,2), die *via Quinctia* (Tab. Peut. 4,2) und die zwei transappenninischen Straßen nach → Bononia [1] (evtl. die *via Flaminia »minor«* von 187 v. Chr.) bzw. nach → Faventia (sog. *via Faventina*, Itin. Anton. 284) kreuzten [1; 2]. Im 4. Jh. wurde die Stadt als Sitz des *corrector Tusciae* F. Tuscorum gen. (Tab. Peut. 4,2; Cod. Theod. 9,1,8).

Arch. Befund: Stadtmauer (480 × 420 m) mit vier Toren und Rundtürmen. Unter S. Maria in Campidoglio ein *capitolium* auf dem gepflasterten Hauptforum, h. Cinema Gambrinus. Isis-Tempel, Theater, Thermen, *castellum aquarum*; vor der Stadtmauer ein Amphitheater. Aquädukt aus dem Val Marina. 393 weihte Ambrosius die Kirche S. Laurentii; nicht weit davon S. Felicita mit einem Friedhof. Funde und Inschr. im Museo Archeologico. *Centuriatio* nach Westen orientiert *secundum naturam* [4].

1 A. Mosca, La via Faventina, in: N. Alfieri (Hrsg.), La viabilità fra Bologna e Firenze, 1992, 179–188 2 Dies., Via Quinctia, in: Journal of Ancient Topography 2, 1992, 91–108 3 L. A. Milani, F. Tomba italica a pozzo del centro di Firenze, in: NSA 1892, 458–468 4 F. Castagnoli, La centuriazione di F., in: L'Universo 28, 1948, 367 ff. 5 W. Kubitschek, Imperium Romanum tributim discriptum, 1889 6 F. Blume, K. Lachmann (ed.), Die Schriften der röm. Feldmesser, 2 Bde., 1848 ff.

A. K. Lake, The Archaeological Evidence for the »Tuscan Temple«, in: Memoirs of the American Academy in Rome 12, 1935, 89–149, bes. 93–98 • G. Maetzke, F., 1941 • Ders., F., in: NSA 1948, 60–99 • C. Hardie, The Origin and Plan of Roman Florence, in: JRS 55, 1965, 122–140 • W. V. Harris, Rome in Etruria and Umbria 1971, 342 f. • E. Mensi, La fortezza di F. e il suo territorio in epoca romana, 1991. G. U./Ü: H. D.

[2] Stadt der westl. Aemilia (*regio VIII*) an der *via Aemilia* zw. → Fidentia und Placentia (Itin. Anton. 288), gegr. wohl im 2. Jh. v. Chr. (Auguralname), h. Fiorenzuòla d'Arda. Inschr.: CIL XI p. 203.

E. Ottolenghi, Fiorenzuola e dintorni, 1903.
G. U./Ü: V. S.

Florentiana (Φλωρεντίανα: Prok. aed. 4,4,1–3). Röm. Kastell am Danuvius (h. Donau) in der Nähe der Mündung des Timacus (h. Timok). Urspr. in Moesia Superior, seit 271 n. Chr. in Dacia Ripensis, h. wahrscheinlich Florentin bei Vidin in Bulgarien. Die in der Spätant. zerstörte Festung wurde aus strategischen Gründen in iustinianischer Zeit wiederaufgebaut.

V. I. Velkov, Die thrak. und dak. Stadt in der Spätant., 1959, 75 (bulgar. mit dt. Zusammenfassung) • TIR L 34, 1968, 59 (Bibliogr.). J. Bu.

Florentiner-Maler. Att. rf. Vasenmaler der frühklass. Zeit, tätig ca. 465–455 v. Chr; nach Beazley der »Bruder« des Boreas-Malers. Die Werkstatt, in der auch der »Maler von London E 489« tätig war, bemalte in durchschnittlicher Qualität überwiegend Kolonettenkratere, unter denen die herausragende Kentauromachie auf der eponymen Vase in Florenz (AM) eine Ausnahme bildet. Weitere Themenbereiche sind Komos, Symposion, »Kriegers Abschied« und das Gefolge von Dionysos. Seine Figuren neigen dazu, steif und ungraziös zu sein; die Kompositionen sind wenig originell.

Beazley, ARV², 536, 540–545, 1658 • E. Paribeni, s. v. Pittore de Firenze, EAA III, 701. M. P./Ü: V. St.

Florentinus

[1] Entstammte einer gallischen Familie; Korrespondent des Symmachus (epist. 4,50–57), wohl Heide. 379 n. Chr. bekleidete er wohl das Notariat. Fraglich ist, ob er mit dem gleichnamigen *comes sacrarum largitionum* identisch ist [1. 100–103]; 395 *quaestor sacri cubiculi*; von 395 bis 397, somit ungewöhnlich lange, als *praefectus urbi Romae* bezeugt, bewährte sich in einer Hungersnot. Claudianus [2] widmete ihm das zweite Buch von *De raptu Proserpinae* (praef. 50).

1 Delmaire.

PLRE 1, 362 • v. Haehling, 397 f. H. L.

[2] Griech. Verfasser (wohl aus dem ersten Drittel des 3. Jh. n. Chr.) von Γεωργικά (›Geōrgiká‹) in mindestens 11 B. (Geop. 9,14,1), die die Quintilii (→ Quintilius) voraussetzen und ihrerseits – nach p. 3 B. und zahlreichen Zitaten und Kapitelangaben – den Γεωπονικά (→ Geoponica) als Quelle dienten. Das Werk ist bezeichnend für die Spätblüte der Fachlit. im Rom dieser Epoche.

E. Oder, Beiträge zur Gesch. der Landwirtschaft bei den Griechen, in: RhM 45, 1890, 59–99, bes. 83 ff. • S. Georgoudi, Des chevaux et des boeufs dans le monde grecque, 1990, 38–42, 54 f. P. L. S.

[3] Nur seinem Cognomen nach bekannter Verf. eines umfangreichen Lehrbuchs *Institutiones* (12 B.) aus der Zeit nach Antoninus Pius (spätes 2. Jh. n. Chr.). Der im Juristenschrifttum der Prinzipatszeit nie zitierte und weder als Amtsträger noch als Respondent nachgewiesene F. wird nur als Rechtslehrer [2], möglicherweise in der Provinz [3], tätig gewesen sein. Sein Lehrbuch verwendete man in der Spätant. im Unterricht an den östl. Rechtsschulen (Schol. Sinaitica 35 FIRA) und bei der Abfassung der Digesten und der Institutionen Justinians [1].

1 F. Wieacker, Textstufen klass. Juristen, 1959, 199ff.
2 Schulz, 127, 189 3 D. Liebs, Jurisprudenz, in: HLL 4, 1997, 206f.   T.G.

Florentius

[1] Flavius F. war 357–360 n. Chr. *praefectus praetorio Galliarum.* Auf sein Betreiben ließ Constantius [2] II. Hilfstruppen aus Gallien abziehen, was die Erhebung Iulians zur Folge hatte (Iul. epist. 282c; Amm. 20,4,2). Constantius ernannte ihn 360 zum *praefectus praetorio Illyrici* und ehrte ihn 361 mit dem Consulat (Amm. 21,6,5). Nach Iulians Sieg wurde er von der Kommission zu Kalchedon *in absentia* zum Tod verurteilt (Amm. 22,3,6). Wahrscheinlich ist er identisch mit dem gleichnamigen *comes* des Constantius, der im Auftrag des Kaisers 346 versuchte, Athanasios zur Rückkehr nach Alexandreia zu bewegen (Athan. hist. Ar. 22). PLRE 1, 365 (F. 10).

[2] Stammte aus Antiocheia [1] (Lib. epist. 113), war unter Constantius [2] II. von 359–361 n. Chr. *magister officiorum* (vgl. Amm. 20,2,2). Die von Iulian eingesetzte Kommission von Kalchedon verbannte ihn 361 auf eine Insel in Dalmatien (Amm. 22,3,6). Er wurde später offenbar rehabilitiert (Lib. epist. 1164) und ist evtl. identisch mit dem gleichnamigen F. [1], dem *praefectus praetorio Galliarum* von 367. PLRE 1,363 (F. 3), vgl. S. 364 (F. 5).   W.P.

[3] Erst Statthalter von Cilicia und 392/3 n. Chr. in Syria, wo seine grausame Amtsführung → Libanios zu einer Schmährede gegen ihn veranlaßte (Lib. or. 46).

PLRE 1, 364f. · O. Seeck, Die Briefe des Libanius, 1966, 158f.

[4] Flavius F. Aus Syrien, war 422 n. Chr. *praefectus urbis Constantinopolitanae* (Cod. Theod. 6,8,1), 428–30 und nochmals 438/9 *praefectus praetorio Orientis* (Cod. Theod. 15,8,2; Cod. Iust. 1,19,8; 9,27,6; Nov. Theod. 3) und 429 *consul.* Zwischen 444 und 448 wurde er *patricius.* Als orthodoxer Christ (Theod. epist. 47; 89) nahm er an den Synoden von Konstantinopel 448/9 und am Konzil von Chalkedon 451 teil (Acta Conc. Oecumenicorum II 1,1,55; 138f.; 145; 148).

PLRE 2, 478–480 · A. Grillheimer, H. Bacht, Das Konzil von Chalkedon 2, 1954, 214–216.   K.P.J.

Florianus. s. M. → Annius [II 4] F.

Florilegium.

Wohl erst neulat. Äquivalent zu griech. *anthología* (→ Anthologie) und entsprechend Bezeichnung von Sammlungen kurzer selbständiger Texte oder Zitate. Bei christl. Autoren ist der gewöhnliche Ausdruck *flores. Florida* heißt schon eine Slg. des Apuleius (→ Appuleius [III]). Vergleichbare ant. metaphorische Benennungen sind griech. *anthologiká, leimṓnes, pandéktai, strṓmateís* (vgl. Gell. pr.), lat. *coniectanea, prata, silvae,* daneben auch *excerpta, electa* u.ä. Christl. F. biblischer Texte erfreuten sich seit Cyprianus' *testimonia* großer Beliebtheit, die Kirchenväter selbst (bes. Augustinus,

Gregorius [3] d. Gr.) wurden bald Gegenstand der F. Schon das frühe MA bringt eine neue Blüte des F. profan-ant. Werke. Die Gesch. der F.-Lit. (und ihrer Bed. für die Überl. zahlreicher ant. Autoren) ist noch nicht geschrieben.

H. Chadwick, s. v. F., RAC 7, 1131–1160 · E. Rauner, F., in: LMA 4, 566–69.   J.P.S.

Florus.

Röm. Cognomen (»blond«, »blühend«, mit Ablaut zu *flavus* zu stellen [1]), in republikanischer Zeit Beiname von C. Aquilius [I 11] F. und L. Mestius F.

1 Walde/Hofmann 1, 513f.

Kajanto, Cognomina 233f.   K.-L.E.

[1] P. Annius F. Unter dem Cognomen Florus (in Verbindung mit den Familiennamen Annius bzw. Ann(a)eus und den Vornamen P. bzw. L.) sind vier Werke bzw. Werkgruppen bekannt: 1. die Einleitung eines Dialoges *Vergilius orator an poeta* (P. Annius F.), 2. und 3. Frg. einer Korrespondenz (Char. 66,10f.; 157,21f. B.) und ein Gedichtaustausch (vgl. auch Anth. Lat. 238–246; 75; 84–87ShB) mit Hadrian (Annius F.) und 4. eine *Epitome de Tito Livio* (L. Anneus F.). Die Identität der dahinter stehenden Person wird heute allg. anerkannt; L. Ann(a)eus, der Name beider Seneca, mag von diesem übertragen sein. Die Biographie ergibt sich dann aus Vergilius orator 1–3: Aus Africa stammend, scheiterte F. als junger Mann in einem der ab 86 n. Chr. von Domitian organisierten und noch 90 bzw. 94 durchgeführten kapitolinischen Dichteragone an dem Kaisers selbst. Nach weiten Reisen als Wanderredner (nach Sizilien, Kreta, Rhodos, Ägypten, Rom und Gallien) ließ sich F. als Lit.-Lehrer in Tarraco nieder, wo er zur Zeit des Dialoges (102 oder 106, vgl. 1,9) im 5. Jahre lehrte. Die freundschaftlichen Kontakte mit Hadrian lassen einen späteren Romaufenthalt erschließen; auch das Gesch.-Werk fällt nach epit. 1, praef. 1ff. in die späteren Jahre Hadrians.

Die *Epitome,* ein Preis der Größe Roms, baut auf einem Vergleich – vermittelt wohl durch Varro – der röm. Gesch.-Epochen mit den vier menschlichen Lebensaltern auf (pr. 4–8), von denen nur drei (Königszeit = *infantia;* Eroberung Italiens bis 264 v. Chr.= *adulescentia;* Eroberung des Erdkreises bis zu Augustus = *iuventas*), nicht aber die *senectus* = Kaiserzeit präziser – und zwar eher rhet. als histor. – skizziert werden. Hauptquelle ist Livius, wohl direkt; die traditionelle Annahme der Benutzung einer umfangreichen Livius-Epitome des 1. Jh. n. Chr. wird neuerdings begründet bestritten. Das Gesch.-Werk ist in erster Linie für die gebildete, nicht-senatorische Oberschicht der lat. Reichshälfte geschrieben, wie sich aus den Akzenten der Darstellung ergibt: Die knappe Behandlung der 700jährigen Geschichte der Taten (= Kriege) Roms bis auf Augustus behandelt zu Beginn *A Romulo tempora regum septem;* es folgen, beginnend mit dem *Bellum Etruscum* (1,4) 68 Kriege bis zum letzten Kapitel (2,34: *Pax Parthorum et consecratio Augu-*

sti). Die Reihe der Kriege wird in B. 1, das nur auswärtige Kriege bis zur Eroberung Galliens durch Caesar enthält, zweimal durch Rückblicke (*anacephalaeoses* 1,2; 47) und ein Sammelkapitel *De seditionibus* (1,17) über die inneren Krisen (Diktaturversuche und Sezessionen) unterbrochen. B. 2 setzt mit den Gracchen ein und führt die folgenden Bürgerkriege bis Actium; erst mit Augustus wird die Reihe der äußeren Kriege fortgesetzt (2,22–33). Die Gesch. scheint auf Kriege und Weltherrschaft konzentriert, vgl. 2,33,59; 2,34,64. Daher rührt F.' Unzufriedenheit mit der von Hadrian fortgesetzten Friedenspolitik des Augustus, und überhaupt mit der Kaiserzeit, die ihm durch *inertia Caesarum* (pr. 8) geprägt erscheint.

Die *Epitome* nimmt seit der Spätant. (Ampelius, Festus, Orosius, Augustin, Iordanes) mit anderen Übersichten ihren Platz bei der Vermittlung röm. Gesch.-Wissens ein. Das Werk hat das MA über einen spätant. Archetyp in zwei ebenfalls noch spätant. Fassungen – zwei B. mit Zwischentiteln bzw. vier B. – in zahlreichen Codices (gemeinsam mit den livianischen *Periochae*) erreicht. Bes. im Humanismus – Petrarca besaß den Text und hat ihn zumal in der *Historia Iulii Caesaris* benutzt – wurde F. dazu herangezogen, die Lücken der Livius-Tradition zu schließen. Die Epitome machte in der Neuzeit auch als Schulbuch Karriere und wurde bis zum 19. Jh. gern gelesen, fällt allerdings seit der Mitte des 19. Jh. dem Druck von Historismus und Positivismus zum Opfer.

EDD.:
EPITOME: P. JAL, Bd. 1/2, 1967 · E. MALCOVATI, ²1972 · C. FACCHINI TOSI, 1990 (Praefatio).
GEDICHTE: S. MATTIACCI, I frammenti dei poetae novelli, 1982, 54–63 · C. DI GIOVINE, 1988 · COURTNEY, 375–386.
LEX.: M. L. FELE, 1975.
LIT.: S. LILLIEDAHL, F.-Studien, 1928 · P. STEINMETZ, Unters. zur röm. Lit. des 2. Jh., 1982, 121–138 · J. M. ALONSO-NUÑEZ, Die polit. und soz. Ideologie des F., 1983 · M. D. REEVE, The Transmission of F., in: CQ 38, 1988, 477–491; 41, 1991, 453–483 · L. BESSONE, F., in: ANRW II.34,1, 80–117 · Ders., La storia epitomata, 1996 · M. HOSE, Erneuerung der Vergangenheit, 1994, 53–140 · K. SALLMANN, in: HLL § 462.

[2] Wird bei Sen. contr. 9,2,23 f. als Urheber einer dem M. Porcius Latro zugeschriebenen *sententia inepte tumultuosa* genannt. Er ist nicht identisch mit dem Adressaten von Hor. epist. 1,3; 2,2 oder dem bei Quint. inst. 10,3,13 erwähnten Redner. P. L. S.

Flottenthemen. Themen des byz. Reichs, die seit dem frühen 8. Jh. n. Chr. zum Aufbau und Unterhalt einer Flotte eingerichtet wurden. Das bedeutendste von ihnen umfaßte die gesamte kleinasiatische Mittelmeerküste von → Miletos bis zur → Kilikia. Hauptort war wahrscheinlich → Attaleia [1], doch kamen die Mannschaften vorwiegend aus dem gebirgigen Hinterland im westl. Teil des Themas, wie der Name »Thema der Kibyrrhaiotoi« zeigt, der auf die ca. 80 km vom Meer entfernte Stadt → Kibyra im karisch-lyk. Grenzgebiet zurückgeht.
→ Thema

1 H. AHRWEILER, Byzance et la mer, 1966, 81–85, 131–135
2 A. PERTUSI, Costantino Porfirogenito De Thematibus, 1952, 149–153. AL. B.

Flottenwesen I. ALLGEMEIN II. ARCHAISCHES UND KLASSISCHES GRIECHENLAND III. HELLENISMUS IV. RÖMISCHE REPUBLIK UND PRINZIPAT V. SPÄTANTIKE

I. ALLGEMEIN

Frühe Flotten der Ägypter und der Seestädte in Syrien/Palaestina und auf Zypern wurden meist zum Truppen- oder Materialtransport verwendet. Im Kampf dienten Schiffe als Träger von Bogenschützen, so etwa in der Schlacht Ramses' III. gegen die Seevölker (Medinet Habu). Ähnliches gilt auch für die frühen phöniz. und griech. Schiffe, die sowohl für Transport- als auch für Kampfzwecke eingesetzt wurden. Es handelte sich um Schiffe mit einer Ruderreihe (μονόκροτος) mit bis zu 15 Ruderern an jeder Seite (Triakonteren) und einem Lateinsegel. Durch Einführung einer zweiten versetzten Ruderreihe (δίκροτος) konnten bis zu 25 Rojer auf einer Seite untergebracht werden (Pentekonteren). In der Ant. unterschieden sich Handelsschiffe und Kriegsschiffe durch wesentliche Konstruktionsmerkmale: Während Handelsschiffe seit der archa. Zeit einen gedrungenen, relativ kurzen Rumpf mit hohen Bordwänden besaßen und als Segelschiffe anzusehen sind, waren Kriegsschiffe schmale, lange Boote, die unabhängig von den Windverhältnissen operieren mußten und daher normalerweise durch Rudern vorwärts bewegt wurden. Am Bug befand sich ein Rammsporn, mit dem im Gefecht feindliche Schiffe gerammt und versenkt wurden. Das Holz für den Flottenbau stammte in vorröm. Zeit aus Makedonien, Mysien/Troas, dem Taurusgebirge, aus Zypern (Strab. 14,6,5) und dem Libanon (Diod. 19,58), für sizilische Flotten auch aus Unterit. (Sila-Wald). Längere Ausführungen zum Schiffbauholz finden sich bei Theophrastos (Theophr. h. plant. 5,7).

Die oft schwer zu interpretierenden Benennungen ant. Schiffe gehen von der Anzahl der Rojer aus, die in einer Ruderabteilung (Zwischenraum zwischen zwei Ruderöffnungen = 0,88 m) untergebracht werden konnten. Bei der Benennung ist zwischen der Zahl der Ruderreihen (aus technischen Gründen höchstens drei) und der Zahl der pro Abteilung eingesetzten Rojer zu unterscheiden (bis zu 40; vgl. Athen. 5,203e zum Schiff von Ptolemaios IV.). Alle Benennungen mit höheren Zahlenangaben als drei (Triere) beziehen sich auf die Zahl der Rojer pro Ruderabteilung (Vierruderer usw.).

Die mod. Kenntnis der ant. Kriegsschiffe beruht auf Schiffsfunden (Mainz), der Interpretation von ant. bildlichen Darstellungen sowie von Texten und auf Rekonstruktionen. Unter den zahlreichen bildlichen Darstellungen von Kriegsschiffen sind besonders die archa. Va-

senbilder (etwa sf. Schale, 6. Jh. v. Chr., London, BM),
ein Relief mit einer Seitenansicht einer Triere (5. Jh.
v. Chr., Athen, AM) sowie ein Relief mit einem röm.
Kriegsschiff (1. Jh. v. Chr., Rom, VM) zu erwähnen.

II. Archaisches und Klassisches Griechenland

Seit 530 v. Chr. wurden zunehmend → Trieren mit
drei versetzten Ruderreihen (τρίκροτος) eingesetzt; die
Pentekonteren wurden gleichzeitig langsam verdrängt.
Die Triere, die ein Verhältnis von Länge zu Breite von
etwa 7 zu 1 (35 zu 5 m) aufwies, besaß eine hohe Antriebskraft (170 Rojer) und bewirkte durch den Rammsporn eine völlige Umstellung der Taktik der Seeschlacht; nun wurden die Manöver des Durchbruchs
durch die gegnerische Linie (διέκπλους) und das Über-
flügeln des Gegners (περίπλους) kampfentscheidend.
Erstmals kam diese Taktik in der Schlacht von Alalia 535
v. Chr. (Hdt. 1,166) zur Anwendung. Nach Thukydides
war die archa. Zeit Griechenlands entscheidend von der
Entwicklung des Schiffbaus und von der Entstehung
größerer Flottenverbände geprägt (Thuk. 1,13 f.).

Themistokles konnte 483/2 v. Chr. durchsetzen, daß
Athen mit den Erträgen aus den Silberbergwerken von
Laureion 200 Trieren bauen ließ, die beim Sieg von Salamis 480 v. Chr. das Hauptkontingent der griech. Flotte
stellten (Hdt. 7,144; Thuk. 1,14,2; Aristot. Ath. pol.
22,7; Plut. Themistokles 4,1). Die mil. Position der att.
Symmachie beruhte weitgehend auf der Überlegenheit
der Flotte Athens, die seit dem Sieg bei Eurymedon 466
v. Chr. unangefochten die Ägäis beherrschte. Hafen
dieser Flotte war der Peiraieus mit Schiffshäusern und
Hallen für die Ausrüstung; finanziert wurde die Flotte
durch regelmäßige Beiträge der verbündeten Städte und
durch die Trierarchie reicher Athener. Im Verlauf des
Peloponnesischen Krieges entstand der athenischen
Seeherrschaft eine ernste Konkurrenz, als durch persische Subsidien eine spartanische Flotte aufgebaut wurde. Die Flotte Athens wurde schließlich bei Aigospotamoi 405 v. Chr. vernichtet, und Sparta konnte dann
bis zur Niederlage von Knidos 394 v. Chr. weitgehend
die Ägäis beherrschen (Xen. hell. 2,1,20–30; 4,3,10–12).

Die persische Kriegsflotte, deren Schiffe und Besatzungen hauptsächlich von Städten oder Regionen mit
maritimer Trad. wie Phönikien, Ägypten, Kilikien, Zypern und Pamphylien gestellt wurden (zur persischen
Flotte 481/480 v. Chr. vgl. Hdt. 7,89–99), bestand bis
zur Eroberung des Perserreiches durch Alexander.

III. Hellenismus

Etwa seit 400 v. Chr. verfügten Karthago und Syrakus über größere Schiffe (Karthago: Tetreren; Syrakus:
Penteren), wobei die Zahl der Rojer je Rudereinheit
erhöht wurde (Diod. 14,41,3). Im Hell. wurden neben
den Tetreren und Penteren als den Standardschiffen
auch extrem große Schiffe eingesetzt (Demetrios Po-
liorketes: Plut. Demetrios 20,4; 32,2; vgl. außerdem
43,4–5 zu den Schiffen der Ptolemaier und allg. Plin.
nat. 7,208). Schiffe wurden auch so konstruiert, daß sie
in Einzelteilen über längere Strecken zu Lande trans-

portiert werden konnten (Alexander d. Gr.: Arr. an.
7,19,3; Strab. 16,1,11). Seit Philipp V. kamen dann
schnelle und billige Zweiruderer (Lemben) als Kopie
illyr. Piratenschiffe auf.

Die Flotte Athens, die im 4. Jh. v. Chr. neu aufgestellt worden war, erreichte in der Zeit Alexanders eine
Stärke von 360 Trieren und 50 Tetreren (IG II² 1629,
805 ff.); sie wurde aber 322 v. Chr. im Lamischen Krieg
von der maked. Flotte bei Amorgos geschlagen. Um 315
v. Chr. ließ Antigonos Schiffe in Phönizien bauen
(Diod. 19,58). Seit dem Sieg bei Salamis auf Zypern 306
v. Chr. besaßen die Antigoniden bis 285 v. Chr. die
Überlegenheit zur See. Danach übten die Ptolemaier im
östlichen Mittelmeer und in der Ägäis eine Seeherrschaft aus, die Antigonos Gonatas nur kurzfristig durch
Siege bei Kos 261 v. Chr. und bei Andros 246 v. Chr.
unterbrechen konnte. Nach Auflösung der maked. und
seleukidischen Flotten durch Rom während des 2. Jh.
v. Chr. existierten allenfalls noch die kleineren Flotten
der Attaliden und von Rhodos, das hinsichtlich der
technischen Qualität der Schiffe und der Ausbildung
der Besatzungen unter den ant. Seemächten aber den
Vorrang behauptete.

IV. Römische Republik und Prinzipat

Erste Ansätze einer röm. Flottenpolitik waren mit
der Einsetzung von *II-viri navales* 311 v. Chr. und von
quaestores classici seit 267 v. Chr. gegeben. Vor dem 1.
Pun. Krieg bestand die röm. Flotte v. a. aus den Kontingenten der *socii navales* (Etrurien, Griechen Unterita-
liens); im Kampf gegen Karthago stellten die Römer
dann eine eigene Flotte mit Penteren und Trieren auf
(Pol. 1,20 ff.). Die mangelnde Manövrierfähigkeit der
Schiffe wurde durch Enterbrücken (→ *corvus*) und
durch einen vermehrten Einsatz von → *epibátai* (Schiffs-
soldaten) ausgeglichen. C. Duilius errang bei Mylae 260
v. Chr. den ersten röm. Seesieg über die Karthager; nach
wechselhaftem Verlauf des Seekrieges (Pol. 1,50–55)
kam es zu einem endgültigen Sieg bei den Ägatischen
Inseln 241 v. Chr. Nach dem 2. Pun. Krieg und der
Zerstörung der karthagischen Flottenmacht beherrschte
Rom weitgehend das westl. Mittelmeer. Rom blieb
noch im 2. Jh. v. Chr. bei Auseinandersetzungen im
Osten auf die Unterstützung griech. *socii navales* wie
Pergamon und Rhodos angewiesen. Seit der Beseitigung der strukturell bedingten Piraterie (Kreta, Kilikien) durch Pompeius 67 v. Chr. und dem Sieg in den
Mithradatischen Kriegen besaßen die Römer die maritime Vorherrschaft im gesamten Mittelmeer. Während
der Bürgerkriege wurden Flotten in der Regel zum
Truppentransport und zu Blockademaßnahmen eingesetzt. Seeschlachten fanden im Krieg gegen Sex. Pompeius statt, der sich auf Sizilien festgesetzt hatte; er wurde von Agrippa, der eine neue Flotte am Lucrinersee
geschaffen hatte (Cass. Dio 48,49 f.), bei Naulochos 36
v. Chr. entscheidend geschlagen. Nach diesem Sieg gingen die Römer von den schwer zu manövrierenden
Großschiffen mit Türmen und Katapulten zu den zwei-
rudrigen *liburnae* über, deren Vorbild die wendigen dal-

matinischen Piratenschiffe waren. Die *liburnae* erwiesen sich gegenüber der veralteten Flotte Kleopatras (8– und 10–Ruderer) in der Schlacht bei Actium 31 v. Chr. als überlegen. Die Flotte der Ptolemaier wurde nach Forum Iulium (Fréjus; vgl. Strab. 4,1,9) gebracht.

Rom kontrollierte in der Prinzipatszeit das Mittelmeer mit zwei *classes praetoriae*, die in Ravenna und Misenum stationiert waren (Tac. ann. 4,5,1). Diese beiden röm. Flottenverbände wurden zunächst von *liberti Augusti*, dann von *praefecti classis* aus dem *ordo equester* (vgl. CIL IX 1582 = ILS 1343: *praef. classium praetoriarum*) kommandiert; außerdem bestanden regionale *classes*: Für das 3. Jh. n. Chr. sind die *classis Britannica*, die *classis Germanica* (Rhein, Nordsee), die *classis Moesiaca* (untere Donau, Schwarzes Meer), die *classis Pontica* (Schwarzes Meer), die *classis Syriaca* und die *classis Alexandriana* belegt. Standardschiffe waren Liburnen und Trieren. Die Flotten wurden v. a. im Patrouillendienst oder für den Transport eingesetzt; zudem wurde die regionale Piraterie bekämpft. Größere Flotteneinsätze waren bei den Landungen und Feldzügen in Britannien unter Caesar, Claudius und Septimius Severus notwendig; Drusus und Germanicus setzten Flotten gegen die Germanen ein.

V. SPÄTANTIKE

Unter den Tetrarchen kämpften röm. Flotten gegen Carausius und Allectus in Britannien. Mit dem Aufkommen der vandalischen und got. Flotten im 5. Jh. n. Chr. verloren die Römer ihre Seeherrschaft im westl. Mittelmeer, außerdem lebte die isaurische Piraterie wieder auf. Die *Notitia Dignitatum* ist insgesamt lückenhaft und nennt keine Flotten für Rhein, Nordsee oder das östliche Mittelmeer (vgl. aber Cod. Theod. 10,23,1 für *classis Seleucena*), dafür Flotten, die auf der Donau (vgl. dazu auch Cod. Theod. 7,17) und auf den Flüssen Galliens stationiert waren. Erwähnt werden zudem die *classes praetoriae* von Ravenna und Misenum (Not. dign. occ. 42,7), dazu die *classis Venetum* (Not. dign. occ. 42,4). Ostrom war während der Feldzüge gegen die Vandalen und die Ostgoten im 5. und 6. Jh. n. Chr. auf große Flotten angewiesen. Kriegsentscheidend war die Seeschlacht bei Cap Bon (bei Karthago 468 n. Chr.), in der die Vandalen die oström. Flotte vernichtend schlugen. Auf Flüssen wurden Moneren mit bis zu 20 Rojern und Hilfssegel verwendet; solche Boote dienten v. a. dem schnellen Transport von Nachschub und Truppen (Amm. 17,1,4).

1 O. BOUNEGRU, M. ZAHARIADE, Les forces navales du Bas Danube et de la Mer Noire aux Ier – VIe siècles, 1996 2 CASSON, Ships, 77–156 3 V. GABRIELSEN, Financing the Athenian fleet, 1994 4 R. GARLAND, The Piraeus from the fifth to the first century B.C., 1987 5 O. HÖCKMANN, Ant. Seefahrt, 1985 6 Ders., Röm. Schiffsverbände auf dem Ober- und Mittelrhein und die Verteidigung der Rheingrenze in der Spätant., in: JRGZ 33, 1986, 369–416 7 D. KIENAST, Unt. zu den Kriegsflotten der röm. Kaiserzeit, 1966 8 J. MORRISON, R. T. WILLIAMS, Greek oared ships 900–322 B.C., 1968 9 J. S. MORRISON, Greek and Roman oared warships 399–30 B.C., 1996 10 J. S. MORRISON, J. F. COATES, The Athenian trireme, 1986 11 M. REDDÉ, Mare nostrum, 1986 12 M. M. SAGE, Warfare in ancient Greece, 1996 13 C. G. STARR, The Roman imperial navy, 1959 14 W. W. TARN, Hellenistic military and naval developments, 1930 15 H. D. L. VIERECK, Classis Romana, 1975 16 H. T. WALLINGA, Ships and sea-power before the Great Persian War, 1993. P.H.

Fluch I. ALTER ORIENT, ÄGYPTEN, ALTES TESTAMENT II. GRIECHENLAND UND ROM

I. ALTER ORIENT, ÄGYPTEN, ALTES TESTAMENT

Im Alten Orient gilt der F. als magisch wirksamer Spruch, mit dem der Sprecher feindliche Personen oder Gegenstände ihres Bereiches zugrunde richtet, aus der Gemeinschaft ausschließt oder zumindest in ihrer Lebenskraft mindert. Das Maß der Wirkung ist an den Rang des Sprechers, den Sitz im Leben und den Gebrauch formelhafter Wendungen gebunden.

Umgangssprachliche F. sind aus dem Vorderen Orient nicht, in Äg. kaum belegt. Im Vorderen Orient sind F.-Formeln seit Mitte des 3. Jt. in verschiedenen Sprachen (akkad. und sumer.; aram., hebr. [6. 561–593 passim]) v. a. als Bestandteil – meist als Schlußabschnitt – von Inschr. auf Bauwerken, Weihgaben, Grenzsteinen, Stelen, Sarkophagen usw. überliefert. Verflucht werden die, die sich am Inschr.-Träger vergehen. Gleiches gilt für Äg., wo Verfluchungen in Texten, die vor der Schädigung von Gräbern, Opferstiftungen und anderen Denkmälern warnen, vorkommen. Es können in Äg. sowohl private als auch königliche Denkmäler mit F.-Formeln versehen sein, aber entgegen der Legende vom »F. der Pharaonen« finden sie sich niemals in Königsgräbern. Angedroht werden diesseitige Strafen (soziale Ächtung, Körperstrafen, Tod) und Verdammnis im Jenseits. Art und Exekutoren der angedrohten Strafen ändern sich im Lauf der Zeit: Im AR wird gerne mit dem Göttergericht gedroht, in der Spätzeit sind obszöne Verwünschungen bes. häufig. Als Adressaten der Flüche werden – ebenso wie in Mesopot. – neben allg. Bezeichnungen für Übeltäter auch künftige Machthaber genannt, die für die Erhaltung der Einrichtung zuständig sind und sie abschaffen oder beeinträchtigen könnten. Im Keilschriftbereich folgt der gebräuchlichste F.-Typus dem Schema: Gottheit NN möge dem Übeltäter dies und jenes tun (v. a. Vernichtung der Nachkommenschaft und Krankheiten); ähnlich sind die F.-Formeln in Syrien und Palästina.

Angesichts beschränkter Möglichkeiten der Gerichtsbarkeit spielt die F. eine wichtige Rolle als Ersatz juristischer Sanktionen (in Äg. [1]) bei Urkunden- oder Vertragsbestimmungen (so in Mesopot.), aber auch für Vergehen, die rechtlich nicht zu ahnden sind.

Im AT werden, um künftige, unerkannt bleibende Verbrecher zu treffen, F. prospektiv ausgesprochen, um Bestand und Frieden der Gesellschaft zu sichern, so bei regelmäßigen Kultbegehungen (Dt 27,14–26). F.-Formeln spielen v. a. in den → Staatsverträgen aus Mesopot., Anatolien und Syrien eine wichtige Rolle [5. 132–186 passim]. Indem Israel den altoriental. Brauch des beidseitig beschworenen Vertrages zw. Oberherrn und Vasall auf das Gott-Volk-Verhältnis überträgt, werden die dazu gehörigen F.-Muster für Bundesbruch übernommen, meist aber durch Segensreihen ergänzt (Dt 28,15–69 mit 1–14). Die dazugehörige Symbolhandlung der Selbstverfluchung (Dt 29,11) vollzieht sich anscheinend wortlos. F.-Formeln erscheinen auch in Beschwörungen und Riten zur Gefahrenabwehr als Begleitung magischer Handlungen (Äg.), bes. zur Abwehr schwarzer Magie (Mesopot.). Die im Lauf der Zeit wachsende Überzeugung von der exklusiven Verfügungsmacht Jahwes über das Menschenleben führt dazu, daß für jüngere Schichten des AT der F. nur mit Willen und im Namen des Gottes legitim erscheint. Mißbrauch des Gottesnamens im F. zum Schaden von Mitmenschen bedeutet Verstoß gegen den Dekalog.

1 J. ASSMANN, When Justice Fails: Jurisdiction and Imprecation in Ancient Egypt and the Near East, in: JEA 78, 1992, 146–162 2 S. MORSCHAUSER, Threat-Formulae in Ancient Egypt, 1991 3 F. POMPONIO, Formule di maledizione della Mesopotamia preclassica, 1990 4 J. SCHARBERT, ThWAT 1, 437–451 5 TUAT 1 6 TUAT 2.
K. J.-W. u. K. KO. u. M. KR.

II. Griechenland und Rom

Ein F. (ἀρά, dirae) ist im griech.-röm. Bereich der vehement vorgebrachte Wunsch, daß Übel – meist Krankheit oder Tod – einen anderen befallen mögen; wenn er sich der Hilfe der Götter versichert, so sind es oft unterirdische Gottheiten. Der F. ist zum einen Mittel der Gesellschaft oder von einzelnen, gegen reale oder eingebildete Übeltäter vorzugehen, die sonst kaum faßbar wären oder gegen die man eine möglichst drastische Strafe sucht, zum anderen besonders in Situationen von Konkurrenz und Neid ein Weg, Mitbewerber auszuschalten (vor allem im Schadenzauber), schließlich im → Eid als Selbstverfluchung die stärkstmögliche Sicherung gegen Eidbruch.

Der F. als Strafe versichert sich gewöhnlich der Hilfe der Götter, kommt mithin einem → Gebet nahe; entsprechend heißt bei Homer der Priester auch arētḗr, »Flucher«. Als der junge → Phoinix die Nebenfrau seines Vaters verführt, verflucht ihn dieser vermittels der → Erinyen zur Kinderlosigkeit und wird vom »unterirdischen Zeus« und Persephone erhört (Hom. Il. 9,453–457); dieselben Gottheiten erhören den F. der → Althaia gegenüber Meleagros (Il. 9,566–572). Ist der F. hier bei innerfamiliären Auseinandersetzungen wirksam, finden sich später Verfluchungen unbekannter Mörder [1], Diebe u. ä., gelegentlich als auf Bleitäfelchen in den Tempeln chthonischer Gottheiten niedergelegte Texte [2]. Daneben stehen öffentliche Verfluchungen wie der F. der Priester und Priesterinnen Athens dem Staatsfeind → Alkibiades gegenüber (Plut. qu. R. 44,275d) oder die inschr. erhaltenen F. der Stadt Teos gegenüber einer Reihe von Missetätern (sog. Dirae Teorum [3]). Eine

Sondergruppe stellen die kleinasiatischen Grab-F. der Kaiserzeit dar, mit denen sich der Tote gegen Beschmutzung oder Mißbrauch des Grabes wehrt [4]. In lit. Brechung dient das F.-Gedicht, etwa Kallimachos' und Ovids Ibis, der Verunglimpfung lit. Feinde [5].

Der F. als Mittel des Konkurrenzkampfs schlägt sich in der privaten Magie in den F.-Tafeln (tabellae defixionum [6; 7], → Defixio) nieder – seit dem 5. Jh. v. Chr. werden Bleitäfelchen mit Texten beschrieben, in welchen die Unterirdischen zur Hilfe herbeigerufen werden. Sie werden zumeist in Gräbern, gelegentlich auch in Brunnen, Flüssen oder dem Meer niedergelegt, oft zusammen mit Zauberpuppen [8]; die spätant. → Zauberpapyri geben ausführliche Szenarien. Sind es in Athen im 5. und 4. Jh. v. Chr. bes. Prozeß-F., wird in der späteren Zeit der F. insbesondere in den Bereichen der Liebe und der Pferderennen eingesetzt. Angewünscht wird im att. Prozeß-F. bes. die Unfähigkeit zur Zeugenaussage, im Circus der spektakuläre Unfall, in der Liebe die hemmungslose Hingabe, in anderen Kontexten, wenigstens später, auch Krankheit oder Tod. Der F. bietet sich in all diesen Bereichen dann auch zur Erklärung negativer Erscheinungen an (etwa Cic. Brut. 50,217 oder Hier. Vita S. Hilarionis 21).

→ Magie

1 L. ROBERT, La Collection Froehner, 1936, Nr. 77 2 H. VERSNEL, Beyond Cursing. The Appeal to Justice in Judicial Prayers, in: C. A. FARAONE, D. OBBINK (Hrsg.), Magika Hiera, 1991, 60–106 3 TOD, 23 4 J. H. M. STRUBBE, Cursed be He that Moves My Bones, in: [2], 33–59 5 L. WATSON, Arae. The Curse Poetry of Antiquity, 1991 6 A. AUDOLLENT (Hrsg.), Defixionum tabellae, 1904 7 J. G. GAGER (Hrsg.), Curse Tablets and Binding Spells from the Ancient World, 1992 8 C. A. FARAONE, Binding and Burying the Forces of Evil. The Defensive Use of »Voodoo Dolls« in Ancient Greece, in: Classical Antiquity 10, 1991, 165–205.

W. SPEYER, s. v. F., RAC 7, 1160–1288 · F. GRAF, Gottesnähe und Schadenzauber, 1996.   F. G.

Fluchtafeln s. Defixio

Flügelsonne. Entstanden als Kombination der Sonnenscheibe mit einem Falkenflügelpaar im Ägypten der 3. Dyn. (27. Jh. v. Chr.), bildet sie dort ›eine zum Symbol verdichtete Erscheinungsform gottbegnadeten Königtums‹ [1]. Die oriental. F. ist zum ersten Mal auf dem Siegel der Matrunna von Karkemisch belegt (1. Drittel 18. Jh.) [2]; sie ersetzt in der altsyr. Glyptik die einfache Sonnenscheibe in der Mondsichel und findet über die Mittani-Glyptik im 14. Jh. Eingang in die assyr. Ikonographie. Im hethit. Großreich ist die F. Attribut des Sonnengottes des Himmels und Bezeichnung des königlichen Titels »meine Sonne«. Im 9. Jh. wurde der F. in Assyrien eine Halbfigur zugefügt, deren Rock wie die Flügel als bunter, von Göttergewändern bekannter Falbelstoff stilisiert wurden [3]. Bei jüngeren F. und F. ohne Figur ist der »Rock« an der zentralen Scheibe befestigt und wirkt, bes. bei späteren F. mit ornithomorphen Flügeln, wie ein Vogelschwanz [4]. Wegen der engen Verbindung zum assyr. Königtum wird die F. gelegentlich fälschlich → Assur [2] statt dem Sonnengott zugeschrieben. Die von Dareios. I. am Ende des 6. Jh. übernommene, auf jüngeren Denkmälern (außer an den Grabfassaden) mit Vogelflügeln versehene F. ist mit dem achäm. Königtum verknüpft [5] und verschwindet nach dessen Untergang und kurzem Auftritt bei hell. Herrschern der Persis.

1 D. WILDUNG, s. v. F., LÄ 2, 277–279 2 D. PARAYRE, Carchemish entre Anatolie et Syrie. À travers l'image du disque solaire ailé (ca. 1800–717 avant J.C.), in: Hethitica 8, 1985, 319–360 3 E. UNGER, Die Symbole des Gottes Assur, in: Belleten 29, 1965, 423–483 4 B. PERING, Die geflügelte Scheibe in Assyrien, in: AfO 8, 1932/3, 281–296 5 P. CALMEYER, Fortuna – Tyche – Khvarnah, in: JDAI 94, 1979, 347–365.   U. SE.

Flugfuchs s. Fledermaus

Flugschrift s. Nachrichtenwesen

Fluß. Erdrelief und Klima bestimmen Größe und Richtung von Flußläufen. Die größeren Flußtäler der Oikumene bestimmten ihrerseits Handel und Wandel der Gesellschaften, deren Gebiete sie durchzogen; denn sie boten diesen sowohl infrastrukturelle als auch wirtschaftliche Vorteile. Selten stellten sie für den Verkehr unüberwindliche Hindernisse dar, sie lenkten vielmehr die Verkehrsströme in verschiedener Stärke in bestimmten Bahnen (Furten, Brücken). Die wirtschaftliche Nutzbarkeit von Flußtälern war auf die Dauer selten ohne künstliche Eingriffe gegeben; oft waren jährlich wiederkehrende Überschwemmungen (jahreszeitlich bedingte Regenfälle, Schneeschmelze) für die Landwirtschaft schädlich, wenn es nicht gelang, sie künstlich (Dämme, Kanäle) zu kontrollieren und die herangeschwemmten Dungstoffe ortsfest zu machen (Mesopotamien, Ägypten). Erhöht wurde der wirtschaftliche Nutzen von Flüssen, wo diese schiffbar waren und sich selbst als Verkehrswege anboten (Binnenschiffahrt in Gallien).

Wo örtliche Quellen nicht genug Wasser lieferten, dienten Flüsse direkt als Wasser-Reservoir; so versteht es sich, daß die meisten ant. Städte an Flußufern angelegt wurden. Dort – besonders etwa in Flußschleifen (Vesontio), an Flußgabelungen (Thebai, Sparta) oder an der Meeresküste zw. zwei Flußmündungen (Trapezus, Pergamon) – boten sie Siedlungen auch fortifikatorische Vorteile.

J.-F. BERGIER (Hrsg.), Montagnes, fleuves, forêts dans l'histoire, 1989 · J. LE GALL, Le Tibre, fleuve de Rome dans l'antiquité, 1953 · M. PARDÉ, Fleuves et rivières, 1955 · F. RATZEL, Anthropogeographie 2, 1891, 477 ff.   E. O.

Flußgötter I. ÄGYPTEN
II. GRIECHENLAND UND ROM

I. ÄGYPTEN   s. Nil.

II. GRIECHENLAND UND ROM
A. ALLGEMEIN   B. MYTHOLOGIE   C. KULT
D. IKONOGRAPHIE, ANTHROPOMORPHISMUS

A. ALLGEMEIN

Die → Personifikation von Gegebenheiten der physischen Umwelt ist Teil vieler ant. Mythen und Religionen. Von bes. Bed. sind, neben Sonne und Mond, die Berge und die Flüsse: Sie gehören fest zu einer bestimmten lokalen Umwelt, definieren mithin Identität und Heimat. Doch während Berggötter in der griech.-röm. Welt allein myth., kaum kult. Realität haben, ist die Verehrung der lokalen F. fest im Kult vieler griech. und it. Städte verankert. Wichtiger als ihre Rolle als Wasserbringer waren dabei die polit. und sozialen Funktionen. Als Inbegriff der lokalen Identität einer Stadt finden sich Bilder der F. häufig auf griech. Münzbildern, schon seit archa. Zeit auch in den Kolonialgebieten der Magna Graecia.

B. MYTHOLOGIE

In Hesiods ›Theogonie‹ sind die Flüsse Söhne von → Okeanos und → Thetys, Brüder der Okeaniden (Hes. theog. 337–370; ebenso Hom. Il. 21,196f.); Okeanos gilt dabei als »Urstrom« (vgl. theog. 242). Als einzige Funktion von Flüssen und Okeaniden nennt Hesiod, daß sie ›zusammen mit Apollon die Männer »aus Heranwachsenden machen« (κουρίζουσι)‹, d. h. für die Pubertätsinitiation zuständig sind, theog. 347). Mythologisch und rituell bedeutsam sind die F. auch bei Homer. Sie nehmen, zusammen mit den Nymphen, aber ohne → Okeanos, gesamthaft an der Götterversammlung teil (Hom. Il. 20,7–9). Sie sind zwar allg. Söhne des Okeanos, Xanthos-Skamandros aber ist ein Sohn des Zeus (Hom. Il. 14,343 u. a.; zum Doppelnamen Hom. Il. 20,74). Er nimmt menschl. Gestalt an, um Achilleus zu warnen (Hom. Il. 21,213, vgl. 16,716), überfällt ihn dann aber in der Form eines hochanschwellenden Flusses, ›brüllend wie ein Stier‹ (Il. 21,237), und erst die Flammen des → Hephaistos halten ihn auf.

In den lokalen Myth. Griechenlands stehen die F. oft am Beginn der regionalen und lokalen Genealogie, so → Skamandros in der Troas, → Inachos in Argos oder → Peneios in Thessalien; sie sind Urkönige (in Rom der Tiber: Liv. 1,3,8) oder Väter lokaler Heroen dadurch, daß sie einer lokale Heroine Gewalt antun (Alpheios, Spercheios, Strymon), oft auch selber Eponymen einzelner Städte, bes. in Unterit. (Gelas, Taras). Demgegenüber reflektiert der Mythos vom Kampf des → Acheloos mit Herakles um die Lokalnymphe → Deianeira möglicherweise die Abwehr einer fremden Werbung.

C. Kult

Der Kult der Flüsse ist bereits bei Homer fest ausgebildet. In Troia besitzt Skamandros einen Priester
(Dolopion: Hom. Il. 5,77f.); man opfert ihm Rinder
und versenkt lebende Pferde in seinem Wasser (Il.
21,13–132); dem → Alpheios opfert man Stiere (Il.
11,727), dem → Peneios verspricht Peleus 50 Widder als
Opfer in die Quelle (Il. 23,147). Solche Opfer bringen
griech. Städte regelmäßig ihren lokalen F. dar (Ephoros
FGrH 70 F 20), die gelegentlich selbst den Beinamen
Sōtḗr tragen können (Hdt. 8,138). Dasselbe gilt von Italien, wo wir etwa den Kult von → Clitumnus (er erhält
weiße Rinder), → Numicus oder → Padus pater fassen
[1]. Tiberinus pater hat ein Heiligtum auf der Tiberinsel
mit Stiftungsfest am 8. Dezember [2; 3]. F. besitzen hl.
Bezirke mit Altar, Kultbild und Tempel, so etwa der
Spercheios an seiner Quelle (Hom. Il. 23,148: Altar), der
Erymanthos bei Psophis (Paus. 8,24,12), der Chrysas in
Assorus (Cic. Verr. 4,44: Tempel und Bild), der Kephisos in Athen (LSCG Suppl. 17) oder der Clitumnus,
dessen Quellheiligtum der jüngere Plinius ausführlich
beschreibt (Plin. epist. 8,8). Das → Höhlenheiligtum des
Eurymedon in Pisidien ist arch. faßbar [4]. Im syr. Styx
sinken die Weihgaben, die man hineingibt, in die Tiefe,
wenn sie der Gottheit angenehm sind, sonst schwim-
men sie obenauf und werden an den Rand gespült
(Damaskios, [5]). Man opfert dem Gott eines fremden
Flusses, bevor man ihn durchschreitet (*diabatéria*); allg.
empfiehlt dies Hesiod (erg. 737ff.: Gebet und Wa-
schung). Einzelne solcher Opfer sind im Kontext von
Feldzügen für Kleomenes am Erasinos (Hdt. 6,76: Stiere), für Xerxes am Strymon (Hdt. 7,113: Pferde), für die
Zehntausend am Kentrites (Xen. anab. 4,3,18: *sphágia*,
»Schlachtopfer«) und für Lucullus am Euphrat belegt
(Plut. Lucullus 24,5,507f: Stier). Überlokaler Kultemp-
fänger ist allein → Acheloos (Ephoros FGrH 70 F 20),
der etwa in Athen zusammen mit dem lokalen F. Ilissos
und Eileithyia eine Dedikation im Heiligtum des Kephisos (LSCG Suppl. 17 B5), auf Mykonos hingegen
Opfer in den lokalen Fluß empfängt (LSCG 96,37).

Unter den spezifischeren Riten ist das Haaropfer der
Epheben ebenfalls bereits homer. belegt: → Peleus gelobte das Haar des heimkehrenden → Achilleus dem
Peneios in seinem Heiligtum (Hom. Il. 23,141f.). Hesiod (theog. 346f.) generalisiert die Sitte und bezieht sie,
zusammen mit den F., auf Nymphen und Apollon. Der
heimkehrende Orestes weiht sein Haar entsprechend
dem heimatlichen Inachos als *thretḗrion* (»Dankopfer
des Herangewachsenen«; Aischyl. Choeph. 6). Hist.
Haaropfer an den lokalen Fluß sind etwa für Athen (an
den Kephisos, Paus. 1,37,3) oder Phigaleia (Paus. 8,41,3:
Neda) bezeugt. Der Fluß spielt die Rolle des → *ku-
rotróphos*, der für das Heranwachsen der jungen Männer
(und Frauen) zuständig ist; so stiftet um 400 v. Chr. eine
Frau ein Heiligtum des Kephisos für die Erziehung (*di-
daskalía*) ihres Sohnes (LSCG Suppl. 17). Daß sich hier
Reste alter initiatorischer Funktion halten, zeigen etwa
die Riten von Patras mit einem jährlichen Zug der Kna-

ben und Mädchen zum Fluß Meilichos (Paus. 7,20,1)
oder von Sikyon zum Sythas (Paus. 2,7,8) [4]. Daraus
leitet sich auch die Zuständigkeit des lokalen Flusses für
Hochzeitsriten und Geburten ab: In der Troas gehen die
heiratenden Mädchen zum Skamandros und waschen
sich die Jungfrauenschaft in ihm ab (Aischin. epist. 10).
Umgekehrt gewinnt Hera durch ein Bad in der Quelle
→ Kanathos bei Argos ihre Jungfräulichkeit wieder
(2,38,2). Dies äußert sich im speziell kleinasiatischen,
aber auch athenischen und boiot. Brauch, einen Menschen nach dem lokalen F. zu benennen (Muster: Ke-
phisodoros) [5].

Als lokale Numina werden F. auch als Eidzeugen
angerufen, zuerst bei Homer in Agamemnons Schwur
(Hom. Il. 3,278, zusammen mit → Gaia; vgl. Soph. Aias
862), später etwa im Eid der Stadt Dreros auf Kreta
(Inscr. Creticae IX Nr. 1 A 34) oder dem athenischen
Ephebeneid. Eine ital. Sonderentwicklung ist die Funktion von F. als Orakelgottheit, die für den Clitumnus
bezeugt ist (Plin. epist. 8,8,5).

D. Ikonographie, Anthropomorphismus

Gehen in der homer. Erzählung von Skamandros
und Achilleus Elementarform und anthropomorphe
Gestalt ineinander über, so hält sich dies durch die ganze
Ant.: Die Phrygier bestraften den Maiandros, als er über
die Ufer trat (Strab. 12,8,19), ein christl. Mönch versuchte, den Sangarios dadurch in seinem Bett zu halten,
daß er seinem Ufer entlang Kreuze aufstellte, um den
(nun dämonisch verstandenen) Flußgott zu bannen. In
der bildlichen Darstellung der F. finden sich entsprechend neben rein anthropomorphen Formen – Anapos
in Syrakus oder Porpax und Krimissos in Segesta als
Männer, Akragas als Knabe (Ail. var. 2,33) – Mischformen mit der Stiergestalt als Verkörperung der reißenden
Kraft des Wassers, sei es als Mannstier (→ Acheloos) oder
als gehörnter (junger) Mann; den Stierkopf bezeugen
und erklären verschiedene ant. Autoren (bes. Strab.
10,1,19 p. 458 und Cornutus 22).

1 G. Wissowa, Religion und Kultus der Römer, ²1912, 224
2 M. Besnier, L'île Tibérine dans l'antiquité, 1902
3 A. Momigliano, Thybris pater, in: Ders., Roma arcaica,
1989, 347–370 4 D. Kaya, The Sanctuary of the God
Eurymedon at Thymbriada in Pisidia, in: AS 35, 1985, 39–56
5 M. Tardieu, Les paysages reliques, 1990, 65–67
6 A. Brelich, Paides e Parthenoi, 1968, 367f., 378
7 E. Sittig, De Graecorum nominibus theophoris, 1911.

Farnell, Cults, Bd. 5, 420–424 · O. Waser, s. v. F., RE 6,
2774–2815 · F. Matz, Die Naturpersonifikationen in der
griech. Kunst, 1913, 90–117 · F. W. Hamdorf, Griech.
Kultpersonifikationen der vorhell. Zeit, 1964, 12–16, 80–83,
Nr. 79–136 · C. Weiss, Griech. F. in vorhell. Zeit, 1984 ·
C. Weiss, s. v. Fluvii, LIMC 4.1, 139–148 · J. A. Ostrowski,
Personifications of Rivers in Greek and Roman Art, 1974 ·
H. Brewster, River Gods of Greece. Myths and Mountain
Waters in the Hellenic World, 1997.   F.G.

Flußnamen s. Alteuropäisch; Geographische Namen

Foederati. Röm. Bezeichnung für selbständige Völkerrechtssubjekte als Vertragspartner Roms. Die Kontrahenten standen geograph. in unmittelbarem Kontakt zum *Imperium Romanum* oder waren diesem zuzurechnen. Proculus nennt alle F. *externi* (Dig. 49,15,7), zur Zeit der Republik finden sich aber F. auf Provinzboden (Cic. Verr. 5,51). Der Begriff ist rein polit. gefüllt, eine geograph. Verortung an den Reichsgrenzen greift zu kurz. Die Verträge wurden seit dem Prinzipat vom Kaiser oder einem Beauftragten geschlossen [9. 92, 112], und zwar als → *foedus*, das nicht immer ein Foederatenverhältnis begründete (vgl. Cass. Dio 72,18,1). Bei solenner Form des Vertragsschlusses waren die Bestimmungen variabel [9. 90]. Ein Formular zu erstellen, bleibt schwierig (für die Spätant. [5]). Das Vertragsverhältnis basierte auf Prinzipien wie → *amicitia*, → *societas*, → *pax*, *hospitium*. F. hing immer von der tatsächlichen Stärke Roms ab [9. 81 f.]. → *Deditio* als Präliminarie war römischerseits erwünscht, aber nicht notwendig. Im Zuge expansiver Politik z.Z. des Prinzipats bediente sich Rom der F. zu defensiven wie offensiven Zwecken (vgl. Vell. 2,105,1; 2,106,1; Cass. Dio 72,11; Inscriptions latines d'Afrique 609).

Die → Constitutio Antoniniana und die Heeresreform des → Gallienus als Reaktionen auch auf wachsenden Druck von außen bereiteten eine in der Spätantike intensivierte Grenzpolitik Roms vor. So sicherte das *foedus* des → Constantinus [1] mit den Goten von 332 [1. 54–59, 113 f.] die Donaugrenze für ca. 50 Jahre und verschaffte Rom got. Zuzug für Unternehmungen im Osten (zu Verträgen dieser Zeit s. [5. 175 ff.]). Die Niederlagen gegen die Perser (Vertrag zwischen → Iovianus und → Sapor II. von 363) schwächten Rom auch im Westen. Die Regelung mit den got. Verbänden des → Fritigern an der Donau (376) wurden infolge der Schlacht von Adrianopel (378) unwirksam. Das *foedus* zwischen → Theodosius I. und den Goten (3. Okt. 382) wies in eine neue Richtung. Nach erfolgter *deditio* wurden diese geschlossen als reichsangehörige *gentiles* etwa im Gebiet der Dacia ripensis und der Moesia II angesiedelt. Eine Umsiedlung der röm. Bevölkerung unterblieb, so daß das Institut der → *hospitalitas* deren Verhältnis zu den Neusiedlern regelte. Das → *conubium* wurde der gotischen Bevölkerung verwehrt. Sie galten als autonom, waren nicht steuerpflichtig und erhielten Geldzahlungen. Sie hatten Waffenhilfe unter röm. Oberbefehl zu leisten.

Der Vertrag war vorbildhaft für künftige Ansiedlungen von F. auf Reichsgebiet [1. 138 ff.; 5. 293 f. mit Lit.]. In den Verträgen mit Alarich (→ Alaricus [2]) von 392 bis 402/3 war Rom zu Zugeständnissen gezwungen. Die Abwehr nach Süden drängender polyethnischer Verbände 391/2 unter Führung Alarichs führte zur *deditio* der Goten und einem die Regelungen von 382 bestätigenden *foedus*, das Alarich wahrscheinlich die Anerkennung als got. König [8. 150 ff.] brachte. Das *foedus* mit → Arcadius (397) enthält seine Ernennung zum *magister militum per Illyricum*. Die Ansiedlung der Goten

erfolgte in Makedonien (*Emathia tellus*), wo Alarich auch die zivile Herrschaft eingeräumt wurde (Claud. in Eutropium 2,214–218; de bello Gothico 496 f.; 535–539 [8. 149 f.]). Die Goten waren weitgehend autonom, ihnen oblag die Grenzverteidigung des Gebietes, aus dem sie sich auch finanzierten. Die Form der Finanzierung und der Ansiedlung ist generell umstritten [5. 296–8]. Viel spricht für die Anwendung der für Theoderich I. (Vertrag mit Honorius von 418/9) gut belegten *hospitalitas* in Verbindung mit einer Finanzierung über Gewährung von Steueranteilen (*sors*; Prok. BG 1,1,4 ff.; 28; [2; 3]). Das *foedus* von 397 wurde zum Präzedenzfall. Im folgenden zeigen Alarichs Kämpfe in Italien und Athaulfs (→ Ataulfus) Zug nach Aquitanien eine zunehmende Verselbständigung der Alarich-Goten bzw. Westgoten, die das F.-Verhältnis hinter sich ließen und zum eigenständigen Machtfaktor im Reich wurden. Ähnlich entwickelte sich das röm. Verhältnis zu den Hunnen unter → Attila und später zu → Theoderich d. Gr. (Verträge von 478, 483, 487/8; [5. 185 f.; 8. 271 ff.]).

Seit dem 5. Jh. wurden mit F. auch röm.-barbarische Truppen aus privater, später regulärer Rekrutierung bezeichnet. Im 6. Jh. standen sie unter einem *comes foederatorum* (→ *comes*) und erhielten Soldzahlungen, *annonae foederaticiae*. (*bucellarii*, Olympiodoros fr. 7, [4. 665]).

1 P. A. BARCELÓ, Roms auswärtige Beziehungen unter der Constantinischen Dynastie (306–363), 1981 2 J. DURLIAT, Le salaire de la paix sociale dans le royaumes barbares, in: H. WOLFRAM, A. SCHWARCZ (Hrsg.), Anerkennung und Integration, 1988, 21–72 3 W. GOFFART, Barbarians and Romans A. D. 418–584, 1980 4 JONES, LRE, Bd. 2 5 R. SCHULZ, Die Entwicklung des röm. Völkerrechtes im 4. und 5. Jh. n. Chr., 1993 6 A. SCHWARCZ, s. v. foederati, RGA 8, 290–299 7 B. STALLKNECHT, Untersuchungen zur röm. Außenpolitik in der Spätantike, 1969 8 H. WOLFRAM, Die Goten, ³1990 9 K. H. ZIEGLER, Das Völkerrecht der röm. Republik, in: ANRW I 2, 68–114. U. HE.

Foedus. Feierlicher Friedens- und Freundschaftsvertrag zwischen Rom und einem anderen Staat, der unter den Schutz der Götter gestellt ist. Im Gegensatz zum Waffenstillstand (*indu005tiae*) ist das *f.* auf Dauer angelegt (*pia et aeterna pax*). Ergebnis des *f.* ist eine → *societas* oder → *amicitia*, die Partner Roms sind → *foederati*, → *socii* oder *amici* (die Termini sind nicht streng getrennt). Geschlossen wurden die *foedera* ursprünglich wohl von den → *fetiales* in Form einer *sponsio* (Liv. 1,24), später ist deren Rolle auf die Überwachung der rel. Formen beschränkt. Das *f.* schließt nun meist ein Magistrat oder Promagistrat im Felde; es muß jedoch durch die Volksversammlung in Rom bestätigt werden. In der Kaiserzeit ist das Recht, *f.* zu schließen, eine in der *lex de imperio Vespasiani* bestätigte Praerogative des Kaisers.

Inhalt des *f.* ist die gegenseitige Beistandspflicht. Nach der späteren und wohl nicht offiziellen Systematik bei Proculus (Dig. 49,15,7,1) wurde unterschieden zwischen den *foedera aequa* und *f. iniqua*, wobei erstere diese Beistandspflicht zwischen Gleichen bei Angriffen Dritter feststellten, letztere den Partner – meist als Folge einer *deditio* (»Kapitulation«) – zur Anerkennung von Roms Suprematie verpflichteten (*maiestatem populi Romani comiter conservare*; anders [1], der jedoch mit Recht feststellt, daß *f. iniquum* kein t.t. war). Die ursprünglich sicher ausgeprägten Unterschiede in der Stellung der → *foederati*, zwischen mehr oder weniger mächtigen, solchen innerhalb und außerhalb Italiens, verblaßten mehr und mehr in dem Maß, in dem Rom die einzig entscheidende Macht im Mittelmeerraum wurde. In Italien verschwindet die Kategorie der *foederati* mit dem Bundesgenossenkrieg, außerhalb wird das *f.* mehr und mehr durch einseitige Freiheitserklärungen Roms ersetzt.

In der Spätantike sind *foederati* außerröm. (nicht notwendigerweise national einheitliche) Truppen, die meist von einem Adligen des entsprechenden Stammes befehligt wurden, wohingegen *foedus* nahezu jeden Vertrag bezeichnen kann (POHL in [3. 8], vgl. dort auch die Beiträge von WIRTH und HEATHER).

1 D. W. BARONOWSKI, Sub umbra foederis aequi, in: Phoenix 44, 1990, 345–369 2 L. DE LIBERO, Ut eosdem quos populus Romanus amicos atque hostes habeat, in: Historia 46, 1997, 270–305 3 P. HEATHER (Hrsg.), The Goths, 1997 4 H. HORN, Foederati, Diss. 1929 5 StV, Bde. 2 und 3. H. GA.

Foedus Cassianum.

Nach dem Sieg über die Latiner am *lacus Regillus* 493 v.Chr. von dem Consul Sp. → Cassius [I 19] Vecellinus geschlossenes Bündnis mit den Latinern, das 486 auf die Herniker ausgedehnt wurde. Das Dokument war noch in Ciceros Zeit auf einer Bronzesäule (der originalen?) am Forum erhalten (Cic. Balb. 53). Die Historizität des Textes wird heute, ebenso wie die Frühdatierung, gegenüber der früheren Forschung anerkannt [1. 68 f.; 2. 299–301]. Die hauptsächlichen Bestimmungen finden sich bei Dion. Hal. ant. 6,95: Friede zwischen Römern und Latinern, solange Himmel und Erde stehen; keine Unterstützung für Dritte, die gegen eine der Parteien Krieg führen wollen, sondern gegenseitige Hilfe; Teilung der Beute zu gleichen Teilen; bei zwischenstaatlichen Privatprozessen schnelle Durchführung binnen zehn Tagen; Änderungen am Vertragstext nur in beiderseitigem Einvernehmen. Festus (p. 166, s. v. *nancitor*) zitiert Bestimmungen, die das *commercium* (»Handelsverkehr«) zwischen Latinern und Römern betreffen. Aus Festus (p. 276, s. v. *praetor*) geht hervor, daß der Oberbefehl im Krieg zwischen den Römern und den Latinern wechselte, wobei allerdings die Reihenfolge unklar ist.

1 M. HUMBERT, Municipium et civitas sine suffragio, 1978 2 T. CORNELL, The Beginnings of Rome, 1995.

StV 2, 22 ff. Nr. 126 · E. FERENCZY, Zum Problem des foedus Cassianum, in: RIDA 3, 22, 1975, 223–232 · E. GABBA, La proposta di legge agraria di Sp. Cassio, in: Athenaeum 42, 1964, 29–41 · H. GALSTERER, Herrschaft und Verwaltung im republikanischen Italien, 1976. H. GA.

Foedus Gabinum.

Angeblicher Vertrag aus der Zeit des Königs Tarquinius Superbus (Ende 6. Jh. v. Chr.), der noch in augusteischer Zeit auf einem mit Rindshaut bespannten Schild im Tempel des Semo Sancus erhalten war; belegt bei Dion. Hal. ant. 4,58,4 und auf Münzen zweier Antistii (Familie aus Gabii, C. → Antistius [II 7] Vetus und C. Antistius Reginus) aus augusteischer Zeit: FOEDUS P. R. CUM GABINIS (RIC² 1, 68 Nr. 363 und 73 Nr. 411). Hauptinhalt war eine Isopolitie zwischen Rom und Gabii. Nach Varro (ling. 5,33) stellte der *ager Gabinus* eine auguralrechtliche Besonderheit zwischen dem *ager Romanus* und dem *ager peregrinus* dar. MOMMSEN meinte, wohl kaum zu Recht, daß *ager Gabinus* hier »technisch exemplifizierend« für jeden *ager Latinus* stünde [1. 830 f.].

1 MOMMSEN, Staatsrecht 3.

F. BRUUN, The foedus Gabinum, in: Arctos 5, 1967, 51–66. H. GA.

Föhre.

Etwa 12 Arten im Mittelmeergebiet gehören zur Coniferengattung *Pinus* (vgl. *Picea* → Fichte): 1) Im Westen *Pinus pinea* L., die Schirmkiefer oder Pinie (it. pino domestico entsprechend πεύκη ἥμερος) mit ihren eßbare Samen (κόκκιλοι, κόκκωνες) enthaltenden Zapfen (στρόβιλοι, θύρσοι). 2) Die Strandkiefer *Pinus maritima* (= *pinaster* Sol.). 3) Im Osten die Aleppokiefer, *Pinus halepensis*, mit ihren feinen Nadeln. 4) Die nur noch auf wenigen Bergen des nördl. Balkans vorkommende *Pinus Peuce* Grisebach sowie mehrere Arten der Schwarzkiefer, bes. *Pina nigra* subspecies *pallasiana* Lam., und die am Olymp bis 2500 m wachsende Panzerkiefer *Pinus Heldreichii* Christ (= *leucodermis* Ant.). 5) Die nur bis Oberit., Thessalien, Euboia und Nordkleinasien reichende europ. Kiefer *P. silvestris* L. Alle Arten fehlten in der Umgebung Roms (Plin. nat. 16,38). Die griech. Bezeichnungen πίτυς (*pítys*) und πεύκη (*peúkē*) beziehen sich auf mehrere, nicht immer klar zu trennende Arten.

Aus der F. gewann man Harz (ῥητίνη/*rhētínē*, *resina*) und Pech (πίττα/*pítta*, *pix*, nach Plin. nat. 16,38–44 von sechs Nadelbäumen; zum Verfahren ausführlich Theophr. h. plant. 9,2–3). Die Griechen versetzten mit diesem Harz Weinmost vor der Gärung (vgl. Plin. nat. 14,124 und 16,54; vgl. Dioskurides 5,6,5 p. 3,7 WELLMANN = 5,9 p. 481 f. BERENDES). Daß → Bernstein Harz fossiler F. ist, wußte bereits Plin. nat. 37,42 ff. Ausgehöhlte Stämme von *pinus*, *picea* und *alnus* lieferten nach Plin. nat. 16,224 gute Röhren für → Wasserleitungen (*ductus aquarum*). Aus mit Most angefeuchteten Pinienkernen wurde eine später zu Wein vergorene Flüssigkeit gepreßt (Plin. nat. 14,103). Diese Kerne hatten auch medizinische Bed., u. a. als Mittel gegen Blutspucken (Plin. nat. 23,142). Die *pítys* (vielleicht Nr. 2) war dem Poseidon heilig. Der Pinienzapfen (*thýrsos*) galt als Fruchtbarkeitssymbol. Dionysos und Pan gewidmet, war er Zeichen der Bacchanten und zierte auch Grabdenkmäler. Im Christentum wurde der Zapfen als Frucht des Lebensbaumes angesehen [1. 240]. In orphischer Deutung stellte er das Bild des Herzens des *Diónysos* → *Zagreús* (Διόνυσος Ζαγρεύς; Orph.fr. 210) dar. Im Mythos erscheint eine von Pan und Boreas umworbene Nymphe Pitys (Longos 2,7,39; Geop. 11,10). → Nadelhölzer

> 1 G. H. MOHR, Lex. der Symbole. Bilder und Zeichen der christl. Kunst, ⁷1983. C.HÜ.

Foenum Graecum s. Bockshornklee

Folius. Röm. Gentilname (ältere Form inschr. *Foslius*, InscrIt 13,1,37, → F. [3]), in der frühen Republik nur für die Familie der patrizischen Folii bezeugt, die Ende des 4. Jh. v.Chr. ausstarb; später geläufiger Eigenname nichtsenatorischer Familien.

> TH. MOMMSEN, Röm. Forsch. I, ²1864, 114f.

[1] Pontifex maximus, blieb bei der Einnahme Roms durch die Kelten 387 v.Chr. mit anderen Greisen in Rom und wurde getötet (Liv. 5,41,3).
[2] F. Flaccinator, M. Consulartribun 433 v.Chr. (Liv. 4,25,2; Diod. 12,58,1), vielleicht identisch mit F. [1].
[3] Foslius Flaccinator, M. Enkel von F. [2], *magister equitum* der Dictatoren C. Maenius (320 und 314 v.Chr.) und C. Poetelius (313), Consul 318 (Liv. 9,20,1; Diod. 19,2,1). K.-L.E.

Follis

[1] (φῦσα, Blasebalg). Das bereits bei Homer (Il. 18, 372; 412; 468–70) erwähnte Arbeitsgerät des Schmiedes ist in der griech. Kunst vor allem mit → Hephaistos verbunden (Schatzhaus von Siphnos, Delphi), jedoch auf Werkstattdarstellungen selten. In den Werkstätten befanden sich zwei (Hdt. I 68) oder mehrere (Hom. Il. 18,468–470) *folles*. In der röm. Kunst ist der *f.* ebenfalls relativ selten dargestellt; auf einem Grabstein eines Schmiedes in Aquileia (Mus. Inv. Nr. 166) hält der Arbeiter am *f.* einen Schutzschirm vor sich; ein Fresko im Vettier-Haus von Pompeji zeigt einen Eros bei der Handhabung des *f.*

> H. G. NIEMEYER, »Phönizische« Blasebalgdüsen. Die Funde im span. Toscanos im zeitgenössischen Vergleich, in: Der Anschnitt. Zschr. für Kunst und Kultur im Bergbau 35, 1983, 50–58 · G. ZIMMER, Griech. Bronzegußwerkstätten. Zur Technologieentwicklung eines ant. Kunsthandwerks, 1990, 183–187 · Ders., Röm. Berufsdarstellungen, 1992, 186–187, Nr. 122. R.H.

[2] s. Ballspiel
[3] Lat. Bezeichnung urspr. für Beutel, dann ab Anf. 3. Jh. n.Chr. einen Beutel Geld (Ulp. Dig. 40,7,3,6). Der anfangs nicht festgelegte Inhalt war durch das Siegel des zuletzt Verpackenden garantiert (Paul. Dig. 16,3,29), später enthielt der *f.* stets die gleiche Summe. Die Zahlung in Beuteln war immer ein Zeichen für knappes Kurant- und das Überwiegen von Kleingeld. Als feste Rechnungseinheit kommt *f.* nur in der ersten H. des 4. Jh. vor (CIL 3,743; 3,2240; 5,1880; 5,2046;

9,984; mit Dat. zw. 300 und 338 P Panopolis 2,302; Eus. HE 10,6,1; Cod. Theod. 11,36,2–3; 7,20,3; 14,24,1; CIL 9,4215). Der *f.* der Tetrarchenzeit hatte wohl einen Wert von 12500 Denaren [2. 99; 3. 34].

Die Bezeichnung *f.* ging erst allmählich auf die einzelne der im Beutel gehandelten Mz. über. Heute bezeichnet man als *f.* oder auch → *nummus* die durch die → Münzreform des Diocletian ca. 294 eingeführte Kupfermünze mit dünnem Silberüberzug von ca. 27–30 mm und 9–13 g. Der Kurs des *f.* sank rasch, was das Preisedikt von 301 (→ Edictum Diocletiani) erzwang. Der *f.* verlor in der Zeit nach Diocletian an Größe und Gewicht (um 307: 25–26 mm, 7,5–8 g; 310/1: 20–21 mm, 4–5 g; 335: 15 mm, 1,5 g). Das Wertverhältnis des *f.* zum Gold und zur Rechnungseinheit → *denarius* ist umstritten. Mit dem Preisedikt von 301 wurden die Kupfermünzen auf das Doppelte aufgewertet. Wahrscheinlich hatte der *f.* vor 301 einen Wert von 12 ½, danach von 25 Denaren [1. 458; 2. 99]. Es gibt nur wenige, oft mit Herrscherwechsel ausgetauschte Typen. 348 löste die → *maiorina* den *f.* ab.

F. als Münzbezeichnung wurde im 4. Jh. erst allmählich und nicht nur für die h. so gen. Münze verwendet. Für dasselbe Nominal kommt mehrmals auch die Bezeichnung → *nummus* vor. Die früheste Erwähnung einer *f.*-Münze erst P Mich. 126,8 (308/9); dann Cod. Theod. 7,20,3 (326); 9,23,1,1 (352); 14,4,3 (363).

Gesichert ist eine *f.*-Münze erst wieder in der → Münzreform des Anastasius von 498. Das größte und häufigste Nominal mit Wertzeichen M hieß lat. *f.*, griech. wohl *nómmos* (Kedrenos I, 801) oder auch *obolós* (Prok. HA 25; Suidas). Sein Wert stieg 527–558 von ⅟₂₁₀ auf ⅟₁₈₀ des → *solidus* (Prok. HA 25,4). Der byz. *f.* wurde bis um 1100 geprägt.

> 1 M. F. HENDY, Studies in the Byzantine Monetary Economy, Cambridge 1985 2 J. JAHN, Zur Geld-und Währungspolitik Diocletians, in: JNG 25, 1975, 91–105 3 A. H. M. JONES, The Origin and Early History of the Follis, in: JRS 49, 1959, 34–38.
>
> J. P. CALLU, Genio Populi Romani, 1960 · G. DEPEYROT, Le système monétaire de Dioclétien à la fin de l'Empire romain, in: RBN 138, 1992, 33–106 · K. W. HARL, Coinage in the Roman Economy, 300 B.C. to A.D. 700, 1996 · J. P. C. KENT, The Pattern of Bronze Coinage under Constantine I., NC 1957, 16–77 · C. E. KING, The Fourth Century Coinage, in: L. CAMILLI (Hrsg.), L'»inflazione« nel quarto secolo d.c., 1993, 1–87 · RIC Bd. 6–8, 1966–81 · SCHRÖTTER, 199ff. · O. SEECK, s. v. Follis, RE 6, 2829–2838. DI.K.

Folter A. HISTORISCHE GRUNDLAGEN
B. GRIECHENLAND
C. ROM UND NACHWIRKUNGEN

A. HISTORISCHE GRUNDLAGEN

Unter F. im rechtshistor. Sinn ist für die Ant. vor allem ein Mittel zur Erhebung von Beweisen zu verstehen. Daneben kommt die F. als (zusätzliche) Strafe vor. Die Ursprünge der rechtlich anerkannten Anwendung der F. liegen im Dunkeln. Im Cod. Hammurapi des babylon. Rechts (→ Keilschriftrechte) etwa fehlt noch jede Erwähnung der F. [1]. Verbreitet war sie hingegen in Griechenland. Der griech. Ausdruck für die Anwendung des Folterns, βασανίζειν (basanízein), ist aber wahrscheinlich ein Lehnwort aus dem Orient, so daß auch die F. selbst von dort übernommen worden sein kann.

B. GRIECHENLAND

Aristoteles (rhet. 1,2) zählt unter den »untechnischen Beweismitteln« (ἄτεχνοι πίστεις, átechnoi písteis) neben Gesetzen, Zeugen, Urkunden und Parteieid die unter Anwendung der F. erhobene Aussage (βάσανος, básanos) auf. Solche Aussagen selbst hießen ebenfalls βάσανοι (básanoi, »Prüfsteine«). Der Folterung von Sklaven im Prozeß unter Privatleuten ging ein förmlicher Antrag (πρόκλησις, próklēsis) der beweispflichtigen Partei voraus. Dies konnte sowohl der Sklavenhalter als auch dessen Prozeßgegner sein. Meist hatte wohl die Vernehmung bereits vor Beginn des Prozesses stattgefunden. Sie konnte aber auch vor dem Gericht erfolgen (Demosth. or. 47,16f.). Ihre Durchführung oblag besonderen Untersuchungsführern (und Folterern) oder den Scharfrichtern.

Außer zur Erzwingung von Aussagen wurde die F. in Griechenland wohl auch als Strafverschärfung gegenüber Sklaven angewendet. So fordert Plat. leg. 872 b die Geißelung von Mördern vor ihrer Hinrichtung. Bei Verbrechen gegen den Staat und anderen Kapitalverbrechen wurde die F. auch gegen freie Nichtbürger verhängt. Im Unterschied zur Sklaven-F. richtete sich diese F. in der Regel gegen die zu Verurteilenden selbst, diente also zur Erzwingung eines Geständnisses, kam aber wohl bei Verschwörungen oder Handlungen von Mittätern auch als Mittel zur Überführung anderer Täter in Betracht. War ein Bürger rechtskräftig zum Tode verurteilt, konnte diese Art der F. auch gegen ihn angewendet werden, da er mit der Verurteilung sein → Bürgerrecht verlor. Im übrigen waren Bürger vor F. geschützt.

Das gebräuchlichste Werkzeug der F. war das Rad. Auch der Leiter wurde angewendet. Dem Opfer wurden damit die Glieder ausgerenkt. Bei der privaten F. dürften Stockschläge verbreitet gewesen sein.

C. ROM UND NACHWIRKUNGEN

In Rom war die F. wie in Griechenland vor allem ein Mittel zur Befragung von Sklaven. In den Digesten werden daher → quaestio und quaerere vielfach ohne Zusatz als Ausdrücke für die F. verwendet. Eine Fülle von Reskripten der Kaiserzeit regelt die Zulässigkeit und den Beweiswert der F. Vor allem war eine Anordnung der Folter bei einem Sklaven zur Aussage gegen seinen Herrn in der Regel unzulässig. Nur bei Ehebruch (→ adulterium), Steuerhinterziehung (fraus census) und Majestätsverbrechen (→ maiestas) durfte der Sklave auch gegen seinen Herrn verhört werden (Cod. Iust. 9,41,1, Reskript des Septimius Severus und des Caracalla aus

dem J. 196 n. Chr.). Andererseits ist das Verbot erweitert worden auf Aussagen gegen die Ehefrau und die Kinder und teilweise gegen den Vormund des Sklavenhalters.

Über den Kreis der Unfreien hinaus dürfte die F. nur in seltenen Ausnahmefällen angewendet worden sein, so bei Majestätsverbrechen und gegen einen Freigelassenen, der gerade deshalb freigelassen wurde, um ihn der F. zu entziehen (Dig. 48,18,1,13). Die Anwendung der F. bei Majestätsverbrechen ist auch der Hintergrund für die (wohl vielfach übertriebenen) Berichte über die F. in Märtyrerakten und -legenden. Einem Reskript des Diocletians (Cod. Iust. 9,41,11) hat man eine Gleichstellung der Freien von niederem sozialem Status (→ humiliores) mit den Sklaven hinsichtlich der F. entnehmen wollen [2]. Diese Einschätzung dürfte jedoch durch die neuere Forschung überholt sein [3].

Die Anwendung der F. als ergänzende Strafe wird im röm. Recht kaum behandelt. Möglicherweise ist jedoch das SC Silanianum (10 n. Chr.) hierher zu rechnen: Alle Sklaven, die sich bei der Tötung des Sklavenhalters mit ihm in dessen Haus aufhielten oder ihn, während die Mordtat geschah, begleiteten, wurden nicht nur getötet, sondern zuvor auch gefoltert.

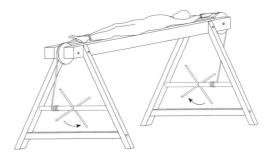

Eculeus (»Pferdchen«), hypothetische Rekonstruktion:

Mittels zweier Winden oder Räder wurden die Gliedmaßen der gefolterten Personen, die auf dem e. lagen oder daran aufgehängt waren, gedehnt und ausgerenkt. Diese Art der Folterung konnte mit anderen Methoden (Verbrennen durch glühendes Eisen; Zerreißen der Haut durch Haken; Geißelung) kombiniert werden. M. HAA.

Als Folterwerkzeuge waren in Rom vor allem ein mechanisches »Streckpferd« (eculeus), das Seil (fidicula) und die Kralle (ungula) in Gebrauch.

Die Stellen des → Corpus iuris zur Anwendung der F. waren vermutlich nach der Rezeption des röm. Rechts die wichtigste Grundlage für die F. im europ. Inquisitionsprozeß bis zur Aufklärung.
→ STRAFRECHT

1 J. GAUDEMET, Les institutions de l'Antiquité, ²1982, 27 2 MOMMSEN, Strafrecht, 406 3 R. RILINGER, Humiliores-Honestiores, 1988, 129ff.

G. THÜR, s. v. Folter, RAC 8, 101–112 · J. VERGOTE, s. v. Folterwerkzeuge, RAC 8, 112–120 · G. THÜR, Beweisführung vor den Schwurgerichtshöfen Athens. Die

Proklesis zur Basanos, 1977 · A. EHRHARDT, s. v. Tormenta, RE 6 A, 1775–1794 · L. SCHUMACHER, Servus Index. Sklavenverhör und Sklavenanzeige im republikanischen und kaiserzeitlichen Rom, 1982.
ABB.-LIT.: J. VERGOTE, s. v. Folterwerkzeuge, RAC 8, 120–122.   G. S.

Fonteia. Vestalin vor 91 bis nach 68 v. Chr., Schwester von Fonteius [I 2] (Cic. Font. 46–49).   K.-L. E.

Fonteius. Name einer röm. plebeischen Familie aus Tusculum (die deshalb als Münzmeister gerne die dort besonders verehrten Dioskuren auf ihre Münzen setzten, RRC 290, 307, vgl. 353), deren Mitglieder mehrmals die Praetur bekleideten; zum Consulat gelangte die Familie erst in der frühen Kaiserzeit.

I. REPUBLIKANISCHE ZEIT

[I 1] F. Legat des Proconsuls Q. Servilius Caepio in Asculum; ihre Ermordung durch die dortige Bevölkerung löste den → Bundesgenossenkrieg [3] aus (Cic. Font. 41; 48; Vell. 2,15,1; App. civ. 1,173); vielleicht identisch mit den Münzmeistern RRC 290 od. 307.

[I 2] F., M. Biographische Details sind nur aus Ciceros Rede *Pro M. Fonteio* bekannt. F. war vor 87 v. Chr. Münzmeister, 84 *quaestor urbanus* (Cic. Font. 1; 5; spätere Vorwürfe wegen Unterschlagung), 81 Legat des C. Annius [I 2] im Kampf gegen Q. Sertorius (Cic. Font. 6; 45), dann 77/76 in Macedonia (Cic. Font. 44). Nach der Praetur 75(?) verwaltete er von 74–72(?) als Propraetor Gallia Narbonensis, wo er Aushebungen und Requirierungen für die Kriege in Spanien und im Osten unternahm (Cic. Font. 13; 16) und gegen kelt. Stämme kämpfte. Wohl 69 wurde er von den Allobrogern unter Führung von Indutiomarus, vertreten von M. Plaetorius, wegen Erpressung angeklagt und von Cicero verteidigt; der Ausgang des Prozesses ist unbekannt.

[I 3] F., P. Adoptierte 59 v. Chr. als Zwanzigjähriger den P. Clodius [I 4] Pulcher, damit dieser zur *plebs* übertreten konnte (Cic. dom. 34–37). Vielleicht 55 Münzmeister und Anhänger Caesars (RRC 429, dort Cognomen *Capito*).

[I 4] F., Ti. Legat und Lagerkommandant des P. Cornelius [I 71] Scipio 211 v. Chr. Nach dem Tod der Brüder Cn. und P. Scipio übernahm er die Reste des Heeres, mußte dann den Befehl an L. Marcius abgeben (Liv. 25,34–37; 26,17,3).

[I 5] F. Capito, C. 169 v. Chr. Praetor in Sardinia, das er als Promagistrat bis 167 verwaltete (Liv. 43,11,7).

[I 6] F. Capito, C. Anhänger des Triumvirn M. Antonius [I 9], brachte 39 (?) v. Chr. als Volkstribun (?) auf Betreiben des Antonius ein Gesetz über Bürgerrechtsverleihungen ein (Roman Statutes 1, 1996, Nr. 36; vgl. MRR 3,93; dort als ἱερεύς = *pontifex*? bezeichnet). 37 begleitete er in Italien Maecenas u. a. zur Konferenz von Tarent zwischen Antonius und Octavian (Hor. sat. 1,5,32, *iter Brundisinum*). 37/36 brachte er im Auftrag des Antonius Kleopatra aus Äg. zu ihm nach Syrien (Plut. Antonius 36,1); 33 *cos. suff.* (InscrIt 13,1,251). Sein Sohn

ist wohl F. [II 4]. Er ist vielleicht identisch mit dem Antiquar F. [I 9]. PIR² F 469.

[I 7] F. Capito, T. Praetor 178 v. Chr. in Hispania ulterior, das er bis 176 verwaltete (Liv. 40,59,5; 41,15,11).

[I 8] F. Crassus, L. Soll von Hasdrubal in Spanien eingeschlossen worden sein, konnte sich aber befreien (Frontin. strat. 1,5,12; 4,5,8); vielleicht identisch mit [I 4].   K.-L. E.

[I 9] Ein nur bei Iohannes → Lydos zitierter röm. Kultschriftsteller. In der Schrift Περὶ ἀγαλμάτων (*De simulacris*) versteht er → Ianus allegorisch als Herrn der Zeit (Lyd. mens. 2,2); den Monatsnamen Mai leitet er, gestützt auf einen sakralen Text (ἱερὸς λόγος), von → Maia ab, identifiziert sie mit → Gaia (Tellus) und deutet die Riten naturmyth. (mens. 4,80); er referiert ein Orakel an Romulus (mag. 2,12; 3,42 = mens. fr. 7) und weiß von Numas Einführung der Priesterkunst aus Etrurien, wie (Ateius) Capito und Varro (mens. 1,37). Die Gleichsetzung mit → Ateius [6] Capito ist, auch wenn eine Datierung in spätrepublikan. oder augusteische Zeit möglich wäre, unhaltbar.   F. G.

II. KAISERZEIT

[II 1] F. Agrippa. Senator, der im J. 16 n. Chr. zusammen mit anderen Scribonius Libo Drusus im Senat wegen *maiestas* anklagte. Nach dem Prozeß erhielt er zur Belohnung die Praetur *extra ordinem*. Da er sich von seiner Frau getrennt hatte, wurde seine Tochter im J. 19 nicht zur *virgo Vestalis* erwählt. PIR² F 465.

[II 2] C. F. Agrippa. Wohl Sohn von F. [II 1]. Cos. suff. im J. 58 n. Chr.; 66–68 *curator aquarum*; 68/9 Proconsul von Asia. Er hat sich Vespasianus angeschlossen, der ihn Ende 69 als Statthalter nach Moesien sandte, wo er im folgenden Jahr im Kampf mit den Sarmaten fiel. VOGEL-WEIDEMANN 465 f.; PIR² F 466.

[II 3] F. Capito. Consularer Legat beim niedergerman. Heer im J. 68 n. Chr.; er könnte mit Capito, *cos. ord.* 67, identisch sein; doch ist auch eine Identifizierung mit dem *cos.* von 59 (→ F. [II 5]) nicht auszuschließen. In Niedergermanien ließ er die Bataver Claudius Paulus und Iulius Civilis verhaften; während der erste hingerichtet wurde, blieb Civilis nur in Haft. Beim niedergerman. Heer beliebt; angeblich auf Befehl Galbas ließen ihn die Legionslegaten Fabius Valens und Cornelius Aquinus durch einen Soldaten ermorden. ECK, Statthalter 129 f.; PIR² F 467, 468.

[II 4] C. F. Capito. Sohn von F. [I 5]. *Cos. ord.* im J. 12 n. Chr. zusammen mit Germanicus. Wohl im J. 22/3 verwaltete er als Proconsul die Provinz Asia. Im J. 25 wurde er von N. Vibius Serenus aus nicht näher bekannten Gründen angeklagt, doch freigesprochen. PIR² F 470.

[II 5] C. F. Capito. Vielleicht Sohn oder Enkel von F. [II 4]. *Cos. ord.* im J. 59 n. Chr. Ob er mit F. [II 3] identisch ist, bleibt unsicher. PIR² F 471.

[II 6] D. F. Fronto. Proconsul von Lycia-Pamphylia im J. 164/5 n. Chr. AE 1992, 1663; 1993, 1548.

[II 7] D. F. Frontinianus L. Stertinius Rufinus.

Praetorischer Legat der *legio III Augusta* in Numidien von 160–162 n. Chr., wo er in zahlreichen Dokumenten bezeugt ist [1. 153 ff.]. Verheiratet mit Numisia Celerina. Wohl im J. 162 (weniger wahrscheinlich 163) gelangte er in der Provinz zu einem Suffektkonsulat. F. [II 6] könnte sein Bruder sein. PIR² F 472.

1 THOMASSON, Fasti Africani.

[II 8] F. Maximus. Legat der *legio I Italica*, in Novae im J. 233 n. Chr. bezeugt (AE 1987, 862 = Inscr. Latines de Novae, 1992, 85 f. Nr. 50).

[II 9] F. Magnus. Einer der Ankläger des Varenus Rufus aus der Provinz Bithynia. PIR² F 473.   W.E.

Fordicidia. Röm. Fest. Am 15. April wurden in den → curiae 30 trächtige Kühe (*fordae boves*) geopfert (Varro, ling. 6,15; Ov. fast. 4,629 ff.; vgl. Paul. Fest. 74 und 91 L. – hier die Dialektform *Hordicidia* – sowie Varro, rust. 2,5,6 – *Hordicalia* – und Lyd. mens. 4,72 – Φορδικάλια). Nach Ovids Angabe fand ein paralleles Opfer unter Leitung der *pontifices* (→ *pontifex*) auf dem Kapitol statt (vgl. Lyd. ebd.). Wenn die Opferdiener das ungeborene Kalb dem Mutterleib entnommen hatten, brachten sie dessen Eingeweide dar. Die *virgo maxima* der Vestalinnen (→ Vesta) verbrannte anschließend die Kälber (Ov. fast. 4,639). Die so gewonnene Kälberasche gehörte zu den *februa* (»Reinigungsmitteln«), die anläßlich der → *Parilia* an das Volk verteilt wurden.

Ovid erläutert die Symbolik: Weil Erde und Vieh um diese Zeit gleichermaßen »schwanger« seien, werde dieses Opfer für → Tellus dargebracht (633 f.). Der aitiologische Mythos (641 ff.) schildert die Unbilden, denen der Ritus begegnen soll: Zu nasser oder zu trockener Boden läßt die Feldfrucht verkommen, der Viehbestand ist bedroht durch Frühgeburten oder den Tod der Muttertiere. Das Inkubationsorakel des → Faunus soll dem König → Numa einst die Zusammenhänge aufgedeckt haben.

Die Doppelstruktur der F. sollte man nicht als sekundär abtun und mit einer Verfallshypothese erklären [1]; wie auch bei anderen Ritualen, welche die landwirtschaftlichen Existenzgrundlagen des Staates betrafen, inszenierte das parallele (nämlich zugleich zentrale und dezentrale) Feiern auf verschiedenen sozialen Organisationsebenen deren Aufeinander-Angewiesensein.

→ Ceres

1 LATTE, 68 f.

F. BÖMER, P. Ovidius Naso. Die Fasten, Bd. 2: Komm., 1958, zu 4,630 · H. LE BONNIEC, Le culte de Cérès à Rome. Des origines à la fin de la République, 1958, 66–67.   D.B.

Forelle. Diese räuberisch lebenden Süßwasserfische (*Salmo trutta* L.) wurden zuerst von Ambr. exam. 5,3,7 als ›größere bunte Fische, die man F. nennt‹ (*varii maiores, quos vocant troctas*; v.l. *tructas*) erwähnt, die ihre Eier zur Selbstentwicklung dem Wasser anvertrauen (*ova generant ... et aquis fovenda committunt*). Diese Ansicht

übernahm Isidor (orig. 12,6,6) bei der Ableitung ihres Namens von ihrer Buntheit (*varii et varietate*) und von diesem Hrabanus Maurus (De universo 8,5, PL 111,237). Alexander Neckam (De naturis rerum 2,39 [1. 152]) zieht gemäß einem Sprichwort das Fleisch allein des Kopfes vom *capito*, einem Seefisch, dem der ganzen *truta* vor. Thomas von Cantimpré 7,84 [2. 273] kennzeichnet die auf dem Rücken durch gelb-rote Flecken kenntliche *truita* als einen vorzüglichen Speisefisch aus Wildwassern, der sogar den ähnlichen Lachs an Geschmack übertreffe, aber nur von Juli bis November. Ihr im Winter weißes Fleisch schmecke weniger gut.

1 TH. WRIGHT (ed.), Alexander Neckam, De naturis rerum, 1863, Ndr. 1967 2 H. BOESE (ed.), Thomas Cantimpratensis, Liber de natura rerum, 1973.   C.HÜ.

Forentum. Stadt in Apulia (Φερέντη, Diod. 19,65,7; *Forentum*, Hor. carm. 3,4,16; *Forentani*, Plin. nat. 3,105). Seit 317 v. Chr. röm. (Liv. 9,20), seit Augustus *municipium*. Die Identifikation mit dem h. Forenza wurde aufgegeben zugunsten von Lavello (im Norden der Basilicata). Die ant. Siedlung lag auf dem Hügel von Lavello. Es finden sich Besiedlungsspuren vom Neolithikum bis in die Kaiserzeit, die im 3. Jh. seit Anlage der *colonia* Venusia im J. 291 v. Chr. zurückgehen.

NISSEN 2, 831 · E. GRECO, Magna Grecia, 1980, 276 · M. GIORGI u.a., F. Bd. 1, 1988 · A. BOTTINI u.a., F. Bd. 2, 1991 · BTCGI 8, 455–460.   M.G./Ü: V.S.

Forma Urbis Romae. Moderne Bezeichnung für eine planartige, freilich unmaßstäbliche graphische Darstellung der Stadt Rom, die in den J. zw. 203 und 208 n. Chr. an einer 235 m² großen Marmorwand am Vespasiansforum in Rom angebracht worden war. Die erh. Frg. sind wichtige Zeugnisse für die ant. Top. der Stadt. → Roma (Topographie)

G. CARETTONI u.a., La pianta marmorea di Roma antica, 1960 · E. RODRÍGUEZ-ALMEIDA, Forma Urbis Marmorea, 1981 · J.P. HEISEL, Ant. Bauzeichnungen, 1993, 193–197 · K. BRODERSEN, Terra Cognita, 1995, 231–236.   K.BRO.

Formiae. Stadt der Aurunci in Latium mit Hafen am *mare Tyrrhenum*; daher ihr Name (Όρμίαι oder Φορμίαι ... διὰ τὸ εὔορμον, ›wegen der guten Hafenlage‹: Strab. 5,3,6; vgl. Fest. 83); an der *via Appia* 8 km nördl. von Gaeta, 88 Meilen von Rom entfernt (Meilensteine: CIL X 6859–6863). Zum Gebiet von F. gehörte auch Caieta. Früher Mola di Gaeta, heißt F. seit 1862 wieder Formia (Prov. Latina). Im Mythos wird F. mit den Laistrygones, Aeneas und Sparta in Verbindung gebracht. Anf. 5. Jh. v. Chr. von Volsci besetzt, 334 wie Fundi *civitas sine suffragio*; beide seit 188 *civitas cum suffragio, tribus Aemilia*. Vor dem J. 66 von Piraten (Cic. Manil. 33), 43 von Sex. Pompeius geplündert (Flor. 2,18). Unter Hadrianus *colonia Aelia Hadriana Augusta F.*

Arch. Befund: Stadtmauern (in *opus polygonale*); Tempel aus republikanischer Zeit [1]; Theater; Amphitheater; Hafenmole; *piscinae maritimae* (Fischzuchtbecken). *Villae* sind seit dem 2. Jh. v. Chr. nachgewiesen (des L. Antistius Vetus, C. Laelius, Mamurra, Cn. Pompeius; in Gaeta: des Munatius Plancus; *villa Rubino*, fälschlich für die *villa* Ciceros gehalten, bei der dieser den Tod fand: Sen. suas. 6,17; Plut. Cicero 50; Vir. ill. 81,7; in Piazza della Vittoria, im Besitz der Di Fava, in Vindicio und Gianola). Ferner sind monumentale Grabmäler, so das sog. Grabmal des Cicero (*columbarium* augusteischer Zeit) an der *via Appia*, Mausoleen (des L. Sempronius Atratinus, L. Munatius Plancus in Gaeta) und ein *antiquarium* erhalten. F. gab dem *Formianus sinus* zw. dem Vorgebirge von Gaeta und dem Monte Scauri den Namen (Symm. epist. 7,18; 8,23), auch Golf von Caieta gen.

1 M. GUAITOLI, Un tempio di età repubblicana a F., in: Quaderni dell' Istituto di Topografia Antica della Università di Roma 6, 1974, 131–142.

S. AURIGEMMA, Gaeta, F., 1955 • M. ZAMBELLI, Iscrizioni di Formia, Gaeta e Itri, in: Seconda Miscellanea greca e romana, 1968, 335–378 • Formia archeologica. Guida per il turista e il studioso ..., 1977 • B. CONTICELLO, Antiquarium di F., 1978 • BTCGI 7, 1989, 479–483 • S. CICCONE (Hrsg.), Formianum. Atti del Convegno di studi sull'antico territorio di Formia 1, 1993.   G. U./Ü: H. D.

Formido

[1] Etym. mit dem Kinderschreck Μορμώ (→ Mormo) gleichgesetzte → Personifikation der Furcht/des Entsetzens, die selbst zum Dämon geworden ist (Verg. Aen. 12, 335; Hygin. fab. praef. 29; Claud. De consulatu Stilichonis 376; in Rufinum 1, 343–344). F. ist Tochter von Mars (oder dessen Begleiter) und Venus, Schwester der → Harmonia. Vgl. Deimos und → Phobos als ihre Vorläufer in Hes. theog. 934–935.

[2] Entspricht οἶστρος (→ *oístros*) als der von Hera gegen Io gesandten → Bremse, d. h. der Raserei (Hyg. fab. 145,4; Serv. georg. 3,152).   W.-A.M.

Formio

(h. Rižana, wahrscheinlicher als Osapska reka). Kleiner Fluß östl. von Aegida (bzw. Caprae und Iustinianopolis, h. Koper/Capodistria), 6 Meilen von Tergeste entfernt. Der Name ist vielleicht venetisch. Der F. erlangte 42/1 v. Chr. Bed. als ital. Grenzfluß, als die Gallia Cisalpina nach der Schlacht von Philippoi Italia eingegliedert wurde. Zw. 18 und 12 v. Chr. wurde diese Grenze an die Arsia (h. Raša) verlegt. Erwähnt wird der Fluß bei Plin. nat. 3,127 (*Formio amnis ... antiquus auctae Italiae terminus, nunc vero Histriae*) und Ptol. 3,1,27.

V. VEDALDI IASBEZ, La Venetia orientale e l'Histria (Studi e Ricerche sulla Gallia Cisalpina 5), 1994, 127f.

M. Š. K./Ü: I. S.

Formula.

Die schriftlich abgefaßte *f.* ist das Wesenselement desjenigen Prozeßtyps, der das Legisaktionenverfahren (→ *legis actio*) abgelöst hat (mittels der *lex Aebutia*, 2. Jh. v. Chr., sowie zweier *leges Iuliae*, 17 v. Chr.) und der demzufolge allg. als Formularprozeß bezeichnet wird. Unbeschadet einer wohl nur allmählichen Fort-

entwicklung zeichnet sich dieser klass. Verfahrenstyp in der späten Republik und der Prinzipatszeit gegenüber seinem Vorgänger durch seine weitaus größere Flexibilität und Anpassungsfähigkeit an den Einzelfall aus. Der Klagetext war nun nicht mehr feierlich und unverrückbar an den Gesetzeswortlaut angelehnt. Die *f.* umschrieb stattdessen, freilich an einen formalen Aufbau gebunden, den konkreten Rechtsstreit. Der Wortlaut der *f.* wurde von den Parteien gemeinsam (→ *editio*, → *accipere*), mitunter auch in Zusammenarbeit mit dem Gerichtsmagistrat festgelegt (vgl. Gai. inst. 4,30). Als Vorlage dienten den Parteien dabei im Regelfall die als Blankette im jeweiligen Edikt des Praetors (und der kurulischen Aedilen oder sonstigen Gerichtsmagistrate, → *Edictum perpetuum*) aufgelisteten Rechtsschutzverheißungen. Bei komplizierteren Fällen werden sie Juristen zu Rate gezogen haben, die auf die Formulierung und Unterteilung der *f.* außerordentlich viel Scharfsinn und Mühe verwendet haben. Die *f.* mußte vom Gerichtsmagistrat gebilligt werden. Er stellte ihr regelmäßig die Ernennung eines Richters voran. Die *f.* bildete für den Richter das verbindliche Programm der Sachverhaltserforschung und legte das (alternativ ausgestaltete, Gai. inst. 4,43) Ergebnis der anschließenden Urteilsfindung fest. Die einzelnen Teile der *f.* sind → *intentio*, → *demonstratio*, → *adiudicatio*, → *exceptio* (Einrede der Gegenpartei) sowie → *condemnatio*. Die Flexibilität der *f.* zeigt sich auch daran, daß mit Ausnahme der *demonstratio* jeder Formelbestandteil mehr oder minder fakultativ war. Der Formularprozeß wurde 342 n. Chr. offiziell abgeschafft (Cod. Iust. 2,57,1) und durch das zu dieser Zeit bereits seit Jahrhunderten von kaiserlichen Beamten ausgeübte Kognitionsverfahren (→ *cognitio*) ersetzt.
→ litis actio

M. KASER, K. HACKL, Das röm. Zivilprozeßrecht, ²1997, 151 ff.   C. PA.

Fornacalia.

Im Februar in den → *curiae* abgehaltene → *feriae conceptivae*; deren Termin der Curio Maximus festsetzte (Ov. fast. 2,527 f.). Gefeiert wurde das Rösten des sakral bedeutsamen »Urgetreides« → *far* (Paul. Fest. 73; 82 L.; Plin. nat. 18,7 f.). Die »Ofengöttin« (Ov. fast. 6,313 f.) Fornax (Ov. fast. 2,525; Lact. inst. 1,20,35) läßt sich als Festprojektion verstehen. Da die Vestalinnen an den → *Lupercalia* → *mola salsa* verteilten, zu deren Zubereitung sie gerösteten Emmer benötigten, ist für die F. ein Termin vor dem 15. Februar anzunehmen. Daß diejenigen, die nicht wußten, zu welcher *curia* sie gehörten, die F. an den *Quirinalia* nachfeiern durften, wovon diese den Beinamen → *Stultorum feriae* trugen (Fest. 418; 419 L.; Fest. 304; 305 L.; Ov. fast. 2,513 ff.; Plut. qu. R. 88, 285d = Iuba FGrH 275 F 94), dürfte ein Hinweis auf den Initiationscharakter dieses Fests sein.

F. BÖMER, P. Ovidius Naso. Die Fasten 2: Kommentar, 1958, zu Ov. fast. 2, 475 ff. • A. BRELICH, Tre variazioni romane sul tema delle origini, in: Nuovi Saggi 14, 1955, 114 ff. • LATTE, 143 • H. LE BONNIEC, Le culte de Cérès à Rome. Des origines à la fin de la République, 1958, 125;

164 · J. RÜPKE, Kalender und Öffentlichkeit. Die Geschichte der Repräsentation und religiösen Qualifikation von Zeit in Rom, 1995, 300 ff.   D.B.

Fornix. Lat. Begriff für Bogen. Als t.t. der ant. Architektur bezeichnet *f.* den Bogen eines Gewölbes bzw. das Gewölbe selbst sowie den gemauerten Bogen einer Brücke oder eines Aquädukts; ferner überwölbte Lücken im Mauerwerk für Türen und → Fenster (vgl. auch → Gewölbe- und Bogenbau). Gemeint sein kann ferner ein Kellergewölbe oder Kellergeschoß; Schmutz und vermeintliche Lasterhaftigkeit der Kellerhöhlen begründen vermutlich die seit dem 1. Jh. n. Chr. gängige neue Bed. des Begriffs *f.* als »Bordell« (z. B. Hor. epist. 1,14,21 u. ö.) bzw. als Ausdruck für jede Art der Beflekkung. Vermutlich wegen dieses ins Negative gehenden Bedeutungswandels sind Straßen und Ehrenbögen in Rom umbenannt worden; der → Triumph- und Ehrenbogen heißt seit dem 1. Jh. n. Chr. durchgängig *arcus*. Einige alte Bögen in Rom behalten aber die Bezeichnung *f.*: der *Calpurnianus Fornix* (Oros. 5,9,2) als oberer Abschluß der auf das → *capitolium* führenden großen Treppe (→ *scala*); der die *via Sacra* zwischen *regia* und dem Haus der Vestalinnen überspannende *Fabianus Fornix*, 121 v. Chr. von Q. → Fabius Maximus zur Erinnerung an seinen Sieg über die Allobroger erbaut (Cic. Planc. 17; Cic. Verr. 1,19; Cic. Vatin. 28; Cic. orat. 2,167; Sen. dial. 2,1,2); sowie der *Fornix Augusti* (CIL 6.878), der *Fornix Scipionis* (Liv. 37,3,7) und die drei *Fornices Stertinii* (Liv. 33,27,4).

LTUR, 262–267 · RICHARDSON, 153–154 · W. H. GROSS, s. v. F., KlP 2, 596 f.   C. HÖ.

Fors Fortuna s. Fortuna

Forschungsreisen (Entdeckerfahrten). F. dienten der Erschließung von Routen und damit von geogr. Räumen, die – auch wenn sie anderen Völkern bereits bekannt gewesen sein mögen – für die Völker der griech.-röm. Mittelmeerwelt erst noch zu entdecken waren; daraus erklärt sich, daß die meisten F. in relativ früher Zeit durchgeführt wurden. Die Erschließung der Routen im Mittelmeer und seinen Nebenmeeren und damit der zugehörigen Küstenräume fällt sogar in vorhistor. Zeit und ist vielleicht in Mythen eingegangen (→ Odysseus; → Argonautai).

Histor. faßbare Entdeckungen beziehen sich daher auf jenseits dieser Gebiete gelegene Routen und Räume, die durch Zufall oder aber in eigenem Interesse bzw. im Auftrag von Staaten und Herrschern durchgeführten F. erschlossen wurden: Unabsichtlich soll der Händler → Kolaios wohl im frühen 5. Jh. v. Chr. den Seeweg nach → Tartessos entdeckt haben. Offenbar aus eigenem Interesse unternahmen die griech. Seefahrer → Euthymenes F. an die Westküste Afrikas (6./5. Jh. v. Chr.) und → Pytheas zu den brit. (?) Inseln im Nordmeer (4. Jh. v. Chr.); eigene Beobachtungen verhalfen dem griech. Händler → Hippalos wohl im 2./1. Jh.

v. Chr. zur Entdeckung des vom Monsun ermöglichten direkten Seeweges nach Indien (peripl. m. r. 57).

In »staatlichem« Auftrag erforschten der karthagische »König« → Hanno wohl im frühen 5. Jh. die Westküste Afrikas und Himilko zugleich die (brit.?) Zinninseln (Plin. nat. 2, 169; Avien. 117; 383; 412). In offiziellem Auftrag erkundeten für den ägypt. Pharao Necho II. (610–595 v. Chr.) Phoiniker die Möglichkeit einer Umfahrung Afrikas von Osten her (Hdt. 4,42), → Skylax für den Perserkönig Dareios. I. (522–486 v. Chr.) den ind. Ozean und Sataspes für dessen Nachfolger Xerxes. I. (485–465 v. Chr.) die Umfahrung Afrikas (Hdt. 4,43); für Alexander d. Gr. (336–323 v. Chr.) erforschte u. a. → Nearchos den Pers. Golf, für Seleukos. I. und seine Nachfolger Patrokles das Kasp. Meer, Demodamas das Gebiet jenseits des Syr Darja (Plin. nat. 6,49) und → Megasthenes Teile Indiens; ferner erkundeten für Ptolemaios II. (282–246 v. Chr.) Dionysios ebenfalls Teile Indiens (Plin. nat. 6,58), für Ptolemaios III. (246–222 v. Chr.) Simmias Aithiopien und Südarabien (Diod. 3,18), unter den späten Ptolemaiern → Eudoxos Indien und die Umfahrung Afrikas und für Augustus 26–24 v. Chr. L. → Aelius [II 11] Gallus Arabien sowie 25–21 v. Chr. C. → Petronius den Sudan.

In der röm. Kaiserzeit ([1. 97–101]), der die Oikumene weitgehend bekannt war, sind gelegentlich noch Erkundungs-Unternehmungen belegt (aber s. dazu [2. 1351]), etwa für Nero (54–68 n. Chr.) im Sudan (Plin. nat. 6,181).

Diese Liste von F. mag umfangreich scheinen, darf aber nicht die Tatsache verdecken, daß eine systematische Erweiterung geogr. Kenntnisse kein ausgeprägtes Merkmal ant. Kultur ist.

→ Galenos; Reisen

1 C. NICOLET, L'inventaire du monde, 1988 **2** R. J. A. TALBERT, Rez. zu C. NICOLET, in: American Historical Review 94, 1989.

R. HENNIG, Terrae Incognitae 1, ²1944 (kritisch zu benutzen) · O. SEEL, Ant. Entdecker-Fahrten, 1961 · M. CARY, E. H. WARMINGTON, The Ancient Explorers, 1963 (= Dies., Die Entdeckungen der Ant., 1966) · J. S. ROMM, The Edges of the Earth in Ancient Thought, 1992 · N. J. E. AUSTIN, N. B. RANKOV, Exploratio, 1995.

K. BRO.

Fortschrittsgedanke A. DEFINITION B. GRIECHISCH-RÖMISCH C. CHRISTLICH

A. DEFINITION

In welchem Sinne bzw. ob es überhaupt in der Antike einen F. gegeben habe, ist seit dem 19. Jh. immer wieder umstritten gewesen [1. XI-XXXIII]. Der neuerliche Versuch, die Existenz eines solchen antiken Konzepts zu erweisen [1], kann insgesamt als nicht geglückt gelten. Die Angemessenheit der Kategorie hängt wesentlich davon ab, wie man Fortschritt definiert. Dies kann nur vom neuzeitlichen F. her geschehen, wie er im späten 18. Jh. geprägt worden ist. Es handelt sich um ein geschichtsphilosoph. Konzept, das eine Entwicklung der Menschheit zu einem besseren Zustand unterstellt. Diese vollzieht sich in einem Prozeß, dessen Fortgang (und Beschleunigung) von intendierten Handlungen und kontingenten Ereignissen unabhängig ist und der entweder auf einen Zustand der Perfektion gerichtet ist oder aus sich selbst heraus stets neue Zielperspektiven hervorbringt [2]. Gemessen an diesen Vorstellungen hat es, jedenfalls in der vorchristl. Antike, keinen F. gegeben, sondern nur Äquivalente zu bestimmten Aspekten des modernen F. [3; 4; 5].

Das Fehlen eines einheitlichen, prononcierten Fortschrittsbegriffs erhellt bereits die terminolog. Vielfalt, in der sich Entsprechungen zu »Fortschreiten« und »Fortschritt« finden. Termini wie *aúxēsis* (αὔξησις), *epídosis* (ἐπίδοσις), *prokopḗ* (προκοπή), *progressus*, *progressio* (und entsprechende Verbalformen) implizieren nicht notwendig, daß es sich um einen Wandel zum Besseren bzw. gar um eine sich in der Zukunft fortsetzende Bewegung handle [6. 141 f.; 4. 353].

B. Griechisch-römisch

Alle Vorstellungen über ein Fortschreiten im Sinne einer Verbesserung der Zustände konkurrieren in der Antike mit dem seit Hesiod greifbaren gegenläufigen Konzept des Verfalls nach einem ursprünglichen »Goldenen Zeitalter«, das allerdings auch mit der Idee der Wiederkehr einer solchen Epoche verknüpft werden kann [7; 8].

Reflexionen, die partielle Äquivalente eines F. darstellen, sind seit dem späten 6. Jh. v. Chr. erkennbar. Sie spiegeln das Bewußtsein einer fortschreitenden Weltbemächtigung des Menschen wider, das sich zuerst in der ionischen Naturphilos. artikuliert hat. Als frühester Beleg kann, auch wenn sich der Kontext dieser Äußerung nicht eindeutig rekonstruieren läßt, die Feststellung in einem Fragment (fr. 18 D-K) des Xenophanes von Kolophon (ca. 570 – ca. 475 v. Chr.) gelten, daß die Götter den Menschen nicht alles enthüllt hätten, sondern die Sterblichen durch eigene Anstrengung im Laufe der Zeit das Bessere fänden. Der Gedanke, eine zunehmende Beherrschung von Kulturtechniken habe den Menschen neue Handlungs- und Gestaltungspotentiale eröffnet, tritt im Laufe des 5. Jh. immer stärker hervor; Sophokles (Ant. 332–375) betont die ungeheuren Dimensionen menschlichen Agierens, die sowohl zum Guten wie zum Schlechten ausschlagen können. Im Zusammenhang mit der Entwicklung der athenischen Demokratie schlägt sich dieses → »Könnens-Bewußtsein« [5] auch nieder in der Realisierung von weit über die herkömmlichen Grenzen hinausgehenden Handlungsmöglichkeiten sowohl in der Außenpolitik als auch bei der Gestaltung der polit. Ordnung, wobei jedoch zugleich die damit verbundenen Risiken akzentuiert werden (Thuk. 1,70 f.; 3,37,3 f.; 3,38,5). Wie sehr die polit. Ordnung grundsätzlich als plan- und weiter perfektionierbar gelten konnte, wird auch im Entwurf einer »besten Verfassung« des Hippodamos von Milet erkennbar, der für nützliche Verbesserungsvorschläge eine Belohnung vorsah (Aristot. pol. 1268a 6–8). Wie sich die ständig zunehmende Verfügbarkeit materieller Ressourcen in das Anwachsen polit.-mil. Macht umgesetzt habe, hat Thukydides in seiner Rekonstruktion der griech. Geschichte von den Anfängen bis auf die eigene Zeit dargestellt [9].

Seit dem späten 5. Jh. wurden Kulturentstehungslehren konzipiert, nach denen sich die – mit der Kompensation der Schwächen des Mängelwesens Mensch gleichzusetzende – Entstehung der Zivilisation der Entdeckung des Feuers und der Entwicklung von Werkzeugen, schließlich dem Übergang zum Ackerbau und zur städtischen Siedlungsweise verdankt habe [10]. Wenn auch die Grundzüge entsprechender Lehren – u. a. bei Protagoras (Plat. Prot.) und Demokrit – erkennbar sind, so bleiben gerade bei Demokrit die Rekonstruktionen von Einzelheiten aufgrund späterer Überlieferung jedoch mit Zweifeln behaftet [11; 12]. Eine spezifische Variante, in der sich die zunehmende Verflechtung von ethnographischem Diskurs und Spekulation über → Kulturentstehung ausweist [13], liegt seit dem 4. Jh. in der Entwicklung eines Schemas der Abfolge von Subsistenzstufen (Sammler und Jäger, Hirten, Ackerbauern) vor, wie es erstmals bei Aristoteles (pol. 1256a 30 ff.) und Dikaiarch (fr. 48 Wehrli) erkennbar wird. Das Konzept einer zivilisatorischen Weiterentwicklung wurde auch verschiedentlich eingebettet in die Vorstellung von sich periodisch einstellenden Naturkatastrophen, deren Folgen es jeweils zu überwinden gegolten habe (Plat. leg. 677a ff.; vgl. Pol. 6,5,5 ff.). Kulturentstehungslehren lebten weiter in hell. und röm. Zeit, namentlich bei Epikur [14], Poseidonios (Sen. epist. 90,3 ff.) und Lucretius (5,988 ff.), zum Teil angereichert durch die Beobachtungen, die man mit der Ausdehnung des Erfahrungsraums durch die maked. und röm. Expansion bei zivilisatorisch rückständigen Völkern machen konnte [15]. Verbunden war dies wiederholt auch mit der Wahrnehmung eines Spannungsverhältnisses zwischen zivilisatorischem Fortschritt einerseits und sittlichem Niedergang andererseits, aus der sich u. a. das Interesse an der Figur des »Edlen Wilden« ergab [16].

Die diversen Theorien über Ursprung und Entwicklung menschlicher Kultur schlugen eine Brücke zwischen einem rational rekonstruierten früheren Zustand und der eigenen Gegenwart, sie verlängerten diese Entwicklung jedoch nicht in die Zukunft. Ansätze zu einem auf die zukünftige Entwicklung ausgerichteten F. finden sich in den Reflexionen über die Entwicklung diverser, unter dem Begriff der *téchnai* (τέχναι) subsumierter Kulturtechniken und Wissenschaften, auch wenn diese häufig mit dem Bemühen um Identifizierung eines »ersten Erfinders« auf die Vergangenheit fixiert blieben [17; 18]. Nachdem schon im späten 5. Jh. auf die Möglichkeit verwiesen wurde, daß frühere Erkenntnisse obsolet werden könnten (Plat. Hipp. mai. 281b; Hippokr. De vetere medicina 2; De arte 2), begegnet die Vorstellung von einem sich in der Zukunft fortsetzenden Erkenntnisfortschritt, wenn auch zumeist auf bestimmte Disziplinen bezogen, in einer Reihe von späteren Texten (Manil. 1,95 ff.; Plin. nat. 2,62; Sen. nat. 7,25; Sen. epist. 64,7).

Alle diese partiellen Entsprechungen zu einem F. gingen nicht in ein geschichtsphilosoph. Fortschrittskonzept ein, das sich auf die Entwicklung der Menschheit (der *oikuménē*) insgesamt bezogen hätte. Intellektuelle Voraussetzungen dafür wurden mit der dem Geschichtswerk des Polybios zugrundeliegenden Erkenntnis geschaffen, daß mit der Etablierung der röm. Weltherrschaft diverse, zuvor getrennte Geschichten in nur noch eine Geschichte eingemündet seien, doch war dies zunächst noch nicht mit Prognosen über deren Fortgang verbunden. Die in der Kaiserzeit entwickelten Vorstellungen von den segensreichen Folgen der *Pax Romana* stellten die eigene glückliche Gegenwart in den Kontrast mit früheren Zeiten und konnten sich mit der Erwartung einer immerwährenden Stabilität verbinden, implizierten indes nicht die Projektion neuer Entwicklungen in der Zukunft [19].

C. CHRISTLICH

Die Verbindung von Fortschrittskonzeptionen mit geschichtsphilosoph. Modellen stellte sich erst in der christl. Literatur ein, in der traditionelle Theorien heilsgeschichtlich umgedeutet wurden [20]. Christl. Autoren verbanden die at. Lehre vom Sündenfall mit Elementen der überkommenen Kulturentstehungslehren, deuteten die mangelhafte physische Ausstattung des Menschen als Resultat göttlicher Vorsehung, die ihn auf die Entwicklung seiner technischen Fähigkeiten und den Weg der Gemeinschaftsbildung verwiesen und ihn schließlich für die Aufnahme des Evangeliums reif gemacht habe (Orig. c. Celsum 4,76; Lact. inst. 6,10; Eus. HE 1,2,23). Im Kontext apologetischer Argumentationsstrategien wurde die Geburt Christi mit der Stabilisierung des Reiches unter Augustus providentiell verknüpft und in der weiteren Ausbreitung des Christentums die Voraussetzung für die Konsolidierung und Ausdehnung der *Pax Romana* gesehen [21]. Solange man, wie seit Tertullian (apol. 32,1) geläufig, das Röm. Reich in das Schema der → Vierreichelehre einordnete und in seinem Fortbestand den Aufschub der am Ende der Zeit kommenden Herrschaft des Antichristen sah, war damit nicht die Eröffnung einer Zukunftsperspektive verbunden. Erst nach der Konstantinischen Wende hat zumal Eusebios das Röm. Reich als Träger einer Entwicklung verstanden, die den ewigen Frieden und die Vervollkommnung der Menschheit mit sich bringen werde [20. 553 ff.]. Aus dem Fall Roms folgten für die Christen jedoch erneut Rechtfertigungszwänge; während Augustinus den (röm.) Staat von heilsgeschichtlichen Erwartungen zu entlasten suchte, relativierte Orosius den Schrecken über die Eroberung, indem er auf die stetige Verbesserung der Lage des Reiches in christl. im Vergleich zu den früheren Zeiten verwies; mit seinem Bemühen um den Nachweis des Wirkens Gottes in der Geschichte konstruierte er einen Fortschritt bis in die eigene Gegenwart, ohne jedoch eine Entwicklung zu einem zukünftigen Zustand vollkommener Verhältnisse zu prognostizieren [22].

→ Anthropologie

1 L. EDELSTEIN, The Idea of Progress in Classical Antiquity, 1967 2 R. KOSELLECK, s. v. Fortschritt I. (Einleitung), Geschichtliche Grundbegriffe 2, 1975, 351–353 3 E. R. DODDS, s. v. Progress in Classical Antiquity, Dictionary of the History of Ideas 3, 1973, 623–633 4 C. MEIER, s. v. Fortschritt II. (»Fortschritt« in der Antike), Geschichtliche Grundbegriffe 2, 1975, 353–363 5 C. MEIER, Ein antikes Äquivalent des Fortschrittsgedankens, in: HZ 226, 1978, 265–316 6 K. THRAEDE, s. v. Fortschritt, RAC 8, 141–182 7 A. O. LOVEJOY, G. BOAS, Primitivism and Related Ideas in Antiquity, 1935 8 B. GATZ, Weltalter, goldene Zeit und sinnverwandte Vorstellungen, 1967 9 J. DE ROMILLY, Thucydide et l'idée de progrès, in: ASNP 35, 1966, 143–191 10 W. UXKULL-GYLLENBAND, Griech. Kultur-Entstehungslehren, 1924 11 W. SPOERRI, Späthell. Berichte über Welt, Kultur und Götter, 1959 12 T. COLE, Democritus and the Sources of Greek Anthropology, 1967 13 W. NIPPEL, Griechen, Barbaren und »Wilde«, 1990, 22–29 14 R. MÜLLER, Die epikureische Gesellschaftstheorie, 1974 15 K. E. MÜLLER, Geschichte der antiken Ethnographie und ethnologischen Theoriebildung, 1972, 1980 16 J. F. KINDSTRAND, Anacharsis, 1981 17 A. KLEINGÜNTHER, Πρῶτος εὑρετής, 1933 18 K. THRAEDE, s. v. Erfinder II (geistesgeschichtlich), RAC 5, 1191–1278 19 K. D. BRACHER, Verfall und Fortschritt im Denken der frühen röm. Kaiserzeit, 1987, 270 ff. 20 W. KINZIG, Novitas Christiana. Die Idee des Fortschritts in der Alten Kirche bis Eusebius, 1994 21 H. A. GÄRTNER, s. v. Imperium Romanum, RAC 17, 1170 ff. 22 R. HERZOG, Orosius oder Die Formulierung eines Fortschrittskonzepts aus der Erfahrung des Niedergangs, in: R. KOSELLECK, P. WIDMER (Hrsg.), Niedergang, 1980, 79–102. W. N.

Fortuna. Die Göttin des Zufalls mit altem Kult in It.; in republikanischer Zeit vor allem als glücklicher Zufall verstanden, wurde sie in späterer Zeit, wenigstens in der Lit., immer negativer gefaßt. Daß diese Vergöttlichung eines Abstraktums in vollem, personenhaften Sinn zu verstehen ist (→ Personifikation), zeigt der Mythos von ihrer Beziehung zu Servius → Tullius. Die Vielzahl ihrer kultischen Spezifikationen (Listen: Plut. mor. 281e; 322 f.) macht eine einheitliche Deutung von Ursprung und Funktion schwierig (Forschungsbericht [1. IX-XVII]); einer vor allem von WISSOWA [3] vertretenen Deutung als urspr. Frauengöttin oder gar Göttin der agrarischen Fruchtbarkeit, die bes. von der F. von Praeneste ausging, steht die auf die Wortbedeutung gestützte Interpretation als Göttin von Schicksal und Zufall, die oft Schutzgöttin bestimmter Gruppen oder Altersstufen ist, gegenüber, die für den praenestinischen Kult Sonderlösungen (etrusk. oder griech. Import) suchen muß. Fruchtbarer als der Versuch einer vereinheitlichenden Deutung ist die Darstellung der histor. Entwicklung [1; 2].

A. Kult ausserhalb Roms   B. Kult in Rom
C. Darstellungen und Fortleben

A. Kult ausserhalb Roms

Außerhalb Roms sind – von einzelnen, bes. inschr. Nennungen abgesehen, welche oft Aspekte des Kults in Rom aufnehmen [1. 182–191] – in Antium und Praeneste alte und unabhängige Kulte der F. bezeugt. In Antium gab es den aus den Quellen nur skizzenhaft faßbaren Kult zweier Fortunae (*veridicae sorores*: Mart. 5,1,3), der bes. ikonographisch (Münzbilder) belegt ist [1. 149–182]. Das Heiligtum von → Praeneste, von dessen weitläufiger Tempelanlage noch h. Reste zu sehen sind [4. 5. 6] ist seit hell. Zeit berühmt, wo *F. Primigenia* (»Erstgeborene«) als → Kurotrophos und Orakelgöttin verehrt wurde (Liv. 45,44,8; Cic. div. 2,85–87; Strab. 5,3,11). Die Kultstatue der F. stellt eine mütterliche Gottheit dar, die einen Knaben säugt: Als Göttin von Geburten, die bes. von *matronae* verehrt wird, weist sie auch die älteste Dedikation aus (CIL I² 60); demgegenüber wird sie inschr. seit dem 3. Jh. v. Chr. als Tochter Iuppiters bezeichnet.

B. Kult in Rom

Nach anfänglichem Widerstand (Val. Max. epit. 1,3,2) befragte auch das offizielle Rom das → Losorakel, und 204 v. Chr. gelobte P. Sempronius der *F. Primigenia* ein städtisches Heiligtum der F. (Liv. 29,36,8). Die ältesten F.-Heiligtümer der Stadt werden mit Servius → Tullius verbunden, sind also in röm. Vorstellung erst nach der von → Numa geschaffenen Grundlegung des Kults entstanden; dies ist ebensowenig als Hinweis auf fremden Ursprung zu lesen wie Varros These einer sabinischen Herkunft (ling. 5,74), sondern als Verweis auf eine rituelle und rel. Sonderstellung zu verstehen, zumal auch die enge Bindung des Servius an F. teilweise oriental. Mythologeme spiegelt (Ov. fast. 5,73–581, [7]). Die F.-Kulte des Servius sind eng mit den Frauen und ihrer sozialen Rolle verbunden (ihr Pendant ist die nur von Varro antiquitates fr. 143 CARDAUNS gen. *F. Barbata* als Göttin der jungen Männer) und liegen zumeist außerhalb des → *pomerium*.

Servius soll den Kult der *Fors F.*, deren Fest am 24. Juni (Ov. fast. 6,773–784) bes. von Gewerbetreibenden, aber auch den Sklaven, gefeiert wurde, jenseits des Tiber gestiftet haben (Varro ling. 6,17); einen zweiten Tempel weihte Sp. Carvilius [4] 238 v. Chr. (Liv. 10,46,14; anders Ov. fast. 6,783). Ebenso als Stiftung des Servius gilt der Kult der F. am Forum Boarium (bei S. Omobono am Fuß des Kapitols), zusammen mit dem benachbarten Tempel der → Mater Matuta (Ov. fast. 6,475–636; Dion. Hal. ant. 4,27; beider Fest am 11. Juni).

Dem Doppeltempel frührepublikanischer Zeit (eher als des frühen 4. Jh., in dem die lit. Quellen einen Bau des → Camillus ansetzen) ging wohl schon ein Doppeltempel in zwei Phasen des 6. Jh. voraus [8]. Den lit. und arch. faßbaren Brand von 213 v. Chr., nach dem ein Neubau erfolgte (Liv. 24,47,15; 25,7,5), überstand ein

von Servius gestiftetes, völlig von dessen Togae verhülltes Holzbild der F. (Plin. nat. 8,194; 197; Dion. Hal. ant. 4,40,7; nach anderen Quellen stellte es Servius dar: Varro ap. Non. p. 189; Ov. fast. 6,571). Es war so heilig, daß es selbst von den *matronae*, die seinen Kult besorgten, nicht berührt werden durfte (Ov. fast. 6,621); da Varro das Bild *F. Virgo* nennt (ap. Non. p. 189), steht es vielleicht in Verbindung mit vorehelichen Riten der röm. Bräute, welche ihre Toga vor der Heirat der *F. Virginalis* weihten (Arnob. 2,67, vgl. Plin. nat. 8,194). Ebenso Stiftung des Servius ist der Kult der *F. Virilis* (Plut. mor. 281a), deren Hauptopfer im Kontext des Festes der → Venus Verticordia auf den 1. April fällt; dabei opferten die Frauen Roms, *matronae* ebenso wie Hetären, der F. Weihrauch (Ov. fast. 1,145–150). Ebenso in den Kontext der weibl. Sexualität gehört die *F. Muliebris*. Ihr Heiligtum am 4. Meilenstein der Via Latina galt als Stiftung des → Coriolanus für die Hilfe der Frauen (Liv. 2,40,1–12), wobei die Frauen ein zweites Kultbild weihten, das sich als *rite* geweiht zu erkennen gab (Varro antiquitates fr. 192 CARDAUNS; Dion. Hal. ant. 8,55f.; Plut. Coriolanus 37) und das nur von den Neuverheirateten bekränzt und berührt werden durfte.

Läßt sich F. in den drei zuletzt genannten Kulten als Göttin verstehen, die die entscheidenden Lebensabschnitte der Frauen beaufsichtigt, so ist sie in anderen Kulten Schützerin sowohl von Individuen, Familien (inschr. z. B. *F. Crassiana, Iuveniana Lampadiana* oder *F. Plotiana* [10]) oder sozialen Gruppen – so *F. Equestris* mit einem Tempel auf dem Marsfeld beim Pompeiustheater, der 179 v. Chr. gelobt, 173 v. Chr. geweiht wurde (Vitr. 3,3,2; Liv. 40,44,8; 42,10,5) [9], oder die umfassende *F. Omnium*, deren Feier am 1. Januar Kaiser Traian stiftete (Lyd. mens. 4,7). Insbes. beschützt F. den Kaiser, seitdem Augustus nach der Rückkehr aus dem Osten 19 v. Chr. am 12. Oktober ein Opfer für *F. Redux* eingerichtet und ihr einen Altar gestiftet hatte (Cass. Dio 51,10; Stiftungstag ist der 15. Dezember: Fasti Amiterni, Feriale Cumanum) [11].

Als Glücksgöttin im Sinne der griech. → Tyche galten ihr in Rom wie in den Provinzen zahlreiche, gelegentlich nur durch die Epiklese faßbare Kulte – *F. Bona* und *Mala* (Aug. civ. 4,18; Altar der *F. Mala* auf dem Esquilin: Cic. nat. deor. 3,63), *F. Dubia* (Altar auf dem Esquilin, CIL VI 675), *F. Brevis* (Plut. mor. 281a; Gegensatz: *F. Stabilis*: CIL III 5156a aus Noricum), *F. Obsequens* (Plaut. Cas. 716), *F. Respiciens* (Cic. leg. 2,28). Von einiger Bed. war ihr Kult als Schützerin des gegenwärtigen Tages, *F. Huiusce Diei*, mit einem von Lutatius Catulus 101 v. Chr. vor Vercellae gelobten Tempel auf dem Marsfeld, wohl an der Stelle eines älteren Tempels derselben F., in dem Aemilius Paullus Statuen weihte (Plut. Marius 26,3; Plin. nat. 34,54; [2. 154–170; 12]). Ohne Epiklese wird F. auf dem Quirinal verehrt, wo sogar drei Tempel nahe beieinander lagen (*Tres Fortunae*, [13]), der älteste derjenige der als *F. Publica Populi Romani Quiritium Primigenia* (Fasti Caeritani zum 25. Mai) aus Praeneste übernommenen F.

In den Isismysterien wird die unzuverlässige und blinde F. der zuverlässigen und rettenden → Isis gegenübergestellt, was sich sowohl lit. (Apul. met. 11,15) wie ikonographisch [14] häufig fassen läßt.

C. Darstellungen und Fortleben

Hat F. so ihre kultische und mythische Eigengestalt in It. und Rom, so sind die lit. Bezeugungen im wesentlichen abhängig von der griech. → Tyche. F. ist blind (Pacuvius 370; Cic. Phil. 13,10), kapriziös und unzuverlässig (Plin. nat. 2,22), was im Bild der F., die unsicher auf einer Kugel balanciert, ausgedrückt wird (Pacuvius 367; Ov. trist. 5,8,7f.); der Mensch ist ihrem sich unablässig drehenden Rad ausgeliefert (Cic. Pis. 10; Tac. dial. 23). Während so die Lit. ihre negativen Seiten betont, stellen die sehr zahlreichen bildlichen Darstellungen der F., die verantwortlich ist für unerwartetes Glück und Gelingen, die positiven Symbole von Füllhorn und Steuerruder, das oft an eine Kugel gelehnt ist [15]. Die christl. Autoren schließen sich hingegen der negativen Einschätzung an [16]. Unter dem gewaltigen Einfluß des → Boethius (consolatio 2,1f.) wird in der ma. Ikonographie vor allem das Rad zu ihrem geläufigsten Bild [17; 18], während die blinde F. auf der Kugel durch die Allegorien von Renaissance und Barock (nicht zuletzt der barocken Emblematik [19]) zum Allgemeingut der europ. Ikonographie wird.

1 J. Champeaux, F. Recherches sur le culte de la Fortune à Rome et dans le monde romain des origines à la mort de César. Bd. 1: Fortune dans la rel. archaïque, 1982 2 Ders., ebd., Bd. 2: Les transformations de Fortune sous la république, 1987 3 G. Wissowa, Rel. und Kultus der Römer, 1912, 256–266 4 A. González Blanco et al., La Cueva Negra de F. (Murcia) y sus tituli picti. Un santuario de epoca romana, 1987 5 F. Fasolo, F.-G. Gullini, Il santuario della F. Primigenia a Palestrina, 1953 6 J. Aronen, LTUR 2, 273–275 7 C. Grottanelli, Servio Tullio, F. e l'Oriente, in: Dialoghi de archeologia 5.2, 1987, 71–110 8 F. Coarelli, Il Foro Boario, 1988, 205–244 9 Ders., LTUR 2, 268f. 10 C. Lega, LTUR 2, 268; 271f.; 273 11 F. Coarelli, LTUR 2, 275f. 12 P. Gros, LTUR 2, 269f. 13 F. Coarelli, Tres Fortunae, LTUR 2, 285–287 14 Ders., Iside e F. a Pompei e Palestrina, in: PdP 49, 1994, 119–129 15 F. Rausa, s. v. Tyche/F., LIMC 8.1, 125–141 16 I. Kajanto, s. v. F., RAC 8, 182–197 17 H. R. Patch, The Goddess F. in Medieval Literature, 1927 18 J. C. Frakes, The Fate of Fortune in the Early Middle Ages, 1988 19 G. Kirchner, F. in Dichtung und Emblematik des Barock, 1970.

J. B. Carter, The cognomina of the goddess F., in: TAPhA 31, 1900, 60–68 · W. F. Otto, s. v. F., RE 7, 12–42 · F. Castagnoli, Il culto di Mater Matuta e della F. nel Foro Boario, in: Studi Romani 27, 1979, 145–152 · G. Dumézil, Servius et la Fortune, 1943 · I. Kajanto, Epigraphical evidence of the cult of F. in Germania Romana, in: Latomus 47, 1988, 554–584 · A. Miltenberg, s. v. F., LMA 4, 665f. · K. Mustakallio, Some aspects of the story of Coriolanus and the women behind the cult of F. Muliebris, in: H. Solin, M. Kajava (Hrsg.), Roman Eastern policy and other studies in Roman history, 1990, 125–131 · A. Passerini, Il concetto di F., in: Philologus 90, 1935, 90–97 · H. Riemann, Praenestinae sorores. Tibur, Ostia,

Antium, in: RhM 94, 1987, 131–162 und 95, 1988, 41–73 · D. M. Robinson, The Wheel of Fortune, in: CPh 41, 1946, 207–216 · M. J. Strazzulla, La F. Respiciens. Iconografia e culto, in: Rendiconti della Pontificia Accademia di Archeologia 63, 1990/91, 233–262.   F. G.

Fortunatianos. Von 370–377 n. Chr. *comes rerum privatarum* im Osten (Cod. Theod. 7,13,2; 10,16,3 u. ö.). 371 ließ er Untergebene, die der Zauberei angeklagt waren, foltern (Amm. 29,1,5–7; Zos. 4,14,1). Er ist evtl. identisch mit dem gleichnamigen paganen Dichter, Rhetor und Philosophen (vgl. Lib. epist. 694,9; 1157; 1425), einem Korrespondenten des Libanios (epist. 565; 644; 650 u. ö.). PLRE 1, 369 (Fortunatianus 1).   W. P.

Fortunat(ian)us. Der Afrikaner F. amtierte wohl von 342–368/370 als Bischof von → Aquileia, nach Hieronymus schrieb er unter Constantius [2] II. (337–361) einen Evangelienkomm. *Titulis ordinatis brevi sermone rusticoque* (Hier. vir. ill. 97,1). Vielleicht hieraus sind drei kleine Fr. erh. geblieben (CPL 104); Hieronymus benutzte das Werk für seinen eigenen Matthäus-Komm. (praef.: PL 26,200 und epist. 10,3). F. nahm 345 → Athanasios in Aquileia auf, soll dann aber → Liberius von Rom zur Nachgiebigkeit gegenüber dem homöischen Reichskirchenkurs (→ Arianismus) des Kaisers Constantius II. gedrängt haben (so jedenfalls Hier. vir. ill. 97,2), was für einen Kurswechsel seiner kirchenpolit. Optionen spräche.

A. Wilmart, B. Bischoff (Hrsg.), Commentarii in Evangelia (= CCL 9), 1967, 365–370 · L. Duchesne, Libère et Fortunatien, in: MEFRA 28, 1908, 31–78.   C. M.

Foruli. *Vicus* der Sabini, *ager Amiterninus*, an den Quellen des Aternus (h. Pescara) auf einem Felssporn (Strab. 5,3,1), seit 1204 Civitatomassa (Scoppito, L'Aquila). An einer Seitenstraße der *via Salaria* (47 n. Chr. als *via Claudia Nova* wiederhergestellt; CIL IX 5959; Tab. Peut. 5,5 irrtümlich *Erulos*), 13 Meilen nach Interocrium (h. Antrodoco), 4 Meilen vor Amiternum. Für 211 v. Chr. beim Durchzug Hannibals erwähnt (Liv. 26,11,11); *tribus Quirina*. Röm. Reste. Inschr.: CIL IX p. 417–420; 4395–4435.

G. Filippi, s. v. F., EV 2, 567 · G. Fiorelli, Civitatomassa, in: NSA 1885, 480 · N. Persichetti, Civitatomassa, in: NSA 1902, 122 · G. Rivera, Scoppito, in: NSA 1893, 436.   G. U./Ü: V. S.

Forum I. Archäologisch-urbanistisch
II. Rechtshistorisch
III. Römische Foren IV. Ortsnamen

I. Archäologisch-urbanistisch

A. Definition und Funktion B. Das Forum bei Vitruv C. Typologie D. Kaiserfora

A. Definition und Funktion

Lat. Begriff für Markt, Marktplatz; darüber hinaus in seltenen Fällen der Vorhof eines Grabes (im Sinne des

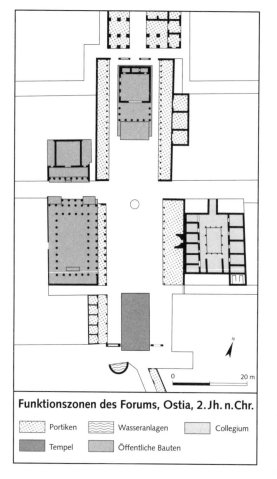

Funktionszonen des Forums, Ostia, 2. Jh. n. Chr.

Portiken   Wasseranlagen   Collegium

Tempel   Öffentliche Bauten

griech. *drómos*, z. B. Cic. leg. 2,61) oder ein Teil der Weinkelter (Varro, rust. 1,54; Colum. 11,2,71).

Als merkantiler und administrativer Mittelpunkt der röm. → Stadt entsprach das als großer Freiplatz mit rahmender Bebauung gestaltete F. grundsätzlich der → Agora griech. Städte; die Lage am Schnittpunkt von → *decumanus* und → *cardo* in der Stadtmitte ist bei allen neuangelegten städtischen Siedlungen im röm. Imperium seit spätrepublikan. Zeit die Regel (→ Städtebau); Vorbild waren Lage sowie bauliche und funktionale Entwicklung des → Forum [III 8] Romanum an der Kreuzung von Via Sacra und Vicus Tuscus in Rom, dem ältesten F. überhaupt. In »gewachsenen« Städten im griech. Kulturraum wurden neuerbaute Fora nicht notwendigerweise in der Stadtmitte, sondern in günstiger Lage an Hauptstraßen, nahe dem Hauptstadttor oder dem Hafen erbaut (z. B. Side, Gerasa, Palmyra); neuerbaute Fora in alten griech. Städten beschränkten sich funktional meist auf den ökonomischen Bereich, während die Administration auf der alten Agora verblieb (z. B. Athen); bisweilen wurde die alte Agora auch zum F. umgestaltet (Korinth). Größere Städte hatten meist mehrere Fora, was in der Regel mit einer funktionalen

Spezialisierung und folglich mit einer räumlichen Trennung von merkantilen, administrativen und rel. Bereichen einhergehen und sogar zur Verengung auf spezielle Handelsaktivitäten führen konnte (z. B. beim F. Boarium, F. Suarium und F. (H)olitorium in Rom); eine Sonderform des auf merkantile Zwecke reduzierten F. ist das → *macellum*.

Die den in der Regel langrechteckigen Platz des F. rahmenden Bauten und Baugruppen waren durch umlaufende, überdachte Säulengänge verbunden und zugleich funktional klar voneinander geschieden; die peristylartige Umbauung konnte, entsprechend dem Vorbild der griech. → Stoa, in Geschäftsräume und Läden parzelliert sein (z. B. Augusta Raurica [4], mit Plan). Neben dem Iuppiter- oder Kapitolstempel sowie weiteren Kultstätten und Altären finden sich am F. die → Basilika, verschiedene → Versammlungsbauten für Magistrate und die Amtsgebäude der Verwaltung (*curia*, *comitium*, Bauten für die *decuriones, duumviri* und *aediles*), des öfteren auch das Archiv, Eichamt und die → Rednerbühne, ferner → *horrea*, → Latrinen sowie bisweilen auch Vereinslokale und Zunftgebäude (z. B. Bau der Eumachia, Pompeji). Neben Handel und Gewerbe, Verwaltung und Kultausübung war das F. das Zentrum der Rechtsprechung und Ort für Rechtsgeschäfte aller Art (s. u. Abschnitt II). Für die röm. Republik bis zum Entstehen erster steinerner Theaterbauten ist schließlich auch die Veranstaltung von → *munera* auf dem F. mannigfach bezeugt, wofür temporäre Holzbauten errichtet wurden (→ Amphitheater; Theater). Vorbild dieser Zusammenballung von Bauten und Funktionen war das → F. [III 8] Romanum mit Staatsherd (Vestatempel), Verwaltungs- und Versammlungsbauten, Läden, → Triumph- und Ehrenbögen und demontierbaren Tribünenvorrichtungen für *munera*.

Als Zentrum der Stadt, das auch von auswärtigen Besuchern frequentiert wurde, war das F. der wichtigste Ort für Repräsentation. Vermögende Privatleute setzten sich hier mit Stiftungen in Szene, wie etwa die Entstehungsgeschichte der stadtröm. Basiliken am Forum Romanum zeigt, die über Generationen die Namen ihrer Bauherren verewigten (→ Basilica Aemilia; Basilica Fulvia; Basilica Iulia). Wohlstand und handwerkliche Fähigkeiten des Gemeinwesens ließen sich durch prachtvolle Tempel und Altäre, Amts- und Verwaltungsgebäude, aber auch technische Monumente wie Sonnenuhren (Pompeji) oder → Brunnen hier am wirkungsvollsten demonstrieren, aber auch durch einen prunkvollen Ausbau der den Platz säumenden Portiken in kostbaren Materialien, der seit dem späten 1. Jh. v. Chr. in vielen röm. Städten zur Regel wurde und die bis dahin oft heterogene Randbebauung des F. in einen verbindenden Rahmen einfügte. Darüber hinaus war das F. der bevorzugte Ort für die Aufstellung von Ehrenstatuen und -bögen sowie von -inschriften; das F. war somit vielerorts auch eine Art steinerne Manifestation der Lokalgeschichte. Sollten Weihungen und Stiftungen des Kaiserhauses oder anderer überregionaler

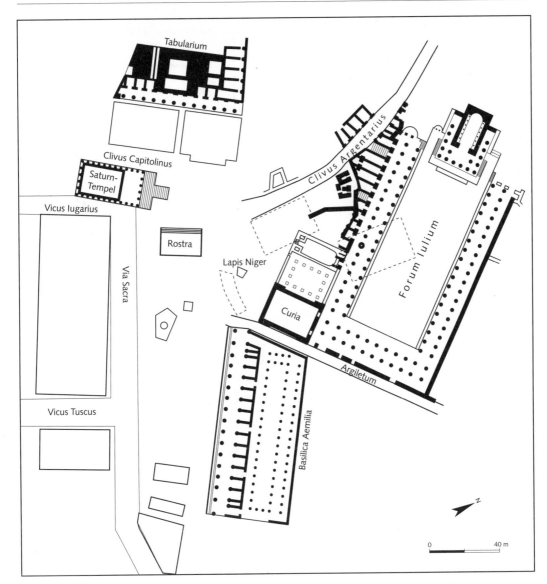

Das Forum Romanum, Zustand 42 v. Chr., mit dem durch das Forum Iulium überbauten Areal des Comitiums.

Würdenträger eine Stadt, herausragende Vertreter ihrer Verwaltung oder die Gesamtheit der Bürger ehren, so war ebenfalls häufig das F. der dafür vorgesehene und ideal geeignete Ort.

B. DAS FORUM BEI VITRUV

In zwei ausführlichen Passagen beschreibt Vitruv Lage und baulich-strukturelle Gestalt des röm. F. (1,7 und 5,1–2). Für Hafenstädte empfiehlt er für das F. eine Lage nahe beim Hafen, für im Binnenland gelegene Städte möglichst die Stadtmitte am Schnittpunkt der Hauptstraßen. Der F.-Platz und seine bauliche Umrahmung wird, in betontem Gegensatz zur griech. Agora, von Vitruv bes. von seiner traditionellen Funktion als Schauplatz der Gladiatorenspiele verstanden; die den Platz einfassenden Säulenhallen sollen deshalb zur Auf-

nahme des Publikums und zur Gewähr einer guten Sicht mit weiten Interkolumnien und gut zugänglichen Balkonen in den oberen Stockwerken ausgestattet sein.

Die Größe des F. soll mit der Einwohnerzahl der Stadt korrelieren, um räumliche Enge, aber auch den Eindruck der Verödung eines zu großen Platzes zu vermeiden; als Fläche empfiehlt Vitruv, wiederum im Gegensatz zur seiner Meinung nach regelhaft quadratischen griech. Agora, ein Rechteck mit einer Proportion von 3:2. Unmittelbar an das F. angrenzen soll die → Basilika. Sie soll an der wärmsten Stelle plaziert sein, ihr gegenüber soll der Iuppiter-Tempel erbaut werden. Ebenfalls unmittelbar mit dem F. sollen Schatzhaus (*aerarium*), Gefängnis (*carcer*) und Rathaus (*curia*) verbunden sein, die in Größe und Proportion dem F. angemessen zu sein haben. In die das F. rahmenden Säulenhallen und in die Basilika sollen Separierungen für Geschäfte, Geldwechsler und weitere Marktfunktionen eingebaut werden. Säulenhallen und Basilika sollen zweistöckig sein, wobei das Obergeschoß gegenüber dem Erdgeschoß um ¼ niedriger zu planen sei; Vitruvs komplizierte Anweisung für die Aufrißgestaltung der *curia* sorgt im Ergebnis für eine optische Heraushebung dieses Bauwerks im Rahmen der F.-Bebauung.

C. TYPOLOGIE

Betrachtet man die in den Städten des Imperium Roman zahlreich erh. Fora, dann wird schnell deutlich, daß Vitruvs Darstellung insgesamt keine Allgemeingültigkeit besitzt. In den gewachsenen Städten It. findet sich das F. oft in die nicht oder nur zu Teilen durch ein orthogonales Straßenraster strukturierte Altstadt integriert, was zu gelängten oder verwinkelten Platzanlagen mit komplizierter Topographie führen konnte (z.B. das F. Romanum in Rom). In Pompeji wird eine fast wie 1:4 proportionierte, langrechteckige Platzanlage an den Schmalseiten von Tempel und Amtslokalen begrenzt; an den Langseiten wird der Platz in eher unregelmäßiger Anordnung von Basilika, *horrea*, weiteren Kommunalbauten, Tempeln und Heiligtümern sowie Zunftbauten umstanden. Die offenbar komplette Neubebauung eines zuvor planierten Stadtareals findet sich in der griech. Stadt Poseidonia, nachdem sie 273 v. Chr. zur röm. Kolonie Paestum umgewandelt wurde. Bei gänzlich neugeplanten Siedlungen in Italien ist ein F. ›aus einem Guß‹, wie Vitruv es beschreibt, zunächst selten; in der Gründungsphase der frühesten röm. Kolonien fehlt es bisweilen sogar ganz. Im 273 v. Chr. angelegten Cosa waren Kapitol und F. von Beginn an räumlich getrennt; das F. entwickelt sich hier über mehr als 100 Jahre von einer unscheinbaren, nicht zentral gelegenen Freifläche hin zu einem umbauten Bezirk mit Architekturen für Verwaltung, Kult (Concordia-Tempel) sowie für Handel und Gewerbe. Häufig findet sich in der Entwicklung früher ital. Fora ein sukzessives Zusammenwachsen des Kapitolsareals mit dem Markt- und Versammlungsareal (Minturnae, Ostia, Terracina). Diese Entwicklung ging offenbar einher mit einer Politisierung der Bürgerschaften im Zuge des von den Plebejern erzwungenen Abbaus aristokratischer Privilegien, den sich im Kontext der Bundesgenossenkriege verändernden Beziehungen der röm.-latinischen Städte zu Rom und der insgesamt zunehmenden kommunalen Autonomie der Siedlungen im 2. Jh. v. Chr. Bei späten ital. Städtegründungen aus dem 2. und dem 1. Jh. v. Chr. findet sich fast durchgehend ein F., das rel., merkantile und administrative Funktionen in zentraler Lage zu einer Einheit verschmolz, wenn auch mit erheblicher Variation in der baulichen Struktur (Verona, Turin, Aosta).

Die F. der im Kontext der Expansion des Imperium Romanum neuangelegten Städte außerhalb It. sind demgegenüber durchweg geplante und meist in einem Zug erbaute, später aber mannigfach veränderte und

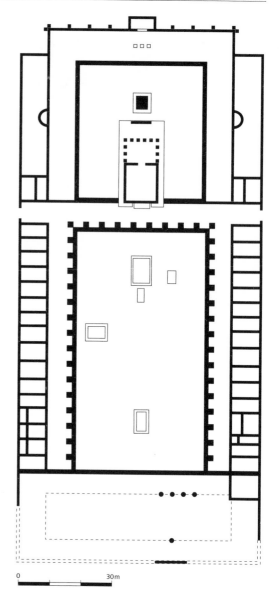

Gallo-römisches Forum mit Tempel und quergelegter Basilika an den Schmalseiten, Lugdunum Convenarum / Saint-Bertrand-de-Comminges (1.-2. Jh. v. Chr.).

deshalb im arch. Befund durchaus nicht immer eindeutige Komplexe. Die Anlage der Städte folgte hier oft nach dem Muster des Militärlagers (→ *castra*; → Städtebau), wobei das F. in der Mitte der Siedlung an der Kreuzung der beiden Hauptstraßen nicht nur formal, sondern auch funktional den *principia*, dem Zentrum des Militärlagers, entsprach. Hier finden sich drei Grundtypen des röm. F. variiert, die in ihrer reinen Form ebenfalls dem Vitruvschen F. widersprechen: Das Peristyl-F. ist ein ringsum von Hallen gesäumter Platz entweder mit (Kyrene) oder ohne (Ephesos, Athen, Milet, St. Albans) Tempel im Zentrum; bisweilen beschränken

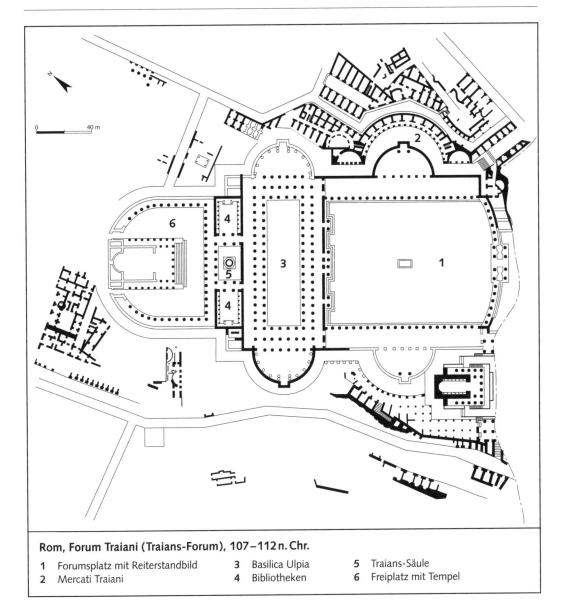

Rom, Forum Traiani (Traians-Forum), 107–112 n. Chr.

1	Forumsplatz mit Reiterstandbild	**3**	Basilica Ulpia	**5**	Traians-Säule
2	Mercati Traiani	**4**	Bibliotheken	**6**	Freiplatz mit Tempel

sich die Hallen dabei nur auf drei Seiten und lassen eine Schmalseite offen (Aosta, Arles). Das Tempel-F. schließt eine an drei Seiten hallengesäumte Platzanlage durch einen oder mehrere Tempel an der vierten, offenen Schmalseite (Luni, Zadar, Vienne, Nîmes, Sbeitla, Ampurias, Tarragona). Das Basilika-F. verriegelt die vierte, offene Schmalseite nicht durch einen Tempel, sondern durch die quergelagerte Basilika (Alise-Sainte-Reine, Martigny); bisweilen liegt die Basilika an der Längsseite (Dukla). Eine Kombination der beiden letztgenannten Typen, die dem Ideal Vitruvs entspricht, mit einander gegenüberliegendem Tempel und Basilika als den Abschlüssen der Schmalseiten findet sich v. a. im gallisch-hispanischen Nordwesten (Paris, Augst, Saint-Bertrand-de-Comminges, Lyon, Belo, Conimbriga),

bisweilen auch in Nordafrika (Leptis Magna, severisches F.). Seltene Sonderformen (ovales F. in Gerasa, Apsiden-F. in Thugga) entziehen sich einer typologischen Zuordnung.

D. KAISERFORA

Einen auf die Hauptstädte Rom und Konstantinopel beschränkten Sonderfall des F. repräsentieren die Kaiserfora, die in Rom (→ F. [III 5] Iulium, F. [III 1] Augustum, F. [III 10] Transitorium/Nervae, F. Traiani) im NW an das F. Romanum angrenzten, in Konstantinopel (F. Arcadii, F. Constantini, F. Theodosii) unverbunden im Stadtareal verstreut waren. Bei ihnen handelt es sich um großflächige Repräsentationsanlagen, die unter Federführung der ihren Namen tragenden Regenten entstanden und jeweils auf einem politisch-ideologisch kohärenten Konzept herrscherlicher Selbstdarstellung fußten. Nicht nur die baulichen Anlagen selbst, auch die Umstände ihrer Errichtung mehrten den Ruhm ihrer Stifter: Für die Geländeplanierung des Traians-F. mußte ein ganzer Berg abgetragen werden, dessen einstige Höhe durch die Traianssäule markiert war (→ Apollodoros [14]); in allen Fällen war es mit erheblichen Kosten verbunden, das benötigte Gelände zu beschaffen und die von dieser Requirierung Betroffenen für alle Welt sichtbar großzügig zu entschädigen.

Wie sehr sich diese Anlagen als »private Stiftungen« von einem traditionell öffentlich besetzten städtischen Raum wie etwa dem benachbarten F. Romanum in Rom absetzen sollten, verdeutlichen die wiederholten Betonungen Caesars (Cic. Att. 4,16,8) wie des Augustus (R. Gest. div. Aug. 21), ihre Fora mit eigenen, privaten Mitteln auf zuvor eigens angekauftem Gelände errichtet zu haben. Entsprechend dieser veränderten Ausgangslage sind Bauformen und Funktionen der stadtröm. Kaiserfora (diejenigen Konstantinopels sind arch. nur rudimentär bekannt) von denen der üblichen städtischen Platzanlagen erheblich unterschieden. Die in dicht bebautes Areal eingefügten Komplexe sind durch hohe Mauern hermetisch nach außen abgeschottet und insgesamt nach innen, auf sich selbst orientiert. Sie waren für Marktbetrieb und Durchgangsverkehr geschlossen. Ihre Funktionen beschränkten sich auf den Justizbetrieb, auf wichtige Staatsakte sowie auf den musisch-lit. Bereich (→ Bibliothek). Zudem waren die Kaiserfora in ihren repräsentativen Ausstattungen mit Inschr., Bildwerken, angeschlossenen Bildergalerien, mit den Sammlungen von Büchern, Kultgeräten, Gemmen und dergleichen mehr nicht nur eine Frühform des Kunstmuseums (→ Kunstinteresse), sondern zugleich eine Manifestation des Herrschaftsverständnisses des jeweiligen Bauherren. In diesem Sinne beinhaltete etwa das Augustus-F. eine hochkomplexe, die verschiedenen Bildmedien und Architekturteile übergreifende Inszenierung röm. Geschichte und verband die mythische Frühzeit nahtlos und für jeden Betrachter unbezweifelbar mit der realen Herrschaft des Augustus; in diesem Sinne war das Traians-F. ein komplexes Bau- und Bildensemble, das mittels gruppenspezifisch verschieden rezipierbarer »Lesarten« und Aussage-Ebenen die ges. Leitbildfunktion des Militärs im traianischen Staatsverständnis propagierte und der stadtröm. Bevölkerung vermitteln wollte.

In seiner repräsentativ-ideologischen Ausrichtung auf die Person bzw. Politik des Bauherren ist das Kaiser-F. eine röm. Neuerfindung; als ein Vorläufer dieser Bauidee kann die mit einer großen Porticus versehene Theateranlage des Pompeius gelten (errichtet 61–55 v. Chr.) – die wiederum möglicherweise zur Initialzündung für Caesars F. wurde und sich vielleicht aus hell. Tempelplätzen wie dem Zeusheiligtum in Priene ableiten läßt. Die drei frühesten Anlagen des Caesar, Augustus und Nerva greifen in ihrer baulichen Struktur auf den Typ des Tempel-F. (s. oben Abschnitt C) zurück.

Das Traians-F. hingegen kombiniert mil. Bauformen und die Strukturen öffentlicher Platzanlagen zu einer gänzlich neuartigen Gesamtheit, die zudem durch die angegliederten *Mercati Traiani* eine populäre, volksnahe Infrastrukturmaßnahme mit in das Konzept des Kaiser-F. einbezog und auf diese Weise ein wirksames Gegengewicht zur introvertierten, zeremoniellen Exklusivität dieser Anlagen schuf.

→ FORUM

J. C. ANDERSON, The Historical Topography of the Imperial Fora, 1984 • I. M. BARTON, Capitoline Temples in Italy and the Provinces, in: ANRW II 12.1, 259–333 • F. A. BAUER, Stadt, Platz und Denkmal in der Spätantike, 1996 • J. BERGEMANN, Die röm. Kolonie von Butrint und die Romanisierung Griechenlands, 1998, 74–88 • F. E. BROWN, Cosa. The Making of a Roman Town, 1980, 31–46 • F. COARELLI, Il Foro Romano I/II, 1983/1985 • J. J. DOBBINS, Problems of Chronology, Decoration, and Urban Design in the F. at Pompeii, in: AJA 98, 1994, 629–694 • H. DRERUP, Zur Plangestaltung röm. Fora, in: P. ZANKER (Hrsg.), Hellenismus in Mittelitalien, Kongr. Göttingen 1974, 1976, 398–412 • J. EINGARTNER, Fora, Capitolia und Heiligtümer im westl. Nordafrika, in: H. J. SCHALLES, H. v. HESBERG, P. ZANKER (Hrsg.), Die röm. Stadt im 2. Jh. n. Chr. Der Funktionswandel des öffentlichen Raumes, Kongr. Xanten 1990, 1992, 213–242 • B. FEHR, Das Militär als Leitbild: Polit. Funktion und gruppenspezifische Wahrnehmung des Traiansforums und der Traianssäule, in: Hephaistos 7/8, 1985/1986, 39–60 • F. FELTEN, Heiligtümer oder Märkte?, in: AK 26, 1983, 84–105 • A. FRAZER, The Imperial Fora. Their Dimensional Links, in: Eius virtutis studiosi. Classical and Postclassical Studies in Memory of F. E. Brown, 1993, 410–419 • J. GANZERT, V. KOCKEL, Augustusforum und Mars-Ultor-Tempel, in: Kaiser Augustus und die verlorene Republik, Ausst.-Kat. Berlin 1988, 149–199 • J. GRIFFITH PEDLEY, Paestum, 1990, 114–123 • P. GROS, P. VARÈNE, Le forum et la basilique de Glanum, in: Gallia 42, 1984, 21–52 • P. GROS, Les étapes de l'aménagement monumental du forum, in: La città nell'Italia Settentrionale in età romana, Kongr. Triest 1987, 1990, 29–68 • P. GROS, L'architecture Romaine. Les monuments publics, 1996 (mit ausführl. Bibliogr.) • M. HÜLSEMANN, Theater, Kult und bürgerlicher Widerstand, 1987 • H. KNELL, Vitruvs Architekturtheorie, 1985, 115–128 • V. KOCKEL, Ostia im 2. Jh. n. Chr. Beobachtungen zum Wandel eines Stadtbildes, in: H. J. SCHALLES, H. v. HESBERG, P. ZANKER (Hrsg.), Die röm. Stadt im 2. Jh. n. Chr. Der Funktionswandel des öffentl. Raumes, Kongr. Xanten 1990, 1992, 99–117 • H. KYRIELEIS, Bemerkungen zur Vorgesch. der Kaiserfora, in: P. ZANKER (Hrsg.), Hellenismus in Mittelitalien, Kongr. Göttingen 1974, 1976, 431–438 • TH. LORENZ, Röm. Städte, 1987 • Los foros romanos de las provincias occidentales, Kongr. Valencia 1986, 1987 • R. MARTIN, Agora et F., in: MEFRA 84, 1972, 903–933 • W. L. MACDONALD, The Architecture of the Roman Empire II, 1986, 51–66 • C. MORSELLI, s. v. Foro, EAA Suppl. II, 1994, 689–693 (mit Bibliogr.) • E. RUOFF-VÄÄNÄNEN, Studies on the Italian Fora (Historia Einzelschriften 32), 1978 • J. RUSSEL, The Origin and Development of Republican Forums, in: Phoenix 22, 1968, 304–336 • H. J. SCHALLES, F. und zentraler Tempel, in: H. J. SCHALLES, H. v. HESBERG, P. ZANKER (Hrsg.), Die röm. Stadt im 2. Jh. n. Chr. Der Funktionswandel des öffentl. Raumes, Kongr. Xanten 1990, 1992, 183–221 · M. TODD, Forum and Capitolium in the Early Empire, in: F. GREW, E. HOBLEY (Hrsg.), Roman Urban Topography in Britain and the Western Empire, Kongr. London 1985, 56–66 · P. ZANKER, F. Augustum, 1986 · Ders., Das Trajansforum als Monument imperialer Selbstdarstellung, in: AA 1970, 499–544 · P. ZUCKER, Town and Square, 1959.   C. HÖ.

II. RECHTSHISTORISCH

In rechtlicher Hinsicht kennzeichnet (der auch heute noch im Prozeßrecht verwendete Begriff) F. üblicherweise das, was in moderner Diktion als »Zuständigkeit eines Gerichts« zusammengefaßt wird. Bisweilen umschreibt er allerdings auch in einem allg. Sinn lediglich den Gerichtsort, z. B. Gai. Dig. 1,2,1: *in foro causas dicere* (›auf dem F. Recht sprechen‹) oder (strafrechtlich) Ulp. Dig. 48,19,9,4: *nonnumquam cui f. interdicitur* (›zuweilen wird jemandem das F. verboten‹). Bei der technischeren Bedeutung geht es um die Frage, welches Gericht bzw. welcher Richter zur Entscheidung über den konkreten Rechtsstreit berufen ist. Beantwortet wird sie mit einer Kombination von sachlichen und persönlichen Kriterien.

Als sachliches, nur selten mit F. umschriebenes Kriterium dient eine bislang noch nicht restlos geklärte örtliche wie sachliche Eingrenzung der Aufgabenbereiche etwa der kurulischen → *aediles*, der Munizipalgerichtsbarkeit, der *praefecti* (→ *praefectus*), *iuridici*, Provinzstatthalter sowie schließlich des Fremden- und Stadtpraetors (→ *praetor*). Letzterer ist wohl mindestens theoretisch für alle Verfahren aller röm. Bürger zuständig.

Was die persönlichen Kriterien anbelangt, so gilt der aus Gründen der Prozeßfairneß gebotene Grundsatz, ›der Kläger folge dem F. des Beklagten‹ (*actor rei f. sequatur*, Cod. Iust. 3,13,2; vgl. auch Cic. Verr. 3,38). Dieses liegt grundsätzlich am Wohnsitz des Beklagten (→ *domicilium*), ggf. zusätzlich an dem seiner Abstammung (→ *origo*, Gai. Dig. 50,1,29). Neben diesem allg. Gerichtsstand gibt es zumindest in der Spätant. eine Reihe von bes. Zuständigkeiten, von Rechts wegen oder auf Grund einer Parteivereinbarung (letztere heute noch unröm. sog. *prorogatio fori*, vgl. immerhin Ulp. Dig. 5,1,2,2). Eine solche Vereinbarung kann auch in der vertraglichen Festlegung des Leistungsortes zu sehen sein (dazu Gai. Dig. 42,5,1 und 3). Zu den von Rechts wegen bestehenden Gerichtsständen zählt das *f. delicti commissi* (am Ort des begangenen Delikts); von ihm sagt Iustinian (Nov. 69), daß er sie allg. eingeführt habe. Doch ist anzunehmen, daß es auch vorher zumindest vereinzelt eine entsprechende Zuständigkeit gegeben haben wird (Cod. Iust. 3,16,1: Valentinian im J. 366; 3,15,1: Septimius Severus und Caracalla im J. 197: *satis notum est*, ›es ist hinlänglich bekannt‹, das Strafrecht betr.). Valentinian hat außerdem für Klagen über dingliche Ansprüche den Gerichtsstand des Ortes, an dem sich die Sache befindet, das *f. rei sitae*, konstituiert (Cod. Iust. 3,19,3 aus dem J. 385). Iustinian bestimmt, daß eine Widerklage unbeschadet ihrer isolierten Zuständigkeit

auch am Ort der Hauptsacheklage verhandelt und verbeschieden werden kann, und beruft sich hierfür auf Vorüberlegungen von Papinian (Cod. Iust. 7,45,14). Ebenfalls in der Spätant. wurden bes. Gerichtsstände für bestimmte Personen bzw. Personengruppen geschaffen: insbes. für Senatoren, Provinzstatthalter, Geistliche, Hofbeamte und Soldaten.

Maßgeblich ist die Zuständigkeit zum Zeitpunkt der Streitbefestigung, der → *litis contestatio* bzw. sogar *in ius vocatio* (vgl. Ulp. Dig. 5,1,7); nachträgliche Änderungen an den faktischen Gegebenheiten sind unbeachtlich (unröm.: *perpetuatio fori*, Iavolenus Dig. 5,1,34). Die Entscheidung eines unzuständigen Richters ist nichtig (Ulp. Dig. 2,2,1,2 = Cod. Iust. 7,48,4: Valentinian im J. 379).

M. KASER, K. HACKL, Das röm. Zivilprozeßrecht, ²1997, 242 ff.   C. PA.

III. RÖMISCHE FOREN

[III 1] F. Augustum. In der Ant. bisweilen auch als *F. Augusti* bezeichnet; die umfangreichste der zahlreichen Baumaßnahmen des → Augustus in der Stadt Rom (→ Roma); nach dem → F. [III 5] Iulium des Caesar die in zeitlicher Abfolge zweite große und repräsentativ ausgestaltete Platzanlage, die den Raum des → F. [III 8] Romanum nach NO hin ergänzte. Wie Caesars Forum, so ist auch das F. Augustum als Tempel-F. konzipiert (s. o. Abschnitt I.); beide entstanden aus privaten Mitteln auf zuvor eigens angekauftem Gelände (R. Gest. div. Aug. 21: *ex manibiis ... in privato solo*), das im Falle des F. A. für die eigentlich vorgesehene Planung aber wohl letztlich zu klein geraten war (Suet. Aug. 56,2). Das F. A. führt wesentliche Grundideen des F. Iulium fort. Beide Fora unterschieden sich in ihrem gemeinsamen Charakter als »Privatbauten« dabei fundamental von den traditionellen, öffentlichen Platzanlagen wie dem F. Romanum oder den anderen Fora der Stadt und bildeten die ideologisch-konzeptionelle Keimzelle der späteren Kaiserfora des Nerva und Traian.

Das F. A. besteht aus einer langrechteckigen, von bis zu 30 m hohen Mauern gegen die benachbarte *subura* markant abgegrenzten und dabei auf sich selbst bezogenen Platzanlage, die von doppelstöckigen Säulenhallen gerahmt wurde und zwei sich gegenüberliegende große → Exedren an der Langseite aufwies (Maße des F. A.: ca. 105 m in der Breite am äußersten Punkt der Exedren; ca. 120 m in der Länge). Den Mittelpunkt bildete der repräsentative Podiumstempel des Mars Ultor mit acht korinth. Frontsäulen (eine Ansicht ist durch eines der »Valle-Medici-Reliefs« überliefert) und offenen Ptera (→ Tempel) an den Langseiten, der als Bau 42 v. Chr. nach der Schlacht von Philippi gelobt worden war. Der Baubeginn des F. A. ist indessen wohl nicht vor 19 v. Chr. anzusetzen (Bau und Einweihung des »Parther-Tempels« auf dem Kapitol für die Präsentation der zurückgewonnenen Feldzeichen, die später dann in den Mars-Ultor-Tempel überführt wurden). Der Mars-Ultor-Tempel wurde 2 v. Chr. geweiht (Ov.

fast. 5,549–552; Cass. Dio 55,10,1–3 und 60,5,3; Vell. 2,100,2), nachdem die Platzanlage insgesamt wohl bereits zuvor der Benutzung übergeben war (Suet. Aug. 29,1).

Das F. A. war eine Anlage für staatliche Repräsentation (Empfang ausländischer Gesandschaften, Ort der jährlichen Feierlichkeiten nach der Annahme der *toga virilis* durch röm. Knaben), für Opfer (Bankett der → Salii; Opfer der → Arvales fratres) und Rechtsprechung, nicht aber für Marktbetrieb; sie war nur von der Südseite her zugänglich und nicht mit Wagen befahrbar. Das F. A. bildete in Bauten und Bildern insgesamt eine hochkomplexe Visualisierung des »Goldenen Zeitalters«, das Augustus für seine Regentschaft proklamierte. Die Nischen der Säulenhallen präsentierten die »höchsten Männer« (*summi viri*) des Staates; in den Exedren wurde, als Kulmination dieser Reihe, die programmatisch bereinigte und beschönigte »historische« Gesch. Roms und diejenige der *gens Iulia* des Augustus effektvoll mit der röm. Mythologie zu einem harmonischen Konstrukt verschmolzen und zudem über die Aeneas-Sage in die griech. Mythologie eingewoben. Ebenso deutlich wurde die Verflechtung von Herrscher-Familie und Mythos beim Mars-Ultor-Tempel, welcher Statuen des Mars (erh. u. a. in einem Altar-Relief aus Karthago in Algier, Arch. Museum), der Venus und des Divus Iulius barg und somit die *gens Iulia* auf die Ebene der höchsten Staatsgötter hob. Der skulpierte Giebel des Tempels spielte allegorisch auf die mil. Erfolge des Augustus an; die in endloser Repetition das Obergeschoß der Säulenhallen stützenden → Karyatiden – Kopien der Koren des Erechtheion von der Akropolis Athens – symbolisierten in ihrer schieren, gleichförmigen Menge die durch Augustus unterworfenen Völkerschaften. Den hoch repräsentativen Anspruch der Anlage unterstrichen zahlreiche zitathafte Anspielungen auf die klass. griech. Kunst in Skulpturen, Bauornamentik und Architekturformen sowie der exorbitante Luxus der verwendeten Baumaterialien: Nahezu alle verfügbaren Tuff-, Travertin-, Marmor- und Holzsorten sowie weitere Buntsteine wurden zu einem farbenprächtigen Ganzen zusammengefügt.

Das F. A. ist auch nach dem Tode des Augustus erstrangiger Ort staatlicher Repräsentation geblieben, wurde nur geringfügig verändert bzw. ergänzt und geriet in seinen Details zum oft kopierten Vorbild (Exedren des → F. [III 9] Traiani in Rom; Statuengalerien in der Art der *summi viri* u. a. in Pompeji, Arezzo, Aventicum, Mérida). Im 9. Jh. wurde die Anlage in ein Kloster umgebaut. Erste – in ihrer Aussagekraft heute umstrittene – Bauaufnahmen des ant. Zustands entstanden im 16. Jh. (Antonio da Sangallo). Flächendeckende Ausgrabungen erfolgten im Kontext der Freilegung der Kaiserfora in Rom 1924–1926 mit anschließender Anastylosis, freilich bis heute ohne exakte Dokumentation.

G. ALFÖLDY, Zu den Monumenten der röm. Provinzen auf dem Augustusforum, in: FS für Th. Pékary, 1989, 226–234 · F. A. BAUER, Stadt, Platz und Denkmal in der Spätantike, 1996, 86–89 · J. GANZERT, Der Mars-Ultor-Tempel auf dem Augustus-Forum in Rom, 1996 · J. GANZERT, V. KOCKEL, Augustusforum und Mars-Ultor-Tempel, in: Kaiser Augustus und die verlorene Republik, Ausst.-Kat. Berlin 1988, 149–199 · V. KOCKEL, Beobachtungen zum Tempel des Mars Ultor und zum Forum des Augustus, in: MDAI(R) 90, 1983, 421–448 · Ders., F. A. in: LTUR 2, 1995, 289–295 (grundlegend, mit umfassender Bibliogr.) · T. L. LUCE, Livy, Augustus, and the F. A., in: K. A. RAAFLAUB (Hrsg.), Between Republic and Empire. Interpretations of Augustus and his Principate, 1990, 123–138 · A. SCHMIDT-COLINET, Exedra duplex. Überlegungen zum Augustusforum, in: H. des Arch. Seminars der Univ. Bern 14, 1991, 43–60 · L. SCHNEIDER, CH. HÖCKER, Die Akropolis von Athen, 1990, 222–242 · B. WESENBERG, Augustusforum und Akropolis, in: JDAI 99, 1984, 161–185 · P. ZANKER, Forum Augustum, o.J. (1972).   C. HÖ.

[III 2] F. Boarium s. Roma

[III 3] F. Caesaris s. F. [III 5] Iulium

[III 4] F. (H)olitorium s. Roma

[III 5] F. Iulium. Bereits 54 v. Chr. hatte Caesar das Gelände für das Forum nordwestl. des Kapitols aufkaufen lassen (Cic. Att. 4,16,8), das sich in dem Areal zwischen → *Mons Argentarius*, → *Atrium Libertatis* und → *Argiletum* erstreckte; doch erst 51 v. Chr. konnte mit dem Bau des ersten der sog. Kaiserfora begonnen werden. Die Anlage war geplant als Entlastung des → Forum [III 8] Romanum und sollte dem täglichen Verwaltungsbetrieb und den Gerichten dienen (App. civ. 2,102); sie tilgte durch Überbauung zugleich den Bereich des *comitium* auf dem Forum Romanum und gliederte die *curia* als Tagungsort des Senats als ein Annexbau dem F. I. an. Der rechteckige Platz (160 × 75 m) war auf drei Seiten von einer doppelten Säulenhalle umgeben; von der Ostseite konnte man das F. I. über das *Argiletum* betreten oder von der *Curia Iulia* her, in deren Rückwand zwei Türen geschlagen waren. An der Südseite liegen zum *Mons Argentarius* eine Reihe schmaler *tabernae*, von denen zwei als Treppenaufgänge angelegt sind. Das F. I. dominiert der Tempel der Venus Genetrix, den Caesar während der Schlacht von Pharsalos urspr. der Venus Victrix gelobt hatte. Hinzu kam die in den lit. Quellen erwähnte Brunnenanlage *Appiades* (Plin. nat. 36,33; Ov. ars 3,451 f.; Ov. rem. 660, vgl. ars 1,82).

An seinem Geburtstag (26. September), zugleich dem letzten Tag seines Triumphes 46 v. Chr., weihte Caesar Forum und Tempel, deren Errichtung zu diesem Zeitpunkt noch nicht abgeschlossen war. Die Anlage stellte Augustus 44 v. Chr. fertig (R. Gest. div. Aug, 19; Cass. Dio 45,6,4), der zudem aufgrund des Erscheinens eines Kometen (*sidus Iulium*) die sternenbekrönte Statue Caesars in den Tempel (oder den des Divus Iulius) stellte (Cass. Dio 45,7,1; 47,18,4). Die h. sichtbaren Reste des F. I. stammen aus späterer Zeit, als eine Brandkatastrophe den Wiederaufbau der Anlage notwendig machte, der unter Traian 113 n. Chr. abgeschlossen wurde. Damals wurde der Platz auf seiner Westseite durch die → *Basilica Argentaria* erweitert. Ein neuerlicher Wiederaufbau erfolgte 283 n. Chr. durch Diocletian.

P. Zanker, Forum Romanum, 1972 · R.B. Ulrich, The Appiades fountain of the F.J., in: MDAI(R) 93, 1986, 405–423 · C.M. Amici, Il Foro di Cesare, 1991 · Richardson, 165–167 · P. Gros, s.v. F.I., LTUR 2, 1995, 306–307 · F.A. Bauer, Stadt, Platz und Denkmal in der Spätantike, 1996, 81–86. R.H.

[III 6] F. Nervae s. Forum Transitorium
[III 7] F. Pacis s. Templum Pacis

[III 8] F. Romanum. A. Allgemeines
B. Das republikanische Forum Romanum
C. Das kaiserzeitliche Forum Romanum

A. Allgemeines

Das F.R., Mittelpunkt der Stadt Rom und nach ant. Auffassung sogar der »Nabel der Welt«, ist am Schnittpunkt von Vicus Tuscus und Via Sacra in einem Tal gelegen. Als das älteste Forum überhaupt ist sein Name für Jahrhunderte synonym mit diesem Begriff; die Bezeichnung *forum Romanum* findet sich erstmalig bei Vergil (Aen. 8,361) und hat, wie auch die alternativen Bezeichnungen *forum magnum* (u.a. Cass. Dio 43,22,2) oder *forum vetus* (u.a. Cic. Att. 4,16,14), niemals vollständig Eingang in den offiziellen Sprachgebrauch der Ant. gefunden. Bis zum 7. Jh. v.Chr. als Begräbnisplatz genutzt, wurde der Ort um 600 v.Chr. zum gemeinsamen öffentlichen Areal der sich zu einem größeren Verbund formierenden Siedlungskerne auf den umliegenden Hügeln; das F.R. ist damit, ähnlich der → Agora Athens, das Produkt eines → Synoikismos (→ Roma).

Die über mehr als 12 Jh. gewachsene Platzanlage mit gleichermaßen rel., ökonomischen und politisch-gesellschaftlichen Funktionen ist bezüglich ihrer Frühgeschichte bereits in der Ant. mythisiert und dabei topographisch in z.T. willkürlichen Setzungen verunklärt worden, z.B. durch die Markierungen des Grabs des Romulus als → *lapis niger* im Pflaster des Platzes oder die Konstruktion des → *lacus Curtius* und, zu Beginn des 3. Jh. n.Chr., des *umbilicus urbis* (›Nabel der Stadt‹) als Visualisierungen mythischer Orte; das F.R. fügt sich als eine dingliche Variante ein in die komplexe lit. Umformulierung, Verfälschung und Harmonisierung von röm. Mythologie und Annalistik in der mittel- und spätrepublikanischen Zeit und wird auf diese Weise zugleich zum monumentalen Zeugen einer kollektiven Formung von Vergangenheit. Wegen des erheblichen Zuwachses des Bodenniveaus, wegen der sich deswegen z.T. kaum unterscheidbar überlagernden Phasen der mannigfaltigen baulichen Veränderungen und Umgestaltungen sowie den deshalb meist unklaren und darüber hinaus überwiegend unzureichend publizierten Befunden der Ausgrabungen (großflächige Freilegungen seit der Mitte des 19. Jh.) sind viele topographische Aspekte weiterhin ungeklärt; auch jüngere Ausgrabungen haben hier insgesamt wenig Klarheit bringen können. Die Gesamtdarstellungen des Ortes von Coarelli,

Ammerman und Purcell zeigen exemplarisch den Dissens in der modernen arch. Forschung, so daß eine histor.-chronologische Darstellung des F.R. heute nur in Grundzügen konsensfähig scheint.

B. Das republikanische Forum Romanum

Als Zentrum nicht nur der Stadt Rom, sondern des gesamten Imperium Romanum war das F.R. bereits im späten 4. Jh. v.Chr. durch eine beginnende Wandlung vom Ort einer kommunalen Verwaltung und Regierung hin zum Mittelpunkt von Religion, Staat, Politik und Verfassung eines Großreiches gekennzeichnet; die vielförmigen und tiefgreifenden inneren Konflikte dieses dynamischen Prozesses haben sich in der Topographie des Platzes in mehr oder minder gut nachvollziehbarer Weise materialisiert. Die unregelmäßige Platzanlage des F.R. ist bis in das 2. Jh. v.Chr. hinein sukzessive und ohne Gesamtplanung mit Bauten versehen worden; dabei kristallisierten sich im Laufe der Zeit zwei funktional getrennte Platzteile heraus: der Bereich des *comitium* als das politisch-administrative Zentrum und das eigentliche Forum mit Basiliken und Tempeln für ökonomische und rel. Aktivitäten.

Das *comitium* (→ Versammlungsbauten), der alte Versammlungsplatz des röm. Volkes, war urspr. ein *templum*, eine von Auguren geweihte und eingerichtete Freifläche von kreisrunder Form; sie war gesäumt vom *lapis niger*, dem auf das 6. Jh. v.Chr. zurückgehenden unterirdischen, im Pflaster markierten Heroon des mythischen Stadtgründers Romulus, vom → *senaculum*, dem Versammlungsplatz der Senatoren als Abgesandte der einzelnen Stämme, von der *columna maenia* (→ Säulenmonumente) als Ort juristischer Proklamationen und vom *carcer* als Ort des Strafvollzugs; unmittelbar mit dem Platz des *comitium* verbunden war im Süden die → Rednerbühne (*rostra*) und im Norden die *curia* (→ Versammlungsbauten) als Tagungsort des Senats. Die verschiedenen Bestandteile bildeten ein funktionales Ganzes, das bis in das 1. Jh. v.Chr. Spiegelbild der röm. Verfassung und ihrer Elemente (Volksversammlung, Vertreterversammlung nach Stammesgliederung, Versammlung der Beamten) war und damit zugleich der politische und juristische Mittelpunkt des Gemeinwesens.

Um den Forumsplatz herum gruppierten sich die ältesten Tempel der röm. Republik: der Saturntempel (lt. Annalistik 498 v.Chr. geweiht) als Hort des Staatsschatzes, der Dioskurentempel nahe dem Heiligtum und der Quelle der → Iuturna, der nach den Ständekämpfen 366 v.Chr. programmatisch der → Concordia geweihte Tempel und, etwas abseits, der Vestatempel mit dem heiligen Feuer, dem Haus der Vestalinnen und der *regia*, dem Amtsgebäude des *pontifex maximus* daneben; die durch zahlreiche spätere Bauphasen überlieferten Tempel werden hinsichtlich ihrer tatsächlichen Entstehungsgeschichte weiterhin diskutiert. Auf dem Platz selbst standen *tabernae*, ephemere Holzbauten für Handel und Gewerbe, sowie zahlreiche Ehrenstatuen, die 158 v.Chr. von den Censoren wegen Platzmangels sogar zu Teilen abgeräumt wurden (Plin. nat. 34,30). Gerahmt und ausgerichtet wurde der Platz im 2. Jh. v. Chr. durch die → Basilica Aemilia, die → Basilica Porcia und die → Basilica Sempronia. Der Forumsplatz selbst diente darüber hinaus auch als Ort für → *munera* und Theateraufführungen, die hier in temporär errichteten Holzbauten stattfanden, von denen zahlreiche Pfostenlöcher als Erdverfärbungen arch. dokumentiert werden konnten (vgl. auch Liv. 23,30,15; Plut. C. Gracchus 33; s. o. Abschnitt I).

C. DAS KAISERZEITLICHE FORUM ROMANUM
Einschneidende Umgestaltungen erfuhr das F. R. ab der 2. H. des 1. Jh. v. Chr., die den bis dahin lebendigen Charakter des Platzes zu einer ihrer republikanisch-politischen Bedeutung beraubten Bühne staatlich-monarchischer Repräsentation wandelten. Die steinernen → Theater des Marcellus und Pompeius schufen dauerhaften Raum für Aufführungen und Spiele; Caesars → Forum [III 5] Iulium tilgte durch Überbauung das Areal des *comitium* und wurde damit zur architektonischen Manifestation seiner politischen Usurpation der Republik. Die neue *Curia Iulia* wurde ein Annex seines Forums, so wie in seinen Augen der Senat zum Annex seiner Herrschaft geworden war; die neue Rostra war einer ihrer urspr. Funktion als Ort kontroverser Debatte beraubte Schaubühne an der Stirnseite des neugestalteten Platzes des F. R., das an seiner Südseite nun von der ebenfalls mit dem Namen Caesar verbundenen → Basilica Iulia am Ort der abgerissenen Basilica Sempronia begrenzt wurde. Als östl. Abschluß des Platzes entstand unter Augustus der 42 v. Chr. von den Triumvirn gemeinsam gelobte Tempel des Divus Iulius, der zugleich mit einem Altar im Podium und einer zweiten Rostra (mit den Schiffsschnäbeln der Schlacht von Actium) versehen war; der Charakter eines dynastischen Monuments der *gens Iulia* wurde noch verstärkt durch den Ehrenbogen für Augustus, der südlich dieses die *regia* und den Vestatempel nun vom F. R. gänzlich abriegelnden Baukonglomerats die Via Sacra überspannte.

In der Regentschaft des Augustus und seiner Nachfolger wurde das F. R. vollständig zum Repräsentationsplatz umgestaltet und nach und nach mit Denkmälern der verschiedensten Art zugebaut: Der eintorige Ehrenbogen im Süden des Tempels des Divus Iulius wurde anläßlich der Rückgewinnung der gegen die Parther verlorenen Feldzeichen durch einen dreitorigen Bau ersetzt (nach 19 v. Chr.); dieser Bogen trug Inschr. mit den *fasti consulares* und *fasti triumphales*. Er wurde wohl 3 v. Chr. an der Nordseite des Tempels ergänzt durch einen den neuen Abzweiger der Via Sacra überspannenden Bogen für die erkorenen Thronprätendenten Gaius und Lucius. Der 10 v. Chr. aufwendig mit Marmor gepflasterte Platz wurde durch die exklusiven Renovierungen der Rahmenbebauung erstmalig mit dem *milliarium aureum*, einem goldenen Meilenstein mit Entfernungsangaben zu den wichtigsten Orten Italiens, zur Bühne symbolisch-allegorischer Herrschaftshandlungen. Diese Tendenz zur Inszenierung kaiserlicher Allgewalt am einstigen Mittelpunkt der röm. Republik

fand mit dem mitten in den Platz gebauten Ehrenbogen für Tiberius (zwischen Rostra und Basilica Iulia), den Tempeln u. a. für Vespasian und Titus, dem monumentalen Reiterstandbild Domitians (*equus Domitiani*), den prunkvollen Ehrenbögen für die Kaiser Titus und Septimius Severus, dem tetrarchischen Fünfsäulendenkmal, der → Basilica Constantiniana (Maxentius-Basilika), dem Reiterstandbild Constantins d. Gr. und der Phokassäule den jeweiligen epochalen Kulminationspunkt. Erste christl. Kirchenbauten entstanden im 6. Jh. n. Chr. (S. Maria Antiqua; SS. Cosma e Damiano).
→ FORUM

A. J. AMMERMAN, On the origins of the Forum Romanum, in: AJA 94, 1990, 627–645 · Ders., The Comitium in Rome from the Beginning, in: AJA 100, 1996, 121–136 · Ders., F. R., in: RICHARDSON, 170–174 · F. A. BAUER, Stadt, Platz und Denkmal in der Spätantike, 1996, 7–79 · G. CARETTONI, Topografia del Foro e del Palatino. Bilancio di un secolo di ricerche, in: Rivista di Studi Liguri 45, 1979, 209–219 · F. COARELLI, Il Foro Romano, 1. Periodo arcaico, 1983 · Ders., Il Foro Romano, 2. Periodo repubblicano e augusteo, 1985 · C. F. GIULIANI, P. VERDUCHI, Foro Romano. L'area centrale, 1980 · C. F. GIULIANI, P. VERDUCHI, L'area centrale del Foro Romano, 1987 · M. HOFF, Rom. Vom F. R. zum Campo Vaccino. Stud. zur Darstellung des F. R. im 16. und 17. Jh., 1987 · M. HÜLSEMANN, Theater, Kult und bürgerlicher Widerstand im ant. Rom, 1987 · J. ISAGER, F. R. og Palatin, 1977 · R. T. RIDLEY, The monuments of the Roman Forum. The struggle for identity, in: Xenia 17, 1989 · G. TAGLIAMONTE, N. PURCELL, C. F. GIULIANI, P. VERDUCHI, F. R., in: LTUR 2, 1995, 313–345 (Lit.) · P. ZANKER, F. R., 1972.   C. HÖ.

[III 9] F. Traiani. Das größte und zeitlich späteste der Kaiserfora in Rom. Es schloß das bis dahin enstandene Konglomerat aus → Forum [III 5] Iulium, → Forum [III 1] Augustum, → Forum [III 10] Transitorium und → Templum Pacis nach NW hin ab und verlieh dem Ganzen zugleich den Charakter einer repräsentativen Gesamtanlage. Wohl schon unter Domitian im Kontext seiner Veränderungen am benachbarten Forum Iulium begonnen (Aur. Vict. Caes. 13,5), wurde das F. T. mit seinen Gesamtmaßen von ca. 300 × 185 m zwischen 107 und 112 n. Chr. unter der Leitung des Architekten → Apollodoros [14] (Cass. Dio 69,4) auf einem Gelände erbaut, das auf dem urspr. der Bergsattel zwischen Kapitol und Quirinal lagerte und das mit erheblichem Aufwand als Baugrund planiert wurde. Die Höhe der Geländeabtragung ist markiert durch die Höhe der Traians-Säule (geweiht zusammen mit dem restaurierten Forum Iulium 113 n. Chr.; → Säulenmonumente). Nur ein Teil der Anlage ist bis heute ausgegraben. Die Basilica Ulpia ist in ihrem Grundriß durch die → *forma urbis Romae* gesichert; Ansichten des F. T. (bes. auch das Reiterstandbild des Traian) sind auf zahlreichen Mz. identifiziert worden (u. a. BMCRE III, Taf. 16, 18, 21) und erleichtern eine Rekonstruktion auch der nicht erh. Baustrukturen (s. o. Abschnitt I mit Abb. des F. T.).

Das F. T. folgt in seiner Gesamtkonzeption dem Muster des röm. Militärlagers und verweist damit auf den mil. Aspekt der Herrschaft Traians (Dakerkriege; → Dakoi) – ein Sachverhalt, der darüber hinaus in zahlreichen Details der Bauten und Bilder thematisiert und auf diese Weise der stadtrömischen Bevölkerung vermittelt wurde. Die Anlage untergliedert sich in drei Teile. Im SO befindet sich das eigentliche Forum: ein durch ein repräsentatives Propylon (→ Toranlagen) zugänglicher, rechteckiger Platz mit dem bereits in der Ant. vielbewunderten Reiterstandbild des Traian in der Pose des Feldherren im Zentrum, an den Langseiten gerahmt von Säulenhallen mit zwei sich gegenüberliegenden großen → Exedren. Als ein massiver baulicher Querriegel fungiert die fünfschiffige → Basilika (*Basilica Ulpia*) mit Apsiden an beiden Schmalseiten, die bis dahin größte Basilika Roms. An ihrer nordöstlichen Seite schließen sich als Annexe zwei → Bibliotheksbauten (*Bibliotheca Divi Traiani*) an sowie die das Grabmal des Traian krönende Säule mit ihrem spiralförmig aufsteigenden Reliefband, dessen detaillierte (wohl aber nicht historisch-präzise, sondern überzeitlich-symbolische) Schilderung der Dakerkriege auch an Hand einer vertikal-segmenthaften Bild- bzw. Szenenauswahl lesbar war. Dahinter lag, durch die Basilika von der eigentlichen Platzanlage des Forums abgetrennt, der von U-förmig zulaufenden Säulenhallen gerahmte Podiumstempel, ein in Anlehnung an den Mars-Ultor-Tempel auf dem Augustusforum konzipierter Bau mit acht korinthischen Frontsäulen und offenen Ptera. Die Analogie der Konzeption mit dem Mittelteil der röm. Heereslager (→ *castra*) ist dabei evident und von der arch. Forsch. immer wieder betont worden: Der Komplex der Basilika entspricht den → *principia*, die Bibliotheksgebäude, die wohl daneben auch als Staatsarchiv fungierten, dem Legionsarchiv; die Säule erhebt sich am Ort der Feldzeichen (vgl. damit z. B. die *principia* von Castra Vetera / Xanten, Niederrhein).

Zahlreiche erh., heute aber oft nicht sicher in den ursprüngl. architektonischen Kontext eingliederbare Inschr., Mosaiken, polychrome Steinsorten (Granit, Cipollino, Travertin, Marmor, Tuff u. a. mehr), Bauornamente und die reiche Ausstattung mit Bauplastik (z. T. als → Spolien am Konstantinsbogen in Rom wiederverwendet und deshalb erh.; → Arcus [7]) verdeutlichen sowohl den immensen Prunk einer kaiserlichen Baustiftung als auch den Verweis auf das hier zum gesellschaftlichen Leitbild erhobene Militär. Einzelne Legionen wurden in Inschr. geehrt, die Unterwerfung der Daker wurde nicht nur in akribisch-realistischen Szenen auf dem Reliefband der Säule geschildert, das bis fast zu ganzer Höhe von den Bibliotheksbauten aus mindestens in Segmenten sichtbar gewesen sein wird, sondern auch in einem bezüglich der üblichen Dimensionen riesenhaften Fries (→ Fries; vgl. dort Abb.) an der Basilika (die Zugehörigkeit der Fragmente zum F. T. wird weiterhin diskutiert) sowie durch Rundplastiken (Statuen gefangener Daker, z. T. aus wertvollstem grünem Porphyr) vor Augen gestellt.

Wesentlicher Zweck des F. T. war es, einen weiteren Ort für die kaiserliche Gerichtsbarkeit zu erstellen, die nach 112 n. Chr. in vielen Facetten in die Basilika des F. T. verlagert wurde; hier fanden die Freilassungsakte statt, hier wurden die → *congiaria* verteilt und Rechtsgeschäfte aller Art notiert sowie zudem in den Exedren Unterricht angeboten. Die Exklusivität früherer Kaiserfora war in Hinblick auf den Betrieb und den Zugang zu der Anlage reduziert; als ein Annex des F. T. entstanden im steil ansteigenden NO, entlang der Via Biberatica, auf insgesamt fünf in den abgetragenen Berg eingeschnittenen Geschoßniveaus die dem Volk gewidmeten *Mercati Traiani*, ein Geschäftsviertel am Rande der → *subura*, das heute mit seinen mehrstöckigen Ruinen eines der eindrucksvollsten erh. Denkmäler der ant. Architektur Roms ist.

Die Wirkung des F. T. auf spätere Zeiten war erheblich, ist jedoch bis heute in ihren Details nicht näher erforscht. Die Reiterstatue des Traian repräsentiert, zusammen mit dem *Equus Domitiani* auf dem → Forum [III 8] Romanum, den Prototyp dieser Denkmälergattung, die nicht nur in der Ant. (z. B. Reiterstandbild des Marc Aurel), sondern auch in der Moderne zu einem Inbegriff des mil. Aspekte verkörpernden Herrscherbildes wurde (u. a. Kaiser Wilhelm-Denkmäler); die Idee der Traians-Säule findet sich u. a. adaptiert in den → Säulenmonumenten des Marc Aurel und des Antoninus Pius, in der Moderne dann u. a. in der Berliner Siegessäule, dem Londoner »Monument« oder der napoleonischen Relief-Säule auf der Place Vendôme in Paris.

Noch zu Zeiten des Constantius II. in der Mitte des 5. Jh. n. Chr. war das F. T. neben dem Forum Romanum wichtigster Platz der Stadt Rom. Unklar sind jedoch die Umstände, die schon zu Beginn des 4. Jh. n. Chr. zu der teilweisen Beraubung der Bauten durch die Entfernung der Bauplastik und ihre Eingliederung in den Ehrenbogen Constantins d. Gr. führten.

C. M. AMICI, Foro di Traiano: Basilica Ulpia e biblioteche, 1982 • J. C. ANDERSON JR., Domitian's Building Program, Forum Julium and Markets of Trajan, in: Archaeological News 10, 1981, 41–48 • F. A. BAUER, Stadt, Platz und Denkmal in der Spätantike, 1996, 93–100 • A. CARANDINI, M. MEDRI, R. VOLPE, Progetto per uno scavo nel Foro di Traiano, in: Roma. Archeologia nel centro Vol. 1, 1985, 272–298 • B. FEHR, Das Militär als Leitbild. Politische Funktion und gruppenspezifische Wahrnehmung des Traiansforums und der Traianssäule, in: Hephaistos 7–8, 1985–1986, 39–60 • W. GAUER, Ein Dakerdenkmal Domitians, in: MDAI(R) 88, 1973, 318–350 • C. F. GIULIANI, »Mercati« e Foro Traiano. Un fatto di attribuzione, in: Saggi in onore di G. De Angelis d'Ossat, 1987, 25–28 • C. F. LEON, Die Bauornamentik des Trajansforums und ihre Stellung in der früh- und mittelkaiserzeitlichen Architekturdekoration Roms, 1971 • G. LUGLI, Date de la fondation du Forum de Trajan, in: CRAI 1965, 233–238 • G. A. MANSUELLI, Osservazioni sull'iscrizione della Colonna Ulpia, in: Epigraphica 31, 1969, 124–138 • R. MENEGHINI, M. MILELLA, Ricerche nel Foro di Traiano –

Basilica Ulpia, in: Archéologie Médiévale 16, 1989, 541–559 · J. PACKER, Numismatic Evidence for the Southeast (Forum) Facade of the Basilica Ulpia, in: Numismatic and other Studies in Honor of B. L. Trell, 1981, 57–67 · J. PACKER, K. L. SARRING u. a., Il Foro di Traiano, in: Archeo 7, 1992, Nr. 11, 62–93 · J. PACKER, The West Library in the Forum of Trajan, in: Eius virtutis studiosi. Classical and postclassical studies in memory of F. E. Brown, 1993, 420–444 · J. PACKER, Trajan's Forum again, in: Journal of Roman Archaeology 7, 194, 163–182 · J. PACKER u. a., in: LTUR 2, 1995, 348–359 (Lit.) · P. PENSABENE u. a., Foro Traiano. Contributi per una ricostruzione storica e architettonica, in: Archeologia Classica 41, 1989, 27–292 · H. PLOMMER, Trajan's Forum, in: Antiquity 48, 1974, 126–130 · RICHARDSON, 175–178 · L. RICHARDSON Jr., The Architecture of the Forum of Trajan, in: Archaeological News 6, 1977, 101–107 · R. SCHNEIDER, Bunte Barbaren. Orientalenstatuen aus farbigem Marmor in der röm. Repräsentationskunst, 1986 · Ders., Kolossale Dakerstatuen aus grünem Porphyr, in: MDAI(R) 97, 1990, 235–260 · S. SETTIS u. a., La Colonna Traiana, 1988 · R. A. STACCIOLI, I Mercati traianei, in: Capitolium 40, 1965, 584–593 · S. STUCCHI, Tantis viribus. L'area della colonna nella concezione generale del Foro di Traiano, in: Archeologia Classica 41, 1989, 237–292 · M. TRUNK, Das Traiansforum. Ein steinernes Heerlager in der Stadt?, in: AA 1993, 285–291 · M. WAELKENS, From a Phrygian quarry. The provenance of the statues of the Dacian prisoners in Trajan's forum at Rome, in: AJA 89, 1985, 641–653 · P. ZANKER, Das Trajansforum als Monument imperialer Selbstdarstellung, in: AA 1970, 499–544.   C. HÖ.

[III 10] F. Transitorium. Der Bau des vierten Kaiserforums wurde von Domitian begonnen, jedoch erst unter Nerva 97 (oder 98) n. Chr. abgeschlossen. Die Bezeichnung der Anlage war in der Ant. höchst uneinheitlich; seinen Namen erhielt der Komplex in der Spätant. aufgrund seiner Lage, die den Durchgang zwischen dem Augustus- bzw. Caesarforum zum Templum Pacis einerseits, andererseits auch von der → Subura zum Forum Romanum (SHA Alex. 28,6) bildete; von daher ersetzte es das → Argiletum. Die beherrschenden Abschlüsse des langrechteckigen Platzes (120 × 45 m) bildeten im NO der Tempel der Minerva und am anderen Ende der Tempel des Ianus (Mart. 10,28,5 f., vgl. Macr. Sat. 1,9,13; Serv. Aen. 7,607), der wohl als ein auf allen vier Seiten geöffneter Schrein gestaltet war. Man betrat das F. T. von der Subura aus durch die Porticus absidiata, die – hufeisenförmig gebildet – den Raum zwischen der Anlage des Templum Pacis und der östlichen → Exedra des Augustusforums überbrückte. Der Abschluß des F. T. im Süden zur → Basilica Aemilia hin war bogenförmig gestaltet. Hier befanden sich auch die Zugänge zum Caesarforum und Forum Romanum (Arcus Nervae ?).

RICHARDSON, 167–169 · H. BAUER, C. MORSELLI, s. v. F. T., LTUR 2, 1995, 307–311 · E. LA ROCCA, Das Forum Transitorium. Neues zu Bauplanung und Realisierung, in: Ant. Welt 29, 1998, 1–12 · F. A. BAUER, Stadt, Platz und Denkmal in der Spätantike, 1996, 91–92.   R. H.

IV. ORTSNAMEN

[IV 1] F. Clodii. Station in Süd-Etruria an der *via Clodia* zw. Careiae und → Blera am Westufer des *lacus Sabatinus* (Lago di Bracciano), h. San Liberato. Wohl nach dem *censor* von 225 v. Chr. [1] oder einem Vorfahren des C. Clodius Vestalis (*monetalis* 41–29 v. Chr.; CIL XI 3310a) benannt; *praefectura* mit *II viri*. Diözese vom 4. bis 6. Jh.

1 NISSEN Bd. 2, 352.

L. GASPERINI, Un cippo al dio Termine dal territorio di Canale Monterano, in: ArchCl 10, 1958, 133–135 · Ders., Il Braccianese nell'antichità, in: Tuscia Archeologica 5/6, 1971, 4 ff. · Ders., Nuova dedica onoraria di F. C., in: Sesta Miscellanea Greca e Romana, 1978, 439–458 · Ders., Il monumento rupestre di Numerio Pullio nel Foroclodinense, in: ArchCl 36, 1984, 361–374 · Ders. (Hrsg.), Antichità tardoromane e medioevali nel territorio di Bracciano, 1994 · G. PACI, Senatori e cavalieri romani nelle iscrizioni di F. C., in: L. GASPERINI (Hrsg.), Scritti in memoria di M. Zambelli, 1978, 261–314 (= Quaderni della F. C. 4, 1977).

[IV 2] F. Vibii. *Oppidum* der Caburriates in der Transpadana (Alpes Cottiae) am Osthang des *mons Vesulus*, 50 km südwestl. von Turin, wo der Padus entspringt (Plin. nat. 3,117; 123); nach [1. 825; 2. 109; 3. 668] mit Caburrum, h. Cavour (Torino), identisch.

1 CIL V 2 K. J. BELOCH, Der ital. Bund, 1880 3 E. PAIS, Storia interna di Roma, 1931.

U. EVINS, The Early Colonisation of Cisalpine Gaul, in: PBSR 20, 1952, 66.   G. U./Ü: V. S.

Fossa

[1] F. Augusta. Schiffbarer → Kanal zw. Padus und dem Hafen von Ravenna (Plin. nat. 3,119), unter Augustus über die Padusa, einen versumpften Po-Arm, geleitet. *Statio* an der *via Popilia*, nachmals *Augusta*; Spuren im Valle Mezzano in der trockengelegten Lagune di Comacchio.

G. UGGERI, Un insediamento a carratere industriale. Relazione preliminare degli scavi sull'argine d'Agosta 1971–1973, in: Boll. annuale. Centro di ... Musei Ferraresi 3, 1973, 174–179.

[2] F. Claudia. Schiffbarer → Kanal, von Claudius zw. Padus und Altino erbaut, um die Binnenschiffahrt zw. Ravenna und Aquileia zu intensivieren. Vgl. h. Chioggia.

G. UGGERI, Vie di terra e vie d'acqua tra Aquileia e Ravenna in età romana, in: Antichità Altoadriatiche 13, 1978, 45–79.

[3] F. Flavia. Schiffbarer → Kanal im Po-Delta, Teil der parallel zur Küste verlaufenden Wasserverbindung Ravenna – Altinum, erbaut unter den flavischen Kaisern, benutzte einen etr. Kanal, der vom Sagis (Arm des Po) abgeleitet war und die Sümpfe im Gebiet von Adria durchquerte (Plin. nat. 3,120).

G. UGGERI, Vie di terra e vie d'acqua ... , in: Antichità Altoadriatiche 13, 1978, 45–79 · Ders., Interventi idraulici

nell'Etruria padana, in: M. BERGAMINI, Gli Etruschi maestri
di idraulica (Convegno Perugia 23–24 febbraio 1991), 1991,
69–72.

[4] F. Neronia. 160 Meilen langer schiffbarer → Kanal
entlang der latin. Küste, von Nero geplant und teilweise
erbaut (Tac. ann. 15,42; Plin. nat. 14,61; Suet. Nero 31),
um den Hafen von Ostia mit dem *lacus Avernus* und dem
lacus Lucrinus (Golf von Puteoli) zu verbinden. Vorhanden ist davon noch die sog. *fossa Augusta* am Monte
Circeo.

W. JOHANNOWSKY, Appunti su alcune infrastrutture
dell'annona romana tra Nerone e Adriano, in: Bollettino di
Archeologia 1990/4, 1 ff.

[5] F. Neronia. Schiffbarer → Kanal im ant. Po-Delta
mit gleichnamiger Straßenstation (Tab. Peut. 4,5 irrtümlich *Neroma*), evtl. infolge der *damnatio memoriae*
Neros in der Benennung *fossa Flavia* aufgegangen.

G. UGGERI, La romanizzazione dell'antico delta padano,
1975, 161–164 · Ders., Insediamenti, viabilità e commerci,
in: N. ALFIERI (Hrsg.), Storia di Ferrara 3,1, 1989, 136f.

[6] F. Philistina. Vorröm. schiffbarer → Kanal der südl.
Lagune von Venedig im Gebiet von Adria (Plin. nat.
3,121), erbaut unter Nutzung des Tartarus und des alten
Padus-Laufs. Der Name (Zusammenhang mit Philistos
von Syrakus?) findet sich h. noch in Pestrina (Rovigo)
und Pellestrina südl. von Venedig.

A. KARG, Die Ortsnamen des ant. Venetien und Istrien, in:
Wörter und Sachen 22, 1941/2, 172 · L. BRACCESI, Grecità
adriatica, 1977, 216 · G. UGGERI, Le origini del
popolamento, in: Storia di Cento 1, 1987, 99 · G. B.
PELLEGRINI, Ricerche di toponomastica veneta, 1987, 160.
G. U./Ü: V. S.

[7] F. regia. Von Scipio d. J. 146 v. Chr. gezogene Demarkationslinie zw. dem Reich der numidischen Kö-
nige und der röm. Prov. *Africa*. Sie nahm etwa folgenden Verlauf: Mündung des Flusses Tusca (h. Kébir) bei
→ Thabraca (h. Tabarka) – östl. Rand des Gebiets von
Vaga (h. Béja) – Nähe Tichilla (h. Testour) – Nähe Thi-
missua (h. Gaffour) – Nähe Saradi (h. Henchir Seheli?) –
Nähe Abthugni (h. Henchir es-Souar) – Thenai (h.
Thyna). Seit 46 v. Chr. bildete sie die Grenze zw. der
Africa Vetus und der *Africa Nova*. 73 und 74 n. Chr. ließ
sie Vespasian aus fiskalischen Gründen wiederherstellen.
Von dieser Maßnahme zeugen zehn Grenzsteine: BCTH
1932–1933, 152; CIL VIII Suppl. 4, 25860; Bull. archéo-
logique des travaux historiques, 1911, 402–404; CIL VIII
Suppl. 4, 25967; BCTH 1934–1935, 391; BCTH 1938–
1940, 204; CIL VIII Suppl. 4, 23084.
→ Limes

G. DI VITA-EVRARD, La Fossa Regia et les diocèses
d'Afrique proconsulaire, in: A. MASTINO (Hrsg.), L'Africa
romana. Atti del III convegno di studio, 1986, 31–58 (mit
strittiger Interpretation des Gebiets von Vaga) ·
CH. SAUMAGNE, La Fossa Regia, in: Les Cahiers de
Tunisie 10, 1962, 407–416. W. HU.

Fossae Papirianae. Schiffbarer → Kanal an der etr.
Küste (*regio VII*) zw. Pisae und Luna mit Straßenstation
an der *via Aemilia Scauri* (Ptol. 3,1,43; Itin. Anton. 293;
Tab. Peut. 4,1) bei Massarosa (Lucca). Der Bauherr, ein
republikanischer Beamter, ist nicht identifiziert.

A. NEPPI MODONA, Carta archeologica d'Italia 104, 1956,
16 · NISSEN 2, 287. G. U./Ü: V. S.

Fossatum. Der Cod. Theod. 7,15,1 erwähnt einen
Graben von 4–10 m Breite, welcher durch Luftaufnah-
men als Bestandteil des durch Festungen gesicherten
afrikanischen Limes erwiesen wurde. Er ist heute am
besten bei El-Kantara (Insel Djerba, Tunesien) und Ge-
mellae (Batna, Algerien) zu sehen und diente neben mil.
Zwecken der Abgrenzung des landwirtschaftlich genutzten Gebietes gegenüber der Wüste. Die Datierung
bewegt sich zwischen Hadrian und den Vierkaisern (2.–
3. Jh. n. Chr.).

J. BARADEZ, Fossatum Africae, 1949. C. HÜ.

Fragezeichen s. Lesezeichen

Fragmenta Vaticana. Eine Rechtssammlung, die in
einem → Palimpsest, überschrieben mit dem Text der
Collationes von Joh. → Cassianus, im J. 1821 von Angelo
Mai in der Vatikanischen Bibliothek (Cod. Vat. Nr.
5766) entdeckt worden ist. Von dem Cod. im urspr.
Umfang von mindestens 232 Pergamentblättern existieren nur noch 28 teils stark beschädigte Blätter. Sie enthalten neben Fragmenten von Papinian, Paulus, Ulpian
und vielleicht anderer, nicht individualisierbarer Juristen auch Konstitutionen (→ *constitutiones*) vor allem
von Diocletian, aber auch von Constantin (F. V. 35 und
249, wohl auch F. V. 36) und Valentinian (F. V. 37). Die
älteren Konstitutionen stammen aus dem Cod. Gregorianus und Hermogenianus. Daß Anordnungen Maximians aufgenommen sind, spricht für einen Entstehung
und Verwendung im Westen; daß Constantins Erlasse
die → *damnatio memoriae* des Licinius nicht berücksichtigen und daß sie ungekürzt sind, deutet auf Kompilation noch vor 325 n. Chr. hin, wobei die Anordnung
von 372 später eingefügt sein wird [1. 404f.]. Wenig
wahrscheinlich ist eine Entstehung der F. V. nach 372;
anzunehmen ist sie vor dem – nicht berücksichtigten –
Cod. Theod. Möglicherweise waren die F. V. Vorbild
für die Gestalt des urspr. theodosianischen Kodifika-
tionsprojektes von 429 (Cod. Theod. 1,1,5); doch dürften sie kaum aus jenem Projekt hervorgegangen sein.

Die F. V. sind nicht die Erstausgabe der Sammlung.
Auch geben die zahlreichen Textvarianten gegenüber
dem → *Corpus iuris* (»Confronti«, vgl. → Interpolatio-
nenkritik) nicht den originalen Wortlaut der Juristen-
schriften wieder: Die Textstufenforschung rechnet vielmehr seit den Erstausgaben der spätklass. Juristenschrif-
ten mit mindestens einer Abschrift etwa um 300, die die
urspr. Buchrollentexte in Codices übertragen hatte und
als Quelle für Schreiberversehen und redaktionelle Eingriffe in Frage kommt. Eine sinnvolle Anordnung der

lückenhaften Titelfolge, die zudem keine Einteilung in Bücher kennt, ist nicht erkennbar: *Ex empto et vendito* (1–40); *De usu fructu* (41–93); *De re uxoria ac dotibus* (94–122); *De excusatione* (123–247); *Quando donator intellegatur revocasse voluntatem* (248–259); *Ad legem Cinciam de donationibus* (260–341); *De cognitoribus et procuratoribus* (317–341). Ob die F. V. der Praxis oder der Ausbildung dienten, ist ungewiß.

1 TH. MOMMSEN, Abh. der Berliner Akad. 1859/60.

W. FELGENTRAEGER, Zur Entstehungsgesch. der F. V., in: Romanische Studien, Freiburger Rechtsgesch. Abh. 5, 27 ff. · F. WIEACKER, Textstufen klass. Juristen, 1960 · Ders., RRG, 134 f. (zur neueren Lit.).   W. E. V.

Fragmentum Censorini. Das anon. *Compendium disciplinarum*, eine Kurz-Enzyklopädie von 15 kleinen Kap., galt bis 1583 (L. CARRIO) als Schlußteil von *De die natali* des → Censorinus [4], da es sich in dessen Hss. fugenlos, am Anfang wohl verstümmelt, anschließt. Behandelt sind Kosmogonie, Astronomie, Erdbild (aristotelisch-geozentrisch), Geometrie und Postulate nach → Eukleides, Musiklehre (aristoxenisch?) und Metrik nach der Prototypentheorie, insgesamt also etwa das Quadrivium nach Varronischem Modell. Die Schrift, nur vom Scholiasten des → Germanicus benutzt, gehört in die Zeit vor den großen Enzyklopädien der Spätant., am ehesten ins 3. Jh. n. Chr.

ED.: K. SALLMANN, Censorinus, 1983, 61–86.
LIT.: Ders., in: HLL, § 449.1.   KL. SA.

Fragmentum (fragmenta) de iure fisci. Zwei in der Halbunziale (→ Schrift) des 5./6. Jh. n. Chr. zweispaltig beschriebene Pergamentblätter aus der Kapitelbibliothek von Verona. Der Text könnte dem 2. oder 3. Jh. n. Chr. entstammen. Die oberen Ränder der Seiten fehlen, deshalb ist die Reihenfolge der Seiten nicht eindeutig. Eine überzeugende Zuweisung zu einem bekannten Autor ist noch nicht gelungen. Ein Zusammenhang mit dem im selben Bereich gefundenen Text der ›Institutionen‹ des → Gaius [1] ist nicht erkennbar. Behandelt werden der Verfall von Werten, z. B. der *bona caduca* (→ aerarium), an den → *fiscus*, die Pflichten der *advocati fisci*, Verträge mit Sklaven des *fiscus* und das Erbrecht des Kaisers nach seinen Freigelassenen. Daher erwog schon VON SAVIGNY, der den Text auf Grundlage der Lesung von NIEBUHR erstmals edierte und kommentierte [1], die Zuordnung zu einem Werk *De iure fisci*. Die modernen Editionen [2; 3] beruhen vor allem auf der Edition von [4], welche auch ein Faksimile der Hs. bietet.

1 F. v. SAVIGNY, Neu entdeckte Quellen des röm. Rechts, in: Zschr. für gesch. Rechtswiss. 3, 1817, 150 2 FIRA 627–630 3 P. F. GIRARD, F. SENN, Textes du droit romain, ⁷1967, 461 4 P. KRÜGER, Fragmentum de iure fisci, 1868.   R. WI.

Fraktur. Als F. wird eine bes. Schriftstilisierung bezeichnet, die im dt. Kulturgebiet des beginnenden 16. Jh. entstand und im dt. Buchdruck bis zur Mitte des 20. Jh. verwendet wurde. Diese Schriftart kann man wegen der Brechung ihrer Schäfte auch »gebrochene Schrift« nennen. Sie wurde geradezu als dt. Nationalschrift der Neuzeit bezeichnet.

Die F. ist abgeleitet aus der → Kanzleischrift und beeinflußt von der Textura, d. h. von der spätma. *Littera textualis* als der dt., gotischen, gebrochenen Schriftart. Zum charakteristischen Bild vollendeter F. gehören eine Tendenz zu einer eher schwerer wirkender Schrift und bes. längliche Buchstaben: so sind die sich verjüngenden Unterlängen von *F, P, Q* und *S* unter die Zeile verlängert. Die Majuskelbuchstaben sind verziert und haben Anschwünge in Form eines »Elefantenrüssels«.

Die dt. paläographische Forsch. führt die F. auf die stilisiertesten Formen der Kanzleischrift zurück, man nimmt ansonsten eine Entstehung der F. aus einer entwickelten → Bastarda an. Dies ist nicht unbedingt ein Widerspruch, da sich die Kanzleischriften der spätma. Schriftarten des gesamten Abendlandes, sofern sie nicht die Formen der it. humanistischen → Minuskel nachahmen, nach dem Vorbild der Bastarda richten.

G. CENCETTI, Lineamenti di storia della scrittura latina, ²1997, 287–291 · H. FICHTENAU, Die Lehrbücher Maximilians I. und die Anfänge der Frakturschrift, 1961 · H. A. GENZSCH, Kalligraphische Stilmerkmale in der Schrift der Luxemburg-habsburgischen Reichskanzlei. Ein Beitrag zur Vorgesch. der Fraktur, in: Mitt. des Öst. Inst. für Geschichtsforsch., 45, 1931, 205–214 · A. HESSEL, Die Schrift der Reichskanzlei seit dem Interregnum und die Entstehung der F., in: Nachr. von der Göttinger Ges. der Wiss., Philol.-histor. Kl., N. F. 2/3, 1937, 43–59.   N. G./Ü: P. E.

Framea s. Pilum

Franci (Franken). Aus wirtschaftlichen und kultischen Gemeinsamkeiten sowie Verschwägerung der Fürsten langsam entstandener, anfangs lockerer Bund kleinerer rechtsrheinischer Germanenstämme – so z. B. der → Am(p)sivarii, → Bructeri, → Chamavi, → Chattuarii, evtl. → Chatti, deren Ethnika neben dem seit dem 3. Jh. n. Chr. gebrauchten Gesamtnamen (Paneg. 11,5,4; 7,2; etym. »die Kampfbegierigen«, »die Verwegenen«) fortlebten (s. Tab. Peut. 2,1–3). Seit Anf. 4. Jh. ist auch *Francia* bezeugt.

Seit ca. 260 n. Chr. stießen F. immer wieder plündernd bis nach Süd-Gallia und Hispania vor (Aur. Vict. 33,3), dienten aber früh, bes. seit → Constantinus [1] d. Gr., auch im röm. Heer (des → Postumus: SHA Gall. 7,1), wo sie es im 4. Jh. zu höchsten Kommandos brachten [1. 199–201]. Schon 275/6 wurde Trier (→ Augusta [6] Treverorum) Opfer z. B. der F., → Carausius errichtete mit ihrer Hilfe sein Sonderreich; fränkische Piraten verunsicherten (teilweise mit Saxones) die Nordsee. Maximianus und Constantius siedelten erstmals F. auf Gebieten von Nord-Gallia als → Laeti an. Nach relativer Ruhe in constantinischer Zeit (röm. Reaktionen unter Crispus 320/1; Constans 341/2) veränderte die Usurpation des → Magnentius die Rheinfront wesentlich; 355 wurde Köln (→ Colonia Agrippinensis) zerstört. → Iulianus klärte bis 360 die Lage, siedelte salische F. (→ Salii) in Toxandria an [2] und leitete durch diese Assimilationspolitik deren Absonderung ein. Die Usurpation des Maximus brachte neue Verwüstungen um Colonia Agrippinensis, der fränk. Heermeister → Arbogastes bekämpfte Bructeri und Chamavi und erneuerte, wie später → Stilicho, Verträge [3]. Seit 406/7 wurde die Situation an der Rheingrenze noch unsicherer, wobei F. röm. Verteidigungsaufgaben übernahmen, aber auch Usurpatoren wie Constantinus III. und Iovinus unterstützten. Zunehmend hoben sich die rhein. F. (*Ripuarii*) von den Salii ab. → Aëtius [2] bezwang die niederrheinischen F., die spätestens seit 423 um Colonia Agrippinensis und Vetera siedelten, und schloß neue *foedera*; 445 besiegte er noch einmal die sich unter König Chlodio entfaltenden Salii und ließ sie um Tournai als Föderaten siedeln. Nach 455 wurde der Rhein auf breiter Front von rechtsrheinischen F. überrannt, die → Mogontiacum (Mainz), ferner – im Verein mit den niederrheinischen F. – Colonia Agrippinensis nahmen (456) und sich später bei Hinwendung zu dem das gall. Heermeistertum verwaltenden Burgunderkönig verselbständigten. Dagegen nahm unter → Childerich (456) die Bildung des salfränkischen Reiches im Bündnis mit den letzten röm. Machtträgern → Aegidius und → Syagrius Gestalt an. Seit Childerichs Sohn → Chlodovechus (481/2) ist die Gesch. der F. kontinuierlich verfolgbar [4].

1 R. MacMullen, Corruption and the decline of Rome, 1988 2 P. Barceló, Roms auswärtige Beziehungen unter der Constantinischen Dynastie, 1981 3 B. Gutmann, Studien zur röm. Außenpolitik in der Spätant., 1991 4 H. Ament u.a., s.v. F., Frankenreich, LMA 4, 689–728.

H. Beck, H.H. Anton u.a., s.v. F., RGA 9, 373–461 · A. Wieczorek, P. Périn, W. Menghin, K. v. Welck (Hrsg.), Die Franken – Wegbereiter Europas, 1997. K. Di.

Frankolin-Huhn (Francolinus francolinus, ἀτταγήν/ *attagén*, att. ἀτταγᾶς). Dieses heute noch in Kleinasien und Afrika verbreitete steinhuhnähnliche Wildhuhn trägt lat. oft (wie bei Plin. nat. 10,133) den Beinamen *Ionius*. Nach Plinius hat es sich bes. in Gallien und Spanien vermehrt. Aristoph. Ach. 875 erwähnt F. in Böotien. Mit dem in den Alpen gefangenen *attagén* war wohl das Haselhuhn gemeint. Hor. epod. 2,53 und Mart. 13,61 preisen den vorzüglichen Geschmack. Alexandros von Myndos bei Athen. 9,387f bietet eine gute Beschreibung: Es sei größer als ein Steinhuhn, habe eine rötliche Färbung, eine gepunktete Zeichnung auf dem Rücken und sei schwerfällig durch seine kurzen Flügel. Ein Mosaik aus Thysdrus in Tunesien zeigt ein stehendes Paar [1. 2,159]. Zwei ant. Münzen, eine davon aus Kleinasien, sind erh. [2. Taf. 5,47f.].

1 Keller 2 Fr. Imhoof-Blumer, O. Keller, Tier- und Pflanzenbilder auf Münzen und Gemmen des klass. Alt., 1889, Ndr. 1972. C. Hü.

Frau I. Alter Orient, Ägypten und Iran II. Griechenland und Rom III. Judentum IV. Christentum

I. Alter Orient, Ägypten und Iran
A. Einführung B. Mesopotamien C. Ägypten D. Iran, achämenidische Zeit E. Iran, Sāsānidenperiode

A. Einführung
Die Kenntnis über den Status von F. beruht weitgehend auf Texten juristischer Natur (Rechtsurkunden, Rechtsbücher, königliche Erlasse). Dementsprechend betont die bisherige Forschung v.a. die rechtlichen Aspekte der Stellung von F. in Familie und Gesellschaft. Nichtjuristische Texte unterschiedlicher Genres enthalten Nachrichten über das Wirken von F. aus den Familien der Eliten, insbes. denen der königlichen Clans. So nimmt die hethit. Königsgemahlin Puduḫepa (13. Jh. v. Chr.) persönlich auf die auswärtigen Beziehungen des Hethiterreich mit Ägypten (Ramses II.) Einfluß – sie siegelt u.a. mit einem eigenen Siegel den Vertrag zw. beiden Staaten. Heiratsallianzen innerhalb der herrschenden Eliten dienten der Legitimation und Erhaltung von Macht, solche zw. den Herrscherhäusern des Alten Orients als Mittel zur Pflege zwischenstaatlicher Beziehungen. Die Lebensbedingungen von F. aus den Unterschichten bleiben weitgehend im Dunkeln.

Reflexe der Rolle von F. in der Gesellschaft finden sich in der herausgehobenen Position, die einer beachtlichen Zahl von Göttinnen in Mesopot., aber auch in anderen altoriental. Rel. zukam. Im Weltbild Mesopotamiens, Ägyptens, Syriens (nicht jedoch im AT!) und der Hethiter wird die Entstehung von Kosmos und irdischer Ordnung auf die Vereinigung von weiblichen und männlichen Elementen zurückgeführt.

B. Mesopotamien
In zahlreichen Rechtsurkunden und Rechtsbüchern (Rechtsbuch des Ḫammurapi, mittelassyr. Rechtsbuch [5]; → Keilschriftrechte) aus Mesopot. fungieren F. sowohl als Subjekt (als Darlehensgeberin, Käuferin oder Verkäuferin, Zeugin) wie auch als Objekt (als veräußerte oder freigelassene Sklavin, in die Ehe gegebene Ehefrau, sowie als Objekt im Strafrecht) rechtlicher Vereinbarungen oder Handlungen. F. sind in der Regel nicht erbberechtigt, erhalten stattdessen eine Mitgift; als Witwen sind sie Verwalterinnen des Erbes für ihre minderjährigen Söhne.

Die F. wurde in aller Regel von den Eltern in die → Ehe gegeben. Jungfräulichkeit bei Eintritt in die Ehe war – wie meist in traditionellen Gesellschaften – geboten. Für anderslautende Berichte (Hdt. 1,199: voreheliche Kultprostitution) findet sich bisher keine Bestätigung. Einblick in das Leben im Harem assyr. Herrscher vermitteln Erlasse aus dem 13. Jh. v. Chr. [4].

Bes. im patrimonialen *oíkos*-System (→ *oíkos*-Wirtschaft) des 3. und frühen 2. Jt. stehen F. der königlichen Familienclans an der Spitze von großen, autarken Palast- oder Tempelhaushalten. Im 1. Jt. spielt in Assyrien die Mutter des Königs als Thronverweserin eine Rolle (→ Semiramis), die sich auch für Syrien-Palästina nachweisen läßt. In der lit. Textüberl. finden (seit dem späten 3. Jt.) einzelne Frauengestalten bes. Beachtung; hervorzuheben ist die einzige (fiktive) → Autobiographie einer F., die der Adad-guppi (7./6. Jh. v.Chr.), der Mutter des → Nabonid, die in Form einer Monumentalinschr. überliefert ist.

F. waren wie in allen Agrargesellschaften Teil des gesellschaftlichen Arbeitspotentials (→ Arbeit). Im *oíkos*-System wurden F. als Dienstpflichtige in → Ergasterien, bei der Ernte und bei öffentlichen Arbeiten eingesetzt und erhielten tägliche Rationen, die in der Regel die Hälfte derjenigen für männliche Arbeitskräfte betrugen. Berufe im strengen Sinn wurden von F. nicht ausgeübt, Ausnahmen sind Schreiberinnen (in bes. sozialen Kontext); F. übten Tätigkeiten aus, die bes. Wissen und Erfahrung voraussetzten: u.a. als Hebammen, in Aufsichtsfunktionen in den großen Haushalten, als Salbenbereiterinnen, Musikantinnen oder Sängerinnen. F. standen an der Spitze des Kultpersonals zahlreicher Götter v.a. im 3. und frühen 2. Jt. v.Chr.; die niedrigeren priesterlichen Ränge waren ausschließlich Männern vorbehalten.
→ Familie; Gesellschaft

1 B. LANDSBERGER, Jungfräulichkeit: Ein Beitrag zum Thema Beilager und Eheschließung, in: J.A. ANKUM et al. (Hrsg.), Symbolae … M. David Bd. 2, 1968, 41–105 2 B. LESKO (Hrsg.), Womens' Earliest Records. From Ancient Egypt and Western Asia, 1989 (mit Lit.) 3 I. MÜLLER, Stellung der F. im Recht altoriental. Kulturen und Altägyptens, 1996 4 E.F. WEIDNER, Die Hof- und Haremserlasse assyr. Könige, in: AfO 17, 1954–1956, 257–293 5 TUAT I, 39–91.   J.RE.

C. ÄGYPTEN

In Äg. waren Töchter fast gleich erwünscht wie Söhne; Kindestötung war verboten. Eine F. konnte sich frei bewegen und war rechts- und straffähig. Sie konnte erben und vererben, Rechtsgeschäfte tätigen, z.B. kaufen und verkaufen, pachten und verpachten, Urkunden bezeugen, als Klägerin – selbst gegen ihren Vater oder Ehemann oder für ihre Geschwister –, als Zeugin oder auch als Schöffin vor Gericht erscheinen. Beim Tod ihres Mannes konnte sie die Vormundschaft über ihre Kinder erhalten, deren Erbe sie verwaltete, die sie jedoch auch zur Arbeit verdingen, in röm. Zeit zur Adoption freigeben konnte. Während der Abwesenheit ihres Mannes konnte sie dessen Geschäfte regeln. Schriftkundige F. sind belegt. Da sie früh heirateten, waren F. beruflich von der Stellung ihres Vaters und ihres Gemahls abhängig. Berufe einfacher F. waren weitgehend häuslicher Art; sie konnten jedoch auch als Worflerinnen und bei der Flachs- und Lotusblütenernte aushelfen oder zu schweren Arbeiten beim Frondienst verpflichtet werden. Bei Gastmählern traten F. singend, musizierend oder tanzend allein oder neben Männern auf.

In Haushalten von Königen oder Mitgliedern der königlichen Familie des AR (2700–2190 v.Chr.) sind F. auf Posten von Aufseherinnen oder Vorsteherinnen über Speisen oder Leinen, in der Haus- und Domänenverwaltung, als Ärztinnen, Totenpriesterinnen, Inspektorinnen des Schatzhauses und Siegelbewahrerinnen bekannt. Die Oberaufsicht hatten jedoch überwiegend Männer. Der Titel einer Richterin und einer Wesirin im AR wurden als Ehrentitel angesehen. Im MR (1900–1630 v.Chr.) sind F. nur noch auf niedrigen Aufsichts- und Verwaltungsposten zu finden.

Töchter konnten den Totenkult ihrer Eltern vollziehen, Totenstiftungen einrichten oder verwalten. Selbst Prinzessinnen und Königinnen konnten im AR nur einfache Priesterinnenposten innehaben, im NR (1550–1070 v.Chr.) sind sie bei Opferhandlungen zu beobachten. Im NR traten Gemahlinnen von Beamten als Sängerinnen und Musikantinnen einer lokalen oder überregionalen Gottheit auf. Sie unterstanden einer »Großen des (Gottes-)Harems«, die häufig Gemahlin eines Hohenpriesters oder Mitglied des Königshauses war. Die Bed. dieser Funktionen sollte jedoch nicht unterschätzt werden. Ihre Machtbefugnisse entsprachen denen der Männer in gleicher Funktion. Seit dem MR ist die von Gemahlinnen oder Töchtern des regierenden Königs ausgeübte Institution der Gottesgemahlin belegt, die in der Spätzeit zu einem Gegengewicht zu den übermächtig werdenden Priestern in Theben wurde.

Die Hauptgemahlin des Königs hatte ihren eigenen Hausstand und Verwaltungsapparat. Als Mutter oder Gemahlin konnte sie großen Einfluß auf ihren Sohn oder Ehemann ausüben. So konnten Hauptgemahlinnen die Regentschaft für ihren unmündigen Sohn und in der dreitausendjährigen Gesch. fünfmal die Regierung übernehmen.

Es gab bed. Göttinnen wie → Hathor, → Neith und → Isis. Die Göttin der Schriftkunst war eine F., doch die größten Gottheiten waren männlichen Geschlechts.
→ Familie; Gesellschaft

1 E. FEUCHT, Die Stellung der F. im Alten Äg., in: J.MARTIN, R.ZOEPFEL (Hrsg.), Aufgaben, Rollen und Räume von F. und Mann 1, 1989, 239–306 2 Dies., Gattenwahl, Ehe und Nachkommenschaft im Alten Äg., in: E.W. MÜLLER (Hrsg.), Geschlechtsreife und Legitimation zur Zeugung, 1985, 55–84 3 G.ROBINS, Frauenleben im Alten Äg., 1993.   E.FE.

D. IRAN, ACHÄMENIDISCHE ZEIT

Heiratsallianzen und wirtschaftliche Unabhängigkeit charakterisieren die Position der königlichen F. des Achämenidenreiches. Allianzen der frühen Perserkönige sind geprägt durch polygame Heiraten mit Töchtern besiegter Könige als Zeichen der Anerkennung pers. Oberhoheit und mit Töchtern der pers. Nobilität zur Sicherung der Loyalität. Seit der Konsolidierung des Reiches unter → Dareios [1] I. und seinen Nachfolgern waren Heiraten zw. den Achämeniden (→ Achaimenidai) und der pers. Nobilität häufig, bes. mit den Familien des → Gobryas (Hdt. 7,2,2; 7,5,1; 6,43; [2. Pfa 5]) und des → Otanes (Hdt. 3,88,4; 7,82; 7,61,20). Im erweiterten Kreis der königlichen Familie waren Heiraten zw. Halbgeschwistern, z.B. zw. → Dareios [2] Ochos (als Satrap von Hyrkanien) und → Parysatis (FGrH 688 F 25) möglich. Die herausragende Stellung der Mutter des Königs bzw. der F. des Königs ist gekennzeichnet durch ihre Rolle als Vermittlerin und als Beschützerin der königlichen Familie. Königliche F. verfügten über eigenes Personal, Arbeitskräfte und besaßen Ländereien. Der Besitz persönlicher Siegel bestätigte ihre wirtschaftliche Unabhängigkeit. Dies, ebenso wie Hinweise auf die Reisen königlicher F., widerlegt die griech. Ansicht über die Abgeschlossenheit persischer F. Die Kontinuität der Position der F. in achäm. Zeit im Seleukiden- und Partherreich kann nur ansatzweise erschlossen werden.

Unter den arbeitenden F. nahm die Leiterin der *pašap*-Arbeiter mit der höchsten Rationszuweisung (ca. 50 l Getreide, 30 l Wein, ⅓ Schaf pro Monat) eine einmalige Stellung ein. Während spezialisierte Arbeit von F. und Männern gleich entlohnt wurde, erhielten F. bei nicht spezialisierter Arbeit ein Drittel weniger. Mütter erhielten eine einmonatige Sonderration für die Geburt von Kindern. Das in der griech. Historiographie vorherrschende Bild der einflußreichen und brutalen F. am achäm. Hof ist ideologisch und moralisch vorbelastet und kann in vielen Fällen korrigiert werden.

1 M. BROSIUS, Women in Ancient Persia (559–331 BC), 1996 2 R. G. KENT, Old Persian, 1953. MA.B.

E. IRAN, SĀSĀNIDENPERIODE

Die F. war in der Periode der Sāsānidenherrschaft (3.–7. Jh. n. Chr.) in der Regel zeitlebens der Munt (*sālārīh*) eines Mannes unterworfen, dem sie Gehorsam schuldete und der sie juristisch und geschäftlich nach außen vertrat. Rechts- und Geschäftsfähigkeit gestand man ihr nur in Ausnahmefällen zu: Als Witwe oder als Ehefrau in einer sog. »Konsensehe« (*xwasrāyūn/ēn*) war ihr die Vertretung eigener Belange vor Gericht und in der Geschäftswelt erlaubt (→ Familie).

Vor der Eheschließung oblag die Vormundschaft über die F. gewöhnlich dem Vater, dem Bruder oder einer anderen männlichen Person aus ihrer Abstammungsgruppe. Mit dem Erreichen der Geschlechtsreife ging sie in der Regel eine arrangierte Ehe des »vollberechtigten« Typus (*pādixšāy*-Ehe) ein, in der sie der Ehegewalt des Ehemannes unterlag und ein Anrecht auf einen bestimmten Anteil an dessen Gesamtnachlaß besaß. Bei dieser Eheschließung verpflichtete sie sich zugleich, auch dann für ihren Ehemann Nachkommen zu gebären, wenn dieser zu Lebzeiten zeugungsunfähig blieb oder kinderlos verstarb. Zu diesem Zweck ging die F. eine zweite »Hilfsehe« (*čagar*-Ehe) mit einem nahen Verwandten des kinderlosen ersten Ehemannes (oder einem anderen beliebigen Mann) ein. Diese Ehe wurde ohne Munt des Mannes geschlossen, die F. erbte nicht

vom Ehemann. Die Kinder aus dieser Ehe wurden juristisch dem ersten *pādixšāy*-Ehemann zugesprochen. Auch Tochter und Schwester eines Mannes waren für den Fall, daß dieser keine vollberechtigte Ehefrau hinterließ, verpflichtet, die Nachkommenschaft des Vaters bzw. Bruders durch eine *čagar*-Eheschließung sicherzustellen.

M. MACUCH, Inzest im vorislamischen Iran, in: AMI 24, 1991, 141–154 • Dies., Rechtskasuistik und Gerichtspraxis zu Beginn des 7. Jh. in Iran, 1993 • Dies., Das sasanidische Rechtsbuch »Mātakdān i hazār dātistān« (Teil 2), 1981 • A. PERIKHANIAN, The Book of a Thousand Judgements, 1997. M.MA.

II. GRIECHENLAND UND ROM

A. DIE FRAU IM SYSTEM SYMBOLISCHER ORDNUNGEN B. POLITISCHE UND SOZIALE STELLUNG DER FRAU C. FRAUENARBEIT D. VERHALTENSNORMEN E. DICHTERINNEN UND PHILOSOPHINNEN F. MEDIZIN

A. DIE FRAU IM SYSTEM SYMBOLISCHER ORDNUNGEN

Ant. Kosmogonien beschreiben das Zusammenwirken weiblicher und männlicher Kräfte bei der Herstellung der kosmischen und sozialen Ordnung, deren Bestand in Kulthandlungen bekräftigt wurde. In den Kulten der griech. Poleis agierten F. und Männer in getrennten Gruppen; manche Kulte standen nur Männern (z.B. Herakleskulte), manche nur F. (z.B. Demeterkulte) offen. Während die Männergruppe als Speise- und Kampfgemeinschaft auftrat und Agone und Schlachtopfer durchführte, stand die rituelle Praxis der Frauen im Kontext ihrer Verantwortung für die Kontinuität des → *oíkos* und für die Stabilität des Gemeinwesens. Dies zeigt sich etwa im → Totenkult, der in Griechenland eine wichtige Domäne der F. bildete, in Festen, die um die agrarische und menschliche Fruchtbarkeit (z.B. Adonia, → Thesmophoria) kreisten, und im Ritual der Gewandweihe für die Stadtgottheit, das für Athen, Argos und Sparta belegt ist. Erfolgten in Griechenland die kult. Aktivitäten von F. häufig in verwandtschaftlichen oder nachbarschaftlichen, aber auch städtischen Bezügen – die Vorsitzende für das Fest der Thesmophoria wurde z.B. aus dem Kreis der Ehefrauen der Mitglieder eines *dếmos* (Gemeinde) gewählt (Isaios 8,19) –, so bildete in Rom auch das Paar eine Kulteinheit. Komplementäre Funktionen im Rahmen des Opfers hatten die sechs vestalischen Jungfrauen (→ Vesta), die das heilige Mehl für das vom Pontifex Maximus vollzogene Opfer herstellten. Daneben gab es eigene Kulte für Frauen wie die Matralia oder Matronalia, die der Bekräftigung der Bande der cognatischen Verwandtschaft dienten.

Während Riten häufig ein Idealbild vom Zusammenwirken der Geschlechter wiedergeben, sind in mythischen Erzählungen eher Konflikte thematisiert. Im Pandora-Mythos (Hes. theog. 534–613, erg. 53–105) tritt das Geschlecht der F. (γένος γυναικῶν) in einen Gegensatz zur männlichen Opfergemeinschaft. → Pandora, die erste F. und Stammutter des *génos gynaikôn*, wird als ein schönes Übel dargestellt, mit dessen Auftreten die Sterblichkeit in die Gemeinschaft der männlichen Menschen Eingang findet. Röm. Erzählungen wie die vom Raub der Sabinerinnen (Liv. 1,9,1–16), von → Tanaquil (Liv. 1,34,4–9) oder vom Tod der Horatia (Liv. 1,26,2–14) kreisen um das Problem der Exogamie und akzentuieren entsprechend der Strukturierung der röm. Ges. nach agnatischen Abstammungsverbänden die Loyalitätskonflikte der F. zwischen der väterlichen Herkunftsfamilie und der des Ehemannes.

B. POLITISCHE UND SOZIALE STELLUNG DER FRAU

Weibliche Autoritäts- und Machtfunktionen waren an Status und Alter gebunden und differierten entsprechend dem polit. System der ant. Städte. In den auf kollektive Führung bedachten griech. Poleis der archa. und klass. Zeit hatten F. zwar keine polit. Ämter inne; alte und ranghohe F. konnten jedoch hohes Ansehen erlangen (Hom. Od. 7,71; Paus. 5,16,5–6) und Schutzflehende aufnehmen (Plut. Solon 12). Verbreitet war die Übernahme von Priesterämtern. Priesterinnen wie die der Athena Polias verwalteten den Tempelschatz und leiteten Kulthandlungen (Lykurgos fr. 5; Aischin. Kata Ktesiphontos 18). Als Privilegien erhielten sie Ehrenplätze bei Festveranstaltungen und Anteile am Opfertier (für Olympia vgl. Paus. 6,20,9). An der → Volksversammlung nahmen F. in ant. Gemeinwesen nicht teil. Vor Gericht wiederum bedurften F. fast überall der Vertretung durch einen männlichen Verwandten.

Wo die Macht sich in den Händen weniger Familien konzentrierte wie in den kleinasiatischen Städten des Hell. und der Prinzipatszeit, erlangten F. wie etwa Plancia Magna in Perge als Mitglieder einflußreicher Familien auch polit. Ämter wie das des Jahresbeamten. Sie wirkten als Wohltäterinnen (→ Euergetismus) und wurden für Getreidespenden und für ihre Bautätigkeit ebenso wie männliche Mitglieder mit Ehrenstatuen bedacht. Im republikanischen Rom setzte eine öffentliche Ehrung von F. erst spät ein. Die erste öffentliche Bildstatue wurde für → Cornelia [1], die Mutter der Gracchen, errichtet (Plin. nat. 34,31; ILS 68). Mit der Monopolisierung polit. Herrschaft in der Hand eines *princeps* trat in Rom wie bereits zuvor in den hell. Reichen das dynastische Element in den Vordergrund. Mit ihm eröffneten sich für die weiblichen Angehörigen eines Herrscherhauses neue Felder der öffentlichen Repräsentation.

Innerhalb eines Haushaltes übten F. wichtige Funktionen aus und nahmen durchaus eine Autoritätsposition ein. In Rom nahmen F. anders als in Griechenland (→ Hetairai) an Gastmählern und Empfängen teil (Cornelia: Plut. C. Gracchus 19; Livia: Cass. Dio 57,12,2; Agrippina minor: 61,3,2). Röm. Autoren äußerten sich deshalb verwundert über den Ausschluß

griech. Ehefrauen von den Trinkgelagen ihrer Männer (Corn. Nep. pr. 6f.; Vitr. 6,7,4). Da die Macht eines Hauses von der Zahl der Klienten abhing, übernahmen F. in Rom auch Patronagefunktionen (→ Patronus).

C. FRAUENARBEIT

Arbeit, die für den eigenen Bedarf oder als Freundschafts- und Ehrendienst geleistet wurde, ist in der Ant. im Unterschied zu abhängigen Tätigkeiten durchaus positiv bewertet worden (Aristot. pol. 1278a; Xen. oik. 4,2; Cic. off. 1,150f.). Von den weiblichen Tätigkeiten war besonders die häusliche → Textilherstellung geschätzt, in deren Rahmen es jedoch schon früh zum Einsatz von Sklavinnen kam. Die in zeitaufwendiger Musterweberei hergestellten Tuche gehörten zu den Gütern, die im archa. und klass. Griechenland den Reichtum eines Hauses ausmachten (Hom. Od. 3,346–355; Aischyl. Ag. 958–963). In sozialen Notlagen übten F. durchaus Erwerbstätigkeiten aus, so etwa als → Amme (Demosth. 57,35f.; 57,44f.; vgl. Xen. mem. 2,7). Landwirtschaftliche Arbeit von F. ist in den Quellen nur selten greifbar, muß aber aufgrund der Bedeutung des Agrarsektors für die ant. Wirtschaft weit verbreitet gewesen sein. Röm. Agrarschriftsteller erwähnen neben → Web- und Spinntätigkeiten (Verg. georg. 1,293–296; 1,390–392) auch Feldarbeit von Sklavinnen (Colum. 12,3,6); über das entbehrungsreiche Leben von Hirtinnen äußert sich Varro (rust. 2,10,6ff.). Röm. Inschr. zeugen von der Breite weiblicher Tätigkeitsfelder in der Schicht der Freigelassenen.

D. VERHALTENSNORMEN

Grabinschriften, Vasenbilder, Dichtung und philos. Schriften vermitteln ein Bild von den Tugenden und Haltungen, die man von F. erwartete. Besonnenheit (σωφροσύνη, → *sōphrosýnē*) und Einfachheit (ἀφέλεια, *aphéleia*) galten als wichtige Tugenden der griech. F. (Semonides fr. 7,108 DIEHL; Xen. oik. 7,14–15; Plut. Phokion 19). *Castitas* (Keuschheit) und *pudicitia* (die Treue der F. zu ihrem Gatten) bildeten das Tugendideal der röm. *matrona* (Liv. 1,58,5; vgl. Plin. epist. 7,19,4: *castitas, sanctitas, gravitas, constantia*). Daneben existierte in Rom das Ideal der rhet. gewandten und gebildeten F. (Cic. Att. 13,21,5; Plin. epist. 4,19). In Griechenland wie auch in Rom besaßen F. der Oberschicht erkennbares Statusbewußtsein. Für die Benutzung des Wagens (*carpentum*) und für das öffentliche Tragen von Schmuck setzten sich röm. *matronae* mit Nachdruck ein (Liv. 34,1–8; Cic. rep. 4,6). Für die griech. wie röm. F. war die Begleitung durch Dienerinnen Ausdruck ihres sozialen Ranges (Theophr. char. 22,10; Plin. paneg. 83). In einer *face-to-face society*, wie sie die ant. Gemeinwesen in der Regel darstellten, unterlagen Männer wie F. dem kontrollierenden Blick der Öffentlichkeit. Das von griech. Dichtern und Philosophen formulierte Ideal der verschwiegenen F. (Soph. Ai. 293: γυναιξὶ κόσμον ἡ σιγὴ φέρει; Aristot. pol. 1260a; vgl. Eur. Heraclid. 476f.; Thuk. 2,45,2) läßt sich aus der Bed. der Öffentlichkeit für die Reputation der einzelnen F. erklären.

E. Dichterinnen und Philosophinnen

Zum Beitrag von F. zur ant. Literatur und Philosophie vgl. → Literaturschaffende Frauen und → Philosophinnen.

→ Ehe; Erotik; Familie; Geschlecht; Geschlechterrollen; Hetaira; Prostitution; Sexualität

1 M. Bettini, Antropologia e cultura romana, 1988
2 S. Blundell, M. Williamson (Hrsg.), The Sacred and the Feminine in Ancient Greece, 1997 3 D. Cohen, Seclusion, Separation, and the Status of Women in Classical Athens, in: G&R 36, 1989, 3–15 4 M. H. Dettenhofer (Hrsg.), Reine Männersache? Frauen in Männerdomänen der ant. Welt, 1994 5 S. Dixon, A Family Business: Women's Role in Patronage and Politics of Rome 80–44 B.C., in: CeM 34, 1983, 91–112 6 E. Fantham u. a., Women in the Classical World. Image and Text, 1994 7 J. F. Gardner, Women in Roman Law and Society, 1986 8 E. A. Hemelrijk, Women's Demonstrations in Republic Rome, in: J. Blok, P. Mason (Hrsg.), Sexual Asymmetry, 1987, 217–240 9 R. Just, Women in Athenian Law and Life, 1989 10 N. Kampen, Image and Status: Roman Working Women at Ostia, 1989 11 U. Kron, Priesthoods, Dedications and Euergetism, in: Boreas 24, 1996, 139–182 12 C. Mossé, La femme dans la Grèce antique, 1983 13 S. B. Pomeroy, Goddesses, Whores, Wives and Slaves, 1975 14 C. Reinsberg, Ehe, Hetärentum und Knabenliebe im ant. Griechenland, 1989 15 R. Saller, Patriarchy, property and death in the Roman family, 1994 16 W. Scheidel, Feldarbeit von F. in der ant. Landwirtschaft, in: Gymnasium 97, 1990, 405–431 17 P. Schmitt-Pantel (Hrsg.), Gesch. der Frauen. I: Ant., 1993.　　　　　　　B. W.-H.

F. Medizin

Medizinische Texte über den weiblichen Körper, seine normalen Funktionen und die Krankheiten, denen er ausgesetzt ist, liefern nicht nur Informationen über die ant. Gesundheitsversorgung von F., sondern erlauben zudem Rückschlüsse auf die allg. Einstellung zur ges. Rolle der F. Bes. bei hippokratischen Autoren gilt Gesundheit bei einer F. als unmittelbares Zeichen dafür, daß sie ihrer Rolle als Ehefrau und Mutter im Sinne ges. Vorgaben gerecht geworden ist. In einigen hippokratischen Texten aus klass. Zeit wurde die medizinische Versorgung von F. zu einem Spezialfach (vgl. → Gynäkologie) fortentwickelt, innerhalb dessen sämtliche Krankheitssymptome einer Patientin auf das Ausbleiben der Regel oder die Beweglichkeit der Gebärmutter, die auf ihrer Wanderschaft durch den Körper Druck auf andere Organe ausüben könne, zurückgeführt wurden. Da die Vorstellung vom menschlichen Körper vom Modell des Mannes bestimmt wurde, konnte man sogar der Gebärmutter einen festen Platz im »normalen« Körper absprechen [1]. Der Zweck medizin. Maßnahmen bestand zum Teil in der Wiederherstellung eines Gleichgewichts im weiblichen Körper. Dieser könne, obwohl wegen der steten Ansammlung übermäßiger Säfte im Verlauf eines Monats zum Ungleichgewicht neigend, in gesundem Zustand von seinem eingebauten Mechanismus regelmäßiger heftiger Menstruation Gebrauch machen, um ein – allerdings nur vorübergehendes – Gleichgewicht herzustellen.

Medizinisches Eingreifen sollte aber auch das Hervorbringen gesunder Kinder sicherstellen. Dabei stellte ehelicher Sexualverkehr zum Zweck der Fortpflanzung nicht nur das Behandlungsziel dar, sondern bisweilen die Behandlung selbst. Von daher versteht sich das Beharren gynäkologischer Texte aus dem *Corpus Hippocraticum* darauf, daß ›sie Geschlechtsverkehr mit ihrem Mann haben sollte‹ oder ›gesund ist, wenn sie schwanger wird‹ (z. B. Hippokr. Genit. 4 = 7,476 Littré; Hippokr. Mul. 1,37 = 8,92 L.; Mul. 1,59 = 8,118 L. etc.). Falls ein junges Mädchen nicht heiratete, sobald sie ›reif für die Ehe‹ war, setzte sie sich dem Risiko aus, ernsthaft zu erkranken, weil der Blutüberschuß, den ihr Körper im Anschluß an die Pubertät zu produzieren begann, nicht ohne Schmerzen durch ihr Fleisch würde fließen können, wenn er nicht durch Geschlechtsverkehr in Bewegung gesetzt und das Fleisch durch eine Geburt ›gefügig gemacht‹ worden sei (Hippokr. Virg. 8,466–470 L. und Mul. 1,1 = 8,10–14 L.). Jungen Witwen wurde geraten, aufs neue zu heiraten (Hippokr. Nat. Mul. 3 = 7,314 L.).

Die galenische Medizin verlieh der hippokratischen Auffassung Nachdruck, indem sie darauf verwies, daß mangelnder Geschlechtsverkehr zu einem Stau des weiblichen Samens führen könne, einer Substanz, die weit giftiger sei als unausgeschiedenes Menstrualblut Gal. De locis affectis 6,5; 8,420–424; 432 Kühn) Der einzige medizinische Schriftsteller der Ant., der Geschlechtsverkehr und Gebären im Hinblick auf die Gesundheit der F. nicht für wesentlich hielt, war → Soranos, aber selbst seine Behauptung, Keuschheit sei die gesündere Option für Mann und F. (Gyn. 1,9), äußert er im Rahmen einer Frauenheilkunde, die ganz auf Schwangerschaft und Geburt ausgerichtet ist [2].

In den letzten Jahren wurde in der Forsch. viel darüber diskutiert, inwiefern medizinische Texte das Wissen von Männern bzw. von F. repräsentieren. Manuli [3] meinte, solches Textmaterial lasse sich am ehesten als männliche Phantasmen verstehen. Rousselle [4] dagegen schenkt der Aussage ant. medizinischer Schriftsteller Glauben, sie verdankten ihr Wissen über das Befinden der Frau Gesprächen mit F., v. a. mit Prostituierten, und argumentiert, daß die medizinische Überlieferung einen seltenen Zugang zur Gedankenwelt der ant. F. und zu weiblichen Praktiken eröffne. Bei den ant. medizinischen Schriften kann man aber wohl davon ausgehen, daß der Hinweis auf »weibliches Wissen« ein rhet. Kunstgriff ist, der der Autorisierung des männlichen Verfassers dient. Medizinische Schriftsteller teilen ihren Lesern mit, daß F. wissen, wenn sie empfangen haben, weil sie entweder bemerken, daß der männliche Samen in ihrem Körper verbleibt, oder weil sie Kälteschauer, gefolgt von Hitzewallungen und Zittern, verspüren (z. B. Hippokr. Steril. 220 = 8,424 L.; Hippokr. Carn. 19 = 8,610 L.). Der Verf. der ps.-aristotelischen Schrift über die Unfruchtbarkeit (636b39–637a5) hält solche Hinweise für irreführend; wenn männliche und weibliche Partner mehr Samen produzieren, als die Gebärmutter fassen kann, werde der Überschuß abfließen und die F. fälschlicherweise glauben machen, sie habe nicht empfangen. Der Verfasser von *De carnibus* behauptet, Frauen, oder genauer Prostituierte bzw. »erfahrene Frauen«, hätten ihn alles gelehrt, was er über die weiblichen Empfindungen, die die Empfängnis begleiten, mitzuteilen hätte (Carn. 19 = 8,610 L.; vgl. Nat. Puer. 13 = 7,490 L.).

1 A. E. Hanson, The medical writer's woman, in: D. M. Halperin, J. J. Winkler, F. I. Zeitlin (Hrsg.), Before Sexuality, 1990, 309–338 2 J. Rubin Pinault, The medical case for virginity in the early second century C. E., in: Helios 19, 1992, 7–30 3 P. Manuli, Donne mascoline, femmine sterili, vergini perpetue, in: S. Campese, P. Manuli, G. Sissa (Hrsg.), Madre Materia, 1983, 147–192 4 A. Rousselle, Images médicales du corps. Observation féminine et idéologie masculine: le corps de la femme d'après les médecins grecs, in: Annales E. S. C. 35, 1980, 1089–1115.

A. E. Hanson, Conception, gestation and the origin of female nature in the Corpus Hippocraticum, in: Helios 19, 1992, 31–71 · H. King, Self-help, self-knowledge: in search of the patient in Hippocratic gynaecology, in: R. Hawley, B. Levick (Hrsg.), Women in Antiquity: new assessments, 1995, 135–148. H. K./Ü: L. v. R.-B.

III. Judentum

Nach biblischem Verständnis hat Gott den Menschen nach seinem Ebenbild männlich und weiblich erschaffen. Gemäß Gn 2,18 ist die F. nicht Untergebene, sondern Gehilfin des Mannes. Trotz dieser relativen Ebenbürtigkeit hat sich in altisraelitischer Zeit die Rechtsanschauung durchgesetzt, daß sie Eigentum des Mannes sei; sie wird durch einen Kaufpreis (hebr. *mohar*) vom Mann bei der Heirat »erworben«. Zugleich genießt die F. allerdings in der *kətubbā*, der Eheverschreibung, verbrieften (finanziellen) Schutz. Den Ehealltag begleiten die »reinen« bzw. die »unreinen« Tage der F.: während sie menstruiert, ist sie eine *nidda* und gilt somit nach biblischen und rabbinischen Vorstellungen als unrein; der Zustand der Reinheit wird sieben Tage nach dem letzten Menstruationstag erst mit dem Untertauchen in der *miqwah*, dem rituellen Bad, wiederhergestellt. Der Aufgabenbereich der (verheirateten) F. erstreckt sich seit den ältesten Zeiten in erster Linie auf das Haus, obwohl nicht wenige F. als Prophetinnen, Beschneiderinnen, Schächterinnen tätig waren. Die F. genießt bes. als Ehefrau und Mutter höchstes Ansehen. Sie ist zwar vom Synagogenbesuch befreit, doch obliegen ihr in der Hauptsache die rituelle Einleitung des Šabbat, die Führung eines kosheren Haushaltes sowie die auf jüd. Grundpfeiler gestützte Erziehung der Kinder. In talmudischer Zeit (3.–8. Jh.) entwickelte sich, fußend auf Dt 7,4, das Gesetz, daß nur die jüd. Mutter, nicht jedoch der Vater, das Judentum nach dem Grundsatz *mater semper certa est* an ihre Kinder weitergeben kann.
→ Ehe; Erbrecht

B. Brooten, Women leaders in the ancient synagoge, 1982 · S. Carlebach, Ratgeber für das jüd. Haus, 1918 · E. Guggenheim, Heirat und Ehe, 1982 · R. Herweg, Die jüd. Mutter, 1994 · T. Ilan, Jewish women in Greco-Roman Palestine, 1995 · M. Lamm, The Jewish way in love and marriage, 1980 · J. Mittelmann, Der altisraelitische Levirat, 1934 · S. Riskin, Women and Jewish divorce, 1989 · A. Weiss, Women at prayer, 1990. Y. D.

IV. Christentum

Die nt. Schriften zeichnen ein widersprüchliches Bild im Hinblick auf die Bedeutung und Aktivität christlicher F. Bis ins 20. Jh. hinein prägten vor allem die restriktiven Aussagen von 1 Kor 14,34–36 und 1 Tim 2,9–15 das christliche F.-Bild. Die eventuell erst nachträglich in das Schreiben des Apostels Paulus an die Gemeinde in Korinth eingefügten Verse 34–36 verbieten F. das Reden in den gottesdienstlichen Zusammenkünften. Der zu Beginn des 2. Jh. entstandene 1 Tim verschärft das Schweigegebot durch eine Ausweitung zu einem generellen Lehrverbot, das mit der Forderung nach Unterordnung der F. unter den Mann begründet wird. Diese postulierte Zuordnung der Geschlechter wird auf die Verführung Adams durch Eva zurückgeführt (Gn 3,6). Als wichtigste Aufgabe werden F. auf das Kindergebären verwiesen. Die im deuteropaulinischen Eph 5,22–33 entwickelte Anthropologie und das daraus abgeleitete Ehekonzept weisen in die gleiche Richtung: Eine F. soll sich ihrem Mann als ihrem Haupt unterordnen (ähnlich: 1 Kor 11,1–16). Obwohl diese Traditionslinie nur einen Aspekt der frühchristl. Lit. widerspiegelt, trat sie normbildend in den Vordergrund, so daß altkirchliche, ma. und neuzeitliche Begrenzungen wie Predigtverbot für F. und Ausschluß vom priesterlichen Amt sich hieran festmachten.

Insbesondere die feministisch-theologischen Neuansätze der letzten 20 Jahre haben ein breites Spektrum weiblicher Aktivitäten in den frühchristl. Gemeinden wieder sichtbar werden lassen. Gal 3,28 (›Hier ist nicht Jude noch Grieche, hier ist nicht Sklave noch Freier, hier ist nicht Mann noch F.; denn ihr seid alle einer in Christus Jesus‹) kann als Maxime eines egalitären urchristlichen Ethos gesehen werden, auf das sich, ebenso wie auf Joel 3,1, die F. und Männer bezogen, die nach Alternativen zu dem verbreiteten Konstrukt von männlicher Herrschaft und weiblicher Unterordnung suchten. F. gehörten zur Gruppe der Apostel und Missionare des Urchristentums: Paulus erwähnt seine Zusammenarbeit mit dem Ehepaar → Prisca und → Aquila [4] (Apg 18, 2.18.26) sowie mit Andronicus und Iunia (Röm 16,7). Letztere wurde, obwohl bei den spätant. Kirchenvätern noch als F. bekannt, zu einem Mann umgedeutet, so daß sie als Apostelin aus der christl. Überl. verschwand. Die nicht im NT, sondern erst in den apokryphen Paulus- und Thekla-Akten des 2. Jh. beschriebene Paulusschülerin Thekla predigte und taufte als Wanderapostelin in Kleinasien. Ferner erwähnt Paulus in Röm 16,1 eine F. namens Phoebe, die als *diákonos* eine gemeindeleitende Stellung einnahm. Allerdings läßt sich (wie bei vergleichbaren von Männern ausgeübten Ämtern auch) nicht präzise erhellen, wie dieser Aufgabenbereich ausgestaltet war (vgl. auch 1 Tim 3,11). Die Erzählung über die Purpurhändlerin Lydia (Apg 16, 14.15.40) kann als Beleg dafür betrachtet werden, daß F. als Leiterinnen der in ihrem Haus versammelten christl. Gemeinde fungierten. Auf die Tätigkeit prophetischer F. weisen 1 Kor 11,5 sowie Apg 22,9 hin.

Im Zuge der Ausdifferenzierung und Institutionalisierung der männlichen Ämterhierarchie verloren die bis dahin von F. wahrgenommenen Ämter der Jungfrauen, Witwen und Diakone an gesamtkirchlicher Bedeutung. Der ihnen zugestandene Aufgabenbereich wurde zunehmend eingeschränkt, so daß etwa weibliche Diakone nur noch die Taufvorbereitung für F. vornehmen konnten, nicht mehr jedoch direkt an der Taufe beteiligt waren oder diese selbständig ausführten. Ein neues Gebiet eröffnete sich für F. im Bereich der asketisch-monastischen Lebensformen. Hier konnten sie z.B. auch lehrende Funktionen ausüben. Die biographisch-hagiographische Literatur der christl. Spätant. zeichnet etwa die Lebensläufe der Klostergründerin Makrina oder der in Konstantinopel wirkenden *diákonos* Olympias nach. Die mit dem Märtyrerkult einsetzende → Heiligenverehrung bewahrte die Erinnerung an F. wie Blandina, → Perpetua oder Iulitta. Insbesondere Predigten von Kirchenvätern, die auf diese als heilig verehrten F. Bezug nehmen, unterstreichen, daß Männer und F. im Hinblick auf Tugend und Frömmigkeit gleich seien, ja F. tugendhafter als die Männer.

R. ALBRECHT, Das Leben der heiligen Makrina auf dem Hintergrund der Thekla-Traditionen. Studien zu den Ursprüngen des weiblichen Mönchtums im 4. Jh. in Kleinasien, 1986 • G. DAUTZENBERG u. a. (Hrsg.), Die F. im Urchristentum, 1983 • U. E. EISEN, Amtsträgerinnen im frühen Christentum. Epigraphische und lit. Studien, 1996 • A. JENSEN, Gottes selbstbewußte Töchter. F.-Emanzipation im frühen Christentum?, 1992 • R. S. KRAEMER, Maenads, Martyrs, Matrons, Monastics. A Sourcebook on Women's Religions in the Greco-Roman World, 1988 • G. PETERSEN-SZEMERÉDY, Zwischen Weltstadt und Wüste: Römische Asketinnen in der Spätantike, 1993 • L. SCHOTTROFF, Lydias ungeduldige Schwestern. Feministische Sozialgesch. des frühen Christentums, 1994 • E. SCHÜSSLER FIORENZA, Zu ihrem Gedächtnis ... Eine feministisch-theologische Rekonstruktion der christl. Ursprünge, 1988 • K. THRAEDE, s. v. F., RAC 8, 197–269.
R. A.

Frauenbad-Maler. Att. rf. Vasenmaler, um 435–410 v. Chr. tätig. Seine in großer Zahl erh. Lebetes, Lutrophoren, Hydrien und Peliken (→ Gefäßformen) hat er, in immer kleiner werdendem Format, in verschiedenen Werkstätten bemalt; letztlich blieb er ein Einzelgänger. In seinen Bildern breitet er die Welt der Frauen aus: Bräute, in wehmütiges Harfespiel vertieft oder mit dem Sich-Schmücken beschäftigt, die später *cheír epí karpố* (›die Hand des Bräutigams über dem Handgelenk der Braut‹) ihrem neuen Heim entgegen gehen (→ Gebärden III. F). In Ergänzung dazu zeigt er Hetären, die

Tänze einüben, ihre Freizeit mit Spinnen verbringen oder sich am Becken waschen (was die Benennung des Malers begründet). Noch in den späten myth. Szenen auf tönernen Eiern (→ Gefäßformen) preist er das Wirken von Eros.

BEAZLEY, ARV², 1126–1133 • BEAZLEY, Paralipomena, 453–454 • BEAZLEY, Addenda², 332–333 • V. SABETAI, The Washing Painter. A Contribution to the Wedding and Genre Iconography in the 2nd Half of the 5th Century B.C., 1994.   A.L.-H.

Frauenhaar s. Farn

Fravitta (Fravitus).
Terwingischer Heerführer in röm. Dienst, mit einer Römerin verheiratet. Als Verfechter der Einhaltung des röm. Bündnisses mit den Goten von 382 n. Chr. tötete er 391 am Hof des Theodosius I. Eriulf (Zos. 4,56,1–3; Eunapios fr. 60 FHG 4,41). Um 400 verhinderte er als *magister militum* im Auftrag des Arcadius den Übergang des Gainas über den Hellespont (Zos. 5,20–21; Soz. 8,4,19–21) und wurde dafür 401 mit dem Consulat belohnt (Eunapios fr. 82 FHG 4,50). Um 403/4 jedoch angeklagt, er habe Gainas entkommen lassen, wurde er im selben Jahr gestürzt (Zos. 5,21,5). PLRE 1, 372–73.
→ Terwingi

G. ALBERT, Goten in Konstantinopel, 1984 • P. HEATHER, Goths and Romans 332–489, 1991 • H. WOLFRAM, Die Goten, ³1990.   M. MEI. u. ME. STR.

Fredegar-Chronik. Mitte des 7. Jh. im Frankenreich entstandene chronikartige (→ Chronik) Textslg. in 4 B. *Ab orbe condito* (bis 642), der man im 16. Jh. fälschlich einen Fredegar als Verf. zuordnete. Die Frage des Urhebers ist ebenso wie die Zahl der an der Zusammenstellung beteiligten Personen (ein Bearbeiter: [1]) ungeklärt. Entscheidend bleibt die fränkische Ausrichtung. Die gesamte Zusammenstellung hatte geringe Wirkung (38 Hss.), stark wirkte allein die in die Slg. inserierte Gesch. vom troianischen Ursprung der Franken. Das Lat. weist deutliche Züge von Verwilderung auf. Man kann bestenfalls von einer Kompilation sprechen, in der verschiedene historiographische Texte verbunden wurden (*Liber generationis*, Königs- oder Papstlisten, Auszüge aus → Hieronymus und → Hydatius sowie der Frankengesch. des Gregorius [4] von Tours). Nur das 4. B. scheint eine gewisse Eigenständigkeit und Verläßlichkeit zu besitzen.

1 W. GOFFART, The F. Problem Reconsidered, in: Speculum 38, 1963, 206–241 2 J. M. WALLACE-HADRILL, The 4th Book of the Chronicle of F. with its Continuations, 1960.   U. E.

Fredericus (Friderich).
[1] Sohn des Westgotenkönigs Theoderich I., Bruder und Mitherrscher des Theoderich II., dem er 453 n. Chr. nach der Ermordung des ältesten Bruders Thorismud zum Thron verhalf (Chron. min. 1,483; 2,27 MOMM-

SEN; Greg. Tur. Franc. 2,7); nach erfolgreichen Kämpfen gegen spanische Bagauden (wohl als *magister militum*, vgl. Chron. min. 2,27; dazu [1. 690f.]) war er 455 an der Erhebung des → Avitus [1] zum Kaiser beteiligt (Sidon. carm. 7,391 ff.; 435 ff.). 463 fiel er gegen → Aegidius. PLRE 2, 484 (F. 1).

> 1 A. DEMANDT, s. v. magister militum, RE Suppl. 12, 553–790.

[2] Sohn des Rugierkönigs Feletheus (Fewa), floh nach dessen Niederlage gegen → Odoacer zu den Ostgoten unter Theoderich (Eugippius 44), mit dem er aber 491 n. Chr. in Konflikt geriet, worauf er zu dem von Theoderich zu Odoacer abgefallenen → Tufa überlief. 492/3 kam es auch mit Tufa zum Konflikt, in dessen Verlauf F. wohl umkam; sein rugisches Gefolge schloß sich darauf wieder Theoderich an (Ennod. Paneg. 55; vita Epiphanii 118f.; Chron. min. 1,320f. MOMMSEN).

> PLRE 2, 484f. (F. 2) · H. WOLFRAM, Die Goten, ³1990, 278ff.   M. MEI. u. ME. STR.

Fregellae. Ursprünglich Stadt der Opici nahe der Mündung des Trerus in den Liris, h. Rocca d'Arce. Bis 354 v. Chr. Stadt der Volsci, von Samnites zerstört (Liv. 8,23,6). 328 v. Chr. *colonia Latina* (Liv. 8,22,2; vgl. 9,28,3). F. hielt treu zu Rom gegen Pyrrhos und Hannibal; der Ort war am Ausbruch des 2. Krieges gegen die Samnites beteiligt, wurde 320 von den Samnites zurückerobert (Liv. 9,12,5–8), 313 von den Römern rekolonisiert (Diod. 19,101,3). Im J. 177 erlebte F. einen Bevölkerungszuwachs von 4000 Familien (Samnites und Paeligni: Liv. 41,8,8). Der Redner L. → Papirius wirkte hier. Nach einer Rebellion im J. 125 wurde die Stadt endgültig durch den *praetor* L. Opimius zerstört und verfiel daraufhin der *devotio*; F. war nunmehr ein einfaches Dorf, in dem sich Markt und einige Kulte halten konnten (Strab. 5,3,6). Ein Neptunus-Tempel ist für 93 v. Chr. bezeugt (Obseq. 52), ferner der Anbau der wohlschmeckenden Traubensorte *nigra Fregellana* (Colum. 3,2,27). 124 v. Chr. wurde in der Nähe die röm. Kolonie → Fabrateria [2] Nova angelegt.

Arch. Befund: Burganlage aus volsk. Zeit (Mauer in *opus polygonale*, eisenzeitliche Funde). Die *colonia Latina* lag auf der Hochebene von Opi bei Ceprano (Frosinone) ebenfalls am linken Ufer des Liris, durchquert von der *via Latina*, die im Stadtplan als → *cardo maximus* zu erkennen ist. Grabungen seit 1978: Stadtzentrum aus dem 4. bis 2. Jh. mit 150 m langem Hauptforum, kreisförmigem *comitium*, *curia*, Spuren von Eisenverarbeitung. Am nordwestl. Stadtrand ein Aesculapius- und Salus-Heiligtum [1]. In der Kaiserzeit ist nur eine *villa* im Stadtgebiet nachgewiesen. Das kaiserzeitliche Dorf Fregellanum, Station an der *via Latina*, ca. 14 Meilen von Frusino und drei Meilen von Fabrateria entfernt (Itin. Anton. 303; 305), wird in Ceprano lokalisiert.

> 1 F. COARELLI, F., Bd. 2, 1986.

G. COLASANTI, F., 1906 · F. COARELLI, F. La storia e gli scavi, 1981 · M. H. CRAWFORD, L. KEPPIE, J. PATTERSON, Excavations at Fregellae 1978–84, in: PBSR 54, 1986, 40–68 · BTCGI 7, 1989, 505–513 · P. G. MONTI, Un nuovo contributo alla ricostruzione della centuriazione romana nel Lazio meridionale, in: Terra dei Volsci. Contributi 1992,2, 14–21 (La provincia di Frosinone 10,2, suppl.).   G. U./Ü: H. D.

Fregenae. Stadt an der tyrrhenischen Küste in Süd-Etruria (*regio VII*) an der Mündung des Aro, der den *lacus Sabatinus* entwässert. Auf halbem Weg (9 Meilen von → Ostia bzw. von → Alsium entfernt) zw. der *via Portuensis* und der *via Aurelia* (Itin. Anton. 300), h. Maccarese. 245 v. Chr. *colonia* röm. Bürger (Liv. per. 19; Vell. 1,14,8). Inschr.: CIL XI p. 549.

> A. BRANCHINI, F. e dintorni, 1991 · NISSEN 2, 350 · RUGGIERO 3, 216.   G. U./Ü: V. S.

Freigelassene

I. GRIECHENLAND

Für den F. sind zwei Begriffe belegt: ἀπελεύθερος (*apeleútheros*) und ἐξελεύθερος (*exeleútheros*); nach Harpokration (p. 31 BK) war letzterer der nicht als Sklave, sondern als Freier geborene Sohn des ersteren. In seiner Auflistung der gesamten in Zusammenhang mit der Sklaverei verwendeten Terminologie erwähnt Pollux die von Demosthenes gebrauchten Begriffe *nómoi exeleútheroi* und *nómoi apeleútheroi*. Damit kann als gesichert gelten, daß die zwei Begriffe sich auf Gruppen mit verschiedenem Rechtsstatus bezogen. Außerdem wird hieran deutlich, daß private Freilassungen ebenso wie die meisten anderen mit der Sklaverei verbundenen Fragen und Tatbestände gesetzlichen Vorschriften unterlagen [1]. In Athen etwa gab es ein spezielles Gerichtsverfahren (*díkē apostasíu*), mit dessen Hilfe ein Sklavenbesitzer versuchen konnte, die Freilassung eines Sklaven rückgängig zu machen. Normalerweise wurde den F. nicht das volle Bürgerrecht verliehen, sondern nur ein Rechtsstatus gewährt, der dem eines → Metoiken gleicht [2].

Freilassungen sind bereits für das 6. und 5. Jh. v. Chr. epigraphisch belegt (SEG XXII 509, Chios; IEry 2B21). Wie die ausdrückliche Empfehlung des Aristoteles, Sklaven die Freilassung zu versprechen (Aristot. pol. 1330a 32–34), zeigt, war die Freilassung gesunder und kräftiger Sklaven in Griechenland während des 4. Jh. v. Chr. wahrscheinlich nicht weit verbreitet; dies wird auch durch die Seltenheit der lit. und urkundlichen Quellen bestätigt. Die Art der Freilassung hing wesentlich von den jeweiligen Formen der → Sklaverei ab und differierte in unterschiedlichen Epochen und Regionen erheblich. Durch Verschuldung in die Sklaverei geratene Menschen mußten in der Regel nur ihre Schulden zurückzahlen, um ihre Freiheit wiederzuerlangen; Solons Verbot der Schuldsklaverei zeigt jedoch, daß diese als demütigend empfunden wurde [6].→ Heloten und andere durch ein Gemeinwesen versklavte Gruppen (Hörige) bedurften für ihre Freilassung eines formalen

Aktes seitens des Gemeinwesens (Lex Gortyn. 5,25; 11,24; Ephoros ap. Strab. 8,5,4). In polit. oder mil. Ausnahmesituationen konnten auch Sklaven, die einzelnen Bürgern gehörten, in großer Zahl freigelassen werden. Vor 360 v. Chr. ließ etwa Euphron, der Tyrann von Sikyon, nicht nur die Sklaven seiner polit. Gegner frei, sondern verlieh ihnen auch das Bürgerrecht (Xen. hell. 7,3,8; [3]); Philipp von Makedonien war vorsichtig genug, solche Freilassungen, die dem Umsturz dienten, zu verbieten (Ps.-Demosth. 17,15). In den Jahren 490 und 406 v. Chr. gewährten die Athener vielen Sklaven die Freiheit als Gegenleistung für den Militärdienst (Marathon: Paus. 1,32,3; 7,15,7; Arginusai: Aristoph. Ran. 693), ihre Besitzer wurden entschädigt [16].

Außergewöhnlich war auch das Schicksal einzelner gut ausgebildeter Sklaven wie Pasion und Phormion; → Pasion, ein geschickter Trapezit (Bankier), war von seinen Besitzern Antisthenes und Archestratos freigelassen worden, Phormion wiederum wurde nicht nur von seinem Besitzer Pasion testamentarisch freigelassen, sondern erhielt auch dessen Bank und heiratete entsprechend einer testamentarischen Verfügung dessen Witwe (Demosth. or. 36,7–9; 36,43–49). Der außerordentlich große wirtschaftliche Einfluß dieser F. stand in keinem Verhältnis zu ihrer geringen Zahl; es gelang ihnen sogar, das athenische Bürgerrecht zu erhalten und so die Barriere zwischen den athenischen Bürgern und den F. zu überwinden. Ebenso ungewöhnlich für die Zeit vor der röm. Herrschaft in Griechenland war die Behandlung einzelner Sklavinnen und Sklaven als gleichberechtigte Mitglieder der Familie, die sogar Grabinschr. erhielten. Häufiger, aber dennoch privilegiert waren jene Sklaven, die als gut ausgebildete Handwerker mit Erlaubnis ihrer Besitzer selbständig tätig waren (χωρὶς οἰκοῦντες) und sich mit den Erträgen ihrer Arbeit freikaufen konnten.

Es gab für die Sklavenbesitzer verschiedene Möglichkeiten, eine Freilassung öffentlich bekannt zu geben. So konnten etwa die Namen der wenigen F. bei den Großen Dionysia in Athen verlesen (Aischin. Ctes. 41) oder in Delphi auf eine bestimmte Mauer des Heiligtums geschrieben werden [5; 8]. In all diesen Fällen diente die Rel. als Kontext der Freilassung. Formal waren die thessalischen und delphischen Freilassungen mit dem Kult verbunden, da die ehemaligen Sklaven nun Eigentum eines Gottes wurden. Die vielen Bergwerkssklaven im Gebiet von Laureion in Attika hatten jedoch kaum eine Aussicht auf eine Freilassung; sie konnten allenfalls das Risiko eingehen, sich selbst durch Flucht zu befreien, wie es jene 20000 Sklaven, die zwischen den Jahren 413 und 404 aus Attika geflohen waren, erfolglos versucht hatten (Thuk. 7,27,5; Hell. Oxyrh. 12,4).

1 K.-D. Albrecht, Rechtsprobleme in der Freilassung der Böotier, Phoker, Dorier, Ost- und Westlokrer, 1978
2 A. Calderini, La manomissione e la condizione dei liberti in Grecia, 1908 3 P. Cartledge, The Greeks, ²1997, 132
4 L. Delekat, Katoche, Hierodulie und Adoptionsfreilassung, 1964 5 R. Duncan-Jones, Problems of the Delphic manumission-payments 200–201 B. C., in: ZPE 57, 1984, 203–209 6 M. I. Finley, Debt-Bondage and the Problem of Slavery, in: Finley, Economy, 150–166
7 Y. Garlan, Les esclaves en grèce ancienne, 1984
8 Hopkins, Conquerors, 133–171 9 D. Lewis, Attic manumissions, in: Hesperia 28, 1959, 208–238 10 Ders., Dedications of phialai at Athens, in: Hesperia 37, 1968, 368–380 11 E. Perotti, Esclaves χωρὶς οἰκοῦντες, in: Actes du Colloque 1972 sur l'esclavage, 1974, 47–56
12 H. Raffeiner, Sklaven und Freigelassene: Eine soziologische Studie auf der Grundlage des griech. Grabepigramms, 1977 13 L. C. Reilly, Slaves in Ancient Greece: Slaves from Greek manumission inscriptions, 1978
14 S. Todd, The Shape of Athenian Law, 1993, 190–192
15 J. Trevett, Apollodorus the Son of Pasion, 1992
16 K.-W. Welwei, Unfreie im ant. Kriegsdienst, 2 Bde., 1974–1977 17 W. L. Westermann, The Slave Systems of Greek and Roman Antiquity, 1955.   P. C./Ü: A. BE.

II. Rom

A. Republik B. Kaiserzeit C. Spätantike D. Soziale Stellung

A. Republik

F. (*liberti/-ae*; zum Begriff *libertini/-ae* vgl. Suet. Claud. 24,1) begegnen schon während der frühen Republik, so im Zwölftafelrecht (7,12; vgl. zur Königszeit außerdem Dion. Hal. ant. 4,23). Sie genossen die Fürsorge des Freilassers (→ *patronus*), innerhalb dessen *familia* sie verblieben (Ulp. Dig. 50,16,195,1) und in dessen *clientela* sie mit ihren Kindern eintreten konnten. Umgekehrt schuldeten sie ihrem Patron Dienste (*operae*) und Sachleistungen (*dona*), deren Art, Umfang und Dauer im Einzelfall vereinbart wurden. Alternativ zu *operae* und *dona* konnte aus dem *peculium*, einem während der Unfreiheit angesammelten und meist dem F. verbleibenden Sondervermögen, ein Freilassungsgeld verlangt werden. Unabhängig davon war vom F. eine Steuer von 5% des eigenen Marktwerts zu entrichten (*vicesima libertatis*: Liv. 7,16,7, 357 v. Chr.), die sich als länger angesammelte Notreserve 209 v. Chr. auf ca. 4000 röm. Pfund Gold summiert hatte (Liv. 27,10,11). Hinterlassener Besitz des F. fiel bei Kinderlosigkeit an den Patron oder seine Hauserben, stand aber leiblichen Kindern des F. ganz, adoptierten Kindern und Töchtern in fremder → *manus* zur Hälfte zu (Gai. inst. 3,39ff.).

Die Freilassung (*manumissio*) erfolgte in der Republik auch öffentlich, sofern besondere Verdienste um die *res publica* vorlagen (Cic. Balb. 24), meist aber privat. Sie vermittelte röm. Bürgerrecht und führte zur Integration des F. in die röm. Ges. Hierin wich das röm. Modell von dem der griech.-hell. Welt (vgl. Syll.³ 543,33ff.) und neuzeitlichen Sklavengesellschaften markant ab, was Parallelisierungen methodisch fragwürdig macht. Für eine förmliche Freilassung durch Private kannte das altröm. Recht drei Verfahren: testamentarisch (*testamento*), wobei der F. als *libertus orcinus* nurmehr formal einem Patron gegenüber verpflichtet war, durch Eintrag in die Bürgerliste während des → *census* sowie durch förmlichen Rechtsakt vor dem *praetor* (*vindicta*). Der F. erhielt das *nomen* → *gentile* (seit Augustus auch das *praenomen*) seines Freilassers. Neben der förmlichen *manumissio* bewirkte eine permanent praktizierte, ostentative Privilegierung einzelner Sklaven durch ihre Herrn eine Art formloser Freilassung (*per mensam, per litteras*) und begründete ein vor dem *praetor* reklamierbares Gewohnheitsrecht. Rechtlich sanktioniert wurde dieser Status später mit der *lex Iunia* (*Norbana* des J. 19 n.Chr. ?), die den formlos F. latinischen Status verschaffte, doch dem Freilasser die Vergabe der Patronatsrechte auch an hausfremde Erben gestattete und dem F. das Recht auf Errichtung eines Testaments vorenthielt (Gai. inst. 3,55–56).

Mittels Freilassung erworbenes röm. Bürgerrecht unterlag für den F. selbst Einschränkungen: Durch die Einschreibung nur in eine der vier städtischen *tribus* erfolgte eine faktische Minderung des Wahlrechts, der Zugang zu Ämtern (s.u.) und Legionen war verwehrt, nicht aber zur Flotte. Privatrechtlich blieb der F. der Patronatsgewalt des Freilassers und – nach dessen Tod – seiner Hauserben unterworfen, was für den F. eine Verpflichtung zu *reverentia* (Ehrerbietung) und in bestimmtem Umfang zu *obsequium* (Gehorsam), für ein Patron ein Züchtigungsrecht begründete. Klagen des F. gegen den Patron und seine agnatischen Verwandten waren unzulässig, darüber hinaus bestand ein Zeugnisverweigerungsrecht vor Gericht. Die patronalen Rechte wurden in der Kaiserzeit fortschreitend eingeschränkt. Erst die Kinder des F. waren freigeboren (*ingenui*) und unterlagen den aus der Freilassung resultierenden Restriktionen nicht mehr, abgesehen von (bisweilen umgangenen) Zugangsbeschränkungen zu höheren öffentlichen Ämtern.

B. KAISERZEIT

Als in der Endphase der Republik infolge häufiger Kriege die Zahl der Sklaven stark anstieg, gleichzeitig immer mehr Sklaven freigelassen wurden, die allenfalls oberflächlich romanisiert waren, Patrone mit dem Freikauf kriminelle Absichten verfolgten und Massenfreilassungen durch Testament erfolgten, wurde die übliche Freilassungspraxis problematisch (Dion. Hal. ant. 4,24,4ff.). Auf diese Situation reagierten die augusteischen Verschärfungen der gesetzlichen Regelung der Freilassung. Die *lex Fufia Caninia* des J. 2 v.Chr. dekretierte bei testamentarischen Freilassungen Höchstgrenzen in Relation zur Gesamtzahl der Sklaven im Besitz eines Erblassers, wobei der erlaubte Satz mit wachsender *familia* von 50% auf 20% fiel und maximal 100 namentlich zu benennende Personen erreichen durfte (Gai. inst. 1,42–43; aufgehoben durch Iustinianus: Cod. Iust. 7,3).

Zum eigentlichen Fundament der kaiserzeitlichen Freilassung wurde die *lex Aelia Sentia* des J. 4 n.Chr. Sie unterscheidet drei nach ihrem personenrechtlichen Status definierte Kategorien von F. (Gai. inst. 1,12; nivelliert erst unter Iustinianus: Inst. Iust. 1,5,3): mit röm. Bürgerrecht (dessen Erwerb, an Voraussetzungen und ein förmliches Verfahren gebunden, künftig nicht mehr

Regelfall war: Gai. 1,18–20), mit latinischem Recht (bei formloser Freilassung *inter amicos*) sowie – für sozial deklassierte oder straffällige Sklaven – mit peregrinem Recht (im prekären Status von *dediticii*, mit starken Einschränkungen etwa in der Bewegungsfreiheit, unter Androhung erneuter Versklavung bei Verstößen gegen die gemachten Auflagen: Gai. inst. 1,13–15; 26f.). Als Mindestalter waren 30 Jahre für den Freizulassenden, 20 Jahre für den Freilasser vorgeschrieben; Ausnahmen bedurften der Begründung vor einer Kommission (Gai. inst. 1,36–38). Der Übergang vom latinischen zum röm. Rechtsstatus war auch ohne Mitwirkung des Patrons möglich, wenn z.B. der F. mit einer nicht-peregrinen Frau eheliche Kinder zeugte oder gesellschaftlich erwünschte Aufgaben übernahm, deren Spektrum fortschreitend erweitert wurde (Ulp. reg. 3,1 mit Gai. inst. 1,32–34; zur *manumissio in ecclesia*, der Ermächtigung von Klerikern zu förmlichen Freilassungen, vgl. Cod. Theod. 4,7,1, vom J. 321). Eheliche Verbindungen zwischen Angehörigen des Senatorenstandes und freigelassenen Frauen wurden durch die *lex Papia Poppaea* des J. 9 n.Chr. untersagt bzw. bedurften des kaiserlichen Dispenses im Einzelfall. Auch wurde dem F. durch die *lex Visellia* des J. 24 n.Chr. (Cod. Iust. 9,21) der Zugang zu röm. und munizipalen Ämtern ebenso verwehrt wie zu den führenden Ständen in Rom und in Städten röm. und latinischen Rechts (*ordo senatorius, ordo decurionum*).

C. SPÄTANTIKE

In der Spätant. waren F. gänzlich, ihre Söhne weitgehend von Hofämtern ausgeschlossen (Cod. Theod. 4,10,3, 426 n.Chr.), ebenso vom christl. Priesteramt (Konzil v. Elvira, Kanon 80, ca. 306 n.Chr.). Der Zugang zu munizipalen → *curiae* wurde nur solchen F. gewährt, die (über Verleihung des *anulus aureus* oder *natalium restitutio*) Freigeborenen rechtlich angeglichen waren (Cod. Iust. 10,33,1, unter Diocletianus). Dem für die röm. Ges. so bezeichnenden sozialen Geltungsbedürfnis, das auch reiche F. einschloß, wie Grabdenkmäler und Grabreliefs von F. zeigen, wurde schon im 1. Jh. n.Chr. mit der Einrichtung von Priesterkollegien für den Kult divinisierter röm. Kaiser Rechnung getragen (*seviri Augustales, Flaviales*). Nach einjähriger Bekleidung vermittelten sie lebenslange Zugehörigkeit zum munizipalen *ordo Augustalium*. Der Zugang zum Ritterstand (→ *equites Romani*) stand F. prinzipiell zwar offen, war aber gesellschaftlich kaum akzeptiert und aufgrund häufig abusiver Anmaßung ritterlicher Standesattribute (Ritterring) durch F. stets beargwöhnt (Plin. nat. 33,33; Suet. Claud. 25,1). Das Streben nach Zugehörigkeit zum *ordo equester*, die ein Mindestvermögen von 400000 Sesterzen voraussetzte, illustriert den wirtschaftlichen Aufstieg nicht weniger F., die zum Teil beträchtliche Vermögen besaßen und in dieser Hinsicht viele freigeborene Römer übertrafen (Plin. nat. 33,134f.); zahlreiche inschr. überl. Stiftungen sind hierfür ein weiterer Beleg [7. Nr. 343ff.]. Wie sich aus gesetzlichen Regelungen zum Unterhalt bedürftiger F. durch ihre Patrone (Mod. Dig. 38,2,33; vgl. ILS 2927) ergibt, waren aber viele F. materiell schlecht gestellt.

D. Soziale Stellung

Generell erscheinen röm. F. in keiner Hinsicht als homogene Gruppe, wobei sich fundamentale Unterschiede primär aus der Stellung gegenüber den Freilassern ergeben: als solche konnten nach röm. Recht einzelne oder mehrere Privatpersonen, Körperschaften öffentlichen Rechts (Städte, Provinzen, *collegia*) und nicht zuletzt der *princeps* fungieren. Das Sozialprestige des F. richtete sich nach seinem Patron, und so rangierten kaiserliche F. (*Augusti liberti*) vor solchen von Senatoren und der Stadt Rom an erster Stelle. Ihre Bed. nahm mit dem Anwachsen der Kompetenzen des *princeps* im öffentlichen Bereich zu. Innerhalb hierarchisch strukturierter Stäbe bekleideten kaiserliche F. verantwortungsvolle Funktionen, bis hin zur Leitung ganzer Ressorts im engeren Zirkel um den Kaiser, wie dies für → Pallas oder → Narcissus als enge Vertraute des Claudius belegt ist. Seit flavischer Zeit wurden F. als Koordinatoren der zentralen Administration allmählich von *equites* abgelöst. Sie bildeten aber gemeinsam mit kaiserlichen Sklaven weiterhin das Personal der einzelnen Büros, das sich insgesamt auf mehrere hundert Personen belief. Anderen kaiserlichen F. waren in It. und den Prov., namentlich bei der Verwaltung kaiserlicher Vermögenswerte, wichtige Funktionen anvertraut. Strukturell läßt sich dies mit der Übernahme einer Funktion als *procurator* oder Agent eines privaten Patrons durch einen seiner F. vergleichen.

Ungleich zahlreicher (und weit schlechter bezeugt) sind F., die unteren oder allenfalls mittleren Ges.-Schichten angehörten und meist im Dienst ihrer Patrone, aber auch selbständig, in Handwerk, Handel und als Dienstleistende (etwa Ärzte) tätig waren. Weibliche F. erscheinen nicht selten als Ehefrauen ihrer Patrone, zumal bei Veteranen.

F. waren eine als Parvenus belächelte (vgl. bes. Petron. 28–78), aber durchaus akzeptierte Gruppe. So wurde im Senat 56 n. Chr. eine erneute Versklavung undankbarer F. zurückgewiesen, wobei ihre Bed. für die röm. Ges. betont wurde (Tac. ann. 13,27; vgl. noch Diocletianus und Maximianus: Cod. Iust. 7,1,2, aus dem J. 293). Gesetzliche Möglichkeiten hierfür hat erst Constantinus I. geschaffen (Cod. Theod. 4,10,1, von 313 n. Chr.?).

1 G. Boulvert, Esclaves et affranchis impériaux sous le Haut-Empire romain, 1970 2 B. Boyce, The language of the freedmen in Petronius' Cena Trimalchionis, 1991 3 K. Bradley, Slavery and society at Rome, 1994 4 A. Demandt, Die Spätant., 1989, 288ff. 5 A. M. Duff, Freedmen in the early Roman Empire, ²1958 6 R. Duthoy, La fonction sociale de l'augustalité, in: Epigraphica 36, 1974, 134–154 7 W. Eck, J. Heinrichs, Sklaven und F. in der Ges. der röm. Kaiserzeit, 1993 8 Hirschfeld 9 Kaser, RPR 1, 293ff. 10 C. Masi Doria, Bona libertorum, 1996 11 Mommsen, Staatsrecht 3, 420ff. 12 H. Pavis d'Esurac, Les effects juridiques de l'affranchissement sous le Haut-Empire, in: Ktema 6, 1981, 181–192 13 S. Treggiari, Roman Freedmen during the late Republic, 1969 14 P. Veyne, Vie de Trimalcion, in: Annales ESC, 16, 1961, 213–247 15 Vittinghoff, 187ff. 16 W. Waldstein, Operae libertorum, 1986 17 R. P. C. Weaver, Familia Caesaris, 1972 18 P. Zanker, Grabreliefs röm. F., in: JDAI 90, 1975, 267–315.   JO. H.

Freiheit   I. Politisch   II. Philosophisch

I. Politisch
A. Griechenland   B. Rom

A. Griechenland

Die Unterscheidung zwischen »frei« und »unfrei« im Sinne der Befreiung von Abgaben oder Leistungen findet sich bereits im Alten Orient. Einem Konzept polit. F. auf der Basis einer polit. berechtigten Bürgerschaft steht jedoch ein autokratisches und göttlich legitimiertes Königtum entgegen sowie ein abgestuftes Statussystem, das die Gesellschaft in Gruppen unterschiedlicher Abhängigkeit ›zwischen F. und Sklaverei‹ (Pollux) gliedert.

F. (griech. *eleuthería*, ἐλευθερία, röm. *libertas*) im polit. Sinn stellt auch in Griechenland eine späte Erscheinung dar. Die Adjektive *eleútheros* und *liber* gehen wohl auf idg. **leudh-* zurück (vermutlich: »wachsen«) und sind früh belegt (in myk. Zeit [Linear B], bei Homer, z. B. Il. 6,455. 463, und im röm. XII-Tafel-Recht). Polit. Bedeutung erhält F. jedoch erst im 6. und frühen 5. Jh. v. Chr. in der Konfrontation der Griechen mit den expandierenden östlichen Reichen der Lyder und Perser, die den Wert der F. bewußt machte. Das etwa gleichzeitige Aufkommen der Kaufsklaverei verstärkte wohl noch das Bewußtsein der Scheidung in Freie und Unfreie.

Begünstigt wurde ein Konzept polit. F. durch die spezielle Situation nach dem Zusammenbruch der myk. Palastzivilisation. In den folgenden → Dunklen Jahrhunderten (12.–9. Jh.) bildete sich in einem dünn besiedelten Griechenland trotz sozialer Differenzierung keine zentrale Herrschaft aus. Die Macht blieb breit gelagert, frühe Formen der Gleichheit blieben bestehen und hielten sich auch in der seit dem 8. Jh. anfänglich von Aristokraten getragenen Ausbildung der → Polis. Obschon ein polit. Konzept der Knechtschaft oder Versklavung als Folge von Tyrannis bereits bei Solon bezeugt ist, finden sich erste Anzeichen von F. als polit. Begriff und das Wort *eleuthería* nicht vor den Perserkriegen von 480/479 v. Chr. Bezogen auf F. von äußerer Herrschaft erscheint F. auch im ersten Att.-Delischen Seebund, als Athen die freien Bündner zu Untertanen machte und ihnen nur Selbstverwaltung (→ *autonomía*) beließ.

Daneben entstand speziell in Athen mit der Entwicklung zur Demokratie ein nach innen gerichteter F.-Begriff, der anfangs die F. von einer Tyrannis anzeigte, sich dann mit der (wohl noch aristokratisch gedachten) Idee der Gleichheit (*isonomía*, ἰσονομία) verband und schließlich auf alle Bürger ausgedehnt wurde. Damit wurde *isonomía* zum Synonym für → *dēmokratía* (Hdt. 3,80,6). In der Auseinandersetzung mit oligarchischen

Ordnungskonzepten beanspruchten die Demokraten die *eleuthería* als F. der Bürger für sich mit der Folge, daß der → *dêmos* nur frei sein konnte, wenn er sich selbst regierte (Ps.-Xen. Ath. pol. 1,6,9). Dazu trat neben die »Gleichheit der Rede« (*isēgoría*, ἰσηγορία) nun die »F. der Rede« (*parrhēsía*, παρρησία). Der oligarchische F.-Begriff akzeptierte als »freie Bürger« nur Vermögende, die sich der eines Freien würdigen Erziehung (*eleuthérios paideía*, ἐλευθέριος παιδεία) und Beschäftigung (*eleuthérioi téchnai*, ἐλευθέριοι τέχναι) zuwenden und sich den polit. Geschäften widmen konnten. Mit der Abgrenzung von *eleuthérios* von *eleútheros* trat das Prinzip der proportionalen Gleichheit neben das der numerischen als Bedingung der F., eine Trennung, die in der staatsphilos. Diskussion des 4. Jh. eine bedeutende Rolle spielen sollte (s. etwa Aristot. eth. Nic. 4,1).

Der nach außen gerichtete Begriff der F. verkümmerte schnell zum polit. Slogan: Im Peloponnesischen Krieg (431–404) propagierte Sparta die F. der Griechen von athenischer Tyrannei, trat aber nach dem Krieg selbst als Herrscher auf (→ Harmostai). Im 4. Jh. wurde F. von Athen, Sparta und Theben in gleicher Weise genutzt, um Bündner im Kampf gegen die jeweils herrschende Hegemonialmacht zu finden. Der Aufruf des → Isokrates zum »Kreuzzug« gegen Persien zur Befreiung der Griechen, der soziale Spannungen in Griechenland mindern und die ständigen Kriege beenden sollte, wurde von → Alexandros [4] aufgenommen, aber erst nachdem er im Bunde mit seinem Vater Philippos die F. Griechenlands bei → Chaironeia 338 v. Chr. beseitigt hatte. In hell. Zeit wurde die Erklärung der F. der Griechen zum Schlagwort der um polit. oder materielle Unterstützung bemühten Monarchen. Doch profitierten die griech. Städte von der Konkurrenz der Machthaber, die sich als Beschützer der griech. Kultur und F. zeigen mußten und den Städten ein hohes Maß von innerer Selbständigkeit beließen (→ Euergetismus). In dieser Tradition steht auch die F.-Erklärung der Griechen 196 v. Chr. durch den Römer L. → Quinctius Flamininus nach dem Sieg über die Makedonen.

B. ROM

Die Entwicklung des polit. F.-Begriffes in Rom ist weniger deutlich zu bestimmen. Er mag sich im Zusammenhang mit der Vertreibung der als fremd empfundenen etr. Könige am Ende des 6. Jh. v. Chr. oder im → »Ständekampf« als Folge des Streits um die Abschaffung der Schuldsklaverei entwickelt haben.

Am Ende der Republik tritt uns ein von der polit. Elite entwickeltes aristokratisches Konzept polit. F. entgegen, das die Gleichheit der Führungsschicht betont und sich gegen die Königsherrschaft (*affectatio regni*) und die Macht von Personen oder Gruppen (→ *factio*) richtet. Die F. des röm. Volkes (*libertas populi*) zielt dagegen nicht auf polit. Beteiligung aller Bürger, sondern auf Gleichheit vor dem Gesetz und den Schutz vor magistratischer Willkür. Sie ist verkörpert im Recht der Volkstribunen zur → *provocatio* und ihrer Pflicht zur Hilfeleistung (*auxilium*; Liv. 3,54,6). Diese beschränkte po-

lit. Bedeutung der F. erleichtert es den Römern im Gegensatz zu den Griechen, freigelassenen Sklaven sofort das → Bürgerrecht zu erteilen. Zum polit. Schlagwort wurde *libertas* in der späten Republik, als die Popularen vorgaben, die von Optimaten und Cliquen (*factiones paucorum*) bedrohte F. zu schützen.

Bei den Kaisern blieb *libertas* ein beliebter, auch auf Mz. propagierter Slogan, obwohl die Autokratisierung des Prinzipats die F. allmählich auf persönliche Sicherheit und Rechtsschutz reduzierte. Mit der Berufung der Kaiser auf göttlichen Schutz seit dem 3. Jh. n. Chr. (→ Aurelianus [3]) und verstärkt im christl., sakral erhöhten Kaisertum byz. Prägung löste sich der polit. Inhalt der F. wieder auf.

→ Freigelassene; Freilassung; Sklaverei

J. BLEICKEN, Staatliche Ordnung und F. in der röm. Republik, 1972 · M. J. FINLEY, Economy and Society in Ancient Greece, 1982, Kap. 7–9 · R. KLEIN (Hrsg.), Prinzipat und F., 1969 · M. POHLENZ, Griech. F., 1955 · K. RAAFLAUB, F. in Athen und Rom, in: HZ 238, 1984, 529–567 · Ders., Die Entdeckung der F., 1985 · D. C. A. SHOTTER, Principatus ac Libertas, in: AncSoc 9, 1978, 235–253 · C. WIRSZUBSKI, Libertas als polit. Idee im Rom der späten Republik und des frühen Principats, 1967.

K. RA.

II. PHILOSOPHISCH

F. (*eleuthería*) ist als polit. Begriff der Abhängigkeit von anderen entgegengesetzt: der Kontrast besteht zw. Fremdbestimmung (Heteronomie) und Selbstbestimmung (Autonomie). Die Philos. übernimmt diesen F.-begriff. In der → Ethik wird dabei die äußere (rechtliche oder physische) F. von Tyrannei und Sklaverei durch innere, psychologische F. ersetzt: Um frei zu sein, darf ich nicht Sklave meiner Leidenschaften sein oder unter der Tyrannei meines Begehrens für äußere, materielle Güter stehen. Dies ist die F. von bestimmten Einflußfaktoren in der Seele, welche als Voraussetzung für ein gutes und glückliches Leben betrachtet wird. Wieder ist Heteronomie, diesmal die Bestimmung durch Begierden (welche als getrennt von der Person angesehen werden), kontrastiert mit der Kontrolle der Handelnden über sich selbst (z. B. der Sokratiker Antisthenes [1] und die → Kynische Schule). Dieser Begriff von F. in Politik und Ethik enthält niemals das Verständnis von F. in der Art, daß man zw. alternativen Handlungsmöglichkeiten entscheiden oder etwa anders handeln könne, und er setzt niemals kausale Indeterminiertheit voraus. Der stoische F.-Begriff hat seinen Ursprung in dem metaphorischen ethischen Gebrauch von »frei«. Er ist der Begriff der psychologischen F. im Extrem, insofern er die völlige Unabhängigkeit der Person von allen Emotionen und von allen falschen Begierden verlangt. Nur die Weisen sind im Besitz dieser F. (Diog. Laert. 7,32–33). Die Metapher aus der Politik wird auch im Zusammenhang mit der Schicksalslehre gebraucht: So nennt z. B. Epikur das Schicksal eine Despotin, die versklavt, und behauptet, daß das, was unseretwegen (παρ' ἡμᾶς) geschieht, unter keinem Despoten steht (Diog. Laert.

10,133–134). Der Begriff dessen, was »bei uns« (ἐφ' ἡμῖν, in nobis) liegt, bezeichnet in hell. Zeit das, was Menschen (als Vernunftwesen) selbst verursachen und wofür sie selbst verantwortlich sind (Cic. fat. 41–43; Gell. 7,2). Er setzt die F. von Zwang und äußeren Einflüssen voraus.

In der röm. Philos. gründet Lukrez, Epikur folgend, die Handlungs-F. auf ein Wollen, das frei ist von innerem Zwang (2,251–293). Cicero verteidigt, z.T. in Anlehnung an Karneades, die F. des Menschen von der Schicksalsnotwendigkeit (fat. 23–28; 39–46), während Seneca, im Einklang mit der zeitgenössischen stoischen Lehre, F. (libertas) mit Schicksalsergebenheit gleichsetzt (De vita beata 15,6–7).

Im 1.–3. Jh. n. Chr. wird hieraus, aufbauend auf Elementen der aristotelischen Ethik und Logik, der stoischen Psychologie und vielleicht auf christl. und mittelplatonischen Einflüssen, ein Begriff der Wahlfreiheit entwickelt, der erfordert, daß die Person im Handeln nicht kausal vorherbestimmt ist (Alex. Aphr. De fato 6; 15; 29; Alex. Aphr. Mantissa 174,17–24, vgl. [3]).

1 D. NESTLE, Eleutheria, 1967 2 S. BOBZIEN, Determinism and Freedom in Stoic Philosophy, 1998 3 Dies., The Inadvertent Conception and Late Birth of the Free-Will Problem, in: Phronesis 43, 1998. S.BO.

Freilassung A. FRÜHE RECHTE B. GRIECHENLAND C. ROM

A. FRÜHE RECHTE

Nicht für alle ant. Rechte ist die F. von Sklaven überliefert. So fehlen in den mesopotam. Gesetzen von Eschnunna und Hammurapi jegliche Regelungen [1. 161]. Auch von F. im hethit. Recht ist nichts bekannt. Für Ägypten hingegen wird die Existenz von F. angenommen, wobei freilich die Einordnung der nicht (voll) freien »Hörigen« als Sklaven überhaupt umstritten ist [2. 147]. Hiernach liegt es nahe, daß auch die Rechtsordnungen Griechenlands und Roms nicht von Anfang an die F. gekannt haben.

B. GRIECHENLAND

In Griechenland gab es spätestens seit dem 5. Jh. v. Chr. mehrere Formen der F. Als älteste Möglichkeit, die dem Sklavenhalter zur Betätigung seines Willens zur F. offenstand, wird meistens die Hierodulie (→ hieródulos) angesehen (so noch [3. 93 f.]). Durch sie wurde der Sklave einer Gottheit geweiht. Es ist jedoch fraglich, ob dieser Sakralakt überhaupt freiheitsbegründende Wirkung hatte. Hiergegen spricht, daß der bisherige Sklave nicht Eigentümer »seiner selbst«, sondern der Gottheit wurde. Wahrscheinlich diente der Weiheakt daher nicht der F. selbst, sondern sekundären Zwecken: der Publizität der F. und der Sicherung der Gegenleistung in Gestalt der vom Freigelassenen zu erbringenden Dienste (→ paramoné). Dementsprechend könnte die formlose, nicht-sakrale F. die urspr. Art der F. in Griechenland gewesen sein. Dafür spricht auch die zeitliche Reihenfolge der datierbaren überlieferten Urkunden [4. 108–153].

Außer der sakralen Weihe kamen im griech. Recht andere Formen der F. vor, die wohl ebenfalls der Publizität dienten, also den Status des Freigelassenen in der Öffentlichkeit und gegenüber jedermann dokumentieren sollten. Hierher dürfte ein fiktiver Status-Prozeß gehören, in dem der Sklavenhalter den Freigelassenen wegen dessen Freiheit verklagte (δίκη ἀποστασίου, díkē apostasíu) und – wie von vornherein geplant – unterlag. Für andere F. war die Einhaltung der Form hingegen notwendige Voraussetzung der Wirksamkeit, so die F. ἐν ἐννόμῳ ἐκκλησίᾳ (durch Beschluß der Volksversammlung auf Antrag des Freilassers). Die Funktion öffentlicher Kundbarmachung steht hingegen bei der F. διὰ κήρυκος (durch Herold) im Vordergrund. Aus hell. Zeit sind zahlreiche Urkunden überliefert, in denen die F. testamentarisch verfügt oder vor einem Notar unter feierlicher Anrufung der Götter erklärt wird [5. 96f.].

Bes. verbreitet war die F. als Loskauf. Den Preis konnte der Sklave vielfach aus den Ersparnissen bezahlen, die er auch während seiner Unfreiheit ansammeln durfte, oder er nahm dafür einen Kredit auf, den er mit seinen Arbeitsleistungen ablöste. Während der Zeit zur Erfüllung dieser Paramone-Verpflichtung ist der bisherige Sklave erst halbfrei: Durch die Nichterfüllung fällt der Freigelassene in die Sklaverei zurück, oder er erreicht gar nicht erst den Erfolg der F. [4. 189–200]. Im übrigen bleibt die Rechtsstellung des Freigelassenen gemindert: Das Bürgerrecht erwirbt er nicht, sondern nur eine den ortsansässigen Fremden (→ métoikoi) vergleichbare Position.

C. ROM

Kaum weniger vielgestaltig als in Griechenland ist die F. (manumissio) im röm. Recht. Schon nach dem alten, nur für röm. Bürger geltenden Recht (ius civile) gab es drei Formen der F.: Bereits früh hat sich offensichtlich die testamentarische F. (manumissio testamento) entwickelt. Sie führte entweder unmittelbar beim Tode des Erblassers zur Freiheit oder konnte auch davon abhängen, daß der Sklave dem oder den Erben einen Preis bezahlte: Ein solcher statuliber ist schon in den Zwölf Tafeln (ca. 450 v. Chr., → tabulae duodecim) vorgesehen. Zu Lebzeiten des Sklavenhalters war – äußerlich ähnlich wie im griech. Recht – ein fiktiver Freiheitsprozeß möglich, bei dem ein Treuhänder als Sachwalter des Sklaven mit der Freiheitsbehauptung auftrat (→ adsertor libertatis) sowie den Stab an ihn anlegte (daher manumissio vindicta). Der beklagte bisherige Eigentümer schwieg dazu. Schließlich konnte bei der Bürgerschätzung (→ census) der bisherige Sklave mit Einwilligung seines Herrn in die Bürgerliste eingetragen werden (manumissio censu). Aber nicht nur bei Einhaltung dieser Form, sondern auch bei den anderen erwähnten Gestaltungen der F. wurde der Freigelassene röm. Bürger. Von den polit. Befugnissen war er dennoch weitgehend ausgeschlossen.

Diese Formen der F. wurden im Laufe der Zeit erleichtert und ergänzt: Anstelle der förmlichen manumissio vindicta genügte die mehr oder weniger formlose Er-

klärung des Sachwalters gegenüber dem Magistrat. Die
testamentarische F. konnte auch als Fideikommiß ausgestaltet werden (→ *fideicommissum*), so daß der Erbe
oder ein anderer Bedachter nur verpflichtet war, seinerseits die F. vorzunehmen. Hierdurch erwarb dieser die
Rechtsstellung des Patrons, konnte also z. B. die Dienstleistungen des Freigelassenen (→ *operae libertorum*) beanspruchen. Eine den alten Formen gleichwertige F. war
in christl. Zeit die F. vor Priester und Gemeinde (*manumissio in ecclesia*).

Aber auch die F. ohne Einhaltung der Formen des *ius
civile* wurden im Laufe der Zeit anerkannt: Erklärte der
Herr die F. unter Zeugen (*inter amicos*) oder in einem
Freiheitsbrief (*per epistulam*), schützte der Praetor den
Freigelassenen vor dem Freiheitsprozeß (→ *vindicatio in
libertatem*) seines Herrn oder dessen Erben. In solchen
Fällen »prätorischer F.« wurden die Freigelassenen frei-
lich nicht röm. Bürger, sondern erhielten das latinische
Recht.

Unter Augustus ergingen Gesetze zur Beschränkung
der F.: Nach der *lex Fufia Caninia* (2 v. Chr.) durfte testamentarisch nur ein bestimmter, gestaffelter Anteil der
Sklaven freigelassen werden, z. B. von 30 Sklaven nur
10. Nach der *lex Aelia Sentia* (4 n. Chr.) waren z. B. F.
zum Zweck der Benachteiligung von Gläubigern nichtig. Dasselbe galt regelmäßig für F., die der Herr im
Alter unter 20 vornahm. War der Freizulassende nicht
mindestens 30 Jahre alt, erwarb er nur das latinische
Recht.

Mit der F. wurde der bisherige Sklavenhalter zum
→ *patronus*. Neben den wohl regelmäßig versprochenen
Diensten standen ihm nach objektivem Recht vor allem
folgende Befugnisse zu: Hinterließ der Freigelassene
kein Testament, wurde der Patron im allg. sein Erbe. Für
weibliche Freigelassene und die Kinder des Freigelassenen war er Vormund. Bis in die Kaiserzeit hinein blieb
sogar das Recht des Herrn über Leben und Tod des
Sklaven (*ius vitae necisque*) nach der F. als Patronatsrecht
erhalten.

1 R. YARON, The Laws of Eshnunna, ²1988 2 W. HELCK,
Wirtschaftsgesch. des alten Ägypten im 3. und 2. Jt. v. Chr.,
1975 3 A. BISCARDI, Diritto greco antico, 1982 4 K. D.
ALBRECHT, Rechtsprobleme in den F. der Böotier, Phoker,
Dorier, Ost- und Westlokrer, 1978 5 R. TAUBENSCHLAG,
The Law of Greco-Roman Egypt in the Light of the Papyri
332 B. C. – 640 A. D., ²1955.

A. CALDERINI, La manomissione e la condizione dei liberti
in Grecia, 1908 · F. BÖMER, Unt. über die Rel. der Sklaven
in Griechenland und Rom, Teil 2: Die sog. sakrale F. in
Griechenland …, in: Abh. der Akad. Wiss. und Lit. Mainz,
Geistes- und Sozialwiss. Klasse, 1960, Nr. 1 · H. RÄDLE,
Unt. zum griech. Freilassungswesen, Diss. 1969 ·
A. KRÄNZLEIN, Bemerkungen zu den griech.
Freilassungsinschriften, in: Symposion 1979, 273–247 ·
KASER, RPR I, 115–119; 293–301; II, 132–142 ·
HONSELL/MAYER-MALY/SELB, 70–74 · W. WALDSTEIN,
Operae libertorum, 1986 · A. ANKUM, Die manumissio
fideicommissaria der Arescusa, des Stichus und des
Pamphilus, in: Ars Boni et Aequi, FS W. Waldstein, 1993,

1–18 · C. MASI DORIA, Zum Bürgerrecht der
Freigelassenen, in: ebd., 231–260 · J. G. WOLF, Die
manumissio vindicta und der Freiheitsprozeß. Ein
Rekonstruktionsversuch, in: Libertas. Symposion aus Anlaß
des 80. Geburtstags von F. Wieacker, 1991, 61–96 ·
T. GIMÉNEZ-CANDELA, Bemerkungen über F. in consilio,
in: ZRG 116, 1996, 64–87.   G. S.

Freizeitgestaltung   A. FREIZEITBEGRIFF

B. UNTERSCHIEDE IN DER FREIZEITGESTALTUNG
C. FREIZEIT ALLEIN UND IN GESELLSCHAFT
D. BESUCH VON VERANSTALTUNGEN
E. BESUCH VON EINRICHTUNGEN
F. SPAZIERGÄNGE, AUSFLÜGE, REISEN
G. FREIZEITAKTIVITÄTEN DER OBERSCHICHT

A. FREIZEITBEGRIFF

σχολή (*scholé*; lat. *schola, scola*) und *otium* kennzeichnen den Zustand des Freiseins von Arbeit und beruflich-
gesellschaftlichen Verpflichtungen. Die Etymologie der
Begriffe ist unklar. Grundsätzlich sind es wertneutrale
Termini ohne negative Konnotation im Sinne von
»Faulheit« oder »Müßiggang«. Die traditionelle Übers.
»Muße« nimmt einseitig die lebhafte philos.-ethische
Diskussion der Ant. über die sinnvolle inhaltliche Füllung von *scholé* bzw. *otium* auf. Nach Aristoteles verbindet sich die Arbeit mit Unlustgefühlen, die *scholé* dagegen mit Lust, die die Individuen unterschiedlich
definieren. Dabei ist je nach sozialem Status zu differenzieren: Dem Volk dienen Massenvergnügungen als angemessener Zeitvertreib; für die gebildete Oberschicht
verknüpft sich mit *scholé* die Verpflichtung, die eigene
Persönlichkeit durch Beschäftigung mit Wiss. und Künsten weiterzuentwickeln (Aristot. pol. 8,7,1342a 16–29).
Sklaven verfügen Aristoteles zufolge über keine *scholé*
(pol. 7,15,1334a 20f.).

Der traditionelle *otium*-Begriff der röm. Elite orientiert sich an der Auffassung von der Pflicht gegenüber
der Gemeinschaft. Für den Staatsmann gibt es im Grunde keine Freizeit (Cic. Planc. 66; off. 3,1), sondern außerhalb des *negotium* nur andere Formen öffentlicher
Dienstleistungen wie das Nachdenken und Diskutieren
über Staat und Politik (Cic. rep. 1,33) oder die Geschichtsschreibung (Sall. Catil. 4). In der Kaiserzeit tritt
das stoisch geprägte philos. *otium* als Konkretion sinn-
voller F. für die Oberschicht stärker in den Vordergrund. Der Mensch hat Seneca zufolge auch in seinen
Mußestunden den Menschen zu dienen (Sen. dial.
8,3,5); daraus folgt die »Verpflichtung« zum intellektuellen *otium litteratum* in Abgrenzung zum »vulgären«, un-
produktiven Vergnügen (Plin. epist. 9,6).

Diese theoretisch-idealistischen Freizeitkonzepte
sind aus alltagsgesch. Perspektive zu relativieren. Auch
unter den gesellschaftlichen Eliten beschreiben sie nur
für eine Minderheit deren tatsächliche F. Natürlich
prägte der soziale Status den Aufwand und die zeitliche
und materielle Intensität der F., doch gab es im ganzen
eine nicht schichtenspezifische, allg. Freizeitkultur, von
der selbst (Stadt-)Sklaven grundsätzlich nicht ausge-

schlossen waren (Colum. 1,8,2 in Verbindung mit Cic. Arch. 13).

B. Unterschiede in der Freizeitgestaltung

Deutliche Unterschiede bestanden im Freizeitangebot zw. dem Land und der Stadt. Den attraktiven Zerstreuungen des *otium urbanum* standen auf dem Lande das schlichte Ausspannen von der harten Landarbeit, gelegentliche Feste oder, bezogen auf die Oberschicht, ein z. T. beschauliches Leben in gediegenem Ambiente (Kritik daran bei Sen. epist. 55,3–5) entgegen. Der idealisierende Preis der einfachen ländlichen Muße-Freuden (Aristoph. Pax 535–538; Verg. georg. 2,523–531) darf nicht über die außerordentliche Anziehungskraft der städtischen Freizeitangebote auch auf die Landbevölkerung hinwegtäuschen. Manche Polemik gegen die »korrumpierende« Wirkung des *otium urbanum* und die mit ihm verbundene »Untätigkeit« (Colum. 12 pr. 9 f.) unterstreicht gerade seine Attraktivität (Hor. epist. 1,14,15–26; Calp. ecl. 7,4–6; 23–72). Als städtische Bauwerke von ›allgemeinem Nutzen‹ nennt Vitruv bezeichnenderweise vor allem Freizeitstätten wie ›Marktplätze, Badeanlagen, Theater und Wandelhallen‹ (Vitr. 1,3,1).

Der zeitliche Umfang von Freizeitaktivitäten hing im ganzen vom sozialen Status ab. Ihre materielle Unabhängigkeit sicherte der Oberschicht grundsätzlich erheblich größere Freiräume bei der F. zu (Theokr. 15,24–26), die indes individuell sehr unterschiedlich genutzt wurden. Klagen über den »Müßiggang« wohlhabender junger Männer finden sich in der att. Komödie (Aristoph. Equ. 1373–1383) ebenso wie Kopfschütteln über den »Freizeitstreß« gelangweilter Müßiggänger aus philos. Sicht (Sen. dial. 10,16,3–5; Hor. epist. 1,11,28: *strenua inertia*). Gleichwohl greift eine Verallgemeinerung wie im Schlagwort von der »leisure class« angesichts vielfältiger wirtschaftlicher, polit. und gesellschaftlicher Aktivitäten zu kurz.

Angesichts der hoch anmutenden Zahl der Festtage in ant. Staaten (Athen im 5./4. Jh. v. Chr.: ca. 80; im republikanischen Rom: ca. 109; in der Kaiserzeit an die 200) ist zu berücksichtigen, daß es kein arbeitsfreies Wochenende gab (Unverständnis gegenüber der jüd. Sabbatruhe: Tac. hist. 5,4,2; Seneca bei Aug. civ. 6,11) und die Arbeit an Festtagen keineswegs durchgängig ruhte (am wenigsten auf dem Lande: Verg. georg. 1,268–272). Sicher verfügte das Gros der Sklaven über die geringste Freizeit; aber auch freie Kleinbauern, Lohnarbeiter und Gewerbetreibende waren bei ihrer F. zeitlich eingeschränkt (vgl. Dig. 38,1,50). Die Gleichsetzung von ca. 200000 Getreideempfänger im kaiserzeitlichen Rom mit vom Staat alimentierten »Müßiggängern« ist eine durch das griffige *panem-et-circenses*-Schlagwort (vgl. Iuv. 10,81) genährte histor. Legende.

C. Freizeit allein und in Gesellschaft

Das Lesen von Büchern als F. ist seit dem frühen 5. Jh. v. Chr. bezeugt (Vasenabb.; Aristoph. Ran. 52 f.). Man las allein oder in Gesellschaft; auch Frauen sind als Lesende auf att. Vasen dargestellt. Einzelne besaßen recht ansehnliche Büchersammlungen (Xen. mem. 4,2,8; Athen. 1,3a; Privatbibliothek des Aristoteles: Strab. 13,1,54; → Bibliotheken II. Betrieb). Seit dem Ende der Republik gehörte eine Privatbibliothek in den Häusern der röm. Oberschicht zum Standard (Vitr. 1,2,7; Plut. Lucullus 42); Seneca bezeichnet sie als *domus ornamentum* (Sen. dial. 9,9,7); Neureiche mißbrauchten sie als Statussymbol (Petron. 48,4). Für ein anspruchsvolles *otium litteratum* (Gell. 16,10) konnte neben die Lektüre (Plin. epist. 1,9,6) auch eigene schriftstellerische Produktion treten (seine Gelegenheitspoesie bezeichnet Plinius als *lusus*; Plin. epist. 4,14,1). Übersetzungen gehörten genauso dazu (Plin. epist. 7,9,2) wie Tragödien (Cic. ad Q. fr. 3,5,7) und laszive Verse (eine Liste bekannter Autoren bei Plin. epist. 5,3,2–6). Berüchtigt waren Gastgeber, die ihre Tafelgesellschaft mit fragwürdigen Elaboraten ihres eigenen *otium litteratum* plagten (Mart. 3,45; 50). Metr. gebundene Graffiti vor allem zum Thema »Liebe« (CIL 4,1898; 4091; 4971) lassen erkennen, daß schöngeistiger Zeitvertreib nicht völlig auf Angehörige der Oberschicht beschränkt war. Insgesamt sollte die Bed. des *otium litteratum* gegenüber anderen Formen der F. nicht überschätzt werden (vgl. Cic. Arch. 13).

Tanzen, Singen und Musizieren waren Hobbies, die man zumeist im Rahmen geselliger Runden pflegte. Gesellschaftsspiele (→ Spiele) waren populär. Schon die homer. Helden erfreuen sich am Brettspiel (Hom. Od. 1,107; Amphora des Andokides-Malers aus dem 6. Jh.); Brett-, Würfel- und Knöchel-Spiele waren in der gesamten Ant. ein wichtiger Bestandteil der F. – in allen Schichten, in häuslicher Gesellschaft ebenso wie in Gastwirtschaften (CIL 4,3494) oder in der Öffentlichkeit (vgl. die in die Treppen der Basilica Iulia auf dem Forum Romanum geritzten Spielfelder). Manche Jugendliche (Herondas fr. 3 KNOX) waren ebenso Opfer der Spielleidenschaft wie Kaiser (Suet. Aug. 70 f.; Claud. 39); als eine für alte Leute bes. angemessene F. erscheint selbst dem alten Cato (bei Cic. Cato 58) das Würfelspiel.

Einen großen Raum nahm in der F. der wohlhabenden Schichten das → Gastmahl (δεῖπνον, *deípnon*/ συμπόσιον, *sympósion*; *convivium* mit anschließender → comissatio) ein. Als »höchste Wonne des Lebens« erscheint das gemeinsame Tafeln in den homer. Epen (Hom. Od. 9,5–11); neben seiner wichtigen sozialen Funktion bietet es den Teilnehmern Entspannung und genießerisches Wohlbehagen bei reichlichem Essen und Wein, Gesang und Musik, Rezitationen und Spielen. In klass. griech. Zeit wurden angeregte Gespräche beim Symposion durch Rätsel und Witzspiele (Aristoph. Vesp. 21–23; 1258–1261) oder Geschicklichkeitsübungen wie das → Kottabos-Spiel gewürzt. Zur leichteren Unterhaltungskost zählten die Auftritte von Akrobaten, Tänzerinnen und Flötenspielerinnen (→ Unterhaltungskünstler). Sie sorgten ebenso wie die Hetären, die als einzige Frauen an griech. Symposien teilnehmen durften, für eine z. T. heftige Erotisierung der Atmosphäre. Auch die etr. Oberschicht genoß prächtige Bankette mit ähnlichem Unterhaltungsprogramm; Etruskerinnen waren davon jedoch nicht ausgeschlossen (vgl. die Grabmalereien von Tarquinia). Das röm. *convivium* folgte weitgehend dem griech. Vorbild; in der Kaiserzeit wurde die Teilnahme von Frauen immer üblicher (Val. Max. 2,1,2). Die Idealvorstellung vom kultivierten Gastmahl mit anspruchsvollen Tischgesprächen auf z. T. philos. Niveau, wie die → Symposien-Literatur sie vermittelt (vor allem Athenaios; vergleichsweise realistisch Platons und Xenophons *Symposion*; Karikatur in den dümmlichen Dialogen während der *cena Trimalchionis*, vgl. Petron. 37–39), dürfte in der Realität eher selten erreicht worden sein.

D. Besuch von Veranstaltungen

Für alle Schichten der Bevölkerung war das Feiern von Festen (→ Festkultur) neben deren rel. und polit. Bed. ein zentraler Aspekt der F. Sie galten als von den Göttern geschaffene ›Erholungen von den Anstrengungen‹ des menschlichen Daseins (Plat. leg. 653d). Perikles definiert die damit verbundenen Wettkämpfe und Opfer als Spezifikum der Lebensqualität in der athenischen Demokratie (Thuk. 2,38; vgl. Plut. Perikles 12; Aristoph. Nub. 306–313). Theateraufführungen, Prozessionen, musikalische und sportliche Agone (→ Sportfest; → Wettbewerbe, künstlerische) zogen ebenso wie sakrale Festmähler, bei denen das Fleisch der Opfertiere unter dem Volk verteilt wurde, große Teile der Bevölkerung an. Die Palette reichte von ländlichen, lokal begrenzten Festen über solche von regionaler Bed. bis zu den großen panhellenischen Agonen, die Tausende von Zuschauern aus der gesamten griech. Welt anzogen. Diese Art der F. gewann in hell. Zeit durch den Anstieg der Zahl der Feste, die Professionalisierung des Unterhaltungswesens sowie die Vergrößerung der Sitzplatzkapazität in Sportstätten und Theatern noch größere Bed.

Als Ausdruck des *otium urbanum* erfreuten sich im röm. Bereich Theateraufführungen, Wagenrennen und Gladiatorenkämpfe (264 v. Chr. in Rom eingeführt) größter Beliebtheit. Die Verwurzelung der → Ludi im Kult (Tert. de spectaculis 5–13) band sie an die für viele arbeitsfreie Feiertage. Die schon in der späten Republik übliche polit. Beanspruchung dieser Massenunterhaltungen führte zu einem rasanten Anstieg ihrer Zahl, ihrer Dauer, dem damit verbundenen Aufwand und ihrer Attraktivität (Kritik am ›kaum erträglichen Wahnsinn‹ dieser Dynamik bei Liv. 7,2,13). In der Kaiserzeit waren sie fester Bestandteil des kaiserlichen → Euergetismus; das Schlagwort von der *panem-et-circenses*-Mentalität der (Stadt-)Römer (Iuv. 10,78–81; Fronto principia historiae 17) darf allerdings nicht zu dem falschen Schluß führen, das Gros der hauptstädtischen Bevölkerung sei keiner Erwerbstätigkeit nachgegangen. Der *histrionalis favor* und die *gladiatorum equorumque studia* (Tac. dial. 29,3) erfaßten alle Kreise der Bevölkerung. Zu den *ludi publici* waren auch Frauen (Ov. ars 1,89–134) und Unfreie zugelassen; zu den »freizeit-

orientierten« Sklaven zählt Columella u. a. die, die an ›Circus, Theater, Würfelspiel und Kneipen ... gewöhnt‹ seien (Colum. 1,8,2). Trotz einzelner regionaler Unterschiede (so war etwa die Agonistik im griech. Osten populärer als in It.) gehörte der Besuch der öffentlichen Spiele überall im Reich zum selbstverständlichen Standard der F.

Daneben eröffneten zahlreiche Feiertage ohne *ludi* der Gesamtbevölkerung oder einzelnen Gruppen Mußestunden, die man mit gemeinsamem Schmaus und Tanz (Picknick der einfachen Leute am Fest der Anna Perenna; Ov. fast. 3,523–542), ausgelassenen Feiern (ein Tag der Saturnalien auch als »Sklavenfest«; Athen. 14,639b) oder festlichen Umzügen etwa zu Ehren der jeweiligen Schutzgottheit einer Berufsvereinigung (Varro ling. 6,17; Cens. 12,2) beging.

E. Besuch von Einrichtungen

Sportliche Aktivitäten in → Gymnasion und → Palaistra waren in klass. Zeit eher Bestandteil der Jugenderziehung als Freizeitaktivität. Die angegliederten → Bäder lockten im 5. Jh. v. Chr. nur wenige als Orte der F. (vgl. allerdings schon Aristoph. Nub. 1044–1046). Mit ihrem höheren Komfort und ihrer steigenden Zahl entwickelten sich die Badehäuser in hell. Zeit zu beliebten Treffpunkten, wo man auch über den Sport hinaus soziale Kontakte pflegen konnte.

Ihren Höhepunkt erreichte die ant. Badekultur mit dem Bau großer → Thermen-Anlagen. Die eindrucksvollen »Badepaläste« der Hauptstadt Rom hatten ihre Entsprechung in kleineren, aber ebenfalls stark frequentierten Thermen in allen städtischen Zentren des Reiches (vgl. Plin. epist. 10,23 f.). Der Besuch der *balnea* war für alle Bevölkerungsschichten selbstverständlicher Ausdruck urbaner Lebensqualität (CIL 6,15258). Die Eintrittspreise waren sehr niedrig (Iuv. 6,447), die Ausstattung und vielfältigen Freizeiteinrichtungen – von Sportplätzen über gastronomische Angebote bis zu Bibliotheken – steigerten ihre Attraktivität. Der Vergleich zu modernen »Spaßbädern« liegt nahe. Man besuchte die – in Rom erst ab Mittag geöffneten (Vitr. 5,10,1) – → Thermen entweder vor der Hauptmahlzeit (Petron. 27 f.) oder nahm sich einige Stunden zum Ballspiel (Mart. 4,19; CIL 6,9797), zum Training und zur Körperpflege (Sen. epist. 56,1 f.), für Gespräche (Mart. 12,82), für Bildungsaktivitäten wie Lesen, für die Teilnahme an Vorträgen oder musikalischen Darbietungen (Mart. 3,44,12 f.; Athen. 1,1e) und natürlich für das Baden selbst Zeit. Manche Thermen waren in Frauen- und Männerbäder unterteilt, andere hatten nach Geschlechtern getrennte Badezeiten (CIL 2,5181,20). In den großen röm. Thermen war das »Gemeinschaftsbad« im 2. und 3. Jh. n. Chr. zeitweise verboten, doch spricht die mehrmalige Wiederholung des Verbots von *balnea mixta* für manche Übertretung. Reiche Leute verfügten vielfach über z. T. luxuriöse Privatbäder (Mart. 6,42; Stat. silv. 1,5,59), doch hielt sie das nicht generell vom Besuch der »freizeitintensiveren« öffentlichen Bäder ab.

Der Besuch von Gaststätten beschränkte sich in Griechenland vorwiegend auf Angehörige unterer sozialer Schichten; Wohlhabendere trafen sich in der Regel zu Symposien in Privathäusern. → Wirtshäuser und Weinausschänke genossen wegen ihres »schlechten« Publikums und ihres vielfach bordellhaften Betriebs keinen guten Ruf. Das hielt indes spätestens seit dem 4. Jh. v. Chr. junge Männer nicht davon ab, ihre Freizeit dort bei Wein, Würfelspiel und Flötenmädchen zu verbringen (Isokr. or. 7,48 f.; Athen. 13,567a). Röm. Gaststätten (*cauponae* und *tabernae*) waren nicht weniger schlecht beleumundet. Sie boten neben schlichten Speisen und Wein beliebte Live-Unterhaltung in Form von Tanz und Gesang in aufgeräumter Stimmung (Ps.-Verg. Copa 13–36). Man kam auch zum Würfelspiel (Mart. 5,84; CIL 4,3494i) und zu sexuellen Abenteuern dorthin; die Prostitution blühte im Milieu der Gaststätten (Colum. 1,8,2; Dig. 23,2,43,9). *Popino* (»Kneipengänger«) war zwar ein Schimpfwort (Hor. sat. 2,7,39; SHA Hadr. 16: *popina*), doch minderte das die Anziehungskraft der Wirtshäuser bes. auf einfache Leute (auch Sklaven, vgl. Hor. epist. 1,14,21–26) kaum. Auch Angehörige der Oberschicht begaben sich hin und wieder in dieses Milieu (Cic. Pis. 13,1–8; Iuv. 8,171–178), in Einzelfällen auch incognito (Suet. Nero 26,1).

F. Spaziergänge, Ausflüge, Reisen

Stadtbewohner genossen es, in ihrer Freizeit über den Marktplatz, in Parks (→ Gartenanlagen) und Säulenhallen (→ Stoa) zu schlendern, den Darbietungen von Gauklern, Artisten und anderen Straßenvergnügungen (in Athen z. B. → Hahnenkämpfen) zuzuschauen, sich unter freiem Himmel oder bei schlechtem Wetter in den Werkstätten und Ladenlokalen mit anderen »Müßiggängern« zu unterhalten (Lys. 24,20; im Winter gern beim Schmied, weil es dort warm war: Hes. erg. 493; Alki. 3,40). Ἀγοράζειν (»auf dem Markt herumschlendern«) umfaßt auch den Einkaufsbummel. Das anspruchsvollere Pendant dazu waren Spaziergänge, auf denen man philos. Gedanken nachhing; so etwa Sokrates, der häufig auf Plätzen und am Rande von Gymnasien mit seinen Schülern diskutierte (Plat. Phaidr. 229b; Lys. 206d-e). Das Flanieren in der Stadt erfreute sich auch in Rom zunehmender Beliebtheit, je mehr Säulenhallen seit dem 2. Jh. v. Chr. gebaut wurden (Plaut. Curc. 475 f.). *Ambulator/ ambulatrix* (»Herumtreiber(in)«) war zwar für den traditionsbewußten und wenig freizeitorientierten Cato ein Schimpfwort (gegenüber Sklaven: Cato agr. 5,2; 143,1), doch gewann dieses entspannende Sich-Ergehen in allen Bevölkerungsschichten mehr und mehr Anhänger (Hor. sat. 1,6,110–128; Mart. 5,20,9; Portiken als geeigneter Ort für Flirtkontakte: Ov. ars 1,67–74; 491–496; mit Sonnenbad: Mart. 3,20,12–14). Auslagen der Geschäfte lockten zum Einkaufsbummel (Mart. 9,59; 10,80); im Unterschied zu Griechenland (vgl. Cato agr. 143,1) erstreckte sich diese F. auch auf Frauen (Iuv. 6,153 ff.; vgl. Ov. ars 3,387–398; Catull. 55). Als Möglichkeit, ›die Seele aufzurichten‹, empfiehlt Seneca den Spaziergang in freier

Natur (Sen. dial. 9,17,8). Unter vornehmen Römern war die *ambulatio* als meditierendes – oder einfach nur erholsames – Promenieren in den Säulenhallen ihrer Landvillen beliebt (Plin. epist. 5,6,17f.; 2,17,14 f.), in die sie sich an freien Tagen gern zurückzogen.

Diese Villen waren z. T. stadtnahe Landsitze (*villae suburbanae*), z. T. wurden sie als exklusive »Ferienhäuser« in landschaftlich schönen Gegenden in den Bergen (Plin. epist. 8,17,3) oder am Meer angelegt. Kurzausflüge dorthin und längere Ferienaufenthalte waren in der Kaiserzeit fester Bestandteil der F. der Oberschicht. In mondänen Badeorten wie im kampanischen Baiae genoß man Strandleben, Bootsfahrten, ausgelassene Feiern und amouröse Abenteuer (Cic. Cael. 35; 49; Sen. epist. 51,4; Prop. 1,11,27–30). Einfache Leute konnten sich den Freuden sommerlichen Strandlebens (Cic. de orat. 2,22; Min. Fel. 3) nur hingeben, wenn sie in Küstennähe wohnten (Plin. epist. 9,33,2).

Längeres → Reisen war zeitaufwendig und beschwerlich; daher kam es als Selbstzweck der F. nicht in Frage. Wohl aber begann in hell. Zeit ein Bildungstourismus, der sich in der Kaiserzeit intensivierte: Griechenland, Troja und Äg. waren die wichtigsten Ziele begüterter röm. Reisender (Plut. mor. 976b; Strab. 17,1,29); die Hauptstadt selbst war ebenfalls ein florierendes Tourismus-Ziel für Besucher vom Lande und aus den Provinzen (Mart. 7,30; Suet. Iul. 39,4).

G. Freizeitaktivitäten der Oberschicht

Jagd und Fischfang spielten als F. eine untergeordnete Rolle und waren, soweit sie nicht dem Lebensunterhalt dienten, auf einen kleinen Kreis Wohlhabender und Mächtiger beschränkt (vgl. Plin. epist. 1,6). Auch das Sammeln wertvoller Gegenstände kam als Hobby nur bei wenigen in Frage. Den von Seneca (Sen. dial. 10,12,2) als *desidiosa occupatio* (»müßige Beschäftigung«) qualifizierten Erwerb kostbaren Geschirrs und seine penible Pflege leisteten sich ein paar bes. Reiche; unter ihnen möglicherweise einige, die mit ihrem üppigen Freizeitbudget nichts Sinnvolles anzufangen wußten (Sen. dial. 9,2,13).

J. M. André, Griech. Feste, röm. Spiele, 1994 · J. M. André, L'otium dans la vie morale et intellectuelle romaine, 1966 · J. H. D'Arms, Romans on the bay of Naples, 1970 · J. P. V. D. Balsdon, Life and leisure in ancient Rome, ²1974, 130–168 · S. Barthèlemy, D. Gourevitch, Les loisirs des Romains, 1975 · J. Burckhardt, Griech. Kulturgesch. Bd. 4, 1902, Ndr. 1977 · R. Flacelière, Griechenland. Leben und Kultur in klass. Zeit, ²1979 · Friedländer Bd. 1, 240–266, 391–461; Bd. 2, 1–162 · J. Heurgon, Die Etrusker, 1979 · T. Kleberg, Hôtels, restaurants et cabarets dans l'Antiquité romaine, 1957 · M. R. Lefkowitz, M. B. Fant, Women's life in Greece and Rome, ²1992, 163–205 · O. Murray (Hrsg.), Sympotica. A symposion on the symposion, 1990 · K. Nicolai, Feiertage und Werktage in röm. Leben, in: Saeculum 14, 1963, 194–219 · J.-N. Robert, Les plaisirs à Rome, 1983 · C. Schneider, Kulturgesch. des Hell., Bd. 1–2, 1967/1969 · W. E. Sweet, Sport and recreation in ancient Greece, 1987 · M. Weber, Ant. Badekultur, 1996 · K.-W.

WEEBER, Panem et circenses. Massenunterhaltung als Politik im ant. Rom, 1994 • Ders., Alltag im Alten Rom. Ein Lex., ³1997, 99–108, 242–253 • E.Ch. WELSKOPF, Probleme der Muße im Alten Hellas, 1962, 209–277.   K.-W. WEE.

Fremde s. Barbaren

Fremdenführer s. Reisen

Fremdenrecht   I. ALLGEMEIN
II. ÄGYPTEN UND MESOPOTAMIEN
III. GRIECHENLAND   IV. ROM   V. JUDENTUM

I. ALLGEMEIN

In den Staaten Vorderasiens, in Ägypten und den städt. ant. Gesellschaften des Mittelmeerraums steht der Fremde, der sich zeitweise oder auf Dauer in diese Gesellschaften begibt, prinzipiell außerhalb des Rechtsschutzes, in den nur die vollberechtigten Bürger des jeweiligen Staates und mittelbar auch deren Sklaven und Hörige einbezogen sind. Im allg. bleiben die Fremden jedoch nicht rechtlos, sondern werden einem bes. F. unterworfen, das sie je nach Zweck und Dauer des Aufenthalts (etwa als Pilger, Händler und Handwerker, Söldner, Gesandter) und dem Nutzen, den der Staat aus ihrer Anwesenheit (durch Handel oder die Anknüpfung polit. Beziehungen) ziehen kann, in differenzierten Formen schützt. In der Regel wird dabei zw. Gästen, dauerhaft Ansässigen ohne Bürgerrecht und privilegierten Fremden unterschieden.

II. ÄGYPTEN UND MESOPOTAMIEN

Schon im alten Ägypten konnten sich fremde Kaufleute und insbes. Bankiers niederlassen. Sie hatten das Recht, am Aufenthaltsort Geschäfte zu treiben und Vermögen zu erwerben. Ferner durften sie einheimische Frauen heiraten. Waren sie bloß besuchsweise in Ägypten und starben dort, fiel das Vermögen, das sie bei sich hatten, an den Pharao. Mit mehreren ausländischen Mächten hatte Ägypten aber Verträge, nach denen Angehörige dieser Staaten vom Erbrecht des Königs befreit waren. Später (seit etwa 1500 v.Chr.) waren Fremde nicht mehr erwünscht. Auch der internationale Handel war nicht mehr Sache von fremden Fernhändlern, sondern wurde bei staatlichen Stellen monopolisiert.

Über das F. im alten Mesopotamien ist wenig bekannt. Das meiste arch. Material gibt es für bes. Handelskolonien, darunter als berühmteste die »Unterstadt« (akkad. *karum*) von Kaniš (Kültepe). Diese Niederlassungen hatten (jedenfalls teilweise) eigene Verwaltungs- und Rechtseinrichtungen. Mindestens in Kaniš handelte es sich aber rechtlich eher um eine »Außenstelle« des Heimatstaates Assur als um eine »Fremdensiedlung« unter der Rechtshoheit der Einheimischen. Im Achämenidenreich (in Mesopotamien 539–331 v.Chr.) brauchte es kaum noch ein F. zu geben, da der Perserkönig nunmehr alle Bewohner seines Reiches gleichermaßen als seine Untertanen betrachtete.

III. GRIECHENLAND

Im griech. Raum stehen die Fremden (→ *xénoi*) seit alters unter religiösem Schutz (→ Gastfreundschaft). Später wird in den Gemeinden mit der Einrichtung der »Staatsgastfreundschaft« (→ *proxenía, próxenos*) wechselseitig ein Art von »Honorarkonsulat« geschaffen: Ein Bürger wird mit der Sorge für die Sicherheit und den Rechtsschutz aller Bürger aus einer bestimmten anderen Gemeinde betraut. Daneben entwickeln sich schon in archa. Zeit bes. rechtliche Institute zur zeitweiligen oder dauerhaften Eingliederung von Fremden, die durchaus auch wieder aufgehoben werden können, wie etwa bei der Fremdenausweisung in Sparta (*xenēlasía*).

In Athen ist wohl der höchste Differenzierungsgrad bei der Regelung des Status nicht-bürgerlicher freier Bewohner erreicht worden. Die wichtigste Gruppe von Freien nach den Vollbürgern waren die Metöken (→ *métoikoi*). Zur Teilnahme am Rechtsleben (insbes. Rechtsgeschäften und Prozessen) bedurften sie bis ins 4. Jh. v.Chr. z.B. – wie die »gänzlich Fremden« (→ *xénoi*) – im allg. der Mitwirkung eines Beistandes aus der Bürgerschaft (→ *prostátēs*). Durch bes. Privilegien konnten sie das Recht erhalten, Grundstücke zu erwerben (→ *énktēsis*) oder eine Frau aus einer Bürgerfamilie zu heiraten (→ *epigamía*). Noch näher am Bürger-Status waren die → *isoteleís* (»Gleichgestellten«), die bei Steuern und Wehrdienst wie Vollbürger behandelt wurden. Rechtlich unter den Metöken standen hingegen der Inhaber eines schlichten Wohnrechtes (→ *kátoikos*) und die *xénoi*, denen nur → Gastfreundschaft oder Asyl (→ *asylía*; vgl. → Asylon) gewährt wurde.

IV. ROM

Mehrstufig war auch das F. Roms. Freilich ist die Zugehörigkeit zum Bürgerverband nicht so scharf begrenzt wie in griech. Gemeinden. Vielmehr wird der Erwerb des vollen Bürgerrechts erleichtert. Dies zeigt sich bereits in der legendären Einrichtung eines Asyls durch Romulus, der dadurch die Bürgerschaft erweitern wollte, ferner in der Eingliederung von zugewanderten *gentes* (etwa der Claudier am Beginn der Republik) oder dem Erwerb des röm. Bürgerrechts durch Sklaven unmittelbar mit der → Freilassung, selbst wenn sie durch privaten Akt erfolgt. Im Mittelpunkt des F. selbst steht der → *peregrinus*. Ein Bürgerrecht minderer Art war das → Latinische Recht (*ius Latii*), urspr. die rechtliche Zugehörigkeit zu einer Gemeinde des latinischen Bundes: Mit diesem Status war das Recht zur Teilnahme an bestimmten Rechtsgeschäften des röm. Bürgerverbandes (→ *commercium*) und zur ehelichen Verbindung mit Römerinnen und Römern (→ *conubium*) verbunden. Das F. Roms war der vielleicht bedeutsamste Anlaß zur Fortbildung des röm. Rechts. Denn der röm. Staat überließ die Peregrinen nicht ihrer eigenen Rechtspflege, sondern nahm sich selbst durch den → *praetor peregrinus* seit 242 v.Chr. der Rechtsverhältnisse zw. Römern und Nichtrömern wie auch unter den ansässigen Nichtrömern an. Da das röm. »bürgerliche« Recht (→ *ius civile*) dafür aber nicht galt, entwikkelte sich eine intensive Erörterung des »allen Menschen gemeinsamen Rechts« (so Gai. inst. 1,1, → *ius gentium*). Aus diesen Bemühungen um das Recht im allg. sind solche bis zur Gegenwart grundlegenden »Entdeckungen« hervorgegangen wie die Verpflichtung des Schuldners zur Wahrung von Treu und Glauben (*bona* → *fides*) und die verbindliche Wirkung des Konsensualvertrages (→ *consensus*). Eine weitere, ebenfalls fortwirkende wichtige Technik des röm. F. war die Analogie zum *ius civile* im Wege der Fiktion (→ *fictio*).

1 W. HELCK, Fremde in Ägypten, LÄ 2, 1977, 306–310
2 J. PIRENNE, Le statut de l'étranger dans l'ancienne Egypte, in: L'étranger, Recueils de la société Jean Bodin IX 1, ²1984, 93–103 3 G. CARDASCIA, Le statut de l'étranger dans la Mésopotamie ancienne, in: s. [2], 105–117 4 J. GILISSEN, Le statut des étrangers à la lumière de l'histoire comparative, in: s. [2], 5–57 5 A. BISCARDI, Diritto greco antico, 1982, 86–91
6 A. R. W. HARRISON, The Law of Athens, Bd. 1, 1968, 187–199 7 DULCKEIT/SCHWARZ/WALDSTEIN, 147–150
8 HONSELL/MAYER-MALY/SELB, 52 f., 57 f. 9 KASER, RPR I, 35 f., 279 ff. 10 WIEACKER, RRG, 264 ff., 438 ff.   G. S.

V. JUDENTUM

Mehrere Stellen im Pentateuch (z. B. Ex 22,20 f., Lv 24,22, Lv 25,39 f.) behandeln das jüd. F. Zunächst ist ein Fremder, wer nicht dem Volk Israel angehört. Unterschieden werden in der Hauptsache zwei Gruppen von Fremden: Der sich ständig in Palaestina aufhaltende Nichtisraelit wird als *Ger* bezeichnet, im Gegensatz zum – ebenfalls nichtisraelitischen – *Nokhrī*, dem Ausländer, der nur zeitweise im Land Israel weilt. Aus dieser Unterscheidung ergeben sich – vor dem Hintergrund der hl. Pflicht zur Gastfreundschaft gerade auch dem Fremden gegenüber, den es nach Dt 10,19 zu lieben gilt – rechtliche Konsequenzen: Der *Ger* war dem Israeliten weitgehend gleichgestellt. Beispielsweise kam er in den Genuß der Sabbatruhe, erhielt bei Bedarf Anteil am Zehntmahl gleich dem israelitischen Armen; vom *Ger* durfte kein Zins genommen werden, vor Gericht war er den Einheimischen gleichgestellt. Es wurde im Gegenzug von ihm erwartet, daß er kultischen Anforderungen zumindest zum Teil entsprach, damit nicht etwa das hl. Land durch Dienst für fremde Götter entweiht werde. Der *Nokhrī* hatte diesen Anteil am israelitischen Leben nicht, von ihm konnte auch jederzeit Zins gefordert werden. In Dt 31,12 findet sich ein Hinweis darauf, daß die unter den Juden lebenden *Gerim* nach und nach in den rel. Verband des Judentums eingetreten waren, wodurch das Wort *Ger* nicht nur den Fremden, sondern später auch den → Proselyten bezeichnete (im Griech. mit γ(ε)ιώρας, γηόρας – so LXX, Isaias 14,1 – wiedergegeben).
→ Sklaverei

M. GUTTMANN, Das Judentum und seine Umwelt, 1927 · D. HOFFMANN, Der Schulchan-Aruch und die Rabbinen über das Verhältnis der Juden zu Andersgläubigen, 1885.
                                                    Y. D.

Fremdvölker s. Barbaren

Frentani. Samnit. Volksstamm an der adriatischen Küste (Strab. 5,4,2). Der Name leitet sich aus der Dissimilierung des numismatisch (*Frentrei*) und inschr. (*Frentra[ni]*) erschlossenen [2] ON [1] *Frentrum ab. Die F. siedelten an den zur Adria abfallenden Hängen der *regio VII* zw. den Maiella-Bergen und in dem von Ortona, den Tälern des Sagrus (Sangro), des Trinius (Trigno), des Tifernus und des Frento (Fortore) umschlossenen Küstengebiet. Das Stammesgebiet grenzte im Westen an die Paeligni, Caraceni und Pentri, im Norden an die Marrucini, im Süden an die Dauni. Siedlungszentren waren (von Norden nach Süden) Ortona, Anxanum und Iuvanum nördl. des Sagrus, Pallanum und Histonium bis zum Trinius, Buca und Uscosium am Tifernus. Die südl. Ausläufer zw. Tifernus und Frento, die sog. *Larinates F.* mit den Orten Larinum und Cliternia, wurden von Rom der *regio II* zugeschlagen. Die F. wurden 319 v. Chr. von den Römern unterworfen (Liv. 9,16,1). Nach dem Bundesgenossenkrieg erhielten sie das Bürgerrecht (*tribus Arnensis*) [3. 41, 49]. Inschr.: CIL IX p. 263–281.

1 G. DEVOTO, Gli antichi Italici, 1951, 137 ff.
2 P. FRACCARO, Opuscula 3,1, 1957, 275 3 W. KUBITSCHEK, Imperium Romanum tributim discriptum, 1889, 41, 49.

B. D'AGOSTINO (Hrsg.), Sannio, Pentri e F. dal VI al I sec. a.C., 1980 · I. RAIMONDI, F., 1906 · E. T. SALMON, Samnium and the Samnites, 1967.   G. U./Ü: H. D.

Frequentativum s. Wortbildung

Freskotechnik. Von ital. *fresco*, *affresco intonaco*, »auf den frischen Putz«. Wand- und Deckenmalerei, bei der die → Farben rein oder mithilfe eines speziellen Bindemittels, z. B. Leimwasser, Kasein oder Marmormehl, auf einen feuchten Untergrund aufgetragen werden. Die Beschaffenheit des Bewurfs kann variieren; meist handelt es sich jedoch um Kalkmörtel mit verschiedenen Beischlägen, nacheinander in mehreren Schichten aufgetragen. Im Prinzip besteht die F. darin, daß während des Trockenprozesses des Verputzes bestimmte chemische Reaktionen zu einer Art Versinterung der Oberfläche und damit zu einer sehr haltbaren Verbindung der Malerei mit dem Bildträger führen.

F. war seit jeher in vielen alten Kulturen, auch außerhalb Europas, gebräuchlich. Als Vorläufer in frühen Epochen können einfache farbige Umrißmalereien auf Lehm oder tonigem Erdputz gelten. In der Ant. finden sich Fresken seit Beginn des 2. Jt. schon im Alten Orient und im kret.-myk. Raum, seltener dagegen in Ägypten. Auch in der griech.-röm. Kultur und der byz. Kunst war F. üblich. Sie wurde in Privat- und Sakralarchitektur, in höfischem und sepulkralem Kontext verwandt. Das ant. Verfahren, heute durch chem. Analysen weitgehend rekonstruierbar, beschrieb schon Vitruv (7,3 ff.) ausführlich. Besonders gut untersucht ist die röm.-campan. → Wandmalerei. Sie unterscheidet sich technisch von den seit der Frührenaissance wieder aufkommenden großen Freskenzyklen und solchen späterer Zeit durch die Behandlung und den Auftrag der unterschiedlich starken Mörtelschichten und deren Körnung. Der besondere Glanz vieler pompejanischer Wände rührt von der speziellen Glättung der obersten Stuckschicht mit Marmormehl vor der Bemalung und nachträglicher Politur her. Auch an ant. Fresken sind Abschnitte von »Tagwerken« zu beobachten, ebenfalls verschiedene Techniken von Rötelvorzeichnungen oder gepünktelten Rußlinien.

→ Pompeii

LIT.: H. BÉARAT u. a., Roman Wall Painting; Materials, Techniques, 1997 · R. BIERING, Die Odysseefresken vom Esquilin, 1994 · K. HEROLD, Konservierung von Arch. Bodenfunden, Wandmalerei und Mosaik, 1994 · S. A. IMMERWAHR, Aegean Painting in the Bronze Age, 1990 ·

W. KLINKERT, Bemerkungen zur Technik der pomp. Wanddekoration, in: MDAI(R) 64, 1957, 111–148 · R. LING, Roman Painting, 1991, 198–211.
ABB.-LIT.: W. KLINKERT, Bemerkungen zur Technik der pompejanischen Wanddekoration, in: MDAI(R) 64, 1957, bes. 111–129.   N. H.

Frettchen. Eine für die Baujagd auf Kaninchen abgerichtete Zuchtform (Mustela putorius furo) des Iltis aus der Säugetierfamilie der Marder. Plin. nat. 8,218 erwähnt F. unter dem Namen *viverra* für die Balearen. Isid. orig. 12,2,39 überliefert als erster die von *furvus* (»finster«) abgeleitete Bezeichnung *furo*. Eine genaue Beschreibung bietet erst Thomas v. Cantimpré 4,42 ([1. 135 f.] um 1240 n. Chr.). Dieser stellt für den *furunculus* (Volksbezeichnung *furetus*) die Ähnlichkeit mit dem Iltis (*putorius*), die Färbung zw. weiß und gelblich

(Ober-)Putz
aus Kalkmörtel mit Beischlag aus Marmorkörnung
(e marmore graneo derectio)

(Unter-)Putz
aus Kalkmörtel mit Sandbeischlag
(derectio harenati)

Rauhanwurf *(trullissatio)*
mit Kalkstücken und Sand versetzter Lehm

Mauer

Sand
Kalk
Marmor

1. Auftrag der Bewurfschichten   2. Trocknen   3. Farbbindung

Feuchtigkeit   Farbe
Kapillarwirkung   Kalkhydrat
Verdunstung

Kalk-sinter-schicht

Pompejanischer Freskobewurf, schematische Darstellung.
Das Beispiel Regio VIII, Insula 2 Nr. 2 (I. pompejanischer Stil) besitzt die von Vitruv 7.3 geforderten Eigenschaften des idealen Verputzes *(tectorium).* Dieser ist aus sieben Lagen aufgebaut, und der Oberputz besteht aus Marmorstuckschichten in abnehmender Stärke. Einfachere Bewürfe bestehen aus insgesamt zwei bis drei Schichten; für den Oberputz wird Sandmörtel verwendet. Pompejanische Freskobewürfe sind 4 mm - 9 cm stark.

Mörtelhärtung und Pigmentbindung.
Jede der Schichten ist beim Auftrag feuchter als die vorhergehende. Durch Kapillarwirkung erst nach innen, dann nach außen bleibt der Oberputz lange feucht und damit fähig zur Farbbindung: Das an die Oberfläche gelangte Kalkhydrat bindet die Pigmente in einer Kalksinterschicht. Aufgrund des langsamen Trocknens gelangt viel Luft an den im Mörtel enthaltenen Ätzkalk und wandelt ihn in kohlensauren Kalk: Der Mörtel härtet vollständig durch.

M. HAA.

(*buxeus*), die ein Wiesel übertreffende Größe und den ungeheuren Jagdeifer und Blutdurst schon nach 80 Lebenstagen heraus. Auch die Angaben über die Fruchtbarkeit des F. (30tägige Tragzeit, Wurfgröße von 7–8 Jungen und 40tägige Blindheit nach der Geburt) sind einer guten Quelle entnommen. Die organotherapeutischen Rezepte im Anschluß an das Thomas-Zitat bei Albertus Magnus 22,101 [2. 1403] stammen z.T. aus der lat. Version des 12./13. Jh. von Ps.-Rasis, c. 20 [3. 577]. → Marder

1 H. BOESE (ed.), Thomas Cantimpratensis, Liber de natura rerum, 1973 2 H. STADLER (ed.), Albertus Magnus, de animalibus, 1920 3 RASIS, De facultatibus partium animalium, in: Abubetri Rhasae … opera exquisitiora, Basileae 1544.   C. HÜ.

Fretum Siculum. Meerenge von Messina zw. Caenus und Pelorum, 12 *stadia* (Plin. nat. 3,73) bzw. 1500 *passus* (Plin. nat. 3,86), h. 3 km breit, erdbebenreicher Grabenbruch, wechselnde Gezeitenströmung, daher gefürchtete Strudel (vgl. den Mythos von → Skylla und Charybdis).

E. MANNI, Geografia fisica e politica della Sicilia antica, 1981, 50f. • P. RADICI COLACE (Hrsg.), Mito, Scienza e Mare: Animali fantastici, mostri e pesci del Mediterraneo, Meeting, Lipari 3.–4. Ottobre 1997 (im Erscheinen).
GI. MA. u. E. O./Ü: H. D.

Freundschaft

I. SOZIALGESCHICHTLICH
II. PHILOSOPHISCH

I. SOZIALGESCHICHTLICH
A. GRIECHENLAND

1. FREUNDSCHAFT IM PRIVATEN KONTEXT
F. bildete für die Griechen eine der wichtigsten sozialen Beziehungen, im Prinzip egalitär und geleitet von zwei dominierenden Verhaltensnormen, den Pflichten der Erwiderungsmoral (→ Reziprozität) und der agonalen Konkurrenzmentalität (Thgn. 105ff.; 857ff.; 1263ff.; Eur. Or. 449ff.; 646ff.; Xen. mem. 2,6,35). Polit. Verhalten und Gerechtigkeitsvorstellungen waren weitgehend davon geprägt, den Freunden nach Kräften zu nutzen und den Feinden nach besten Kräften zu schaden (Hom. Il. 9,613ff.; Thgn. 879ff.; Sol. 1,3ff. D.; Soph. Ant. 643f.; Eur. Herc. 585f.; Med. 807ff.; Iph.T. 605ff.; Iph.A. 345ff.; Aristoph. Av. 420f.; Sympot. PMG 980; Gorg. DIELS/KRANZ B11a,25; Thuk. 1,41,1; Lys. 9,20; 19,59; Plat. Men. 71e; rep. 332a-b; Isokr. or. 1,16; 19,10ff.; Xen. an. 1,3,6; 1,9,11; Kyr.; 1,4,25; Hier. 2,2; mem. 4,5,10; Pol. 1,14,4; Diod. 10,17,2; Plut. mor. 807ab).

So war F. einerseits eine affektive Bindung, die in gefühlsmäßiger Verbundenheit, Nachsicht, Zuwendung und bes. emotionaler, gelegentlich ins Homoerotische spielender Zuneigung zum Ausdruck kam (Thgn. 93ff.; 213ff.; 323ff.; 1071ff.; 1164a-d; Eur.

Iph.T. 497f.; Iph.A. 408) und vor der engsten verwandtschaftlichen Beziehung rangieren konnte (bes. Eur. Or. 804ff.), andererseits stand sie in der Obligatorik von Normen und Interessen, die auf Gleichheit und Gegenseitigkeit beruhten: Besonders in der Not hatte der Freund sich zu bewähren (Plat. Krit. 44b–45a; Eur. Or. 727f.) sowie Loyalität und Treue zu beweisen (Thgn. 416; 529f.; 811ff.; 1151f.); v.a. war ein Freund bei der Wahrnehmung seiner Pflichten und Rechte (etwa vor Gericht als *synégoros*, Verteidiger) zu unterstützen; dies galt auch für die Rache (Lys. 13,41f.). In der Wahrnehmung materieller Interessen war ebenfalls wechselseitige Hilfe geboten (Thgn. 561f.; 979ff.), so daß Mächtige, Angesehene und Reiche als bestgeeignet zur Wahrnehmung von Freundespflichten angesehen wurden (Thgn. 411f.; Eur. Iph.A. 345ff.). Gesellschaftlich sanktioniert waren die Regeln der F. dadurch, daß ihre Einhaltung Ehre brachte, Pflichtverletzungen hingegen zu Ehrverlust führten (Hom. Il. 18,95ff.; Eur. Iph.T. 605ff.; Plat. apol. 28cd) und, statt die wechselseitigen Bande im Sinne der Reziprozität durch Dankbarkeit (*cháris*) zu stärken, die Rache des verletzten Freundes provozierten (Archil. fr. 79a D.); der Verstoß gegen die Pflichten der F., v.a. der Verrat des Freundes, galt als schlimmes Vergehen (Thgn. 851f.).

F. konnte zudem auch Generationen übergreifen, von Vätern auf Söhne gleichsam vererbt werden. Dies wurde dadurch begünstigt, daß enge F. oft in Verwandtschaftsbeziehungen umgewandelt wurden, indem man Töchter oder Schwestern mit Freunden verheiratete (Isokr. or. 19 gibt hierfür eindrucksvolle Beispiele). Überhaupt wurde F. durch gemeinsame Lebenssituationen und Erfahrungen (Kriegsdienst, Geselligkeit) gestiftet, immer wieder gestärkt und – insbes. wenn sie den Bereich der Polis überschritt – noch stärker reglementiert, »ritualisiert« (→ Gastfreundschaft). In letzter Konsequenz konnten die strengen Verpflichtungen zu einer Loyalität im Unrechttum führen (Eur. Or. 646ff.) – wie umgekehrt auch Feindschaft zur Maßlosigkeit tendierte (Eur. Ion. 1045ff.). Jedenfalls war es schwer, neutral zu bleiben, und die Wahl zwischen widerstreitenden F.-Verpflichtungen war ein großes Dilemma (Aristoph. Ran. 1411f.). Grenzen der F. liegen nicht nur in solchen Loyalitätskonflikten, sondern auch da, wo individuelle Interessen mit F. konkurrieren (Demosth. or. 23,122) und insbes. das jeweilige eigene Rangdenken tangiert ist, im Falle von Neid und Rivalität (Aischyl. Ag. 832ff.).

2. FREUNDSCHAFT IN DER POLITIK
Für das soziale und polit. Leben war F. bes. wichtig, wenn sie die Basis der Vergemeinschaftung mehrerer Individuen wurde. Es bildeten sich sehr häufig Freundesgruppen (Hetairien), die sich im ritualisierten Gastmahl (Symposion) fanden, durch diverse gemeinschaftliche Aktivitäten (z.B. Jagd) ihren Zusammenhalt stärkten und sich nicht selten untereinander verschworen hatten. Stellte die F. mit ihren starken Bindungen schon generell ein Problem für die Loyalität gegenüber der

Polis dar (Thuk. 8,50f.), so verstärkte sich dies noch im Blick auf die → Hetairien, die oft auch polit. aktiv waren und von einzelnen Gruppenangehörigen entsprechend instrumentalisiert werden konnten. Die permanente Bedrohung der Integrität der Polis durch gewaltsame innere Auseinandersetzungen (→ Stasis) war auch auf die Kohärenz solcher F.-Gruppen zurückzuführen. Nach dem Selbstverständnis der att. Demokratie des 4. Jh. trat dagegen der Selbstschutz des Volkes, in dem sich dieselben Solidaritäten herausbilden sollten (Demosth. or. 24,157). Auch die zeitgenössische polit. Theorie sah in der wechselseitigen F. zwischen den Bürgern der Polis ein für deren inneren Zusammenhalt wesentliches Element (Plat. leg. 757a; Aristot. eth. Nic. 1161 b 13; 1167 b 2ff.).

In der polit. Realität wesentlich wirksamer war die Übertragung der F.-Feindschafts-Regeln auf die Beziehungen zwischen den Poleis, die wie Individuen Freunde und Feinde haben konnten; die entsprechende Formulierung (»dieselben Freunde und Feinde zu haben«) war fester Bestandteil griech. Staatsverträge.

Weil die monarchischen Herrschaftsformen in Griechenland (Tyrannis, makedonisches Königtum) gerade in ihrer ritualisierten Geselligkeit die traditionellen sozialen Verhaltensmuster – insbesondere das Symposion – übernahmen und ausgestalteten, gewann in ihrem Umfeld auch die F. neue Bedeutung: Die Freunde (phíloi) des Herrschers nahmen in wachsendem Umfang wichtige Aufgaben von Funktionseliten wahr. Im Hell. bildeten sie die engere Umgebung des Königs, wobei sich im Laufe der Zeit eine höfische Rangordnung entwickelte, die nach Graden der F. differenzierte.

B. ROM
s. Amicitia.

1 E. BALTRUSCH, Symmachie und Spondai, 1994 2 M. W. BLUNDELL, Helping Friends and Harming Enemies, 1989 3 F. DIRLMEIER, φίλος und φιλία im vorhell. Griechentum, 1931 4 K. J. DOVER, Greek Popular Morality in the Time of Plato and Aristotle, 1974 5 J. C. FRAISSE, Philia: la notion d'amitié dans la philosophie antique, 1974 6 H.-J. GEHRKE, Die Griechen und die Rache, in: Saeculum 38, 1987, 121–149 7 Ders., Stasis, 1985 8 F.-P. HAGER (Hrsg.), Ethik und Politik des Aristoteles, 1972 9 G. HERMAN, Ritualized Friendship, 1987 10 H. HUTTER, The Politics of Friendship, 1978 11 D. KONSTAN, Friendship in the Classical World, 1997.
H.-J. G.

II. PHILOSOPHISCH
A. GRIECHENLAND

F. (φιλία/philía, amicitia), ist ein zentraler Begriff und ein konstant behandeltes Thema der ant. → Ethik. Er geht in ihren sozialen und polit. Konnotationen weit über den modernen Begriff der F. hinaus [7. 1–23].

Die vorphilos. Reflexion über F. bewegt sich im Bereich lebenspraktischer Gnomik, vgl. Hesiod (erg. 707–714) und bes. die Elegien des Theognis [3; 5. 28 Anm. 54]. Die unter dem Namen des Pythagoras überlieferte F.-Lehre scheint wesentlich ein Konstrukt späterer, vor allem neupythagoreischer Trad. zu sein [5. 31–51]. Die Vorsokratiker (Pherekydes von Samos, fr. 7 B 3 DK und bes. Empedokles, fr. 31 A 37 DK, 31 B 17 DK) thematisieren F. als kosmologisches Prinzip [3]. Demokrit (fr. 68 B 97–101, 106–107, 186 DK) formuliert wichtige Elemente späterer F.-Theorien, wie homophrosýnē, Toleranz, Notwendigkeit der F. für ein gutes Leben, ohne daß wir den systematischen Ort dieser Überlegungen kennen. Die Sophistik spiegelt die Bed. der philía im Kontext der Polis. Das von ihr entwickelte Konzept des φύσει φίλος (Hippias, Antiphon) begründet die anthropologische Rückbindung des F.-Begriffs [3. 40ff.; 12. 25ff.].

Die eigentlich philos. Reflexion über F. beginnt für uns mit Platon und Aristoteles. → Platons Dialog Lýsis, die erste systematische Diskussion der F., endet aporetisch: Die Frage des philhetaíros Sokrates, wie man jemandes Freund werde und was ein Freund sei, bleibt ohne definitive Antwort. Einige Bestimmungen werden jedoch im Gespräch gegeben: Freund kann man einem andern nur sein, wenn man sich selbst Freund ist (214c6ff.); sich selbst Freund-sein setzt die richtige Ordnung der eigenen Seele voraus, die ihr angemessene Ausrichtung auf das Gute; in diesem nie abgeschlossenen Prozeß brauchen wir Freunde, in denen wir eine Ähnlichkeit der Ausrichtung auf das próton phílon, d. h. das Gute finden [18]. Bereits im Lýsis behandelt Platon philía untrennbar verschränkt mit → éros und legt so, trotz der formalen Aporie, den Grund für die Diskussion der (psychagogischen) Liebe im Phaidros und im Symposion [13].

Aristoteles hat, in Auseinandersetzung mit Platon, die erste umfassende und an der Empirie von F. orientierte F.-Theorie entworfen (eth. Nic., B. 8 und 9; eth. Eud., B. 7; vgl. m. mor. 2,11–17; rhet. 2,4,1380b 34–81b 37; 1,11,1371a 17–31; pol. 2,4,1262b7–23). Er gibt in der Nikomachischen Ethik eine dreistufige Typologie der F. nach den Kriterien des Nutzens, der Lust und des Guten. Die vollkommene F. orientiert sich am moralischen Wert des Freundes, der als »zweites Ich« definiert wird; sie charakterisiert sich durch Wohlwollen und den Wunsch nach dem Glück des Anderen Guten; sie basiert auf Gleichheit und Gegenseitigkeit und realiert sich im gemeinsamen Leben; ihre Vorbedingung ist Vertrautheit. Sie ist eine notwendige Voraussetzung der Eudaimonie (→ Glück), denn der Mensch kann auf sich Ich beschränkt nicht vollkommen glücklich sein, er ist als soziales Wesen anthropologisch auf F. angelegt. Abgesehen von der Entwicklung seines eigenen F.-Begriffs bietet Aristoteles durch seine Diskussion vorgegebener Auffassungen und Probleme der F. reiches Material zur Tradition des ant. F.-Diskurses. Seine Darstellung ist der Ausgangspunkt für alle nachfolgenden Theorien der F. geworden [5. 77–120].

→ Epikuros hat unter seinen Anhängern einen eigenen F.-Kult institutionalisiert. Für die Mitglieder seines → Képos realisiert sich das gemeinsame Philosophieren als F. Sie ist kosmopolitisch und status- sowie geschlechtsunabhängig: durch F. sind Männer, Frauen und Sklaven verbunden [11]. Epikurs Aussagen zur F. (bes. Kyriai doxai 23; 27; Gnomologium Vaticanum 13; 23; 28; 34; 39; 52; 66; 78; vgl. [2]) stehen, je nachdem, ob man sein Konzept als utilitaristisch oder altruistisch interpretiert, in einem Spannungsverhältnis zu seinem auf die → Autarkie des einzelnen Individuums zielenden Eudaimoniebegriff [10]. F. gewährt Sicherheit und trägt zur Abwesenheit von Angst bei, der einen Grundbedingung der Eudaimonie (Epik. frg. 541 USENER). Sie ist das Wichtigste, was die Weisheit für die Glückseligkeit eines erfüllten Lebens bereithält (Kyriai doxai 27) und ein Gut in sich selbst (Gnomologium Vaticanum 23).

Die Alte Stoa (SVF 3, 716–726, ergänzt durch [5. 126, Anm. 374]; weitere Lit. [5. 126, Anm. 375]) entwickelt zwar eine Typologie der verschiedenen Arten von F. [12. 84 f.], akzeptabel ist jedoch, in streng logischer Ableitung aus ihrer Tugendlehre, nur die F. unter Weisen. Ihr Kriterium ist Einmütigkeit (*homodogmatía*). Sie ist frei von Emotionen und tendenziell un- bzw. überpersönlich, da sie auch unter Weisen, die sich nicht kennen, als gegeben gilt. F. ist keine notwendige Voraussetzung stoischer Eudaimonie. Zum Ort der F. im Staatsentwurf des Zenon vgl. [14; 9]. Panaitios scheint eine Abmilderung des rigoristischen F.-Begriffs der Alten Stoa zugunsten einer Einbeziehung emotionaler Elemente angestrebt zu haben [15]. Die Tugend bedarf der Unterstützung durch F., um die Eudaimonie zu verwirklichen.

B. ROM

Im röm.-lat. F.-Denken werden griech. Traditionen eklektisch verknüpft und handlungsethisch konzentriert. [12. 89–213]. Vor allem → Ciceros Überlegungen sind dabei maßgeblich durch die polit.-öffentliche Bed. der F.-Beziehungen in der röm. Ges. (→ *amicitia*) bestimmt. Im *Laelius* (andere Stellen bei [5. 139]) diskutiert Cicero Ideal und Realität der F. unter reicher Verwendung stoischer und peripatetischer Traditionen. Seine Def. der F. (§ 20) postuliert als Grundbedingung die Verbindung von intellektueller und moralischer Übereinstimmung (*consensio*) mit gegenseitiger Zuneigung (*cum benevolentia et caritate*). Notwendige Voraussetzungen für die Realisierung von F. sind wechselseitige Wohltaten, das Erkennen der Zuneigung und die Dauer der Verbindung (§ 29). Die Grenze der F. bestimmt sich jedoch klar durch den Primat der *virtus* [15; 5. 138–182].

Für Seneca (epist. 3; 6; 9) ist F. eine Triebkraft der Selbstvollendung, ein auf Gegenseitigkeit beruhendes (Selbst-)Erziehungsprojekt [9; 5. 187, Anm. 635]. Erst (Mit-)Teilbarkeit an einen Freund macht Tugend, Wissen und jedes einzelne Gut zu einem erfreulichen Besitz (epist. 6,4) – ohne daß deshalb die F. in Widerspruch zum Autarkieideal des stoischen Weisen geriete (epist. 9). Eine eigene Abh. hat Seneca der Bewahrung der F. in Konflikten gewidmet (*Quomodo amicitia continenda sit*; vgl. [5. 188–192]).

Das umfangreiche kaiserzeitl. Schrifttum über F. (Lukian, Plutarch, Maximos von Tyros, Libanios) fand bisher in der Forsch. wenig Beachtung [5. 184]. Vor allem → Plutarch bietet neben dem reichen Material seiner Parallelbiographien in speziellen Schriften (*De adulatore*; *De amicorum multitudine*; *De fraterno amore*) eine gelehrte Systematisierung der Traditionen des ant. F.-Denkens. In der christl. Reflexion über F. (bes. Ambrosius, Iohannes Chrysostomos, Hieronymus, Paulinus von Nola, Augustinus) tritt das innerweltliche F.-Denken zurück hinter dem Gedanken der alle Gläubigen umfassenden Gottes-F. [12. 215–338; 7. 149–173; 17].

1 Accademia di Studi italo-tedeschi Merano/L. COTTERI (Hrsg.), Il concetto di amicizia nella storia della cultura europea, 1995 2 J. BOLLACK, Les Maximes de l'amitié, in: Ders., La pensée du plaisir. Epicure: textes moraux, commentaires, 1975, 567–582 3 F. DIRLMEIER, ΦΙΛΟΣ und ΦΙΛΙΑ im vorhell. Griechentum, 1931 4 J.-C. FRAISSE, La notion d'amitié dans la philos. antique, 1974 5 A. FÜRST, Streit unter Freunden. Ideal und Realität in der Freundschaftslehre der Ant., 1996 (mit umfangreicher Bibliogr.) 6 O. HILTBRUNNER (Hrsg.), s. v. amicitia, Bibliogr. zur lat. Wortforsch., Bd. 2, 1984, 171–190, 183–190 7 D. KONSTAN, Friendship in the classical world, 1997 8 U. KNOCHE, Der Gedanke der F. in Senecas Briefen an Lucilius, in: G. MAURACH (Hrsg.), Seneca als Philosoph, 1975, 149–166 9 G. LESSES, Austere Friends: The Stoics and Friendship, in: Apeiron 26.1, 1993, 57–75 10 PH. MITSIS, Epicurus' Ethical theory. The pleasures of invulnerability, 1988 11 R. MÜLLER, Die epikureische Gesellschaftstheorie, in: Schriften zur Gesch. und Kultur der Ant., hrsg. Akad. der Wiss. der DDR, 1972, 112–129 12 L. PIZZOLATO, L'idea di amicizia nel mondo classico e cristiano, 1993 13 A. W. PRICE, Love and friendship in Plato and Aristotle, 1989 14 M. SCHOFIELD, The Stoic Idea of the City, 1991 15 F.-A. STEINMETZ, Die Freundschaftslehre des Panaitios, 1967 16 W. SUERBAUM, Cicero (und Epikur) über die F. und ihre Probleme, in: [1.], 136–167 17 C. WHITE, Christian Friendship in the fourth century, 1992 18 U. WOLF, Die Freundschaftskonzeption in Platons Lysis, in: E. ANGEHRN u. a. (Hrsg.), Dialektischer Negativismus. M. Theunissen zum 60. Geb., 1992. B. v. R.

Friedensordnung. Ein einheitliches, dem heutigen Friedensbegriff vergleichbares Konzept der F. war in der Ant. nicht bekannt.
→ Eirene; Koine Eirene; Pax. M. MEI. u. ME. STR.

Friedhöfe s. Nekropolen

Fries. Moderner, seit dem 17. Jh. geläufiger t.t. in Kunst- und Baugeschichte (von frz. *frise*), der als architektonischer Begriff den auf dem Architrav (→ Epistylion) lagernden Teil des steinernen Gebälkes im griech. Säulenbau bezeichnet. Der F. dor. Bauten besteht aus einer alternierenden Abfolge von → Metope und → Triglyphos (in griech. Bauinschr. insgesamt τρίγλυφος, *tríglyphos*, genannt [1. 29–30]), der F. ion. Bauten, der (anders als bei der dor. Ordnung) auch fehlen kann, aus einer glatten, oft mit einem Reliefband dekorierten Quaderlage (nach Vitruv 3,5,10 *zophorus*, nach att. und delischen Bauinschr. ζῷα (*zõa*), ζῷον (*zõon*), ζῳδίον (*zõdíon*) genannt [1. 31]).

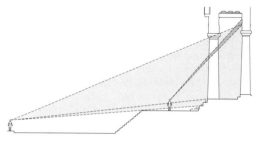

Mögliche Blickwinkel für eine Betrachtung des Cella-Frieses am Parthenon auf der Athener Akropolis.

In der arch.-kunsthistor. Fachterminologie wird darüber hinaus unter F. ein mit Malerei oder Relief ornamental oder figürlich dekorierter, meist waagerechter Streifen zur Abgrenzung oder Teilung von Flächen oder Baugliedern verstanden, der in den verschiedensten architektonischen Kontexten, in der Plastik (→ Sarkophag, → Toreutik) sowie in zweidimensionalen Bildmedien (→ Malerei; Mosaik; Vasenmalerei) Verwendung fand. Der reliefierte F. in der → Bauplastik ist nicht auf den Ort des architektonischen F. im Gebälk beschränkt, sondern kann u. a. den Architrav (Assos, Athenatempel), die Cella (außen: → Parthenon; innen: Bassai, Apollontempel), Substruktionen (→ Maussolleion) sowie ganze Wandbereiche (Pergamonaltar) bedecken.

1 EBERT.

F. FELTEN, Griech. tektonische Friese archa. und klass. Zeit, 1984 · W. MÜLLER-WIENER, Griech. Bauwesen der Ant., 1988, 216 · B. WESENBERG, Vitruvs Vorstellung von der Entstehung des dor. Triglyphenfrieses, in: FS für F. Hiller, 1986, 143–157 · N. WEICKENMEIER, Theoriebildung zur Genese des Triglyphon, 1985.   C.HÖ.

Frigidarium s. Bäder; Thermen

Frigidus. Linker Nebenfluß des Sontius in Ost-Venetia, h. Vipacco/Wippach, sowie Station der *via Gemina*, 36 Meilen östl. von Aquileia (Itin. Anton. 18), h. Aidussina/Haidenschaft. Hier schlug 394 n. Chr. Theodosius den Usurpator Eugenius (Claud. de III consulatu Honorii 99).   G.U./Ü: V.S.

Frisii (die Friesen). Erstmals bei Plin. nat. 4,101 genanntes älteres german. Volk (Etym. nicht eindeutig), das nach Tac. Germ. 34,1 aus *F. maiores* und *minores* bestand; diese waren kaum die *Frisiavones* bei Plin. (nat. 4,101; 106) in der nördl. Belgica [1]. Sie lebten nördl. der → Bructeri und westl. der → Chauci, hauptsächlich zw. Oude Rijn und Ems: Man schätzt für das 1. Jh. n. Chr. in den Marschen und Randgebieten der Moore der Prov. Friesland und Groningen 1500–2000 Siedlungen; in der Folgezeit ging der fries. Einfluß im Osten zurück, während er im Westen zunahm. Die seit Drusus 12 v. Chr. tributpflichtigen F. (Tac. ann. 4,72,1; Cass. Dio 54,32,2 f.) erhoben sich 28 n. Chr., belagerten den röm.

Hafenkomplex *castellum Flevum* und vertrieben die Römer (Tac. ann. 4,72–74). → Domitius [II 11] Corbulo wies ihnen 47 neues Land an und gab ihnen eine neue staatliche Ordnung (Tac. ann. 11,19,1; vgl. [2]), doch blieben nach der Rücknahme der röm. Truppen auf die Südseite der Rheins nur die linksrhein. Bevölkerungsteile im direkten röm. Herrschaftsgebiet. 58 kam es erneut zu einem Zusammenstoß der F. unter ihren Königen Verritus und Malorix mit Rom (Tac. ann. 13,54,1; 4), wonach die Am(p)sivarii in die rechtsrhein. Territorien einzudringen versuchten (ebd. 55,1). Während des Bataver-Aufstands verhielten sich die F. mehrfach romfeindlich (Tac. hist. 4,15,2; 16,2; 79,2); in der Folgezeit stellten sie gelegentlich Rekruten für die *auxilia* oder die kaiserl. Gardereiter (CIL XVI 105; VI 3230), waren aber ansonsten weitgehend unabhängig. Im 3. Jh. operierten sie verm. mit den Franci zusammen; von Constantius Chlorus wurden sie besiegt (Paneg. 8,9,3). In den folgenden Jh. breiteten sich die F. nach Westen und Osten aus und besetzten die der Scheldemündung und der Nordseeküste vorgelagerten Inseln.

1 G. NEUMANN, D. TIMPE, s. v. Frisiavones, RGA 10, 82–84 2 J. P. A. VAN DER VIN, Two new Roman Hoards, in: Bull. Antieke Beschaving 68, 1993, 247–253.

W. WILL, Roms »Klientel-Randstaaten« am Rhein?, in: BJ 187, 1987, 1–61, bes. 24–30 · P. D. BLOK u. a., s. v. Friesen, Friesland, LMA 4, 970–976 · G. NEUMANN u. a., s. v. Friesen, RGA 10, 2–68.   K.DI.

Frisur s. Haartracht

Fritigern. *Dux* (*reiks*) der → Tervingi, führte mit Erlaubnis des → Valens 376 n. Chr. aufgrund der Hunnengefahr seinen Stamm als *dediticii* (→ deditio) über die Donau nach Thrakien (Amm. 31,4,8; Iord. Get. 134), wo der Arianer Teile der ansässigen Bevölkerung für sich gewann. Nach Konflikten mit den Römern besiegten die Goten am 9. Sept. 378 in der Schlacht von Adrianopel die Römer (Amm. 31,6,3–5; 11,5; 12,8 [1. 133–139]). F., der wegen der Zersplitterung seiner Truppen den Sieg nicht nutzen konnte, fiel plündernd in Makedonien ein (Iord. Get. 140; Philostorgios 9,17) und beseitigte 381 seinen Gegenspieler → Athanarich durch eine Intrige (Sokr. 4,33,1–4, Soz. 6,37,6 f.). Wahrscheinlich ist F. der *rex* auf gotischer Seite beim → *foedus* mit Theodosius I. (3. Okt. 382, Chron. min. 1, 243 MOMMSEN [2. 126,6]). Über seinen Tod ist nichts bekannt.

1 H. WOLFRAM, Die Goten, ³1990 2 A. DEMANDT, Die Spätantike, 1986.

PLRE 1, 374. · U. WANKE, Die Gotenkriege des Valens, 1990 · S. WILLIAMS, G. FRIELL, Theodosius, 1994.   M. MEI. u. ME. STR.

Fritillus (φιμός, *phimós*). Der Würfelbecher diente zum Werfen der Spielsteine und → Astragale bei unterschiedlichen → Brettspielen und → Würfelspielen

(Hor. sat. 2,7,17; Iuv. 14,5; Mart. 4,14,7–9; 5,84,1–5 u.ö.; Sen. apocol. 12,3,31; 14,4; 15,1; Sidon. epist. 2,9,4 usw.). Neben den aus vergänglichem Material hergestellten Würfelbechern gab es solche aus Ton [1. Abb. 15 aus Mainz-Kastell, Wiesbaden] und Bronze (schol. Iuv. 14,5 nennt Horn). Eine entsprechende Funktion nahmen die (turricula oder pyrgus genannten) Spieltürme aus Elfenbein, Holz oder Kupferblech ein (Mart. 14,16; Sidon. epist. 8,12,5; Anth. Pal. 9,482,23 f.), durch die man die Würfel über Stufen auf das Spielbrett rollen ließ [2. Abb. 3–13, 17–18].

1 A. Riecke, Röm. Kinder- und Gesellschaftsspiele, Limesmuseum Aalen 34, 1984 2 H. G. Horn, Si per me misit, nil nisi vota feret. Ein röm. Spielturm aus Froitzheim, in: BJ 189, 1989, 139–159.   R. H.

Fritte s. Fayence

Frontalität. Der von J. Lange 1892 unter dem Schlagwort »Gesetz der F.« eingeführte Begriff bezeichnete zuerst eine vorgriech. Darstellungsweise, die, aus der Fläche entwickelt, alle wesentlichen Einzelformen parataktisch in der Vorderansicht zur Anschauung bringt. Mit F. wurde eine vermeintlich primitive Form etikettiert, die in evolutionistischen Stil-Erklärungen auch auf frühe, vorklass. Menschendarstellung der griech. Plastik übertragbar schien. Bei archa. Statuen äußere sich F. durch spiegelsymmetrische Ordnung um eine Mittelachse, womit die Bewegungsmöglichkeit eingeschränkt und die Anatomie verzerrt wird. In der Klassik werde F. durch die Schaffung einer Perspektive und damit eines fiktiven »Realraumes« um die Plastik überwunden. Die kunstphilos. orientierte Strukturforschung übernahm den Begriff der F., sah in ihm jedoch weniger eine Entwicklungsstufe als vielmehr ein »Kunstwollen«, bei dem die Form einen Vorrang des transzendentalen gegenüber dem realistischen Gehalt ausdrücke. Damit wurde der Begriff der F. auch auf spätant. Plastik anwendbar. Nach dieser Verwandlung vom unorganischen Formfaktor zum Träger eines symbolischen Gehalts verlor F. als Kategorie der Kunstkritik an Bed. zugunsten neuerer semiotischer Erklärungsmodelle für Körperdarstellung. Zu Erscheinungsformen und Bed. der F. in der Flächenkunst → Relief.

J. Lange, Die Darstellung des Menschen in der älteren griech. Kunst, 1899 · R. Bianchi-Bandinelli, s. v. Frontalità, EAA 3, 1960, 742–744 · B. Schweitzer, Strukturforsch. in Arch. und Vorgesch., in: Zur Kunst der Ant., 1, 1963, 179–197 · H. H. Wimmer, Die Strukturforsch. in der klass. Arch., 1996.   R. N.

Frontinus, S. Iulius. Hoher Staatsbeamter unter Domitian, Nerva und Traian, mil. und technischer Fachautor. Er begann wohl als Offizier unter → Domitius [II 10] Corbulo [1. 150], war 70 n. Chr. praetor urbanus (Tac. hist. 4,39), d. h. in führender Position bei Abwesenheit der Consuln Titus und Vespasian, wurde 73 cos. suff., dann bis 77/78 als Nachfolger des → Petilius

Cerialis Statthalter (legatus Aug. pr. pr.) in Britannien (Tac. Agr. 17,3), zog 83 mit Domitian gegen die Chatti (Planung des nieder- und obergerman. Limes? [1. 152 f.; 2]); 86 wurde er Proconsul von Asia. Nerva ernannte ihn zum Vir publicis sumptibus minuendis und zum Curator aquarum. Mit Traian war er 98 cos. II, 100 cos. III, eine seltene Ehre, vielleicht wegen Verdiensten um Traians Adoption und Nachfolge [3]. Viele Inschr. bezeugen F.' Wirken (z. B. ILS 6074; 1105), Plinius d. J. nennt ihn princeps vir (epist. 4,8,3) und zitiert seine Weisung, ihm nach dem Tod kein Denkmal zu setzen: sein Ruhm seien seine merita (epist. 9,19,6).

Noch unter Domitian entstand das nur fragmentarisch aus Zitaten bei Agennius Urbicus bekannte Werk über die Feldmeßkunst (De agri mensura libri II), die erste und richtungsweisende Schrift dieser Gattung; sie behandelt neben den geodätischen auch mil. und juristische Fragen. Nur → Vegetius und der Taktiker → Ailianos [1] bezeugen die Fachkompetenz der Schrift De re militari, deren Verlust nur bedingt kompensiert wird durch die am besten im Cod. Harleianus 2666 (9./10. Jh.) überlieferten 4 B. Strategematon (B. 1 Kriegslisten vor, B. 2 während, B. 3 nach der Belagerung; die Echtheit von B. 4 über histor. Fälle ist trotz [4] nicht sicher). Der Intelligenz, Umsicht und Disziplin des Strategen, mit dem sich der Autor latent identifizieren dürfte, fällt die Hauptleistung zu. Zur eigenen Einarbeitung und allg. Belehrung ist unter Nerva die Schrift De aquaeductu urbis Romae (so der Titel im Hauptcodex Casinensis 361, 12. Jh.) gedacht, in den Hss. äußerlich in 2 B. unterteilt. Gesch., Leistung und Zweck der röm. Aquaedukte werden sachkundig, z. T. kritisch (z. B. mißbräuchliche Wasserentnahmen) erläutert, eine arch. und hydrologische Quelle ersten Ranges. Der Stil ist fast historiographisch erzählend und bis auf die vielen Zahlenangaben kaum technisch, die Vorrede persönlich und programmatisch gehalten.

Ed.: C. E. Bennett, M. R. McElwain, 1925 · C. Thulin, De agri mens., 1913 (1971), 1–19 · P. Resina Sola, 1984 · R. I. Ireland., Strat., 1990 · C. Kunderewicz, De aqu., 1973 (Bibl.). Index: J. C. Rodríguez, 1985 (Bibl.).

1 K. Christ, S. I. F., princeps vir, in: Xenia 22, 1989, 149–160 2 G. Perl, F. und der Limes, in: Klio 63, 1981, 563–583 3 W. Eck, Die Gestalt Frontins, in: Wasserversorgung im ant. Rom: S. I. F., Curator Aquarum, ²1983, 47–62 4 G. Bendz, Die Echtheitsfrage der 4. B. der Frontinischen Strategemata, 1938 5 PIR² 4, 322.   Kl.Sa.

Fronto. Röm. Cognomen (»breitstirnig«), erst kaiserzeitlich bezeugt.

Kajanto, Cognomina 236.   K.-L. E.

[1] Ein reicher Gönner Martials (1,55,2). Er könnte mit Ti. Catius Caesius F., cos. suff. 96 n. Chr., identisch sein.
[2] Praetorischer Statthalter von Galatien unter Tiberius, vielleicht 27–31 n. Chr.

S. Mitchell, in: Chiron 16, 1986, 23 ff. · PIR² F 485).

[3] [...]us F. *Cos. suff.* im J. 165 n. Chr., (VIDMAN, FO²
52; dort auch zu möglichen Identifizierungen).

[4] [...]rius F. Praetorischer Statthalter von Thracia im
J. 135 n. Chr.; s. Valerius F. W.E.

[5] s. Liternius Fronto.

[6] M. Cornelius F. Redner der Adoptivkaiserzeit, aus
dem numidischen Cirta (Min. Fel. 9,6; 31,1). Zur Biographie lernen wir das meiste aus seinen Briefen; den
traditionellen Cursus honorum (Vigintivirat, Quaestor
in Sizilien, d.h. Senator noch unter Hadrian, plebeischer Aedil und Praetor) bietet ILS 2928 (vor 138
n. Chr.). Geb. im frühen 2. Jh., ausgebildet von dem
Philosophen Athenodotos und dem Redner Dionysius
Tenuis, war F. als Rechtsanwalt und Redner tätig und
galt schon gegen Ende der Regierungszeit Hadrians als
der erste Sachwalter Roms (Cass. Dio 69,18,3). Auch als
Redelehrer scheint er früh bekannt geworden zu sein,
so daß ihm bald nach Antoninus Pius' Regierungsantritt
(Juli 138) die Erziehung der Prinzen M. Aurelius und L.
Verus anvertraut wurde. Auch für seinen weiteren Lebenslauf blieb die enge Verbindung mit der Kaiserfamilie entscheidend: Der etwa 33jährige war *consul suffectus* im Juli/August 143, mußte indes die Verwaltung
der angesehenen Provinz Asia krankheitshalber able-
nen. Obwohl die erh. Korrespondenz nur bis gegen 166
reicht, ist sein Tod erst nach 176 anzunehmen; Marc
Aurel beantragte eine Ehrenstatue für seinen ehemaligen Lehrer.

Frontos ant. Ruhm (Paneg. 8,14,2: neben Cicero;
Cass. Dio 69,18,3; Sidon. epist. 8,10,3) gründet sich zumal auf seine Reden, von denen wir uns jedoch kein
rechtes Bild machen können: Die ant. Urteile sind nicht
einheitlich, überl. sind nur Fr., etwa eine *Gratiarum actio*
im Namen der Karthager. Senatsreden waren auch die
Laudes Hadriani und die beiden *Gratiarum actiones de
consulatu*, berühmt die von Min. Fel. 9,6; 31,2 zitierte
Rede *In Christianos*. Eine Staatsrede im *consilium principis*
(*De testamentis transmarinis*) hat F. dem Marc Aurel zukommen lassen, der sie im Antwortbrief zitierte. Aufsehen erregte auch seine Anklagerede gegen Herodes
Atticus.

Deklamationen und Kleinprosa in der Briefslg., die
F. als typischen Vertreter der → Zweiten Sophistik aus-
weisen, sind u. a. die Scherzlobreden (*nugalia* p. 231,13
v. D. H.), *Laudes fumi et pulveris* (p. 215–217) und *Laudes
neglegentiae* (p. 218–220), ein Briefessay *De feriis Alsiensi-
bus* (p. 231,16–233,15) zum geistig-körperlichen *otium*
und der Antwortbrief auf Marc Aurels Kondolenz-
schreiben zum Tod (165) von F.s Enkel (*De nepote amis-
so*, p. 235–240). Eine Art Trostschrift ist auch *De bello
Parthico* an Marc Aurel (162) nach der röm. Niederlage
gegen die Parther; Programmcharakter haben schließlich *De eloquentia* zum Wert der Rhet. und *De orationibus*
(p. 153–160) zu stilistischen Exempelfiguren für Marc
Aurels Redepraxis. Der Traktat *Principia historiae* über
den 166 siegreich vom Partherkrieg heimkehrenden L.
Verus mit den Grundzügen eines panegyrischen Gesch.-
Werkes (p. 202–214) steht im Gegensatz zu Lukians *De

historia conscribenda.* – Die eigentlichen Briefe sind in einer heute auf Mailand (Ambr. E 147 sup.) und Rom
(Vat. Lat 5730) verteilten, reskribierten Hs. (Ende 5. Jh.;
CLA 1,27; 3,19), insgesamt knapp ⅗ des urspr. Cod.,
erhalten; neben der Kleinprosa Korrespondenzen mit
Marc Aurel (je 5 B. *Ad Caesarem* und *Ad imperatorem*)
und L. Verus (2 B.), eine offiziellere Korrespondenz mit
Antoninus Pius sowie 2 B. *Ad amicos*. Gegen eine Herausgabe durch F. selbst sprechen zumal die doppelt
überlieferten Briefe. Der private und situationsgebun-
dene Charakter der Korrespondenz sollte jedenfalls
nicht in einer psychologischen Generalisierung gegen
den Autor gewendet werden. Ernst zu nehmen ist hingegen die – von den Schülern aufrichtig erwiderte –
pädagogische Zuneigung. F.s Didaktik tendiert allver-
dings zu einem exzessiven Kult der Form, dem eine
Ablehnung der Philos. entspricht. Die Empfehlung zumal vorklass. Autoren (Plautus, Cato, Sallust; die Einstellung zu Cicero ist ambivalent, die zu Seneca negativ)
macht F. zu einem Hauptvertreter der in Rom als
→ Archaismus auftretenden Zweiten Sophistik.

F.s Ansehen bei den Zeitgenossen war beachtlich.
Dieser Ruhm von Person und Werk, faßbar zumal bei
Gellius, gerinnt in der Spätant. zu einem Pauschalbild
eines großen Redners und Günstlings der Antoninen.
Die Briefe und Reden gingen im Früh-MA verloren;
erst 1815 bzw. 1819 entdeckte A. MAI die Reste des
palimpsestierten Brief-Codex.

ED.: M. P. J. VAN DEN HOUT, ²1988 (256ff. Fr. der Reden).
LIT.: PIR² C 1364 · F. PORTALUPI, Marco Cornelio F.,
1961 · E. CHAMPLIN, F. and Antonine Rome, 1980 ·
P. STEINMETZ, Unt. zur röm. Lit. des 2. Jhs., 1982, 173–186 ·
P. V. COVA, M. Cornelio F., in: ANRW II.34,2, 873–918 ·
M. A. LEVI, Ricerche su F., 1994 · K. SALLMANN, in: HLL,
§ 456. P. L. S.

Frosch (βάτραχος, ion. βάθρακος, βρόταχος; *rana*) ist
der Sammelname für die F.-Lurche (βατράχων γένος,
Aristot. hist. an. 7(8),2,589a 28f.), der die echten F.-
Arten sowie die Krötenarten umfaßt.

A. DIE ECHTEN FROSCHARTEN

Zu den echten F.-Arten gehören der grüne Wasser-F. (Rana esculenta), der braune Gras-F. (Rana tem-
poraria L.; beide zuerst von Theophr. fr. 174,1 unterschieden; vgl. *dioptes* Plin. nat. 32,70 und 139) und der
Laub-F. (Hyla arborea), den Plinius (nat. 32,75; 92; 122)
als *calamites* präzise genug beschreibt (vgl. Ps.-Theophr.
De signis tempestatum 15; Isid. orig. 12,6,58). In der Lit.
ist meistens der Wasser-F. gemeint: sein auffallendes
Quaken (βοᾶν, θορυβεῖν, *coaxare, garrire*), gibt Aristophanes in den ›Fröschen‹ durch *brekekekéx koáx koáx*
lautmalerisch wieder; das Quaken störte sowohl Götter
als auch Menschen (Aristoph. Ran. 226ff; Batrachomyomachia 187ff.; Hor. sat. 1,5,14). Pan und die Nymphen hatten jedoch Gefallen daran (Aristoph. ebd.;
Anth. Pal. 9,406). Nichtquakende F. nennt Plin. nat.
8,227, und es gibt Sagen über ihr Verstummen [1].

Als Wetterprophet, d.h. Regenverkünder, wurde der F. bewundert (Arat. 946; Verg. georg. 1,378); Plinius (nat. 18,361) listet ihn unter den *praesagia tempestatum* auf (vgl. Aristot. probl. 1,22,862a 10). Sorge vor F.-Plagen wegen Übervermehrung dokumentieren nicht nur Ex 8,1 ff., sondern auch Varro bei Plin. nat. 8,104, der die Vertreibung der Bevölkerung einer gallischen Stadt durch F. erwähnt (vgl. Strab. 16,772; Diod. 3,30). An einen F.-Regen glaubte Theophr. fr. 174 nicht. Aristoteles beschreibt die amphibische Lebensweise des F. (hist. an. 1,1,487a 28), dessen Zunge und Lauterzeugung (5,9,536a 8 ff.; auch Plin. nat. 11,72) sowie dessen Genitalien und Fortpflanzung (3,1,510b 35; 5,3,540a 30 ff. und 6,14,568a 22 ff.). Die Kaulquappen (γύρινοι, *gyrini*) erscheinen in der Lit. zuerst bei Plat. Tht. 161d, ferner u. a. bei Arat. 947 und Plin. nat. 9,159. Aristoteles sagt dem F. Jagd auf Bienen nach (hist. an. 8(9),40,626a 9; vgl. Ail. nat. 1,58). Plinius weiß, daß der F. im Schlamm, aus dem er angeblich entsteht (Ov. met. 15,375; Plut. symp. 2,3), Winterschlaf hält (Plin. nat. 9,159). Mit der Schlange, dem Storch, dem Schwan und anderen Vögeln lebt er in Feindschaft. Anders als die heutigen Feinschmecker liebte man den Verzehr der Schenkel offenbar nicht (Varro bei Colum. 8,16,4). In einer Brühe mit Salz und Öl gekocht empfiehlt sie Dioskurides (2,26 WELLMANN 1,130f. = 2,28 BERENDES 162) als Gegenmittel u. a. gegen Schlangengift.

Der F. wurde als Tier der Unterwelt gesehen (Aristoph. Ran. 207; Iuv. 2,150); die vielen F.-Plastiken an Gebäuden oder Geräten (z. B. auf dem Siegel des Maecenas, Plin. nat. 37,10) aus mancherlei Material haben magische, d. h. apotropäische Bedeutung. Als unreine Geister erscheinen sie Apk 16,13. Sie stehen aber auch seit alters in Beziehung zu Apollon als Wahrsager (Plut. de Pyth. or. 12 = mor. 25,399f.). Plut. Septem sapientes 21 (= mor. 13,164a) erwähnt um eine Dattelpalme gruppierte F. im delphischen Haus, das Kypselos dem Gott geweiht hatte. Der Sage nach hat Latona die ihr das Trinken in einem Teich verwehrenden lykischen Bauern in Frösche verwandelt (Ov. met. 6,377 ff.). Weitere Verwandlungssagen bieten Antoninus Liberalis 35 und Probus, in Verg. georg. 1,378. In der → *Batrachomyomachia*, einer ep. Homer-Parodie, sind die F. – neben den Mäusen – die Protagonisten. In der Tierfabel (Aisop. Fab. 43 f.; 70; 143; 146; 302; 307; 312; Phaedr. 1,6; 24 bzw. 30) erscheinen sie als feige, dumm und überheblich.

B. KRÖTENARTEN

In erster Linie bekannt war die Erdkröte (φρῦνος, φρύνη, *rubeta*, *bufo*; mit zwei Unterarten nach Plin. nat. 32,49 ff.; Nik. Alex. 567 ff. und Schol. zu Aetios von Amida 13,37), daneben aber auch die Unke (λιμναία φρύνη; Nik. Alex. 567 ff.; Theokr. 7,139). Die Kröte verhält sich ähnlich dem F.: Sie lebt amphibisch (Plin. nat. 8,110; Aetios von Amida 13,37), frißt Insekten (Plin. nat. 11,62) und taucht bei kommendem Regen ins Wasser ein (Ps.-Theophr. De signis tempestatum 15). Die Giftigkeit v. a. ihrer Haut (Plin. nat. 25,123) wurde

stark übertrieben (vgl. Plin. nat. 8,110; 11,196; 11,280; 32,50; Nik. Alex. 588; Ail. nat. 17,12). Durch ihre Unheimlichkeit und Häßlichkeit, v. a. aber durch ihr Gift, wurde sie das typische Zaubertier der Bauern (Plin. nat. 18,158; 294 und 303; Geop. 2,18,14) und der Hexen (Hor. epod. 5,19; Prop. 3,6,27; Iuv. 1,70). Plin. nat. 32,48 ff. bietet deshalb auch einen umfangreichen Katalog der F. und Kröten berücksichtigenden Sympathiemittel.

1 M. WELLMANN, s. v. F., RE 7, 114,30 ff. 2 KELLER.

C. HÜ.

Fruchtbarer Halbmond s. Mesopotamien

Fructus (»Früchte«). Sachen, die aus einer anderen Sache (»Muttersache«) gewonnen werden, wie Feld- und Baumfrüchte, Holz, Tierjunge, Haare, Wolle, Milch (Dig. 22,1,28 pr.; 7,1,48,1). F. gehörten vor der Trennung dem Eigentümer der Muttersache (Dig. 6,1,44), grundsätzlich auch danach. Ein Pfandrecht (→ *pignus*) an der Muttersache setzte sich an den *f.* grundsätzlich fort, wenn sie mit der Trennung in das Eigentum des Verpfänders fielen (Dig. 20,1,1,2; 29,1); das Verpächterpfandrecht erfaßte obendrein *f.*, die nicht Eigentum des Pächters wurden (Dig. 47,2,62,8; 19,2,53; 24,1). Ein Nießbrauch (→ *usus fructus*) führte sofort (Inst. Iust. 2,1,37) oder mit der Ergreifung (*percipere*, Dig. 7,4,13) zum Eigentum des Nießbrauchers an den *f.* Als *f.* wurden auch Jagd- und Fischereierträge angesehen (Dig. 7,1,9,5; 22,1,26). Für *f.* (*pro fructibus*) galten Mietzinsen (Dig. 22,1,36), anstelle von *f.* (*loco fructuum*) standen Pachtzinsen, Dienste der Sklaven, Überfahrts- und Fuhrgelder (Dig. 5,3,29). Gebrochener Marmor gehörte nicht zu den Früchten, es sei denn der Stein wuchs nach (Dig. 24,3,7,13). → Zinsen (*usurae*) für Darlehen wurden, obwohl nicht *in fructibus* (Dig. 50,16,121), den *f.* gleichgestellt (Dig. 22,1,34).

Ein vielfach und schon als »alte Frage« (Ulp. Dig. 7,1,68 pr.) erörtertes Problem war die Zugehörigkeit des Sklavenkindes (*partus ancillae*): Das Kind einer Nießbrauchssklavin wurde nach Meinung des Juristen M. → Iunius Brutus, die sich durchgesetzt hat, nicht Eigentum des Nießbrauchers, ›denn ein Mensch kann nicht *in fructu* eines Menschen sein‹ (Ulp. ebd.), ähnlich Gai. Dig. 22,1,28,1 mit der philos. beeinflußten Begründung *cum omnes f. rerum natura hominum gratia comparaverit* (›da die Natur der Dinge alle *f.* für die Menschen hervorgebracht hat‹). Ein Pfandrecht an der Mutter ergriff hingegen auch das Kind, selbst wenn dieses nach einer Veräußerung der Mutter nicht dem Verpfänder zufiel (Dig. 13,7,18,2; 20,1,29,1). In einem weiteren Sinn kann *f.* einen Vorteil wie die Verpfändungsbefugnis meinen (Dig. 22,1,49), übertragen auch »Lohn« (*munificentiae*, Dig. 50,10,2 pr.).

J. FILIP-FRÖSCHL, Partus et fetus et f., in: Ars boni et aequi, FS Waldstein, 1993, 99–121 • HONSELL/MAYER-MALY/SELB, 85f. • KASER, RPR I, 284, 384, 425, 427f., 447–454, 464 • WIEACKER, RRG, 588.

D.SCH.

Frugi. Röm. Cognomen (»tauglich«, »rechtschaffen«, »ehrenwert«, von *frux* [1]), innerhalb der republikanischen Nobilität bei den Calpurnii (→ Calpurnius [I 20–23]; [II 5; 24]; [III 1]) und M. Pupius Piso F. Calpurnianus, in der Kaiserzeit auch bei den Licinii und weiteren Familien.

1 WALDE/HOFMANN I, 552.

DEGRASSI, FCIR 252 · KAJANTO, Cognomina 68, 253.

K.-L. E.

Frumentargesetze (*leges frumentariae*) bezeichnen Gesetze zur Abgabe verbilligten oder kostenlosen Getreides in der Stadt Rom. Von Versorgungskrisen und Versuchen zu ihrer Behebung weiß die röm. Überlieferung bereits für das erste Jh. der Republik zu berichten – freilich nur aufgrund vager Erinnerung [16. 25 f.]. Ein *praefectus annonae* 440 v. Chr. (Liv. 4,12,8) ist anachronistisch, und noch die Getreidebeschaffung durch die Ädilen 299 v. Chr. (Liv. 10,11,9) sehr zweifelhaft [3. 31 ff.]. Im 2. Jh. v. Chr. mehren sich die Zeugnisse für staatliches Handeln auf dem Versorgungssektor [4. 193 f.]; möglicherweise gab es ein Gesetz gegen Getreidewucher [6. 29 f.].

Die erste *lex frumentaria* hat der Volkstribun C. Gracchus 123 v. Chr. eingebracht, um die *plebs urbana* für sein Reformprogramm zu gewinnen, zugleich in Reaktion auf eine Teuerung [5. 20 ff.]. Für einen Preis von 6 ⅓ *as* pro *modius* (schol. Bob. p.135 ST) durfte jeder Bürger in Rom Getreide kaufen, monatlich wohl für rund 2 Denare die zuerst für den Gesetzesantrag des Consuls M. Aemilius Lepidus im J. 78 v. Chr. bezeugten 5 *modii* (Granius Licinianus p.27 CRINITI). Von optimatischer Seite wurde das F. des C. Gracchus als Verleitung zum Müßiggang (Cic. Sest. 103), *largitio* (Cic. off. 2,72) und Plünderung der Staatskasse (Cic. Tusc. 3,48) abgelehnt, doch war eine Sicherstellung des Grundbedarfs in der Großstadt Rom notwendig (C. Gracchus fr. 51 ORF; Plut. C. Gracchus 5), die Teilhabe des Volkes an den Gewinnen der Herrschaft legitim (Flor. epit. 2,1,3) und im Verhältnis zu den Einnahmen auch finanzierbar [16. 31 ff.].

Ein weiteres F. verhinderte Marius als Volkstribun 119 v. Chr. durch sein Veto (Plut. Marius 4,7). Gegen Ende des 2. Jh. wurde die Getreidepolitik zum Gegenstand optimatischer und popularer Konkurrenz, wobei die Optimaten allerdings einzelne Maßnahmen gesetzlichen Regelungen vorzogen [2. 243 ff.]. So wurde im J. 104 der *princeps senatus* M. Aemilius Scaurus anstelle des *quaestor Ostiensis* L. Appuleius Saturninus mit der Sorge für das Getreidewesen betraut (Cic. har. resp. 43; Cic. Sest. 39; Diod. 36,12). Ein F. des Volkstribunen Saturninus, 103 oder 100 v. Chr., das den Preis auf symbolische ⅚ *as* pro *modius* senken sollte, vereitelte der *quaestor urbanus* Q. Servilius Caepio mit Gewalt (Rhet. Her. 1,21). Zur Kompensation wurden durch Caepio und seinen Kollegen L. Calpurnius Piso Münzen geprägt *AD FRU(mentum) EMU(ndum) EX SC* (RRC 330). Erst das F.

des Volkstribunen M. Octavius ersetzte in den 90er Jahren [14. 235 ff.] die *lex Sempronia* mit dem Ziel, das *aerarium* zu entlasten (Cic. Brut. 222; off. 2,72); das F. des Volkstribunen M. Livius Drusus 91 v. Chr. sollte wohl den früheren Zustand wieder herstellen (Liv. per. 71), wurde aber nach seinem Tod zusammen mit seinen anderen Gesetzen aufgehoben.

Die gänzliche Aufhebung der F. durch Sulla ist schwach bezeugt (Sall. hist. 1,55,11 M); denkbar ist, daß er die in den folgenden Jahren mehrfach genannte Menge von 5 *modii* pro Monat herabsetzte. Nur kurze Zeit gültig war das F. des im J. 77 zum *hostis* erklärten Aemilius Lepidus, bemerkenswert aber als die erste consularische *lex frumentaria*. Um das J. 75 v. Chr. gab es eine Teuerung mit Unruhen in Rom (Sall. hist. 2,45 M) und Bemühungen Einzelner zu ihrer Linderung (Cic. Verr. 2,3,215; Cic. Planc. 64; Cic. off. 2,58; Plin. nat. 18,16). Eine consularische *lex Terentia Cassia* sah im J. 73 v. Chr. die Abgabe von 5 *modii* vor (Sall. hist. 3,48,19 M) – nach Cicero, in einer freilich sehr rhet. Passage (Cic. Verr. 2,3,72), an ca. 40 000 Empfangsberechtigte. Da zusätzlich zum Getreidezehnten 3,8 Millionen *modii* angekauft werden sollten (Cic. Verr. 2,3,163; 2,3,227), ist diese niedrige Zahl recht zweifelhaft.

M. Porcius Cato erhöhte als Volkstribun 62 v. Chr. in der schwierigen polit. Situation nach Hinrichtung der Catilinarier durch einen Senatsbeschluß den Aufwand für die Getreideversorgung beträchtlich (Plut. Cato minor 26,1; Plut. Caesar 8,4). Im J. 58 v. Chr. tat der Volkstribun P. Clodius Pulcher den letzten Schritt zur kostenlosen Abgabe des Getreides anstelle des zuvor geltenden Preises von 6 ⅓ *as* pro *modius* (Cic. Sest. 55), sorgte aber zugleich für die Finanzierung durch die Annexion von Cypern und für die Organisation der Getreidebeschaffung [8. 282 ff.]. Versorgungsengpässe und heftige Preisschwankungen in den J. 58/57 veranlaßten die Betrauung des Cn. Pompeius mit der → *cura annonae* [12. 75 ff.] aufgrund einer consularischen *lex Cornelia Caecilia* mit proconsularischem *imperium* für fünf Jahre. Der Senat bewilligte ihm im J. 56 40 Millionen HS für den Getreideankauf (Cic. ad Q. fr. 2,6,1).

Obwohl Pompeius sich um eine listenmäßige Erfassung der Empfangsberechtigten bemühte (Cass. Dio 39,24,1; [9.29 ff.]), stieg ihre Zahl bis auf 320 000 an. Unklar bleibt die Bedeutung einer *rogatio alimentaria* des Volkstribunen C. Scribonius Curio im Jahre 50 v. Chr., die den Ädilen die Zumessung des Getreides übertragen wollte (Cic. fam. 8,6,5). Caesar reduzierte im J. 46 die Zahl der Getreideempfänger auf ein Maximum von 150 000 (Suet. Iul. 41,3), wobei die Liste der Empfangsberechtigten jeweils durch Los wieder ergänzt wurde. 80 000 proletarische Bürger wurden stattdessen in Übersee-Bürgerkolonien angesiedelt (Suet. Iul. 42,1). 44 v. Chr. vermehrte Caesar für die Zwecke der Getreideversorgung die Ädilität um zwei *aediles plebis Ceriales* ab dem folgenden Jahr (Cass. Dio 43,51,3). Nach seiner Ermordung wollte der Senat im J. 43 die Übertragung der Getreidebeschaffung oder der *cura annonae* an einen Einzelnen für die Zukunft ausschließen (Cass. Dio 46,39,3).

Dennoch übernahm Augustus im J. 22 v. Chr. die *curatio annonae* (R. Gest. div. Aug. 5) und institutionalisierte in der Folgezeit Beschaffung wie Verteilung als Teil seiner Legitimation: *Ubi . . . populum annona . . . pellexit* (Tac. ann. 1,2,1). Ergingen zunächst Spenden an 250000, einmal sogar an 320000 Bürger (R. Gest. div. Aug. 15), so wurde die Zahl im J. 2 v. Chr. auf 200000 (Cass. Dio 55,10) und im Gefolge der Krise 6 n. Chr. (Cass. Dio 55,25) auf 150000 reduziert [20. 46ff.]. Weiterhin aber handelte es sich bei den Getreideverteilungen nicht um eine soziale Maßnahme, sondern um Zuwendungen an eine privilegierte soziale Gruppe [1. 55ff.]. Für die Getreideverteilung waren seit dem J. 22 v. Chr. zunächst zwei, dann vier praetorische *curatores* (später: *praefecti*) *frumenti dandi ex s.c.* zuständig. Die Beschaffung übernahm ab etwa 7 oder 8 n. Chr. ein *praefectus annonae* ritterlichen Standes. Eine gleichzeitige *lex Iulia de annona* richtete sich gegen Getreidespekulation und Transportbehinderung [6. 81ff.].

1 D. VAN BERCHEM, Les distributions de blé et d'argent à la plèbe romaine sous l'Empire, 1939 2 L. A. BURCKHARDT, Polit. Strategien der Optimaten in der späten röm. Republik, 1988 3 M. ERNST, Die Entstehung des Ädilenamtes, Diss. Paderborn 1990 4 GARNSEY 5 P. GARNSEY, D. RATHBONE, The Background to the Grain Law of Gaius Gracchus, in: JRS 75, 1985, 20–25 6 P. HERZ, Studien zur röm. Wirtschaftsgesetzgebung, 1988 7 J. MARTIN, Die Popularen in der Geschichte der Späten Republik, 1965 8 C. NICOLET, La *Lex Gabinia – Calpurnia de insula Delo* et la loi »annonaire« de Clodius (58 av. J.-C.), CRAI 1980, 260–292 9 Ders., Le temple des Nymphes et les distributions frumentaires à Rome à l'époque républicaine d'après des découvertes récentes, CRAI 1976, 29–51 10 G. RICKMAN, The Corn Supply of Ancient Rome, 1980 11 M. ROSTOWZEW, s. v. Frumentum, RE 7, 126–187 12 K. RUFFING, Ein Fall von polit. Getreidespekulation im Jahr 57 v. Chr. in Rom?, in: Münstersche Beitr. z. ant. Handelsgesch. 12, 1993, 75–93 13 H. SCHNEIDER, Wirtschaft und Politik, 1974, 361–391 14 J. G. SCHOVÁNEK, The Date of M. Octavius and his Lex Frumentaria, in: Historia 21, 1972, 235–243 15 L. THOMMEN, Das Volkstribunat der späten röm. Republik, 1989 16 J. V. UNGERN-STERNBERG, Die polit. und soziale Bedeutung der spätrepublikanischen *leges frumentariae*, in: A. GIOVANNINI (Hrsg.), Nourrir la plèbe, 1991, 19–42 17 Ders., Überlegungen zum Sozialprogramm der Gracchen, in: H. KLOFT (Hrsg.), Sozialmaßnahmen und Fürsorge. Zur Eigenart ant. Sozialpolitik (Grazer Beitr. Suppl. 3), 1988, 167–185 18 P. VEYNE, Le pain et le cirque, 1976 19 C. VIRLOUVET, Famines et émeutes à Rome des origines de la république à la mort de Néron, 1985 20 Dies., La plèbe frumentaire à l'époque d'Auguste: Une tentative de définition, in: A. GIOVANNINI (Hrsg.), Nourrir la plèbe, 1991, 43–65.   J. v. U.-S.

Frumentarii. *F.* waren in der späten Republik und im frühen Prinzipat möglicherweise in der → Heeresversorgung eingesetzte Soldaten (Beschaffung von Nahrungsmitteln, Eskortierung von Händlern). Spätestens

seit dem 2. Jh. n. Chr. jedoch agierten sie als kaiserliche Boten, Kuriere, Spitzel und Polizisten. Ihr Name und ihre Tätigkeit ist von den Händlern abgeleitet, mit denen sie einst zusammenarbeiteten, denn diese *f.* wurden oft auch als Spione eingesetzt. Die mil. *f.* waren Legionen zugeordnet, aber in Rom in den *castra peregrina* stationiert und dort dem *praefectus praetorio* unterstellt; *f.* sind epigraphisch für Rom (ILS 2364–2367), Italien (Ostia: ILS 2223) und die Provinzen (ILS 2368; 2370; 8244) belegt. Bei den Statthaltern bezeugte *f.* waren auch als Polizeikräfte tätig. In der Spätant. erfolgte die Ablösung der *f.* durch die → *agentes in rebus* (Aur. Vict. 39,44).

→ Heeresordnung

1 M. CLAUSS, Untersuchungen zu den principales des röm. Heeres von Augustus bis Diokletian. Cornicularii, speculatores, frumentarii, 1973 2 O. FIEBINGER, s. v. f., RE 7, 122–125.   L. WI.

Frumentius. Apostel Äthiopiens, geb. Anfang 4. Jh. n. Chr. in Tyros. Einzige Quelle über ihn ist Rufinus von Aquileia (historia ecclesiastica 10,10). Auf einer Reise nach Indien geriet F. in äthiopische Gefangenschaft, dort gelang es ihm, die Gunst des Königs von → Aksum zu gewinnen. Nachdem ihn Athanasius von Alexandreia zum Bischof für Äthiopien (Aksum) geweiht hatte, entfaltete F. (seit 340) eine rege Missionstätigkeit. Zu den Anfängen des Christentums in Äthiopien vgl. [3].

1 PL 21, 478f. 2 E. CERULLI, s. v. Äthiopien, LThK² 1, 999f. 3 B. B. W. DOMBROWSKI, F. A. DOMBROWSKI, F./ABBĀ SALĀMĀ; zu den Nachrichten über die Anfänge des Christentums in Äthiopien, in: Oriens Christianus 68, 1984, 114–169.   R. O. F.

Frusino (h. Frosinone). Stadt in *Latium adiectum* an der *via Latina*, 7 Meilen von Ferentinum entfernt auf einem Hügel (291 m) links der Cosa (h. Acquosa). Veranlaßte 306 v. Chr. einen Aufstand der Hernici (Diod. 20,80), dessen Anführer 303 hingerichtet wurden; ⅓ des Territoriums von F. wurde konfisziert (Liv. 10,1,3), F. zur *praefectura* herabgestuft. Nach dem Bundesgenossenkrieg *municipium*, *tribus Oufentina*; in der Kaiserzeit *colonia* (CIL X 5662f.; [1. 233]). Frühgesch. Funde, Reste von Stadtmauer und Amphitheater; Aquaedukt (Ponte della Fontana).

1 F. BLUME, K. LACHMANN (ed.), Die Schriften der röm. Feldmesser 1, 1848.

I. BARBAGALLO, Frosinone, 1975, 12–44 · E. M. BERANGER, Viaggio attraverso i musei, 1984 · Ders., Nuovi risultati di una indagine, 1992 · BTCGI 7, 1989, 414–517.   G. U./Ü: V. S.

Fuchs (ἀλώπηξ; *volpes, vulpes*). Durch hervorragende Anpassung an die Nachbarschaft des Menschen überall in Europa und Nordafrika mit Ausnahme der Mittelmeerinseln (Xen. kyn. 5,24; Plin. nat. 8,228) vorkommender Raubsäuger. Bildliche Darstellungen

[1. 88] auf Münzen [2. Taf. 2,1] und Gemmen [5. Taf. 16,1–3 und 17,17] sind relativ selten. In der Lit. vor Archilochos, d. h. bei Homer und Hesiod, fehlt er, erscheint jedoch im 5. Jh. bes. in der Komödie. Seine angeblich boshafte Listigkeit war sprichwörtlich (Archil. frg. 81 D.; Pind. 1. 3,65; Aristoph. Pax 1067; 1189; Equ. 1069; Plat. rep. 2,365c; Cic. off. 1,41: *fraus quasi vulpeculae*; Hor. sat. 2,3,186 u.ö.; s. [3. 189, 379]) und wurde auch auf den Menschen übertragen (Theokr. 5,112; Plut. Solon 30,3 u.ö.). Man gab ihm deshalb viele entsprechende Namen wie κερδώ, κερδαλέος (»Gauner, Dieb«), κίδαφος, σκίνδαφος, σκινδαφή (Strolch), κόλουρις, κοθοῦρις (Stutzschwanz), λάμπουρις (Leuchtschwanz wegen dessen auffallender Rotfärbung), (σ)καφώρη (die Füchsin; vgl. Ail. nat. 7,47), sizil. κίναδος, libysch βασσάρα, βασσάριον (weil der F. fast immer wie Semonides frg. 7 als weiblich galt). Beschrieben wurden seine Fortpflanzung (Aristot. hist. an. 2,1,500b 23; 6,34,580a 6; Plin. 10,176) und seine Beute, die gestohlenes Geflügel, Jungwild, Hasen, Mäuse, Insekten, aber auch Honig und Weintrauben umfaßte (Aristot. hist. an. 6,37,580b 25: Mäuse; Xen. kyn. 5,4 und 24; Plin. nat. 10,207; Opp. kyn. 3,460; Ail. nat. 4,39; 6,24; 13,11). Den F.-Bau beschreibt nur Opp. kyn. 3,449f. Aus der Kreuzung mit dem Hund (Aristot. hist. an. 8(9),28,607a 3; Xen. kyn. 3,1) sollten die bes. gefährlichen lakonischen → Hunde hervorgehen. Wie Hunde hatten die F. oft Tollwut (Plut. mor. 963d). Als Schädling und zur Pelzgewinnung (Hdt. 7,75; Xen. an. 7,4,4; Aristoph. Ach. 878) jagte man ihn mit Hunden, Fallen, Netzen und Schlingen. Wegen des angeblichen Wohlgeschmacks und aus therapeutischen Gründen aß man sein Fleisch in Griechenland im Herbst (Oreib. 1,181; Gal. 6,665; vgl. Nik. Alex. 185). Plin. zählt viele Sympathiemittel vom F. auf (nat. 28,165ff.). In Rom hetzte man ihn an den Cerealia (19. April) mit einer brennenden Fackel am Schwanz (Fest. 177; Ov. fast. 4,681, dazu [6. 197, 302]).

Man schrieb dem F. Nahrungskonkurrenz und Feindschaft mit Löwe, Wolf sowie Adler und anderen Greifvögeln zu (Pind. 1. 4,80; Aristot. hist. an. 9(8), 1,609b 1ff.; Plin. nat. 10,205), dagegen Freundschaft mit Rabe, Krähe und Schlange (Aristot. 8(9),609b 1ff.; Plin. nat. 10,205; Plut. mor. 981 B; Ail. nat. 2,51). Jägerlatein findet sich u. a. bei Plin. nat. 8,103; Ail. nat. 4,24 und 6,64. F.-Sagen gibt es nur wenige (Paus. 4,18,4 und 9,19,1; Apollod. 2,8,4; Antoninus Liberalis 41 [4. 147]), jedoch spielt er in der Tierfabel eine große Rolle. Er überlistet entweder andere Tiere (Aisop. fab. 9; 83; 126 und 269 HAUSRATH) oder wird von ihnen hereingelegt oder entlarvt (Aisop. fab. 17; 19; 41; 203; 245; 268; 323; 334). Seine Schläue befähigt ihn aber auch zum klugen Durchschauen und Aufdecken eines schwierigen Sachverhalts (Aisop. fab. 27; 98; 128; 135; 154; 252; 287; 335).

1 KELLER 2 F. IMHOOF-BLUMER, O. KELLER, Tier- und Pflanzenbilder auf Münzen und Gemmen des klass. Alt., 1889, Ndr. 1972 3 A. OTTO, Die Sprichwörter und sprichwörtlichen Redensarten der Römer, 1890, Ndr. 1988 4 PRELLER/ROBERT 5 F. BÖMER, P. Ovidius Naso: Die Fasten, 1957/58 6 G. WISSOWA, Religion und Kultus der Römer,²1912, Ndr. 1971, 197, 302. C.HÜ.

Fucus (φῦκος, φυκίον, φῦκος θαλάσσιος) bezeichnete urspr. zum Rotfärben von Kleidern und als Schminke (lat. Verb *fucare*) verwendete Rotalgen: etwa Rytiphloea tinctoria (Clem.) Ag., nicht aber die Gattung Fucus L. Das Lehnwort *phycos* (als Strauch *frutex*, Plin. nat. 13,135) meint nicht die krautigen *algae*, wird aber auf Grünalgen wie den Meersalat (Ulva lactuca) ausgedehnt. Plinius unterscheidet (nat. 13,136) drei Arten, nämlich 1. die Orseille- oder Lakmusflechte (Roccella tinctoria L.), 2. vielleicht einige Rotalgen (= Dioskurides 4,99 p. 2,255 WELLMANN = 4,98 p. 423 BERENDES: adstringierende Wirkung) und 3. das Seegras, eine Blütenpflanze (Zostera marina L.). Weitere Arten (Plin. nat. 13,137 = Dioskurides 4,98 p. 2, 255 WELLMANN = 4,97 p. 423 BERENDES) sind der Meersalat und einige unbestimmbare. Plinius hat dabei Theophr. h. plant. 4,6,2–9 z. T. nur ungenügend verstanden. Plin. nat. 26,103 empfiehlt *f. marinus* bes. gegen Fußgicht und andere Gelenkkrankheiten.

F. heißt sonst bei Varro rust. 3,16,19; Verg. georg. 4,244; Plin. nat. 11,48 u. a. die Drohne und das Bienenharz, während φουκᾶς beim Mediziner Simeon Seth wie das arab. *fokka* eine Art Bier bezeichnet. C.HÜ.

Füllungszeichen s. Lesezeichen

Fürstengrab, Fürstensitz
A. ALLGEMEINES B. BRONZEZEIT
C. EISENZEIT D. KAISERZEIT BIS FRÜHES MITTELALTER

A. ALLGEMEINES

In den meisten Epochen der europ. Ur- und Frühgesch. – wie auch in anderen altweltlichen Kulturen (z. B. Mykene, Anatolien, Etrurien) – lassen sich einzelne Bestattungen als bes. herausgehoben aus der Masse der »Normalgräber« erkennen, die meist als »Fürstengräber« (Fg.) bezeichnet werden [5; 14; 22]. Bis in das frühe MA liegen keine direkten Angaben zum eigentlichen Status dieser Toten vor, so daß Fg. nur eine Hilfsbezeichnung ist. Dementsprechend werden auch andere Umschreibungen benutzt, wie »Adels-«, »Häuptlings-«, »Königs-«, »Aristokraten-«, »Prunk-«, »Elite-«, »Herrscher-«, »Priester-Grab« usw. Für einzelne Bereiche gibt es neben den Männergräbern auch entsprechende Frauenbestattungen.

Die Kriterien für solche Bestattungen sind keineswegs für alle Epochen einheitlich; vorwiegend sind es die Monumentalität (Grabhügel) und bes. die Lage der Gräber, der Aufwand für die Grablege (Kammerbau), der »Reichtum« der Beigaben und die Ausstattung des/der Toten mit kostbaren Materialien (Edelmetallen, → Bernstein usw.), aufwendigen Arbeiten (Bronzege-

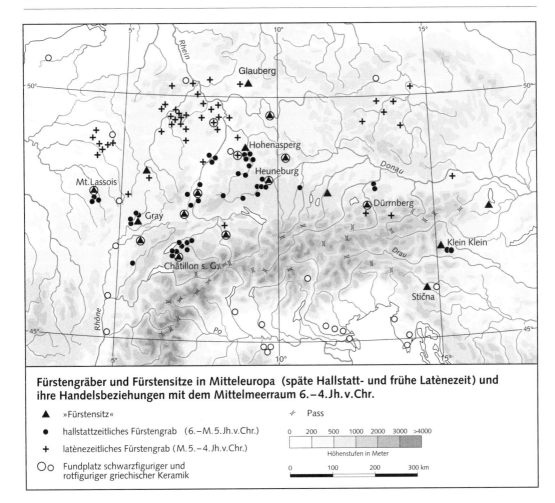

Fürstengräber und Fürstensitze in Mitteleuropa (späte Hallstatt- und frühe Latènezeit) und ihre Handelsbeziehungen mit dem Mittelmeerraum 6.–4. Jh. v. Chr.

▲ »Fürstensitz«

● hallstattzeitliches Fürstengrab (6.–M.5.Jh.v.Chr.)

+ latènezeitliches Fürstengrab (M.5.–4.Jh.v.Chr.)

○○ Fundplatz schwarzfiguriger und rotfiguriger griechischer Keramik

⚔ Pass

0   200   500   1000   2000   3000   >4000

Höhenstufen in Meter

0   100   200   300 km

fäße o.ä.), Import- bzw. Luxusgütern, Prestigeobjekten (Zeremonialgeräte, Wagen, Boote usw.) und auch die bes. Behandlung des/der Toten (Verbrennung, Lage des Körpers, → Sarkophage usw.) sowie Spuren von bes. rituellen Handlungen (→ Opfer von Tieren, Speisen usw.) in und um das Grab. Je nach Forschungsstand sind diese Kriterien jedoch nur z. T. gegeben.

In bestimmten Epochen und Kulturgebieten treten Fg. häufiger auf, in anderen fehlen sie weitgehend. Vor dem Beginn der Metallzeiten spielen sie keine Rolle.

Manchmal lassen sich den Fg. auch »Fürstensitze« (Fs.) zuordnen, die sich im Vergleich mit »normalen« Siedlungen durch ähnliche Kriterien (Monumentalität, bes. Lage und Bauweise, auffallende Größe und reiches Fundgut, Importe usw.) auszeichnen [22. 220–232] und für die ebenfalls andere Umschreibungen (z. B. »Adelssitz«, »Häuptlingssitz«, »Machtzentrum«) benutzt werden.

Die eigentlichen Gründe für die Herausbildung der Fs. sind weitgehend unbekannt und waren sicher vielfältig; zweifellos spielen z. B. Zugang zu → Rohstoffen (→ Kupfer, → Zinn, → Gold, → Salz usw.) oder günstige strategische Lage eine große Rolle für die Ent-

wicklung als Wirtschafts-, Macht- und auch Kultzentren mit wahrscheinlich vielschichtigen Funktionen.

B. BRONZEZEIT

In der Brz. sind Fg. relativ häufig; sie werden oft mit dem Aufkommen der Metallverarbeitung in Zusammenhang gebracht.

Für die frühe Brz. (E. 3. bis Mitte 2. Jt. v. Chr.) sind Fg. v. a. in Mitteldeutschland (Leubingen, Helmsdorf u. a.), in SW-England (Wessex-Kultur) und in der Bretagne zu nennen [8; 9; 11. 85–90, 435–492]. Als monumentale Grabhügel mit Kammereinbauten, Goldbeigaben, Prunkobjekten usw. heben sie sich von der relativen Uniformität der weit verbreiteten frühbrz. Flachgräberfelder ab. Zusammenhänge mit Kupfer-, Zinn- oder Goldvorkommen (Cornwall, Erzgebirge) oder auch Salzgewinnung (Mitteldeutschland) werden erwogen [11. 85–90]. Zugehörige Siedlungen (Fs.) sind nicht bekannt.

In der mittleren Brz. (15.–13. Jh. v. Chr.) spielen Fg. keine bes. Rolle. Sie tauchen erst gegen Ende der Brz. (Urnenfelder- und Nachbarkulturen, 12.–8. Jh. v. Chr.) – allerdings in anderer Ausprägung (einfacher und mehr Kult- oder Votivelemente enthaltend) – wieder häufiger auf. Ihrem abweichenden Charakter tragen auch die Bezeichnungen Rechnung: z. B. »Häuptlingsgrab« von Hagenau bei Regensburg mit einer herausgehobenen Waffenausstattung, »Priestergrab« von Acholzhausen (Franken) mit einem fahrbaren Miniaturgefäß, zahlreiche »Adelsgräber« der → Urnenfelder-Kultur mit aufwendigem Steinkammerbau und relativ reichen Beigaben oder das »Königsgrab« von Seddin (Brandenburg) mit einer einzigartigen Grabkammer und reichem Bronzegeschirr [11. 437–438; 12; 18; 19; 24]. Auch hier fehlen zugehörige Fs.

C. Eisenzeit

In der Eisenzeit (E. 8.–1. Jh. v. Chr.) treten erstmals Fg. und Fs. als zusammengehörige Erscheinungen auf [3; 6; 10]. Anders als zu Beginn der Brz. haben weder das Einsetzen der Eisentechnologie (Anf. schon in der Brz.) noch der intensive Salzbergbau der älteren → Hallstatt-Kultur (E. 8.–E. 7. Jh. v. Chr.) die Herausbildung von Fg. und Fs. bewirkt, die in dieser Zeit nur vereinzelt vorkommen. Erst in der »keltischen« Späthallstatt- und Frühlatènezeit (6.–5./4. Jh. v. Chr.) gibt es von Ostfrankreich bis in die Schweiz und nach Südwestdeutschland ein Netz von typischen Fg. und Fs. (s. Karte). Die bekanntesten sind der Mt. Lassois mit dem Grab von Vix (Burgund), die → Heuneburg bei Sigmaringen, das Grab von → Hochdorf bei Stuttgart, der → Glauberg bei Büdingen (Hessen) und → Waldalgesheim bei Bingen am Rhein [4; 6; 10]. Hier sind alle in Bezug auf Grabanlage, Beigaben und Siedlungsstrukturen wesentlichen Charakteristika der Fg. und Fs. belegbar. Enger Kontakt mit der mediterranen Welt zeigt sich zum einen in den Gräbern durch griech. → Keramik (u. a. att. sf. und rf. Amphoren), etr.-griech. Bronzegeschirr, aber auch durch Funde von → Korallen und → Elfenbein (vgl. → Etruskische Archäologie mit Karte zum Handel), zum anderen durch Hinweise auf Symposia-ähnliche Totenfeiern, in griech.-ital. Bauweise (z. B. Lehmziegelmauern) oder in den stadtähnlichen Strukturen der Fs. [6; 15]. Zumindest in dem Grab von Vix war eine Frau (»Fürstin«) bestattet.

Im östl. Bereich der frühkelt. Welt nehmen die Fg. und Fs. spürbar ab; hervorzuheben ist hier v. a. der mit dem Salzbergbau zusammenhängende → Dürrnberg [13]. Im Verlauf der jüngereisenzeitlichen → Latène-Kultur treten die Fg. deutlich zurück. Es gibt nur noch vereinzelte Beispiele der Mittel- und Spätlatènezeit (3.–1. Jh. v. Chr.), bes. im Bereich der → Treveri [16].

D. Kaiserzeit bis frühes Mittelalter

In der röm. Kaiserzeit (1.–4. Jh. n. Chr.) sind Fg. ebenfalls unterschiedlich verteilt. In die frühe Kaiserzeit (1.–2. Jh. n. Chr.) datieren die Körpergräber (Männer und Frauen) mit reichen Beigaben, bes. röm. Bronzegeschirr, → Terra Sigillata, → Glas der »Lübsow-Gruppe«, die sich von Skandinavien bis Mitteldeutschland im »Freien Germanien« verbreiten [7]. Sie werden als Bestattungen german. Stammesfürsten oder Adelsangehöriger angesehen, die durch intensive Kontakte zur röm. Welt und deren Lebensweise geprägt waren.

In der jüngeren Kaiserzeit (1. H. bis Mitte 3. Jh. n. Chr.) sind Fg. in zwei regionalen Gruppen in Mitteldeutschland (Gruppe »Haßleben/Leuna«) und Südskandinavien vertreten [1; 23], die ähnliche Charakteristika wie die älterkaiserzeitlichen aufweisen und auch ähnlich interpretiert werden.

In den folgenden Jh., zunächst in der Zeit der Völkerwanderungen, finden sich fast in ganz Europa reich mit Goldbeigaben (Schmuck, verzierten Waffen, Pferdegeschirr) ausgestattete Gräber, die deutlich reiternomadische Einflüsse (Hunnen usw.) aufweisen [2; 21]. Die Merowingerzeit bringt mit dem Grab des → Childerich (gest. 481/2 n. Chr.) die erste historisch als Fg. bzw. Königsgrab identifizierbare Bestattung. Zahlreiche vergleichbare Gräber sind von Siebenbürgen (Apahida) bis England (→ Sutton Hoo) bekannt, allerdings können die Bestatteten nicht identifiziert werden. Aus den weiten Bereichen der »Reihengräberzivilisation« heben sich immer wieder Gräber mit bes. Ausstattung, Anlage und Rangabzeichen (z. B. Goldgriff-Spathen) ab, deren genauere Stellung umstritten ist. Das vordringende Christentum bringt eine stärkere Bindung der Fg. an frühe Kirchenbauten mit sich [2; 17; 20].

Während derartige Fg. bis in das MA in weiten Teilen Europas nachzuweisen sind (Wikinger, Magyaren, → Slaven usw.), sind Fs. kaum bekannt.

→ Adel; Bodenschätze; Grabbauten; Handel; Kultus; Religion; Schiffahrt; Schiffbau; Siedlungsformen; Verkehrswesen; Wagen

Lit.: **1** M. Becker, Die röm. Fundstücke aus dem german. »Fürstengrab« der spätröm. Kaiserzeit bei Gommern, Landkreis Burg, in: Germania 71, 1993, 405–417 **2** H. W. Böhme, Adelsgräber im Frankenreich, in: JRGZ 40, 1993 (1995), 397–534 **3** P. Brun, B. Chaume (Hrsg.), Vix et les éphémères principautés celtiques. Actes Coll. Châtillon-sur-S., 1997 **4** M. K. H. Eggert, Riesentumuli und Sozialorganisation: Vergleichende Betrachtungen zu den sog. »Fürstenhügeln« der späten Hallstattzeit, in: Arch. Korrespondenzblatt 18, 1988, 263–274 **5** J. Filip, Fg., in: Ders. (Hrsg.), Enzyklopädisches Hdb. der Ur- und Frühgesch. Europas, 1966 **6** F. Fischer, Frühkelt. Fg. in Mitteleuropa, 1982 **7** M. Gebühr, Zur Definition älterkaiserzeitlicher Fg. vom Lübsow-Typ, in: PrZ 49, 1974, 82–128 **8** S. Gerloff, The Early Bronze Age Daggers in Great Britain and a Reconsideration of the Wessex Culture, in: Prähistor. Bronzefunde VI,2, 1975 **9** P.-R. Giot, J. Briard, L. Pape, Protohistoire de la Bretagne, 1979, 59–107 **10** A. Haffner, Die kelt. Fg. des Mittelrheingebietes, in: R. Cordie-Hackenberg u. a. (Hrsg.), Hundert Meisterwerke kelt. Kunst, 1992, 31–61 **11** J. Herrmann (Hrsg.), Arch. in der Deutschen Demokratischen Republik, 1989 **12** H.-J. Hundt, Ein spätbrz. Adelsgrab von Behringersdorf, Landkreis Lauf a. d. Pegnitz, in: Jahresber. der Bayerischen Bodendenkmalpflege 15/16, 1974/5, 42–57 **13** T. Knez, Hallstattzeitliche Fg. in Dolenjsko (Unterkrain), in: Mitt. der Anthropologischen Ges. in Wien 123/4, 1993/4, 105–113 **14** G. Kossack, Prunkgräber, in: G. Kossack, G. Ulbert (Hrsg.), Stud. zur vor- und frühgesch. Arch. FS J.

Werner Bd. 1, 1974, 3–33 **15** Luxusgeschirr kelt. Fürsten – Griech. Keramik nördl. der Alpen. Ausstellungskat. Würzburg, 1995 **16** J. METZLER, Clemency et les tombes d'aristocratie en Gaule Belgique, 1991 **17** H. MÜLLER-WILLE, Königsgrab und Königsgrabkirche, in: BRGK 63, 1982 (1983), 349–412 **18** CH. PESCHECK, Ein reicher Grabfund mit Kesselwagen aus Unterfranken, in: Germania 50, 1972, 29–56 **19** P. F. STARY, Das spätbrz. Häuptlingsgrab von Hagenau, Kr. Regensburg, in: K. SPINDLER (Hrsg.), Vorzeit zw. Main und Donau, 1980, 46–97 **20** F. STEIN, Adelsgräber des 8. Jh. in Deutschland, 1967 **21** H. STEUER, Frühgesch. Sozialstrukturen in Mitteleuropa, 1982 **22** Ders. u. a., s. v. Fg. und Fs., RGA 10, 168–232 **23** J. WERNER, Bemerkungen zur Skelettgräbergruppe Haßleben-Leuna, in: H. BAUMANN (Hrsg.), FS W. Schlesinger Bd. 1, 1973, 1–30 **24** H. WÜSTEMANN, Zur Sozialstruktur im Seddiner Kulturgebiet, in: Zschr. für Arch. 8, 1974, 67–107. KARTEN-LIT.: F. FISCHER, Frühkelt. Fg. in Mitteleuropa, 1982, Abb. 2 · W. KIMMIG, Die griech. Kolonisation im westl. Mittelmeergebiet und ihre Wirkung auf die Landschaften des westl. Mitteleuropa, JRGZ 30, 1983, 5–78, Abb. 28 und 29.   V.P.

Fürstenspiegel. Der Begriff F. als Bezeichnung einer lit. Gattung, in der Machthabern Verhaltensregeln erteilt werden, taucht zwar erst im MA mit Gottfried von Viterbos *Speculum regum* (ca. 1180 n. Chr.) auf, doch sind Ratgeber für die Herrscher, ob explizit in direkter Anrede oder implizit in idealisierenden Porträts von Königen oder Adligen, in Äg. und Mesopotamien schon ab dem 2. Jt. v. Chr. bezeugt.

→ Hesiods' ›Theogonie‹ bietet neben Mythen, die ihren Vorläufern im Nahen Osten ähneln, auch eine – den Schilderungen von königlichen Siegen der benachbarten nichtgriech. Kulturen vergleichbare – enkomiastische Darstellung des Götterkönigs Zeus. Die ›Werke und Tage‹, in denen Hesiod einen genügsamen Bauern seinem Bruder als Vorbild hinstellt, dienen gleichermaßen zur Unterweisung Mächtiger darin, wie sie sich gerecht in ökonomischen wie sozialen Belangen verhalten sollen (bes. in der Fabel vom Falken und der Nachtigall, die sich speziell an ›die Könige‹ wendet; Hes. erg. 201–204). Durch Parallelen zwischen homer. Epik und hesiodischer Didaktik einerseits, und indo-iranischen und altirischen Texten andererseits lassen sich gemeinsame traditionelle Themen ausmachen wie z. B. die Notwendigkeit von Aufrichtigkeit und rhet. Begabung, die einen indoeurop. Ursprung für an Könige gerichtete Verhaltensregeln nahelegen. Darüber hinaus führt auch die *Ilias*, wie die alte indische Epik, die Konsequenzen vor, die sich aus den Fehlern der Anführer ergeben, wobei sie einige Schlüsselszenen liefert, in denen die Heroen ethischen und mil. Rat erhalten (in der *Ilias* bes. von weisen Figuren wie Nestor und Phoinix: 1,254–291; 9,434–605; 11,655–803). Die *Odyssee* enthält Anweisungen, die man jungen Aristokraten geben könnte, darunter die Schilderung der Erziehung des anfangs zaghaften Jünglings Telemachos zum Helden (B. 1–4, 15–24), die Ausführungen des Odysseus über königliche Ideale (8,166–181; 19,107–122) und das negative Beispiel der durch die Freier auf Ithaka zustande gebrachten Mißherrschaft. Auch wenn ep. Dichtung nicht als schlichtweg didaktisch bezeichnet werden kann, so übte sie dennoch eine äußerst einflußreiche Funktion im Rahmen der Ausbildung der Elite der griech. Poleis aus und lieferte Material für spätere, in höherem Maße praktisch-didaktische Werke: Philodemos (1. Jh. v. Chr.) entnahm ihr seine an Machthaber adressierten Anweisungen (›An den guten König nach Homer‹) oder Dion Chrysostomos seine vier Abh. ›Über Königsherrschaft‹ (1. Jh. n. Chr.). Kurz: Es ist die homer. Dichtung, die für ein Jt. als Basis der F.-Tradition anzusehen ist.

Nicht-ep. Dichtung und Prosa liefern weitere Beispiele in der archa. und klass. griech. Literatur: Das Hesiod zugeschriebene hexametrische Gedicht Χείρωνος ὑποθῆκαι (›Cheirons Unterweisungen‹) gehört zu einer Gruppe von verlorenen didaktischen Werken, die angeblich die weisen Worte des Amphiaraos, Rhadamanthys, Pittheus, Sisyphos, Nereus und anderer mythischer Gestalten enthielten. Auf dieses hesiodische Gedicht spielt → Pindar (P. 6,21–27) mit seiner Beschreibung der Erziehung des Achilleus durch den Kentauren Cheiron an. Pindars Epinikien, die sich sowohl durch gnomische Anweisungen als auch durch mythische Beispiele für vorbildliches Verhalten auszeichnen, stellen eine Linie der Tradition dar; die unter dem Namen des → Theognis überlieferten Werke eine andere. In spätarcha. Zeit kursierten Sprüchesammlungen verschiedener histor. Weiser, die im Geschichtswerk des Hesiod als Ratgeber für Könige dienten (s. bes. 1.27–33); Sprüche von Weisen in poetischer Form waren ebenfalls in Umlauf (Diog. Laert. 1,13ff). Auf der Basis dieser lit. Tradition und vor dem Hintergrund des att. Erziehungsideals (→ *paideía*) entwickelten die att. Redner, Philosophen und Historiographen ihre ethischen Forderungen in an histor. Machthaber gerichteten Schriften (Isokrates: ›An Nikokles‹, 327 v. Chr.; ›An Euagoras‹, 368 v. Chr.; Platon: 7. Brief) oder in Diskussionen über die ideale Form der Regierung (Platon, rep. 5–9). In der → Zweiten Sophistik und danach lebte die Gattung durch → Ailios Aristeides, → Libanios (or. 2; 8), → Synesios (*De regno*) und → Themistios wieder auf.

In der lat. Lit. bevorzugte man die Form der philos. Abh., vgl. → Cicero, *De officiis* (44 v. Chr.), → Seneca, *De clementia* (an Nero gerichtet, 55/56 n. Chr.) und Marcus Aurelius, ›Selbstbetrachtungen‹. Deren Einfluß auf spätere Autoren bleibt ungebrochen, z. B. auf → Plinius d. J. (*Panegyrici*, 100 n. Chr.), → Sidonius Apollinaris (469 n. Chr.), → Augustinus (*De civitate Dei*, 413–426 n. Chr.); auf die *Via regia* des Smaragus von St. Mihiel (812), *De rectoribus christianis* von Sedulius Scottus (855), den *Policraticus* von John von Salisbury (1159), Dantes *De monarchia* (ca. 1310) und Erasmus' *Institutio principis christiani* (1516) sowie auf zahlreiche volkssprachliche Schriftwerke, die in Macchiavellis *Il Principe* gipfelten.

→ FÜRSTENSPIEGEL

W. BLUM, Byz. F., 1981 · T. COLE, Pindar's Feasts or the Music of Power, 1992, 113–131 · P. FRIEDLÄNDER, Hypothekai, in: Hermes 48, 1913, 558–616 · P. HADOT, s. v. F., RAC 8, 555–632 · L. KURKE, Pindar's Sixth Pythian and the Tradition of Advice Poetry, in: TAPhA 120, 1990, 85–107 · R. MARTIN, Hesiod, Odysseus, and the Instruction of Princes, in: TAPhA 114, 1984, 29–48 · R. MARTIN, The Seven Sages as Performers of Wisdom, in: C. DOUGHERTY, L. KURKE (Hrsg.), Cultural Poetics on Archaic Greece, 1993, 108–128. M. R. O./Ü: S. Z.

Fuficius

[1] **Q. F. Cornutus.** Senator, der aus der Gegend von Histonium stammte. Beginn seiner Laufbahn unter Traian oder Hadrian. Nach der Praetur *iuridicus* von Asturia et Callaecia im Norden Spaniens, Legionslegat in Moesia, praetorischer Statthalter in Pannonia inferior mindestens von 145–147 n. Chr., *cos. suff.* 147; consularer Statthalter von Moesia inferior zwischen 148 und 155. In Histonium wurde ihm auf Beschluß des Dekurionenrates und mit öffentlichen Mitteln ein großes Ehrenmonument, vielleicht eine *quadriga*, errichtet (ILS 8975 = ALFÖLDY, FH 81 ff.; THOMASSON I 113; 134). PIR² F 497. W. E.

[2] **F. Fango, C.**, Veteran Caesars (Cass. Dio 48,22,3), kam in den Senat (Cic. Att. 14,10,2); vielleicht bereits von Catull (54,5) angegriffen. Octavian sandte ihn nach der Schlacht von Philippi 41 v. Chr. als Statthalter nach Africa, um die Provinz vom Anhänger des Antonius T. Sextius zu übernehmen. Nach erfolglosen Gefechten beging F. im J. 40 Selbstmord (App. civ. 5,102; Cass. Dio 48,22,1–23,3; MRR 2, 373, 382). K.-L. E.

[3] Laut Vitr. 7 pr. 14 ältester röm. Verf. eines nicht erhaltenen einbändigen Werkes zur Architektur. Im längsten erh. Katalog ant. Architekten nennt → Vitruvius neben F. → Varro (1 B. *De architectura* in *De novem disciplinis*) und P. → Septimius (2 B. *De architectura*) als seine einzigen röm. Vorläufer. Mit dem Mangel an röm. → Fachlit. trotz postulierter Gleichrangigkeit griech. und röm. Baukunst begründet Vitruv sein neues Gesamtwerk. Im Vergleich zu Varro ist F.' Einfluß auf Vitruv von untergeordneter Bed.

1 H. v. HESBERG, Vitruv und die ital. Tradition, in: H. KNELL, B. WESENBERG (Hrsg.), Vitruv-Kolloquium, 1984, 123–140, bes. 136f. 2 H. KNELL, Vitruvs Architekturtheorie, 1985, 17ff. 3 L. SONTHEIMER, Vitruvius und seine Zeit, 1908, 61–71. UL. EG.-G.

Fufidius.

Name einer plebeischen Familie (Weiterbildung von *Fufius* [1]), prominent in Arpinum, der Heimat Ciceros.

1 SCHULZE 239, 428.

[1] Röm. Ritter, 57 v. Chr. Kreditgeber an Apollonia in Illyrien (Cic. Pis. 86). Vielleicht identisch mit dem F., von dem Cicero 54 für seinen Bruder in Arpinum ein Landgut kaufte (ad Q. fr. 3,1,3), der Cicero 47 zum Miterben einsetzte (Att. 11,13,3) und den Horaz als Wucherer anprangerte (sat. 1,2,12–22).

NICOLET 2, 882f.

[2] **F., L.**, angeblich Ex-Centurio (Oros. 5,21,3), soll 82 v. Chr. L. Cornelius [I 90] Sulla zur Veröffentlichung der Proskriptionslisten gedrängt haben (Plut. Sulla 31,3; vgl. Sall. hist. 1,55,21 f.M), 81 (?) Praetor, 80 Propraetor in Hispania ulterior, wo er von Q. Sertorius besiegt wurde (Sall. hist. 1,108M; Plut. Sertorius 12,3). K.-L. E.

[3] Jurist aus dem 1. Jh. n. Chr., tätig wohl unter den Flaviern [2], bekannt nur durch vier indirekte Zitate im späteren Schrifttum [1], u. a. aus seinen *Quaestiones* (d. h. Erörterungen zu Rechtsfällen, mdst. 2 B.), des ersten in der Rechtslit. unter diesem Titel überlieferten Werks [3].

1 O. LENEL, Palingenesia iuris civilis, 1889, 1, 177f. 2 KUNKEL, 136 3 SCHULZ, 288. T. G.

Fufius.

Name einer plebeischen Familie [1], vielleicht aus Cales, seit dem 3. Jh. v. Chr. politisch tätig.

1 SCHULZE 239.

I. REPUBLIKANISCHE ZEIT

[I 1] Volkstribun (?) in der Mitte des 2. Jh. v. Chr., sonst unbekannter Urheber einer *lex Fufia* über die Festlegung der zulässigen Tage für Volksversammlungen (meist zusammen mit der *lex Aelia* genannt, → Aelius [I 1]). MRR 1,452f.; 3,3 f. K.-L. E.

[I 2] **F., L.**, als Redner in den 90er Jahren des 1. Jh. v. Chr. bekannt. Etwa 97 verschaffte ihm die Anklage in einem Erpressungsprozeß gegen M'. → Aquilius [I 4] Ansehen (Cic. Brut. 222; vgl. de orat. 2,194–196: die Perspektive des Verteidigers M. Antonius); zahlreiche (s. Cic. off. 2,50; de orat. 1,179) spätere Anklagen wurden abschätziger beurteilt (Cic. de orat. 2,91: *furit in re publica*, ›er tobt‹), die Materialausbreitung als konfuse Weitschweifigkeit getadelt (vgl. ebd., 3,50).

ORF⁴, 277f. · G. V. SUMNER, The Orators in Cicero's Brutus, 1973. J. R.

[I 3] **F., M.** Röm. Ritter, im J. 59 v. Chr. in einer Rede Ciceros (Flacc. 46–48) als Geldverleiher erwähnt. Vertrauter des Annius [I 14] Milo. F. begleitete Milo, als dieser am 18.1.52 → Clodius [I 4] auf der Via Appia ermorden ließ (Ascon. 31 Z. 26C). W. W.

[I 4] **F. Calenus, Q.** Gebürtig aus Cales in Latium, vermutlich Bruder des Vorigen, Münzmeister ca. 70–68 v. Chr. (MRR 2, 440; 3, 94). Seine polit. Karriere sah ihn konsequent als Gegner der Optimaten. Als Volkstribun von 61 unterstützte er P. → Clodius [I 4] Pulcher in dem gegen diesen angestrengten Prozeß wegen Religionsfrevels. Das von ihm eingebrachte *plebiscitum* bestimmte, die Richter nicht durch den Praetor ernennen zu lassen, sondern aus den drei Ständen der Senatoren, Ritter und Aerartribunen zu losen, und sicherte schließlich Clodius den Freispruch [1. 125–129]. 59 unterstützte F. Caesar; eine *lex Fufia* dieses Jahres regelt wieder Abstimmungsmodalitäten (Cass. Dio 38,8,1; Schol. Bob. 97 ST.). 56 trat F. in einem Prozeß gegen den Cicero-Intimus → Caelius [I 4] auf (Cic. Cael. 19) und 52 nach Clodius' Ermordung gegen P. Annius [I 14] Milo (Ascon. 44f. C).

Im folgenden Jahr ging F. als Legat Caesars nach Gallien (Caes. Gall. 8,39,4), 49 nach Spanien (MRR 2, 267). Im weiteren Verlauf des Bürgerkriegs führte er 48 Caesar Verstärkungen nach Epeiros zu. Als *legatus pro praetore* in Achaia [2. 97 ff.] organisierte er nach Pharsalos Hilfe für den in Alexandreia bedrängten Caesar (MRR 2, 281). Dieser ehrte ihn nach seiner Rückkehr im Sept. 47 mit dem Consulat für die restlichen Monate des Jahres (MRR 2, 286). Als Schwiegersohn des damaligen Consuls Vibius Pansa nahm er 43 eine einflußreiche Stellung im Senat ein und trat als langjähriger Freund des M. → Antonius [I 9] gegen Cicero auf (Cic. Phil. passim). Durch seinen Einfluß auf Antonius vermochte er den bereits proskribierten Terentius Varro zu schützen (App. civ. 4,202 f.). Im Jahre 42 befehligte F. während Antonius' Abwesenheit im Osten zwei Legionen zum Schutze Italiens (App. civ. 5,46); 41 war er Statthalter der Gallia Narbonensis und später auch des restlichen Galliens. Er starb Mitte 40 v. Chr. (MRR 2, 373, 382).

1 PH. MOREAU, Clodiana Religio, 1982 2 A. N. OIKONOMIDES, Defeated Athens, the Land of Oropos, Caesar and Augustus, in: Ancient World 2, 1979, 97–103.

W. W.

II. KAISERZEIT

[II 1] C. F. Geminus. Senator, wohl aus Urbs Salvia stammend, Vater von F. [II 2]. *Cos. suff.* 2 v. Chr.; er und sein Consulatskollege brachten die *lex Fufia Caninia* ein, PIR² F 510.

[II 2] C. F. Geminus. Sohn von F. [II 1]. Eng mit Livia, der Mutter des Tiberius verbunden. Quaestor des Tiberius wohl im J. 20 n. Chr., Volkstribun; damals bereits Mitglied bei den *VII viri epulonum.* 29 *cos. ord.* Mit seinen scharfzüngigen Reden hatte er Tiberius öfter verletzt, der das nicht vergaß. Zwischen 29 und 31 wurde F. hingerichtet, möglicherweise im Zusammenhang der Vernichtung des → Seianus. Er stammte aus Urbs Salvia, wo er das Theater errichten ließ.

L. GASPERINI, Ottava Miscellanea Gr. e Rom., 1982, 285 ff. · W. ECK, in: Picus 12/13, 1992/3, 83 ff. · PIR² F 511.

W. E.

Fufluns (auch Fuflunz, Fuflunsl, Fuflunsul, Fuflunus). Der Name des Gottes F. ist ab Beginn des 5. Jh. v. Chr. inschr. belegt [1. Bd. 1, 187]. Nicht gesichert ist, ob es etr. Ursprungs ist [4. 94 ff.] oder dem umbr. Substrat des Etruskischen angehört [2], wofür ein Spiegel aus Orvieto vom Ende des 4. Jh. spräche, auf dem er mit dem umbr. Gottheit → Vesuna abgebildet ist [3. Bd. 5, 35]. Umstritten ist auch sein Bezug zum Namen der etr. Stadt Puplona, lat. → Populonia [5; dagegen 4. 97 f.]. Spiegeldarstellungen zeigen F. mit Thyrsos oder Kantharos als Sohn von Semla (= griech. Semele) zusammen mit Areatha (= griech. Ariadne) und Apulu (= griech. Apollo); Inschr. definieren F. durch das Epitheton Pachies (= Bacchus) näher [1. Bd. 2, 119 Vc 4.1], was eine Identifikation des F. mit Dionysos/Bacchos für das 5. Jh. nahelegt. Sein aus dem griech. Süd-It. nach Etru-

rien eingeführter Kult war urspr. nur Frauen vorbehalten [6], stand später jedoch auch Männern offen. Die für das 3. Jh. v. Chr. bezeugten Kultstätten des F. in → Tarquinii hießen *pachana* [1. Bd. 2, 56 Ta 1.184], die Kultgenossenschaft *pachathuras*, ihr Vorsitzender (im 2. Jh. v. Chr.) *maru* [1. Bd. 2, 70 AT 1.32]. F./Pachies wurde zusammen mit Cath verehrt (vgl. Inschr. und die gemeinsame Abb. auf der Bronzeleber von Piacenza [1. Bd. 2, 329 Pa 4.2,23; Bd. 2, 69 AT 1.1; 1.32]). Mit dem Verbot der → Bacchanalia 186 v. Chr. durch das → *senatus consultum de Bacchanalibus* scheint auch der F.-Kult verschwunden zu sein. Sicher datierte Bezeugungen des F. nach dieser Zeit fehlen.

1 ET 2 G. MEISER, Lautgesch. der umbr. Sprache, 1986, 215 f. 3 E. GERHARD, G. KÖRTE, Etr. Spiegel, 1887–1897 4 M. M. T. WATMOUGH, Studies in the Etruscan loanwords in Latin, 1997 5 H. RIX, Annuali della Fondazione per il Museo Claudio Faina (im Druck) 6 PFIFFIG, Abb. 1.

M. CRISTOFANI, s. v. Dionysos/F., LIMC 3.1, 531–540 · M. PALLOTTINO, Etruskologie, 1988, 310 · E. SIMON, Etr. Kultgottheiten, in: M. CRISTOFANI (Hrsg.), Die Etrusker, 1995, 157, 163.

L. A.-F.

Fulcinius. Name einer röm. plebeischen Familie (SCHULZE 169).

I. REPUBLIKANISCHE ZEIT

[I 1] F., C. Röm. Gesandter, 438 v. Chr. von den Fidenaten getötet (Statue auf der Rostra, Cic. Phil. 9,5; Liv. 4,17,2).

K.-L. E.

II. KAISERZEIT

[II 1] C. F. Fabius Maximus Optatus. Senator wohl aus Cartennae, der es auf jeden Fall bis zur Praetur und einer *legatio* in der Baetica brachte, wohl Ende 2./Anf. 3. Jh. n. Chr.

W. E.

LE GLAY, in: EOS II 777; PIR² F 514.

[II 2] F. Priscus. Jurist, wohl Zeitgenosse des → Antistius [II 3] Labeo (augusteische Zeit [2; 3]), bekannt nur durch 10 indirekte Zitate in den Digesten Iustinians [1].

1 O. LENEL, Palingenesia iuris civilis 1, 1889, 179 f. 2 C. FERRINI, Opere II, 1929, 81 ff. 3 KUNKEL, 137. T. G.

[II 3] C. F. Trio. *Praetor peregrinus* im J. 24 n. Chr., Bruder von F. [II 4]. PIR² F 516.

[II 4] L. F. Trio. Ehrgeiziger junger Senator, der im J. 16 n. Chr. als einer der Ankläger gegen Libo Drusus auftrat. Seine Belohnung war die Praetur *extra ordinem*, wohl im J. 17. An der Anklage gegen Calpurnius [II 16] Piso im J. 20 beteiligt, aber ohne großen Einfluß auf das Ergebnis [1. 134, 140, 148, 188, 203]. Tiberius versprach ihm für die Zukunft seine Unterstützung. Praetorischer Statthalter von Lusitanien, im J. 31 bezeugt; im selben Jahr noch *cos. suff.* Im J. 35 wegen seiner Freundschaft mit → Seianus angeklagt, tötete er sich selbst. ALFÖLDY, FH 135 f.; PIR² F 517.

1 W. ECK, A. CABALLOS, F. FERNÁNDEZ, Das senatus consultum de Cn. Pisone patre, 1996. W. E.

Fulcrum s. Kline

Fulgentius

[1] F. Mythographus (auch F. Afer, Fabius Planciades F., Fabius Claudius Gordianus). Von dem um 500 n. Chr. lebenden Christen F., dessen Identität mit → Fulgentius [2] diskutiert wird [3], sind mehrere Prosawerke erhalten: *De aetatibus mundi et hominis* ist ein episodenartiger Abriß der Weltgesch., wobei in jedem der geplanten 23 Lemmata (wovon nur 14 geschrieben wurden) ein best. Buchstabe des Alphabets vermieden werden soll (Leipogramm). Lemmata 10, 11 und 14 behandeln griech. und röm. Episoden, letztere in antiröm. Haltung, die restlichen Lemmata biblische Episoden. Die 3 B. der *Mythologiae* legen natursymbolisch und moralisch (in platonisch-stoischer Trad.) knapp 50 Sagen aus. Die Priester und Mönche sieht F. dabei als die christl. Fortsetzer der kontemplativen Lebensform der vorchristl. Philosophen. In der *Expositio Vergilianae continentiae* wird kursiv die *Aeneis* allegorisch interpretiert, mit dem erzieherischen Ziel, sie (und bes. Aeneas) zu einem Spiegel für die ethische Vollendung des Menschen zu machen. In der *Expositio sermonum antiquorum* erklärt F. veraltete lat. Wörter mit Belegen aus alter Lit., wobei → Nonius benutzt ist. Der allegorische Komm. zu Statius' *Thebais* stammt eventuell ebenfalls von F. Insgesamt ist F. um die Fruchtbarmachung griech.-röm. Bildung für eine christl. Erziehung bemüht [2]. Die Wirkung der allegorischen Auslegungen in seinen Werken war im MA beträchtlich, zuerst in → Boethius' *Consolatio* [4. 56–69].
→ Allegorese

ED.: **1** R. HELM, J. PRÉAUX, 1970.
LIT.: **2** B. BALDWIN, F. and his sources, in: Traditio 44, 1988, 37–57 **3** P. LANGLOIS, s. v. F., RAC 8, 1972, 632–661 **4** S. LERER, Boethius and Dialogue, 1985.   K. P.

[2] F. von Ruspe
A. BIOGRAPHIE B. WERKE C. THEOLOGIE

A. BIOGRAPHIE
F., geb. 467 n. Chr. in Thelepte/Byzacena (= Medinet el-Khedima/Tunesien), stammte aus einer senatorischen Familie und genoß offenbar eine solide Ausbildung. Nach kurzer Zeit als Procurator (Steuereinnehmer) in Telepte wurde er dort Mönch und 507 zum Bischof der Küstenstadt Ruspe/Byzacena (= Rosfa/ Tunesien) gewählt. 508 wurde er mit über sechzig Bischöfen, die am neunizänischen Reichsglauben festhalten wollten, vom homöischen (»arianischen«) Vandalenkönig Thrasamund (496–523 n. Chr.) nach Sizilien in die Verbannung (508–515) geschickt; in Calaris gründete er ein Kloster. Nach seiner Rückkehr lehrte F. in Karthago, wurde aufgrund seines erfolgreichen Auftretens vom König erneut nach Sardinien verbannt und kehrte erst nach dessen Tode in sein Bistum zurück. F. starb nach einigen Jahren in Ruspe, eher 532 als 527 bzw. 533. Er ist wohl nicht mit dem Mythographen

gleichen Namens (→ Fulgentius [1]) identisch. Für die Biographie steht die wohl doch vom karthagischen Diakon Ferrandus stammende Vita (CPL 847 = BHL 3280; ed. G. G. LAPEYRE) zur Verfügung.

B. WERKE
Ein nach 523 in Ruspe entstandenes Kompendium der Glaubenslehre (*De fide ad Petrum*, CPL 826; [1]) wurde im MA unter dem Namen des Augustinus gern zitiert, z. B. in den maßgeblichen Sentenzen des Pariser Bischofs Petrus Lombardus († 1160). Eine Reihe von Schriften des F. richten sich gegen die subordinatianische (= homöische) Theologie der Vandalen; zehn Fragen des Königs Thrasamund beantwortete F. mit seinem *Contra Arianos liber* (CPL 815; [1]) und setzte den Dialog in seinen 3 B. *Ad Thrasamundum* (CPL 816; [1]) fort. Ebenfalls gegen (vandalische) Homöer richtet sich der *Psalmus abecedarius* (CPL 827; [3]). Gegen die seit dem 18. Jh. »Semipelagianer« genannten gallischen Gegner der Gnadentheologie Augustins schrieb F. 3 B. *Ad Monimum* (CPL 814; [1]) und 3 weitere B. *De veritate praedestinationis et gratiae Dei* (CPL 823; [2]). Die unter dem Namen des F. überlieferten *sermones* sind nur teilweise echt (CPL 828–835; [2]); das Briefcorpus enthält auch Briefe an F. (CPL 817; [2]).

C. THEOLOGIE
F. verteidigte als »abgekürzter Augustinus« die augustinische Gnadentheologie gegen Angriffe der gallischen »Semipelagianer«, lehrte also die doppelte Prädestination zum Heil bzw. Unheil und die Erbsünde aus der *concupiscentia* (»Begierde«) der Eltern. Für seine Trinitätstheologie griff er auf → Ambrosius, → Augustinus und → Hilarius zurück.

EDD.: **1** J. FRAIPONT, CCL 91, 1968 **2** Ders., CCL 91A, 1968 **3** A. ISOLA, Corona Patrum 9, 1983 (Ps.).
LIT.: R. J. H. COLLINS, s. v. F., TRE 11, 1983, 723–727 · H. J. DIESNER, F. von Ruspe als Theologe und Kirchenpolitiker, 1966 · G. KRÜGER, Ferrandus und F., in: Harnack-Ehrung, 1921, 219–231 · P. LANGLOIS, s. v. F., RAC 8, 1972, 632–661 · G. G. LAPEYRE, Saint F. de Ruspe, 1929 · A. MANDOUZE, Prosopographie de l'Afrique chrétienne (303–533), 1980, 507–513 · S. T. STEVENS, The Circle of Bishop F., in: Traditio 38, 1982, 327–341.   C. M.

Fulginiae. Stadt in Umbria (*regio VI*) an der *via Flaminia* am Ostrand der Ebene des Topino und des Clitumno (*lacus Clitorius*), h. Foligno (Perugia). 295 v. Chr. von Rom erobert, *praefectura*, später *municipium*, *tribus Cornelia*. Ohne Mauern litt F. im Perusinischen Krieg; der Ort wurde im 5. Jh. n. Chr. zugunsten des Hügels von San Valentino di Civitavecchia aufgegeben. Eisenzeitliche und röm. Reste: Amphitheater, Bogen, Thermen bei Santa Maria del Sasso, Nekropolen bei Santa Maria in Campis, *villa* (»Palast des Decius«), vier Brücken über den Topino. Museo Civico (Palazzo Trinci).

G. DOMINICI, F. Questioni sulle antichità di F., 1935 · L. SENSI, F., in: Bollettino storico della città di Foligno 8, 1984, 463–492 · M. BERGAMINI, Foligno, la necropoli romana, 1988 · P. FONTAINE, Cités et enceintes, 1990, 358 f.
G. U./Ü: V. S.

Fulgurales libri s. Etrusci

Fullo s. Apustius [4] F.; s. Walker

Fulvia

[1] Aus vornehmer Familie, Freundin und angeblich Geliebte (vielleicht aufgrund diffamierender Darstellung) des Catilinariers Q. Curius [3], die Cicero über die Verschwörung informierte (Sall. Catil. 23,3–4; 26,3; 28,2).   H.S.

[2] Tochter des M. → Fulvius [I 1] Bambalio und der Sempronia, Geburtsdatum unbekannt, verheiratet bis 52 v.Chr. mit → Clodius [I 4] Pulcher, bis 49 mit C. → Scribonius Curio und danach mit M. → Antonius [I 9], dem späteren Triumvirn. Aus den Ehen gingen fünf Kinder hervor [6. 152–154].

In der Antike galt F. als kalte, grausame »Furie«, die sich neben Antonius eine einzigartige Machtstellung verschaffte; heute gilt sie auch als Beispiel einer außerordentlichen, emanzipierten Frau der röm. Oberschicht und als Vorläuferin der mächtigen Frauen am Kaiserhof [2. 89]. Direktes polit. Engagement ist erst nach Caesars Tod sicher zu belegen [1; 6. 155–160], wobei zu beachten ist, daß Nachrichten über F. auf der gegen Antonius gerichteten Propaganda Ciceros und Octavians beruhen bzw. die Sicht der augusteischen Ideologie spiegeln, die F. zum Gegenbild der röm. Matrone stilisierte [4; 5]. Anlaß dafür bot ihr Verhalten, das das traditionelle weibliche Rollenverständnis verletzte. So wirkte sie aktiv bei der Abwicklung der *acta Caesaris* (→ Acta) 44 mit (Cic. Phil. 5,4,11; Att. 14,12,1), wohnte der Hinrichtung meuternder Soldaten des Antonius in Brundisium bei (Cic. Phil. 5,8,22; 13,8,18; Cass. Dio 45,13,2) und befürwortete klar die finanziellen Ziele der Proskriptionen, indem sie ein Gesuch röm. *matronae*, ihr Vermögen nicht zu besteuern, ablehnte (App. civ. 4,32) [6. 160–176].

Die Quellen erklären ihr Handeln mit Charakterfehlern wie Habgier und Launenhaftigkeit (Cic. Phil. 2,44,113), werfen ihr in Übertreibung ihrer polit. Rolle hemmungslose Herrschsucht vor (Plut. Antonius 10; Cass. Dio 48,4,1; App. civ. 5,54) und zeichnen ein Schreckensgemälde ihrer Grausamkeit (Cic. Phil. 5,8,22). Dabei werden Nachrichten, die deutlich der Propaganda bzw. der Entlastung Octavians und wohl auch des Antonius dienen sollen, lit. ausgestaltet (z.B. Cass. Dio 47,8,2; App. civ. 4,29) und z.T. grob verzerrt (Cass. Dio 47,8,3–4: Mißhandlung der Leiche Ciceros) [4; 5. 77–80]; die sonst von einer Römerin erwartete Loyalität gegenüber den Zielen ihres Ehemannes wurde nicht beachtet. Tatsächlich verteidigte F. in Rom die Interessen des abwesenden Antonius trotz heftiger Angriffe (Nep. Att. 9,2–7) erfolgreich [2. 85; 3. 139–144; 5. 77–80; 6. 175–178; 210–214], etwa 44/3 im Kampf gegen die drohende Erklärung zum Staatsfeind (Cic. Phil. 12,1,2; App. civ. 3,51). Als Frau des Antonius und Mutter der → Claudia [I 4], der zeitweiligen Verlobten Octavians (Suet. Aug. 62; Plut. Antonius 20; Cass. Dio

48,5,1–3), verfügte sie über großen polit. Einfluß (zu ihrem Portrait auf Münzen s. [6. 198–209]), ohne aber deshalb zur Herrscherin Roms (Cass. Dio 48,4,1–6) zu werden [4. 206–207; 5. 79–83].

Der Erhaltung der Machtposition des Antonius (Cass. Dio 48,5,4; 6,2–7,4; App. civ. 5,14; 5,33) diente auch ihr Engagement im Perusinischen Krieg 41/40. Das Bild der auf Kleopatra eifersüchtigen Frau (App. civ. 5,19; Plut. Antonius 30), die deshalb den Krieg beginnt und wie ein General führt (Cass. Dio 48,10,1–13,6; Plut. Antonius 28; Liv. per. 125; 127; Flor. epit. 2,16; Oros. 6,18,17–19), geht nicht zuletzt auf das Interesse Octavians wie auch Antonius' zurück, die Verantwortung abzuwälzen, um zu einer Einigung zu kommen [4. 203–207; 6. 176–198]. Bleigeschosse aus diesem Krieg (CIL XI 6721,3–5.14) belegen den Versuch Octavians, F. als »Mannweib« (Vell. 2,74,2–3) zu zeigen, das sich im Widerspruch nicht nur zum augusteischen Frauenideal in mil. Dingen engagiert [2. 87–89; 5. 79–83]. F. starb 40 v.Chr. in Sikyon und machte so den Weg für die Ehe des Antonius mit → Octavia frei. Versuche, F. zu rehabilitieren und ihre Rolle zu würdigen, sind neuesten Datums.

1 C. L. BABCOCK, The Early Career of Fulvia, in: AJPh 86, 1965, 1–32 **2** R. A. BAUMAN, Women and Politics in Ancient Rome, 1992, 78–90 **3** K. CHRIST, Die Frauen der Triumvirn, in: Il triumvirato constituente, Scritti in onore di M. A. Levi, 1993, 139–148 **4** D. DELIA, Fulvia Reconsidered, in: S. B. POMEROY (Hrsg.), Women's History and Ancient History, 1991, 197–217 **5** B. v. HESBERG-TONN, Coniunx carissima, 1983, 61–65; 77–83 **6** B. KRECK, Untersuchungen zur polit. und sozialen Rolle der Frau in der späten röm. Republik, 1975, 152–214.   H.S.

[3] Pu(blia) F. Plautilla. Tochter des → Fulvius [II 11] Plautianus, des Prätorianerpräfekten des Septimius Severus. Vom Vater durch Erziehung wohl planmäßig auf eine Heirat mit dem Kaisersohn Caracalla vorbereitet; seit 200 n.Chr. mit ihm verlobt, im J. 202 verheiratet. Damals erhielt sie den Titel Augusta, mit dem sie auch auf Reichsmünzen und Provinzialprägungen erscheint. Zahlreiche Statuen wurden ihr allein oder zusammen mit den anderen Mitgliedern der *domus Augusta* errichtet. Sie nahm an deren Reise nach Nordafrika, ihrem Heimatland, 202/3 teil. Doch Caracalla verachtete von Anfang an seine junge Frau. 205, als ihr Vater getötet wurde, mußte sie in die Verbannung auf die Insel Lipara gehen; ihr Name wurde überall getilgt. 212, zu Beginn von Caracallas' Alleinherrschaft, wurde sie ermordet; PIR² F 564.   W.E.

Fulvius. Röm. plebeischer Gentilname, abgeleitet von *fulvus* (»rotgelb, braungelb« [1. 1,561], wohl nach der Haarfarbe); weitere Belege [2. 170], inschr. auch *Folvius* (ILLRP 124 u.ö.). Die röm. *gens* stammte wahrscheinlich aus Tusculum (Cic. Planc. 20; vgl. Cic. Phil. 3,16; Plin. nat. 7,136), wo F. [I 15] auch Kunstwerke aus Kriegsbeute aufstellen ließ. Die bedeutendsten Zweige sind

zunächst die Centumali, Curvi und Paetini, seit dem
3. Jh. v. Chr. die Flacci und Nobiliores. Stammbaum:
[3. 231 f.].

1 WALDE-HOFMANN 2 SCHULZE 3 MÜNZER, s. v. Fulvius,
RE 7.

I. REPUBLIKANISCHE ZEIT

[I 1] F. Bambalio, M. (»Stammler«), wohl wenig geachteter Nachkomme der berühmten Fulvier, Vater der
Fulvia [2] (Cic. Phil. 2,90; 3,16; Cass. Dio 45,47,4;
46,7,1).

[I 2] F. Centumalus, Cn. Consul 229 v. Chr. mit L.
Postumius, landete auf Korkyra, warf mit seinem Kollegen die Illyrier von Apollonia aus nieder und feierte
228 einen Seetriumph (MRR 1,228 f.).

[I 3] F. Centumalus, Cn. Gab als curulischer Aedil
214 v. Chr. erstmals viertägige Bühnenspiele; Praetor
213; schützte als Consul 211 mit P. Sulpicius Galba Rom
vor Hannibal, blieb dann 210 in seinem Amtsbereich
Apulien mit prorogiertem Imperium und fiel bei der
Belagerung des abgefallenen Herdonea im Kampf gegen Hannibal (Liv. 27,1,4–15; MRR 1,272; 280).

[I 4] F. Curvus, L. Consul 322 v. Chr. mit Q. Fabius
[I 28] Maximus Rullianus. Erster in den röm. Magistratslisten hervorgetretener Namensträger, kämpfte gegen die Samniten und soll triumphiert haben (Liv. 8,38–
40; MRR 1,149 f.). 316 war er *magister equitum* des Dictators L. Aemilius [I 24] Mamercinus Privernas und
kämpfte erneut gegen die Samniten.

[I 5] F. Curvus Paetinus, M. (Beide Cognomina nach
körperlichen Eigenarten, das zweite, »der Schieler«,
vielleicht unhistor.). 305 v. Chr. *cos. suff.* an Stelle des
gefallenen Consuls Ti. Minucius Augurinus, triumphierte über die Samniten (Liv. 9,44,15; InscrIt 13,1,71).

[I 6] F. Flaccus, C. Consul 134 v. Chr. mit P. Corne-
lius [I 70] Scipio Aemilianus, übernahm die Leitung der
Kämpfe gegen die Sklaven auf Sizilien (Liv. per. 56;
Obseq. 27; Oros. 5,9,6).

[I 7] F. Flaccus, Cn. Jüngerer Bruder von F. [I 10], 212
v. Chr. Praetor mit dem Kommando in Apulien, wurde
von Hannibal bei Herdonea geschlagen und floh; 211
wurde er deshalb verurteilt und ging nach Tarquinii ins
Exil (Liv. 26,2,7–3,12).

[I 8] F. Flaccus, M., Ahnherr dieser Familie, Volkstribun 271 oder 270 v. Chr. (MRR 1,199), 270 mit M.
→ Curius [4] Dentatus Duumvir zur Vollendung der
Wasserleitung Anio vetus (Frontin. aqu. 1,6). Als
Consul 264 mit Ap. Claudius [I 3] Caudex unterwarf er
die → Volsinii und triumphierte; er führte 2000 Bronzestatuen als Beute nach Rom (Plin. nat. 34,34; Beute-
weihung: [1. 103 f.]) und überführte den Kult des
→ Vertumnus, dem er auch einen Tempel erbaute (Fest.
228L; [2. 240]) nach Rom. 246 Reiteroberst des für die
Abhaltung von Wahlen bestimmten Dictators Ti. Co-
runcanius (MRR 1,216).

1 Roma medio repubblicana, 1973 2 HÖLKESKAMP.

[I 9] F. Flaccus, M. Anhänger des Ti. und C. → Sempronius Gracchus. Als das Dreimännerkollegium zur
Durchführung der Ackerverteilung, dem er seit 130
v. Chr. angehörte (ILLRP 473), auf Betreiben des P.
Cornelius [I 70] Scipio Africanus nicht mehr selbständig
über das Land der Bundesgenossen (→ Bundesgenos-
sensystem) verfügen konnte, setzte er sich als Consul
125 dafür ein, den Italikern die Wahl zwischen dem
Bürgerrecht und Provokationsrecht (→ *provocatio*) zu
lassen, um sie für die Reform zu gewinnen (Val. Max.
9,5,1; MRR 1,510). Der Senat schob ihn deshalb zum
Kampf gegen die Gallier in Südfrankreich ab; er besiegte
die Ligurer, Salluvier und Vocontier und triumphierte
nach seiner Rückkehr 123. Zur Unterstützung des C.
Gracchus ließ er sich gegen das Herkommen für 122
zum Volkstribunen wählen; ob er ihn zur Koloniegrün-
dung nach Africa begleitete (App. civ. 1,102–106) oder
in Rom blieb und M. Livius Drusus, dem Gegner des
Gracchus, Widerstand leistete (Plut. C. Gracchus 10 f.),
ist unklar. Nachdem 121 der Consul L. Opimius ein mil.
Vorgehen gegen Gracchus beschlossen hatte, verschanz-
ten sich beide zunächst auf dem Aventin. F. versuchte
vergeblich, durch seinen Sohn mit dem Senat zu verhandeln, und wurde schließlich auf der Flucht getötet;
auch seine beiden Söhne kamen um. Sein Haus wurde
niedergerissen (Cic. dom. 102; 114). Seine Tochter Fulvia wurde die Gattin des L. Iulius Caesar (*cos.* 90).

U. HALL, Notes on M. Fulvius Flaccus, in: Athenaeum N. S.
55, 1977, 280–288 · W. L. REITER, M. Fulvius Flaccus and
the Gracchan Coalition, in: Athenaeum N. S. 56, 1978,
125–144 · D. STOCKTON, The Gracchi, 1979, Index s. v. F.

[I 10] F. Flaccus, Q. Bedeutendster Vertreter der Familie z. Zt. des 2. Pun. Krieges und viermaliger Consul.
Als *cos. I* 237 v. Chr. bekriegte er die oberital. Kelten
zusammen mit seinem Kollegen L. Cornelius [I 45]
Lentulus Caudinus. 231 mußte er als Censor mit seinem
Kollegen T. Manlius Torquatus wegen eines Wahlfeh-
lers abdanken. Als *cos. II* 224 (erneut mit Torquatus)
überschritt er als erster Römer den Po im Kampf gegen
die Kelten (Pol. 2,31,8). 216 Pontifex, 215 *praetor urbanus* (Küstenschutz u. a.), was er auch 214 blieb (und
ohne vorherige Auslosung des Amtsbereiches). Nachdem er 213 *magister equitum* des Wahldictators war, wurde er 212 *cos. III* mit Ap. Claudius [I 20] Pulcher, eroberte das karthagische Lager des → Hanno bei Benevent
und schloß mit seinem Kollegen Capua ein, das er auch
211 und 210 mit prorogiertem Imperium belagerte; er
wehrte einen Entsatzversuch Hannibals ab, eroberte die
Stadt und bestrafte sie hart (Liv. 26,4–16). Ende 210
wurde er Dictator zur Abhaltung der Wahlen, 209 *cos. IV*
mit Q. Fabius [I 30] Maximus, unterwarf Hirpiner und
Lucaner, stand 208 als Proconsul in Bruttium, 207 mit
verlängertem Imperium in Campanien. 205 wandte er
sich im Senat gegen den Plan des → Cornelius [I 71]
Scipio Africanus, den Krieg nach Afrika zu tragen (Liv.
28,45,2–7); wohl kurz darauf ist er gestorben. Verheiratet war er mit Sulpicia, die anläßlich der Weihung des

Tempels der Venus Verticordia als »ehrbarste Frau« Roms angesehen wurde (Val. Max. 8,15,12; Plin. nat. 7,120). Sein Sohn: F. [I 12].

J. BRISCOE, in: CAH 8, ²1989, 54–73 · H. H. SCULLARD, Roman Politics 220–150 B. C., ²1973, Index s. v. F. · J. v. UNGERN-STERNBERG, Capua im Zweiten Punischen Krieg, 1975.

[I 11] F. Flaccus, Q. Sohn von F. [I 7]. Vielleicht brachte er 197 v. Chr. griech. Gesandte im Auftrag des T. → Quinctius Flamininus nach Rom; 189 war er plebeischer Aedil, 187 Praetor (Sardinia), 181 Legat im Ligurerkrieg. Nach mehreren Wahlniederlagen *cos. suff.* 180, siedelte er 7000 ligurische Apuaner in Samnium an (MRR 1,387). Leichenspiele der Söhne F. [I 6] und vielleicht F. [I 13] zu seinen Ehren bezeugt möglicherweise Lucilius 4,149M [1. 262–264].

1 C. CICHORIUS, Untersuchungen zu Lucilius, 1908.

[I 12] F. Flaccus, Q. Ältester Sohn von F. [I 10]. 184 v. Chr. curulischer Aedil, 182 Praetor mit der Provinz Hispania citerior; dort kämpfte er auch 181/180 mit proconsularischem Imperium gegen die Keltiberer (MRR 1,382; 385; 389). Er feierte 180 einen Triumph, wurde Pontifex und 179 mit seinem leiblichen Bruder L. Manlius Acidinus Fulvianus Consul. Er war gegen die Ligurer erfolgreich und triumphierte erneut (MRR 1,391 f.). 174 war er Censor mit A. Postumius Albinus; sie stießen dabei auch einen Bruder des F. aus dem Senat aus (MRR 1, 404). 173 weihte er in Rom den in Spanien gelobten Tempel der Fortuna Equestris ein, wobei die Marmor-Dachziegel des Iuno Lacinia-Tempels in Kroton verwendet werden sollten; der Senat ordnete ihre Rückführung an (Liv. 42,3; Val. Max. 1,1,20; [1]). Angeblich wegen des Verlustes eines Sohnes beging er 172 Selbstmord.

1 F. COARELLI, s. v. Fortuna Equestris, in: LTUR 2, 1995, 268 f.

J. BRISCOE, Q. Marcius Philippus and *nova sapientia*, in: JRS 64, 1964, 73 f.

[I 13] F. Flaccus, Ser. Consul 135 v. Chr. mit Q. Calpurnius [I 15] Piso, besiegte die Ardeier in Illyrien (MRR 1,488 f.; 3,95). Er trat wohl auch als Redner in Erscheinung (Cic. Brut. 81) und war vielleicht der Consular F., der 133 dem Ti. Sempronius Gracchus riet, keine Gewalt anzuwenden (Plut. Ti. Gracchus 11,1 f.).

[I 14] F. Maximus Centumalus, Cn. 302 v. Chr. Legat des M. Valerius Maximus im Kampf gegen die Etrusker, 298 Consul mit L. Cornelius [I 76] Scipio Barbatus; kämpfte erfolgreich in Samnium und wohl auch in Etrurien und triumphierte (MRR 1,174); 295 schlug er mit propraetorischem Imperium einen Teil der Etrusker (MRR 1,178); 263 Dictator zur Nagelschlagung am Iuppitertempel (InscrIt 13,1,73), 100 J. nach dem ersten Dictator mit dieser Kompetenz [1. 156 f.].

1 MOMMSEN, Staatsrecht Bd. 2.

[I 15] F. Nobilior, M. 196 v. Chr. curulischer Aedil mit C. Flaminius [2], mit dem er auch 193 die Praetur bekleidete; er zeichnete sich 193 und in den beiden folgenden J. mit verlängertem Imperium in Hispania ulterior aus und feierte 191 eine Ovatio (MRR 1,347; 351; 354). 189 war er Consul mit Cn. Manlius Vulso und übernahm den Krieg gegen die Aitoler (Liv. 38,3–11; [1]). Er eroberte Ambrakia, aus dem er viele Kunstwerke nach Rom bringen ließ. Sie wurden später in dem in seiner Censur (179) dafür erbauten Tempel des Hercules Musarum aufgestellt (Paneg. 9,7,3; Plin. nat. 35,66; Basisinschr.: ILLRP 124; [2]), einige gab er auch an die Heimatgemeinde der Familie, Tusculum (ILLRP 332). Dann wandte er sich nach Kephallenia, dessen Einnahme er wegen der Belagerung von Same erst als Proconsul 188 vollenden konnte; er blieb bis Frühjahr 187 in Griechenland, triumphierte nach der Rückkehr glanzvoll und führte großartige Festspiele durch (Liv. 39,5,13–17). Der Dichter Q. → Ennius [1] begleitete ihn auf dem Feldzug und feierte seine Erfolge im 15. Buch der *Annales* und in der Dichtung *Ambracia* [3. 144–146, 553–559], während ihm Cato [1] vorwarf, Soldaten ohne triftigen Grund ausgezeichnet zu haben (Gell. 5,6,24–26). 179 war er Censor, versöhnte sich mit seinem ehemaligen Gegner und jetzigen Kollegen M. Aemilius [I 10] Lepidus (dessen Wahl zum Consul er zweimal verhindert hatte) und führte ein umfangreiches Bauprogramm durch, das auch die → Basilica Fulvia einschloß (Liv. 40,45 f.; 51 f.).

1 V. M. WARRIOR, The Chronology of the Movements of M. Fulvius Nobilior (*cos.* 189) in 189/8 B. C., in: Chiron 18, 1988, 325–356 2 A. VISCOGLIOSI, s. v. Hercules Musarum, in: LTUR 3, 1996, 17–19 3 O. SKUTSCH, The Annals of Ennius, 1985.

E. BADIAN, Ennius and his Friends, in: O. SKUTSCH (Hrsg.), Ennius, 1972, 183–199 · GRUEN, Rome, Index s. v. F.

[I 16] F. Nobilior, M. Älterer Sohn von F. [I 15], Volkstribun 171 v. Chr., curulischer Aedil 166 (Aufführung der *Andria* des P. → Terentius Afer an den *ludi Megalenses*), Consul mit Cn. Cornelius [I 23] Dolabella 159, triumphierte als Proconsul 158 über die eleatischen Ligurer (MRR 1,446). Er (nicht F. [I 12]) gründete wohl Forum Fulvi und baute die dazugehörige Straße von Placentia nach Ocelum, die sog. via Fulvia [1. 1599–1601].

1 G. RADKE, s. v. Viae publicae Romanae, RE Suppl. 13.

[I 17] F. Nobilior, Q. Jüngerer Sohn von F. [I 15], 160 v. Chr. curulischer Aedil, spätestens 156 Praetor, 153 Consul mit T. Annius [I 13] Luscus (das erste Consulpaar, das sein Amt am 1. Januar antrat); er übernahm Spanien, erlitt aber gegen die Keltiberer schwere Verluste (App. Ib. 184–197; vgl. Pol. 35,4,2), weshalb er im Senat von → Cato [1] scharf angegriffen wurde. Er verteidigte deshalb 149 den Ser. Sulpicius Galba, dem Cato schwere Verfehlungen in Spanien vorwarf (Liv. per. 49). 136 war er zusammen mit Ap. Claudius [I 22] Pulcher Censor (MRR 1,486).

[I 18] F. Paetinus, M. Consul 299 v. Chr. mit T. Manlius Torquatus, nahm Nequinum in Umbrien, legte dort
die Kolonie Narnia an und triumphierte (MRR 1,173).
[I 19] F. Paetinus Nobilior, Ser. 255 v. Chr. Consul,
sollte mit seinem Collegen M. Aemilius [I 34] Paullus
die Reste der Armee des M. Atilius [I 21] Regulus aus
Afrika evakuieren. Sie besetzten Kossyra (h. Pantelleria)
und besiegten die Karthager am Kap Bon, verloren aber
auf der Rückfahrt im Sturm vor Sizilien den größten
Teil der Flotte und des Heeres wieder (Pol. 1,36,5–37,2);
als Proconsuln 254 erlangten sie trotzdem einen Seetriumph (MRR 1, 209 f.).   K.-L. E.

II. KAISERZEIT

[II 1] Stadtpraefekt unter Elagabal. Kurz nach dessen
Tod (11. März 222 n. Chr.) wurde er von Soldaten und
vom Volk getötet. PIR² F 523.   W. E.
[II 2] L. F. Aburnius Valens Jurist unter Hadrian und
Antoninus Pius [1], war zusammen mit Tuscianus Nachfolger des → Iavolenus und Vorgänger des → Iulianus in
der Führung der sabinianischen Rechtsschule (Dig.
1,2,2,53). In den dreißiger Jahren des 2. Jh. n. Chr.
schrieb er *Fideicommissorum libri* (7 B.; dazu [2]).

> 1 R. A. BAUMAN, Lawyers and Politics in the Early Roman
> Empire, 1989, 231 ff. 2 D. LIEBS, Jurisprudenz, in: HLL 4,
> 129 f.   T. G.

[II 3] F. Aemilianus. Patrizier; *cos. ord.* 206 n. Chr.
LEUNISSEN 135; PIR² F 528.
[II 4] F. Aemilianus. *Cos. ord.* 244 n. Chr. DIETZ
160 ff.
[II 5] L. F. Gavius N[umisius] Aemilianus. Wohl
Bruder von F. [II 4]. Patrizier. Führte unter Severus
Alexander einen *dilectus* in der Transpadana durch; *cos.
suff.* wohl vor 235 n. Chr.; er dürfte mit dem *cos. ord.* II
von 249 identisch sein. DIETZ 164 f.; PIR² F 540.
[II 6] M. F. Gillo. Aus Forum Novum stammend; *cos.
suff.* im J. 76 n. Chr., Proconsul von Asia ca. 89/90.
IEph. II 232 f.; 235; 238; 240; 242; 1498. PIR² F 543.

> W. ECK, in: Chiron 12, 1982, 316 · THOMASSON III 35.

[II 7] Q. F. Gillo Bittius Proculus. (Bittius ist das
Hauptgentile.) Wohl von F. [II 6] adoptiert. Praefekt des
aerarium Saturni 96/7 n. Chr., zusammen mit Publicius
Certus. Als Plinius diesen angriff, verteidigte ihn Proculus. Verheiratet mit Pompeia Celerina, der Mutter
von Plinius' zweiter Frau [vgl. 1. VII 490]. *Cos. suff.* im
Sept. 99 ([2] = RMD III 141), also nicht unmittelbar nach
der Praefektur des *aerarium*, wie nach Plinius epist.
9,13,23 zu vermuten war. Frater Arvalis, Proconsul von
Asia 115/6, [3. 359]. Gestorben wohl 119. SCHEID, Collège 38 f.; 351; PIR² F 544.

> 1 SYME, RP 2 W. ECK, in: Köln. Jb. 20, 1993, 445 ff.
> 3 Ders., in: Chiron 12, 1982.   W. E.

[II 8] s. Macrianus
[II 9] (T?) F. Macrianus. Durchlief unter Kaiser Valerian als Ritter eine steile mil. Laufbahn (SHA trig. tyr.

10,14; 12,1; 13,3); nach einer Verwundung, die ihn mi-
litäruntauglich machte, wurde er Leiter des → Fiscus
(Eus. HE 7,10,5; 7,10,8; Zon. 12,24 p. 145 D.). 257 oder
258 n. Chr. soll er den Kaiser zu einer Christenverfolgung überredet haben (Eus. HE 7,10,4–7). Im Perserkrieg Valerians für die Militärkasse und die Versorgung
des Heeres zuständig (Petrus Patricius Exc. de sententiis
p. 264 Nr. 159 BOISSEVAIN), weigerte er sich, Valerian
nach dessen Gefangennahme durch die Perser zu Hilfe
zu kommen (Eus. HE 7,23,1). Als ihm der Praetorianerpraefekt → Ballista den Purpur antrug, lehnte er wegen
seines Alters und seines Gebrechens zugunsten seiner
Söhne → Macrianus und → Quietus ab (Eus. HE 7,10,8;
SHA trig. tyr. 12,7; Zon. 12,24 p. 145 D.) und zog mit
dem älteren Sohn in den Westen, während der jüngere
Quietus im Osten blieb. In Pannonien wurde er im
Herbst 261 von Truppen des → Gallienus unter → Aureolus besiegt und fand den Tod (SHA Gall. 2,6–7; 3,1;
trig. tyr. 11,2; 12,12–14; 13,3; 14,1; 15,4; Zon. 12,24, p.
145 f. D.)

> PIR² F 549 · PLRE I, 528 f. 2 · KIENAST, ²1996, 224 f.   T. F.

[II 10] C. F. Plautianus. Praetorianerpraefekt des Septimius Severus. Aus Lepcis Magna stammend; wohl verwandt mit der Mutter des Septimius Severus, mit dem er
vielleicht einen Teil der Jugend verbrachte. Beginn der
ritterlichen Laufbahn unbekannt; wenn Inscriptions of
Roman Tripolitania 572 sich auf ihn bezieht, *praefectus
vehiculorum* und *procurator XX hereditatium*. *Praefectus vigilum* in Rom, vielleicht seit 193 n. Chr., sicher ab 195
[1. 493 ff.]. Ab 197 *praefectus praetorio*, nach der Ermordung des Aemilius Saturninus alleiniger Praefekt. Systematischer Ausbau seiner Stellung, indem er viele Senatoren und Ritter, vor allem aber Soldaten an sich
band. Dazu diente auch der Erwerb eines ungeheuren
Vermögens, zu dem Marmor- und Ölhandel beitrug. Er
machte sich Septimius Severus unentbehrlich, selbst seine Mutter, Iulia Domna, verlor ihren Einfluß auf ihn. F.
begleitete den Kaiser auf allen Feldzügen und Reisen,
gegen → Pescennius Niger, → Clodius [II 1] Albinus,
die Parther und nach Africa. 201 Verlobung seiner
Tochter → Fulvia [3] Plautilla mit → Caracalla, 202 Heirat. Seitdem *necessarius dominorum nostrorum, socer et conso-
cer Augustorum* genannt (AE 1979, 294).

F. galt neben → Septimius Severus und Caracalla als
dritter Herrscher. Statuen wurden für ihn überall in größerer Anzahl aufgestellt als für die Kaiser, auch durch
den Senat – ein Ausdruck der realen Macht. Erster, aber
wieder geheilter Bruch mit dem Kaiser beim Besuch in
Lepcis Magna. 203 *cos. ord.* II, nachdem er schon zuvor
die *ornamenta consularia* und den Titel *clarissimus vir* erhalten hatte, ebenso senatorische Priesterämter. Der
Bruder des Kaisers, → Septimius Geta, warnte seinen
Bruder sterbend vor F. Sein Ende führte Caracalla herbei, der ihn haßte: F. wurde eines erfundenen, angeblich gegen Septimius Severus gerichteten Mordplans
bezichtigt und am 22. Januar 205 im Palast ermordet.
Sein Andenken wurde getilgt, die Statuen zerstört, sein

Name in Inschriften eradiert, viele seiner Anhänger bestraft, für sein eingezogenes Vermögen ein eigener *procurator ad bona Plautiani cogenda* eingesetzt, Sohn und Tochter nach Lipara verbannt. F. hatte eine Machtstellung eingenommen, wie sie von keinem anderen Praetorianerpraefekten je erreicht wurde.

1 R. SABLAYROLLES, Libertinus miles, 1996.

A. R. BIRLEY, The African Emperor, [2]1988, passim · G. ALFÖLDY, Un' iscrizione di Patavium e la titolatura di C. Fulvio Plauziano, in: Aquileia nostra 50, 1979, 125 ff. · PIR[2] F 554.　　　　　　　　　　　　W. E.

[II 11] s. Quietus

Fulvus s. Aurelius [II 14–18]

Funale s. Beleuchtung

Fundana s. Galeria

Fundania. Tochter des Marcius Fundanius, vermutlich zweite Ehefrau des M. Terentius Varro, der ihr im J. 36 v. Chr. *de re rustica*, B. 1 widmete (rust. 1,1,1; 2, praef. 6 mit Komm. bei [1. *ad loc.*].

1 D. FLACH, Gespräche über die Landwirtschaft, 1996 und 1997.　　　　　　　　　　　　ME. STR.

Fundanius. Weitverbreiteter röm. plebeischer Gentilname (SCHULZE 357, 533, 542).
[1] F., C. Volkstribun 68 v. Chr (?), einer der Urheber der *lex Antonia de Termessibus* (Roman Statutes 1, 1996, Nr. 19), gleichzeitig *curator viarum* (ILLRP 465a). Wohl identisch mit C. F., der 66 oder 65 von Cicero verteidigt wurde (Q. Cic. comm. petitionis 19) und 59 noch erwähnt wird (Cic. ad Q. fr. 1,2,10). Er dürfte auch der Schwiegervater des Antiquars M. Terentius → Varro sein, der ihn als Dialogpartner in *de re rustica* einführt (1,2,1 u. ö.).

J. W. CRAWFORD, M. Tullius Cicero: The Fragmentary Speeches, [2]1994, 57–64.　　　　　　　　　　　　K.-L. E.

[2] F., C. Röm. Ritter, wechselte 45 v. Chr. in Spanien von den Pompeius-Söhnen auf die Seite Caesars über (Bell. Hisp. 11,3). Vielleicht der bei Horaz erwähnte Komödiendichter (Hor. sat. 1,10,42; 2,8,19).　　W. W.
[3] F., M., Volkstribun 195 v. Chr., erwirkte zusammen mit seinem Kollegen L. Valerius gegen den Widerstand des Consuls → Cato [1] die Aufhebung der *lex Oppia* von 215, die den Aufwand der Frauen einschränken sollte (Liv. 34,1,2; 2,6).
[4] F. Fundulus, C., *homo novus,* klagte erfolgreich 248 v. Chr. als Volkstribun den P. Claudius [I 29] Pulcher (*cos.* 249) nach der verlorenen Seeschlacht gegen Karthago bei Drepanum wegen Hochverrats (*perduellio*) an (Schol. Bobiensia p. 90St.; MRR 1, 215) und 246 als plebeischer Aedil dessen Schwester → Claudia [I 1] wegen Mißachtung der Plebs (Liv. per. 19; Gell. 10,6,3 f.; MRR 1, 217). 243 kämpfte er als Consul erfolgreich

gegen Hamilkar Barkas auf Sizilien (Diod. 24,9,2 f.; tendenziös).　　　　　　　　　　　　K.-L. E.

Fundanus s. Minicius

Fundi. Stadt der Aurunci in *Latium adiectum* am Fuß der *montes Fundani* (Tac. ann. 4,59) an der *via Appia* zw. Tarracina und Formiae, 74 Meilen vor Rom, h. Fondi (Latina). 338 oder 332 v. Chr. gemeinsam mit → Formiae *civitas sine suffragio* (Liv. 8,14,10; Vell. 1,14,4), schlug sich F. dann auf die Seite der Privernati (Liv. 8,19). 188 v. Chr. gehörten F. und Formiae zur *tribus Aemilia* (*cum suffragio*); F. war *praefectura;* erhielt 174 durch die röm. *censores* einen Aquädukt (Liv. 41,27,11). F. war *municipium* mit drei *aediles* und besaß einen Herkules-Kult. Unter Augustus war F. *colonia* und Zenturiationsgebiet [2. 234]. In F. wurden hochwertige Weine angebaut. Unter einem *procurator* (CIL VI 8583) befand sich F. in kaiserlichem Besitz. Vor der Küste lag der *lacus Fundanus.*

Arch. Befund: Erh. ist die Stadtmauer (370 × 360 m) aus *opus incertum* mit vier Toren (Spuren der Vorgängermauer aus *opus polygonale* mit quadratischen Türmen); NO-Tor (Portella) mit Inschr. der drei *aediles;* Fallgatter sowie runde und quadratische Türme. Orthogonaler Grundriß [1], mit Kalksteinen gepflasterter → *decumanus maximus.* Tempel unter der Kathedrale San Pietro, Thermen bei San Rocco. Spuren von Amphitheater und → *macellum.* Auf dem Territorium von F. befinden sich Villen (Frontinus, Phaon) und das sog. Grabmal des Galba. Inschr.: CIL X p. 617, 6219–6299.

1 F. CASTAGNOLI, Ippodamo, 1956, 88　2 F. BLUME, K. LACHMANN (Hrsg.), Die Schriften der röm. Feldmesser 1, 1848.

NISSEN 2, 658 · RUGGIERO 3, 338 · E. PAIS, Storia della colonizzazione, 1923, 231 f. · C. F. GIULIANI, F., in: Quaderni dell' Istituto di Topografia Antica dell' Università di Roma 2, 1966, 71–78 · E. LISSI CARONNA, F., in: NSA 1971, 330–363 · G. PESIRI, Amphitheatrum Fundanae civitatis, in: Athenaeum 55, 1977, 195–199 · Ders., Sul rito dell'amfiteatro di Fondi, in: Atene e Roma 23, 1978, 193–195 · Ders., Iscrizioni di Fondi e del circondario, in: Epigraphica 40, 1978, 162–184.　　G. U./Ü: H. D.

Funditores waren im röm. Heer Handschleuderer, die mit der *funda,* einer Schlaufe aus Leinen oder Roßhaar (Veg. mil. 2,23; 3,14; Sil. 1,314 f.), kleine Steine oder Bleikugeln (Liv. 38,20,1; Tac. ann. 13,39,3) schleuderten. Sie wurden zur Eröffnung des Gefechts, zur Verfolgung des Gegners und zur Deckung des Rückzugs (Veg. mil. 1,20; 2,17; Caes. civ. 3,46,2) meist an den Flügeln eingesetzt; Schleudern wurden ferner bei der Verteidigung einer belagerten Stadt verwendet (Veg. mil. 1,16; 4,22). Die *f.* waren urspr. als Leichtbewaffnete Teil einer röm. Legion (Liv. 1,43,7; Veg. mil. 1,20; 2,2; 2,15), wurden aber später von den *auxilia* gestellt; mit der steigenden Bedeutung der *f.* seit dem 2. Jh. v. Chr. nahm auch ihre Zahl im röm. Heer zu (vgl. Liv. 38,21,2;

38,29,4). Die Bewohner der Balearen waren für ihre Geschicklichkeit als Schleuderer berühmt (Strab. 3,5,1); nach Vegetius hat man die Soldaten sorgfältig im Schleuderwurf ausgebildet (mil. 1,16; 2,23).

Th. Völling, Funditores, in: Saalburg-Jb. 45, 1990, 24–58.
S.L.

Fundus s. Großgrundbesitz

Funisulana Vettula. Frau des *praefectus Aegypti* im J. 82 n.Chr., Tettius Africanus; wohl Schwester oder Tochter des Funisulanus Vettonianus. PIR² F 571.   W.E.

Funisulanus. L.F.Vettonianus. Wohl aus Caesaraugusta in Spanien stammend. Aufnahme in den Senat unter Claudius; nach Quästur, Volkstribunat und Prätur Legat der *legio IV Scythica* in Syrien und Armenien im J. 62 n.Chr. (Tac. ann. 15,7,1). Anschluß an Vespasian; vor dem Suffektkonsulat im J. 78 wurde er u.a. *praefectus aerarii Saturni*. Anschließend consularer Legat von Dalmatien (ca. 79–82), Pannonien (82–86) und in der neuorganisierten Provinz Moesia superior (86–88), von wo aus er am Krieg gegen die Daker teilnahm; dafür erhielt er *dona militaria*. Proconsul von Africa um 90/1. Sein Grab wurde an der Via Latina errichtet (AE 1913, 224 = 1992, 238). Zu CIL XI 571 vgl. AE 1992, 602.

W.Eck, in: Chiron 12, 1982, 302ff. · Thomasson, Fasti Africani, 47f. · Caballos, Senadores I, 146ff. · PIR² F 570.   W.E.

Funus imaginarium nannte man in Rom (ILS 7212 II 4–5, datiert 136 n.Chr.; SHA Pert. 15,1) eine bes. Form der → Bestattung: Da beim Leichenzug der Tote sichtbar auf der Bahre zu liegen pflegte, behalf man sich mit einem Ersatzleib aus → Wachs (*imago* bzw. *effigies*), wenn der Leichnam nicht zur Verfügung stand, z.B. bei Tod auf See oder nach Einäscherung im Krieg oder im Ausland. Tac. ann. 3,5,2 rechnet den Brauch richtig zu den »Gebräuchen alter Zeit« (*veterum instituta*; vorausgesetzt schon in der Lex XII tab. 10,5: [1. 80]). Besondere Bed. erlangte das *f.i.* beim Begräbnis der Kaiser und ihrer Angehörigen; das damit meist verbundene Ritual der Apotheose erforderte zwingend die Einäscherung der Leiche. Wenn wegen Bevorzugung der Körperbestattung (zuerst in Tac. ann. 16,6,2 für → Poppaea Sabina erwähnt) oder nach Tod im Ausland (z.B. → Septimius Severus) der reale Leichnam nicht in Rom verbrannt werden konnte, wurde das Staatsbegräbnis als *f.i.* inszeniert (Beschreibung bei Cass. Dio 74,4–5 und Herodian. 4,2).

1 H.Chantraine, »Doppelbestattungen« röm. Kaiser, in: Historia 29, 1980, 71–85.   W.K.

Funus publicum (in der Kaiserzeit auch *funus censorium*, Tac. ann. 4,15,2 u.ö.) nennt man eine → Bestattung, deren Kosten und Organisation Staat oder Gemeinde übernahmen, um den Verstorbenen zu ehren.

1. Rom

In älterer Zeit wurden ausländische Gesandte (Plut. qu.R. 43) sowie von Rom inhaftierte Fürsten (→ Syphax; → Perseus, vgl. Val. Max. 5,1,1) *publice* (»auf öffentliche Kosten«) bestattet. Das typische *f.p.* für prominente Bürger kam wohl erst in der späten Republik auf (sicher bezeugt für L. → Sulla: App. civ. 1,493). Es erfolgte auf Senatsbeschluß (Wortlaut bei Cic. Phil. 9,16f.) und lehnte sich an das herkömmliche Begräbnis der Nobilität an; dessen Aufwand wurde im allg. noch übertroffen, die Aufgaben der Familie (z.B. Transport der Leiche; → *laudatio funebris*) übernahmen staatliche Repräsentanten [1. 337–339]. In der Kaiserzeit erhielten neben den Kaisern und ihren Angehörigen zunächst auch verdiente *privati* häufig ein *f.p.* (Cass. Dio 54,12,2; 58,19,5). Die enge Verknüpfung von *f.p.* und Apotheose legte mit der Zeit die Beschränkung des *f.p.* auf Mitglieder des Kaiserhauses (oft auch Frauen) nahe [2. 35–36]; das letzte bekannte *f.p.* für einen *privatus* galt L. → Licinius Sura (ca. 110 n.Chr.: Cass. Dio 68,15,3²).

2. Munizipien

In vielen Städten (bes. Italiens und Spaniens) wurden – wohl nach Roms Vorbild – mindestens seit augusteischer Zeit lokale Honoratioren, oft auch ihre Frauen und Kinder, durch *f.p.* geehrt (inschr. Zeugnisse: [2. 125–211]). Oft begnügten sich die Familien mit dem ehrenden Beschluß der Decuriones (→ *decurio*), verzichteten aber auf den öffentlichen Kostenbeitrag.

1 F.Vollmer, De funere publico Romanorum, in: Jbb. für klass. Philol. Suppl. 19, 1893, 319–364 2 G.Wesch-Klein, F. p., 1993.   W.K.

Furfanius Postumus, T. 52 v.Chr. Richter im Prozeß gegen Annius [I 14] Milo (Cic. Mil. 75) wegen der Ermordung des → Clodius [I 4]. Praetor möglicherweise bereits 55 oder früher ([1. 268f.]; MRR 2,295: 46 [?]), Promagistrat in Sizilien 50–49, Proconsul ebendort 45 (MRR 3,96).

1 G.V. Sumner, The lex annalis under Caesar, in: Phoenix 25, 1971, 246–271.   W.W.

Furfo. *Vicus* der Vestini (*regio IV*) am Oberlauf des Aternus (Pescara) auf dem Territorium von Peltuinum (CIL IX 3524) bei der Kirche Santa Maria di Furfona, 15 km südöstl. von L'Aquila; verwaltet von zwei *aediles*. Kult des Iuppiter Liber (58 v.Chr.; CIL I², 756). Lage an der später *via Claudia Nova* benannten Straße zw. Prifernum und Peltuinum. Inschr.: CIL IX p. 333, 3513–3568.

Nissen 2, 442 · Ruggiero 3, 1922, 353, s.v. F.
G.U./Ü: H.D.

Furia Sabinia Tranquillina. Tochter des C.F. Sabinius Aquila Timesitheus, Gattin → Gordians [3] III. seit 241 n.Chr.; Erhebung zur Augusta kurz vor dessen Perserkrieg (SHA Gord. 23,5–6; Eutr. 9,2,2; Zos. 1,17; Zon. 12, 18 p. 129 D.; CIL VI 2114; 130).

PIR² F 587 · Kienast, ²1996, 197.   T.F.

Furiae. Ant. Autoren verbinden die F. etym. mit *furere* (»rasen, wüten«), *furia* (»Raserei, Wut«) und setzen sie damit, wie auch Cicero (nat. deor. 3,46) und spätere Autoren, mit den Eumeniden/→ Erinnyen, sowie nach dem Vorbild Vergils (Aen. 3,252) u. a. mit den → Harpyien gleich. Ferner wird F. als lat. Übers. von → *maníai*, der Epiklese der Erinyen, erachtet (Paus. 8,34,1). Die Gleichsetzung von F. mit der altital. Göttin → Furrina ist umstritten. Dirae (»die Grausigen«) ist eine weitere Bezeichnung für F. (Serv. Aen. 4,609; 12,846). Acheron, Aether oder Pluton und Nox oder Terra gelten als Eltern, und die Unterwelt als Heimstatt der F.; auf chthonischen Charakter deutet auch die Herleitung des Namens von *furvus*, »schwarz« (Paul. Fest. 74,11 L.).

Seit Euripides (Orest. 408; 1650; Tro. 457) ist die Dreizahl der F. (Allecto/Alekto, Megaera, Tisiphone) geläufig. Die etr., griech. und it. Vorstellungen von der Gestalt der F. sind vielfältig: Sie erscheinen mit Schlangen als Haaren, oder mit Schlangen in den Haaren oder um die Arme oder Brust gewickelt, so daß den F. selbst das Zischen (*sibila*) zugeschrieben wird [1. 329 Abb. 131]. Die F. werden geflügelt dargestellt, tragen brennende Fackeln und eine aus Schlangen gebildete Geißel (die Peitsche ist ein Symbol des Blitzes); Feuer sprüht aus Haaren und Mund, das Gewand ist bluttriefend [2]. Diese Attribute des Schreckens und der Strafe entsprechen ihrer Funktion als Rachegeister. Dementsprechend sind die Personifikationen von Insania (Wahnsinn), Luctus (Trauer), Pavor (Furcht), Terror (Schrecken) ihre Begleiter [3. 314]. Die Verehrung der F. zielt auf die Bestrafung des Rechtsbruches, wie Vertragsbruch und Mord o. ä. [4. 1614, Z. 52–83; 3. 309, Z. 19–21]. In der Forsch. wurden F. als Gestalten des röm. Gespensterglaubens als den Gespenstern des dt. Volksglaubens verwandt gesehen [5. 1562, Z. 52–59; 3. 314, Z. 56–68]. Vergleichbare Parallelen sind für andere Völker nachweisbar. [3. 314].

1 PFIFFIG (Ndr. 1998), 323–324   2 H. SARIAN, s. v. Erinys, LIMC 3.1, 825–843   3 O. WASER, s. v. F., RE 7, 308–314   4 J. RUBENBAUER, s. v. furia, ThlL 6.1, 1613–1617   5 A. RAPP, s. v. F., Roscher 1.2, 1559–1564.

F. ALTHEIM, Röm. Religionsgesch. I, 1931, 42–44 · ERNOUT/MEILLET, s. v. furo, 263 · RADKE 137.   W.-A.M.

Furius.   Name eines altröm. Patriziergeschlechtes (inschr. auch *Fourios*), abgeleitet vom Praenomen *Fusus* und gelegentlich auch in der lit. Überlieferung in der urspr. Form *Fusius* vorkommend; die Familie stammte vielleicht aus Tusculum (vgl. das Familiengrab der Furii ILLRP 895–903). Die zahlreichen Angehörigen der Gens aus der frühen Republik im 5./4. Jh. v. Chr. sind als histor. Personen kaum greifbar, und ihre Geschichte ist z. T. spätannalistische Erfindung. Am bekanntesten ist der »Retter Roms« nach der Gallierkatastrophe M. F. [I 11] Camillus. Die Verbindung zu den späteren F. ist unbekannt.

I. REPUBLIKANISCHE ZEIT

[I 1] F., C. Vielleicht Volkstribun zwischen 204 und 169 v. Chr., beschränkte durch ein Gesetz die Höhe der Legate auf 1000 As (*lex Furia testamentaria*, Gai. inst. 2,225).

KASER, RPR 2, 756.

[I 2] F., P. Sohn eines Freigelassenen, wurde 102 v. Chr. von Q. Caecilius [I 30] Metellus Numidicus aus dem Ritterstand gestoßen und verhinderte deshalb 100 (MRR 3,22) als Volkstribun dessen Rückkehr aus dem Exil. Weiterhin wollte er das Erbe des L. Appuleius [I 11] Saturninus einziehen lassen (MRR 3,21 f.); deswegen 98 zunächst erfolglos angeklagt, wurde er vor dem Ende eines zweiten Prozesses von der erbitterten Menge umgebracht (Cic. Rab. perd. 24; App. civ. 1,147 u. a.).

[I 3] F. (Medullinus Fusus?), Sex. Consul 488 v. Chr. mit Sp. Nautius (Liv. 2,39,9).

[I 4] F., Sp. Nach Livius (1,24,6) *pater patratus* unter König Tullus Hostilius, wohl erfunden.

[I 5] F., Sp. (oder L.) Consulartribun 378 v. Chr.

[I 6] F. Aculeo, C. 190 v. Chr. Quaestor des Consuls L. Cornelius [I 72] Scipio, später mit diesem wegen Bestechung durch Antiochos III. angeklagt und verurteilt, aber dann gegen Kaution freigelassen (Valerius Antias bei Liv. 38,55,5–8; 58,1).   K.-L.E.

[I 7] F. Antias. Dichter, dem Q. → Lutatius Catulus (cos. 102) ein Werk über sein eigenes Konsulat widmete (Cic. Brut. 132). 6 V. des F. werden von Gell. 18,11 zitiert. Die Hexameter sind in ep. Stil; vielleicht benutzte F. das Werk des Catulus als Quelle für ein Epos über den Kimbernkrieg mit Catulus als Held. Gellius zitiert die Zeilen, um die Kritik des → Caesellius Vindex an den Neologismen des F. zu widerlegen, von denen vier Incohativa sind.

COURTNEY, 97–98.   ED.C./Ü: M.MO.

[I 8] F. Bibaculus, L. Praetor nach 227 v. Chr. und vor 218 (MRR 1,237); Salier; sein Vater war *magister* des Saliercollegiums (Val. Max. 1,1,9).   K.-L.E.

[I 9] F. Bibaculus, M. Der → Neoteriker wurde laut Hieronymus (chron. 1914) 103 v. Chr. in Cremona geb., doch scheint dieses Datum zu früh zu sein. Er schrieb → Epigramme und Iamben, die → Invektiven gegen Iulius Caesar und Oktavian enthielten (Quint. inst. 10,1,96; Tac. ann. 4,34,5), sowie *Lucubrationes* in Prosa (Plin. nat. praef. 24). Die 11 B. *Annales* von F., die von Macr. Sat. 6,1,31–4,10 zitiert werden, sind wahrscheinlich dasselbe Werk wie die *Pragmatia Belli Gallici*, die F. von Ps.-Acro zugeschrieben werden (in Sat. 2,5,41; vgl. 1,10,36 und Porph. Hor. comm. ad locos), und vielleicht nicht von dem Neoteriker, jedoch kaum von → Furius [I 7] Antias verfaßt.

ED.: FPL³, 197–204.
KOMM.: COURTNEY, 192–200.   J.A.R./Ü: M.MO.

[I 10] (F.?) Camillus, C. Vertrauter und rechtskundiger Berater Ciceros, in dessen Korrespondenz zwischen 51 und 45 v.Chr. er öfters genannt wird. K.-L.E.

[I 11] F. Camillus, L. Sohn des F. [I 14] Camillus, soll 389 v.Chr. an dessen Volskerkrieg teilgenommen haben (Plut. Camillus 35,1); 350 Dictator zur Abhaltung der Consul-Wahlen, wohl zur Abwehr plebeischer Ansprüche [1. 62f., 79f.]; darauf deutet seine eigene Wahl und die des Claudius [I 6] Crassus zu Consuln für 349 (MRR I, 128). Als Consul wehrte er einen Einfall der Gallier nach Latium ab (legendär ist der wohl von Valerius Antias erfundene Zweikampf des M. Valerius Corvus mit einem Gallier), eine syrakusanische Flotte, die mit den Galliern kooperierte [2. 68], zog sich zurück. Eine weitere Dictatur 345 ist umstritten (→ F. [I 12]).

1 HÖLKESKAMP 2 M. SORDI, I rapporti romano-ceriti, 1960.
W. ED.

[I 12] F. Camillus, L. Enkel des F. [I 14], vielleicht der Dictator von 345 v.Chr., der die Aurunker angriff und in der Schlacht der Iuno Moneta einen Tempel gelobte (Liv. 7,28,4; MRR 1,131). Consul 338 im Latinerkrieg (340–338), triumphierte über Pedum und Tibur und spielte nach Livius (8,13,10–18) eine führende Rolle bei der Neuordnung Latiums (MRR 1,138). Er und sein Amtskollege C. Maenius erhielten die ersten Ehrenstatuen auf dem Forum [1. 338f.]. Im (zweiten) Samnitenkrieg, erneut Consul 325 mit dem plebeischen D. Iunius Brutus Scaeva, erkrankte er und ernannte L. Papirius Cursor zum Dictator im Krieg in Samnium (Liv. 8,29,6–9).

1 T. HÖLSCHER, Anfänge der röm. Repräsentationskunst, in: MDAI(R) 85, 1978, 315–357. W. ED.

[I 13] F. Camillus, M. Die Tradition, vor allem Livius, zeichnet M. F. Camillus als die dominierende Figur in den ersten Jahrzehnten des 4. Jh. v.Chr., den vom Schicksal gesandten Führer (*dux fatalis*), zweiten Gründer Roms und »Vater des Vaterlandes« (Liv. 7,1,10). Er begann seine Karriere mit der Censur (403), amtierte in den Jahren 401, 398, 394, 386, 384 und 381 als Consulartribun, wurde 396, 390, 389, 368 und 367 zum Dictator ernannt, feierte vier Triumphe (396 über → Veii, 390 über die Gallier, 389 über Volsker (→ Volsci), Aequer (→ Aequi) und Etrusker, 367 erneut über die Gallier) und soll 396, 391 und 389 *interrex* gewesen sein (alle Quellen in MRR I zu den einzelnen Jahren). In seiner überwiegend legendär gestalteten Laufbahn spiegeln und vermischen sich die Anstrengungen Roms im zehnjährigen Krieg gegen die etr. Stadt Veii (406–396; die Dauer ist dem Trojanischen Krieg nachgebildet), die traumatisch gewordene Erfahrung der Eroberung und Plünderung Roms durch die Gallier (390; nach Pol. 1,6,1 und wohl richtig 387/6), das nach dem Galliersturm problematische Verhältnis Roms zu den Nachbarn und die gespannte, vom Streben der Plebeier nach polit. Gleichberechtigung geprägte innere Lage (→ Ständekampf).

Als histor. gesichert kann deshalb nur die Eroberung von Veii 396 durch F., der daraus folgende Triumph und die Sendung eines Weihgeschenkes nach Delphi gelten. Schon die Umstände des Sieges sind legendär (*evocatio* der Iuno, der Schutzgöttin Veiis; Weihung des Tempels der Iuno Regina in Rom; die Gestaltung des Triumphs (Verwendung von weißen Pferden) ist wie der Prozeß wegen fehlerhafter Verwendung der Beute und das daraus resultierende Exil spätere Erfindung, um die Abwesenheit des F. beim Galliersturm zu erklären. Ebenso in den Bereich der Legende gehören die Wiedergewinnung des den Galliern gezahlten Goldes (→ Brennus [1]) und damit die Dictaturen und Triumphe von 390 und wohl auch 367, sein Widerstand gegen die Verlegung der röm. Siedlung nach Veii nach dem Galliereinfall und seine letztlich ausgleichende Rolle im patrizisch-plebeischen Ausgleich von 367, einschließlich des Gelöbnisses eines Tempels der Concordia. Histor. glaubwürdig ist trotz zahlreicher Erfindungen im Einzelnen sein vielfach erwähntes Engagement im Kampf gegen die Nachbarn Roms und damit auch der Triumph von 389. Er starb lt. Livius (7,1,8) 365 an der Pest.

E. BURCK, Die Gestalt des Camillus, in: Ders. (Hrsg.), Wege zu Livius, 1967, 310–328 · T.J. CORNELL, The Beginnings of Rome, 1995, 309–326 · R.M. OGILVIE, Commentary on Livy Books 1–5, (1965) 1978 (ausführliche quellenkritische Behandlung bis 390). W. ED.

[I 14] F. Camillus, Sp. Sohn von F. [I 13], Vater von F. [I 12], 366 v.Chr. erster Praetor nach den Licinisch-Sextischen Gesetzen (Liv. 7,1,2).

[I 15] F. Chresimus, C. Freigelassener und Landwirt in der Mitte des 2. Jh. v.Chr., wegen guter Ernte der Zauberei beschuldigt, aber freigesprochen (Piso bei Plin. nat. 18,41).

S. TREGGIARI, Roman Freedmen, 1969, 103.

[I 16] F. Crassipes (Praenomen unbekannt, Cognomen »Klumpfuß«, illustriert durch die Münzdarstellung eines Verwandten [?] P. F. Crassipes 84 v.Chr. [RRC 356]). 56 v.Chr. Verlobter von Ciceros Tochter Tullia, von der er sich nach kurzer Ehe vor 50 wieder trennte. 51(?) Quaestor in Bithynien (Cic. fam. 13,9); er besuchte trotz der Entfremdung Cicero auf dem Gut in Formiae (Cic. Att. 9,11,3). MRR 3,96.

[I 17] F. Crassipes, L. Mitte 2. Jh. v.Chr. wohl röm. Beamter in Griechenland, ließ sich auf Samothrake in die Mysterien einweihen (ILLRP 213).

[I 18] F. Crassipes, M. 200 v.Chr. Legat in Gallien (Liv. 31,21,8), wohl der Kriegstribun, der in Tusculum mehrere Weihgeschenke aufstellte (ILLRP 100, 221). 194–192 *IIIvir coloniae deducendae* (192 Gründung von Vibo Valentia in Bruttium). 187 Praetor in Gallia Cisalpina, entwaffnete widerrechtlich die Cenomanen, wofür ihn der Consul bestrafen ließ (Liv. 39,3,1–3; Diod. 29,14); deshalb zwischenzeitlich möglicherweise aus dem Senat ausgestoßen. Er war 173 Praetor II auf Sizilien.

H. H. SCULLARD, Roman Politics, 220–150 B. C., ²1973, 143.

[I 19] F. Fusus, Agrippa. Consul 446 v. Chr. mit T. Quinctius Capitolinus Barbatus; angeblich Sieg über die Volsker (Liv. 3,66–70; Diod. 12,30,6).

[I 20] F. Medullinus, L. (Cognomen nach dem Ort Medullia [1. 292]). Als Consul 474 v. Chr. widersetzte er sich mit C. Manlius Vulso angeblich der Durchsetzung des Ackergesetzes des Sp. Cassius [I 19] (Liv. 2,54 f.; Dion. Hal. ant. 9,37 f.).

   1 TH. MOMMSEN, Röm. Forschungen 2, 1879.

[I 21] F. Medullinus, L. Consulartribun 432 v. Chr., 425, 420, evtl. *cos. I* 413, *cos. II* 409.

[I 22] F. Medullinus, L. Wohl Sohn von F. [I 21] (*cos. I* 413 v. Chr., *cos. II* 409), Consulartribun 407, 405, 398, 397, 395, 394, 391 v. Chr.

[I 23] F. Medullinus, L. Consulartribun 381 v. Chr., 370; Censor 363.

[I 24] F. Medullinus Fusus, P. Consul 472 v. Chr. mit L. Pinarius Mamercinus Rufus, legte als einer der ersten Dreimänner zu Landverteilung 467 die Kolonie Antium an (Liv. 3,1,6; Dion. Hal. ant. 9,59,2); soll 464 gegen die Aequer gefallen sein.

[I 25] F. Medullinus Fusus, Sp. Consul 481 v. Chr. (MRR 1,24).

[I 26] F. Medullinus Fusus, Sp. Bruder von F. [I 24], Consul 464 v. Chr. mit A. Postumius Albus, soll von den Aequern gefangen und von T. Quinctius befreit worden sein (wohl annalistische Erfindung). Angeblich war er 453 *cos. suff.* und starb wie sein Vorgänger an der Pest (Dion. Hal. ant. 10,53,6).

[I 27] F. Pacilus Fusus, C. Consul 441 v. Chr.; als Censor 435 mit M. Geganius [1] Macerinus nahm er zum erstenmal den Census in der Villa Publica auf dem Marsfeld ab (Liv. 4,22,7), deshalb auch als erstes authentisches Censorenpaar angesehen; Consulartribun 426.

[I 28] F. Philus, L. Gehörte angeblich zum Freundeskreis des P. Cornelius [I 70] Scipio Aemilianus und teilte dessen kulturelle Interessen (Patron des Dichters → Terentius, Suet. Vita Terentii 1); 155 soll er die athenische Philosophengesandtschaft in Rom gehört haben (Cic. de orat. 2,154 f.). Cicero machte ihn deshalb zum Sprecher in *De re publica* und ließ ihn in B. 3 die Staatslehre des → Karneades vertreten. 136 prüfte er als Consul mit Scipio und D. Laelius den Vertrag des C. → Hostilius Mancinus (*cos.* 137) mit den Numantinern (Cic. rep. 3,28); nach der Ablehnung des Vertrages durch den Senat lieferte F. den Mancinus den Numantinern aus (Cic. off. 3,109). Er verfaßte vielleicht die Schrift, aus der Macrobius (Sat. 3,9,6–11) zwei Formeln der → *evocatio* überliefert.

[I 29] F. Philus, P. siegte als Consul 223 v. Chr. mit seinem Kollegen C. Flaminius [1] über Gallier und Ligurer und triumphierte (Plut. Marcellus 4; InscrIt 13,1,79). 216 *praetor urbanus* (Liv. 22,35,5–7); nach der Niederlage bei Cannae übernahm er die Flotte, ein Landungsversuch in Afrika scheiterte (Liv. 22,57,8; 23,21,2). 214 bestrafte er als Censor mit M. Atilius [I 22] Regulus Wehrdienstverweigerer und Defaitisten hart

(Liv. 24,11,6; 18), weshalb er 213 von dem betroffenen M. Caecilius [I 12] Metellus jedoch erfolglos verklagt wurde. Er starb im selben Jahr als Augur.

[I 30] F. Philus, P. 174 v. Chr. Praetor, 173 Propraetor in Hispania citerior; 171 wurde er aufgrund der Beschwerden spanischer *socii* wegen Erpressung vor ein Rekuperatorengericht gebracht, ging aber vor dem Urteil ins Exil (Liv. 43,2,8–10; ORF I4, 59).

[I 31] F. Purpureo, L. (Cognomen »Purpurschnecke« illustriert auf Münzen eines späteren Verwandten, RRC 187.) 210 Kriegstribun, siegte 200 als Praetor über Kelten und Ligurer und triumphierte (MRR 1,323); vielleicht dann Gesandter an die Aitoler (MRR 1,328). Consul 196 mit M. Claudius [I 12] Marcellus, kämpfte erneut gegen Kelten und Ligurer (MRR 1, 335); während dieser Kämpfe gelobte F. einen Iuppiter-Tempel. 189 ging er als Mitglied einer Zehnerkommission zur Ordnung der Verhältnisse nach dem Sieg über Antiochos [5] III. unter dem Consul Cn. → Manlius Vulso nach Kleinasien (MRR 1, 363; 367); nach der Rückkehr leistete er 187 mit einem Teil der Kollegen der Forderung des Manlius nach einem Triumph hartnäckig, aber erfolglos Widerstand (Liv. 38,44,11–50,3). 184 bewarb er sich erfolglos um die Censur für 183. 183 Gesandter an die Kelten, die in Oberit. eingefallen waren (Liv. 39,54,13).　　　　K.-L.E.

II. KAISERZEIT

[II 1] F. Anthianus. Jurist aus dem 3. Jh. n. Chr., möglicherweise ein in der Provinz tätiger Freigelassener [2], schrieb einen knappen Komm. *Ad edictum* (5 B.), von dem die Digesten Justinians drei kurze Fragmente enthalten [1].

   1 O. LENEL, Palingenesia iuris civilis 1, 1889, 179 f.
   2 D. LIEBS, Jurisprudenz, in: HLL 4, 216.　　　　T.G.

[II 2] M. F. Camillus. Er stammte aus der Familie des F. [I 11] Camillus, der als Dictator berümt geworden war (Tac. ann. 2,52,5). Im J. 8 n. Chr. *cos. ord.*; sein Quaestor war M. Aedius [2] Celer (AE 1990, 222). 17/8 n. Chr. schlug er als Proconsul von Africa den aufständischen → Tacfarinas, wofür er die Triumphalinsignien erhielt. Auch unter die Arvales wurde er aufgenommen [1. 176 f.]. Im J. 37 starb er. Seine Tochter Livia Medullina heiratete den jungen Claudius [III 1].

   VOGEL-WEIDEMANN 69 ff. · PIR² F 576.
   1 SCHEID, Recrutement.

[II 3] M. F. Camillus. Frater Arvalis, im J. 37 kooptiert. Identisch mit Arruntius [II 8].　　　　W.E.

[II 4] C. F. Octavianus. (Das Signum Amphilochius fraglich.) Wahrscheinlich aus Ulpianum (Moesia Superior), Sohn der Furia Caecilia, CIL VI 1423 (= ILS 1169). *Clarissimus vir, pontifex*, Patron von Canusium: CIL IX 338 (= ILS 6121). Nachdem er offenbar früh seinen Vater verloren hatte, stand er unter der Vormundschaft des F. Alcimus, eines *libertus* seiner Mutter (Ulp. de officio praetoris tutelaris frg. Vaticanum 220, p. 69), und gelangte bereits vor 217 zum Suffektkonsulat. Seine Familie besaß große Güter bei Ulpianum, die von seinen Prokuratoren F. Alcimus und Pontius Uranius verwaltet wurden: CIL III 14356, 3a (= ILS 9103).

> PIR² F 580 · L. SCHUMACHER, Prosopographische Untersuchungen zur Besetzung der vier hohen röm. Priesterkollegien, 1973, 38f., 241f. · LEUNISSEN, 67, 170.   T.F.

[II 5] C. F. Sabinius Aquila Timesitheus. Eine glänzende ritterliche Karriere ließ ihn von einer Kohortenpräfektur in Hispania über zahlreiche Prokuraturen in Gallien, Germanien und dem Osten des Reiches sowie einige senatorische Statthaltervertretungen zum *praefectus praetorio* unter Gordian [3] III. im Jahre 241 n. Chr. aufsteigen (CIL XIII 1807 = ILS 1330). Der junge Kaiser band den erfahrenen und gebildeten Mann durch seine Heirat mit dessen Tochter → Furia eng an sich (SHA Gord. 23,5;6; 24,2; 25,1), und zwar auch mit Rücksicht auf den drohenden Krieg gegen den Sassaniden Sapor, in dem sich F. als erfolgreicher Heerführer erwies. Er vertrieb die Sassaniden aus Antiocheia, verfolgte sie bis zum Tigris und eroberte dabei alle verlorenen Gebiete zurück. Auf dem Weg nach Ktesiphon erlag er 243 einer rätselhaften Krankheit (SHA Gord. 27,2; 4ff.; 28, 1; 6).

> PIR² F 581 · PFLAUM, Bd. 2, 811ff. Nr. 317 · LEUNISSEN, 124, 244, 268.   T.F.

[II 6] P. Fu(rius?) Pontianus. Statthalter der Provinz Moesia inferior zwischen April 217 und Juli 218 n. Chr. nach Ausweis von Münzen aus Marcianopolis und Nikopolis.

> PIR² F 496 · B. PICK, Ant. Münzen Nordgriechenlands 1898, 1, 1, 234ff. Nr. 708–784; 432 Nr. 1680f. u. a. · A. STEIN, Legaten Moesiens, 1940, 91.   T.F.

[II 7] P. F. Saturninus. Praetorischer Statthalter von Dacia superior ca. 159–161 n. Chr.; er erhielt noch in der Provinz einen Suffektkonsulat, wohl im J. 161. Fu[...] Pontianus, Statthalter von Moesia inferior 217, könnte ein Nachkomme sein.

> PISO 74f. · PIR² F 583.

[II 8] T. F. Victorinus. Ritter, Angehöriger der → *tribus Palatina*, d.h. einer seiner Vorfahren könnte Sklave gewesen sein. Nach den drei ritterlichen Offiziersstellungen Übergang in die procuratorische Laufbahn: Procurator von Galatia ca. 142 n. Chr. (vgl. SEG 26, 1712), Procurator der Tarraconensis; *procurator ludi Magni* in Rom; Präfekt der Flotte von Ravenna ca. 150, dann von Misenum ca. 154; *procurator a rationibus* in Rom; Präfekt der röm. Getreideversorgung; Präfekt von Ägypten 159/160; Prätorianerpräfekt von Marc Aurel und Verus; Teilnahme am Partherkrieg; dafür mit *dona militaria* und einer Statue ausgezeichnet; außerdem erhielt er die Amtsabzeichen eines Consuls; er fiel zu Beginn des Markomannenkrieges (CIL VI 39440 = ILS 9002 = CIL VI 41143).

> PFLAUM I 326ff.; DEVIJVER F 100.   W.E.

Furnius. Plebeischer Familienname, vielleicht mit etr. *furnial* verbunden (SCHULZE 217 mit inschr. Zeugnissen).   K.-L.E.

Furnius

[1] F., C. Wie sein Sohn F. [2] berühmter röm. Redner (*Furnii . . . clari oratores*; Hier. chron. ad annum 1980/1). Volkstribun 50 v. Chr., Legat 44/3, Praetor 42 (?), Gesandter 40 und 39, Promagistrat in Asia 36/5, *Consul designatus* für 29 (MRR 2, 249, 331, 353, 359, 376, 389, 402, 408; 3, 97). Zunächst Bewunderer des Redners Cicero, stellte er sich polit. im Bürgerkrieg seit 49 auf die Seite Caesars, später auf die des L. bzw. M. Antonius [I 9]. Octavian begnadigte ihn nach seinem Sieg (Sen. benef. 2,25,1). Terminus post quem für seinen Tod ist 17 v. Chr. (Hier. l.c.).   W.W.

[2] F., C. Sohn von F. [1], 22–19 v. Chr. *legatus Augusti pro praetore* in Hispania Tarraconensis (Cass. Dio 54,5,1–3 [2. 829; 839]); *cos. ord.* 17. Wie sein Vater (vor dem er starb) bedeutender Redner (Hier. chron. 159H), Freund und Förderer des Horaz (Hor. sat. 1,10,86).

> 1 PIR² F 591 2 SYME, RP 2.   K.-L.E.

Furnus

[1] Maius. Stadt in der *Africa proconsularis*, südwestl. von Thuburbo Maius, h. Aïn Fourna. Seit unbestimmter Zeit *municipium* (CIL VIII Suppl. 1, 12039). Inschr. Belege: CIL VIII 1, 752f.; Suppl. 1, 12030; 12039; Suppl. 4, 23798–23811; ILTun 617–620.

> AATun 100, Bl. 25, Nr. 187.

[2] Minus. Stadt in der *Africa proconsularis*, südwestl. von Karthago, h. Henchir Msaadine. Seit Caracalla (211–217 n. Chr.) *municipium* (CIL VIII Suppl. 4, 25808b). Inschr. Belege: CIL VIII 2, 10609f.; Suppl. 1, 14751–14753; Suppl. 4, 25807–25818; AE 1991, 468 Nr. 1672.

> AATun 050, Bl. 19, Nr. 235.   W.HU.

Furor. Der Ausdruck für → Geisteskrankheit im röm. Recht. Der davon Betroffene, der *furiosus*, befand sich schon nach den Zwölf Tafeln (ca. 450 v. Chr.) in einem bes. Gewalt- und Abhängigkeitsverhältnis (Pflegschaft, *cura furiosi*). Das Amt des *curator* stand den Agnaten (→ *agnatio*) und hilfsweise in frühen Zeiten den Gentilen (→ *gens*) zu (Cic. inv. 2,148; Rhet. Her. 1,23). Die treuhänderähnliche Stellung des *curator* entsprach weitgehend der eines Vormundes (→ *tutela*) und galt sowohl der Person als auch dem Vermögen des *furiosus*. Allerdings war keine eigene Klageart für dieses Verhältnis vorgesehen, sondern die *actio negotiorum gestorum* (→ *gestio*). Der *furiosus* war nicht geschäfts- und prozeßfähig, und es konnte ihm auch keine Schuld vorgeworfen werden (Gai. inst. 3,106). F. war zudem ein Ehehindernis (Paul. sent. 2,19,7). Alle diese Beschränkungen paßten wohl nicht für den harmlos Geistesgestörten, sondern nur für den schwer und offenkundig Kranken

(Cic. Tusc. 3,11). Geschäfte, die der *furiosus* in lichten Momenten vornahm, waren gültig.

HONSELL/MAYER-MALY/SELB, 96, 430f. · KASER, RPR I, 84, 278, 371f.   G.S.

Fur(r)ina. Name einer altröm. Göttin, mit einem und mit zwei r belegt (vgl. CIL I² p. 323: *Furrinalia*; die Hss. schwanken). Zur möglichen sprachgeschichtlichen Entstehung des Namens aus dem Etr., Osk. (hier etwa aus **fursina, *forsina*) bzw. Umbr. s. [1. 137]. Ihren Kult in älterer Zeit bezeugen ein Fest am 25. Juli, die *Fu(r)rinalia* oder *Furnalia*, und ein *flamen Furinalis* (→ *flamines*; Varro ling. 5,84; 6,19; Fest. 78 L). Mythen oder Riten sind nicht bekannt. Der Hain der F. befand sich in Rom jenseits des Tiber (im h. Trastevere) am Südhang des Ianiculum (wohl in der Gegend der Villa Sciarra zu lokalisieren [2. 315; 317]).

Am Ende der röm. Republik, als der Kult der F. längst nicht mehr praktiziert wurde (vgl. Varro ling. 6,19), führte wohl die Namensähnlichkeit zur Identifikation mit den → *Furiae* (Cic. nat. deor. 3,46; vgl. auch Plut. C. Gracchus 17 sowie Mart. Cap. 2,163f.). Die Gleichsetzung mit den Furien könnte sich auch fortgesetzt haben, als wohl seit dem 1. Jh. n.Chr. syrische Gottheiten auf dem Ianiculum verehrt wurden (daraufhin deutet der Plural, CIL VI 422: Weihung an Iuppiter Optimus Maximus Heliopolitanus und den Genius Forinarum; vgl. aber CIL VI 36802: Νυνφες Φορρινες und Ps.-Aur. Vict. de viris illustribus 65,5).

1 RADKE 2 F. COARELLI, Rom. Ein arch. Führer, 1975.
                          HE.K.

Furtum A. ÜBERBLICK B. ZWÖLF TAFELN C. FURTUM IM KLASSISCHEN RÖMISCHEN RECHT

A. ÜBERBLICK

F. ist das Eigentumsdelikt des röm. Rechts. Der Begriff des *f.* umfaßt jedenfalls in klass. Zeit (1.–3. Jh. n.Chr.) nicht nur Diebstahl und Unterschlagung, sondern auch den bloßen Gebrauch fremder Sachen (*furti usus*), die Wegnahme einer eigenen Sache, z.B. vom Pfandgläubiger (*f. possessionis*, Besitzdiebstahl), Betrug, Hehlerei und Begünstigung des Täters eines *f.* Gegenstand des *f.* konnten außer *res corporales* Sklaven und Personen unter väterlicher Gewalt sein. In der klass. Zeit ist der Tatbestand des *f.* nur erfüllt, wenn der Täter vorsätzlich und heimlich gehandelt hat. Die Bezeichnung für den Täter ist *fur*. Wie andere Delikte, die sich gegen private Rechtsgüter richteten, wurde das *f.* zunächst nur privatrechtlich verfolgt. Wohl zu Beginn der Kaiserzeit wurde dann die Aneignung von Geld des Staates oder rel. Einrichtungen der Verfolgung im öffentlichen Strafverfahren (*iudicium publicum*) unterworfen (→ *peculatus*). Der Diebstahl von Vieh (*abigeatus*) und der Einbruchdiebstahl (→ *effractor*) wurden wohl seit Trajan und Mark Aurel (2. Jh. n.Chr.) als → *crimen extraordinarium* vom Staat bestraft. Seit dem 3. Jh. n.Chr. liefen öffentliche und private Verfolgung des *f.* nebeneinander her.

B. ZWÖLF TAFELN

Die achte der 12 Tafeln (ca. 450 v.Chr., → *tabulae duodecim*) enthielt eine Reihe von Regelungen über das *f.*, die vermutlich früher schon geltendes Recht waren. Das Gesetz unterscheidet zwischen offenkundigem *f. manifestum* und nicht offenkundigem *f. nec manifestum.* Wurde der Täter des *f.* auf frischer Tat gefaßt, durfte der Geschädigte ihn töten (Gai. inst. 3,184; 3,189). Bei nächtlichem Diebstahl und im Falle, daß der Dieb sich mit einer Waffe verteidigte, galt dies unmittelbar (Tafel 8,12f.). Rechtmäßig war die Tötung aber nur, wenn der Verletzte die Tat durch Ausschreien vor den Nachbarn (*endoplorare*) kundgetan hatte. Andere auf frischer Tat ergriffene Diebe durfte der Verletzte vor den Magistrat schleppen. Dann wurden sie ausgepeitscht (*verberari*) und der Gewalt des Bestohlenen (als Sklave oder wie ein Haussohn) mit dem Recht zur Tötung überantwortet (*addictio*, Tafel 8,14). Als *f. manifestum* wurde es auch angesehen, wenn der Bestohlene das Diebesgut in einer förmlichen Haussuchung auffand. Diese mußte mit → *lanx* und → *licium* (»mit Schüssel und Faden«) erfolgen. Schon Festus (104,5–8 L.) wußte zur Deutung dieser *quaestio lance et licio* nur ›Torheiten‹ [1. 798] vorzubringen. Vielleicht dienten Schüssel und Faden der genauen Messung von Menge und Größe des Diebesgutes [2. 177f.].

War das *f.* nicht offenkundig, sondern mußte erst bewiesen werden, stand dem Geschädigten eine Buße in Höhe des doppelten Wertes zu (Tafel 8,16). Nach der 12-Tafel-Zeit (dem 5. Jh. v.Chr.) wurde auch die Tötung bei *f. manifestum* durch eine Buße verdrängt, die in diesen Fällen auf den vierfachen Wert gerichtet war (Gai. inst. 3,189).

C. FURTUM IM KLASSISCHEN RÖMISCHEN RECHT

Nach den Digesten standen dem Opfer eines *f.* in der Zeit des klass. röm. Rechts (1.–3. Jh. n.Chr.) als Bußklagen die *actiones furti manifesti* und *nec manifesti* auf das Vier- bzw. Zweifache zu. An die Stelle der Haussuchung mit Schüssel und Faden war in dieser Zeit die einfache Haussuchung unter Hinzuziehung von Zeugen getreten. Wurde das Diebesgut hierbei gefunden, schuldete der *fur* aus einer *actio furti concepti* den dreifachen Wert. Dies galt auch dann, wenn er selbst das *f.* gar nicht vorsätzlich begangen hatte; in diesem Fall konnte er Rückgriff bei dem wirklichen *fur* mit einer *actio furti oblati* nehmen. Gai. inst. 3,186–188,191f. schildert, wie verschiedene Komplikationen des Haussuchungsbegehrens zu weiteren prätorischen Klagen geführt haben. All dies ist mit dem Recht des Opfers zur Haussuchung von Justinian beseitigt worden.

Bis zu Justinian im 6. Jh. erhalten blieb die Möglichkeit, neben der Bußklage eine sachverfolgende Klage wegen der ungerechtfertigten Bereicherung des *fur* zu erheben: eine → *condictio furtiva* (Dig. 13,1,1), die auch bei zufälligem Untergang des Diebesgutes fortbestand (*fur semper in mora*: der Dieb haftet wie ein Schuldner im Verzug). Unter Ehegatten war die *actio furti* ausgeschlossen. Stattdessen gewährte der Prätor dem Ehemann gegen die Ehefrau, die insbes. in Erwartung einer Scheidung dem Manne Sachen, z. B. aus der Mitgift (→ *dos*), weggenommen hatte, eine *actio rerum amotarum* auf den einfachen Sachwert (Dig. 25,2,1).

1 MOMMSEN, Strafrecht 2 D. FLACH, Die Gesetze der frühen röm. Republik, 1994.

HONSELL/MAYER-MALY/SELB, 358 ff. · KASER, RPR I, 157 ff., 614 ff. · A. BERGER, Dig. IX 2,4,1 und das »endoplorato« der Zwölftafeln, in: P. CIAPESSONI (Hrsg.), Studi A. Albertoni I, 1935, 379–397 · K. HACKL, Gaius 4,37 und die Formeln der actio furti, in: Ars boni et aequi, FS W. Waldstein, 1993, 127–139 · A. WACKE, Actio rerum amotarum, 1963 · J. G. WOLF, Lanx und licium, in: Sympotica Wieacker, 1970, 59–79.   G. S.

Furtum tabularum. Ein Delikt, das der heutigen Beweisvereitelung entspricht und somit eine mehr oder minder feste Beweislastvereitelung im röm. Zivilprozeß impliziert. *Tabulae* sind schriftliche Aufzeichnungen, die u. a. der Beweissicherung dienten; als solche gehören sie zu den von Quintilian klassifizierten Beweismitteln (*instrumenta*, inst. 5,5,1 ff.).

G. KLINGENBERG, Das Beweisproblem beim Urkundendiebstahl, in: ZRG 96, 1979, 229–257 · C. PAULUS, Die Beweisvereitelung in der Struktur des dt. Zivilprozesses, in: Archiv für die civilistische Praxis 197, 1997, 136–160 · J. A. C. THOMAS, Furtum of Documents, in: RIDA 15, 1968, 429–444 · F. WIEACKER, F.t., in: Synteleia V. Arangio-Ruiz, 1964, 562–576.   C. PA.

Fuscus, Arellius. Rhetor Augusteischer Zeit; aus Asia stammend (Sen. contr. 9,6,16), dürfte er spätestens in den 20er Jahren v. Chr. in Rom unterrichtet haben, häufiger in Griech. als Lat. (Sen. suas. 4,5). Zu seinen Schülern zählen an hervorragender Stelle → Papirius Fabianus (der sich später von F.' Stil wieder abwandte) und Ovid; engen Kontakt zum Kaiserhaus zeigt F.' Hommage an Maecenas (durch das häufige Zitieren von Vergilversen, Sen. suas. 3,5) und wohl auch, daß Seneca einen wichtigen Schüler des F. ohne Namensnennung erwähnt (suas. 4,5); vermutlich wurde er mit dem »Ritter«-Stand ausgezeichnet (vgl. Plin. nat. 33,152 über den Sohn des F.). F. war Anhänger des → Asianismus; Seneca d. Ä., durch den allein wir von F. wissen, gibt etliche Male ausführliche Stilproben und eine Charakterisierung (contr. 2, pr. 1; 1,1,16: *color . . . religionis*); er rechnet ihn zu den vier besten Rednern (contr. 10, pr. 13).

J. BRZOSKA, s. v. Arellius 3, RE 2, 635–637 · F. G. LINDNER, De A. F., Programm Breslau, 1862 · PIR² A 1030 · J. FEARWEATHER, Seneca the Elder, 1981, 211 f.   J. R.

Fusius. Röm. Eigenname, → Furius.

Fussala. Kastell an der Grenze des Gebiets von Hippo Regius. Die genaue Lage ist unbekannt. Augustinus setzte in F. einen der pun. Sprache mächtigen Bischof ein (Aug. epist. 209,2). F. blieb Bischofssitz (Not. episc. Num. 21ª). Inschr.: AE 1983, 283 Nr. 980.

AAAlg, Bl. 9, Nr. 59 · J. DESANGES, S. LANCEL, L'apport des nouvelles lettres à la géographie historique de l'Afrique antique et de l'Église d'Afrique, in: C. LEPELLEY (Hrsg.), Les lettres de saint Augustin découvertes par Johannes Divjak, 1983, 87–98 bzw. 99, hier 92–98.   W. HU.

Fußschmuck s. Schmuck

Futius

[1] **Q. Futius.** *Cos. suff.* wohl in claudischer Zeit. PIR² F 605; VIDMAN, FO² 72.

[2] **F. Longus.** Proconsul von Achaia; die Zeit ist nicht näher bestimmbar (AE 1973, 495 = 1974, 601).

[3] **Q. F. Lusius Saturninus.** *Cos. suff.* mit M. Seius Varanus, wohl im Juli 41 n. Chr. ([1] = AE 1984, 228). Auf Anstiften des Suillius ließ Claudius ihn im J. 43 hinrichten. PIR² L 449.

1 G. CAMODECA, Puteoli 6, 1982, 4 ff.   W. E.

G

G (sprachwissenschaftlich). Der Buchstabe G ist eine lat. Besonderheit. Da das die Stelle des griech. Gamma einnehmende lat. → C den Lautwert /k/ bekommen hatte, fehlte ein Buchstabe für das häufige lat. Phonem /g/; er wurde aus dem C durch einen Zusatzstrich hergestellt und im lat. Alphabet an die Stelle des entbehrlichen → Z gesetzt. Diese tüchtige Leistung wird einem Sp. → Carvilius [2] zugeschrieben (GRF 3 [5. 324–333; 3. 70–72]).

In Erbwörtern setzt die griech. und lat. Media /g/ in der Regel uridg. *g* (velar) oder *ǵ* (palatal) fort [4. 83; 2. 150 f.]: τέγ-ος *teg-o* < **teg-*; ἄγ-ω *ag-o* < **₂₃eǵ-*; γίγν-ομαι *gign-or* (< **ǵíǵn-*) wurde in beiden Sprachen [giɣn-] gesprochen [4. 94; 2. 200]. Im Lat. schwand anlautendes *g-* vor *n*: *nōsco*, aber *co-gnōsco* (vgl. griech. γι-γνώσκω).

Auch in Lw. entsprechen die g-Laute beider Sprachen gewöhnlich einander: *geographia*; λεγιών/λεγεών [1. 232].

→ Gutturale; Kentumsprachen

1 H. HOFMANN, Die lat. Wörter im Griech. bis 600 n. Chr., Diss. Erlangen-Nürnberg 1989 2 LEUMANN 3 G. RADKE, Beobachtungen zum Elogium auf L. Cornelius Scipio Barbatus, in: RhM 134, 1991, 69–79 4 RIX, HGG 5 WACHTER.   B. F.

Gaba (kanaan. **gab^c*, »Hügel«). Ort 5 km nordwestl. von → Megiddo in der Jesreel-Ebene, h. Tall Abī Šūša. Der Name erscheint zuerst in der Palästina-Liste → Thutmosis' III. (1479–1425 v. Chr.) als *qb^c* (Nr. 114) und ist wahrscheinlich Jdt 3,10 mit Γαιβαι (Γεβαι, Γαβαι) gemeint.

Unter → Alexandros [16] Iannaios (103–76 v. Chr.) gehörte G. zum hasmonäischen Herrschaftsbereich (Synk. 558,17–559,3). Nach Iosephos (bell. Iud. 1,166; ant. Iud. 14,88) wurde der Ort von Gabinius zw. 57 und 55 v. Chr. ›wiederhergestellt‹, doch nach dem Befund der Mz., 36 v. Chr. sowie von Claudius bis Elagabal (50–219 n. Chr.) geprägt, datiert die ›Freiheit‹ der Γαβηνοι aus der syr. Amtszeit des *proconsul* Marcus Philippus (61/0 v. Chr.): auf den ältesten Prägungen nannten sich die Gabener nach ihm »Philippener«. Nach 36 v. Chr. wurde G. von den Römern an Herodes d. Gr. (37–4 v. Chr.) zurückgegeben, der dort Reiter seiner Garde ansiedelte (Ios. bell. Iud. 3,36; ant. Iud. 15,294). Nach seinem Tode kam G. unter die galiläische Herrschaft des Herodes Antipas (Georgios Kedrenos 1,333; PG 121,369; lies *ΓΑΒΑΑΝ statt ΠΑΡΝΑΝ). Zu Beginn des jüd. Aufstandes (66–70 n. Chr.) galt die Stadt als nichtjüd. (Ios. bell. Iud. 2,459). Von hier aus operierte ein *decurio* erfolglos gegen Iosephos als galiläischen Strategen (Ios. vita 115; 116–118).

Die auf den Mz. dominierende Gottheit ist der phryg. Mondgott Mên, was auf einen weiterhin hohen Anteil von (Ex-)Soldaten unter den Einwohnern hinweist. Anf. des 4. Jh. nennt Eus. On. 70,8 G. eine πολίχνη (»Kleinstadt«) am Rand der Ebene von Legio. Der Bischof von Gabai, einer Stadt der *Palaestina Secunda* (Hierokles bzw. Georgios Kyprios, Synekdemos 43,720,11; 67,1037), nahm 536 an der zweiten Synode von Jerusalem teil.

Der bei Plinius gen. Ort *Geba* (nat. 5,17,75) ist wohl von G./Tall Abī Šūša zu trennen und mit Ġabaˁ/Ḥurvat Gevaˁ westl. des Karmel zu identifizieren.

1 Y. MESHORER, City Coins of Eretz-Israel and the Decapolis, 1985, 38 **2** G. SCHMITT, G., Getta und Gintikirmil, in: ZPalV 103, 1987, 22–48. E. A. K.

Gabali. Gall. Volksstamm in Aquitania, südl. der Arverni, nördl. der Ruteni, am NW-Fuß der Cevennen. Belegstellen: Caes. Gall. 7,7,2; 64,6; 75,2; Γαβαλεῖς: Strab. 4,2,2; *Gabales*: Plin. nat. 4,109; *civitas Gabalum* der *Aquitania I*: notitia Galliarum 12,8, h. Gévaudan, Lozère. Die G. trieben Bergbau (Silbergruben) und Viehzucht (Käse: Plin. nat. 11,240). Hauptort: Anderitum (Ptol. 2,7,11; Sidon. epist. 5,13,2; 7,6,7).

D. FABRIÉ, Carte archéologique de la Gaule. 48 (Lozère), 1989. Y. L.

Gabara (Γαβαρα, auch Γαβαρωθ, Γαδαρα, Γαμαλα, Γαραβα; Γαβαρους [1]; von semit. *ġrb* »grollen«, »zürnen«, woraus sich alle Namensformen – bis auf die Schreibfehler – erklären lassen). Ort in Untergaliläea; h. eher ˁArrāba/ˁArāv als Ḥirbat al-Qabra. Zu Beginn des jüd. Krieges (66–70 n. Chr.) sympathisierte G. mit Iosephos' Gegenspieler Iohannes von Gischala (Ios. bell. Iud. 2,629; vita 82; 123 f.; 203; 229–243; 265; 313) und wurde von Vespasianus als erster aufständischer Ort eingenommen und zerstört (Ios. bell. Iud. 3,132–134). Eus. On. 16,13 erwähnt ihn als Dorf Αραβα.

1 B. LIFSHITZ, Beth Sheˁarim II, Nr. 46 **2** C. MÖLLER, G. SCHMITT, Siedlungen Palästinas nach Flavius Josephus, 1976, 56f. E. A. K.

Gabentausch s. Geschenke I

Gabii. Stadt der Latini östl. von Rom am SO-Ufer des Lago di Castiglione (Vulkankrater) links des Anio, 12 Meilen vor Rom, h. Gabi (Roma). Der Legende nach sikulischen Ursprungs oder Gründung von Alba Longa. Romulus und Remus sollen hier Lit., Musik und den Gebrauch griech. Waffen kennengelernt haben (Beziehungen zu Griechenland, kulturell dominierende Stellung unter den latin. Städten). Der Text eines unter Tarquinius Priscus mit Rom geschlossenen *foedus* wurde auf einem Lederschild im Tempel des Semo Sancus auf dem Quirinal aufbewahrt (Dion. Hal. ant. 4,58). G. soll durch Verrat in die Hände des Sex. Tarquinius gefallen sein (Liv. 1,53,4). 382 v. Chr. war G. mit Rom gegen Praeneste verbündet; der Ort *municipium* und Gegenstand sullanischer Landzuweisungen [1. 234]. G. nahm 54 v. Chr. nicht an den *feriae Latinae* teil (Cic. Planc. 23) und sank zur bloßen Station der *via Praenestina* herab (Liv. 1,53,4; 2,11,7; Strab. 5,3,10; Itin. Anton. 302; Tab. Peut. 5,5). Stadtmauern, Stadttore sowie ein Iuno-, ein Apollo- und ein Venus-Tempel sind erhalten. Restaurationsarbeiten erfolgten unter Hadrianus. Auf dem Stadtgebiet lagen kalte Heilquellen und Steinbrüche, in denen der für feuerfest gehaltene *lapis Gabinus* gewonnen wurde. Die Bezeichnung *Cinctus Gabinus* stellt einen t.t. für die bes. Gürtung z.B. der röm. Kriegstoga dar, *ager Gabinus* ist ein t.t. der Augurallehre (Varro ling. 5,33); G. begegnet auch in einer Damnationsformel (Macr. Sat. 3,9,13).

Arch. Befund: Siedlungen aus der Brz. und Eisenzeit mit Nekropolen 2 km westl. von G. (Osteria dell'Osa); das Siedlungszentrum lag seit dem 8. Jh. v. Chr. bei Torre di Castiglione. Aus der Blütezeit der Stadt im 6. Jh. v. Chr. rühren Spuren der Stadtmauer und des an drei Seiten von Arkaden gesäumten Forums mit der *curia* und einem großen Peripteros-Tempel ohne *posticum* (für Apollo? Aus dem 2. Jh., gewöhnlich als Tempel der Iuno Gabina bezeichnet). Von dort stammen die *Fasti Gabini* und die »Artemis von G.« (Kopie des Praxiteles, h. im Louvre). Im Osten vor den Stadtmauern lag ein Heiligtum (der Iuno? 7.–2. Jh. v. Chr.).

1 F. BLUME, K. LACHMANN (Hrsg.), Die Schriften der röm. Feldmesser 1, 1848.

P. BRUUN, The foedus Gabinum, in: Arctos 5, 1967, 51–66 · E. PERUZZI, Origini di Roma 2, 1973, 9 · M. GUAITOLI, G., in: PdP 36, 1981, 152–173 · Ders., G. Osservazioni sulle fasi di sviluppo dell'abitato, in: Quaderni dell'Istituto di Topografia Antica dell'Università di Roma 9, 1981, 23–57 · M. Almagro Gorbea, El Santuario de Juno en Gabii, 1982 · BTCGI 7, 1989, 520–528 · A. M. Bietti Sestieri (Hrsg.), La necropoli laziale di Osteria dell'Osa, 1992.

G. U./Ü: H. D.

Gabinius. Röm. Familienname, wohl mit Gabii zusammenhängend (Schulze 532 f.), in Latium verbreitet und seit dem 3. Jh. v. Chr. bezeugt; im 2. Jh. gelangte die Familie in den Senat.

C. F. Konrad, On the Stemma of the Gabinii Capitones, in: Klio 66, 1984, 151–156.

I. Republikanische Zeit

[I 1] G., A. Angeblich Enkel eines Sklaven (Liv. per. Oxyrhynch. 54; vgl. Cic. leg. 3,35), 146 v. Chr. Gesandter zu den Achaiern, führte als Volkstribun 139 die geheime Abstimmung bei Beamtenwahlen durch Stimmtäfelchen (*tabellae*) ein (1. *lex tabellaria*, Cic. a.a.O; Lael. 41).

M. Jehne, Geheime Abstimmung und Bindungswesen in der röm. Republik, in: HZ 257, 1993, 593–613.

[I 2] G., A. Vielleicht bereits 86 v. Chr. unter L. Cornelius [I 90] Sulla Militärtribun im Krieg gegen Mithradates VI. und mehrfach in diplomatischen Missionen tätig. Als Volkstribun 67 ließ er den Oberbefehl gegen Mithradates von L. → Licinius Lucullus auf M'. Acilius [I 13] Glabrio übertragen und sorgte für die Entlassung der ehemaligen Truppen des C. Flavius [I 6] Fimbria. Mit einem weiteren Gesetz setzte er gegen erheblichen Widerstand des Senats ein Sonderkommando gegen die Seeräuber im Mittelmeer durch, das für Cn. → Pompeius bestimmt war (Sall. hist. 5,13; Cic. Manil. 52 u. a. [1. 71 ff.]). Vielleicht gehört auch ein Darlehensverbot an Provinziale hierher (Cic. Att. 5,21,12; 6,2,7). 66 ging G. als Legat des Pompeius in den Osten und vermittelte in Iudaea zwischen den Thronprätendenten Hyrkanos und Aristobulos [2]. Wohl Praetor 61, erlangte er 58 durch die Unterstützung von Pompeius, Caesar und Crassus das Consulat zusammen mit L. Calpurnius [I 19] Piso. Er unterstützte solange offen Clodius' [I 4] Vorgehen gegen Cicero, bis Pompeius ihm Einhalt gebot (MRR 2,193 f.). Inschr. erhalten ist ein Gesetz zugunsten von Delos (Roman Statutes 1, 1996, Nr. 22). Als Belohnung erhielt er die reiche Provinz Syria, die er bis 54 mil. ambitioniert und nicht ohne Geschick verwaltete; ein Zug über den Euphrat gegen die Parther wurde ihm aber vom Senat untersagt.

55 führte er → Ptolemaios XII. Auletes nach Ägypten zurück und ließ dort eine Besatzung zurück, wofür er vom König 10000 Talente als Gegenleistung erhielt. Auf dem Rückweg befriedete er das aufständische Iudaea (Ios. ant. Iud. 14,82–87). G. verfeindete sich mit den Steuerpächtern (*publicani*), da er die Gewinne aus seiner Provinz für sich selbst beanspruchte. Nach der Rückkehr nach Rom scheiterte deshalb sein Versuch, einen Triumph zu erhalten (Cic. Pis. 48), und er wurde in mehrere Prozesse verwickelt. Von der Anklage des Verrats (*maiestas*) wegen der Rückführung des Ptolemaios freigesprochen, wurde er in einem Erpressungsprozeß wegen Bestechung trotz der Verteidigung durch Cicero, den Pompeius dazu verpflichtet hatte, verurteilt [2]. Er ging ins Exil, kehrte 49 mit Billigung Caesars zurück und kämpfte für ihn in Illyrien, wo er 47 bei Salona an einer Krankheit starb.

Im Schatten der Machthaber Pompeius und Caesar entwickelte sich G. zu einem durchaus fähigen Politiker; sein Bild ist durch Ciceros Angriffe in seinen Reden nach der Rückkehr aus dem Exil 57 verzerrt.

1 M. Gelzer, Pompeius, ²1958 2 Alexander, 145; 148 f.

E. Badian, The Career of A. G., in: Philologus 103, 1959, 87–99 · Gruen, Last Gen. · Cl. Nicolet (Hrsg.), Insula sacra, 1980, 45–57.

[I 3] G., P. Praetor 89 v. Chr. (?), dann Statthalter von Achaia (MRR 3,98), 76 *XVvir sacris faciundis*, später wohl in einem Repetundenprozeß verurteilt (Cic. div. in Caec. 64; Arch. 9; [1. 86 f.]).

1 Alexander.

[I 4] G. Capito, P. Ritter, am 5. Dez. 63 v. Chr. als einer der wichtigsten Catilinarier hingerichtet (Cic. Catil. 3,6; 12; 14 u.ö.; Sall. Catil. 17,4; 47,4; 55,5 u.ö.).

K.-L. E.

II. Kaiserzeit

[II 1] C. G. Barbarus Pompeianus. Nach einem Suffektkonsulat ca. 194 n. Chr. wurde er konsularer Statthalter von Moesia superior von 195–199 (CIL III 14507; [1]; AE 1976, 610); Proconsul von Asia unter Caracalla, wohl im J. 211/2 [2. 224, 254]. Er dürfte aus Venafrum stammen.

1 W. Eck, in: ZPE 51, 1983, 291 ff. 2 Leunissen.

W. Eck, RE Suppl. 14, 125.

[II 2] G. Modestus. Epistratege der → Heptanomia 206/7 n. Chr. (POxy. 3341; 2131).

D. Thomas, The epistrategos in Ptolemaic and Roman Egypt 2, 1982, 190, 203.

[II 3] A. G. Secundus. Zum Namen [1]. *Cos. suff.* im J. 35 n. Chr.; von Caligula zum Legaten des niedergermanischen Heeres ernannt; er besiegte die Chauken und durfte den Siegesbeinamen Chaucius tragen. Wohl Vater von G. [II 4].

1 G. Camodeca, in: Athenaeum 65, 1987, 586f.

W. Eck, Statthalter 114f. · PIR² G 9.

[II 4] A. G. Secundus. *Cos. suff.* ca. 43/4 n. Chr.; wohl Sohn von G. [II 3]. PIR² G 8.

W. E.

[II 5] König der Quaden, der um 373 n. Chr. von Marcellianus, dem *dux per Valeriam*, heimtückisch ermordet wurde, was einen Einfall der Quaden ins röm. Reich zur Folge hatte (Amm. 29,6,5 f.; Zos. 4,16,4). PLRE 1, 377.

W. P.

Gabriel

[1] (Erzengel). Der Engel G. (»Mann Gottes«) gehört in der jüd. Überl. zusammen mit Uriel, Rafael, Raguel, Michael und Sariel zu den sechs Erzengeln (äthHen 20,1–7; für sieben Erzengel vgl. Tob 12,12–15; für vier Erzengel: äthHen 9–10; 40,9f.). Zusammen mit Michael erscheint G. bereits in der biblischen Überl., wo er als *angelus interpres* fungiert, der dem Seher seine Visionen deutet (Dan 8,16; 9,21) und die Geburt Johannes des Täufers und Jesu (Lk 1,19.26) verkündet. Nach äthHen 20,7 ist G. über die Paradiesschlangen und die Keruben gesetzt; hier zeigt sich bereits deutlich eine Hierarchisierung der Engelwelt, die im folgenden immer mehr ausdifferenziert werden sollte. Nach rabbinischer Überl. besteht sein Körper aus Feuer (vgl. bPes 118a-b). Wie der Erzengel Michael tritt auch G. als Fürsprecher und Verteidiger Israels auf (z. B. bYom 77b); darüber hinaus kann er aber auch als Strafengel fungieren (bSan 19b). In den griech. Zauberpapyri wird Apollon als »Michael, Gabriel, πρωτάγγελε (»Erster Engel«)« angerufen (PGM 1,300ff.; s.a. PGM 3,145ff.).

G. DAVIDSON, s. v. G., A Dictionary of Angels, 1967, 117–119 • H. L. GINSBERG, s. v. Michael und Daniel, Encyclopaedia Judaica 11, 1487–1490 • L. GINZBERG, The Legends of the Jews, 7, 1909–1938, Index s. v. G. • M. MACH, Entwicklungsstadien des jüd. Engelglaubens in vorrabbinischer Zeit, 1992, 61, 177, 225, 264f., 299f.   B.E.

[2] Autor eines ebenso kurzen wie witzigen Epigramms, in dem eine auf einen Pfefferstreuer ziselierte Erosfigur als – obwohl schlafend – nicht weit von ›feurigen Bissen‹ beschrieben wird (Anth. Pal 16,208). Wie das Lemma (Γαβριηλίου Ὑπάρχου) angibt, handelt es sich wohl um den Präfekten von Konstantinopel (543 n. Chr.), dessen Portrait Leonthios Scholastikos rühmt (Anth. Pal. 16,32). Das Gedicht stammt vielleicht aus dem »Kyklos« des Agathias.

Av. & A. CAMERON, The Cycle of Agathias, in: JHS 86, 1966, 14.   M. G. A./Ü: M. A. S.

Gabrielus. *Praefectus urbis Constantinopolitanae* im Jahre 543 n. Chr., übernahm während seiner Amtsführung wieder die Getreideversorgung der Hauptstadt, die → Iohannes der Kappadokier dem *praefectus praetorio Orientis* unterstellt hatte (Lyd. mag. 3,38; Nov. Iust. 125).

PLRE 3 A, 498 • STEIN, Spätröm. R., Bd. 2, 441.   K.P.J.

Gadara (h. Umm Qais). Ort im nordöstl. Transjordanland, östl. des Sees Genezareth, weist Besiedlungsspuren auf, die bis in das 7. Jh. v. Chr. datieren. Nach dem Zerfall des Achämenidenreiches (→ Achaimenidai) wurde das Gebiet von G. für kurze Zeit von den Ptolemäern kontrolliert, aber unter → Antiochos [5] III. im J. 198 v. Chr. dem Seleukidenreich eingegliedert. Zeitweilig wurde der Name der Stadt auf Mz. in Seleukeia bzw. Antiocheia geändert. Unter röm. Oberhoheit seit 63 v. Chr. wird G. im 1. und 2. Jh. n. Chr. zu den Städten der → Dekapolis gezählt. In der späten Kaiserzeit führte es den Titel einer röm. Kolonie und besaß ein umfangreiches Hinterland. Auf G.s Reichtum und Bed. verweisen die Reste je zweier Tempel, Theater und Thermen, der befestigten Akropolis, einer Kolonnadenstraße sowie der Nekropole mit zwei Mausoleen. Bereits im frühen 4. Jh. n. Chr. war G. zu einem bed. christl. Zentrum der Region mit Bischofssitz und Basilika gewachsen. Eingeleitet durch ein Erdbeben um 400 n. Chr. begann jedoch der Niedergang der Stadt. Die bescheidenen Dimensionen wiederhergestellter öffentlicher Bauten weisen auf die nachlassende Wirtschaftskraft der Stadt hin. Für die Nachfahren der muslimischen Eroberer des 7. Jh. genügte der Umbau eines Teils der Therme zur Moschee.

S. HOLM-NIELSEN et al., Umm Qeis (Gadara), in: Archaeology of Jordan 2, 1989, 597–611 • TH. WEBER, Umm Qeis, Gadara of the Decapolis, 1990.   T.L.

Gades (älteste, phönik. Namensform ᾿Gdr, »Mauer«, »Burg«, »Festung«, vgl. Avien. 85, 267, 269, dazu [1. I 119; 3. 101 f.], griech. Γάδειρα, lat. *Gades*, h. Cádiz). Das Gründungsdatum hängt mit der Frage nach der Gründung von Utica und Karthago zusammen und ist nach lit. Quellen um 1100 v. Chr. anzusetzen (Vell. 1,2; Iust. 44,5,2; Mela 3,46; Plin. nat. 16,216; dazu [3. 5–12; 4. I 35 ff., 44 Anm. 1, 47), doch reichen die arch. Quellen nicht vor das 8. Jh. v. Chr. zurück [3. 17–21; 4. I 44 Anm. 1, 47 Anm. 1]. Das ant. G. lag auf drei Inseln. Die phönik. Siedlung befand sich auf der h. landfesten Insel Erytheia, h. S. Sebastián (Plin. nat. 4,120) und hatte einen Tempel der Astarte (*Venus Marina*, Avien. 315) mit Orakelhöhle (bei der sog. Torre Tavira), weshalb die Insel auch Aphrodisias hieß (Plin. nat. 4,120; Steph. Byz. s. v. G.). Auch benannte man sie nach Hera (Plin. l.c.), die der phönik. Tinnit entspricht [5. 263]. Östl. davon liegt von NNW nach SSO eine langgestreckte, größere Insel, durch den Kanal Sancti Petri vom Festland getrennt, etwa 18 km lang. Auf ihr lag die röm. Siedlung G. *nova*. Alt- und Neustadt zusammen wurden G. *gemina* gen. (Strab. 3,5,3; [5. 264; 7. 210f.]; aktuelle Pläne bei [8]). 18 km südl. von Cádiz liegt die Insel Santi Petri. Auf ihrem südl. Teil befand sich ein Tempel des Herakles, urspr. des tyrischen Melqart, der von Hannibal vor Beginn seines Marsches auf Rom aufgesucht wurde. Über ihn sind wir v. a. durch Poseidonios unterrichtet, der ihn während seines einmonatigen Aufenthaltes in G. besucht hat (vgl. Strab. 3,5,7; 9; Philostr. Ap. 5,1–7, über den Aufenthalt des Apollonios von Tyana in G., und Sil. 3,14ff.). Von dem Tempel sind nur spärliche Reste vorh., da an seiner Stelle im 17. Jh. ein Fort erbaut worden ist. Nachgewiesen sind die beiden Brunnen, deren wechselnder Wasserstand berühmt war.

Vor dem Tempel standen, nach dem Vorbild des Melqart-Tempels von Tyros (Hdt. 2,44; vgl. auch Jachin und Boaz vor dem Tempel Salomons, 1 Kg 7,7ff.) zwei Säulen [12. 100], die als »Säulen des Herakles« bezeichnet wurden (irrig die Identifizierung mit den die Meerenge begrenzenden Felsenkaps Ǧabal Mūsā und Gibraltar, Ǧabal aṭ-Ṭāriq [13. 14–26]). Die Funde phönik. Zeit aus der Stadt und der Nekropole im SO, nahe der Punta de la Vaca, sind bed., u. a. zwei anthropoide »sidonische« Sarkophage (1. H. 5. Jh. v. Chr.), eine teilvergoldete Bronzestatuette eines Priesters oder Adoranten, Goldschmuck [14. 47 ff.]. Zahlreich sind die Mz.-Funde [2. I 51–60 mit Taf. IXf., III 8–14 mit Taf. LXXIV–LXXIX], wenig ergiebig die Inschr. aus röm. Zeit (CIL II Suppl. p. 1145).

Über den Rechtsstatus von G. z.Z. der Barkidenherrschaft (→ Barkiden, mit Stemma) läßt sich keine Klarheit gewinnen. Sicher spielte die Stadt eine Rolle als Ausgangspunkt der Kriegszüge des → Hamilkar (Diod. 25,10,1) und des Mago (206 v. Chr., Liv. 28,16,8; 13; 28,36,1; App. Ib. 28; 31). G. unterwarf sich rechtzeitig Rom (Liv. 28,37,10). In den späteren span. Feldzügen wird G. öfters erwähnt; G. leistete Caesar bei seinen Feldzügen gegen Pompeius wertvolle Hilfe (Caes. civ. 2,18–21). Nach 206 war G. vermutlich *civitas foederata*; Caesar verlieh G. das röm. Bürgerrecht, unter Augustus wurde G. *oppidum civium Romanorum qui appellantur Augustani urbe Iulia Gaditana* (Plin. nat. 4,119). G. war auch *municipium*; die Datierung dieses Status ist aber umstritten [6. 45; 11. 439 ff.; 9. 246 ff.]. L. Cornelius Balbus baute seiner Vaterstadt die Neustadt und einen Hafen (Strab. 3,5,3). G. war jahrhundertelang reich und blühend durch Schiffahrt, Fischindustrie und Fruchtbarkeit der Umgebung ([1. II 42,46f.; VIII 325], Strab. 3,5,3; Avien. 270). Berühmt waren die Tänzerinnen von G. [1. VIII 252, 259, 267; 3. 107–109]. G. war Hauptstadt eines *conventus* (Plin. nat. 3,7; 15); an Einwohnerzahl stand G. nur Rom nach (Strab. 3,5,3). Ein ungelöstes Rätsel ist es, wieso G. – so Avien. 271–274 – im 4. Jh. n. Chr. teilweise zerstört, arm und klein war. Diese Nachricht wird dadurch bestätigt, daß G. in der Folgezeit lit. überhaupt nicht mehr erwähnt wird, außer daß es für die Griechen sprichwörtlich das »Ende der Welt« war [1. IX 432, 439]. Man kann nur an den Einfall eines afrikan. Volkes denken [1. VIII 41 f.]. Erst im 8. Jh. n. Chr. unter ʿAbd ar-Raḥmān gewann G. wieder (strategische) Bed. [10. 331].

1 A. SCHULTEN, Fontes Hispaniae Antiquae I–IX, 1925–1959 2 A. VIVES, La moneda hispánica, 1924 3 A. GARCIA Y BELLIDO, Fenicios y Carthagineses en Occidente, 1942 4 Ders., Hispania Graeca, 2 Bde., 1948 5 SCHULTEN, Landeskunde 6 TOVAR 2 7 A. SCHULTEN, Forschungen in Spanien 1927, in: AA 1927, 197–235 (mit Stadtplan) 8 A. ALVAREZ ROJAS, Sobre la localización del Cádiz fenicio, in: Boletín del Museo de Cádiz 5, 1992, 17–30 9 J. L. LÓPEZ CASTRO, Hispania Poena, 1995 10 Enciclopedia Universal Ilustrada 10 11 E. HÜBNER, s. v. Gades, RE 7, 439–451 12 H. G. NIEMEYER, Zum Thymiaterion vom Cerro del Peñón, in: Madrider Mitt. 11, 1970, 96–101 13 H. WALTER, Zum Ursprung und Nachleben der Sage von den Säulen des Herakles, in: R. STUPPERICH (Hrsg.), Lebendige Antike. Koll. W. Schiering, 1992, 14–26 14 J. A. MARTÍN RUIZ, Catálogo documental de los Fenicios en Andalucía, 1995.

P. ROUILLARD, s. v. G., DCPP, 181–183 · M. CRUZ MARIN, La Ciudad de Cádiz, in: Cité et Territoire, 1994, 219–226 · H. G. NIEMEYER, Anno octogesimo Troiam captam ... Tyria classis Gadis condidit? Polemische Gedanken zum Gründungsdatum von Gades (Cádiz), in: Hamburger Beitr. zur Arch. 8, 1981, 9–33. P. B. u. H. G. N.

G(a)eli (Γῆλαι, Strab. 11,5,1, vgl. 11,7,1; 11,8,1; Γηλύς, Steph. Byz. s. v. Γ.; Γηλοί, Dion. Per. 1019 [GGM II, 167]). Erstmals bei Strabon (nach Theophanes von Mytilene) erwähnte Völkerschaft Mediens skyth. Ursprungs, wohnhaft an der SW-Ecke des Kaspischen Meeres. In der Ant. zuweilen (Plin. nat. 6,48; Ptol. 6,2,5) mit den → Kadusioi identifiziert, gab sie der Landschaft (bzw. der sāsānidischen Prov.) den h. Namen Gīlān (mpers. Gēlān).

R. GYSELEN, La géographie administrative de l'Empire sassanide, 1989, 49f., 81f. · F. H. WEISSBACH, s. v. Geli, RE 7, 986f. J. W.

Gärten, hängende
s. Hängende Gärten; Semiramis; Weltwunder

Gaesati. Nach Polybios (Pol. 2,22,1; 2,34) waren die G. ein gallischer Stamm, der in den Alpen und an der Rhône lebte; die G. verdingten sich als Söldner, worauf ihr Name zurückzuführen ist (Pol. 2,22,1). Sie nahmen an der gallischen Invasion in Italien 225 v. Chr. teil, wurden jedoch zurückgeschlagen und schließlich 222 v. Chr. erneut besiegt. *Gaesum* bezeichnete auch einen gallischen Wurfspieß (Caes. Gall. 3,4), den manchmal leichtbewaffnete röm. Truppen trugen (Liv. 8,8,5). Im frühen Pinzipat nannte man Auxiliartruppen, die in Raetia ausgehoben wurden und offensichtlich mit diesem Wurfspieß ausgerüstet waren, g. Sie waren in einer Festung in der Provinz stationiert und unterstanden einem Veteran der Reiterei (CIL XIII 1081; ILS 2531). Später ist eine Einheit mit der Bezeichnung *vexillatio Retorum Gaesa(torum)* für Jedburgh in Schottland belegt (ILS 2623); G. waren neben Flottensoldaten am Bau einer Wasserleitung in Africa (Saldae) beteiligt (ILS 5795).

D. VAGLIERI, s. v. G. · RUGGIERO 3, 357. J. CA./Ü: A. BE.

Gaetuli. Berberisches Volk, dessen zahlreiche Stämme in dem Gebiet zw. der Kleinen Syrte und dem Atlant. Ozean lebten. Belegstellen: Strab. 2,5,33; 17,3,2; 9; 19; Mela 1,23; 3,104; Plin. nat. 5,9f.; 17; 30; 43; Apul. apol. 24,1; 41,4; Dimensuratio provinciarum 25; Aug. de ordine 2,5,15; Aug. in psalmos 148,10; Divisio orbis terrarum 26; Steph. Byz. s. v. Γαιτοῦλοι; Anon. Geographia compendiaria 15 (GGM II 497); Eust. epit. de commentariis in Dionysium Periegeten 215 (GGM II 254). Ein Zweig der G., der sich mit Schwarzafrikanern vermischt hatte, waren die *Melanogaitúli* (Μελανογαιτοῦλοι, Ptol. 4,6,16; vgl. Anon. Geographia compendiaria 16 [GGM II 498]). Über ihre (nomadische) Lebensweise wird an verschiedener Stelle berichtet (Sall. Iug. 18; 19,5–7; Varro rust. 2,11,11; Mela 3,104; Plin. nat. 5,12; 6,201; 8,20; 48; 54; 9,127; 10,201; 21,77;

25,79; 35,45; Athen. 2,62e). Gaetulische Soldaten dienten im Heer Hannibals und in dem Iugurthas (Liv. 23,18; Sall. Iug. 19,7; 80; 88; 97; 99; Cass. Dio 43,4,2) und kämpften 46 v. Chr. sowohl auf der Seite Iubas als auch auf der Seite der Caesarianer (Bell. Afr. 25,2 f.; 35; 56,3; 61; Cass. Dio 43,3,4). 6 n. Chr. sah sich Cossus Cornelius Lentulus, der *procos. Africae*, gezwungen, gegen gaetulische Verbände vorzugehen (Vell. 2,116,2; Tac. ann. 4,42,3; Flor. epit. 4,12,40; Cass. Dio 53,26,2; 55,28,3 f.; Oros. 6,21,18). Wegen seiner Erfolge erhielt er – oder sein jüngerer Sohn Cn. – den Beinamen → Gaetulicus. In späterer Zeit unterstanden gaetulische Stämme in Numidia der Aufsicht eines röm. Offiziers (ILS I 2721; Tert. adv. Iudaeos 7). Im 2. oder 3. Jh. bedrohten sie Cirta (ILS II 1, 6860). Doch dienten gaetulische *alae* und *cohortes* auch im röm. Heer (vgl. beispielsweise Not. dign. or. 35,32).

J. DESANGES, Pline l'Ancien. Histoire Naturelle. Livre V, 1–46, 1980, 342–346 • S. GSELL, Histoire ancienne de l'Afrique du Nord 5, ²1929, 109–112 • A. LUISI, Getuli, dei popoli libici il più grande (Strab. 17,826), in: CISA 18, 1992, 145–151.   W. HU.

Gaetulicus. »Sieger über die Gaetuler«, Beiname des Cossus → Cornelius [II 26] Lentulus G. und seines Sohnes Cn. → Cornelius [II 29] Lentulus G., sowie des C. → Iulius Tiro G. und D. (→ Iunius) Silanus G.

KAJANTO, Cognomina 206.   K.-L. E.

Gaia (Γαῖα, Γῆ). Griech. Personifikation der Erde als Grundlage jeder Existenz; ihr Name kann vielleicht idg. als »die Gebärerin« gedeutet werden [1]. In der theogonischen Dichtung ist sie seit Hesiod (theog. 117ff.) eine Urpotenz, die erst → Uranos, den Himmel, und Pontos, das Meer, gebiert, dann Mutter sowohl der folgenden Göttergenerationen wie einer Reihe von Ungeheuern wird, durch deren Geburt sie selbst die Ordnung des Zeus bedroht (→ Giganten, → Typhoeus). Spätere Theogonien folgen diesem bereits im Alten Orient angelegten Schema, variieren es aber: In den Theogonien des Orpheus werden der Generation von G. frühere Wesen vorgeschaltet und wird seit dem Dervenipapyrus → Nyx stärker betont; Pherekydes von Syrus ersetzt G. durch Chtonie, die Gottheit der elementaren Erdtiefe (DIELS/KRANZ 7 B 1). Betont Hesiod die anthropomorphe Gestaltung, die nicht leicht auf Naturallegorie reduzierbar ist, werden in späterer Dichtung im Bild der Hochzeit von G. und Uranos Naturvorgänge allegorisch dargestellt (Aischyl. fr. 44 TrGF; Eur. fr. 839 TGF). Im delph. Mythos gilt G. vor → Themis und Apollon als erste Inhaberin des Orakels (Aischyl. Eum. 2–4); ebenso wird sie in der lokalen Myth. mit den Orakeln von Dodona (Paus. 10,12,10) und Olympia (Paus. 5,14,10) verbunden, worin sich der Anspruch dieser Orte auf Alter und Authentizität ausdrückt.

Entsprechend ihrer ambivalenten Stellung im theogonischen Mythos, die sie zwar als Urpotenz erscheinen

läßt, die aber jenseits der jetzigen Ordnung des Zeus steht und diese bedroht, ist sie im Poliskult selten, dann aber mit außerordentlichen Riten gegenwärtig. In Athen soll → Erichthonios Voropfer an G. Kurotrophos als Nährerin der Heranwachsenden vor jedem Opfer eingeführt haben (Suda s. v. κουροτρόφος); als Ge Karpophoros kann sie bei außerordentlicher Trockenheit bei Zeus vermitteln (IG III¹ 166; Paus. 1,24,3). Nicht nur poetisch (Hom. Il. 3,278–280) ist sie Schwurgottheit, zusammen mit dem allsehenden → Helios und Zeus als Garanten der Ordnung überhaupt; dieselbe Verbindung ist bis in die Grabflüche des kaiserzeitlichen Anatoliens belegt [2]. All dies vermag aber die der Romantik verpflichtete Vorstellung einer umfassenden »Mutter Erde« wenigstens in griech. und röm. (→ Tellus) Vorstellung nicht zu bestätigen [3].

1 M. MEIER-BRÜGGER, Zu griech. γῆ und γαῖα, in: Münchner Stud. zur Sprachwissenschaft 53, 1992, 113–116
2 M. TÜRKTÜZÜN, M. WÖRRLE, Eine neue Türgrabstele aus dem phrygischen Alioi, in: Chiron 24, 1994, 95–101
3 A. DIETERICH, Mutter Erde, 1905.

R. RENEHAN, Hera and Earth Goddess, in: RhM 117, 1974, 193–201 • CH. SOURVINOU-INWOOD, Myth as History. The Previous Owners of the Delphic Oracle, in: Dies., »Reading« Greek Culture. Texts and Images, Rituals and Myths, 1991, 217–243 • W. STAUDACHER, Die Trennung von Himmel und Erde. Ein vorgriech. Schöpfungsmythos bei Hesiod und den Vorsokratikern, 1942.   F. G.

Gaia Taracia (oder G. Fufetia). Eine Vestalin, welche der Stadt Rom den *campus Tiberinus* (die Tiberinsel nach Plut. Publicola 8,8,101b eher als das Marsfeld nach Gell. 7,7,4) schenkte und deswegen nicht nur mit einer Statue (Plin. nat. 34,11,25), sondern mit einem Gesetz geehrt wurde, das die zentralen Prärogativen der Vestalinnen festhielt (*lex Horatia*, Gell. 7,7,2–4). Die Gesch. ist das Aition für ebendiese ungewöhnlichen Vorrechte, welche die Vestalinnen in vielem den Männern gleichstellten.

A. MOMIGLIANO, Tre figure mitiche. Tanaquilla, Gaia Cecilia, Acca Larenzia, in: Momigliano 4, 1989, 455–485.   F. G.

Gaianus. Tyrier (Lib. epist. 336), Freund des → Libanios, wie dieser kein Christ (Lib. epist. 1364); nur aus dessen Briefen bekannt. G. war Rechtsanwalt (Lib. epist. 119; 336), wurde 360 n. Chr. Assessor eines Magistrats in Antiocheia (Lib. epist. 780; 799) und erhielt 362 das Amt des *consularis Phoenices* (Lib. epist. 780; 799; 800 u. a.), das er 363 niederlegte (Lib. epist. 1218). Nach 388 gestorben (Lib. epist. 881). PLRE 1, 378 f. (G. 6).   M. R.

Gaieochos (γαιήοχος). Ep. Epitheton. Bei Homer als metr. Substitut oder Komplementär in der Bed. »Erdbeweger« für den Namen Poseidon verwendet (vor allem in der Junktur γαιήοχος ἐννοσίγαιος). Erst in spätant. Texten wird das Bezugsfeld von *g.* über Poseidon hinaus auf Zeus (Opp. hal. 1,74) und Okeanos (Q. Smyrn. 2,208) übertragen. In der Ant. wurde es üblicherweise als Kompositum aus γαῖα und ἔχειν (etym. nicht haltbar) oder ὀχεῖσθαι (entweder in der Form, daß Poseidon als Fluß von der Erde getragen wird oder unter der Erde dahinfährt) verstanden. Heute stellt man es sicher zur Wurzel von ὀχεῖσθαι (lat. vehere, »bewegen«), die genaue Bed. ist aber unklar.

> W. BECK, s.v. γαιήοχος, LFE • CHANTRAINE, s.v. G., 282 • FRISK, s.v. γῆ, 219. E.V.

Gainas. Terwingischer Gote niederer Abkunft; Arianer. Von Theodosius I. 378 n.Chr. rekrutiert, führte er nach dessen Sieg über Eugenios 394 als *comes rei militaris* (zur mil. Karriere Sokr. 6,6,2; Soz. 8,4,1) im Auftrag des → Stilicho östliche Truppen aus Thessalien dem Arcadius nach Konstantinopel zu. Am Tod des → Rufinus 399 war er als Vertrauter Stilichos beteiligt ([1. 107,99], Zos. 5,7,4; Philostorgios 11,3, Iohannes Antiochenus 190 FHG 4,610). 399 zum *magister utriusque militiae* erhoben, schickte ihn → Eutropius nach Phrygien gegen meuternde Greuthungen unter → Tribigild, mit dem er sich aber vereinte und Eutropius beseitigte (Zos. 5,13,1f.; 17,4). 400 besetzte G. Konstantinopel gegen den Widerstand der Bevölkerung. Als er gegen den Willen des Iohannes Chrysostomos eine kathol. Kirche für seine Arianer verlangte (Theod. hist. eccl. 5,32), kam es zum Massaker an seinen Soldaten. Mit dem Rest floh G. nach Thrakien, versuchte dann, nach Kleinasien zurückzukehren und wurde dabei von → Fravitta geschlagen. G. zog sich über die Donau zurück und wird dort von den Hunnen getötet (zum Datum [3. 427,63]). Nach der Erhebung des G. brach der Osten mit der gotenfreundlichen Politik und wendete sich den Hunnen zu. Zur Quellenlage [1. 14–17]. PLRE 1, 379–380.
→ Terwingen

> 1 G. ALBERT, Goten in Konstantinopel, 1984 2 P. HEATHER, Goths and Romans, 1991, 332–489 3 H. WOLFRAM, Die Goten, ³1990. ME.STR.

Gaios (Γάϊος). Platonischer Philosoph Anf. des 2.Jh. n.Chr. Der Arzt → Galenos studierte bei zweien seiner Schüler [3. 34f.]. Schriften des G. sind nicht überliefert. Seine Kommentierung des → Er-Mythos [1. 18, 205] und seine Äußerung über die doppelte Lehrweise Platons [1. 213; 2.98, 357ff.] waren wohl Bestandteile der Vorlesungsnachschriften seines Schülers → Albinos (verloren) [1. 28, 182ff.]. Hohes Ansehen genoß er vor allem bei Plotinos, Porphyrios und Priskianos; Proklos rechnet ihn zu den ›Koryphäen‹ unter den Platonikern [1. 18, 151ff., 161f.]. In Delphi erhielt er eine Ehreninschr. [1. 144f.; 3. 36ff.]

> 1 DÖRRIE/BALTES, III, 1993 2 Dies., IV, 1996
> 3 T. GÖRANSSON, Albinus, Alcinous, Arius Didymus, 1995.
>
> FRG.: T. GÖRANSSON [s. 3], 28–30
> LIT.: K. PRAECHTER, Zum Platoniker G., in: Hermes 51, 1916, 510–529 = KS 1973, 81–100 • L. DEITZ, Bibliographie

du platonisme impérial antérieur à Plotin: 1926–1986, in: ANRW II 36.1, 1987, 149. M.BA.u.M.-L.L.

Gaiso

[1] Verfolgte 350 n.Chr., evtl. als *magister militum* des Usurpators Magnentius, den fliehenden Kaiser Constans und tötete ihn bei der Festnahme in der Pyrenäenstadt Helena ([Aur. Vict.] epit. Caes. 41,23; Zos. 2,42,5). 351 war er mit Magnentius zusammen *consul* (Chron. min. 1, 69 MOMMSEN). PLRE 1, 380. W.P.
[2] *Comes sacrarum largitionum* unter Honorius wohl 409 n.Chr. und *comes et magister officiorum* im Jahre 410 (Cod. Iust. 4,61,12; Cod. Theod. 9,38,11). Er war vermutlich german. Herkunft. PLRE 2, 490. K.P.J.

Gaison (Γαίσων). Flüßchen am Südhang des Mykale-Gebirges (Samsun Dağı), vgl. Hdt. 9,97; Mela 1,87 (*Gaesus*); Plin. nat. 5,113 (*Gessus*). Am G. lag Skolopoeis (Σκολοπόεις) mit einem Tempel der Eleusinischen Demeter; hier fand die Schlacht zw. Griechen und Persern 479 v.Chr. statt (Hdt. 9,97). Ein nach G. benannter See (Γαισωνὶς λίμνη, Athen. 7,311e) ist ebenfalls in der Nähe zu lokalisieren. E.O.

Gaitulikos (Γαιτουλικός). Epigrammdichter, dem die *Anthologia Palatina* zehn Gedichte (unecht jedoch Anth. Pal. 7,245 und vielleicht 6,154) zuschreibt, die aufgrund von Stil und Themen (nicht durch ihre Anordnung) an den »Kranz« des Meleagros oder des Philippos denken lassen; 11,409 stammt jedoch aus dem *Anthologion* des Diogenianos [2] von Herakleia. Umstritten ist die Identifizierung mit dem Dichter Cn. → Cornelius [II 29] Lentulus Gaetulicus, *cos.* 26 n.Chr., der 39 von Caligula hingerichtet wurde. Die Dichtung des G. ist ohne Originalität. Sie basiert auf der erfolgreichen, manchmal wortwörtlichen, Imitation einiger Vorbilder, bes. des → Leonidas von Tarent (erwähnt in Anth. Pal. 6,190,2), des → Chairemon [3] (7,244,4) und des → Dioskurides [3] (11,409).

> FGE 49–60. M.G.A./Ü: M.A.S.

Gaius. Weitverbreiteter röm. Vorname (wohl verbunden mit dem lat. Gentilnamem *Gavius*, nicht verwandt mit *gaudere*), abgekürzt C., seltener G.; in späten griech. Inschriften auch Γα.

> SALOMIES 28f. K.-L.E.

[1] Herophileischer Arzt, wahrscheinlich 1.Jh. v. oder n.Chr., schrieb über Hydrophobie (Caelius Aurelianus morb. ac. 3,113–4). Er erklärte, bei dieser Krankheit würden sowohl das Gehirn als auch die Hirnhäute in Mitleidenschaft gezogen, weil die für die unwillkürliche Bewegung verantwortlichen, den Magen umgebenden Nerven ihren Ursprung im Gehirn hätten. Es bleibt ungewiß, ob er identisch ist mit dem Okulisten aus Neapel, dessen Rezepturen von Asklepiades Pharmakion Ende des 1.Jh. n.Chr. überliefert sind (Gal. 12,628; 771; 13,830). V.N./Ü: L.v.R.-B.

[2] Ein nur nach seinem Praenomen bekannter Jurist der Antoninenzeit.

A. PERSON B. WERKE
1. ALLGEMEIN 2. DIE INSTITUTIONEN
C. WÜRDIGUNG UND NACHWIRKUNG

A. PERSON

G., Zögling der sabinianischen Rechtsschule, war etwa zw. 140 und 180 n. Chr. tätig [7. 188]; er ist weder als Amtsträger noch als Respondent nachgewiesen. Obwohl G. ein Opus im Umfang von 100 Buchrollen hinterließ, wurde er von den Fachgenossen nie zitiert (*Gaius noster* in Dig. 45,3,39 mag von Justinian stammen: [6. 91 ff.]). Den daran anknüpfenden Vermutungen, G. sei identisch mit einem anderen Juristen, etwa mit C. → Cassius [II 14] Longinus, → Laelius Felix (dazu kritisch [1. 295 ff.]) oder Sex. → Pomponius [6. 83 ff.], ist die Hypothese vorzuziehen, daß er nach dem Studium in Rom als Rechtslehrer in der Provinz wirkte [7. 188].

B. WERKE

1. ALLGEMEIN

G. schrieb Komm. *Ad edictum praetoris urbani* (10 B.), *Ad edictum aedilium curulium* (2 B.) und den in der Rechtslit. einzigen Komm. zum Provinzialedikt *Ad edictum provinciale* (30 B.; zu diesen Werken [7. 189 f.]), Gesetzeskomm. *Ad legem Iuliam et Papiam* (15 B.) und den seit → Antistius [II 3] Labeo ersten Komm. *Ad legem duodecim tabularum* (6 B.), Monographien *De manumissionibus* (3 B.), *De verborum obligationibus* (3 B.), *De fideicommissis* (2 B.) sowie die »Einzelbücher« *Dotalicion, Ad senatus consultum Tertullianum, Ad senatus consultum Orfitianum, De tacitis fideicommissis, De formula hypothecaria* (dazu [1. 328 ff.] und *De casibus*. Vom »Einzelbuch« *Ad legem Glitiam* ist nur ein kurzes Fragment (Dig. 5,2,4) erhalten [7. 194]. Sein Werk *Ex Quinto Mucio* erwähnt nur G. selbst (Gai. inst. 1,188).

2. DIE INSTITUTIONEN

Der größte Erfolg war dem Lehrbuch des G., den *Institutiones* (4 B.; dazu [2; 7. 191 f.]) beschieden. Dieses vermutlich von Schülern herausgegebene Kollegheft seiner Vorlesung von 161 n. Chr. ist das einzige außerhalb der Kompilation Justinians fast vollständig überlieferte Werk der Rechtslit. der Prinzipatszeit. Der zunächst nur als Vorlage der Institutionen Justinians und aus Exzerpten in der *Collatio legum Mosaicarum et Romanarum* und in den Digesten Justinians bekannte Text wurde 1816 in Verona auf einem → Palimpsest aus dem 5. Jh. entdeckt; Bruchstücke wurden auch auf Papyri 1927 (POxy. XVII 2103) und 1933 (PSI XI 1182) aufgefunden [2. 1 ff., 46 ff.]. Die *Institutiones* bieten die einzige erhaltene ant. röm. Gesamtdarstellung des Privatrechts nach dem Schema (Gai. inst. 1,8) *personae* (Personen- und Familienrecht) – *res* (Vermögensrecht) – *actiones* (Prozeßrecht). »Personen« (1,9 ff.) zerfallen in Freie und Sklaven, »Sachen« (2,12 ff.) in *res corporales* und *incorporales* wie *hereditas, usus fructus* und *obligatio*, »Klagen« (4,1 ff.) in dingliche (*actiones in rem*) und obligato-

rische (*actiones in personam*). Die Obligationen werden in Vertrags- (*ex contractu*) und Deliktsobligationen (*ex delicto*), die Kontrakte in Real-, Verbal-, Litteral- und Konsensualkontrakte eingeteilt (3,88 ff.). Dieses Klassifikationsverfahren nach dem hell. Lehrbuchmuster ersetzt das assoziative System des Massurius → Sabinus durch ein logisches, und das überkommene Aktionendenken durch eine Trennung von materiellem Recht und Prozeß. Dabei führt G. die traditionell in den Sabinus- und in den Ediktskomm. geschiedenen *ius civile* und *ius honorarium* ebenso wie das Kaiserrecht zusammen. Diesem »Institutionensystem«, das dem Lehrbetrieb der sabinianischen Rechtsschule entstammt [2. 370 ff.], folgen alle moderne Privatrechtssysteme [4; 7. 195].

Eine erweiterte und in systematischer Hinsicht verbesserte Variante der *Institutiones* sind die von G. selbst geschriebenen *Res cottidianae sive aurea* (7 B.; dazu [5. 94 ff.; 7. 192 f.]. Das Werk vervollständigt die Zweiteilung der Obligationen durch ›andere Entstehungsgründe‹ (Dig. 44,7,1 pr.: *variae causarum figurae*), die bei Justinian (Inst. Iust. 3,13,2) eine weitere Gliederung in Quasi-Kontrakte und Quasi-Delikte erfahren. Außer dem Systemsinn kennzeichnen G. die in der röm. Jurisprudenz unüblichen rechtshistor. (Dig. 1,2,1) und rechtsvergleichenden (Gai. inst. 1,52 ff.; 1,189 ff.) Interessen. Das ohne Unterschied des Bürgerrechts anwendbare *ius gentium* begründet G. rechtsphilos. mit dem Hinweis auf die ›natürliche Vernunft‹ (Gai. inst. 1,1: *naturalis ratio*; dazu [5. 20 ff., 40 ff., 98 ff.]).

C. WÜRDIGUNG UND NACHWIRKUNG

In der Spätant. erfreute sich G. einer großen Beliebtheit: Das → Zitiergesetz von 426 (Cod. Theod. 1,4,3) nahm ihn als einen von fünf Juristen auf; im Westen lagen seine *Institutiones* der Elementarparaphrase aus dem 4. Jh., den *Fragmenta Augustodunensia* [3. 71 f.] und der westgot. Bearbeitung aus dem 5. Jh., der *Epitome Gai* [2. 123 ff.] zugrunde; im Osten wurden sie im Rechtsunterricht in vollständiger Fassung verwendet (*Omnem* § 1) und von Justinian als Grundlage von dessen Institutionen (*Imperatoriam* § 6) benutzt [2. 182 ff.]. Ob die in den Digesten Justinians exzerpierten *Regulae* des G. pseudepigraphisch sind [3. 68 f.], ist angesichts der Überlieferungsknappheit unsicher.

1 D. LIEBS, Röm. Provinzialjurisprudenz, in: ANRW II 15, 288–362 2 H. L. W. NELSON, Überlieferung, Aufbau und Stil von Gai Institutiones, 1981 3 D. LIEBS, Recht und Rechtslit., in: HLL 5, 55–73 4 D. R. KELLEY, Gaius noster: Substructures of Western Social Thought, in: C. VARGA (Hrsg.), Comparative Legal Cultures, 1992, 39–68 5 M. KASER, Ius gentium, 1993 6 D. PUGSLEY, Justinian's Digest and the Compilers, 1995 7 D. LIEBS, s. v. Jurisprudenz, in: HLL 4, 83–217.   T. G.

[3] G. von Rom. Griech. schreibender Theologe, Ende 2. Jh. n. Chr. Nach Eus. HE II,25,6 f. verfaßte er unter Papst Zephyrinos (198–217) einen (fragmentarisch erhaltenen) Dialog mit Proklos; darin weist er die Grabstätten von Petrus und Paulus, hingerichtet in der Verfolgung durch Nero, in Rom nach; außerdem wendet er sich gegen den Chiliasmus und den → Montanismus des → Kerinthos (ebd. III,28,1 f.). G. rechnet den Hebräerbrief nicht zu den paulinischen Schriften (ebd. VI,20,3), wie er auch, was ihm Hippolytos von Rom vorwirft, den Apostel Johannes nicht als Verf. der Apokalypse anerkennt.

Hippolytos, Kapitel gegen G.: GCS I/2, 239–247 ·
Dionysios Bar Salibi, In Apocalipsim: CSCO 53,60,1 f. ·
E. KIRSCHBAUM, Die Gräber der Apostelfürsten, ³1974 ·
K. H. SCHELKLE, Das Neue Testament, ⁴1970, 242 ff. · J. D.
SMITH, G. and the Controversy over the Johannine
Literature, Diss. Yale Univ. 1979.   R.O. F.

Gaizatorix (Γαιζατόριξ, Γεζατόριος). Kelt. Name, »Herr der Gaisaten (Speerträger)« [2. 215]. Fürst der Galater, der 180 v. Chr. mit → Cassignatus von Eumenes II. Hilfe gegen → Pharnakes von Pontos erbat. Eumenes lehnte ab, da die Galater zuvor auf dessen Seite gestanden hatten (Pol. 24,14; 25,2). Nach G. hieß wohl auch ein Landstrich im westlichen Paphlagonien (Strab. 12,3,41). Zu einer gefälschten Silbermünze des »Boierkönigs« Gesatorix s. [1. 77–79].

1 R. GÖBL, Typologie und Chronologie der kelt.
Münzprägungen in Noricum, 1973 2 SCHMIDT.

F. STÄHELIN, Gesch. der kleinasiatischen Galater, ²1907.
W. SP.

Galaad (Γαλαάδ, LXX, Eus.), Gilead (hebr. gilʿad).
[1] Stadt im Ostjordanland (Ri 10,17; Hos 6,8; 12,12) die h. Ḥirbat Ǧalʿad südl. des Jabboq 10 km nordnordöstl. von as-Salt, auf dem gleichnamigen Gebirge (Gn 31,21 u.ö.: här [häǧ]gilʿad, h. Ǧabal Ǧalʿad) gelegen (vgl. Eus. On. 62,1 f.).
[2] Landschaft östl. des Jordan (LXX neben Γ. auch Γαλαδ[ε]ῖτις; Ios. ant. Iud. 1,324 u.ö. Γαλααδηνή; 5,164 u.ö., Γαλα[α]δῖτις; 12,336 u.ö. Γαλάτις). Urspr. beschränkte sich das Land »Gilead« auf ein Gebiet südl. des Jabboq vom Berg Gilʿad (vgl. → G. [1]; daher der Name) aus nach Westen (vgl. Gn 31; Ri 10,17; dazu [3. 30 ff.]). Von hier aus haben offenbar die Israeliten die Bezeichnung »Gilead« auf ihr Siedlungsgebiet zw. dem ʿAǧlūn-Gebirge und dem Yarmuk ausgedehnt, vgl. die Städte Yabes-Gilead (1 Sam 11,1 ff. u.ö.), Ramoth-Gilead (1 Kg 4,13 u.ö.), Kamon (Ri 10,5) und Thisbe-Gilead (LXX, 1 Kg 17,1). Schließlich umfaßte G. das Land zw. Arnon und Yarmuk (Dt 3,10; 2 Kg 10,33) oder schloß auch Bāšān (zw. Yarmuk und Hermon) ein (Dt 34,1; Eus. On. 60,15 ff., 44,9 ff.). In den Aramäerkriegen des 9. und 8. Jh. v. Chr. zeitweise unter der Herrschaft von Damaskos (2 Kg 10,33; Am 1,3; dagegen 2 Kg 14,25, Am. 6,13), wurde G. 733 assyr. Provinz. → Alexandros [16] Iannaios eroberte große Teile des Landes (Ios. ant. Iud. 13,356; 393 f. u.a.; vgl. 13,397). Durch Pompeius verblieb den Juden nur ein schmaler Streifen unter dem Namen Peraia.

1 N. GLUECK, Explorations in Eastern Palestine III (AASO
18/19), 1939, 151–251 2 Ders., Explorations in Eastern
Palestine IV (AASO 25/28), 1951 3 M. NOTH, Gilead und
Gad, in: ZPalV 75, 1959, 14–73.   ER. K.

Galaesus. Auch Eurotas (Pol. 8,35,8) gen. Fluß, 40 Stadien (Pol. l.c.) bzw. 5 Meilen (Liv. 25,11,8) von Tarentum entfernt. 212 v. Chr. errichtete Hannibal am G. ein Lager. Erwähnt bei Vergil (georg. 4,12,6), Horaz (carm. 2,6,10) und Properz (2,34,67). Gepriesen wird das für das Waschen von Wolle bes. geeignete Wasser des G. (Mart. 2,43,3; 4,28,3; 5,37,2; 8,28,3; 12,63,6; Stat. silv. 3,3,93).

NISSEN 2, 870.   H. SO.

Galaioi (Γαλαῖοι). Die seit 436/5 v. Chr. in den Athener Tributquotenlisten verzeichneten G. waren die Bürger einer an der Westküste der Sithonia nahe beim h. Neos Marmaras gelegenen Stadt, die Hdt. 7,122 anläßlich der Schilderung des Xerxes-Zuges wohl irrtümlich unter dem Namen Galepsos nennt. 432 fielen die G. von Athen ab und übersiedelten in die vergrößerte Stadt Olynthos, doch wurde ihre Stadt vor 425 von den Athenern zurückgewonnen und im Nikias-Frieden 421 für unabhängig erklärt. Danach ist sie in den Quellen nicht mehr genannt.

M. ZAHRNT, Olynth und die Chalkidier, 1971, 178 f.   M. Z.

Galaktophagoi (Γαλακτοφάγοι, »Milchesser«) werden erstmals in Hom. Il. 13,5 f. zusammen mit Hippemolgen (»Pferdemelkern«) und → Abioi als Nachbarn der Thraker angeführt. In der ant. Lit. gibt es drei Auffassungen über die Identität der G.: 1. Die G., Hippemolgen und Abioi als drei am Rand der bewohnten Erde angesiedelte Fabelvölker (Strab. 7,3,7; 12,3,27). 2. G. und Hippemolgen als skythische bzw. sarmatische Nomadenvölker (Strab. 7,3,7–9) oder 3. G. als realer, geographisch fixierbarer Skythenstamm (Ptol. 6,14,12).
C. U.-K.

Galanthis s. Galinthias

Galaria. Stadt der Siculi; von RIZZO [1. 67] bei S. Mauro di Caltagirone auf Sizilien lokalisiert. Erwähnt nur von Diodoros für 334 v. Chr. in bezug auf den Kampf mit → Entella gegen die Karthager (Diod. 16,67,3) und für 312/1 v. Chr. im Kontext des Aufstandes gegen Agathokles (Diod. 19,104). Arch. Funde: seltene silberne lítrai, die aus dem Gebiet nordwestl. von Mineo stammen (vgl. dazu [2. 84–87; 3. 36–39]).

1 G. E. RIZZO, Monete greche di Sicilia, 1946 2 K. JENKINS,
in: Atti di 4. Convegno di Studi Numismatici Napoli,
Annali dell'Istituto Italiano per gli Studi Storici, Suppl. 20,
1975 3 G. MANGANARO, in: Annali dell'Istituto Italiano per
gli Studi Storici 21–22, 1974/5.

E. MANNI, Geografia fisica e politica della Sicilia antica,
1981, 175 f. · BTCGI 7, 535–539.   GI. MA./Ü: H. D.

Galata. Kleine, zw. Karalis und Thabraca (h. Tabarka) liegende, aus Eruptivgesteinen aufgebaute Insel an der nordafrikan. Küste, h. Galita. Belegstellen: Mela 2,120; Plin. nat. 3,92; 5,42; 35,202; Ptol. 4,3,44 (Καλάθη); Itin. Anton. 494,7–495,1; 514,4–8 (mit teilweise verkehrten Entfernungsangaben); Tab. Peut. 3,4; Liber generationis, Chronica Minora 1, p. 103,134; 109,212; Liber genealogus, Chronica Minora 1, p. 168,165; Mart. Cap. 6,645; Geogr. Rav. p. 102,1.

J. TOUTAIN, Note sur l'île de la Galite, in: MEFRA 11, 1891, 454–456.   W. HU.

Galateia (Γαλατεία).

[1] Nereide, Tochter des → Nereus und der → Doris (Hom. Il. 18,45; Hes. theog. 250; Apollod. 1,11), deren Name sich wohl auf die milchweiße Farbe bezieht, d. h. entweder auf den Meeresschaum oder die in der Weidewirtschaft wichtige Milch (Lukian. 14,3; Eust. 1131,5 ad Hom. Il. 18,42). In Sizilien wurde G. als Herdenbeschützerin verehrt (Duris FGrH 76 F 58); dorthin gehört auch die Gesch. der Liebe zw. dem Kyklopen → Polyphem und G. (Prop. 3,2,7f.; Nonn. Dion. 39,257–264); aus dieser Verbindung geht u. a. ein Sohn Gala(te)s hervor (Timaios FGrH 566 F 69). Die Erzählung läßt sich zum ersten Mal in einem Dithyrambos des Philoxenos (5./4. Jh.) fassen (Phainias von Eresos fr. 13 WEHRLI = Athen. 1,6e–7a), die sie laut Duris auch erfunden hat. Von den Komödien zu diesem Stoff ist fast nichts erhalten (Nikochares PCG VII fr. 3–6; Antiphanes PCG II fr. 129–131; Alexis PCG II fr. 37–40). Das Motiv der unerfüllten Liebe des Riesen war in der hell. Dichtung sehr beliebt (Theokr. 6,6–19; 11; Kall. fr. 378f.; Bion, Apospasmata 16; später Verg. ecl. 7,37–40; 9,39; Lukian. 78,1; Niketas Eugenianos 6,503–537), wobei Odysseus als Konkurrent des Polyphem in den Hintergrund trat oder durch den Hirten Acis ersetzt wurde (Ov. met. 13,750–897).

LIT.: J. FARRELL, Dialogue of genres in Ovid's »Lovesong of Polyphemus« (met. 13,719–897), in: AJPh 113, 1992, 235–268 · G. R. HOLLAND, De Polyphemo et G., in: Leipziger Stud. zur class. Philol. 7, 1884, 141–312 · S. MONTÓN SUBIAS, s. v. G., LIMC 5.1, 1000 · G. WEICKER, s. v. G. (1), RE 7, 517–518
ABB.: S. MONTÓN SUBIAS, s. v. G., LIMC 5.2, 628–631.   R. HA.

[2] Tochter des Eurytios, Gemahlin des Lampros im kret. Phaistos, der ihr befiehlt, das Kind, das sie erwartet, nach der Geburt zu töten, falls es ein Mädchen ist. Sie gibt ihre Tochter als Knaben aus und zieht sie unter dem Namen → Leukippos auf. Da mit dem Heranwachsen der Tochter die Entdeckung des Betrugs immer wahrscheinlicher wird, bittet sie → Leto, das Mädchen in einen Jüngling zu verwandeln. Laut Antoninus Liberalis 17,6 (nach Nikandros) werden in Phaistos im Andenken an die Erfüllung des Wunsches zu Ehren der Leto Phytia die *Ekdýsia* gefeiert. Ferner betteten sich die Bräute vor der Hochzeit neben die Statue des Leukippos.

G. WEICKER, s. v. G. (2), RE 7, 518–519.   R. HA.

Galates (ὁ Γαλάτης).

Plut. Phokion 33,4 erwähnt G. als einen zu seiner Zeit üblichen Namen des Akrurion-Bergzuges, Teil des → Kallidromon, an dessen Südabhang sich Phokion und Polyperchon 318 v. Chr. trafen. Die Namensänderung steht vielleicht in Zusammenhang mit dem Kelteneinfall von 279 v. Chr.   HE. KR.

Galatia, Galatien
I. LANDSCHAFT   II. RÖMISCHE PROVINZ

I. LANDSCHAFT
A. DEFINITION   B. GEOGRAPHIE   C. KULTUR

A. DEFINITION

Landschaft in Zentralanatolien; durch Landnahme und Staatenbildung der kelt. → Tolistobogioi, → Tektosages und → Trokmoi unter dem ethnisch definierenden Namen G. neu gebildet, wobei die älteren Bezeichnungen der Landesteile (Phrygia, Kappadokia) verdrängt wurden.

B. GEOGRAPHIE

Die Stammesstaaten der G. umfaßten vor 188 v. Chr. im Norden Randzonen von → Paphlagonia und dem Gebiet der → Mariandynoi (Becken von Bolu und Gerede), die wald- und almenreiche Zone der Köroğlu Dağları etwa vom Çatak Çayı bis zur Grenze des paphlagon. Reiches von → Gangra (Adyos Dağı, den NO-Teil von Phrygia (urspr. ohne → Ankyra und seine Beckenlandschaft) östl. von → Dorylaion bis zum → Halys und im Süden bis zum → Dindymon und dem Gebiet von → Pessinus, ferner die Zone zw. Emir Dağları und dem Norden des Tuz Gölü (→ Axylos) ohne das an dessen NW-Seite gelegene Gebiet (Proseilemmene). Die Tolistobogioi mit dem größten, im Westen gelegenen Gebiet siedelten nach Osten bis zum östl. Rand der Murted Ovası, unterhalb von Ankyra bis an die Beckenlandschaft südl. von Gölbaşı, die Höhen westl. von Haymana, den mittleren Demirözü und im Süden bis → Vetissos. Die mittleren Tektosages griffen im Osten mit dem Becken von Kırıkkale über den Halys hinaus. Ost-G. der Trokmoi, aus Kappadokia gelöst, umfaßte den Raum des mittleren und unteren → Kappadox mit seinen Zuflüssen bis zur Talenge östl. von Yerköy, den Bergen südöstl. von Yozgat und die Region um Sorgun mit dem Nordteil des Gebietes des Kanak Çayı. 179 v. Chr. fielen die Beckenlandschaften im Norden an → Bithynia und Paphlagonia, wohl 183 im Süden das Gebiet um Amorion bis westl. von → Tolastochora und Ak Göl an Pergamon. 65/4 v. Chr. kam das pont. Gebiet des Alaca Çayı mit der Festung Mithridation zum Gebiet der Trokmoi. 25/4–21/0 wurde das röm. G. in den städtischen Territorien von Ankyra, Tavium und Pessinus organisiert; dieses wurde fester Bestandteil von G. und Hauptort der Tolistobogioi.

G. zeichnet sich durch seine wichtigen Verkehrswege und große landwirtschaftliche Bed. aus. Agrarlandschaften lagen bes. um den mittleren Sangarios, den unteren Trembris, um Ova und Ankara Çayı, am Siberis, südwestl. und südl. von Ankara, nördl. des Paşa Dağı, entlang des Halys, um den mittleren und unteren Kappadox mit seinen Zuflüssen, um Sulakyurt, zw. Sungurlu und Boğazkale sowie um Sorgun. Ost-G. besaß waldreiche Gebirge; bewaldete Bergzüge erstreckten sich in West-G. urspr. weit nach Süden bis gegen Vetissos und an den Norden und Westen des Tuz Gölü.

Die Tolistobogioi verfügten mit der frühhell. Neuanlage von → Gordion bis 189 v.Chr. über eine bed. städtische Siedlung. Für Ost-G. sind befestigte Zentralsiedlungen charakteristisch (Tavium, Ekkobriga/Kalekişla, Podanala/Kuşaklı Höyük, Boğazkale, Ceritkale), für die Tetrarchien der Tektosages und Tolistobogioi nach Mitte 2. Jh. repräsentative Zentralburgen (Sirkeli, Gorbeus, Güzelcekale, Odunboğazı; Oyaca, Blukion, Peïon, Basri, Çanakçı, wohl auch Balkuyumcu).

C. KULTUR

Die Ansiedlung der relativ kleinen kelt. Wandergruppen in der 2. H. der 70er J. des 3. Jh. v.Chr. führte zur Ethnogenese der drei galat. Völker, wobei die anatol. Bevölkerung Teil des sozialen Verbandes der Stämme bzw. Teilstämme und Sippenstrukturen wurde. Es fand eine Galatisierung des Raumes statt. Die neue ethnische Identität der Galates ging von den kelt. Gruppen aus und war noch im mittleren 6. Jh. n.Chr. eine selbstverständliche Größe. Das festlandkelt. Galatisch wurde zur Sprache des Raumes (Strab. 12,5,1); Griech. war Schriftsprache und Zweitsprache der galat. Oberschicht, in deren Onomastik griech. und anatol. Elemente schon im 2. Jh. v.Chr. zur kelt. Namenstradition treten. Im 4. Jh. n.Chr. ist Galatisch neben dem allg. verbreiteten Griech. als gesprochene Sprache einer breiten Bevölkerung belegt, Mitte des 6. Jh. nochmals als lebendige Umgangssprache [1. 139ff.]. Das Fortleben kelt. Tradition dokumentiert der jüngst erkannte Opferbereich von Gordion einschließlich der lit. belegten Menschenopfer. Frühe Befestigungen mit Ring- und Abschnittswällen sind *mons Olympus*/Çile Dağı, Cuballum/Ortakışla, Aşaği Karaören oder Selâmetli; frühe Burganlagen Karakasu bei Bolu (179 v.Chr. verloren) und Yalnızçam (archa. Mauerstruktur, Importkeramik). Die galat. Fundorte des 3.–1. Jh. zeigen reiche Importkeramik. In Ost-G. entwickelte sich die sog. »Galat. Ware« aus der vorhell. bemalten Keramik und hell. Formen und Dekors. Die Hellenisierung Zentralanatoliens erfuhr durch die galat. Staatenbildung einen wichtigen Impuls (charakterisierende röm. Benennung: *Gallograeci* bzw. *Gallograecia*). Hell.-anatol. Grabformen wurden übernommen (*tumuli* der Oberschicht). Einheimische Kulte wie der der Kybele (Figurinen der Göttin mit aufgemaltem Torques aus Gordion) und des Teššop/Zeus Tavianos (bed. Heiligtum mit kolossaler Bronzestatue in Tavium; Strab. 12,5,2) wurden wohl unter Gleichsetzung mit kelt. Gottheiten, aber mit griech. Erscheinungsbild aufgenommen.

Christl. Gemeinden entstanden durch die zweimalige Missionstätigkeit des Paulus vermutlich im Süden und Westen; er hat jedoch nicht in den galat. Städten gewirkt ([1. 117ff.], anders [2. 3ff.]). Daneben trat eine petrinische, judenchristl. geprägte Evangelisierung (1 Petr spiegelt die Nähe von Heiden- und Judenchristen wohl auch für G. am E. des 1. Jh. [3]). Charakteristisch ist die starke Präsenz häretischer Gruppen, darunter Montanisten (2.–4. Jh.; → Montanismus) oder Novatianer (→ Novatianus); der → Arianismus hatte zeitweise eine starke Stellung [2. 91ff.; 4. 84ff.]. In mittelbyz. Zeit liegen nur vereinzelte Informationen über nichtorthodoxe Bewegungen vor. Seit dem 4. Jh. kam es zu einem Aufschwung monastischer Lebensweise. 325 waren auf dem Konzil von Nikaia die Bischöfe von Ankyra, Tavium, Gdanmaa, Iuliopolis und wohl Kinna vertreten; seit Anf. 5. Jh. bestanden die Kirchenprov. *G. I* und *G. II*.

→ Kelten (Geschichte und Karte)

1 K. STROBEL, Die Galater 1, 1996 2 MITCHELL II 3 E. COTHENET, La Première de Pierre, in: ANRW II 25,5, 1988, 3685–3712 4 BELKE.

J. DARROUZÈS, Notitiae episcopatuum Ecclesiae Constantinopolitanae, 1981 · R. JANIN, D. STIERNON, G., DHGE 19, 1980, 714–731 · MAGIE · MITCHELL · Ders., Regional Epigraphic Cat. of Asia Minor II. The Ankara District. The Inscriptions of North G., 1982 · K. STROBEL, Die Galater I, 1996; II, 1998 · Ders., G. und seine Grenzregionen, in: E. SCHWERTHEIM (Hrsg.), Forsch. in G. (Asia Minor Stud. 12), 1994, 29–96 · Ders., Galatica I. Ostgalatien in: Orbis Terrarum 3, 1997, 131–153 · Ders., Galatica II. Die Tolistobogier, III. Die Tektosagen, in: Orbis Terrarum 4, 1998.   K. ST.

II. RÖMISCHE PROVINZ

Nach dem Tode des → Amyntas [9] wurde dessen gesamtes Reich eingezogen und 25/4 v.Chr. (Beginn der Prov.-Ära [1. 398ff.]) als Prov. G. eingerichtet (erster prätorischer Legat M. Lollius 25/4–22). Die Stammesgebiete der Galatai wurden als städtische Territorien organisiert (*Sebasteni Tectosages Ancyrani, Sebasteni Tolistobogii Pessinuntii*), was 21/0 mit der Einrichtung der *pólis* Tavium (anders [1. 410ff.]) für das Territorium der → Trokmoi (*Sebasteni Trocmi Taviani*) abgeschlossen wurde. Sie bildeten das *koinón* der Galatai. Verluste erlitt das Gebiet der Tolistobogioi: Iuliopolis zu → Bithynia, Gründung der röm. Kolonie → Germa (Territorium zw. Sündiken und westl. Sivrihisar Dağları mit Vindia, der röm. Nachfolgesiedlung von → Gordion, aber ohne das Gebiet des Çardaközü Deresi); das nordöstl. Restgebiet fiel bis zum unteren → Siberis mit dem Tal des Ankara Çayı an die *pólis* Ankyra, die auch das Gebiet im NW des Großen Salzsees als Proseilemmene (*regio attributa*) erhielt. Ab 25/4 gab es eine Legionsgarnison (*legio VII* spätestens seit 20/19 v.Chr. mit Unterbrechungen bis 13/4 n.Chr. in Nord-Pisidia; vermutlich sehr früh auch die *III Cyrenaica*), unter den konsularen Nachfolgern des Lollius auch mehrere Legionen in der Prov. Im J. 6/5 kam das Königreich Paphlagonia zu G., 3/2 v.Chr. Amaseia mit Karanitis (*Pontus Galaticus*), 34/5 n.Chr. der Priesterstaat *Komana Pontica*, 64/5 das annektierte pont. Reich als *Pontus Polemoniacus*. Die Prov. Cappadocia wurde 55–65/6, erneut vermutlich ab 70/1, mit G. vereinigt. Der Prov.-Komplex G. gliederte sich in mehrere *eparchíai* (Distrikte): die eigentliche Landschaft G. (*koinón* der Galatai), Paphlagonia, Pontus Galaticus, Pontus Polemoniacus, Phrygia (Paroreius), Pisidia, Isauria, Lycaonia, Pamphylia, später Cappadocia und Armenia Minor. 20 v. Chr. erhielt → Archelaos [7] die Küstenzone der Kilikia Tracheia, 43 n. Chr. kam Pamphylia mit dem mittleren und südl. Teil von Pisidia zur neuen Prov. Lycia-Pamphylia (Pamphylia in neronischer Zeit bis 70 n. Chr. zeitweise erneut bei G.). Cappadocia, Pontus Polemoniacus und Pontus Galaticus wurden 113 abgetrennt. Anf. der Regierungzeit des M. Aurelius wurde der Küstenbezirk mit Abonuteichos/Ionopolis, Sinope und Amisos G. angeschlossen (→ Bithynia et Pontus). Vor 226/229–250 gehörte Ost-G. (Tavium) zu Cappadocia. 250 wurde die Prov. Pontus (der frühere Distrikt Pontus Galaticus) mit G. vereinigt, ist aber ab 279 wieder als eigene Prov. unter Einschluß von Neoklaudiopolis bezeugt. Vor 305/6 wurde für die Prov. Paphlagonia die paphlagon. *eparchía* abgetrennt (Pompeiopolis, Gangra, Hadrianopolis). Diocletianus löste den gesamten Süden (Phrygia Paroreius, Nord-Lykaonia) von G.; Iuliopolis kam im Westen hinzu, ebenso E. 3. Jh. die Region der Troknades westl. von Pessinus. 371 kam das Gebiet westl. des Salzsees mit dem Bistum Gdanmaa (Çeşmelisebil) zur Prov. Lycaonia. G. wurde E. 4. Jh. in die *G. I* (mit der Metropolis Ankyra) und *G. II* (oder *Salutaris*) geteilt. *G. II* umfaßte die Metropolis Pessinus, ferner Troknada, Eudoxias, Germa, Petenissos, Therma (Myrikion, nahe Haymana) und war am oberen Sangarios um Amorion und Orkistos erweitert. Das Territorium von Kinna, die in antoninischer Zeit als Stadtgemeinde organisierte Proseilemmene, bildete die südl. Grenze der *G. I*. Als zivile Verwaltungseinheit bestand G. bis ins 8. Jh.; das Gebiet war Teil des Themas Opsikion, dann des Themas Bukellarion.

1 W. LESCHHORN, Ant. Ären, 1993.

RPC I, 535–549 · C. FOSS, s. v. G., ODB 2, 816 · MITCHELL 1, 61 ff.; 2, 151 ff. · Ders., Population and Land in Roman G., in: ANRW II 7,2, 1053–1081 · B. RÉMY, L'évolution administrative de l'Anatolie aux trois premiers s., 1986 (Rez.: S. MITCHELL, in: CR 38, 1988, 437 f.) · Ders., Les carrières sénatoriales dans les prov. rom. d'Anatolie aux Haut-Empire, 1989 (Rez.: W. AMELING, in: Gnomon 67, 1995, 697) · K. STROBEL, Die Galater 2, 1998.   K. ST.

Galaxaure

Galaxaure (Γαλαξαύρη). → Okeanide bei Hes. theog. 353 (neben Plexaure) und Hom. h. 5,423 (danach Orph. fr. 49,26), wo sie mit Persephone Blumen pflückt, als diese von Hades geraubt wird. Die Etym. ist unklar (Hypothesen bei [1; 2]).

1 E. MAASS, Aglaurion, in: MDAI(A) 35, 1910, 338
2 P. KRETSCHMER, Mythische Namen, in: Glotta 10, 1920, 51 ff.   A. A.

Galaxia

Galaxia (τὰ Γαλάξια). Athenisches Fest der Göttermutter, das nach dem dabei gereichten Milchbrei benannt ist (Hesych. s. v. G.). Die Bed. des Festes zeigt sich darin, daß nach Ausweis der Ephebeninschr. in hell. Zeit die Epheben der Göttin opferten und eine Goldschale weihten (seit IG II¹ 470,13).   F. G.

Galba

[1] König der → Suessiones und Oberbefehlshaber der Koalition belgischer Stämme gegen Caesar 57 v. Chr. Nach seinem Sieg über die Belgae und der Einnahme des suessionischen Hauptortes → Noviodunum nahm Caesar zwei Söhne des G. als Geiseln (Caes. Gall. 2,4,7; 2,13,1; Cass. Dio 39,1,2). »Galba« dient häufig als Cognomen der röm. gens Sulpicia. kelt. Herkunft (Suet. Galba 3,1) ist aber nicht gesichert [1. 1621 ff.; 2. 349–350].

1 HOLDER 1 2 EVANS.   W. SP.

[2] Röm. Kaiser 68–69 n. Chr. Ursprünglicher Name Ser. Sulpicius G. Geb. 24. Dez. wohl 3 v. Chr. bei Tarracina. Sohn des Sulpicius Galba (*cos. suff.* 5 v. Chr.) und der Mummia Achaica; die Familie gehörte zum republikanischen Patriziat. Die zweite Frau seines Vaters, Livia Ocellina, adoptierte ihn, wodurch er ihr Erbe wurde und auch ihren Namen annahm: L. Livius Ocella Ser. Sulpicius Galba. Auch diese Familie war bei Tarracina begütert [1]. Auf diese Weise war er mit Livia, der Mutter des Tiberius, näher verbunden, die ihn in seiner Laufbahn förderte. Wenn er wirklich früher als normal die Ämter erhielt, gilt das nur bis zur Praetur. Vor dem ordentlichen Konsulat im J. 33 war er für ein Jahr praetorischer Statthalter von Aquitanien. 39 wurde er von Caligula als Nachfolger des rebellierenden Cornelius [II 29] Gaetulicus zum Befehlshaber des obergermanischen Heeres ernannt, wo er strenge Heeresdisziplin übte. Claudius nahm ihn als *comes* mit nach Britannien. Wohl von 44 bis 46 wurde er ohne Losung zum Proconsul von Africa bestellt, um die rebellischen Stämme zu bändigen. Für seine Taten in Germanien und Africa erhielt er die *ornamenta triumphalia* und drei Priesterämter; all das zeigt seine herausragende Stellung in der senatorischen Gesellschaft dieser Zeit. 60 sandte ihn Nero als Statthalter in die Tarraconensis, was als Vorsichtsmaßnahme gedeutet werden kann; zur Laufbahn [2. 138 ff.].

In die Aufstandsbewegung in Gallien wurde G. durch Iulius Vindex bereits 67 hineingezogen, erst Anf. April 68 erklärte er sich gegen Nero. Seine Akklamation geschah durch Soldaten und Provinziale in Carthago Nova; er nannte sich *legatus Senatus Populique Romani*, um die endgültige Entscheidung dem Senat zu überlassen, der ihn freilich zunächst auf Antrag Neros zum *hostis publicus* erklärte. G. hob neue Truppen aus, die *legio VII Galbiana* und Auxiliartruppen [3; 4]. Obwohl G. Briefe an die anderen Provinzstatthalter geschrieben hatte, schloß sich von ihnen nur Salvius Otho in der Lusitania und der Quaestor der Baetica, Caecina [II 1] Alienus an. Zu anderen Anhängern [5]. Nach dem Sieg über Vindex durch die obergerman. Truppen erfolgte der Rückzug G.s nach Clunia, wo er schließlich durch seinen Freigelassenen Icelus die Nachricht vom Tod Neros und seiner eigenen Anerkennung durch die Prätorianer und den Senat am 8. Juni erhielt. Sein Name lautete seitdem Ser. Galba Imperator Caesar Augustus, d. h. die letzten Bestandteile – ursprünglich Namen –

wurden hier fast titular gebraucht. Es folgte seine Übernahme der *tribunicia potestas*; *pontifex max.* wurde er wohl erst in Rom, *pater patriae* vielleicht erst bei der Adoption des Calpurnius [II 24] Piso im Jan. 69. Anerkennung in allen Provinzen durch Heere und Statthalter.

G.'s Grundeinstellung war aristokratisch-autoritär. Politische Sensibilität für Notwendigkeiten in seiner Situation besaß er nicht. So verweigerte er den Praetorianern in Rom das versprochene → *donativum*; in Gallien verlieh er an die Vindex unterstützenden Stämme das römische Bürgerrecht, was die obergermanischen Legionen brüskierte, deren Befehlshaber, Verginius Rufus, zudem abgelöst wurde. In Rom wurde eine neu aufgestellte Legion bei G.s Ankunft dezimiert und so in Gegnerschaft zu ihm getrieben. Selbst den Senat konnte er nicht voll für sich gewinnen, da er den designierten Consul Cingonius Varro, der freilich mit dem Praetorianerpraefekten Nymphidius Sabinus konspiriert hatte, ohne Urteil töten ließ, ebenso → Clodius [II 7] Macer, der sich in Africa gegen Nero erhoben hatte. Dazu verließ G. sich zu sehr auf seine Freigelassenen, vor allem Icelus, der den Ritterrang erhielt. Auch das Volk lehnte ihn wegen seiner Sparsamkeit ab. Zur Rückgewinnung von durch Nero verschenkten Geldern wurde eine Finanzkommission eingesetzt, die wenig Erfolg hatte, aber massive Mißstimmung bei den Betroffenen hervorrief.

Am 1. Jan. 69 trat er sein zweites Konsulat zusammen mit dem unbeliebten T. Vinius an. Am gleichen Tag verweigerten die Legionen in Mainz den Eid und zerstörten die Bilder G.s. Am 2. Jan. wurde in Köln der Statthalter A. Vitellius auf Betreiben des → Fabius [II 19] Valens, dessen Verhalten G. nach seiner Erhebung nicht gewürdigt hatte, und des Caecina Alienus zum Herrscher ausgerufen. Auf die Nachricht von der Meuterei der Truppen in Mainz adoptierte G. den → Calpurnius [II 24] Piso, der mit ihm nicht verwandt war, am 10. Jan. 69 und bezeichnete ihn dadurch als seinen Nachfolger, auch jetzt ohne *donativum* an die Praetorianer. Die Nachrichten aus Germanien über Vitellius wurden zurückgehalten. Otho, der wegen seiner Verdienste auf die Adoption gehofft hatte, wurde dadurch zur Rebellion getrieben. Dessen Akklamation durch die Praetorianer erfolgte am 15. Jan., denen sich andere in Rom lagernde Truppen anschlossen. Auf dem Forum wurde G. von den meuternden Soldaten erschlagen. Sein Leichnam wurde an der Via Aurelia in seinen Gärten bestattet. Sein Andenken wurde zunächst getilgt, am 1. Januar 70 aber unter Vespasian vom Senat wiederhergestellt.

1 W. Eck, in: Listy Filologické 114, 1991, 93 ff.
2 Vogel-Weidemann 3 P. Le Roux, L'armée romaine ... des provinces Iberiques ..., 1982, 131 f. 4 W. Eck, in: Chiron 27, 1997, 203 ff. 5 Syme, RP IV 115 ff.

Münzen: RIC I² 216 ff. • PIR¹ S 723 • E. P. Nicolas, De Néron à Vespasien 1, 1979, 431 ff. • Kienast², 102 f.   W.E.

Galea s. Panzer

Galene (Γαλήνη, »Meeresstille«). → Nereide bei Hes. theog. 244; laut dem Euhemeristen Mnaseas Tochter des Ichthys und der Hesychia (FHG 3 155,33). Als Verkörperung des heiteren Aspekts des Meeres glättet G. die Wogen in Anth. Pal. 5,156 (Meleagros) und 7,668 (Leonidas) sowie in Lukians 5. ›Meergöttergespräch‹. Ein Epigramm des Adaios (Anth. Pal. 9,544) beschreibt eine Gemme des Tryphon mit dem Porträt der G., das jedoch nicht eindeutig mit erhaltenen Typen zu identifizieren ist [1]. Paus. 2,1,9 erwähnt eine Statue der G. im Tempel des Poseidon am Isthmos. G. ist als Nereiden-[1] und Mänadenname [2] auf Vaseninschr. bezeugt. Als Nebenformen finden sich Galaneia (bei Eur. Hel. 1458 Tochter des Pontos) und Galenaie (Epitheton der Aphrodite bei Philod. in Anth. Pal. 10,21,1; personifiziert in Kall. epigr. 5,5).

1 N. Icard-Gianolio, s.v. G. I, LIMC 4.1, 151–153
2 A. Kossatz-Deissmann, s.v. G. II, ebd., 153.   A.A.

Galenos aus Pergamon A. Leben B. Philosophie C. Physiologie D. Anatomie E. Chirurgie F. Medizinische Theorie G. Therapeutik H. Pharmakologie I. Auseinandersetzung mit der medizinischen Tradition J. Linguistische Studien K. Ethik in der Medizin L. Wirkungsgeschichte

A. Leben
129 bis ca. 216 n. Chr., griech. Arzt und Philosoph. Als Sohn eines wohlhabenden Architekten namens Aelius oder Iulius Nikon (nicht Claudius, wie ältere Ausgaben wollen) genoß G. eine breitangelegte Erziehung, v.a. in der Philos. Als er 17 Jahre alt war, erschien Asklepios dem Nikon in einem Traum, der G. für die medizinische Laufbahn bestimmte. Nach einem Studium bei Satyros, Aiphikianos und Stratonikos in Pergamon ging G. ca. 149 nach Smyrna, um Pelops, einen Schüler des Hippokratikers Quintus, zu hören. Von dort wandte er sich nach Korinth, um Numisianos ausfindig zu machen, einen weiteren Schüler von Quintus. Dieser war jedoch bereits nach Alexandreia gezogen, wo er starb, bevor G. um 151 dort anlangte. In Alexandreia hörte G. Vorlesungen bei Herakleianos und Iulianos, erweiterte seine anatomischen und chirurgischen Kenntnisse, unternahm Reisen und erforschte Arzneimittel [1]. 157 kehrte er nach Pergamon zurück, wo er als Arzt für die Gladiatoren des Hohen Priesters von Asia eingestellt wurde und in dieser Position überaus erfolgreich war. 162 brach er nach Rom auf, wo er sich zunächst als Philosoph einen Namen machte. Die Heilung seines einstigen Philos.-Lehrers Eudemos verschaffte ihm Zutritt zu den höchsten Kreisen, in denen er mit den *coss.* → Flavius Boethus, Sergius Paulus und Cn. Claudius Severus Bekanntschaft schloß. Auch erregten seine öffentlichen Sektionen Aufsehen, doch führte er sie später aus Furcht vor der Feindschaft seiner Konkurrenten nur noch in privatem Kreis durch.

166 verließ G. unbemerkt Rom, um nach Pergamon zurückzukehren, entweder aus Angst, von neidischen Rivalen umgebracht zu werden (De praecognitione 14,648 KÜHN), oder, wie er später schrieb (De libris propriis 19,15 KÜHN), wegen des Ausbruchs der Pest. Keine der beiden Erklärungen kann so recht überzeugen: In Pergamon war gerade ein Bürgerzwist (stásis) beigelegt worden, so daß G. gefahrlos zurückkehren konnte. Doch sein Aufenthalt war nur kurz: Er unternahm Reisen auf der Suche nach Heilpflanzen und als Arzt. Ende 168 wurde G. ins Winterlager des M. Aurelius und des L. Verus bei Aquileia beordert, das er kurz vor dem Tod des Verus erreichte. Im Sommer 169 kehrte er nach Rom zurück und blieb von da an ständig in kaiserlichen Diensten innerhalb It. [2]. Zunächst kümmerte er sich um den jungen Commodus und andere Mitglieder des Hofes, doch behandelte er auch die Kaiser selbst bis in die severische Zeit hinein. Über sein Leben nach 169 sind abgesehen von einigen Fallgeschichten nur wenige gesicherte Informationen überliefert. G. behandelte weiterhin Kranke und war ein höchst produktiver Schriftsteller. Große Teile seiner Bibliothek verbrannten 191. In den neunziger Jahren stattete er Pergamon noch mindestens einen weiteren Besuch ab, doch die späteren Überlieferungen, er sei in Sizilien bzw. Ägypten gestorben, halten einer Überprüfung nicht stand. Die Suda (s. v. G.) behauptet, G. sei 70 Jahre alt geworden, sei also 199/200 gestorben, doch widersprechen diesem Todesjahr u. a. die zwischen 204 und 209 verfaßte Schrift De theriaca (ad Pisonem) und eine v. a. in arab. Quellen bewahrte biographische Trad., derzufolge G. im Alter von 87 Jahren starb, nachdem er 17 Jahre als Schüler und 70 Jahre als praktizierender Arzt verbracht habe [3].

B. PHILOSOPHIE

G. war seit früher Jugend mit den großen philos. Schulen seiner Zeit vertraut, das Studium der Geometrie bewahrte ihn vor der Aporie. Daher rührt sein Interesse an der Logik, über die er verschiedene Abh. verfaßte, von denen lediglich die Institutio logica (ed. [20]) in voller Länge erhalten blieb; später schrieb man G. die Entdeckung der vierten Schlußfigur des Syllogismus zu. Seine philos. Hauptschrift war De demonstratione (fr., ed. [21]). Darin legte er dar, daß sicheres Wissen nur möglich sei, wenn man von geeigneten Grundlagen, insbesondere dem ›deutlich Sichtbaren‹ ausgehe. Sein Weltbild wurde, was das Materielle betrifft, von der aristotelischen Physik geprägt, in bezug auf die Seelenlehre folgte er jedoch der platonischen Lehre von der Dreiteilung der Seele, die seinem anatomischen Befund von den drei von Gehirn, Herz und Leber gesteuerten Körpersystemen zu entsprechen schien. Er war ein Anhänger der Teleologie und glaubte fest an eine von einer Gottheit planvoll eingerichtete Schöpfung (daher seine Abneigung gegen christl. und jüd. Wunderglauben) [4; 5]. Die medizinischen Befunde bestätigten in seinen Augen zahlreiche philos. Spekulationen auf empirischer Ebene. Er lehnte philos. Er-

örterungen als fruchtlos ab, wenn sie weder mittels Logik noch mit Hilfe der Empirie zu entscheiden waren. In De placitis Hippocratis et Platonis erläuterte er seine Anatomie mit platonischen Begriffen, in De usu partium dagegen mit aristotelischen. Da er stets von einer engen Wechselbeziehung zw. Körper und Seele überzeugt war, verfaßte er auch Schriften zur Ethik (De moribus) und liebäugelte in der gegen Ende seines Lebens entstandenen Schrift Quod animi mores sogar mit der Vorstellung, die Seele hänge ganz und gar von der körperlichen Verfassung ab [6].

C. PHYSIOLOGIE

G. betrachtete Hippokrates als seinen Lehrer und folgte streng dessen in De natura hominis entwickelten Konzept von den vier Körpersäften, die von den vier Elementen und den vier Primärqualitäten heiß, kalt, feucht und trocken abgeleitet sind; aus diesen Säften bestehen alle Teile des Körpers. Krankheit definiert G. als ein Ungleichgewicht oder eine Störung des Zusammenspiels zw. einzelnen Körperteilen. Jeder Körperteil besitzt ein Potential an Aktivität (Vermögen), und jegliche Beeinträchtigung des Gleichgewichts in bezug auf Qualitäten oder Säfte zerstört dieses Potential und die davon abhängige Funktion. Jeder Körperteil verfügt zudem aus sich selbst heraus über das grundlegende Vermögen zu Entstehung, Wachstum und Ernährung.

Der Körper besteht aus drei von Gehirn, Herz und Leber abhängigen Systemen (ein Gedanke, der G. mit Hippokrates und Platon verbindet), die jeweils Denken und Empfinden über das Nervensystem, Bewegung über die Arterien und Ernährung über die Venen steuern. Das in der Leber produzierte Blut stellt die Nährstoffe bereit, wobei ein etwaiger Überschuß ausgeschieden wird. Ein kleiner Teil dieses Blutes gelangt in die linke Herzhälfte, wo es mit Luft (pneúma) vermischt und so zu arteriellem Blut umgewandelt wird. Unter dem Einfluß eines in ihrer Wandauskleidung befindlichen Pulsationsvermögens schlagen Herz und Arterien synchron. In einem Gefäßnetz an der Hirnbasis, das unter Umständen mit dem venösen »Wundernetz« (rete mirabile) zu identifizieren ist, wird ein Teil dieses arteriellen Blutes weiter verarbeitet, um dann im Ventrikelsystem des Gehirns das Seelenpneuma zu bilden, das als Träger der Empfindung die Nerven durchströmt [7]. G. unterschied absichtliche von unbeabsichtigten Bewegungen und schenkte in De motibus dubiis (ed. princeps [22]) besonders denjenigen Körperteilen Aufmerksamkeit, in denen beide Bewegungsformen vorzukommen schienen, wie etwa dem Augenlid.

D. ANATOMIE

G. war von Lehrern ausgebildet worden, die in der Tradition der alexandrinischen Anatomie standen. Hinzu kam das handwerkliche Geschick, das ihm sein Vater vermittelt hatte. G. hielt anatomische Kenntnisse für grundlegend, nicht nur im Hinblick auf die Chirurgie, sondern mit Blick auf die gesamte Medizin. An Tieren, v. a. Affen, Schafen, Schweinen und Ziegen, führte er eine komplizierte Folge anatomischer Experimente zur

Erforschung des Nervensystems durch; er erklärte, während seines gesamten Lebens regelmäßig seziert zu haben. Aus Hochachtung vor den Leistungen des → Herophilos und des → Erasistratos im Bereich der Anatomie wiederholte er einige ihrer Untersuchungen, insbesondere an Gehirn und Auge. Obwohl er für ein humananatomisches Forschungsprogramm eintrat, konnte er es – abgesehen von Beobachtungen am menschlichen Skelett oder bei operativen Eingriffen – nicht durchführen. Dennoch scheint ihn seine engagierte Beschäftigung mit der Anatomie vor allen anderen ausgezeichnet und seinen Beschreibungen des menschlichen Körpers zusätzliche Autorität verliehen zu haben [8].

E. Chirurgie

Obwohl G. sein geplantes Chirurgiebuch nicht beendete, zeigen seine Empfehlungen für einen idealen Chirurgen in *De medico examinando* (ed. princeps [23]), daß er eine Vielzahl von chirurgischen Eingriffen von der Polypenentfernung und der Reinigung von Geschwüren bis hin zur Behandlung komplizierter Knochenbrüche beherrschte. Unter seinen Fallbeschreibungen finden sich Berichte über die Entfernung eines eitrigen Brustbeins sowie die Rückverlagerung des »großen Netzes«, das durch eine Schwertwunde aus der Bauchhöhle hervorgequollen war. Sein Kommentar zur hippokratischen Schrift *De articulis* verrät Vertrautheit mit Verstauchungen und Frakturen, die z. T. von seiner Erfahrung mit den in der Ringschule vorkommenden Verletzungen herrührt [9].

F. Medizinische Theorie

Auch wenn G. in aller Regel einzelne Krankheiten, z. B. Marasmus, als Ansammlung verschiedener Symptome definierte, so gestand er ihnen doch keinen eigenständigen ontologischen Rang zu, sondern hielt sie für das Ergebnis von Veränderungen im Inneren des Körpers oder – im Falle von Verletzungen – für das Ergebnis äußerer Einwirkungen. Er entwickelte eine Kausalitätstheorie, die eine Rangfolge von langfristig oder plötzlich einwirkenden Ursachen festlegte. Die akute Veränderung war zumeist auf eine Verschiebung des Gleichgewichts innerhalb eines bestimmten Körperteiles zurückzuführen und ließ sich durch den Einsatz allopathischer Heilmittel behandeln oder möglicherweise aufhalten. Die Diagnose beruhte auf Sinneswahrnehmung: Patientengespräch, Berührung, Beobachtung, Geschmacks- und Geruchsprüfungen. In seinen Schriften über den Puls entwickelte G. die Theorien des → Archigenes als Grundlage der Krankheitserkennung und Diagnosestellung fort. Auch die Urinuntersuchung hielt G. für nützlich, er führte sie jedoch in der Praxis nicht immer durch. Er riet davon ab, sich ausschließlich auf ein diagnostisches Verfahren zu verlassen, gleich welches. Durch die Unt. könne ein gelehrter und der genauen Beobachtung fähiger Arzt die Krankheitsursache eruieren, v. a. dann, wenn er dabei logisch vorgehe – G.' klinische Logik ist unfehlbar –, von dort zu einem angemessenen Therapievorschlag gelangen, des-sen Befolgung die Krankheitsursache bekämpfe, und schließlich den weiteren Verlauf der Krankheit vorhersagen. Dieser folge häufig einem vorhersagbaren Muster – Verschlimmerung bis zur Krise mit nachfolgender Heilung oder Tod. Das ganze Verfahren fiel unter den Oberbegriff der Prognose, die G. auf Hippokrates zurückführte und die er zum Erstaunen seiner Zeitgenossen für ein einfaches und klares Unterfangen hielt (*De praecognitione*, ed. [24]). Es bezog sich auf körperliche und seelische Krankheiten gleichermaßen, wobei die Erforschung ihrer Wechselbeziehung zu G.' Hauptinteressen zählte (→ Geisteskrankheiten).

G. Therapeutik

Vorbeugen galt G. mehr als Heilen. Daher stellte er in seiner Schrift *De sanitate tuenda* und in anderen Abhandlungen über die Ernährung Regeln für eine gesunde Lebensweise auf, die auf seinen reichen Kenntnissen des Lebens im östl. Mittelmeerraum basierten; sie schlossen sportliche Betätigung mit ein. Als Behandlungsmethode bevorzugte er diätetische Maßnahmen (→ Diätetik), gefolgt von medikamentösen Therapien und schließlich chirurgischen Interventionen, die als letzter Ausweg galten, da sie immer gefährlich waren. Im Gegensatz zu den zeitgenössischen Erasistrateern hielt G. am Aderlaß als einer wertvollen Methode fest, dem Körper Überschüsse oder Krankheitsstoffe zu entziehen, wobei seine sorgfältigen Einschränkungen in bezug auf das Alter und das Geschlecht seiner Patienten zeigen, daß er dieses Verfahren nicht immer zur Anwendung brachte. Seine Patienten rekrutierten sich aus allen sozialen Schichten, vom Bauern bis zum Thronfolger, wobei ihn auch Menschen brieflich um Rat baten, die Hunderte von Kilometern entfernt wohnten. Die in *De praecognitione*, *De locis affectis* und *Methodus medendi* aufgelisteten spektakulären Fälle zeugen noch heute eindrucksvoll von seiner Befähigung als Arzt und dürften den Respekt gerechtfertigt haben, den ihm mehrere Kaiser in Folge zollten.

H. Pharmakologie

G.' umfangreiche Schriften zur Pharmakologie (11–14 K.) stellen Kompilationen aus Werken älterer Autoren dar. Er fügte ihnen lediglich Informationen über weitere Heilmittel hinzu, die er dank seiner weitreichenden Kontakte und seines weiten Erfahrungshorizontes sammeln konnte: Er besuchte die Minen auf Zypern auf der Suche nach medizinisch verwertbaren Mineralien; in Rom konnte er aus dem Fundus der kaiserlichen, v. a. mit Importen aus Kreta gefüllten Arzneilager schöpfen. Er versuchte, Heilmittel nach ihrem Wirkungsgrad zu systematisieren und dem Schweregrad der Krankheit entsprechend einzusetzen. Obwohl er diese Forsch. nicht zum Abschluß brachte, lieferte seine Klassifikation zahlreicher Pflanzen in sogenannte Wirkungsgrade nachfolgenden Autoren pharmakologischer Werke, bes. im arab. Kulturraum, ein Klassifikationsmodell [10; 11].

I. Auseinandersetzung mit der medizinischen Tradition

In einer Welt, in der → Methodiker, → Empiriker und Anhänger der Naturheilkunde wohl zahlreicher und erfolgreicher waren, beharrte G. auf der Überlegenheit der hippokratischen Lehren. Daß sich G. der hippokratischen Medizin, deren Wert nicht nur durch praktische Erfolge, sondern auch durch das Zeugnis Platons belegt wurde, verschrieb, verhalf ihr zum Durchbruch zur wichtigsten westlichen medizinischen Trad. G. entfaltete die hippokratische Doktrin in einer langen (in einem Zeitraum von über zwanzig Jahren entstandenen) Reihe von Kommentaren zu einzelnen hippokratischen Schriften und verwendete dabei ältere Kommentare, v. a. von Herakleides von Tarent und Rufus von Samaria. Besonderen Einfluß übten dabei seine eigenen Lehrer, selbst Hippokratiker, auf ihn aus. G.' Bemühungen, alles, was er für medizinisch grundlegend hielt – einschließlich der Anatomie – auf Hippokrates zurückzuführen, dürften jedoch keine ungeteilte Zustimmung gefunden haben. Er legte Regeln fest, anhand derer entschieden werden konnte, in welchem Maße hippokratische Texte getreu die Worte und Lehren des Hippokrates, wie sie in *De natura hominis* niedergelegt und durch G.' eigene Erfahrung bestätigt worden waren, wiedergaben. Mit Hilfe seiner bemerkenswerten Kenntnisse der älteren Sprache und Lit. erläuterte er hippokratische Begriffe und stellte sie in einem Glossar zusammen. Da G. in all seinen medizinischen Schriften deutlich macht, wann er mit einem anderen Autor nicht übereinstimmt, dagegen schweigt, wenn er etwas übernimmt, fällt es schwer, Abhängigkeiten von früheren Autoren genau zu benennen [12; 13]. G. verfügte über eine große Privatbibliothek und zitierte ausführlich aus zahlreichen Werken. Wieviele er davon aus erster Hand kannte, ist ungewiß; doch stützt er sich bestimmt bei den wörtlichen Übernahmen in seinen pharmakologischen Schriften auf eine weit schmalere Quellenbasis, als es zunächst den Anschein hat [14]. Viele dieser Autoren kennt man heute nur noch durch G., doch ist die Darstellung ihrer Ansichten zweifellos durch die eigene Perspektive des kämpferischen Arztes und Philosophen beeinflußt. Daher spiegelt die verbreitete Sicht moderner Medizinhistoriker auf die ant. Medizin oftmals lediglich G.' eigenen Standpunkt mit all seinen Eigenheiten. Moderne Darstellungen des Erasistratos oder der Methodiker wiederholen häufig unkritisch die Beschuldigungen G.'; die Trad. abendländischer Medizin und die Ansicht, sie gründe auf Hippokrates, wurde durch G.' eigene Vorstellung von einer »guten« Medizin – in Theorie und Praxis – geprägt. [15. 408].

J. Linguistische Studien

G. verfaßte eine ganze Reihe lexikographischer Arbeiten zur att. Komödie sowie Unt. zur Mehrdeutigkeit der Sprache (*De captionibus*) und zur medizinischen Fachterminologie (*De nominibus medicis*, ed. [25]). Die meisten sind verloren, doch nennt G. die Titel im Verzeichnis seiner eigenen Werke *De libris propriis* (19,8–48 Kühn). Weil ihm Klarheit über alles ging, lehnte er den Attizismus und viele neuere medizinische Fachtermini ab. Sein eigener Stil, der dem Kontext entsprechend variiert, ist im allg. flüssig und elegant; doch wird er durch didaktisch motivierte Wiederholungen beeinträchtigt. Der Aufbau seiner in den 190ern verfaßten Schriften ist weniger straff als der aus den 170er Jahren.

K. Ethik in der Medizin

Während seiner gesamten Laufbahn betonte G. die fundamentale Einheit aller Zweige der Medizin, wobei er den Arzt v. a. dazu aufrief, von seiner Vernunft und Erfahrung Gebrauch zu machen. Den idealen Arzt erkannte er in Hippokrates und in Asklepios (*In Hippocratis Iusiurandum commentarii*, ed. [26]); in *De medico examinando* schrieb er nieder, was er von einem vollkommenen praktischen Arzt erwartete. Erfolgreiche Medizin war für ihn gleichbedeutend mit ethisch vertretbarer, weshalb der gute Arzt, bewußt oder unbewußt, gleichzeitig auch Philosoph war.

L. Wirkungsgeschichte

G.' dauerhafte Karriere als kaiserlicher Leibarzt sowie das Lob, das Athenaios von Naukratis und Alexandros von Aphrodisias seiner Heilkunst zollen, zeugen von der ärztlichen Autorität, die er bereits zu seinen Lebzeiten erworben hatte. Vor 250 n. Chr. zu datierende Papyri aus Ägypten belegen die weite Verbreitung seiner Ideen. Strittiger waren seine philos. Schriften, doch wurden manche von ihnen bis ins 6. Jh. hinein zitiert [16]. Sein agnostischer Standpunkt in bezug auf die Schöpfung und die Natur der menschlichen Seele, den er in *De demonstratione* sowie in seinem letzten Werk, *De sententiis* (ed. in Vorbereitung: [27]), vertrat, weckten Kritik von paganer, christlicher und muslimischer Seite gleichermaßen. Zu G.' Lebzeiten trug sich ein Schuhmacher namens Theodotos den Vorwurf der Häresie ein, als er die christl. Lehre so zu modifizieren versuchte, daß sie G.' Kritik Rechnung trug.

Um die Mitte des 4. Jh. hatte G. innerhalb hippokratischer Trad., wie sie Oreibasios repräsentierte, bereits eine zentrale Stellung. Ein beträchtlicher Anteil der von letzterem zitierten Passagen stammt aus G., und dieser Anteil wuchs bei späteren Enzyklopädisten, da andere Autoren entweder weggelassen oder in Einträge aufgenommen wurden, die im wesentlichen auf G. zurückgingen. Vergleichbares läßt sich allg. in der Hss.-Trad. beobachten, in der galenisches bzw. unter dem Namen G.' überliefertes Material die Oberhand gewinnt. Die Vielzahl der von G. zitierten und zu seinen Lebzeiten gelesenen Autoren wurde ersetzt durch die alleinige Abhängigkeit von G. Nicht-galenische Texte überlebten in nennenswerter Anzahl lediglich, wenn sie von G. dringend empfohlen worden waren – wie etwa das *Corpus Hippocraticum* – oder wenn sie aus Gebieten stammten, die G. selbst nicht bearbeitet hatte, wie etwa Gynäkologie, Veterinärmedizin oder Botanik.

Im 5. Jh. formierte sich in Alexandreia ein Kanon galenischer Texte, der später die Grundlage der Ärzteausbildung in der byz. Welt sowie in Ravenna und im Nahen Osten darstellte. Im lat. Westen besaß G. einen weit geringeren Einfluß; er wurde im 3. Jh. von Gargilius Martialis zitiert, im 5. Jh. von Cassius Felix, doch bis zur Wiederbelebung ant. Medizin in Süditalien im 11. Jh. beruhte sein Bekanntheitsgrad nahezu ausschließlich auf der Erfindung eines Heilmittels, der sog. *hiera Galeni*. Erst danach wurde G. dank lat. Übers. der griech. Schriften oder der arab. Übertragungen zur dominierenden Figur. Die seit 1470 und v. a. nach Erscheinen der Aldina (editio princeps, Venedig 1525) erneuerte Kenntnis der griech. Originaltexte aus dem Bereich der Medizin bestätigte kurzfristig G. in seiner Rolle als der große Arzt der Ant. Doch zugleich wurden Widersprüche und Irrtümer in den galenischen Schriften aufgedeckt, insbesondere im Bereich der Anatomie; um 1600 war G. als Quelle zuverlässigen medizinischen Wissens der Ant. von Hippokrates abgelöst [17].

→ Diätetik; Empiriker; GALENISMUS

1 V. NUTTON, Galen and Egypt, in: J. KOLLESCH, D. NICKEL (Hrsg.), Galen und das hell. Erbe, 1993, 11–32 **2** NUTTON, 2, 158–171 **3** V. NUTTON, Galen ad multos annos, in: Dynamis 15, 1995, 25–40 **4** R. WALZER, Galen on Jews and Christians, 1949 **5** S. GERO, Galen on the Christians, in: Orientalia Christian Periodica 56, 1990, 171–411 **6** MORAUX, 2, 607–808 **7** C. R. S. HARRIS, The Heart and the Vascular System in Ancient Greek Medicine, 1973, 267–431 **8** M. T. MAY, Galen, On the Usefulness of Parts of the Body, 1968 **9** G. MAJNO, The healing hand, 1975 **10** G. HARIG, Bestimmung der Intensität im medizinischen System Galens, 1974 **11** A. TOUWAIDE, Galien et la Toxicologie, in: ANRW II 37.2, 1887–1986 **12** G. E. R. LLOYD, Methods and Problems in Greek Science, 1991 **13** D. MANETTI, A. ROSELLI, Galeno Commentatore di Ippocrate, in: ANRW II 37.2, 1530–1635 **14** C. FABRICIUS, Galens Exzerpte aus älteren Pharmakologen, 1972 **15** W. D. SMITH, Erasistratus' Dietetic Medicine, in: BHM 56, 1982, 398–409 **16** NUTTON, 3, 315–324 **17** O. TEMKIN, Galenism, 1973.

GESAMT-ED.: **18** C. G. KÜHN, Claudii Galeni Opera Omnia, 1821–1833.
EINZEL-EDD.: **19** H. DIELS et al., CMG 5,9,1914– (seit 1964 mit Übers. und Komm.; seit 1934 Suppl.-Bde. mit Ausgaben ma. Übers. im Original verlorener galenischer Schriften) **20** K. KALBFLEISCH, Institutio logica, 1896 **21** I. MÜLLER, De demonstratione, in: ABAW 1895, 403–478 **22** C. LARRAIN, De motibus dubiis (editio princeps), in: Traditio 49, 1994, 171–233 **23** A. Z. ISKANDAR, De medico examinando, 1988 **24** V. NUTTON, De praecognitione, 1979 **25** M. MEYERHOF, J. SCHACHT, De nominibus medicis, ADAW 1931 **26** F. ROSENTHAL, In Hippocratis Iusiurandum commentarii, in: BHM 30, 1956, 52–87 **27** V. NUTTON, De sententiis, CMG (in Vorbereitung).
BIBLIOGR.: K. SCHUBRING, Bibliogr. Hinweise, in: C. G. KÜHN, Claudii Galeni Opera Omnia, Ndr. 1960, Bd. 20 · G. FICHTNER, Corpus Galenicum, 1990 · J. KOLLESCH, D. NICKEL, Bibliographia Galeniana, in: ANRW II 37.2, 1077–1253.
ÜBERS.: (keine Übers. des gesamten Werkes verfügbar, aber wichtige Einzelübers., die die lat. von Kühn übertreffen, durch:) CH. DAREMBERG (frz.), 1854 · E. BEINTKER,

W. KAHLENBERG (dt.), 1939–1954 · I. GAROFALO, M. VEGETTI (it.), 1978 · D. J. FURLEY, M. WILKIE (Atmung, engl.), 1984 · P. MORAUX (frz.), 1985 · P. BRAIN (Phlebotomie, engl.), 1986 · I. GAROFALO (Anatomie, it.), 1991 · R. J. HANKINSON (Therapeutik, engl.), 1991 · P. N. SINGER (engl.), 1997.
LEXIKON: R. J. DURLING, A Dictionary of Medical Terms in Galen, 1993.
ALLG. ÜBERSICHTEN: J. ILBERG, Über die Schriftstellerei des Klaudios Galenos, 1889–1897, Ndr. 1974 · J. MEWALDT, s. v. G., RE 7, 578–791 · L. GARCIA BALLESTER, Galeno, 1972 · SMITH.   V. N./Ü: L. v. R.-B.

Galeoi s. Galeotai

Galeos s. Hai

Galeotai (Γαλεῶται). Name einer sizilischen Seherfamilie, wohl aus Hybla Galeatis/Gereatis (Paus. 5,23,6), deren Vertreter mit Prophezeiungen zur Herrschaft des → Dionysios I. verbunden sind (Philistos FGrH 556 F 57 bei Cic. div. 1,39; Ail. var. 12,46). Der Mythos knüpft sie an → Telmissos, dem durch seine Seherkunst berühmten Ort in Karien (Cic. div. 1,91): Der Eponymos Galeos sei wie sein Bruder Telmissos Sohn von → Apollon und der hyperboreischen Prinzessin Themisto; auf Anraten des dodonäischen Orakels sei Galeos nach Sizilien, Telmissos nach Karien gezogen (Steph. Byz. s. v. G.). Ein komisches Wortspiel verband den Namen mit γάλεος, einer Echsen- oder Fischart (Rhinton fr. 17 CGF, vgl. Phanodemos FGrH 325 F 20 mit JACOBYS Ergänzung), ohne daß man daraus eine enge Verbindung von Echse und Mantik ableiten könnte.

A. S. PEASE, M. Tulli Ciceronis De Divinatione, 1963 (1920), 163 (zu 1,39).   F. G.

Galepsos (Γάληψος).
[1] Siedlung östl. der Mündung des Strymon in die Ägäis, wohl östl. von Orfani, an der Mündung eines Wasserlaufs zw. dem Pangaion und dem Symvolon. G. gehörte zum Siedlungssystem der Peraia von Thasos. Seit dem 7. Jh. v. Chr. ist G. arch. bezeugt, lit. seit Hekataios (FGrH 1 F 152). Skyl. 67 u. a. nennen G. *pólis*. Der Ort wurde 424 v. Chr. von Brasidas mit Hilfe des Perdikkas zusammen mit den kleinen Nachbarstädten von Amphipolis (Thuk. 4,107,3), 422 von Kleon eingenommen (Thuk. 5,6,1). Um 359 v. Chr. gehörte G. zum Herrschaftsbereich des Berisades; 356 wurde G. von Philippos II. zerstört, später wieder aufgebaut (Strab. 7, fr. 35). 168 v. Chr. floh Perseus von G. nach Samothrake (Liv. 44,45,14).

B. ISAAK, The Greek Settlement in Thrace until the Macedonian Conquest, 1989.   I. v. B.

[2] s. Galaioi

Galeria
[1] Annia G. Faustina s. Faustina [1]

[2] G. Fundana. Tochter eines Senators praetorischen Ranges, verwandt auch mit Galerius [4] [1]. Heirat mit A. Vitellius, dem späteren Kaiser, spätestens um 60 n.Chr. Sie begab sich 69 nach Gallien zu ihrem Gemahl. Nach dessen Tod sorgte sie für seine Beisetzung. PIR² G 33.

    1 W. Eck, in: ZPE 101, 1994, 229 f.   W. E.

Galerianus s. Calpurnius

Galerius

[1] C. G. Ritter, wohl aus Ariminum stammend. Von seinen öffentlichen Aufgaben ist nur die als *praefectus Aegypti* bekannt, für insgesamt 16 Jahre, wohl 16–31 n.Chr. [1; 2]; P. Oxy 3807. Bei der Rückreise aus Ägypten gestorben. Verheiratet mit Helvia, der Tante Senecas. PIR² G 25.

    1 G. Bastianini, in: ZPE 17, 1975, 270   2 I. Cazzaniga, in: Analecta Papyrologica 4, 1992, 5 ff.

[2] M. G. Aurelius Antoninus. Sohn des späteren Kaisers Antoninus [1] Pius und der Annia Galeria Faustina, bereits vor 138 n.Chr. gestorben; später beigesetzt im Mausoleum Hadriani (CIL VI 989). PIR² G 26.

[3] G. Maximus. Senator, Proconsul von Africa 258 n.Chr., der Bischof Cyprian auf Grund des valerianischen Christenedikts verhaften ließ; er starb vor Ende der Verhandlungen kurz nach dem 13. Sept. 258. Vielleicht patrizischen Ranges [1]. PIR² G 28.

    1 M. Christol, Essai sur l'évolution des carrières sénatoriales, 1986, 198 f.

[4] P. G. Trachalus. Wohl Nachkomme von G. [1], aus Ariminum stammend. Mit → Galeria Fundana, der Frau des späteren Kaisers Vitellius, verwandt. Als Redner im Senat berühmt (Quint. inst. 12,5,5). Von seiner Laufbahn ist nur der ordentliche Consulat im J. 68 n.Chr. bekannt. Nach dem Tod Othos wurde er durch Galeria Fundana vor einer Bestrafung durch Vitellius geschützt. Proconsul von Africa ca. 78/9.

    Thomasson, Fasti Africani 45 · W. Eck, in: ZPE 101, 1994, 229 f. · PIR² G 30.   W. E.

[5] C. G. Valerius Maximianus. 293–305 n.Chr. *Caesar*, 305–311 *Augustus*, in den historiographischen Quellen oft Maximianus genannt. Geb. wohl um 250 in der *Dacia ripensis* ([Aur. Vict.] epit. Caes. 40,16; ungenau Eutr. 10,2,1). Wie andere illyrische Soldatenkaiser entstammte er der wenig romanisierten ländlichen Bevölkerung, was ihm in späten Quellen den Spitznamen Armentarius (»Großviehhirt«) eintrug (Aur. Vict. Caes. 39,24). Wegen seiner mil. Qualitäten, zu denen auch seine eindrucksvolle Körpergröße beitrug ([Aur. Vict.] epit. Caes. 40,15; karikierend Lact. mort. pers. 9,3 f.; vgl. jetzt auch das in Gamzigrad entdeckte Porträt [1]), geriet er rasch in die engere mil. Umgebung (*protectores*) von Kaisern wie Aurelianus und Probus (Aur. Vict. Caes. 39,28), was schließlich am 1. März 293 zu seiner

Erhebung zum *Caesar* zusammen mit Constantius führte (→ Tetrarchie). Er wurde als Adoptivsohn des Diocletianus Mitglied der Familie der Iovii und heiratete nach Lösung einer früheren Verbindung (aus der anscheinend Maximilla, die spätere Gemahlin des Maxentius, stammte) die Tochter des Diocletianus, Galeria Valeria (Aur. Vict. Caes. 39,24 f.).

Als *Caesar* hatte G. wohl kein eigenes Gesetzgebungsrecht (anders [2]). Auch eine dauerhafte Zuweisung eines Reichsteils fand 293 im Unterschied zu 305 noch nicht statt (anachronistisch Aur. Vict. Caes. 39,30). Vielmehr sollte G. immer dort eingreifen, wo es Diocletianus für notwendig hielt (Amm. 14,11,9). Zuerst erhielt G. Aufgaben an der Donaugrenze gegen Sarmaten und Karpen (so Lact. mort. pers. 18,6 mit Paneg. 8,5,1 f.). Im Herbst 293 war er wohl in Ägypten, um die Niederschlagung des Aufstandes in den Siedlungen Busiris und Koptos zu leiten [3. 62]. Nach einem Einfall des Sāsānidenherrschers Narseh in Armenien wurde G. an die syrisch-mesopotamische Grenze geschickt, wo er (vielleicht im Herbst 296; zur umstrittenen Chronologie s. [3] und [4]) zwischen Kallinikon und Karrhai eine Niederlage hinnehmen mußte. Daraufhin wurde mit Diocletianus, der aus Ägypten herbeieilte, in Antiocheia das weitere Vorgehen koordiniert. Daß bei dem zeremoniellen Einzug des Diocletianus in Antiocheia G. zu Fuß dem Wagen des Diocletianus voranging, ist entgegen einer späten Tradition (Amm. 14,11,10; 22,7,1; Eutr. 9,24; Fest. 25) nicht als Demütigung des *Caesar* zu deuten (anders [5. 172–175]). Mit neuen aus dem Illyricum und aus Moesia zusammengezogenen Truppen fiel G. in Armenien ein, konnte bei Satala den Narseh schlagen und dessen Lager einschließlich des Harems erbeuten (Lact. mort. pers. 9,7; Eutr. 9,25). Ob G. die Perser über Medien bis nach Ktesiphon verfolgte, muß offenbleiben. Die Behauptung Constantins (or. ad sanct. coet. 16), er habe (in der Begleitung des G.?) selbst die Ruinen Babylons gesehen, reicht kaum aus, um die Historizität eines so riskanten und logistisch kaum organisierbaren Feldzugs zu belegen. Der Sieg war ohnehin derart überwältigend, daß die Perser bei G. um Frieden nachsuchen mußten (Petrus Patricius fr. 12). Die gemeinsam von Diocletian und G. in Nisibis geführten Verhandlungen (Petrus Patricius fr. 14) hatten die Abtretung Ostmesopotamiens und die endgültige Wiederherstellung der Herrschaft der Arsakiden in Armenien zur Folge. Dieser Persersieg krönte das Prestige der Tetrarchie und wurde in der imperialen Propaganda etwa im Bildprogramm des Bogens bei der Palastanlage von Thessalonike gefeiert (dazu [6]).

Nach der gut informierten, doch äußerst tendenziösen Darstellung des Lactanz soll der Sieg sogar die Gewichte innerhalb der Tetrarchie verschoben haben, indem G. von Diocletianus die Nachfolge gefordert und dessen Christenpolitik gesteuert habe (Lact. mort. pers. 9,8–9). Hinter dem Gerücht einer beginnenden Zwietracht zwischen Diocletianus und G. dürfte stehen, daß G. neben dem Ioviertum (→ Tetrarchie) eigene Formen sakraler Selbstdarstellung suchte, wobei seiner postulierten Abstammung aus der Verbindung von Mars mit seiner Mutter Romula besondere Bedeutung zukam ([Aur. Vict.] epit. Caes. 40,16; Lact. mort. pers. 9f.). Die Entdeckung von Romuliana/Gamzigrad, benannt nach der Mutter des G., hat die auffällige Prominenz der Romula bestätigt [7]. Zugleich demonstriert aber gerade das Bildprogramm dieser Palastanlage die Einbindung des G. in die tetrarchische Ideologie, so daß Ioviertum und Marsabstammung wohl nicht wie von Lactanz als Gegensätze ausgespielt werden können.

Mit dem Rücktritt des Diocletianus im J. 305 erhielt G., nunmehr *Augustus*, als unmittelbaren Reichsteil Kleinasien und Illyricum. Nach dem Tode des → Constantius [1] wurde er in der sogenannten 3. Tetrarchie ranghöchster *Augustus* (ab Juli 306); seine Bemühungen, das tetrarchische Programm fortzuführen, erwiesen sich jedoch als vergeblich: Den ohne seine Zustimmung zum *Augustus* erhobenen Sohn des Constantius erkannte er zwar als *Caesar* an, gegen den Usurpator Maxentius, seinen Schwiegersohn, schickte er aber wenig später den Severus und zog nach dessen Gefangennahme (307) selbst bis nach Rom, wo ihn aber eine drohende Meuterei seiner Soldaten zum Rückzug zwang. In der Kaiserkonferenz von Carnuntum (November 308) versuchten der *Senior Augustus* Diocletianus und G. eine Wiederherstellung des tetrarchischen Systems, indem Diocletianus den Licinius zum *Augustus* des Westens einsetzte. Doch mußte G. schließlich 310 den *Caesar* des Ostens, seinen Neffen Maximinus Daia, und Constantius [1] als gleichrangige *Augusti* anerkennen. Mit dem Scheitern des Systems verlor auch die Christenverfolgung das wichtige Motiv der ideologisch-rel. Festigung der Tetrarchie. Deshalb und angesichts der technischen Undurchführbarkeit ließ G. im April 311 die Verfolgung einstellen (Lact. mort. pers. 34; Eus. HE 8,17,1–11). Noch vor seinem für 312 geplanten Rückzug nach Romuliana starb G. im Mai 311 in Serdica an Krebs. Sein Reichsteil wurde von Licinius und Maximinus Daia übernommen, seine Angehörigen wurden umgebracht.

1 D. SREJOVIC, The Representations of Tetrarchs in Romuliana, in: Antiquité Tardive 2, 1994, 143–152 2 S. CORCORAN, The Empire of the Tetrarchs, 1996 3 T. D. BARNES, The New Empire of Diocletian and Constantine, 1982 4 F. KOLB, Chronologie und Ideologie der Tetrarchie, in: Antiquité Tardive 3, 1995, 21–31 5 J. LEHNEN, Adventus Principis, 1997 6 K. L. LAUBSCHER, Der Reliefschmuck des Galeriusbogens in Thessaloniki, 1975 7 D. SREJOVIC, C. VASIC, Emperor G.' Buildings in Romuliana, in: Antiquité Tardive 2, 1994, 123–142. B. BL.

Galestes (Γαλέστης). Sohn des Athamanenkönigs → Amynandros, floh nach Pydna zu Ptolemaios VI., dessen *philos* (φίλος) er wurde. G. führte 150 v. Chr. ein Expeditionskorps gegen Demetrios [7] I., 145 gegen Alexandros [13] Balas. Ptolemaios VIII. nahm ihm noch 144 seine *dōreaí* (δωρεαί, »Pfründe«; u. a. im Herakleo-

polites); G. floh nach Hellas, sammelte Exulanten um sich und starb bei dem Versuch, nach Alexandreia zurückzukehren und einen angeblichen Sohn Ptolemaios' VI. auf den Thron zu setzen.

W. SCHÄFER, PKöln V 223/4 · L. CRISCUOLO, L'archivio di Philô (PKöln V 222–225), in: ZPE 64, 1986, 83–86. W. A.

Galgala (bibl. *Gilgāl*, »Steinkreis«, wohl keine Siedlung). Vorisraelitisches Heiligtum (Ri 3,19) am Ostrand der Oase von Jericho (Jos 4,19), wahrscheinlich Ort der Königserhebung Sauls (1 Sam 11,15) und Wallfahrtszentrum des 8./7. Jh. v. Chr. (Am 4,4; 5,5; Hos 4,15; 9,15; 12,12), historisiert als Gedenkstätte des Jordanüberganges unter Josua (Jos 4,20–24, daher Δωδεκαλιθον, »Zwölfsteine-Ort« der Madaba-Karte). Die jüd.-christl. Ortstrad. setzt sich in *Tosefta Sôṭa* 8,6 (2. Jh. n. Chr.?) und beim *Pilger von Bordeaux* 19 (333 n. Chr.) sowie bei Hieronymus (epist. 108,12; 404 n. Chr.) u. a. fort. Nach Eus. On. 66,4–6 (Anf. 4. Jh.) war der Ort, wie wohl immer zuvor, wüst und wurde auch von Paganen verehrt. Der *Anon. Placentinus* (Itin. Plac. 13; um 570) ist der erste, der eine die Steine einschließende Memorialkirche erwähnt, die auch auf der etwa gleichzeitigen Mosaikkarte von Madaba als Γαλγαλα το και Δωδεκαλιθον dargestellt ist und die, renoviert oder umgebaut, Ende des 7. Jh. noch der Bischof Arculf (Adamnan, De locis sanctis 2, xiv-xv) sah, 724 der Bischof Willibald aber nicht mehr.

O. KEEL, M. KÜCHLER, Orte und Landschaften der Bibel 2, 1982, 520–527. E. A. K.

Galilaea. Nördlichste Landschaft → Palaestinas. Nach dem Tod → Alexandros' [4] d. Gr. unter der Herrschaft der Ptolemäer (→ Ptolemaios) stehend, kam G. Anf. des 2. Jh. v. Chr. zusammen mit ganz Palaestina in seleukidischen Besitz. Urbanisierung und eine damit verbundene → Hellenisierung führten zu Antagonismus zw. den hellenisierten Städten und dem Judentum im ländlichen G. 164 v. Chr. wurde die jüd. Bevölkerung im Rahmen des gegen die Seleukiden und die hell. Städte geführten Aufstandes der Makkabäer (→ Iudas Makkabaios) von Simeon nach Iudaea evakuiert. Der Hasmonäer → Aristobulos [1] I. (104–103 v. Chr.) eroberte G., worauf eine weitgehende Judaisierung durch die hasmonäischen Könige (→ Hasmonäer) einsetzte.

Nach der Umwandlung des hasmonäischen Königreiches in einen röm. Klientelstaat durch Pompeius 63 v. Chr. ernannte → Antipatros [4] seinen Sohn Herodes zum Statthalter G.s (47 v. Chr.). Als Anhänger Roms half dieser, gegen die röm. Herrschaft gerichtete Unruhen der jüd. Bevölkerung zu unterdrücken. G. wurde Teil des herodianischen Königreiches und fiel 4 v. Chr. entsprechend dem Testament des Herodes an dessen Sohn → Herodes Antipas. Zur Zeit des Antipas wirkte der aus dem Dorf Nazareth stammende Jesus in G. als Wanderprediger. Von 39 bis 44 n. Chr. im Besitz Agrippas. I., wurde G. nach dessen Tod Teil der *prov. Iudaea*. Nach den ersten Erfolgen des jüd. Aufstandes von 66

n. Chr. übernahm die Organisation des mil. Widerstands in G. Flavios → Iosephos, der jedoch 67 n. Chr. den Truppen des Vespasianus unterlag.

Infolge des → Bar Kochba-Aufstandes (132–135 n. Chr.), von dem G. unberührt blieb, und der sich daran anschließenden Vertreibung der Juden aus Iudaea wurde G. zum Zentrum des Judentums, das unter der Führung der von Rom anerkannten Patriarchen stand. Sitz des Sanhedrins und des Patriarchen war zunächst → Beth-Shearim, ab der Mitte des 3. Jh. → Tiberias. Auch nach der Christianisierung des röm. Reiches blieben Spannungen zw. Christen und Juden aus, allerdings begann sich das Christentum erst ab dem 5. Jh. in G. zu verbreiten. Der Aufstand gegen Gallus (um 350 n. Chr.) dürfte dagegen keine weitreichenden Folgen gehabt haben. Um 400 n. Chr. bildete G. zusammen mit der → Dekapolis die neu eingerichtete *prov. Palaestina secunda*. Hauptwirtschaftszweige G.s bildeten der Anbau von Oliven und von Flachs zur Textilverarbeitung.

→ Synagoge

W. Bösen, Galiläa als Lebensraum und Wirkungsfeld Jesu, ²1990 • M. Goodman, State and Society in Roman Galilee, A. D. 132–212, 1983 • A. Kasher, Jews and Hellenistic Cities in Eretz-Israel, 1990 • L. I. Levine (Hrsg.), The Galilee in Late Antiquity, 1992 • G. Stemberger, Juden und Christen im Heiligen Land, 1987.   J. P.

Galinthias (Γαλινθιάς). Nach Nikandros (Heteroiumena 4 = Antoninus Liberalis 29) half G. (Galanthis bei Ov. met. 9,285–323 [5. 469f.]; → Historis bei Paus. 9,11,3; Akalanthis bei Lib. narrationes 8, s. [1]), Tochter des Proitos, der → Alkmene, als die Moiren und Eileithyia für Hera (vgl. Hom. Il. 19,119) die Geburt des → Herakles durch Verschränkung der Hände hinauszögerten: G. erschreckte diese mit der vorgetäuschten Nachricht von der Geburt so sehr, daß sie den Bindezauber lösten und Herakles geboren wurde. Aus Zorn verwandelten sie G. in ein → Wiesel, das aus dem Mund gebiert (Aition eines Volksglaubens; vgl. Anaxagoras 59A 114 D/K = Aristot. gen. an. 3,6,756b14ff. [6. 136 Anm. 16]). Die Geburtsgöttin → Hekate machte das Tier zur Tempeldienerin (vgl. [6. 137 Anm. 20]). Herakles stiftete G. eine Statue und opferte ihr (Kultaition für das Voropfer beim theban. Heraklesfest, den Iolaeia [2]). Nach Istros (FGrH 334F72 = schol. T Il. 19,119, vgl. Eust. p. 1175,44; Ail. nat. 12,5) lösten die Göttinnen den Bindezauber dagegen aus Schreck vor einem wirklichen Wiesel; Gale (nach [4. 614] Diminutiv von G.) soll Herakles' Amme gewesen sein.

1 E. K. Borthwick, Beetle, Bell, Goldfinch and Weasel in Aristoteles' Peace, in: CR 18, 1968, 134–139 2 Nilsson, Feste, 447 3 J. Loehr, Ovids Mehrfacherklärungen in der Tradition aitiologischen Dichtens, 1996, 58; 136; 145 Anm. 232; 150; 152; 156 4 E. Maass, Mythische Kurznamen, in: Hermes 23, 1888, 613–621 5 F. Bömer, Komm. zu P. Ovidius Naso, Metamorphosen, B. 8–9, 1977, 360–374 (reiche Materialslg.) 6 M. Papathomopoulos (Hrsg.), Antoninus Liberalis, Les Métamorphoses, 1968.   T. H.

Galla

[1] Erste Gemahlin des Iulius Constantius [4], eines Sohnes des Kaisers Constantius [5] I. Sie war Mutter des Constantius Gallus, des Caesars von 351–354 n. Chr. (Amm. 14,11,27). PLRE 1, 382 (G. 1).   W. P.

[2] Jüngste Tochter des → Valentinianus I., Schwester des Valentinianus II. 387 n. Chr. floh sie mit ihm und ihrer Mutter Iustina vor dem Usurpator Maximus nach Konstantinopel, wo sie Theodosius I. heiratete (gemeinsame Tochter: G. [3] Placidia). 390 soll sie ihr Stiefsohn Arcadius nach Streitigkeiten aus dem Palast gewiesen haben. Sie starb 394 bei einer Fehlgeburt. PLRE 1, 382 (G. 2).   K. G.-A.

[3] G. Placidia. Tochter des Theodosius I. und seiner zweiten Frau Galla [2], geb. zwischen 391 und 394 n. Chr. [5; 6]. Nach dem Tod ihres Vaters blieb sie unter der Obhut von dessen Nichte Serena, der Ehefrau → Stilichos, in Rom. 408 geriet sie als Geisel in die Hände Alarichs (→ Alaricus [2]) und seines Nachfolgers Athaulf (Zos. 6,12,3), den sie Anf. 414 in Gallien widerstrebend heiratete. Ihr in Barcelona geb. Sohn Theodosius starb bald, wie auch Athaulf, 415. Anf. 416 schlossen die Goten einen Vertrag mit den Römern und gaben G. zurück. 417 verheiratete Honorius seine Halbschwester gegen deren Willen mit dem Heermeister Constantius [6]. Dieser Ehe entstammten zwei Kinder: Iusta Grata Honoria und der spätere Kaiser Valentinianus III. In den Hofintrigen nach dem Tod ihres kurz zuvor (421) zum Mitregenten erhobenen Mannes, die sich z. T. in Straßenkämpfen entluden, unterlag die zur Augusta erhobene G. zunächst, so daß sie Anf. 423 nach Rom verbannt wurde. Schließlich floh sie nach Konstantinopel, wo sie blieb, bis 423 im Westen Iohannes den Thron usurpierte; für den nun zum Caesar ernannten Valentinianus sollte G. zunächst die Regierungsgeschäfte führen. Am 23. Oktober 425 wurde er in Rom zum Augustus ausgerufen, G. übte aber weiterhin die Regentschaft aus, wobei die nächsten zehn Jahre von Machtkämpfen geprägt waren, in denen sich insbesondere Aetius [2] hervortat. G., die sich um eine gute Gesetzgebung bemühte (z. B. Cod. Theod. 1,4,3), suchte in dieser Zeit die Hilfe der Kirche. Nach der Heirat des Valentinianus 437 zog sie sich zurück, doch dürfte ihr Einfluß weiterhin nicht gering gewesen sein. G. starb am 27. 11. 450 in Rom; ihr Beisetzungsort ist unbekannt.

Als orthodoxe Christin und überzeugte Anhängerin des röm. Primates intervenierte sie mehrmals in kirchenpolit. Angelegenheiten, so 419 im röm. Schisma zw. Bonifatius und Eulalius oder 450 zugunsten des 449 in Ephesos bestrittenen röm. Primatsanspruches. Auf G. werden Bau und Ausschmückung zahlreicher Kirchen in Ravenna und Rom zurückgeführt, so die Kirche Iohannes des Täufers, während einer stürmischen Überfahrt nach Konstantinopel gelobt, von deren Schmuck allerdings nichts mehr erhalten ist (die Mosaikinschr. CIL XI 276 = ILS 818 = ILCV 20), oder das ihr zugeschriebene Mausoleum.

1 PLRE 1, 382 (G. 2) 2 E. DEMOUGEOT, L'évolution
politique de G., in: Gerion 3, 1985, 183–210 3 W. ENSSLIN,
s. v. Placidia (1), RE 20, 1910–1931 4 S. I. OOST, G., 1968
5 S. REBENICH, Gratian, A Son of Theodosius, and the Birth
of G. Placidia, in: Historia 34, 1985, 372–385 6 Ders.,
Gratianus Redivivus, in: Historia 38, 1989, 376–379 7 V. A.
SIRAGO, G., 1961 8 L. STORONI MAZZOLANI, Una donna tra
mondo antico e Medio Evo, in: R. UGLIONE (Hrsg.), Atti
del Convegno nazionale di studi sulla donna nel mondo
antico, 1987, 195–205. K. G.-A.

Gallia A. LANDSCHAFT UND BEVÖLKERUNG IN VORRÖMISCHER ZEIT B. RÖMISCHE ZEIT

A. LANDSCHAFT UND BEVÖLKERUNG IN VORRÖMISCHER ZEIT

G. umfaßt den westlichsten Teil des europ. Rumpfes, zw. Rhein, Alpen, Mittelmeer, Pyrenäen und Atlantik. Fünf große Flußsysteme entwässern das Land: im SW die Garumna (Garonne), in der Mitte und im Westen der Liger (Loire), im Norden die Sequana (Seine), im NO die Mosa (Maas) mit einem Nebenfluß des Rheins, der Mosella (Mosel), und im SO die bedeutendste Wasserader, der Rhodanus (Rhône) mit seinem Nebenfluß, dem Arar (Saône), beide schiffbar. Vor der röm. Eroberung stellten diese Gebiete weder eine geogr. noch eine sprachliche oder polit. Einheit dar. Die Verwendung des lat. Begriffs *Gallia* zur Kennzeichnung dieses heterogenen Ganzen von Stämmen und Kulturen ist ein Anachronismus, auch wenn er sich mit der Zeit eingebürgert hat. Zwei Ereignisse prägten den gall. Raum zw. dem 4. und dem 2. Jh. v. Chr.: die Ausbreitung der kelt. Bevölkerung und Kultur und die Handelsentwicklung mit den Mittelmeerländern. Der Süden von G. nahm diesbezüglich eine bes. Stellung ein. Da diese Region gleichzeitig ligur. (zw. der Rhône und It.), iber. (Languedoc) und hellen. (→ Massalia und andere griech. Handelsniederlassungen) Einflüssen ausgesetzt war, wurde G. mit der Ankunft der Kelten im 5. Jh. die Geburtsstätte der kelto-ligur. Kultur, bedeutsam für die Entwicklung der *oppida*. Mächtige Volksgruppen (Volcae Arecomici, Salluvii, Vocontii, Arverni) bildeten sich dort im 3. und 2. Jh. Die übrige G. kann in vier große Teile gegliedert werden: Zentral-G. um das Zentralmassiv bis an die Loire und den Genfer See umfaßte die Gebiete einiger der größten gall. Stämme (Arverni, Bituriges, Haedui, Sequani und Helvetii); Aremorica zw. Aquitanien und Belgien; Aquitania, wo die dort seit dem 3. Jh. siedelnden kelt. Stämme die Hauptachse des Handelswegs vom Atlantik zum Mittelmeer kontrollierten; die G. Belgica, im Süden von Seine und Marne, im Norden vom Rhein begrenzt, der jedoch vermutlich keine klare ethnische und sprachliche Grenze markierte. Ant. Autoren und arch. Funde erweisen einen Unterschied zw. der G. Belgica und der übrigen G. für Sprache, Bevölkerung, Siedlungsform und Gesellschaftsstruktur .

B. RÖMISCHE ZEIT
1. RÖMISCHE EROBERUNG
2. ROMANISIERUNG

1. RÖMISCHE EROBERUNG

G. am Mittelmeer wurde nach mehreren, von Hilferufen Massalias ausgelösten Feldzügen ab 125–121 v. Chr. röm. Prov., gen. *G. Narbonensis* oder auch *G. togata* zur Unterscheidung von *G. comata* (bis zur Unterwerfung durch Caesar unabhängig). 118 v. Chr. wurde die erste Bürgerkolonie nach → Narbo geführt (Vell. 1,15; 2,7,8; Eutr. 4,23; Cic. Brut. 43). Die Gesch. der neuen Prov. ist bis Caesar von mehreren Aufständen und dem Amtsmißbrauch einer skrupellosen Verwaltung gekennzeichnet. Die Eroberung von G. durch Caesar (58–51) eröffnete Rom die Herrschaft über die Länder zw. Mittelmeer, Atlantik, Nordsee und dem Rhein und vereinheitlichte das heterogene Gebilde der kelt. G. Zum Schutz gegen mögliche german. Invasionen vom Rhein her wurden drei Kolonien (→ Noviodunum, → Lugdunum und Raurica) an der Ostgrenze des Landes gegr.

2. ROMANISIERUNG

Die Neuordnung der gall. Prov. erfolgte durch Augustus: Abtretung der *prov. Narbonensis* an die Senatsverwaltung (22 v. Chr.) und Teilung des Landes (27 oder zw. 16 und 13 v. Chr.) in die *Tres Galliae* (*Lugdunensis, Belgica, Aquitania*), kaiserliche praetor. Prov., deren Mittelpunkt die *Ara Romae et Augusti* bei Lugdunum war. Dort trat das *concilium Galliarum* zusammen. Die neue Prov.-Ordnung gehört zu einer Reihe von Maßnahmen zur Gebietsorganisation mit Errichtung eines Straßennetzes und Einrichtung von *civitates*. Unter Augustus wurden viele Kolonien mit seinem Namen gegr.; viele Monumente stammen aus der Regierungszeit des Tiberius. Claudius gewährte den *Tres G.* das *ius honorum* (CIL XIII 1668; Tac. ann. 11,25). Mehrere Aufstände (Florus und Sacrovir unter Tiberius, Vindex unter Nero, Civilis unter Vitellius) machen den Unterschied zw. den militanten Galliern im NO und dem übrigen Land deutlich. Zur Zeit der Flavier, später der Antoninen erlaubte der röm. Friede den drei Prov. trotz ihrer nun geringeren polit. Rolle einen Wohlstand, dessen arch. Zeugnisse ein recht genaues Bild von der Stadtentwicklung und dem sozialen Aufstieg der Händlerschicht geben. Unter Marcus Aurelius fielen zum ersten Mal Germanen in G. ein. 197 wurde Lugdunum im Krieg zw. Septimius Severus und Clodius Albinus schwer mitgenommen. In der Folge wurden die Germaneneinfälle immer häufiger. Von 258 bis 274 bildete sich ein gall. Sonderreich (unter Postumus und Tetricus) mit der Bestimmung, die Rheingrenze gegen die Germanen zu schützen. Das letzte Drittel des 3. Jh. ist vom Vordringen der Barbaren und Raubüberfällen (→ *bagaudae*) gekennzeichnet. Die Neuordnung der gesamten Reichsverwaltung unter Diocletianus führte zur Schaffung von zwei Diözesen: die der zehn Prov. (mit der Hauptstadt → Augusta [6] Treverorum, d. h. Trier) umfaßte

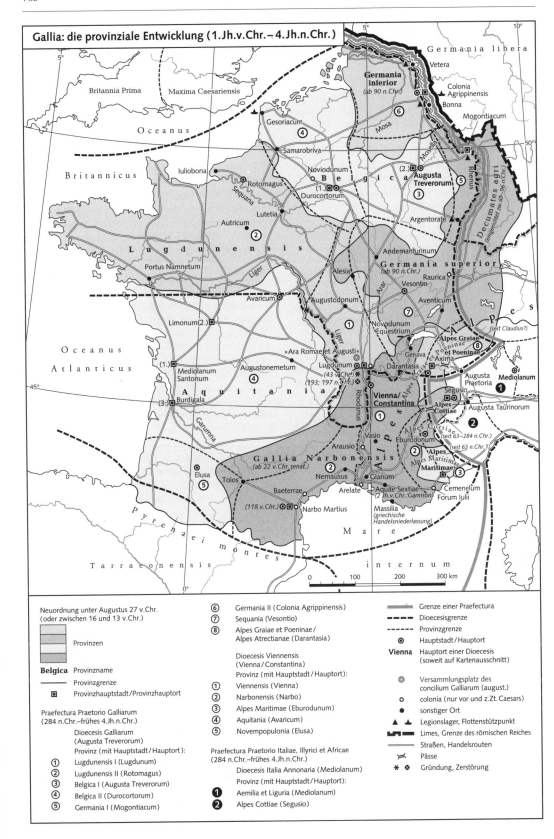

Gallia: die provinziale Entwicklung (1.Jh.v.Chr.–4.Jh.n.Chr.)

Neuordnung unter Augustus 27 v.Chr.
(oder zwischen 16 und 13 v.Chr.)

Provinzen

Belgica Provinzname

— Provinzgrenze

▣ Provinzhauptstadt/Provinzhauptort

Praefectura Praetorio Galliarum
(284 n.Chr.–frühes 4.Jh.n.Chr.)

Dioecesis Galliarum
(Augusta Treverorum)
Provinz (mit Hauptstadt/Hauptort):

① Lugdunensis I (Lugdunum)
② Lugdunensis II (Rotomagus)
③ Belgica I (Augusta Treverorum)
④ Belgica II (Durocortorum)
⑤ Germania I (Mogontiacum)

⑥ Germania II (Colonia Agrippinensis)
⑦ Sequania (Vesontio)
⑧ Alpes Graiae et Poeninae/
Alpes Atrectianae (Darantasia)

Dioecesis Viennensis
(Vienna/Constantina)
Provinz (mit Hauptstadt/Hauptort):
① Viennensis (Vienna)
② Narbonensis (Narbo)
③ Alpes Maritimae (Eburodunum)
④ Aquitania (Avaricum)
⑤ Novempopulonia (Elusa)

Praefectura Praetorio Italiae, Illyrici et Africae
(284 n.Chr.–frühes 4.Jh.n.Chr.)

Dioecesis Italia Annonaria (Mediolanum)

Provinz (mit Hauptstadt/Hauptort):
❶ Aemilia et Liguria (Mediolanum)
❷ Alpes Cottiae (Segusio)

═══ Grenze einer Praefectura

▬ ▬ ▬ Dioecesisgrenze

- - - - Provinzgrenze

◉ Hauptstadt/Hauptort

Vienna Hauptort einer Dioecesis
(soweit auf Kartenausschnitt)

◎ Versammlungsplatz des
concilii Galliarum (august.)

○ colonia (nur vor und z.Zt. Caesars)

● sonstiger Ort

▲ ▲ Legionslager, Flottenstützpunkt

▬■▬ Limes, Grenze des römischen Reiches

═══ Straßen, Handelsrouten

⋈ Pässe

✳ ⊗ Gründung, Zerstörung

u. a. die *prov. Lugdunensis*, die alte *G. Celtica* und die *G. Belgica*. Die *dioecesis Viennensis* (mit der Hauptstadt Vienna, seit Constantinus *Constantina urbs* gen.) bestand aus dem gesamten SO der ehemaligen Prov. und *Aquitania*. Diese *renovatio imperii* wurde von einer Verstärkung der Verteidigungsanlagen (*limes*) begleitet. Unter Constantinus wurde die *praefectura Galliarum* (Trier) errichtet mit ihren Diözesen Hispania, Britannia und den zwei gall. Diözesen. Im 5. Jh. bildeten sich nach verschiedenen Einfällen barbarische Königreiche: die Franken siedelten im Norden des Landes zw. Rhein und Somme; die Alemannen siedelten in Helvetia und im NO; die Burgunder in den Ebenen der Saône und der Rhône; im gesamten gall. SW waren Westgoten seßhaft geworden. Gegen E. des 5. Jh. vereinigte Chlodwig (→ Chlodovechus) den größten Teil von G. (*regnum Francorum*).

→ Lugdunum; Narbo; Aquitania; Aremorica; Belgica; Gallia Cisalpina

C. DELAPLACE, J. FRANCE, Histoire des Gaules, 1995 · J. F. DRINKWATER, H. HELTON (Hrsg.), Fifth-Century Gaul, 1992 · P. M. DUVAL, Gallien, 1979 · J. J. HATT, Histoire de la Gaule romaine, 1970 · M. PY, Les Gaulois du midi, 1993 · D. ROMAN, Y. ROMAN, Histoire de la Gaule, 1997. KARTEN-LIT.: R. CHEVALLIER, G. Narbonensis, in: ANRW II 3, 686–828 · Ders., G. Lugdunensis, in: ANRW II 3, 860–1060 · J. F. DRINKWATER, in: R. J. A. TALBERT (Hrsg.) Atlas of Classical History, 1985 (Ndr. 1994), 136 · M.-TH. RAEPSAET-CHERLIER, G. RAEPSAET, G. Belgica et Germania Inferior, in: ANRW II 4, 3–299 · J. PRIEUR, L'histoire des régions alpestres (Alpes Maritimes, Cottiennes, Graies et Pennines) sous le haut-empire romain (Ier-IIIe siècle après J. C.), in: ANRW II 5, 630–656 · CH.-M. TERNES, Die Provincia Germania Superior im Bilde der jüngeren Forsch., in: ANRW II 5, 721–1260.   Y. L.

Gallia Cisalpina
A. LAGE B. EINWANDERUNGSWELLEN
C. ROMANISIERUNG D. VERKEHRSWEGE
E. KULTURELLE ENTWICKLUNG

A. LAGE
Die röm. Prov. im ital. Norden grenzt im Norden und Westen an die Alpes, im Süden an die Apenninus, im Osten an die Adria. Vom Padus durchquert (*Gallia Transpadana* im Norden, *Gallia Cispadana* im Süden des Padus), hat man die G. C. mit der Po-Ebene gleichgesetzt (*latissima pars Italiae*, Tac. hist. 1,70,1).
Die geomorphologische Gestalt der G. C. war in der Ant. in vieler Hinsicht anders als h., v. a. was das Flußbett des Padus (der weiter südl. verlief) und des Atesis (Etsch), die Lagunen der oberen Adria sowie den adriatischen Küstenverlauf betrifft (damals ohne die h. Deltaschüttung des Padus). Die Flüsse waren von großer wirtschaftlicher Bed. (Warentransport), v. a. der Padus mit seinen linken Nebenflüssen und ihren Seen (*lacus Verbanus* am Ticinus, *lacus Larius* an der Addua, *lacus Sebinus* am Ollius, *lacus Benacus* am Mincius) und der Atesis, der verkehrsmäßigen Anbindung des Trentino und der Stadt Verona an die Adria.

B. EINWANDERUNGSWELLEN
Seit der Bronzezeit Sitz hochentwickelter Kulturen, geriet die G. C. in den Einflußbereich der → Etrusci, die in das Gebiet zw. den Liguri im Westen und den Veneti im Osten eindrangen und hier städtische Kultur einführten (Felsina, Spina, Marzabotto). Der Name der Prov. stammt von den Galli, die im 6./5. Jh. v. Chr. die Alpes überschritten und den Apenninus und die Adria erreichten; dabei drängten sie die Etrusci zurück, von denen sie den Weinbau (Liv. 5,33) [1] und viele andere Elemente, die in die Latène-Kultur übergingen [2–10], übernahmen. Zum ersten Mal treten die Galli nördl. von Mailand in Erscheinung (lepontische Inschr. von Prestino). Während der Invasion von 386/5 drangen sie bis nach Rom vor. Im NW ließen sich zw. Ticinus und Ollius die → Insubres [11] nieder, im NO die → Cenomanni [3], in der Aemilia die → Boii, in der Romagna die → Lingones und in den Marche bis zum Aesis die → Senones, die mit den → Umbri in Kontakt standen [12]. Diese waren bereits im Verlauf des 4. Jh. assimiliert. Es gab aber noch vereinzelte Einwanderungswellen im 3. Jh. (225 bis Talamone, 222 Niederlage der Insubres gegen M. Claudius Marcellus); im 2. Jh. wanderten die → Carni (186–183) und die → Cimbri und → Teutoni ein, die 101 bei Vercellae [13] geschlagen wurden. 180 wurden 47000 Ligures Apuani nach Hirpinia deportiert; nach 168 wurde das Gebiet der Senones von den Römern kolonisiert; das Gebiet der → Ligures wurde in den J. 125–123 v. Chr. neu geordnet.

C. ROMANISIERUNG
Zuerst wurden die südöstl. Ausläufer der G. C. romanisiert, d. h. das von Flüssen aus dem Apenninus durchzogene Gebiet zw. dem Aesis und Ravenna; dann die fruchtbare Po-Ebene und die Ebene der Veneti im Norden zw. dem Atesis und dem Isontius. Nacheinander wurden Kelten und Ligures des Apenninus und in augusteischer Zeit die verschiedenen Alpenvölker unterworfen, so daß die Alpenpässe für Rom zugänglich wurden.
Die konsularische Prov. wurde im 3./2. Jh. v. Chr. *Gallia* oder *Ariminum* gen. (Liv. 28,38,13: *Ariminum, ita Galliam appellabant*). Seit der Eroberung der *Gallia Narbonensis* im J. 125 war es notwendig, das kelt. Gebiet jenseits und diesseits der Alpen namentlich zu unterscheiden – G. C. (im Gegensatz zu *Transalpina*) seit Sulla, oder *Gallia Citerior* (Caes. Gall. 1,24,3). Die Prov. erhielt 89 von Cn. Pompeius Strabo das *ius Latii* und mit der *lex Roscia* 49 die *civitas Romana* (Cass. Dio 41,36,3) [14]; sie wurde deshalb *Gallia togata* gen. Die Grenzen bildeten im Westen der Varus, im Osten der Formio, Luca im SW und der Rubico im SO. 42 v. Chr. wurde das letzte Militärkommando in Italia aufgelöst, die Prov. G. C. von Augustus in vier Regionen aufgeteilt: *VIII Aemilia, IX Liguria, X Venetia et Histria* und *XI Transpadana*; neue Grenzen waren jetzt die Arsia, Ariminum im SO und die Macra im SW. Die Städte erlebten eine Blüte, bes. Aquileia und Verona. Mit der Neuordnung unter Diocletianus wurde die Prov. Teil der

Italia annonaria; zw. 286 und 404 n. Chr. war Mediolanum, dann Ravenna Kaiserresidenz [15].

D. Verkehrswege

Von bes. Bed. für den Romanisierungsprozeß waren die Militärstraßen, die sich zu allg. Verkehrsadern entwickelten: die *via Flaminia* (220 v. Chr.) nach → Fanum Fortunae und → Ariminum, die *via Aemilia* von Ariminum nach → Bononia [1] und Placentia und die *via Flaminia minor* von → Arretium nach Bononia (187 v. Chr.); die *via Aemilia Altinate* (175 v. Chr.); die *via Postumia* (148 v. Chr.), eine Verbindungsstraße quer über den Apenninus und die Ausläufer der Alpen von Genua über Dertona, Placentia und Verona nach Aquileia; die *via Popilia* von Ariminum nach Hadria (132 v. Chr.); die *via Annia* im Veneto (131 v. Chr. ?); die *via Fulvia* (124 v. Chr.) und die *via Aemilia Scauri* (115 v. Chr.). Augustus organisierte den → *cursus publicus* und erneuerte seit 27 v. Chr. viele Straßen, begann aber v. a. mit dem Straßenbau über die Alpen (die *via Iulia Augusta*: im Westen an der Küste nach *Gallia Narbonensis*, 13/2 v. Chr., im Osten über die Alpes Carnicae, 2 v. Chr.); der Straßenbau wurde von Claudius fortgeführt mit den Abzweigungen der *via Claudia Augusta* (46/7 n. Chr.) nach Raetia; Vespasianus baute die *via Flavia* (78 n. Chr.; Tergeste-Pola). Die Binnenwasserwege waren nach wie vor von großer wirtschaftlicher Bed.; vom *cursus publicus* wurden der Padus und in etr. Tradition (vgl. → *fossa Philistina*) die schiffbaren Kanäle befahren, die neben dem Padus und dem Atesis über die Laguna Veneta (*VII Maria*) mit den *fossae Augusta, Claudia, Flavia* und *Neronia* Ravenna mit Altinum, Concordia und Aquileia verbanden.

E. Kulturelle Entwicklung

Einen bemerkenswerten Entwicklungsstand wiesen die etr. Städte Hadria, Spina, Felsina (später Bononia Celtica) und Marzabotto auf; die Stadt Acerrae (Insubres) wird von Polybios (2,34) als *pólis* bezeichnet. Die *coloniae Latinae* realisierten jene regelmäßigen Stadtanlagen, die noch h. in den Städten Ariminum (268 v. Chr.), Placentia, Cremona (218 v. Chr.) und Bononia (189 v. Chr.) zu erkennen sind. Aquileia (181 v. Chr) war die letzte Stadt, die das *ius XII coloniarum* (*ius Arimini*) erhielt [16; 17]. Die anderen Gründungen waren röm. *coloniae*: Mutina und Parma 183 v. Chr., Dertona 109, Eporedia 100, Comum 89 bzw. 59; *coloniae III virales*: Ariminum und Cremona, Tergeste und Pola (33 v. Chr.); augusteische *coloniae*: Ariminum, Ateste, Augusta Praetoria (25 v. Chr.), Augusta Taurinorum (27 v. Chr.), Bononia, Brixellum, Brixia, Concordia, Dertona, Parma und Placentia; claudische *coloniae*: Iulium Carnicum und Opitergium. Viele an den Straßen eingerichtete *fora* kamen zu Wohlstand und erreichten einen stadtähnlichen Status, wie die *fora Cornelii, Iuli, Livi, Novum* und *Popili*.

Kolonisation und verkehrsmäßige Erschließung führten zu dem bes. landwirtschaftlichen, kulturellen und ökonomischen Reichtum der *G. C.*, im 2. Jh. v. Chr. von Polybios (2,15,1–7) und im 1. Jh. von Strabon (5,1,4–12) beschrieben.

In der *G. C.* des 2. Jh. v. Chr. waren die Kelten, Ligures, Etrusci und Veneti bis auf sprachliche Aspekte (Pol. 2,17,9) assimiliert. Die lat. Sprache und die offiziellen Religionsvorstellungen wurden 89 verbindlich; der Oberschicht entstammten bed. *poetae novi* (Helvius Cinna, Licinius Calvus, Furius Bibaculus, Cornificius, Ticida, Caecilius, Catull) und Vergil, die Historiker Livius, Cornelius Nepos, Plinius und der Agronom Saserna (Cic. orat. 34, Phil. 3,5: *flos Italiae; firmamentum imperii populi Romani*) [18].

1 M. Sordi, La leggenda di Arunte Chiusino, in: Rivista Storica dell'Antichità 6–7, 1976/7, 111–118 **2** M. Zuffa, I Celti nell'Italia adriatica, in: Introduzione alle Antichità Adriatiche (Convegno di studi sulle antichità adriatiche Chieti-Francavilla al Mare 27–30 giugno 1971), 1975, 97–159 **3** J. Loicq, Les Celtes en Italie, in: Études Celtiques 15, 1978, 655–703 **4** E. Arslan, Celti e Romani in Transpadana, in: Études Celtiques 15, 1978, 441–481 **5** P. Santoro (Hrsg.), I Galli e l'Italia, 1978 **6** V. Kruta, Celtes de Cispadane et Transalpins, in: SE 46, 1978, 149–174 **7** C. Peyre, La Cisalpine Gauloise, 1979 **8** E. Campanile (Hrsg.), I Celti d'Italia, 1982 **9** D. Vitali (Hrsg.), Celti ed Etruschi, 1987 **10** E. Arslan, D. Vitali (Hrsg.), I Celti, 1991 **11** P. Piana Agostinetti, Per una definizione dei confini delle civitates celtiche, in: Scienze dell'Antichità 2, 1988, 137–218 **12** J. J. Hatt, De Denys d'Halicarnasse à Tite-Live …, in: Soc. Archéologique de l'Aube (Hrsg.), Hommage J. Carcopino, 1977, 157ff. **13** F. Sartori, Catullo e Sirmione, 1994 **14** U. Ewins, The Enfranchisement of Cisalpine Gaul, in: PBSR 23, 1955, 73–98 **15** L. Ruggini, Economia e società nell'Italia annonaria, 1961 **16** U. Ewins, The Early Colonisation of Cisalpine Gaul, in: PBSR 20, 1952, 54–71 **17** E. T. Salmon, Roman Colonization, 1969, 92, 111 **18** S. Mratschek, Lit. und Ges. in der Transpadana, in: Athenaeum 72, 1984, 154–198.

G. E. F. Chilver, Cisalpine Gaule, 1941 · G. A. Mansuelli (Hrsg.), Arte e civiltà romana nell'Italia Settentrionale, 1964 · G. Tozzi, Storia padana antica, 1972 · E. Gabba (Hrsg.), L'Italia Settentrionale nell'età antica, 1976 · G. Tibiletti, Storie locali, 1978 · G. Uggeri, La romanizzazione dell'antico delta padano, 1975 · Ders., La navigazione interna della Cisalpina in età romana, in: Antichità altoadriatiche 2, 1987, 305–350 · R. Chevallier, La Romanisation de la Celtique du Pô, 1983 · G. Bandinelli, Problemi storici e archeologici, 1983/4 · V. Vedaldi Iasbez, La problematica sulla romanizzazione della Transpadana, in: Quaderni Giuliani 1, 1985, 7–47 · La città nell'Italia Settentrionale in età romana, Atti di Convegno Trieste 1987 (Collection de l'École française de Rome 130), 1990 · M. Denti, I Romani a N del Po, 1991 · L. Bosio, Le strade romane della Venetia et Histria, 1991.

G.U./Ü: H.D.

Gallica s. Schuhe

Gallienus. Imp. Caes. P. Licinius Egnatius G. Augustus, geboren um 218 n. Chr. bei Mailand ([Aur. Vict.] epit. Caes. 33,3), Sohn des späteren Kaisers P. Licinius Valerianus und der Egnatia Mariniana. Valerianus, der sich im Sept./Okt. 253 selbst zum Kaiser ausrufen ließ, ernannte G. sofort zum Caesar, dann zum Augustus und ließ sich dies mit einer territorialen Aufgabenteilung vom Senat bestätigen: Valerian ging in den Osten, um der Persergefahr zu begegnen, G. in den Westen, um die Donau- und Rheingrenze zu verteidigen. Bis 257 sicherte er von Sirmium aus den Balkan, überließ diese Aufgabe dann seinen Generälen, ließ aber seinen Sohn Cornelius Valerianus als Caesar (seit 255) zurück und begab sich selbst an die Rheingrenze (Zos. 1,30,1; [Aur. Vict.] epit. Caes. 32,2; CIL VIII 10132; XVI 155; AE 1967, 584). Auf den Münzen erscheint er 257/8 als *restitutor Galliarum*, erinnerte an die *victoria Germanica* (RIC 5,1,70ff. Nr. 27–35, 39–50, 61–63, u. a.) und nennt sich spätestens 257 *Germanicus maximus* und *Dacicus maximus* (CIL II 2200 [1. 199ff.]). Am 24./25. April 260 konnten die bis Oberitalien vorgedrungenen Iuthungen auf ihrem Rückzug in Raetien entscheidend geschlagen [2. 369ff.] und in demselben Jahr ein Sieg über die Alamannen bei Mailand und etwa gleichzeitig über die bis Tarragona vorgedrungenen Franken errungen werden (Zos. 1,37; Zon. 12,24; Eutr. 9,8). Der Tod seines Sohnes Cornelius Valerianus in Illyrien, an dessen Stelle er sofort den jüngeren Sohn Saloninus in Köln zum Caesar ernannte, hatte die Usurpation des Ingenuus in Pannonien zur Folge. Sie konnte wohl noch 259 durch Aureolus unterdrückt werden. Die Gefangennahme von G.' Vater Valerianus durch die Perser 260 führte zu weiteren Kaiserproklamationen durch einzelne Heeresteile, etwa die des Regalianus an der unteren Donau. Auch er wurde durch Aureolus beseitigt (Aur. Vict. Caes. 33,2; [Aur. Vict.] epit. Caes. 32,2f.; Eutr. 9,8). Am Rhein ließ 260 Postumus, der den Oberbefehl über das dortige Heer hatte, den Saloninus ermorden, erhob sich selbst zum Augustus und errichtete das Gallische Sonderreich, das bis 274 Bestand hatte (SHA trig. tyr. 3 [3. 66ff.]).

Seit 260 war G. faktisch Alleinherrscher. Die Usurpationen des Macrianus und seiner Söhne im Osten sowie des Aemilianus in Ägypten waren nur ephemere Erscheinungen (SHA Gall. 2ff.). In Byzanz schlug G. 262 eine Soldatenrevolte nieder und eilte daraufhin nach Rom, um die Dezennalienfeiern (→ *decennalia*) zu begehen (SHA Gall. 6,8ff.; 7,4ff.). Erst danach wird G. seine umfassende Heeresreform durchgeführt haben, indem er eine eigenständige Reitertruppe als taktische Eingreifreserve im rückwärtigen Raum schuf. Auch schloß er den Senatorenstand von sämtlichen hohen mil. Kommandostellen aus und besetzte diese mit Rittern [4. 13ff.]. 264 oder 265 unternahm G. eine Reise nach Griechenland und ließ sich in die eleusinischen Mysterien einweihen (SHA Gall. 10,3ff. [5. 235ff.]). 265 eröffnete er den erfolglosen Krieg gegen Postumus in Gallien und wurde dabei durch einen Pfeilschuß verwundet (Zon. 12,23; SHA trig. tyr. 3,5; SHA Gall. 4,4–6). Währenddessen hatten die Perser den Osten überrannt, denen jedoch Odaenathus von Palmyra im Einvernehmen mit G. entgegentrat (SHA Gall. 3,3; 10,1ff.; 12,1; Zos. 1,39,1f.; Zon. 12,3; CIL VIII 22765 [262/263]). Als Odaenathus 267 ermordet wurde und unter der Herr-

schaft seiner Gattin Zenobia ein palmyrenisches Sonderreich (→ Palmyra) entstand, schickte G. ein Heer unter seinem General Heraclianus, das jedoch aufgerieben wurde (SHA Gall. 13,1ff.). Inzwischen waren die Heruler in Moesien und Griechenland eingefallen und bis Athen vorgedrungen, so daß G. gezwungen war, den Krieg gegen Postumus in Gallien seinem General Aureolus zu übertragen, um ihnen entgegenzutreten (SHA Gall. 13,9; Zos. 1,39,1; Zon. 12,24). Ein weiteres Einschreiten gegen die Goten, die nach Kleinasien eingefallen waren, verhinderte die Usurpation des Aureolus in Mailand (Zos. 1,40,1). G. schloß ihn in der Stadt ein, fiel aber wohl im Sept. 268 einer Verschwörung seiner Generäle, darunter Aurelianus [3] und Claudius [III 2] Gothicus, zum Opfer (Aur. Vict. Caes. 33,21ff.; Zon. 12,25). Außer den beiden oben erwähnten Söhnen hatte er mit seiner Gattin Cornelia Salonina noch einen weiteren Sohn Marinianus, *cos.* 268.

Als Alleinherrscher hob G. die christenfeindlichen Edikte seines Vaters auf; über sein Verhältnis zu den Christen vgl. Eus. HE 7,23. Er war befreundet mit Plotinos (Porph. Vita Plotini 12). Entgegen den abwertenden Urteilen in den Quellen bleibt festzuhalten, daß G. in bezug auf Staatsverwaltung und Heerwesen der Wegbereiter für die Reformen des → Diocletianus war. Zwar gelang es ihm nicht, die Einheit des Imperiums wiederherzustellen, doch stellte er sich 15 Jahre lang erfolgreich den inneren und äußeren Problemen des Reiches, die schließlich Aurelianus [3] und Diocletianus zu lösen vermochten.

1 H. KOETHE, Zur Geschichte Galliens im dritten Viertel des 3. Jh., in: BRGK 32, 1942, 199–224 **2** L. BAKKER, Raetien unter Postumus, in: Germania 71, 1993, 369–386 **3** C. PATTI, Cronologia degli imperatori gallici, in: Epigraphica 15, 1953, 66–89 **4** M. R. ALFÖLDI, Zu den Militärreformen des Kaisers G., Limes-Stud., 1959, 13–18 **5** D. ARMSTRONG, G. in Athens, 264, in: ZPE 70, 1987, 235–258.

PIR² L 197 • PLRE 383 f. G. (1) • L. DE BLOIS, The Policy of the Emperor G., 1976 • KIENAST ²1996, 218–230 • W. KUHOFF, Herrschertum und Reichskrise, 1979 • E. MANNI, L'impero di Gallieno, 1949 • G. WALSER, TH. PEKÁRY, Die Krise des Röm. Reiches, 1962, 28–50.   T. F.

Gallierfurcht s. Metus

Gallinaria

[1] (h. Gallinara). Kleine unbewohnte Insel im Ligurischen Meer (Varro rust. 3,9); Zufluchtsort der Hl. Martinus und Hilarius (Sulp. Sev. Sanctus Martinus 6,5; Soz. 3,14; Ven. Fort. Sanctus Hilarius 35). In der See vor der Küste arch. Funde.

G. FORNI (Hrsg.), Fontes Ligurum et Liguriae Antiquae (Atti della Società ligure di storia patria 16), 1976 • G. SPADEA, Archeologia Subacquea in Liguria, in: Bollettino di Archeologia Subacquea 2–3, 1995/6, 103.

R. PE./Ü: H. D.

[2] Waldgebiet in Campania (*silva*, *pinus*) südl. von Volturnum, berüchtigt als Versteck von Räubern und Banditen (Cic. fam. 9,23; Strab. 5,4,4; Iuv. 3,307, dort zusammen mit den Sümpfen im *ager Pomptinus* gen.).

> NISSEN 2, 713.   H.SO.

Gallio s. → Iunius Gallio Annaeanus

Gallisch s. Keltische Sprachen

Gallische Kriege s. Caesar

Gallius. Lat. Familienname (SCHULZE 424), urspr. vielleicht Abstammung von einem Gallus bezeichnend.
[1] G., M. 44 v. Chr. oder früher Praetor, diente 43 bei Mutina unter M. Antonius [I 9] und kämpfte auch gegen Octavian; testamentarisch adoptierte er den späteren Kaiser Tiberius (Cic. Phil. 13,26; Suet. Tib. 6,3).
[2] G., Q. 67 v. Chr. plebeischer Aedil, gab im J. 66 prunkvolle Spiele, war 65 als Praetor Vorsitzender im Prozeß gegen C. Cornelius [I 2] und wurde 64 (od. 66) in einem von M. Calidius [I 2] angestrengten Prozeß wegen Wahlbestechung vielleicht erfolgreich von Cicero verteidigt (Q. Cic. comm. pet. 19; Cic. Brut. 277 f.; Ascon. 88C). Vater von G. [1] und [3].

> J. W. CRAWFORD, M. Tullius Cicero: The Fragmentary Speeches, ²1994, 145–158 · P. NADIG, Ardet ambitus, 1997, 164 f.

[3] G., Q. Praetor (peregrinus ?) 43 v. Chr., von Octavian seines Amtes enthoben, wegen Verschwörung zum Tode verurteilt und verbannt (Suet. Aug. 27,4; App. civ. 3,394 f.).   K.-L. E.

Gallonius. Familienname, auch Galonius, Calonius (SCHULZE 171), Namensträger sind inschr. mehrfach bezeugt, aber histor. unbedeutend.
[1] G., C. Röm. Ritter, war 49 v. Chr. von L. Domitius [I 8] Ahenobarbus zu einer Erbschaftsregelung nach Gades geschickt worden, wurde dort im Bürgerkrieg Stadtkommandant, räumte aber den Platz vor Caesar (Caes. civ. 2,18,2; 20,2 f.).
[2] G., P. Als Schlemmer und Prasser durch Lucilius (1238 M.) sprichwörtlich geworden.   K.-L. E.

Gallos (Γάλλος).
[1] Fluß in Bithynia, h. Mudurnu Çayı, entspringt bei Modrene (h. Mudurnu) in Phrygia Epiktetos (Strab. 12,3,7; [2], anders [1]) und mündet in den Unterlauf des → Sangarios.
[2] Flüßchen, das durch → Pessinus urspr. zum → Sangarios floß [3].

> 1 W. RUGE, s. v. G., RE 7, 674 2 S. ŞAHIN, Stud. über die Probleme der histor. Geogr. Kleinasiens, in: EA 7, 1986, 125–151 3 BELKE, 165 f.   K. ST.

[3] Epigrammdichter, dem die *Anthologia Palatina* ein Liebesgedicht (Anth. Pal. 5,49) zuschreibt, das sich auf-

grund von Stil und Wortwahl (hingegen nicht durch den obszönen Ton) dem »Kranz« des Philippos zugehörig scheint, sowie ein ekphrastisches Epigramm, eine ausgefeilte Beschreibung einer Tantalosfigur auf einem Becher (16,89). Im ersten Fall fügte der Lemmatist zu Γάλλου ein τοῦ δικαίου hinzu; dahinter verbirgt sich wahrscheinlich der Gentilname Tudicius (vgl. Cic. Cluent. 70) – kein Beweis jedoch dafür, daß es sich um denselben Dichter handelt. Als Autor oder Adressat des zweiten Epigramms hat man an Cornelius [II 18] Gallus (Freund Vergils, der 26 v. Chr. Selbstmord beging) gedacht.

> FGE 60–62.   M. G. A./Ü: M. A. S.

Gallunianum. *Praedium* (Landgut) in Etruria, dann Siedlungszentrum mit *ecclesia*, h. Galognano bei Siena, inschr. erwähnt auf liturgischen Gegenständen aus Silber (6. Jh. n. Chr., h. in der Pinakothek von Siena).

> O. VON HESSEN, W. KURZE, C. A. MASTRELLI, Il tesoro ecclesiastico di Galognano, 1977 · M. M. MANGO, Silver from Early Byzantium, 1986, 250–254 · S. A. BOYD, M. M. MANGO, Ecclesiastical Silver Plate, 1992, 134.
>   G. U./Ü: H. D.

Gallus. Weitverbreitetes röm. Cognomen (»Gallier«).

> DEGRASSI, FCIR 253 · KAJANTO, Cognomina 195.   K.-L. E.

[1] s. Cornelius [II 18] Gallus
[2] P. G. Ritter, der mit dem *praef. praet.* → Faenius Rufus und dem Consular → Antistius [II 12] Vetus befreundet war; deshalb 65 n. Chr. verbannt (PIR² G 66). Bei Tacitus wird der Name als Publius Gallus überliefert, was ausgeschlossen ist. Hinter Publius verbirgt sich ein *nomen gentile*, vielleicht Publilius?

> W. ECK, in: Splendidissima civitas. Études … en hommage à F. JACQUES, 1996, 74.   W. E.

[3] s. Trebonianus
[4] s. Constantius [5]

Galus. Röm. Cognomen (orthographische Variante von → Gallus?) in der Familie der → Sulpicii.

> DEGRASSI, FCIR 253 · Ders., FCap 149 · KAJANTO, Cognomina 195.   K.-L. E.

Gamala (h. Ḥirbat ehdeb). Stadt in der unteren Gaulanitis (→ Batanaia; Ios. bell. Iud. 4,1,1), durch Siedlungspolitik des → Alexandros [16] Iannaios mit hohem jüd. Bevölkerungsanteil (Ios. ant. Iud. 13,15,3; bell. Iud. 1,4,8). Unter den Zeloten und → Iosephos (vgl. vita passim) war G. daher ein Bollwerk gegen die Römer (Ios. bell. Iud. 2,20, 4; 6); nach einem Aufstand 68 n. Chr. wurde die Stadt von Vespasianus, der alle Einwohner zur Strafe töten ließ, erobert (Ios. bell. Iud. 4,1,3–10).

> O. KEEL, M. KÜCHLER, Orte und Landschaften der Bibel 2, 1982, s. v. G.   C. C.

Gamaliel

[1] G. I. Auch »der Alte« gen. (gest. ca. 50 n. Chr.), ein Enkel Hillels. G. war Pharisäer (→ Pharisaioi) und Mitglied des Sanhedrin (→ Synhedrion). G., über den histor. nur wenig bekannt ist (zur Problematik vgl. [1]), gilt als der Lehrer des → Paulus vor seiner Bekehrung zum christl. Glauben (Apg 22,3). Nach Apg 5,34–39 rettete er durch sein Eingreifen Petrus und andere Apostel vor der Anklage des Sanhedrins.

[2] G. II. Enkel von [1], wirkte als Nachfolger des Rabbi Jochanan ben Zakkais ab ca. 80 n. Chr. in Jamnia und spielte dort eine bed. Rolle beim Aufbau des rabbinischen Judentums nach der Zerstörung des Tempels und in der beginnenden jüd. Selbstverwaltung. Von G. wird berichtet, daß er eine Reise nach Rom unternommen hat (ySan 7,19 [11] 25d). Er starb zw. 100 und 120 n. Chr.

[3] G. III. (ca. 217–230 n. Chr.), zweitältester Sohn des Rabbi Jehuda ha-Nasi, der nach dem Testament seines Vaters das Patriarchenamt erhielt (bKet 103b), wohingegen sein Bruder Simeon das Amt des Ḥakham, die oberste Autorität in Lehrfragen, bekam. G. residierte in → Sepphoris in Obergalilaea. Da man in der Nekropole von → Beth Shearim zwei außergewöhnlich geschmückte Sarkophage mit den Namen G. und Simeon fand, wird angenommen, daß die Brüder dort bestattet wurden.

1 M. HENGEL, Der vorchristl. Paulus, in: M. HENGEL, U. HECKEL, Paulus und das ant. Judentum, 1991, 177–294, hier 242 ff. 2 s. v. G., Rabban, Encyclopaedia Judaica 7, 1972, 295–299 (Lit.) 3 E. SCHÜRER, The History of the Jewish People in the age of Jesus Christ 2, 1979, 367 ff., 372 f.   B. E.

Gambreion

Gambreion (Γάμβρειον). G. und Palaigambreion erwähnt Xenophon (hell. 3,1,6 f.) als Dynastensitze, die sich 399 v. Chr. den Spartanern anschlossen. Beide Orte werden östl. von Pergamon beim h. Kınık vermutet. Über die frühere Zeit ist nichts bekannt, es findet sich keine Erwähnung in den att. Tributquotenlisten. Eigene Mz.-Prägung findet sich dagegen im 4. und 3. Jh. v. Chr. Eine Inschr. (CIG 3562) nennt 326/5 v. Chr. einen König Alexandros von G. und den Tempel einer Artemis Lochia, dessen Spuren sich bis h. erh. haben.

L. BÜRCHNER, s. v. G., RE 7, 691.   E. SCH.

Gambrivi

Gambrivi. German. Volk, das Strab. 7,1,3 mit den Cherusci, Chatti und Chattuari zu den schwächeren rechnet. Eine Spielart der Mannus-Genealogie (→ Herminones) zählte die G. neben Marsi, Suebi und Vandili zu den german. Urstämmen (Tac. Germ. 2,2). Ein Zusammenhang mit den Sugambri liegt sprachwiss. nahe, gegen eine Identifizierung spricht das Nebeneinander beider bei Strab. l.c.

G. NEUMANN, D. TIMPE, s. v. G., RGA 10, 406–409.   K. DI.

Gamedes

Gamedes. Boiot. Töpfer, tätig um die Mitte des 6. Jh. v. Chr., der eine Kanne in Paris (LV, Inv.Nr. MNB 501) zweimal signiert hat: ΓΑΜΕΔΕΣ ΕΠΟΕΣΕ. Die Kleeblattkanne mit ihrem hohen, durch ein scharfgratiges Ringprofil geteilten Hals und dem konischen Körper mit randartigem Abschluß läßt sich an die Form anderer boiot. Kannen anschließen. Die Signaturen des G. und des Polon sind die einzigen erh. in der boiot.-sf. Vasenmalerei. Nach G. ist der G.-Maler benannt, der in seinem unkomplizierten Stil die Kanne im Louvre (Hirte mit Stier und Schafen) sowie einen Kantharos in Athen (NM, Inv.Nr. 499, Reiter, Kühe) bemalt hat.

M. DENOYELLE, Chefs-d'Œuvre de la céramique Grecque dans les collections du Louvre, 1994, 46 f., Nr. 18 ·
N. HIMMELMANN, Über das Hirten-Genre in der ant. Kunst, 1980, 55.   M. ST.

Gamos s. Ehe

Gandaridai

Gandaridai, auch Gangaridai. In Berichten des Alexanderzuges (→ Alexandros [4], mit Karte) und bei Megasthenes als mächtiges Volk Indiens genannt. Sie wohnten östl. von den → Prasioi am unteren Ganges. Noch bei Ptol. 7,1,81 erwähnt.

D. C. SIRCAR, Studies in the Geography of Ancient and Medieval India, 1971, 213 ff.   K. K.

Gandaritis

Gandaritis (griech. Γανδαρικὴ χώρα; Ethnika: Gandarai, Gandarioi), Landschaft am Kābul. Nach Herodot (3,91) bildeten im altpers. Reich die Gandarioi zusammen mit den Stämmen der Sattagydai, Aparytai und Dadikai die siebte Satrapie, die im wesentlichen das vom Kophen durchflossene Alpengebiet Kabulistans zw. Paropanisos (Hindukusch) und dem oberen Indus und das genannte Gebirge selbst umfaßte.

Trotz schwieriger Pässe längs des Kophen dienten die Wege durch die G. spätestens seit dem 4. Jt. v. Chr. als Handelsstraßen aus dem Industal nach Westen und Norden, sowie als Einfallsweg zahlreicher Eroberer, der indoarischen »Inder«, der Achämeniden, der Makedonen unter Alexander d. Gr., der Saken, Parther, Araber, Türken, Afghanen und Mongolen. Von hier aus entstand ein mächtiges griech.-ind. Reich, dessen einflußreichster König → Menandros war (um 100 v. Chr.).

Unter den → Graeco-Baktriern und den Kuschanen (→ Kuschan) war die G. eine blühende buddhistische Kulturlandschaft, in der sich gräko-röm. und nomadische Kunst mit ind. Inhalten und Trad. zur Gandhara-Kunst verband (2.–3. Jh. n. Chr.). Ihr Formenbestand beeinflußte bestimmte Kunststile Nordindiens und spielte eine wichtige Rolle in der Ausbreitung des Buddhismus nach Zentralasien und China.

J. AUBOYER, Afghanistan und seine Kunst, 1968 · J. M. ROSENFELD, The Art of the Kushans, 1967.   B. B. u. J. D.-G.

Gandhara s. Gandaritis

Ganges (Γάγγης, sanskr. *Ganga*). Der größte Fluß Indiens, seit dem Alexanderzug (→ Alexandros [4], mit Karte) im Westen bekannt (Arr. an. 5,4,1; 5,6,7; 5,9,4; 5,26,1; Curt. 8,9,5 u.ö.), wenn nicht schon bei Ktesias (bei Plin. nat. 37,39). In frühhell. Zeit wurde sein ganzer Lauf vermessen und mit 10000 Stadien berechnet (Strab. 15,689). Seine Quelle lag nach Strab. 15,719 in den *Ēmōdá órē* (Himalaya). Von Ptolemaios wird der G. mehrfach erwähnt (7,1,29; 30; 42; 51 NOBBE u.ö.), das Delta mit fünf Armen beschrieben (7,1,18) und auch der *Gangētikós kólpos* (Bengalische Meerbusen) genannt, in den der G. mündet (1,13,6 MÜLLER-FISCHER, 7,1,16 NOBBE u.ö.; vgl. Strab. 15,690). Der größte Nebenfluß, Yamunā oder Jumna, wurde als *Iomanes* (Plin. nat. 6,69; 71 ff.), *Iobares* (Arr. l.c.) oder *Diamunas* (Ptol. 7,1,29) bekannt. Weitere Nebenflüsse bei Plinius (nat. 6,64f.) und Arrianos (Arr. Ind. 4; Megasthenes FGrH 715 F 9a) sind oft schwer zu identifizieren. Seit Ptolemaios war der G. wichtig in der Geogr. als Grenze zw. *India intra Gangem* und *India extra Gangem*. Am G. lebten die → Prasioi und → Gandaridai. Am Zusammenfluß des G. und des → Erannoboas lag die Hauptstadt des Mauryareiches → Pali(m)bothra/Pāṭaliputra (beim h. Patna).

H.T.u.K.K.

Gangra. Stadt in Paphlagonia südl. des Olgassys (h. Ilgaz-Dağları), h. Çankırı. Das Toponym blieb bis in die Neuzeit fast unverfälscht: Kańġırı, Çangrı, Çangra. Der Ort umfaßte nach Strab. 12,3,41 das alte Basileion der paphlagon. Dynasten, eine Festung sowie eine Siedlung. Hier kamen 3 v.Chr. die delegierten Paphlagonier zusammen, um den Kaisereid auf Augustus zu schwören [1], nachdem dieser G. 5 v.Chr. zur *pólis* erhoben und die *eparchía* Paphlagonia eingerichtet hatte. Während die Akropolis den alten Namen bewahrte, wurde die Stadt wohl nicht viel später »Germanikopolis bei Gangra« benannt. Auf kaiserzeitlichen Mz. nennt sie sich ›Älteste von Paphlagonia‹. Die Mz.-Legende ἑστία θεῶν verknüpft ihre Ursprünge mit der griech. Mythologie: Auf dem Olgassys nahm Tantalos am Bankett der Götter teil, sein Sohn Pelops galt als Urvater der Paphlagonier (Diod. 4,74; Apoll. Rhod. 2,357ff.; 792f.; schol. Pind. O. 1,37). G. besaß ein ausgedehntes Territorium mit zahlreichen ländlichen Heiligtümern (Strab. 12,3,40). G. wurde in christl. Zeit Bischofssitz.

1 P.HERRMANN, Der röm. Kaisereid, 1968.

L.ROBERT, À travers l'Asie Mineure, 1980, 203–219.

C.MA.

Gannascus. Ein Canninefate, der aus röm. Dienst desertierte und nach dem Tod des niedergerman. Statthalters → Sanquinius Maximus 47 n.Chr. mit den Chauken Niedergermanien und die gallischen Rheinufer verheerte. Der neue Statthalter → Domitius [II 11] Corbulo vertrieb G. und stellte die Ruhe wieder her; als er G. durch List ermorden ließ, gerieten die Chauken erneut in Aufruhr, was Claudius zur Rücknahme der vorgeschobenen Truppen auf das westliche Rheinufer veranlaßte (Tac. ann. 11,18f.). PIR² G 73.

M.MEI. u.ME.STR.

Gannys (Γάννυς). Wurde im Haus der → Iulia Maesa erzogen und hatte ein Verhältnis mit ihrer Tochter → Iulia Soaemias, die ihn zum Erzieher ihres Sohnes → Elagabalus [2] machte (Cass. Dio 79,6,1f. BOISSEVAIN). G. und → Valerius Comazon ließen Elagabal im Mai 218 n.Chr. von den Truppen in Emesa zum Kaiser ausrufen (Cass. Dio 78,31,2–4). Trotz fehlender mil. Erfahrung besiegte G. im Juni → Macrinus, wurde aber im Winter 218/9 von Elagabal, der mit dem Gedanken gespielt hatte, G. mit Soaemias zu verheiraten, beseitigt (Cass. Dio 78,38,3; 79,6,1–3). In der ma. Dio-Überlieferung (78,31,1) wird G. mit einem Eutychianus (der entgegen PIR V 42 nicht mit Comazon identisch ist) verwechselt (so PIR² G 74) oder identifiziert (so BOISSEVAIN, Apparat zur Stelle). PIR² G 74.

M.MEI. u.ME.STR.

Ganos (Γάνος). Berg oberhalb des h. Gaziköy, an der europ. Propontisküste, h. Ganos Dağı (945 m); das Gebiet heißt *Ganiás* (Γανιάς) mit Ortsgottheit *theá Ganéa* (θεὰ Γανήα); befestigter Ort unterhalb des Berges *tó Gános* (τὸ Γάνος, Skyl. 67). Im 5. Jh. v.Chr. im thynischen Stammesgebiet Seuthes' II., der Xenophon → Bisanthe, G. und Neon Teichos versprach (400/399 v.Chr., Xen. an. 7,5,8). G. wird auch in Verbindung mit dem Vorstoß Philippos' II. gegen Kersebleptes zur Propontis erwähnt (346 v.Chr., Aischin. Ctes. 3,82).

ERRINGTON, 55.

I.v.B.

Gans (χήν, *anser*, nach Varro ling. 5,75 von ihrer Stimme abgeleitet). Weltweit verbreitete Familie der Gänsevögel mit zahlreichen Wildarten. Die Mittelmeerkulturen kannten als Durchzügler (Nachweis in Troia II und Schweizer Pfahlbauten) nur die Saat-G. (Anser fabalis) und die größere Grau-G. (Anser anser), welche Aristoteles (hist. an. 7(8),3,593b 22 und 7(8),12,597b 30) als erster größenmäßig unterscheidet. Sie richteten in der Zugzeit auf Saatfeldern beachtlichen Schaden an (vgl. u.a. Plaut. Truc. 252; Verg. georg. 1,119: *improbus anser*; Priap. 61,11). Plinius erwähnt ihren Zugkeil (nat. 10,63), wobei sie sich angeblich durch Steine im Schnabel zum Schweigen zwängen (Plut. De sollertia animalium 10 = mor. 63,967b; De garrulitate 14 = mor. 35,510ab; Dionysii Ixeuticon 2,19 [1. 36]; Ail. nat. 5,29). Sie rasteten in Feuchtgebieten (z.B. Hom. Il. 2,460f.; 15,692; Nemesianus, Cynegetica 315). Die meisten Eigenschaften beziehen sich ebenso auf Wild- wie auf Haus-G., so auch die Beschreibung der Schwimmhäute zwischen den Zehen (Aristot. hist. an. 2,1,499a 27f.), des weiten, flachen Schlundes (2,17,509a 3–5), der daraus folgenden unangenehmen Stimme (Aristot. aud. 800b 22–24) und der Blinddärme (ἀποφυάδες, Aristot. hist. an. 2,17,509a 21). Ihr lautes und häßliches Schnattern (*clangere, gingrire, gliccire, graccitare*) war unbeliebt (u.a. Verg. ecl. 9,36; Prop. 2,34,84).

Die G. galt mit Recht als scheu (Aristot. hist. an. 1,1,488b 24; Plin. nat. 10,44) und besaß angeblich einen feinen Geruchssinn (Lucr. 4,682 f.; Serv. Aen. 8,652 = Isid. orig. 12,7,52), mit dessen Hilfe nach der Legende 390 v. Chr. in Rom das Kapitol vor den Galliern gerettet wurde. Ihre oft ausgestoßenen Kontaktlaute untereinander führten zur Charakterisierung als geschwätzig (Eubul. bei Athen. 12,519a; Dionysii Ixeuticon 2,19 bei der Nachtwache; Mart. 3,58,13). Ihre Gefräßigkeit (Varro rust. 3,10,5; Plin. nat. 10,163) erleichterte ihre Mästung (schon bei Cato agr. 89; vgl. [2. 256 f.]). Man fing sie mit Netzen und Fallen (Dionysii Ixeuticon 2,19; Longos 2,12).

Aus Äg. kannte man vom Hörensagen noch die etwas kleinere Fuchs-G. (χηναλώπηξ, h. Nil-G., Chenalopex aegyptiacus, Aristot. hist. an. 6,2,559b 29 und 7(8)593b 22 f.; Athen. 9,395d; Plin. nat. 10,56 und 166). Ailianos schreibt ihr Eigenschaften des Fuchses zu (nat. 5,30) und nennt die Jungen χηναλωπηκιδεῖς (nat. 7,47). Nach Hdt. 2,72 war sie dem Nilgott heilig, doch verwendete man sie nach einem Gemälde [3. 2,226, Fig. 89] als Köder für die Greifvogeljagd und mumifizierte sie gelegentlich.

Die Zähmung der Grau-G. als weiße Haus-G. ist für Äg. (G. als Nahrung von Pharaonen und Priestern nach Hdt. 2,37 und Diod. 1,71, aber auch von heiligen Tieren nach Diod. 1,84), Indien (nach Ail. nat. 13,25 Geschenk an Könige) und Griechenland belegt. Dort galten bes. zahme weiße G. als Lieblingstiere bestimmter Personen (Hom. Od. 15,160; 19,536 ff.: Penelope; Plin. nat. 10,51; Plut. De sollertia animalium 18 = mor. 63,972 f.; Ail. nat. 1,6 und 7,41; Athen. 13,606c).

Die Leber wurde durch Stopfen der eingesperrten G. vergrößert (Geop. 14,12,12 ff.; Pers. 6,71; Stat. silv. 4,6,9; Iuv. 5,114; Gal. De alimentorum facultatibus 3,20,2 u. a.), nach Plin. nat. 10,52 eine Erfindung des Caecilius [I 32] Metellus Scipio (cos. 52 v. Chr.). Plinius erwähnt zudem die Verwendung ihres Fettes für ein Medikament und ihrer Daunen für die Betten (nat. 10, 51–55, vgl. auch Colum. 8,13,3) sowie die Mast (Plin. nat. 8,209). Die Schwerverdaulichkeit beeinträchtigte nicht die Freude am ebenso geschmackvollen wie nahrhaften Fleisch (Cels. 2,18; Gal. de alim. fac. 3,19 u. ö.), für das Caelius [II 10] Apicius Rezepte liefert (6,5,5 Nr. 229 und 6,8 Nr. 235 ANDRÉ). Brust und Flügel waren besonders begehrt (Aisop. 277 HAUSRATH; Eur. bei Athen. 14,640b; Petron. 69; Gal. de alim. fac. 3,20,3). G. waren durchaus erschwinglich (Ov. met. 8,684 ff.; Petron. 93,2). Man mischte auch das Fleisch mit dem anderer Tiere (Athen. 14,664e).

Der Federkiel diente zur Herbeiführung des Erbrechens (Alexandros Trallianos 1,417 PUSCHMANN). Mindestens seit Theoderich (um 500 n. Chr.) benutzte man ihn zum Schreiben auf Pergament (Anon. Vales. 79; Isid. orig. 6,14,3; Paulos von Aigina 6,91). Organotherapeutisch war außer Blut, Hoden und Zunge das Fett ein wichtiger Bestandteil von Rezepturen (Dioskurides 2,76,1 f. und 13 WELLMANN 1,151 und 156 =

2,86 und 91 BERENDES 184 und 187; Plin. nat. 29,55 und 134). In der Veterinärmedizin benutzte man es bei Verbänden (Pelag. 336; Veg. mulomedicina 6,28,24). Die Eier, deren Verzehr u. a. Galenos (de alim. fac. 3,22,1) und Oreibasios (coll. 2,45,1) nicht sehr schätzten, waren nur für Züchter interessant (Varro rust. 3,10,3; Colum. 8,14,4; Plin. nat. 10,162f.; Geop. 14,22,9f.). Unbefruchtete »Windeier« (ᾠὰ ὑπηνέμια) kannte bereits Aristoteles (hist. an. 6,2,559b 23; gen. an. 3,1,751a 12 f.).

Die G. war eines der sechs klass. Opfertiere [4. 226f.], hauptsächlich für Isis (Paus. 10,32,16; Ov. fast. 1,453 f.; Iuv. 6,540), aber kein heiliger Vogel. Nur auf dem Kapitol wurden G. zum Gedenken an den Gallierüberfall 390 v. Chr. gehalten (u. a. Lucr. 4,682 f.; Prop. 3,3,12; Verg. Aen. 8,655; Liv. 5,47,4; Dion. Hal. ant. 13,7; zur Deutung s. Plut. de fortuna Romanorum 12; Ail. nat. 12,33; Isid. orig. 12,7,52). Die Zugehörigkeit zu Iuno ist nicht allg. anerkannt. Die Beziehung zu Priapus bei Petron. 136 ist ein Augenblickseinfall. Man schwor ›bei der G.‹ (sog. Eid des Rhadamanthys) zur Schonung der Götternamen, aber ohne jegliche Relevanz im Rechtsleben [5. 96², 100¹]. Wie fast alle Vögel wurde auch die G. in der Traumdeutung verwendet (Artem. 4,83), ihr Verhalten galt aber auch als Vorzeichen für stürmisches Wetter (Ps.-Theophr. de sign. 39; Arat. 1021; Plin. nat. 18,363). In der Fabel legt die G. goldene Eier (Aisop. 89 H.) und ist Symbol des Reichen (Aisop. 256 H.). In der ant. Kunst wurde sie bes. häufig auf myk. und geom. Vasen abgebildet (u. a. in Form von »Gänsemarsch«-Bändern und als Füllung von Ornamentfeldern), ferner auf spätant. Terrakotten und Genrebildern [7. 723–735], u. a. auch auf Landschaftsbildern (vgl. Philostr. imag. 1,9,2) und entsprechenden Mosaiken wie auf einem Apsidialmosaik des 4. Jh. aus Tabarka in Tunesien neben einer Villa rustica [8. 248, vgl. 455], ferner auf Mz. und Gemmen [9. Taf. 6, 21–23 und 33; 17,6; 22,19 und 22,30–32]. Frauenartikel wurden gerne mit G. verziert. Kannen und Gefäßteilen gab man die Form von G.; Lehnen an Thronen und Sesseln wurden oft in der Form von G. (Cheniskoi) verlängert.

→ Kleintierzucht

1 A. GARZYA (ed.), Dionysii Ixeuticon libri, 1963 2 TOYNBEE, Tierwelt 3 KELLER 4 P. STENGEL, Opferbräuche der Griechen, 1910, Ndr. 1972 5 R. HIRZEL, Der Eid, 1902, Ndr. 1966 6 ROSCHER 7 F. OLCK, s. v. G., RE 7, 709–735 8 C. W. HÜNEMÖRDER, Phasianus. Studien zur Kulturgeschichte des Fasans, 1970 9 F. IMHOOF-BLUMER, O. KELLER, Tier- und Pflanzenbilder auf Münzen und Gemmen des klass. Alt., 1889, Ndr. 1972. C. HÜ.

Ganyktor (Γανύκτωρ). Gestalt aus dem → Wettkampf Homers und Hesiods; seine Rolle und genealogische Einordnung werden verschieden angegeben:
[1] Sohn des Königs Amphidamas [5] von Chalkis (Certamen Z. 63), als solcher vielleicht auch Schiedsrichter im Dichterwettstreit (Vita Hesiodi Z. 10).
[2] Sohn des Lokrers Phegeus aus Oinoë, Bruder des Amphiphanes. Mit diesem zusammen tötet er Hesiod

wegen der Verführung ihrer Schwester Ktimene, die den Stesichoros gebiert (Vita Hesiodi Z. 51; Certamen Z. 226–227). Die Brüder fliehen vor dem Zorn ihrer Mitbürger übers Meer und kommen laut Tzetzes im Sturm um (Vita Tzetzae Z. 34–42 SOLMSEN); nach Alkidamas werden sie vom Blitzstrahl des Zeus erschlagen (Certamen Z. 238–240).

[3] Naupaktier, Vater des Ktimenos und Antiphos, die aus demselben Grund wie unter [2] Hesiod ermorden (Plut. mor. 969e; Certamen Z. 240–242). Als ihr Todesort werden Rhion (Plut. mor. 162c-e) oder Molykria (Paus. 9,31,6) genannt. Nach Herodian (1,44,26; 2,742,32 LENTZ) bei Eratosthenes die Namensform Γάνυξ.

T. W. ALLEN (ed.), Certamen Homeri et Hesiodi, in: Homeri opera 5, 225 · Ders. (ed.), Vita Hesiodi, in: ebd.

JO. S.

Ganymeda (Γανυμήδα). Weibl. Gottheit in Phleius, Schutzgöttin von Gefangenen, später wegen der sprachlichen Parallelität zu → Ganymedes, dem Mundschenk der Götter, mit → Hebe gleichgesetzt. Einzige Quelle ist Paus. 2,13,3 f.

E. V.

Ganymedes (Γανυμήδης, etr. *Catmite*, lat. neben G. auch *Catamitus*).
[1] Im griech. Mythos (Hauptquelle: Hom. Il. 20,231–235) Sohn des Dardanerkönigs Tros (Ilias parva 29,4 PEG I: Sohn des Laomedon), als schönster der Menschen auf den Olymp entführt, um dort in ewiger Jugend dem Zeus als Mundschenk zu dienen und die Götter mit seiner Schönheit zu erfreuen. Die Entführung geschieht entweder durch einen Sturmwind (Hom. h. 5,202), durch → Iris (so in der bildenden Kunst, möglicherweise schon bei Ibykos PMG fr. 289), durch → Hermes oder durch einen Adler (so in der bildenden Kunst; von hier aus wird auch Zeus selbst zum Entführer). Als Buße (ποινή) für den Raub gibt Zeus dem → Tros göttl. Pferde (bzw. dem → Laomedon einen goldenen Weinstock). Bei Eratosthenes (*Katasterismoí* 26) ist von einer Versetzung des G. an den Sternenhimmel als ὑδροφόρος (*hydrophóros*, »Wasserträger«) die Rede. Während in der ep. Fassung ein erotisches Motiv für diesen Raub lediglich vermutet werden kann, ist dieser Aspekt in der Lyrik deutlicher betont (Ibykos, l.c.; Pind. O. 1,144; 10,105); auch wird der Mythos zur Sanktionierung von Entführungen im Rahmen homoerotischer Beziehungen verwendet (Hes. theog. 1345–1348; Soph. 345 TrGF). Die Beliebtheit der G.-Gesch. als Motiv der Liebesdichtung zeigt sich in der Vielzahl erhaltener griech. Liebesepigramme; auch die Mittlere Komödie hat sich mehrfach dieses Themas angenommen. In der röm. und noch ausgeprägter in der christl. Lit. wird die Beziehung von Zeus und G. heftig kritisiert; der Raub des G. gilt hier als Beispiel sexueller Ausschweifung, G. selbst als Symbol des verweichlichten und moralisch verderbten jungen Mannes.

In der bildenden Kunst der Archaik spielt der G.-Mythos keine Rolle. Erst mit Beginn des 5. Jh. v.Chr. taucht das Sujet mehrfach auf Vasen auf. Eine bes. bedeutende Darstellung aus dieser Zeit stellt die Terrakotta-Gruppe »Zeus und Ganymedes« von Olympia dar. Durch die Bronzegruppe des Leochares um 350 v.Chr. findet die Figur des Adlers in der Ikonographie dieses Mythos ihren Platz. Ein wesentliches Element des G.-Mythos ist sicherlich in seinem homoerotischen Aspekt zu sehen, doch hat die Figur des jugendlichen Mundschenks auch als Reflex bestimmter Initiationsriten ihre Bed. Trotz G.' möglicherweise griech. Namen ist der Entstehungsraum des G.-Mythos in Thrakien oder Phrygien zu suchen.

J. BREMMER, Adolescents, Symposion, and Pederasty, in: O. MURRAY (Hrsg.), Sympotica. A Symposium on the »Symposium«, 1990, 135 ff. · P. FRIEDLÄNDER, s.v. G., RE 6, 737–749 · H. SICHTERMANN, G., Mythos und Gestalt in der ant. Kunst, 1953 · Ders., s.v. G., LIMC 4.1, 154–169.

E. V.

[2] Eunuch, *nutricius* der Arsinoë [II 6] IV., der mit ihr 48/7 v.Chr. aus Alexandreia und dem Gewahrsam Caesars zu den Truppen des → Achillas floh. Er hatte wesentlichen Anteil am Tod des Achillas, um dann dessen Stellung im Heer zu übernehmen und die Regierung im Namen Arsinoës zu führen. G. erzielte beachtliche Erfolge gegen Caesar, verlor aber trotzdem mit Arsinoë das Vertrauen der Alexandriner, die von Caesar die Freilassung Ptolemaios' XIII. erbaten und erhielten. Von G. ist nicht weiter die Rede, aber er muß seine Position verloren haben; er starb auf der Flucht vor dem siegreichen Caesar.

H. HEINEN, Rom und Ägypten von 51–47 v.Chr., 1966, 106 ff.

W. A.

Gaon (hebr. *gāʾōn*, »Erhabenheit«, dann »Exzellenz«; Pl.: Gəōnīm). Offizieller Titel der Vorsteher der rabbinischen Akademien im babylon. → Sura und → Pumbedita. Die G. fungierten dort vom 6. Jh. n.Chr. bis zum Ende der Akademien im 11. Jh. als die höchsten Lehrautoritäten (vgl. die Bezeichnung dieser Epoche als »gaonische Zeit«). Als bedeutendste Vertreter dieses Amtes gelten Amram ben Scheschna (gest. ca. 875 n.Chr.; Verf. des frühesten uns erh. Gebetbuches), Saadja ben Josef (882–942; zahlreiche philos. Schriften; Verf. einer arab. Bibelübers., → Bibelübersetzungen), Sherira ben Chananja (ca. 906–1006; Verf. eines Briefes an die Gemeinde von Qairawān über die Abfassungszeit der rabbinischen Schriften), Samuel ben Chofni (gest. 1013; Verf. von Bibelkomm. und philos. Schriften) und Hai ben Scherira Gaon (939–1038; Verf. halakhischer Werke und rel. Dichtungen). Ihre halakhischen Entscheide (→ Halakha) hatten z. T. bis nach Spanien Geltung (»Responsen«).

Im 10. und 11. Jh. wurde der Titel auch für Akademieoberhäupter in Palaestina benutzt, im 12. und 13. Jh. schließlich von den Vorstehern der Schulen in Damaskos, Baġdād und Ägypten. In späterer Zeit fungierte dieser Titel als eine Art Ehrenbezeichnung für jemanden, der über ein außergewöhnliches Wissen in der rel. Lit. verfügte.

S. Asaf, J. Brand, s. v. G., Encyclopaedia Judaica 7, 315–324 (mit Liste der verschiedenen G.) · R. Brody, s. v. Ga'on, The Oxford Dictionary of the Jewish Religion, 265 f.
                                                                    B. E.

Garama. Hauptort der → Garamantes, nordöstl. von Mursuk (Fessan) gelegen, h. Djerma. Belegstellen: Plin. nat. 5,36; Ptol. 1,8,5; 10,2; 4,6,30; 8,16,7; Solin. 29,5. L. Cornelius Balbus, *procos. Africae,* führte 20 v. Chr. eine Expedition durch, während der er mindestens bis nach G. kam. In der Folgezeit herrschten zw. G. und Rom enge, manchmal allerdings auch stürmische Beziehungen. Von diesen engen Beziehungen zeugen zahlreiche arch. Funde.

Ch. M. Daniels, Garamantian excavations..., in: Libya Antiqua 5, 1968, 113–194, T. LXXIII-LXXX.   W. HU.

Garamantes. Berberischer Volksstamm im Inneren von Libya mit dem Zentrum → Garama. Belegstellen: Hdt. 4,174; 183,1–184,1; Strab. 2,5,33; 17,3,19; 23; Liv. 29,33,9; Mela 1,23; 45; Plin. nat. 5,26; 36; 38; 6,209; 8,142; 178; 13,111; Flor. epit. 2,31; Ptol. 1,8,5–7; 9,9; 10,2; 4,6,16; Solin. 29,7; 30,2; Arnob. 6,5; Tab. Peut. 7,4; Amm. 22,15,2; Oros. 1,2,88; 90; Iulius Honorius, cosmographia A 48; B 47; Chronicum Alexandrinum chronica minora 1, p. 107,167; Isid. orig. 9,2,128; Geogr. Rav. p. 36,22–40.

Der Einfluß der G., die vielleicht teilweise einen negriden Einschlag hatten, reichte bis zum Gebiet von → Agisymba. Die Kontakte mit der pun. und neupun. Welt waren von beträchtlicher Bed.; 20 v. Chr. kämpfte L. Cornelius Balbus, *procos. Africae,* gegen die G.; 22 und 69 n. Chr. erschienen sie vor Leptis Magna (Tac. ann. 3,74,2; hist. 4,50,4; vgl. außerdem Tac. ann. 4,23,2; 26,2). 569 bekehrten sie sich zum Christentum. Sie werden auch bei → Iohannes Biclarensis (Chronica Minora 2, p. 212,569,1) genannt. Zur Erwähnung der G. in poetischen Werken vgl. [1. 95 Anm. 7, 96 Anm. 1].

1 J. Desanges, Catalogue des tribus africaines ..., 1962.

C. Daniels, The Garamantes of Southern Libya, 1970 · E. Lipiński, s. v. G., DCPP, 184 · E. M. Ruprechtsberger, Die Garamanten (Zaberns Bildbände zur Archäologie), 1997.   W. HU.

Gargaphia (Γαργαφία). Quellbrunnen bei → Plataiai, aus dem das griech. Heer vor der Schlacht 479 v. Chr. Wasser bezog, bis er von den Persern verschüttet wurde (Hdt. 9,25,2; 49,2–51,1; 52; Paus. 9,4,3; Plin. nat. 4,25); Lokalisierung bei [2. 557; 3. 113–115]; zur Gleichsetzung der G. mit dem Ort, an dem → Aktaion die badende Artemis überraschte [1. 757].

1 F. Bölte, s. v. G. 2), RE 7, 757 2 Müller 3 Pritchett, I.
                                                                    P. F.

Gargara, Gargaris (Γάργαρα, Γαργαρίς). Stadt in der Aiolis auf der 780 m hohen Kuppe Koca Kaya des westl. Ausläufers des Ida-Gebirges (Hom. Il. 8,48; 14,292; 14,352 Γάργαρον ἄκρον; Plin. nat. 5,122 *Gargara mons*). Gegr. von Assos (Strab. 13,1,58) und bewohnt von Leleges (Etym. m. s. v. G.; Steph. Byz. s. v. G.), bestand G. schon Mitte 6. Jh. v. Chr., wie Funde von einem Tempel auf der Akropolis zeigen [1]. In den att. Tributquotenlisten wird G. mit einem Beitrag von 4500 Drachmen erwähnt. Wann in hell. Zeit die bei Strabon erwähnte – wohl nur partielle – Umsiedlung in eine neue Küstensiedlung G. stattgefunden hat, ist unklar. Wegen unzureichender Bevölkerungszahl wurden in hell. Zeit Bewohner von Miletupolis hierher umgesiedelt (Strab. 13,1,58). An der Gründung des *koinón* der Athena Ilias war G. beteiligt [2. Nr. 1], während G. 77 v. Chr. wohl nicht mehr Mitglied war [2. Nr. 10]. Als Hafen scheint G. noch in röm. Zeit wichtig gewesen zu sein: G. wird im Zollgesetz von Ephesos gen. [3. 62]. In byz. Zeit bed. Bischofssitz (Hierokles 20).

1 R. Stupperich, Ein archa. Kriegerrelief aus G., in: Stud. zum ant. Kleinasien 3 (Asia Minor Stud. 16), 1995, 127 ff. 2 P. Frisch, in: IK 3 (Ilion) 3 H. Engelmann, D. Knibbe (Hrsg.), Das Zollgesetz der Prov. Asia, in: EA 14, 1989.

L. Bürchner, s. v. G., RE 7, 757 f. · W. Leaf, Strabo on the Troad, 1923, 258 ff. · J. M. Cook, The Troad, 1973, 251 ff.
                                                                    E. SCH.

Gargettos (Γαργηττός). Att. Mesogeia-Demos der Phyle Aigeis, ab 307/6 v. Chr. der Antigonis. Er stellte vier (schon IG I³ 1040), später sieben → *buleutaí*. Name vorgriech. [1. 1336]. Ein Demendekret von Hagios Giorgios bei Ieraka sichert seine Lage im Defilee zw. Hymettos und Pentelikon östl. Pallene und bezeugt ein Heiligtum des Dionysos als Aufstellungsort [2. 41; 3. 127]. G. war neben Acharnai, Paiania und Pallene Mitglied im Kultverband der Athena Pallenis (Athen. 234f–235c; [4. 185⁴⁶]), der Heros G. galt als Vater des Ion, des Heros von Ionidai (Paus. 6,22,7).

1 G. Neumann, s. v. Vorgriech. Sprachen, KlP 5, 1334–1338 2 Traill, Attica 7, 17, 33, 41, 59, 68, 110 Nr. 47, Tab. 2, 11 3 J. S. Traill, Demos and Trittys, 1986 4 Whitehead, Index s. v. G.   H. LO.

Gargilius

[1] Q. Coredius Gallus G. Antiquus. Sein Vater war vielleicht G. Antiquus (AE 1954, 63). Praetorischer Statthalter der Provinz Arabia, ca. 116–118/9 n. Chr.; *cos. suff.* Ende 119; *proconsul Asiae* wohl 134/5 [1; 2. 148 ff., 176]. Wenn er mit M. Paccius Silvanus Q. Coredius Gallus G. Antiquus identisch ist ([3. 260 ff.] = AE 1991, 1576), war er entweder consularer Statthalter von Iudaea oder von Syria. Vgl. auch [4].

1 W. Eck, in: Chiron 12, 1982, 361 2 Ders., in: Chiron 13, 1983 3 D. Gera, H. Cotton, in: IEJ 41, 1991 4 E. Dąbrowa, in: Nunc de Suebis dicendum est. Studia ... G. Kolendo dicata, 1995, 99 ff.

[2] M. Paccius Silvanus Coredius Gallus L. Pullaienus G. Antiquus. Senator, dessen Laufbahn bis zum Consulat durch CIL III 7394 = ILS 1093 bekannt ist. Ca. 159–161 n.Chr. praetorischer Legat von Thracia, ca. 162 *cos. suff.*.

G. ALFÖLDY, in: Chiron 8, 1978, 370f. · PIR² G 79.

[3] L. Pullaienus G. Antiquus. Wohl Sohn von G. [2]. Patrizier, Consul wohl gegen Ende der Zeit des Commodus. An den Säkularspielen des J. 204 n.Chr. beteiligt.

LEUNISSEN, Konsuln 150 · PIR² G 80.   W.E.

[4] Q.G. Martialis. Der Garten- und Arzneischriftsteller G. wurde als Vollender Vergils bewundert (Serv. georg. 4,148). Er lebte im 3. Jh. n.Chr. (SHA Alex. 37,9) und könnte mit dem 260 gestorbenen *eques Romanus* aus Auzia/Mauretanien identisch sein (CIL 8,9047 = ILS 2767). Das Werk (*De hortis* ?) war im Florentiner Cod. Marcianus unter den röm. Agrarautoren erhalten, aber schon vor dessen Totalverlust im 16. Jh. ausgefallen. Wahrscheinlich behandelte G. in einem Buch den Anbau von Gartenpflanzen und -bäumen sowie deren Heilwirkungen (vgl. Cassiod. inst. 1,28,6). Erh. hat sich einiges bei Palladius in den Rubriken *De hortis* und *De pomis* seiner Monatsbücher; das Neapler Fr. *De arboribus pomiferis* (*pom.*) aus dem 6. Jh. (über Quitte, Pfirsich, Mandel, Kastanie) sowie Bearbeitungen und Auszüge, v.a. die *Medicinae ex oleribus et pomis* (*med.*), bieten weiteres Material. Wichtigste Quellen für G. sind Plinius und daneben Celsus und Columella. Die *curae boum ex corpore Gargili Martialis* gelten jetzt aufgrund sprachlicher Indizien als unecht. Nach [1] handelt es sich um eine Exzerptensammlung etwa des 4.–6. Jh., die kein Material aus G. bietet.

TEIL-EDD.: S. CONDORELLI, Fragmenta ad holera arboresque pertinentia, 1978 · I. MAZZINI, De hortis, ²1988 · V. ROSE, Plinii Secundi medicina, 1875, 129–222 (med.).
LIT.: 1 K.-D. FISCHER, G. Martialis, in: HLL 8.4, 1997, S. 269–273 2 WHITE, Farming, 29f.   E.C.

Gargonius. Redelehrer der augusteischen Zeit, Schüler des Buteo [1. 156f.], dann sein Nachfolger, vielleicht identisch mit dem von Hor. sat. 1,2,27 (= 1,4,92) zitierten Beispiel mangelnder Körperpflege. Seine Stimme war rauh und aggressiv (Sen. contr. 1,7,18). Der ältere Seneca verbindet die seine *Colores* illustrierenden Zitate stets mit scharfem Tadel (*stultitia* contr. 10,5,25; *cacozelia* 9,1,15, *insaniens* suas. 2,16).

1 H. BORNECQUE, Les Déclamations, 1902, 168.   P.L.S.

Gargoris. Name ungeklärter Herkunft mit idg. Wurzel [1. 118–119]. Sagenhafter König der Cureten (?) in → Tartessos, der das Sammeln von Honig erfunden haben soll. Seinen von der Tochter nach einem Fehltritt geborenen Enkel Habis versuchte er mehrfach durch Tiere töten zu lassen, die ihn jedoch verschonten oder

sogar säugten. Den herangewachsenen Enkel erkannte G. und machte ihn zum Nachfolger (Iust. 44,4,1–14).
→ Aussetzungsmythen

1 M. LOURDES ALBERTOS FIRMAT, La onomastica personal primitiva, 1966.

H.J. ROSE, Griech. Mythologie, ⁵1978, 284.   W.SP.

Garizim s. Samaria, Samarites

Garsaura, Garsauira (Γαρσάουρα, Γαρσαύιρα). Hauptort der kappadokischen Strategie Garsauritis, h. Aksaray; von → Archelaos [7] als → Archelais (später *colonia Claudia Augusta*) neu gegr. (bei Strab. 12,2,6 als κωμόπολις bezeichnet). Von 325 n.Chr. bis ins 14. Jh. als Bistum belegt. Urspr. Name bleibt erh. (in seldschukischer Zeit Aqsarā).

HILD/RESTLE, 205f. · MITCHELL 1, 95f.   K.ST.

Garsyeris (Γαρσύηρις, wegen -υηρις/υερις späthethit.-luw.? [1. 669]). Als Vertriebener Offizier des Achaios [5], riet diesem 221/220 v.Chr. zum Abfall von Antiochos III. In eine Auseinandersetzung der pisidischen Städte Pednelissos und Selge griff er 218 zusammen mit mehreren Städten der Region, aber ohne die Hilfe von Side gegen Pednelissos ein und zwang gemeinsam mit Achaios Selge zu Frieden und Geldzahlung (Pol. 5,57; 72–76).

1 ZGUSTA.

A. BOUCHÉ-LECLERCQ, Histoire des Séleucides (323–64 avant J.-C.), 1913/14, 140, 148 · H.H. SCHMITT, Untersuchungen zur Geschichte Antiochos' d. Gr. und seiner Zeit, 1964, 172f.   A.ME.

Garten
[1] Gartenbau s. Hortikultur
[2] Garten, Gartenanlagen
I. ALTER ORIENT UND ÄGYPTEN
II. GRIECHENLAND UND ROM

I. ALTER ORIENT UND ÄGYPTEN
In unmittelbarer Nähe der Wohnhäuser waren G. wichtig als Spender von Schatten für Mensch und Vieh. Lust-G. als Teil von Palastanlagen dienten zudem dem Prestige, als Teil von Tempelanlagen symbolisierten sie kosmisches Geschehen. Ein myth. Konstrukt ist der G. Eden (Gn 2,8; 2,15). G. werden auf Reliefs (Assyrien) und Wandgemälden (Ägypten) dargestellt. Assyr. Könige berichten, daß sie G. mit exotischen Bäumen und Gewächsen anlegten. Die Beschreibungen der → »Hängenden Gärten« in Babylon, die ant. Schriftsteller geben, enthalten die verklärende Erinnerung an einen vermutlich von → Sanherib in Niniveh angelegten Lust-G., der über ein noch h. sichtbares ca. 16 km langes Aquädukt bewässert wurde. G. von pers. Königen (*pardēsu*; → Paradeisos) sind in Sippar, Uruk und Nippur bezeugt.

M. A. DANDAMAYEV, Royal *paradeisoi* in Babylonia, in: Orientalia J. Duchesne-Guillemin … oblata, 1984, 113–117 · W. FAUTH, Der königliche Gärtner und Jäger im Paradeisos. Beobachtungen zur Rolle des Herrschers in der vorderasiat. Hortikultur, in: Persien 8, 1979, 1–53 · H. FORKL, J. KALTER, T. LEISTEN, M. PAVALOI (Hrsg.), Die Gärten des Islam. Ausstellungskat. Lindenmus. Stuttgart, 1993 · J.-J. GLASSNER, À propos des jardins mésopotamiens, in: R. GYSELEN (Hrsg.), Jardins d'Orient (Res Orientales III), 1991, 9–17 · D. J. WISEMAN, Palace and Temple Gardens in the Ancient Near East, in: Bull. of the Middle Eastern Culture Center in Japan 1, 1984, 37–43 (mit Abb.) · D. WILDUNG, s. v. G., LÄ 2, 376–378. J. RE.

II. GRIECHENLAND UND ROM
A. GRIECHENLAND B. ROM
C. GARTEN ALS LITERARISCHES MOTIV

A. GRIECHENLAND

Im klass. Griechenland war der G. (κῆπος, *kḗpos*) nur selten Bestandteil des städtischen Wohnhauses. In der Regel lagen die G. außerhalb der Stadt in der Nähe einer Wasserquelle. Durch die Anlage von G. und Hainen in Heiligtümern und durch die Bepflanzung der *agoraí* gab es jedoch eine begrenzte Begrünung des inneren Stadtbereichs (Paus. 2,15,2; 8,31,4 f.; Plut. Kimon 13). Zu den griech. G.-Anlagen zählten Nutz-G. aller Art, Parks, Haine, Heiligtums- und Grab-G. Zier-G. lassen sich nicht nachweisen. Teile des G.s des Theophrast in der Nähe des Gymnasions im Athener Vorort Lykeion waren den Musen geweiht und als Grabstätte vorgesehen, so daß die Spazierwege, Statuen, Rasenflächen und Beete in diesem G. nur scheinbar auf einen Zier-G. hindeuten (Diog. Laert. 5,51–54; IG II/III 2613 f.). Zierpflanzen als Blumenschmuck fanden lediglich Verwendung in Form von Kränzen und Girlanden bei festlichen Anlässen. In hell. Zeit steigerte sich der Bedarf an Blumen v. a. bei den Monarchen, die ihre phantasievollen Feste üppig damit ausstatteten. Hierzu gehörte das mit Rosen, Myrte und weißen Veilchen geschmückte Prachtzelt des Ptolemaios Philadelphos (Athen. 5, 196d; 12, 542c-d) in Alexandreia. Solche G.-Erzeugnisse stammten zumindest in Ägypt. von den königlichen Ländereien.

In der im späten 5. Jh. neugegründeten und nach einem Erdbeben im 3. Jh. wiederaufgebauten Stadt Rhodos, die eine großzügigere Flächenausdehnung als die alte, sukzessiv gewachsene Stadt hatte, wurden große Bereiche innerhalb der Stadtmauer für die Entwicklung von Tempeln und Nymphaia mit Hainen und Feldern reserviert (Aristeid. 25,6). Auch in Neugründungen hell. Zeit waren Möglichkeiten gegeben, die Stadt bezüglich der Grünflächen großzügig anzulegen. In Alexandreia lagen Haine (ἄλση, *álsē*) in der Nähe des Dikasterions im Stadtzentrum (Strab. 17,1,10), und in Memphis befand sich ein Hain neben einem See (Strab. 17,1,31 f.). Unter Alexander d. Gr. verstärkte sich der Kontakt Griechenlands mit Ägypt. und dem Orient. Beeinflußt von östl. Traditionen, ließen die hell. Könige

in ihren Residenzstädten große Päläste (βασίλεια, *basíleia*) errichten, die herrschaftliche Wohn- und Repräsentationsbauten, kulturelle Einrichtungen, Heiligtümer und Gymnasien einschlossen und ganze Viertel der Stadt dominierten. Im Palastbezirk von Alexandreia beispielsweise lagen Haine, in denen sich auch die ptolem. Königsgräber, das Museion und Heiligtümer befanden, die traditionell mit Pflanzungen versehen waren (Strab. 17,1,8 f.). Diese Grünzone hatte gewiß einen repräsentativen Charakter und erinnerte auch an die altägypt. G. der pharaonischen Päläste. Königliche Baum-G. (παράδεισος, → *parádeisos*) für die Jagd und zeremonielle Handlungen wurden in Anlehnung an persische Hofsitten bes. im Seleukidenreich unterhalten (Plut. Demetrios 50, 7 ff.). Allerdings unterscheiden sich diese *parádeisoi* von den großen Obstplantagen und Wein-G. im hell. Ägypten und Syrien, die ebenfalls so bezeichnet wurden. Eine Seltenheit unter den hell. G. stellten die mit Bleiröhren bewässerten Anlagen dar, die König Hieron II. von Syrakus im 3. Jh. auf seinem Prachtschiff anlegen ließ (Athen. 5,207d).

Die bevorzugte Lage für G. der Stadtbewohner in hell. Zeit war nach wie vor der Bereich außerhalb der Stadt, oft direkt an der Stadtmauer. Im Vorort Nekropolis westlich der Stadt Alexandreia lagen Grab-G. (κηποτάφια, *kēpotáphia*) und vermutlich auch private Haus- und Nutz-G., deren Bewässerung durch die Nähe zum Kanoposkanal begünstigt war (Strab. 17,1,10). Solche Vorstadt-G. waren auf den Bedarf der Stadtbewohner an Gemüse, Obst und Blumen abgestimmt (Cato agr. 9,10). In den Quellen klass. und hell. Zeit kommt nicht zum Ausdruck, daß G.-Anlagen als Erhöhung der Wohnqualität des Hauses gegolten hätten; die röm. Vorstellungen von Wohnkultur unterscheiden sich davon in dieser Hinsicht grundlegend.

B. ROM
Zier- und Lust-G. in mod. Sinne lassen sich erst in röm. Zeit nachweisen; man könnte berechtigterweise sagen, daß die G.-Kunst eine röm. Erfindung war. Mit dem verstärkten Bau von Aquädukten im 1. Jh. v. Chr. in It. stand erstmalig eine ausreichende und konstante Wassermenge für die künstliche Bewässerung von G. zur Verfügung. Während Platon (leg. 761c) im 4. Jh. v. Chr. noch empfahl, das überschüssige Wasser von den Brunnenhäusern in die öffentlichen und heiligen Grünanlagen zu leiten, hielt Plinius fest (nat. 36,24,121 ff.), daß das Wasser der Aquädukte zu seiner Zeit tatsächlich nicht nur für öffentliche Anlagen, sondern auch für private Häuser, Villen und G. genutzt wurde. Gärtner (κηπουροί, *kēpuroí*) waren schon länger bekannt (Plut. Aratos 5–9; Pol. 18,6), der Beruf des Gartenkünstlers (*topiarius*) ist jedoch erst seit der Mitte des 1. Jh. v. Chr. belegt (Cic. ad Q. fr. 3,1,5; Plin. nat. 12,11,22). Von augusteischer Zeit an waren Kunst-G., die durch den Formschnitt von Bäumen in Gestalten und Figuren (*opera topiaria*) bereichert wurden, sehr beliebt (Plin. nat. 12,6,13; 16,60,140; Plin. epist. 5,6,35 f.). Gleichzeitig wurden künstlerische Zier-G. ein gefragtes Sujet in der

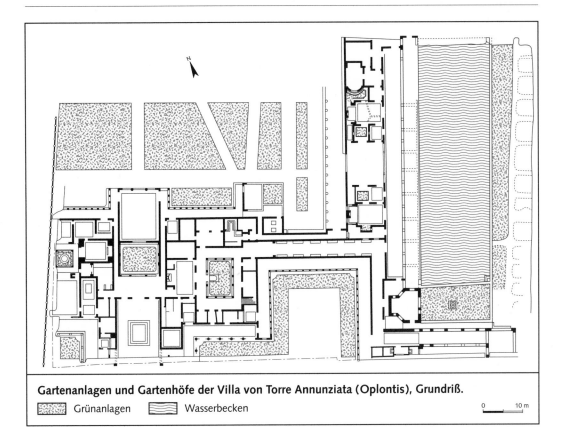

Gartenanlagen und Gartenhöfe der Villa von Torre Annunziata (Oplontis), Grundriß.

Grünanlagen   Wasserbecken   0   10 m

→ Wandmalerei. Zum Pflanzenrepertoire solcher G. zählten Efeu, Buchsbäume, Lorbeer, Zypresse, Myrte, Akanthus, Zwergplatane und Rosmarin.

Der G. (*hortus*) des frühröm. Hauses im 4. und 3. Jh. v. Chr. war traditionell ein Küchen-G. Nach dem 2. Jh. v. Chr. verdrängte der aus der griech. Architektur hinzugekommene Peristylhof als üppig gestalteter G. diesen kleinen Nutz-G. Nicht nur Haus-G., sondern auch G. im Zusammenhang mit Tempeln, Gymnasien und Wirtshäusern prägten den Charakter der röm. Stadt. Manche Peristyl-G. waren mit einer lockeren Streuung von Obstbäumen bepflanzt, andere G.-Anlagen wiesen eine streng geplante, oft symmetrische Gestaltung auf. Diese waren in erster Linie mit immergrünen Gewächsen bepflanzt. Blühende Sträucher und jahreszeitspezifische Blumen wie Myrte, Lilien, Chrysanthemen, Rosen und Veilchen setzten kleine Farbakzente. Wasser aus Springbrunnen und Statuen sowie in Becken, Kanälen und Teichen zählte zu den wesentlichen Gestaltungselementen. Auch große Wasserläufe, die an berühmte ant. Denkmäler wie den Kanoposkanal in Alexandreia oder an den Nil erinnern sollten, bildeten oft den dekorativen Mittelpunkt des G.s. Der G. wurde auch mit Skulpturen, Krateren, G.-Mobiliar, Pergolen und Zäunen geschmückt. Nachahmungen von griech. Statuen und auch echte klass. oder hell. Bildwerke wurden zweckentfremdet als G.-Skulpturen im profanen Kon-

text aufgestellt (Plin. epist. 3,6; Cic. Att. 1,4–6; 8–11). Dies belegt nicht nur die röm. Aneignung griech. Kunst, sondern auch den Wunsch des röm. G.-Besitzers, ein kulturell angemessenes Ambiente zu schaffen und seine Bildung zu zeigen, insbesondere dann, wenn griech. Bildungsstätten, wie Gymnasien, nachgeahmt werden sollten (Cic. orat. 2,9,10). Die Räume um den G. besaßen oft große Fenster mit Blick auf den grünen Innenhof. Sollte ein kleiner G. optisch größer wirken, wurde die Rückwand des G.-Hofs oft mit Malereien versehen, die üppig bepflanzte G.-Anlagen darstellten. Triclinien (→ Triclinium) im G. erlaubten es, im Freien zu dinieren. Diese kamen in den Gastwirtschaften mit angeschlossenen G. bes. häufig vor. In den Mietshäusern mußten sich die Bewohner normalerweise mit Kübelpflanzen auf dem Balkon oder mit einem Blick auf die G. wohlhabenderer Stadtbewohner begnügen, jedoch wurden gelegentlich Mietskasernen und Mehrfamilienhäuser, beispielsweise in Ostia, von Grünstreifen umgeben oder um einen G.-Hof angelegt.

Röm. Villen auf dem Lande waren häufig mit G.-Anlagen und Parks bereichert. Das aufeinander abgestimmte Wechselspiel von Natur und gestalteter → Architektur setzte schon im Hell. ein, in der privaten Wohnhausarchitektur jedoch blieb dieser Schritt den Römern vorbehalten. Die ländliche Villa der Poppaea bei Oplontis besaß mehrere G., von winzigen bepflanzten Lichtschächten über kleinere und größere Peristyl-G. bis zu mit Oleander, Zitrusbäumen und Platanen bepflanzten Parks, die mit Wasserbecken, Skulpturenarrangements und Spazierwegen durchgestaltet waren (vgl. Abb.). Die Blickachsen von den Räumen der Villa sind durchgängig nach außen hin auf die G. konstruiert. Auch die Architekturform des Hippodroms konnte im Rahmen weitläufiger Villen und Paläste, z.B. bei der toskanischen Villa des Plinius und dem Palast des Domitian auf dem Palatin in Rom, in eine kompliziert bepflanzte G.-Anlage mit Promenaden umfunktioniert werden (Plin. epist. 5,6,15 und 32ff.). Die statuarische Ausstattung (*ornamenta*) und die Wandgemälde in den G.-Anlagen der Stadt- und Landhäuser verdeutlichen, daß griech. Heiligtümer, Gymnasien, Parks und Paläste sowie orientalische *parádeisoi* evoziert werden sollten. Der G. war ein Ort, in dem sich der Besitzer der Muße widmen und mit dem er gleichzeitig gesellschaftlich repräsentieren konnte.

Zu den kaiserlichen Palästen gehörten ganze Parklandschaften mit Architekturensembles, Pavillons, Promenaden und Skulpturen. Viele dieser Parks und G. (*horti*) der Kaiser, der reichen Oberschicht in Rom und deren nächster Umgebung sind bekannt. Die *horti* und privatfinanzierten öffentlichen G. wie die *porticus Pompeiana* (Mart. 2,14,10) trugen zur vielfältigen Begrünung der Hauptstadt bei. Einige private Parks wurden dem Volk als öffentliche Erholungsorte vermacht (Suet. Iul. 83). Der größte aller Kaiserpaläste, die ländliche Villa Hadriana bei Tivoli, umfaßte eine Vielzahl mit Statuen, Wasserfällen, Springbrunnen, Grotten und Nymphäen geschmückter G. In anderen Teilen des röm. Reichs, bes. in den mediterranen Gebieten, wurden G.-Anlagen nach ital. Muster Bestandteil privater und öffentlicher Bereiche. Auch in den nördl. Provinzen, deren Klima weniger mild war, übernahm die romanisierte Bevölkerung röm. Gartenbautraditionen.

→ GARTENANLAGEN; Bewässerung; Brunnen; Haus; Kanal, Kanalbau; Palast; Städtebau; Villa

B. ANDREAE, Am Birnbaum. Gärten und Parks im ant. Rom, 1996 · M. CARROLL-SPILLECKE, ΚΗΠΟΣ. Der ant. griech. G., 1989 · Dies. (Hrsg.), Der G. von der Ant. bis zum MA, 1992 · K. L. GLEASON, Porticus Pompeiana: A new perspective on the first public park of ancient Rom, in: Journal of Garden History 14.1, 1994, 13–27 · W. F. JASHEMSKI, The Gardens of Pompeii, Herculaneum and the villas destroyed by Vesuvius, 2 Bde., 1979/1993 · E. B. MACDOUGALL, W. F. JASHEMSKI (Hrsg.), Ancient Roman Gardens. Dumbarton Oaks Colloquium on the History of Landscape Architecture 7, 1981 · E. B. MACDOUGALL (Hrsg.), Ancient Roman Villa Gardens. Dumbarton Oaks Colloquium on the History of Landscape Architecture 10, 1987 · I. NIELSEN, Hellenistic Palaces, 1994 · W. SONNE, Hell. Herrschaftsgärten, in: W. HOEPFNER, G. BRANDS (Hrsg.), Basileia. Die Paläste der hell. Könige, 1996, 136–143.   M.C.-S.

C. GARTEN ALS LITERARISCHES MOTIV

Seit Homer sind G. im Kontext von Tempeln, Palästen und → Villen beliebtes Objekt der → Ekphrasis. Vom *locus amoenus* und der bukolischen Ideallandschaft (→ Bukolik) trennt den G. seine Begrenztheit (durch Mauern, Portiken etc.) und künstliche Gestaltung.

Prägend wirkt Homers Beschreibung des Obst-G. beim Palast des Alkinoos (Hom. Od. 7,112ff.), die jedoch neben der Fruchtfülle noch ganz auf den Aspekt des Nutz-G. abhebt (vgl. Hom. Od. 24,230ff.). Dagegen evoziert Sappho (fr. 192 PAGE) mittels Götterhymnus, Brandaltar und Gelage Feststimmung und die Sakralität des Hains; Früchte und Blumen (Äpfel, Rosen) sind Aphrodite zugeordnet und versinnbildlichen den Charme der Göttin. Sophokles' Beschreibung des Eumenidenhains in Kolonos bereitet der Lobpreis Attikas und Ödipus' Tod vor (Soph. Oid.K. 16ff.; [3. 232ff.]); das Verbot, einzutreten, gehört zu den typischen Bestimmungen sakraler Haine ([7]; vgl. Plin. epist. 8,8,6 zum *Clitumnus fons*). Im Hell. dominiert die Architektur den G.: Im Palast des Aietes wird der G. Teil der prospekthaften Frontansicht (Apoll. Rhod. 3,215ff.), und bei Longos (Proömium und 4,2) macht erst die Verschmelzung der Natur mit der Kunst den G. zum genußvollen Erlebnis. Roman und Epos schildern den G. aus der Sicht des Liebenden: Pflanzen und Blumen werden personifiziert und »erotisiert«, die Geliebte umgekehrt in metaphorischer Sprache »vegetalisiert« (Ach.Tat. 1,15 und 1,19,1; Nonn. Dion. 3,140ff. [3. 420ff.]).

In der röm. Lit. wird die → Villa im Rückgriff auf griech. Vorbilder mittels Statuen, Gebäuden, Phantasienamen (Ciceros »Akademie« und »Amaltheia«, Cic. Att. 1,5,2; 2,1,11; vgl. leg. 2,7) als Bildungslandschaft entworfen, die den Charakter des Besitzers abbildet, als Rückzugsort zum philos. Gespräch lädt (Cic. de orat. 1,28f.; Sen. epist. 55; Stat. silv. 1,3; [2]) und als Quelle lit. Inspiration (Plin. epist. 1,3; 1,9; [6]) dient. Daneben erfreut den Städter die (kurzzeitige!) Teilhabe am einfachen Landleben, das er teils amüsiert-distanziert beobachtet (Plin. epist. 9,20; [11]), teils als Lebensideal erträumt (Tib. 1,5,19ff.).

Laut Plinius (epist. 2,17; 5,6) sind die Villen-G. geformte, gemäßigte und künstlich »verbesserte« Natur und halten alle unkontrollierbaren Widrigkeiten fern. Die freie Natur wird durch rahmende Portiken, Fenster und Türen zum reizvollen Landschaftsbild reduziert und auf Distanz gehalten [5]. Dieser wohlproportionierte ästhetische Naturgenuß mit (lit.) Bildungsassoziationen wirkt in den Landschafts-G. des 17. bis 20. Jh. fort (z.B. Popes G. mit »Dichterparnaß«, Girardins Park mit »Hütte von Philemon und Baucis« [1; 8. 32ff.]).

→ Hain; Natur, Naturgefühl; Umwelt

1 A. VON BUTTLAR, Der Landschafts-G., 1980
2 H. CANCIK, Tibur Vopisci, in: Boreas 1, 1978, 116–134
3 W. ELLIGER, Die Darstellung der Landschaft in der griech. Dichtung, 1975 4 P. GRIMAL, Les jardins romains, 1984
5 E. LEFÈVRE, Röm. Baugesinnung und

Landschaftsauffassung in den Villenbriefen, in: Gymnasium 84, 1977, 519–541 **6** Ders., Die Villa als geistiger Lebensraum, in: Gymnasium 94, 1987, 247–262 **7** Les Bois sacrés, 1993 **8** P. DE LA RUFFINIÈRE DU PREY, The Villas of Pliny from Antiquity to Posterity, 1994 **9** K. SCHNEIDER, Villa und Natur, Diss. 1994 **10** G. SCHÖNBECK, Der locus amoenus von Homer bis Horaz, 1962 **11** E. STÄRK, Vindemia, in: Gymnasium 97, 1990, 193–211.   UL.EG.-G.

Garum s. Fischspeisen

Garumna (Garunna, Γαρούνας). Einer der gall. Hauptströme (Tib. 1,7,11), h. Garonne und Gironde. Grenze der Galli zu den Aquitani (Caes. Gall. 1,1,1; 5; 7; Strab. 4,1,1; 2,1 f.; 3,3; 5,2; Mela 3,20 f.; Plin. nat. 4,105; Amm. 15,11,2). Strab. 4,2,1 zufolge über etwa 370 km schiffbar.

> R. BOUDET (Hrsg.), Les Celtes, la Garonne et les Pays aquitains, 1992 · Y. ROMAN, Les Celtes, les sources antiques et la Garonne, in: Aquitania 12, 1994, 213–219 · H. SION, Carte archéologique de la Gaule. 33/1 (Gironde), 1994.
> Y. L.

Gastalden. Verwalter der Güter und Vertreter der Interessen des Königs im Langobardenreich, erstmals unter Authari (584–590 n. Chr.) belegt. Seit dem 7. Jh. kontrollierten sie die Herzöge (vgl. *Edictus Rothari* 23); im 8. Jh. konnten sie Gerichtsversammlungen vorstehen. Sie unterstanden direkt dem König in nicht-erblicher Stellung. In den Dukaten Spoleto und Benevent verwalteten sie die wichtigsten Städte für die Herzöge.

> C. G. MOR, Lo stato longobardo nel VII secolo, 1969, 1, 271 ff.   M. MEI. u. ME. STR.

Gastfreundschaft I. ALTER ORIENT UND ÄGYPTEN II. IRAN III. GRIECHENLAND UND ROM

I. ALTER ORIENT UND ÄGYPTEN

In Äg. und in Mesopotamien wird G. nicht als eigener Wert behandelt, doch wird Freigebigkeit gegen Bedürftige im Sinne einer kommunikativen und vertikalen Solidarität [1; 2] in beiden Kulturen als verpflichtende Norm gesehen.

Nach ägypt. Quellen verhält man sich Fremden gegenüber zurückhaltend, und späte Lehren (Anch-Scheschonqi 21,24 f.) sprechen von der Einsamkeit des Menschen in der fremden Stadt, in der er keine Verwandten hat. Selten enthalten Briefe Ermahnungen, einen angekündigten Gast mit gebührender Aufmerksamkeit zu behandeln und bei der Verpflegung nicht zu geizen (Pap. Northumberland 1) oder einen Beamten auf Inspektionsreise mit einem Geschenk zu empfangen (Pap. Berlin 13580, 15530)

Für Mesopotamien vermitteln lit. Texte Regeln der G., hier unter Göttern und/oder myth. Helden dargestellt. Ein Gastgeschenk wird im Rahmen eines gemeinsamen → Gastmahles erwidert. Hier werden auch ritualisierte Kämpfe (zur Aufnahme des Fremden in die »Familie«) angesiedelt [1].

Außerhalb von Familie und Unternehmen können Kaufleute und Boten auf Reisen auf institutionelle Stützpunkte zugreifen [3].

> 1 J. J. GLASSNER, L'hospitalité en Mésopotamie ancienne, in: ZA 80, 1990, 60–75 **2** J. ASSMANN, Ma'at, 1990 **3** R. WESTBROOK, The Old Babylonian Term napṭarum, in: JCS 46, 1994, 41–46.   HE. FE.

II. IRAN

Unter den Ehrentiteln, die achäm. Großkönige zu vergeben pflegten, waren die der *Orosángai*, d. h. der »Wohltäter« (Ὀροσάγγαι, Hdt. 8,85, < medisch **varusanha-* »weitberühmt«; griech. oft als εὐεργέται übers.), »Freunde« (φίλοι) und »Gastfreunde« (ξένοι) die bedeutsamsten; sie waren zugleich mit vielfältigen Privilegien (und Geschenken) verbunden. Ging bei der König-»Wohltäter«-Beziehung die Initiative von letzterem aus, für dessen Dienst sich der Herrscher im Nachhinein erkenntlich zeigte, so berief der König als Freund (bei Beachtung von Rangunterschieden) in seine Umgebung, wen er dazu ausersehen hatte oder wer aufgrund seiner Abkunft dazu berechtigt war. Im Gegensatz dazu handelte es sich bei der G. – zw. König/Satrap und *xénos* – um eine Beziehung zw. Gleichberechtigten, die aus freien Stücken dieses G.-Verhältnis errichteten. Bei allen drei Gruppen von Ausgezeichneten waren Namen und Privilegien bei Hofe verzeichnet und das Freundschaftsverhältnis konnte sich auf die Nachkommen »vererben«, → Privilegium.

> P. BRIANT, Histoire de l'empire perse, 1996, 314–366 · P. CALMEYER, Zur Darstellung von Standesunterschieden in Persepolis, in: AMI 24, 1991, 35–51 · J. WIESEHÖFER, Die »Freunde« und »Wohltäter« des Großkönigs, in: Studia Iranica 9, 1980, 7–21.   J. W.

III. GRIECHENLAND UND ROM

(griech. ξεινίη/ξενία, *xenía*, lat. *hospitium*).

A. DEFINITION B. BEFUNDE

A. DEFINITION

Das Urteil über das Wesen der ant. griech.-röm. G. hängt davon ab, ob diese von einem moralischen, rechtlichen oder polit. Standpunkt aus betrachtet wird. Einerseits herrscht in der Forsch. die Vorstellung vom rein altruistischen Charakter der G. vor und gilt diese als Ausdruck der Zivilisiertheit schlechthin [1; 2], andererseits setzte sich schon früh die Auffassung durch, daß mit der G. polit. und ökonomische Interessen verfolgt wurden. Dabei wurde auf den reziproken, d. h. kontraktuellen (vertraglichen) Charakter der G. verwiesen und ihr eine friedenssichernde Rolle im Handelsverkehr sowie eine polit. Bündnisfunktion zugeschrieben [3; 4]. Die Rezeption der Theorie der Gabe von Marcel MAUSS (→ Geschenke I) hat dann die Deutung der G. als Vorform des Vertrages und als vorstaatliche Bündnisform veranlaßt [5]. Heute wird die G. zu den Formen ritualisierter Freundschaft mit polit. und mil. Allianzfunktion gezählt, ohne daß a priori eine Zuordnung zu einer vorstaatlichen Epoche erfolgt [6; 7].

B. BEFUNDE

Die G. ist ein in der ant. Lit. und Philos. häufig aufgegriffenes Thema. Sowohl das homer. Epos (vgl. die Polyphem-Episode in Hom. Od. 9,116–542) als auch die röm. Dichtung (vgl. die Erzählung von der Aufnahme des Juppiter bei Philemon und Baucis in Ov. met. 8,613–715) und der byz. Roman [8] enthalten Exempla über das rechte gastliche Verhalten; über dessen polit. Nutzen informieren philos. und histor. Schriften. Während im Griech. nicht zw. dem Fremden/der Fremden und dem Gastfreund geschieden wurde – beide nannte man ξένος, ξεῖνος bzw. ξένη (*xé[i]nos, xénē*) –, bestand im Lat. eine strikte begriffliche Trennung zw. dem Gastfreund/der Gastfreundin, *hospes/hospita*, und dem Fremden. Dieser hieß urspr. *hostis*, womit zugleich auch der Feind gemeint war (so im Zwölftafelgesetz: Lex XII 2,2; 3,7), später *peregrinus* (Cic. off. 1,37; Varro ling. 5,3). Der Schutz des Fremden galt als göttliches Gebot, über das bei den Griechen Zeus Xenios (Hom. Od. 6,207; 9,270; Aischyl. Ag. 60; Plat. leg. 730a; Theodoros Prodromos, Rhodante 9,379), bei den Römern Iuppiter Hospitalis wachte (Ov. met. 10,224; Verg. Aen. 1,731) [9; 10; 11]. Ihnen, sowie »reisenden« Heroen wie Hercules oder den Dioskuren zu Ehren, wurde das Ritual der *theoxénia* bzw. *lectisternia*, der Götter- und Heroenbewirtungen, vollzogen und den göttlichen Gästen Klinen und Tische mit Gaben aufgestellt [12]. Die Gefährdung des Fremden macht Platon deutlich, der das Bestreben geißelt, an einsamen Wegen Häuser zu errichten, um dort Fremde wie Gefangene festzuhalten und gegen Lösegeld freizulassen, anstatt ihnen gastliche Gaben (*philiká xénia*) zu gewähren (Plat. leg. 919a). Die Speisen für fremde Gäste, für Pilger zu den Orakelstätten oder für Gesandte, die im Prytaneion empfangen wurden [13], nannte man ξεινήια, ξένια/*xé(i)nia* (Hom. Od. 4,33: ξεινήια … φαγόντε; Hdt. 7,135; bei Plat. leg. 845a heißen so die Früchte, die Fremde für den unmittelbaren Verzehr von den Feldern holten). Wo die *xénia* an durchziehende Heere oder ranghohe Personen vergeben wurden, trugen sie tendenziell Tribut- bzw. Abgabencharakter (Hdt. 7,27–39; Hom. Od. 8,388–393). *Loca* (Unterkunft), *lautia* (Haus- und Badegerät) und → *munera* (silbernes und goldenes Tafelgeschirr) bildeten die Bestandteile röm. Gastlichkeit, die speziell Gesandten gewährt wurde (Liv. 44,16,7; 28,39,19; CIL I² 588,8).

Herbergen (griech. ξενοδοχεῖον/*xenodocheíon*, lat. → *hospitium*) gab es nur wenige. Für Festgesandte und Pilger wurden an zentralen Kultorten Unterkünfte und Banketträume errichtet. In röm. Städten wie z. B. Pompeji existierten immerhin drei *hospitia*. Auf Karawanenstraßen wie zw. Sardes in Lydien und Susa in Persien fanden Reisende im Abstand von einer Tagesreise (ca. 30–40 km) Raststationen (*stathmoí*) vor (Hdt. 5,52–53) [14; 15]. Ranghohe Reisende griffen meist auf individuelle G. zurück oder wurden – so die röm. Magistrate –

bei Honoratioren einquartiert (Cic. Verr. 2,2,65). Die Pflege der G. war für die polit. Reputation von Bed. Angesehene Athener wie Kimon führten ein offenes Haus und bewirteten sowohl *xénoi* als auch Demengenossen mit großer Freigebigkeit (Plut. Kimon 10; Aristot. Ath. pol. 27,3). Für Xenophon, der in der Verbannung auf die Unterstützung von Gastfreunden zurückgreifen konnte (Diog. Laert. 2,51–53), gehörte der Unterhalt vieler *xénoi* zum guten Ruf (Xen. oik. 2,5). Cicero schätzte es, viele *hospites* zu haben, die ihm bei fremden Völkern Dankbarkeit (*gratia*) und Beistand (*ops*) einbrächten (off. 2,64). Hell. Peristylhäuser und röm. Villen besaßen zahlreiche Räume für die Bewirtung und Aufnahme von Gästen (Vitr. 6,7,4; Cic. off. 1,139).

Wo die Gewährung von Gastlichkeit in ein dauerhaftes Bindungsverhältnis mündete, wurden besondere Rituale durchgeführt und Erinnerungsgaben von unterschiedlicher Symbolik gereicht. Bad, Neueinkleidung und die Darreichung von Kleidergaben und Trinkgefäßen gehörten im homer. Epos zum Ritual der G., das zur Integration des Fremden in die häusliche Gemeinschaft und der lokalen Tischgemeinschaft führte und daher von Männern und Frauen vollzogen wurde (Hom. Od. 4,48–58; 8,430–432; 15,125–127; Xen. an. 7,3,16). Der Austausch von Eiden (*hórkia*), Handschlägen (*dexiaí*) und Waffengaben, der die G. der klass. Zeit prägte, trug einen eher mil. Charakter und diente wie die zw. Kollektiven geschlossenen Waffenstillstandsabkommen (*spondaí*) und Waffenbündnisse (*xénia kai symmachíai*) der Schonung (Hom. Il. 6,119–236; Xen. hell. 4,1,29–40; Paus. 10,26,8) oder der Unterstützung im Kampf (Hdt. 7,165). In diesem Kontext gehört die Prägung einer eigenständigen Begrifflichkeit für G. bei den Griechen: ξεινοσύνη/*xeinosýnē* (erstmals bei Hom. Od. 21,35) und ξεινία/*xe[i]nía* (seit Herodot), während sie in anderen Zusammenhängen auch mit dem Begriff φιλία/*philía* (eigentlich → Freundschaft) belegt wurde (Aristot. eth. Nic. 8,12,1161b 11–17) [16; 17; 18]. Eine solche G. konnte in Widerspruch zu Loyalitätsbindungen geraten, die mit den eigenen Kampfgefährten bestanden, und als Bestechung ausgelegt werden (Thuk. 2,13,1–2; 5,59,5–60,6). Dieser Vorwurf wurde im 4. Jh. v. Chr. auch erhoben, wenn die G. genutzt wurde, um in Krisenzeiten auswärtige Ressourcen wie Holz für den Schiffbau oder Getreide zu erlangen (And. 2,11; Demosth. or. 19,114) [19; 20].

In Rom wurde unterschieden zw. dem *hospitium privatum*, das Einzelpersonen schlossen, und dem *hospitium publicum*, das Senat und Volk gewährten. Letzteres erhielten z. B. die Bewohner von Caere als Dank für ihre Unterstützung beim Galliereinfall im J. 390 v. Chr. (Liv. 5,50,3). Das *hospitium privatum* besaß z. T. den Charakter eines Patronatsverhältnisses. Seit dem 1. Jh. v. Chr. suchten sich einzelne Städte in den Provinzen in Rom einen *hospes* als Patron, der ihre Belange vertrat (Cic. Verr. 2,2,110). Für sizische Städte hatten beispielsweise die Marcelli diese Funktion inne. Trotz dieser begrifflichen Trennung zw. einem *hospitium privatum* und einem *hospitium publicum* bestand ein enger Zusammenhang auf polit. Ebene. Persönliche G.-Beziehungen konnten in die Stiftung von Bündnissen zw. Gemeinwesen münden (Liv. 1,45); Römer, die Gastfreunde auswärtiger Herrscher waren, wurden als Gesandte eingesetzt (Caes. Gall. 1,47). Beide Formen wurden über Handschläge (Liv. 30,13,8; 13,11) und Weihgüsse (*sponsio*; Liv. 9,41,20) gestiftet. Auch der Austausch von *tesserae hospitales*, von Erkennungszeichen aus Elfenbein, Ton oder Metall in Gestalt von ineinander geschlungenen Händen (Tac. hist. 1,54; IG 14,279), gehört in diesen Kontext. Ihn vollzogen zudem Gastfreunde, die in Handelsbeziehungen zueinander standen (Plaut. Poen. 1039–1054). Dies gilt auch für die griech. σύμβολα/ *sýmbola* (z.B. Hdt. 6,86,5), die im Rahmen der → Proxenie als Ausweis galten [21; 22].

→ Freundschaft; Gastmahl; Geschenke; Proxenie; Reisen

1 E. Curtius, Die G., in: Ders., Alterthum und Gegenwart, ⁴1892, 203–218 2 L.J. Bolchazy, From Xenophobia to Altruism: Homeric and Roman Hospitality, in: Ancient World 1, 1978, 45–64 3 R. v. Jhering, Die G. im Alterthum, in: Deutsche Rundschau 51, 1887, 357–397 4 T. Mommsen, Das röm. Gastrecht, in: HZ 1, 1859, 332–379 5 M.I. Finley, The World of Odysseus, 1954, ²1977 (dt. 1979, 102) 6 G. Herman, Ritualised Friendship and the Greek City, 1987, Kap. 2 7 J. Pitt-Rivers, The Law of Hospitality, in: Ders., The Fate of Shecham, 1977, 94–112 8 R.E. Harder, Diskurse über Gastlichkeit im Roman des Theodoros Prodromos, in: H. Hofmann, M. Zimmerman (Hrsg.), Groningen Colloquia on the Novel VIII, 1997, 131–149 9 P. Gauthier, Notes sur l'étranger et hospitalité en Grèce et à Rome, in: AncSoc 3, 1972, 1–21 10 J. Gaudemet, L'étranger dans le monde romain, in: Studii Clasice 7, 1965, 37–47 11 M.F. Baslez, L' étranger dans la Grèce antique, 1984 12 D. Flückiger-Guggenheim, Göttliche Gäste, 1993 13 P. Schmitt-Pantel, La cité au banquet, 1992, 145–168 14 O. Hiltbrunner, G. und Gasthaus in der Ant., in: H.C. Peyer (Hrsg.), G. und Taverne, 1983, 1–20 15 C. Börker, Festbankett und griech. Architektur, 1983 16 V. Pedrick, The Hospitality of Noble Women in the Odyssey, in: Helios N.S. 15, 1988, 85–101 17 S. Reece, The Stranger's Welcome, 1993 18 B. Wagner-Hasel, Die Macht der Kleider, 1994, Kap. II/2 19 F.D. Harvey, Dona Ferentes, in: P.A. Cartledge (Hrsg.), Crux, 1985, 76–117 20 G. Herman, Ritualised Friendship, 1987, Kap. 4 21 O.E. Nybakken, The Moral Basis of Hospitium Privatum, in: CJ 41, 1945/6, 248–253 22 Ph. Gauthier, Symbola, 1972, 62–104. B.W.-H.

Gastmahl I. Ägypten und Alter Orient II. Griechenland III. Rom

I. Ägypten und Alter Orient

Zentrale ägypt. Quellen für G. sind Darstellungen des Totenmahles in thebanischen Beamtengräbern der 18. Dyn. (15.–14. Jh. v. Chr.). Die frühen Abb. zeigen den Grabherrn mit Gemahlin als Gastgeber vor einem Tisch mit Speisen, gegenüber in mehreren Registern ihre Gäste. Bedienstete schmücken sie mit Blumen und reichen Wein und Speisen, wohlriechende Salben und Handwaschgerät. Im Laufe der Zeit verliert die Szene ihre rituelle Strenge durch künstlerische Verfeinerung und Detailreichtum. Zwischen der nun kleineren Gruppe der Gäste und den Gastgebern formiert sich eine dritte Gruppe aus den Töchtern des Grabherrn, Musikantinnen und Tänzerinnen. Das G. ist nun ein alle Sinne ansprechendes festliches Ereignis [1]. Der Schritt zum Exzeß ist nicht weit: Lebenslehren warnen vor gierigem Verhalten an der Tafel eines Vorgesetzten (z.B. [5. 119ff.]; s. auch [4]).

Im Alten Mesopotamien [2. 4] findet das gemeinsame G. über den Kreis der engsten Familie hinaus im Kontext von Festen statt. Das G. reflektiert und bewirkt zugleich das Erlebnis der Gemeinschaft (z.B. kultische Feste, Totenmahl der Familie), kann die Speisung Bedürftiger mit einschließen, bestätigt die Aufnahme in den Familienkreis (Hochzeit), ehrt den geladenen Gast (z.B. den König oder Gott) und ist so auch Gegengabe für »Gastgeschenke« (z.B. für Tribut oder Loyalitätsverpflichtung gegenüber dem Herrscher).

Im Bild wird das G. v. a. in der Bankettszene des 3. Jt. im (kultischen) Festeskontext und in späthethit. Reliefs als Totenmahl dargestellt.

1 J. Assmann, Der schöne Tag, in: Ders., Stein und Zeit, 1991, 200–234 2 J.J. Glassner, A. Ünal, P. Calmeyer, s.v. Mahlzeit, RLA 7, 259–271 3 H.J. Thissen, Der verkommene Harfenspieler, 1992 4 K. van der Toorn, Family Religion in Babylonia, Syria and Israel, 1996 5 Z. Žaba, Les maximes de Ptahhotep, 1956. HE. FE. u. WA. SA.

II. Griechenland
A. Terminologie   B. Formen des öffentlichen Gastmahls   C. Symposien

A. Terminologie

Die griech. Sprache kennt eine große Vielfalt von Bezeichnungen für Mahlzeiten; man kann diese jedoch einigen wenigen Wortfamilien zuordnen. Zunächst die Vorstellung des Teilens: Um die Wurzel **dai* entstand der Name der geteilten Mahlzeit, die *daís*, ein Begriff der homer. Zeit. Die zweite Vorstellung ist die der Gemeinschaft, wiedergegeben durch Ausdrücke, die mit dem Präfix **syn*- beginnen. So ist das *syssítion* das »Zusammenspeisen«, das *sympósion* das »Zusammentrinken«, der *sýndeipnos* der »Tischgenosse«. Die dritte Vorstellung ist die des Empfangs am Herdfeuer (*hestía*) und der Gastfreundschaft (*xenía*), gegenwärtig in den Begriffen *hestíasis* (»Mahlzeit am Herdfeuer«), oder *xenía* und *xenismós* (»Mahlzeit der Gastfreundschaft«). Andere Begriffe legen den Akzent auf die Aspekte von Freude (*thalía*), Vergnügen (*eilapínē*), Genuß (*thoínē*) und Wohlbefinden (*euphrosýnē, euochía*). Die meisten haben einen weiteren Sinn, wie das Wort *éranos*, das manchmal die »Mahlzeit, zu der jeder seinen Anteil mitbringt« bezeichnet. Diese Beispiele zeigen, daß der Aspekt der

Athen, Agora, Süd-Stoa I, Speisezimmer mit sieben Klinen. 2. H. 5. Jh. v. Chr. (Rekonstruktion).

Ernährung durch die Sprache, die den Akzent eher auf die Geselligkeit legt, nicht in den Vordergrund gerückt wird. In der Tat betont die griech. Auffassung von der Mahlzeit vor allem das *Teilen* der Nahrung (des den Göttern geopferten Fleisches, des der Demeter geweihten Getreides, des von Dionysos geschenkten Weines) und ihren *gemeinsamen* Verzehr.

Der Brauch, eine Mahlzeit mit Gästen zu teilen, existiert von jeher in der griech. Welt. Die ältesten lit. Zeugnisse finden sich in der *Ilias*, wo z.B. König Agamemnon die achäischen Helden häufig zu einem Opfer oder einer Mahlzeit rufen läßt (Hom. Il. 9,90), wie auch in der *Odyssee*, wo Nestor, der König von Pylos, Telemachos (Hom. Od. 3,387) und Alkinoos, der König der Phäaken, Odysseus (Hom. Od. 8,39) einlädt (vgl. auch das Bankett der Freier in Ithaka). Diese Geste gehört zur → Gastfreundschaft (*xenía*), ein in den archa. aristokratischen Gesellschaften sehr wichtiger sozialer Brauch, der den Bund zw. den Familien besiegelt und soziale Beziehungen knüpft. Mit dem Entstehen der Städte hält diese Praxis weiter an, jedoch auf den beiden verschiedenen Ebenen der bürgerlichen Gemeinschaft und der Privatleute [1].

B. FORMEN DES ÖFFENTLICHEN GASTMAHLS

In Sparta und den kret. Städten ist die Gesamtheit der Bürger verpflichtet, täglich im Rahmen des *syssítion* (Xen. Lak. pol. 5; Plut. Lycurgos 10–12; Aristot. pol. 2,9,1271a) bzw. des *andreíon* (Ephor. FGrH 70 F 149; Dosiadas bei Athen. 4,143a; Pyrgion bei Athen. 4,143e; Aristot. pol. 2,9,1272a) miteinander zu speisen. Diese (Männer-)Mahlzeiten beruhen auf einer bes. Organi-

sation der Produktion. Das Grundeigentum ist z. T. kollektiv, und der Boden wird von einer Gruppe abhängiger Bauern − den spartanischen *heílōtes* (→ Heloten) und den kret. *klarótai* − bewirtschaftet; sie liefern die notwendigen Lebensmittel für die Bankette entweder direkt an die Gemeinschaft (Kreta) oder an die Bürger, die im Besitz eines Landanteils (*klếros*) sind (Sparta). Diese Mahlzeiten sind außerdem der Ort, an dem die jeweils gültigen Normen ihren Ausdruck finden und weitergegeben werden. Sie betonen sowohl die Gleichheit unter den Bürgern (jeder Erwachsene erhält einen gleichen Anteil am Mahl) als auch den Unterschied zu den Nichtbürgern, die von den Mahlzeiten ausgeschlossen sind (Sklaven, Fremde, Frauen). Diese Mahlzeiten sind ferner ein wichtiger Bestandteil der → *paideía*: ihre Durchführung spiegelt den Charakter der jeweiligen Stadt wider, die dort geführten Gespräche haben Vorbildfunktion [1]. Schließlich sind sie ein die Staatsbürgerschaft definierendes Element und ein Ort ihrer Ausübung. Ein Verfahren der Ergänzungswahl, in dem Einstimmigkeit erforderlich ist, entscheidet über die Zulassung zum *syssítion*; wer seinen Anteil nicht mehr beisteuern kann, verliert seine Staatsbürgerschaft (Aristot. pol. 2,9,1271a). In diesen Gesellschaften ist somit die Mahlzeit ein Grundstein der ökonomischen, sozialen und polit. Organisation. Das Bankett ist am Ende der archa. Zeit nicht in allen Städten zu einem Kriterium der Staatsbürgerschaft geworden, aber die Formen der öffentlichen Bewirtung bleiben überall wichtig.

Die Beamten nehmen während ihrer Amtszeit oft ihre Mahlzeiten gemeinsam ein. In Athen speisen die

→ Prytanen während der Zeit ihrer Prytanie in der → Tholos und bekommen eine Unkostenvergütung für ihr Essen (Aristot. Ath. pol. 43,3). Sie vertreten die Gesamtheit des Bürgervolkes, den → *dḗmos*, der durch ihre Vermittlung symbolisch an der gleichen täglichen Mahlzeit teilnimmt. Die Bürgergemeinschaft lädt die Gäste der Stadt zu einer zusammen mit den Beamten eingenommenen Mahlzeit am gemeinsamen Herdfeuer, der *hestía*: Eine Einladung ins → Prytaneion, den Versammlungsort der Prytanen (Beamte, die man in zahlreichen Städten findet), wo auch das heilige Feuer brennt. Diese Mahlzeit heißt *xenía*; in der Stadt Athen ist sie in klass. Zeit eine Ehre, die gewöhnlich allen offiziellen Vertretern anderer Städte zuerkannt wird, die als Gesandte zur Volksversammlung kommen (IG II² 102; 107). Die von der → *ekklēsía* gefaßten Beschlüsse enthalten oft die Klausel: ›Möge es dem Volk belieben, ihn am nächsten Tag zum Essen ins Prytaneion einzuladen‹. Auch athenische Bürger können für einen Tag Gäste im Prytaneion sein, wenn sie nach einer Gesandtschaft aus einer fremden Stadt zurückkehren; neben der damit verbundenen Ehre dient dies auch dazu, den Bürger wieder in seine Stadt einzugliedern.

Die Mahlzeit am Herdfeuer kann auch eine lebenslang gewährte Ehre sein. In Athen wird das Recht, lebenslang im Prytaneion zu speisen, die → *sítēsis*, nur in außergewöhnlichen Fällen verliehen; es handelt sich um eine große, manchmal auf die Nachkommen übertragbare Ehre. Ein Beschluß aus der Mitte des 5. Jh. v. Chr. legt die Begünstigten fest: Priester von Eleusis, die Nachkommen von Harmodios und → Aristogeiton, von Apollon erwählte Persönlichkeiten und die Sieger der olympischen, pythischen, isthmischen und nemeischen Wettkämpfe (IG I³ 131). Dieses Privileg wurde schließlich im 4. Jh. v. Chr. auch anderen Personen nach neuen Kriterien eröffnet [1. 168–177].

Ein weiteres Beispiel für öffentliche Bewirtung ist der Dienst (→ *leiturgía*) der *hestíasis* in Athen, in der die Stadt jedes J. anläßlich der Feste der → Panathenaia und → Dionysia zehn der reichsten Bürger die Sorge und die Kosten für die Ausrichtung einer Mahlzeit für alle Bürger ihres jeweiligen Stammes überträgt. Diese Liturgen werden dann *hestiátores* (»öffentliche Gastgeber«) genannt (Demosth. or. 20,21; 39,7). Mit Nuancen, die durch die Art des polit. Regimes und die histor. Entwicklung bedingt sind, bewahrt das G. also eine polit. Bed.

C. SYMPOSIEN

Neben letzterer besitzt das G. eine soziale und kulturelle Funktion, die es während der gesamten Ant. beibehält. Unter dem Begriff *sympósion* bezeichnet es die in großer Zahl stattfindenden Mahlzeiten von Privatleuten, die u.a. durch Platons und Xenophons *Symposion* berühmt wurden. Diese Mahlzeiten, zu denen zahlreiche Gäste eingeladen werden, folgen strengen Regeln. Die Einladungen werden direkt mündlich oder durch Vermittlung eines Sklaven ausgesprochen, und unter die Geladenen mischen sich oft professionelle Schmarotzer,

von den Griechen »Parasiten« (*parásitoi*) genannt. Die Gäste achten auf die Sauberkeit ihres Körpers und der Kleidung, bevor sie in den Bankettsaal treten, das *andrṓn* (»Raum der Männer«). Dieser Begriff drückt klar aus, was für die griech. Mahlzeiten charakteristisch ist: Frauen nehmen an ihnen nicht teil. Im *andrṓn* werden ringsum Speisesofas (→ *klínē*) aufgestellt, ihre Zahl variiert je nach dem zur Verfügung stehenden Raum. Die Männer ziehen ihre Schuhe aus und legen sich allein oder zu zweit auf die Bänke, den linken Ellbogen auf ein Kissen gestützt, und essen und trinken in dieser Haltung. Das Lager zur Rechten des Hausherrn ist der Ehrenplatz. Vor jedem Sofa ermöglicht ein tragbarer Tisch das Auftragen der Speisen. Diese sind mundgerecht auf Platten vorbereitet; man »schöpft« sie mit Hilfe von Fladenstücken und ißt mit den Fingern. Die Bedienung erfolgt durch Sklaven.

Die Mahlzeit verläuft immer nach dem gleichen Schema: Der erste Teil ist dem Essen gewidmet, über dessen Ablauf man nichts weiß. Dann werden die ersten Tische entfernt und durch andere ersetzt, auf denen Desserts serviert werden. Nun beginnt der zweite, dem Trinken gewidmete Teil, das *sympósion*, das durch Texte und Vasenbilder besser bekannt ist. Ein Bankettmeister, der *symposiárchēs*, wird gewählt; seine Aufgabe besteht darin, das Ritual im rel. und sozialen Sinn zu leiten. Rel. Ritual: Das *sympósion* erfordert die Weihung eines Teils des zum Konsum vorgesehenen Weines an die Götter in Form eines Trankopfers. Der erste Krug ist → Zeus und den olympischen Göttern geweiht, der zweite den Heroen, der dritte dem Zeus Sōtḗr. Diese Atmosphäre des Respekts vor den Göttern vermittelt eine Elegie des Xenophanes (zitiert bei Athen. 11,462c-f), in welcher der Dichter die Regeln des G. darlegt; die materielle Sauberkeit des Orts und der Gäste bürgt für ihre sittliche Reinheit. Soziales Ritual: Das *sympósion* bekundet die Gleichheit der um den Mischkrug (*kratḗr*, das große Gefäß, in dem Wein und Wasser gemischt werden) versammelten Teilnehmer, ebenso wie die Teilung des Fleisches am Ende des Opfers und sein gemeinsamer Verzehr zu Beginn der Mahlzeit. Der *symposiárchēs* regelt die Verteilung der Weinbecher, er bemißt so den langsamen Anstieg der allg. Trunkenheit und wacht darüber, daß Eintracht unter den Gästen herrscht. Das *sympósion* ist die Zeit für Gespräche, für das Musikhören und für Zerstreuungen, darunter das → Kottabosspiel. In dieser letzten Phase des Banketts können Hetären (→ Hetaira) eingelassen werden.

Ein G. dieser Art bringt je nach den Umständen Gruppen von Verwandten oder von Freunden zusammen, es ist eine Triebfeder der Geselligkeit, ja der Solidarität im polit. Leben, wie es das Beispiel der aristokratischen Hetairien (→ Hetairiai) im Athen der klass. Zeit beweist. Von der »Teilung« des Weines geht man leicht zur »Teilung« der polit. Meinungen über, so daß solche G. mitunter als Ursprungsorte des Aufruhrs in Frage kamen. Hierin liegt einer der Gründe dafür, daß die Stadt Sparta sie untersagte und es vorzog, die tägliche

Tischgenossenschaft ihrer Bürger im Rahmen der *sys-síatía* selbst zu organisieren (Xen. Lak. pol. 5; Aristot. pol. 2,9,1271af.; Plut. Lykurgos 10–12). Auch die → Tyrannis mißtraute dem Brauch wegen der beim G. herrschenden Gleichheit und der ihrer Macht gefährlichen Redefreiheit. Die Praxis des G. ist, ob öffentlich oder privat, eine bedeutende Konstante der griech. Welt, und die enge Verbindung, die sie zwischen den rel., sozialen und polit. Werten knüpft, ist charakteristisch für die Organisation des Zusammenlebens in den ant. Gesellschaften.

1 P. SCHMITT-PANTEL, La cité au banquet grec, Histoire des repas publics dans les cités grecques, 1992.

M. DETIENNE, J.-P. VERNANT, La cuisine du sacrifice en pays grec, 1979 • C. GROTTANELLI, N. F. PARISE (Hrsg.), Sacrificio et società nel mondo antico, 1988 • F. LISSARRAGUE, Un flot d'images, une esthétique du banquet grec, 1987 • O. MURRAY (Hrsg.), Sympotica: a symposium on the symposion, 1990 • Ders., M. TECUSAN (Hrsg.), In vino veritas, 1995 • E. SCHEID-TISSINIER, Les usages du don chez Homère, 1994 • P. SCHMITT-PANTEL, La cité au banquet, Histoire des repas publics dans les cités grecques, 1992 • W. SLATER (Hrsg.), Dining in a classical context, 1991 • TH. THALHEIM, s. v. hestiasis, RE 8, 1315 • M. VETTA (Hrsg.), Poesia e simposio nella Grecia antica, 1983. P. S.-P./Ü: A. T.

II. ROM
A. BEZEICHNUNG, FUNKTION, VERANSTALTER
B. EINZELNE ASPEKTE   C. GASTMAHL-LITERATUR

A. BEZEICHNUNG, FUNKTION, VERANSTALTER

Anders als griech. Termini (s. I. A) bezeichnet *convivium* das gesellschaftliche Zusammensein, eine Gesellschaft geladener Gäste überhaupt, erst in einem engeren Sinn die Tischgesellschaft, das gemeinschaftliche Mahl. Ebenfalls im Unterschied zur griech. Überlieferung kannte man in Rom (von gelegentlichen Volksspeisungen abgesehen) keine öffentlichen Groß-G.; das *convivium* hatte demnach privaten Charakter, es war eine Veranstaltung in meist kleinem Rahmen, zu der ein privater Gastgeber einlud. Das G. war dementsprechend stark durch die Persönlichkeit des Einladenden, das von ihm gebotene Ambiente, den ihm möglichen Aufwand, seinen Geschmack und seine (gastronomischen, aber auch polit., kulturellen, lit., wiss. etc.) Interessen geprägt.

Mit unterschiedlicher Akzentuierung diente das G. der gehobenen → Freizeitgestaltung, der Einhaltung gesellschaftlicher Verpflichtungen (*convivia, quae iam ipsa officia sunt*: Sen. de brevitate vitae 7,2), oft auch einer gezielten (etwa den polit. Ambitionen des Gastgebers, seinem Reichtum, seiner Eitelkeit Ausdruck verleihenden) Selbstdarstellung (vgl. Sen. contr. 9,2,20: polit. Diskussionen; Tac. ann. 3,53,4–54,1: Luxusentfaltung; Mart. 12,41: profilsüchtiger Schlemmer). Die Ausrichtung von G. beschränkte sich dementsprechend auf die Gruppen der Gesellschaft, die sich einen gewissen Lu-

xus leisten konnten; dazu gehörten seit der frühen Kaiserzeit zunehmend auch Leute niedrigen Standes, ehemalige Sklaven, Ausländer, die sich in Rom emporgearbeitet hatten (lit. Beispiele: Nasidienus, Trimalchio, s. II. C). G. mit extrem hohem Aufwand dürften selten gewesen sein (vgl. aber das G. des Lucullus: Plut. Lucullus 41,7); hier wie generell ist in Rechnung zu stellen, daß sich ein Großteil der Quellen für das G. in satirisch geprägter Lit. findet (z. B. Horaz, Petron, Martial, Juvenal).

B. EINZELNE ASPEKTE

1. Ort und Teilnehmerzahl: Zum G. wurde zeitig eingeladen (es gab auch Einladungsgedichte: Hor. epist. 1,5; Mart. 5,78; Iuv. 11); die Teilnehmerzahl war durch die im *triclinium* (→ Kline, → Triclinium: dort auch zur Anordnung der Plätze und Rangfolge) verfügbaren Liegeplätze in der Regel auf 9 bis 12 begrenzt (Hor. sat. 1,4,86), jedoch konnte die Zahl der Plätze durch Stühle erhöht werden (Lukian. convivium 13), bei größeren G. wohl auch durch Aufstellen weiterer *triclinia* (vgl. auch Vitr. 6,7,3). Nach Varro sollte die Zahl mindestens 3, höchstens 9 betragen (die Zahlen der Grazien und Musen: Gell. 13,11,2). Andere Zahlen ergaben sich bei den seit Ende der Republik in Mode kommenden Sigma-Speiseliegen, die sich an die neue Rundform der Tische anpaßten und bis zu 8 Gäste aufnehmen konnten (Mart. 9,59,9; 10,48,6; 14,87).

2. Teilnehmer: Eingeladene konnten (in der Regel wohl nach Absprache mit dem Veranstalter) weitere Gäste mitbringen; solche nannte man *umbrae* (»Schatten«; griech. σκιαί, *skiaí*: vgl. Hor. sat. 2,8,22; epist. 1,5,28; Plut. symp. 7,6,3,709c). Man darf davon ausgehen, daß das G., bes. das abschließende Gelage, weitestgehend den Männern vorbehalten war; schon in republikanischer Zeit war nach griech. Vorbild die Anwesenheit von Schauspielerinnen, Tänzerinnen und anderen Damen mit zweideutigem Ruf keine Seltenheit (s. II. B. 6). Von griech. Sitte abweichend konnten jedoch auch Frauen zu den Gästen zählen (Cic. Verr. 2,1,66: *negavit moris esse Graecorum, ut in convivio virorum accumberent mulieres*; Sen. epist. 95,20f.; Iuv. 6,425); selbst die Ehefrau des Gastgebers und Kinder des Hauses werden als Gäste genannt (Val. Max. 2,1,2; Suet. Cal. 24,1; Plut. symp. 7,8,4,712e).

3. Ausdehnung des G.: Im Extremfall umfaßte das *convivium* ein gemeinsames Bad vor dem Essen (Mart. 11,52,3f.), die eigentliche Mahlzeit (→ cena) mit mindestens 3, höchstens 7 Gängen und ein Trinkgelage (→ comissatio); weder das Bad noch das Gelage waren obligatorisch. Je nach Jahreszeit begann das G. im Winter nach 14 Uhr, im Sommer etwa um 16 Uhr (Mart. 4,8,6; Cic. fam. 9,26,1); auch von G., die schon mittags einsetzten, wird berichtet (Catull. 47,5f.; Hor. sat. 2,8,3), und die *comissatio* konnte bis zum frühen Morgen dauern (Plaut. Men. 175; Mart. 1,68; vgl. auch Suet. Nero 27,2).

4. Bekleidung: Zum G. trug man möglichst bequeme Kleidung, für die seit der frühen Kaiserzeit verschiedene

Ausdrücke überliefert sind: *synthesis* (mehrfach bei Martial, nicht später: 2,46,4; 4,66,4; 10,29,4; vgl. auch Act. Arv. 19. Mai 91 [CIL 6,1,2068]: *cum sintesibus epulati sunt*), [*vestis*] *cenatoria* (Mart. 10,87,12; SHA Max. Balb. 30,5), *cenatorium* (Act. Arv. 27. Mai 218 [CIL 6,1,2104]; 17. Mai 241 [CIL 6,1,2114]; auch von Frauen getragen: Dig. 34,2,33 *muliebribus cenatoriis*). Es handelte sich vermutlich um eine kurze bunte Tunica. Dazu wurden statt der hochgeschnürten Schuhe leichte Sandalen (*soleae*) getragen, die man sich bei der Ankunft von einem Sklaven abnehmen ließ (*soleas deponere*: Mart. 3,50,3; vgl. Plaut. Truc. 367), von dem man sie beim Abschied zurückverlangte (*soleas poscere*: Hor. sat. 2,8,77; vgl. Plaut. Most. 384).

5. Bedienung: Die Gäste brachten einen Sklaven mit, der während des G. anwesend blieb (sitzend oder stehend an der Rückseite der Liege, *ad pedes*: Sen. benef. 3,27,1; Mart. 12,87,2; Petron. 54,3; 68,4); seine Aufgaben waren die Verwahrung des Schuhwerks, vielleicht eine Fußwaschung, das Anreichen von Wasser zum Händewaschen, das Einwickeln und Mitnehmen von Resten der Mahlzeit, das Tragen der kleinen → Geschenke (*apophóréta*) des Gastgebers sowie sicheres Geleit für den Herrn nach dem Gelage. Mit der Vorbereitung des G. waren Sklaven des Gastgebers beauftragt; im Hintergrund wirkte das Küchenpersonal; weitere Diener hatten verschiedene Aufgaben beim Auftragen, Zurichten und Anreichen der Speisen sowie beim Abräumen der Tafel (Einzelheiten und Quellen [1. 146f., 309, 321]).

6. Unterhaltung: Die Anlage des *triclinium* schuf eine optimale Situation für das »Tischgespräch«: Je nach Gastgeber und Teilnehmerkreis war das Niveau sehr unterschiedlich; die gehobenen, durch ant. → Symposion-Literatur vermittelten Gespräche über philos., theologische oder wiss. Fragen spiegeln nicht die Alltagsrealität [2. 265–267] (s. II. C). Abhängig von Geld und Geschmack wies auch das vom Gastgeber angebotene Unterhaltungsprogramm große Qualitätsunterschiede auf: Vorlesen von Lit., Rezitationen neuer poetischer Produktion (von manchmal zweifelhafter Qualität), auch des Gastgebers (dies mitunter in schwer erträglichem Ausmaß), Gesangs- und Instrumentaldarbietungen, Auftritte von → Unterhaltungskünstlern, Mimen, Tänzerinnen (nach Liv. 39,6,8 seit Beginn des 2. Jh.: *tunc psaltriae sambucistriaeque et convivalia ludionum oblectamenta addita epulis*; vgl. Cic. Catil. 2,10; fam. 9,26,2; Einzelheiten und Quellen: [1. 337f.; 2. 263f.]; etr. Einflüsse betont [2. 129; 174]) und Würfelspiel; im fortgeschrittenen Stadium der *comissatio* vergnügte man sich mit Singen (unanständiger Lieder, Quint. inst. 1,2,8: *omne convivium obscaenis cantibus strepit*).

7. Rel.: Wie auch sonst wurde die *cena* innerhalb eines G. durch einen Götteranruf eröffnet (Quint. decl. 301: *deos invocamus*) und durch ein – vom Schweigegebot eingeleitetes – Speiseopfer für die → Laren beendet (Serv. Aen. 1,730 zur Szene 1,723–740; vgl. Hor. sat. 2,2,124; 2,6,67; Petron. 60,8).

C. GASTMAHL-LITERATUR

Das Thema G. ist bereits in den Fragmenten der *Saturae* des Q. Ennius und des C. Lucilius sowie der *Saturae Menippeae* des M. Terentius Varro nachweisbar und zieht sich durch die satirische und satirisch geprägte Lit. der Römer sowie verwandte griech. Lit. (→ Lukianos). Zur röm. G.-Lit. zählen bes. Hor. sat. 2,2 (Vortrag des Ofellus), 2,4 (Vortrag des Catius) und 2,8 (*Cena Nasidieni*), auch epist. 1,5 (Einladungsgedicht), Petrons (→ Petronius, C.) satirischer Roman (26,7–78,8 *Cena Trimalchionis*), Juvenals Satiren 5 und 11 sowie mehrere Epigramme Martials. Den *Symposia* Platons und Xenophons stehen die gelehrten Tischgespräche in den *Saturnalia* des → Macrobius nahe. Schwer zu deuten ist das einzige einschlägige Dokument christl. Provenienz, die sog. *Cena Cypriani* [3; 4. 665–666].

1 J. MARQUARDT, Das Privatleben der Römer Bd. 1, ²1886, 297–340 · 2 J.-M. ANDRÉ, Griech. Feste, röm. Spiele, 1994 · 3 R. F. GLEI, Die Cena Cypriani, in: W. Ax, R. F. GLEI, Literaturparodie in Ant. und Mittelalter (Bochumer Alt.wiss. Colloquium 15), 1993, 153–170 4 J. MARTIN, s. v. Deipnonliteratur, RAC 3, 658–666.

A. MAU, s. v. convivium, RE 4, 1201–1208 · C. NEUMEISTER, Das ant. Rom, 1993, 170–183.   G. BI.

Gastronomie. A. ANFÄNGE
B. HELLENISTISCH-RÖMISCHE ZEIT

A. ANFÄNGE

Die Kochkunst, also die Suche nach der Ausgewogenheit der Geschmackskomponenten, die Bevorzugung bestimmter Weinsorten, kurz: der gute Geschmack auf dem Gebiet der Nahrungsaufnahme, hat in der ant. Welt wahrscheinlich immer existiert, wurde aber (diesen Eindruck vermittelt zumindest der derzeitige Überlieferungsstand) erst in klass. Zeit Gegenstand eines wiss. Diskurses. Außerdem wurde die Entwicklung einer wirklichen Kunst des Kochens in der Ant. auf widersprüchliche Weise zugleich als Kennzeichen einer höheren Zivilisationsstufe und – bei Übertreibung des Aufwandes – als mögliches Zeichen von Dekadenz polit. Systeme empfunden. So haben die griech. Autoren ihren Vorfahren aus homer. Zeit die Vorliebe für Gebratenes und das gänzliche Fehlen von verfeinerter Kochkunst zugeschrieben, um so einmal die Primitivität ihrer Sitten, ein anderes Mal die tiefe Verankerung ihrer egalitären gesellschaftlichen Verhältnisse zu unterstreichen. Es ist also schwierig, für die Frühzeit eine Gesch. der G. zu skizzieren, da das Phänomen bereits einer starken Interpretation durch die ant. Autoren unterliegt.

Die griech. G. beruht vor allem auf der Qualität der verzehrten Produkte; in den zahlreichen Äußerungen ant. Texte über die verschiedenen Arten von Lebensmitteln wird in der Regel ein Zusammenhang zwischen der Qualität des Produkts und seiner geogr. Herkunft hergestellt; der Text der ›Deipnosophisten‹ des → Athenaios [3] (um 200 n. Chr.) ist hierfür eine nahezu unerschöpfliche Fundgrube. Die Zubereitung der Lebensmittel, das, was wir heute Kochkunst nennen, stellt in der Ant. lediglich eine zusätzliche Facette in der G. dar. Der Einfluß benachbarter Kulturen spielt in der G. bei Griechen und Römern eine große Rolle: So gelten seit Griechenlands klass. Zeit die Lyder als das Volk, das den Griechen die Kunst der Zubereitung einer gewürzten Sauce (*karýkē*: Athen. 516c) und das seit dem 4. Jh. sehr geschätzte Gericht *kándaulos* (wohl eine Art Käse- oder Quarkauflauf bzw. Kuchen: Athen. 516c–517a) vermittelt hat; wohl vom Hellespont kam eine andere Sauce, der *myttōtós* (auf der Grundlage von Knoblauch, Lauch, Käse, Honig, Olivenöl und Eiern: schol. Theophr. h. plant. 7,4,11), die man bes. zum Fisch reichte. In den griech. Städten Siziliens entstanden im 4. Jh. v. Chr. die ersten Rezeptsammlungen (→ Kochbücher). Wenn man versucht, eine Geogr. der griech. G. dieser Zeit zu entwerfen [1], muß man schnell feststellen, daß die Informationen zu den meisten griech. Regionen und Städten mager sind. Lediglich eine Liste der örtlichen Produkte kann aufgestellt werden. Außerhalb von Sizilien scheint vor allem Athen die Kochkunst am weitesten entwickelt zu haben, wofür bes. die Komödiendichter des 4. Jh. v. Chr. Zeugnis ablegen.

B. HELLENISTISCH-RÖMISCHE ZEIT

In hell. und röm. Zeit hat die Öffnung der Welt auch Auswirkungen im Bereich der G. Gewürze und Aromastoffe wie die verschiedenen Pfeffersorten, Ingwer, Gewürznelken, Kümmel, Zimt, Casia und Silphion kommen aus dem Orient und gehen in die Zubereitung von Saucen oder die Weinherstellung ein. Seit den Alexanderzügen sind neue Früchte wie Zitronen, Aprikosen, Brustbeeren und Pistazien bekannt. Die täglichen Kochgewohnheiten der ärmeren Leute, der Mehrheit der Bevölkerung, dürften sich kaum geändert haben, die der Fürsten an den hell. Höfen hingegen spiegeln die erweiterte Palette der Zutaten und Geschmacksrichtungen wider. Das von dem Makedonenkönig Karanos ausgerichtete Hochzeitsbankett z. B. umfaßt eine Überfülle an Speisen während der gesamten Mahlzeit, in der mehrere Gänge aufeinander folgen (Athen. 128a–130e). Dem 271/70 v. Chr. von Ptolemaios II. in Alexandreia organisierten Festmahl geht eine Prozession voraus, in der man alle Speisen mitführt, die später serviert werden: Die prahlerische Zurschaustellung der Gerichte entspricht der Art der Machtausübung, die G. verbindet sich nun mit dem Diskurs über polit. Verhalten (Athen. 196a–203b).

Das Festessen, d. h. der Verzehr der Nahrung und die G., steht von hell. Zeit an im Mittelpunkt des sozialen Handelns und der Kultur der Eliten; die röm. Welt verstärkt diese Entwicklung noch. Die röm. Kochkunst übertrifft alles vorher Dagewesene durch die Vielfalt der verwendeten Zutaten und den hohen Grad an ästhetischer Verarbeitung. Das im 1. Jh. n. Chr. von C. → Petronius im *Satyricon* beschriebene Festmahl wie auch das im 4. Jh. n. Chr. von Caelius [II 8] Apicius zusammengestellte Rezeptbuch zeugen davon. Die

Kochkunst der Kaiserzeit verbindet griech. G. und Einflüsse des Westens (z. B. Verzehr von Kaninchen und Siebenschläfern).

Die ant. G. bleibt, so scheint es, eine der Elite vorbehaltene Kunst; ihre kulturelle Bed. ist gut an dem Echo ablesbar, das sie in anderen Künsten findet, bes. in der Lit., in der der Diskurs über das *sympósion* in einen Diskurs über die → *cena* übergeht [2]. Moderne Versuche, die ant. G. zu rekonstruieren, kommen immer nur zu annähernd richtigen Ergebnissen, da es an genauen Kenntnissen über Zutaten und Zubereitungsarten sowie über das Know-how der Köche fehlt: Die Beurteilung der Mischungen verschiedener Geschmackskomponenten von süß-sauer bis sehr salzig ist zudem kulturabhängig.

→ Ernährung; Eßkultur; Gastmahl; Kochbücher

1 A. DALBY, Siren feasts, A History of Food and Gastronomy in Greece, 1996 2 F. DUPONT, Le plaisir et la loi, 1977.

P. S.-P./Ü: A. T.

Gastronomische Dichtung
I. GRIECHISCH II. LATEINISCH

I. GRIECHISCH

Die g. D. kann als bes. Strömung jener parodistischen Dichtung angesehen werden, die gegen Ende des 5. Jh. v. Chr. mit → Hegemon von Thasos zu einer echten lit. Gattung wurde: eine leichte, scherzhafte Dichtung (Ergebnis jedoch eines künstlerischen Engagements) besingt die Freuden des Bauches und des Tisches. Bei dem verlorenen Δεῖπνον (*Deípnon*, ›Gastmahl‹) des Hegemon handelte es sich um eine Bankettbeschreibung (*anagraphḗ*, Athen. 1,5a; s. auch → Symposienliteratur), ebenso bei den gleichnamigen Werken des Numenios von Herakleia (3. Jh. v. Chr., vgl. SH 596) und des Timachidas von Rhodos (2.–1. Jh. v. Chr., mindestens 11 B. in Hexametern; vgl. SH 769–773). Gänzlich erhalten ist dagegen das *Deípnon Attikón* (›Att. Gastmahl‹) des → Matron von Pitane, eine erheiternde Aufzählung von Nahrungsmitteln. Seine sprachlichen Elemente und Ausdrucksmittel stammen alle aus dem Epos, das für diese Art der Dichtung der wichtigste (wenn auch nicht einzige) formale Bezugspunkt ist. Ein einzigartiges *divertissement* in Daktyloepitriten (statt Hexametern) schrieb der Dithyrambograph Philoxenos von Kythera (ca. 435–380 v. Chr.); von seinem *Deípnon*, das unendlich viele Leckereien beschrieb, sind beträchtliche, wenn auch schlecht erh. Fragmente überliefert. Charakteristisch sind die gewählte dor. Sprache sowie zahlreiche lange dithyrambische Komposita (PMG 836 wird ungerechtfertigerweise Philoxenos von Leukas zugeschrieben, vgl. [1]).

Im 4. Jh. v. Chr. erfuhr eine andere Art g. D. große Beliebtheit. Vorschriften und Rezepte stehen hier anstelle von Beschreibungen: eine Art von Parodie auf das Lehrgedicht. Terpsion, der Lehrer des Archestratos, leitete diese neue Richtung mit seiner *Gastrología* ein, dem ersten gastronomischen Nachschlagewerk. Philoxenos von Leukas ist bekannt durch ein Fragment des Komikers Platon, der 391 v. Chr. im *Pháon* nicht ohne komische Verzerrungen 12 lehrreiche Hexameter wiedergibt, die kurze, aber ernst gemeinte Kochanweisungen enthalten (fr. 189 K.-A.). Philoxenos wiederum war, wie zahlreiche Übereinstimmungen zeigen, eines der beliebtesten Vorbilder des → Archestratos [2] von Gela, des »Vaters der griech. Gastronomie« [2]; dieser lebte um 330 v. Chr. und war Autor eines Werkes Ἡδυπάθεια (*Hēdypátheia*, ›Schlemmerleben‹), das einen beachtlichen Erfolg in der röm.-griech. Welt verzeichnete.

1 E. DEGANI, La poesia gastronomica greca (I), in: Eikasmos 9, 1998 2 A. RAPP, The Father of Western Gastronomy, in: CJ 51, 1955, 43–48.

P. BRANDT, Corpusculum poesis epicae Graecae ludibundae, I, Lipsiae 1888 · SH 132–192 (Archestratos), 534–540 (Matro) · E. DEGANI, Alma Mater Studiorum 3/2, 1990, 33–50 und 4/1, 1991, 147–155.   O. M./Ü: M. A. S.

II. LATEINISCH

Wohl mit einer Übers. der *Hēdypátheia* des Archestratos beginnt die lat. g. D. in Hexametern: → Ennius' *Hedyphagetica* (Titel nach Apul. apol. 39) dürften seinen *Annales* vorausgegangen sein. Als großes Sachgedicht bleibt die Gattung in der lat. Lit. nicht produktiv, wenn sich auch eine Anzahl kleinerer Texte dem Thema Essen (und Trinken) widmen (etwa Hor. sat. 2,2. 8; *Copa* und → *Moretum* in der Appendix Vergiliana; Iuv. 5; 11; zahlreiche Epigramme Martials). Sie sind von der übrigen → symposiastischen Lit. nicht zu trennen; ihr Erfolg beruht auf dem hohen ges. Wert des Banketts, das in Rom Essen stärker als Trinken akzentuiert und als primärer Publikationsort derartiger Texte gesehen werden muß. Die lit. Reflexion erlaubt ebenso die Selbstironisierung der Institution und ihrer Teilnehmer – in satirischer g.D. wie in Prosatexten (Petron.; *Testamentum porcelli*) – wie eine Metaphorisierung der Speisen und des Eßvorgangs, die v. a. in Speiseexzessen Kritik formuliert; Gegenbild wird dann die Darstellung der Askese.

→ Symposiastische Dichtung

J. ANDRÉ, L'alimentation et la cuisine a Rome, 1981 (Semantik) · S. DÖPP, Saturnalien und lat. Lit., in: Ders. (Hrsg.), Karnevaleske Phänomene in ant. und nachant. Kulturen und Lit. (Bochumer Altertumswiss. Colloquium 13), 1993, 145–177 · E. GOWERS, The Loaded Table, 1993 · J. RÜPKE, Kommensalität und Ges.-Struktur, in: Saeculum 49, 1998.   J. R.

Gates. Volk in Aquitania zw. Elusates und Ausci (nur bei Caes. Gall. 3,27).   Y. L.

Gattung s. Literarische Gattung

Gauanes (Γαυάνης; Etym. zweifelhaft). Nach Herodot (8,137f.) Sohn des Herakliden → Temenos aus Argos, Vorfahre des Makedonenkönigs → Alexandros [2]. G. unterwarf mit seinen Brüdern → Aëropos [1] und → Perdikkas ganz Makedonien und begründete eine

neue Dynastie (Hdt. ebd.). Durch diese Aitiologie läßt sich der Ursprung des maked. Königshauses über die Temeniden bis auf → Herakles zurückführen.   J.S.-A.

Gauda. Sohn des Numiderkönigs Mastanabal, Enkel des Massinissa, Bruder des → Iugurtha, erhob trotz geistiger und körperlicher Debilität während des Krieges zwischen Rom und Iugurtha Anspruch auf die Herrschaft. Nach Beendigung des Krieges 105 v. Chr. wurde er mit der Unterstützung des Marius Nachfolger seines Onkels Micipsa und erhielt Ost-Numidien (Sall. Iug. 65,1–4).

CAH 9 ²1994, 30 · V. WERNER, Quantum bello optimus, tantum pace pessimus, 1995, 35.   ME. STR.

Gaudentios/-us (Γαυδέντιος).

[1] G. Philosophos. Autor einer Einführung in die Harmonik Ἁρμονικὴ εἰσαγωγή (*Harmonikḗ eisagōgḗ*), die – wohl nach Klaudios Ptolemaios verfaßt – Cassiodorus' Freund Mutianus ins Lat. übersetzt hat (Cassiod. inst. 2,5,142 MYNORS). Das unvollständig (in 23 Kap.) erh. Werk bietet traditionelles Lehrgut in z. T. leicht veränderter Form, bes. des Aristoxenos und der Pythagoreer: Stimme, Ton, Intervall, Tongeschlecht, System (1–7), Zusammenklänge, Konsonanzen, Zahlenverhältnisse (8–10), Pythagoraslegende, Experiment mit 2 Saiten, 12–teiliger Kanon, Ganzton, kleiner/großer Halbton u. a. (11–17), Quart-/Quintgattungen, 7 Oktavgattungen mit Namen wie Dorisch (18f.); von der Notationslehre, die → Alypios [3] nahesteht, ist nur Einleitung und Anfang des Tabellenteils erh. (20–23). Modulation und Melodiebildung [1. 327,7] gingen verloren. G. zählt von tiefen zu hohen Tonstufen auf.

1 MSG 317–356 2 CH.-E. RUELLE, Alypius et Gaudence, 1895 (frz. Übers. mit Komm.) 3 L. ZANONCELLI, La manualistica musicale greca, 1990, 307–369 (Ed. nach MSG, mit ital. Übers. und Komm.).   F. Z.

[2] Nur durch Erwähnungen bei Libanios bekannter Rhetor des 4. Jh. n. Chr. (362 wird er als »Greis« bezeichnet, Lib. epist. 749) aus Arabien (epist. 543), später Lehrer der Rhet. in Antiocheia (epist. 174). Libanios spricht von G. stets mit herzlicher Zuneigung (epist. 174; 224), setzt sich für Verwandte des G. ein (epist. 329; 543) und hat eine Rede gegen dessen Sohn Silvanos verfaßt (or. 38), der seinen Vater schlecht behandelt hatte. Wenn die Zuweisung eines Grabepigramms (III 2031 LE BAS-WADDINGTON = 1974 PEEK) an G. richtig ist, so ließ er in Migdala für seine Eltern und sich selbst aus Einkünften seiner Anwaltstätigkeit eine Grabstätte errichten.   M. W.

[3] Unter Constantius II. denunzierte G. 355 n. Chr. als *agens in rebus* den *consularis Pannoniae* Africanus (Amm. 15,3,8; 16,8,3). 358–361 war er *notarius* und mußte im Auftrag des Kaisers bei Iulianus in Gallien spionieren (Amm. 17,9,7; Iul. epist. 282b/c). 361 verteidigte er Africa gegen einen möglichen Angriff des Iulianus (Amm. 21,7,2–4). 362 ließ Iulianus ihn hinrichten

(Amm. 22,11,1; Artemii passio 21 [bei Philostorgios, ed. BIDEZ, S. 75]). PLRE 1, 386 (Gaudentius 3).   W.P.

[4] Vater des → Aetius [2], Aristokrat aus Durostorum in der Provinz Scythia. Als *comes Africae* von 399 bis 401 n.Chr. zerstörte er heidnische Tempel und Götterbilder vor allem in Karthago (Chron. min. 1,246 MOMMSEN; Aug. civ. 18,54; Cod. Theod. 11,17,3). Später stieg er zum *magister militum per Gallias* auf und wurde vor 425 bei einem Soldatenaufstand getötet (Greg. Tur. Franc. 2,8; Chron. min. 1,658; Merobaudes paneg. 2,110–114).

> PLRE 2, 493 f., 1316 · A. DEMANDT, s.v. magister militum, RE Suppl. 12, 641.   K.P.J.

[5] Gaudentius. 386/7 Bischof von Brixia (Brescia), an der Synode von Mailand gegen Rufinus und Origenes unter Simplicianus (397–401) beteiligt. Nach Palladios (CPG 6037: IV,2, ed. MALINGREY) gehörte er zur Gesandtschaft, die Papst Innocentius I. (407–417) zu Kaiser Arkadios schickte, um Iohannes Chrysostomos aus dem Exil zurückrufen zu lassen. Der Verbannte († 14. Sept. 407) dankte G. für seinen Einsatz (epist. 184, PG 52,715–716). Von G. sind 21 Homilien erh. (CPL 215), von denen er zumindest 15 auf der Basis von Stenogrammen selbst redigiert hat. Er starb um 410 und wird als Heiliger verehrt (Fest: 25. Okt.).

> Y.-M. DUVAL, Saint Léon le Grand et saint G. de Brescia, in: Journal of Theological Studies n.s. 11, 1960, 82–84 · Ders., Le *Liber Hieronymi ad G.*, in: Revue Bénédictine 97, 1987, 163–186 · F. TRISOGLIO, Appunti per una ricerca delle fonti di S.G. da Brescia, in: RSC 24, 1976, 50–125 · C. TRUZZI, Zeno, G. e Cromazio, 1985.   K.U.

[6] Gaudentius. In den *Scholia Bernensia* 58mal als Kommentator zu Vergils *Bucolica* und *Georgica* zitiert, überwiegend in Verbindung mit → Iunius Filargyrius, ohne aber immer mit diesem übereinzustimmen. Er wird hauptsächlich zur Erklärung gramm. und geogr. Realia herangezogen, kannte → Servius (was den einzigen Anhaltspunkt für seine Datierung darstellt) und war offensichtlich Christ (Serv. georg. 4,493 *ridiculosa gentilitas*). Auch ma. Komm. zu Orosius und Priscianus erwähnen seinen Namen je einmal.

> ED.: H. HAGEN, Scholia Bernensia, 1867.
> LIT.: R.A. KASTER, Guardians of Language, 1988, 409 f. (Nr. 223).   K.P.

Gaugamela. Großes Dorf (κώμη μεγάλη, h. wohl Tall Gōmil beim Ǧabal Maqlūb, 35 km nordöstl. von Mossul) am Fluß Bumelos in Nordmesopot. (Arr. an. 6,11,6), in dessen Nähe (vgl. Arr. an. 3,8,7) am 1. Oktober 331 die Schlacht zw. → Alexandros [4] d. Gr. und → Dareios [3] III. stattfand (Arr. an. 3,11–15; Curt. 4,13,26–16; Plut. Alexander 31–33; Diod. 17,56–61; Iust. 11,14). Nachdem Alexander einen Umfassungsversuch der pers. Reiterei abgefangen hatte, richtete er seinen Angriff auf das gegnerische Zentrum mit dem Königswagen des Dareios, der darauf das Schlachtfeld verließ – von Alexander verfolgt. Der vorübergehend

erfolgreiche Angriff des rechten Flügels der Perser, der das rückwärtige maked. Lager erreicht hatte, wurde vom zurückgekehrten Alexander gestoppt, woraufhin sich das führungslose pers. Heer auflöste.

> A.B. BOSWORTH, Conquest and Empire, 1988, 75–85.
>   J.W.

Gaukler s. Unterhaltungskünstler

Gaulanitis s. Batanaia

Gaulos (Γαῦλος, Γαῦδος). Nordwestl. Insel der Malta-Gruppe (h. Gozzo), zuerst erwähnt von Hekataios (FGrH 1 F 341; vgl. Strab. 6,2,11; Diod. 5,12,4: Lage im offenen Meer mit guten Häfen; Prok. BV 1,14; Plin. nat. 3,92). Name wohl phoinik.: γαυλος, »rundes Lastschiff«. Im 8. Jh. von Phoinikern besiedelt, später in karthagischem, griech. und seit 220 v.Chr. in röm. Besitz. Im Innern der Insel lag ein gleichnamiger Ort. Mz. mit griech. und pun. Aufschriften (HN 883). – In Ggantija zwei in die orthostatische Stadtmauer einbezogene Tempel mit kleeblattförmigem Grundriß (3500–3000 v.Chr.); gleichzeitig mit Errichtung der Tempel Siedlung mit Hütten aus ungebrannten Ziegeln und Trockenmauern; unterirdische Grabkammer zw. der Zeit des Zebbug (ca. 4000 v.Chr.) und der des Tarxien (ca. 3000–2500 v.Chr.). Aus karthag. Zeit: Grabkammern im Gebiet von Rabat; aus röm. Zeit: *villa* mit Peristyl (in Rabat), Zisterne, Reste eines Mauerrings, Thermen (in Ramba).

> S. STODDARD, s.v. Malta, EAA II Suppl., 525 ff. · T. ASHBY, Roman Malta, in: JRS 5, 1915, 23 ff. · A. BONANNO, Distribution of Villas and Some Aspects of the Maltese Economy in the Roman Period, in: Journal of the Faculty of Arts 6, 1977, 73 ff. · D.H. TRUMP, Malta, 1972, 146 ff.
>   GI.F./Ü: H.D.

Gaumata (altpers. *Gōmāta*; elam. *Kammadda*; akkad. *Gumātu*). Ein Magier (→ Magoi) [3. DB 39], der sich nach der von Kambyses veranlaßten Ermordung seines Bruders → Bardiya [1] und unter Ausnutzung der Abwesenheit des Kambyses (wegen eines Ägyptenfeldzuges) der Herrschaft bemächtigte. Um seine Usurpation zu rechtfertigen, gab er sich als Bardiya aus. Nach Kambyses' Tod bereitete → Dareios [1] I. mit sechs adligen Persern (Aspathines, → Hydarnes, → Intaphernes, → Gobryas, → Megabyzos, → Otanes) der Herrschaft des Gaumata-Bardiya ein Ende und tötete ihn (522 v.Chr.); eine ausführliche Darstellung findet sich in der → Bisutun-Inschr. Dareios' I., die inhaltlich weitgehend identisch bei Hdt. 3,88 erzählt wird; unklar ist, inwieweit Hdt. von der Bisutun-Inschr. abhängig ist. An der Existenz und Ermordung eines Usurpators durch Dareios werden in der wiss. Diskussion Zweifel geäußert. Herodots Aussage (nicht in [3. DB]) daß der Usurpator dem Bardiya sehr ähnlich war, scheint wenig glaubhaft. Iustinus (1,9) und Ktesias (FGrH 688 F 13, F 29,8–14) bringen Varianten, aber fügen nichts Zuverlässiges hinzu. Das Problem ist wahrscheinlich unlösbar, da sich die lit. und inschr. Quellen (v.a. Hdt., Ktesias und die Bisutun-Inschr.) vielfach widersprechen. Die neuere Lit. lehnt die früher angenommenen rel. oder nationalistischen Motive für den Kampf des G.-Bardiya um die Herrschaft über das Perserreich ab.

1 D. ASHERI, Erodoto, Le storie, 1990 2 M. A. DANDAMAEV, A Political History of the Achaemenid Empire, 1989, 83–113 3 R. KENT, Old Persian, 1953, 116–135 4 H. SANCISI-WEERDENBURG, Yaunā en Persai, 1980, 84–121 5 J. WIESEHÖFER, Der Aufstand Gaumatas und die Anfänge Dareios' I., 1978.   A. KU. u. H. S.-W.

Gauradas (Γαυράδας). Autor eines kunstvollen Epigramms in iambischen Trimetern in Form eines Dialogs zw. Echo und ihrem Geliebten (Anth. Pal. 16,152). Das volkstümliche Thema (vgl. auch Archias, Anth. Pal. 9,27; Euodos, ebd. 16,155; Satyros, ebd. 16,153; Anonymus, ebd. 16,156) ist originell ausgearbeitet; unmöglich ist eine Datierung des Dichters, dessen offensichtlich barbarischer Name einmalig ist.

FGE 111f.   M. G. A./Ü: M. A. S.

Gaureion, Gaurion (Γαύρειον, Γαύριον). So heißt auch h. noch der Ort in einer tiefen Hafenbucht an der NW-Seite der Kykladeninsel Andros. G. diente wohl in hell. Zeit als Hafen und wird im Zusammenhang verschiedener Kriegsereignisse gen.: Xen. hell. 1,4,22; Diod. 13,69,4f.; Liv. 31,45,3ff.; GGM 1,500. Landeinwärts bei Hagios Petros befinden sich die Reste eines hell. Rundturmes, der wohl zum Schutz der nahen Erzbergwerke errichtet wurde.

J. T. BENT, Aegean Islands, ²1966, 291ff. · LAUFFER, Griechenland, 230 · L. ROSS, Reisen auf den griech. Inseln des ägäischen Meeres 2, 1843, 12ff. · PHILIPPSON/KIRSTEN 4, 1959, 92ff.   H. KAL.

Gavius. Röm. Familienname, inschr. häufig – auch in der Form *Cavius* – bezeugt [1. 76f.]; die Träger sind in republikanischer Zeit noch polit. bedeutungslos; auch falisk. Praenomen [2. 103].

1 SCHULZE 2 SALOMIES

I. REPUBLIKANISCHE ZEIT

[I 1] G., P., aus Compsa (Unteritalien), wurde 72 v. Chr. auf Sizilien von C. → Verres als angeblicher Spion des Sklavenführers → Spartacus gefangen und gekreuzigt (Cic. Verr. 2,5,158–170).   K.-L. E.

[I 2] G. Bassus. Röm. Grammatiker und Antiquar der spätrepublikanischen Epoche. Sein Hauptwerk *Commentarii de origine verborum et vocabulorum* in mindestens 7 B. benutzen Verrius Flaccus (über Verrius und Donat dann Macr. Sat. 3,18,2f., deshalb hier als *De significatione verborum* zitiert), Quintilian (inst. 1,6,36), häufig Gellius (2,4; 3,9; 18; 19; 5,7; 11,17: *libro VII*). Worterklärungen und Etymologien scheinen alphabetisch gegeben worden zu sein, stoischer Einfluß ist hier wie in dem zwei-

ten Werk *De dis* (Macr. Sat. 1,9,13, direkte Quelle Cornelius Labeo, vgl. 3,6,17, wiederum über Verrius wie auch Lact. inst. 1,22,9) vermutet worden. Wenig Vertrauen verdient Fulg. expositio sermonum antiquorum 33 (*Gavius Bassus in satiris ait*).

FR.: L. LERSCH, G. B., in: Philologus 1, 1846, 615–622 · GRF, 486–491.
LIT.: G. FUNAIOLI, s. v. G. 11, RE 7,866f. · P. MASTANDREA, Un neoplatonico latino. Cornelio Labeone, 1979, 29ff.   P. L. S.

II. KAISERZEIT

[II 1] P. G. Balbus. Ritterlicher Offizier und Procurator, der es zumindest bis zur Procuratur über die Provinz Chersonesus brachte (IEph VII 1, 3048). Bruder von G. [II 2].

W. ECK, in: Ders. (Hrsg.), Prosopographie und Sozialgeschichte, 1993, 368ff.

[II 2] M. G. Bassus. Bruder von G. [II 1], Vater von G. [II 6]. Ritter, dessen *origo* Rom war, dessen Familie sich aber in Ephesos niedergelassen hatte. Nach ritterlichem Militärdienst, bei dem er von Traianus im Dakerkrieg ausgezeichnet wurde, ca. 110–112 n. Chr. *praefectus orae Ponticae maritimae* unter Plinius (IEph III 680). PIR² G 96.

[II 3] M. (G.) Cornelius Cethegus. *Cos. ord.* 170; Sohn von G. [II 2]. Zu seiner Person [1].

1 G. ALFÖLDY, in: Chiron 9, 1979, 536f.

[II 4] M. G. Crispus Numisius Iunior. Senator, der vielleicht in den letzten Jahrzehnten des 2. Jh. seine Laufbahn absolvierte, die ihn nach der Praetur zu einem Legionskommando, dem Proconsulat von Lycia-Pamphylia und einem Suffektkonsulat führte. Später noch Proconsul von Asia, IEph III 682; CIL XIV 4238; X 6663 + 6665 + 8292 = [1].

1 W. ECK, in: ZPE 37, 1980, 31ff.

[II 5] (M. G.) Gallicanus. *Cos. suff.* wohl unter Commodus, Proconsul von Asia oder Africa, *pontifex, flamen Augustalis* CIL V 3223 = [1].

1 G. ALFÖLDY, in: Chiron 9, 1979, 507ff., 538.

[II 6] M. G. Maximus. Sohn von G. [II 2]. Er hatte in Firmum Picenum nur Grundbesitz, es war nicht seine Heimat [1]. Wohl Praetorianertribun und *primus pilus II*, dann procuratorische Laufbahn, die ihn über die Statthalterschaft von Mauretania Tingitana und das Kommando über die Flotte von Ravenna, dann von Misenum schließlich zur Praetorianerpraefectur führte; *praefectus praetorio* wohl von 138–158 n. Chr. Er erhielt die *ornamenta consularia*.

1 W. ECK, in: Picus 8, 1988 [1992], 157ff.

PIR² G 104 · PFLAUM Suppl. 32f. · W. ECK, s. v. G. (18), RE Suppl. 15, 109f.   W. E.

[II 7] G. Sabinus. Lat. Rhetor der augusteischen Zeit eher geringerer Bed., von dessen Wirken einige wenige Zitate bei Seneca Rhetor Kunde geben: Außer daß G. dem pathetischen Pointenstil seiner Zeit verpflichtet war, läßt sich daraus keine Charakterisierung seines Stils und der Vortragsweise gewinnen (contr. 7,1,16; 2,1; 6,19f.; suas. 2,5). PIR² G 109   C.W.

[II 8] G. Silo. Lat. Rhetor frühaugusteischer Zeit in Tarraco. Seneca d.Ä. stellt ihn mit den Clodii Turrini stadtröm. Rednern qualitativ an die Seite (Sen. contr. 10, pr., 13; 16). Seine Position, rednerische Professionalität gerade zu verbergen, soll Augustus, der ihn mehrfach in Tarraco hörte (wohl um 25 v.Chr.), zu dem Ausspruch verleitet haben: ›Niemals habe ich ein beredteres Familienoberhaupt gehört‹ (ebd., 14). Die wenigen erh. Zitate (ebd., 10,2,7; 16; 3,14; 4,7; 5,1) erlauben kein weitergehendes Urteil.

PIR² G 111 · J.FAIRWEATHER, Seneca the elder, 1981, 142.
J.R.

[II 9] C.G. Silvanus. Aus Augusta Taurinorum. Langer Dienst im röm. Heer, schließlich Praetorianertribun. Teilnahme an der pisonischen Verschwörung; als diese aufgedeckt, er aber freigesprochen wurde, tötete er sich selbst (Tac. ann. 15,50; 60f.; 71). PIR² G 112.

[II 10] M.G. Squilla Gallicanus. AE 1971, 534. Vielleicht Patrizier, aus Verona. Vater von G. [II 11]. Cos. ord. 127.

PIR² G 113 · G.ALFÖLDY, in: Chiron 9, 1979, 535.

[II 11] M.G. Squilla Gallicanus. Sohn von G. [II 10]. Cos. ord. 150 n.Chr., Proconsul von Asia ca. 165. Ca. 177 nahm er am consilium Marc Aurels teil (AE 1971, 534). Seine Frau war Pompeia Agrippinilla, die von Bacchus-Mysten geehrt wurde (IGUR I 160; [1. 535f.] dort zur gesamten Familie der Gavii aus Verona). PIR² G 114.

1 G.ALFÖLDY, in: Chiron 9, 1979.

[II 12] G. Tranquillus. Proconsul von Lycia-Pamphylia, wohl 212/3 n.Chr. (AE 1989, 721 = 1994, 1725).
W.E.

Gaza (arab. *Gazza*, hebr. *ʿAzzā*, von semit. *ǵzz*, »dornig sein«). Von → Thutmosis III. (1457 v.Chr.) bis Ramses IV. (Mitte 12. Jh. v.Chr.) ägypt. Verwaltungszentrum in Südpalästina [1], unter den Ramessiden »die Stadt Kanaans«, kurz »das Kanaan« (Κάδυτις, Hdt. 2,159; 3,5); unter → Ramses II. auch »Ramsesstadt in Kanaan«. Im 12. Jh. v.Chr. von den Philistern übernommen (Dt 2,23; Statue des Peteese, 22. Dyn.: »[Stadt] des Kanaan der Philister«), steigt G. bis zum 8. Jh. v.Chr. aufgrund seiner verkehrsstrategisch günstigen Lage zum Vorort der philistäischen Pentapolis (1 Sam 6,17f.) auf (Ri 13–16; Am 1,6–8). Als Tiglatpilesar III. 734 v.Chr. G. einnahm, war es Endpunkt der → Weihrauchstraße aus Südarabien zum Mittelmeer (Plin. nat. 12,64). In den J. 722–720 aufständisch, blieb G. 705–701 loyal gegenüber

Assyrien und erhielt für judäische Angriffe (2 Kg 18,8) territoriale Entschädigung [5. 31–34]. 609 wurde G. wieder ägypt. (Hdt. 2,159; Jer 47,1), fiel aber 605/4 an das neubabylonische Reich (Jer 25,20; 47,2–7). Dem pers. Vormarsch nach Ägypten 525 v.Chr. stellte sich G. entgegen (Pol. 16,22a [=40]) und genoß unter den Achämeniden (→ Achaimenidai) wegen des arab. Handels Autonomie (Hdt. 3,5). G. prägte sowohl eigene Mz. als auch in Lohnprägung solche arab. Klientelfürsten Südpalästinas und NW-Arabiens. In G. befand sich im ausgehenden 5.(?) bis 3.(?) Jh. v.Chr. die größte minäische Handelskolonie an der Weihrauchstraße, dokumentiert durch die sog. ›Hierodulenlisten [realiter: Heiratsurkunden] von Maʿinʿ.

1 O.KEEL, M.KÜCHLER, Orte und Landschaften der Bibel 2, 1982, 76–96 2 E.A. KNAUF, Ismael, ²1989 3 L.MILDENBERG, Vestigia Leonis, 1998, 64f., 77–94 4 NEAEHL 2, 464–467 5 TUAT 1, 390.   E.A.K.

Zur Zeit des Hellenismus machten sich Ptolemäer und Seleukiden G. mehrfach streitig. Seit 200 v.Chr. endgültig in seleukidischer Hand, begann zunächst ein wirtschaftlicher Abstieg. Nach der vollständigen Zerstörung durch → Alexandros [16] Iannaios (98 v.Chr.) wurde der Wiederaufbau als »Neu-G.« südl. des alten Stadthügels erst 58 v.Chr. vom röm. *proconsul* Gabinius vorangetrieben.

Als Zentrum hell. Kultur beherbergte G. eine bekannte Rhetorenschule; der vorchristl. Kult des Mārnā (»unser Herr«) von G. hielt sich neben dem aufstrebenden Christentum bis 406 n.Chr. Die Mosaikkarte von Mādabā zeigt G. in der 2. H. des 6. Jh. als zweitgrößte Stadt nach Jerusalem mit Fora, Theater, Stoai und einer Kirche. Anf. des 7. Jh. war G. Handelspartner von Mecka, spielte aber bis zu seiner Aufwertung durch die Fāṭimiden (10. Jh.) in frühislam. Zeit keine bes. Rolle. Die ant. Stadt ist h. von der modernen überlagert.

K.B. STARK, Gaza und die philistäische Küste, 1852 · G.DOWNEY, Gaza in the Early Sixth Century, 1963 · M.MEYER, History of the City of Gaza, 1966 · C.GLUCKER, The City of Gaza in the Roman and Byzantine Periods, 1987.   T.L.

Gazelle. Von den Antilopen, wozu auch das Gnu und der Spießbock (→ Oryx) gehören, vertritt die gemeine G. (Antilope dorcas oder Gazella africana) diese Gattung der Rinderfamilie in Nordafrika und Vorderasien (ζορκάς, δορκάς, δόρκων, δόρκος, δόρξ oder ζόρξ; *damma* oder *dorcas*). Die G. ist ein typischer Wüstenbewohner (Hdt. 4,192), z.B. in Libyen (Theophr. h. plant. 4,3,5), und lebt mit Steinhühnern (πέρδικες) in Freundschaft, mit Wildeseln (ὄναγροι) in gemeinsamen Herden zusammen (Timotheos von Gaza c. 17 [1. 27f.]). Die Jagd auf die Tiere, die scheu (Grattius cynegetica 200; Ail. nat. 7,19), aber langsamer als Wildesel sind (Arr. cyn. 24,1), geschah vom Pferd aus mit Hilfe von Hunden mit Netz und Lasso, Pfeil und Speer (Arr. cyn. 24,1). In Ägypten und im Römerreich züchtete man die G. in

Gehegen (Colum. 9,1,1) als Delikatesse (Iuv. 11,121). Die Knöchelchen (δορκάδειοι ἀστράγαλοι, Theophr. char. 5,9) dienten als kostbare Würfel (Lukian. amores 16; Athen. 5,194a), das gebogene Gehörn (Plin. nat. 11,124) wurde zu Werkzeugen verarbeitet und das Leder zu teurem Pergament. Auf einem Jagdmosaik aus Utica (h. in London) findet man sie zusammen mit Straußen, in Pompeii hängen auf einem Gemälde geschlachtete G. in einem Fleischerladen [2. Bd. 1, 287f.] und aus dem Haus der Vettier in Pompeii stammt ein Wandfries mit Amoretten auf von G. gezogenen leichten Wagen [3. 135 und Abb. 69].

1 F. S. BODENHEIMER, A. RABINOWITZ (ed.), Timotheus of Gaza on animals, 1948 **2** KELLER **3** TOYNBEE.   C. HÜ.

Gaziura (Γαζίουρα). Burg der pont. Könige in der Zelitis auf einem isolierten Bergkegel bei Turhal mit einem Treppengang hell. Zeit und spätbyz. Mauerresten, dazu eine Inschr. aus der Zeit Mithradates' VI. und zwei röm. Meilensteine der Straße von → Amaseia nach Nikopolis [1. 251–253 Nr. 278; 2. 348f. Nr. 960f.].

1 ANDERSON/CUMONT/GRÉGOIRE 3,1 **2** D. FRENCH, Roman Roads and Milestones of Asia Minor 2 (British Institute of Achaeology at Ankara, Monograph 9), 1988.

H. v. GALL, Zu den kleinasiat. Treppentunneln, in: AA 82, 1967, 515 • OLSHAUSEN/BILLER/WAGNER, 132 • W. H. WADDINGTON, E. BABELON, TH. REINACH, Recueil général des monnaies grecques d'Asie Mineure 1,1, ²1925, 112f. • H. WEIMERT, Wirtschaft als landschaftsgebundenes Phänomen, 1984, 60ff. • D. R. WILSON, The Historical Geography of Bithynia, Paphlagonia, and Pontus in the Greek and Roman Periods, Diss. Oxford 1960 (maschr.), 216 • L. ZGUSTA, Kleinasiat. Ortsnamen, 1984, 132.   E. O.

Gebäck (griech. πλακοῦς, plakús, lat. placenta), meist süße Einzelstücke, die in der ant. Überlieferung je nach Region und Zeit, Mode und Zweck in vielen Arten begegnen (vgl. die Liste bei Athen. 14,643–648). Sie bestanden durchweg aus feinem Mehl (zunächst von Gerste, später überwiegend von Weizen), Wasser, Milch oder Fett sowie (meist) Treibmittel. Weitere Zutaten wie → Eier, Früchte (→ Obst), → Gewürze, (Frisch-)→ Käse, Nüsse oder Süßstoffe sorgten für den typischen Duft und Geschmack einer G.-Art. Zu ihrem unverwechselbaren Charakter konnte aber auch beitragen, daß der Teig im Ofen oder auf dem Herd in heißem Fett gebacken wurde. Diese unterschiedlichen Zubereitungsarten gaben vielen G.-Arten ihren Namen: Einige hießen nach der dominierenden Zutat (wie z. B. mustaceus, ein mit Most bereiteter Kuchen), andere nach der Kruste (crustulum) oder der Form (laganum, eine Art Blätterteig-G.). Insbes. in der frühen röm. Kaiserzeit sind mehrere, heute verlorene Bücher über G. entstanden (z. B. von Chrysippos; Harpokration; vgl. Cato agr. 75–84). G., als Ausweis für eine feinere Küche verstanden (Plat. rep. 2,13,373a; Athen. 14,644e), wurde häufig zum Nachtisch gereicht, wobei es kurz vor dem Verzehr meist mit Honig getränkt und mit Sesam oder Mohn

bestreut wurde. G. konnte aber auch andere Gänge, zumal einer festlichen Mahlzeit, begleiten oder zur Zwischenmahlzeit dienen. Für besondere Anlässe waren bestimmte G.-Arten wie der Hochzeitskuchen (Athen. 7,280d) oder der Opferkuchen (griech. πέμμα, pémma; lat. → libum) reserviert. Letzterer spielte im kultischen Leben der ant. Welt eine wichtige Rolle, weil den Göttern nach altem Brauch G. geopfert wurde (Athen. 4,172d-e).

J. ANDRÉ, L'alimentation et la cuisine à Rome, ²1981, 210–214 • A. DALBY, Siren Feasts. A History of Food and Gastronomy in Greece, 1996 • F. ORTH, s. v. Kuchen, RE 11, 2088–2099.   A. G.

Gebärden   I. ALTER ORIENT   II. ÄGYPTEN   III. GRIECHENLAND UND ROM

I. ALTER ORIENT

Die Ausdrucksformen in der altoriental. Bildkunst werden durch eine ausgeprägte G.-Sprache unterstützt, die im bes. der Kommunikation zw. Sterblichen und Göttern sowie zw. untergebenen und höhergestellten Personen dient. Im sakralen Bereich bringen G. individuelle Gefühle und Wünsche zum Ausdruck; im profanen Bereich tritt ihr offizieller Informationsgehalt stärker in den Vordergrund. Gebets-G. werden häufig mittels vor der Brust zusammengelegter Hände dargestellt [1. 175f.], wenngleich nicht in Texten beschrieben. Das an die Götter gerichtete Gebet wird dagegen mit »die Hand erheben« bezeichnet, während »die Fäuste öffnen« die flehentliche Bitte ausdrückt ([2. 50–64]; zum Vergleich [6. Abb. 453]). G. der Ehrerbietung wie z. B. Sich-Niederwerfen und Sich-Beugen sind urspr. charakteristische Formen der Huldigung und Anlehung von Göttern [3. 161], später werden sie als Zeichen der polit. Unterwerfung bzw. Loyalität säkularisiert [2. 178–181, 238–254]. In diesem Zusammenhang finden auch G. wie das zu Füßen des Königs Fallen, das wiederholte Küssen des Bodens vor Personen, das Küssen des Fußes oder das Ergreifen der Füße von Personen häufig Verwendung in der assyr. Bildpropaganda ([2. 257–284]; zum Vergleich [6. Abb. 355, 371]). Durch phatische G. wie das Ausstrecken des Fingers wird ein unmittelbarer Sprechkontakt beschrieben, mit dem bedeutsame Inhalte – v. a. in der Kommunikation Mensch/Gott – transportiert werden [4. 45–55, 94–104]. Es entwickelt sich eine für das lit. und bildliche Geschehen ausdrucksvolle Körpersprache [2. 313, 318]. Im 1. Jt. v. Chr. wird diese zunehmend Teil der polit. Propaganda. So benutzt die assyr. Reliefkunst G. zum Ausdruck eines ausgeprägten Machtbewußtseins, wohingegen die eher würdevolle G.-Sprache der Bildkunst am Achaimenidenhof auf die phatische Gemeinschaft des Großreiches anspielt (vgl. [5. Taf. 17] und [6. Abb. 355]; zu G. im assyr. Bereich vgl. z. B. die Stele des Königs Tukultininurta. I. (13. Jh. v. Chr.) in Gebets- und Sprech-G. vor einem Altar [7]).

1 M. FALKNER, s. v. Gebetsg. und Gebetsgesten, RLA 3, 175–177 **2** M. I. GRUBER, Nonverbal Communication (Studia Pohl 12/1), 1980 **3** W. v. SODEN, s. v. Gebet II, RLA 3, 160–170 **4** U. MAGEN, Assyr. Königsdarstellungen – Aspekte der Herrschaft (BaF 9), 1986 **5** M. C. ROOT, The King and Kingship in Achaemenid Art (Acta Iranica 19), 1979 **6** ANET **7** W. ORTHMANN, Propyläen Kunstgeschichte 14: Der Alte Orient, 1975, Abb. 195.

DO. BO.

II. ÄGYPTEN

G. sind in Darstellungen altägypt. Grab- und Kultstätten überliefert; Beischriften erklären ihre generelle und spezielle Bed. Neben allg. und spezifischer Begleitung zu Rede, Ruf und Rezitation [1. 77–178] gibt es solche, die eine innere Haltung ausdrücken [1. 5–75; 2. 49–66; 3. 115–129; 4]. Allg. G. sind der ausgestreckte Arm mit nach oben oder unten gerichteter Hand oder die Hand am Mund wie in Determinativen von Verben und Verbalnomina des Sprechens [1. 77]. Im Opferritual kann eine Rede-G. mit bestimmten Worten zu verbinden sein: den Arm erheben/ausstrecken, die Hand/den Arm beugen [1. 86–87]. Spezifische G. wie die erhobene Faust und der ausgestreckte Zeigefinger finden sich bei der magischen Abwehr [1. 131–150]. G. als Determinative sind für Verben und Verbalnomina bezeugt, die Verehrung (verbeugen) und Gruß (lobpreisen, willkommen heißen), Trauer und Klage (klagen), Freude und Jubel (jubeln) ausdrücken [1. 5–75]. Die G. der Determinative sind in reicher Differenzierung dargestellt und beschrieben, so für Verehrung und Gruß: die Arme/den Rücken beugen, »(sich) die Arme auf den Leib geben, die Arme geben« [1. 23–31, 43–48]. Schweigen aus Ehrfurcht wird mit der Hand am Mund bezeichnet [1. 19]. Der Trauer und Klage gilt eine Vielfalt der dargestellten G.: die Arme/die Hand auf dem Kopf, die Arme gegen das Gesicht, den Kopf auf dem Knie/die Arme um die Knie [1. 65–75].

1 B. DOMINICUS, Gesten und G. in Darstellungen des AR und MR, 1994 **2** A. HERMANN, Jubel bei der Audienz, in: ZÄS 90, 1963, 49–66 **3** A. RADWAN, Der Trauergestus als Datierungsmittel, in: MDAI(K) 30, 1974, 115–129 **4** M. WERBROUCK, Les pleureuses dans l'Egypte ancienne, 1938.

ABB.-LIT.: B. DOMINICUS, Gesten und G. in Darstellungen des Alten und Mittleren Reiches, 1994.

B. DO.

III. GRIECHENLAND UND ROM

A. ALLGEMEINES B. GESPRÄCHSGEBÄRDEN
C. EROTISCHE GEBÄRDEN
D. ZÄRTLICHKEITSGEBÄRDEN E. BITTGEBÄRDEN
F. DEXIOSIS/DEXTRARUM IUNCTIO
G. NACHDENKEN, SINNEN, ÜBERLEGEN
H. FINGERGEBÄRDEN I. ABWEHRGEBÄRDEN
J. SONSTIGE GEBÄRDEN

A. ALLGEMEINES

G. werden im folgenden verstanden als Bewegungen der Arme, Hände und Finger (dazu Quint. inst. 11,3,92–121; → gestus), im Gegensatz zu Bewegungen des Kör-

pers (*motus*) mit Kopf (und Augen), Beinen oder Füßen (→ Körpersprache). Dabei wird zw. Gesten und G. keine Trennung vollzogen, da die Grenzen zw. beiden fließend sind. G. und Gesten dienen dazu, Worte und Handlungen zu verstärken, seelische Empfindungen, Wünsche, Ängste und Hoffnungen auszudrücken oder sogar Situationen erst verständlich zu machen; im Röm. können sie zusätzlich Ausdruck rechtlicher Vorgänge oder Zeichen von Tugenden sein. Andererseits können G. auch so ausdrucksstark sein, daß auf erläuternde Worte verzichtet werden kann, d. h. eine G. kann ausreichen, eine Situation zu definieren und zu erklären. In der Kunst wird auf die G. als Hilfsmittel zurückgegriffen, um dem Betrachter eine dargestellte Szene näher zu bringen und zu erläutern. Hierbei ist allerdings zu berücksichtigen, daß eine G. aufgrund ihrer eventuellen Doppelbed. das Verständnis einer Szene erschweren oder gar unmöglich machen kann. Auch haben manche G. im Laufe der Zeit einen neuen Sinn erhalten, so daß auch hierdurch ein richtiges Verständnis erschwert wird.

B. GESPRÄCHSGEBÄRDEN

Die Unterhaltung zweier oder mehrerer Personen konnte durch eine Vielzahl von G. unterstrichen werden; zu den häufigsten zählt das Ausstrecken des Zeige- und Mittelfingers der rechten Hand (die anderen Finger waren dabei eingeschlagen) in Richtung des Gesprächspartners; dabei konnte noch zusätzlich der Daumen vorgestreckt werden. Eine einfache Gesprächs-G. war auch die erhobene, geöffnete Hand, entsprechend der G. beim → Gruß. Bei einer weiteren G. wies man mit dem Zeige- und dem kleinen Finger nach vorne, wobei ebenfalls die übrigen Finger eingeschlagen waren (*corna*-G.). Eine Ermahnung oder ein Zurechtweisen äußert sich in dem erhobenen Zeigefinger (z. B. Krater in Wien, KM Inv. Nr. 466 [1. Bd. 1, Taf. 88,1]); diese mahnende G. kann sich zu einem Befehl oder einer Anweisung verstärken, wenn der ausgestreckte Zeigefinger auf den Boden bzw. auf den Gesprächspartner gerichtet ist.

C. EROTISCHE GEBÄRDEN

Mit dem Daumen und dem Zeigefinger wird ein Kreis geformt (→ Gruß); diese G. ist auf Hetärenszenen anzutreffen (z. B. Schale London, BM Inv. Nr. E 51 [2. 12, Abb. 3]), ebenso wie das Ausstrecken des Mittelfingers bei geballter Faust. Vor allem auf Denkmälern mit ἐρασταί (*erastaí*, »Liebhabern«) und ἐρώμενοι (*erómenoi*, »Geliebten«) ist die sog. Up-and-down-G. des *erastḗs* zu finden, wobei seine rechte Hand zum Penis des *erómenos* weist und die linke – als Zärtlichkeits-G. – an sein Kinn geht (z. B. Hydria München, SA 1468, CVA (7) Taf. 343; [3]); vereinzelt ist diese G. bei Mann und Frau belegt (z. B. Kanne Irakleion, Mus. [4]). In der Lit. erwähnt, allerdings nur selten dargestellt, ist die Entblößung des Hinterteils bei Frauen, bes. Hetären (Alki. 4,14,4; Athen. 12,554c-e; Anth. Pal. 5,35; Lukian. dialogi meretricis 3,2), die ihre künstlerische Ausformung in der bekannten Aphrodite Kallipygos-Statue in Neapel [5] fand. Das Vorzeigen der Geschlechtsteile durch Anheben der Gewänder hat bei Männern exhibitioni-

Rede und Ruf

Musiker

1   2   3   4

Verehrung und Gruß

5   6   7   8   9

Klage und Trauer

12   13

10   11

Ägyptische Gebärden und Gesten nach Darstellungen des Alten und Mittleren Reiches in Auswahl (zu den exakten Belegen s. [1])

14

1-3: Rede und Ruf
  1   Rede des Grabherrn [1. 78]
  2   Rufender in Marktszene [1. 128]
  3   Rezitation beim Opfer im Rahmen
       des Bestattungsrituals [1. 128]
  4: Zeichen des Musikers für die
       Instrumentalisten [1. 170]
5-9: Verehrung und Gruß
  5   Anrufung der Götter [1. 29]
  6   Verehrende auf Scheintür [1. 29]
7; 8   Bedienstete vor Höhergestellten [1.8; 22]
  9   Fremder vor Höhergestelltem [1. 22]
10-14: Klage und Trauer [1. 68]
  10   »Die Arme auf dem Kopf«
  11   Fassen des Gewandsaums
  12   »Der Kopf auf dem Knie«
  13   Die Hände vor das Gesicht halten
  14   »An den Haaren raufen«

M. HAA.

stischen Charakter (Theophr. char. 11,2) bzw. ist ein Hinweis auf die männliche Potenz (Hdt. 2,30,4); bei Frauen kann die Entblößung sexuelle Einladung und zusätzlich noch Ausdruck der Verachtung gegenüber Feiglingen sein. In den Komplex erotischer G. gehört auch das Auflegen des rechten Armes auf den Kopf bei Zuschauern erotischer oder sexueller Handlungen [6. 157, Taf. 22, Kat. A 34; Taf. 25, Kat. L 7] bzw. das Drücken der Brustwarzen [6. 18, Anm. 23].

D. ZÄRTLICHKEITSGEBÄRDEN

Neben dem oben erwähnten Berühren des Kinns ist der → Kuß anzuführen und das Legen der Hand bzw. der Finger an das Kinn und auf die Wange des anderen Menschen [7. 462 Nr. 88 verlorene Vase] als Streicheln, die gegenseitige Umarmung, ferner das vertrauliche Legen des Armes auf die Schulter eines anderen (z.B. Tib. 1,8,33; diese G. drückt zusätzlich Eintracht und Verbundenheit aus, z.B. bei den Grazien, s. [8]); in der Sepulkralkunst symbolisiert diese G. – ebenso wie die ineinander gelegten Hände – eheliche *concordia* und *fides*. Als Zeichen gegenseitiger Liebe dient auch der Handkuß (Hom. Od. 23,87; Theokr. 11,55).

E. BITTGEBÄRDEN

Bereits bei Hom. Il. 1,500; 8,371 wird als Bitt-G. das Berühren der Knie und des Kinns mit der rechten Hand erwähnt (vgl. Eur. Iph. T. 362f.), was durch ein Umschlingen der Knie intensiviert wird. Petron (17,9), Vergil (Aen. 3,607), Aristainetos (1,13) u.a. führen dazu noch das Küssen der Brust durch den Bittenden an. Auf den griech. und röm. Denkmälern werden Bitten oder das Sich-Unterwerfen durch das Knien auf der Erde mit nach vorne ausgestreckten und geöffneten Händen dargestellt, z.B. [9. Bd. 2, Taf. 17 6,1; 10. 153 Abb. 128, Becher aus Boscoreale]). Die weit vorgestreckten Arme kennzeichnen in Verfolgungs- und Entführungsszenen den um Hilfe suchenden Menschen; daneben kann diese Armhaltung auch als Abwehr-G. dienen (Krater Boston, MFA Inv. Nr. 63,1246 [11. Abb. 174, 1.2]) oder – bei weit in entgegengesetzter Richtung ausgestreckten Armen – den Versuch darstellen, streitende Parteien zu trennen (Schale London, BM Inv. Nr. E 69 [11. Abb. 247]). Eine weitere Bitt-G. war das Legen der Hand an die Wange des anderen durch den Bittsteller (Eur. El. 1214–1217). Zu den Bitt-G. gehört auch der Handkuß (→ Kuß; Hom. Il. 24,478; 506; Phaedr. 5,1,4f.), wie dieser auch u.a. Dank (Plut. Brutus 991) oder Huldigung (Tac. hist. 1,45) ausdrückt (→ salutatio). Die Gewährung der Bitte oder der Gnadenerweis vollzieht sich durch die Handreichung des Angeflehten (Hom Il. 24,508; Verg. Aen. 3,610) bzw. in dessen Ausstrecken der Hand zu dem Bittsteller (z.B. Becher aus Boscoreale [10. 153 Abb. 128]). Im Röm. drückt diese G. gleichzeitig die Tugend der *clementia* aus [12].

F. DEXIOSIS/DEXTRARUM IUNCTIO

Der Handschlag mit der rechten Hand zw. zwei Personen ist eine über die Situation hinausreichende G. und meint zunächst die herzliche Verbundenheit zw. ihnen, wie bei Begrüßung und Abschied (→ Gruß; z.B. Plut.

Caesar 708). Die *dexiōsis* ist auf den griech. Denkmälern seit dem 3. Viertel des 7. Jh. v. Chr. belegt und wird von myth. (Herakles-Athena; Perseus-Athena usw.) und nicht-myth. Personen vollzogen; vor allem auf den sog. Krieger-Abschiedszenen (→ Gruß) erhält diese G. ihre erste bedeutsame Darstellungsform. Auf den griech. Grabreliefs der klass. Periode ist sie eine ausdrucksstarke G. des letzten Lebewohls, der familiären Verbundenheit und des Zusammengehörigkeitsgefühls. Verschiedentlich ist diese G. auf den att. Urkundenreliefs dargestellt und symbolisiert hier die unverbrüchliche Einigung der Vertragspartner [13].

Entsprechendes gilt im Röm.: *renovare dextras* bedeutet »Verträge erneuern« (Tac. ann. 2,58); *dextras iungere* als G. der Besiegelung einer Freundschaft oder eines Vertrages ist mehrfach bei Vergil zu finden (vgl. Verg. Aen. 7,266). Als Symbol der Eintracht erscheint diese G. z.B. seit der 2. Hälfte des 1. Jh. n. Chr. auf röm. Mz. mit folgenden Darstellungen: Soldaten, die sich die Hand reichen, gleichzeitig regierende Kaiser, kaiserliche Familienmitglieder etc. (mit entsprechenden Inschr.: *fides exercituum, consensus exercitus, fides militum, concordia Augustorum* u.a. [14. 88–108]). Hierher gehört auch der Handschlag zw. Mann und Frau bei der röm. Eheschließung – dem griech. Hochzeitszeremoniell ist er fremd –, wie überhaupt die *dextrarum iunctio* zw. Mann und Frau auf den etr. (hier seit dem 4. Jh. v. Chr.) und röm. Denkmälern, bes. den Grabmonumenten, ein Symbol ehelicher *fides* und *concordia* ist (→ Hochzeitsbräuche). Von der *dexiōsis/dextrarum iunctio* zu trennen ist der Griff um das Handgelenk (vgl. Hom. Il. 1,323; Hom. Od. 18,258, hier beim Abschied, z.B. Zeus-Hera-Metope aus Selinunt, Palermo), der das Besitzergreifen eines Menschen oder Besitzen desselben meint und sowohl bei myth. Personen wie auch in griech. Alltagsszenen belegt ist. Hierunter fallen bes. att. Hochzeitsbilder mit der Heimführung der Braut in das Haus des Bräutigams (z.B. Lutrophore Athen, NM [15. 59, Abb. 13]). Dieser Griff ist ebenso auf Entführungsszenen anzutreffen und bei Hermes Psychopompos, der die Verstorbenen in die Unterwelt geleitet.

G. NACHDENKEN, SINNEN, ÜBERLEGEN

Hierzu zählen die G., die die Hand oder einzelne Finger in Richtung des Kopfes oder am Kopf ausführen. Recht häufig ist das Greifen an oder in den Bart verwandt, wie z.B. beim Seher im Ostgiebel des Zeus-Tempels von Olympia [16. Taf. 52] oder in Wappnungs- und Krieger-Abschiedszenen für den sorgenvoll in die Zukunft blickenden Angehörigen. Eine weitere G. des Sinnens ist das Legen der flachen Hand an die Wange bei leicht geneigtem Kopf; vielfach ist dann bei stehenden Gestalten der linke Arm auf den Bauch gelegt, der rechte auf die linke Hand gestützt, der geneigte Kopf ruht auf dem Handrücken (Peliadenrelief Rom, VM [17]; Kalypso, Wandgemälde aus dem Macellum, Pompeji). Häufig ist die sinnende Gestalt in einer En-face-Ansicht abgebildet, was als Verstärkung des Sinnens bzw. eines stark emotionalen seelischen Vorgangs zu deuten ist.

Auch der auf dem Handrücken sich aufstützende Kopf (z. B. Oedipus vor der Thebanischen Sphinx, Schale Rom, VM [11. Abb. 301,2]) bei sitzenden oder liegenden Gestalten kennzeichnet die so Dargestellten als nachdenkend oder als aufmerksame Zuhörer (z. B. Krater, Berlin SM, Inv. Nr. 3172 [2. 116, Abb. 55]). Ein zum Mund geführter Finger – meist der Zeigefinger – ist Ausdruck des Überlegens oder Staunens, während der Zeigefinger über den Mund gelegt (Harpokrates-Motiv: Plut. mor. 378c) Schweigen bedeutet. In-sich-Versunken-Sein oder Selbstvergessenheit äußern Finger, die das Kinn nur leicht berühren bzw. auf ihm gekrümmt liegen; diese G. ist auch auf Grabmonumenten (→ Trauer) belegt (Stele aus Rhamnus, Athen, NM). Tiefes Nachdenken und innere Konzentration werden durch herabhängende Arme mit gefalteten Händen und verschränkten Fingern (Demosthenes-Statue, Kopenhagen) vermittelt, desgleichen starke seelische Anspannung (Medea, Wandgemälde aus Herculaneum, Neapel, NM).

H. FINGERGEBÄRDEN

Finger-G. sind überaus zahlreich, und die Entwicklung der Zeichensprache basiert im wesentlichen auf der Bewegung einzelner Finger (vgl. Nonn. Dion. 19,156f.; nach Ov. am. 2,5,18 formen die Finger der Verliebten *litteras* für heimliche Mitteilungen); auch die Pantomime fand hier ihren Ursprung. Ausgebildet in den Finger-G. waren die ant. Redner (Cic. de orat. 3,220; Quint. inst. 11,3,65–137; → *gestus*); ebenso wurden Rechnen und Zählen durch einzelne Fingeranzeigen begleitet und diverse → Geschicklichkeitsspiele mit Fingern ausgeübt. Nur weniges sei aus dem Repertoire der Finger-G. angeführt: Das Kauen an den Fingern bzw. Fingernägeln kennzeichnet den Wütenden (Hor. epod. 5,47; sat. 1,10,71; Prop. 2,4,3) oder den Trauernden (Prop. 3,25,4). Wer sich am Kopf kratzt, ist verlegen (Apul. met. 10,10); ein vornehmer Stutzer (Plut. Caesar 709) oder verliebt (Plut. Pompeius 645), wer nur einen Finger nimmt; am Ohr kratzt sich die wütende Venus (Apul. met. 6,9). Durch Fingerschnippen ruft man den Sklaven mit dem Gefäß zum Wasserlassen herbei (Petron. 27; Mart. 3,82,15; 6,89,1f.), jedoch kann diese G. auch apotropäisch verstanden sein (Ov. fast. 5,433). Den einzelnen Fingern kamen unterschiedliche Funktionen zu. So formte der Mittelfinger magische Zeichen, der Zeigefinger war vor allem in Rede-G. von Bedeutung (s. o.) usw., auch drückte sein Vorzeigen Verachtung aus (Mart. 6,70,5).

I. ABWEHRGEBÄRDEN

In den Bereich der Abwehr-G. führt das Ausspreizen der Finger mit erhobenen Unterarmen oder ausgestreckten Armen (hier kann auch eine Verwünschungs-G. gemeint sein [18]), ebenso die *fica*-G. (der Daumen wird zwischen Zeige- und Mittelfinger gelegt; Ov. fast. 5,433), die bes. vor dem Bösen Blick schützen soll (→ Deisidaimonia; Superstitio; Magie; Zauberei); apotropäischen Charakter kann auch das bereits erwähnte Entblößen des Hinterteils haben (Plin. nat.

28,78; Plut. mor. 248b). Die Abwehr-G. der erhobenen Arme richtet sich gegen einen Angreifer (z. B. mit einer Waffe) und ist vielfach mit einer Fluchtbewegung kombiniert.

J. SONSTIGE GEBÄRDEN

Hand über den Kopf legen: Mit Schlafenden (Anth. Pal. 5,275; Lukian. dialogi deorum 11; Ariadne [19]; Endymion [20] usw.) und Toten (Schale, ehemals New York [11. Abb. 246]; Adamclisi, Tropaeum Traiani [10. 231, Abb. 196]) von der archa. Zeit bis in die Spätant. verbunden, drückt diese G. Entspannung und Ruhe (Apollon Lykeios in Lukian. Anacharsis 7) aus; der Aspekt der Entspannung bzw. des damit verbundenen Genusses begegnet auch auf Gelagebildern, wenn die dem Flötenspiel einer Hetäre zuhörenden bzw. mitsingenden oder dem Entkleiden einer Hetäre zusehenden Zecher in dieser Haltung dargestellt sind ([6. 37f.], s. o.) oder mit ihr den Koitus vollziehen (z. B. Gemälde aus Pompeji, Neapel, NM [21]; → Erotik). Ebenfalls ist diese G. Ausdruck visionären Schauens von Gottheiten [22].

Überraschung/Entsetzen: Erhobene Arme, wobei die Hände geöffnet und die Finger gespreizt sind, kennzeichnen Überraschung bzw. Entsetzen, vielfach von einer Fluchtbewegung vor dem Unerwarteten (Weglaufen, Abwenden usw.) begleitet; unterstrichen wird die Überraschungsg. durch weit geöffnete Augen und leicht geöffneten Mund [2. 97f.].

Ἀποσκοπεῖν (*aposkopeín*): Das Beschatten der Augen mit der rechten Hand ist typisch für den scharf spähenden, auf ein in der Entfernung stattfindendes Ereignis und den nach dem Unerwarteten (z. B. dem Erscheinen einer Gottheit) ausschauenden Menschen; von daher ist diese G. bei → Epiphanien häufig anzutreffen. Als G. der Lüsternheit ist es vor allem mit Satyrn verbunden, wenn sie Mänaden oder Ariadne beschleichen und belauern [23], ferner bei Darstellungen des Pan und anderer zu finden, die einen Anlaß haben, in der Ferne Erscheinendes zu betrachten.

Ἀνακάλυψις (*anakálypsis*, Öffnen des Brautschleiers): Die Entschleierungs-G. wird in der Hochzeitsnacht ausgeführt, wenn die Braut sich zum ersten Mal dem Bräutigam zeigt [15. 57–70]. Diese G. ist auf griech. Hochzeitsbildern häufig dargestellt; allerdings vollziehen auf einer Vielzahl von Denkmälern Frauen diese G., ohne daß ein hochzeitlicher Aspekt spürbar ist, wodurch die G. mehr zu einem Zeichen des »Fraulichen«, vielleicht sogar zu einer Koketterie-G. wird (kaum eine Gruß-G., wie [2. 41 Anm. 134] meint). Selten werden Männer in dieser G. dargestellt (vgl. aber Dionysos).

Erhobener und ausgestreckter rechter Arm: Die bes. an röm. Statuen, vor allem Panzer- und Reiterstatuen, belegte G. hat einige Vorläufer in der unterital. Vasenmalerei und im Hellenismus und ist zunächst eine Gruß- und Rede-G. (Cic. de orat. 3,59,220; Arringatore in Florenz, AM [24]); daneben ist sie zumindest für die röm. Denkmäler, gemäß Stat. silv. 1,1,37 *dextra vetat pugnas* (vgl. Prokopios de aedificiis 1,2,12), als Friedens-G. zu interpretieren [25].

Hand in die Hüfte gestemmt: In der Kunst vor allem bei Frauendarstellungen zur Bezeichnung spannungsgeladener Situationen anzutreffen [2. 118, Abb. 55] und solcher, die aufgrund der Szenerie ein eindringliches, intensives Reden vorgeben (vgl. Aristain. 2,20); daneben ist diese G. auch bei ruhig stehenden Frauen, z. B. bei Atalante [11. Abb. 369], zu finden; (frühestes?) Beispiel dafür ist die Athena-Statue in Athen (AM Inv. Nr. 140 [26], um 480 v. Chr). Auch bei Männern ist diese G. nicht ungewöhnlich, z. B. beim Zeus im Ostgiebel des Zeus-Tempels in Olympia [16. Taf. 51], und bezeichnet intensives Zuhören bzw. ein Moment der Spannung. Im Röm. ist sie jedoch auch bei entspannt stehenden Personen anzutreffen.

→ Acclamatio; Beifall; Erotik; Gebet; Gestus; Gruß; Kuß; Salutatio; Trauer

1 Trendall/Cambitoglou **2** G. Neumann, Gesten und G. in der griech. Kunst, 1965 **3** G. Koch-Harnack, Knabenliebe und Tiergeschenke, 1983, 55 **4** K. Schefold, Frühgriech. Sagenbilder, 1964, Taf. 27b **5** G. Säflund, Aphrodite Kallipygos, 1963 **6** R. Hurschmann, Symposienszenen auf unterital. Vasen, 1985 **7** Trendall, Lucania **8** H. Sichtermann, s. v. Gratiae, LIMC 3.1, 203–210 **9** Trendall/Cambitoglou **10** D. E. E. Kleiner, Roman Sculpture, 1992 **11** J. Boardman, Athenian Red Figure Vases. The Archaic Period, 1975 **12** H. Gabelmann, Ant. Audienz- und Tribunalszenen, 1984, 132–138 **13** M. Meyer, Die att. Urkundenreliefs, in: MDAI(A) 13. Beih., 1988/89, 140–145 **14** R. Brilliant, Gesture and rank in Roman art, 1963 **15** C. Reinsberg, Ehe, Hetärentum und Knabenliebe im ant. Griechenland, 1989 **16** H. V. Herrmann, Olympia. Heiligtum und Wettkampfstätte, 1972 **17** W. Fuchs, Die Skulptur der Griechen, 1969, 519, Abb. 607 **18** E. Kunze, 5. Bericht über die Ausgrabungen in Olympia, 1956, 62 f. **19** M.-L. Bernhard, W. A. Daszewski, s. v. Ariadne, LIMC 3, 1050–1070 **20** H. Sichtermann, Späte Endymion-Sarkophage, 1966 **21** J. Marcadé, Roma amor, 1977, 79, Abb. 177 **22** N. Himmelmann, Zur Eigenart des klass. Götterbildes, 1959, 17, Anm. 29 **23** H. Jucker, Der Gestus des Aposkopein, 1956 **24** H. Kähler, Rom und seine Welt, 1958, Taf. 60, 62 links **25** D. Kreikenbom, Canovas Ferdinand IV. von Neapel, in: Städel Jahrbuch 13, 1991, 227–244 **26** J. Boardman, Greek Sculpture. The Archaic Period, 1978, Abb. 173.

P. J. Connor, The Dead Hero and the Sleeping Giant by the Nikosthenes Painter. At the beginnings of a motif, in: AA, 1984, 387–394 • G. Davies, The Significance of the Handshake Motif in Classical Funerary Art, in: AJA 89, 1985, 627–640 • H. Demisch, Erhobene Hände. Gesch. einer G. in der bildenden Kunst, 1984 • T. Dohrn, Gefaltete und verschränkte Hände, in: MDAI 70, 1955, 50–87 • S. Eitrem, Die Gestensprache – Abwehr oder Kontakt, in: Geras A. Kerampulu, 1959, 598–608 • J. Engemann, Der »corna«-Gestus – ein ant. und frühchristl. Abwehr- und Spottgestus?, in: Pietas. FS für B. Kötting, JbAC, Ergh. 8, 1980, 483–498 • B. Forsén, E. Sironen, Zur Symbolik von dargestellten Händen, in: Arctos 23, 1989, 55–66 • G. Freyburger, Supplication grecque et supplication romaine, in: Latomus 47, 1988, 501–525 • K. Gross, Menschenhand und Gotteshand in Ant. und Christentum,

1985 • A. Hermann, »Mit der Hand singen«, in: JbAC 1, 1958, 105–108 • S. Hummel, Etr. Miszellen II. Die Lex Gestus bei den Etruskern, in: JÖAI 57, 1986/7, 7–12 • N. B. Kampen, Biographical narration in Roman funerary art, in: AJA 85, 1981, 47–58 • F. Kiener, Hand, Gebärde und Charakter, 1962 • K. R. Krierer, Sieg oder Niederlage, 1995 • T. J. McNiven, Gestures in Attic Vase-Painting: Use and Meaning, 1982 • R. Merkelbach, Die Zahl 9999 in der Magie und der »comptus digitorum«, in: ZPE 63, 1986, 305–308 • G. Neumann, Gesten und G. in der griech. Kunst, 1965 • D. Ohly, Δῖα Γυναικῶν, in: R. Boehringer, Eine Freundesgabe, 1957, 433–460 • J. Papaoikonomou, Une pleureuse crétoise, in: REA 85, 1983, 5–14 • E. G. Pemberton, The Dexiosis on Attic Gravestones, in: Mediterranean Archaeology 2, 1989, 45–50 • A. Rieche, Computatio romana. Fingerzählen auf provinzialröm. Reliefs, in: BJ 186, 1986, 165–192 • L. Rossi, Le geste »favete linguis« dans la personification de la Constantia sur les monnaies claudiennes, in: Caesarodunum 23, 1988, 187–189 • K. Schefold, Pandions Sorge, in: Boreas 5, 1982, 67–69 • B. Schmaltz, Griech. Grabreliefs, 1983 • A. Scholl, Die att. Bildfeldstelen des 4. Jhs. v. Chr., in: MDAI(A) 17. Beih., 1996, 164–170 • S. F. Schröder, Röm. Bacchusbilder in der Tradition des Apollon Lykeios, 1989 • C. Sittl, Die G. der Griechen und Römer, 1890 • P. Somville, Le signe d' extase et la musique, in: Kernos 5, 1992, 173–181 • R. Stupperich, Zur dextrarum iunctio auf frühen röm. Grabreliefs, in: Boreas 6, 1983, 143–154 • P. Veyne, Les saluts aux dieux, le voyage de cette vie et la »réception« en iconographie, in: RA 1985, 47–61 • P. Wülfing, Antike und moderne Redegestik, in: G. Binder, K. Ehlich (Hrsg.), Kommunikation durch Zeichen und Wort, Bochumer Alt.wiss. Colloquium 23, 1995, 71–90.   R. H.

Gebet I. Alter Orient II. Judentum III. Griechenland und Rom IV. Christentum

I. Alter Orient

A. Allgemeines B. Ägypten C. Mesopotamien und Syrien-Palästina

A. Allgemeines

Aus dem Alten Orient sind seit dem 3. Jt. v. Chr. mehrere hundert G. überliefert, deren Textgesch. sich z. T. über viele Jh. verfolgen läßt. Diverse Gattungen, gemeinhin als Klagen, Hymnen usw. klassifiziert, sind im eigentlichen Sinn G., denn Klage bzw. hymnischer Preis der Gottheit sind nur Anlaß bzw. Ausgangspunkt eines am Ende des Textes stehenden – und so dessen Sitz im Leben ausmachenden – G.   J. Re.

B. Ägypten

Anrufungen von Göttern mit folgender Bitte für sich selbst oder Fürbitte für andere sind in Ägypten sehr häufig und kommen in Texten ganz unterschiedlicher Genres vor: als originell gestaltete Buß-G., in formelhaften funerären Inschr., in lit. Schultexten, in Ritualen oder als Felsgraffiti. G. bestehen aus Anruf, Eulogie bzw. Hymne und der eigentlichen Bitte, seltener einem Dank an die Gottheit. Die Gewichtung dieser Bestandteile hängt vom G.-Zweck ab: z. B. ist in den G. der Tem-

pelrituale die Hymne weit umfangreicher als die anschließende Bitte. Das von den Göttern Erbetene kann
auf eine ganz spezifische Situation bezogen sein, häufig
(v. a. in formellen G.) sind es aber nur allg. Gnaden wie
»Leben, Heil und Gesundheit«. Ein gesprochenes G.
kann von unterschiedlichen Rezitations- oder Vereh-
rungsgesten begleitet sein. Am häufigsten ist die Haltung mit angewinkelt erhobenen Armen, die Handflä-
chen dem Angebeteten zugewandt (→ Gebärden). Als
Zeit des G. wird sehr häufig der frühe Morgen gen.,
bevorzugte Orte des G. sind hl. Plätze aller Art (bes. oft
Tempeltore). Auf die Wichtigkeit des G. in Ägypten
weisen auch die überaus zahlreichen Gottesepitheta
über G.-Erhörungen hin.

1 J. ASSMANN, Ägypt. Hymnen und G.e, 1975
2 H. BRUNNER, s. v. G., LÄ 2, 452–459.   K. J.-W.

C. MESOPOTAMIEN UND SYRIEN-PALÄSTINA

Die bekannten G. sind meist Teil von wiederholt
stattfindenden Kult- und Beschwörungsritualen und
daher schriftlich überliefert. Sie wurden in der Regel
von Opfern begleitet. In Mesopot. wurden im 1. Jt. in
Abschriften bestimmte G. als »Beschwörung« bezeichnet [2. 168 f.], man war sich aber bewußt, daß durch das
Rezitieren solcher G. die Gottheit nicht auf magische
Weise zum Handeln bewegt werden konnte.

Die lit. Form der G. ist lyrisch. Im Kult wurden die
G. meist gesungen, nur wenige gesprochen. Die Klassifikation von Kultlyrik verweist auf Begleitung durch
Saiten- und Schlaginstrumente. Rituelle G.-Szenen
und -Gebärden sind auf Siegelbildern [5. Abb. 139a])
und Reliefs [5. Abb. 101, 107, 212, LXIII] dargestellt
oder in Texten beschrieben (Dastehen im G., Hander-
heben, Niederknien, Proskynese usw.; → Gebärden)
[3. 156 f., 161, 171, 175–177]. G. individueller Personen
sind nur in Ausnahmefällen erh. ([4. 750–752] für Briefe
an Götter, z. T. mit *ex-voto* [1]; [4. 715–717]). Aber auch
hier stellt die schriftliche Formulierung bereits eine Entfernung vom urspr. vorgetragenen »freien« G. dar. Persönliche Frömmigkeit äußert sich v. a. im semit. Onomastikon Mesopotamiens, Syriens, Palästinas (AT) und
dem hurrit. Bereich Anatoliens. Sie kommen vor in der
Form von G.- bzw. Bittnamen (»Gott-sei-mir-gnädig«;
oder hurrit. *Ulli-kummi* »Zerstöre [die Stadt] Kummi«)
oder lassen im Namen des Neugeborenen die Erhörung
und Erfüllung eines G. (um Nachkommen) deutlich
werden (»Der-Gott-NN-hat-mein-Beten-erhört«). In
Mesopot. gab es zahlreiche Möglichkeiten für den Beter, permanent im G. vor der Gottheit vertreten zu sein:
Beterstatuen (z. T. mit darauf angebrachtem G.-Text) in
der Cella des Tempels; Gebete auf Rollsiegeln, Amulette; Weihung von Töchtern zum (G.-)Dienst im
Tempel.

In epischen Texten dienen G. zuweilen als Stilmittel,
das das (reflektierende) Selbstgespräch (des modernen
Romans) ersetzt [4. 713–715].

→ Gebärden; Psalmen

1 B. BÖCK, »Wenn Du zu Nintinugga gesprochen hast . . .«
Untersuchungen zu Aufbau, Inhalt, Sitz-im-Leben und
Funktion sumer. Gottesbriefe, in: Altoriental. Forschungen
23, 1996, 3–23 2 A. FALKENSTEIN et al., s. v. G.,
G.-Gebärden, RLA 3, 156–177 3 A. FALKENSTEIN, W. VON
SODEN, Sumer. und akkad. Hymnen und Gebete, 1953
(Übers.) 4 TUAT 2 5 PropKg 14.   J. RE.

II. JUDENTUM

Das Judentum kennt drei tägliche G.-Zeiten, an denen der Fromme (Frauen sind von der G.-Pflicht ausgenommen) entweder allein oder in der Synagogenge-
meinde betet: das Morgen-G. (*Šakharit*; das umfangreichste G.), das Nachmittags-G. (*Minkha*) und das
Abend-G. (*Maʿariv*). Aus praktischen Gründen werden
Nachmittags- und Abend-G. unmittelbar hintereinan-
der gesprochen. Grundsätzlich sind die Elemente dieser
G. immer gleich, am Šabbat und anderen Festtagen gibt
es allerdings einzelne Veränderungen und längere Zu-
satz-G. (*Musaf*; vgl. die entsprechenden G.-Bücher für
die Festtage, die *Machzorim*). Die beiden wichtigsten
Teile dieser G. sind das »Höre Israel« (*Šmaʿ Jisraʾel*; vgl.
Dt 6,4–9; 11,13–21; Nm 15,37–41) beim Abend- und
Morgen-G. sowie drei mal täglich in jedem G. das Acht-
zehn-Bitten-G., auch *Tǝfilla* (»G.«) oder *ʿAmida* (»Stehen«, da im Stehen gebetet) genannt. Dazu treten zu den
einzelnen G.-Zeiten zahlreiche weitere einzelne Psalmen und G. (so z. B. *ʿAlenu* und *Kaddiš* am Ende des
Morgen-G.) sowie verschiedene *Berakhot* (Segenssprü-
che oder Benediktionen).

Ihre entscheidende Ausprägung erfuhr diese G.-Li-
turgie – auf biblischer Grundlage – in tannaitischer und
amoräischer Zeit (→ Tannaiten, → Amoräer) als Ersatz
für den Tempelgottesdienst, der nach der Zerstörung
des Heiligtums 70 n. Chr. nicht mehr durchgeführt
werden konnte. Das älteste uns erh. G.-Buch (hebr.
Siddur) stammt von Rav Saadja ha-Gaon (882–942; vgl.
auch auch den *Siddur Rav Amran* aus dem 9. Jh., der
jedoch lediglich die liturgische Ordnung und nicht die
G.-Texte selbst nennt). Im MA kam es – regional verschieden – zu weiteren Ergänzungen und Einfügungen,
so daß h. ein span. Ritus (der dem alten babylon. am
nächsten steht), ein dt., ein roman. und ein it. Ritus
unterschieden werden.

I. ELBOGEN, Der jüd. Gottesdienst in seiner geschichtlichen
Entwicklung, 1913 · G. FOHRER, Glaube und Leben im
Judentum, 1979, 52–71 · J. HEINEMANN, Prayers in the
Talmud. Form and Patterns, in: Studia Judaica 9, 1977 ·
L. A. HOFFMANN, s. v. G. III. Judentum, TRE 12, 42–47 ·
P. MASER, An uns ist es zu preisen. Eine Auswahl aus dem
jüd. Gebetbuch, 1991 · E. MUNK, The World of Prayer, 2
Bde., o. J.   B. E.

III. GRIECHENLAND UND ROM

Das G. (εὐχή, *euchḗ*; *precatio, preces*) ist eine Anrufung
an die Götter, um einen Wunsch vorzubringen. Ant.
belegte Formen reichen vom situationsbezogenen
Stoß-G. bis zum deutlich formalisierten G., wie es bes.
im Kontext eines Opferfestes geäußert wurde. Die Ab-

grenzung vom → Fluch ist nicht immer leicht möglich: auch im Fluch wird ein Wunsch vorgebracht; entsprechend sind auch die griech. Termini unscharf: griech. ἀρά (*ará*) bezeichnet beides; homer. ist *arētḗr*, »Beter/Flucher« Bezeichnung für den Priester schlechthin; Aischylos (Choeph. 142; 145f.) verwendet zum einen *euchaí* für Segen bzw. Verderben, zum anderen *araí kalaí* und *arḗ kakḗ* [1].

A. SPRACHLICHE FORM B. RITUELLER RAHMEN C. IDEOLOGIE DES GEBETS

A. SPRACHLICHE FORM

Die Form des G. folgt in den allermeisten Fällen einem festen dreiteiligen Schema [2; 3] (Veränderungen dieser Form können ihrerseits besondere Aussagen vermitteln). Schon das erste G. der *Ilias*, Chryses' Anrufung an → Apollon (Hom. Il. 1,37–42), ist so gegliedert. Ein erster Teil (*invocatio*) weckt die Aufmerksamkeit der Gottheit (»Höre mich«) oder ruft sie herbei (lat. *ades*) und führt, in einem Relativsatz formuliert (oft auch ergänzt durch Partizipien), Epiklesen und Charakteristika an. Die oft große Informationsfülle ist funktional: Es ist für die Erfüllung des Wunsches entscheidend, daß die richtige Gottheit angerufen wird. Ein zweiter Teil (*pars epica*) dient der Rechtfertigung des Beters und formuliert sozusagen den »Rechtsanspruch auf Erhörung«: Er nennt frühere Opfer oder andere Riten (»wenn ich dir...«) oder verweist auf frühere Gelegenheiten, in denen die Gottheit den Beter erhört hat; im esoterischen und magischen G. können hier besondere Mythen und Geheimnamen genannt werden. Ein dritter und letzter Teil (*preces*) formuliert die eigentliche Bitte. Um die Dringlichkeit der Bitte auszudrücken, können der zweite und der dritte Teil vertauscht werden. In besonderen Situationen kann der zweite Teil fehlen, wie im Eid-G. von Hom. Il. 3,288–301, das eher eine Verfluchung als ein G. darstellt. Ebenso ist das eng situationsbezogene Stoß-G. weit weniger formalisiert; so umfaßt etwa Agamemnons Stoß-G. (Hom. Il. 4,288f.) nur einen Wunsch und eine in den Wunschsatz eingeschobene knappe Götteranrufung. – Der liturgische und lit. → Hymnos ebenso wie die epideiktische Ausgestaltung des G. zum kaiserzeitlichen Prosahymnos beachtet diese Grundstruktur, auch wenn sie sie weit reicher ausgestaltet (Menander 2,17,437–446) [4], und auch das christl. G. folgt dem formalen Schema (vgl. »Vaterunser«). Das röm. G. bedient sich etwa derselben Grundformen, verwendet aber zum einen (wenigstens in seiner archa. Form, wie sie etwa bei Cato faßbar ist) in der Anrufung kaum myth. Aussagen und ist zum anderen, wenigstens im öffentlichen G., weit stärker formalisiert, um allen Eventualitäten gerecht zu werden. Einen guten Einblick in die traditionellen Formen des röm. G. geben die zahlreichen Beispiele in Catos *De agricultura*, die in pontifikaler Tradition stehen (Serv. Aen. 9,641 weist Cato agr. 132 den *libri pontificales* zu).

B. RITUELLER RAHMEN

Es gibt kaum ein größeres ant. Ritual, das ohne G. auskommt (Plin. nat. 28,10). Insbesondere hat das G. seinen festen Platz als Teil jeden Tieropfers. Es wird vom Opferherrn ausgesprochen, richtet sich an die Gottheit des Opfers, die zur Teilnahme am Ritual herbeigerufen wird, und geht entsprechend dem eigentlichen Opferakt voran, folgt aber auf Riten, welche den Anfang des Rituals markieren (etwa Hom. Od. 14,423: nach dem Abschneiden der Stirnhaare; oder Eur. El. 803–807: nach dem Werfen der Opfergerste). Umgekehrt werden die meisten G. auch außerhalb des Tieropfers von anderen rituellen Handlungen unterstützt, etwa dem Verbrennen von Weihrauch oder einer Libation (→ Trankopfer).

Die gewöhnliche G.-Haltung in Griechenland und Rom ist das stehende Beten mit erhobenen Händen; das Gesicht ist der Sphäre zugewandt, in der man sich die Gottheit vorstellt (Himmel, Meer, Unterwelt). In Rom drehte sich der Beter, der gewöhnlich mit bedecktem Hinterkopf (*capite velato*) offizierte, um seine eigene Achse (Liv. 5,21,16; Suet. Vit. 2,5; Plut. Marcellus 6,12,301b und Varro bei Plut. qu. R. 14,267b). Als bes. effizientes G. galt eines, nach dessen Aussprechen man sich setzte (Plut. Numa 14,7–9, 69f.), wohl weil dadurch die bes. Intimität mit der angerufenen Gottheit zum Ausdruck kam (vgl. Achilleus' sitzende Anrufung an Thetis, Hom. Il. 1,351–356). Das oriental. unterwürfige Knien ist demgegenüber äußerst selten und wird als ungriech. bzw. unröm. verstanden [5]. Ein G. wurde gewöhnlich laut gesprochen (homer. εὔχομαι, *eúchomai*, ist »markiertes Sprechen« [6]). Leises G. war in der Ant. verpönt, da es der sozialen Kontrolle entzogen war, und führte wenigstens in der späteren Zeit gelegentlich zur Anklage wegen Magie [7] – dies auch wegen der unscharfen Grenze zwischen G. und Fluch. Um Formfehler zu vermeiden, konnte der röm. G.-Text vorgesprochen werden, während die Flötenbegleitung dazu diente, alle anderen, nicht zugehörigen Äußerungen auszublenden (Plin. nat. 28,11). Werden besondere G.-Zeiten genannt – dies insbes. in der philos. Frömmigkeit der späteren Zeit – so ist das G. am Morgen, das oft an die aufgehende Sonne gerichtet sein kann, besonders wichtig (Cic. Phil. 3,11; christl. etwa Ambr. hymni 1,33); daneben steht das Abend-G. (an den Mond: Marinus, Vita Procli 11).

C. IDEOLOGIE DES GEBETS

Die Wünsche im G. sind situationsbezogen und tendieren in den städtischen Opferfeiern der späteren Zeit zum allg. Wunsch nach Gesundheit und Gedeihen für alle Stadtbewohner (etwa [8]). Das private G. sucht naturgemäß die Erfüllung individueller Wünsche (»G.-Egoismus«); allein die Situation des laut Betens gibt eine gewisse Kontrolle. Die Götteranrufung im magischen Ritual folgt ihrerseits der Struktur des kanonischen G.; der Unterschied liegt auch nicht so sehr im leisen Beten wie in der Verwendung spezifischer → »Zauberwörter« als Geheimnamen der Gottheit [9].

Ethische Reflexion und G.-Kritik setzen bei der Frage an, inwiefern das G. zu einem philos. geläuterten Gottesbild paßt; bereits Aristoteles' verlorenes Buch »Über das Beten« setzt sich damit auseinander (Aristot. fr. 49 ROSE). Heraklit kritisiert das G. an materielle Götterbilder (22 B 5 DK, vgl. Sen. epist. 41,1). Vor allem aber setzt die Kritik beim G.-Egoismus und bei der materialistischen Forderung ein, die als Widerspruch zum Gottesbild verstanden werden. Pythagoras wird die Empfehlung zugeschrieben, überhaupt keine spezifischen Wünsche zu formulieren, da die Götter besser wüßten, was den Menschen not tut (Diod. 10,9,8, vgl. auch Philostr. Ap. 1,11; 4,40), doch ist diese Haltung bereits im G. von Athene-Mentor bei Homer (Od. 3,58) vorweggenommen. Wenn seit der Stoa das Wirken des Göttl. als durch die Vorsehung bestimmt verstanden wird, kann die Frage aufkommen, ob G. überhaupt noch nötig sind: Seneca rechtfertigt den G.-Ritus mit der Tradition (fr. 38 HAASE); Spätere rücken von der Definition des G. als einer Forderung – was noch für Platon selbstverständlich, wenn auch nicht unproblematisch ist (Plat. Euthyphr. 14c; leg. 7,801a) – ab und verstehen das G. als Gespräch mit der Gottheit (Max.Tyr. 5,8 mit deutlicher Polemik). Neuplatonisches Denken kann dies übernehmen und soweit gehen, daß das G. als innerliches Einswerden mit der Gottheit verstanden wird, das aus diesem Grunde nur noch schweigend vollzogen werden kann (Damaskios, Vita Isidori 64 f. ZINTZEN). – Tatsächliche liturgische G. wie das hermetische Dankgebet (Asclepius 41b im Corpus Hermeticum) kommen dieser Haltung insofern nahe, als sie allein um Erkenntnis, nicht um materielle Güter beten.

→ Fluch; Magie; Opfer

1 O. MASSON, Vocabulaire grec et épiphanie: ἀρά »prière, ex voto«, in: Stud. in Mycenaean and Classical Greek Presented to John Chadwick (Minos 20/22), 1987, 383–388 2 C. AUSFELD, De Graecorum precationibus quaestiones, 1903 3 E. NORDEN, Agnostos Theos. Untersuchungen zur Formengesch. rel. Rede, ⁴1923 4 J. M. BREMER, Greek Hymns, in: H. S. VERSNEL (Hrsg.), Faith, Hope and Worship. Aspects of Religious Mentality in the Ancient World, 1981, 193–215 5 F. T VAN STRATEN, Did the Greeks Kneel before their Gods?, in: BABesch 49, 1974, 159–189 6 L. C. MUELLNER, The Meaning of Homeric εὔχεσθαι through its Formulae, 1976 7 P. W. VAN DER HORST, Silent Prayer in Antiquity, in: Numen 41, 1994, 1–25 8 LSAM 32,21–31 9 F. GRAF, Prayer in Magic and Religious Ritual, in: C. A. FARAONE, D. OBBINK (Hrsg.), Magika hiera, 1991, 188–213.

S. SCHMIDT, Veteres philosophi quomodo iudicaverunt de precibus, 1907 · G. APPEL, De Romanorum precationibus, 1909 · E. VON SEVERUS, s. v. G. I, RAC 8, 1134–1258 · A. HAMMAN, La prière chrétienne et la prière païenne, formes et différences, in: ANRW II 23.2, 1190–1247 · H. LIMET, J. RIES (Hrsg.), L'expérience de la prière dans les grandes religions. Actes du Colloque de Louvain-La-Neuve et Liège 1978, 1980 · H. S. VERSNEL, Religious Mentality in Ancient Prayer, in: Faith, Hope and Worship. Aspects of Religious Mentality in the Ancient World, 1981, 1–64 · J. D. MIKALSON, Unanswered Prayers in Greek Tragedy, in: JHS 109, 1989, 81–98 · D. AUBRIOT-SÉVIN, Prières et conceptions religieuses en Grèce ancienne jusqu'à la fin du Vᵉ siècle av. J.-C., 1992 · F. V. HICKSON, Roman Prayer Language. Livy and the Aeneid of Vergil, 1992 · A. DEREMETZ, La prière en représentation à Rome. De Mauss à la pragmatique contemporaine, in: RHR 211, 1994, 141–165 · S. PULLEYN, Prayer in Greek Rel., 1997.   F. G.

IV. CHRISTENTUM

Das christl. G. stimmt in Form und Struktur weitgehend mit den vorchristl. G. überein. Spezifischer ist die in der griech.-röm. Welt zuvor so nicht belegte Dominanz eines einzigen Gebets, des Vaterunsers, das bereits durch Jesus seine Sonderstellung erhielt (Lk 11,2/4), sich aber grundsätzlich in die jüdische Gebettradition einordnet (vgl. die jüd. Hauptgebete). Vorgegeben ist hier für die weitere Entwicklung des christl. G. das Abrücken von der griech-röm., durch gegenseitiges Geben und Nehmen bestimmten Haltung, sowie die Möglichkeit, im G. direkt und losgelöst von jedem rituellen Rahmen mit Gott zu kommunizieren, was beides allerdings auch in der neuplatonischen Gebetskritik angelegt ist. In enger Auslegung des nt. (Lk 18,1) und paulinischen Gebotes zu ständigem G. (1 Thess 5,17) wird bei den frühen Asketen und im Mönchtum das G. zum zentralen Bestandteil des asketischen Lebens (Euagrios Pontikos, or. 54, PG 79, 1177 D; Iohannes Cassianus, Collationes 9,18,1). Im Vordergrund des Stundengebets der Mönche, für dessen Herausbildung vor allem Johannes Cassianus, Benedictus von Nursia, Columbanus wichtig waren, standen das Vaterunser und vor allem, ähnlich wie im Judentum, die Psalmen. Im Kontext des Klosters wird das laute G. abgelöst durch das leise, bzw. überhaupt nur innerliche G. – eine Entwicklung, die durch den → Gnostizismus vorbereitet war (Clem. Al. strom. 6,1021), der aber bereits Clemens (ebd. 4,171,1) und Origenes (De oratione 12,1f) widersprachen. Für die theologische Reflexion zum G. ist das eben genannte Werk des Origenes bedeutsam, für die Gebetspraxis bes. Tertullians kurze Schrift *De Oratione* (Kap. 10ff.) aufschlußreich: Händewaschen, Beten mit erhobenen Händen und abgelegtem Oberkleid, Bruderkuß nach dem G.   F. G.

Gebrauchskeramik. Moderner arch. t. t. für gröbere Keramik des alltägl. Gebrauchs, der insofern unscharf bleibt, als auch Schwarzfirniskeramik, → Terra Sigillata und zuweilen selbst bemalte Feinkeramik alltägl. Zwecken dienten. Als keramisches Produkt setzt sich die G. jedoch deutlich von diesen ab. Henkel, Rand- und Fußprofile sind weniger scharf geformt, außen sind die Gefäße meist tongrundig, bzw. nur mit dünnem Überzug oder flüchtiger Verzierung versehen. Im Gegensatz zur häufig exportierten Feinkeramik handelt es sich gewöhnlich um Ware, die auf lokale Märkte beschränkt blieb (→ Keramikherstellung). Übliche Funktionsbereiche waren Haus- und Landwirtschaft [1], Gewerbe [2],

Markt [3] und Fernhandel (→ Transportamphoren). Das Formenrepertoire reicht von schweren Wannen, Fässern, Reibschüsseln über leichtere Ware in Form von Hydrien, Kannen, Tischamphoren, Kochgeschirr [4] bis zu zahlreichen Formen für Sonderzwecke wie Trichter, Meßbecher [5], Bienenkörbe [1. 397–412], Ständer, Siebgefäße. Zu allen Zeiten wurde G. in großen Mengen hergestellt, ihre Scherben gehören zur Massenware der meisten arch. Ausgrabungen. Im 19. Jh. hat man sie, v. a. an FO bemalter Keramik, noch kaum beachtet, während heute ihre Erforschung vielfältige sozio-ökonomische Einblicke gewährt [6].

→ Gefäße, Gefäßformen/-typen; Schwarzfirnis-Keramik; Tongefäße

1 J. E. Jones, A. J. Graham, L. H. Sackett, An Attic Country House, in: ABSA 68, 1973, 355–452 2 H. S. Georgiou, Ayia Irini: Specialized Domestic and Industrial Pottery, in: Keos 6, 1986 (Bronzezeit) 3 M. Lang, M. Crosby, Weights, Measures and Tokens, in: Agora 10, 1964, 39–64 4 B. Sparkes, The Greek Kitchen, in: JHS 82, 1962, 121–137; 85, 1965, 162–163 5 F. W. Hamdorf, Karpometra. Olympia Berichte 10, 1981, 192–208 6 D. P. S. Peacock, Pottery in the Roman World: An Ethno-Archaeological Approach, 1982.

B. A. Sparkes, L. Talcott, Black and Plain Pottery, in: Agora 12, 1970 · W. Gauer, Die Tongefäße aus dem Brunnen unterm Stadion-Nordwall, OlF 8, 1975 · Amphores romaines et histoire économique. École française de Rome, 1989 · I. Bald Romano, Hell. Deposit from Corinth, in: Hesperia 63, 1994, 57–104. I. S.

Gebrauchsschrift s. Schriftstile

Geburt I. Medizinisch II. Kultur- und religionswissenschaftlich

I. Medizinisch

In der Ant. gingen die Meinungen, wie lange die Formung eines Embryo im Mutterleib und überhaupt eine normale Schwangerschaft dauere, auseinander. Einige vertraten den Standpunkt, daß der Fötus alle notwendigen Körperteile sieben Tage nach der Empfängnis aufweise (z. B. Corpus Hippocraticum, Carn. 19 = 8,612 L.), andere meinten, daß der männliche Fötus 30 Tage, der weibliche 42 Tage zur Formung brauche, wobei die Ausstoßung der Lochien nach der Geburt entsprechend unterschiedlich lange dauere [1]. Weit verbreitet war die Auffassung, daß ein im siebten Monat geborener Säugling bessere Überlebenschancen hätte als ein Achtmonatskind, da der achte Monat als die für den Föten unsicherste Phase während der Schwangerschaft angesehen wurde; die normale Schwangerschaftsdauer wurde auf 280 Tage berechnet (Hippokr. Carn. 19 = 8,612 L.), doch hielt man auch eine Schwangerschaftsdauer von bis zu elf Monaten für möglich. Die Inschr. (iámata) im Asklepiosheiligtum in Epidauros ziehen auch Schwangerschaften von drei oder gar fünf Jahren in Betracht, wenn eine Frau zwar um göttl. Empfängnisbeistand gebeten, dann aber verabsäumt hat, auch für die Geburt des Kindes zu bitten (IG IV² 1, Nr. 121–122; [2]).

Aufgrund von Erhebungsdaten aus dem zum frühen röm. Reich gehörenden Ägypten läßt sich schätzen, daß eine Frau im Durchschnitt sechs lebende Kinder gebären mußte, um eine gleichbleibende Bevölkerungsdichte aufrecht zu erhalten [3]. In der Ant. fand die Geburt zu Hause im Kreis der Familie und Nachbarn statt. Die Geburt galt als gefährliche Erfahrung, die zur rituellen Verunreinigung aller Anwesenden führte; moderne Schätzungen der Müttersterblichkeit in klass. Zeit variieren, man hat vermutet, daß 5 von 20000 Geburten für die Mutter tödlich verliefen [4]. Doch ist diese Rate strittig und andere Zahlen wurden vorgelegt; sämtliche Schätzungen können jedoch nur Annäherungswerte liefern, da die Verwertung von Knochenresten und Grabsteinen ebenso problematisch ist wie die Wahl demographischer Vergleichsmodelle, die der ant. Welt angemessen sind [5].

Man versicherte sich bei der G. der Hilfe von Göttinnen wie Artemis, Eileithyia, Hera und Iuno Lucina. Plinius erwähnt die Verwendung von Amuletten sowie eines rechten Hyänenfußes, der auf eine Gebärende gelegt wird (nat. 28,27,103). Der im 2. Jh. n. Chr. wirkende Soranos hält in seiner *Gynaikeia* Amulette zwar für unwirksam, empfiehlt ihre Verwendung jedoch trotzdem, da sie den Gebärenden eine gewisse Beruhigung verschafften (Soran. Gyn. 3,12). Auch eine → Hebamme dürfte bei der G. zugegen gewesen sein: An einer berühmten Stelle empfiehlt Soranos als ideale Hebamme eine Frau, die körperlich stark, nüchtern, nicht abergläubisch, belesen und in Diätetik, Chirurgie und Arzneimittellehre ausgebildet ist (Gyn. 1,3). Diese Ansammlung von Tugenden ist jedoch nicht viel mehr als ein Ideal, wenn auch ein für die spätere Geschichte der G.-Hilfe höchst wirkungsvolles.

In hippokratischen Texten wurde behauptet, daß die G. durch den Fötus eingeleitet werde, der angesichts erschöpfter Nahrungsreserven an das Licht der Welt dränge; seine Bewegungen, so glaubte man, verursachten die Wehen (Hippokr. nat. puer. 30; 7,530 L.). Galen sprach der Gebärmutter eine aktive Rolle im G.-Geschehen zu, indem er ihr die Fähigkeit von Verhaltung und Austreibung unterstellte (Gal. Nat. Fac. 3.3 = 2,148–150 K.). Die Niederkunft fand gelegentlich auf einem Gebärstuhl mit ausgeschnittenem Sitz und geneigter Lehne statt, wie Darstellungen auf erhaltenen Grabstelen zeigen. Ein solcher Stuhl mag sich im Besitz jeder Familie befunden haben oder von Nachbarn ausgeliehen worden sein. Die Hebamme saß oder kniete vor der Gebärenden (Soran. Gyn. 2,1). Soranos kritisiert den hell. Arzt Heron, der die Hebamme aus einer Grube im Erdreich agieren ließ. Doch konnten Frauen, besonders wenn sie während der Wehen sehr schwach wurden, auch im Bett oder auf dem Schoß einer anderen Frau niederkommen. Dampfbäder und Salben, die auf den Muttermund aufgetragen wurden, sollten die Wehentätigkeit verstärken. Die Nabelschnur zu durchtrennen, war laut Aristoteles (hist. an. 587a9–24) Sache der Hebamme. Soranos vermittelt einen Eindruck von den aberglaäubischen Vorstellungen, die mit dieser Abnabelung des Kindes als eines unabhängigen Wesens verbunden waren (Gyn. 2,6). Der Ausstoßung der Nachgeburt half man gelegentlich manuell oder medikamentös nach, doch zog man es vor, auf einen natürlichen Abgang zu warten (z. B. Corpus Hippocraticum, Mul. 1,46 = 8,104 L.). Im griech. wie im röm. Kulturkreis entschied der Vater, ob das Neugeborene geeignet schien, großgezogen zu werden oder nicht. Sogar bei anscheinend normal verlaufenden G. dürften Ärzte zugegen gewesen sein, falls die betreffende Familie sie hinzuzog; die männlichen Familienmitglieder trafen nicht nur G.-Vorbereitungen, indem sie Salben (Aristoph. Thesm. 504) und andere notwendigen Materialien besorgten, sondern konnten auch bei der G. selbst anwesend sein [6]. Bei schwierigen G. schüttelten die Ärzte die Gebärende (Corpus Hippocraticum, Mul. 1,68 = 8,142–144 L.) oder drehten den Fötus in utero, falls er nicht entweder den Kopf zuerst sehen ließ, was als normale Kindslage galt (Mul. 1,69 = 8,146 L.; Oct. 10 = 7,454 L.), oder beide Füße, was einige ant. Verfasser für eine problematische Kindslage hielten (Mul. 1,33 = 8,124 L.), andere für eine annehmbare Variante (Corpus Hippocraticum, Superf. 4 = CMG 1,2,2,74). Im Bedarfsfall konnten Ärzte auch abgestorbene Föten mit Messern, Kraniotomiehaken und Kranioklasten (Corpus Hippocraticum, Foet. Exsect. 8,512–519 L.) entfernen.

1 H. KING, Making a man: becoming human in early Greek medicine, in: G. R. DUNSTAN (Hrsg.), The Human Embryo, 1990, 10–19 **2** E. J. EDELSTEIN, L. EDELSTEIN, Asclepius: a collection and interpretation of the testimonies, 2 Bde., 1945, T. 423 **3** R. S. BAGNALL, B. W. FRIER, The Demography of Roman Egypt, 1994, 139 **4** V. FRENCH, Midwives and maternity care, in: Helios 13.2, 1987, 69 **5** T. G. PARKIN, Demography and Roman Society, 1992, 103–106 **6** A. E. HANSON, A division of labor, in: Thamyris 1.2, 1994, 157–202.

H. BUESS, Die Anfänge der G.-Hilfe, in: Ciba Zschr. 70, 1954 · L. A. DEAN-JONES, Women's Bodies in Classical Greek Science, 1994 · N. DEMAND, Birth, Death, and Motherhood in Classical Greece, 1994 · P. DIEPGEN, Die Frauenheilkunde der alten Welt, 1937 · V. FRENCH, Midwives and maternity care in the Roman world, in: Helios 13.2, 1987, 69–84 · D. GOUREVITCH, Le mal d' être femme, 1984. H. K./Ü: L. v. R.-B.

II. KULTUR- UND RELIGIONSWISSENSCHAFTLICH A. GRIECHENLAND UND ROM B. CHRISTLICHE SPÄTANTIKE

A. GRIECHENLAND UND ROM
1. GEBURTSGOTTHEITEN 2. GEBURTSRITEN UND -BRÄUCHE 3. NAMENGEBUNG

1. GEBURTSGOTTHEITEN

Der physische G.-Vorgang wurde von zahlreichen rel. und magischen Praktiken begleitet; bes. richtete man Gebete an spezielle G.-Gottheiten um Beistand für eine glückliche Entbindung. Der ältesten Zeit gehört die griech. G.-Göttin schlechthin an, → Eileithyia. Sie wurde bereits im min.-myk. Kreta im 15. Jh. v. Chr. verehrt als *e-re-u-ti-ja* (VENTRIS/CHADWICK 206 = KN Gg 705,1), d.i. Ἐλευθία (Eleuthía), eine Namensform, die sich auf der Peloponnes erhalten hat (zu den verschiedenen onomastischen Varianten s. [1. 519–522; 2. 786]). Bekannte kret. Kultstätten waren der Hafen von Knossos, Amnisos (vgl. Hom. Od. 19,188) und die Stadt Lato [3. 262; 2. 788]. Die wiss. Diskussion um die Deutung ihres Namens ist bis heute nicht verstummt [vgl. etwa 4; 5; 2]. Das Bildnis der → Auge von Tegea mit dem Beinamen »auf den Knien« (= Eileithyia) könnte auf G. in kniender Haltung, zumindest in älterer Zeit, verweisen (vgl. Paus. 8,48,7; [6. 177f.; 7. 77f.; 5. 14]). Eileithyia trat auch in der Mehrzahl auf (so schon bei Hom. Il. 11,270; 19,119). Mit ihr zusammen wurden auch die Moiren (→ Moira) angerufen, um dem Kind ein glückliches Lebensschicksal zuzuteilen [7. 82–84]. *Eileíthyia* findet sich ferner als Beiname verschiedener Frauengöttinnen und macht dadurch deutlich, daß eine deren Funktionen auch die G.-Hilfe war. Dies war z. B. bei → Hera der Fall, die im Mythos als Mutter der Eileithyia galt (andere Verbindungen der Hera zum G.-Geschehen sind bei [7. 80] besprochen).

Vor allem → Artemis, der neben Eileithyia wohl bedeutendsten griech. G.-Göttin, wurde deren Name als Kultepiklese beigegeben, bes. häufig in Boiotien, wie eine Reihe von Inschr. zeigt (s. den Index zu IG 7) [3. 494; 7. 77]. Als Göttin der Entbindung, die eine rasche und schmerzlose G. verleiht (z. B. Aischyl. Suppl. 676f.; Eur. Hipp. 166) weisen sie Epitheta wie *Locheía*, *Lecho* u. ä. aus. Kleinere, lokale G.-Göttinnen wurden unter die griech. Göttin subsumiert, wie etwa → Iphigeneia (z. B. Paus. 7,26,5), die das Gewaltsame des G.-Vorganges im Namen trägt, oder die beiden hyperboreischen Jungfrauen → Opis und Loxo. Bes. aber wurden → Selene und → Hekate mit ihr identifiziert, die ihrerseits eine Beziehung zu G.-Geschehen und Kindererziehung aufwiesen. Auch Selene hieß *Locheía* (bei Nonn. Dion. 38,150 selbst *Eileíthyia*); Hekate gehörte bereits bei Hes. theog. 450 wie Artemis mit ihren Nymphen und andere Gottheiten zum Kreis der sog. *Kurotróphoi* (zu diesen s. allg. [8; 9]); zu Artemis als → Kurotrophos (vgl. Diod. 5,73,5) gehört insbesondere das spartanische Ammenfest *Tithēnídia*, bei dem die Säuglinge ins Heiligtum der Göttin getragen wurden (Athen. 4,139ab; vgl. [10. 182–189]).

Als urspr. selbständige G.-Gottheiten sei noch auf → Genetyllis und Kolias hingewiesen, die ebenfalls in der Mehrzahl auftreten konnten und in den Dienst einer der griech. Göttinnen gestellt wurden, so zu Artemis und Hekate, aber auch zu → Aphrodite und → Athena. Diese wurde in Elis als Μήτηρ (*Mḗtēr*) verehrt und von den Frauen um Kindersegen angefleht (Paus. 5,3,2). Einen Überblick über diese und weitere griech. G.-Göttinnen gibt [7. 75–81] mit vielen Belegen und lit. Verweisen.

Ebenso wie die Griechinnen wandten sich die röm. Frauen mit Gebeten um eine glückliche Niederkunft an bestimmte Gottheiten. Zu den altröm. G.-Göttinnen gehört → Carmentis (auch Carmenta), die unter verschieden überlieferten Individualnamen verehrt wurde: Porrima, Postverta; Antevorta, Postvorta; Prorsa, Postverta. Diese sowie deren ant. Erklärungen im Zusammenhang mit Sehergabe und/oder der Lage des Kindes im Mutterleib zeigen die Unsicherheit, die bereits die Römer beim Verständnis dieser altröm. Göttinnen empfanden [11. 136f.; 12. 81–83; 7. 102f.; 13. 272]. Als »Hauptgeburtsgottheiten« haben → Iuno, → Lucina und → Diana zu gelten, wobei Lucina sowohl zu Iuno als auch zu Diana trat und mit ihnen gleichgesetzt wurde. Bei Lucina handelte es sich urspr. ebenfalls um eine alte, nach Varro (ling. 5,74) sabinische G.-Göttin, deren hl. Hain auf dem mons Cispius in Rom lag. Dort wurde ihr 375 v. Chr. ein Tempel gebaut, in dem eine G.-Statistik geführt wurde (Dion. Hal. ant. 4,15,5). Am Stiftungstag des Tempels, dem 1. März, feierten die röm. Frauen das Fest der → Matronalia (Ov. fast. 3,167–258 u.ö.; zu Einzelheiten ihres Kults vgl. [7. 106f.]). Als alter Frauengöttin, zuständig für den Schutz des weiblichen Geschlechtslebens und damit auch der G., waren Iuno die Kalenden heilig. In ihrer speziellen Funktion als Iuno Lucina bekam sie nach einer Niederkunft im Atrium des Hauses bis zum *dies lustricus*, dem Tag der rituellen Reinigung, eine *mensa* aufgestellt, später ein *lectus* [12. 152–155]. Durch frühzeitige Identifizierung mit Artemis und Iuno Lucina trat auch die röm. Diana zum Kreis der G.-Gottheiten (vgl. etwa Catull. 34 oder Hor. carm. 3,22) [12. 104–107; 7. 104].

Daneben gab es noch eine Vielzahl von Sondergöttinnen, die nur Einzelaspekte des G.-Vorgangs und der Kinderaufzucht vertraten und oft auch nach diesen benannt waren [vgl. 7. 101–158]. Nona und Decima z. B. sollten die Niederkunft im 9. und 10. Schwangerschaftsmonat schützen. Sie werden auch zu den Tres Fatae bzw. Tria Fata (*scribunda*) gerechnet, die gemeinsam mit den → Parcae der G. vorstanden und dem Neugeborenen sein Lebenslos »sprachen« (und aufschrieben) [14; 15]. Der Name Levana verweist auf das Aufheben des Kindes nach dem Austritt aus dem Mutterleib und das Hochheben von der Erde, auf die es gelegt wurde (s. II A. 2 am Ende): Levana ist göttl. Hebamme [13. 11; 78–92]. Rumina ist für das Stillen des Säuglings verantwortlich, Cuba für sein Liegen, Abeona und Adeona für die ersten Gehversuche usw. (vgl. Aug. civ. 4,11; 21; Varro bei Don. in Ter. Phorm. 49).

2. GEBURTSRITEN UND -BRÄUCHE

Bei der G. sind Gesundheit und Leben von Mutter und Kind gefährdet. Nach dem Volksglauben gingen bes. Gefahren von unheilbringenden, kinderraubenden und -tötenden Dämonen aus. Die Griechen fürchteten sich vor Hexen- und Vampirgestalten wie → Empusa, → Lamia, → Strinx, → Gello u.ä. (Nachweise bei [7. 84f.]), die auch in der Mehrzahl auftreten konnten und z. T. bis in den griech. Volksglauben der Neuzeit

lebendig blieben. Da durch die G. die Frau wie auch der Säugling als unrein galten und sie bis zum Abschluß der Reinigungsriten vom kultischen Leben ausgeschlossen blieben [7. 85–88], wähnte man sie diesen schädigenden Wesen bes. ausgesetzt. Schutz versprach man sich bes. von Gebeten zu den genannten G.-Göttern, zu deren Attributen bezeichnenderweise die reinigende Fackel gehörte; auch bestrich man in Griechenland die Haustür mit Pech und hängte einen Kranz aus Ölzweigen bei der G. eines Knaben bzw. eine Wollbinde bei der eines Mädchens an die Haustür (Hesych. s. v. στέφανον ἐκφέρειν 4,179 I SCHMIDT). Die Wöchnerin bekam als Antipharmakon Kohl zu essen (Athen. 9,370c). Reinigungs- und Dankopfer zugleich waren Haar- und Kleiderweihen. Am 5. oder 7. Tag nach der G. fanden die Amphidromien statt, bei denen der Säugling im Laufschritt um das Herdfeuer getragen wurde; dadurch wurde der gesamte Hausstand gereinigt und das Kind in die häusliche Gemeinschaft aufgenommen (Schol. Plat. Tht. 160e u.ö.). Die Wöchnerin selbst erlangte freilich erst nach Ablauf von vierzig Tagen ihre kultische Reinheit wieder (zur Frist s. [7. 67f.; 87f.; 155f.]; bei den Römern unbekannt).

Als kathartische und apotropäische Mittel wurden vorrangig Zwiebel und Knoblauch verwendet, aber auch Amulette aus bestimmten Steinen und Metallen kamen zum Einsatz, Licht und Lärm sollten die Schreckensdämonen vertreiben und verschiedenartigster G.-Zauber die Niederkunft erleichtern (z. B. Plat. Tht. 149cd). Gesondert sei hier lediglich auf die Vorstellung hingewiesen, alles Gebundene und Verschränkte (Kleider, Gürtel, Haare, Hände usw.) zu lösen (was [3. 114] als einfachen Sympathiezauber erklärt; darauf weisen die bildliche Darstellung von G.-Göttinnen und -Helferinnen mit offener Handhaltung und ihre Epitheta λυσίζωνος (*lysízōnos*)/λυσιζώνη (*lysizōnē*: »Gürtellösende«), ἐπιλυσαμένη (*epilysaménē*: »Lösende, Entbindende«) hin, aber auch, daß auf Grabreliefs Frauen, die bei der G. oder im Wochenbett starben, häufig mit gelöstem Gürtel und Haaren dargestellt sind. – Zu alledem s. die umfangreiche Bearbeitung des Materials durch [7. 81–101].

Auch in Rom suchte man durch rituelle Handlungen, Mutter und Kind vor Angriffen feindlich gesinnter Wesen zu schützen. Hier sollte vor allem → Silvanus nicht ins Haus der Wöchnerin gelangen: Dafür sorgten (nach Varro antiquitates rerum divinarum 14 fr. 111 CARDAUNS = Aug. civ. 6,9) in der ersten Nacht nach der G. drei Männer. Sie schlugen zuerst die Schwelle mit einem Beil, dann mit einer Mörserkeule (*pilum*) und fegten sie mit einem Besen rein. Nach diesen drei Handlungen, so Varro, seien drei Gottheiten benannt, Intercidona, Pilumnus, Deverra. Eine neue, über die eines bloßen Abwehrritus hinausgehende Deutung bringt [13. 95–219]: Da → Pilumnus (und seine Doppelung Picumnus) als spezielle Schutzgötter der Neugeborenen galten, denen nach der G. zusammen mit Iuno Lucina ein → *lectisternium* bereitet wurde (vgl. dazu bes. [16]), sieht er in diesem von Varro überlieferten Ritus einen unmittelbaren Zusammenhang mit dem Prozeß der G. und der postnatalen Versorgung (vgl. [13. 103–216]).

Nach dem Austritt aus dem Mutterleib wurde das Neugeborene auf den Boden gelegt und so mit der Mutter Erde in Berührung gebracht. Es folgte die Prüfung seiner Lebensfähigkeit durch die → Hebamme und die Durchtrennung der Nabelschnur. Zu diesem Zweck wurde es von der Hebamme aufgehoben (*levare* und *tollere infantem*), dann aufgerichtet und symbolisch auf die Füße gestellt (*statuere infantem*). Die übliche Ansicht, *tollere infantem* meine das Aufheben und somit die rechtmäßige Anerkennung des Kindes durch den Vater, widerlegt [13. 3–93] durch umsichtige Interpretation der Quellen. Dem Vater wurde das Kind erst im endgültig versorgten Zustand präsentiert. Diesem oblag es dann, die amtliche Meldung vorzunehmen [17; 18].

Auch bei den Römern glaubte man, durch magische Praktiken und Zauberhandlungen das G.-Geschehen günstig beeinflussen zu können. Dabei spielten wieder Amulette eine wichtige Rolle, Vorstellungen von Binden und Lösen, Zaubersprüche, der Glaube an eine bestimmte Wirksamkeit diverser pflanzlicher und tierischer Mittel und vieles mehr [7. 119–127].

3. NAMENGEBUNG

In Griechenland beging man am 7. oder 10. Tag nach der G. mit Gebet, Opfer, Festmahl und → Geschenken das Fest der Namengebung. In Rom fand dieses *Nominalia* genannte Fest am *dies lustricus* [7. 116f.; 157] statt: Bei Mädchen war dies der 8., bei Knaben der 9. Tag nach der G. (z. B. Macr. Sat. 1,16,36); der Grund für den Unterschied ist nicht überliefert. Der zeitliche Abstand von der G. wird u. a. mit dem Abfallen des Restes der Nabelschnur erklärt (Plut. qu. R. 101,288c-e).

B. CHRISTLICHE SPÄTANTIKE

Von philos.-theologischen Spekulationen und Betrachtungsweisen abgesehen galt die G. eines Kindes als Geschenk Gottes. Bes. Clemens von Alexandria bekämpfte die Ansicht, G. sei etwas Schmutziges und Böses (strom. 3,45–72). Vorbild für die christl. Gebärende war die schmerzlose Niederkunft Marias; man betete zu ihr um eine rasche und leichte G. Daneben gab es noch eine Reihe anderer Schwangerschafts- und G.-Patrone, Heilige und Märtyrer, von deren G.-Hilfe Legenden zeugten. Sie traten sozusagen an die Stelle der griech. und röm. G.-Götter, und es ist auffällig, daß in diesen Erzählungen die alten Vorstellungen von Binden und Lösen wiederkehren.

Auch im frühen Christentum war man der Meinung, daß eine G. im kultischen Sinne verunreinige, weshalb Wöchnerin und Hebamme bis zur Reinigung von den Sakramenten ausgeschlossen waren. Überliefert sind Fristen für Knaben-G. von vierzig, für Mädchen-G. von achtzig Tagen für die Mutter und zwanzig bzw. vierzig Tagen für die Hebamme. Auch der christl. Volksglaube fürchtete Dämonen und teuflische Scha-

dengeister, denen gerade in dieser gefährlichen Zeit bes. Macht zugetraut wurde. Als Schutzmittel setzte man vielfach das Kreuzeszeichen oder Texte der Bibel ein, wenngleich mancherorts sicherlich auch noch Praktiken, die ihre Wurzeln in at. oder griech.-röm. Tradition haben, wie das Umhängen von Amuletten, zur Anwendung gelangten. Auf solchen Dämonenglauben weist auch das damals verbreitete Exorzismuswesen hin. Zum ganzen Problemkreis G. und frühes Christentum s. [7. 128–170].

→ Geburtstag; Göttergeburt; Herrschergeburt; Namen

1 NILSSON, MMR 2 W. KRAUS, s. v. Eileithyia, RAC 4, 786–796 3 NILSSON, GGR Bd. 1 4 A. HEUBECK, Etym. Vermutungen zu Eleusis und Eleithyia, in: Kadmos 11, 1972, 87–95 5 J. KNOBLOCH, Eileithyia und Amaltheia, die Helferinnen bei G. und Säuglingsbetreuung, in: P. KOSTA (Hrsg.), Studia indogermanica et slavica (FS W. Thomas), 1988, 13–15 6 L. KÖTZSCHE-BREITENBRUCH, s. v. G. III (ikonographisch), RAC 9, 172–216 7 G. BINDER, s. v. G. II (rel.gesch.), RAC 9, 43–171 8 TH. HADZISTELIOU PRICE, Kourotrophos, 1978 9 N. PAPACHATZIS, »ΜΟΓΟΣ ΤΟΚΟΙ ΕΙΛΕΙΘΥΙΑΙ« ΚΑΙ ΚΟΥΡΟΤΡΟΦΟΙ ΘΕΟΤΗΤΕΣ, in: AD 33, 1978, 1–23 (Pl. 1–3) 10 NILSSON, Feste 11 LATTE 12 RADKE 13 TH. KÖVES-ZULAUF, Röm. Geburtsriten, 1990 14 C. WEISS, Deae fata nascentibus canunt, in: H. FRONING, T. HÖLSCHER, H. MIELSCH (Hrsg.), Kotinos (FS E. Simon), 1992, 366–374 15 W. PÖTSCHER, Das röm. Fatum, in: ANRW II 16.2, 355–392 16 TH. KÖVES-ZULAUF, Ein röm. Geburtsritus: Tisch und Liege im Geburtshaus, in: Filologia e forme letterarie. Studi offerti a F. del Corte V, 1988, 163–181 17 F. SCHULZ, Roman Registers of Births and Birth Certificates, in: JRS 32, 1942, 78–91 18 Ders., Roman Registers of Births and Birth Certificates, in: JRS 33, 1943, 55–64.

BURKERT · L. CAPOGROSSI COLOGNESI, Tollere liberos, in: MEFRA 102, 1990, 107–127 · N. DEMAND, Birth, Death and Motherhood in Classical Greece, 1994 · L. DEUBNER, Die Gebräuche der Griechen nach der G., in: RhM N. F. 95, 1952, 374–377 · A. M. DEVINE, The Low Birth-Rate in Ancient Rome: A Possible Contributing Factor, in: RhM 128, 1985, 313–317 · V. FRENCH, Birth Control, Childbirth, and Early Childhood, in: M. GRANT, R. KITZINGER (Hrsg.), Civilization of the Ancient Mediterranean. Greece and Rome Bd. III, 1355–1362 · M. GOLDEN, Children and childhood in classical Athens, 1990 · F. KUDLIEN, s. v. G. I (medizinisch), RAC 9, 36–43 · C. MÜLLER, Kindheit und Jugend in der griech. Frühzeit, 1990 · E. NORDEN, Die G. des Kindes, 1924 · B. NYBERG, Kind und Erde, 1931 · H. PETERSMANN, Lucina Nixusque pares, in: RhM 133, 1990, 157–175 · H. A. SANDERS, The Birth Certificate of a Roman Citizen, in: CPh 22, 1927, 409–413 · E. SAMTER, Familienfeste der Griechen und Römer, 1901 · E. SAMTER, G., Hochzeit und Tod, 1911 · H. SOBEL, Hygieia, 1990 · L. L. TELS-DE JONG, Sur quelques divinités Romaines de la naissance et de la prophétie, 1960 · G. R. H. WRIGHT, The Houses of Death and of Birth, in: ST. BOURKE, J.-P. DESCOEUDRES (Hrsg.), Stud. in honour of J. Basil Hennessy, 1995, 15–26.   CL.E.

Geburtstag (γενέθλιος ἡμέρα, *natalis dies*).
A. GRIECHENLAND   B. ROM   C. CHRISTLICHE
SPÄTANTIKE

A. GRIECHENLAND
1. PRIVATE GEBURTSTAGSFEIERN

In Griechenland war die G.-Feier eng mit rel. Anschauungen verknüpft. Sie galt weniger dem Menschen
selbst, als vielmehr dem ἀγαθὸς δαίμων γενέθλιος (*agathós daímōn genéthlios*), seiner persönlichen Schutzgottheit, den man sich zwar nicht mit ihm zugleich geboren
dachte, wie [3. 217] meint, den er sich aber bei der Geburt erlose (Plat. Phaid. 107d; rep. 617e) und der ihn
durch das ganze Leben begleite (Men. fr. 714). An ihn
richtete man am G. Gebete, in die man die alten Götter
des Geschlechts mit einschloß (Aristeid. or. 10,68 DIN-
DORF). Zudem glaubte man sich jener Gottheit eng verbunden, deren G. am selben Tag gefeiert wurde. Diese
Ansicht sollen die Griechen nach Hdt. 2,82 von den
Ägyptern übernommen haben. Auch schlossen sich
Leute, die am selben Tag G. hatten, zusammen, um die
Feier gemeinsam zu begehen; sie nannten sich dann
nach diesem Monatstag (z. B. Tetradisten, wenn sie an
einem 4. geboren waren) oder nach der an diesem Tag
geborenen Gottheit (z. B. Herakleisten). Wie die Götter-G. so wurde urspr. auch der G. eines Menschen
monatlich gefeiert; die jährliche Feier wurde erst später
üblich. Zum Fest lud man Verwandte und Freunde ein,
die Glückwünsche und Geschenke wie Blumen,
Schmuck u. a. brachten, und dies offenbar bereits am
Tag der Geburt (Hesych. s. v. γενέθλια 329 LATTE; Aischyl. Eum. 7). Literaten schenkten auch eigene Werke,
Gedichte, Epigramme und sogar Bücher; G.-Reden
wurden gehalten, für die es genaue Anleitungen gab
[2. 1136; 3. 218]. Die G.-Feier wurde selbst nach dem
Tode durch die Familienangehörigen fortgesetzt. Im
besonderen galt dies für die Philosophenschulen und
andere Vereine, die den G. ihres Stifters ebenfalls über
den Tod hinaus festlich begingen; manchmal wurde
freilich das wirkliche G.-Datum durch ein mythisches
ersetzt (Beispiele bei [2. 1137f.]).

2. ÖFFENTLICHE GEBURTSTAGSFEIERN

a) Verdiente Bürger: Der G. von Bürgern, die sich in
ihrer Heimatstadt durch besondere Verdienste hervor-
getan hatten, wurde durch ein öffentliches Fest geehrt
(vgl. auf Sizilien die Feier anläßlich des G. des Timoleon
von Korinth, der die Insel von der Tyrannis befreite
(Nep. Timoleon 5,1). Auch der G. von Stadtgründern
und Heroen wurde öffentlich begangen.

b) Herrscherhaus: Auf persische Bräuche geht die
Verehrung des Herrscher-G. zurück (Plat. Alk. 1,121c),
die bes. unter Alexander und seinen Nachfolgern einsetzte. Diese feierten ihren G. allmonatlich mit großem
Pomp (Opfer, Gebete, Wettspiele, Spendenverteilungen, Volksfeste). Nach ihrer Konsekration wurde auch
ihr Todestag als G. des neuen Gottes angesehen. Dazu
trat die ebenfalls von den Persern übernommene Sitte
(vgl. Hdt. 9,110), den Gedenktag des Regierungsan-

tritts, den γενέθλιος διαδήματος (*genéthlios diadḗmatos*),
festlich zu begehen.

c) Götter: Bestimmte Monatstage galten als G. bestimmter Götter: Der 1. und dann bes. der 7. waren dem
Apollon heilig, der 2. dem *agathós daímon*, der 3. der
Athena, den 4. teilten sich Herakles, Hermes und
Aphrodite, am 5. wurde Horkos gefeiert, am 6. Artemis,
am 8. Poseidon, Theseus und Asklepios, am 12. Demeter und Persephone. Während in älterer Zeit Mo-
natsangaben fehlen, d. h. die Feier eine monatliche war,
wurden diese später, als das Jahresfest üblich wurde, hinzugefügt. Über viele dieser Götterg.-Feiern sind wir
recht gut unterrichtet, auch was den damit verbundenen
Volksglauben betrifft [1. 87–116].

B. ROM
1. PRIVATE GEBURTSTAGSFEIERN UND STIFTUNGEN

Auch in Rom galt die G.-Feier einer Gottheit, dem
→ Genius (*natalis*) beim Mann bzw. der Iuno bei der
Frau, und wurde anfänglich wohl ebenfalls monatlich
begangen [1. 24f.]. Ursprüngl. wurden der Genius des
Mannes bzw. die Iuno der Frau als lebenspendendes
Prinzip im Menschen verstanden, später dann auch, der
griech. Daimonvorstellung vergleichbar, als persönliche
Schutzgottheit (vgl. Cens. 3 und [4. 103–107; 5]). Ein in
der Regel unblutiges Opfer auf einem Altar aus Rasen-
stücken stand am Anfang der Feier. Dabei zog man weiße Kleider an, bekränzte die Götterstatue, zündete vor
ihr Lichter an und betete um oftmalige Wiederkehr des
Tages (Tib. 1,7,49–54; Pers. 2,3–7; Ov. trist. 3,13; Cens.
2f.; weitere Belege bei [2. 1143f.]). Verwandte, Freunde und Klienten kamen, um Glückwünsche und Geschenke zu bringen, wozu ebenso lit. Werke gehörten.
Ein solches ist z. B. das Büchlein des Censorinus *De die
natali* (238 n. Chr.). Oft werden G.-Kuchen und Festmahl erwähnt [1. 28–30].

Zahlreiche Inschr. zeugen von Stiftungen an Vereine
und auch Städte, die für die Abhaltung der G.-Feier des
Stifters schon zu dessen Lebzeiten, bes. aber nach seinem Tod zu sorgen hatten [3. 221f.; 1. 48–51].

2. ÖFFENTLICHE GEBURTSTAGSFEIERN

a) Caesaren: Der G. des Kaisers wurde durch Senatsbeschluß öffentlich mit Opfern und Gebeten begangen;
Festessen, Spendenverteilungen, Militärparaden und
Spiele wurden organisiert, und es fanden an diesem Tag
keine Gerichtsverhandlungen statt. Seit der Mitte des
4. Jh. n. Chr. ließ man mit dem G. des Kaisers das Amtsjahr beginnen und einige kleinasiatische Provinzen
wählten den G. des konsekrierten Augustus sogar als
Jahresbeginn. Von den hell. Herrschern übernahmen
die röm. Kaiser auch die Sitte, den Jahrestag des Regie-
rungsantritts, den *natalis imperii*, festlich zu begehen
[1. 59–78; 2. 1145–1147; 3. 222f.].

b) G. von Tempeln, Städten und Vereinen: Mangels
ausgeprägter Göttergenealogien in der röm. Rel. gab es
auch keine G.-Feiern für Götter im griech. Sinne. Dafür
gedachte man der Dedikationstage der Göttertempel,

der *natales templorum*, mit festlichen Begehungen, zu denen Opfer, teilweise Lectisternien, öffentliche Speisungen, Spiele u. ä. gehörten. Einen Überblick über die Feste gibt [4. 433–444]. Ähnlich wurde der Gründungstag einer Stadt, der *natalis urbis*, gefeiert. Die Feiern hatten vielfach Volksfestcharakter; bes. glanzvoll war die Tausendjahrfeier Roms 248 n. Chr. (Oros. 7,20).

Nicht nur Menschen, Städte und Orte, sondern auch der Senat, Legionen und Vereine hatten ihren Genius; auch dieser wurde in einer Art G.-Feier geehrt [1. 126–129; 2. 1147–1149; 3. 223 f.].

C. Christliche Spätantike
Anfangs als heidnischer Brauch abgelehnt (Tertullianus, Origenes, Hieronymus, z. T. Augustinus, u. a.) wurde die Sitte der G.-Feier, die im Judentum ebensowenig üblich war, nach längerem Zögern von der Kirche übernommen (4./5. Jh. n. Chr.). Ausschlaggebend hierfür war wohl das Aufkommen des G.-Festes Christi (Weihnachten) und verschiedener Heiliger. Zu den diesbezüglichen Strömungen und Entwicklungen vgl. die umfängliche Bearbeitung des Problems von [3. 224–243].

→ Ahnenkult; Consecratio; Fasti; Genius; Geschenke; Heroenkult; Herrscherkult; Iuno

1 W. Schmidt, G. im Alt., RGVV VII.1, 1908
2 W. Schmidt, s. v. Γενέθλιος ἡμέρα, RE 7, 1135–1149
3 A. Stuiber, s. v. G., RAC 9, 217–243 4 Latte
5 R. Schilling, s. v. Genius, RAC 10, 52–83.

K. Argetsinger, Birthday Rituals: Friends and Patrons in Roman Poetry and Cult, in: Classical Antiquity 11.2, 1992, 175–193 · L. van Johnson, Natalis urbis and Principium anni, in: TAPhA 91, 1960, 109–119 · J. Marquardt, Das Privatleben der Römer Bd. I, Ndr. 1964, 250–251 · Nilsson, GGR Bd. II, 210–213 (Daimon) · W. Suerbaum, Merkwürdige G., in: Chiron 10, 1980, 327–355.   CL. E.

Gedichtbuch I. Griechisch II. Lateinisch

I. Griechisch
In der archa. und klass. griech. Dichtung sind keine sicheren Beispiele für G. im modernen (und schon lat.) Sinn des Wortes bekannt, d. h. als Sammlung von kurzen Gedichten in einem oder mehreren Büchern, wobei die einzelnen Gedichte nicht nur eine in sich abgeschlossene Bedeutung, sondern auch eine »relationale« Funktion innerhalb der Sammlung haben (und das Eröffnungsgedicht oft als Einleitung und Programm dient, das Abschlußgedicht als Epilog).

Bis zur klass. Zeit ist auch kein Bewußtsein einer Unterteilung faßbar, die ästhetischen oder werkinternen Zwecken diente. Noch → Isokrates war der Meinung, daß die Aufteilung von langen oder komplexen Werken nicht Aufgabe des Autors sei, sondern des Vortragenden im Hinblick auf das Auffassungsvermögen des Publikums (Antidosis 12) oder des Lesers im Hinblick auf seine eigenen Interessen (Panathenaikos 136). Die Länge chorlyrischer Gedichte sowie tragischer und

komischer Stücke hing tatsächlich eng mit der unterschiedlichen Dauer mündlicher Darbietung zusammen, denn diese blieb bis zum 5. Jh. v. Chr. das einzige Medium, das die poetischen Texte voraussetzten. Dies gilt zumindest bis → Pindar (vgl. z. B. den Anfang von O. 10), wenn auch solche Dichtung wahrscheinlich schon früher gelegentlich *auch* schriftlich fixiert wurden.

Für lyrische Gedichte, Iamben und Elegien kürzeren Ausmaßes sind Sammlungen in G. durch den Autor selbst bis zur zweiten H. des 6. Jh. v. Chr. nicht nachweisbar; nur das unsichere Zeugnis Diog. Laert. 9,5–6 kann angeführt werden, → Herakleitos habe sein G. im Artemistempel in Ephesos hinterlegt (jedoch eher um das eine Exemplar zu erhalten als um es zu verbreiten; vgl. Paus. 9,31). Kurz vorher soll → Theognis selbst eine eigene Sammlung der Maximen an Kyrnos angelegt haben (ungefähr deckungsgleich mit den V. 19–254 des *Corpus Theognideum*), der er die Sphragis der V. 19–30 beigefügt habe. Jedenfalls zeigt die Tradition, daß diese Initiative seiner Zeit voraus gewesen wäre, und daß sich das G. anfangs wohl nahtlos in ein weit größeres Corpus einfügte, das die Erweiterungen/Modifizierungen enthielt, welche die urspr. Elegien in der symposiastischen Vortragspraxis erfuhren. Auch die großen Werke, Epen wie *Ilias* und *Odyssee*, unterteilte man anfänglich wohl nur zur Erleichterung der rhapsodischen Rezitation (vgl. die Bezeichnung der homer. Bücher als *rhapsōdíai*), und zweifellos waren die Epen nicht nach dem Willen des »Autors« nach Büchern strukturiert. Dies beweist auch das Schwanken zw. der Einteilung in Bücher von 1000–2000 Versen in den Papyri des 3. und 2. Jh. v. Chr., und derjenigen in 24 B. von 350/650 Versen, die entweder von Philologen der Ptolemäerzeit vollzogen (→ Aristarchos [4] von Samothrake, vgl. [Plut.] Vita Homeri 2,4) oder von ihnen übernommen wurde, und die sich dann in der Tradition durchgesetzt hat.

Im 4. Jh. v. Chr. etablierte sich das Buch als Medium der Lit., die Dichter schenkten ihm stärkere Aufmerksamkeit, auch zu Ungunsten des performativen Aspekts (vgl. Aristot. rhet. 1413b 12). So zeigt der Historiker → Ephoros, ein Schüler des Isokrates, ein Bewußtsein für die Bucheinteilung, wenn er jedem der 30 B. seiner Historien ›ein Proömium vorausschickte‹ (Diod. 16,76,5, vgl. auch 5,1,4). Weniger sicher ist das Zitat einiger Buchtitel bei Diod. 5,2,1 und Strab. 7,3,9: solche Titel könnten auch später beigefügt worden sein. Doch schon Platon verwendet Titel für seine Dialoge, vgl. polit. 284b). Vielleicht führte Duris von Samos (FGrH 76 F1) Ephoros und → Theopompos deshalb als Autoren an, weil sie die dramatische Anschaulichkeit und Ergötzung des Publikums in der Aufführungspraxis zugunsten des schriftlichen Aspektes vernachlässigten. Im 4. Jh. v. Chr. entstanden die ersten Werke, für die man mit gewisser Sicherheit eine bewußte G.-Struktur annehmen kann, zwei Werke des → Antimachos [3] von Kolophon. Seine *Lýdē* war offenbar ein Kollektivgedicht: Elegien, die durch ein gemeinsames Thema (unglückliche Liebe) verbunden und durch einen subjektiven Rahmen (der Schmerz des Dichters nach dem Tod der geliebten Lyde: T 10; 11; 12 MATTHEWS) motiviert waren. Das Epos *Thēbaís* soll von Antimachos selbst in dieselbe Anzahl von 24 Büchern unterteilt worden sein, die vielleicht schon die Editionen der *Ilias* und der *Odyssee* aufwiesen (T 26ᶜ MATTHEWS – ein spätant. und unzuverlässiges Zeugnis). Man darf auch bei Antimachos ein starkes Interesse an der Schriftlichkeit seines Werks annehmen: es sind Mißerfolge beim Vortragspublikum belegt (T 5 MATTHEWS), und eines seiner Werke trug den symptomatischen Titel Δέλτοι (*Déltoi*, ›Täfelchen‹; F 129 MATTHEWS): vielleicht eine Sammlung von kurzen Gedichten, von denen jedes ein solches einnahm.

Das erste Werk, bei dem man mit Gewißheit von einer bewußten Buchkomposition sprechen kann, sind die *Aítia* des → Kallimachos. Auch bei seinen Hymnen und Iamben läßt die Konstanz ihrer Anordnung in den Hss. auf vom Autor angelegte G. schließen (bei den Iamben auch der programmatische Charakter des ersten Gedichts). Von Kallimachos ist uns zudem ein den antimacheischen *Déltoi* verwandter Titel bekannt: das Γραφεῖον (*Grapheíon*, fr. 380 PFEIFFER). Antimachos und Kallimachos sind Beispiele der Synthese von Dichtung und Philol., die für das 3. Jh. v. Chr. typisch ist. Die Praxis der Bibliothekskatalogisierung und Edition in Papyrusrollen früherer Autoren, dabei bes. der lyrischen Dichter (z. B. *Pínakes* des Kallimachos, die sich sicherlich auch mit Problemen der Titelgebung der Epinikien des Simonides und Pindars beschäftigten, vgl. fr. 441 und 450 PFEIFFER) führte bei den alexandrinischen Dichtern zu zwei Entwicklungen: 1) Sie konzipierten auch andere Werke einheitlicheren Inhalts im Hinblick auf die Durchschnittslänge einer Papyrusrolle (nach unseren Kenntnissen 1000–2000 Verse), oder sie strukturierten sie in mehrere Bücher dieser Länge (die z. B. für die einzelnen B. der *Argonautiká* des → Apollonios [2] Rhodios maßgeblich gewesen sein könnte). 2) Man enthistorisierte die thematische Vielfalt der archa. Lyriker, die urspr. an die Vielfalt der Vortragsgelegenheiten gebunden war, und faßte sie ebenso wie die »Vielgestaltigkeit« (πολυείδεια) innerhalb der einzelnen G. als Selbstzweck auf. Dies geschah bei den Kallimacheischen Iamben, dem einzigen uns bekannten möglichen Vorgänger der röm. Gedichtbücher, oder in den (Auto-) Epigrammanthologien, deren älteste uns bekannte Beispiele der Mailänder Pap. des Poseidippos (Ende des 3. Jh. v. Chr.) und der PVind. G 40611 sind [5]. Zur Kompilation von Epigrammanthologien vgl. → Anthologie [1] und [1; 2; 4]; zur Möglichkeit, daß einige davon die intentionalen Strukturen der lat. Gedichtbücher vorwegnehmen, vgl. [3].

Neben der allg. Vorliebe für Epigrammsammlungen entwickelte sich das G. in der griech. Lit. der Kaiserzeit hauptsächlich nach den Modellen des alexandrinischen Lit.-Systems. Die neuen G. wurden einerseits oft in Bezug auf die Gattung, andererseits manchmal sogar durch die Übernahme der apokryphen auktorialen Form analog in Form von G. gestaltet, wie sie als editorische Re-

sultate der alexandrinischen Philol. entstanden. So waren die Lyriker-Sammlungen Grundlage für die ›Iamben‹ des Kallimachos und die Anakreontea [vgl. 9], die Ausgaben der »homer.« Hymnen (neben den ›Hymnen‹ des Kallimachos) Vorbilder für diejenigen des → Proklos und des Synesios sowie für die dem Orpheus zugeschriebenen Hymnen.

→ Ausgabe; Bibliothek; Gedichttrennung

1 L. ARGENTIERI, Epigramma e libro: morfologia delle raccolte epigrammatiche premeleagree, in: ZPE 1998 2 A. CAMERON, The Greek Anthology from Meleager to Planudes, 1993 3 D. P. FOWLER, First Thoughts on Closure: Problems and Prospects, in: Materiali e Discussioni per l' analisi dei testi classici 22, 1989, 75–122 4 K. GUTZWILLER, Poetic Garlands: Hellenistic Epigrams in Context, 1998 5 H. HARRAUER, Epigrammincipit auf einem Papyrus aus dem 3. Jh. v. Chr., in: Proc. of the XVI Intern. Congress of Papyrology, 1981, 49–53 6 N. KREVANS, The Poet as Editor, Diss. Princeton 1984 7 Ders., Fighting against Antimachus: the Lyde and the Aetia Reconsidered, in: M. A. HARDER, R. F. REGTUIT, G. C. WAKKER (Hrsg.), Callimachus (Hellenistica Groningana I), 1993, 149–60 8 D. H. ROBERTS, F. M. DUNN, D. FOWLER (Hrsg.), Classical Closure: Reading the End in Greek and Latin Literature, 1997 9 P. ROSENMEYER, The Poetics of Imitation: Anacreon and the Anacreontic Tradition, 1992 10 J. VAN SICKLE, The Book-Roll and Some Conventions of the Poetic Book, in: Arethusa 13, 1980, 5–42.

M. FA./Ü: K. SCH.

II. LATEINISCH

A. ZUR FORM DES LATEINISCHEN GEDICHTBUCHES B. DAS GEDICHTBUCH IN DER RÖMISCHEN LITERATUR C. WEITERE ENTWICKLUNG

A. ZUR FORM DES LATEINISCHEN GEDICHTBUCHES

Die Zusammenstellung von kürzeren Einzelgedichten in einem oder mehreren B. (ca. 600 bis max. ca. 4000 V. pro Rolle bzw. später pro Cod.) für Publikation und Vertrieb im Handel scheint in der lat. Lit. infolge der fortgeschrittenen Verschriftlichung schon früh praktiziert worden zu sein. Als Hrsg. kann in der Regel der Verf. selbst gelten; z. T. wurde die Slg. von späteren Redaktoren zusammengestellt (Verg. catal., Tib. 3, Pers., Stat. silv. 5; evtl. Catull.; Mart. 12). Größere Anthologien von Einzelgedichten verschiedener lat. Autoren sind vor dem 6. Jh. (Anth. Lat.) nicht belegt. Metrische Form und Gattung der Gedichte innerhalb eines B. sind entweder einheitlich (Eklogen-, Elegien-, Satiren-, Epistelbücher) oder werden variiert (z. B. Catull., Hor. epod. und carm., Stat. silv.); Variationsmöglichkeiten bestehen auch bezüglich Anlaß und Thematik (Liebeselegie, sympotisches Gedicht, Invektive, Propemptikon, Enkomion, Epithalamion, Geburtstagsgedicht usw.). Bes. in den G. der augusteischen Zeit (evtl. bereits bei Catull) und in den meisten kaiserzeitlichen Slg. sind v. a. die drei Kriterien Form, Gattung und Thematik, u. U. auch Länge und chronologische Abfolge für die Anordnung bestimmend (Effekt der Variatio oder der Entfaltung eines Gedankens); Voraussetzung für die entsprechende Wirkung ist die kontinuierliche Lektüre innerhalb der B.-Rollen [5]. Weitere Anordnungsprinzipien sind: Rahmung durch Einleitungs- und Schluß-Gedicht, konzentrische oder chiastische Anordnung, besondere Gewichtung der Mitte, Gruppierungen thematisch zusammenhängender oder kontrastierender Gedichte (z.B. gemäß dem Schema ABA oder in größeren Zyklen). Die Strukturierung ist entweder auf ein B. beschränkt oder umfaßt eine Reihe von B. (meist Dreiergruppen: Hor. carm. 1–3, Ov. am., evtl. Stat. silv.). Die Vielfalt der Möglichkeiten thematischer, motivischer und formaler Bezüge ist gerade durch die beiden Prinzipien der (thematischen und formalen) Affinität einerseits und des Kontrasts andererseits ausgesprochen groß und bietet damit Raum für z.T. widersprüchliche Analysen der mod. Interpreten [2; 3]. Daß die Dichter als Hrsg. ihrer G. solche Kriterien berücksichtigten, ist jedoch unbestreitbar; jedenfalls zeigen sich bereits die ant. Leser dafür sensibilisiert [3. 280f.]. Falls es sich bei einzelnen der in einem G. zusammengestellten Gedichte um bereits zuvor in Umlauf gebrachte handelt, können diese durch ihre Stellung und Funktion innerhalb der Slg. eine zusätzliche Dimension erhalten; in einzelnen Fällen ist damit zu rechnen, daß ein Gedicht erst im Hinblick auf die Integration in einer Slg. verfaßt wurde. Das vom Autor zusammengestellte G. unterscheidet sich von einem Epen-B. durch die fehlende Einbettung in eine zusammenhängende Handlung; kunstvolle Komposition, z.T. auch Buchtitel und Widmung an einen Freund und/oder Gönner machen das G. dennoch zu einer Einheit (von einer selbständigen lit. Gattung wird man aber nicht sprechen wollen [gegen 1. 430]).

B. DAS GEDICHTBUCH IN DER RÖMISCHEN LITERATUR

Die lat. Dichter konnten sich von Anf. an an der Trad. der hell. G. orientieren; namentlich Kallimachos' *Aítia* und das Iamben-B., die Slg. der bukolischen Gedichte Theokrits sowie Epigrammslg. und → Anthologien [1] (v.a. Meleagers »Kranz«) scheinen zumindest bis in augusteische Zeit starke Vorbildwirkung ausgeübt zu haben [1; 4]. Allerdings erhalten bald auch die röm. G. selbst Modellfunktion (z.B. Verg. ecl. für Hor. sat. 1 und Tib. 1, z.T. Catull. für Hor. carm. [4]).

Möglicherweise haben bereits Ennius und Lucilius oder andere Verf. von Kleinpoesie des 2. Jh. v.Chr. ihre Gedichte selbst in Slg. zusammengefaßt. Mit einer Publikation in B.-Form durch den Autor kann mit Sicherheit erst mit → Laevius' 6 B. *Erotopaignia* (ca. 90 v.Chr.) gerechnet werden. → Catull selbst hat eine Gedichtslg. herausgegeben, die er als *libellus* bezeichnet; die Frage der Form und des Umfangs dieses B. ist allerdings umstritten. Ob man aufgrund formaler und inhaltlicher Analogien zwischen dem Catull-B. und den erh. Fr. anderer → Neoteriker von einer neoterischen Form des G. ausgehen kann, ist ebenfalls fraglich [1. 309]. Von → Cornelius [II 18] Gallus wissen wir, daß

er vier Elegien-B. verfaßt hat. Praktisch vollständig und in ihrer Struktur unverändert erh. sind erst die G. der Augusteer (die Form von Prop. 2 ist allerdings wegen der Überl. umstritten). Mit Vergils Eklogen-Buch (publ. ca. 35 v.Chr.) beginnt in augusteischer Zeit eine reiche Produktion. Das G. war in dieser Epoche somit die meist praktizierte Form von Dichtung (nur von → Vergil und → Ovid bleiben Großdichtungen erh.).

Nach dieser Blütezeit des G. setzte sich die Trad., Einzel-G. in B.-Form herauszugeben, in der frühen Kaiserzeit fort (Pers., Iuv., Mart., Priap., Stat. silv., Phaedr., Calp. ecl.), wobei ästhetische Kriterien bei der Anordnung eine unterschiedlich große Rolle spielten. In der mittleren und v.a. späten Kaiserzeit entstanden entsprechend der reichen Produktion verschiedener Kleinformen zahlreiche G.; genannt seien → Nemesianus' Eklogen-B. (3. Jh.), die G. des → Prudentius und des → Ausonius, → Avianus' Fabel-B. (4. Jh.); die Slg. von 24 Carm. des → Sidonius Apollinaris, die *Romulea* des → Dracontius [3] (5. Jh.); die 11 B. *Miscellanea* des → Venantius Fortunatus, die Epigramm- und Hymnenslg. des → Ennodius, das Elegien-B. des → Maximianus (6. Jh.). Spuren von G. verschiedener spätant. Autoren finden sich im → Codex Salmasianus (die → *Epigrammata Damasiana* und die Epigramme des Luxurius nach dem Vorbild Martials) und unter den → *Carmina Bobiensia*.

C. WEITERE ENTWICKLUNG

G. werden in der lat. Lit. des MA und der Renaissance weiterhin verfaßt (z.B. der Zyklus von 28 Figurengedichten des Hrabanus Maurus und das 12 Gedichte umfassende → *Carmen Bucolicum* Petrarcas). In der späteren europ. Lit. ist direkter Einfluß der röm. G. nur schwer vom Fortwirken der ant. Lit. insgesamt zu trennen. Als lyrische Slg. nach röm. Vorbild können aber gelten: Ronsards *Six Eclogues*, Popes *Imitations of Horace*, Goethes *Römische Elegien* und *Venetianische Epigramme*, Goethes und Schillers *Xenien*, die Oden-, Elegien- und Hymnen-B. verschiedener dt. Dichter des 18. Jh.

1 N. KREVANS, The Poet as Editor, 1984 2 J. MICHELFEIT, Das augusteische G., in: RhM 112, 1969, 347–370 3 W. PORT, Die Anordnung in G. augusteischer Zeit, in: Philologus 81, 1926, 280–308; 427–468 4 M.S. SANTIROCCO, Horace's Odes and the Ancient Poetry Book, in: Arethusa 13, 1980, 43–57 = Ders., Unity and Design in Horace's Odes, 1986, 3–13 5 J. VAN SICKLE, The Book-Roll and some Conventions of the Poetic Book, in: Arethusa 13, 1980, 5–42.   T. FU.

Gedichttrennung. Die Markierung des Endes eines Gedichtes und den Beginn des nächsten in Hss.

A. ANTIKE

Die G. ist ein heikler Punkt in der Überlieferung vieler Dichter, die Bücher mit mehreren Gedichten verfaßten [6. 117–148; 4. 3–6]. Ähnliches gilt für die Tradierung kurzer Prosa, bes. der Epistolographie (zu den Briefen Senecas [6. 148–196]). Ein weiteres Problem ist die Bucheinteilung (vgl. hierzu die Artikel zu einzelnen Autoren, z.B. → Homeros, → Propertius).

Zu den Hilfsmitteln, die im Alt. verwendet wurden, um sowohl dichterische Werke als auch Prosa in Sektionen und Einheiten zu unterteilen, siehe [7. 8–12]. Trennungen wurden durch *ékthesis* oder *eísthesis* (Einrückung), sowie durch Zeichen verschiedener Art markiert: *parágraphos* (z. B. in dem neuen, noch unveröffentlichten Mailänder Pap. von → Poseidippos), *koronís* und → *asterískos* (vgl. → Lesezeichen). Das letztgenannte Zeichen wird zusammen mit dem Autorennamen zur Trennung der Epigramme in der *Anthologia Palatina* des 10. Jh. verwendet. Die *koronís* wird bei Unterteilungen innerhalb eines Gedichtes gesetzt [2. 127, n. 113]; das Zeichen, das scheinbar die Trennung von zwei Gedichten des Alkaios (P Oxy. 2165 (= PLF 130. 16) markiert, ist ein kleiner Schrägstrich am linken Rand, d. h. einfach ein *parágraphos* ([5. 201]: auch zu anderen Stellen, an denen die Trennung zw. Gedichten nicht durch eine *koronís* markiert wurde).

Der Cod. Romanus des Vergil weist zw. aufeinanderfolgenden Eklogen nicht nur eine Liste der Sprecher auf (ein Hilfsmittel, das auch im Drama verwendet wurde, um Szenen voneinander zu trennen), sondern auch jeweils ein Bild zum folgenden Gedicht. Das berühmte Gallus-Fragment (P Qasr Ibrîm), das unser ältester Papyrus eines lat. Textes ist und mit großer Sicherheit aus der gleichen Zeit wie der Autor stammt ([1. 125–155]; zum Format [1. 129–131]), trennt die aus vier Versen bestehenden Abschnitte nicht nur mit großräumigen *spatia* (d. h. Zwischenräumen), sondern auch mit Paaren von bisher unbekannten H-förmigen Markierungen. Erwartete ein Autor, der im augusteischen Zeitalter kurze Gedichte schrieb, daß diese in der Erstausgabe auf solche Weise voneinander getrennt werden sollten? Wenn ja, dann fehlten ihnen die Titel und Nummern, wie wir sie vermuten würden. Obwohl sie am Beginn ihrer Überlieferungsgesch. klar getrennt waren, hätte eine einzige Abschrift, ohne ungenau zu sein, jede Trennung zu einem *parágraphos* reduzieren können.

B. MITTELALTER

Im MA wird die G. durch ein *spatium* von einem oder mehreren Versen vorgenommen, das im fertigen Ms. dann entweder einen Titel bzw. im Falle eines größeren Abschnittes (zw. Büchern oder Autoren) ein *explicit* und ein *incipit* enthält.

Das neue Gedicht beginnt mit einem Anfangsbuchstaben, der größer ist als die gewöhnlichen Großbuchstaben, mit denen sonst die Zeilen beginnen; häufig ist dieser geschmückt oder zumindest farblich hervorgehoben und manchmal mit einem dekorativen Element verbunden. Es finden sich aber auch *spatia* ohne Titel. In der Properz-Handschrift N (Wolfenbüttel Gud. 224) finden wir keinen Titel, kein *spatium*, nur einen großen, gemalten Anfangsbuchstaben. Solche Details sind leicht zu übersehen, und die Trennungen können bei einer Kopie der Hs. ohne weiteres verschwinden. Üblich war auch ein großer Anfangsbuchstabe ohne *spatium*, nur mit einem Titel am Rand

(wie in Leiden, Voss. lat. O. 38., der Properz-Hs. A: f. 9ʳ; wiedergegeben in [3. pl. CII.2]), oder im Anschluß an die letzten Wörter des vorangegangenen Gedichtes (wie manchmal im Cod. Thunaneus, Paris, BN lat. 8071; Hs. T bei Martial und Catull: f. 51ʳ = [3. pl. XIV]).

Die unauffälligste Markierung eines Abschnittes liegt vor, wenn wir kein *spatium* und keinen großen Anfangsbuchstaben, sondern nur einen Hinweis am Rand besitzen: Dann dürfte die Trennung am ehesten ein späterer Leser vorgenommen haben, unabhängig davon, ob er mit Hilfe einer Vorlage oder selbständig verbesserte. Die Randnotiz kann ein Titel oder die ausdrückliche Aussage sein, daß ein neues Gedicht anfängt, aber häufiger ist erfahrungsgemäß eine Art *nota*: ⊂ oder ⊤. In solchen Fällen hängt viel an der Interpretation sowohl des Lesers als auch eines jeden Kopisten, die selbständig entscheiden müssen, ob diese Zeichen Interessenschwerpunkte oder ganze Gedichte oder Sektionen innerhalb eines Gedichtes markieren. Der Cod. Parisinus lat. 14137 (Hs. G des Catull) verwendet das *capitulum*-Zeichen, um den Sprecherwechsel in Catull 62 zu markieren.

→ Cornelius [II 18] Gallus; Gedichtbuch; Lesezeichen; Rubrizierung

1 R. D. ANDERSON, P. J. PARSONS, R. G. M. NISBET, Elegiacs by Gallus from Qasr Ibrim, in: JRS 69, 1979, 125–155 (ed. princ.) 2 A. CAMERON, Callimachus and his critics, 1995 3 E. CHATELAINE, Paléographie des classiques latins (2 Bde.), 1884–92. 4 H.-C. GÜNTHER, Quaestiones Propertianae, 1997 5 D. L. PAGE, Sappho and Alcaeus, 1955. 6 O. PECERE, M. D. REEVE (Hrsg.), Formative stages of classical traditions: Latin texts from antiquity to the Renaissance, 1995. 7 E. G. TURNER, Greek manuscripts of the ancient world, ²1987. N. W. u. S. H./Ü: H. H.

Gedrosia, Gadrosia. Landschaft im SO-Iran und SW-Pakistan, entspricht ungefähr dem h. Balūčēstan. Ein h. in großen Teilen arides Berggebiet mit eingetieften Tälern, bekannt durch den Bericht des Arrianos über die Schwierigkeiten, auf die Alexanders Armee auf ihrem Rückmarsch traf. Die Küste ist im Periplus des Nearchos genau beschrieben (Arr. an. 6,22–26; Strab. 15,723). Träger der verschiedenen Kulturen seit dem 8. Jt. waren evtl. die Vorfahren der sprachlich den Drawida nahestehenden Brahui, die von den vorherrschenden Balūčen iran. Sprache weitgehend assimiliert wurden. Die Balūčen sind vermutlich in der Brz. von Norden her zugewandert, vielleicht im Zusammenhang mit der Wanderung der Arya nach Indien. Sie besiedelten die Oasen und lebten überwiegend als Nomaden.

Im 6. und 5. Jh. v. Chr. wohnten die Mykoi oder Maka, die die Br̥hatsaṁhitā des Varāhamihira als Makara unter den westl. Nachbarvölkern Indiens aufzählt, in der westl. G. Die pers. Verwaltung hat ihren Namen auf die ganze G. ausgedehnt, wie die Keilinschr. des → Dareios [1] I. lehren. G. gehörte zeitweilig zum Sāsānidenreich. In islam. Zeit waren die Stämme zumeist unabhängig und bildeten Khanate und Föderationen.

Die im ariden Klima relativ gut erh. Ruinen der Burgen und Festungen sind bislang kaum erforscht.   B.B.

Gefängnisstrafe. Eine G. als Strafhaft im heutigen Sinn kennt weder das griech. noch das röm. Recht (anders [1]). Der Beschuldigte bleibt in der Regel bis zum Prozeß frei (in Rom ist bei Staatsverbrechen eine Art von Untersuchungshaft möglich), der Verurteilte weilt nur bis zur Vollstreckung im Gefängnis. Auch die seit dem XII-Tafel-Gesetz in Rom genau geregelte private Haft des Schuldners beim Gläubiger soll nicht strafen, sondern die Zahlung erzwingen.

→ Addictus; Carcer; Desmoterion

1 W. EISENHUTH, Die röm. Gefängnisstrafe, in: ANRW I 2, 268 ff.   W. ED.

Gefäße, Gefäßformen/-typen
A. FORM, FUNKTION, NAME
B. MATERIALIEN C. TYPOLOGIE

A. FORM, FUNKTION, NAME
Die Vielfalt ant. G. (ἀγγεῖον; *vas*) resultiert primär aus diversen Verwendungszwecken wie Transport, Lagerung, Schöpfen, Gießen, Mischen von festen oder flüssigen Gefäßinhalten (Zweckformen), sekundär aus zeitl. und regional bedingten Unterschieden der Gestaltung (Typen). Mit der Zweckform ist ledigl. die funktionale Grundstruktur angegeben, die erst durch Typen ihre konkreten Ausprägungen erfährt. Zur → Amphora (vgl. Abb. A) gehören als feste funktionale Merkmale zwei symmetrisch angeordnete Vertikalhenkel im oberen Bereich und ein geschlossener, hoher Körper. Typen (A 1–6) entstanden insbesondere in der Feinkeramik. Zusätzl. können Sonderfunktionen die Form bestimmen. Aus bauchigen Amphoren (A 7–8) ließ sich gut schöpfen; A 7 diente u. a. auch als Hohlmaß (→ Gebrauchskeramik). Die schlanke Form der → Lutrophoros (A 12) erleichterte das Ausgießen. Bei den panathen. Preisamphoren (A 9) sind enger Hals und kleiner Fuß att. Handelsamphoren nachgebildet [1], ebenso entspricht die Spitzamphora, die auch in der Feinkeramik für Wein oder Wasser bestimmt war, gleichzeitigen → Transportamphoren. Letztere wurden entweder schräg gelagert, in Ständer gestellt oder in den Boden gepflanzt [2].

Zur Kanne (Abb. B) gehört der Vertikalhenkel gegenüber dem Ausguß (vgl. dagegen → Pilzmundkanne, → Steigbügelkanne). Im übrigen ist die Formenvielfalt groß, allein in der att. rf. Keramik werden 10 Typen (darunter B 4–8) unterschieden [3; 4]. Die einfachste Form ist der auch als Hohlmaß verwendete → Chus (B 6). Kannen mit (dreigeteilter) »Kleeblatt«-Mündung werden als Weinkannen (Oinochoen) bezeichnet, solche mit runder Mündung als Wasserkannen (Hydrien) [5], die mit breitem Fuß dürften insbes. als Spendekannen gedient haben (B 9). Auf Transport deutet die enge, verschließbare Mündung der → Lagynos (B 10). Die → Hydria (B 11–12) konnte mit dem Vertikalhenkel

wie eine Kanne benutzt werden, während die beiden Horizontalhenkel zum Heben des G. dienten.

Der weitmundige → Krater (Abb. C) besaß in der Regel zwei Horizontalhenkel (die senkr. Volutenhenkel der Form C 1 sind aufgesetzte Scheinhenkel). Nur der Kesselkrater bzw. → Lebes (C 9) zeigt weder Fuß noch Henkel, sein Ständer ist gesondert gearbeitet. Zu manchen Krateren gehörte ein Deckel, ebenso zum Stamnos (C 6). Ein Weingefäß war auch der als Kühl-G. benutzte → Psykter (C 8). Der Lebes Gamikos mit hohem angearbeiteten Fuß (C 7) wurde im Hochzeitsritus verwendet.

Wie bei den Kannen gehörten auch die meisten Varianten der Trink-G. (Abb. D) zum Symposion. Es gab diverse Trinkschalen-Typen, darunter D 1–4 (Kylix), den → Kantharos (D 5), den → Kyathos, zugleich Schöpfbecher (D 6), das Trinkhorn (Keras) oder den Mastos in Form einer Frauenbrust (D 9). Eine hell. Form ist der Hemitomos, ein halbkugeliger, fuß- und henkelloser Becher. Den → Skyphos (D 7–8) sieht man meist in Händen von Komasten; der Kothon (D 10) war dagegen urspr. ein Trinkbecher für Wanderer und Krieger [6].

Salbgefäße (Abb. E) enthielten Öle und Duftstoffe für die Körperpflege und rituelle Salbung. Als → Lekythos bezeichnet man eine schlanke Kanne mit enger, trichterförmiger Mündung (E 1–4). Henkellos waren das Lydion (E 5) und das kolbenförmige → Alabastron (E 6–7), letzteres besitzt allenfalls Ösen für Schnüre zum Aufhängen; ähnlich handhabe man den fußlosen → Aryballos (E 8). Von den Deckel-G. (E 9–12) gehören das Exaleiptron (E 9) mit nach innen gestülptem Rand zum Schwenken und Transportieren von Flüssigem ebenso wie die Pyxis (E 10–11) zum Toilettengerät der Frau, während die Lekanis (E 12) eine Deckelschüssel für Speisen war [7]. Speiseöl o.ä. enthielten die kleinen G. → »Askos« und → »Guttus« (E 13–14). Beispiele für die vielfältigen Formen der im Ritus verwendeten G. sind Kernos (E 15), → Phiale, → Perirrhanterion, → Thymiaterion. Insgesamt weniger ausgeprägt sind die Formen der Gebrauchskeramik (A 11; C 5).

Zur Funktionsbestimmung von G. gelangt die Forsch. über die zweckdienl. Zurichtung der G. selbst, zuweilen über Fundlagen und Fundkontexte oder Rückstände von Gefäßinhalten [8; vgl. 9], bes. aber mit Hilfe von bildl. Darstellungen, die sowohl über Verwendungsbereiche (Symposion, Ritus, Sport, Totenkult, Haus und Markt) als auch die praktische Handhabung von G. Auskunft geben [2; 8; 9; 10; 11]. Ergänzend treten lit. Quellen hinzu, deren Auswertung aber voraussetzt, daß die richtige ant. Benennung eines G. ermittelt ist. Obwohl eine große Zahl an Gefäßnamen durch Autoren, insbes. Aristophanes, Athenaios und späte Lexikographen [12], ferner durch epigr. Zeugnisse wie Tempelinventare oder Versteigerungslisten [13] überliefert sind, ist deren Verbindung mit erh. Gefäßformen nur begrenzt möglich. Diese ergibt sich vereinzelt aus ant. Beschriftungen der G. selbst [14], ferner aus

Gefäßformen der griechischen Keramik (8.–2. Jh. v. Chr.)

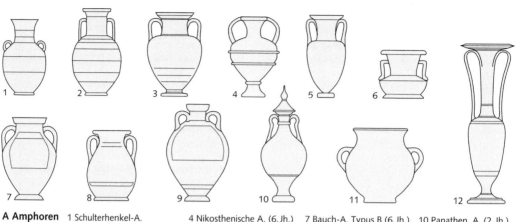

A Amphoren
1 Schulterhenkel-A.
2 Halshenkel-A. (8. Jh.)
3 Hals-A. (att. Standardtypus, 6. Jh.)
4 Nikosthenische A. (6. Jh.)
5 Nolanische A. (5. Jh.)
6 Hellenist. Hals-A.
7 Bauch-A. Typus B (6. Jh.)
8 ›Pelike‹
9 Panathen. A. (6. Jh.)
10 Panathen. A. (2. Jh.)
11 Kados
12 Lutrophoros

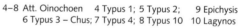

B Kannen, Hydrien
1 Oinochoe (7. Jh.)
2 Korinth. ›Olpe‹
3 Att. ›Olpe‹ (6. Jh.)
4–8 Att. Oinochoen
6 Typus 3 – Chus; 7 Typus 4; 8 Typus 10
4 Typus 1; 5 Typus 2;
9 Epichysis
10 Lagynos
11 Schulterhydria
12 ›Kalpis‹

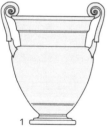

C Kratere, Kessel
1 Volutenkrater
2 Kolonettenkrater
3 Kelchkrater
4 Glockenkrater
5 Chytra
6 ›Stamnos‹
7 Lebes Gamikos
8 Psykter
9 Lebes mit Ständer

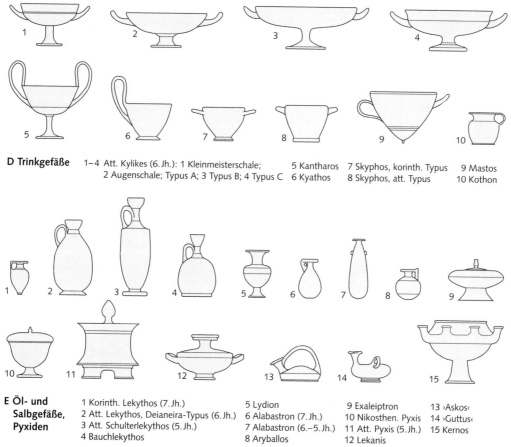

D Trinkgefäße   1–4 Att. Kylikes (6. Jh.): 1 Kleinmeisterschale;   5 Kantharos   7 Skyphos, korinth. Typus   9 Mastos
                       2 Augenschale; Typus A; 3 Typus B; 4 Typus C   6 Kyathos   8 Skyphos, att. Typus   10 Kothon

E Öl- und
Salbgefäße,
Pyxiden
     1 Korinth. Lekythos (7. Jh.)   5 Lydion   9 Exaleiptron   13 ›Askos‹
     2 Att. Lekythos, Deianeira-Typus (6. Jh.)   6 Alabastron (7. Jh.)   10 Nikosthen. Pyxis   14 ›Guttus‹
     3 Att. Schulterlekythos (5. Jh.)   7 Alabastron (6.–5. Jh.)   11 Att. Pyxis (5. Jh.)   15 Kernos
     4 Bauchlekythos   8 Aryballos   12 Lekanis

Die in Anführungszeichen gesetzten Gefäßnamen sind moderne Konvention.

ant. Gefäßbeschreibungen oder der Kombination von Texten und Darstellungen. Manche Namen sind bis in myk. Zeit zurückzuverfolgen [15; 16]. Nur wenige zielen auf die Form als solche, wie → Kylix, Tripus, Hemitomos oder Mastos, andere auf den Gefäßinhalt (Hydria: Wasser, Oinochoe: Wein) bzw. die Handhabung (Chus – χέω, Krater – κεράννυμι, Amphora – ἀμφί, φέρω [12. 165, Nr. 23]). Seltener leiten sich Namen von exotischen Vorbildern ab wie Lydion oder Alabastron [13. 213–214]. Die Ant. benutzte ihre Gefäßbezeichnungen weit weniger konsequent als die heutige um Konsens bemühte Forsch. Für Amphora gab es z. B. die Syn. Stamnos, → Kados, Metretes; Trink-G. verschiedenster Form wurden Kylix oder einfach Poterion genannt, Sammelbegriffe wie Lekythos, Lekane [7] oder Kalpis (Hydria) bezog erst die moderne Forsch. auf bestimmte Typen. Andererseits behält sie manche Bezeichnungen des 19. Jh. aus Konvention bei, obwohl sie längst als falsch erwiesen sind, wie Dinos (Lebes), Pelike (Amphora) oder Olpe (B 2–3).

Wie die griech. sind auch die lat. Gefäßnamen nur sporadisch überliefert [16; 17]. Viele können nicht mehr mit einer bestimmten Form verbunden oder einem

Funktionsbereich nur grob zugeordnet werden. Mit der Übernahme der griech. Trinkkultur latinisierte man die Bezeichnungen griech. Symposion-G. zu *scyphus, cantharus*, → *cyathus*. In der Hauswirtschaft überwiegen hingegen Namen lat. Ursprungs (→ *dolium, mortarium, catinus*, → *olla*). Salb-G. nannte man *ampullae* oder *unguentaria*. Letztere Bezeichnung ist heute auch für die schlauchförmigen, fälschlich »Tränenfläschchen« gen. Öl-G. üblich, die seit hell. Zeit in die Gräber gegeben wurden [18].

B. Materialien

In der Regel gelten ant. Gefäßnamen unabhängig vom Herstellungsmaterial. Im erh. Denkmälerbestand überwiegen die → Tongefäße, die urspr. aber von beträchtl. Mengen an G. aus Bronze und Edelmetall begleitet waren [19]. Neben kleineren Formen wurden insbes. Kannen, Hydrien, Kessel und Kratere aus Metall gefertigt (→ Toreutik). Typisch toreut. Detailformen wie Henkelattaschen, Rotellen, Profilfüße, scharfkantige Wandungsprofile ahmte die Töpferei seit dem 7. Jh. v. Chr. häufig nach. Es wäre aber falsch, die sf. und rf. Vasen samt ihrem Figurendekor als Kopien gleichzeitiger Metall-G. abzuwerten [20]. Auch in der Kaiserzeit lassen sich Metallimitationen und eigenständige Typen der Keramik deutlich trennen [21. 23, Abb. 6]. Die Glasproduktion (→ Glas) hatte sich im 5. Jh. v. Chr. noch auf kerngeformte Salb-G. u. a. Miniaturformen beschränkt; zum hell. Luxusglas gehörten flache, henkellose Schalen; erst mit der Erfindung der Glasbläserei im 1. Jh. v. Chr. kam es zur Massenproduktion von *ampullae*, Kännchen, Bechern und Flaschen. Steingefäße gab es auf den Kykladen schon im 3. Jt. v. Chr., auf Kreta waren solche von ägypt. Stein-G. angeregt [22]. In klass. Zeit entstanden Pyxiden aus feinstem Marmor, während G. aus Halbedelstein erst im Hell. zunahmen [24]. Monumentale Umsetzungen von Ton-G. in Stein wurden im 4. Jh. v. Chr. üblich, zunächst als Grabaufsätze (Lekythos, Lutrophoros), später als Prunkobjekte (Krater). In stärkerem Maß als erh. Denkmäler erkennen lassen, gab es Behälter aus Holz (Pyxis), Korbgeflecht [13. 264–275] oder Leder, die z. T. durch Nachahmungen in Ton noch zu fassen sind.

C. TYPOLOGIE

Die Klassifikation von G. trennt zunächst die zwei Hauptgruppen der »offenen«, in der prähist. Terminologie [25] auch als »Breitformen« bezeichneten G. mit weiter Mündung (Schüsseln, Kratere, Schalen) und der »geschlossenen« G., der »Hochformen« mit engerer Mündung (Amphoren, Kannen, Lekythen, Flaschen). Gefäßteile sind Fuß und Boden, Körper (mit Bauch und Schulter), Hals und Mündung (Lippe, Rand). Die Körperform wird oft mit Zylinder, Kugel oder Kegel verglichen, entspricht diesen jedoch selten exakt, vielmehr überwiegen Ei-, Birnen-, Sack-, und Kelchformen. Den Wandungsverlauf verdeutlicht man zusätzlich in Profilzeichnungen, die sich an der Achse der Rotationssymmetrie gedrehter G. orientieren [26]. Während die Zweckformen lediglich nach allg. funktionalen Merkmalen zu definieren sind, wendet die Typologie differenzierte Formkriterien an. Ein Gefäßtypus bestimmt sich zunächst nach Gesamtaufbau und Wandungsprofil (z. B. Eiform/Zylinder; abgesetzter Hals/fließende Kontur; flache/gewölbte Schulter). Typenbildend fungieren ferner Ansatz, Form und Anzahl der Henkel, die horizontal oder vertikal verlaufen und als Schlaufen-, Bügel-, Omega- oder Volutenhenkel gestaltet sein können. Untertypen und Varianten ergeben sich aus abweichenden Fußformen (z. B. Standring, Scheiben-, Echinus-, Glockenfuß) sowie dem Randprofil, das glatt, verdickt, abgekantet, abknickend u. ä. sein kann, schließlich aus dem Schnitt der Henkel (Stangen-, Band-, Dreifach-, Strickhenkel); z. B. gelten als Merkmal des att. Bauchamphoren-Typus A kantiger Rand, geflanschte Henkel, Profilfuß, von Typus B (Abb. A 7) kantiger Rand, Stangenhenkel, Echinusfuß, von Typus C höherer Hals mit Wulstrand, Stangenhenkel, Echinusfuß [27; 28; 29]. Gängige Typen, die über längere Zeit hinweg produziert wurden, durchliefen Früh-, Reife- und Spätstadien (vgl. Abb. A 9–10). Dieser morphologische Prozeß läßt sich oft chronologisch auswerten, auch verdeutlicht man ihn gern durch die Bildung von Untertypen, obwohl die Übergänge meist fließend sind [30]. In der griech. Feinkeramik versucht man darüber hinaus, durch sorgfältigen Vergleich von Rand- und Fußprofilen Töpferhände zu scheiden [31].

Um Typenordnungen bemüht sich jede Erschließung von Gefäßgattungen und umfangreicherem Fundmaterial. Gewöhnlich werden die Typen lediglich numeriert. Auffallend viele Varianten an offenen, kleinen G. hat die röm. → Terra Sigillata-Produktion hervorgebracht; ihre Typennummern gehen auf H. DRAGENDORFF zurück [32]. Gebräuchlich ist auch noch die von H. DRESSEL nach *tituli pinti* eingeführte Typologie der Transportamphoren [33], die sich allerdings nach Fund- und Herkunftsgebieten laufend erweitert [34]. Während der gesamten griech.-röm. Ant. waren kleinformatige Figuren-G. in Gebrauch, deren Klassifizierung nach plastischen Archetypen erfolgt.

→ Figurengefäße; Vasenmaler

1 A. W. JOHNSTON, R. E. JONES, The SOS-Amphorae, in: ABSA 73, 1978, 103–141 2 C. G. KOEHLER, The Handling of Greek Transport Amphorae, in: BCH Suppl. 13, 1986, 49–67 3 BEAZLEY, ARV² XLIX 4 G. M. A. RICHTER, M. MILNE, Shapes and Names of Athenian Vases, 1935, Abb. 118–134 5 W. GAUER, OlF 8, 1975, 83 6 I. SCHEIBLER, Kothon – Exaleiptron, in: AA, 1968, 389–397 7 A. LIOUTAS, Att. und sf. Lekanai und Lekanides, 1987 8 M. H. CALLENDER, Roman Amphorae, 1970, 37–41 9 S. I. ROTROFF, J.-H. OAKLEY, Debris from a Public Dining Place in the Athenian Agora, in: Hesperia Suppl. 25, 1992, 46–50 10 H. GERICKE, Gefäßdarstellungen auf griech. Vasen, 1970 11 W. OENBRINK, Ein »Bild im Bild«-Phänomen – Zur Darstellung figürlich dekorierter Vasen auf bemalten att. Tongefäßen, in: Hephaistos 14, 1996, 81–134 12 P. RADICI COLACE (Hrsg.), Lexikon Vasorum Graecorum I, 1992 13 B. AMYX, Attic Stelai III, in: Hesperia 27, 1958, 163–310 14 M. L. LAZZARINI, I nomi dei vasi greci nelle inscrizioni dei vasi stessi, in: ArchCl 1973–74, 341–375 15 A. MORPURGO, Mycenaeae Gracitatis Lexicon, 1963 16 W. HILGERS, Lat. Gefäßnamen, 1969 17 R. MARICHAL, Les graffites de La Graufesenque, 1988 18 V. R. ANDERSON-STOJANOVIC, The Chronology and Function of Ceramic Unguentaria, in: AJA 91, 1987, 105–122 19 J. R. JANNOT (ed.), Vaisselle métallique. Vaisselle céramique, in: REA 97, 1995 20 M. VICKERS, D. GILL, Artful Crafts, 1994 (Rez.: E. SIMON, in: JHS 116, 1996, 230–231) 21 R. PETROVSZKY, Studien zu röm. Bronzegefäßen mit Meisterstempeln, 1993 22 P. GETZ-GENTLE, Stone Vessels of the Cyclades, 1996 23 P. WARREN, Minoan Stone Vases, 1969 24 H. P. BÜHLER, Ant. Gefäße aus Edelstein, 1973 25 J. KUNOW u. a., Vorschläge zur systemat. Beschreibung von Keramik. Bonn, RL, Führer 124, 1986, 66 26 C. STECKNER, Samos: Dokumentation, Vermessung, Bestimmung und Rekonstruktion von Keramik, in: Akten d. 13. Internat. Kongr. für Klass. Arch. (Berlin 1988), 1990, 631–637 27 BEAZLEY, ABV XI 28 Ders., ARV² XLIX 29 G. M. A. RICHTER, M. MILNE, Shapes and Names of Athenian Vases, 1935, Abb. 1–11 30 K. GREENE, Roman Pottery, 1992, Abb. 12 31 H. J. BLOESCH, Formen att. Schalen, 1940 32 H. DRAGENDORFF, Terra sigillata, in: BJ 96, 1895, 18–155 33 CIL XV 2, 1 Taf. 2 34 D. P. S. PEACOCK, D. F. WILLIAMS, Amphorae and the Roman Economy, 1986, 4–9; 80–217.

G. M. A. Richter, M. Milne, Shapes and Names of Athenian Vases, 1935 · E. Gose, Gefäßtypen der röm. Keramik im Rheinland, 1950; Ndr. 1975 · W. Schiering, Die griech. Tongefäße, 1983 · G. Kanowski, Containers of Classical Greece, 1984 · J. C. Gardin, Code pour l'analyse des formes de poteries, 1976; Ndr. 1985 · G. P. Caratelli, Atlante delle forme ceramiche 1, 1981; 2, 1985 (EAA Suppl.) · Conspectus formarum terrae sigillatae italico modo confectae, 1990 · S. Tassinari, Il vasellame bronzeo di Pompei, 1993. I. S.

Geflügel s. Fleischspeisen

Geflügelzucht s. Kleintierzucht

Gefütterte Münzen s. Subaeratus

Gegania. Römerin, die (wohl in der 2. H. 1. Jh. v. Chr.) ein Verhältnis mit einem häßlichen Sklaven namens Clesippus einging und ihn schließlich als Erben einsetzte. Er nannte sich nach ihrem Tod Clesippus Geganius und ließ sich ein aufwendiges Grabmal errichten, dessen Inschrift noch erhalten ist (Plin. nat. 34,11 f.; ILLRP 696). Die weitverbreitete Geschichte liegt vielleicht der Figur des Trimalchio bei → Petronius zugrunde. K.-L. E.

Geganius Name einer röm. patrizischen Familie, die nach der Überlieferung im 5. Jh. v. Chr. in Rom polit. bedeutsam war, aber später völlig verschwand. Die Gens soll aus Alba Longa unter König Tullus Hostilius nach Rom gekommen sein (Liv. 1,30,2; Dion. Hal. ant. 3,29,7); spätere Konstruktion führte die Familie auf → Gyas, einen Gefährten des Aeneas, zurück (Serv. Aen. 5,117).
[1] **G. Macerinus, M.** Consul I 447 v. Chr., II 443 (Triumph über die Volsker, InscrIt 13,1,67; Liv. 4,9 f.), III 437, Censor 435 mit C. Furius [I 25] Pacilus; Legat 431.
[2] **G. Macerinus, Proculus.** Consul 440.
[3] **G. Macerinus, T.** Consul 492 v. Chr. mit P. Minucius Augurinus. K.-L. E.

Gegeneis (Γηγενεῖς, »Erdgeborene«).
[1] Beiname der Aloaden (schol. Apoll. Rhod. 1,482), des → Orion (Apollod. 1,25 Wagner), der Sparten (Eur. Bacch. 264), des Argos [I 5] (Aischyl. Prom. 567) und der → Giganten (Batr. 7; Soph. Trach. 1058 f.; Eur. Phoen. 1131). Als Substantiv = Giganten (Aristoph. Nub. 853; Lykophr. 1408; begründend Diod. 4,21,7).
[2] Fabelvolk, bei Kyzikos beheimatet, von Apoll. Rhod. (1,941–3; 989–91 mit schol.) erwähnt. Von Dei(l)ochos aus Prokonnesos als ἐγχειρογάστορες (*Encheirogástores*) bezeichnet (FGrH III B 471, 7b aus schol. Apoll. Rhod. 1,989).
[3] Bedeutungsgleich mit αὐτόχθονες (*autóchthones*, »autochthon«), belegt für den argivischen König Pelasgos (Aischyl. Suppl. 251) und für den attischen König Erechtheus (Lykophr. 111; Hdt. 8,55). Öfter auch ähnliche Bezeichnungen wie »Sohn der Erde« (so Antoninus Liberalis 6 für Kekrops). Bes. in Athen wurde das Autochthonentum zur polit. Propaganda benutzt (Thuk. 2,36,1; Isokr. or. 4,24–25; 12,124–125). JO. S.

Gegenstempel. Nachträglich auf eine Mz. aufgeprägter kleiner, in der Regel runder oder viereckiger Stempel mit Zahlzeichen, Buchstaben oder Bild. G. begegnen seit der Frühzeit der → Münzprägung auf griech., röm. und byz. Mz. bis hin zu neuzeitlichen Geprägen. Zweck der Gegenstempelung war, fremdes Geld im eigenen Währungsgebiet als gültiges Zahlungsmittel einzuführen, eigenes Geld entweder wieder kursfähig zu machen oder höher zu bewerten. Auch stark abgegriffene, lange umgelaufene Münzen wurden gegengestempelt.

Als erste Münzen wurden im 6./5. Jh. v. Chr. in Sardeis geprägte → Elektronmünzen lyd. und persischer Könige mit G. versehen [1]. Dies waren private und nicht offizielle G. [2. 27–37], die möglicherweise den Feingehalt garantieren sollten. Derartige G. finden sich auch auf Mz. aus Aigina (6./5. Jh.), Elis, Athen (5./4. Jh.), Pamphylien, Pisidien und Kilikien (4. Jh.) sowie auf nach persischem Gewichtsstandard geprägten Drachmen und Hemidrachmen aus Byzantion (ca. Mitte 4. Jh. v. Chr.). Auch Mz. des Ptolemaios I. und Ptolemaios II. zeigen häufig derartige G.

In hell. Zeit finden sich offizielle G. von Städten oder Herrschern auf Silber- und Bronzemünzen, während Goldmünzen die seltene Ausnahme sind [2. 37–45]. Die Gegenstempelung von fremden Silbermünzen diente dazu, diese in den heimischen Markt zu integrieren; der Grund war meist Mangel an Edelmetall.

Häufig sind G. auf röm. Reichsmünzen [3. 28–43] und städtischen Prägungen des röm. Ostens [4], wobei oft Zahlzeichen als G. der Mz. einen neuen Wert zuweisen. Zu den G. der röm. Legionen s. → Legionsmünzen.

1 C. M. Kraay, Archaic and Classical Greek Coins, 1976, 15–16 2 G. Le Rider, Contremarques et surfrappes dans l'Antiquité grecque, in: Numismatique antique: problèmes et méthodes, 1975, 27–56 3 BMCRE I 4 C. J. Howgego, Greek Imperial Countermarks, 1985.

Schrötter, s. v. Gegenstempel, 211 f. GE. S.

Geheimpolizei A. Alter Orient
B. Griechenland C. Rom

A. Alter Orient
Von verdeckten Informanten, den ›Augen und Ohren des Königs‹, die dem Perserkönig Nachrichten zutrugen, berichtet Xenophon (Kyr. 8,2,10 ff.). Vorläufer dieser achäm. »Institution« finden sich im mesopot. Bereich, wonach sich etwa Opferschauer (Mari 18. Jh. v. Chr.) oder Funktionsträger des Staates (Assyrien 8./7. Jh.) im Amtseid verpflichten, dem König gegen ihn gerichtete Bestrebungen und Handlungen zu melden.

Wie sehr die Furcht vor den ›Augen und Ohren des Königs‹ das Bewußtsein der Zeitgenossen belastet hat, zeigt sich in Mesopot. darin, daß der geheime Informant als personifizierte dämonische Gewalt begriffen wurde. Auf achäm. Einfluß geht die Ausbreitung der Institution nach Indien und China (2. bzw. 7. Jh. n. Chr.) zurück.

1 A. L. OPPENHEIM, The Eyes of the Lord, in: Journ. of the American Oriental Soc. 88, 1968, 173–180. J.RE.

B. GRIECHENLAND

Auf achäm. oder allg. »barbarischen« Brauch führt Aristoteles ein Wesensmerkmal der griech. Tyrannis zurück: die organisierte Überwachung der Bürger durch Spitzel (pol. 1313b 10–15). Als Beispiel nennt er für Syrakus die *potagōgídai* (weibl.(?) »Zuträger«; wohl unter Dionysios [1]: vgl. Polyain. 5,2,13; Plut. Dionysios 28,1) und *otakustaí* (»Lauscher«; bei Hieron), die durch ihre Tätigkeit den Tyrannen informieren (vgl. Isokr. or. 2,23; 9,42), freies Reden verhindern und v. a. Angst verbreiten sollen (Aristot. pol. 1308a 28). In den hell. Nachfolgestaaten des Achämenidenreiches ist ein ähnliches System nicht bekannt, doch bei den Seleukiden und v. a. den Ptolemaiern als Teil der feingliedrigen Verwaltung zu vermuten, zumal in Ägypten seit alters die Mitwirkung beim Aufspüren von Straftätern unter Strafandrohung verlangt wurde (Diod. 1,77,3). Die griech. Poleis, die weder polizeiliche Ordnungskräfte noch öffentliche Ankläger hatten, förderten zum Schutz staatlicher Interessen die gegenseitige Überwachung der Bürger durch Belohnungen für Ankläger (Bürger und Metöken), die bis zu drei Viertel der Strafsumme erhielten ([5. 61–66; 8]; → *sykophántai*), wobei (im demokratischen Athen) auch »Schnüffeln« erwartet wurde. Wieweit die spartan. → *krypteía* auch Teil eines Ermittlungsystems war, bleibt fraglich, doch setzt die gezielte Tötung bestimmter Heloten ein solches voraus.

C. ROM

Da auch in Rom polizeiliche Überwachungsorgane fehlten, schaffte der republikan. Staat ebenfalls Anreize zur informellen Mitarbeit der Bürger am Staatsschutz, indem er z. T. sehr hohe Belohnungen (→ *praemia*) für spezielle Anzeigen (→ *accusatio*; → *delator*) gesetzlich festlegte oder im Einzelfall (auch Sklaven) zusprach ([6. 31 f., 51 f.]; Sall. Catil. 36,5). In der Kaiserzeit entstanden mit den *cohortes urbanae* (→ *cohors*) und den → *vigiles* polizeiähnliche, mil. organisierte Organe, die neben dem Schutz der stadtröm. Bevölkerung auch ihrer Überwachung dienen konnten (vgl. [6. 161–169]). Den seit Traian bekannten → *frumentarii* oblagen neben der Heeresversorgung auch Spitzeldienste [2. 28]. Vielleicht schon seit Augustus (Suet. Aug. 27), sicher aber unter Hadrian, führten → *beneficiarii* und → *curiosi* Listen verdächtiger Bürger (auch von Christen [4. 583–586]). Seit der diocletianisch-constantinischen Verwaltungsreform erscheinen die → *agentes in rebus* und *curiosi* an der Spitze einer mil. organisierten, gut informierten (Cod. Theod. 6,29,4) und wegen ihrer auch erpresserischen Methoden gefürchteten polit. Geheimpolizei ([1; 2. 23–40, 72–75; 7], anders [4. 578–581]).

1 W. BLUM, Curiosi und Regendarii, 1969 2 CLAUSS 3 O. HIRSCHFELD, Die Sicherheitspolizei im röm. Kaiserreich, in: Ders., KS, 1913, 576–612 4 JONES LRE 5 MACDOWELL 6 W. NIPPEL, Aufruhr und »Polizei« in der röm. Republik, 1988 7 W. G. SINNIGEN, Chiefs of Staff and Secret Service, in: ByzZ 57, 1964, 78–105 8 W. ZIEBARTH, Popularklagen mit Delatorenpraemien nach griech. Recht, in: Hermes 32, 1897, 609–628. W.ED.

Geheimschrift s. Kryptographie

Geidumni. Nur bei Caes. Gall. 5,39,1 gen. Volk der Gallia Belgica, das zu den Nervii in einem Abhängigkeitsverhältnis stand; ihre Wohnsitze in Flandern sind nicht genauer lokalisierbar. F.SCH.

Geier (γύψ; *voltur* bzw. *vultur*, *voltur[i]us*, abgeleitet von *vellere*, rupfen, bzw. etr. Ursprungs). Aristoteles kennt nur den kleinen, hellen Schmutz-G. (Neophron percnopterus) und den bedeutend größeren, eher aschgrauen Mönchs-G. (Aegypius monachus) (hist. an. 7(8),3,592b 6–8). Αἰγυπιός (*aigypiós*) bezeichnet bei ihm jedoch den in der Verwandtschaft zw. Adler und G. stehenden (Ail. nat. 2,46) Lämmer-G. (Aristot. hist. an. 8(9),1,610a 1). Der *perknópteros* (hist. an. 8(9),32,618b 31–619a 3) könnte mit seinem Spitznamen *oreipélargos* (schwarz-weißes Gefieder wie der Storch!) durchaus auch der schwächliche Schmutz-G. mit seinem weißen Kopf sein. Der G. legt auf unzugänglichen Felsen ein (in der Ant. selten beobachtetes) Nest mit zwei (Aristot. hist. an. 6,5,563 a 5–12) oder ein bis zwei Eiern (ebd. 8(9),11,615 a 8–14) an. Die an beiden Stellen wiedergegebene Behauptung des Herodoros, des Vaters des Sophisten Bryson, er käme als hier nicht brütender Gast aus fremden Ländern (vgl. Plin. nat. 10,19), trifft durchaus zu. Plut. mor. 286c und Ail. nat. 2,46 referieren die ägypt. Ansicht, es gäbe keine Männchen, weshalb sich die G. von den Winden Notos oder Euros befruchten ließen (vgl. Dionysii Ixeuticon 1,5 [1. 5]). Die Ernährung von Aas erzeugte Gestank (u. a. Gorg. 82 B 5a DK; Ail. nat. 2,46 u.a.), ließ den G. aber als ungefährlich erscheinen (Plut. mor. 286b). Aus den Beobachtungen von marschierenden Heeren (die der G. nach Plin. nat. 10,191 roch) schlössen sie auf kommende Beute (Aristot. hist. an. 6,5,563a 10; Ail. nat.2,46; Plin. nat. 10,19: drei Tage im voraus!). Vielfach wurden Leichen den Hunden und G. vorgeworfen: dies ist in den homer. Epen geschildert (Il. 4,237 u.ö.; Od. 11,578 u.ö.) und wird für die Toten der Perser (Hdt. 1,140) und der span. Vaccaei ebenfalls bezeugt (Ail. nat. 10,22). Volksmedizinisch sollten ihre Federn geburtsfördernd sein (Plin. nat. 30,130), das Herz (Plin. nat. 29,77) als Amulett gegen wilde Tiere und Schlangen und die Leber (Plin. nat. 30,92) gegen Epilepsie helfen. Nach Dioskurides (2,80,4 p. 1,163 WELLMANN = 2,98 p. 192 BERENDES) tötete der Rauch aus ihrem verbrannten Kot Embryonen. Die organotherapeutische Bed. betont Hier. adversus Iovinianum 2,6 (PL 23,292).

Die rel. Bed. des G. in Ägypten wird durch die Hieroglyphen (G.-Zeichen) und Darstellungen auf Bildern ([2. s. Index] und [3]) deutlich. Im griech. Mythos tritt Zeus in Gestalt eines G. als Vater der → Palikoi auf (Ps.-Clementina recognitiones 10,22). In Hom. Il. 7,59f. beobachten Apollon und Athene, beide in G.-Gestalt, von einer Buche aus den Zweikampf von Hektor und Aias. Der Bildhauer → Polygnotos (Nekyia, s. Paus. 10,28,6) stellte den Unterweltsdämon Eurynomos auf dem Balg eines G. sitzend dar. Von einem G. erfährt der Seher → Melampus, wie Iphiklos gesunden kann (Apollod. 1,9,12). G. fressen die Leber des → Prometheus und des → Tityos. In Rom galt die Tötung eines G. nach altem Brauch als frevelhaft; der G. scheint dem Kriegsgott → Mars heilig gewesen zu sein (Cornut. 21). Den Etruskern diente der G. als Auguralvogel (Plin. nat. 29, 112 und 30,130). Für Octavian erfand man im Rahmen der Gründungsgesch. Roms die positiv gedeutete Erscheinung von 12 G. (Liv. 1,7,1, vgl. OGILVIE 54f., Komm. z. St.).

1 Dionysii Ixeuticon libri ed. A. GARZYA, 1963 2 H. KEES, Hb. der Orientalistik, 1. Abt., 1. Bd. 3 O. KELLER, s.v. G., RE 7, 931 ff.   C. HÜ.

Geisericus (Geiserich).

Zum Namen [5. 394]. König der Vandalen und Alanen 428–477 n.Chr., Nachfolger seines Halbbruders → Gundericus. G. setzte 429 mit 80000 Menschen von Südspanien nach Nordafrika über (Victor Vitensis 1,2), möglicherweise vom 427 in Ungnade gefallenen *comes Africae* → Bonifatius [1] gerufen, letztlich aber wegen des Reichtums des Landes. Weder Bonifatius noch ein oström. Hilfscorps unter Aspar (→ Ardabur [2]) konnten den Vormarsch der Vandalen stoppen; 431 eroberte G. Hippo (bei der Belagerung starb 430 → Augustinus; Prok. BV 3,3,30ff.; Possidius vita Aug. 28). 435 erhielten die Vandalen als → *foederati* Numidien und Teile Mauretaniens und der Provinz Africa Proconsularis *ad habitandum* (Chron. min. 1,474; 3,458 MOMMSEN). Dennoch eroberte G. 439 Karthago und plünderte 440 Sizilien. Als eine gegen ihn gesandte oström. Flotte 441 wegen der im O. drohenden Hunnen- und Persergefahr umkehren mußte, erhielt G. in einem Vertrag mit Valentinian III. 442 die Proconsularis, Byzacena, Ostnumidien und einen Teil Tripolitaniens [5. 171 ff.]. Erstmals werden hier röm. Gebiete nicht mehr nur zur Ansiedlung überlassen, sondern abgetreten, womit faktisch die volle Souveränität G.' anerkannt wurde (vgl. [5. 173]; anders [2. 53]). Zwar verpflichtete er sich zu jährlichen Tributen und sandte seinen Sohn → Hunericus als Geisel nach Rom, doch prägte er eigene Münzen und zählte nach Königsjahren (seit 439).

Als nach dem Tod Valentinians die Verlobung von dessen älterer Tochter → Eudokia mit Hunericus durch die neue Regierung gelöst wurde, eroberte G. 455 Rom. Nach 14tägiger Plünderung, bei der Papst Leo nur die schlimmsten Exzesse verhindern konnte, zogen die Vandalen mit reicher Beute sowie der Witwe Valentinians und ihren zwei Töchtern ab (Prok. BV 3,5,1 ff.);

456 heiratete Hunericus Eudokia. Trotz röm. Handlungsunfähigkeit in Afrika dehnte G. sein Herrschaftsgebiet nach 442 dort nicht mehr wesentlich aus, plünderte aber mehrfach die ital. Küsten und eroberte die Balearen, Sardinien, Korsika und Sizilien (Victor Vitensis 1,13). Ein von Maiorian geplantes Unternehmen gegen das Vandalenreich (460) scheiterte ebenso wie eine von beiden Reichsteilen groß angelegte Flottenexpedition unter → Basiliskos (468) (Priskos FHG 4, fr. 27; Prok. BV 3,6,10ff.). Da die Vandalen sogar die Küsten Illyriens und Griechenlands verheerten, wurden ihre Eroberungen schließlich von Ostrom anerkannt (474), wofür G. die Plünderungen einstellte [6. 175].

G.' Ziel war die Errichtung eines souveränen Vandalenreiches in Afrika. Dabei beschränkte sich seine Außenpolitik nicht nur auf Plünderungszüge seiner schlagkräftigen Flotte (»Vandalismus«); 472 bestieg mit Olybrius kurzfristig ein von G. gestützter Kandidat den weström. Kaiserthron. Noch 476/7 versuchte G., → Odoacer durch die tributpflichtige Abtretung des für die Getreideversorgung Italiens wichtigen Sizilien an sich zu binden (Victor Vitensis 1,14). Nach G.' Tod nahm die außenpolit. Aktivität der Vandalen ab.

Seit 435 sah G. sich wohl als König der Vandalen und der ehemals röm. Bevölkerung in seinem Gebiet, verstand seine Herrschaft also offensichtlich territorial, doch bestanden zwischen beiden Gruppen erhebliche Gegensätze, die G. und seine Nachfolger nie auszuräumen vermochten, was eine stete Strukturschwäche des Vandalenreichs bedeutete [3]; so erhielten z.B. Vandalen die besten Ländereien der Proconsularis, die Besitzer wurden vertrieben oder mußten ihr Land als Kolonen bearbeiten (Prok. BV 1,5,11 ff.). Mit G. begann die katholikenfeindliche Politik der arianischen Vandalenkönige, die sich unter seinen Nachfolgern noch verschärfte. Da Italien auch weiterhin von afrikanischem Getreide abhängig war, ruhte G.' Herrschaft auf einer soliden ökonomischen Basis. Seine mil. Erfolge nutzte er wohl auch zur Stärkung seiner eigenen Position gegenüber dem vandalischen Adel, was 442 (?) zu einer Revolte führte, die er blutig niederschlug (Chron. min. 1,479 MOMMSEN; vgl. [7. 59ff.]).

Unter den spätantiken Germanenherrschern nimmt G. nicht zuletzt wegen seiner mil. und organisatorischen Fähigkeiten sowie aufgrund seines taktischen Geschicks eine herausragende Stellung ein.

1 PLRE 2, 496ff. 2 F. CLOVER, Flavius Merobaudes, 1971 3 Ders., The Symbiosis of Romans and Vandals in Africa, in: E.K. CHRYSOS, A. SCHWARCZ (Hrsg.), Das Reich und die Barbaren, 1989, 57–73 4 Ders., The Late Roman West and the Vandals, 1993 5 CHR. COURTOIS, Les vandales et l'afrique, 1955 6 A. DEMANDT, Die Spätantike, 1989 7 H.-J. DIESNER, Das Vandalenreich, 1966, 44ff.   M. MEI.

Geison

(γεῖσον). Antiker architektonischer t.t. (Belegstellen aus der griech. Ant. bei [1. 32f.]), der den oberen Abschluß des Gebälks zunächst im walm- oder satteldeckten griech. Säulenbau, später auch im Kontext des

Geschoß- und Wandaufbaus bezeichnet. Das die gesamte Tempelringhalle umlaufende, kompakte, entweder monolithe oder mehrteilige, steinerne Horizontal-G., seit den ersten monumentalen dor. Peripteraltempeln geläufig, imitiert den aus dem Holzbau stammenden, vor Regenwasser schützenden Überstand der Dachbalken über den Baukern und bildet zugleich das Widerlager des Dachstuhls; die G.-Blöcke sind fest mit → Fries und → Epistylion darunter verklammert und hinterfangen den Seitenschub der hölzernen Sparren. Als »Schräg-G.« wird im Gegensatz dazu die Rahmung der Giebelschräge am kanonischen → Tempel bezeichnet. In der »versteinerten« dor. Bauordnung wird der vorkragende Überstand des Horizontal-G. durch eine regelmäßige Abfolge von → Mutulus und → Via dekorativ betont; zahlreiche tektonisch nicht belastete Terrakotta-Verkleidungen von Gebälken des 7. und 6. Jh. v. Chr. (Thermos, Korfu, Metapont u.a.m.) folgen entweder diesem Schema oder sind, als Träger und Basis der → Sima, in Form eines kompakten Kasten-Geisons gehalten.

Das G. der ion. oder korinth. Ordnung lagert, meist abgesetzt durch ein Ornamentband, oberhalb des Zahnschnitts und ist zugleich die Basis der Sima-Blöcke; es endet meist in einer nach unten profilierten »Hängeplatte«. Im 2. Jh. v. Chr. entsteht im östl. Mittelmeerraum als eigenständige Variante das Konsolen-G., das sich dann in der röm. Kaiserzeit zur Standardform ausprägt, seine urspr. tektonische Bed. dabei weitgehend verliert und sich zunehmend zu einem dekorativ-ornamental verstandenen Bauglied wandelt.

1 EBERT.

O. BINGÖL, Überlegungen zum ion. Gebälk, in: MDAI(Ist) 40, 1990, 101–108 · H. v. HESBERG, Konsolengeisa des Hell. und der frühen Kaiserzeit, 24. Ergh. MDAI(R), 1980 · W. MÜLLER-WIENER, Griech. Bauwesen in der Ant., 1988, 113, 119f., 129f. · W. v. SYDOW, Die hell. Gebälke in Sizilien, in: MDAI(R) 91, 1984, 239–358 · B. WESENBERG, Griech. Säulen- und Gebälkformen in der lit. Überlieferung, in: DiskAB 6, 1997, 1–15.   C. HÖ.

Geisteskrankheiten A. NAHER OSTEN

B. FRÜHES GRIECHENLAND
C. GEISTESKRANKHEITEN BEI DEN HIPPOKRATIKERN
D. PLATON UND ARISTOTELES E. METHODIKER
F. RUFUS UND GALEN G. SPÄTANTIKE

A. NAHER OSTEN

G. werden sowohl in jüd. wie auch in babylon. Texten beschrieben. Teils werden körperliche Symptome genannt wie bei der Epilepsie, teils Verhaltensweisen beschrieben wie in 1 Sam 16,14–16; 21,13–15, doch werden alle G. dem Eingreifen Gottes oder seit 500 v. Chr. einer Vielzahl von Dämonen zugeschrieben [1]. Die Behandlung beschränkt sich dabei auf Arrest (Jer 29,26–8) oder exorzistische Praktiken einschließlich Musik, doch faßten die jüd. »Therapeuten« auch die ge-

samte Lebensführung ins Auge (Phil. De vita contemplativa 2). Die fließenden Übergänge zwischen Wahnsinn und göttlicher Inspiration lassen sich an der Haltung gegenüber dem Prophetentum erkennen.

B. FRÜHES GRIECHENLAND

Im frühen Griechentum werden G. ähnlich wahrgenommen: Abnormes Verhalten wird als Bestrafung seitens einer beleidigten Gottheit verstanden. Solche Erklärungen finden sich in der griech. Trag. (z. B. Eur. Bacch.; Soph. Ai.) und anderen Lit.-Gattungen. Obwohl Homer verschiedene Seelen bzw. Seelenteile unterscheidet, führt in seinen Epen Wahnsinn niemals zum Zerfall der Seelenstruktur oder der Beziehung zwischen den Seelenteilen. Linderung wird in der Besänftigung der Gottheit gesucht sowie in verschiedenen Aktivitäten wie Beten, exorzistischen Praktiken und der Behandlung durch das Wort [2].

C. GEISTESKRANKHEITEN BEI DEN HIPPOKRATIKERN

Der hippokratische Verf. von *De morbo sacro* schlägt um 420 v. Chr. eine rein natürliche, nicht-theologische Deutung der → Epilepsie und des Wahnsinns vor; beide würden durch körperliche Ungleichgewichte verursacht, die Epilepsie durch einen Überschuß an Schleim, der die Kanäle im Gehirn verstopfe, Wahnsinn durch die Galle, die das Gehirn verbrenne. Die Behandlung ist folglich auch körperlich, d.h. diätetisch und medikamentös, z.B. mittels Nieswurz. Andere medizinische Autoren lassen einen ähnlichen Somatizismus vermuten, wenn sie Störungen im Bereich des Kopfes für körperliche und geistige Veränderungen verantwortlich machen. G. wie → Hysterie oder Hypochondrie wurden körperlichen Störungen in tieferen Körperregionen zugeschrieben und als körperliche und geistige Leiden beschrieben. Nach Meinung des Verfassers von *De aere, aquis, locis* kann der Charakter als solcher auch durch die natürlichen Lebensumstände beeinflußt werden.

D. PLATON UND ARISTOTELES

Platon entwickelte die Vorstellung, G. stellten das Ergebnis eines Konfliktes zwischen verschiedenen Körperorganen dar; das Gehirn und seine Tätigkeit werde durch sonstige körperliche Veränderungen, z.B. Trunkenheit, beeinträchtigt. Platons überzeugende Mischung medizinischer, moralischer und polit. Analogien und Erklärungen in *De re publica* und *Timaios* beruht auf einem ganzheitlichen Somatizismus, demzufolge sich moralische Verfehlungen wie übermäßige Lust und übermäßiger Schmerz auf körperliche Ursachen zurückführen lassen. Auf der anderen Seite können sich solche Zustände durch moralische Erziehung und gelegentlich auch durch Diät bessern.

Auch Aristoteles akzeptiert eine körperliche Erklärung bestimmter geistiger Zustände; in den späteren ps.-aristotelischen *Problemata* (30,1) bringt eine körperliche Ursache, die Schwarzgalligkeit (→ Melancholie), sowohl das Genie wie auch den Geisteskranken hervor [3]. In der aufkommenden → Physiognomik werden ebenfalls bestimmte Formen abnormen Verhaltens mit körperlichen Gegebenheiten in Verbindung gebracht.

E. Methodiker

Von hell. Ärzten wurden G. verstärkt medizinisch, d. h. als scharf umgrenzte Syndrome mit körperlichen Ursachen interpretiert, die volkstümlich und rechtlich als abnormes Verhalten gesehen wurden. Asklepiades von Bithynien und spätere Methodiker entwickelten differenzierte diagnostische und therapeutische Konzepte, die medikamentöses, diätetisches und psychotherapeutisches Vorgehen kombinierten und das, was Außenstehende als Halluzination ansahen, als Patientenwirklichkeit anerkannten [4].

F. Rufus und Galen

Der Hippokratiker Rufus von Ephesos setzte die Tradition körperlicher Interpretationsmodelle für G. fort, v. a. in seinen Schriften über die Melancholie, die im Arab. erhalten sind [5]. Darin folgte ihm Galen, der die platonische Seelentheorie durch seine anatomischen und klinischen Beobachtungen bestätigt fand. Besondere Aufmerksamkeit schenkte er streßbedingten Erkrankungen und erläuterte deren Auswirkungen auf seelischer und körperlicher Ebene [6]. Während er akzeptierte, daß einige G. wie die Phrenitis durch körperliche Maßnahmen zu behandeln seien, therapierte er andere wie Wahnsinn nur auf psychologischem Wege. Seine Lehren bildeten allmählich die Grundlage der verbreiteten medizinischen Ansicht, G. seien im Ursprung weitgehend körperlicher Natur, das Krankheitsbild werde aber in einem fortgeschrittenen Stadium als Charakterzug weitgehend vom Temperament bestimmt.

G. Spätantike

Die Evangelien sprechen in Verbindung mit G. von dämonischer Besessenheit und exorzistischen Behandlungspraktiken. Auch wenn dies ärztliche Intervention nicht ausschloß, so unterstrich doch diese Überzeugung den Gedanken, daß G. sich in Ursache und Behandlungsmöglichkeit von anderen Krankheiten unterscheiden. Obwohl Ärzte dies bisweilen leugneten (Philostorgios VIII,10) und Juristen sich weigerten, medizinischen Exorzisten dieselben Privilegien zuzugestehen wie Ärzten (Dig. 50,13,1), tendierte man in der Spätant. immer mehr dazu, eine Reihe von Krankheiten wie Alpdruck und Lykanthropie, aber eben auch G. (Paulos von Aigina III 13–17) mit Formen der Besessenheit in Verbindung zu bringen. Die Behandlung erfolgte in solchen Fällen durch rel. Maßnahmen, Gebet oder Exorzismus, und in der Regel wurde der Geisteskranke im familiären Umfeld eingesperrt. Parallel zu dieser Entwicklung wurden die Grenzen zwischen Wahnsinn und göttlicher Inspiration immer durchlässiger. Diese Entwicklung gipfelte in der Geschichte von St. Maro, einem heiligen Narren, der sich verrückt stellte, um seine Anhänger abzuschrecken, die sein Verhalten aber nur um so mehr von seiner Heiligkeit überzeugte (Iohannes Ephes. 68; [7]).

1 M. Stol, Epilepsy in Babylonia, 1993 2 P. Lain Entralgo, The therapy of the word in Classical Antiquity, 1970 3 P. J. van der Eijk, Aristoteles über die Melancholie, in: Mnemosyne 43, 1990, 33–72 4 J. Pigeaud, Folie et cures de la folie, 1987 5 M. Ullmann, Islamic medicine, 1978 6 M. Dols, Majnun: the madman in medieval Islamic society 7 L. Ryden, The holy fool, in: S. Hackel, The Byzantine Saint, 1981.

J. L. Heiberg, G. im klass. Altertum, in: Allg. Zeitschr. f. Psychiatrie 86, 1927, 1–44 · W. Leibbrand, Der Wahnsinn, 1961 · H. Flashar, Melancholie und Melancholiker in den Theorien der Griechen, 1966 · O. Temkin, The falling sickness, ²1971 · B. Simon, Mind and Madness in Classical Greece, 1978 · J. Pigeaud, La maladie de l'âme, 1981 · S. W. Jackson, Melancholia and Depression, 1987.

V.N./Ü: L.v.R.-B.

Gela A. Geschichte B. Archäologie

A. Geschichte

Stadt an der sizil. SW-Küste, benannt nach dem Fluß Gelas, an dessen Mündung G. liegt. Gegr. wurde G. als dor. Kolonie Lindioi von dem Rhodier Antiphemos und dem Kreter Entimos 45 Jahre nach der Gründung von → Syrakusai (Thuk. 6,4,3), also 690 v. Chr. Herodot nennt außerdem als Gründer Gelon von Telos (Hdt. 7,153), einen Vorfahren des gleichnamigen Tyrannen (zum Gründungsorakel aus Delphoi vgl. Diod. 8,23). Von Kämpfen mit den einheimischen Siculi berichten schol. Pind. O. 2,16 und Paus. 8,46,2. Im J. 582 v. Chr. gründeten Einwohner aus G. unter Aristonus und Pystilos die Stadt Akragas (Thuk. 6,4,4). 505 warf sich Kleandros, der Sohn des Olympioniken Pantares, mit Hilfe sikulischer Söldner zum Tyrannen von G. auf. 498 folgte ihm sein Bruder Hippokrates in der Tyrannis und eroberte einen großen Teil von Ost-Sicilia; er besiegte am Heloros ein syrakusanisches Heer und gewann so Kamarina. Nach dem Tode des Hippokrates gewann dessen Reiterführer → Gelon, Sohn des Deinomenes, die Herrschaft über G., jetzt die mächtigste Stadt der Insel. Es gelang Gelon, Syrakus zu gewinnen, wohin er seine Residenz verlegte; G. unterstellte er seinem Bruder → Hieron (Hdt. 7,154–156). 466 waren Einwohner von G. beteiligt am Sturz der Deinomeniden (Thuk. 6,5,3; Diod. 11,68,1; 76,5). In G. verbrachte Aischylos seine letzten Lebensjahre; hier wurde er auch 456/5 begraben (vgl. vita Aeschyli 11). 422 widersetzte sich G. dem Ansinnen des Phaiax aus Athen, einen Bund gegen Syrakus zustandezubringen (Thuk. 5,4,6). G. unterstützte Syrakus im Kampf gegen Athen mit wenigen Truppen (Thuk. 7,1,5; 33,1; 58,1; Diod. 13,4,2). Bald darauf wurde G. ein Opfer der 409 einsetzenden karthagischen Offensive unter Himilkon: 405 wurde die Stadt trotz der Unterstützung durch Dionysios von Syrakus erobert und zerstört (Diod. 13,108–111). Längere Zeit unbewohnt, wurde G. nach 338 v. Chr. unter dem Korinther Timoleon neu besiedelt (Plut. Timoleon 35,2). 311/0 benutzte → Agathokles [2] G. als Operationsbasis im Kampf gegen Karthago (Diod. 19,107; 110). Zw. 285 und 282 wurde G. von Phintias, dem Tyrannen von Akragas, mit Hilfe mamertinischer Söldner zerstört, die Bevölkerung von G. in die neu gegr. Stadt Phintias (h. Licata) umgesiedelt (Diod. 22,4); die Einwohner nannten sich dort aber weiterhin Γελῷοι (vgl. IG XIV 256).

Erst Friedrich II. ließ den Hügel von G. 1233 wieder besiedeln (Terranova); seit 1927 führt der Ort wieder den Namen G.

B. ARCHÄOLOGIE

Die ant. Stadt G. erstreckt sich parallel zum Meeresufer auf einem niedrigen, schmalen Hügel, dessen Hauptteil von der ma. Siedlung Terranova und der modernen Stadt eingenommen wird, unter deren Gebäuden die ant. Nekropolen liegen; die ältesten befinden sich unter dem Borgo und der Villa Garibaldi, wo man die Gräber der ersten Kolonisten aus Rhodos und Kreta entdeckt hat; bes. erwähnenswert sind die Grabstätten aus dem 6. und 5. Jh. v. Chr., als sich der Friedhofs-Bereich bis zum westl. Ende des Hügels von G. und bis zum Kap von Soprano ausdehnte.

Im östl. Bereich des Hügels (Mulino a Vento) oberhalb G. lag die Akropolis der ant. Stadt. Dort sind Reste von Wohnstätten und sakralen Bezirken aus den Anf. der Stadt erh.; in archa. und klass. Zeit entwickelte sich die Stadt auf einem regelmäßigen Grundriß, konzentriert um einen großen Platz, auf den verschiedene Straßen rechtwinklig zulaufen. Auf der Akropolis befinden sich zahlreiche sakrale Bezirke, darunter die der Athene, in denen zw. dem 7. und 6. Jh. nacheinander zwei mit Ton umkleidete Tempel erbaut wurden. Ein ebenfalls der Athene geweihter dor. Tempel (Tempel C) wurde um 480 v. Chr. gemeinsam mit anderen kleineren sakralen Bauwerken errichtet; aus einem davon stammt der Kopf eines tönernen Pferdes; eine Reihe prachtvoller silenischer Stirnziegel stammt aus einem nahegelegenen Heiligtum bei der Molino Di Pietro.

Für die Zeit nach der Zerstörung durch Karthago 405 v. Chr. und während der Ära des Dionysios von Syrakus weist die Akropolis eine direkte Wiederaufnahme und Fortführung der Kulte in sakralen Bezirken auf, in denen man Athena-Darstellungen im von Lindos entlehnten Stil fand. Die Stadt scheint dagegen im Zeitalter des Timoleon und des Agathokles v. a. an künstlerischer Bed. gewonnen zu haben, als sich der Stadtkern auf den Westteil des Hügels verlagerte, der mit einem weiten Mauerring aus pseudoisodom vermauerten Rohziegeln umgeben wurde, errichtet im Jh. nach Timoleon. Die Mauern sind noch ausgezeichnet erh., da sie der endgültigen Zerstörung von 280 v. Chr. entgangen sind und in den folgenden Jh. allmählich versandeten.

Nachdem Jahrhunderte während Raubgrabungen in den Nekropolen schon seit dem 18. Jh. Museen und private Sammlungen in ganz Europa mit kostbaren griech. Vasen ausgestattet haben, wurden von P. ORSI 1900 in G. Grabungsarbeiten unter bes. Beachtung der Grabstätten und sakralen Bezirke begonnen; wiederaufgenommen in der Nachkriegszeit mit den wichtigen Forschungen von P. GRIFFO, P. ORLANDINI und D. ADAMESTEANU, wurden sie bis h. in erster Linie von

E. DE MIRO und G. FIORENTINI sowie von R. PANVINI fortgeführt. G. ist h. eine der am besten erforschten griech. Städte von Sicilia, was ihre städtebaulichen Aspekte, ihre große Zahl an Monumenten und ihre reichhaltige kunsthandwerkliche Produktion betrifft, die in der aus Ton gefertigten architektonischen Ornamentik und der Töpferkunst ebenso zum Ausdruck kommt wie in den zahlreichen Münzserien. Das Meer vor Gela bewahrte viele gut erh. Überreste, darunter ein sehr seltenes Exemplar eines Schiffes aus dem 5. Jh. v. Chr.

P. ORSI, G., in: Monumenti Antichi 17, 1906 · P. GRIFFO, L. VON MATT, G., 1964 · H. BERVE, Die Tyrannis bei den Griechen 1, 1967, 137ff. · E. DE MIRO, G. FIORENTINI, in: Cronache di archeologia 17, 1978 · G. FIORENTINI, G., 1985 · R. PANVINI, Γέλα, 1996 · Omaggio a G., 1997.

DA.P.u.E.O./Ü: H.D.

Gelanor (Γελάνωρ). Mythischer Urkönig von Argos, Sohn des Sthenelos (Paus. 2,16,1), dessen einzige Bed. darin besteht, daß er die Herrschaft an → Danaos abtritt (Apollod. 2,13); bei Aischyl. Suppl. 266 heißt er → Pelasgos. Der Dynastiewechsel geschieht entweder nach einem Kampf (Plut. Pyrrhos 32,9 f., 404e-f) oder durch Volksentscheid (Paus. 2,19,3 f.). Ausschlaggebend ist beide Male ein als Omen verstandener Kampf zwischen einem Stier und einem Wolf, den der Wolf gewinnt. Danaos wird dadurch mit Argos' Hauptgott, Apollon → Lykeios, verbunden; ein Relief vor dem Tempel des Gottes stellt die Auseinandersetzung dar (Paus. 2,19,3).

F.G.

Gelasios

[1] Bischof von → Caesarea [2] Maritima/Palaestina (gest. vor 400 n. Chr.). Der um 365/367 zum Bischof erhobene Neffe des → Kyrillos von Jerusalem nahm am Konzil von Konstantinopel im J. 381 und an der dortigen Synode 394 teil. Auf Wunsch seines Onkels verfaßte G. eine bis 395 reichende Fortsetzung der Kirchengesch. des → Eusebios [7] von Kaisareia, welche lange nachwirkte (Gelasios von Kyzikos, hagiographische Viten u. ä.). Teile der verlorenen Schrift lassen sich rekonstruieren ([3. 18–69], Synopse [3. 117–123]). Evtl. dürfen die B. 10 und 11 der Kirchengesch. des → Rufinus von Aquileia als Übernahmen dieses dem Constantinus [1] d. Gr. wohlgesonnenen Werkes gelten ([3. 104]; dagegen [2]). Von den dogmatischen Schriften des G. sind 17 Fr. [1. 44–49] erhalten.

1 F. DIEKAMP, Analecta Patristica, 1938, 32–49 2 J. SCHAMP, Gélase ou Rufin: un fait nouveau, in: Byzantion 57, 1987, 360–381 3 F. WINKELMANN, Unt. zur Kirchengesch. des G. von Kaisareia, 1966.

J.RI.

[2] G. von Kyzikos. Ein in den Hss. anonym und meist unter dem Titel σύνταγμα τῶν κατὰ τὴν ἐν Νικαίᾳ ἁγίαν σύνοδον πραχθέντων (›Zusammenstellung der Ereignisse auf der hl. Synode von Nikaia‹) überliefertes Werk über die Kirchengesch. des Ostens unter Constantinus

[1] d. Gr. wird aufgrund des gleichen *initium* traditionell mit Angaben des → Photios über eine dreibändige Darstellung des Konzils von Nikaia (325 n. Chr.) verbunden, die dieser einem G. (bibl. cod. 15 [4 b 23 f.]) zuschreibt; einzelne Hss. liefen aber offenbar auch damals schon anonym (bibl. cod. 88 [66 b 30 f.]) bzw. unter dem Namen des G. [1] von Caesarea [2]/Palaestina als ἱστορίας ἐκκλησιαστικῆς λόγοι γ᾽ (›3 B. Kirchengesch.‹) um (ebd. [66 b 32 f./67 a 3 f.]). Da der Autor sich selbst als Bithynier und Sohn eines Priesters aus Kyzikos vorstellt (prooemium 2), hat man einen sonst unbekannten »Gelasios von Kyzikos« als Verf. postuliert (erstmals Fr. Pithou, 1599, und dann A. Ceriani, 1861; dagegen jetzt G. Chr. Hansen). Neben → Eusebios [7] von Kaisareia, → Sokrates, → Theodoretos und → Rufinus sind h. verlorene Quellen für die Darstellung verwendet.

CPG 3, 6034 · G. Loeschcke, M. Heinemann, Gelasius. Kirchengesch. (GCS 18), 1918 (Neue Ed. von G. Chr. Hansen im Erscheinen) · G. Loeschcke, Das Syntagma des Gelasius Cyzicenus, 1906 · P. Nautin, La continuation de l'»histoire ecclésiastique« d'Eusèbe par Gélase de Césarée, in: REByz 50, 1992, 164–183 · F. Winkelmann, Die Quellen der Historia Ecclesiastica des Gelasius von Cyzicus, in: Byzantinoslavica 27, 1966, 104–130.   C. M.

Geld, Geldwirtschaft   I. Alter Orient und Ägypten   II. Griechenland   III. Rom   IV. Byzanz   V. Frühes Mittelalter

I. Alter Orient und Ägypten

Bereits zu Beginn des 3. Jt. v. Chr. haben Metalle (Kupfer und Silber, später auch Zinn und Gold) die G.-Funktionen als Tauschmittel oder Tauschvermittler, Zahlungsmittel für rel., rechtliche oder sonstige Verpflichtungen, Wertmesser und Schatzmittel erfüllt. Daneben haben bis ins 1. Jt. vertretbare Güter, v. a. Getreide, als Tauschmittel und Wertmesser gedient. Wirtschaft im vorderen Orient und Ägypten war durch Subsistenzproduktion, autarke Palast- und Oikoswirtschaft geprägt. Bedarf an Gütern oder Leistungen, die nicht im Haushalt bzw. *oíkos* produziert oder erbracht werden konnten, wurde weitgehend durch Tausch oder Dienstverpflichtung befriedigt. Für die Entwicklung einer Geldwirtschaft war insofern kaum Raum. Münzgeld ist im vorderen Orient erst spät und dann zunächst nur in bestimmten ökonomischen Sphären, d. h. den hellenisierten Sektoren von Wirtschaft und Gesellschaft, verwendet worden.

→ Banken; Dareikos; Handel; Münzwesen; Wirtschaft

J. Renger, Subsistenzproduktion und redistributive Palastwirtschaft, in: W. Schelkle, M. Nitsch (Hrsg.), Rätsel Geld, 1995, 271–324 (mit Lit.).   J. RE.

II. Griechenland

Die Gesch. des G. ist von der Entstehung des Münzgeldes zu trennen, da G. theoretisch und histor. über die → Münzprägung hinausweist. G. histor. sinnvoll zu definieren, ist bisher nicht gelungen, es hat sich aber als hilfreich erwiesen, verschiedene Geldfunktionen zu unterscheiden und dadurch verschiedene Geldformen erkennbar werden zu lassen. Diese Funktionen sind 1. Wertmesser, 2. Wertaufbewahrungsmittel, 3. Zahlungsmittel, 4. Tauschmedium. Inwieweit erst die Mz. in Griechenland alle Geldfunktionen auf sich vereinigte und damit das erste *all-purpose money* in der Ant. darstellt, ist strittig. Einiges spricht dafür, daß dieser Schritt schon mit der Praxis, ungemünztes Edelmetall oder Edelmetallbarren nach Gewicht als Wertmesser oder Zahlungsmittel einzusetzen, vollzogen war.

In den Epen Homers treten Wertmesser, Wertaufbewahrungsmittel und Zahlungsmittel wiederholt auf; die verschiedenen Geldfunktionen waren jedoch auf unterschiedliche Objekte verteilt. So galt Vieh als Wertmesser (Hom. Il. 6,235 f.; 23,703 ff.; 23,885); Edelmetallgefäße, Juwelen und wertvolle Textilien (κειμήλια) hatten auch die Funktion von Wertaufbewahrungsmitteln und dienten als Geschenk oder Kampfpreis (Hom. Il. 8,290 f.; 11,700; 22,163 f.; 23,259 ff.; 23,485; 23,851; Hom. Od. 4,129; 13,13; 13,217; 15,84). In einer Beschreibung des primitiven Austausches geben die Griechen vor Troia den Lemniern für Wein, Kupfer, Eisen, Häute, Rinder und Sklaven (Hom. Il. 7,467–474). Arch. sind Pfeilspitzen im Schwarzmeergebiet sowie Bratspieße in Zypern und dem griech. Mutterland als Zahlungsmittel nachweisbar. In den Texten des 7. und 6. Jh. v. Chr. beginnt der Begriff χρήματα (*chrémata*, Pl. von »Ding, Sache«) als ein Begriff für G. gebräuchlich zu werden, doch ist darunter (wie auch noch in späterer Zeit) kein bestimmtes Geldobjekt, sondern vielmehr eine Klasse von Gütern, die Geldfunktionen innehaben konnten, zu verstehen (Hes. erg. 320, 402; Alk. fr. 360,2; Theognis 197, 1115). Entscheidende Vorstufe für die Einführung der Mz. war die Zahlung in ungemünztem Edelmetall, das nach festgelegten Gewichtsstandards gewogen wurde; v. a. in der Rechtsprechung der archa. griech. Poleis gewann dies zunehmend an Bedeutung.

Die ersten Mz., die als Hort mit Juwelen gemischt in der Basis des Artemistempels in Ephesos gefunden wurden, sind etwa um 600 v. Chr. in Westanatolien geprägt worden. Ihr Metall ist → Elektron, eine Silber-Goldlegierung, die in dieser Region natürlich vorkommt; erst die nächste Generation von Mz., die Kroisos von Lydien (ca. 561–547 v. Chr.) zugeschrieben wird, war aus reinem Gold und Silber. Über die Funktion der ersten Elektronprägung ist nichts bekannt, auch läßt sich nicht mit Gewißheit sagen, ob sie griech. oder lyd. Ursprungs war; die lit. Trad. ist in dieser Frage von geringem Aussagewert (Hdt. 1,94; Poll. 9,83). Allerdings deutet die Tatsache, daß allein in dem knapp 100 Stücke umfassenden Artemisiumhort drei verschiedene Wertstandards mit höchst differenzierten Nominalen nachweisbar sind, auf einen lokalen Gebrauch dieser frühen Mz. hin. Von Kleinasien breitete sich der Münzgebrauch schnell nach Griechenland aus und wurde seit der Mitte des 6. Jh. v. Chr. von Aigina, Korinth, Athen, dann den Städten und Stämmen Makedoniens und Thrakiens sowie wenig später von den griech. Städten in Sizilien, Unteritalien, Südfrankreich und Spanien übernommen. Münzmetall war hier normalerweise Silber, Goldwährungen blieben die Ausnahme, und Br. war nur in den westgriech. Gründungen Thurioi, Akragas sowie im ptolem. Ägypten von Bedeutung. Der Übergang von nach Gewicht gerechneten Edelmetallmengen hin zu Mz., deren Wert und Gewicht durch den Stempel von der Polis garantiert war, ist als ein gradueller Prozeß anzusehen und durch die gesamte Ant. hindurch niemals abgeschlossen worden. Alle Edelmetallwährungen waren außerhalb ihres Geltungsbereichs Tauschmedium entsprechend ihrem Gewichtswert. Eine Ausnahme bildet das ptolem. Ägypten, wo Fremdwährungen verboten waren.

Als wichtigste Nominale der griech. Städte haben die → Drachme und der → Obolos zu gelten. Allg. ist das → Didrachmon (→ Stater) in vielen Silberwährungen die größte verwendete Mz. Dabei ergeben sich folgende Relationen: 1 Didrachmon = 2 Drachmen; 1 Drachme = 6 Obolen.

Größere Geldbeträge wurden mit den Gewichtseinheiten Mine und Talent ausgedrückt, wobei die → Mina 100 Drachmen und das Talent 6000 Drachmen oder 60 Minen entsprach. Die Drachme – und dies gilt entsprechend für die übrigen Nominale – besaß in den verschiedenen Poleis ein unterschiedliches Gewicht (Aigina: 6,24 g; Korinth: 2,8 g; Athen: 4,37 g); im 4. Jh. v. Chr. hatte sich der Münzfuß von Athen allg. durchgesetzt.

Weder der Ursprung in Kleinasien noch die schnelle und weite Ausbreitung im griech. Mittelmeerraum lassen Rückschlüsse auf die Ursache für die Einführung der Mz. zu. Die rein wirtschaftliche Bedeutung von G. in der Moderne sollte nicht dazu verleiten, diese auch für die Ant. in den Vordergrund zu stellen. Vielmehr gilt in der neueren Forsch. die Entwicklung der Polis und die damit verbundenen, zunehmend standardisierten Zahlungen im rechtlichen und polit. Bereich als eine der Grundvoraussetzungen für die Transformation von disparaten Geldformen zu *all-purpose money* und schließlich zur Münzprägung. Auch kann die häufig vertretene Auffassung, daß Mz. zunächst nur in großen Nominalen geprägt wurden und G. also nur im Handel zwischen den Poleis brauchbar war, heute nicht mehr aufrecht erhalten werden. Vielmehr waren die Entwicklungen innerhalb der Poleis bei gleichzeitigem Außenkontakt Voraussetzung für die Entstehung von gemünztem G.

Obwohl die ersten Währungen schon im 6. Jh. v. Chr. zirkulierten, kann von einer Geldwirtschaft erst mit Beginn des 5. Jh. v. Chr gesprochen werden. Auch kamen trotz der zunehmenden horizontalen (geogr.) Monetarisierung viele Gebiete des Mittelmeerraumes weiterhin ohne gemünztes G. aus (etwa Äg. bis zur griech. Eroberung 332 v. Chr. und wahrscheinlich Sparta bis zur Mitte des 4. Jh. v. Chr), und bis zur Mitte des 5. Jh. v. Chr. besaß Kreta keine eigene Münzprägung.

Die unterschiedliche Monetarisierung Griechenlands ist v. a. im Zusammenhang mit der ungleichen Verteilung der Edelmetallressourcen zu sehen. Inwieweit die vertikale (soziale) Monetarisierung auf städtische Einflußgebiete begrenzt blieb, ist im Einzelfall schwer zu klären.

Motor der Monetarisierung im Mittelmeerraum war Athen, dessen Münzfuß und Währung die Geldzirkulation im 5. und 4. Jh. sowohl im Westen als auch im Osten dominierte. Als Ursache gilt hier im ersten Viertel des 5. Jh. v. Chr. der Aufbau einer Flotte und die ab der Mitte des 5. Jh. v. Chr. monetäre Tributpflicht der athenischen → Symmachie. Gleichzeitig und nicht unabhängig von der Symmachie entwickelte sich die athenische Demokratie zu einem System, das zahlreiche monetäre Verpflichtungen (Diäten, Soldzahlungen, → Leiturgien und → *eisphorá*) einging und damit die Münze innerhalb des Bürgerverbandes der Polis mobilisierte. Privater Handel und Marktaustausch waren im 5. Jh. v. Chr. nur einer von mehreren Faktoren zur Durchsetzung der Geldwirtschaft. Dies läßt sich in Athen an den anhaltenden ideologischen Konflikten über die Rolle von G. im Wertesystem der Polis erkennen. Im 4. Jh. v. Chr. gewannen die Institutionen der Geldwirtschaft (→ Banken, → Seedarlehen, → öffentliche Finanzverwaltung) an Bedeutung, und es bildete sich in begrenztem Maße eine Fachlit. zur Finanzpolitik der Poleis heraus (Xen. vect.; Ps.-Aristot. oec.). Mit der Verschiebung der Macht von den unabhängigen Polisgesellschaften nach Makedonien und den von Alexander eroberten Gebieten wurden neue Edelmetallressourcen erschlossen, eine neue internationale Währung im Namen Alexanders etabliert und Athen von Rhodos als Zentrum der Geldwirtschaft abgelöst. Im Zuge der polit. Umorientierung im Mittelmeerraum nahm der Umfang von Handel und Geldzirkulation beträchtlich zu. In Ägypten werden im 3. Jh. v. Chr. schriftliche Zahlungsanweisungen und Giralgeld üblich, doch ist dies eher mit der Edelmetallknappheit und den besonderen Verwaltungsstrukturen Ägyptens als mit tiefgreifenden wirtschaftlichen Veränderungen der Geldwirtschaft zu erklären.

1 M. R. ALFÖLDI, Ant. Numismatik, Teil I, 1978, 63–70 2 I. CARRADICE, M. PRICE, Coinage in the Greek World, 1988 3 K. CHRIST, Die Griechen und das Geld, in: Saeculum 15, 1964, 214–229, auch in: Ders., Griech. Gesch. und Wissenschaftsgesch., 1996, 59–77 4 C. KRAAY, Archaic and Classical Greek Coins, 1976 5 L. KURKE, The Traffic in Praise, 1991 6 Dies., Herodotus and the Language of Metals, in: Helios 22, 1995, 36–64 7 M. PRICE, Thoughts on the beginnings of coinage, in: C. BROOKE u. a. (Hrsg.), Studies in Numismatic Method presented to Philip Grierson, 1983, 1–10 8 S. VON REDEN, Money, Law and Exchange: Coinage in the Greek Polis, in: JHS 127, 1997, 154–176 9 K. RUTTER, Early Greek Coinage and the Influence of the Athenian State, in: B. CUNLIFFE (Hrsg.), Coinage and Society in Britain and Gaul: Some Current Problems, 1981, 1–9 10 I. STRØM, Oboloi of pre- or protomonetary value in Greek Sanctuaries, in: T. LINDERS,

B. Alroth (Hrsg.) Economics of Cult in the Ancient World, 1992, 41–51. S.v.R.

III. Rom
A. Frühes Rom und die Republik
B. Prinzipatszeit C. Spätantike

A. Frühes Rom und die Republik

Die Gesch. der röm. → Münzprägung und des röm. G. ist unter zwei Aspekten zu sehen, einerseits dem der inneren Entwicklung und andererseits dem der voranschreitenden Dominanz des röm. G. im mediterranen Raum, seine Nutzung im gesamten *Imperium Romanum* sowie schließlich dem Aufgehen der röm. Währung in den Münzprägungen der nachfolgenden Königreiche im Westen und des Byz. Reiches im Osten. Wahrscheinlich dienten wertvolle und unvergängliche Objekte wie z.B. Metalle in It. schon früh dazu, den Erwerb anderer Erzeugnisse zu ermöglichen; gleichzeitig konnte wohl jegliches Gut, z.B. Vieh, für eine Wertbeurteilung genutzt werden. Ein entscheidender Schritt war die Schaffung einer Einheit, die allg. als G. anerkannt wurde, meist aus Edelmetall bestand und als Wertmesser sowie für Zahlungen – auch von Geldstrafen und Steuern – zur Verfügung stand. Dieser Schritt war in Rom um 500 v.Chr. vollzogen. Die Geldproduktion in Form von Münzprägung begann in der röm. Welt seit dem späten 4. Jh. v.Chr.

Bis zur frühen Republik kam Rom – wie auch andere Gemeinden und Völker Mittelitaliens – ohne Münzprägung aus; eine Ausnahme bildeten dabei allerdings zeitweilig einige Städte der Etrusker. Bronze, die gewogen wurde, diente im frühen Rom als Wertmesser (das sogenannte *aes rude*), wobei ein Pfund mit ungefähr 324 g eine Einheit ausmachte; ohne Zweifel wurde *aes rude* in Rom hauptsächlich bei der Festsetzung von Strafen verwendet, die die private Vergeltung ablösten. Diese Phase der Gesch. des röm. G. spiegelt sich im Zwölftafelgesetz wider. Geschäfte *per aes et libram* (»mit Hilfe von Bronze und Waage«) besaßen im röm. Privatrecht als Mittel der Besitzübertragung volle Gültigkeit.

Zwischen 338 und 275 v.Chr. brachte die röm. Expansion nach Mittelitalien Beute in Form von Gold, Silber und Bronze ein; damit bestanden die Voraussetzungen für eine Münzprägung nach griech. Vorbild. Ein weiterer Anreiz hierfür war gegeben, als mit dem Bau der Via Appia im späten 4. Jh. v.Chr. die Beziehungen der Römer zu den griech. Städten Campaniens einsetzten. Nach 326 v.Chr. hatte Rom in Neapolis Br.-mz. mit der Aufschrift ΡΩΜΑΙΩΝ prägen lassen; zudem wurden Silbermz., die wahrscheinlich einen Wert von zwei Drachmen besaßen, mit der Aufschrift ROMANO geprägt. Diese Mz. unterschieden sich ansonsten nicht von den griech. Prägungen in Südit. Die Bedeutungslosigkeit der Münzprägung für Rom aber geht deutlich daraus hervor, daß fast eine Generation bis zur nächsten Münzemission verging, die wahrscheinlich aus der Zeit des Pyrrhoskrieges stammte. Von diesem Zeitpunkt an

gab es bis zum Ende des *Imperium Romanum* im Westen eine ununterbrochene Folge röm. Münzprägungen.

Zu den silbernen → Didrachmen kamen Mz. aus Br. hinzu; zusätzlich wurden Rundbronzen (*aes grave*) gegossen, deren Einheit (→ *as*) ein Pfund wog. In der kurzen Phase zwischen dem Pyrrhoskrieg und dem 1. Pun. Krieg wurden Br.-Barren gegossen, die gegenwärtig eher irreführend als *aes signatum* bezeichnet werden (für einen Römer bedeutete dieser Ausdruck nicht viel mehr als »geprägte Br.«). Es ist bezeichnend, daß im Vergleich zu den Münzprägungen Karthagos und der griech. Städte It.s das röm. Münzgeld noch immer einen relativ kleinen Umfang hatte.

Das Silbergeld, die Kupfermz., deren Beischrift ROMANO nun durch ROMA ersetzt wurde, sowie die Gußbronzen existierten bis zum Ausbruch des 2. Pun. Krieges 218 v.Chr. gleichberechtigt nebeneinander. Wahrscheinlich fand die röm. Währung damals erstmals Verbreitung in den Territorien der Völker des mittleren Apennins. So wie mil. Notwendigkeiten wohl der Anlaß für die röm. Münzprägung dieser Zeit waren, haben wiederum mil. Faktoren, insbesondere die heimkehrenden Soldaten, dazu beigetragen, daß röm. G. bei den Samniten und anderen Völkern verwendet wurde.

Die enormen finanziellen Anstrengungen im Krieg gegen Hannibal führten zu einer Reduzierung des Metallgehaltes der schweren Bronzegußwährung, ferner zu einer Emission von Goldmz. und schließlich zu einer Reduzierung des Metallgehaltes der Silbermz. Das erste Geldsystem Roms brach zusammen; in oder um 211 v.Chr. wurde daher ein neues System eingeführt und damit auch eine neue Silbermz. geschaffen, der → *denarius*, der bis zum 3. Jh. n.Chr. die wichtigste röm. Silbermz. blieb. Die Emission dieser Mz. wurde anfangs durch eine noch nie dagewesene Heranziehung von Privateigentum finanziert (Liv. 26,36), später jedoch durch Beute, nachdem sich der Krieg für die Römer zum Positiven wendete. Zu diesem Zeitpunkt hatte eine Einheit (*as*) des Bronzegeldes nur ein Gewicht von ungefähr zwei *unciae* (54 g), während der *denarius* (oder »Zehner«) den Wert von zehn dieser Einheiten besaß. Außerdem existierten weitere Nominale sowohl aus Silber – unter ihnen der → *victoriatus*, der dreiviertel eines *denarius* wog, allerdings einen niedrigen und schwankenden Silbergehalt hatte – als auch aus Br., sowie eine kurzlebige Emission von Goldmz. Mit dem Ende des Krieges hörte die Münzprägung in den anderen it. Städten praktisch auf; neben der röm. Währung war in It. schon bald keine andere Währung mehr im Umlauf. Als die Italiker 90–88 v.Chr. eigenes G. prägten, folgte dieses dem Vorbild des *denarius*, abgesehen von einer einzelnen Goldmz., mit der sie die Münzprägung Sullas vorwegnahmen.

Trotz der Einführung des *denarius* blieb das Bronzegeld noch einige Jahre lang das wichtigste Element des röm. Geldsystems; die den Ansichten Catos nahekommende Auffassung, daß Silbergeld als ein Symbol des zunehmenden Reichtums sowie des Verfalls der öffentlichen Moral anzusehen sei, führte praktisch zu einer ein Jahrzehnt andauernden Unterdrückung der Silberwährung. Die Konsequenzen jedoch, die sich aus der röm. Eroberung des Mittelmeerraumes ergaben, ließen sich nicht auf Dauer unterdrücken; die Beute, die von 194 v. Chr. an in Form von Silber u. a. nach Rom floß, wie auch die seit 167 v. Chr. ausgeübte Kontrolle über die maked. Gold- und Silberbergwerke bewirkten seit 157 v. Chr. ein starkes Ansteigen der Silbergeldemissionen. Für Rom wurde es zu einem normalen Vorgang, innerhalb eines Jahres so viele Mz. wie eine griech. Stadt in einem Jahrhundert zu prägen. Erst mit Sulla gab die Münzstätte die Praxis auf, einen Großteil der jedes Jahr benötigten Mz. neu prägen zu lassen; die Münzstätte ging dann zu dem später üblichen Verfahren über, die öffentlichen Einnahmen, soweit sie bereits als röm. Mz. eingegangen waren, durch Emissionen aus größtenteils gerade erst gewonnenem Metall zu ergänzen. In den Jahren nach 157 v. Chr. begann sich die beherrschende Position Roms im Mittelmeerraum im Münzbild zu spiegeln, indem die Bezeichnung der Herkunft der Mz. wegfiel; sie war für die Identifizierung des röm. G. nicht mehr notwendig.

Das Verhältnis zwischen den hauptsächlich verwendeten Metallen – Gold, Silber, Br. – änderte sich im Laufe der Zeit immer wieder, wobei Faktoren wie die im 2. Jh. v. Chr. einsetzende Ausbeutung der spanischen Silbervorkommen durch Rom entscheidenden Einfluß ausübten; dies wirkte sich natürlich auch auf die Relationen zwischen den verschiedenen Nominalen aus.

Die relativ geringe Bed. der Bronzewährung nach 157 v. Chr. führte dazu, daß der as nicht mehr emittiert wurde; an seine Stelle traten kleinere Nominale mit stark reduziertem Gewichtsstandard; um 141 v. Chr. schließlich wurde die Bronzewährung faktisch abgewertet, indem der Wert des denarius auf 16 (nicht mehr 10) asses neu festgelegt wurde, wobei er allerdings seinen Namen behielt. Gegen Ende des 2. Jh. n. Chr. hatten die victoriati nur noch etwa die H. des Gewichtes eines denarius; Mz., die den Wert eines halben denarius besaßen (→ quinarii), wurden von nun an mit Unterbrechungen, oft für die Poebene oder die Prov. Gallia Transalpina, geprägt. In der Zeit nach dem 2. Pun. Krieg wurde röm. G. zur Währung der gesamten mediterranen Welt. Der denarius wurde bald zur Silbermz. Siziliens, wobei die Silberwährung durch röm. Br.-Mz. und die Br.-Währung einzelner Städte erg. wurde. Wahrscheinlich um 150 v. Chr. erlaubten oder förderten die Römer in Spanien die Prägung von Silber- oder Br.-Mz., die auf dem Vorbild des denarius basierten. In der Poebene sowie der Prov. Gallia Transalpina erkannten die Römer das lokale Geld an, dessen Einheit den Gegenwert eines halben denarius besaß, und sie ließen sogar mehrmals solche Mz. für diese Gebiete prägen.

Ganz im Gegensatz dazu blieb der griech. Osten bis zum 1. Jh. v. Chr. größtenteils unbeeinflußt vom röm. Geldsystem. Indem aber immer mehr Gebiete der mediterranen Welt unter die direkte röm. Herrschaft gerieten und so in die Bürgerkriege gegen Ende der Republik hineingezogen wurden, breitete sich auch die Verwendung der röm. Nominale und Mz. bis nach Afrika, Griechenland und dem Osten sowie nach Gallien aus. Nur Ägypten, das 30 v. Chr. von den Römern annektiert worden war, blieb isoliert und hatte ein eigenes Geldsystem.

Die Entwicklung der röm. Geldwirtschaft wird mittlerweile als mögliche Ursache für das Auftauchen des nummularius gesehen, eines Bankiers, der einerseits Mz. unterschiedlicher Geldsysteme umtauschte und sie andererseits testete, um zu prüfen, ob es sich um Fälschungen handelte. Als wichtigste Zeugnisse für die Aktivitäten eines nummularius gelten gegenwärtig die tesserae nummulariae, kleine Täfelchen, die im späten 2. Jh. v. Chr. erstmals auftraten. Gewöhnlich tragen sie den Namen eines Sklaven, seines Besitzers, die Aussage spectavit (»er hat überprüft«) sowie die Angabe von Tag, Monat und Jahr; es wird angenommen, daß sie an versiegelten Säcken mit Mz. angebracht wurden, die überprüft worden waren.

Sulla ließ seit dem Jahre 84 v. Chr. Gold- und Silbermz. prägen; einerseits verfügte er hierfür über genügend Edelmetall, andererseits bestand die Notwendigkeit, die Soldaten im Bürgerkrieg zu besolden. Caesar folgte in dieser Hinsicht dem Beispiel Sullas. Die riesigen Mengen an Gold, die er in Gallien und Britannien erbeuten konnte, wurden 46 v. Chr. von A. Hirtius für die bis dahin größte Emission von Goldmünzen verwendet; seit 44 v. Chr. war die Verteilung von Goldmünzen (→ aureus) an die Truppen zu einem normalen Vorgang geworden. Caesar, der seinen Rivalen Pompeius sowohl an Reichtum als auch an Ansehen zu übertreffen suchte, nahm der res publica faktisch die Kompetenz der Münzprägung. In den Bürgerkriegen nach seinem Tod ließen die meisten der miteinander rivalisierenden Heerführer Mz. prägen, wobei die verschiedenen Metalle einschließlich der Br. Verwendung fanden. Ein einheitliches Geldsystem konnte erst wieder hergestellt werden, nachdem Augustus die Institutionen der freien res publica beseitigt und eine Autokratie geschaffen hatte. Die Währung des Caesar Octavianus wurde zur Währung Roms.

Die Münzbilder aus der Zeit der röm. Republik spiegeln genau die eskalierenden Konflikte innerhalb der Nobilität wider. Seit 211 v. Chr. war die Münzprägung Aufgabe von Münzbeamten (→ tresviri monetales), in der Regel jungen Männern, die am Anfang einer polit. Karriere standen. Die Möglichkeiten zur Selbstdarstellung, die mit diesem Amt verbunden waren, zeigten sich im 2. Jh. v. Chr.; die Gestaltung der Münzbilder einer Emission war dem jeweiligen Münzbeamten überlassen, der so an seine Heimatstadt, die Taten seiner Vorfahren und möglicherweise an die Verdienste eines einflußreichen Patrons seiner Zeit erinnern konnte. Auf Mz. Caesars war sogar dessen Porträt abgebildet, ein offen monarchisches Symbol. Sogar Brutus, der sich selbst als Befreier stilisierte, ließ auf der einen Seite seiner letzten

Die wichtigsten Nominale des römischen Geldes in der Prinzipatszeit

Gold	Silber	Messing		Kupfer	
aureus	denarii	sestertii	dupondii	asses	quadrantes
1	25	100	200	400	1600
	1 denarius	4	8	16	64
		1 sestertius	2	4	16

Emission zwei der Dolche abbilden, mit denen Caesar ermordet worden war, auf der anderen Seite aber zeigte er sein eigenes Porträt. Im auffälligen Gegensatz zu Antonius unterdrückte der zukünftige Augustus auf seiner Währung nach und nach jegliche Erwähnung seiner Feldherren; die Mz., mit denen er die Truppen nach der Schlacht von Actium (31 v. Chr.) besoldete, zeigten nur noch das Porträt und die Attribute seiner selbst.

B. Prinzipatszeit

In augusteischer Zeit kam es zu wichtigen Veränderungen im röm. Geldsystem: Die silbernen Teilstücke des *denarius*, die die Lücke zwischen dem *denarius* und dem *as* geschlossen hatten, wurden größtenteils durch Multipla des *as* aus Messing (*orichalcum*) ersetzt, nämlich die → *sestertii* (4 *asses*) und → *dupondii* (2 *asses*), die zu den bekanntesten röm. Mz. der Prinzipatszeit gehören. Gleichzeitig wurden der → *as* sowie das kleinste Nominal, der → *quadrans* (also »Viertel«), aus reinem Kupfer hergestellt. Die Legende SC auf den Kupfermünzen des Augustus ist wahrscheinlich so zu interpretieren, daß diese Emissionen von Kupfergeld durch einen Senatsbeschluß gebilligt worden waren.

Die Währung des *Imperium Romanum* bestand also aus *aurei* und *denarii* (in einem Verhältnis von 1:25) sowie aus den kleinen Nominalen, Teilstücken des *denarius*, aus Kupfer, Messing oder Br. Obwohl normalerweise ein großer, wenn nicht der größte Teil des Geldes in Rom selbst geprägt wurde, war dies nicht zwingend: Es ist wahrscheinlich, daß zwischen Augustus und Nero die meisten Edelmetallmünzen in Gallien (Lugdunum) geprägt wurden. Zudem setzte das *Imperium Romanum* im Osten ältere Trad. der Münzprägung fort und emittierte → *Cistophoren* in Asia bis zum 2. Jh. n. Chr., die syrischen Tetradrachmen bis zum frühen 3. Jh. n. Chr. und die Tetradrachmen in Äg. bis zu Diocletianus. Mit der Verlegung der Münzprägung von Gallien nach Rom aber begann im Münzwesen ein Konzentrationsprozeß, der bis zu den Severern andauerte.

Danach führte die Entwicklung des *Imperium Romanum* dazu, daß ein immer größerer Teil der wichtigsten röm. Mz. in den Prov. geprägt wurde. Außerdem bestand das Bronzegeld im Osten lange Zeit nicht aus den in Rom bekannten Nominalen (*sestertii*, *dupondii*, *asses* und *quadrantes*), sondern aus einer Reihe provinzialer Prägungen. Die Vielfalt der Währungen im *Imperium Romanum* wurde noch durch Hunderte von lokalen Währungen ergänzt, die im Westen bis zu Claudius, im Osten bis zum 3. Jh. n. Chr. existierten. Alle diese Währungen basierten jedoch wahrscheinlich auf röm. Nominalen oder waren mit diesen konvertierbar. Unklar

bleibt allerdings, ob das *Imperium Romanum* als ein Gebiet betrachtet werden kann, in dem das Geld ungehindert zirkulierte; es muß angenommen werden, daß selbst die in Rom geprägten, wichtigsten Nominale oft nur in einem begrenzten Raum zirkulierten; dies gilt selbst für das 1. und 2. Jh. n. Chr. Diese regionale Begrenzung des Geldumlaufs wurde noch verstärkt, als die Wirtschaft im 3. Jh. n. Chr. zumindest partiell zum Naturaltausch überging. Gleichzeitig ist zu beachten, daß trotz einer weiten Verbreitung des Münzgeldes in der röm. Welt und in dessen Randzonen selbst in der Blütezeit des *Imperium Romanum* große Gebiete im mediterranen Raum von der Geldwirtschaft weitgehend unberührt blieben.

Das röm. G.- und Finanzsystem funktionierte zu jeder Zeit innerhalb sehr enger Parameter. In normalen Zeiten waren etwa 80% der öffentlichen Ausgaben durch Steuereinnahmen gedeckt; die restlichen 20% mußten durch die Prägung von Mz. aus Metall, das die Bergwerke lieferten, finanziert werden. Die röm. Welt entwickelte jedoch nie irgendeine Form von Papiergeld, geschweige denn den Einsatz von Kreditmechanismen, um ihren Geldvorrat zu erhöhen.

Im Jahre 64 n. Chr. reduzierte Nero das Gewicht des *aureus* sowie das Gewicht und den Silbergehalt des *denarius*. Trotz der Versuche der Flavier, diesen Trend aufzuhalten, brachten die folgenden 150 Jahre eine langsame Abnahme des Silbergehaltes des *denarius* mit sich, die von einem ähnlichen oder sogar schlimmeren Verfall des provinzialen Silbergeldes begleitet wurde (→ Geldentwertung). Commodus reduzierte das Gewicht des *denarius* noch weiter und Septimius Severus drastisch seinen Silbergehalt. Caracalla zog es stattdessen vor, eine neue Mz. zu schaffen, die von der modernen Forsch. als → *antoninianus* bezeichnet wird und ein Gewicht von ungefähr 1 ½ *denarii* besaß, wahrscheinlich aber einen Nominalwert von zwei *denarii* hatte. Die Bevölkerung des *Imperium Romanum* ließ sich jedoch nicht täuschen und bezahlte Steuern mit dem neuen, schlechten G., während die älteren Mz. von besserer Qualität gehortet oder eingeschmolzen wurden. Diese Entwicklung führte zusammen mit den steigenden Ausgaben für das Militär, die wegen der Einfälle der Barbaren in das *Imperium* unumgänglich waren, zum völligen Zusammenbruch der Silberwährung: Die Produktion des *denarius* wurde eingestellt, und seit 270 n. Chr. enthielt der *antoninianus* nur noch einen völlig unbedeutenden Silberanteil. Zur selben Zeit erleichterte die unübersehbare Menge der hergestellten Mz. sowie ihre erschreckende Qualität die Herstellung von Falschmünzen; die *nummularii* waren völlig überfordert. Selbst das Gewicht der Goldmz. war Schwankungen unterworfen, da die *principes* vermutlich aus dem vorhandenen Gold so viele Mz. prägten, wie sie gerade für Soldzahlungen etc. benötigten.

Der Geldumlauf – Steuererhebungen, Besoldung von Soldaten und anderen Amtsträgern, Bezahlung der Bauern, die Getreide für Soldaten u. a. Amtsträger lieferten – verlor an Bedeutung, so daß der Sold eines Soldaten zunehmend in seiner Getreideration bestand. Auch die Verwaltungsstrukturen des röm. Reiches paßten sich allmählich diesen Gegebenheiten an. In diesem Zusammenhang ist die → adaeratio zu nennen, ein Verfahren, das in der Spätant. die Umwandlung von Naturalleistungen in Geldzahlungen bezeichnete. Seine zunehmende Verbreitung hatte den vorangegangenen Wechsel zum Naturaltausch und zu Naturalabgaben zur Voraussetzung. Wie der Zusammenbruch des Geldsystems im 3. Jh. n. Chr. die Durchsetzung von Naturaltausch und Naturalabgaben zur Folge hatte, so war die Existenz einer stabilen Goldwährung seit Constantinus I. die Ursache für die langsame Rückkehr zu Geldzahlungen und Geldgeschäften im späten 4. und 5. Jh. n. Chr.

C. Spätantike

Aurelianus [3] und die ihm direkt folgenden *principes* versuchten durch eine Reihe von Reformen, deren Einzelheiten unklar bleiben, das Geldsystem neu zu ordnen und zu stabilisieren. Aurelianus ließ Mz. prägen, die mit XX I oder K A (in Griechenland) gekennzeichnet waren, um einen fünfprozentigen Silbergehalt anzuzeigen; es folgten Mz. mit dem Wertzeichen X I oder I A (in Griechenland), das zehnprozentigen Silbergehalt anzeigen sollte. Durch die Reform des Diocletianus wurde der Standard der Goldwährung auf 60 *aurei* pro röm. Pfund festgesetzt und wieder eine reine Silberwährung von 96 Einheiten pro Pfund geschaffen. Zusätzlich wurde die Br.-Mz. mit geringem Silbergehalt geprägt (→ *nummus*). Die Goldeinheit wurde von nun an als → *solidus* bezeichnet. Die kleinen Nominale des Bronzegeldes besaßen keinen Silbergehalt mehr; es handelte sich um ein Nominal mit einer Strahlenkrone sowie um ein Teilstück von halbem Wert mit einem Lorbeerkranz. Weitere Bestimmungen wurden 301 n. Chr. im Münzreformedikt des Diocletianus erlassen, das durch Mz. sowie eine frg. Inschr. aus Aphrodisias bezeugt ist. 12–15 Münzstätten, die fast über das ganze *Imperium Romanum* verstreut waren, besaßen seit Diocletianus die Zuständigkeit für die Münzprägung; das G. zirkulierte normalerweise in den Gebieten, in denen es auch geprägt worden war.

Constantinus reduzierte das Gewicht des *solidus* auf 72 Münzen pro röm. Pfund; diese Goldmünze übte später einen eminenten Einfluß auf die Geldgeschichte von Byzanz, der ma. Königreiche und selbst der arab. Welt aus. Auch der diocletianische *nummus* wurde nicht mehr geprägt, obwohl einige spätere Bronzemünzen dem *nummus* zumindest im Durchmesser nahekamen. Die

Währung der Spätant. bestand wesentlich aus *solidi* sowie einer großen Zahl kleiner Bronzenominale mit schwankendem Wert. Der → *follis* war zunächst ein Sack für Mz., dann – seit dem späten 3. oder frühen 4. Jh. n. Chr. – ein Sack, der eine bestimmte Anzahl an Münzen enthielt, schließlich eine Rechnungseinheit, deren Wert in der Zeit nach der Tetrarchie starken Veränderungen unterlag. Es existiert praktisch kein Beleg dafür, daß der Begriff *follis* vor den Reformen des Anastasius (491–518 n. Chr.) auf eine einzelne Mz. angewendet worden wäre, obwohl einige verworrene Aussagen bei metrologischen Autoren so interpretiert werden könnten. Das auf Silber- und Br.-Mz. basierende Geldsystem der Republik hatte sich zu einem System mit einer Gold- und einer Br.-Währung gewandelt.

Im 5. Jh. n. Chr. wurde schließlich mit dem Auftauchen sehr kleiner *nummi* aus Br. wiederum eine gewisse Stabilität des Geldwertes erreicht. Dieses Geldsystem wurde zum Vorbild für die german. Königreiche im Westen, bis sich die für das MA charakteristischen Silberwährungen entwickelten. Auch im Osten setzte sich in den seit dem 6. Jh. n. Chr. von den Arabern eroberten ehemals byz. Gebieten das Silbergeld durch.

1 M. Amandry et al., Roman Provincial Coinage, 1992 2 A. Bay, The letters SC on Augustan aes coinage, in: JRS 62, 1972, 111–122 3 R. A. G. Carson, Coins of the Roman Empire, 1990 4 M. H. Crawford, Coinage and Money under the Roman Republic, 1985 5 Ders., Finance, coinage and money from the Severans to Constantine, in: ANRW II, 2, 560–593 6 Ders., Money and exchange in the Roman world, in: JRS 60, 1970, 40–48 7 Ders., Roman Republican Coinage, 1974 8 R. Duncan-Jones, Money and Government in the Roman Empire, 1994 9 K. Harl, Coinage in the Roman Economy, 1996 10 M. F. Hendy, From public to private: the western barbarian coinages as a mirror of the disintegration of late Roman state structures, in: Viator 19, 1988, 29–78 11 Ders., Mint and fiscal administration under Diocletian, his colleagues, and his successors, AD 305–24, in: JRS 62, 1972, 75–82 12 Ders., Studies in the Byzantine Monetary Economy, 1985 13 K. Hopkins, Taxes and trade in the Roman Empire (200 BC – AD 400), in: JRS 70, 1980, 101–125 14 C. J. Howgego, Greek Imperial Countermarks, 1985 15 J. P. C. Kent, Gold coinage in the late Roman Empire, in: Essays in Roman Coinage presented to Harold Mattingly, 1956, 190–204 16 C. M. Kraay, The behaviour of early imperial countermarks, in: Essays in Roman Coinage (s. 15), 113–136 17 H. Mattingly, E. A. Sydenham u. a., Roman Imperial Coinage I, ²1984 18 H. Mattingly u. a., Coins of the Roman Empire in the British Museum I, 1923 19 A. S. Robertson, Roman Imperial Coins in the Hunter Coin Cabinet I–V, 1962–1982 20 D. R. Walker, The Metrology of the Roman Silver Coinage I–III, 1976–1978 21 A. Wallace-Hadrill, Image and authority in the coinage of Augustus, in: JRS 76, 1986, 66–87.   M. C.

IV. Byzanz

Die Einführung des → *solidus* durch Constantinus I. kann als der eigentliche Beginn der Gesch. des byz. Geldsystems angesehen werden, denn diese Goldmz.

I. Von Konstantin bis Anastasius (312–498)

aurum solidus	semissis	tremissis	argentum miliarense (schwer)	miliarense (leicht)	siliqua	
72	144	216	60	72	144	pro Pfund
4,5 g	2,2 g	1,5 g	5,4 g	4,5 g	2,2 g	
1	2	3	12	15	30	

II. Die frühbyzantinische Zeit (498–720)

aurum solidus	semissis	tremissis	argentum hexagramm	siliqua	
72	144	216	48	variabel	
1	2	3	12	24	

wurde für einen Zeitraum von zehn Jahrhunderten die Grundlage des byz. Währungssystems, dessen Entstehung früher oft auf das Jahr 498 n. Chr. datiert wurde; inzwischen ist aber die Bed. gerade des 4. und 5. Jh. für die byz. Geldgesch. allg. anerkannt.

Der Feingehalt und die hohe Stabilität der byz. Goldwährung machten diese konkurrenzlos zu dem wichtigsten internationalen Zahlungsmittel, bis 697 n. Chr. die Omajjaden den *dinar* prägen ließen. Obwohl Feingehalt und Gewicht des *solidus* gegen E. des 7. Jh. n. Chr. leicht reduziert wurden (96,5% und 4,36 g im Durchschnitt statt 98% und 4,41 g für die Zeit von 491 bis 668), blieb er weithin anerkannt. Das Silber verlor während des 5. und 6. Jh. an Bedeutung, denn das Verhältnis Gold : Silber betrug 1:14. Silbermz. stellten dann seit dem 7. Jh. eine Ergänzung der Goldwährung dar, da der Wert des Silbers stieg (es bestand nun eine Relation von 1:8). Die kleinen Nominale aus Kupfer sind größtenteils als fiduziäres G. anzusehen. Nach einer langen Phase der Entwertung des Kupfergeldes im 4. und 5. Jh. wurde es durch Anastasios [1] stabilisiert, der schwere Mz. (→ *follis* und Teilstücke) prägen ließ, die ein Wertzeichen und nach 538 auch das Regierungsjahr aufweisen.

Im Bereich der öffentlichen Finanzen diente das G. zur Zahlung von Steuern, die wesentlich in Goldmz. entrichtet werden mußten, während die Ausgaben mit Mz. aus Gold, Silber oder Kupfer bezahlt wurden. Bis etwa 610 n. Chr. war die Münzprägung Aufgabe der *comes sacrarum largitionum*. Während Gold- und Silbermz. in den Präfekturen von Konstantinopel, Thessalonike, Afrika und It. geprägt wurden, hat man das Bronzegeld in den Münzstätten der Diözesen hergestellt. Im 7. Jh. wurde die Münzprägung dem *vestiarion* übertragen und die Prägung für den gesamten Osten des Reiches in Konstantinopel zentralisiert, während in Afrika und It. lokale Münzstätten weiterhin G. prägten, das besondere Nominale und Münzbilder aufwies.

G. war im östl. Mittelmeerraum bis zur Mitte des 6. Jh. allgegenwärtig und unentbehrlich. Die Grabungen in großen und kleineren Städten sowie in ländlichen Siedlungen haben Mz. aus diesem Zeitraum in großer Zahl zutage gefördert. Historische und hagiographische Texte, Papyri und Inschr. bestätigen die Verbreitung des Münzgeldes in allen Bereichen der Wirtschaft. Dabei zirkulierte das Münzgeld am schnellsten in den Küstenregionen und in Gebieten, die durch die Binnenschifffahrt erschlossen waren. Der Gebrauch von G. differierte auch entsprechend der Zugehörigkeit zu den verschiedenen sozialen Schichten. Goldmz. verwendeten v. a. Amtsträger, Großhändler und Großgrundbesitzer für ihre Geschäfte, während das Silber- oder Kupfergeld das Zahlungsmittel der unteren Schichten darstellte. Für den Tausch der verschiedenen Mz., der allein schon durch das Steuersystem erforderlich war, sorgten Geldwechsler und Bankiers.

Seit Mitte des 6. Jh. verschwand das G. zunehmend aus dem Wirtschaftsleben, zuerst auf dem Balkan und dann in Kleinasien. Die Geldzirkulation war regional begrenzt, und aufgrund wachsender Unsicherheit brach der überregionale Handel zusammen. Aber im 8. Jh. existierten noch einige wenige Gebiete, die dem Niedergang Widerstand entgegensetzten und von denen im 9. Jh. der Wiederaufstieg von Byzanz einsetzen sollte, so etwa Konstantinopel selbst, die Inseln, Sizilien und die Küstenregionen, v. a. auch auf der Peloponnes.

1 P. GRIERSON, Catalogue of the Byzantine Coins in the Dumbarton Oaks collection and in the Whittemore collection, 3 Bd. (491–1081), 1966–1973 2 W. HAHN, Moneta Imperii Byzantinii, Bd. 1–3 (491–717), 1973–1981 3 M. F. HENDY, Studies in the Byzantine Monetary Economy c. 300–1450, 1985 4 C. MORRISSON u. a., L'or monnayé I. Purification et altérations. De Rome à Byzance, Cahiers Ernest-Babelon 2, 1985 5 Dies., Monnaie et finances à Byzance: analyses, techniques, 1996.

CÉ. M./Ü: C. P.

V. FRÜHES MITTELALTER

Als Ausgangspunkt des geldgeschichtlichen Übergangs von der Spätant. zum Früh-MA hat die Etablierung der Goldwährung (→ *solidus* zu ca. 4,5 g) unter Constantinus I. zu gelten, als Schlußpunkt die fränkisch-angelsächsisch-friesische Option für die Silberwährung (seit ca. 670 n. Chr.) und die Etablierung des schweren Silberdenars (1,7 g) als Leitgewicht und als Leitmünze der Währung unter Karl d. Gr. (794 n. Chr.). Mit diesen Entwicklungen waren die Voraussetzungen für eine 500 Jahre dauernde, monometallistische Kontinuität und eine diskontinuierliche, wirtschaftliche Expansion im europ. Westen gelegt, durch die die Nord- und Ostseeregionen handelsaktiv erschlossen wurden, ohne daß damit die alten mediterranen Verbindungen mit Byzanz und dem Orient sowie die neuen mit der arabischen Welt vernachlässigt wurden. Im Übergang vom Gold zum Silber, dem quantitativ eine erhebliche Schrumpfung der monetären Zirkulation insgesamt entspricht, kommt zugleich eine qualitative Verschiebung von größter wirtschaftshistorischer Tragweite zum Ausdruck: Das Münzgeld verlor als primär fiskalisch-redistributives Zahlungsmittel zur Versorgung des stehenden Heeres und der Verwaltung im spätant. Steuerimperium sowie in den Munizipien deutlich an Bed.; G. wurde unter lockerer polit. Aufsicht und in einer für den Handwechsel wichtiger Bedarfsgüter förderlichen Form (breiter, flacher, leichter Silberpfennig) zunehmend als Zwischentauschmittel genutzt, das dem Handels- und Marktgeschehen dienen sollte.

Gemeinsam für alle Barbarenreiche ist die Ausgangssituation: Das spätröm. Geldsystem wurde zunächst übernommen. Bedingt durch den Funktionswandel des G. verschwand zuerst die den Goldsolidus ergänzende Kupferwährung aus der Zirkulation. Das Goldgeld verlor zudem allmählich seine Funktion als Zahlungsmittel für Steuern, Renten, Pachten und Besoldungen. Es blieb jedoch als Schatz (Hortung) im Gebrauch – was eine Aufwertung als Prestigegut bedeutete – und wurde nun zunehmend verausgabt für sozial, nicht kommerziell regulierte Aufwendungen. Schließlich floß Goldgeld seit dem Ende des 4. Jh. verstärkt in den Osten ab. Seine dadurch bedingte Verknappung (550–700 n. Chr.) spiegelt sich in weniger Ausmünzungen, Verkleinerung der Emissionen (*trientes*) und abnehmendem Feingehalt wider. Gegen Ende des 7. Jh. existierte die Goldwährung außerhalb des oström. Einzugsbereiches weitgehend nicht mehr; dennoch blieb der *solidus* als wertmessende Recheneinheit präsent. Diese Vorgänge wirkten sich in den Barbarenreichen in unterschiedlichem Umfang aus: In Britannien etwa kam der Goldmünzgebrauch als G. von ca. 430–650 n. Chr. zum Erliegen; in It. hingegen wurde bis zum späten 8. Jh. Anschluß an das byz. Goldwährungsgebiet gehalten.

Das 7. und 8. Jh. gelten als entscheidende Zeit des »evolutionären Umbruchs« (SPUFFORD) von der inzwischen goldarmen → *triens*- zur reinen Silberdenarwährung (mit bloßem Rechenbezug auf einen neuen Silbersolidus zu 12 Denaren). Diese Veränderungen sind im fränkischen Kernland relativ gut erkennbar. Gleiche Tendenzen gelten für das westgot., dann muslimische Spanien sowie für die angelsächsischen Küsten. Überall dort entstanden königlich privilegierte lokale Verbindungen von Mz. und Markt und bahnten sich engere Beziehungen zwischen Ausmünzung, periodischem Marktgeschehen in *civitas*, *vicus* und *villa*, grundherrlichen Rentenzahlungen und einem beauftragten Handel an.

Für das frühe MA war G. die Gabe Gottes, *per se* neutral bzw. unfruchtbar (im aristotelischen Sinne), wurde es allein durch Gebrauch gut (Almosen) oder schlecht (Reichtumshäufung, Zins, Bestechung). Gleiches wurde in den Konzilien und Synoden wiederholt. → GELD

1 W. BLEIBER, Naturalwirtschaft und Ware-Geld-Beziehungen zwischen Somme und Loire während des 7. Jh., 1981 2 R. DOEHAERD, Le haut moyen âge occidental. Economies et sociétés, 1971, 297–345 3 P. GRIERSON, Dark Age Numismatics. Selected Studies, 1979 4 P. GRIERSON, M. BLACKBURN, Medieval European coinage, Bd. 1: The Early Middle Ages (5th – 10th Centuries), 1986 5 M. F. HENDY, From public to private: the Western barbarian coinages as a mirror of the disintegration of Late Roman state structures, in: Viator 19, 1988, 29–78 6 R. HODGES, Dark Age economics. The origins of towns and trade A. D. 600–1000, 1982 7 P. SPUFFORD, Money and its Use in Medieval Europe, 1988.   LU. KU.

Geldbeutel. Im Griech. wie auch im Lat. gab es eine Vielzahl von Begriffen, die den G. bezeichneten, z. B. βαλ(λ)άντιον (*bal(l)ántion*), μαρσίππιον (*marsíppion*), θύλακος (*thýlakos*), φασκώλιον (*phaskólion*), crumina, *marsuppium*, *pasceolus*, *saccus*, *sacculus*, *sacciperium*, *versica*, ohne daß heute im einzelnen eine genaue Differenzierung möglich ist; vielleicht wurde nur eine Unterscheidung nach Farbe, Form und Größe getroffen, was man aus Plaut. Rud. 1313–1318 (dazu 548) vermuten darf. Die G. waren kleine Säckchen, die man, da die Kleider keine Taschen hatten, an einem Riemen um den Hals, am Gürtel, um den Unterarm trug oder in der Hand hielt. Von daher sind die Warnungen vor dem βαλ(λ)αντιοτόμος (*bal(l)antiotómos*) bzw. *sector zonarius* (»Beutelschneider«, in Athen mit dem Tod bestraft, Xen. mem. 1,2,62) häufig (Plaut. Pseud. 169 f., Trin. 862, vgl. Hor. epist. 2,2,40). Bereits auf den spätarcha. Vasen tauchen die G. in Verkaufsszenen, aber auch in Hetärenbildern auf. Als Material nennt Iuv. 14,282 *aluta*, feines mit Alaun gegerbtes Leder, doch dürften G. ebenso aus Leinen gewesen sein, wie Exemplare in Pompeji (Haus des Diomedes) zeigen; aus Br. ist eine Armbörse in Xanten [1. 63]. In der röm. Kunst sind G. ein Attribut des → Mercurius und auf Münzen der → Quaestoren; sie erscheinen auch auf Reliefs mit Pachtzahlungen und Handelsszenen. Anzufügen sind die *zona*, der Geldgurt der Männer, wie auch die *bulga*, offenbar ein gall. Wort für einen Ledersack, den man am Arm trug (Non. 2,78,2), während der *loculus* (*locellus*) eher die hölzerne oder elfenbeinerne Geldbörse meint. Als → *follis* [3] bezeichnete man in der späteren Kaiserzeit auch einen Geldbeutel oder einen Beutel mit einer bestimmten Summe Geldes bzw. eine einheitliche Summe in einem Beutel.

1 H. J. SCHALLES u. a., Arbeit, Handwerk und Berufe in der röm. Stadt, 1987, Inv. 84.0675.

M. MEYER, Männer mit Geld. Zu einer rf. Vase mit »Alltagsszene«, in: JDAI 103, 1988, 87–125 • E. SIMON,

E. Bauchhenss, s. v. Mercurius, LIMC 6, 1992, 500–554 · P. Bruun, Follis. A money bag in palace perspective, in: P. Bruun (Hrsg.), Studies in Constantinian numismatics. Rome (Acta Instituti Romani Finlandiae 12) 1991, 125–126 · Pompeij wiederentdeckt, Ausst.-Kat. Hamburg 1993, 169, Nr. 55.   R. H.

Geldentwertung Antike Geldsysteme waren prinzipiell stoffwertfixiert: Mz. besaßen aufgrund ihrer stofflichen Beschaffenheit aus Gold, Silber oder Bronze einen Wert als Metallquantum, der durch das Gewicht und den Feingehalt festgelegt war. Unter diesen Voraussetzungen ist G. in der Ant. in erster Linie auf Manipulationen am Gewicht oder Feingehalt der Mz. zurückzuführen. Da die Menge des emittierten Geldes wesentlich von der Höhe der anfallenden öffentlichen Ausgaben abhing, die oft nicht willkürlich gesenkt werden konnten, ist G. gewöhnlich mit Problemen der → öffentlichen Finanzen und einer unzureichenden Versorgung mit Edelmetall zu erklären. Damit unterscheidet sich die G. der Ant. grundsätzlich von dem Phänomen der Inflation im 20. Jh. n. Chr., die ein überschüssiges Geldmengenwachstum voraussetzt: Das Ungleichgewicht zwischen dem Geldangebot und der realen Geldnachfrage hat Preissteigerungen zur Folge; die moderne Inflation ist also in engem Zusammenhang mit der staatlichen Geldpolitik und der Geldmenge zu sehen.

Griech. Währungen waren im allg. stabil, und der Silbergehalt der Mz. wurde nur selten reduziert. Die Prägung von Br.-Mz. an Stelle von Silber-Mz. erscheint gelegentlich als Notmaßnahme. Der Bericht über den athenischen General Timotheos, der bei einem Feldzug gegen Olynthos eine fiduziäre Bronzewährung emittierte, um seine Truppen bezahlen zu können (Ps.-Aristot. oec. 1350a), ist nicht unbedingt histor., dennoch weist er auf die Optionen griech. Geldpolitik hin.

Manipulationen am Gewichtstandard von Silber-Mz. sind für die Prägungen der Ptolemaier und der Attaliden bekannt. Ptolemaios I. Soter setzte angesichts fehlender Silbervorkommen in Äg. das Gewicht der äg. Silbertetradrachme schrittweise auf 14,2 g herab, was den att. Münzfuß, auf dem die internationale Alexanderwährung basierte, um etwa 3 g unterschritt. Die Attaliden ließen etwa seit 170 v. Chr. als *kistophóroi* bezeichnete → Tetradrachmen prägen, die nur ca. 12 g wogen und so faktisch 3 att. → Drachmen entsprachen. Manipulationen am Feingehalt sind auch von karthagischen und kelt. Prägungen bekannt. Der Feingehalt der karthagischen Prägung fiel im 1. Punischen Krieg auf 33 % und wurde im 2. Punischen Krieg auf 18 % herabgesetzt. Als Folge des Gallischen Krieges nahm der Feingehalt der indigenen Prägungen in Gallien und Britannien dramatisch ab.

Bereits in der frühen Prinzipatszeit wurden das Gewicht und der Metallgehalt wichtiger Nominale reduziert; die Principes versuchten auf diese Weise, die steigenden Ausgaben für das Heer zu finanzieren. Unter Nero wurden 45 *aurei* statt wie zuvor 40 aus 1 röm. Pfund Gold und 96 *denarii* statt wie zuvor 84 aus 1 Pfund Silber geprägt. Der → *aureus* wog damit ca. 7,4 g, der → *denarius* 3,41 g. Bis zu Commodus wurde das Gewicht beider Mz. weiter auf 7,22 g (*aureus*) und 2,93 g (*denarius*) reduziert, wobei der Silbergehalt des *denarius* auf ca. 85 % sank. Der unter Caracalla geprägte → *antoninianus* im Wert von 2 *denarii* besaß ein Gewicht von nur 5,11 g. Vor der Mz.-Reform des Diocletianus hatten die Silber-Mz. nur noch einen Feingehalt von ca. 4 %.

Das Verhältnis von G. und Preissteigerungen im Imperium Romanum während des 3. und 4. Jh. n. Chr. konnte bisher nicht vollständig erklärt werden. Vor der Aurelianischen Mz.-Reform (274/5 n. Chr.) hat die Entwertung der ägypt. Silbertetradrachme von 32 % auf 3 % Silbergehalt das Preisniveau nicht beeinflußt, während sich im 4. Jh. n. Chr. jede Mz.-Verschlechterung in Ägypten umgehend auf das Preisniveau ausgewirkt hat. Obgleich erkennbar ist, daß in der Antike Mz. allg. entsprechend ihres Edelmetallgehaltes bewertet wurden und Mz.-Verschlechterungen Preissteigerungen zur Folge hatten, ist das ägypt. Beispiel ein Beleg für die Verbreitung und Anerkennung von fiduziärem Geld. Dies setzte allerdings das Vertrauen voraus, daß alle Marktteilnehmer in gleicher Weise handelten; wie P Oxy. 1411 (260 n. Chr.) zeigt, wurden Mz. dann nicht akzeptiert, wenn aus polit. Gründen dieses Vertrauen nicht mehr existierte. Demnach beeinflußten bisher wenig berücksichtigte und sehr komplexe Faktoren die Frage, ob im Feingehalt und Gewicht reduzierte Mz. entsprechend ihrem Nominal- oder ihrem Sachwert gehandelt wurden.

1 R. Bagnall, Currency and Inflation in 4th Century Egypt, Bull. of the American Soc. of Papyrologists Suppl. 5, 1985 2 F. Beyer, Geldpolitik in der röm. Kaiserzeit, 1995 3 R. A. G. Carson, Coins of the Roman Empire, 1990 4 R. Duncan-Jones, Money and Government in the Roman Empire, 1984 5 K. Hasler, Studien zu Wesen und Wert des Geldes in der röm. Kaiserzeit von Augustus bis Severus Alexander, 1980 6 C. Howgego, Ancient History from Coins, 1995 7 A. H. M. Jones, Inflation under the Roman Empire, in: Jones, Economy, 187–227 8 K. Maresch, Brz. und Silber. Papyrologische Beiträge zur Gesch. der Währung im ptolemäischen und röm. Ägypten bis zum 2. Jh. n. Chr., 1996 9 K. Strobel, Das Imperium Romanum im 3. Jh., 1993, 270–279.   S. v. R.

Geldmenge. Die G. beruhte in ant. Gemeinwesen oder Königreichen weniger auf einer reflektierten G.-Politik mit der Intention, der Ges. und Wirtschaft eine hinreichende Menge an Münzgeld für alle notwendigen Transaktionen zur Verfügung zu stellen, sondern hing vielmehr primär von der Höhe der öffentlichen Ausgaben ab. Die Prägung von Mz. hatte vornehmlich den Zweck, die Besoldung der Soldaten oder die Bezahlung von Baumaßnahmen zu gewährleisten. Da ant. Geld meist stoffwertfixiert war, lagen die Grenzen der → Münzprägung grundsätzlich im Umfang der Edelmetallversorgung, die weitgehend von der Ausbeutung der Metallagerstätten abhing. In einzelnen Fällen haben Städte auch Silber für die Münzprägung von anderen Gemeinwesen erhalten, so etwa Aigina aus Siphnos.

In der Zeit der röm. Republik ist die G. aufgrund der Ausbeutung der spanischen Silberbergwerke nach dem 2. Punischen Krieg in bisher ungekanntem Ausmaß gewachsen. Allerdings war es auch möglich, durch Manipulationen am Gewicht oder Edelmetallgehalt der Mz. bei sinkenden Erträgen des Gold- oder Silberbergbaus weiterhin Geld in gewohntem Umfang zu prägen oder aber bei gleichbleibender Edelmetallversorgung den Umfang der Emission zu erhöhen. Ob die Münzverschlechterung im 3. Jh. n. Chr. mit einer deutlichen Erhöhung der G. einherging, muß offen bleiben. Es spricht aber wenig dafür, daß die Preissteigerungen im späten 3. Jh. eine Reaktion auf eine stark steigende G. waren, denn es bestand in der Ant. kaum die Möglichkeit, Schwankungen in der G. genau wahrzunehmen und darauf durch die Preisgestaltung zu reagieren.

Andere Faktoren, die auf die G. Einfluß nehmen, sind die Umlaufgeschwindigkeit des Geldes oder die Ausfuhr von Mz. oder Edelmetall; in diesem Zusammenhang spielt auch die Hortung von Mz. eine erhebliche Rolle. Gerade im Verlauf von Krisen, die durch Überschuldung bedingt waren, wurde Geld in großem Umfang aus dem Verkehr gezogen (Tac. ann. 6,16f.; 33 n. Chr.). In derartigen Situationen wurde die Ausfuhr von Gold (Cic. Flacc. 67; 63 v. Chr.) oder der Besitz größerer Summen von Bargeld (Cass. Dio 41,38,1; 49 v. Chr.) verboten.

Die Notwendigkeit, ständig Mz. zu prägen, ergab sich aus der Tatsache, daß Gold- und Silber-Mz. gehortet wurden, verloren gingen, eingeschmolzen wurden, um etwa Schmuck herzustellen, oder aber zur Bezahlung importierter Luxusgüter verwendet wurden (zum Indienhandel vgl. Plin. nat. 6,101; 12,84).

In der Forsch. wurden aufgrund von Mz. und insbes. von → Hortfunden Rückschlüsse auf die G. in der Ant. gezogen. Das dafür angewandte Verfahren besteht darin, anhand der Mz., die in einer zeitlich begrenzten Auswahl von Horten erhalten sind, die Anzahl der jeweiligen Münzprägestempel auf Vorder- und Rückseite und ihre Kombination zu ermitteln und mit einem statistischen Extrapolationsverfahren auf die urspr. Stempelzahl zu schließen. Diese Zahl wird dann mit der geschätzten Anzahl der pro Stempel geprägten Mz. multipliziert. Das Verfahren ist wegen seiner zahlreichen Unwägbarkeiten (Schätzung der Anzahl der pro Stempel geprägten Mz., Schätzung der Verlustrate, Verhältnis von zirkulierenden und gehorteten Mz.) umstritten.

1 F. Beyer, Geldpolitik in der Röm. Kaiserzeit, 1995
2 T. V. Buttrey, Calculating Ancient Coin Production: Facts and Fantasies, in: NC 153, 1993, 335–51
3 K. Hopkins, Taxes and Trade in the Roman Empire (200 BC – AD 400), in: JRS 70, 1980, 101–125 4 C. Howgego, Ancient History from Coins, 1995 5 Ders., The Supply and Use of Money in the Roman World 200 BC to AD 300, in: JRS 82, 1992, 1–31.   S. v. R.

Geldtheorie. Obgleich in der Ant. eine eigentliche G. nicht formuliert wurde und Schriften dazu nicht existierten, wurden in der philos. Lit. oder in der Dichtung wiederholt die mit der Existenz von Geld verbundenen Probleme erörtert, etwa die Frage, worauf sein Wert beruhe oder welche Folgen die Verwendung von Geld für eine Gesellschaft habe. Schon früh kristallisierte sich bei den Griechen eine kritische Einstellung gegenüber dem Geld und dem auf Geldvermögen beruhenden Reichtum heraus. Das Streben nach Reichtum hat danach zerstörerische Folgen für Moral und Gesellschaft (vgl. etwa Soph. Ant. 295ff.), während das Fehlen von Edelmetallen oder das Verbot, diese zu besitzen, positiv bewertet wurden (Plat. leg. 679b; Xen. Lak. pol. 7,5f.); konsequenterweise tritt Platon dafür ein, Bürgern den Besitz von Gold und Silber zu verbieten und den Gebrauch von Münzen nur für den täglichen Gebrauch zu erlauben (Plat. leg. 741e–742c). Als problematisch galt vor allem der Verleih von Geld gegen → Zins (Plat. leg. 742c; Aristot. pol. 1258b).

Eine differenziertere G. findet sich erst bei Aristoteles (Aristot. eth. Nic. 1133a-b): Geld ist aufgrund einer Übereinkunft (κατὰ συνθήκην) der Wertmesser unterschiedlicher Bedürfnisse, die nur ausgetauscht werden können, wenn ihr Wert gemessen werden kann. Es existiert nicht von Natur aus, sondern nur aufgrund polit. Satzung (οὐ φύσει ἀλλὰ νόμῳ). Damit war der konzeptionelle Gegensatz von Geld als Ware und Geld als Konvention eingeführt, der noch im 17. und 18. Jh. die Diskussionen der Metallisten und Anti-Metallisten bestimmte. In der ›Politik‹ führt Aristoteles die Entstehung des Geldes bzw. der Mz. auf die Erfordernisse des Handels zw. den Poleis zurück. Er vertritt die Auffassung, daß zunächst Silber oder Eisen wegen seiner Nützlichkeit und Handlichkeit als Tauschgegenstand gebraucht wurde, wobei das Metall noch jeweils nach Größe und Gewicht bestimmt werden mußte; später wurde es mit einem Stempel als Zeichen der Quantität (τοῦ ποσοῦ σημεῖον) versehen (pol. 1257a-b). Aristoteles hält jedoch auch hier an der Theorie des Geldes als eines auf Übereinkunft beruhenden Tauschmittels fest. Geld wird in der aristotelischen Philos. als Repräsentant von Bedürfnissen, als allg. Wertmesser und als Wertaufbewahrungsmittel bestimmt, Vorstellungen, die sich noch in der modernen G. finden.

Auch röm. Juristen haben bei der Frage nach der Bedeutung des Geldes im Sachen- und Obligationenrecht den Gegensatz von *substantia* und *quantitas* thematisiert. Angesichts der Frage, ob Kauf und Verkauf als Kategorien des Naturaltausches (*permutatio*) anzusehen seien, stellte der Jurist Paulus fest, daß ausschlaggebend für den allg. und dauerhaften Wert (*publica ac perpetua aestimatio*) des Geldes nicht der Stoff (*substantia*) der Münze, sondern ihr offizieller Stempel (*forma publica*) sei, der die Einheitlichkeit ihres Wertes (*aequalitas quantitatis*) ausdrücke (Dig. 18,1,1,pr. 1). Auch in der röm. Lit. ist die Kritik am Reichtum mit einer Polemik gegen das Geld verbunden. So fordert Sallust, Caesar solle die Gier nach Geld beseitigen und dem Geld die *auctoritas* nehmen (Sall. epist. 2,7,3–8,3); Plinius bezeichnet die erste Prägung von Goldmünzen als *scelus* (»Verbrechen«) und das Geld allg. als Ursprung von Habsucht und Wucher (Plin. nat. 33,42; 33,48).

→ GELD

1 K. CHRIST, Die Griechen und das Geld, in: Griech. Gesch. und Wissenschaftsgesch., 1996, 59–77 2 K. HASLER, Studien zu Wesen und Wert des Geldes in der röm. Kaiserzeit von Augustus bis Severus Alexander, 1980 3 S. T. LOWRY, The Archaeology of Economic Ideas, 1987 4 S. MEIKLE, Aristotle's Economic Thought, 1995 5 C. NICOLET, Pline, Paul et la théorie de la monnaie, in: Athenaeum n. s. 62, 1984, 105–35 6 S. VON REDEN, Exchange in Ancient Greece, 1995.   S. v. R.

Gelduba (h. Krefeld-Gellep). Ort in Germania Inferior, Feldlager und Schlachtort der Bataverkriege (Tac. hist. 4,26,3; 32,1; 35,3; 36,1; 58,4); nach 70 n. Chr. Auxiliarkastell (Plin. nat. 19,90), das nach drei Holz-Erde-Phasen vor 150 in Stein ausgebaut wurde. Besatzung war lange Zeit die *cohors II Varcinorum equitata*. G. wurde im Zuge der Postumus-Erhebung 259 (Gefallenengräber!) und 275/6 durch die Franci zerstört, um 295 zur Festung umgestaltet und 353–355 abermals Opfer der Franci. Dennoch blieb G. noch sehr lange mil. besetzt. Sogar der zu Anf. des 5. Jh. erneuerte *vicus* wurde erst Anf. des 6. Jh. durch einen Brand vernichtet. Die ungebrochene Besiedlung des Ortes ist durch Gräberfelder sogar bis in die 2. H. des 8. Jh. n. Chr. gesichert (auch reiche fränk. Gräber).

H. TIEFENBACH, R. PIRLING, s. v. G., RGA 10, 636–646.   K. DI.

Gelegenheitsdichtung. Eine Form der Poesie, die ihre Entstehung nicht primär dem autonomen Wollen des Dichters, sondern einem äußeren Anlaß verdankt. In einem dem Originalitätsgedanken verpflichteten Verständnis wird G. oft als minderwertig betrachtet [1. 9–11]; doch ist dieser Vorwurf nicht gerechtfertigt, denn im weiteren Sinn sind große Teile der ant. Dichtung seit frühester Zeit G., wie – wohl in Selbstreflexion – das Lied des → Demodokos bei Hom. Od. 8,250ff. zeigt [vgl. 2. 35ff.]; auch Homer selbst wird in der biographischen Tradition G. zugeschrieben [3]. Namentlich die att. Trag. und Komödie sind untrennbar mit ihrem kultischen Anlaß verbunden [4]. – Im engeren Sinn ist G. eine Form der Dichtung, die den äußeren Anstoß zum Inhalt des Gedichts macht. Solche G. geht entweder von einem expliziten Auftrag aus (→ Auftragsdichtung) oder vom Wunsch des Dichters, ein bestimmtes Ereignis zu würdigen. So ist auch der Erwartungshorizont des Publikums für G. konstitutiv. Sofern der Adressat ein einzelner ist, ist dieser oft ein Herrscher (→ Hofdichtung) oder ein sonstiger Höhergestellter, mindestens ein sozial Gleichrangiger (→ Vergilius in Hor. carm. 1,3), nur selten ein Geringerer (Maecenas FPL³ p. 246 an Horaz; Hadrian FPL³ p. 343 an Florus).

G. umfaßt v. a. Lyrik und andere Formen der Kleindichtung. Der Anlaß kann öffentlicher Natur sein: Hierher gehören z. B. die Epinikien Pindars, die die Gelegenheit eines Sieges im Agon aufgreifen und in den jeweiligen Festzusammenhang einbetten [5]. Die erh. lat. Lit. beginnt mit G. (z. B. → Carmen Saliare); für G. in späterer Zeit stehen exemplarisch das *Carmen Saeculare* des Horaz oder die erste Silve des Statius. Beispiel für eine Mischform ist Ov. ars 1,177ff. (über den Orientzug des C. Caesar), wo G. in ein Lehrgedicht integriert ist. In der Spätant. findet sich polit. G. bei Claudianus [2] und Sidonius Apollinaris. Häufiger aber sind private Motive wie Geburtstag [7], Hochzeit, Tod [8], die in Einzelgedichten (z. B. Tib. 2,2) gewürdigt werden oder ganze Corpora (z. B. Statius' *Silvae*) prägen. – Nicht selten, etwa bei Catull, Horaz [9], Martial (*Xenia* und *Apophoreta*), wird der konkrete Anlaß fiktionalisiert, so daß G. in erster Linie lit. Kunstform, nicht mehr Produkt des Augenblicks ist. Je weiter diese Literarisierung vollzogen ist, desto weniger wichtig ist auch der anlaßgebundene mündliche Vortrag, der urspr. zum Wesen von G. gehört (aber → Rezitation). Gelegenheitsprosa ist v. a. im rhet. *genos epideiktikon* (→ Epideixis) beheimatet und kam bes. in der → zweiten Sophistik zur Blüte. In nachant. Zeit lebt die G. in vielfachen Formen fort [10].

→ GELEGENHEITSDICHTUNG

1 W. RÖSLER, Dichter und Gruppe, 1978 2 U. HÖLSCHER, Die Odyssee, ²1989 3 A. LUDWICH, Homerische G.en, in: RhM 71, 1916, 41–78; 200–231 4 C. MEIER, Die polit. Kunst der griech. Trag., 1988 5 E. KRUMMEN, Pyrsos hymnon, 1990 6 S. DÖPP, Zeitgesch. in Dichtungen Claudians, 1980 7 K. BURKHARD, Das ant. Geburtstagsgedicht, 1991 8 R. MÜLLER, Motivkatalog der röm. Elegie, 1952 9 M. CITRONI, Poesia e lettori in Roma antica, 1995 10 R. DRUX, s. v. G., HWdR 3,653–667.   U. SCH.

Geleontes s. Hopletes

Gelimer. Enkel des → Geisericus, letzter Vandalenkönig (530–4 n. Chr.), übernahm 530 nach dem Sturz des Hildericus die Herrschaft (Prok. BV 1,9,8–9; Greg. Tur. Franc. 2,3). Seine scharfe Zurückweisung jeden Eingriffs des Iustinianus in innere Angelegenheiten führte zum Krieg (Prok. BV 1,9,10–24). Da G. seine Truppen gegen den aufständischen Godas nach Sardinien entsandt hatte, konnte er sich weder gegen den in Tripolitania revoltierenden Pudentius noch gegen den 533 in Sizilien gelandeten → Belisarios verteidigen (Prok. BV 1,10,24–27). Er sicherte sich den Rückzug durch einen Bund mit den Westgoten in Spanien. Nach der Schlacht bei Ad Decimum (nahe Karthago) im Sept. 533 floh G., gewann neue Verbündete, griff mit dem aus Sardinien zurückgekehrten Heer Belisarios erneut an, wurde aber Mitte Dez. 533 bei Tricamarum geschlagen und zog sich in das Gebirge Pappua zurück (Prok. BV 2,3,1–28). März 534 nahm ihn Belisarios gefangen und führte ihn im Triumph in Konstantinopel mit (Iord. Get. 171; Prok. BV 1,23,20;21). Iustinianus überließ ihm Ländereien in Galatia, erhob den Arianer aber nicht zum *patricius*. Als letzten Herrscher eines Reiches zeichnen die Quellen G. mit den typischen epigonenhaften und tyrannischen Zügen.

PLRE 3, 506–508 · F. H. CLOVER, The Late Roman West and the Vandals, 1993 · H.-J. DIESNER, Das Vandalenreich, 1966, 98–104 · J. A. S. EVANS, The Age of Justinian, 1996, 126–133.   ME. STR.

Gellias (Γελλίας). Reicher Akragantiner, dessen einmalige Gastlichkeit und Freigebigkeit von Diodoros (13,83) anläßlich der Schilderung des Wohlstandes von Akragas im 5. Jh. v. Chr. (Diod. 13,81,4–84,7 = Timaios FGrH 566 F 26a) gerühmt werden. Vgl. auch Athen. I 4 und Val. Max. 4,8 ext. 2. G. starb bei der Zerstörung von Akragas durch die Karthager 406/5.   K. MEI.

Gellius. Röm. Gentilname, der auf das seit dem Anf. des 3. Jh. v. Chr. bezeugte Praenomen G. zurückzuführen sein wird. Die Namensträger sind seit dem 2. Jh. v. Chr. im polit. Lebens Roms nachweisbar.

SALOMIES 104 · SCHULZE 519.

[1] Stiefbruder des L. Marcius Philippus (*cos.* 56 v. Chr.), sonst unbekannter Anhänger des P. Clodius [I 4] aus dem Ritterstand, von Cicero als »Nährmutter aller Revolutionäre« diffamiert (Cic. Vatin. 4; Cic. Sest. 110–112).   K.-L. E.

[2] G., Cn. Röm. Historiker, wahrscheinlich identisch mit dem Monetalis des Denars RRC 232 (ca. 138 v. Chr.): [2. 268; 3. 20]. G. verfaßte wohl gegen Ende des 2. Jh. *annales*, die von der röm. Frühzeit bis mindestens 146 v. Chr. (fr. 28 PETER [= HRR I2, 156]) reichten. Der ungewöhnlich große Umfang des Werkes (fr. 26 aus B. 33 [= HRR I2, 155] betrifft das Jahr 216; auch B. 97 in fr. 29 [= HRR I2, 156] muß kein Fehlzitat sein) beruhte wohl kaum auf der erstmaligen Benutzung der → *Annales maximi* (so aber [1. 12]), sondern auf der großzügigen Einbeziehung von Mythologemen und kulturhistor. Spekulationen, strenger annalistischer Durchformung (sogar der Königszeit: fr. 11; 18 [= HRR I2, 151, 153]) und phantasievoller Ergänzung der spärlichen Tradition durch Reden, Motivationen und Handlungselemente, die nach den Regeln der Plausibilität (*eikós*, εἰκός) erfunden wurden [3. 21 f.]. G. nimmt damit Eigenarten der späten → Annalistik vorweg. Seine Sprache ist bis auf einige Extravaganzen (Vorliebe für Formen auf -*abus*; Gen. *lapiderum*) relativ unauffällig. – Von späteren Historikern benutzten G. C. → Licinius Macer (Dion. Hal. ant. 6,11,2; 7,1,4) sowie → Dionysios [18] von Halikarnassos (der grobe chronologische Fehler tadelt), aber nicht Livius; spätere Zitate (z. B. bei Aulus Gellius und Servius) sind vielleicht durch Varro vermittelt.

FR: HRR I² 148–157.

1 E. BADIAN, The Early Historians, in: T. A. DOREY u. a. (Hrsg.), Latin Historians, 1966, 1–38, bes. 11–13 2 RAWSON, Culture, 267–271 3 T. P. WISEMAN, Clio's Cosmetics, 1979.   W. K.

[3] G., Statius. Samnitenfeldherr, bei Bovianum 305 v. Chr. besiegt und gefangen (Liv. 9,44,13–15).

[4] G., L. (Das Cognomen Poblicola trug erst sein Adoptivsohn G. [5].) *Homo novus*, Aedil spätestens 96 v. Chr., *praetor peregrinus* 94 (erwähnt im Bündnisvertrag Roms mit Thyrreion in Arkadien, Syll.³ 732), dann 93 Promagistrat in einer der östlichen Provinzen, wohl Asia (MRR 3,99); er versuchte zum Gespött seiner Standesgenossen, in den Streitigkeiten der athenischen Philosophenschulen zu vermitteln (Cic. leg. 1,53). Erst 73 wurde er mit L. Cornelius [I 48] Lentulus Clodianus Consul, besiegte zunächst eine Gruppe aufständischer Sklaven des Spartacus unter Krixos, wurde dann aber von Spartacus selbst besiegt und darauf vom Senat mit seinem Kollegen vom Kommando entbunden (MRR 2, 116), wurde aber trotzdem mit Cn. Cornelius [I 48] Lentulus 70 Censor (Ausstoßung von 64 Senatoren aus dem Senat, Liv. per. 98). 67–65 war er Legat des Pompeius im Seeräuberkrieg und mit der Bewachung der ital. Küste und der Kontrolle über das tyrrhenische Meer betraut. 63 unterstützte er Ciceros Vorgehen gegen die Catilinarier, 59 opponierte er gegen Caesars Agrargesetz (Plut. Cicero 26,2) und trat noch 57 und 55 im Senat auf. Sein Adoptivsohn G. [5] soll mit seiner zweiten Frau Ehebruch begangen haben (Val. Max. 5,9,1).

[5] G. Poblicola, L. Leiblicher Bruder des M. Valerius Messalla Corvinus (*cos.* 31 v. Chr.) und Adoptivsohn von G. [4] [1. 8]. Er gehörte in den 50er Jahren zum Kreis um P. Clodius [I 4] und wurde deshalb als Rivale um die Gunst von dessen Schwester Clodia [1] von Catull (74; 80; 88–91) scharf angegriffen (Inzestvorwurf). 43 stand er zunächst auf der Seite des Caesar-Mörders M. Iunius Brutus, ging aber nach einem gescheiterten Anschlag auf Brutus zum Triumvirn M. Antonius [I 9] über (Cass. Dio 47,24,3–5; Liv. per. 122). 41 prägte er als *quaestor p(ro praetore)* (?) unter Antonius Münzen (RRC 517). 36 Consul, 35 von Horaz (sat. 1,10,85) lobend erwähnt; 31 kommandierte er bei Actium mit Antonius den rechten Flügel der Flotte (Plut. Antonius 65,1; 66,2); er starb wohl in der Schlacht oder wenig später.

1 E. BADIAN, The Clever and the Wise, in: BICS Suppl. 51, 1988 2 SYME, RR, Index s. v. G. 3 T. P. WISEMAN, Cinna the Poet and Other Essays, 1974, 119–129 (zur Familie).
                                                    K.-L. E.

[6] A. G. Verf. der *Noctes Atticae*, vermutlich in Rom zw. 125 und 130 n. Chr. geboren (Gell. 7,6,12). Die spärlichen, aus dem Werk zu erschließenden Informationen über sein Leben beziehen sich in erster Linie auf Ausbildung und geistigen Werdegang (Ausnahme: Gell. 14,2,1 – Tätigkeit als *iudex extra ordinem*). Als erste Lehrer nennt G. → Sulpicius Apollinaris, Antonius → Iulianus und Ti. → Castricius. Auf einer Bildungsreise nach Griechenland (wohl 147/8) hört er den Platoniker Lucius Calvenus Taurus und lernt den reichen Mäzen und glänzenden Redner → Herodes Atticus kennen. Auf diese Reise führt Gellius (praef. 4) auch seine lit. Sammeltätigkeit und den Titel seines Miszellanwerkes *Noc-*

tes Atticae zurück. Weitere wichtige Freunde und Lehrer sind der Prinzenerzieher → Fronto und insbes. → Favorinus von Arelate, in dem G. das Idealbild eines in allen Bereichen der griech. und röm. Kultur versierten Intellektuellen erblickt.

G.' einziges, 20 B. umfassendes, von ihm selbst in die Trad. der → Buntschriftstellerei gestelltes Werk (praef. 4–10) gibt sich als eine Art Leseprotokoll und enthält Informationen aus der poetischen und rhet. Lit. der Griechen und Römer, aus Historiographie, Philos. und allen wichtigen Disziplinen der Fachschriftstellerei (insbes. Gramm., Rechtswissenschaft und Medizin). Insgesamt dominiert wie generell im → Archaismus das Interesse an der Sprachbetrachtung (bes. Lexik und Etym.). Der Stoff wird nicht systematisch, sondern in thematisch geschlossenen Einzelkapiteln in bunter Reihe dargeboten. Quellen sind neben den Originalen auch andere Enzyklopädien und Miszellanwerke (v.a. M. Terentius → Varro, → Plinius d.Ä., → Sueton). – Das Werk, das der Autor seinen Kindern widmet (praef. 23), richtet sich an den durchschnittlich gebildeten Zeitgenossen. Erklärtes pädagogisches Ziel ist die Vermittlung des korrekten Verhaltens innerhalb der zeitgenössischen Konversationskultur. Durch anekdotische Erzählweise und die häufige narrativ-szenische Rahmung der Einzelkapitel exemplifiziert G. über den bloßen Inhalt hinaus den von ihm geforderten Verhaltenskodex und macht ihn situativ anschaulich. Hierdurch unterscheidet sich G. auch maßgeblich von anderen Buntschriftstellern. G. ist also nicht nur durch seine zahlreichen Zitate anderweitig verlorener Lit. von Bed., sondern v.a. als Repräsentant der urbanen Kultur des 2. Jh., in der Bildung zu einem wesentlichen Bestandteil des Sozialprestiges wird.

G. wird in der Spätant. rezipiert. Bes. wichtig sind hier → Nonius Marcellus und → Macrobius, dessen *Saturnalia* G. auch in ihrer Form nahestehen. Die hsl. Trad. bildet Schwerpunkte im 12. und dann in engem Zusammenhang mit der humanistischen Rezeption, in der G. nicht zuletzt als Modell wiss. Miszellanschriftstellerei gilt (z.B. Angelo Polizianos *Miscellanea*), im 15. Jh. → Zweite Sophistik

Ed.: P.K. Marshall, 1968.
Übers.: F. Weiss, 1875/6 (ND 1992).
Lit.: M.L. Astarita, La Cultura nelle Noctes Atticae, 1993 • S.M. Beall, Civilis eruditio, Diss. Berkeley, 1988 • H. Berthold, A.G., Auswahl und Aufgliederung seiner Themen, 1959 • L. Holford-Strevens, A.G., 1988 • P.L. Schmidt, in: HLL, § 408 • D.W.T. Vessey, A.G. and the cult of the past, in: ANRW II.34,2, 1863–1917.   H.KR.

Gello (Γελλώ) bezeichnet den Geist eines ledig gestorbenen Mädchens, der unverheiratete oder schwangere Frauen und Kleinkinder tötet; erstmals wird sie bei Sappho genannt (fr. 178 L.P. = 168 V.) [1]; G. ist ebenfalls Name einer myth. Gestalt mit diesen Zügen (Suda s.v.). Sie wurde noch in byz. Zeit gefürchtet (Johannes Damaskenos *Perí Stryngṓn*, PG 94, 1904 C; Psellos

Dihḗgesis perí Gellṓs [2]), was im ländlichen Griechenland bis heute überdauert [3]. G. wurde oft mit → Lamia und → Mormo, zwei ähnlichen Geistern, und der Strix in Zusammenhang gebracht. Riten, um G. – ein »Nachtwesen«, das »Kinder erwürgt und Kreissenden schadet« – abzuwehren, kennen Kyranides (2,31,20–23) und byz. Autoren [4].

1 S.I. Johnston, Restless Dead, (in Vorbereitung: 1999, Kap. 5) 2 K. Sathas (Hrsg.), Μεσαιωνικὴ Βιβλιοθήκη 5, 1876, 572–573 3 C. Stewart, Demons and the Devil, 1991 4 P. Perdrizet, Negotium Perambulans in Tenebris, 1922, 16–38.   S.I.J.

Gelon (Γέλων).

[1] Sohn des Deinomenes aus Gela, größter sizilischer Tyrann vor Dionysios I., Regierungszeit ca. 491–478 v. Chr. Zuerst Leibwächter, später Reiteroberst des Hippokrates von Gela, usurpierte er nach dessen Tod 491 die Tyrannis über Gela und brachte die ostsizilische *archḗ* seines Vorgängers, die Gela, Kamarina, Kallipolis, Leontinoi, Katane, Naxos und zahlreiche Sikelergemeinden umfaßte, in seine Gewalt (Hdt. 7,154). Um 485 von den nach Kasmenai vertriebenen syrakusischen Gamoren (Landbesitzern) gegen Demos und Kyllyrier (Hörige) zu Hilfe gerufen, führte er die Gamoren nach Syrakus zurück und bemächtigte sich dabei auch dieser Stadt (Hdt. 7,155 f.). Durch gewaltsame Umsiedlungen aus Gela, Kamarina und Megara Hyblaia machte er Syrakus zur »größten Stadt Siziliens« (Hdt. 7,156; Thuk. 6,5,3) und zu seiner Residenz, während er die Herrschaft über Gela seinem Bruder Hieron anvertraute.

Anders als die meisten antiken Tyrannen stützte sich G. nicht auf das niedere Volk, sondern auf den grundbesitzenden Adel. Außerdem verlieh er 10000 Söldnern das Bürgerrecht (Diod. 11,72,3) und schuf eine bedeutende Kriegsflotte. Verbündet mit dem Tyrannen Theron von Akragas, dessen Tochter Damarete G. zur Frau hatte, kämpfte er bereits nach dem Ende des Dorieus in der Zeit vor 485 erfolgreich gegen die Karthager (Hdt. 7,158). 481 lehnte er den Beitritt zur hellenischen Eidgenossenschaft ab, nicht, weil ihm der Oberbefehl verweigert wurde (so Hdt. 7,158–162), sondern weil die Invasion der Karthager gegen Sizilien unmittelbar bevorstand: Auf den Hilferuf des Terillos (der von Theron aus Himera vertrieben worden war) und dessen Schwiegervater Anaxilaos von Rhegion hin landeten die Karthager unter Hamilkar mit großen Land- und Seestreitkräften 480 bei Himera. Dort errang G. einen großartigen Sieg, der die Insel für ca. 70 Jahre von der Karthagergefahr befreite und ihr zu großer Blüte und Wohlstand verhalf (Hdt. 7,165–167; Diod. 11,20–26). Gelon errichtete zur Erinnerung an seinen Sieg in Himera und Syrakus prächtige Bauten und wurde als »Wohltäter und Retter« gefeiert (Diod. 11,26,6). Daß er das Amt eines »bevollmächtigten Strategen« innehatte (so Diod. 13,94,5), ist eine spätere Erfindung. Er starb 478 an einer Krankheit, Nachfolger wurde sein Bruder Hieron.

Quellen: Hdt. 7,153–167; Diod. 11,20–38,3 (zumeist aus Timaios).

W. AMELING, Karthago, 1993, 15 ff. · D. ASHERI, CAH 4, ²1988, 766–775 · H. BERVE, Die Tyrannis bei den Griechen, 1967; Bd. 1, 142 ff.; 2, 598 ff. · S. N. CONSOLO LANGHER, Siracusa e la Sicilia greca, 1996, 218 ff. · W. HUSS, Geschichte der Karthager, 1985, 93 ff. · A. VON STAUFFENBERG, Trinakria, 1963, 176 ff. · M. ZAHRNT, Die Schlacht bei Himera und die sizilische Historiographie, in: Chiron 23, 1993, 353–390.

[2] Sohn und Mitregent König Hierons II. von Syrakus, starb noch vor seinem Vater 216/5 v. Chr.   K. MEI.

[3] Anhänger des epirotischen Königs Neoptolemos, der seit etwa 297 v. Chr. mit Pyrrhos in Samtherrschaft das Land regierte. G. intrigierte, um den Sturz des Pyrrhos einzuleiten. Dies veranlaßte aber nur den Sturz des Neoptolemos (Plut. Pyrrhos 5) spätestens Winter 296/5, denn Pyrrhos griff 295 in den maked. Thronfolgestreit ein.   BO. D.

Gelonoi (Γελωνοί).

Nach Hdt. (4,102; 108 f.; 120; 136) ackerbautreibender skyth. Stamm in der Nachbarschaft der → Budinoi mit griech.-skyth. Mischsprache; Nachkommen des Gelonos; urspr. griech. Flüchtlinge aus griech. Handelsniederlassungen. Sie sollen am Kampf gegen → Dareios [1] I. beteiligt gewesen sein.   J. W.

Gelonos (Γελωνός).

[1] Sohn des Herakles und der Schlangenjungfrau → Echidna, Bruder des Agathyrsos und des → Skythes, Eponymos der griech.-skythischen Gelonoi (Hdt. 4,10).   JO. S.

[2] Nur von Hdt. 4,108 erwähnte Stadt der Budinoi, dem Kontext der recht widersprüchlichen Stelle nach nördl. der Melanchlainoi am oberen Donec. Herodot beschreibt eine in Holz erbaute Stadt mit griech. Architektur und griech. Lebensstil. Die Bewohner sprachen teils skyth., teils griech. Damit ist G. das erste lit. belegte Beispiel für eine griech. Stadt im barbarischen Hinterland der Pontosgebiete und für die Mixhellenes. Das Namensystem (Gelōnoí, Gelōnós als myth. PN und G.) scheint jedoch griech. Konstruktion zu sein.

B. N. GRAKOW, Die Skythen, 1978, 14, 122, 148.   I. v. B.

Gemellae.

Lager und Stadt in der Numidia, 25 km südwestl. von Biskra gelegen, h. El-Kasbat. G. gehörte zum Befestigungssystem des Fossatum. Hier lagen zeitweise ein Detachement der legio III Augusta und die ala I Pannoniorum. Im 4. Jh. hatte der praepositus limitis Gemellensis in G. sein Quartier. Belege: Tab. Peut. 5,1; Not. dign. occ. 25,24. Inschr.: CIL VIII 1, 2482; Suppl. 2, 17976–17985; AE 1969–1970, 222 Nr. 741(?); 1989, 287 Nr. 883.
→ Limes

J. BARADEZ, G., in: Revue Africaine 93, 1949, 5–26.
                                                                      W. HU.

Gemellus

[1] Freund König Herodes’ I. Mit polit. und diplomatischen Aufgaben sowie mit der Erziehung des Alexandros, des ältesten Sohnes des Königs von Mariamme, betraut, begleitete diesen 23 v. Chr. für fünf Jahre nach Rom. Als Herodes 14 v. Chr. seinem Sohn zu mißtrauen begann, fiel G. in Ungnade (Ios. ant. Iud. 16,241–243).   K. BR.

[2] Sohn des Anatolios, Kilikier, Bruder des Apolinarios, mit dem er seinen Vater, den Statthalter, 361 n. Chr. nach Phönizien begleitete (Lib. epist. 304; 637). Schüler des Libanios, dessen Sohn er 391 pflegte (Lib. epist. 233; 806; 1023; or. 1,279). 404/408 praef. urbi Constantinopolitanae (Ioh. Chrys. epist. 79; 124; 132; 194). PLRE 1, 388 G. (2).   M. MEI. u. ME. STR.

Gemini s. Sternbilder

Geminius

Röm. Familienname, wohl abgeleitet und handschriftlich öfter verwechselt mit Geminus (SCHULZE 108).

I. REPUBLIKANISCHE ZEIT

[I 1] G., Freund des Pompeius, in dessen Auftrag er 77 v. Chr. den M. Iunius Brutus ermordete (Plut. Pompeius 2,6; 16,6).

[I 2] G., Freund des Triumvirn M. Antonius [I 9], der ihn 32 v. Chr. vergeblich zur Rückkehr nach Rom und zur Aussöhnung mit Octavian zu bewegen suchte (Plut. Antonius 59,1).   K.-L. E.

II. KAISERZEIT

[II 1] G. Ritter. Amicus des Seianus; wegen Beteiligung an dessen »Verschwörung« hingerichtet. PIR² G 142.

[II 2] G. Chrestus. Ritter. Praefectus Aegypti 219/220 n. Chr. [1. 308; 2. 86]. Nach Zos. 1,11,2 machte Severus Alexander ihn zusammen mit Flavianus zum praefectus praetorio; doch wurde auf Veranlassung Mamaeas → Ulpianus als übergeordneter praefectus eingesetzt. Wegen eines Komplotts der praefecti gegen Ulpian wurden sie beseitigt. PIR² G 144.

1 G. BASTIANINI, in: ZPE 17, 1975 2 G. BASTIANINI, in: ZPE 38, 1980.

[II 3] G. Modestus → Gabinius [II 2].   W. E.

Geminos (Γέμινος).

[1] Astronom und Mathematiker aus der Schule des Poseidonios. Über sein Leben ist fast nichts bekannt. Die Blütezeit seines Schaffens war um 70 v. Chr. Allg. wird angenommen, daß er auf Rhodos lebte. Die einzige vollständig erh. Schrift des G. ist die ›Einführung in die Astronomie‹ (Εἰσαγωγὴ εἰς τὰ φαινόμενα). Sie steht in der Trad. des → Eudoxos und des → Aratos [4]. Ähnlich wie die spätere Schrift des → Kleomedes ist sie ein elementares astronomisches Lehrbuch, das als Vorbereitung für die anspruchsvollere Spezialit. (z. B. → Hipparchos) dienen sollte. G. gibt eine leicht verständliche, klare und fast überall korrekte Beschreibung der Grund-

lagen der Astronomie; die mathematischen Details und Berechnungen sind ausgelassen. Bei den Planeten werden nur die Umlaufzeiten angegeben; Epizykel und Exzenter werden (abgesehen von der Exzentrizität der Sonnenbahn bezüglich der Erde) nicht erwähnt. Kap. 1 schildert den Tierkreis und erkl. die jährliche Anomalie der Sonne durch die Exzentrizität ihrer Sphäre. Kap. 2 stellt die astrologischen Aspekte der Tierkreiszeichen (→ Zodiakos) dar und weist auf Fehler in der Nativitäts-Astrologie hin. Kap. 3–5 beschreiben den Fixsternhimmel, die Hauptkreise und die Himmelskoordinaten. Kap. 6–7 behandeln den Unterschied zw. Sonnen- und Sterntag, die Tageslänge in den verschiedenen Breiten und Jahreszeiten sowie die Gesetze für die Aufgangszeiten der Zodiakalzeichen. Kap. 8 beschreibt die verschiedenen Kalendersysteme mit den unterschiedlichen Versuchen, Mond- und Sonnenjahr in Einklang zu bringen. Kap. 9 erkl. die Mondphasen, Kap. 10 und 11 die Sonnen- und Mondfinsternisse und Kap. 12 die allgemeinen Bewegungen der Planeten. Kap. 13 und 14 behandeln die Auf- und Untergänge und den täglichen Lauf der Fixsterne, Kap. 15 und 16 die auf → Eratosthenes beruhende Einteilung der Erde in Zonen. Kap. 17 bringt Bemerkungen über Wetterzeichen und Kap. 18 die Theorie der Voraussage von Mondfinsternissen (unter Benutzung des sog. Saros-Zyklus). Den Schluß bildet ein Kalendarium, in dem für die einzelnen Zodiakal-Monate die Wetterzeichen und Fixsternphasen aufgeführt werden; dieser Abschnitt gehörte wahrscheinlich nicht zum urspr. Text.

Nicht erh. ist ein Komm. des G. zu den *Meteōrologiká* des → Poseidonios (erwähnt bei Simpl. in Aristot. phys. S.291,22 DIELS).

G. verfaßte auch eine ›Theorie der Mathematik‹ (Μαθημάτων θεωρία), die aus mehr als 6 B. bestand. In diesem Werk, aus dem u.a. Proklos (Euklid-Komm.), Pappos und Eutokios zitieren, behandelte G. die logischen Grundlagen der Mathematik nach dem Muster Euklids vom stoischen Standpunkt aus. In seinem Bestreben, die Grundbegriffe zu klassifizieren, ging G. u.a. auf die Bed. logischer Termini wie »Hypothese«, »Theorem«, »Postulat« und »Axiom« und auf die Definitionen mathematischer Begriffe (Linie, Fläche, Figur, Winkel) ein. G. kritisierte Euklids Fassung des sog. Parallelenpostulats, die er durch eine andere Formulierung ersetzen wollte. Jedoch stammt der Beweisversuch, der in arab. Texten einem »Aganis« zugeschrieben wird, vermutlich von einem anderen Autor.

ED.: K. MANITIUS, Gemini Elementa astronomiae, 1898 (griech. und dt. mit Anhang über Leben und Werke) • E.J. DIJKSTERHUIS, Gemini Elementorum astronomiae capita I, III–VI, VIII–XVI (mit Glossar), 1957 • G. AUJAC, Geminus. Introduction aux phénomènes (mit frz. Übers.), 1975.
LIT.: D.R. DICKS, s.v. G., Dictionary of Scientific Biography 5, 1972, 344–347 • T.L. HEATH, History of Greek Mathematics, Bd.2, 1921, 222–234 • A.I. SABRA, Thābit ibn Qurra on Euclid's parallels postulate, in: Journal of the Warburg and Courtauld Institutes 31, 1968, 12–32 • C.R. TITTEL, s.v. Geminos 1, RE 7,1026–1050.   M.F.

[2] Epigrammdichter, dem die *Anthologia Palatina* zehn Epigramme zuweist; manchmal mit dem Gentiliz Tullius vorweg (Anth. Pal. 9,410 wird jedoch Tullius Sabinus zugeschrieben). Autor könnte der Τούλλιος aus dem »Kranz« des Philippos (Anth. Pal. 4,2,9) sein, vielleicht gleichzusetzen mit C. Terentius Tullius Geminus (*cos. suff.* 46 n.Chr). Die Epigramme beschreiben hauptsächlich Kunstwerke, kommen jedoch über Gemeinplätze nicht hinaus und sind manchmal ungeschickt im Ausdruck (z.B. 6,260; 16,205). 16,205,4 scheint eine Übersetzung aus dem Lat. zu sein. Eigene Beobachtung verrät das originelle Lob des thrakisch-maked. Flusses Strymon (9,707).

GA II 1,260–266; 2,294–299.   M.G.A./Ü: M.A.S.

Geminus. Cognomen (»Zwilling«) des Tusculaners → Maecius G.; in den Fasten der republikanischen Zeit sonst bei den Servilii und Veturii; in der Kaiserzeit weit verbreitet.

DEGRASSI, FCap. 145 • Ders., FCIR 253 • KAJANTO, Cognomina 294 • WALDE/HOFMANN 1, 586f.   K.-L.E.

Gemmen, Gemmen- und Kameenschneider s. Steinschneidekunst

Gemse (*rubicapra*). Wie die → Steinböcke (*ibex*) lebt die zu der Rinderfamilie gehörige G. in den Alpen (Plin. nat. 8,214). Ihre Hörner sind rückwärts gebogen (*cornua in dorsum adunca*) im Gegensatz zu den nach vorne gerichteten der *dammae* (→ Gazellen; Plin. nat. 11,124, vielleicht aus eigener Anschauung). Für die angebliche Heilung von Schwindsucht durch in gleichem Verhältnis mit Milch gemischtes G.-Fett beruft sich Plin. nat. 28,231 jedoch auf einen Autor, der möglicherweise G. mit Wildziegen verwechselte. Diese Verwechslung findet sich bei vielen Autoren wie Homer (Od. 9,118), Cato bei Varro rust. 2,3,3 (anders [1. Bd. 1,299]) sowie Verg. Aen. 4,152 [2. 49].

1 KELLER 2 O. KELLER, Thiere des class. Alterthums, 1887.
        C.HÜ.

Gemüse. Meist einjährige Pflanzen, deren Teile sich roh oder gekocht zum Verzehr eignen. In der ant. Welt gab es G. in großer Zahl; allein für das kaiserzeitliche It. sind fünfzig Garten- und fünfzig Wildg.-Sorten bezeugt. Heute vielfach unbekannt oder ungebräuchlich, wurden sie in ant. Quellen in drei große Gruppen eingeteilt: 1. *legumina* (vor allem die eiweißreichen Hülsenfrüchte wie → Bohnen, Erbsen, Kichererbsen, → Linsen, → Lupinen; vgl. die Listen bei Colum. 2,7,1–2; Plin. nat. 18,117–136); 2. *olera* (insbes. die vitamin- und ballaststoffreichen Blatt-G., Knollengewächse, Salatarten); 3. *olera odorata* bzw. *condimenta viridia* (Kräuter wie → Dill, → Fenchel, Kümmel, Petersilie, Senf; vgl. die Liste bei Plin. nat. 19,52–189). Pilze zählten nur im weiteren Sinne zum G.

Das Angebot an G. war durchweg reichhaltig, regional und saisonal aber sehr verschieden. Außerdem sorgten Änderungen des Verbrauchergeschmacks für ein sich wandelndes Angebot. Die Zahl der in den Städten verzehrten G.-Sorten nahm insgesamt mit der Zeit ab und beschränkte sich auf wenige Garteng.-Sorten, vor allem auf Bohnen, Erbsen, Kichererbsen, Knoblauch, → Kohl, Linsen, Lupinen und → Zwiebeln. In Notzeiten oder bei großer Armut wurde aber auch Wild-G. (z. B. Asphodelus, Golddistel, Wilder Kerbel, Nachtschatten, Schwarzwurzel) gesammelt. *Legumina* waren billig (CIL III 2, p. 826 1,8–22), während hochwertige *olera* wie z. B. → Spargel aus Ravenna ihren Preis kosteten (Plin. nat. 19,54). Die Möglichkeiten, G. frisch zu halten, waren gering, doch gab es bestimmte Konservierungsmethoden wie das Trocknen (z. B. von Hülsenfrüchten) oder das Einlegen in Salzlake und Essig, mit deren Hilfe G. bis zum nächsten Frühjahr gelagert werden konnte.

Die ant. Küche kannte verschiedene Methoden, G. zuzubereiten. Viele G.-Sorten wurden in Wasser gekocht, wobei ihr Geschmack aber meist bitter blieb. Deshalb wurde zumindest in der feinen Küche Honig oder eingekochter Wein an G. gegeben (Apicius 3,2,1; 3,6,3). Getrocknete Hülsenfrüchte wurden überwiegend zu Mehl zerstampft, aus dem dann Brei gekocht wurde. Eine weitere Zubereitungsform bestand im Braten von G.; Bohnen und Kichererbsen wurden gelegentlich auch geröstet. Grünes G. kam zumeist als Rohkost, angemacht mit → Essig, *garum* (→ Fischspeisen) und oft auch → Öl, auf den Tisch. In hell. Zeit entstanden die ersten bekannten Bücher über G. (z. B. von → Euthydemos [6]). In der Ant. waren Hülsenfrüchte (neben Brot) das Hauptnahrungsmittel der Unterschichten. Das typische Arme-Leute-Gericht war in Griechenland die Linsensuppe, in Rom der Bohnen- bzw. Lupinenbrei (Hor. sat. 2,3,182; Plin. nat. 18,50; 101; 119; 22,154). Zuspeisen waren oft eingemachtes oder rohes G. wie Knoblauch, Kohl, → Lattich oder Zwiebeln (Aristoph. Nub. 981). Vom Verzehr solch einfacher G.-Sorten wandten sich die vornehmen Kreise rasch ab (Plaut. Most. 39). Sie bevorzugten statt dessen feineres G., raffiniert zubereitet (Apicius 3,4,1; 4,5,2), das zudem nicht als Hauptgericht, sondern als Vorspeise und Beilage zu Fisch- und Fleischspeisen gereicht wurde (vgl. Lucil. 5,193–200).

J. ANDRÉ, L'alimentation et la cuisine à Rome, ²1981, 15–49 · A. DALBY, Siren Feasts. A History of Food and Gastronomy in Greece, 1996 · E. FOURNIER, s. v. Cibaria, DS 1,2, 1144–1157 · F. ORTH, s. v. Kochkunst, RE 11, 944–982.   A. G.

byz. Zeit. Hülsenfrüchte (Bohnen, Erbsen etc.), hauptsächlich enthalten in dem lat. Begriff *legumina* (griech. ὄσπρια), und Blattgemüse, Knollengewächse und Salate (lat. *(h)olera*, griech. λάχανα) sowie Gewürzpflanzen (lat. *olera oderata* oder *condimenta*) wurden meist in eng an das Wohnhaus angegliederten Gärten gezogen, aber auch auf Feldern sowie als Zwischenkultur beim → Weinbau. Voraussetzungen für den G. waren ein guter Boden, fließendes Wasser oder ein Brunnen für die Bewässerung und eine sorgfältige Düngung, für die Eselsmist als bes. geeignet galt (Colum. 11,3,8–13). Je nach Sorte erfolgte die Vermehrung durch Saat, Stecklinge oder Ableger. Theophrast unterscheidet drei Saatzeiten: August bis September, Januar bis Februar und April bis Mai (Theophr. h. plant. 7,1). Diese finden sich auch bei Columella, der darüber hinaus die Saatzeit für einzelne Pflanzen angibt (Colum. 11,3,16–19).

Die Gemüsekulturen bedurften sorgfältiger Pflege. Die Pflanzen mußten ausreichend bewässert, teilweise auch versetzt, die Beete vom Unkraut freigehalten werden. Die Ernte erfolgte bei manchen Sorten vor der endgültigen Reife. Zum Zwecke der Aufbewahrung wurde das Gemüse in Salz- oder Essiglauge eingelegt. Als hohe Eiweiß- und Kalorienträger spielten gerade die Leguminosen die Rolle eines Fleischersatzes in der Ernährung unterer Schichten (Plin. nat. 19,52: *ex horto plebei macellum*). Dem Verzehr von Gemüse, das man gekocht oder roh gegessen hat, wurde von griech. und röm. Autoren eine moralische Dimension zugemessen (Plat. rep. 372c–373a; Hor. carm. 1,31,15f.; Hor. epod. 2,57; Plin. nat. 19,52–59; Iuv. 11,78–81; Plut. mor. 157f.). Gemüse (etwa Bohnen) diente auch als Viehfutter, die Samen einiger Sorten wurden zur Ölproduktion verwendet. Spezialisierter Handel mit Gemüse ist für Athen (Aristoph. Lys. 557), Rom, wo ein eigener Gemüsemarkt (*forum olitorium*: CIL VI 29830; vgl. auch die Berufsbezeichnung *negotiatrix leguminaria*: CIL VI 9683 = ILS 7488) existierte, und andere Teile der mediterranen Welt (z. B. CIL VIII 1408 = ILS 5359), insbesondere Ägypten, belegt.

→ Agrarschriftsteller

1 FLACH, 266–274 2 J. KODER, Gemüse in Byzanz, 1993 3 W. RICHTER, Die Landwirtschaft im homerischen Zeitalter, in: ArchHom 2, 1990, H 123 – H 127 4 A. SARPAKI, The Palaeobotanical Approach. The Mediterranean Triad or is it a Quartet?, in: B. WELLS (Hrsg.), Agriculture in Ancient Greece, 1992, 61–76 5 M. SCHNEBEL, Die Landwirtschaft im hell. Ägypten, 1925, 182–210 6 WHITE, Farming.   K. RU.

Gemüsebau. Der G. war ebenso bedeutend wie der Anbau von → Getreide, → Wein und Oliven (→ Öl), der sog. mediterranen Trias, der die Leguminosen neuerdings hinzugefügt werden. Seine große Bed. ist auch aus dem breiten Raum ersichtlich, den ihm die ant. Agrarschriftsteller und Mediziner widmeten (Plin. nat. 19,52–189; Colum. 11,3). Die Belege für einen ausgedehnten G. reichen von der späthelladischen bis in die

Genauni. Von Drusus 15 v. Chr. unterworfener Alpenstamm in Raetia (Hor. carm. 4,14,10), der wie die Breuni zu den Illyrern gezählt wurde (Strab. 4,6,8); Plin. nat. 3,137 hat *Caenauni*, Ptol. 2,12,4 Βένλαυνοι (*Bénlaunoi*). Die Wohnsitze hat man z. B. im östl. Tiroler Inntal vermutet. Die Zuweisung von Paus. 8,43,4 (Britannia) ist unsicher [1].

1 J. G. F. HIND, The »Genounian« part of Britain, in: Britannia 8, 1977, 229–234.

R. FREI-STOLBA, Die Räter in den ant. Quellen, in: B. FREI (Hrsg.), Das Räterproblem in gesch., sprachl. und arch. Sicht, 1984, 6–21, bes. 13.   K. DI.

Genava. Nördlichstes *oppidum* des kelt. Volksstammes der → Allobroges im Hügelgebiet zw. Rhôneausfluß, Arve und Genfer See, h. Genf. Name wie Genua ligurisch. Bereits in vorröm. Zeit besaß der Platz verkehrspolit. Bed.: Hafenanlage auf der Südseite des Rhôneausflusses für die Schiffahrt auf Rhône und Genfer See, Holzbrücke über die Rhône (bei Pont de l'Isle) ins Gebiet der Helvetii. Seit 121 v. Chr. war G. Teil der röm. Prov. → Gallia Narbonensis. Caesar nutzte den Ort als Ausgangspunkt für seine gall. Eroberungen (Caes. Gall. 1,6,3; 1,7,1). Die Umgestaltung des kelt. befestigten *oppidum* zum röm. *vicus* begann im 1. Jh. v. Chr.: Wohnbauten in der Gegend der Grand Rue, die Kirchen Cathédrale St. Pierre und La Madeleine stehen auf röm. Fundamenten. Erst in der Spätant. bekam G. eine Stadtmauer, zur gleichen Zeit wurde G. Bischofssitz. E. 4. Jh. wurde G. *civitas* gen. (notitia Galliarum 11: *civitas Genavensium*), besaß aber kein Stadtrecht, das mit dem Kolonie-Beamtentum allein dem Vorort *Vienna* vorbehalten blieb. Die bisher einzige Beamteninschr. aus G. ist die Grabinschr. für einen *aedilis*, wohl einen lokalen Polizeibeamten (CIL XII 2611; Abb. bei [1. Nr. 19]). Kaiserliche Beamte mit Sitz in G. sind ein Zöllner [2. 369] (Abb. bei [1. Nr. 32]) und ein Legions-Gefreiter als Hafenkommandant (CIL XII 5878; Abb. bei [1. Nr. 38]). 443 wies der röm. Heermeister Aëtius den german. Burgundiones als Föderaten das obere Rhônegebiet zu, weshalb der burgundische König zeitweise in G. residierte.

1 G. WALSER, Röm. Inschr. der Schweiz 1, 1979
2 A. CARTIER, Inscriptions romaines trouvées à Genève 1917, Anz. Schweiz. Alt. 20, 1918, 139 (= J.-L. MAIER, Genavae Augustae, 1983, Nr. 77).

W. DRACK, R. FELLMANN, Die Römer in der Schweiz, 1988, 398–407 · Dies., Die Schweiz zur Römerzeit, 1991, 123–131 · F. STAEHELIN, Die Schweiz in röm. Zeit, ³1948, 614f. · E. HOWALD, E. MEYER, Die röm. Schweiz, 1940, 219–235 · L. BLONDEL, Le développement urbain de Genève à travers les siècles, 1946 · J.-L. MAIER, Genavae Augustae, 1983.   G. W.

Genealogie Die G. als Ableitung der Herkunft in Form von Ahnenreihen ist in frühen, stark von Familienverbänden geprägten Gesellschaften ein häufig verwendetes Mittel der Legitimation und (pseudohistor.) Erinnerung und zielt immer auch auf eine Öffentlichkeit (G. von griech. γενεαλογεῖν »die [eigene] Herkunft erzählen«).

I. VORDERER ORIENT UND ÄGYPTEN
II. GRIECHENLAND   III. ROM

I. VORDERER ORIENT UND ÄGYPTEN

Die in Form von G. überlieferte Abstammung (in der Regel patrilinear; Ausnahmen bei äg. Herrschern) sollte Ansprüche auf Herrschaft, Besitzstand im Amt (Priester, hohe Beamte), Status im Beruf (z. B. Schreiber) oder Eigentumsrechte (→ Erbrecht) legitimieren, wobei die Länge der Ahnenreihe ihr Gewicht heben kann. Beispiele sind etwa die Nennung von Ahnen bei Schreibern oder Priestern (Äg., AT), Königslisten (Mesopot., AT, Äg.), die in den Inschr. der → Achaimenidai gen. Stammbäume, die Berufung von Herrschern auf göttl. Abstammung und ähnliche Konstrukte, deren Fiktivität den Zeitgenossen bewußt gewesen sein muß (→ Gilgamesch, Gilgamesch-Epos). In Form einer G. wurden auch Vorstellungen über die Urgesch. dargestellt (Gn 4,1–5,32), ebenso Sachverhalte der Gesch. ([2]; »Völkertafel« in Gn 10; eine polit. »Landkarte« z.Z. Davids) und Theologie (Götter-G. in Mesopot. und Äg.; »Buch der Abstammung Jesu Christi« in Mt 1,1–17). Da durch die G. histor. Erinnerung mündlich und schriftlich vermittelt sowie komplexe Zusammenhänge und Entwicklungen erklärt werden sollen, ist das Verhältnis zw. – durch Primärquellen gesichertem – Wissen [2] und Fiktion im einzelnen schwer zu bestimmen. → Geschichtsschreibung; Manethon

1 H. BRUNNER, s. v. Abstammung, LÄ 1, 13–18
2 C. WILCKE, Genealogical and Geographical Thought in the Sumerian King List, in: H. BEHRENS et al. (Hrsg.), Studies in Honor of A. W. Sjöberg, 1989, 557–571 3 R. R. WILSON, Genealogy and History in the Biblical World, 1977 (mit Lit.).   J. RE.

II. GRIECHENLAND

In der archa. Zeit Griechenlands war das Wissen um mythische Abstammung die Quelle bes. Ansehens·und Stolzes: Bei Homer (vgl. z. B. Il. 6,145–211) rühmen sich die Helden vor dem Kampf ihrer Herkunft und zählen dabei bis zu acht Generationen auf; Hesiod läßt in der ›Theogonie‹ und im ›Frauenkatalog‹ Ahnenreihen in männlicher und weiblicher Linie weit in die mythische Zeit zurückreichen. Doch auch in klass. Zeit bleiben G. in Griechenland von Bed. (vgl. Pol. 9,1,4). In Athen betonen Aristokraten ihre Herkunft von Heroen und sogar Göttern: Die → Philaidai, denen u. a. Miltiades und Kimon angehörten, führten ihr Geschlecht auf Aias [1] zurück (Pherekydes, FGrH 3 F 2; Marcellinus, Thuk. 3); der Redner Andokides [1] wollte über Odysseus von Hermes abstammen (Hellanikos, FGrH 323 a F 24), Alkibiades [3] über Eurysakes von Zeus (Plut. Alkibiades 1); die Familie Platons wurde mit Solon und Kodros verbunden (Plut. Solon 1,2). Sogar im auf Gleichheit bedachten Sparta waren G. allgemein beliebt (Plat. Hipp. mai. 285d), nicht nur den Königen vorbehalten, sondern weiter verbreitet, z. B. in der Heroldsfamilie der Talthybiadai (Hdt. 7,134,1; → Talthybios). Mythische oder heroische Herkunft wird auch von Städten, v. a. Kolonien (→ *apoikía*) oder Stämmen (→ Phyle; → Attika, Karte der att. Phylen) beansprucht.

Die hohe Bed. der ersten Anfänge, der Eigenschaften und Taten der Urahnen für den sozialen Status, die polit. Ansprüche und auch die moralische Einstellung der kommenden Generationen führte schnell zu einer lit. Form der G. in der frühen Prosa, etwa bei Hekataios von Milet, Akusilaos von Argos, Pherekydes von Athen und Hellanikos von Lesbos. Da die mündliche Trad. höchste Bed. auf die mythischen Vorväter gelegt und Zwischenglieder oft unbeachtet gelassen hatte, zwangen die Verf. von G. die lückenhafte oder widersprüchliche Trad. meist mit gewaltsamem Rationalismus in ein System und pseudohistor. Ganzes, um einen fortlaufenden Stammbaum zu erstellen. Das Bild der griech. Frühgesch. blieb in hohem Maße von Denkform und Ordnungssystem der G. geprägt.

F. JACOBY, Abhandlungen zur griech. Geschichtsschreibung, 1956 • W. LESCHHORN, Gründer der Stadt, 1984 • P. PHILIPPSON, G. als mythische Form (Symbolae Osloenses, Suppl. 7), 1936 • R. THOMAS, Oral Tradition and Written Record in Classical Athens, 1989 • M. L. WEST, The Hesiodic catalogue of Women, 1985.

K. MEI.

III. ROM

Typisch für die röm. Form der G. ist die Präsenz der patrilinearen Vorfahren (Agnaten) im Namen, die sich bis zur Erblichkeit von Beinamen (→ Cognomen) erstreckt. Im weiteren Rückgriff spielen für das genealogisch erworbene Prestige mit der Ausbildung einer patrizisch-plebeischen Nobilität (dazu [3]) die magistratischen Positionen der Vorfahren die zentrale Rolle: Das wichtigste öffentliche Erinnerungsritual in der Oberschicht, der Leichenzug (*pompa funebris*) mit den in der Leichenrede (→ *laudatio funebris*) näher vorgestellten, durch Träger von Ahnenmasken (→ *imagines*) repräsentierten toten Vorfahren, übergeht alle Vorfahren, die kein kurulisches Amt (→ *cursus honorum*) erreicht haben [4]; demgegenüber treten Ansprüche, die auf göttl. Vorfahren beruhen, bis in die späte Republik zurück [1]. Schon im 3. Jh. v. Chr. bildet die Sicherung derartiger Ansprüche ein wichtiges Motiv der beginnenden Formen von → Geschichtsschreibung; im 2. Jh. muß eine massive Fingierung bed., bes. durch frühe oder mehrfache Konsulate ausgezeichneter Vorfahren eingesetzt haben (detailliert [6]). Die → *fasti*, in denen die Oberbeamten chronologisch geordnet werden, bilden dann die Form der Formulierung und des Ausgleichs solcher Ansprüche [5]. In der Kaiserzeit spielen genealogische Konstruktionen eine große Rolle bei der Sicherung dynastischer Ansprüche, die wiederum durch Namensformen und eine entsprechende Auswahl von Kaiserfesttagen [2] propagiert werden.

1 C. KOCH, Der röm. Juppiter, 1937 2 P. HERZ, Kaiserfeste der Prinzipatszeit, in: ANRW II.16/2, 1135–1200 3 K. J. HÖLKESKAMP, Die Entstehung der Nobilität, 1987 4 E. FLAIG, Die Pompa Funebris, in: O. G. OEXLE (Hrsg.),

Memoria als Kultur, 1995, 115–148 5 J. RÜPKE, Fasti, in: Klio 77, 1995, 184–202 6 F. MORA, Fasti e schemi chronologici, 1998.

J. R.

Geneleos. Bildhauer der archa. Zeit, berühmt durch die mit seiner Signatur versehene Familiengruppe im Heraion von → Samos (560/550 v. Chr.). Die Gruppe besteht aus der gelagerten Stifterfigur ...ιλάρχος, drei stehenden Mädchen (unbekannter Name, Philippe, Ornithe), den Fragmenten einer Jünglingsfigur und der thronenden Mutter Phileia; bis auf Ornithe (Berlin, SM, Inv. 1739) befinden sich die anderen auf Samos (Vathy, Mus. Inv. 768). G. erweist sich als Meister der ion. Bildhauerei aufgrund des minutiös ausgearbeiteten Faltenreichtums der Gewänder und der für ostgriech. Plastik typischen Üppigkeit an Körperstrukturen und Stoffülle, die bes. bei dem Gelagerten auffällig ist. Das Raffen des Gewandes bedingt durch seine Länge (vgl. Athen. 12,525f) und die leichte Schrittstellung der Koren lassen G. als fortschrittlichen Künstler erkennen. Eine weitere Kore auf Samos (Vathy, Mus.) wird ebenfalls mit G. verbunden.

B. FREYER-SCHAUENBURG, Bildwerke der archa. Zeit und des Strengen Stils, in: Samos 11, 1974, 106–130, Nr. 58–63 • W. FUCHS, J. FLOREN, Die griech. Plastik 1. Die geom. und archa. Plastik, HbdA 1987, 345 • H. v. STEUBEN, Die Geneleosgruppe in Samos, in: Armagani. FS J. Inan, 1989, 137–144 • W. MARTINI, Die archa. Plastik der Griechen, 1990 • H. J. KIENAST, Die Basis der Geneleos-Gruppe, in: JDAI(A) 107, 1992, 29–42 • B. FEHR, Kouroi e korai, in: S. SETTIS u. a. (Hrsg.), I Greci. Storia, Cultura, Arte, Società 1, 1996, 810–813.

R. H.

Genera causarum (γένη τῶν λόγων ῥητορικῶν).

A. DAS SYSTEM DER REDEANLÄSSE

B. DIE EINZELNEN ARTEN DER REDE

A. DAS SYSTEM DER REDEANLÄSSE

Die Lehre der *g. c.* wurde bes. von Aristoteles entwickelt, der alle Redegegenstände in drei Gruppen gliederte (rhet. 1,3 = 1358b6–8), während seine Vorgänger mehrere Typen (*eídē*; *species*) unterschieden und nur an zwei *g. c.*, das beratende und das gerichtliche, dachten. So werden zwei *g. c.* von Plat. Phaidr. 261b erwähnt [7. 170; 4. 258], dieselben beiden *g. c.* und sieben *eídē* kommen in der um 340 v. Chr., auf jeden Fall vor Aristoteles' ›Rhetorik‹ verfaßten [8. 114; 1. 233] → *Rhetorica ad Alexandrum* vor (1,1 = 1421b6–12). Diese stellt eine Lehre vor, die z. T. auf Isokrates, z. T. auf Theodektes zurückgeht [1. 224–230; 47–55]. Von der anfangs gegebenen Dreiteilung (die Lesart τρία γένη der Hss. ist von M. FUHRMANN gegen SPENGEL wiederhergestellt worden) werden später nur zwei Punkte entwickelt, denn das *génos epideiktikón* (*genus demonstrativum*; Schaurede) tritt nicht mehr auf. Die Formulierung von [Aristot.] rhet. Alex. entspricht Quint. inst. 3,4,9 und Syrianus in Hermog. II 2,17–21 RABE mit dem Unterschied, daß Quintilian als Urheber des Zitats

Anaximenes, Syrianos aber Aristoteles erwähnt (vgl. dazu [2. 189–198; 205–207]; dagegen [1. 212–218; 6. 684–688 und 10. 56–61]). Die *g.c.* scheinen also von Aristoteles entweder geschaffen oder systematisiert und in die Rhet. Alex. erst durch die Interpolation des *génos epideiktikón* nach Syrianos eingeführt worden zu sein [1. 218].

Aristoteles (rhet. 1,3 = 1358b 13 ff.) bietet eine Rechtfertigung der Dreiteilung, die mit dem Ort des Redegegenstandes in der Zeit arbeitet: Das *génos symbuleutikón* (*genus deliberativum*; Staatsrede/beratendes Genos) gilt der Zukunft, das *dikanikón* (*genus iudiciale*; Gerichtsrede) der Vergangenheit und das *epideiktikón* der Gegenwart. Diese Einteilung korrespondiert auch mit der Rolle des Hörers, der entweder Zuschauer oder Richter sein kann: Urteilt er über künftige Taten, so wird er Mitglied der Volksversammlung genannt (beratendes *g.*), urteilt er über vergangene Taten, so wird er als Mitglied eines Gerichts betrachtet (gerichtliches *g.*), urteilt er über die Fähigkeit des Redners, so wird er für einen Zuschauer gehalten (»Schauberedsamkeit«). Auf diese Weise wird die Dreiteilung der *g.c.* von Aristoteles philos. und rationell begründet. Beachtenswert ist auch die Reihenfolge der vorangestellten Nennung bei Aristoteles – *g. symbuleutikón, dikanikón, epideiktikón* –, wenn auch die genauere Behandlung unter Vertauschung der beiden letzteren erfolgt.

Bei den lat. Autoren erscheint die Lehre der *g.c.* erstmals bei Cicero (inv. 1,7) und in der → *Rhetorica ad C. Herennium* (1,2), jeweils in der Folge *demonstrativum, deliberativum, iudiciale*. Diese Folge wird von [12. 32] den Stoikern zugeschrieben. Sie findet sich neben den genannten Stellen in Cic. inv. 2,12; part. 69; Quint. inst. 3,3,14 u.ö., Consultus Fortunatianus 1,1; Mar. Victorin. ars grammatica 192,45H.; Cassiod. inst. 2,2,3; Albinus 526,35H.; Emporius rhetor 570,26H. Auffällig ist jedoch, daß bei Cicero nach nur wenigen Zeilen eine andere Stellung der *g.c.* auftreten kann: *g. iudiciale, deliberativum, demonstrativum* (inv. 1,8, ebenso de orat. 1,141; 2,341; part. 10; top. 91; Quint. inst. 2,21,23; 3,8,54; Mart. Cap. 220,17f. DICK 4.259f.). So kann man sagen, daß die aristotelische Entfaltung dieser rhetor. Lehre von allen späteren Rhetoren angenommen wurde, ausgenommen Hermagoras von Temnos ([13. 4f.; 9. 81¹]; zur fehlenden Rezeption seiner Position bei Rhet. Her. und Cic. inv. s. [3. 219]).

B. DIE EINZELNEN ARTEN DER REDE

Das *genus demonstrativum* wird in *laus* und *vituperatio* geteilt, was dem *eídos enkōmiastikón* und *psektikón* des Anaximenes ([Aristot.] rhet. Alex. 1421b6ff.) entspricht (Cic. inv. 1,7); diese Teilung in Lob und Tadel findet sich auch in Aristot. rhet. 1358b 12f. Die Benennung »Schauberedsamkeit« (aus *epídeixis*) wurde von Aristoteles und Theophrast eingeführt, um sie von der echten Rhet. zu trennen, während in Rom dem Redner auch andere Funktionen wie die → *laudationes funebres*, die Bewertung des Beklagten und der Zeugen sowie der Tadel der polit. Gegner oblag [2. 120ff.]. Das bes.

Kennzeichen des *g. demonstrativum* liegt im Unterschied des Zuschauers zum Richter, der tatsächlich unter Entscheidungsdruck steht, und im Fehlen jeglichen Wettkampf-Aspektes; sein ästhetischer Charakter wurde schon von Isokrates (or. 4,11) hervorgehoben [7. 173]. Die Stoiker führten als Ersatz für *epideiktikón* die Benennung *enkōmiastikón* ein (so Diog. Laert. 7,42; vgl. [14. 21; 12. 31; 2. 126⁴; 4. 261f.]). Als Entsprechung kommt bei den lat. Autoren *laudativum* vor (Cic. part. 10; 70; Quint. inst. 3,3,14; 3,4,12; 3,7,28).

Was das *g. deliberativum* angeht, wird in der voraristotelischen Rhet. Platons und Anaximenes' *dēmēgorikón* benutzt (Plat. soph. 222e; rep. 365d; rhet. Alex. 1354b 23 ff.), das bei Quint. inst. 3,4,9–14; 9,4,130 als *contionalis* wiedergegeben wird; die gebräuchlichste Benennung ist jedoch *symbuleutikón*. Grundlegende Elemente dieses *genus* sind nach der Anaximenes [2] zuzuschreibenden rhet. Alex. (1421b 21 ff.) und nach Aristoteles (rhet. 1358b8f.) Zuraten und Abraten (*protropḗ* und *apotropḗ*, lat. *suasio* und *dissuasio*: Rhet. Her. 1,2; Quint. inst. 3,6,8; Cassiod. inst. 2,2,3; Isid. orig. 2,4,3; anders Cic. inv. 1,7, dazu [4. 263]). Zwecke sind nach Cicero (inv. 2,156; de orat. 2,335) *honestas* und *utilitas* (leicht variiert Rhet. Her. 3,3, dazu [9. 150; 8. 310ff.; 3. 257; 4. 262f.]).

Das *g. iudiciale* (*dikanikón/é* schon bei Plat. soph. 222c) betrifft Rechtsstreitigkeiten, die sog. *causae forenses* (dazu Cic. Brut. 44; orat. 12; 30; 120) und umfaßt den wichtigsten Bereich der Rhet. Es besteht aus Anklage und Verteidigung (*accusatio* und *defensio*). Den Zusammenhang mit der Lehre von den → *status* stellt die *krinómenon*-Theorie her: Durch das Zusammenspiel von Anklage und Verteidigung wird die *quaestio*, der strittige Punkt, als Grundlage jedes *status* bestimmt. Die von Hermagoras entwickelte Status-Lehre wurde von der Rhet. Her. noch allein für das *g. iudiciale* entfaltet, während die späteren Rhetoren wie Martianus Capella (232,1 f. DICK) die *status* in allen drei *g.c.* festgestellt haben (dazu eingehend [5. 29–50]).

1 K. BARWICK, Die Rhet. ad Alexandrum und Anaximenes …, in: Philologus 110, 1966, 212–245; Philologus 111, 1967, 45–55 2 V. BUCHHEIT, Unt. zur Theorie des Genos Epideiktikon von Gorgias bis Aristoteles, 1960 3 G. CALBOLI, Cornifici Rhetorica ad Herennium, ²1993 4 L. CALBOLI MONTEFUSCO, Consulti Fortunatiani Ars Rhetorica, 1979 5 Dies., La dottrina degli »status« nella retorica greca e romana, 1986 6 M. FUHRMANN, Unt. zur Textgesch. der pseudo-aristotelischen Alexander-Rhet. (AAWM 7), 1965, 547–747 7 D. A. G. HINKS, Tria G. C., in: CQ 30, 1936, 170–176 8 G. A. KENNEDY, The Art of Persuasion in Greece, 1963 9 D. MATTHES, Hermagoras von Temnos 1904–1955, in: Lustrum 3, 1958, 58–214 10 D. C. MIRHADY, Aristotle, the Rhetorica ad Alexandrum and the tria g.c., in: W. W. FORTENBAUGH, D. C. MIRHADY (Hrsg.), Peripatetic Rhetoric after Aristotle, 1994, 54–65 11 L. PERNOT, La rhétorique de l'éloge dans le monde gréco-romain, 1993 12 F. STRILLER, De Stoicorum studiis rhetoricis, 1886 13 G. THIELE, Hermagoras, 1893 14 R. VOLKMANN, Die Rhet. der Griechen und Römer in systematischer Übersicht, ²1885.   G. C.

Genera dicendi (χαρακτῆρες τῆς λέξεως, *charaktḗres tês léxeōs*).
A. Begriff und Systematik B. Entwicklung
C. Wirkungsgeschichte

A. Begriff und Systematik

Als gewöhnliche Benennung der Lehre von den Stilarten gilt *g.d.* (so Cic. orat. 20; 69; Quint. inst. 12,10,58; Isid. orig. 2,17 H.), daneben auch *elocutionis genera* (Iul.Vict. rhet. 22 p. 438,8 H., 92,12 Giom.-Celentano; Aquila rhet. 27,10f.H.; Mart. Cap. 479,5 H.; Consultus Fortunatianus 3,8 [5. 510,5f.] als Sing. *genus e.*). Im frühesten lat. Beleg (Rhet.Her. 4,11) stehen *elocutio* und *genera* in Beziehung, sind aber durch zwölf Wörter getrennt; *g.e.* als feste Junktur fehlt. Die *g.d.* werden *figurae* genannt, ein noch nicht anderweitig vergebener Begriff, weil das griech. *schéma* nicht mit *figura*, sondern mit *exornatio* übersetzt wird [3. 287]. Im Griech. tritt neben *charaktḗres* [11. 80] sekundär auch *plásmata* (z.B. Dion. Hal. Demosthenes 33, p. 203,9–24 U.-R.; Ps.-Plut. vita Homeri 72 [13. 68–70; 12. 331–333]). Der Sache nach treten die *g.d.* erstmals Rhet.Her. 4,11–16 auf. Hier werden sie als *virtutes* bzw. *vitia orationis* (»Tugenden« bzw. »Fehlformen der Rede«, *aretaí* bzw. *kakíai tês léxeōs*) bezeichnet; unterschieden wird zw. 1) *genus grave* bzw. *grande* (*charaktḗr hadrós* bzw. *hypsēlós*); 2) *g. mediocre* (*ch. mésos*); 3) *g. humile* bzw. *extenuatum* (*ischnós*; zu den Bezeichnungen [5. 449]) und negativ (Rhet. Her. 4,15f.) 1) *g. sufflatum* bzw. *inflatum*; 2) *dissolutum* bzw. *fluctuans*; 3) *exile* bzw. *aridum* oder *exangue*. Die Fehlformen (*vitia*) entstehen aus der Verletzung des *prépon* [3. 294], das zu den vier → *virtutes dicendi* in Theophrasts System gehörte. Neben den drei *g.d.* steht ein viertes, *floridum* (*anthērón*), das sich dem mittleren wie dem hohen nähert (Quint. inst. 12,10,58; ebenso schol. Dion. 449,30f. Hilgard). Bei Demetrius Phalereus De elocutione 36 finden sich vier *g.d.* peripatetischer Herkunft, von denen *megaloprepés* und *deinós* dem *ch. hadrós*, *glaphyrós* dem *anthērón* zu entsprechen scheinen (vgl. Dion. Hal. comp. epit. 21, p. 95,16 U.-R.). Macr. Sat. 5,1,7 erwähnt neben *copiosum*, *breve*, *siccum* auch ein *genus pingue et floridum* (»reich und blühend«), und Diom. 1,483,7 unterscheidet vier *poēmatos charaktḗres*: *makrós*, *brachýs*, *mésos* und *anthērós* (»groß, knapp, mittel, blühend«), doch wird letzteres auch als ein allen drei *g.d.* eigener Aspekt (Ps.-Plut. vita Homeri 72f.; schol. Theokr. p. 11,11) oder als ein dem *hadrós* und *ischnós* gehörender betrachtet (eine stoische Besonderheit; dazu ausführlich [5. 447–452]).

B. Entwicklung

Entstehungszeit und Erfinder der Theorie der *g.d.* [13. 55–111] sind umstritten. Häufig ist die Zuschreibung an Theophrast oder an die schulpraktischen Übungen der *grammatici* und *rhetores* [16. 93]. Der schärfste Einwand gegen die peripatetische Herkunft [9. 136; 16. 107–111] unterstellt, die peripatetische Lehre der *mesótēs*, der »goldenen« Mitte, hätte nur ein mittleres *g.* entwickeln können. Aristoteles selbst hat je-

doch zwischen drei Vortragsarten als Bestandteil der *hypókrisis* (*pronuntiatio*; → *officia orationis*) unterschieden, einem großen, mittleren und kleinen Stil (rhet. 3,1 = 1403b 26ff.; [4]). Zwar grundsätzlich außerhalb der rhetor. Disziplin, blieb die *hypókrisis* doch der *téchnē* über die Benutzung der Sprache verbunden (1404a 15f.). Arist. rhet. 2,7 = 1408a 10f. unterscheidet offensichtlich zwei Stilarten: Ein niedriger Stil dürfe nicht bei einem großen Stoff, ein erhabener Stil nicht bei niedrigem Stoff angewandt werden. Die Übereinstimmung zwischen Stoff und Stil wird dann auch in der röm. Rhet. seit Cicero (orat. 100) innerhalb der Theorie der drei Stilarten und auf dieselbe Weise wie bei Aristoteles, d.h. nach dem Gesetz des *decorum*, des »Passenden«, empfohlen; diese Forderung wird zu einem Topos der *g.d.* [14. 8f.]. Dies bestätigt die Nähe von Aristoteles' Text zur Lehre von den drei *g.d.* Praktisch zogen die Peripatetiker sicher die *mesótēs* vor, aber der Theorie nach kannten sie wohl auch die zwei anderen Stilarten.

Als wichtige Neuerung wird in Ciceros Zeit die Verbindung der drei *g.d.* zu den sog. → *officia oratoris* gezogen (betont von [6. 76f.]). Auf Quint. inst. 12,10,58ff. und Ps.-Plut. vita Homeri 72 hinweisend, stellt [15. xxxvf.] zusammen: 1) *g. subtile* – *officium docendi* (»belehren«) – als Vertreter die Redner Lysias, Xenophon, Menelaus; 2) *g. medium* – *delectare vel conciliare* (»erfreuen« oder »überreden«) – Isokrates, Herodot, Nestor; 3) *g. grande* – *movere* (»emotional bewegen«) – Gorgias, Thukydides, Ulyxes. Nach neueren Unt. [1. 108; 6; 7; 8] sind die drei *officia* des frühen Cicero – *docere*, *conciliare*, *movere* – (orat. 2,115 u.ö.) durch die spätere Trias *docere*, *delectare*, *movere* (Cic. Brut. 185; 197ff.; 276; orat. 69; opt. gen. 3) ersetzt worden.

C. Wirkungsgeschichte

Die Verbindung der *g.d.* mit den *officia oratoris* wurde von Augustinus (doctr. christ. 4,12,27) fortgesetzt. Die (ciceronianisch-)augustinische Trad. verlangt vom guten Redner, alle drei Stilarten zu beherrschen (Cic. orat. 101; Aug. doctr. christ. 4,17,34).

Die nicht-augustinische Trad. zerfällt in zwei Stränge: (a) die Vergiltrad. (Don. vita Vergilii 14 Brummer; Servius p. 1f. Thilo), nach der mit den drei Werken Vergils die drei Stilarten markiert sind. Hier ist die Terminologie häufig servianisch (*humilis*, *medius*, *grandiloquus*); die kulturphilos. Theorie des *ordo temporum* (der »Tätigkeitsstufen«; Hirtenleben: *pastores* – *Bucolica*, dann Ackerbau: *agricolae* – *Georgica* und schließlich Kampf um *culta rura*: *bellatores* – *Aeneis*) bieten Philargyrius und Donat (vita Vergilii p. 46 [14. 10f., 159]). Diese Theorie fand im MA wegen Vergils Bed. die größte Verbreitung. (b) Die horazische Trad. (Hor. ars 26–28; 93–98; [2. 108–113, 177–181]), die sich unter Rückgriff auf Rhet.Her. 4,15f. bes. auf die *vitia* als Kennzeichen gerichtet hat, findet sich später bei Fortunatianus (3,9; vgl. [5. 452]) in den Gegenbildern zu jeder Stilart. Im MA wird diese Theorie bes. von Matthäus von Vendôme (Ars versificatoria 1,30) rezipiert [14. 73f.].

1 K. ADAM, Docere – delectare – movere, Diss. 1971
2 C. O. BRINK, Horace on Poetry, 1971 3 G. CALBOLI,
Cornifici Rhetorica ad Herennium, ²1993 4 Ders., From
Aristotelian λέξις to *elocutio*, in: Rhetorica 16, 1998, 47–80
5 L. CALBOLI MONTEFUSCO, Consulti Fortunatiani Ars
Rhetorica, 1979 6 Dies., Aristotle and Cicero on the *officia
oratoris*, in: W. W. FORTENBAUGH, D. C. MIRHADY (Hrsg.),
Peripatetic Rhetoric after Aristotle, Bd. 6, 1994, 66–94
7 E. FANTHAM, Ciceronian »conciliare« and Aristotelian
Ethos, in: Phoenix 27, 1973, 262–275 8 W. FORTENBAUGH,
»Benevolentiam conciliare« and »animos permovere«, in:
Rhetorica 6, 1988, 259–273 9 G. L. HENDRICKSON, The
Peripatetic Mean of Style and the Three Stylistic Characters,
in: AJPh 25, 1904, 125–146 10 D. C. INNES, Theophrastus
and the Theory of Style, in: W. W. FORTENBAUGH, P. M.
HUBY, A. A. LONG (Hrsg.), Theophrastus of Eresus, 1985,
251–267 11 A. KÖRTE, ΧΑΡΑΚΤΗΡ, in: Hermes 64, 1929,
69–86 12 J. MARTIN, Ant. Rhet., 1974 13 F. QUADLBAUER,
Die G. D. bis Plinius d. J., in: WS 71, 1958, 55–111 14 Ders.,
Die ant. Theorie der G. D. im lat. MA (SAWW 12), 1962
15 D. A. RUSSELL, »Longinus«, On the Sublime, 1964
16 J. STROUX, De Theophrasti virtutibus dicendi, 1912 17
L. VOIT, ΔΕΙΝΟΤΗΣ, 1934.   G. C.

Genesia (τὰ Γενέσια). Bezeichnung eines griech. Ge-
schlechterfestes zu Ehren eines Toten (Hdt. 4,26). In
Athen wurde daraus – angeblich durch Solon – ein staatliches Totenfest, das am 5. Boedromion unter anderem
mit einem Opfer an → Gaia gefeiert wurde (Philochoros FGrH 328 F 168).

F. JACOBY, Γενέσια. A forgotten festival of the dead, in: CQ
38, 1944, 65–75.   F. G.

Genesisdichtung s. Bibeldichtung

Genethliakon I. GRIECHISCH II. LATEINISCH

I. GRIECHISCH

Das G. (γενεθλιακόν, sc. μέλος, ᾆσμα) ist ein Gedicht
zu Ehren eines Geburtstags (γενέθλιος ἡμέρα, γενέθλιον
ἦμαρ) mit oder ohne zugefügtes Geschenk. Kall. fr. 202
ist ein Iambos an einen Freund zur Feier des siebten
Tages nach der Geburt einer Tochter. Von Leonides
von Alexandria gibt es ein isopsephisches Epigramm
(Anth. Pal. 6,321) als Geburtstagsgeschenk an Caesar
γενεθλιακαῖσιν ἐν ὥραις. Andere Epigramme, ganz bes.
von → Krinagoras, sind Geburtstagsgeschenken beigefügt: Anth. Pal. 6,227 überreicht dem Proklos ein silbernes Schreibrohr, 6,261 Simons Sohn ein bronzenes
Ölfläschchen, 6,345 einer ungenannten, kurz vor der
Hochzeit stehenden Dame Rosen, 9,239 der Antonia
Gedichte von Anakreon zu einer Gelegenheit, die nicht
bestimmt wird, die aber ein Geburtstag sein könnte. Der
genethliakós lógos war ein bed. Teil der epideiktischen
Rhetorik. Nur zwei Beispiele sind erhalten: Aristeid. 10
(1,113–125 DINDORF) und Himerios 44 COLONNA.
Letzterer folgt eng den *tópoi*, die in den Rhet.-Abh. des
Menander Rhetor 8 (= 3,413 ff. SPENGEL) und Dion.
Hal. rhet. 3,1–5 (= 266,19 ff. USENER-RADERMACHER)
dargelegt werden. Sie besagen, daß eine Geburtstags-

rede mit dem Lob der Familie und der Heimat beginnen, mit dem Lob der körperlichen und geistigen Vorzüge fortsetzen und mit einem Gebet für die Zukunft
und ein langes Leben enden soll. Die Existenz solcher
Abhandlungen deutet an, daß die Gattung trotz der geringen Anzahl erh. Belege weit verbreitet war. Lukian
von Samosate widmete seine *Makróbioi* dem Quintillus
als Geburtstagsgeschenk.

T. C. BURGESS, Epideictic Literature, 1902, 142–144 ·
K. BURKHARD, Das ant. Geburtstagsgedicht, 1991 · FGE
514 · GA 2,II, 214–217 · J. MARTIN, Ant. Rhet. (Hdb. der
Altertumswiss. II,3), 1974.   E. R./Ü: M. MO.

II. LATEINISCH

Das G. (sc. *carmen*) ist eine eigenständig röm. Gattung, die eng mit dem Brauchtum des *dies natalis* und der
Ehrerbietung gegen den *genius* verbunden ist. Das früheste Beispiel ist Tib. 1,7 für Messala. Hor. carm. 4,11 ist
eine Einladung, den Geburtstag des Maecenas zu feiern.
Weitere Belege sind Prop. 3,10; Ov. trist. 3,13; 5,5; Stat.
silv. 2,3 und Pers. 2. Martial demonstriert in einigen
Epigrammen, teils in neckischem Ton, die Bedeutung,
die den Geburtstagen beigemessen wurde (7,86; 8,64;
9,52 f.; 10,24; 27; 87; 11,65; 12,60). 12,67 ist auf Vergils
Geburtstag geschrieben, drei Epigramme an die Witwe
Lukans erinnern an dessen Jahrestag (7,21–23; vgl. Stat.
silv. 2,7). Der letzte nichtchristl. Beleg ist der *genethliacos*
(sic) des Ausonius an seinen Enkel. Christl. Dichter
feiern im allg. den Todestag als neuen Geburtstag: Drei-
zehn Gedichte des → Paulinus von Nola sind *natalicia* zu
Ehren des Hl. Felix als Patron seiner Heimatstadt.

F. CAIRNS, Generic Composition in Greek and Roman
Poetry, 1972 · E. CESARIO, Il carme natalizio nella poesia
latina, 1929.   E. R./Ü: M. MO.

Genethlios (Γενέθλιος). Griech. Rhetor aus Petra,
Schüler des Minukianos und Agapetos, 2. H. des 3. Jh.
n. Chr.; als Konkurrent des Kallinikos lehrte er in
Athen, wo er im Alter von 28 Jahren starb; er verfaßte
epideiktische Reden, gerühmt wurden seine Begabung
und sein ausgezeichnetes Gedächtnis (Suda s. v.). Die
viermalige Erwähnung in den schol. Demosth. (18,8;
52; 19,148; 22,3) spricht dafür, daß G. einen Komm. zu
diesem Redner verfaßt hat. Zwei Traktate über die Einteilung der epideiktischen Reden werden zumeist unter
dem Namen des → Menandros von Laodikeia, in der
besten Hs. (Par. Gr. 1741) aber mit dem Vermerk
Μενάνδρου ῥήτορος ἢ Γενεθλίου überl.: Da die beiden
Traktate kaum vom selben Verf. stammen, der zweite
aus stilistischen Gründen aber ziemlich sicher dem Menandros zuzuweisen ist, kommt G. als Verf. des ersten in
Frage.

ED. (MIT KOMM.): D. A. RUSSEL, N. G. WILSON, 1981.
                                                              M. W.

Genetyllis (Γενετυλλίς). Genetyllides (Pl.) waren att.
Gottheiten, die, wie der Name sagt, mit Geburt und
Gebärfähigkeit verbunden sind. Ihr Heiligtum lag am

Kap Kolias. Sie wurden von den Frauen in einem ausgelassenen Fest verehrt und erhielten ein Hundeopfer.
Eng funktionsverwandt waren die phokaischen Gen-
naides (Paus. 1,1,5) und bes. → Eileithyia, die ebenfalls
Hundeopfer erhielt. Belege: Aristoph. Lys. 2; Aristoph.
Nub. 52; Aristoph. Thesm. 130 mit schol.; Paus. 1,1,5
mit schol.; Hesych., Suda s. v. G.

S. Hadzisteliou-Price, Kourotrophos, 1978, 126 f. ·
Graf 421 f. F.G.

Genita Mana. Göttin, die Plutarch (qu. R. 52,277a)
und Plinius (nat. 29,14,58) im Zusammenhang mit einem Hundeopfer nennen. Laut Plutarch betete man
beim Opfer, daß »keiner der Hausklaven gut (χρηστός,
chrēstós) geraten solle«, was als Euphemismus für »tot«
verstanden wird. Plutarch verbindet den Namen der
Göttin mit Geburten. Moderne Deutungen kommen
kaum weiter [1; 2]. Eine Diva Geneta erscheint in Agnone (Mitte 3. Jh. v. Chr. [3]), während Mana bei Mart.
Cap. 2,164 als Unterweltsgottheit genannt ist; zur Verbindung mit der Geburt paßte jedenfalls das ungewöhnliche Hundeopfer, das (allerdings nur in Griechenland)
bei verschiedenen Geburtsgottheiten belegt ist (→ Genetyllis, → Hekate).

1 G. Wissowa, Rel. und Kultus der Römer, 1912, 240
2 Latte, 95; 379 3 Vetter, 147,13. F.G.

Genius A. Römische Entwicklung
B. Christliche Entwicklung

A. Römische Entwicklung
Etym. gedeutet als Schutzgottheit außerhalb des
Mannes (ἀγαθὸς δαίμων, *agathós daímōn*) oder die ihm
innewohnende Kraft zur Zeugung und zu den anderen
Vorgängen seines Lebens. Die Forsch. [2. 23; 5. 11]
bildete eine Synthese, da der G.-Kult kein Urbild annehmen läßt; man deutet *g.* als vergöttlichte/s Persön-
lichkeit/Konzept mit Sitz in der Stirn, wie sie in den
angeborenen Eigenschaften des einzelnen existiert; als
dem Manne innewohnende Zeugung, seine Persönlichkeit umfassende Macht. Der *g.* ist göttl. und für die
»Fähigkeit aller zu zeugender Wesen« (*vim omnium rerum
gignendarum*, Isid. orig. 8,11,88 f.) zuständig (Apul. De
deo Socratis 15,151 f.; Fest. 84,3–7; Mart. Cap. 2,152).
Er ist personen- (Cens. 3,1 f.), nicht ortsgebunden wie
die Laren, und wurde in der Ant. Mann und Frau zugeordnet (Serv. auct. Aen. 2,351), so daß Iuno nicht sein
urspr. Pendant und die Verbindung mit dem »Ehebett«
(*lectus genialis*) nicht absolut zu sehen ist (Varro bei Aug.
civ. 7,13). Sein Fest fiel auf den → Geburtstag des von
ihm beschützten → pater familias. Die Verwalterin (*vilica*)
opferte ihm Blumen, Hostien und Wein. Seine Stirn
wurde als Zeichen der Verehrung berührt (Serv. Aen.
3,607); er galt als Hausgott im Bilde des mit der Toga
bekleideten *g.* (*togatus*: t.), mit verhülltem Haupt (*capite
velato*: c.v.), Spendeschale (*patera*: pt.) in der Rechten,
Füllhorn (*cornucopia*: co.) in der Linken. Der *g.* begleitet
von einer oder mehreren Schlangen [1. Taf. 13,2] oder

selbst als Schlange beweist den Einfluß der griech. Rel.
(→ agathós daímōn) auf die Ausbildung der *g.*-Ikono-
graphie [2. Taf. 7 und 8,3; 10], während etr. Einfluß
zweifelhaft ist. Für die röm. Frühzeit vermutete man
eine anikonische Verehrung. An *g.*-Arten sind zu unterscheiden:

1) Haus-G. (*g. familiaris*): in *aedicula alae atrii* (»Kapell-
chen im Flügel des Atrium«) mit Bildern der Penates
und beider Lares [2. Taf. 8,3];

2) Volks-G. (*g. publicus*): erstmals im Winter 218/17
v. Chr. verehrt; ikonographisch wie Personifikation des
Demos: a) G. des Augustus (Erhabenen) (*g. Augusti*): als
t., c.v. oder in Rüstung zw. zwei Lares; als Teil der rituellen Inszenierung des Prinzipats; der Eid beim G. des
Kaisers/Augustus (*g. imperatoris/Augusti*) im öffentlich-
privaten Bereich galt als heilig. b) G. des röm. Volkes (*g.
populi Romani*; s. Nr. 2): mit personalem Charakter als
»jugendlicher t.« (t. iuvenilis) oder mit Kriegsmantel
(*paludamentum*: pl.). In der Kaiserzeit gilt der *g.* als Symbol des Wohlstandes und Erfolgs. c) G. des (röm.) Senats
(*g. senatus*): in der Kunst des 1.–3. Jh. n. Chr. [3. Taf. 1,8
und 3,2] wird er als bärtiger Mann mit bloßem Ober-
körper, Mantel (M.), pt., co. oder t. mit Szepter (Sz.) und
Lorbeerzweig dargestellt. d) G. der Verstorbenen (*g. hominum mortuorum*) bzw. G. des Leichenzuges (*g. fune-
rarius*): als t., c.v., stehend beim Altar und liegend beim
»Leichenschmaus«; e) G. der Legion/Kriegs-G. (*g. legio-
nis/militaris*): stehend, mit M. bzw. Brustpanzer, pl.,
Stiefeln, Mauerkrone. Der G. des Heeres (*g. exercitus*)
erscheint auf Münzen mit pl., pt., co. und Mauerkrone
(*modius*) [4. 603, 607 Nr. 28*]. f) G. des Ortes (*g. loci*) in
Schlangengestalt, stehend/sitzend, mit M., pt., co., als
Vermischung von *g.* und Lar. g) G. der Stadt Rom (*g.
urbis Romae*); h) G. der Stadt (*g. oppidi*). i) G. des Theaters (*g. theatri*): als t., mit pt., co. und als (?) Schlange [5.
Taf. 74,3]. j) G. der Kolonie/der Provinz (*g. coloniae/
provinciae*). k) Schicksals-G. als Beschützer (*g. fatalis*,
Symm. rel. 3,8).

3) Genii mit Kapuzen (*Genii cucullati*) für drei männliche Figuren mit Kapuzenmantel.

4) Genii von Göttern: a) G. der Götter (*g. deorum*): *g.
Apollinis, Iovis, Martis, numinis Priapi, Veiovis*; b) mit
Apollo, Hercules, Minerva, Vulcanus, Zeus als t., c.v.,
sowie Sz., Strahlenkranz/Mauerkrone, pt., co., oder
Weizenkörner für die Brandopferspende tragend
[4. 604–605, 607 Nr. 45–49*].

B. Christliche Entwicklung
Nach dem Verbot der alten Kulte durch Theodosius
I. (392 n. Chr.) lebte der *g.* weiter als geistiges Prinzip
(Geleiter im moralisch-spirituellen Sinne) und in der
christl. Interpretation mehrdeutiger Worte (z. B. *salus*,
»Gesundheit«, aber auch »Heil«). Seit Origenes (homilia
in numeris 20,3) verschmolz der »Schutzengel« mit den
Vorstellungen vom *g.* Strittig blieb in der mod. Forsch.,
ob er bei der Geburt oder Taufe des Schützlings sein
Amt antrat. Übernommen wurde die Einbeziehung des
g. in Eidesformeln (*per genium tuum*, »bei deinem G.«
wird ersetzt durch *per angelum tuum*, »bei deinem Engel«;

s. *g.* Nr. 2a) und die Stirnberührung durch das Kreuzzeichen (Serv. Aen. 3,607; s.o.); er taucht in Grabinschr. auf (*g.* Nr. 2d) und übernahm Fürsprecherfunktionen, die singulär für *g.* sind (Mart. Cap. 2,153). Selbst die Schlangensymbolik findet sich in einer Rede des Ambrosius (expos. Psalmi 118,6,16 CSEL 62,116). Er wurde zum Völker- (s. Nr. 2) und Kirchenengel (s. Nr. 2h, 2j). Weitere Erscheinungsformen des *g.* als Engel waren jünglingshafte Flügelwesen und Eroten.

→ Lares; Penates

1 PFIFFIG, 412 s. v. G. 2 TH. FRÖHLICH, Lararien- und Fassadenbilder in den Vesuvstädten, 1991, 367 3 ALFÖLDI, 290f. 4 I. ROMEO, s. v. G., LIMC 8.1, 599–607 5 H. KUNCKEL, Der röm. G., 1974.

V. BULHART, s. v. g., ThlL 6.2, 1826–1842 · H. CANCIK, J. RÜPKE (Hrsg.), Röm. Reichsrel. und Provinzialrel., 1997 · D. MARTENS, s. v. Genii Cucullati, LIMC 8.1, 598f. · R. MUTH, Einführung in die griech. und röm. Rel., 1988 · J. RÜPKE, Kalender und Öffentlichkeit, 1995 · R. SCHILLING, s. v. G., RAC 10, 52–83. W.-A.M.

Geniza. Eine G. (»Aufbewahrung«, von aram. *gэnaz,* »verbergen«) ist ein Ort, an dem im Judentum aus dem Gebrauch gezogene Bücher, die den Gottesnamen enthalten, oder Ritualobjekte aufbewahrt werden, um Mißbrauch oder Profanierung auszuschließen. Solche Räume befanden sich häufig in Synagogen; wurden diese abgerissen, dann »bestattete« man die Schriften auf dem Friedhof.

Unter der Vielzahl von *Genizot* der jüd. Welt kommt der G. der Esra-Synagoge von Fusṭāṭ (Alt-Kairo) ganz bes. Bedeutung zu, deren wiss. Erschließung v. a. dem britischen Gelehrten S. SCHECHTER zu verdanken ist: Er konnte im J. 1987 einen beträchtlichen Teil des insgesamt ca. 200000 Schriften bzw. Fr. umfassenden Materials nach Cambridge schaffen. Der Rest ist über verschiedene Bibliotheken auf der ganzen Welt verstreut (eine fast vollständige Mikrofilm-Sammlung befindet sich aber in der Nationalbibliothek in Jerusalem). Die Textfunde aus der Kairoer G. stammen hauptsächlich aus dem 9.–13. Jh.; einzelne Fr. sind aber sicherlich älter und gehen ca. bis in das 6./7. Jh. zurück. Zu den bedeutendsten Funden gehören ein hebr. Ms. der Schrift des Ben Sira, die zuvor nur auf griech. vorlag (›Jesus Sirach‹), Fr. der griech. Bibelübers. → Aquilas [3], die Damaskusschrift, biblische Texte mit vormasoretischer (→ Masora) palästin. und babylon. Punktation, rabbinische Schriften und Hekhalottexte (→ Hekhalot-Literatur), alte palästin., babylon. Piyyuṭim (rel. Dichtungen), zahlreiche Dokumente zur Gesch. der Juden in Palaestina und Ägypten zw. der arab. Eroberung und dem Ersten Kreuzzug, Material zur Gesch. der → Karäer, jiddische Lit., gesetzliche Dokumente wie Heiratsurkunden, Scheidebriefe und Kaufverträge, Geschäfts- und Privatbriefe, Amulette, Schreibübungen usw. Die Dokumente sind sowohl im Hinblick auf die at. Wiss. als auch zur Erschließung der Gesch. des ant. und ma. Judentums von unschätzbarem Wert.

D. GOITEIN, A Mediterranean Society 1, 1967, 1–28 · A. M. HABERMANN, s. v. Genizah, Encyclopaedia Judaica 7, 404–407 · G. A. KHAN, Twenty Years of Geniza Research, in: Encyclopaedia Judaica Year Book 1983–1985, 163–169 · S. REIF, Genizah Material at Cambridge University, in: Encyclopaedia Judaica Year Book 1983–1985, 170f. B.E.

Gennadios. Patriarch von → Konstantinopolis 458–471 n. Chr. Als Verfechter der Synode von Chalkedon (→ Kalchedon) (451) bezog er Stellung gegen die Rezeption der Christologie des → Kyrillos von Alexandreia.

F. DIEKAMP, Analecta Patristica, 1938, 54–72 (73–108). K. SA.

Gennadius. Priester in Marseille, den Semipelagianern nahestehend, gest. zwischen 492 und 505. Er erstellte in Ergänzung zu *De viris illustribus* des → Hieronymus unter gleichem Titel einen Kat. christl. Autoren, der zuverlässige Informationen über die christl. Lit. des 5. Jh. bietet; seit Cassiodor (inst. 1,17,2) werden beide Schriften zusammen überliefert. Er gilt auch als Verf. der theologischen Abhandlungen *Liber sive diffinitio ecclesiasticorum dogmatum* und *Adversus omnes haereses* in 8 Büchern (weitgehend verloren). Unsicher ist die Zuweisung der *Statuta ecclesiae antiqua.*

LIT.: CPL 957–960; 1776 · DUVAL, in: HLL, § 768.1 · S. PRICOCO, Storia ecclesiastica e storia letteraria, in: La storiografia ecclesiastica nella tarda antichità, 1980, 241–273. J. GR.

Gennesar s. Tiberias

Gens A. POLITIK UND GESELLSCHAFT B. RELIGION UND KULT

A. POLITIK UND GESELLSCHAFT

Die röm. *g.* umfaßte die Personen, die zu einer → Familie gehörten und von einem gemeinsamen Stammvater abstammten, unter dessen *potestas* sie gestanden hätten, wenn er noch am Leben gewesen wäre (Varro ling. 8,4). Die *gentiles* unterschieden sich von den *agnati* dadurch, daß bei diesen die Verwandtschaft mit einem Stammvater nachweisbar war, bei den *gentiles* hingegen nur fiktiv angenommen wurde.

Der Ursprung der *g.* ist in der Forsch. umstritten und aufgrund fehlender Zeugnisse aus der Frühzeit Roms kaum zu klären. Wahrscheinlich handelte es sich bei den *gentes* um Familienverbände (»Clans«), die sich im 9./8. Jh. v. Chr. ausgebildet hatten, sich jedoch zunächst nur zu besonderen Anlässen unter einem Führer organisierten. Mit der Ausbildung des röm. Königtums verloren die *gentes* wohl an polit. Bed., doch scheinen die *patres,* die in dieser Zeit den Senat bildeten, die Vertreter von gentilizischen Verbänden gewesen zu sein. Nach ant. Trad. erfolgte unter den etr. Königen eine Ergänzung der *patres,* d. h. des Senats, durch die Führer der *minores gentes;* doch ist sowohl deren Zahl, der Zeitpunkt wie auch die Frage, ob es sich dabei um plebeische *gentes* handelte, schon in der Ant. strittig gewesen (Liv. 1,35,6; Cic. rep. 2,35; Dion. Hal. ant. 2,47,1 f.; 3,67,1; Tac. ann. 11,25,2). Zu den *maiores gentes* zählten die Aemilii, Claudii, Cornelii, Fabii, Manlii und Valerii, von denen die Claudii und Cornelii später jedoch auch einen plebeischen Zweig hatten. In der Forsch. nimmt man an, daß die Unterscheidung zwischen *gentes maiores* und *minores* auf den Anspruch der jeweiligen *g.* auf Bekleidung der *maiora* bzw. *minora flaminia* (große bzw. kleine Priesterschaften, → *flames*) zurückgeht. Auch die Relation zwischen *gentes* und → *curiae* ist nicht geklärt, da die *curiae* sich offenbar aus Verwandtschaftsgruppen zusammensetzten, die jedoch nicht identisch mit *gentes* sein müssen. Erst im 6. Jh. v. Chr. findet sich zunächst in Etrurien, dann in Latium als Zusatz zu dem bis dahin einzigen Namen das *nomen* → *gentile*, das seinen Inhaber als Mitglied einer *g.* kennzeichnet. Da die Zugehörigkeit zur *g.* nur am Namen feststellbar ist (Fest. 94: *Gens Aemilia apellatur quae ex multis familiis conficitur*), war die Annahme eines falschen Namens unter Strafe gestellt (Papin. Dig. 48, 10,13,pr.). Erst später tritt das → *Cognomen* als Kennzeichnung einer Unterabteilung der *g.* (*stirps*; *familia*) hinzu. Auffallend ist, daß auch später jeweils nur wenige Vornamen innerhalb einer *g.* Verwendung fanden.

Schon in der späten Republik wurden *g.* und *familia* im Sprachgebrauch nicht mehr streng getrennt (Cic. S.Rosc. 15; Ulpian Dig. 50,16,195,4), doch wurde der Begriff *g.* durchaus noch in der Rhet. gebraucht (vgl. etwa Cic. dom. 35). Nach dem XII-Tafelgesetz waren die *gentiles* sowohl im → Erbrecht (Gaius 3,17) wie auch im Vormundschaftsrecht zu berücksichtigen, und zwar nach dem *agnatus proximus*. Die → *tutela* der *gentiles* kam seit der späten Republik nur selten vor, wurde aber noch in der → *laudatio Turiae* (um 40 v. Chr.) beansprucht (1,21). Wenn also die Zugehörigkeit zu einer *g.* bewiesen werden mußte (Dig. 22,3,1), heißt das andererseits, daß nicht jeder Bürger Mitglied einer *g.* war (vgl. Liv. 10,8,9). → Freigelassene gehörten, obwohl sie das *nomen gentile* ihres Freilassers annahmen, ebenso wie ihre Nachfahren nicht zu der *g.*, sondern zu den → *clientes* (Cic. top. 29 unter Verweis auf Scaevola; vgl. aber Fest. 83 L).

Noch zu Beginn der Republik besaß die *g.* eine große Geschlossenheit, wie der eigenständige Feldzug der *gens Fabia* gegen Veii und ihr Untergang an der Cremera 477 v. Chr. zeigen (Liv. 2,48,8–50,11). Die Frage, wann und wie die Trennung in patrizische und plebeische *gentes* erfolgte, ist nicht sicher zu beantworten: Möglicherweise schlossen sich die patrizischen *gentes* erst zu Beginn der Republik gegenüber geringeren *gentes* ab, während zuvor die Integration fremder *gentes* wie etwa der *gens Claudia* mühelos gelang. Auch das Vorkommen plebeischer Gentilnamen in den frühen Consullisten spricht dafür, daß diese *gentes* schon in der Königszeit existierten. Jetzt beanspruchten die patrizischen *gentes* als die mächtigeren das polit. bedeutsame Monopol auf *imperium* (Befehlsgewalt) und *auspicia* (Vorzeichen).

Den plebeischen *gentes* wurde in den Ständekämpfen möglicherweise sogar abgesprochen, als *g.* konstituiert zu sein (Liv. 10,8,9). Zwar wurden die meisten patrizischen Privilegien noch in der frühen Republik aufgegeben, doch behielten die patrizischen *gentes* das Amt des → *interrex* und die drei großen → *flaminia*, ebenso waren die → Salii und → Luperci nur Patrizier.

B. RELIGION UND KULT

Allg. spiegelt sich die urspr. große Bed. der *g.*, die sich im polit. Bereich nur noch schwer fassen läßt, im Sakralrecht wider. Schon in der Königszeit wurde einzelnen *gentes* die Durchführung von *sacra publica* (öffentl. Kulten) übertragen, die sie neben ihren *sacra privata* (privaten Kulten) durchführten. Die *g.* Potitia war gemeinsam mit der *g.* Pinaria für die von Hercules eingeführten Opfer verantwortlich (Fest. 270 L). Die *lupercalia* waren offenbar ursprünglich den Quinctii und Fabii übertragen, ehe deren Stelle *sodalitates* (Priesterschaften) übernahmen, der Kult des → Sol der (plebeischen!) *g.* Aurelia, das *Tigillum Sororium* der *g.* Horatia. Auch die → *Titii sodales* und die → *Arvales fratres* bezogen ihren Namen wohl von *gentes*, die diese Kulte ursprünglich durchführten. An ihre Stelle traten später *collegia* und *sodalitates*.

Sehr früh scheint jede *g.* auch *privata sacra* durchgeführt zu haben, die noch für die histor. Zeit belegt sind: Die *g.* Fabia war verpflichtet, *sacra gentilicia* auf dem Quirinal zu vollziehen (Liv. 5,46,1–3; 5,52,3). Das Heiligtum der *g.* Iulia befand sich in Bovillae, das der *g.* Claudia und der Domitia in Antium (vgl. zu den *sacra* der *g.* Servilia Plin. nat. 34,137). Die Riten, an denen möglicherweise auch die *clientes* teilnahmen, fanden jährlich zu festen Terminen statt (*feriae gentiliciae*). Die *sacra gentilicia* (Geschlechterkulte) waren nicht auf die patrizischen *gentes* beschränkt, obwohl sie für die plebeischen *gentes* seltener bezeugt sind. Die *pontifices* hatten darauf zu achten, daß die *sacra* einer *g.* nicht verwaisten. Auch die Grabstätten einten die *gentes*, offenbar ebenfalls mit Einschluß der plebeischen *gentes* (Cic. leg. 2,55 zur *g.* Popillia). Bei einzelnen *gentes* war auch eine bestimmte Form der Bestattung üblich; so übernahm die *g.* Cornelia nicht den Brauch der Leichenverbrennung (Plin. nat. 7,187).

Auch wenn das Kollektiv der *g.* in der mittleren und späten Republik nicht mehr unmittelbar in das polit. Geschehen eingriff, so brachte doch die Zugehörigkeit zu einer traditionsreichen und mächtigen *g.* in der aristokratisch geprägten Ges. Roms Ansehen in der Öffentlichkeit: Bei der *pompa funebris* (Trauerzug) wurden die sonst im *atrium* zur Schau gestellten *imagines* (Ahnenmasken) der hervorragenden Mitglieder der *g.* mitgeführt (Pol. 6,53,1–54,3; Plin. nat. 35,6–7). In der späten Republik ließen aristokratische Geschlechter nicht nur ihre Familiengeschichte schreiben, sondern führten den Ursprung ihrer *g.* auf einen göttl. Urahn oder einen troianischen Helden zurück; Dionysios von Halikarnassos kannte noch 50 Familien seiner Zeit, die vorgaben, troianischen Ursprungs zu sein (Dion. Hal. ant. 1,85,3);

darin manifestierte sich das Sozialprestige, das mit der Zugehörigkeit zu einer *g.* verbunden war.

Durch Bürgerkriege und Proskriptionen hatte die Zahl der patrizischen *gentes* zu Beginn der Prinzipatszeit stark abgenommen. Später hatten die *principes* das Recht, Patrizier zu ernennen.

→ Agnatio; Familie, B. Rom

1 G. FRANCIOSI, Famiglia e persone in Roma antica dall'età arcaica al principato, 1989 2 Ders., Ricerche sulla organizzazione gentilizia romana, I u. II, 1984–1988 3 R. E. MITCHELL, Patricians and Plebeians, 1980 4 J. POUCET, Les origines de Rome, 1985 5 K. A. RAAFLAUB (Hrsg.), Social Struggles in Archaic Rome, 1986 6 H. RIX, Zum Ursprung des röm.-mittelitalischen Gentilnamensystems, in: ANRW I,2, 1972, 700–758 7 CHR. J. SMITH, Early Rome and Latium, 1996.   M. D. M.

Gens Bacchuiana. Siedlung in der *Africa proconsularis,* im Tal des Oued Siliana nahe Tichilla und → Thubursicum Bure, h. Bou Djelida. Hauptort der *gens Bacchuiana,* er wurde in der Zeit des Antoninus Pius (86–161 n. Chr.) von *undecimprimi* verwaltet. Inschr.: CIL VIII Suppl. 1, 12331–12340a; Suppl. 4, 23922–23930.

AATun 050, Bl. 34, Nr. 74.   W. HU.

Genthios (Γένθιος). König der → Labeates ca. 181–168 v. Chr., der ein Trunkenbold und Brudermörder gewesen sein soll (Pol. 29,13; Liv. 44,30,2–5) und auch wieder der (vorher besiegten) illyrischen Piraterie Vorschub leistete (Liv. 40,42,1–5). G. distanzierte sich von der proröm. Politik seines Vorgängers und Vaters → Pleuratos, verweigerte am Vorabend des 3. Maked. Krieges den Römern eine Allianz (Liv. 42,37,1 f.; 45,8) und mußte im J. 170 die Requirierung von 54 Lemben (→ Lembus) durch M. Lucretius in Dyrrhachion hinnehmen (Liv. 42,48,8). Obwohl dem G. beste Beziehungen zu Makedonien schon 172 unterstellt wurden (Liv. 42,26,2–7), ließ er sich erst 169 durch drei Gesandtschaften und für 300 Talente in ein Kriegsbündnis mit diesem ziehen, wobei → Perseus durch seinen Geiz (?) strategische Chancen gegen die Römer verspielte (Pol. 28,8 f.; Liv. 43,19,13–20,3; 44,23. 27,8–12; Diod. 30,9). Nachdem G. sogleich zwei röm. Gesandte gefangengesetzt und mit 80 Lemben die Küste bei Dyrrhachion und Apollonia attackiert hatte (Liv. 44,30; App. Mac. 18,1; Ill. 9,25; Plut. Aemilius 13,1–3), traf er im J. 168 bei Bassiana auf den neuen Praetor L. → Anicius [I 4] Gallus. Dieser zwang ihn durch Belagerung in seiner Residenz Skodra zur Kapitulation (App. Ill. 9,26). G., seine Gattin Etuta und seine Söhne Pleuratos und Skerdilaidas wurden im Triumph des Anicius in Rom mitgeführt und anschließend in Spoletum und Iguvium inhaftiert (Liv. 44,30; 45,43; App. Ill. 9,27).

P. CABANES, Les Illyriens, 1988, 311–322.   L.-M. G.

Gentiana (Enzian). Griechenland stellt sieben, Italien über 20 Vertreter der etwa 200 Arten umfassenden Gattung. Die Heilkräfte der meist damit identifizierten γεντιανή/*gentianḗ* (*gentiana*: Plinius) soll nach Dioskurides (3,3 p.2,4 WELLMANN = p.262 f. BERENDES) ein Illyrerkönig Gentis (= Gentius: Plin. nat. 25,71) entdeckt haben. In der Medizin fand die *g.* vielfältige Anwendung (Plin. nat. 26,29 u.ö): Schon in der Ant. gewann man aus der Wurzel v. a. der gelbblühenden G. lutea L. und verwandter Arten, denen Dioskurides erwärmende und adstringierende Wirkung zuschreibt, einen Saft, der zu Bitterwein (Plin. nat. 14,111) verarbeitet, seit dem Spät-MA aber auch zu einem Magenbitter destilliert wurde. Schwangere wurden dagegen vor dem Genuß des Wurzelsaftes gewarnt (Plin. nat. 25,71). Die blaublütigen Arten mit kleineren Wurzeln wie G. cruciata L. (spätlat. *basilica* oder *basilisca,* Kreuzenzian), Pneumonanthe L. (Lungenenzian) und Asclepiadea L. (Schwalbenwurzenzian) beachtete man weniger.   C. HÜ.

Gentile. Das G., vom Vater auf die Kinder vererbt und von der Frau nach der Heirat beibehalten, bezeichnet die Zugehörigkeit zu einer Familie (→ *gens*). Es ist das charakteristische Element des röm.-mittelital. PN-Systems (→ Personennamen: Rom und Italien); im Namenformular nimmt es hinter dem Praenomen die zweite Stelle ein. Neben der Geburt gibt es noch andere Möglichkeiten, ein G. zu erhalten: a) bei der → Adoption, wo der Adoptierte das G. des Adoptivvaters annimmt; sein bisheriges G. wird zunächst suffigiert (*P. Cornelius Scipio Aemilianus,* Sohn des *L. Aemilius Paullus*), später unverändert als (vererbbares) → Cognomen getragen (*C. Plinius Caecilius Secundus,* Sohn eines *Caecilius*); b) bei der → Freilassung, wo der Sklave das G. des Patronus annimmt: *Nico,* Sklave des *M. Antonius,* wird *C. Antonius M. l(ibertus) Nico*; c) bei der Bürgerrechtsverleihung an → *peregrini,* die zunächst ein eigenes G. wählen durften (der Dichter *Q. Ennius*; der Etrusker *Aθ Unata* nannte sich *Mn. Otacilius*), später das G. dessen annahmen, der ihnen das Bürgerrecht verschafft hatte. Mißbrauch dieser drei Möglichkeiten führte zu einer Entwertung des G. als Mittel der Kennzeichnung: Wiederholte Adoptionen in einer Familie führten zu einer Vielzahl von G. in einem Namen, Massenfreilassungen kaiserlicher Sklaven und globale Bürgerrechtsverleihungen wie die → constitutio Antoniniana von 212 n. Chr. zu einer Vielzahl von gleichen G. wie *Iulius, Claudius, Ulpius, Aurelius.* Die zu Ende des Alt. verschwundene Institution des erblichen Familiennamens wurde erst im Laufe des MA wieder belebt.

Das G. ist nach Ausweis seiner morphologischen Struktur aus dem Patron. entstanden, einer Adjektivableitung vom Namen des Vaters, und zwar wohl im 8./7. Jh. v. Chr. am unteren Tiber im Berührungsgebiet von Etruskern, Latinern, Faliskern und Sabellern. Zur Ableitung der Patron.-G. von den zum → Praenomen gewordenen Individualnamen verwenden Lat. und Falisk. *-io-* und (bei *-io*-Stämmen) *-īlio-*: *Marcus – Marcius* (falisk. *Marco – Marcio*), *Lūcius – Lūcīlius,* das Sabell. *-io-*: osk. *Heírens – Heírennis, Lúvkis – Lúvkiís;* umbr. auch *-ēno-*: *Uois(is) – Uoisien(s),* das Etr. *-na* und *-ni(e)*: *Larice –*

Laricena, Latine – *Latinie*. Eine sekundäre, bei Herkunft aus der Fremde sinnvolle Quelle für G. waren Herkunftsbezeichnungen (Ethnika): lat. *Norbānus – Norba*, osk. *Aadirans – (H)Atria*, etr. *Laθite – Latium*. Bei Sprachwechsel des Namenträgers wurde das G. oft nur äußerlich der neuen Sprache angepaßt: etr. *Velimna* – lat. *Volumnius*. Von vielen G., z. B. *Fabius, Cornelius, Vipsanius*, ist der zugrundeliegende Individual- oder Ortsname unbekannt.

G. COLONNA, Nome gentilizio e società, in: SE 45, 1977, 175–192 · B. DOER, Die röm. Namengebung, 1937 (Ndr. 1974) · J. REICHMUTH, Die lat. Gentilizia und ihre Beziehungen zu den röm. Individualnamen, 1956 (Diss.) · H. RIX, Zum Ursprung des röm.-mittelital. Gentilnamensystems, in: ANRW I 2, 1972, 700–758 · H. RIX, Röm. PN, in: E. EICHLER u. a. (Hrsg.), Namenforschung I, 1995, 724–732 · SOLIN/SALOMIES.   H. R.

Gentunis (Genzon). Sohn des → Geisericus, Bruder des Hunericus, Vater von Gunthamundus, Gelaridus und Thrasamund (Prok. BV 1,5,11; 8,6–8; 9,6). Er war 468 n. Chr. an der Seeschlacht gegen → Basiliskos beteiligt (Prok. BV 1,6,24) und starb 477 vor seinem Vater. PLRE 2,502–503 (Genton 1).   M. MEI. u. ME. STR.

Genua (h. Genova). Ligurische Festung am in vorröm. Zeit von Etrusci und Massilioten angelaufenen Hafen von Mandraccio: präurbane Phase E. 6. Jh. v. Chr.; besiedelt seit Mitte 5. Jh. v. Chr. (Mauerreste, Keramik, Bronze und Blei, Statuette eines Diskuswerfers, etrusk. Inschr.; Nekropolen, Brandbestattung in »Brunnengräbern«). Mit Rom verbündetes *oppidum*, 218 v. Chr. Basis des P. → Cornelius [I 68] Scipio gegen → Hannibal (Liv. 21,32,1; Amm. 15,10,10); 205 v. Chr. von Mago zerstört (Liv. 28,46,7), 203 v. Chr. von Sp. Lucretius wieder aufgebaut (Liv. 30,1,10); 197 v. Chr. Basis des Q. Minucius Rufus gegen die Liguri (Liv. 32,29,5); seit 148 v. Chr. Ausgangspunkt der *via Postumia* (CIL V 8045); nahm 137 v. Chr. die zur Weiterfahrt nach Numantia bestimmte Flotte des C. Hostilius Mancinus auf (Val. Max. 1,6,7); wohl nicht von der *via Aemilia Scauri* durchquert (Strab. 5,1,11). G. war Umschlaghafen der Liguri, die dort Holz, Tiere, Häute und Honig, auch Olivenöl und ital. Wein umsetzten (Strab. 4,6,2); möglicherweise 89 v. Chr. *colonia Latina*, war G. seit 49 v. Chr. *municipium* (CIL V 7153), eventuell *IVviralis*, zur *tribus Galeria* gehörig (CIL VI 2867; AE 1939, 130), in der *regio IX Liguria* (Plin. nat. 3,5,46).

Überreste aus röm. Zeit: Gebäude, Gräber, Aquädukt, Amphitheater (?), Kerberos-Statuette, Keramik, Inschr., Mz. Möglicherweise schon seit dem 3. Jh. Diözese, entsandte die Stadt 381 ihre Bischöfe zum Konzil von Aquileia, 451 zur Synode nach Mailand, 680 zur Synode nach Rom; von 569 bis 643 residierten hier die Erzbischöfe von Mailand. Aus christl. Zeit stammen außer Inschr. die ersten Kirchenbauten (San Siro), Friedhöfe und eine Synagoge (Cassiod. var. 2,27). Nach der Eroberung durch die → Goti (Iord. Get. 30,154) wurde

G. 544 byz. Garnisonsstadt (Prok. BG 3,10,14); 643 n. Chr. von dem Langobardenkönig Rothari zerstört.

Fontes Ligurum et Liguriae antiquae, 1976, s. v. G. · M. G. ANGELI BERTINELLI, Genova antica, in: L. BORZANI (Hrsg.), Storia illustrata di Genova I, 1993, 1–32 · Dies., La città ritrovata. Archeologia urbana a Genova 1984–1994, 1996.
                                              M. G. A. B./Ü: H. D.

Genucius Name einer alten, vielleicht aus Etrurien eingewanderten [1. 456f.] und im 4. und 3. Jh. v. Chr. führenden Familie der plebeischen Nobilität: G. [9] bekleidete unmittelbar nach der Zulassung der Plebeier zum Consulat (367/6) dieses Amt, G. [1] gehörte zu den ersten plebeischen Auguren. Die Historizität der patrizischen Namensträger G. [5]–[7] ist umstritten [2. 111; 3. 12f.]. Die Familie starb am Ende des 3. Jh. v. Chr. aus.

1 R. M. OGILVIE, A Commentary on Livy. Books 1 – 5, 1965 2 TH. MOMMSEN, Röm. Forschungen I, ²1864 3 MÜNZER.

[1] G., C. War einer der ersten nach der *lex Ogulnia* von 300 v. Chr. eingesetzten plebeischen Auguren (Liv. 10,9,2). Auf ihn dürfte sich das Cognomen *Augurinus* beziehen, das in den Fasten den früheren Familienmitgliedern G. [6] und [7] beigelegt wurde.

[2] G., Cn. 473 v. Chr. Volkstribun, wollte nach annalistischer Überlieferung die Consuln des Vorjahres wegen ihrer Gegnerschaft gegen das Ackergesetz des Sp. Cassius [I 19] Vecellinus vor Gericht ziehen, wurde aber am Tag des Prozesses tot aufgefunden (Liv. 2,54f.; Dion. Hal. ant. 9,37f.).

[3] G., L. Volkstribun 342 v. Chr., erließ ein Zinsverbot (Liv. 7,42,1), das noch bis ins 2. Jh. v. Chr. bekannt war (App. civ. 1,54). Weitere Plebiszite, deren Zuweisung an G. nicht zweifelsfrei ist, verboten die Ausübung des gleichen Amtes innerhalb von 10 Jahren sowie die gleichzeitige Bekleidung zweier Ämter, und erlaubten, daß beide Consuln Plebeier sein konnten (Liv. 7,42,2). Ihre Historizität ist umstritten; die letzte Regelung diente vielleicht zur Durchsetzung der Licinisch-Sextischen Gesetze von 367/6 v. Chr.

T. J. CORNELL, in: CAH 7,2, ²1989, 333, 337, 345 · Ders., The Beginnings of Rome, 1995, Index s. v. G. · K.-J. HÖLKESKAMP, Die Entstehung der Nobilität, 1987, 92–95, 105–108.

[4] G., T. Volkstribun 476 v. Chr., ältester bekannter Namensträger (MRR 1, 27); zur Person siehe Q. → Considius [I 1].

[5] G. Augurinus, Cn. (zum Cognomen s. [1. 12f.]). Consulartribun 399 und 396 v. Chr., soll im Kampf gegen Falerii und Capua gefallen sein (Liv. 5,18,2f.). Vielleicht ist er der G., den C. → Sempronius Gracchus in einer Rede als Opfer von Schmähungen der Falisker bezeichnete (Plut. C. Gracchus 3,5; dort wohl auf Grund eines Überlieferungsfehlers versehentlich als Volkstribun bezeichnet).

1 MÜNZER 2 MRR 1,85, 87.

[6] G. Augurinus, M. Nach den Fasten Consul 445 v. Chr. mit C. Curtius [I 3] Chilo und angeblich Gegner der *lex Canuleia* (Liv. 4,1–6), möglicherweise erfunden.

[7] G. Augurinus, T. Nach annalistischer Tradition Consul 451 v. Chr. mit Ap. Claudius [I 5] Crassus, dann mit ihm Haupt des Kollegiums der *decemviri* (Liv. 3,33,4; Dion. Hal. ant. 10,54,4; 56,2).

[8] C. Aventinensis, Cn. (Cognomen nach späterer Tradition nach dem wichtigsten Hügel Roms für die Plebeier), Consul 363 v. Chr. (MRR 1,116).

[9] G. Aventinensis, L. *Cos. I* 365 v. Chr., *cos. II* 362, jeweils mit Q. Servilius Ahala; er soll gegen die Herniker gefallen sein (Liv. 7,6,7 ff.).

[10] G. Aventinensis, L. Consul 303 v. Chr. (MRR 1,169).

[11] G. Clepsina, C. *Cos. I* 276 v. Chr., *II* 270, soll Rhegion unterworfen haben (Dion. Hal. ant. 20,16,1; Oros. 4,3,5).

[12] G. Clepsina, L. Consul 271 v. Chr., eröffnete vielleicht die Operationen gegen Rhegion, → G. [11] (MRR 1,198).   K.-L. E.

Genusia (h. Ginosa). Ort westl. von Tarentum, urspr. Zentrum der Peucetii; röm. *municipium* (*Genusini*, Plin. nat. 3,105). Von der Eisenzeit bis in spätröm. Zeit besiedelt; Grabfunde.

E. DE JULIIS, L'attività archeologica in Puglia nel 1983, Atti del XXIII Convegno di Taranto (1983), 1984, 421–446, 429–431 · Ders., Magna Grecia, 1996, 266 · T. SCHOLJER, Notiziario delle Attività di Tutela, Settembre 1987–Agosto 1988. Ginosa (Taranto), via S. Francesco Saverio, Taras, VIII, 1–2, 1988, 114 f. · M. T. GIANNOTTA, s. v. G., BTCGI 8, 1990, 137–142.   M. G./Ü: H. D.

Geographie I. ALTER ORIENT UND ÄGYPTEN II. GRIECHENLAND UND ROM

I. ALTER ORIENT UND ÄGYPTEN

Die ältesten Quellen zur G. Mesopotamiens sind top. Listen (3. Jt. v. Chr.), darunter eine, die 289 ost- und zentralmesopot. Orte aufführt. Vom 3. bis 1. Jt. v. Chr. finden sich auf Tontafeln vereinzelt schematisierte, beschriftete Stadtpläne (Babylon, Nippur, Uruk, Sippar) und regionale Landkarten (Nuzi, Tellō, Nippur, Euphratregion, Sippar). Ein Zusammenhang mit Feldvermessungen ist wahrscheinlich. Singulär wegen ihrer auf Babylon zentrierten Ausrichtung ist eine Weltkarte (ca. 5. Jh. v. Chr.). Die scheibenförmige Erde (Nennung einiger Städte, Wasserläufe und Gebirge) ist umgeben von einem Bitterwassergürtel. Jenseits erstrecken sich noch acht weitere Bezirke. Eine astrale G. ist nur ansatzweise entwickelt. Auffallend ist für Mesopot. das Fehlen detaillierterer Territorial- und Grenzbeschreibungen, wie sie die Bibel kennt (Nm 34,1–12; Jos 15,1 u. a.). Auch für die G. der postbiblischen Periode wichtig wurde die Nationentafel Gn 10 (vgl. Jubiläen 8–10; Ios. ant. Iud. 1,122–147).

Das Weltbild Ägyptens ist durch die Nord-Süd-Achse des Nils und die Wüste im Westen und Osten geprägt. Die Außenwelt wird teilweise erfaßt durch Toponyme in sog. Ächtungstexten. Ab der 18. Dyn. (1550–1314 v. Chr.) erscheinen ON-Listen, deren Basis zumeist Feldzüge (des Thutmosis III. u. a.) waren. Ein Turiner Pap. enthält die Karte eines Goldminenbezirkes. Auszüge eines Handbuches mit Notierungen von Straßenverhältnissen finden sich im Pap. Anastasi. I.

Eine systematischere Erforschung der geogr. Verhältnisse ist im Alten Orient erst ab dem 7./6. Jh. v. Chr. belegt. Sie erfolgte primär unter Handelsaspekten (phöniz. Schiffe) und ist nur durch griech. Quellen überl., so der → Periplus von Afrika unter → Necho II., die phöniz. Seeunternehmen des → Hanno und → Hamilkar, oder die Arabien-Indien-Expedition des → Skylax von Karyanda unter → Dareios [1] I.

P. ALEXANDER, s. v. Geography and the Bible, The Anchor Bible Dictionary 2, 977–88 · D. FRAYNE, The Early Dynastic List of Geographical Names, 1992 · R. GIVEON, s. v. Ortsnamenslisten, LÄ 4, 621 f. · R. GUNDLACH, s. v. Landkarte, LÄ 3, 922 f. · W. RÖLLIG, s. v. Landkarten, RLA 6, 464–467 · W. WESTENDORF, s. v. Weltbild, LÄ 6, 1211–1213.   K. KE.

II. GRIECHENLAND UND ROM

Geogr. Wissen war für Griechen und Römer von Bed.; der ant. Begriff *geōgraphía* war freilich breiter und weniger eingeschränkt als der heutige und umfaßte insbes. auch die Ethnographie. Zumeist war G. auch eine lit. Gattung, die – im Einklang mit dem ant. Bildungsideal – die wirkliche und die imaginäre Welt in schöpferischer Weise miteinander verband; eine objektive Auseinandersetzung mit wiss. oder technischen Aspekten der G. oder gar eine Ausbildung darin blieb weitestgehend auf einige wenige griech. Ausnahmepersönlichkeiten beschränkt: Es waren diese, die im 3. Jh. v. Chr. den Begriff *g.* (γεωγραφία) und seine Ableitungen schufen [1. 9²].

Die homer. Epen durchdringt ein starkes Gefühl für G., so im sog. Schiffskatalog (Hom. Il. 2), in der Beschreibung des Achilleus-Schildes (Hom. Il. 18) und in der Schilderung der Irrfahrten des Odysseus (Hom. Od.). Die Erde wird dabei als begrenzter Insel-Raum aufgefaßt, der von einem endlosen Okeanos umgeben ist – eine Sicht, die in der ganzen Ant. trotz wiederholter Widerlegungen Anklang fand: So konnte etwa → Krates von Mallos die oben gen. Schildbeschreibung als ›Nachahmung der Welt‹ bezeichnen (κόσμου μίμημα, Strab. 1,1,7, vgl. [1. 14]). Mit der Kolonisationsbewegung der archa. Zeit und der sich daraus ergebenden Interaktion mit anderen Völkern wuchs bei den Griechen das Bewußtsein und das Interesse für die G. So begründeten in Ionia des 6. Jh. v. Chr. → Anaximandros und → Hekataios aus Milet die Lit.-Gattung eines ›Weges um die Welt‹ (περίοδος γῆς, Anaximand. 2 A 2 DK; Hekat. FGrH 1 F 37–359), die auf eine geordnete und umfassende Beschreibung der Welt in (teils von Karten begleiteter) Prosa oder Dichtung zielt. Solche Karten sind nicht erh.; es fehlt aber nicht an phantasiereichen modernen »Rekonstruktionen« (s. etwa [2]). Offenbar entwickelte sich eine stetige Nachfrage nach solch »panoramischer« Lit., die freilich häufig für ein Publikum geschrieben wurde, das eine ansprechende Präsentation von Wundern und Mythen höher bewertete als akkurate aktuelle Informationen. Diese Lit. stand im Hell. in Blüte und fand ihren Höhepunkt im 2. Jh. n. Chr. in der Periegesis des → Dionysios [27], die im 4. Jh. von → Avienus für ein lat. Publikum übersetzt und bearbeitet wurde. Beide Werke sind erh., ebenso das früheste Werk dieser Art in lat. Prosa, das → Pomponius Mela in den 40er J. des 1. Jh. n. Chr. schrieb, offenbar ein Stubengelehrter, der für seinesgleichen schrieb.

Im 5. Jh. v. Chr. konnte Herodot neue Kenntnisse des Perserreichs, Nordafrikas und des westl. Mittelmeerraums verwerten und damit die Ansicht in Frage stellen, daß der Okeanos das umspült, was er mit einem neuen Begriff als *oikuméné* (οἰκουμένη) beschrieb; damit ist wörtlich die »bewohnte« Welt, inhaltlich aber eher die »als bewohnt bekannte« oder »vertraute« Welt bezeichnet (Hdt. 2,32; 2,34; 3,114; 4,36), was die Möglichkeit offenläßt, daß auch andere Teile der Welt bewohnt sind, wenngleich die dortigen Völker unbekannt und ohne Kontakt zur Oikumene seien. Deren Grenzen sind – mit Ausnahme des Westens – außenliegende leere Räume, nicht Meere. So überzeugend diese neue Ansicht erscheinen mochte, führte sie doch nicht zu einer Änderung der älteren homer. Auffassung einer meerumspülten Welt, und der Bericht des seleukidischen Statthalters Patrokles, demzufolge das Kasp. Meer und der Ind. Ozean durch Gewässer verbunden seien (Plin. nat. 6,58), überzeugte → Eratosthenes von der Richtigkeit der homer. Auffassung, worin ihm auch Strabon folgte, dessen Werk mit einer erneuten Konstatierung der homer. Auffassung beginnt. Erst im 2. Jh. n. Chr. findet sich in der *Geographia* des Claudius → Ptolemaios eine erneute Bestätigung der herodoteischen Weltsicht (Ptol. 7,5,2).

Die Ionier sahen die Erde meist als eine flache, etwas konkave Scheibe an, die dreimal so breit wie tief war (Demokr. 55 B 15 DK). Die Vorstellung, daß die Erde kugelförmig und Teil eines Sonnensystems sei, entstammt urspr. der pythagoreischen Theorie (Diog. Laert. 8,26) und fand zunehmend Verbreitung; während des 4. Jh. wurde erstmals eine Einteilung dieses Globus in fünf Zonen – arktisch, gemäßigt, äquatorial, wiederum gemäßigt und antarktisch – angenommen. Zugleich versuchte man, den Umfang der Erdkugel zu bestimmen, was bestätigte, daß die Oikumene nur ein kleiner Teil der ganzen Welt sei, und die Spekulation förderte, daß es andere bewohnte Weltteile gebe, die von der Oikumene durch Meere oder Wüsten getrennt seien, und zwar jenseits des Atlantiks (Plat. Tim. 24e–25a) oder südl. des Äquators als von den Antichthonen (»Gegen-Erde-Bewohnern«) oder den Antipoden (»Gegen-Füßlern«) bewohntes Spiegelbild zur Oiku-

mene. Dieses von Aristoteles bevorzugte Schema wurde im 2. Jh. v. Chr. durch Krates von Mallos verfeinert, der zwei weitere einander entsprechende Welten im Norden und Süden der westl. Halbkugel annahm, also insgesamt vier jeweils durch Teile des Okeanos voneinander getrennte Welten (Aristot. meteor. 2,5; Strab. 2,5,10).

Bereits vor → Alexandros [4] d. Gr. hatten Griechen (darunter → Skylax) → Forschungsreisen mit dem ausdrücklichen Ziel der Erweiterung geogr. Kenntnisse unternommen, doch übertrafen die Feldzüge des Alexandros alle bisherigen Unternehmungen bei weitem und boten unerschöpfliche wiss. und lit. Anregungen. Insbes. wurde die G. ein wichtiges Interessengebiet im Museion von Alexandreia, wo sie im 3. Jh. v. Chr. durch Eratosthenes erstmals zu einer kohärenten und rigorosen Disziplin geformt wurde. Dessen Werke, die uns nur aus zweiter Hand bekannt sind [3], umfaßten Berechnungen zum Erdumfang und Anweisungen für die kartographische Erfassung der Welt. Eratosthenes' Methodologie war wohlbegründet; ihm war die Notwendigkeit des Erwerbs präziser physischer und astronomischer Daten bewußt, die jedoch schwer zu erlangen waren: Ungelöst war (und blieb bis ins 18. Jh.) das Problem einer genauen Feststellung des Längengrads, was die Verläßlichkeit der Daten beeinträchtigte; dennoch blieben Eratosthenes' Daten grundlegend auch für die G. des Claudius Ptolemaios. Dessen Werk stellt den umfassendsten Versuch einer Projektion der physischen und kulturellen Landschaft auf der gekrümmten Oberfläche der Welt dar; es bietet dazu (nicht immer korrekte) Angaben zu den Koordinaten und Anweisungen zur Anfertigung von einer Welt- sowie 26 Regionalkarten; ob solche Karten von Ptolemaios selbst in Umlauf gebracht wurden, ist unsicher (vgl. in der unvollendeten Edition von C. MÜLLER (1813–1894) den postum publizierten Kartenband).

Versteht man unter Karten graphische Repräsentationen, die ein Verständnis räumlicher Gegebenheiten erleichtern, kann man feststellen, daß solche Karten zwar bereits seit frühen Zeiten von Griechen wie Römern angefertigt wurden, doch unter den Mitteln, die typischerweise zur Organisation oder Erfassung der Umwelt verwendet wurden, kaum von Bed. waren. Ihre höchst unterschiedliche Bildgestalt blieb wohl auch deshalb uneinheitlich, weil sich kein allg. Begriff der »Karte« entwickelte; überdies gab es nie »Karten« zur allg. Verwendung, wie auch die Möglichkeit einer umfassenderen Vervielfältigung fehlte. Die am häufigsten erhobenen »kartographischen« Daten (→ Kartographie) waren Listen von ON und Entfernungen zw. diesen Orten auf anerkannten Routen. So wurden für Fahrten zur See *periploi* (peripl. m. r., ed. L. CASSON, 1989; stadiasmus maris magni, GGM I 427–514), für solche zu Lande *itineraria* [4] hergestellt, die bei der Umsetzung in eine (karto)graphische Form allenfalls eine lineare Wiedergabe der räumlichen Gegebenheiten ermöglichten. In der extensivsten und verfeinertsten Form zeigt dies unter den wenigen erh. Zeugnissen dieser Art die → *Tabula Peutingeriana* [5], ein Dokument, dessen Vorlage in das 4. Jh. n. Chr. datiert, aber Elemente aus dem 1. oder 2. Jh. bewahrt und sicher Vorläufer oder Entsprechungen gekannt haben muß. Trotz fehlender Maßstäblichkeit und mangelhafter Projektion bietet diese Graphik vielerlei korrekte topographische Informationen; Hauptzweck jedoch ist die Wiedergabe von Landrouten durch die bekannte Welt von Britannia bis Taprobane (Ceylon/Sri Lanka). Autor und urspr. Zweck dieser »Karte« bleiben ungeklärt.

Auch die deskriptiven geogr. Werke des Eratosthenes inspirierten eine Reihe griech. Autoren, die in je unterschiedlicher Weise auf die Expansion röm. Macht bis in die Zeit des Augustus reagierten: → Polybios, → Poseidonios, → Diodoros [18] und v. a. → Strabon, der sein unter Tiberius abgeschlossenes Werk zu Recht als ›gewaltige Aufgabe‹ (κολοσσουργία) charakterisiert (1,1,23): In 17 Büchern bietet es eine umfassende *chōrographía*, eine Mischung aus Regional-Geogr. und Ethnographie, die die röm. Kaiserherrschaft rechtfertigen und stützen sollte (Strab. 1,1,16f.). Allerdings sind nicht alle Angaben aus Strabons Quellen – insbes. zu den entlegeneren Gebieten wie India – aktuell; auch scheint das Werk auf röm. Leser nur geringe Wirkung gehabt zu haben.

Unter den führenden Römern bleibt → Caesar mit seinem in den *Commentarii de bello Gallico* manifesten Interesse für G. und Ethnographie eine Ausnahme. Nach der raschen Expansion des Reichs in augusteischer Zeit, die in der zeitgenössischen Propaganda vielfach ausgenutzt wurde, sahen die Römer wenig Anlaß, die geogr. Gegebenheiten jenseits der Ränder des Reiches zu erkunden, zumal Anreize wie Landhunger, wirtschaftliche Ausbeutung oder missionarischer Eifer fehlten. Noch immer freilich galten Kenntnisse in G. als wichtig, wie die Enzyklopädie des → Plinius d. Ä. oder das Geschichtswerk des → Ammianus Marcellinus demonstrieren. Doch schätzte man die G. v. a. wegen ihrer Fähigkeit zu unterhalten, anzuregen und ein Gefühl der kulturellen Überlegenheit in einem festen Wissensrahmen zu vermitteln; nur selten wurde G. als fortwährende Suche nach einer tieferen, genaueren oder einfühlenderen Einsicht in Völker und Stätten betrieben.

→ GEOGRAPHIE

1 J. S. ROMM, The Edges of the Earth in Ancient Thought, 1992 2 J. B. HARLE, D. WOODWARD (Hrsg.), The History of Cartography I 2, 1978 3 D. R. DICKS, The Geographical Fragments of Hipparchus, 1960 4 O. CUNTZ, J. SCHNETZ, Itineraria Romana, 1929–1940 (erweiterter Ndr. 1990) 5 E. WEBER, Tabula Peutingeriana, 1976.

W. WOLSKA-CONUS, s. v. G., RAC 10, 155–222 ·
E. RAWSON, Intellectual Life in the Late Roman Republic, 1985, Kap. 17 · C. JACOB, Géographie et ethnographie en Grèce ancienne, 1991 · K. BRODERSEN, Terra Cognita, 1995 · M. T. RILEY, Ptolemy's use of his predecessor's data, in: TAPhA 125, 1995, 221–250.　　　　RI. T./Ü: K. BRO.

Geographische Namen

A. ARTEN: ORTSNAMEN UND WORTSCHATZ
B. WORTBILDUNG, BENENNUNGSMOTIVE
C. ALTER, FORTLEBEN D. ORTSNAMEN UND GRIECHISCHE VORGESCHICHTE
E. ORTSNAMEN UND ITALISCHE VORGESCHICHTE

A. ARTEN: ORTSNAMEN UND WORTSCHATZ

Die ON der verschiedenen Arten (v. a. Landschafts- und Städte- bzw. Siedlungsnamen, aber auch Berg-, Gewässer-, Insel-, Flur- und Straßennamen) sind in der Ant. reich belegt und meistens sowohl im Griech. als auch im Lat. überliefert, oft aber in unterschiedlicher Form, z. B. Πιθηκοῦσσα : *Aenāria* (h. *Ischia*). Wenn ein ON sich aus dem Wortschatz der Sprache, in der er belegt ist, nicht deuten läßt, geht er in der Regel auf die Sprache(n) vorhistor. Bevölkerungen zurück. Demgegenüber sind jene ON, die aus dem Griech. bzw. aus dem Lat. (gegebenenfalls durch einen Vergleich mit anderen idg. Sprachen) deutbar sind, für die Form und Benennungsmotive der ON lehrreich.

B. WORTBILDUNG, BENENNUNGSMOTIVE

Als ON werden Appellativa, die auch als Basis von Derivativa fungieren, und Adj. gebraucht. Einige Suffixe: *-$i̯o$-/-$i̯eh_2$-; griech. *-(o)ϝεντ- (auch myk. /-wont-/) bzw. F. -(o)ϝεσσα aus *-$u̯ent$-/*-$u̯nt$-ih_2- (altind. -*vant*-, anatol. -*u̯ant*- »mit etwas versehen«) und -ών aus *-h_3on-; lat. -*ŭli*-, -*no*-/-*nā*-. Sie haben als Basis auch vorgriech. bzw. vorital. Wörter, z. B. Σελινοῦς in Triphylien, Arkadien (myk. PY *se-ri-no/nu-wo-te* /-*wont-ei*-/?) usw. »reich an Eppich« (: σέλινον) : *Selinus* (h. *Selinonte*, Sizilien).

Als übliche Benennungsmotive lassen sich erkennen: a) Örtlichkeiten, b) Pflanzen- bzw. Tiernamen, c) physische Eigenschaften bzw. Gegenstände, Formen u. ä., d) PN, Götternamen und Ethnika.

Zu a) vgl. Ἧλις (»Tal«, vgl. lat. *uallis*), Ἤπειρος (»Festland«); Ortschaften Ἄκρα, -αι passim, Δειράς (»Hügel«) in Korinth, Λίμναι und Ἕλος (»Sumpf«) in Lakonien (myk. PY Lok. *e-re-i*), Κρῆναι »Brunnquelle« in der Argolis (in Thessalien Κράννων, in Elis Κρουνοί), Πύλος »Palast«, »Burg« in Messenien (myk. PY *pu-ro*), Elis und Triphylien oder Ῥίον (»Bergspitze«, myk. PY *ri-jo*) in Achaia; Εὔριπος »Meeresarm« (»breite Wasser[läufe] habend« [3]), vgl. *Fretum Siculum*. Vgl. auch die griech. Typen Νέα πόλις (h. *Napoli*), Ὀλβία (πόλις), Ἡλίου πόλις, Μητρόπολις. In Italien vgl. *Ocriculum* in Umbrien (falls zu *ocris* »steiniger Berg«), *Fānum* (»Hain«), die Häfen *Ostia, -ium* (passim) oder den Fluß *Rhēnus* in Norditalien (wie dt. *Rhein*, wie altirisch *rían* »Strömung«). Auch Flurbezeichnungen werden als ON gebraucht, z. B. Δώτιον πεδίον in Thessalien, *ager Gallicus* an der Adriaküste.

Zu b) vgl. die Berge (boiot.) Ἑλικών oder (röm.) *Vīminālis* (: ἑλίκη bzw. *uīmen* »Weide«), die boiot. Flüsse Σχοῖνος, Προβατ/σία (σχοῖνος »Binse«, πρόβατα »Vieh«), die Inseln Εὔβοια, Πιτυοῦσσαι, Πιθηκοῦσσα (: βοῦς »Rind«, πίτυς »Fichte«, πίθηξ »Affe«), die Ebene

Μαραθών »Fenchelfeld« (μάραθος »Fenchel«). Vgl. auch *Italia*, urspr. nur Bruttium (: *uitulus* »Kalb«, nach einer ṷ-losen unterital. griech. Form), *Fagifulae* in Samnium, *Pīcēnum* (: *fāgus* »Buche«, *pīcus* »Specht«).

Zu c) vgl. die Flüsse Ἀλφειός in Elis und *Albula* in Latium (: ἀλφούς· λευκούς, *albus* »weiß, hell«), Ἴσ-τρος (h. Donau) in Thrakien (*is-ró- »mit Impuls versehen«, vgl. homer. ἱερὸς ποταμός aus *is-eró-, dt. *Isar*, frz. *Isère*) oder die Quellen Θέρμη, -αι (passim). Vgl. auch die ὁδὸς Σιωπῆς (Elis) oder die röm. *uia Lāta*. Homer. Einfluß ist in Stadtnamen wie Πάνορμος (h. *Palermo*) oder Ἀμαθοῦς (Zypern), Τειχιοῦσσα (Ionien) erkennbar (vgl. homer. εὔορμος λιμήν, ἡμαθόεις »sandig« und τειχιόεσσα »mit Stadtmauer versehen« als Beinamen von Städten [4. 196 ff.]). Nach ihrer Form werden z. B. die lakon. Vorgebirge Ὄνου Γνάθος »Esels Kiefer«, das Municipium *Corniculum* oder die Stadt Ζάγκλη »Sichel« (τὸ δὲ δρέπανον οἱ Σικελοὶ ζάγκλον καλοῦσιν Thuk. 6,4,5) genannt.

Zu d) Zu PN vgl. z. B. Ἀλεξάνδρεια, Ἀντιόχεια u. ä., *Co(n)silinum* im Bruttium. Zu Ethnika vgl. Λοκροί, Λεοντῖνοι, (etr.) *Volsiniī* (h. *Bolsena*), *Tarquiniī* und Derivativa wie Βοιωτία, Κυδωνία, *Campānia*, *Tuscia* nach Βοιωτοί, Κύδωνες, *Campānī*, *Tuscī*. Zu Götternamen vgl. die Berge Ἥραιον (Korinth), *Quirīnālis* nach Ἥρα, *Quirīnus*; die Städte Ἀθῆναι, Ὀλύμπια nach Ἀθήνη, (Zeus) Ὀλύμπιος (auch den Typ Ἀπολλωνία, Ἡράκλεια, Ποσ/τειδω/ανία, Ποτείδαια); *Lymphaeum*, *Mamertium* nach *Nymphae*, (etr.) *Mamers*; auch Πελοπόννησος (: Πέλοπος νῆσος).

Oft werden Berg-, Flußnamen u. ä. auf Siedlungen übertragen, z. B. Σκιλλοῦς (σκίλλα »Meerzwiebel«), Fluß in Elis, Stadt in Triphylien; Πυξοῦς (πύξος »Buchsbaum«) : *Buxentum*, Stadt, Vorgebirge und Fluß in Lukanien. Es gibt auch andere Motive: so werden röm. Straßen nach der Familie des Erbauers (z. B. *uia Appia*) oder nach dem Zielort (z. B. *uia Ardeatina*) genannt.

C. Alter, Fortleben

Die undeutbaren ON gelten in der Regel als (ur)alt, die aus der jeweiligen Sprache heraus verständlichen als jünger. Eine absolute Chronologie läßt sich in einigen Fällen feststellen, so gehen z. B. die nach Italien verpflanzten griech. ON (s. u. E.) auf die Zeit der → Kolonisation, der Typ Ἀλεξάνδρεια auf die hell. Zeit, der Typ Ἀδριανόπολις auf die Kaiserzeit zurück.

Die Toponomastik ist im allg. sehr konservativ. Normalerweise leben ON fort, ggf. mit phonetischer Modifizierung, vgl. obige ON und z. B. Ἀντίπολις (h. *Antibes*), *Carthāgō Nova* (h. *Cartagena*), *Colonia* (h. *Köln*), (*Colonia*) *Batāva* (h. *Passau*), *Gratiānopolis* (h. *Grenoble*), Ὑδροῦς (: *Hydruntum, Odruntum* : h. *Otranto*) u. a. Die ON können auch übersetzt (z. B. Ἄκρα Λευκή : *Lucentum* : h. *Alicante/Alacant*) oder durch Volksetym. adaptiert werden, vgl. z. B. Εὔξεινος »gastlich« (sc. πόντος: Schwarzes Meer) aus Ἄξεινος tabuistisch umgebildet, das auf Umdeutung eines skyth. Wortes (Entsprechung von avest. *axšaēna-* »dunkel«) zurückgeht, oder Ἱππώνιον (Süditalien), etwa »Pferdemarkt«, aus *Vibo Va-*

lentia (Ethnikon Ϝειπωνιεύς: h. *Bivona*); möglich ist eine (Teil)adaptierung, vgl. das VG von (kret.) Ἱε/αρα-πύτνα (HG Πύδ/τνα vorgriech.!). Fälle von Umbenennung sind auch bezeugt: Ζάγκλη wurde von den Griechen Μεσσάνα (h. *Messina*) gen.; (gall.) *Bonōnia* (h. *Bologna*) hieß früher (etr.) *Felsina*; das messen. Πύλος hieß in archa. Zeit Κορυφάσιον.

D. Ortsnamen und griechische Vorgeschichte

Die aus dem Griech. nicht deutbaren ON gehen auf (nicht ausreichend bekannte) vorgriech. Bevölkerungen zurück und sind a) völlig opak oder b) mit isolierbaren Suffixen versehen, die auch in Appellativa vorkommen. Zu a) vgl. z. B. Θῆβαι (myk. *te-qa*), Ὄλυμπος, Ἴτανος (myk. KN *u-ta-no*). Ein Teil von ihnen wurde adaptiert (z. B. Ἄπτερα »flügellos« aus myk. *a-pa-ta-wa* /*Aptarwā*/) oder gegebenenfalls übersetzt (z. B. Θερμόπυλαι [1. 83]).

Zu b) vgl. die Suffixe *-ānā-* (z. B. Μεσσάνα, Ἀθήνα, -αι), vgl. ἀπήνη »Radwagen«; *-ṷnthos* (z. B. Κόρινθος, Ζάκυνθος), vgl. ἀσάμινθος »Badewanne«; *-V̆ssos* / att. boiot. *-V̆ttos* (z. B. Ἁλικαρνασσός / Λυκαβηττός), vgl. κυπάρισσ/ττος »Zypresse«, das mit *-sos* (att. Fluß Κηφισός, [argiv.] Κνῶπιαν mit *-s- > -ʰ-) nicht identisch ist. -νθος entspricht vielleicht anatol. *-(a)nda*, -νδα; -σσ/ττος läßt sich von luw. *-šša-* kaum trennen und spricht für (zumindest) ein idg. luw. Substrat in Griechenland (vgl. zu Παρνα-σσός luw. *parna-* »Haus, Tempel«). Übrigens kommt mehr als ein Suffix mit ein- und derselben Basis vor, z. B. Πύρανθος (Kreta), Πύρασος (Thessalien), Πύρινδος (Karien), luw. *Puranda*.

Das Vorkommen eines ON in mehr als einer Region kann (muß aber nicht) auf Wanderung hinweisen: so wurden einige im myk. Pylos belegten ON (z. B. *e-ko-me-no, pi-*82, ro-u-so*) nach der Zerstörung des myk. Reiches, das sich nicht über Messenien hinaus erstreckte [2], nach Arkadien (Ἐ/Ορχομενοί, Λουσοί) bzw. nach Elis (Πῖσα) übertragen; aber boiot. (vorgriech.) Ἐ/Ορχομενοί ist davon unabhängig. Auch die Übereinstimmungen zw. ON Thessaliens und der westl. Peloponnes können auf vorgriech. Substrat, müssen nicht unbedingt auf Wanderung beruhen.

E. Ortsnamen und italische Vorgeschichte

Neben den aus dem Lat. deutbaren ON sind auch in Italien andere belegt, die a) mit keiner bekannten Sprache, b) mit idg. Sprachen oder c) mit idg. Sprachen assoziierbar sind. ON nach a) sind einem rätselhaften »mediterranen« Substrat zuzuschreiben, solche nach c) entsprechen einer Reihe von nicht-lat. Sub- und Adstratsprachen, die trotz ihres fragmentarischen Charakters (Ausnahmen: die ital. Sprachen und das Griech.) auf Völker verschiedener Herkunft hinweisen, die in vor- und frühhistor. Zeit in Italien angesiedelt waren.

Zu a) vgl. z. B. *Arretium* (h. *Arezzo*), *Capua*, *Cumae* (: Κύμη), *Salernum*.

Zu b) vgl. die etr. ON in Nord- und Mittelitalien: *Felsina* (später *Bonōnia*), vielleicht zum Gentile *felzna*, und *Volsiniī* (h. *Bolsena*) zum Ethnikon etr. *velsna*; *Feltria*,

Mantua, Mutina (h. *Modena*), *Tarquinia*; auch die Flüsse *Volturnus, Tīcinus* bzw. ON *Volturnum, Tīcinum* (h. Pavia), falls nicht vor-etr. Man kann grundsätzlich mit ligurischen ON (*Tauromenium?*) in NW-Italien und mit sikulischen (Ζάγκλη?, s.o.) bzw. elymischen ON in Sizilien rechnen, auch wenn der Status dieser Sprachen ungewiß bleibt.

Zu c) vgl. die als idg.-»alteuropäisch« betrachteten Flußnamen, z.B. Αἴσαρος (h. *Esaro*) in Bruttium, *Albin(i)a* (h. *Albegna*) in Etrurien, *Duria* (h. *Dora Baltea*) in Ligurien, *Liquentia* (h. *Livenza*) in Venetien. In Norditalien kommen ON gall. (z.B. *Mediolānium* : h. *Milano*, vgl. **-plāno-* »glatt« mit kelt. **p-* > ∅; *Bonōnia*, vgl. gall. *bona* »Gründung«; *Eporedia* : h. *Ivrea*, vgl. gall. *epo-* »equus«, *reda* »Schar«, PN *Epo-redo-rix*), vielleicht auch lepontischer (*Genua, Aquae Bormiae?*) Herkunft vor. Venetisch sind u.a. *Tarvisium* (h. *Treviso*), *Opitergium* (h. *Oderzo*), *Tergeste* (h. *Trieste*), vgl. venet. *tarvos* »Stier«, **terg-i̯o-* »Markt«, **terg-es-* »Markt«. Auf der salentinischen Halbinsel sind messapische ON belegt, z.B. *Barium* (h. *Bari*, vgl. βᾶρις· οἰκία), *Brundisium* : Βρεντέσιον (h. *Brindisi*, vgl. **bʰrentó-* »Hirsch«, βρένδον· ἔλαφον, *brunda* : *caput cerui* und die Ethnika Βρέττιοι, *Frentānī* bzw. *Bruttiī* »Hirschleute« [5], *Rudiae* : Ῥωδίαι (**rudʰ-i̯ā-* »rote Erde«?). Reichlich bezeugt sind die ital. ON in Mittel- und Süditalien, die griech. auch in Sizilien. Zu den ital. ON vgl. *Aequum Tuticum* (osk. *touticum* »publicum«, umbr. *totam* »populum«, »cīuitātem«), *Bouiānum Uetus*, *Pompēiī*, *Nōla* zum osk. Ethnikon *BÚVAIANÚD* (vgl. auch umbr. *bum* »bouem«), *PÚMPAIIANS* (vgl. osk. *pomtis* »quinquiēns« zu **pompe* »fünf«), *NÚVLANÚS* (**nou̯olāno-*), auch *Samnium* (oder *SAFINIM*, griech. Σαύνιον) aus **sabʰ-n-i̯o-* (vgl. Ethn. *Samnītēs*, Σαυνῖται; ohne *-n-* vgl. *Sabīnī, Sabellī* [6]). Aus Griechenland sind sowohl vorgriech. ON (z.B. *Cūmae, Messānā*) als auch ON mit vorgriech. Basis (z.B. *Selīnūs*) und echtgriech. ON (z.B. *Heraclea, Metapontum, Neapolis, Panormus*) nach Italien importiert worden.

→ Alteuropäisch; Onomastik; Völker- und Stammesnamen

1 J. CHADWICK, Greek and Pre-Greek, in: TPhS 1968, 80–98 **2** Ders., Arcadia in the Pylos Tablets?, in: Minos 16, 1977, 219–227 **3** B. FORSSMAN, Mykenisch *e-wi-ri-po* und εὔριπος, in: Münchener Stud. zur Sprachwiss. 49, 1988, 5–12 **4** E. RISCH, Ein Gang durch die Gesch. der griech. ON, in: MH 22, 1965, 194–205 (= KS 145–157) **5** H. RIX, Bruttii, Brundisium und das illyrische Wort für »Hirsch«, in: BN 5, 1954, 115–129 **6** Ders., Sabini, Sabelli, Samnium, in: BN 8, 1957, 127–143.

A. FICK, Vorgriech. ON, 1906 (als Belegsammlung nützlich) • D.A. HESTER, Pre-Greek Place Names in Greece and Asia Minor, in: RHA 61, 1957, 107–119 • H. KIEPERT, Lehrbuch der alten Geogr., 1878 • A. LANDI, Etnici e toponimi dell'Italia antica. Rassegna bibliografica, in: AION (Sez. ling.) 8, 1986, 307–317; 11, 1989, 237–243 • J.K. MCARTHUR, A Tentative Lexicon of Mycenaean Place-Names. I: The Cnossos Tablets, Anexo a Minos 19, 1985 • A. MORPURGO DAVIES, The linguistic evidence: is there any?, in: G. CADOGAN (Hrsg.), The End of the Early Bronze Age in the Aegean, 1986, 93–123 • G. NENCI, G. VALLET (Hrsg.), Bibliografia topografica della colonizzazione greca in Italia e nelle isole tirreniche, ab 1977 • NISSEN 2, 968–1004 (Kap. »Antike ON«) • G.B. PELLEGRINI, Toponimi ed etnici dell'Italia antica, in: PROSDOCIMI, 79–127 • PHILIPPSON/KIRSTEN • P. POCCETTI, Per un progetto di bibliografia su »Etnici e toponimi dell'Italia antica«: Decennio 1951–1960, in: AION (Sez. ling.) 11, 1989, 211–235 • A.P. SAINER, An Index of the Place Names at Pylos, in: SMEA 17, 1976, 17–63 • F. SCHACHERMEYR, s.v. Prähist. Kulturen Griechenlands, RE 22, 1954, 1350–1548 • F. SOLMSEN, Idg. Eigennamen als Spiegel der Kulturgesch., 1922 • J. TISCHLER, Kleinasiat. Hydronymie, 1977 • ZGUSTA.　　　J.G.-R.

Geographus Ravennas. Anonymer, wohl geistlicher Autor des frühen 8. Jh. n. Chr. aus Ravenna (4,31), auch als *Anonymus Ravennas* bezeichnet. Seine *Cosmographia* umfaßt in 5 B. die seinerzeit bekannte Welt. B. 1 verficht ein – biblischen und patristischen Traditionen folgendes – Weltbild der Erde als flacher, vom Ozean umflossener Scheibe, an deren Südrand die Sonne tags entlangläuft. Die B. 2–5 bieten nach Landschaften und teils nach röm. Prov. geordnete Listen von über 5000 Ortsnamen (Regionen, Städte, Flüsse) in Asien, Afrika, Europa, am Mittelmeer und auf den Inseln im Ozean.

Der Autor hat viele (h. meist verlorene) Werke benutzt; Übereinstimmungen mit den Angaben der → Tabula Peutingeriana legen nahe, daß beide u.a. die gleiche Vorlage nutzten. Spätere Interpolationen im überl. Text und die Nutzung durch Guido von Pisa für seine Schrift *De variis historiis* (aus dem Jahr 1119), für die ein älterer Textbestand exzerpiert ist, belegen die Wirkung des G.R.

J. SCHNETZ, Itineraria Romana 2, 1940, 1–110 (Ed.; Ndr. mit neuem Index 1990; ebd. 113–142 Guidonis Geographica) • Ders., Ravennas Anonymus, 1951 (Übers.) • F. STAAB, Ostrogothic Geographers at the Court of Theodoric the Great, in: Viator 7, 1976, 27–58 • O.R. BORODIN, Die Kosmographie des Anonymus Ravennas und ihre Stellung in der Geogr.-Gesch. [russ.], in: Vizantijskij vremennik 43, 1982, 54–63.　　　K. BRO.

Geologie. Nach modernem Verständnis ist G. die Wiss. von der stofflichen Natur (Mineralogie, Metallurgie) und von Aufbau, Entstehung und Entwicklung der Erdkruste (Tektonik) sowie von den diese Entwicklung gestaltenden Kräften (»Dynamische G.«); eine entsprechende wiss. Disziplin kannte die Ant. nur in Ansätzen [1. 8–50; 2]. Geologische Techniken (→ Bergbau, → Steinbruch) fanden aber Anwendung, schon bevor sich vorderorientalische → Weltentstehungslehren (Ägypten, Mesopotamien, Phoiniker, Hethiter), frühgriech. → Kosmogonien und in teilweise bewußtem Gegensatz zu deren mythischen Vorstellungen ion. Naturphilosophen (→ Thales, → Anaximandros, → Anaximenes [1]; → Geographie) mit geologischen Einzelfragen befaßten. Themen wie Erdentstehung (vgl. Plat. Kritias 110f.; Aristot. meteor. 1,14; 2,7f.) und Natur der Versteinerungen interessierten die Wiss. seit Platon, Aristoteles und Theophrastos sowie der Volksgläubigkeit nahestehende rel. Strömungen (→ orphische Dichtung; Lithomantie, → Divination), ebenso Probleme der Mineralogie (vgl. Aristot. meteor. 3,6; Theophr. *perí líthōn*, ›Über Steine‹; [3. 1963–1966]) und der Metallurgie (vgl. Plat. leg. 678d; Plin. nat. 33,59ff.; 34,94ff.; 35,183; Diod. 3,11ff.; [4–8]). Weitere Themen waren → Vulkanismus (vgl. Lucr. 6,535–702; Strab. 6,1,5; 2,3; 8; Sen. nat. 2,16,5; 30,1), Erdbeben (→ Seismologie; vgl. Aristot. meteor. 2,7, mund. 395b,30–396a,16; Theophr. meteor., übers. von Ibn al-Ḥammār DAIBER; Lucr. 6,535–608; Sen. nat. 6; Plin. nat. 2,81–89; Amm. 17,7,9–14; [9–14]), die Wirksamkeit des Wassers (vgl. Strab. 1,3,6–8; 17; 15,1,16; Sen. nat. 2,6,5) und des Windes (→ Winde).

→ GEOLOGIE

1 F.D. ADAMS, The Birth and Development of Geological Sciences, ²1954 2 A. NEUBURGER, The Technical Arts and Sciences of the Ancients, 1930 3 F. KRAFFT, s. v. Mineralogie (und G.), LAW, 1963–1966 4 L. AITCHISON, A History of Metals, 2 Bde., 1960 5 R. J. FORBES, Metallurgy in Antiquity, 2 Bde., ²1964 6 J. F. HEALY, Mining and Metallurgy in the Greek and Roman World, 1978 7 H. SCHNEIDER, Einführung in die ant. Technikgesch., 1992, 71–95 8 R. F. TYLECOTE, A History of Metallurgy, ²1992 9 W. CAPELLE, s. v. Erdbebenforschung, RE Suppl. 4, 344–374 10 E. GUIDOBONI (Hrsg.), I terremoti prima del Mille in Italia e nell' area mediterranea, 1989, 622–673 (Liste der Erd- und Seebeben) 11 A. HERMANN, s. v. Erdbeben, RAC 5, 1070–1113 12 E. OLSHAUSEN, H. SONNABEND (Hrsg.), Naturkatastrophen in der ant. Welt. Akten des 6. Histor. Geogr. Kolloquiums in Stuttgart 1996 (Geographica Historica 10), 1998 13 W. C. PUTNAM, G. Einführung in ihre Grundlagen, 1969 14 G. H. WALDHERR, Erdbeben (Geographica Historica 8), 1997. E. O.

Geometrie s. Mathematik

Geometrische Vasenmalerei.

Der geometr. Stil entwickelte sich seit ca. 900 v. Chr. bruchlos aus der protogeometr. Vasenmalerei Athens, deren bis dahin eher bauchige, mit kurvigen Ornamenten dekorierte Gefäßformen durch schlankere ersetzt wurden, bei denen die Umrisse durch geradlinige Dekorationssysteme, v. a. durch schraffierte Mäander und mannigfaltige Zick-Zack-Bänder, besonders betont sind (→ Ornament). Geschlossene Gefäßtypen wurden hauptsächlich an der Hals- und Bauchzone bemalt, offene Typen vorwiegend an der Henkelzone. Während des 9. und 8. Jh. v. Chr. war der geometr. Stil im gesamten Ägäisraum verbreitet. Bis zur 2. H. des 8. Jh. v. Chr. war Athen das Zentrum der Entwicklung, danach finden sich vermehrt eigenständige Werkstätten und ein verstärkter korinth. Einfluß (→ korinthische Vasenmalerei). Der Niedergang der g.V. begann im späten 8. Jh. v. Chr.; in der 1. H. des 7. Jh. waren die geometr. Dekorationssysteme durch orientalisierende Motive (→ orientalisierende Vasenmalerei) und das wachsende Interesse an Figurenszenen weitgehend verdrängt worden.

Die g.V. ist benannt nach den einfachen geometr. Strichzeichnungen von Figuren wie Kreisen, Drei- und Rechtecken, die in umlaufenden horizontalen Bändern oder in Bildfeldern die Gefäße zieren. Neben verschiedenen Mäandern waren Rauten-, Winkel-, Zick-Zack- und Zahnornamente beliebt; kurvierte Formen finden sich erst in späten Phasen. Einen Höhepunkt der g.V. stellen die Prunkvasen von den Gräbern am Dipylon-Tor in Athen dar (→ Bestattung; → Tongefäße). Die Komplexität des Arrangements einfacher Muster, die den Umriß markant betonende Plazierung der Ornamentbänder auf den Gefäßen sowie ihre überaus präzise malerische Ausführung sind bemerkenswert. Generationen von geometr. Vasenmalern begegneten der grundsätzlichen Stereotypie endlos wiederholter Muster mit individuell und variantenreich gestalteten Ornamentfriesen, deren malerische Präzision im letzten Drittel des 8. Jh. v. Chr. jedoch schwand.

Die g.V. wird allg. in drei Phasen (früh-, mittel- und spätgeometr.) unterteilt, diese wiederum mit einer weiteren Feingliederung versehen. Am besten läßt sich ihre Entwicklung in Athen nachvollziehen. In frühgeometr. Zeit (ca. 900–850 v. Chr.) wurden die geschlossenen Gefäße schlanker und trugen an Hals und Bauch schwarzgrundige Ornamentbänder. Offene Gefäßtypen dieser Zeit wirken dagegen gedrungen und schwer; sie weisen nur wenige und dann recht schmale Ornamentbänder auf. Der Trend zu schlankeren Vasenformen mit deutlich akzentuierten Gefäßzonen und einer wachsenden Vielfalt der Ornamentik setzt sich in der mittelgeometr. Zeit (ca. 850–760 v. Chr.) fort; der Gebrauch von Bildfeldern und die Anzahl der Horizontalbänder nimmt zu, bis eine Ausgewogenheit von hellen und dunklen Feldern im Wechsel von Ornamentzone und schwarzgrundigem Gefäßkörper erreicht ist – wobei allerdings die zunächst noch enge Beziehung zwischen Dekoration und Gefäßform allmählich schwindet.

In der 1. H. des 8. Jh. v. Chr. finden sich erstmalig einfache, in ihren abstrahierten Formen dem Repertoire der geometr. Ornamentbänder angepaßte figürliche Zeichnungen von Menschen und Tieren; bes. Pferdedarstellungen, gemalt oder in plastischer Form als Henkel für Deckel, wurden beliebt. Die att.-spätgeometr. Zeit (ca. 760–700 v. Chr.) beginnt mit der ersten von der Forsch. greifbaren Künstlerperson der griech. Kunstgeschichte, dem → Dipylon-Maler und seiner Werkstatt, der u. a. die große Bauchamphora (Athen, NM 804; ca. 760/750 v. Chr.) zugewiesen wird. Die ca. 1,5 m hohe Vase stand als Grabmonument nahe dem Dipylon-Tor im Kerameikos von Athen und ist fast vollständig mit überaus akkurat und diszipliniert gezeichneten Ornamentbändern dekoriert. Zugleich markiert der Dipylon-Maler mit seiner gehäuften Verwendung von Figurenszenen an den Hauptzonen der Gefäße den Beginn des Niedergangs der g.V.; viele nachfolgende Vasenmaler folgten diesem Trend unter immer weiter voranschreitender Vernachlässigung des

Ornamentdekors. Einige Figurenszenen dieser Zeit scheinen erste Versuche der Gestaltung narrativer Bilder mit mythischem oder heroischem Inhalt zu sein, doch verhindert das Fehlen charakteristischer Details eine sichere Bestimmung.

Ca. zwei Dutzend Maler, Malergruppen und Werkstätten konnten in att.-spätgeometr. Zeit innerhalb oder außerhalb des Umkreises des Dipylon-Malers unterschieden werden. Andere regionale »Schulen« der g.V. sind demgegenüber von nachrangiger Bedeutung. Neben Athen war vor allem Argos ein wichtiges Zentrum, das jedoch att. Stilen und Motiven bis in die Spätzeit hinein (ca. 750–690 v.Chr.) folgte. Charakteristisch sind große Bildfelder, in denen entweder Pferde oder Männer mit Pferden dargestellt sind; den Hintergrund bilden oft Fische und Wasservögel. Kühn getreppte Mäander und gelegentlich orientalisierende Motive prägen die Ornamentik. In Korinth entwickelte sich ein geschmackvoller, einfacher Stil; die Gefäße sind akkurat und regelmäßig bemalt mit engen horizontalen Linien an den Wänden und dekorierten Bildfeldern an Hals-, Schulter- und Henkelzonen. Horizontale Zick-Zack-Muster, Winkel, seltener Mäander sowie später auch antithetische Paare oder Reihen von Wasservögeln werden als Ornamente verwandt. Die Einführung orientalisierender Motive im letzten Viertels des 8. Jh. v. Chr. hatte auf den korinth.-geometr. Stil besondere Auswirkungen und führte zur Ausprägung der proto-korinth. Vasenmalerei.

Andere Malschulen auf dem griech. Festland, etwa in Böotien, Thessalien, Lakonien und Westgriechenland, erzeugten eher unbelebte, im Vergleich zu Athen »provinzielle«, nicht selten imitative Produkte. Auf Euboia (Eretria/Lefkandi) wurden qualitätvolle Gefäße, manchmal mit dickem, cremefarbenem Schlicker überzogen, hergestellt. Die Dekoration imitierte zum einen in der Mittel- und Spätzeit att. Muster, später auch korinth. Kotylen. Spezifisch euböisch sind die mit hängenden, konzentrischen Halbkreisen dekorierten Schalen und die Verwendung von weißer Farbe oder weißem Schlicker zum Einfassen oder Ausfüllen von Ornamenten.

Auf den Kykladen ist der att. Einfluß hauptsächlich in der frühen und mittleren Phase deutlich; in der Spätzeit lassen sich hier Werkstätten aus Naxos, Paros, Melos und Thera durch jeweils spezifische Materialien, Gefäßformen und den Ornamentdekor voneinander scheiden. Die kret. Vasenmalerei eignete sich im 9. Jh. v. Chr. den geometr. Stil schnell an, der hier bes. in der mittleren Phase att. geprägt war; später wurden korinth. Vorbilder bevorzugt. Att. Einfluß zeigt auch die ostgriech. Keramik der mittelgeometr. Zeit; schraffierte Mäander, Dreiecke, Rhomben sind häufig, in der Spätzeit auch Wasservögel, die sich bis in ostgriech. Vasen des sub-geometr. Stils des 7. Jh. v. Chr. tradieren.

J. BOARDMAN, Symbol and Story in Geometric Art, in: W. MOON (Hrsg.), Ancient Greek Art and Iconography, 1983, 15–36 · J. N. COLDSTREAM, Greek Geometric

Pottery, 1968 · Ders., The Geometric Style: Birth of the Picture, in: T. RASMUSSEN, N. SPIVEY (Hrsg.), Looking at Greek Vases, 1991, 37–56 · R. M. COOK, Greek Painted Pottery, ³1997, 15–40.   G. P. S./Ü: R. S.-H.

Geomoroi (γεωμόροι, dor. γαμόροι) als technischer Ausdruck bezeichnet die soziale Elite im archa. und klass. Samos und Syrakus. Wie aus dem Namen selbst hervorgeht, beruhte der Status dieser Elite auf Grundbesitz, von dem offensichtlich angenommen wurde, er sei seit der Besiedlung im Besitz dieser Gruppe. Die G. waren wohl mindestens eine Zeitlang rechtlich privilegiert – etwa als herrschender Stand – und mit dem Begriff G. klar zu benennen. Auf Samos wurde ihre Vorrangstellung um oder kurz nach 600 v.Chr. erschüttert (Plut. qu. Gr. 303e–304c), doch konnten sie auch über die folgenden zwei Jh. hinweg eine dominierende Position behaupten. Die Radikalisierung der Demokratie auf Samos im Jahre 412 v.Chr. richtete sich primär gegen die G.: Sie wurden zum Teil getötet, verbannt oder in ihrem Rechtsstatus herabgesetzt (Thuk. 8,21).

In Syrakus gehörte zu den Privilegien der G. auch die Verfügungsgewalt über hörige Landarbeiter, die Killyrier (die mit den spartanischen → Heloten identifiziert wurden). Von diesen und dem Volk (also unterprivilegierten syrakusischen Gruppen) wurden sie wohl Anfang des 5. Jh. v.Chr. vertrieben, aber nur wenig später (485 v.Chr.) von Gelon aus ihrem Exil in Kasmene zurückgeführt, womit dessen Herrschaft über Syrakus begründet wurde (Hdt. 7,155; Aristot. fr. 586 R; Timaios FGrH 566 F 8; Diod. 10,28,1 f.; Dion. Hal. ant. 6,62,1 f.).

In der späteren Konstruktion der att. Frühgesch. erscheinen G. als Bauernstand zwischen → Eupatridai und → Demiurgoi (Aristot. fr. 384 R; Hekataios von Abdera, FGrH 264 F 25, 222 ff.; Plut. Theseus 25,1 ff.; Poll. 8,111), und generell wird der Begriff als – wohl ehrwürdig wirkendes – Synonym zu *geōrgós* (»Bauer«) gebraucht (z. B. Hesych. s. v. γαμόροι). In Bezug auf Rom kann der Begriff G. eine offizielle Landverleihungskommission bezeichnen (Dion. Hal. ant. 9,52,2).

1 B. BRAVO, Citoyens et libres non-citoyens dans les cités coloniales à l'époque archaïque, in: L'Étranger dans le monde grec, 1992, 43–85 2 H.-J. GEHRKE, Stasis, 1985 3 D. LOTZE, ΜΕΤΑΞΥ ΕΛΕΥΘΕΡΩΝ ΚΑΙ ΔΟΥΛΩΝ, 1959 4 N. LURAGHI, Tirannidi archaiche in Sicilia e Magne Grecia, 1994 5 G. SHIPLEY, A History of Samos 800–188 BC, 1987.   H.-J.G.

Geoponika I. SAMMELBEGRIFF FÜR LANDWIRTSCHAFTLICHE FACHLITERATUR II. WERK DES 10. JH. N. CHR.

I. SAMMELBEGRIFF FÜR LANDWIRTSCHAFTLICHE FACHLITERATUR

Im weiteren Sinne bezeichnet man mit G. eine durch zahlreiche Schriften vertretene Gattung der → Fachliteratur, die eine systematische Darstellung »wiss.« Kenntnisse über alle Arten der Landwirtschaft unter-

nimmt [1; 2; 3. 427ff.]. Das Spektrum des darin verarbeiteten Wissens ist sehr breit: Es reicht von naiver Bau-
ernmagie bis zu spekulativen Systematisierungsversu-
chen des Bodens, der Nutzpflanzen und -tiere. Da ein
Teil der neben Erfahrungswissen gebotenen abergläubischen Vorstellungen zweifellos sehr alt ist, ist es im
Einzelfall sehr schwierig, textuelle Abhängigkeiten oder
die Existenz verlorener Bücher zu beweisen.

Auszugehen hat die Textgesch. davon, daß kein
griech. Originalwerk vor dem 10. Jh. erh. ist [3. 427ff.],
diese vielmehr durch lat., syr., arab. und armen. [4]
Übers. zu rekonstruieren sind. Obwohl bereits → Aristoteles [6] und → Androtion verlorene Werke mit dem
Titel γεωργικά (geōrgiká) o.ä. zugeschrieben werden, betreten wir erst in hell. Zeit sicheres Terrain. Zwar hat
sich die alte Ansicht WELLMANNS [5], im Demokriteer
Bolos (3. Jh. v.Chr.) von Mendes den Urheber aller
magischen Traditionen auf diesem Gebiet auszumachen
(so z.T. noch [3. 428f.]), nicht bewahrheitet; doch ist
das grundlegende Werk des → Mago aus Karthago, das
→ Cato [1] ins Lat. übersetzen ließ, in Umrissen faßbar.
Sein systematischer Aufbau [6] blieb für alle folgenden
Werke (v.a. → Columella, aber auch die Araber
[3. 429f.; 7]) verbindlich: Das Landgut und seine Organisation (B. 1 bei Colum.); Ackerbau (B. 2); Baum-
zucht (B. 3–5, stets: Wein – Oliven – übrige Baumar-
ten); Tierzucht (B. 6–7, vom Groß- zum Kleinvieh);
Hühner (B. 8); Bienen (B. 9); Gartenkultur (B. 10);
Pflichten des *villicus* und der *villica* (d.h. Wirtschaftsverwaltung, B. 11–12). Diesem Schema ist auch → Vergilius in den *Georgica* (vgl. den Titel!) verpflichtet, nur daß
er die Apikultur ans Ende setzt. Inhaltlich läßt sich bei
dieser künstlerisch bedeutendsten Verarbeitung der G.-
Tradition eine fast vollständige Abhängigkeit von den
verlorenen, durch die syr. und arab. Übers. aber rekon-
struierbaren Vorlagen feststellen, auch bei der berühmten »Bugonie« (Verg. georg. 4,281ff.). Noch die späteren Kompilationen schreiben ihre Vorlagen sorgfältig
aus. Die wichtigste davon ist das auf griech. verlorene
(doch → Photios noch bekannte) Werk des Vindanios
Anatolios (4. oder 5. Jh. [3. 429f.; 1. 66ff.]), das auf Syr.
[8; 9; 10] und Arab. erhalten, wenn auch völlig unzureichend ediert [11] ist. Hier ist die stringenteste Parallele zu Vergils Bugonie nachzuweisen. Ebenfalls verloren, aber wieder durch syr. und arab. Übers. erschließbar, ist die Kompilation des Kassianos Bassos, der im
6. Jh. wirkte [3. 433ff; 1. III, 24ff.]. Die einzig erh.
griech. Quelle ist die unter dem Namen des gelehrten
Kaisers → Konstantinos VII. Porphyrogennetos überl.
Kompilation (s.u. II).

1 E. ODER, Beiträge zur Gesch. der Landwirtschaft bei den
Griechen I, in: RhM N.F. 45, 1890, 58ff.; II, 212ff.; III,
RhM 48, 1893, 1ff. 2 E. FEHRLE, Studien zu den griech.
Geoponikern (Stoicheia, H. 3), 1920 3 M. ULLMANN, Die
Natur- und Geheimwiss. im Islam (HbdOr 1,6,2), 1972
4 C. BROCKELMANN, Die armen. Übers. der Geoponica, in:
ByzZ 5, 1896, 385ff. 5 M. WELLMANN, Die Georgika des
Demokritos (Abh. der preuss. Akad. der Wiss. 1921/4),
1921, 3ff. 6 J. NIEHOFF-PANAGIOTIDIS, Landwirtschaft und
ihre Fachsprache: eine Übersicht, in: H. KALVERKÄMPER
(Hrsg.), Hdb. der Sprach- und Kommunikationswiss., 1998
7 IRFAN HABIB, s.v. Filāḥa, EI² 2, 899a–910b 8 P. LAGARDE
(ed.), Geoponicon in sermonem syriacum versorum quae
supersunt, 1860 9 A. BAUMSTARK, Lucubrationes
syrograecae, 1894 (A. FUCKEISEN [Hrsg.], Jahrbücher für
classische Philologie, Suppl. 21) 10 G. SPRENGER, Darlegung
der Grundsätze, nach denen die syr. Übers. der griech. G.
gearbeitet worden ist, 1889 11 M.C. VÁZQUEZ DE BENITO,
El manuscrito n. XXX de la colección de Gayangos, 1974
12 HUNGER, Literatur 2. J.N.

II. WERK DES 10. JH. N.CHR.

Das landwirtschaftliche Sammelwerk αἱ περὶ
γεωργίας ἐκλογαί steht im Rahmen eines enzyklopädischen Programms des Kaisers Konstantinos VII. Porphyrogennetos (944–959). Der unbekannte byz. Re-
daktor hat die G. in einer Widmung (überl. nur in Hs. F,
Laurentianus 59,32 aus dem 11. Jh.) dem Kaiser als ei-
gentlichem Urheber zugeschrieben (um 950). Es handelt sich dabei um die Bearbeitung eines älteren Sam-
melwerkes von Kassianos Bassos Scholastikos aus dem
6. Jh. Offenbar hatte dieser zwei Werke des 4. Jh. aus-
gewertet: das Sammelwerk συναγωγὴ γεωργικῶν ἐπιτη-
δευμάτων in 12 B. von Vindanios Anatolios aus Berytos
und die Γεωργικά in 15 B. von Didymos aus Alexandreia. Kassianos' Werk war bald ins Persische, im 9. Jh.,
also vor der Redaktion der vorliegenden G., auch ins
Arab. übersetzt worden. Doch existierte das Werk des
Vindanios Anatolios daneben weiter: Noch im 9. Jh. hat
es Photios (Bibliothek 163) gelesen und gerühmt.
Übers. worden war es ins Syr. und Arab., außerdem
später ins Armenische. Vindanios übte noch im span.-
arab. MA Einfluß aus.

Die 20 B. der erhaltenen G. bieten Lehren zu allen
Bereichen der Landwirtschaft, zu Ackerbau (13 B.) und
Viehzucht (7 B.). Im einzelnen werden folgende Themen behandelt: Kalender und Wetter (Geop. 1), Ak-
kerbau (2), Arbeitskalender nach Monaten (3), Weinbau
(4–8), Ölbaum (9), Obstbau (10; das längste B.), Zierpflanzen (11), Gemüse (12), Bekämpfung der Schädlin-
ge (13), Geflügel (14), Bienen (15), Pferde (16), Rinder
(17), Kleinvieh (18), Hunde und Wild (19), Fische (20).
Die B. haben am Anf. eine Hypothesis mit Inhaltsan-
gabe. Den Kap. geht jeweils eine Überschrift mit knap-
per Angabe des Themas voraus, meist auch der Quelle
durch Autorenbeischrift im Gen. Doch bleibt im Einzelfall umstritten, wer diese Namen beigefügt hat und
ob dem genannten Autor wenigstens ein Teil des jeweils
folgenden Kap. entstammt. Glaubwürdiger sind Zitate
und Autorennamen innerhalb der Kap.; in nachprüf-
baren Fällen konnten sie bestätigt werden.

Getreidebau als traditioneller Kernbereich steht zwar
voran (Geop. 2), aber den Schwerpunkt bilden die auch
nach ant. Auffassung entwicklungsfähigeren Wein-,
Baum- und Gartenkulturen (Geop. 4–12). Eine schon
in der hell. Agrarlehre bemerkbare Tendenz zur Unterhaltung zeigt sich verstärkt in der Häufung des Magi-

schen, des Mirakulösen (z.B. Naturwunder beim Pfropfen und Kreuzen; bei Züchtung von Früchten mit dem Aussehen von Gesichtern oder Tieren) und bei Verwandlungssagen (bes. Geop. 11).

→ Agrarschriftsteller

ED.: I.N. NICLAS, 1781 (mit lat. Übers., Komm.) · H.BECKH, 1895 · St. GEORGOUDI, Des Chevaux et des Boeufs dans le Monde Grec, 1990 (zu Geop. 16 und 17; mit wichtiger Einführung in die G.-Probleme S.18–89).
LIT.: 1 J.KODER, Gemüse in Byzanz, 1993 2 M.ULLMANN, Die Natur- und Geheimschriften im Islam (HbdOr 1,6,2), 1972, 429–436.   E.C.

Georgien, Georgier (georg. *Sakʿartʿvelo*, pers. *Gurǧistān*, arab. *al-Kurǧ* bzw. *Ǧurzān*, türk. *Gürcistan*, russ. *Gruzija*).
I. GEOGRAPHISCHE LAGE
II. HISTORISCHE ENTWICKLUNG

I. GEOGRAPHISCHE LAGE

Land in West- und Zentralkaukasien südl. der Hauptkette des Großen → Kaukasos, durch die nordsüdl. vom Großen zum Kleinen Kaukasos laufende Liḫi-(Surami–)Bergkette in zwei Teile gegliedert: die – bis zu den Drainagearbeiten Anf. des 20. Jh. ungesundfeuchte – → Kolchis mit dem Flußsystem des Rioni/ → Phasis im Westen sowie die trockeneren Täler der Kura/Kyros und ihrer Zuflüsse im Osten. Dieser geogr. Gliederung entsprachen im Alt. zwei Staaten unterschiedlicher Prägung, Kolchis (→ Lazika, Egrisi) im Westen sowie → Iberia (Kʿartʿli) im Osten und im Bergland südl. der Kolchis. Die Bezeichnung Sakʿartʿvelo/G. wird erstmals für das unter König Bagrat III. im J. 1008 n.Chr. vereinte Großreich verwendet.   A.P.-L.

II. HISTORISCHE ENTWICKLUNG

In hell. Zeit teilte sich das heutige G. in einen westl. Landesteil, Egrisi, unter den Griechen als → Kolchis bekannt, und einen östl., → Iberia. West-G. stand machtpolit. unter maked., Ost-G. hingegen unter parth. Einfluß. 65 v.Chr. eroberte Cn. Pompeius Magnus West- und Ost-G. und stellte beide Landesteile unter röm. Protektorat. In diesem Zeitraum waren in der Kolchis die Städte → Dioskurias (Suḫumi), → Phasis (Pʿotʿi), Pityus (Pizunda) und Wani die wirtschaftlichen und kulturellen Zentren. Mcʿḫetʿa galt als Metropole des iberischen Königreiches. Ausgrabungen belegen, daß sie eine vermögende Kaufmanns- und Handwerkerstadt mit hohem Bildungsniveau gewesen sein muß, wie die georg. Chronik, *Kʿartʿlis Cʿḫovreba*, überliefert. Das iberische Königshaus unterhielt ambivalente Beziehungen zum Parther- und Römerreich, deren Einflußsphären ständig durch gegnerische Übergriffe schwankten. Im 1. Jh. n.Chr. stieg das Adelsgeschlecht der Lazen in West-G. auf und begründete das Königreich → Lazika, das unter starkem röm. Einfluß stand. Die Römer konnten bis zum 3. Jh. ihre Dominanz bis nach Iberia ausweiten, da sich im pers. Raum ein Machtwechsel

vollzog: Die → Sāsāniden übernahmen im J. 224 die Herrschaft von den → Parthern, und ihr Herrscher Schapur I. (241–71) (→ Sapor) konnte die röm. Vorherrschaft in Ost-G. zurückdrängen.

Eine bed. Zäsur in der Gesch. G.s stellt die Christianisierung dar, die sich in der 1. H. des 4. Jh. vollzog. Überliefert ist, daß die Hl. Nino, nachdem sie in Jerusalem als Christin aufgewachsen war, über Armenien nach G. gelangte. In Mcʿḫetʿa fand sie unterschiedliche pagane Religionsformen, wie die Verehrung alter Natur- und Stammesgötter, vor, aber auch den durch pers. Einfluß verbreiteten Feuerkult sowie das Judentum. Ihre bes. Heilfähigkeiten sollen ihr zunächst im jüd. Viertel Anerkennung verschafft haben. Ihr Ruf drang später auch bis zum georg. Königshof vor, so daß König Mirian das Christentum annahm und es 337 zur Staatsreligion erhob. Unter Vachtang Gorgasal konnte es sich in der 2. H. des 5. Jh. gänzlich etablieren. Während seiner Regierungszeit wurden die Landesgrenzen befestigt und innenpolit. Frieden hergestellt. Vachtang verlegte die Hauptstadt von Mcʿḫetʿa nach Tʿbilisi, wobei Mcʿḫetʿa rel. Zentrum blieb.

Im 6. Jh. entflammten die Kämpfe um G. zw. dem byz. und sāsānidischen Reich. Schließlich gelang dem byz. Kaiser → Herakleios im J. 622 die Eroberung der georg. Hauptstadt Tʿbilisi. Durch die langanhaltenden byz.-sāsānidischen Fehden waren die mil. Kräfte der Byzantiner in Ost-G. so weit erschöpft, daß die Araber Mitte des 7. Jh. ungehindert dort einfallen konnten und es plündernd und verwüstend durchzogen. West-G. blieb fest in byz. Hand, nachdem das Königreich Lazika untergegangen war. Der → Ikonoklasmus und die neue Dyn. der Bagratiden, die sich ab Mitte des 8. Jh. zur Macht erhob, ließen die byz. Macht in West-G. schwinden.

→ Georgisch; GEORGIEN

D.BRAUND, Georgia in antiquity: a history of Colchis and transcaucasian Iberia 550 BC – AD 562, 1994 · Kʿartʿuli sabčʾotʾa encikʾlopʾedia [Enzyklopädie Sowjetgeorgiens], o. J. · Očerki istorii Gruzii [Studien zur Gesch. Georgiens, russ.], 1989 · Sakʿartʿvelos istʾoria.   ACH.S.

Georgios

[1] Bischof von → Laodikeia (gest. um 360 n. Chr.). Der um 320 als radikaler Arianer (→ Arianismus) von seinem Ortsbischof Alexandros abgesetzte alexandrinische Presbyter G. wurde nach Aufenthalt in Antiocheia um 330 Bischof des syr. Laodikeia. In steter Gegnerschaft zu → Athanasios sammelte er mit Basileios von Ankyra 358/9 die trinitarische Kirchenpartei der Homöusianer (Schlagwort: ›Der Vater ist dem Sohn dem Wesen nach ähnlich‹ ὅμοιος κατʾ οὐσίαν) und war an der 4. Sirmischen Glaubensformel (22.5.359) beteiligt. Der sog. ›Brief des G.‹ (Epiphanios, Panarion 73,12–22 [GCS 37,284–295]), ein homöusianisches Manifest von 358, könnte z. T. von ihm mitverfaßt sein [1. 366]. Letztmals tritt der Freund des → Eusebios [9] von Emesa auf der Synode von Seleukeia (September 359) in Erscheinung.

1 R. P. C. HANSON, The Search for the Christian Doctrine of God, 1988, 365–371 u. ö. (s. Register) 2 P. NAUTIN, s. v. Georges 46), DHGE 20, 629 f.　　　　J. RI.

[2] Vertrauter des → Belisarios im zweiten Perserkrieg Iustinians I., erreichte 541 n. Chr. durch Verhandeln die friedliche Übergabe der Festung Sisauranon bei Nisibis. 547 vereitelte er einen vom Perserkönig Chosroes [5] I. geplanten Anschlag durch seinen Gesandten Isdigusnas auf die Stadt Dara. (PLRE 3, 514 [Georgius 4]).　　F. T.

[3] G. Continuatus. Fortsetzung der Chronik des → Georgios [5] Monachos bis 948 n. Chr., entstanden wahrscheinlich unter → Romanos II. (959–963). Autor ist möglicherweise → Symeon Magistros. Einige Hss. führen die Chronik weiter bis 1081 oder 1143.

I. BEKKER (ed.), Theophanes Continuatus, 1838, 763–924 (Text).　　　　AL. B.

[4] G. Kyprios. Byzantinischer Heiliger, geb. um 550 n. Chr. (?) auf Zypern; floh angeblich vor einer arrangierten Ehe zu seinem Bruder Heraklides nach Palaestina ins Kloster Kalamon, wurde dann Mönch im Kloster Choziba und lebte später wieder in Kalamon; kehrte z. Z. der pers. Eroberung von Jerusalem (614) nach Choziba zurück und starb dort alleine in den Ruinen des Klosters. Einzige Quelle für sein Leben ist die fast zeitgenössische Vita des Antonios Chozibites.

Vita S. Georgii Chozebitae, Analecta Bollandiana 7, 1888, 97–144, 336–359.　　　　AL. B.

[5] G. Monachos. Auch als G. Hamartolos (»der Sünder«) bekannt, Autor einer byz. Chronik von der Erschaffung der Welt bis zum Jahr 842 n. Chr. Seine Lebensdaten sind unbekannt, die Abfassung der Chronik wurde früher um 867 angesetzt, h. dagegen datiert man etwas später, aber noch ins 9. Jh. (vgl. [1. 259; 2. 252]).

Die Chronik des G. ist ein typischer Vertreter der sog. »Mönchschronik«, in der Rel. und Kirchengesch., auch rel. Polemik vom griech.-orthodoxen Standpunkt aus gegenüber der polit. Gesch. übergroßen Raum einnehmen. Die Schriften der Kirchenväter werden oft zitiert. Die Breite der Darstellung schwankt stark; für die byz. Zeit sind die Quellen des G. hauptsächlich → Iohannes Malalas und → Theophanes, selbständigen Wert hat die Chronik nur für die Zeit zw. 813 und 842. Sie ist in mehreren Hss. erh., bisher aber nur nach einem Codex herausgegeben (vgl. [3. 39]). Der Text wurde auch ins → Georgische und → Kirchenslavische übersetzt.

1 P. LEMERLE, Thomas le Slave, in: Travaux et Mémoires (Centre de recherche … byzantines) 1, 1965, 255–297 2 A. MARKOPULOS, Βίος τῆς αὐτοκράτειρας Θεοδώρας, in: Symmeikta 5, 1983, 249–285 3 P. ODORICO, Excerpta di Giorgio Monaco nel Cod. Marc. Gr. 501, in: Jahrbuch der österr. Byzantinistik 32/4, 1982, 39–48.

C. DE BOOR (ed.), Georgius Monachus, Chronicon, 2 Bd., 1904 (Ndr. 1978, mit Korr. von P. WIRTH) · V. M. ISTRIN, Chronika Georgija Amartola, 3 Bd., 1920–1930 · HUNGER, Literatur 1, 347–350.　　　　AL. B.

[6] G. Pisides. Geb. in Pisidien, starb er ca. 631/634 n. Chr. *Diákonos*, *skeuophýlax* und *referendários* an der Sophienkirche in Konstantinopolis, einer der größten byz. Dichter. Der hochgeschätzte und häufig nachgeahmte G. behandelt in seinen episch-enkomiastischen [1] Dichtungen den Perserfeldzug des Kaisers → Herakleios (*Expeditio Persica*, *Bellum Avaricum*, *Heraclias* usw.), in seinen theologischen Werken (*Hexaemeron*, ein auch ins Armen. und Slav. übers. Lehrgedicht, *Contra Severum*, *De vanitate vitae* [2], *De vita humana*, seine einzige Schrift in Hexametern [3], zahlreiche Epigramme [4] usw.) teils philos., teils rein dogmatische Themen. Sein iambischer Trimeter markiert den Übergang zur akzentuierenden Metrik (byz. Zwölfsilber).

1 A. PERTUSI, Giorgio di Pisidia, Poemi I. Panegirici epici, 1959 2 PG 92 1373–1754 3 F. GONNELLI, Il *De vita humana* di Giorgio Pisida, in: Bollettino dei Classici III, 12, 1991, 118–138 4 L. STERNBACH, Carmina inedita, in: WS 13, 1891, 1–62; 14, 1892, 51–68.

J. D. C. FRENDO, The Poetic Achievement of George of Pisidia, in: Maistor. FS R. Browning, 1984, 159–187 · H. HUNGER, s. v. G. P., LMA 4, 1287 f. · B. BALDWIN, s. v. G., ODB 2, 838.　　　　I. V.

Georgisch
I. SPRACHE　II. SCHRIFT　III. LITERATUR

I. SPRACHE
Das G. bildet mit dem Mingrelisch-Lasischen und dem Swanischen die kartwelische (oder südkaukasische) Sprach- und Völkerfamilie (die Ἴβηρες des Strabon), deren weitere genetische Einordung umstritten ist (→ Kaukasische Sprachen). Die ältesten g. Denkmäler in altg. Schrift (→ Georgische Schrift) sind auf das 4. Jh. n. Chr. zu datieren [1. 12]. Altg. Texte werden überwiegend in Georgien, aber auch im Vorderen Orient, in Europa und den USA aufbewahrt [2. 5].

Die Struktur der Sprache zeigt die folgenden lautlichen Merkmale [1; 2]: a) einfacher Vokalismus (*i, u, e, o, a*, keine Längen und Diphthonge); b) komplexer Konsonantismus mit dreigliedriger Opposition (stimmhaft versus stimmlos aspiriert versus ejektiv [= mit Kehlkopfverschluß]) bei Verschlußlauten und Affrikaten; uvulare Frikative und Plosive; umfangreiche Konsonantenverbindungen, Ablaut und Synkope.

Die morphologische Charakteristik zeigt beim Nomen Fehlen von Genera, ausgebildete Nominalflexion mit Unterscheidung von reinem Stammkasus (nur altg.), Nom. und Ergativ (Täterkasus beim transitiven Verbum mit Patiens im Nom.), Gen., Dat.-Akk. und vier bis sechs weiteren, z. T. lokalen Kasus.

Die pronominale Deixis entspricht der des Griech., Lat. und Armen.

Das Verbum ist polypersonal (Subjekt und Objekte können am Verb markiert sein) und drückt Aspekt, Versionen (Aktantenorientierung) sowie die Diathesen Akt. und Pass. aus. Die Stammbildung unterscheidet wie in einigen idg. Sprachen zw. Präs., Aor. und Perf.

Syntaktisch auffällig ist die nach Tempusreihen differenzierte Konstruktion transitiver Verben, die in der Präsensreihe die aus idg. Sprachen geläufige Nom.-Akk.-Konstruktion zeigt, in der Aoristreihe die Ergativ-Nom.-Konstruktion und in der Perfektreihe eine Dat.-Nom.-Konstruktion.

Lexikalisch ist das G. vielfach durch Nachbarsprachen beeinflußt worden. Bereits im Altg. sind neben Entlehnungen aus dem Armen. und Iran. zahlreiche griech. Lehnwörter bezeugt (z.B. *ekᵉlesiay* »Kirche«, *pᵉatᵉroni* »Herr«, *angelozi* »Engel«, *mankanay* »Gerät, Vorrichtung«, *melani* »Tinte« [2. 250]).

1 H. FÄHNRICH, Kurze Gramm. der g. Sprache, ³1993
2 Ders., Gramm. der altg. Sprache, 1994.   M.J.

II. SCHRIFT

Die g. Schrift ist eine rechtsläufige Buchstabenschrift unbekannter Herkunft [1. 5 ff.]. Die Entstehung aus einer nicht direkt bezeugten vorchristl. Schriftform ist nicht zu beweisen, auch nicht – trotz einiger Ähnlichkeiten – die Herkunft aus der → armenischen Schrift. Anordnung (*a, b, g, d, e*) und Gestalt einzelner Buchstaben (z.B. digraphisches [*u*]) sind teilweise – wie auch die Zuordnung von Zahlenwerten – auf griech. Einfluß zurückzuführen. Die älteste Form (mit 38 Buchstaben) ist eine Majuskelschrift (*Asomtavruli*, 4.–11. Jh.), neben die im 9. und 10. Jh. hiervon teilweise deutlich abweichende Minuskelschriften treten: *Nusxuri* (bis ins 19. Jh.) und die h. gebräuchliche »Kriegerschrift« *Mxedruli*, die mit 33 Buchstaben streng phonologisch angelegt ist.

1 H. FÄHNRICH, Gramm. der altg. Sprache, 1994.   M.J.

III. LITERATUR

Zur Dokumentation der g. Schrift sind Bauinschr. aus dem 4. Jh. n.Chr. und Hss. der kirchlichen Lit. überliefert. Die älteste uns bekannte zusammenhängende Inschr. findet sich im ehemaligen g. Kloster Biʾr al-Quṭṭ in der Nähe von Bethlehem. Die Inschr. ist in Form eines Mosaiks erh. und wird in die dreißiger Jahre des 5. Jh. datiert. Diese Inschr. legt nicht nur Zeugnis über die g. Schrift, sondern auch über die frühen Beziehungen der Georgier zu anderen christl. Völkern ab. Das älteste Dokument g. Schrifttums auf eigenem Territorium existiert an der Basilika von Bolnisi und datiert in das J. 493/4.

Eines der ältesten Schriftzeugnisse der g. Originallit. ist das von Iakob Curtaveli, wahrscheinlich einem Hofgeistlichen, verfaßte ›Martyrium der Hl. Šušanik‹ aus dem 5. Jh. Diese Vita zeichnet das Leben einer Frau nach, die armen. Abstammung und mit einem g. Statthalter verheiratet war. Ihr Mann, Varsken, fiel durch sāsānidischen Einfluß vom Christentum ab und verlangte ebensolches von seinem Hofstaat. Nachdem Šušanik sich standhaft weigerte, ließ er sie in den Kerker werfen und foltern. Trotz der schweren Qualen hielt sie bis zu ihrem Tod um 475 am Christentum fest. Dieses frühe, aber bereits qualitativ hochentwickelte Werk g. Schriftstellerkunst läßt eine lange Trad. des Schrifttums erah-

nen. Weitere Märtyrerakten und Viten zeugen von großer lit. Schaffenskraft des G. Aus der Mitte des 6. Jh. ist uns z.B. das ›Martyrium des Hl. Eustathios von Mcᵉḫetᵉa‹ erh. geblieben. Ein herausragendes Werk der g. Lit. des 8. Jh. ist das von Ioane Sabaniʒe verf. ›Martyrium des Hl. Abo von Tᵉbilisi‹, aus der Zeit, als Georgien von den Arabern beherrscht wurde. In seinem Werk berichtet Sabaniʒe über die zeitgenössischen Verhältnisse, indem er die Gewaltherrschaft der Araber und die Stellung des Volkes zur Rel. beschreibt. Im Mittelpunkt steht Abo, ein zum Christentum konvertierter Araber, der aufgrund seiner Konversion vom arab. Emir von Tᵉbilisi zu Tode gefoltert wird. Ihren Höhepunkt erreicht die christl. g. Lit im 11. Jh.

Bedeutende Stätten des damaligen rel.-kulturellen Lebens außerhalb Georgiens entstanden dank des ausgeprägten Mönchtums u.a. in Jerusalem, auf dem Athos und dem Sinai, in denen hervorragende Übersetzertätigkeit geleistet wurde. Diese Übers. sind insofern wertvoll, als g. Versionen erh. blieben, die Originalwerke aber umgeschrieben wurden oder gänzlich verloren gegangen sind. Sie beruhen u.a. auf armen., arab., griech. oder syr. Vorlagen.

Ein jüngeres, aber die Zeit von 300–1200 beschreibendes Werk stellt die Gesch. Georgiens, Kᵉartᵉlis Cᵉḫovreba, dar. Über die Entstehungsgesch. dieser Chronik ist nur sehr wenig bekannt. Nachdem dieses Geschichtswerk über längere Zeit in Vergessenheit geraten war und seine Hss. vernachlässigt worden waren, entwickelte sich im 18. Jh. das Interesse, dieses Werk wiederzubeleben und Verlorenes zu rekonstruieren. Als Verf. werden mehrere Autoren genannt, die jeweils über einen bestimmten Zeitabschnitt berichten. In erster Linie besteht die Chronik aus einer Liste g. Könige, die durch eine Schilderung histor. Ereignisse umrahmt ist. Wichtige Personen und Begebenheiten werden bes. herausgehoben, wie die Urahnen der Georgier, die Bekehrung der Georgier zum Christentum, Märtyrer, verdienstvolle Könige und Kriege. Bis h. stellt die Chronik die Wiss. vor einige Rätsel und ist gleichzeitig eine wichtige Quelle für die Historiker.

→ Georgien; GEORGIEN

J. ASSFALG, G. Handschriften, 1963 · K. KEKELIʒE, ʒveli kᵉartᵉuli liṭeraṭuris isṭoria, 1951 · O. LORDKIPANIʒE, Anṭikuri samqaro da kᵉartᵉlis samepᵉo, 1968 · G. PÄTSCH (Hrsg.), Das Leben Kartlis: Eine Chronik aus Georgien 300–1200, 1985 · S. QAUḪČIŠVILI (Hrsg.), Kᵉartᵉlis Cḫovreba, 1955–1973 · P.M. TARCHNISCHWILI, Gesch. der kirchlichen g. Lit., 1955.   ACH.S.

Gepidae, Gepidi (Γήπαιδες). German. Stamm, nach Iord. Get. 17,94 mit den → Goti verwandt. Ihr urspr. Siedlungsgebiet befand sich im Weichsel-Nogatdelta. Seit der 2. H. des 3. Jh. n.Chr. wanderten Teile der G. nach SO. 249 unterlag der Sohn des Philippus Arabs den G. in Dacia (Chr. pasch. 503 DE BOOR). Die G. nahmen an der großen antiröm. Koalition der Germani um 263 teil. Um 290 kam es zu Kämpfen der G. mit Vandali gegen Taifali und Westgoten (Paneg. 287 BAERENS). Die G. nahmen an zahlreichen german. Einfällen in den Westen teil (Hier. epist. ad Agerichiam). Zw. 418 und 454 befanden sie sich unter hunnischer Herrschaft (Iord. De summa temporum vel origine actibusque gentis Romanae 331). Im Heer Attilas fielen sie 451 in Gallia ein. In der Schlacht am Nedao 454 unter Ardarich errangen sie die Unabhängigkeit (Iord. Get. 50,259ff.). Unter ihm traten sie zum arianischen Glauben über. Der Kern ihres Reiches lag zw. Donau, Theiß und Olt (?). Mit Byzanz schlossen sie einen Vertrag. Um 473, als die Goti Pannonia verließen, überschritten die G. die Donau und eroberten Sirmium, wohin sie ihre Residenz verlagerten (Ennod. paneg. 12,60). 488/9 besiegte Theoderich die G. auf seinem Zug nach Italia (Ennod. paneg. 12,60). Zw. 489 und 504 spaltete sich das G.-Reich und wurde von zwei Königen (in Pannonia und Transdanubia) regiert. 504 mußten sie Sirmium und Singidunum Theoderich überlassen (Prok. BV 1,2; BG 3,33f.) und wurden auf ihr transdanubisches Siedlungsgebiet zurückgedrängt. Die Langobarden, die sich Anf. 6. Jh. nordwestl. der Theiß niederließen, gefährdeten die G. in hohem Maße. Beide Seiten versuchten, Byzanz für sich zu gewinnen, Iustinianus intrigierte zw. ihnen (Prok. BG 7,34f.). Iustinianus II. schloß 567 gegen die G. einen Bund mit den Avares. Nach der Zerschlagung der G. durch Avares und Langobardi (Menandros, fr. 24f.; Paulus Diaconus 1,27) gingen die überlebenden Volksteile in den siegreichen Stämmen auf.

C. DICULESCU, Die Gepiden, 1922 · L. SCHMIDT, Die Ostgermanen, 1941, 529ff. · B. HÄNSEL (Hrsg.), Die Völker Südosteuropas im 6.–8. Jh., 1987 · H. WOLFRAM, F. DAIM, Die Völker an der mittleren und unteren Donau im 5. und 6. Jh., 1980.   I.v.B.

Gerätfiguren s. Plastik

Geraistos (Γεραιστός).

[1] G. hieß in der Ant. die äußerste Südspitze von Euboia: Hdt. 8,7,1; 9,105; Strab. 10,1,2; Plin. nat. 4,63; GGM I, 500; Skyl. 58, im MA Kap Tzeraso, ein Ankerplatz für genues. und venezian. Schiffe (Reste einer Befestigungsanlage). H. Kap Mandelo.

F. GEYER, Top. und Gesch. der Insel Euboia 1, 1903, 111ff. · LAUFFER, Griechenland, 231.   H. KAL.

[2] Einziger sicherer Hafen an der gefürchteten Südküste von Euboia ca. 3 km nördl. des gleichnamigen Kaps G. [1], h. (Porto) Kastri (Eur. Or. 993; Hom. Od. 3,177; Eur. Cycl. 295; Thuk. 3,3,5; Demosth. or. 4,34; Strab. 10,1,7; Plin. nat. 4,51; 64; Arr. an. 2,1,2; Liv. 31,45,10; Ptol. 3,14,22). Die Ergänzung des Namens G. in den att. Tributquotenlisten durch G. BUSOLT ist falsch; G. war wohl nie selbständig und dürfte die meiste Zeit zu Karystos gehört haben. In G. versammelte Agesilaos 396 v. Chr. im Krieg gegen die Perser Heer und Flotte vor dem Auslaufen nach Ephesos (Xen. hell. 5,4,61; Plut. Agesilaos 6,4). 376 gingen hier Getreide-

schiffe vor Anker, als die Spartaner den Peiraieus sperrten (Xen. hell. 5,4,61). Im 2. röm.-maked. Krieg (200–197) war G. Stützpunkt der röm.-pergamen. Flotte (Liv. 31,45,10). Berühmt war das Poseidonheiligtum (Hom. Od. 3,177; Strab. 10,1,7; Aristoph. Equ. 561; Apoll. Rhod. 3,1244; Steph. Byz. s. v. G.; schol. Pind. O. 13,159; Lukian. Iuppiter tragoedus 25; Prok. BG 4,22,27f.; Etym. m. 227,42ff.). Wenige ant. Reste (IG XII 9,9f. Nr. 44–49).

F. GEYER, Top. und Gesch. der Insel Euboia 1, 1903, 111ff. · PHILIPPSON/KIRSTEN 1, 629 · KODER/HILD, 186, 212, 281 · ATL I, 1939, 478 · LAUFFER, Griechenland, 231.   H. KAL.

Gerana (Γεράνα, »Kranichfrau«), eine Pygmäenfrau, auch Oinoe genannt (Antoninus Liberalis 16). Von Mitbürgern verehrt wie eine Göttin, verachtete sie Hera und Artemis, so daß Hera sie in einen Kranich verwandelte und zur Feindin der → Pygmäen machte (Athen. 9,394e; Ov. met. 6,90). Ihr Tod führte zum Krieg zw. Pygmäen und Kranichen (Hom. Il. 3,3ff.; Ail. nat. 15,29). Drei Versionen des Mythos, die u. a. auf die ›Ornithogonie‹ des Boios zurückgehen, sind überliefert [1].

1 A. BALLABRIGA, Le malheur des nains, in: REA 83, 1981, 57–74.   RE. ZI.

Geraneia (Γεράνεια). V. a. aus Kalken und Dolomiten der Trias und des Unteren Jura sowie (im Westen) Ophioliten (Serpentiniten) aufgebautes Gebirge, das – über die h. Nomosgrenze zw. Attika und Korinth hinwegreichend – im Westen im Akron Melankavi (auch Akron Heraion) im Golf von Korinth ausstreicht, im Osten steil zum Golf von Megara (Teil des Saronischen Golfes), die Skironischen Klippen bildend, abfällt. Im Makriplagi an der Grenze zw. Attika und Korinth erreicht es eine H von 1351 m. Im Norden riegelt es den Isthmos von Korinth ab. In der Mitte führt ein einziger Übergang über das Gebirge (Megalo Derveni 820 m). Am Süd-Absturz zum Saronischen Golf führte der gefährliche und bis in die Neuzeit berüchtigte Fußpfad der Skiron. Klippen (Kaki Skala) entlang, den Hadrianus zur Fahrstraße ausbaute. Hier verlaufen h. Eisenbahn und Straße. Auch im Norden konnte das Gebirge an der Küste des Korinth. Golfs nur auf schwierigen Pfaden mit großen Umwegen umgangen werden (Xen. hell. 5,4,16ff.; 6,4,26). Vermutlich ist mit dem αἰγίπλαγκτον ὄρος (aigíplankton óros) bei Aischyl. Ag. 303 ebenfalls die G. gemeint, anders [1. 129f.]. An der Nordseite des Gebirges gab es auch ein Kastell G. (nach Skyl. 39; Plin. nat. 4,23; Suda s. v.), dessen Lage unbekannt ist [2]; auf der H über den Skironischen Klippen lag ein Heiligtum des Zeus Aphesios (Paus. 1,44,9), dessen ergrabene Überreste verschwunden sind [2].

1 J. H. QUINCEY, The Beacon-Sites in the *Agamemnon*, in: JHS 83, 1963, 118–132 2 E. MEYER, s. v. Megara (2), RE 15, 167.

A. PHILIPPSON, s. v. G., RE 7, 1236 ff. · E. MEYER, s. v. Megara (2), RE 15, 158; 169 ff. · PHILIPPSON/KIRSTEN 1, 948 ff.   C. L.

Geranor (Γεράνωρ). Spartiat, ehemaliger Polemarchos, fiel 369/8 v. Chr. bei der Verteidigung Asines gegen die Arkader (Xen. hell. 7,1,25).   K.-W. WEL.

Gerar(a). Wohl Tall Abī Huraira/Tall Haror zw. → Gaza und Be'eršeba; bed. Siedlung des 18.–11. und 7.–4. Jh. v. Chr. Die Belegstellen 1 Chr 4,39–40 und 2 Chr 14,8–14 beziehen sich auf Vorgänge des 4. oder 3. Jh. v. Chr., wobei unklar bleibt, wo die Verf. G. suchten. In 2 Makk 13,24 ist nicht mehr von G. die Rede, sondern nur noch von ›Gerrenern‹, im 4.–6. Jh. n. Chr. vom *saltus Gerariticus*, wo sich 518 der Sitz des Bischofs von Orda befand.

1 O. KEEL, M. KÜCHLER, Orte und Landschaften der Bibel, Bd. 2, 1982, 134–137 **2** NEAEHL 2, 553–560 **3** P. THOMSEN, Loca Sancta, 1907, 51.   E. A. K.

Geras (Γῆρας, lat. Senectus). Personifikation des verhaßten Alters, mehrfach als nacktes, faltiges Männchen mit langem hängendem Glied dargestellt, das in burlesker Manier von → Herakles besiegt wird [1]. Als Kind der Nacht (Hes. theog. 225) gehört G. zu den Schreckgestalten, die sich am Eingang zur Unterwelt aufhalten (Verg. Aen. 6,275; Sen. Herc. f. 696), wohnt aber auf dem Olymp (Aristoph. Av. 606). Sisyphos wird von G. in die Unterwelt zurückgeholt (Eust. Od. 11,592). Ein Heiligtum ist nur bei den äußerst frommen Bewohnern von Gades bezeugt (Philostr. Ap. 5,4).

1 H. A. SHAPIRO, s. v. G., LIMC 4.1, 180 ff.

F. PREISSHOFEN, Unt. zur Darstellung des Greisenalters in der frühgriech. Dichtung, 1977.   B. SCH.

Gerasa (h. Ǧaraš). 34 km nördl. von 'Ammān gelegener Ort. Dank eines Baches, dem Chrysorrhoas der Ant., war G. seit der frühen Steinzeit Siedlungsort. Daher ist anzunehmen, daß die in einer röm. Inschr. erwähnten Makedonier das griech. Element in eine bereits bestehende Siedlung einführten und entgegen den Legenden nicht erst → Alexandros [4] d. Gr., → Perdikkas oder → Antiochos [2] I. Stadtgründer waren. In seleukidischer Zeit war neben dem offiziellen Namen Antiocheia am Chrysorrhoas das aram. Garšu gebräuchlich. Während der hasmonäischen Revolte 173–164 v. Chr. blieb G. in griech. Hand, geriet aber mit den anderen Städten der → Dekapolis 63 v. Chr. unter röm. Herrschaft; danach Umbenennung in G. Gräco-Nabatäische Inschr. bezeugen für diese Zeit die enge Verbindung G.s mit → Petra. Als G. 106 n. Chr. der *prov. Arabia* zugeschlagen wurde, ergaben sich durch Anbindung an die *via Nova Traiana* noch lukrativere wirtschaftliche Kontakte zu Nabataea. Seit augusteischer Zeit, bes. aber seit dem beginnenden 2. Jh. n. Chr., veränderte ein ehrgeiziges Bauprogramm lokaler Mäzene die Stadt. Den alten

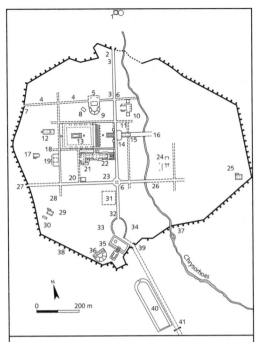

Gerasa

1 Oktogonalkirche
2 Nordtor
3 Nördlicher Cardo
4 Nördlicher Decumanus
5 Platz vor dem Nordtheater
6 Tetrapylon
7 Nordwesttor
8 Isaiaskirche
9 Nordtheater
10 Westbäder
11 Atriumsmoschee
12 Synagogenkirchen
13 Artemistempel
14 Propyläenhof (Atrium) Nymphäum
15 Viaduktkirche
16 Nordbrücke (zerstört)
17 Genesiuskirche
18 Stufenstraße
19 Drei-Kirchen-Komplex (St. Kosmas u. Damian, St. Johannes, St. Georg)
20 Omayyadenbau (?)
21 St. Theodorus
22 Kathedrale
23 Platz um das Südtetrapylon
24 Ostbäder
25 Procopius-Kirche
26 Südbrücke
27 Südwesttor
28 Südlicher Decumanus
29 St. Peter und Paul
30 Gedächtniskirche
31 Staatsagora (?)
32 Südlicher Cardo
33 »Ovales Forum«
34 Hellenistischer Siedlungshügel
35 Zeus-Tempel
36 Südtheater
37 Schleuse (Wassertor)
38 Stadtmauer
39 Südtor
40 Circus
41 Hadriansbogen

Kultplatz ersetzte die terrassierte Anlage des Zeustempels (162–166 n. Chr.), ein monumentales Artemision (150–180 n. Chr.) wurde der Stadtgöttin geweiht, zwei Theater entstanden, ein *cardo maximus* und zwei *decumani* schufen strenge Axialität, die durch eine Stadtmauer eingefaßt wurde. Der Aufstieg → Palmyras brachte zwar wirtschaftliche Einbußen, G. prosperierte jedoch bis in nach-iustinianische Zeit. Zahlreiche Kirchen entstanden im Stadtgebiet (5./6. Jh. n. Chr.). Der Zeit nach der sāsānidischen Besetzung (614 n. Chr.) oder der islam. Eroberung (635 n. Chr.) entstammen keine bed. Bauten. Eine Serie von Erdbeben im 8. Jh. n. Chr. zerstörte die Stadt.

I. BROWNING, Jerash and the Decapolis, 1982 · C. KRAELING (Hrsg.), G., City of the Decapolis, 1938 · F. ZAYADINE (Hrsg.), Jerash Archaeological Project vol. 2, 1989.

KARTEN-LIT.: B. ANDREAE, Röm. Kunst, 1973, 592f. ·
C. KRAELING (Hrsg.), G., City of the Decapolis, 1938.

T. L.

Gerechtigkeit/Recht (δίκη/díkē, δικαιοσύνη/dikaiosýnē, τὸ δίκαιον/díkaion; iustitia, aequitas).

»G.«/»Recht« ist ein relationaler Begriff: er stellt die Angemessenheit bzw. Verhältnismäßigkeit zw. zwei Größen fest. Im Griech. dagegen geht das archa. Wort *díkē* (δίκη) auf die Wurzel *deik-* (δεικ-) zurück und meint den aufge»zeigten« Weg, die Weisung. Diese Bedeutung manifestiert sich noch in der frühesten philos. G.-Spekulation, bei dem Dichter Hesiod (um 700 v. Chr.): Die Rechtsprechung der Könige (*díkē* als Rechtsspruch, vor allem im Plural gebraucht) kann »gerade« (ἰθεῖα), also gerecht, oder »krumm« (σκολιή), also ungerecht sein (theog. 86; erg. 248–266). Doch nimmt *díkē*, im Sg. gebraucht, bereits bei Hesiod die Bedeutung des dt. Begriffs »G.« an, d. h. Maßstab von Angemessenheit. Dabei geht es vor allem um die angemessene Verteilung, die als → *díkē* personifiziert und vergöttlicht wird (theog. 901–903). Die Verletzung der *díkē* geschieht durch Unmaß (ὕβρις/*hýbris*) und Gewalt (βία/*bía*) (erg. 213–247). In beiden Bereichen ist G. verwirklicht, wenn die traditionellen Statusansprüche des Einzelnen gewahrt bleiben und wenn nicht der Anspruchsbereich des Sozialpartners durch Unmaß verletzt wird. Dieser Anspruchsbereich heißt schon bei Homer *díkē* (Hom. Il. 19,118). Sie ist bei ihm an die »Ehrenstellung« (τιμή/*timé*) gebunden (Hom. Il. 1,510). Analog dazu ist die Welt der Götter bei Hesiod organisiert: Die gerechte Verteilung der Herrschaft an die Götter durch Zeus besteht in der Zuteilung der Ehrenstellungen (Hes. erg. 881–885). Die Verletzung des Anspruchsbereiches geschieht im Denken Hesiods vor allem, wenn zum Unmaß noch die Gewalt (βία) hinzutritt. Der Mensch zeichnet sich nach Hesiod durch den Besitz der *díkē* vor allen Tieren aus, da er seine Konflikte statt mit Gewalt durch den Spruch des Richters lösen kann (Hes. erg. 274–280).

Die in Hesiods *díkē*-Spekulationen implizierten Grundgedanken der G. als göttlicher Macht, die sich in angemessener Verteilung und dem Respekt vor der Verteilung manifestiert, werden in der Folgezeit teils angewandt, teils vertiefend umgedeutet. Im vorsokratischen Denken (6. und 5. Jh. v. Chr.) wird die Naturordnung unter den Spruch der *díkē* gestellt (Anaximander 2 B1 DK); bei Heraklit (22 B23 und B28 DK) und Parmenides (28 B8,14 DK) wacht die *díkē* über die Wahrheit.

Als polit. G. hingegen erscheint die *díkē* in der → Sophistik (5. und 4. Jh. v. Chr.). Von Protagoras (Plat. Prot. 322a–324d) wird sie zur Grundlage des staatlichen Lebens erklärt, dagegen durch Antiphon als Gesetzesgehorsam vom Kriterium des »von Natur aus Zuträglichen« aus abgewertet (87 B 44 DK).

In der klass.-att. Philos. (5. und 4. Jh. v. Chr.) wird dagegen G. zu der die Menschen als Menschen auszeichnenden Haltung. → Sokrates vertritt die gemein-att. Auffassung der G. als Gehorsam des Bürgers gegenüber den staatlichen Gesetzen: Dieser Gehorsam wird aber zum ersten Mal aus dem Bereich des nur äußeren Verhaltens herausgenommen und in der sittlichen Persönlichkeit verankert (Plat. Krit. 49e–54d).

Bei Platon erfährt die G.-Spekulation ihren Höhepunkt, da der Begriff (die Idee) des Gerechten auf ein universales Ordnungsprinzip alles Seienden verweist. G. ist einerseits die Gesamttugend der Einzelseele und besteht in der rationalen Kontrolle über sich selbst (Plat. rep. 4,443c-e). Sie ist zum anderen das Konstitutiv des Staates, insofern die Polis allein durch G. ihre natürliche Verfassung erhält (rep. 2,369a–4,428a; leg. 6,756e–757d). Der gemeinsame Nenner der beiden G.-Begriffe (Einzeltugend – staatliche Ordnung) ist der Gedanke der Ordnung (κόσμος/*kosmos*; τάξις/*táxis*; Plat. Gorg. 503d–504d). Die genauere Bestimmung dieser Ordnung erfolgt pythagoreisch durch das Modell der proportionalen oder geometrischen Gleichheit (ἰσότης γεωμετρική, τάξις κατὰ λόγον), die sich im Bereich des wahren Seins (rep. 500b-c), des sinnlichen Kosmos (Plat. Gorg. 507e–508a; Plat. Tim. 30c-d), des Staates (Plat. leg. 6,756e–757a) und der Seele (Plat. rep. 4,443c-e) als einigende Kraft erweist.

Aristoteles nimmt diese Ausweitung des G.-Begriffs zurück und reduziert die G. auf den staatlichen Bereich. Er scheidet im Unterschied zu Platon deutlich Recht (τὸ δίκαιον/*to díkaion*; τὸ νόμιμον/*to nómimon*; eth. Nic. 5,1130b 18–1131a 9; 1135a 6) und G. als zwischenmenschliche Tugend (eth. Nic. 5,1133b 18–1134a 6).

In der Folgezeit, d. h. über die Stoa bis Cicero, und diesem folgend Ulpian (um 200 n. Chr.), bezeichnet das Wort *dikaiosýnē* (δικαιοσύνη) bzw. *iustitia* die Sozialtugend des Menschen und wird mit der distributiven G. identifiziert. Ihre Definition lautete schon in der alten Akademie (4. Jh. v. Chr.): ›G. ist eine feste Willenshaltung, die einem jeden nach seiner Würde (ἀξία) seinen Teil gibt‹ (ἕξις διανεμητικὴ τοῦ κατ' ἀξίαν ἑκάστῳ; Plat. def. 411d-e) und erscheint im Röm. als die Formel des *suum cuique tribuere* (Cic. inv. 2,53,160; Cic. rep. 3,11,18; Cic. leg. 1,6,19; Cic. off. 1,5,15; Ulp. Dig. 1,1,10). Dieser kontinuierlichen Tradition (bis zu Augustinus und Thomas von Aquin) steht in vorchristl. Zeit nur Epikur entgegen (Kyriai Doxai 33–37); nach diesem entspringt die G. dem Nutzenkalkül des Menschen und bestimmt sich als Einander-nicht-Schaden-zufügen. In der platonischen Schule ab dem Prinzipat (1. Jh. v. Chr.) zählt die G. zu den unteren, sozialen Tugenden, die den Aufstieg zu den intellektuellen Tugenden vorbereiten. Grundlegend für die Folgezeit war jedoch Ciceros Übernahme der distributiven G. des *suum cuique* (»jedem das Seine«). Diese Formel gelangt in die gesamte folgende abendländische Rechtsphilos. bis zur aktuellen Rechtstheorie von John RAWLS.

→ GERECHTIGKEIT

F. SENN, De la justice et du droit, 1927 ·
A. VERDROSS-DROSSBERG, Abendländische Rechtsphilos.,
1962 · H. WELZEL, Naturrecht und materielle G., ⁴1990 ·

A. Neschke, Platonisme politique et théorie du droit naturel, Bd. 1: Platonisme politique dans l'antiquité (D'Hésiode à Proclus), 1995.   A. NE.

Gerellanus. Praetorianertribun, der im J. 65 n. Chr. auf Befehl Neros den Consul Iulius Vestinus töten ließ (Tac. ann. 15,69). Möglicherweise sein Bruder ist L. G. Fronto (CIL III 14387 g.h = IGLS VI 2786/7).

B. Dobson, Die Primipilares, 1978, 201 f.   W. E.

Gerenia (bei Strab. auch Γέρηνα, inschr. ἁ πόλις τῶν Γερηνῶν, zuvor *Enópē*). Spartanische Periökenstadt an der Westseite der Taygetos-Halbinsel, in der Kaiserzeit im Bund der → Eleutherolakones. Lage inschr. gesichert (Fundort eines Dekretes mit dem Vermerk τὸ ἱερὸν τοῦ Μαχάονος, »das Heiligtum des Machaon«) beim h. Kambos, 15 km südwestl. von Kalamata, wo sich auch ein myk. Kuppelgrab befindet. Die Beziehung zu → Nestor, der sich dort in seiner Jugend oder später als Flüchtling aufgehalten haben soll, ist nur aus Nestors Beinamen *Gerénios* herausgesponnen, der aber eher anders zu erklären ist (»alt, ehrwürdig« oder als Patronymikon). Belegstellen: Hom. Il. 9,150; 292; Strab. 8,3,7; 29; 8,4,4 f.; Paus. 3,21,7; 26,8–11; Ptol. 3,14,43.

E. Meyer, s. v. Messenien, RE Suppl. 15, 177 · B. Sergent, La situation politique de la Méssenie du Sud-Est à l'époque mycénienne, in: RA, 1978, 3–26.   Y. L.

Gergis (Γέργις; *Gérgitha, Gergíthion, Gérgithos*). Stadt in der Troas, nicht wie früher angenommen am Ballı Dağı, sondern beim Karıncalı am Kursak deresi [1. 349]. Laut Athen. 6,256 C von den Nachkommen der Troes (Teukroi) unter Führung eines Gergithes gegr. Im Zusammenhang mit dem Xerxes-Zug erwähnt Herodot *Gérgithes Teukroí* (7,43), die er schon vorher (Hdt. 5,122) als Nachfolgestamm der Teukroi bezeichnet hat. Keramikfunde aus Karıncalı reichen bis ins 6. Jh. v. Chr. zurück. In den att. Tributquotenlisten ist G. nicht erwähnt. Im 5. Jh. v. Chr. war der Ort offenbar Dynastensitz, der 399 v. Chr. von Derkylidas nach dem Sieg über die Dynastin Mania erobert wurde (Xen. hell. 3,1,15). Derkylidas opferte im dortigen Athena-Heiligtum (Xen. hell. 3,1,22 f.). G. blieb offenbar frei bis zum Frieden von Apameia, in dem es Ilion unterstellt wurde (Liv. 38,39,10). Strabon (13,1,70) berichtet von Gergitha, wohin die Einwohner von Gergithion aus der Troas nach der Zerstörung ihrer Stadt durch einen Attalos umgesiedelt wurden. Sollte diese Nachricht nicht völlig unsinnig sein (so schon [2. 106]), wäre G. von Attalos. I. zerstört, ein Teil der Bewohner in eine Neugründung Gergitha umgesiedelt und das Gebiet danach 188 v. Chr. Ilion zugeschlagen worden. Die jüngsten Keramikfunde gehören jedenfalls noch in das 2. Jh. v. Chr. [1. 347 f.]; z.Z. des Plinius existierte G. nicht mehr (nat. 5,122).

1 J. M. Cook, The Troad, 1973 2 W. Leaf, Strabo on the Troad, 1923.

L. Bürchner, s. v. G., RE 7, 1248 f.   E. SCH.

Gergovia. Stadt der Gallia Celtica im Gebiet der → Arverni, später in Aquitania, westl. des Elaver, 6 km südl. von → Augustonemetum auf schwer zugänglichem Hochplateau, h. Gergovie. Von Caesar 52 v. Chr. vergeblich belagert (Vercingetorix: Caes. Gall. 7,34; Liv. per. 107; Strab. 4,2,3; Suet. Iul. 25; Polyainos 8,23,9; Cass. Dio 40,35; Sidon. carm. 7,152). Grabungen im großen und kleinen Lager und in dem sie verbindenden Doppelgraben. Auf dem Merdogne-Plateau drei Mauerringe (gall. vor der Belagerung, gall.-röm. nach der Belagerung und frühe Kaiserzeit). Im Innern: Häuser und zwei Tempel in einem Peribolos. Blüte unter Augustus (Keramikwerkstätten, Markt, Heiligtum), Verfall seit Tiberius; *oppidum* seit Claudius verlassen.

P. Eychart, L'oppidum des côtes, Augustonemetum, Gergovie, 1961 · Grenier, Bd. 1, 198–200 · J. Harmand, Vercingétorix, 1984 · M. Provost, C. Jouannet, Carte archéologique de la Gaule. 63,2 (Puy-de-Dôme), 1994.   Y. L.

Germa, Germokoloneia (Γέρμα κολωνία, Γερμοκολώνεια). *Colonia Iulia Augusta Felix Germenorum*, zw. 25/4 und 21/0 v. Chr. gegr.; an der Verzweigung der Straßen Ankyra – Dorylaion/Ankyra – Pessinus. Als Suffraganbistum bis ins 12. Jh. belegt. Ruinen h. bei Babadat.

H. v. Aulock, Die röm. Kolonie G., in: MDAI(Ist) 18, 1968, 221–237 · Belke, 168 f. · Mitchell I, 87–90, 151 f., 155 · M. Waelkens, G., Germokoloneia, Germia, in: Byzantion 49, 1979, 447–464.   K. ST.

Germani, Germania. G. ist ein in verschiedenen Gegenden Europas und Westasiens nachweisbarer Gemeinname, der mindestens z. T. durch Wanderungen von Splittergruppen verbreitet worden sein wird. Sprachlich gehört das German. zur indoeuropäischen Sprachfamilie (→ Germanische Sprachen), wobei die Bezeichnung »Germanisch« von außen herangetragen wurde. Entgegen durch romantischen Volksgeist geprägten Vorstellungen, die von einer Parallelität von Sprache und Sachkultur sowie dauerhafter ethnischer Konstanz ausgehen, und entgegen einer rassisch unterlegten, zu Ideologiezwecken mißbrauchten Auffassung von der Einheit der G. stellt sich h. das Problem der german. Ethnogenese neu (→ Germanische Archäologie). Dies betrifft den realen Vorgang ebenso wie die in der Selbst- und Fremdbenennung erkennbare Zuordnung zu den G. als Ausdruck einer Zusammengehörigkeit. Nach ant. Verständnis erfolgte diese Zuordnung nicht aufgrund eines bestimmten Merkmals, sondern im Zuge einer Gesamtbewertung, die aus realen oder nur vorgestellten, sich im einzelnen auch widersprechenden Sachverhalten vorgenommen wurde.

[1] Rechtsrheinische G. I. Historisch-Ethnisch
II. Historisch-Geographisch III. Religion

I. Historisch-Ethnisch
A. Antike Definitionen B. Germanen, Rom
und die moderne Forschung

A. Antike Definitionen

Während in der älteren griech. Tradition der Norden
der Oikumene als unter Kelten und Skythen geteilt
vorgestellt wird, bilden in der späteren geogr. Überl.
Rhein und Donau im Westen und Süden (Tac. Germ.
1,2) sowie die Weichsel im Osten (Mela 3,33; Plin. nat.
4,81; 97) unter Einschluß der → Suebi die Grenze des
Siedlungsgebietes der G. Poseidonios kannte offenbar
nördl. der Mittelgebirge und östl. des Rheins einen Verband von G., die er als den Kelten verwandt ansah, jedoch von diesen abgrenzte (Athen. 4,39 p. 153e Kaibel
= FGrH 87 F 22; vgl. Strab. 7,1,2). Die Selbstbehauptung
dieser Gruppe während der Wanderungen der → Cimbri scheint eher ein Grund für die Ausdehnung des Namens der G. und für die Identifikation von Nachbar-
stämmen mit diesen verantwortlich zu sein als die aus
Tacitus (Germ. 2,3) abgeleitete Übernahme von den
westl. des Rheins siedelnden → G. [2], was ohnehin
deutlich als wenig verbindliche Fremdmeinung gekennzeichnet ist. Auch die wohl zuerst bei Poseidonios
formulierte Mannus-Genealogie (Tac. Germ. 2,2) ist
kein Beweis für urspr. völkische Gemeinsamkeit. Erst
bei Caesar läßt sich in Umrissen ein G.-Begriff erkennen, doch hat er einen solchen weder aus polit. Gründen geschaffen, noch ihn zuerst in Rom bekannt gemacht, wie Cicero (prov. 13,33; 56 v.Chr.) beweist.
Durch Caesar wurden dann aber Ausbreitung und Geltung des G.-Namens maßgeblich gefördert, was die
rechts des Rheins siedelnden Stämme als G. zu einer
histor. Realität werden ließ.

B. Germanen, Rom und die moderne
Forschung

In der vorröm. Phase überschritten G. teils gewaltsam, teils mit Billigung der kelt. Bevölkerung die später
als Grenzen angesehenen Flüsse Rhein und Donau.
Kontakte zw. Römern, Kelten und G. führten dann zu
Akkulturierungsprozessen v.a. in den Grenzzonen. Seit
Augustus wurden wiederholt german. Stämme oder
Stammesgruppen auf röm. Reichsgebiet angesiedelt.
Mit Vorverlegung der Grenze über Rhein und Donau
und Anlage des → Limes gelangten weitere G. in den
unmittelbaren röm. Herrschaftsbereich, die sich allerdings in der materiellen Kultur der frühen und hohen
Kaiserzeit nur schwer ausmachen lassen. Seit caesari-
scher Zeit standen G. als formierte oder *ad hoc* aufge-
botene Hilfstruppen in röm. Diensten. In Rom bildeten
G. von Caesar und Augustus bis Galba als G. *corporis
custodes* und von Traianus bis Septimius Severus ausschließlich, danach teilweise, als *equites singulares Augusti*
die Leibwache des Kaisers. Unbeschadet realer Erfahrungen und vertiefter Kenntnisse aufgrund mannigfa-

cher Kontakte wird bei den Römern der *furor Teutonicus*
(Lucan. 1,255) zum ideologischen Gemeinplatz, und
dies wird auch in den G.-Darstellungen augenfällig.
Dem entspricht andererseits die wiederholte und nach-
drückliche Propagierung von G.-Siegen seitens der Römer.

Die Gesch. der G. ist in erster Linie eine Gesch. der
einzelnen Völkerschaften unter den jeweiligen histor.
Bedingungen. Generalisierende Äußerungen zu Wirt-
schafts-, Sozial- und polit. Struktur »der« G. sind dementsprechend notwendigerweise undifferenziert und
der histor. komplexen Wirklichkeit kaum angemessen.
Im allg. werden zur Feststellung german. Gemeinsamkeiten in unzulässiger Vereinfachung v.a. der Germa-
nenexkurs bei Caesar (Gall. 6,21–28) und die *Germania*
des Tacitus herangezogen, jedoch sind beide Berichte
zeitbezogen und nur im Kontext der jeweiligen Absichten ihrer Verf. zu interpretieren. Im einzelnen sind daher lit. Überl. und arch. Forschung zunächst aus ihren
eigenen Voraussetzungen heraus zu analysieren, bevor
sie aufeinander bezogen werden können. In diesem Zusammenhang ist die Forschung bemüht, einen interdisziplinären Germanen-Begriff zu entwickeln.

Stammesordnung, Herrschafts- und Sozialstruktur
einschließlich des Gefolgschaftswesens sowie die wirtschaftlichen Verhältnisse in der *Germania magna* werden
im Rahmen der german. Altertumskunde diskutiert (s.
die einschlägigen Artikel in RGA). Zur röm. Germanienpolitik s.u. II C.

→ Germanenbild

J. Herrmann (Hrsg.), Griech. und lat. Quellen zur
Frühgesch. Mitteleuropas bis zur Mitte des 1. Jt. u.Z.
(Schriften und Quellen der Alten Welt 37,1–4),
1988–1992 · H. Ament, Der Rhein und die Ethnogenese
der Germanen, in: PrZ 59, 1984, 37–47 · H. Beck (Hrsg.),
Germanenprobleme in heutiger Sicht, RGA, Erg. Bd. 1,
1986 · H. Birkhan, Germanen und Kelten bis zum
Ausgang der Römerzeit (SB der österr. Akad. der Wiss.,
philol.-histor. Kl. 272), 1970 · A. Demandt, Die
westgerman. Stammesbünde, in: Klio 75, 1993, 387–406 ·
G. Dobesch, Zur Ausbreitung des Germanennamens, in:
W. Alzinger u.a., Pro arte antiqua. FS H. Kenner, Bd. 1,
1982, 77–99 · B. Krüger (Hrsg.), Die Germanen: Gesch.
und Kultur der german. Stämme in Mitteleuropa
(Veröffentlichung des Zentralinst. für Alte Gesch. und
Arch. Akad. Wiss. DDR 4,1–2), ⁵1986–1988 · A.A. Lund,
Die ersten Germanen: Ethnizität und Ethnogenese, 1998 ·
RGA, s.v. G., 1998 (im Erscheinen) · K. Steuer,
Frühgesch. Sozialstruktur in Mitteleuropa (AAWG 3.F., Nr.
129), 1982 · D. Timpe, Die Söhne des Mannus, in: Chiron
21, 1991, 69–125 · Ders., Der Namensatz der taciteischen
Germania, in: Chiron 23, 1993, 323–352 · M. Todd, The
Early Germans, 1992 (Ndr. 1995) · R. Wenskus,
Stammesbildung und Verfassung. Das Werden der
frühmittelalterlichen Gentes, 1961 (Ndr. 1977) ·
H. Wolfram, Die Germanen, ³1997 · K. Düwel,
H. Jankuhn, H. Siens, D. Timpe (Hrsg.), Unt. zu Handel
und Verkehr der vor- und frühgesch. Zeit in Mittel- und
Nordeuropa, Teil I (AAWG 3. F., Nr.143), 1985 ·
H. Jankuhn, Siedlung, Wirtschaft und Gesellschafts-

ordnung der german. Stämme in der Zeit der röm. Angriffskriege, in: ANRW II 5.1, 65–125; II 5.2, 1262–1265.

R.A. WI.

II. Historisch-Geographisch
A. Geographie und Landeskunde
B. Rom und Germanien bis zur Einrichtung der römischen Provinz
C. Die römische Provinz und ihre geschichtliche Entwicklung

A. Geographie und Landeskunde

Die Vorstellungen der Griechen und Römer von Größe, landschaftlicher Gliederung und Bevölkerung Nordeuropas sind bis in die Zeit Caesars vage. Ihnen zufolge durchzieht nördl. der Donau die → *Hercynia silva* den gesamten Kontinent, der im Norden von dem sich nach Osten ins Ungewisse erstreckenden Okeanos begrenzt wird. Nach Caesar, für den die Germani östl. des Rheins eine Realität waren, gefährdeten v. a. die aus grenzenloser Tiefe dieses Raumes hervorbrechenden, aggressiven Gefolgschaftsverbände der → Suebi Gallien und das röm. Reich (Caes. Gall. 1,37,3 f.; 1,54,1; 4,1–4; 4,16,5; 4,19,1–4; 6,29,1). Histor. Prototypen sind die den Germanen zugerechneten → Cimbri und → Teutoni, deren Zug nach Westen zum Mythos und Trauma der Bedrohung von Italia durch die Nordvölker stilisiert wurde (Caes. Gall. 1,33,3 f.; 2,29,4 f.; Tac. Germ. 37,1 f.; Plut. Marius 11–27 usw.). Erst durch → Agrippa [1] wurde in frühaugusteischer Zeit eine feste räumliche Umschreibung von G. vorgenommen, die dann in die geogr. Berichte über G. einfloß. Danach wird G. von Rhein, Donau (oder Alpen), Weichsel und Ozean umgrenzt (Strab. 1,1,17; 1,2,1; 2,5,28–30; 4,4,2 f.; 7,1,1; 7,2,3 f.; Strabon bezeichnet aber nur das Gebiet bis zur Elbe als wirklich bekannt; Mela 3,24–33; Plin. nat. 4,80, vgl. 4,98–100,8; Tac. Germ. 1,1 f.). Im Osten werden statt Weichsel (Mela 3,33; Plin. nat. 4,81; Dimensuratio provinciarum 8,19) auch Stämme (Getai, Bastarni, Sarmatae, Dakoi) gen., deren nicht genau festgelegte Siedlungsgebiete diese von G. scheiden. Nach Tacitus (Germ. 46,1) endet mit den nunmehr seßhaften Suebi nicht nur G., sondern auch echtes Wissen über die Völker der Nordzone. In den german. Raum werden dann weitere Informationen über Landesnatur, Klima, Stämme und Stammesentstehung eingetragen und häufig mit Berichten über Sitten und Bräuche der Bewohner verbunden. Die durchweg aus zweiter Hand gewonnenen Nachrichten sind einerseits durchmischt mit Topoi und Verallgemeinerungen, andererseits richtet sich der Blick in verengender Perspektive v. a. auf das aus röm. Sicht Ungewöhnliche und damit in histor. Bewertung nicht selten eher Marginale.

B. Rom und Germanien bis zur Einrichtung der römischen Provinz

Die lit. Überl. über kriegerische Auseinandersetzungen und friedliche Beziehungen zw. Rom und G. berichtet so gut wie ausschließlich aus röm.-mittelmeer-länd. Perspektive. Sie ist zudem trümmerhaft, unterliegt den spezifischen Voraussetzungen röm. Historiographie und Ethnographie, zielt auf den Zeitgeschmack eines griech.-röm. Lesepublikums und ist stark von den verfügbaren, vielfach offiziell gefilterten Nachrichten abhängig.

Polit.-mil. Kontakte zwischen Rom und G. beginnen mit Caesars zweimaligem Rheinübergang 55 bzw. 53 v. Chr. Sie dienten der Demonstration röm. Macht, doch war es schon zuvor zu teils friedlichen Abmachungen, teils feindlichen Begegnungen mit Stämmen und Stammesfürsten aus dem german. Raum gekommen. Das röm.-german. Verhältnis war seit der späten Republik und frühen Kaiserzeit bis in die Spätant. hinein nicht charakterisiert durch beständige Konflikte, und erst recht bestand eine solche Situation nicht zw. Rom auf der einen und einem einheitlichen G. auf der anderen Seite. Mit → Claudius [II 24] Drusus begann 13/2 v. Chr. eine neue Phase, in welcher der Schutz von Gallia und des röm. Reichsgebietes mittels mil. und polit. Sicherung des rechtsrheinischen Raumes bis zur Elbe angestrebt wurde. Damit trat neben ein geogr. G. bis zur Weichsel ein polit. G. bis zur Elbe (vgl. etwa R. Gest. div. Aug. 26,2). Umstritten ist, ob und in welchem Maße innenpolit. Rücksichtnahme und Konzession an den »Weltherrschaftsgedanken« den Entschluß zur Offensive beeinflußt haben, jedoch ist die ideologieverhaftete und auf die imperiale Phantasie der röm. Öffentlichkeit abzielende Ausdeutung des Vorgehens von den konkreten, pragmatisch motivierten Entscheidungen zu trennen. Dem erstgenannten Bereich sind auch Äußerungen zuzuordnen, nach denen es sich bei den Bewohnern von G. um potentielle Rivalen um die Weltherrschaft handelt (Tac. Germ. 37,2–6; vgl. schon Sen. de ira 1,11,3 f.). Nach dem Tod des Drusus 9 v. Chr. und den weiterführenden Aktionen des → Tiberius 8/7 v. Chr. schien das Ziel einer Provinzialisierung dieses G. nahe zu sein (Vell. 2,105,4), jedoch wurde eine *provincia* G. formell nicht eingerichtet. Lediglich das erstarkende Reich der → Marcomanni unter Marbod (→ Maroboduus) wurde als Bedrohung angesehen, doch erzwang der Pannonische Aufstand 6–9 n. Chr. eine Verständigung. Gestützt auf die Basislager insbes. der Legionen am Rhein erfolgten röm. Vorstöße nach G. auf gut bekannten Routen, wobei Flußläufe und der Seeweg, aber auch traditionelle Einfallwege über Land vom Hoch- bis zum Niederrhein in das Innere von G. die Richtung vorgaben. Nach der Niederlage des P. Quinctilius Varus gegen einen german. Stammesverband unter → Arminius 9 n. Chr. wurde die Zahl der an der Rheinfront stationierten Legionen von sechs auf acht erhöht und zugleich ein zweigeteilter Kommandobereich – der *exercitus Germanicus superior* bzw. *inferior* – geschaffen. Jedoch wurden damit nicht die Grundsätze röm. Germanienpolitik aufgegeben. Erst mit Abberufung des → Germanicus durch Tiberius 16 n. Chr. erfolgte eine Neuorientierung der röm. G.-Politik mit begrenzterer Zielsetzung, welche an die Zeit vor den Drusus-Feldzügen anknüpfte. Nach wie vor dienten die Truppen gleichermaßen der Befriedung im Inneren von Gallia wie dem Schutz vor äußeren Bedrohungen. Die mehr oder weniger direkte Kontrolle der unmittelbar dem Rhein vorgelagerten Grenzzonen galt vornehmlich der Konsolidierung des Erreichten und war von militärtaktischen Überlegungen bestimmt. Hierzu gehört auch die Vorverlegung der Grenze an Hoch-, Ober- und Mittelrhein seit claudischer, v. a. aber seit flavischer Zeit mit Einbeziehung von Wetterau, Odenwald und den → *decumates agri* in das Reichsgebiet, die nicht zuletzt eine bessere Verbindung zw. Rhein und Donau ermöglichen sollte. Die Anlage des → Limes in domitianischer Zeit mit den – aufs ganze gesehen – unwesentlichen Erweiterungen unter Hadrianus und Antoninus Pius diente v. a. der Grenzkontrolle, ist aber auch Ausdruck einer eher gering eingeschätzten Germanengefahr, was sich auch an der sukzessiven Reduzierung der Anzahl der Legionen bis auf vier in beiden G. zusammen zeigt. Den Schutz des Reichsgebietes übernahmen verstärkt die entlang der Grenze postierten Hilfstruppen.

C. DIE RÖMISCHE PROVINZ UND IHRE GESCHICHTLICHE ENTWICKLUNG

Mit Einrichtung der regulären Prov. *Germania superior* und *inferior* in frühdomitianischer Zeit war ein formaler Abschluß der Zielsetzungen röm. G.-Politik erreicht. Das mil. Schwergewicht verlagerte sich fortan von der Rheinfront an die Donau. Mit den beiden Prov. wurde ein drittes, nunmehr röm. G. geschaffen. Die Grenze zw. den beiden Prov. bildete der Vinxtbach südl. von Remagen. *G. inferior* umschließt nahezu ausschließlich, *G. superior* zu großen Teilen gall. Gebiete, jedoch ist die Zuweisung von Territorien im Westen an beide G. teilweise umstritten. Hauptstädte sind → Colonia Agrippinensis und → Mogontiacum. Jede der beiden Prov. unterstand in der hohen Kaiserzeit einem *legatus Augusti pro praetore* mit konsularischem Rang, dem das mil. Kommando und die Zivilverwaltung oblagen. Die Finanzverwaltung wurde von einem equestrischen *procurator provinciae Belgicae utriusque Germaniae*, der in → Augusta [6] Treverorum residierte, wahrgenommen. In beiden Prov. bestanden Gebietskörperschaften unterschiedlicher Form wie *coloniae, municipia* oder *civitates* bzw. es wurden solche im Verlauf der Zeit gegründet.

Um die Mitte des 2. Jh. erfolgten neue Angriffe aus dem Gebiet der G. *magna* auf die röm. Reichsgrenzen, jedoch blieben die beiden german. Prov. hiervon noch weitgehend verschont. Einfälle der → Alamanni im Verlauf des 3. Jh., deren Rom sich durch mil. Säuberungsaktionen des Vorfeldes zu erwehren suchte, führten zur Aufgabe des Limes und des röm. Gebietes rechts des Rheins um die Mitte des Jh. Obgleich dies keinen vollständigen Kontinuitätsbruch zur Folge hatte, ist ein wirtschaftlicher und zivilisatorischer Niedergang nicht nur in den ehemals rechtsrheinischen Gebieten des Imperiums unverkennbar. In dieser Zeit drangen auch → Franci an Mittel- und Niederrhein in röm. Prov.-

Gebiet vor. Beide Prov. waren dann Teile des sog. Gall. Sonderreiches. Im Zuge der Stabilisierungsmaßnahmen des → Diocletianus wurden die german. Prov. in kleinere Einheiten geteilt. Im Verlauf des 4. Jh. griff Rom gelegentlich wieder in rechtsrheinisches Gebiet aus, jedoch blieb der territoriale Gewinn auf Brückenköpfe beschränkt. Zu Anf. des 5. Jh. erfolgten weitere schwere Einfälle von german. Stämmen, die das Ende der Römerherrschaft einläuteten.

Während im 1. Jh. zunächst v. a. das röm. Militär die maßgebliche Antriebskraft für wirtschaftliche, zivilisatorische und kulturelle Veränderungen war, kam ab dem Ende dieses Jh. auch ein teilweise davon unabhängiger ziviler Prozeß in Gang, der zur Blütezeit der german. Prov. Roms im 2. und frühen 3. Jh. führte. Hiervon zeugen eine rege Bautätigkeit, wirtschaftliche Produktivität, verbunden mit einem weitreichenden Handel, Kunstschaffen und eine Fülle von beschrifteten und unbeschrifteten Denkmälern jeglicher Art. Aber auch nach dieser Zeit behalten insbes. die linksrheinischen Städte weiterhin ihre frühere Bed. Akkulturierungsprozesse führten auch in den german. Prov. zu einer gallo-röm. Mischkultur, die ihre eigentümliche Identität teilweise bis über die Spätant. hinaus bewahrte.

QUELLEN: H.-W. GOETZ, K.-W. WELWEI (Hrsg.), Altes G., 1995 · J. HERRMANN (Hrsg.), Griech. und lat. Quellen zur Frühgesch. Mitteleuropas bis zur Mitte des 1. Jt. u. Z. (Schriften und Quellen der Alten Welt 37, 1–4), 1988–1992 · A. RIESE, Das röm. G. in den ant. Inschr., 1914.
FORSCH.-BER.: M.-TH. RAEPSAET-CHARLIER, G. RAEPSAET-CHARLIER, Gallia Belgica et G. Inferior, in: ANRW II 4, 11–299 · CH.-M. TERNES, Die Prov. G. Superior im Bilde der jüngeren Forsch., in: ANRW II 5.2, 726–1260.
LIT. ZU A.: A. A. LUND, Zum Germanenbild der Römer, 1990 · G. NEUMANN, H. SEEMANN (Hrsg.), Beitr. zum Verständnis der Germania des Tacitus, Teil II (AAWG 3. F. Nr. 195), 1992 · D. TIMPE, Geogr. Faktoren und polit. Entscheidungen in der Gesch. der Varuszeit, in: R. WIEGELS, W. WOESLER (Hrsg.), Arminius und die Varusschlacht, 1995, 13–28.
LIT. ZU B. UND C.: D. BAATZ, F.-R. HERRMANN (Hrsg.), Die Römer in Hessen, ²1989 · A. BECKER, Rom und die Chatten (Quellen und Forsch. hess. Gesch. 88), 1992 · H. CÜPPERS (Hrsg.), Die Römer in Rheinland-Pfalz, 1990 · W. CZYSK, K. DIETZ, TH. FISCHER, H.-J. KELLNER (Hrsg.), Die Römer in Bayern, 1995 · R. FELLMANN, La Suisse gallo-romaine, 1992 · PH. FILTZINGER, D. PLANCK, B. CÄMMERER (Hrsg.), Die Römer in Baden-Württemberg, ³1986 · H. G. HORN (Hrsg.), Die Römer in Nordrhein-Westfalen, 1987 · J.-S. KÜHLBORN (Hrsg.), Germaniam pacavi, 1995 · G. A. LEHMANN, Das Ende der röm. Herrschaft über das »westelbische« G., in: ZPE 86, 1991, 79–96 · H. NESSELHAUF, Die spätröm. Verwaltung der gall.-german. Länder, 1938 · M. L. OKUN, The Early Roman Frontier in the Upper Rhine Area, 1989 · B. TRIER (Hrsg.), Die röm. Okkupation nördl. der Alpen. Kolloquium Bergkamen 1989 (Bodenaltertümer Westfalens 26), 1991 · C. RÜGER, Germany, in: CAH X², 1996, 517–534 · H. SCHÖNBERGER, Die röm. Truppenlager der

frühen und mittleren Kaiserzeit zw. Nordsee und Inn, in: BRGK 66, 1985, 321–497 · K. E. STROHEKER, Germanentum und Spätant., 1965 · D. TIMPE, Arminius-Studien, 1970 · Ders., Der Triumph des Germanicus (Antiquitas 1,16), 1968 · W. A. VAN ES, De Romeinen in Nederland, ³1981 · G. WALSER, Caesar und die Germanen (Historia Einzelschr. 1), 1956 · C. M. WELLS, The German Policy of Augustus, 1972 · K.-W. WELWEI, Röm. Weltherrschaftsideologie und augusteische Germanienpolitik, in: Gymnasium 93, 1986, 118–137 · R. WIEGELS, Rom und Germanien in augusteischer und frühtiberischer Zeit, in: W. SCHLÜTER (Hrsg.), Kalkriese – Römer im Osnabrücker Land, Arch. Forsch. zur Varusschlacht, ³1994, 231–265 · R. WOLTERS, Röm. Eroberung und Herrschaftsorganisation in Gallien und G. (Bochumer hist. Stud., Alte Gesch. 8), 1990.   R. A. WI.

III. RELIGION

Ant. Quellen überliefern wenig über die Rel. der G.: ein kurzer Bericht Strabons über Menschenopfer bei den → Cimbri und → Teutoni (Strab. 7,294); die wichtigsten Zeugnisse finden sich bei Caesar und Tacitus. Caesar zeichnet das Bild einer primitiven Natur-Rel., die sich insbesondere auf die Verehrung der Gestirne und des Feuers erstreckt (Gall. 6,21). Anders nennt Tacitus Götter mit röm. (Mercurius, Hercules, Mars und Isis) und german. Namen (z. B. Tuisto, → Nerthus, → Tamfana, Baduhenna), die die G. ohne Sakralbauten und Kultbildnisse in Hainen verehrten (Germ. 2; 9; 40; ann. 1,51; 4,73). Während Caesar ihre Existenz verneint, erwähnt Tacitus an mehreren Stellen Priester und Priesterinnen, die auch Menschenopfer vollziehen (Germ. 7; 8; 10; 11; 43). Beide Autoren sind nicht frei von negativen und positiven Vorurteilen über die Rel. primitiver Völker; bes. Tacitus will die überlegene Würde der Bildlosigkeit und der hl. Haine der G. herausstellen [1. 452–453]. Neuere arch. Funde zeigen, daß die G. sowohl primitive, z. T. anthropomorphe Kultbildnisse als auch kleinere Kultgebäude kannten, wobei die meisten Kulthandlungen offenbar in hl. Hainen stattfanden. Auch legen u. a. Moorfunde Menschenopfer nahe. Aus den seit ca. Mitte des 2. Jh. n. Chr. bezeugten german. Götternamen und deren Gleichsetzung mit röm. Göttern ergibt sich ein differenzierter german. Götterhimmel mit einem höchsten Himmelsgott (Wodanaz/Mercurius), einem Kriegsgott (Tiwaz/Mars), einem Wettergott (Thor/Iuppiter/Hercules) und Fruchtbarkeitsgöttinnen wie Frîja/Isis. Außerdem gab es zahlreiche lokal verehrte Stammesgottheiten.

Zeugnisse der Rel. in den röm. Rheinprovinzen sind in erster Linie inschr. und arch. Natur. Wir kennen aus Germania superior ca. 1400 und aus Germania inferior ca. 1600 Weihinschr., von denen die meisten ca. 150–240 n. Chr. gestiftet wurden. Im Rahmen der Romanisierung entwickelte sich hier spätestens seit dem 2. Jh. n. Chr. durch einen Prozeß der gegenseitigen Beeinflussung (→ interpretatio) eine eigene regionale Rel., da die provinziale Mischbevölkerung am Rhein durch zahlreiche Umsiedlungsaktionen und Zuzüge bes. von Soldaten kaum noch auf einheitliche Traditionen zu-

rückgreifen konnte. So entstand aufgrund röm., kelt. und german. Religionsvorstellungen ein System mit neuen Gottheiten wie z. B. den → Matres oder Matronae, die vor allem in der Germania inferior verehrt wurden, und Weihedenkmälern wie den Iuppiter(Giganten)-Säulen, die ihren Verbreitungsschwerpunkt in der Germania superior haben. Die röm. Rel. blieb in Kaiser- und Heeres-Rel. bestehen. Außerdem gab es zahlreiche oriental. Kulte, die durch röm. Vermittlung nach Germanien gelangt waren. Das Christentum konnte sich spät, im 6./7. Jh. n. Chr. völlig durchsetzen, die german. Rel. im nichtröm. Teil Germaniens fand erst durch die Sachsenmission Karls d. Gr. ein Ende. Die Erforschung der Rel. der G. war seit der ›Deutschen Mythologie‹ von J. GRIMM (1835) nie frei von nationalistischen Tendenzen, die ihren Höhepunkt im Nationalsozialismus fanden.

→ Germanische Archäologie; Germanische Sprachen

1 D. TIMPE, Tacitus' Germania als rel.gesch. Quelle, in: H. BECK, D. ELLMERS, K. SCHIER (Hrsg.), German. Rel.gesch. Quellen und Quellenprobleme 1992, 434–485 2 H. BECK, D. ELLMERS, K. SCHIER, (Hrsg.) German. Rel.gesch. Quellen und Quellenprobleme, 1992 3 F. DREXEL, Die Götterverehrung im röm. Germanien, in: BRGK 14, 1923, 1–68 4 W. SPICKERMANN, Götter und Kulte in Germanien zur Römerzeit, in: G. FRANZIUS (Hrsg.), Aspekte röm.-german. Beziehungen in der frühen Kaiserzeit, 1995, 119–154 5 B. H. STOLTE, Die rel. Verhältnisse in Niedergermanien, in: ANRW II 18.1, 591–671.   W. SP.

[2] Linksrheinische G. Von Caesar wird eine Gruppe von Ethnien zw. Rhein und Maas als G. *cis Rhenum* (Gall. 2,3,4), *cisrhenani* G. (Gall. 6,2,3) und G. *citra Rhenum* (Gall. 6,32,1) bezeichnet. Zu ihnen zählen → Condrusi, → Eburones, Caerosi, Paemani und → Segni (Caes. Gall. 2,4,10; 6,32,1). Dieser Stammesbund wird bei Caesar von anderen G. links des Rheins geschieden. Seine Mitglieder waren zugleich in den Gesamtverband der → Belgae integriert, z. T. aber auch von anderen Stämmen abhängig (Gall. 2,3,4; 4,6,4). Mit der Vernichtung der Eburones durch Caesar wurde der Stammesbund offenbar zerschlagen (Gall. 6,34,8). An seiner Stelle erscheinen westl. der → Ubii u. a. die Sunuci und → Tungri (Plin. nat. 4,106), ohne daß sich die Gebietsgrenzen decken. Als linksrheinische Gegner des Drusus waren diese G. aber wohl noch bei Livius (per. 139) genannt. Nach Tacitus (Germ. 2,2 f.) soll von ihnen der Germanenname ausgegangen sein. Unter den Ethnien der frühen Kaiserzeit sind diese G. nicht mehr zu finden. Offenbar sind sie in den kaiserzeitlichen *civitates* aufgegangen. Heute werden unter G. *cisrhenani* häufig alle im nördl. Gallien siedelnden G. zusammengefaßt. Damit werden die von Caesar vorgenommenen Zuschreibungen zugunsten einer allgemeineren Verwendung von Name und Begriff aufgegeben.

1 H. V. PETRIKOVITS, Germani Cisrhenani, in: Germanenprobleme in heutiger Sicht, 1986, 88–106

2 G. NEUMANN, Germani cisrhenani. Die Aussagen der Namen, in: Ebd., 107–129 **3** D. TIMPE, Der Namensatz der taciteischen Germania, in: Chiron 23, 1993, 323–352.

R.A. WI.

[3] Iberische G. Nach Plin. nat. 3,25 (vgl. Pol. 3,33,9: Ὀρῆτες Ἴβηρες) waren die G. eine Untergliederung der iber. Oretani; auch heißt nach Ptol. 2,6,58 eine Stadt der G. *Óréton Germanōn* (Ὤρητον Γερμανῶν). Im allg. denkt man h. nur an eine zufällige Übereinstimmung des Namens mit dem der G. des Nordens [1. 545]. Es ist aber auffallend, daß auf einem Stein von Lugo (= Lucus Augusti am Miño) eine *dea Poemana* nachgewiesen ist (CIL II 2573), die Paemani aber nach Caes. Gall. 2,4,10 einer der vier Stämme der german. Belgae waren. Ferner könnten die span. Cempsi trotz ihrer Bezeichnung als Kelten identisch sein mit den *Kampsianoí* (Καμψιανοί), die Strabon (7,1,3) als german. Stamm bezeichnet. So ist es doch nicht unwahrscheinlich, daß einzelne german. Volkssplitter mit den Kelten nach Spanien gelangt sind [2. I 104; III 47; VI 201; VIII 258].

1 R. MUCH, s. v. G., RE Suppl. 3, 545   **2** A. SCHULTEN, Fontes Hispaniae Antiquae, 1925 ff.

P.B.

Germania libera s. Germanische Archäologie

Germanianus

[1] Decimius G. Unter Constantius II. war er *consularis* der Provinz Baetica (CIL II 2206), 361 n. Chr. zeitweise *praefectus praetorio Galliarum* anstelle von Nebridius, der Iulianus die Gefolgschaft verweigert hatte, dann erneut 363–366 (Amm. 21,8,1; 26,5,5). PLRE 1, 392 (G. 4).

[2] *Comes sacrarum largitionum* am Hof des Valentinianus I. 366–368 n. Chr. (Cod. Theod. 7,7,1; Cod. Iust. 11,62,3) und wohl auch für die *res privata* zuständig (nur drei der an ihn gerichteten Gesetze betreffen die *largitiones*, der Rest die *res privata*). PLRE 1, 391 (G. 1).

→ Comes, comites

K. G.-A.

Germanicus

[1] Beiname, den der Senat erstmals an Nero → Claudius [II 24] Drusus posthum im J. 9 v. Chr. wegen seiner Siege über Germanen verlieh; von seinen Nachkommen G. [2], Caligula, Claudius, Nero übernommen. Vitellius gab den Namen seinem Sohn. Seit Domitianus wieder durch den Senat für Siege über Germanen beschlossen, für Nerva, Traianus, Marcus Aurelius. Die Potenzierung G. maximus findet sich von Commodus bis zu Gratianus.

P. KNEISSL, Die Siegestitulatur der röm. Kaiser, 1969, passim, bes. 246 f.

W. E.

[2] Sohn von → Claudius [II 24] und → Antonia [4]. Geb. 24. Mai 15 v. Chr., wohl in Rom. Sein Name war zuerst Nero Claudius Drusus, nach dem Tod des Vaters Nero Claudius Germanicus, seit der Adoption 4 n. Chr. Germanicus Iulius Caesar. Die Adoption erfolgte am 26. oder 27. Juni 4 n. Chr. durch Tiberius auf Veranlassung

des Augustus, um die neugeschaffene Herrschaftsform des Prinzipats auf Dauer in der *domus Augusta* zu verankern. Auf dem *campus Agrippae* wurde zur Erinnerung an den doppelten Adoptionsakt wohl noch unter Augustus die *ara Providentiae* errichtet (*SC. de Cn. Pisone patre Z.* 83 f. [7. 199 ff.]). Da Tiberius einen eigenen Sohn → Drusus [II 1] hatte, haftete dem Akt ein gewisser Zwang an; doch kam es deswegen zwischen G. und Drusus auch später nicht zu Spannungen (Tac. ann. 2,43,6). Wohl 5 n. Chr. heiratete G. Agrippina [2] d. Ä., Augustus' Enkelin, die ihm insgesamt neun Kinder gebar, von denen sechs den Vater überlebten: Nero Iulius Caesar, Drusus [II 2] Caesar, → Caligula, → Agrippina [3] d. J., Iulia Drusilla, Iulia Livilla.

Durch Senatsprivileg konnte G. die Magistraturen vor der gesetzlichen Zeit übernehmen, deshalb schon 7 n. Chr. Quaestor. Von 7–9 am Kampf gegen die aufständischen Illyrer beteiligt; Auszeichnung mit *ornamenta triumphalia*. Im J. 11 wurde er zusammen mit Tiberius nach Germanien gesandt. Ob er damals schon proconsulare Gewalt hatte, ist umstritten; spätestens im J. 13 muß er sie erhalten haben [8. 168 ff.]. Im J. 12 ordentlicher Consul während des gesamten Jahres. Anschließend wurde er nach Germanien gesandt, wo er das Oberkommando über zwei Heere und zwei consulare *legati Augusti* hatte. Noch im J. 13 oder Anf. 14 als *imperator* akklamiert; er hatte also ein eigenes *imperium* [3. 56 ff.]. Beim Tod des Augustus hielt sich G. in der Belgica auf, um einen *census* durchzuführen; auf die Nachricht von der Meuterei der niedergerman. Legionen kehrte er an den Rhein zurück. Die Situation war besonders gefährlich, weil die Meuternden G. einen Putsch gegen Tiberius anboten, was G. aus Überzeugung zurückwies. Bei Tiberius könnte jedoch ein gewisses Mißtrauen weiter bestanden haben. Durch finanzielle Konzessionen und durch Entlassung altgedienter Soldaten konnte G. eine Beruhigung erreichen; aber erst der Abzug Agrippinas nach Trier brach angeblich den Widerstand (Tac. ann. 1,31 ff.).

Noch im J. 14 wurde das *imperium proconsulare* für G. durch den Senat erneuert; er zog gegen rechtsrheinische Germanen, ebenso im J. 15; dabei ließ G. die Überreste der Legionen des Varus bestatten. Es gelang die Befreiung des von → Arminius belagerten Segestes, aber insgesamt kein Erfolg gegen die Cherusker. Der Triumph, der für G. im J. 15 beschlossen wurde, galt dem Sieg im J. 13 od. 14 [3. 56 ff.]. Im J. 16 zog er erneut gegen die Cherusker; die Schlacht bei Idistaviso brachte trotz Sieg keine Entscheidung. Im Winter 16/7 kehrte G. endlich nach Rom zurück; am 26. Mai 17 feierte er den Triumph in Rom über Cherusker, Chatten, Angrivarier und alle Völker bis zur Elbe (Tac. ann. 2, 41, 2; tab. Siarensis fr. a 12 ff.; [6. 515]). Ein Bogen für die Rückgewinnung eines Adlers aus der Varusschlacht war bereits im J. 16 für Tiberius und Germanicus nahe dem Saturntempel errichtet worden; Münzen mit Verweis auf diesen Erfolg wurden erst nach dem Tod des Tiberius geprägt.

In Rom soll G. damals als das Gegenbild zu Tiberius erschienen sein: ein junger, allseits beliebter »Prinz«, der die Emotionen der Massen für sich gewinnen konnte. Deshalb soll Tiberius den Plan entwickelt haben, G. aus Rom zu entfernen. Ihm wurden durch Senatsbeschluß die *transmarinae provinciae*, d. h. die Provinzen östlich der Adria oder östlich des Hellespont, zugewiesen, da dort eine neue Ordnung zu schaffen war, »die die Anwesenheit des *princeps* oder eines seiner beiden Söhne« notwendig machte (*SC de Cn. Pisone* Z. 31f.). Die Probleme waren insbesondere durch den Tod des kappadokischen Königs im J. 17 entstanden, dessen Reich Tiberius als Provinz einzog; zudem mußten Schwierigkeiten mit den Parthern um Armenien geklärt werden. G. erhielt durch Volksbeschluß ein *imperium*, das nach dem *SC de Cn. Pisone* Z. 33 ff. allen Proconsuln, nach Tac. ann. 2,43,1 allen Statthaltern übergeordnet war (*imperium maius*). Dabei sollte freilich das *imperium* des Tiberius stets dem des G. übergeordnet sein; das war wohl die Reaktion auf das Verhalten von G. in Germanien, als er gegen die Ratschläge des Tiberius Feldzüge gegen die Germanen unternahm.

Als G.' *adiutor* wurde Cn. → Calpurnius [II 16] Piso bestimmt, der wohl durch die *mandata* des Tiberius die alleinige Verfügungsgewalt über die Truppen in Syrien behielt. Noch im Herbst 17 brach G. zusammen mit Agrippina und einigen seiner Kindern nach dem Osten auf. Seinen zweiten Consulat, den er zusammen mit Tiberius bekleidete, trat er am 1. Jan. 18 in Nikopolis in Epirus an. In langsamer Reise über Ilion und Rhodos traf er im Frühsommer in Syrien ein und wandte sich sogleich nach Armenien, wo er Artaxias als neuen König einsetzte. Bei seiner Rückkehr nach Syrien im Spätsommer 18 kam es schon zum Konflikt mit Piso, der durch Personen in beider Umgebung verschärft wurde. Im Frühjahr 19 reiste er nach Ägypten, wofür er von Tiberius heftig zurechtgewiesen wurde, da das Verbot, Ägypten ohne Einwilligung des *princeps* zu betreten, auch für G. gegolten habe. Bei der Bevölkerung Alexandrias gewann er große Zuneigung, weil er wegen einer Hungersnot staatliches Getreide auf den Markt brachte. Seine Reise führte ihn bis nach Elephantine; im Hochsommer kehrte er nach Syrien zurück. Dort kam es zum offenen Konflikt mit Piso, dessen Rechte G. offensichtlich ohne Erlaubnis stark einschränkte. Als G. im Frühherbst in Antiocheia erkrankte, kündigte er Piso die *amicitia* (*SC de Cn. Pisone* Z. 27 ff.). Kurze Zeit später starb G. am 10. Okt. 19, angeblich durch Gift und Magie. Vor seinem Tod hat G. selbst noch Piso für seinen Tod verantwortlich gemacht. Der Leichnam wurde auf dem Forum in Antiocheia verbrannt, die Asche brachte Agrippina im Winter 19/20 zu Schiff nach Italien zurück. Im Jan./Feb. 20 wurde G. im Mausoleum Augusti beigesetzt. Die stadtröm. Bevölkerung war bei der Nachricht vom Tod des G. in eine tiefgehende Erregung geraten, die bis in den April 20 anhielt. Senat und Volk beschlossen Ehrungen, ähnlich wie schon für Gaius und Lucius Caesar: Sie sind in der *tabula Siarensis*

und der *tabula Hebana* erhalten [6. 507ff.]. Der Prozeß gegen den angeblichen Mörder Cn. Piso fand erst am 10. Dez. 20 sein Ende; der abschließende Senatsbeschluß wurde in Rom, in allen Provinzhauptstädten und allen Legionslagern publiziert, um zu zeigen, wie der Senat über Germanicus und Piso geurteilt habe. Das *SC* ist in der Provinz Baetica in sechs Kopien gefunden worden [7].

G. als Schriftsteller: Er verfaßte 725 Hexameter unter dem Titel *Claudi Caesaris Arati Phaenomena*, eine Nachdichtung des → Aratos [4], s. [5].

MÜNZEN: RIC I² 110ff.
PORTRÄTS: FITTSCHEN-ZANKER Katalog I Nr. 23 ff.
ED.: Les Phénomènes d'Aratos, hrsg. LE BOEUFFLE (Coll. Budé), 1975.
LIT.: 1 PIR² J 221 2 D. G. WEINGÄRTNER, Die Ägyptenreise des Germanicus, 1969 3 R. SYME, History in Ovid, 1978 4 G. BONAMANTE, M. P. SEGOLONI (Hrsg.), Germanico, 1987 5 C. SANTINI, L'astronomia e Germanico nell' Antologia Palatina, 1991 6 M. CRAWFORD (Hrsg.), Roman Statutes, Bd. 1, 1996, 507ff. 7 W. ECK, A. CABALLOS, F. FERNÁNDEZ, Das s.c. de Cn. Pisone patre, 1996 8 F. HURLET, Les collègues du prince sous Auguste Tibère, 1997, 163–208.   W.E.

Germanikeia (Γερμανίκεια). Von Ptol. 5,14,8 sowie in röm. Itinerarien und spätant. Bischofslisten erwähnte Stadt (h. Maraş) in der nordsyr. Landschaft → Kommagene. Ihr Name (auf Mz. Καισαρεία Γερμανική) bezeugt den Dank des kommagenischen Königs → Antiochos [18] IV. an die Kaiser Caligula oder Claudius, die 38 bzw. 41 n. Chr. die einheimische Dyn. wieder als Herrscher über das 17 n. Chr. zur Provinz Syria geschlagene Königreich Kommagene einsetzten. Die Stadt war von Bed. in den byz.-arab. Kriegen um die Taurosgrenze, da von ihr zwei Paßstraßen in das anatolische Hochland führten.

D. FRENCH, Commagene, in: Asia Minor Studien 3, 1991, 11–19 • F. HILD, Das byz. Straßensystem in Kappadokien, 1977, 126ff., 137ff.   J. WA.

Germanikopolis (Γερμανικόπολις, Hierokles, Synekdemos 710,2). Stadt in Isaurien, h. Ermenek, 67 km nördl. von → Anemurion, vermutlich von → Antiochos [18] IV. von Kommagene gegr. [1. 960f.]. G. spielte eine führende Rolle in den Isaurierkriegen des 4. Jh. n. Chr. (Amm. 27,9,7). Seit Mitte des 5. Jh. ist G. als Bistum belegt. Teile einer Nekropole sind im Norden der modernen Stadt erh. [2].

1 D. STIERNON, L. STIERNON, s. v. Germanicopolis, DHGE 20, 1984, 960–964 2 H. HELLENKEMPER, F. HILD, s. v. G., TIB 5, 1990.   K.T.

Germanische Archäologie
A. ALLGEMEINES B. VORRÖMISCHE EISENZEIT
C. RÖMISCHE KAISERZEIT
D. VÖLKERWANDERUNGSZEIT

A. ALLGEMEINES

Die G. A. versucht, unter Heranziehung arch. Quellen und Methoden die Herausbildung, Entwicklung und Gliederung der Stämme bzw. Völkerschaften der → Germani zu erforschen [5; 7; 8]. Dadurch können die histor. und sprachgesch. Angaben zu den Germanen ergänzt und erweitert werden. Zwei Aspekte stehen derzeit im Mittelpunkt der G. A.: a) die Herausbildung der Germanen in der nachrichtenlosen vorröm. Zeit; b) die Auswertung arch. Quellen zum Siedlungswesen, der Alltagskultur, der Wirtschaft, dem Totenkult usw., um diese in den histor. und sprachlichen Quellen z. T. falsch, lückenhaft oder gar nicht erfaßten Bereiche zu erforschen.

Die G. A. knüpft dabei immer wieder bei den histor. Germanen an, um das arch. Quellenmaterial (v. a. Gräberfelder und Siedlungsplätze, aber auch Opfer- und Hortfunde) untersuchen zu können. Für die vorröm. Eisenzeit wird häufig von Kontinuitäten in der Nutzung von Siedlungen, Gräberfeldern und ganzen Siedlungsräumen ausgegangen. Es ist umstritten, wie verläßlich dieser Weg ist und v. a. auch, wie weit er zeitlich zurückverfolgt werden darf [1; 5; 8]. Es ist auch nicht belegbar, daß arch. Gruppierungen ohne weiteres mit ethnischen Einheiten gleichgesetzt werden können. Das arch. Bild der Germanen wird zusätzlich auch durch → Moorleichenfunde ergänzt. Für chronologische Einbindungen steht der G. A. vielfach der Bezug zu den Kelten und v. a. Rom zur Verfügung.

Die G. A. hat eine lange forschungsgesch. Tradition, da schon früh die Trennung und Charakterisierung der Germanen im arch. Fundgut – oft im Gegensatz zu Kelten und Römern – gesucht wurde. Im Dritten Reich wurde die G. A. sehr ideologisiert und diente einer weit zurückgreifenden Germanisierungsthese [2. 298–320; 6].

B. VORRÖMISCHE EISENZEIT

Im Zentrum der Diskussion um die arch. Wurzeln der Germanen steht die → Jastorf-Kultur, die in der 2. H. des letzten vorchristl. Jt. den weiten Bereich von westl. der Elbe bis zur Oder und vom Rand der Mittelgebirge bis nach Jütland umfaßt (vgl. Karte) [5. Bd. 1, 86–202; 6; 7. 131–158]. Arch. Gemeinsamkeiten im Fundgut, v. a. der Keramik, der bes. Nadel-, Fibel- und Halsringformen sowie von Gürtelteilen usw., das meist aus größeren Flachgräberfeldern mit Brandgräbern (oft in Urnen mit Steinschutz) stammt, lassen die Zuweisung zu mehreren Regionalgruppen zu. Auch die arch. abtrennbare → »Nienburger Gruppe« im linkselbischen NW-Deutschland muß in den Kreis dieser stark bäuerlich geprägten Kulturgruppen einbezogen werden, in denen Belegungskontinuitäten der Gräberfelder (oft mit mehreren hundert Gräbern) und Siedlungstraditionen in die Zeiten der histor. belegten Germanen festzustellen sind. Ob und in welchem Umfang diese Traditionen und Gemeinsamkeiten auf ethnische Einheit hindeuten, die von ihren Trägern auch so empfunden und als »Germanen« benannt wurde, bleibt ungewiß [1; 4].

Die Jastorf-Kultur stand über Jh. in vielfältigen (Handels-)Kontakten mit der kelt. Welt des südl. Mitteleuropas, wie zahllose Funde belegen [5. Bd. 1, 241–263]. Gegen E. des 2. und im 1. Jh. v. Chr. kommt es – letztlich aus unbekannten Gründen – zu Südbewegungen größerer Gruppen (→ Cimbri und → Teutoni, → Suebi des → Ariovistus usw.), die sich auch in den ersten histor. Nachrichten niederschlagen, welche die Bezeichnung Germani erstmals nennen. Weitere Vorstöße bleiben unerwähnt, sie finden aber ihren arch. Niederschlag für das letzte Jh. v. Chr. in Südbayern, Böhmen oder in der Wetterau [10. 183–202].

C. RÖMISCHE KAISERZEIT

Die in den Vorstößen sich abzeichnenden Aktivitäten bringen u. a. eine Ausweitung der Jastorf-Kultur mit sich und führen zugleich auch zu einer weiteren Differenzierung der arch. Gruppen um Christi Geburt [7. 157–177; 8]. Es sind v. a. wieder die Grabfunde, die zum einen den Übergang von der Jastorf-Kultur zur elbgerman. Gruppe belegen und auch die jeweiligen Besonderheiten der anderen german. Gruppen aufzeigen. Unterschiedliche Formen der Brandgrabsitte, des Beigabenreichtums bzw. der Beigabenzusammensetzung, der Keramik und Schmucktypen (→ Fibeln usw.) sind die wichtigsten Kriterien.

Westl. der zentral verbreiteten und arch. am stärksten vertretenen Elbgermanen (vgl. Karte) lassen sich die Nordsee-Germanen und die Rhein-Weser-Germanen arch. fassen, östl. sind es die Oder-, Oder-Mündungs- und Weichsel-Germanen sowie in Skandinavien die Nord-Germanen. Inwieweit diese Gruppierungen mit weiteren Differenzierungen von histor. benannten Stämmen in Einklang zu bringen sind, wird unterschiedlich beurteilt [7; 8; 9].

Der Zeitraum vom 1. bis 3. Jh. n. Chr. ist unterschiedlich intensiv durch die ständige Nachbarschaft mit dem Röm. Reich geprägt. Um die Zeitenwende finden Offensiven gegen Germanien statt, die letztlich zur Gründung der beiden German. Provinzen und zur Anlage des → Limes führen; es wird aber nur unwesentlich in das eigentlich german. Gebiet eingegriffen. Die Kontakte durch → Handel, → Söldner usw. prägen das arch. Bild der verschiedenen german. Gruppen stark. Reiche Importe an Luxusgütern, die Übernahme von Techniken und Lebensweisen spiegeln sich in den Grabfunden der *Germania libera* in Form von → »Fürstengräbern« oder auch reichen → Hortfunden (z. B. Hildesheimer Silberschatz) [7]. An Hand dieser Importe konnte H. J. EGGERS auch das allg. gebräuchliche arch. Gliederungsmodell der Kaiserzeit im »Freien Germanien« in vier bzw. fünf Stufen herausarbeiten [3]. Im 3. Jh. n. Chr. läßt sich im arch. Befund die Bildung größerer kultureller Einheiten erkennen.

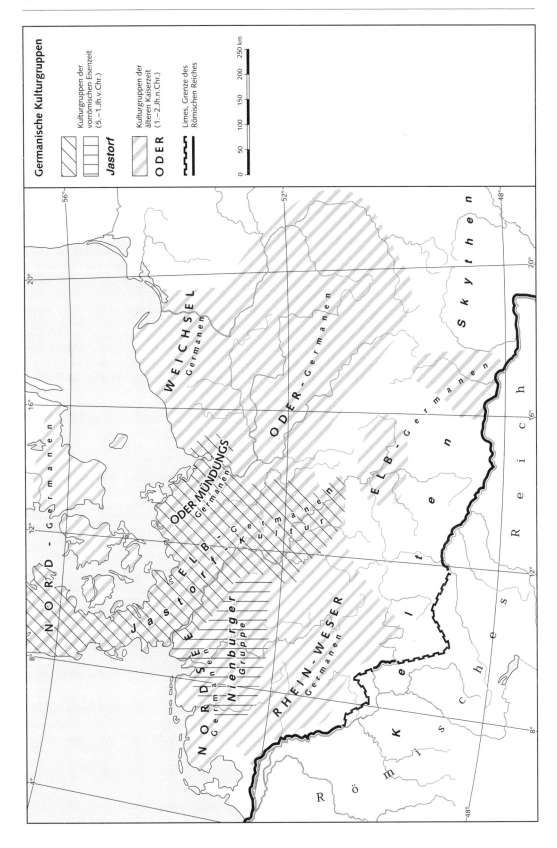

D. VÖLKERWANDERUNGSZEIT

Die Gründe für die Konzentrationen der arch. Gruppen im 3./4. Jh. n. Chr. sind im einzelnen unklar, doch werden immer wieder Zusammenhänge mit den einsetzenden → Völkerwanderungen genannt, die letztlich das Ende des Röm. Reiches in Germanien besiegeln und das Geschehen im 4./5. Jh. in Europa bestimmen. Völkerschaften, wie die → Alamanni, → Franci, → Goti, → Saxones usw. tauchen hier erstmals – auch arch. faßbar – auf [5. Bd. 2, 336–631; 7]. Gemeinsamen arch. Zügen, wie z. B. Reihengräberfriedhöfen, stehen verschiedenartige Keramiken, Grabausstattungen, Bewaffnungen usw. gegenüber, die allerdings nur bedingt die Wanderbewegungen der einzelnen Stammesverbände arch. verfolgen lassen.

→ Germani; Keltische Archäologie; Schmuck; Siedlungskontinuität

1 H. AMENT, Der Rhein und die Ethnogenese der Germanen, in: PrZ 59, 1984, 37–47 2 H. BECK (Hrsg.), Germanenprobleme in heutiger Sicht, 1986 3 H. J. EGGERS, Zur absoluten Chronologie der röm. Kaiserzeit im freien Germanien, in: ANRW II 5, 3–64 4 R. HACHMANN, G. KOSSACK, H. KUHN, Völker zw. Germanen und Kelten, 1962 5 B. KRÜGER (Hrsg.), Die Germanen: Gesch. und Kultur der german. Stämme in Mitteleuropa, Bde. 1–2, ⁵1986–1988 6 W. KÜNNEMANN, Jastorf: Gesch. und Inhalt eines arch. Kulturbegriffs, in: Die Kunde N. F. 46, 1995, 61–122 7 W. MENGHIN, Kelten, Römer und Germanen: Arch. und Gesch., 1980 8 G. MILDENBERGER, Sozial- und Kulturgesch. der Germanen, 1972 9 K. MOTYKOVA, Die ältere röm. Kaiserzeit in Böhmen, in: ANRW II 5, 143–199 10 S. RIECKHOFF, Süddeutschland im Spannungsfeld von Kelten, Germanen und Römern, 1995.

KARTEN-LIT.: H. JANKUHN, Siedlung, Wirtschaft und Gesellschaftsordnung der germ. Stämme in der Zeit der röm. Angriffskriege, ANRW II 5, 65–126, Abb. 5 · B. KRÜGER (Hrsg.), Die Germanen: Gesch. und Kultur der german. Stämme in Mitteleuropa, Bd. 1, ⁵1986, 86–105, 191–240 · G. MILDENBERGER, Sozial- und Kulturgesch. der Germanen, 1972, Abb. 1 und 2.   V. P.

Germanische Sprachen.

Aus den german. Einzelsprachen läßt sich mit Hilfe der Rekonstruktion das Urgerman. erschließen. Es gehört, wie auch Lat. und Griech., zur Gruppe der → Kentumsprachen innerhalb der genetisch verwandten → indogermanischen Sprachen (z. B. lat. *fer-o*, griech. φέρ-ω »tragen«, got. *baír-an* »tragen, gebären«, ahd. *ber-an* »gebären«). Der Übergang zum Urgerman. als Vorstufe der german. Einzelsprachen dürfte um die Mitte des 1. Jt. v. Chr. abgeschlossen gewesen sein. Das Urgerman. (ca. 500 v. Chr. bis um Christi Geburt) unterscheidet sich von den anderen idg. Sprachen durch charakteristische sprachliche Neuerungen (v. a. German. Lautverschiebung, Akzentverschiebung auf die erste Silbe, Präteritum der schwachen Verben). Beim Urgerman. sind wir aber nicht nur auf Rekonstruktion angewiesen. Wir besitzen für diese Zeit bereits die ersten schriftlichen Belege von german. Wörtern bei ant. Autoren (z. B. bei Caesar *alces* »Elche«,

urus »Auerochs«; bei Tacitus *glesum* »Bernstein« > nhd. *Glas*; bei Plinius *ganta* »Gans«, *sapo* »Schminke« > nhd. *Seife* [1. 16]). Sehr häufig sind PN überliefert (z. B. *Chariovalda* > *Harald* [2; 4]). German. Lw. sind auch in andere Sprachen eingedrungen, v. a. in das Finnische (z. B. *rengas* »Ring«, *saippua* »Seife«) und Slawische (z. B. aksl. къnędzь »König«). Ferner finden sich german. Wörter in lat. Urkunden und Gesetzbüchern (z. B. Lex Alamannorum: ›... quod Alamanni *mortaudo* (Mord und Tod) dicunt ...‹ [3. 448]). Die german. Einzelsprachen haben ihrerseits im Laufe ihrer Entwicklung zahlreiche Lw. aus dem Lat. (z. B. dt. *Kiste* aus *cista*; dt. *Pfund*, engl. *pound* aus *pondus*) und Griech. (z. B. *Pfingsten* aus πεντηκοστή »fünfzigster [Tag nach Ostern]«; oft über lat. Vermittlung) übernommen [1. 9–30]. Eingeteilt werden die german. Sprachen in drei Untergruppen: Nordgerman. (Isländ., Norweg., Dän., Schwed. und ihre älteren Sprachstufen); Westgerman. (Engl., Hoch- und Niederdt., Fries. mit ihren älteren Stufen sowie Altsächs.); Ostgerman. (→ Gotisch, Krimgot.). Die Ausbildung der german. Einzelsprachen erfolgt in der ersten Hälfte des ersten nachchristl. Jt. Die frühesten spracheigenen Zeugnisse sind die Runeninschriften (→ Runen). Got. Sprachdenkmäler stammen aus dem 4. Jh. n. Chr. (Bibelübers. des → Ulfilas, aufgezeichnet in der → gotischen Schrift). Das Krimgot. ist nur aus einer Wortliste aus dem 16. Jh. n. Chr. bekannt (z. B. *schlipen*: *dormire*; *waghen*: *currus*). Nordische Zeugnisse seit dem 3. Jh. n. Chr. (sog. Früh-Runennord.). Westgerman.: Engl. ab 7. Jh.; Fries. ab 13. Jh.; Niederländ. und Niederdt. ab 8. Jh.; Hochdt. ab 8. Jh.

→ Gotisch; Gotische Schrift; Indogermanische Sprachen; Kentumsprache; Runen; Ulfilas

1 F. KLUGE, Urgermanisch, in: H. PAUL (Hrsg.), Grundriß der german. Philol. 2, ³1913 2 H. REICHERT, Lex. der altgerman. Namen, 2 Teile 1987/1990 3 R. SCHMIDT-WIEGAND, Stammesrecht und Volkssprache. Ausgewählte Aufsätze zu den Leges barbarorum, 1991 4 M. SCHÖNFELD, WB der altgerman. Personen- und Völkernamen, 1911.

H. BECK (Hrsg.), Germanenprobleme in heutiger Sicht, 1986 · Ders. (Hrsg.), German. Rest- und Trümmersprachen, 1989 · H. BIRKHAN, Germanen und Kelten bis zum Ausgang der Römerzeit, 1970 · W. BRAUNE, Althochdt. Gramm., ¹²1987 · A. HEUSLER, Altisländisches Elementarbuch, 1931 (Ndr. 1977) · H. KRAHE, W. MEID, German. Sprachwiss., 3 Bde., 1965–1969 · W. KRAUSE, Hdb. des Got., 1968 · Ders., Runen, 1970 · O. W. ROBINSON, Old English and its closest relatives. A survey of the earliest Germanic languages, 1992 · W. STREITBERG, Urgerman. Gramm., 1895 (Ndr. 1974) · J. B. VOYLES, Early Germanic grammar: pre-, proto-, and post-Germanic languages, 1992. KARTEN-LIT.: H. KRAHE, W. MEID, German. Sprachwiss., 3 Bde., 1965–1969.   S. ZI.

Germanos/-us

[1] Sohn einer Schwester des Iustinus I., Vetter des Iustinianus I., byz. General, besiegte unter Iustinus I. als

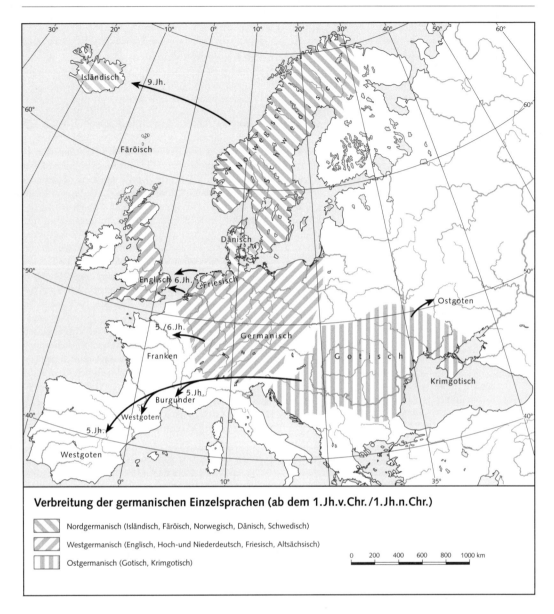

Verbreitung der germanischen Einzelsprachen (ab dem 1.Jh.v.Chr./1.Jh.n.Chr.)

Nordgermanisch (Isländisch, Färöisch, Norwegisch, Dänisch, Schwedisch)

Westgermanisch (Englisch, Hoch- und Niederdeutsch, Friesisch, Altsächsisch)

Ostgermanisch (Gotisch, Krimgotisch)

0   200   400   600   800   1000 km

magister militum per Thracias das von der unteren Donau her ins Reich eingefallene Volk der Anten. Als *patricius* und *primus magister militum praesentalis* bekämpfte er im Auftrag des Iustinianus I. 536/7 erfolgreich die Militärrevolte des Stotzas in Nordafrika. Bei einem Einsatz 540 gegen den ersten Angriff Chosroes' [5] I. nach dem »ewigen Frieden« des Jahres 532 konnte er wegen unzureichender Versorgung mit Truppen keine nennenswerten Erfolge erzielen. Aufgrund von Intrigen der Kaiserin Theodora gegen ihn (Prok. HA 5; zum romanhaften Charakter dieses Teils der HA siehe jedoch → Belisarios) fiel er danach vielleicht einige Jahre in Ungnade. Erst 548 ist von ihm wieder die Rede, im Zusammenhang mit einem Komplott gegen Iustinianus, in das er angeblich zusammen mit seinem Sohn

→ Iustinus verwickelt war; doch konnte er im folgenden Prozeß seine Unschuld glaubhaft machen. Daraufhin gab ihm Iustinianus Matasuntha, die Witwe des besiegten Gotenkönigs Witigis (gest. 542), eine Enkelin Theoderichs, zur Frau und ernannte ihn zum Oberbefehlshaber im Gotenkrieg; doch starb G. 550 noch vor der Überfahrt nach Italien.

PLRE 2, 505–507 (G. 4) · RUBIN Bd. 2, 1995, 276 (Index s. v.).   F. T.

[2] aus Iustiniana Prima, Sohn des Dorotheos, besiegte 559 n. Chr., noch in jungen Jahren, im Auftrag des Kaisers Iustinianus I., der ihn hatte erziehen lassen, die Hunnen im Bereich der thrakischen Chersonnes (PLRE 3, 528 [G. 4]).   F. T.

[3] Patriarch von Konstantinopel 715–730 n. Chr., Heiliger der orthodoxen Kirche. Das Geburtsjahr ist umstritten (angesetzt zw. ca. 630 und 670, vgl. [3. v-vii; 6. 157]). G. war möglicherweise mit der Kaiserfamilie verwandt [10] und wurde nach der Verwicklung seines Vaters in den Mord an → Constans [2] II. 668 zum Eunuchen gemacht. Er war seit 705 Bischof von → Kyzikos, unterstützte unter Kaiser Philippikos (711–713) den → Monotheletismus, nach dessen Sturz wieder die Orthodoxie. Als Patriarch geriet er in Konflikt mit Kaiser → Leon III., nach der späteren byz. Überl. wegen des 726 beginnenden Bilderstreits, tatsächlich aber wohl wegen Leons Eingriffen in die Kirchenverwaltung (sog. Transfer des Illyricums, so [8. 154]). G. mußte 730 zurücktreten und lebte danach auf seinem Landgut Platanion bei Konstantinopel. Sein Todesjahr ist unbekannt, vielleicht lebte er noch nach 746 [9. 267–281].

Die unter dem Namen des G. überl. theologischen Werke und Kirchendichtungen sind nur zum Teil authentisch. Seine anon. Vita [6. 200–240] entstand erst im 11. Jh.
→ Ikonoklasmus

ED.: **1** PG 98, 39–454.
LIT.: **2** C. GARTON, L. WESTERINK (Hrsg.), Germanos I. On Predestined Terms of Life, 1979 **3** L. G. WESTERINK, Germanos on Predestined terms of Life, 1979
4 J. DARROUZÈS, Deux textes inédits du patriarche Germain, in: REByz 45, 1987, 5–13 **5** H.-G. BECK, Kirche und theologische Lit. im byz. Reich, 1959, 473–475
6 L. LAMZA, Patriarch Germanos. I. von Konstantinopel, 1975 **7** P. SPECK, Klassizismus im achten Jahrhundert?, in: REByz 44, 1986, 209–227 **8** Ders., Die Affäre um Konstantin von Nakoleia, in: ByzZ 88, 1995, 148–154
9 Ders., Artabasdos, 1981 **10** E. STEIN, Die Abstammung des ökumenischen Patriarchen Germanus. I., in: Klio 16, 1920, 207. AL. B.

Germia (Γέρμια). Stadt am Nordrand des Dindymon in der *Galatia II*, h. Gümüşkonak (früher Yürme; anders [1]); seit 553 als Suffraganbistum, dann als Erzbistum belegt.
→ Eudoxias

1 M. WAELKENS, Germa, Germokoloneia, G., in: Byzantion 49, 1979, 447–464.

K. BELKE, G. und Eudoxias, in: W. HÖRANDNER, Byzantios. FS H. Hunger, 1984, 1–11 • BELKE, 166–168, 247 • MITCHELL II, 129. K.ST.

Germinius (Germanios). Seit 351 Bischof von Sirmium, gehörte zu den *principes Arianorum* (→ Arianismus); zusammen mit Valens von Mursa und Ursacius von Singidunum entwarf er ein Glaubensbekenntnis, das nur von der »Ähnlichkeit« (ὅμοιος, *hómoios*), nicht von der Wesensgleichheit (ὁμοούσιος, *homoúsios*) des Sohnes mit Gott-Vater sprach (4. Sirmische Formel). Die (5.) Synode von Rimini (359) belegte die Autoren mit dem Anathema (Exkommunikation). Kaiser Constantius II. erzwang daraufhin Überarbeitungen und

weitere Synoden, bis sich, nach dem Tod des G., auf der Synode von 378 in Rimini endgültig die nicaenische Richtung durchsetzte.

PL 10, 487 • PG 26, 742 • Handb. der Kg II/1 (1973), 46 • A. JÜLICHER, s. v. G., RE 7, 1262 f. • R. ROGOSIC, s. v. Sirmium, LThK², Bd. 9, 795 f. RO. F.

Germisara (CIL III 1395; Γερμίζερα Ptol. 3,8,4; vgl. *Germigera* Geogr. Rav. 4,7; *Germizera* Tab. Peut. 8,1). Röm. Kastell und Zivilsiedlung in Dacia Superior, h. Geoagiu (Rumänien). G. lag im Marisus-Tal und war administrativ von Sarmizegetusa abhängig. Ziegel der *Legio XIII Gemina* (CIL III 8065; 14h). Thermalbäder im Ort (Kult der Nymphen) und ein Steinbruch in der Nähe.

TIR L 34, 1968, 60 (Bibliogr.). J. BU.

Gerontes (γέροντες). »Älteste«, im homer. Epos nicht nur hochbetagte Beiräte eines Stadtkönigs (Hom. Il. 3,149), sondern auch ranghohe Statuspersonen (→ Basileus, I. B. Homerisch) mit Führungsfunktionen in Krieg und Frieden (Hom. Il. 2,404–408). Aus beratenden Versammlungen in frühgriech., noch vorstaatlichen Siedlungs- und Wehrgemeinschaften entwickelten sich mit den staatlichen Strukturen auch Gremien mit bestimmten Zulassungskriterien und Kompetenzen. Indiz für diesen Prozeß ist die Gerichtsszene Hom. Il. 18,497–508, in der G. einen Streit um Sühnegeld entscheiden [1; 2. 10]. Seit archa. Zeit werden etwa in Sparta Mitglieder der → *gerusía* als G. bezeichnet.

1 R. WESTBROOK, The Trial Scene in the Iliad, in: HSPh 94, 1992, 53–76 **2** K.-J. HÖLKESKAMP, Agorai bei Homer, in: W. EDER, K.-J. HÖLKESKAMP (Hrsg.), Volk und Verfassung im vorhell. Griechenland, 1997, 1–19. K.-W. WEL.

Geronthrai (Γερόνθραι). Spartan. Perioikenstadt an der Westseite des Parnon über dem Eurotastal, später im Bund der → Eleutherolakones, beim h. Geraki, noch in der Kaiserzeit bewohnt und daher sogar bei Hierokles (Synekdemos 647,9) genannt. Paus. 3,22,6 f. nennt einen Arestempel mit Hain, eine Agora mit Brunnenhaus und einen Apollontempel auf der Akropolis. Weitere Belege: Steph. Byz. s. v. Γεράνθραι; IG V 1, 1110–1141.

C. LE ROY, Inscriptions de Laconie inédites ou revues. I: Inscriptions de Géronthrai, in: Mél. G. Daux, 1974, 219–229 • A. J. B. WACE, F. W. HASLUCK, H. J. W. TILLYARD, Laconia. Geraki, in: ABSA 11, 1904/5, 91–123; 15, 1908/9, 163 f.; 16, 1909/10, 72–75; 55, 1960, 85 f. Y. L.

Gerontius
[1] Armenier, 356/7 n. Chr. besaß er sein erstes Amt in der Reichsverwaltung (Lib. epist. 538 FOERSTER), *praefectus Aegypti* 361/2. 364/5 hatte er (ohne Amt) großen Einfluß am Hof in Konstantinopolis (Lib. epist. 1484 u. a.). PLRE 1, 393 (G. 2).
[2] Befehlshaber der Stadt Tomi 384–387 n. Chr. Er ließ dort in röm. Diensten stehende Barbaren niederhauen, weil sie einen Überfall auf die Stadt geplant hätten. Des-

halb angeklagt, konnte er sich nur durch Bestechung retten (Zos. 4,40). PLRE 1, 393 f. (G. 4).

Er ist vielleicht identisch mit dem Feldherrn in Achaia (PLRE 1, 394 [G. 6]), der 395 vorsätzlich den Zug des Alaricus [2] durch Griechenland nicht behinderte.

K.G.-A.

[3] Britannier, *comes et magister militum* des Usurpators → Constantinus [3] III., den er 407 n. Chr. mit → Edobicus aus Valentia befreite (Zos. 6,2,4 f.). Für den Usurpator unterwarf er 408 Spanien (Zos. 6,4,2; 6,5,1), doch als dieser ihn 409 absetzen wollte, ließ er seinen *domesticus* Maximus zum Kaiser proklamieren. Weiterhin Heermeister, vertrieb er 411 den Sohn des Constantinus aus Spanien, folgte ihm bis Vienna und ließ ihn dort hinrichten. G. belagerte Constantinus III. in Arelate, doch als ein Heer des Honorius anrückte, gingen viele seiner Soldaten zu diesem über. G. floh nach Spanien, unterlag dort noch 411 den von ihm abgefallenen Truppen und tötete sich (Soz. 9,12,6; 9,13,1–7; Olympiodoros fr. 16 FHG IV 60 f.; Oros. 7,42,4; Greg. Tur. Franc. 2,9).

PLRE 2, 508 · A. DEMANDT, s. v. magister militum, RE Suppl. 12, 647 f.

K.P.J.

Gerrha. Wichtigster Handelsplatz in NO-Arabien z. Z. der Seleukiden (304–64 v. Chr.), am Schnittpunkt zw. Indien im Osten, Mesopot. im Norden, Arabien im SW und der Levante im NW. Verhandelt wurden v. a. Gewürze und Weihrauch. Die Lage des ant. G. ist unklar. Zwei Orte an der östl. Küste des h. Saudi-Arabien, Ğubail, direkt am Ufer des Pers. Golfes gelegen, und Ṯāğ, ca. 100 km östl. landeinwärts [1. 89], könnten dem von Plinius (nat. 6,32,147) erwähnten Hafen G. und der Stadt G. [1. 89] entsprechen.

Der Handel mit G. ist in zahlreichen griech. Schriftquellen gen. [1. 90]. Im späten 4. Jh. v. Chr. stand G. über den Seeweg in engem Handelskontakt mit Babylonien. Im Verlauf des 3. Jh. v. Chr. erreichte Weihrauch aus G. über den Landweg das ptolem. Ägypten und das von den Ptolemäern dominierte Syrien-Palästina. Die wirtschaftlich-polit. Aktivitäten von G. litten unter dem Sieg des → Antiochos [5] III. (222–187 v. Chr.) über die Ptolemäer, der wohl die dortigen Machthaber zwang, ihren Handel verstärkt wieder nach Babylonien auszurichten [1. 94]. In der Mitte des Jh. gehörte Syrien-Palästina wieder zum Handelsgebiet der Händler von G., Handel mit den Nabatäern ist nachgewiesen. Eine letzte Neuorientierung der Handelsverbindungen von G. entwickelte sich mit der Erstarkung der Parther (247–227 n. Chr.), als man sich → Charax Spasinu als neuem gewichtigem Handelspartner zuwandte.

→ Nabataioi

1 D. POTTS, The Arabian Gulf in Antiquity 2, 1990.   M.H.

Gerrhos (Γέρρος).

[1] Fluß in Nord-Pontos zw. → Borysthenes und → Maiotis, Grenze zw. Königs- und Nomadenskythen,

gleichzusetzen mit der h. Moločnaja voda (Ptol. 3,5,4; Plin. nat. 4,84, *Gerrhus*).

[2] Region um das h. Nikopol/Ukraine, im 5./4. Jh. v. Chr. Zentrum der Königsskythen und Sitz ihrer Herrscher, die in in großen Kurganen (→ Grabbauten) beigesetzt wurden (Hdt. 4,71).

[3] Fluß im kaukasischen Albanien am Nordrand des Großen Kaukasos, mit Mündung ins Hyrkanische (Kasp.) Meer, südl. des albanischen Grenzflusses Soana (Terek?), möglicherweise zu identifizieren mit dem h. Sulak in Dāġestān (Ptol. 5,12,2 und 7).

A. AKOPJAN, Albanija-Aluank v greko-rimskich i drevnearmjanskich istočnikach [Albanien-Alvank in griech.-röm. und altarmenischen Quellen], 1977, 32 f. · F. GAJDUKEVIČ, Das Bosporanische Reich, 1970, 288 · E. KIESSLING, s. v. G. 1)–3), RE 7, 1273 ff.   A.P.-L.

Gerrunium. Kastell in der Dassaretia bei Antigoneia (h. Berat); 200 v. Chr. von L. Apustius eingenommen (Liv. 31,27,2). Wohl identisch mit Gerus (Γεροῦς), von Philippos V. 217 v. Chr. erobert (Pol. 5,108,8).

N. G. L. HAMMOND, Illyris, Rome and Macedon in 229–205 B. C., in: JRS 58, 1968, 16.   MA.ER.

Gerste s. Getreide

Gerulata (Itin. Anton. 247,3; *Gerolate* Not. dign. occ. 34,21). Vor 116 n. Chr. errichtetes röm. Militärlager in Pannonia Superior zw. Carnuntum und Ad Flexum, einst an einem Arm des Danuvius gelegen, h. Bratislava-Rusovce. Im 2. und 3. Jh. war in G. die *ala I Cannenefatium* stationiert (CIL III 4391; XVI 64; 76 f.; 84; 96 f.; 104; 178). Für das 4. Jh. werden hier *equites sagittarii* als Garnison genannt (Not. dign. occ. 34,21). Reiche arch. Funde aus dem 2.–4. Jh.: Iuppiter-Tempel, Gebäudereste, Gräberfeld, Keramik, Metallgefäße, Inschr., Mz.

J. FITZ, s. v. G., RE Suppl. 9, 72 f. · TIR M 33, 1986, 39 f. (Lit.).   J.BU.

Geruli s. Nachrichtenwesen

Gerunda (h. Gerona). Der ON ist wohl iber. (bei [1. 2015] eine fast vollständige Belegstellenslg.). Ob die iber. Mz. mit *Krsa* (?) auf G. bezogen werden können, ist fraglich [2. 81]. Auf Inschr. ist der Ort öfters erwähnt (CIL II p. 614; Suppl. p. 1145). Nach Plin. nat. 3,23 war G. ein *oppidum civium Latinorum*. Eine Rolle spielte G. in christl. Zeit als Stadt des Märtyrers Felix (gest. unter Diocletianus; Prud. 4,29 f.), als Bistum und westgot. Münzstätte [3. 448]. Im J. 713 fiel G. vorübergehend in die Hände der Mauren. Zum späteren Schicksal von G. [4. 1476].

1 HOLDER 1   2 A. VIVES, La moneda hispánica 2, 1924 3 A. SCHULTEN, Fontes Hispaniae Antiquae 9, 1958 4 Enciclopedia Universal Ilustrada 25.

TOVAR 3, 449 f.   P.B.

Gerunium. Stadt in Apulia, 200 Stadien (= 24 Meilen) von → Luceria entfernt (Pol. 3,100,3) an einer Seitenstraße, die zw. Larinum und Teanum Apulum auf die Küstenstraße stößt (Tab. Peut. 6,3), wohl bei Castel Dragona im Süden des Fortore anzusetzen. Diente 217/6 v. Chr. Hannibal als Winterlager (Pol. 3,100ff.; Liv. 22,18ff.; App. Hann. 15f).

NISSEN 2, 785. E.O.

Gerusia (γερουσία, der »Ältestenrat«).
I. GRIECHISCH-RÖMISCH II. JÜDISCH

I. GRIECHISCH-RÖMISCH

In Sparta war die G. urspr. wohl eine Versammlung von Repräsentanten führender Familien. Sie gewann hier früh institutionellen Charakter und bestand aus den beiden Königen und 28 auf Lebenszeit eingesetzten → *gérontes* (γέροντες), die mindestens 60 Jahre alt waren. Die Wahl erfolgte nach Lautstärke in der → *apélla* (ἀπέλλα), wobei »Wahlhelfer« in einem geschlossenen Raum entschieden, wer den stärksten Beifall erhalten hatte (Plut. Lykurgos 26) [1]. Die spartanische *g.* konnte nach der Großen → Rhetra (Plut. Lykurgos 6) bereits im 7. Jh. der *apélla* Anträge vorlegen, brauchte aber den aus Zurufen ermittelten Willen des *dámos* (δᾶμος) nicht zu akzeptieren, so daß nur mit Zustimmung aller Polisorgane (mit Ausnahme des noch nicht erwähnten Ephorats) entschieden werden konnte. Dieses auf Konsens ausgerichtete Verfahren trägt noch Züge vorstaatlicher Gesellschaften. Die Befugnisse der *g.* sind nie formell aufgehoben worden, doch tritt sie in der Überlieferung über polit. Entscheidungen der klass. Zeit kaum in Erscheinung. Insofern waren die spartanischen *gérontes* weder »Herrscher über die Menge« (δεσπόται τῶν πολλῶν: Demosth. or. 20,107) noch »Staatslenker« (Pol. 6,45,5), was jedoch Beratungen der → *éphoroi* mit den *gérontes* in entscheidenden Situationen (Xen. hell. 3,3,8) nicht ausschließt. Polit. Bedeutung besaß die *g.* vor allem als Gerichtshof für Prozesse gegen Militärbefehlshaber und spartanische Könige sowie für Kapitalverbrechen (Xen. Lak. pol. 10,2; Aristot. pol. 1275b 10; Paus. 3,5,2). Ihre Bestechlichkeit (Aristot. pol. 1270b 35ff.) wird durch überlieferte Prozesse bestätigt (Xen. hell. 5,4,24–33). Offenbar nur noch rein formal war ihre Funktion in hell. Zeit 268 v. Chr. bei der Beeidung eines Bündnisses mit Athen (StV 3,476, Z. 91) [2. 117ff.]. Als vorberatendes Organ wurde sie aus polit. Gründen 243/2 »reaktiviert« (Plut. Agis 11), als sie mit der Mehrheit von einer Stimme den Intentionen der Gegner des → Agis [4] IV. entsprach und dessen Reformpläne nicht der Volksversammlung vorlegte.

Mit den spartanischen *gérontes* vergleichen Aristoteles (pol. 1272a7–8; 34–35) und Ephoros (FGrH 70 F 149 [Strab. 10,4,17]) die in kretischen Poleis aus den ehemaligen → *kósmoi* gewählten Ratsmitglieder, die freilich offiziell in einem Vertrag zwischen Gortyn und Rhittenia (Ende 5. Jh.) als *preígistoi* (πρείγιστοι; StV 2,216)

und ansonsten mehrfach kollektiv als *bōlá* (βωλά = βουλή, → *būlé*) bezeichnet wurden [3. 112ff.]. Sie galten nach Ephoros (bei Strab. 10,4,22) als Ratgeber der höchsten Beamten. Rechtlich bestanden ihre Befugnisse primär in der Beamtenkontrolle. In Elis bildeten bis zur Konstituierung eines Rates der 500 im frühen 5. Jh. privilegierte Familien einen auf 90 Mitglieder begrenzten und auf Lebenszeit eingesetzten Rat von Geronten (Aristot. pol. 1306a 12ff.). Aus vergleichbaren älteren Gremien sind wohl auch die *amnémones* (ἀμνήμονες) in Knidos (Plut. mor. 291d) sowie die sog. Achtzig in Argos hervorgegangen [4. 56ff.], die 420 v. Chr. noch bei der Beeidung eines Staatsvertrages mitwirkten (StV 2,193; Thuk. 5,47,8). In Korinth bestand in der Zeit des Timoleon nach Diodor (16,65,6–8) eine *g.*, die für Kriminalfälle und außenpolit. Entscheidungen zuständig war, wohl identisch mit der aus 80 Mitgliedern bestehenden *būlé*, in die von den acht histor. korinthischen Phylen je ein Vorberater und neun weitere *būleutaí* (βουλευταί) entsandt wurden.

Nach der Schlacht bei Ipsos wurde von Lysimachos in Ephesos (und wohl auch in anderen Poleis seines Reiches) eine *g.* eingesetzt (Syll.³ 353; Strab. 14,1,21), die aber keine eigenständige Bedeutung gewann. Die von Polybios (38,13,1) erwähnte *g.* im Achaiischen Bund 146 v. Chr. war wohl mit dem damaligen Kollegium der *dāmiorgoí* identisch [5. 231]. Als Zeuge in einer Freilassungsurkunde erfüllte nach 146 ein Mitglied der *g.* im arkadischen Orchomenos behördliche Funktionen (IG V 2, 345). Häufig genannt wird die *g.* als kommunales Organ in kaiserzeitlichen Inschr. aus Thrakien und Kleinasien sowie aus dem Ägäisraum. Griech. Autoren diente der Terminus *g.* auch zur Bezeichnung des karthagischen und des röm. Senates. Privaten Charakter hatte die *g.* in den Satzungen des Iobakchenkollegiums in Eleusis Syll.³ 1109 (um 178 n. Chr.).

1 E. FLAIG, Die spartanische Abstimmung nach Lautstärke, in: Historia 42, 1993, 139–160 2 H. HEINEN, Untersuchungen zur hell. Geschichte des 3. Jh. v. Chr., 1972 3 St. LINK, Das griech. Kreta, 1994 4 M. WÖRRLE, Unters. zur Verfassungsgesch. von Argos im 5. Jh. v. Chr., (Diss.) 1964 5 J. A. O. LARSEN, Greek Federal States, 1968.

St. LINK, Der Kosmos Sparta, 1994, 76–79 · L. THOMMEN, Lakedaimonion Politeia, 1996, 37f. K.-W. WEL.

II. JÜDISCH

Die *g.* war in hell. Zeit die offizielle Vertretung der Bevölkerung Iudaeas (→ Palaestina). Ihre Ursprünge reichen wohl in pers. Zeit zurück (vgl. Esr 5,5; 5,9; 6,7; 6,14; 10,8 u.a.). Die *g.* rekrutierte sich größtenteils aus dem Adel (wobei der Anteil des Priesteradels umstritten ist) und begegnet als festes Gremium zum ersten Mal in einem Erlaß → Antiochos' [5] III. (223–187 v. Chr.), der nach dem 5. Syr. Krieg (201–200 v. Chr.) von der *g.* ehrenvoll empfangen wurde und ihr, den Priestern, Tempelschreibern und Tempelsängern daraufhin als Anerkennung für ihre Loyalität und im Hinblick auf einen zügigen Aufbau Jerusalems Steuerfreiheit gewährte (Ios. Ant. Iud. 12,138–144). Auch → Antiochos [6] IV. wendet sich in einem Schreiben an die g. (2 Makk 11,27). Mit Jonathan (ab 153 v. Chr. Hohepriester) scheint der Hohepriester als Repräsentant des Volkes neben die g. getreten zu sein (vgl. 1 Makk 12,6; Ios. Ant. Iud. 13,166). Manche Forscher gehen davon aus, daß die g. ihre Fortsetzung in der Institution des Sanhedrin (→ Synhedrion) fand.

M. HENGEL, Judentum und Hellenismus. Studien zu ihrer Begegnung unter bes. Berücksichtigung Palästinas bis zur Mitte des 2. Jh. v. Chr., ³1988, 48 f. · E. SCHÜRER, The history of the Jewish People in the age of Jesus Christ, Bd. 2, 1979, 202–204.   B. E.

Geryoneus

Geryoneus (Γηρυονεύς; auch *Geryónēs*, *Geryṓn*, Γηρυόνης, Γηρυῶν; etr. *Cerun*). Mythischer Riese mit drei Köpfen bzw. drei Leibern, beheimatet auf der im äußersten Westen der bewohnten Welt gelegenen Insel → Erytheia (später üblicherweise mit Gadeira/Cadiz: Hdt. 4,8 u. a., von Ptolemaios Geographia 4,1,16 mit Mauretanien gleichgesetzt, von Hekataios FGrH 1 F 26 euhemeristisch nach Ambrakia verlegt), wo er eine bes. prächtige Art von roten Rindern hütet. Sein Vater ist der aus der Medusa entstandene Chrysaor, die Mutter eine → Okeanide (Kallirhoe).

Im griech. Mythos besteht G.' Rolle darin, → Herakles' Widersacher in der zehnten Tat des Dodekathlon zu sein. Er stellt jedoch trotz des Anwachsens des Schwierigkeitsgrads der dem Herakles gestellten Aufgaben, seiner monströsen Gestalt sowie der Unterstützung durch einen Hirten namens Eurytion und den Hund Orthos keinen auffällig gefährlichen Gegner dar: Herakles besiegt ihn ohne größere Schwierigkeiten durch einen Pfeilschuß. Die mit diesem Abenteuer verbundenen Gefahren liegen vielmehr in der Reise bis ans westl. Ende der Welt und zurück; sie werden bes. sinnfällig in Herakles' Auseinandersetzung mit Helios und in der Notwendigkeit, ein Wundergefährt wie den Sonnenbecher des Sonnengottes benutzen zu müssen, um auf dem Okeanos nach Erytheia zu gelangen. So ist der G.-Mythos vor allem eine Ausgestaltung des Mythologems »Reise ans Ende der Welt«.

Herakles' Abenteuer mit G. war wohl schon Gegenstand von griech. *oral poetry* (was nicht zuletzt die Namensvarianten nahelegen); die älteste erh. Darstellung des Mythos findet sich in Hes. theog. 287–294. Der Chorlyriker Stesichoros hat am Anfang des 6. Jh. v. Chr. den Stoff umfassend ausgestaltet; von dieser *Gēryonēís* sind einzelne Bruchstücke erh. (SLG S 13,4 bzw. 14,8). In diese Zeit fällt auch die intensivste ikonographische Repräsentation des G.-Mythos. Eine vollständige Paraphrase ist aber erst bei Apollod. 2,106–109 erhalten. In der späteren griech. Lit. wird außer bei Bezügen auf den Herakles-Mythos G. in der Regel wegen seines monströsen Äußeren erwähnt und dementsprechend in Gleichnissen verwendet (vor allem in der Komödie und in der Rhet. der Zweiten Sophistik). Im röm. Bereich tritt G. abgesehen von Bezügen auf den Herakles-My-

thos noch als eine Art von Unterweltsdämon hervor (Verg. Aen. 6,289; Hor. carm. 2,14,7 f.; mit Agyrion und Patavium hatte er auf Sizilien und in N-It. zwei Heiligtümer).

Der geogr. Rahmen des G.-Mythos deutet darauf hin, daß es sich bei dieser Gestalt um eine urspr. selbständige kelt. (Todes?-)Gottheit handelt, die die Griechen über ihre Handelsbeziehungen mit dem westl. Mittelmeer, die Römer in Nord-It. durch die Etrusker kennengelernt haben dürften.

P. BRIZE, s. v. G., LIMC 4.1, 186–190 · M. DAVIES, Stesichoros' Geryoneis and its Folk-tale Origins, in: CQ 38, 1988, 277 ff. · G. WEICKER, s. v. G., RE 7, 1286–1296. E. V.

Ges anadasmos

Ges anadasmos (γῆς ἀναδασμός). Mit der Wendung *g. a.* (»Aufteilung von Land«, »Landverteilung«) wurde in der Regel Neuverteilung des Ackerlandes (»Bodenreform«) bezeichnet. Derartige Maßnahmen hatten nicht allein eine soziale und wirtschaftliche, sondern auch eine eminente polit. Bedeutung, da Landbesitz und Bürgerrecht in der griech. Polis eng verbunden waren. Im Kontext mit anderen Maßnahmen, insbes. der χρεῶν ἀποκοπή (*chreṓn apokopḗ*, Schuldentilgung) war der *g. a.* auch Mittel und Forderung in internen Machtkämpfen und bei sozialen Unruhen und wurde entsprechend als revolutionäres Element charakterisiert, nicht selten auch explizit verboten.

Der früheste histor. glaubwürdige Hinweis auf Forderungen nach einer Landverteilung gehört in den Kontext der Reformen → Solons (Aristot. Ath. Pol. 11,2; Plut. Solon 16,1), der aber dem Druck des Volkes nicht nachgab (Aristot. ebd.; Sol. fr. 5,23 D.). Der *g. a.* spielte bereits in der archa. Zeit eine wichtige Rolle, wie sich vor allem aus der späteren polit. Programmatik und dem Bemühen um Ackergesetze (Aristot. pol. 1319a 12 ff.; 1265b 12 ff.; 1274a 31 ff.) erschließen läßt. Eng verbunden mit dem *g. a.* war die Vorstellung von der Gleichheit der Besitzverhältnisse, die auch im philos. Denken und in Gesetzeskonzepten erörtert wurde (Aristot. pol. 1266a 37 ff.; Archytas 47 B 3 DK; vgl. Aristot. pol. 1320b9 ff. zu Tarent). Wohl deswegen hat man die Gleichheit der spartanischen Landlose später auf einen *g. a.* des Lykurgos zurückgeführt (Plut. Solon 16,1 f.; comparatio Lycurgi et Numae 2,6; mor. 226b) und womöglich auch im Hinblick auf die dor. Landnahme auf der Peloponnes von *g. a.* gesprochen (Paus. 2,13,2).

Der Begriff bezieht sich bei Herodot auf Pläne des Arkesilaos von Kyrene, der von seinem samischen Exil aus um 530 v. Chr. seine Rückkehr betrieb und durch die Aussichten auf einen *g. a.* Anhänger gewinnen wollte (Hdt. 4,163,1). Es ging also nicht um eine soziale Revolution in Kyrene, sondern um die Anwerbung fremder Helfer. Ähnliches scheint auch in klass. Zeit häufiger geschehen zu sein, was gerade die Beispiele für einen *g. a.* auf Sizilien zeigen. Hier gab es insbes. im Zusammenhang mit der Tyrannis starke Bevölkerungsverschiebungen (indigene Bevölkerung und Kolonisten, alte und neue Siedler, hörige und versklavte Gruppen, Söldner, Emigranten) und eine entsprechende Mobilität; polit. Umwälzungen waren daher oft unter diesen Voraussetzungen mit einem *g. a.* verbunden (Diod. 11,86,3): Ein Zusammenhang zw. einem *g. a.* und Umsiedlungen ist belegt im Falle von Leontinoi (423/2 v. Chr.; Thuk. 5,4,1 ff.). Große Verschiebungen in den Besitzverhältnissen gab es unter Dionysios I., und im Kampf gegen dessen Sohn, Dionysios II., wurde ein *g. a.* von Herakleides und Hippon gefordert, von Dion bekämpft (Nep. Dion 7,1 f.; Plut. Dion 37,5; 48,6 f.). Noch Agathokles konnte 317 v. Chr. in Syrakus versprechen, ein derartiges Programm zu verwirklichen (Diod. 19,9,5). Eine ähnliche Rolle spielte der *g. a.* gemeinsam mit der Schuldentilgung um 364 v. Chr. in der Vorgesch. der Tyrannis des Klearchos in Herakleia Pontike (Iust. 16,4,1 ff.).

Offensichtlich ließ sich der *g.a.* bei demographischen, sozialen und polit. Krisen als Forderung thematisieren und auch teilweise realisieren. Da er – bzw. seine Verhinderung – damit auch für die polit. Ordnung relevant war und neben anderen Maßnahmen, insbes. der Schuldentilgung, als Symptom für einen Umsturz galt, gab es häufig Sicherungen gegen ihn, in Eiden oder in eidlich abgesicherten Vereinbarungen, die für Athen (Heliasteneid), Delphi, den Korinthischen Bund (337 v. Chr.) und Itanos auf Kreta bezeugt sind (Demosth. or. 24,149; FdD III 294, col. VII 5; Ps.-Demosth. or. 17,15; ICret III, IV 8,21 f.).

In der polit. Theorie ist seit dem 4. Jh. v. Chr. der Zusammenhang von radikaler Demokratie, demagogischer Tyrannis und *g. a.* ganz geläufig und wird zu einem Topos (Isokr. or. 4,104 f.; 8,79; 12,259; Plat. rep. 566a; Aristot. pol. 1305a 2 ff.; 1309a 14 ff.; Polyb. 6,9,8 f.; Schol. Demosth. or. 24,149). Auch ältere Ereignisse konnten entsprechend rekonstruiert werden (zu Kyme vgl. Dion. Hal. ant. 7,3 ff.; bes. 7,7,5 ff.).

In der hell. Epoche wurde ein *g. a.* von den spartanischen Reformkönigen Agis IV. und Kleomenes III. (Pol. 4,17,4 f.; Plut. Agis/Kleomenes 13,2 f.; 24,5 ff.; 31,10 ff.; 38,5) im Rückgriff auf die alten Gleichheitsvorstellungen realisiert und im Kleomeneskrieg (227–222) programmatisch als Kampfmittel gegen den Achaiischen Bund eingesetzt, offenbar jedoch ohne großen Erfolg (Pol. 2,52,1; 4,17,4 f.; Plut. Aratos 39,5; Agis/Kleomenes 38,5). Für die Beschreibung der Agrarreform des Tib. Gracchus verwenden griech. Autoren das Konzept des *g. a.* ganz konventionell, in Verbindung mit der Tyrannentopik (Poseid. FGrH 87 F 112 = Diod. 35,33,6; Plut. Tib. Gracchus 9,3), und so wird es auch in der Beschreibung der Ständekämpfe benutzt (Dion. Hal. ant. 9,52,3).

1 Aristoteles, Politik Buch IV–VI, übers. und eingeleitet von E. SCHÜTRUMPF, erläutert von E. SCHÜTRUMPF und H.-J. GEHRKE, 1996 2 D. ASHERI, Distribuzioni di terre nell'antica Grecia, 1966 3 S. BERGER, Revolution and Society in Greek Sicily and Southern Italy, 1992 4 P. CARTLEDGE, A. SPAWFORTH, Hellenistic and Roman Sparta, 1989 5 H.-J.

GEHRKE, Stasis, 1985 6 M. JEHNE, Koine Eirene, 1994 7 A. LINTOTT, Violence, Civil Strife and Revolution in the Classical City, 1982 8 A. PASSERINI, Reforme sociali e divisioni di beni nella Grecia del IV secolo A. C., in: Athenaeum N. S. 8, 1930, 273–298 9 A. J. M. TALBERT, Timoleon and the Revival of Greek Sicily, 1971 10 R. URBAN, Das Verbot innenpolit. Umwälzungen durch den Korinthischen Bund (338/37) in antimaked. Argumentation, in: Historia 30, 1981, 13–21 11 Ders., Wachstum und Krise des Achäischen Bundes, 1979.

H.-J. G.

Gesalicus (Gesalech; auch Gesalecus, Gisaleicus). Illegitimer Sohn des → Alaricus [3] II., wurde nach dessen Tod bei Vouillé 507 n. Chr. zum Westgotenkönig gewählt, da sein legitimer Halbbruder → Amalaricus, ein Enkel des ostgot. Königs Theoderich, noch minderjährig war (Prok. BG 5,12,43). G. wurde bald von Burgunden und Franken zum Rückzug nach Spanien gezwungen (Chron. min. 1,665 f. MOMMSEN); als ihm Theoderich nun die Herrschaft zugunsten des Amalaricus streitig machte (Prok. BG 5,12,46), floh er 511 nach Afrika. Vom Vandalenkönig → Thrasamund mit Geld ausgestattet, ging er zunächst nach Aquitanien (Cassiod. var. 43 f.), wurde später aber bei Barcelona von den Ostgoten geschlagen und auf der Flucht zu den Burgunden 511/2 oder 513/4 ergriffen und getötet (Chron. min. 2,223; 282; 3,465).

PLRE 2, 509 f. • W. ENSSLIN, Theoderich d. Gr. ²1960, Index s. v. • H. WOLFRAM, Die Goten, ³1990, 245–247.

M. MEI. u. ME. STR.

Gesatorix s. Gaizatorix

Geschäftsreisen s. Reisen

Geschenke I. GRIECHENLAND II. ROM

I. GRIECHENLAND
A. FORSCHUNGSGESCHICHTE B. BEGRIFFE
C. TYPEN UND ANLÄSSE

A. FORSCHUNGSGESCHICHTE

Das Griech. und Lat. kennen eine Vielzahl von Begriffen für G. und Gaben. Das Geben von G. war ein in hohem Maß ritualisierter Akt und von Konvention und Tradition bestimmt. G. hatten nur selten einen freiwilligen Charakter und transportierten in der Regel den Anspruch auf Gegenleistungen. Dies galt sowohl für G. zw. sozial Gleichgestellten, zw. Verwandten, Nachbarn und Freunden, zw. Männern und Frauen, als auch für solche zw. ranghohen und statusniedrigen Personen, zw. Angehörigen verschiedener polit. Gemeinschaften sowie zw. Menschen und Göttern. Aufgrund der hohen Bed., die das Geben von G. nicht nur in den sozialen und rel., sondern auch polit. und ökonomischen Beziehungen in den ant. Gemeinwesen besaß, spricht man für die Ant. auch von Gabentauschgesellschaften. Das Konzept wurde im späten 19. Jh. von Nationalökonomen und Rechtshistorikern in Abgrenzung zum modernen Tausch- und Schenkungsbegriff entwickelt und zu Beginn des 20. Jh. von dem Religionssoziologen Marcel Mauss zu einer Theorie der Gabe ausformuliert. Den Hintergrund bildete einerseits die juristische Neufassung des modernen Schenkungsbegriffs im bürgerlichen Recht, über die Unterschiede zu älteren Schenkungskonzepten deutlich wurden; andererseits führten Modernisierungskrisen zur Kritik am ökonomischen Liberalismus und zur Suche nach alternativen Tauschformen. Betonten Rechtshistoriker im Unterschied zur modernen Schenkung (verstanden als ein Akt der einseitigen Bereicherung des Beschenkten) den Gegenseitigkeitscharakter von Schenkungshandlungen in vormodernen Gesellschaften, argumentierten Nationalökonomen moralisch und betrachteten den »Geschenktausch« als eine altruistische, dem egoistischen Gewinnstreben des modernen Tauschs entgegengesetzte Verkehrsform. Bei Mauss nahm der Gabentausch den Charakter eines Gesellschaftsvertrages an; ihm zufolge dienten G. urspr. der Stiftung und Bekräftigung sozialer Bindungen. Stärker ökonomische Aspekte berücksichtigte der Wirtschaftshistoriker und Anthropologe Karl Polanyi, der von dem Sozialanthropologen Richard Thurnwald für »Gabentausch« die Bezeichnung »Reziprozität« übernahm und darunter eine sozial gebundene Form des nicht gewinnorientierten Güteraustauschs verstand. Beide Konzepte haben die alt.wiss. Forsch. maßgeblich beeinflußt.

B. Begriffe

Der allg. Begriff für G. ist im Griech. δῶρον (dóron). Er wurde sowohl für Gaben an Götter (so bereits in den myk. Linear B-Schrifttafeln: PY Tn 316) als auch an Menschen benutzt. Derivate wie δώς (dós) – nur bei Hes. erg. 356 (im Kontext der Nachbarschaftsmoral) –, δωρεά (dōreá), δώρημα (dórēma), δόσις (dósis), δωτίνη (dōtínē) werden z. T. syn. gebraucht, z. T. haben sie – wie → dósis oder dōtínē – spezifische Bed. Die Bezeichnungen für die Gegengabe lauten ἀντίδωρον (antídōron), ἀντιδωρεά (antidōreá), ἀντίδοσις (→ antídosis). Daneben gibt es noch eine Reihe von Begriffen für G., die an bestimmte Kontexte gebunden sind wie die Bezeichnungen für Brautgaben (ἕδνα, → hédna), für das Gastgeschenk (ξένιον/ξεινήϊον, xénion/xeinḗïon) und die Ehrengabe (γέρας, géras), oder die den Gegenseitigkeitsaspekt in sich tragen wie die Begriffe für die Dankesgabe (χάρις, cháris) und die Vergeltungsgabe (ἀμοιβή, amoibḗ). Eine besondere Gattung stellen Weihgeschenke für die Götter dar, ἀνάθημα/ἀνάθεσις (→ anáthēma/anáthesis) genannt.

C. Typen und Anlässe

Dósis, auch mit »Schenkung« übersetzt, ist das auf eine Zukunft hin versprochene G., das für zu leistende Dienste (Späherdienste: Hom. Il. 10,213–217; Söldnerdienst: Thuk. 1,143,2) von Schiffsbesitzern in Aussicht gestellt oder fremden Schiffbrüchigen wie Odysseus (Hom. Od. 6,208; 14,58) sowie denjenigen, die ein Schiff benötigen (Hom. Od. 4,651), gewährt wird. Un-

ter dósis kann auch die Erfüllung einer Bitte verstanden werden, für die keine Gegenleistung erbracht wird, weil sich der Empfänger in einer unterlegenen Position befindet wie z.B. der von Kyros besiegte lyd. König → Kroisos (Hdt. 1,90,1–2) oder die wegen einer Verfehlung ausgegrenzten Bürger (Hdt. 9,93,4; Soph. Oid. T. 1518); dósis ist auch das aufgrund einer testamentarischen Verfügung zustehende Erbe (Isaios 4,7; Isokr. or. 19,45).

Mit dōre(i)á werden in inschr. Quellen sowie in den Schriften der polit. Redner des 4. Jh. v.Chr. häufig G. des Gemeinwesens an verdiente Bürger oder fremde Wohltäter in Form von Ehrenstatuen, Ehrenplätzen im Prytaneion oder Kränzen, sowie Leistungen von Bürgern und fremden Wohltätern für die Polis (Liturgien, Getreidespenden etc.) bezeichnet (Demosth. or. 20,15; Lys. 21,11; Aristot. rhet. 1,5,1361a-b). Auch Hilfeleistungen für in Not geratene Freunde (z.B. die Bereitstellung einer Mitgift für die Töchter) werden dōreaí genannt (Demosth. or. 18,312; 53,8f.).

Ebenfalls in ein Verpflichtungsverhältnis zw. einzelnen und Kollektiven gehören die in der älteren Forsch. auch als Steuern aufgefaßten dōtínai (vornehmlich bei Homer und Herodot). Oftmals sind hier die Empfänger durch ihren gottgleichen Status ausgezeichnet (Hom. Il. 9,155; Tempel: Hdt. 2,180,1) oder als ranghohe Vertreter fremder Gemeinwesen gekennzeichnet (Hdt. 1,61,3; 1,69,4). Als Spender treten vielfach Kollektive auf, die durch besondere Besitztümer wie Herden (Hom. Il. 9,155), Gold (Hdt. 1,69,4), Alaunsalz (→ Alaun; Hdt. 2,180,2) oder Schiffe (Hom. Od. 11,350; Hdt. 6,89,1) ausgewiesen sind, so daß die dōtínai in den Kontext eines überregionalen Ressourcentauschs eingeordnet werden können, der polit. vermittelt war.

G. für privilegierte Personengruppen innerhalb einer Gemeinschaft bzw. für Götter werden auch als gér(e)a bezeichnet. Empfänger von Ehren-G. sind verdiente Krieger (Hom. Il. 2,237; 9,334; äg.: Hdt. 2,168,1), Athleten (wohl gemeint in Plat. rep. 460b), basileís (Thuk. 1,13,1), Götter (Theokr. 17,109), Priester/innen (Aischin. Ctes. 3,18; Syll.³ 1037; 1025,22; Hdt. 3,142,4) sowie die Toten (Hom. Il. 16,457; Thuk. 3,58,5). Diese G. bestehen aus Beuteanteilen (im Epos sind dies die webkundigen Frauen), abgabenfreien Ländereien (so in Äg. unter → Amasis), Opferanteilen (so im Falle von Kultpersonal und Göttern) oder im Haaropfer sowie Klageaufwand für die Toten.

Eindeutig sozial konnotiert sind G., die anläßlich von Heirat (→ Ehe) oder bei der Herstellung von → Gastfreundschaften gereicht wurden. Hédna ist der Terminus für Brautgüter, die der Bräutigam dem Brautvater zu leisten hatte (nur bei Homer und Hesiod) und die vermutlich aus Vieh bestanden (Hom. Il. 16,190; Hom. Od. 16,391; 18,276–279). G. des Bräutigams an die Braut waren mit dem allg. Terminus für Gaben, dóra, belegt. Im Epos und im Mythos handelt es sich um Schmuck- und Kleider-G. (Hom. Od. 18,291–300). G., die der Bräutigam speziell zum Augenblick der Ent-

schleierung (ἀνακαλυπτήρια, *anakalyptēria*) reichte, hießen ὀπτήρια, *optēria* (Poll. 2,59; 3,36). Im klass. Athen
war es die Braut, die dem Bräutigam zur Hochzeit einen
Mantel schickte (Aristoph. Av. 1693; Poll. 3,39f.). Ein
eigener Tag im Rahmen des Hochzeitsrituals war dem
Empfang von G. gewidmet, die die Familie oder die
Freundinnen der Braut herbeibrachten (Hesych. und
Suda s. v. ἐπαύλια). *Xénia* hießen die Gast-G., die den
Fremden gereicht wurden. Darunter konnten die Spei-
sen für Gäste und Gesandte (Hom. Il. 11,779; Hom. Od.
4,33; IG II² 102,1,13–16) ebenso fallen wie Waffen-G.
(Hom. Il. 11,20–23; Xen. hell. 4,1,29–40), Tribute
(Hdt. 7,29,1) oder Güter, die aus der Fremde geholt
wurden, z. B. Gold, Teppiche, Purpurgewänder (Hom.
Od. 24,273–279).

Speziell mit der → Festkultur verbunden sind die
Begriffe für die Dankesgabe (*cháris*) und für die Er-
widerungsgabe (*amoibḗ*). *Amoibḗ* meint das Gegen-G.
der Götter für das Opfer (Hom. Od. 3,58; Plat. symp.
202e) bzw. für die Weihegabe (χαρίεσσα ἀμοιβά [1]),
aber auch die Vergeltung der Götter für schlechte Taten
der Menschen (Hes. erg. 334; Eur. El. 1147), sowie die
den Göttern geschuldete Entschädigung für Übergriffe
von seiten der Menschen (Hom. Od. 12,382; Pind. P.
2,24). Daneben ist *amoibḗ* auch die erforderliche Vergeltung von Leistungen im Rahmen von Verwandtschaft (Eur. Med. 23), Gastfreundschaft (Hom. Od.
1,318), Päderastie (Thgn. 1263–1266), Handwerk (Aristot. eth. Nic. 9,1,1163b 35) und Bindung (φιλία, *philía*)
überhaupt (Aristot. eth. Nic. 9,1,1164b1). In positiver
Weise ist dieser Aspekt der Gegenseitigkeit im Begriff
cháris enthalten, der die Gefälligkeiten und Dienstleistungen sowie den dafür zu erwartenden Dank oder
Gegendienst in allen zentralen Bindungsverhältnissen
beschreibt, sei es im Rahmen der Polisgemeinschaft
(Archil. fr. 133; Syll.³ 493; 354), sei es im Kontext der
überregionalen Kriegergemeinschaft bzw. der Waffenhilfe (Hom. Il. 15,744; Hdt. 3,140,4) und der ehelichen
Bindung (Hom. Il. 14,235; Soph. Ai. 522; Eur. Med.
1155), sei es im Verhältnis zu den Göttern (Hom. Il.
5,874; 23,650; Aischyl. Ag. 581f.; 821–823; Bakchyl.
3,38). Als Garantinnen der Gegenseitigkeit galten die
Göttinnen der Festesfreude, die → Chariten (Aristot.
eth. Nic. 5,4,1133a 1–6), die in der homer. Vorstellungswelt wiederum selbst Dienste – so des Webens von
gemusterten Tuchen (Hom. Il. 5,338) – erbrachten und
daher als urspr. göttliche Verkörperungen der weiblichen Dienste gedeutet werden können, bevor sie – wie
in der stoischen Philos. – als abstrakte Personifikation
des Gebens, Nehmens und Wiedergebens wahrgenommen wurden (Sen. benef. 1,3,2–10).

Beide Begriffe der Gegenseitigkeit entfalteten ihre
Funktion nicht nur im Kontext des Austauschs von G.,
sondern darüber hinaus auf sprachlicher Ebene, insofern
amoibḗ auch die Antwort auf die Rede und *cháris* die
Wirkung meint, die von sprachlich und handwerklich
erzeugten Bildern ausging (Hom. Od. 8,175; Hes. erg.
65; Thgn. 574–584; Thgn. 763). Diese Doppelbed. ver-

weist auf den Zeichencharakter von G., den diese vor
allem in rituellen Kontexten entfalteten. Während Kleider-G. als Symbole für die Bindung zwischen Paaren
bzw. für den Zusammenhalt innerhalb eines Gemeinwesens gedeutet werden können, enthalten G. von
Trinkgefäßen und Waffen symbolische Bezüge zum
Symposion und zur Kriegergemeinschaft. Mit der symbolischen Bed. hängt auch die zerstörerische Wirkung
zusammen, die Kleider- und Waffen-G. von den Tra-
gödiendichtern zugeschrieben wurde (dann oft *dṓrēma*
genannt: Eur. Med. 1188; Soph. Trach. 758; Soph. Ai.
662, wie die mit einer Bitte verknüpften Gaben an Götter und Verstorbene: Aristot. eth. Nic. 1,9,1099b 11;
Aischyl. Pers. 523f.; Eur. Or. 123).

→ Ehe; Freundschaft; Gastfreundschaft; Hochzeitsbräuche und -ritual; Reziprozität

1 H. COLLITZ et al. (Hrsg.), Sammlung griech. Dialekt-
Inschr., 1884–1915, 3119c.

E. BENVENISTE, Le vocabulaire des institutions
indo-européennes I, 1969 • W. DONLAN, Reciprocities in
Homer, in: CW 75, 1981/82, 137–175 • L. GERNET, La
notion mythique de la valeur en Grèce, in: Journal de
Psychologie normale et pathologique 41, 1948, 415–462 •
G. B. GIGLIONI, Gratitudine e scambio. Economia e
religiosità tra Aristotele e Teofrasto, in: Scienze
dell'antichità. Storia archeologia antropologia 3–4, 1989/90,
55–64 • G. KOCH-HARNACK, Knabenliebe und Tierg.,
1983 • J. GOULD, Give and Take in Herodotus, 1991 •
T. LINDERS, G. NORDQUIST (Hrsg.), Gifts to the Gods,
1987 • M. MAUSS, Essai sur le don, in: Année sociologique
N. S. 1, 1923/24, 30–186 (dt. 1968) • B. MACLACHLAN, The
Age of Grace, 1993 • L. G. MITCHELL, Greeks Bearing
Gifts, 1997 • I. MORRIS, Gift and Commodity in Archaic
Greece, in: Man N. S. 21, 1986, 1–17 • S. v. REDEN,
Exchange in Ancient Greece, 1995 • E. SCHEID-TISSINIER,
Les usages du don chez Homère, 1994 • R. A. S. SEAFORD,
Reciprocity and Ritual, 1994 • B. WAGNER-HASEL,
Geschlecht und Gabe. Zum Brautgütersystem bei Homer,
in: ZRG 105, 1988, 32–73 • Dies., Wiss.mythen und Ant.:
Zur Funktion von Gegenbildern der Moderne am Beispiel
der Gabentauschdebatte, in: W. SCHMALE, A. VÖLKER-
RASOR (Hrsg.), MythenMächte, 1998, 33–63.   B. W.-H.

II. ROM

G. erhielt man aus Anlaß persönlicher Feiern. Neugeborene bekamen am *dies lustricus*, dem Tag ihrer Namensgebung, G. (*crepundia*, »Klapperzeug«) in Form von
Rasseln, Püppchen, kleinen Beilen oder Metallfigür-
chen. Sie dienten als Spielzeug oder aneinandergereiht
als Schmuckkette (Plaut. Mil. 1399), die bei ausgesetz-
ten oder geraubten Kindern ein entscheidendes Wiedererkennungszeichen waren (Cic. Brut. 313; Plaut.
Cist. 664f.). Kinder wie Erwachsene erhielten zum
→ Geburtstag ein G. (*natalicium munus*; Symm. epist.
6,48), von Familienangehörigen (Plaut. Rud. 1171)
ebenso wie von Bekannten (Mart. 8,64; 9,53). Art und
Größe dieses G. waren ganz individuell; es richtete sich
nach den Vermögensverhältnissen des Schenkenden
(Mart. 10,87) oder seinen besonderen Möglichkeiten.

So schenkten Autoren gern kleinere Werke (Tib. 1,7; 2,2; Censorinus). Zur Verlobung machte der Mann seiner Braut üblicherweise ein G. (→ arra; → sponsalia; Dig. 16,3,25; 23,2,38); über den Verlobungsring hinaus konnte das z.B. Schmuck sein. Diese Brautgabe wiederholte sich bisweilen bei der Heirat (Cod. Iust. 5,3). Auch G. von der Braut an den Bräutigam sowie von Dritten an das Hochzeitspaar waren nicht unüblich (Dion. Hal. ant. 3,21).

Feste, an denen im Bekanntenkreis regelmäßig G. getauscht wurden, waren die → Saturnalia und der Neujahrstag. Urspr. dem Saturn geweihte tönerne Puppen (sigilla) entwickelten sich zum allg. G.-Artikel (Macr. Sat. 1,11,46–50), und es entstand ein sigillaria genannter Markt, auf dem alle möglichen Waren als Saturnalien-G. (ebenfalls: sigillaria) verkauft wurden. Für teurere Saturnalien-G. stand mit den saepta auf dem Campus Martius ein »Luxusmarkt« zur Verfügung (Iuv. 6,153–157; die Fülle möglicher Gast-G. für Einladungen am Saturnalienfest bei Mart. 13). Die am Neujahrstag ausgetauschten G. hießen strenae. Die urspr. als »süße« Glücksbringer für das neue Jahr gewählten Datteln, Feigen oder Honig (Ov. fast. 1,183–192) wurden in der Kaiserzeit von Geldstücken, Lampen und Spardosen (z.T. mit Glückwunsch-Inschr.) abgelöst.

Großzügige Gastgeber bedachten ihre Gäste mit Tisch-G. (apophórēta), die vielfach ausgelost wurden (Mart. 14,1,5; eine Liste möglicher apophórēta bei Mart. 14 und Petron. 56,7–9). Als freiwillige Zusatzleistung neben ihrem »Lohn« in Geld oder Lebensmitteln erhielten Klienten (→ Cliens) von ihren Patronen und zu G. wie Kleidungsstücke (Mart. 2,46; 8,28; Pers. 1,54), Bargeld (Mart. 10,11,5) oder in Ausnahmefällen ein kleines Landgut (Iuv. 9,59; Mart. 11,18); regelmäßig geschah dies wohl an den Saturnalien (Mart. 7,53; umgekehrt beschenkten Klienten auch ihre Patrone: Mart. 5,18). In großem Stil griffen manche Kaiser in ihrem Selbstverständnis als Patrone des gesamten Volkes diese Tradition auf, indem sie bei öffentlichen Spielen Geldstücke und kleine G. in die Menge werfen ließen (missilia, »Wurfgeschenke«; Suet. Cal. 18,2; Nero 11,2; häufig auch in Form von Bällen oder Wertmarken, auf denen die Art des G. verzeichnet war, vgl. Cass. Dio 61,18,1f.; 66,25,5).

Ebenfalls zur Freigebigkeit (→ liberalitas) des Kaisers gehörten Geldspenden (congiaria) an das Volk zu bestimmten Anlässen wie zum Herrschaftsantritt, zu Siegen oder Thronjubiläen. Entsprechende öffentliche G. an Soldaten waren die donativa (→ dona militaria). Mit ihrer Hilfe sicherten sich schon Machthaber der späten Republik die Treue ihrer Truppen (Suet. Iul. 38); in der Kaiserzeit bildeten diese außerordentlichen G. einen beträchtlichen Teil des Gesamtsoldes (Tac. ann. 1,8,2; 15,72; Cass. Dio 59,2,1; 2,3f.).
→ Euergetismus; Freundschaft

A. STUIBER, s.v. G., RAC 10, 685–703.   K.-W. WEE.

Geschichtsschreibung   I. ALTER ORIENT II. GRIECHENLAND   III. ROM   IV. CHRISTENTUM

I. ALTER ORIENT
A. EINLEITUNG   B. MESOPOTAMIEN   C. HETHITER D. ISRAEL   E. ÄGYPTEN   F. IRAN

A. EINLEITUNG
Im Sinne der Prinzipien späterer G. hat es im Alten Orient keine G. gegeben, doch lassen sich im Schrifttum unterschiedliche Formen einer Auseinandersetzung mit der Vergangenheit nachweisen, die zeigen, daß Geschichte im Alten Orient eine entscheidende Quelle polit. und rel. Identität war.

B. MESOPOTAMIEN
Histor. orientierte Zeugnisse finden sich erst ab der Mitte des 3. Jt. v. Chr. in Form von Königsinschr. aus Lagaš. Tatenberichte halten erlebte Gegenwart um der Zukunft willen fest und thematisieren nur selten frühere Ereignisse [1. 15; 2. 24f.]. Eine bis in das 1. Jt. hinein gepflegte histor. Überl. entstand als Reaktion auf den Untergang des Reiches von Akkad [1. 34–36]. Daneben entstand in Mesopot. eine chronographische Texttrad. mit teils praktischer (Datenlisten), teils histor.-ideologischer Ausrichtung [2]. So legitimiert die assyr. Königsliste mit ihrem linearen Geschichtsbild den Gedanken einer immerwährenden Herrschaft des assyr. Königshauses. Die ›Esagil-Chronik‹ des 1. Jt. reflektiert die ideologischen und materiellen Interessen des Tempelsektors. Neben Himmelsphänomenen und Warenpreisen verzeichnen »Astronomische Tagebücher« u.a. vereinzelt polit. Ereignisse [1. 29]. Die Texte der mesopot. G., in deren Trad. auch die Babylōniaká des Berossos gehören, stehen in einem komplexen intertextuellen Zusammenhang, der sich häufig nur schwer rekonstruieren läßt [1. 27–33].

C. HETHITER
Während chronographische Texte weitgehend fehlen, kennen wir detailreiche und nuancierte histor. Berichte, die sich, zuweilen mehrere Generationen in die Vergangenheit zurückreichend, in legendenhaften Überl. (›Zalpa-Erzählung‹) und in Herrscherannalen (bes. denjenigen Muršilis II.), aber auch in Verträgen, Dekreten und Gebeten finden [3]. Die histor. Prologe erzählen vom Scheitern früherer Auflehnungsversuche des Vertragspartners, um deren Aussichtslosigkeit auch in der Zukunft zu erweisen, während sich Usurpatoren durch Verweis auf die göttliche Unterstützung (Apologie Hattušilis III.) oder durch Berichte über die von Vorgängern begangenen Greuel (›Telipinu-Erlaß‹) um Rechtfertigung bemühen. In den Pestgebeten Muršilis II., die den Grund für die Seuche in den Sünden der Väter suchen, wird Gesch. im Zeichen der Schuld semiotisiert [4. 236–248].

D. ISRAEL
Die G. des alten Israel [5] ist das Resultat einer langen und komplexen, in der Forsch. kontrovers diskutierten Redaktion, deren Zwischenstufen sich nicht erh. ha-

ben. Das sog. Deuteronomistische Geschichtswerk (Jos, Ri, 1–2 Sam, 1–2 Kg) läßt sich als eine große Aitiologie des Landverlustes beschreiben, mit dem → Jahwe sein Volk für die wiederholte Übertretung des göttlichen Gesetzes und Bundes bestraft [4. 249–255]. Fußend auf diesem Werk entsteht am Ausgang der Perserzeit im klerikal-schriftgelehrten Milieu des Jerusalemer Tempels das sog. Chronistische Geschichtswerk (1–2 Chr, Esr/Neh), das die Kontinuität des Volkes Israel über das Exil hinaus betont und eine versteckte → Eschatologie enthält.

→ Berossos; Genealogie

1 J. RENGER, Vergangenes Geschehen in der Textüberl. des alten Mesopot., in: H.-J. GEHRKE, A. MÖLLER (Hrsg.), Vergangenheit und Lebenswelt, 1996, 9–60 2 J.-J. GLASSNER, Chroniques Mésopotamiennes, 1993 3 H. A. HOFFNER, Histories and Historians of the Ancient Near East: The Hittites, in: Orientalia 49, 1980, 283–332 4 J. ASSMANN, Das kulturelle Gedächtnis, 1992 5 K. KOCH, s. v. Geschichte, G., TRE 12, 569–586.   E. FRA.

E. ÄGYPTEN

Seit alters hat man in Ägypten Listen über die Abfolge der Könige und die Hauptereignisse des Jahres (z. B. Bauten, Stiftungen, Kriege, Feste) geführt, urspr. wohl, um die einzelnen Jahre benennen und ihre Sequenz festhalten zu können. Von diesen oft erwähnten »Annalen« sind aber nur zwei längere Auszüge als Inschr. aus dem AR (ca. 2700–2190 v. Chr.) erhalten. Die Königslisten mit Abfolge und Regierungsdauer der Herrscher (nur Fr. einer längeren Liste und mehrere Bearbeitungen von Teilen erh.) – wohl Auszüge aus solchen Annalen – dienten neben kult. auch praktischen Zwekken, da mit jedem König die Jahreszählung neu begann. Auch → Manethons Werk (3. Jh. v. Chr.) liegen derartige Annalen und Listen zugrunde, ebenso geht die Epocheneinteilung der ägypt. Gesch. (im Grundsatz) darauf zurück. Seit dem MR (ca. 1990–1630 v. Chr.) werden denkwürdige Ereignisse an sakralen Orten inschr. (sichtbar) verewigt, wobei das Ereignis immer als eine vom König vollbrachte gottgefällige Tat dargestellt wird (»Königsnovellen«). In ihren konkreten Angaben stützen sie sich auf die von den verschiedenen Institutionen geführten Tagebücher. Vorgänge, die dem ägypt. Geschichtsbild eines von einem guten Herrscher erfolgreich regierten Landes widersprechen, wie Unruhen, verlorene Kriege oder Fremdherrschaften, erscheinen nicht in zeitgenössischen Berichten, sondern allenfalls in der Retrospektive als überwundenes Chaos. Lit. Texte und (nichtkönigliche) biographische Inschr. enthalten historiographische Angaben höchstens als Rahmenumstände.

D. WILDUNG, J. v. BECKERATH, s. v. Geschichtsdarstellung, Geschichtsschreibung, LÄ 2, 564–568 · D. REDFORD, Pharaonic King-Lists, Annals and Day-Books, 1986.   K. J.-W.

F. IRAN

Überlieferungsgeschichtlich bes. bedeutsam sind die an herausragender Stelle und oft in Verbindung mit Bildern oder Denkmälern angebrachten herrscherlichen und sonstigen Tatenberichte – etwa die Inschr. von → Bīsutūn (Dareios' [1] I.) aus dem 6. Jh. v. Chr., die res gestae der → Sāsāniden Šāpur I. (→ Sapor; → Naqš-e Rostam und → Narseh (→ Pāikūlī) sowie des zoroastrischen Würdenträgers Kirdīr (Naqš-e Rostam u.ö.) aus dem 3. Jh. n. Chr. Daneben stehen in achäm. Zeit – gleichfalls oft im Text-Bild-Zusammenhang – Königsinschr. zeitlosen Charakters, die stereotyp die Qualitäten von Herrscher und Reich vorstellen und Untertanenloyalität einfordern.

Ist christl. und manichäische Kirchen-G. schon länger bekannt, so wurde die offiziöse Sicht iran. Vergangenheit lange nur mündl. überliefert und unterlag so den Regeln oraler Wissensvermittlung (Rückprojektion, »organische« Veränderung von Überl., Verlust von Daten und Namen usw.). Die erste autoritative Aufzeichnung geschah im sog. ›Herrenbuch‹ (*Xwadāy-nāmag*) im 6. Jh. n. Chr. – später noch mehrfach überarbeitet und fortgeschrieben –, das die Gesch. Irans von den mythischen Urkönigen bis zur Regierungszeit Husraws (→ Chosroes [6]) II. (7. Jh.) in Form von »Sagenkreisen« darstellt, unterschiedlichste Textgattungen inkorporiert und im Rahmen zoroastrischer Weltsicht und Praxis belehren, zugleich aber auch unterhalten möchte. Es diente zum einen der perso-arab. G. frühislam. Zeit als Grundlage ihrer Sicht iran. Vergangenheit, zum anderen pers. Literaten wie Firdausī als Vorlage für ihre großen histor. Epen. In spätsāsānidischer Zeit entstanden weitere »histor.« Werke aus eigener und fremder Trad. (etwa des → Alexanderromans).

H. SANCISI-WEERDENBURG, Political Concepts in Old-Persian Royal Inscriptions, in: K. RAAFLAUB (Hrsg.), Anfänge polit. Denkens in der Ant., 1993, 145–163 · M. SPRINGBERG-HINSEN, Die Zeit vor dem Islam in arab. Universalgeschichten des 9. bis 12. Jahrhunderts, 1989 · J. WIESEHÖFER, Das ant. Persien, 1994, s. v. · E. YARSHATER, Iranian National History, in: Cambridge History of Iran 3.1, 1983, 359–477.   J. W.

II. GRIECHENLAND
A. WURZELN   B. KLASSISCHE ZEIT
C. HELLENISTISCHE ZEIT   D. RÖMISCHE
KAISERZEIT   E. CHARAKTERISTIK

A. WURZELN

Die griech. G. ist das Ergebnis einer langen histor. Entwicklung. Ihre Wurzeln und Ursprünge liegen 1. im Epos (Homer 8. Jh. v. Chr., Hesiod, der ep. Zyklus), das zahlreiche »historische« Elemente enthielt, 2. in der durch die Große Kolonisation (ca. 750–550 v. Chr.) und zahlreiche Entdeckerfahrten (ca. 650–450 v. Chr.) verursachten Ausweitung des geogr. und gesch. Horizonts sowie 3. in der den Griechen seit dem 6. Jh. v. Chr. durch die ionischen Naturphilosophen (→ Thales,

→ Anaximandros, → Anaximenes [1]) vermittelten rationalistischen Grundhaltung.

B. Klassische Zeit

(Ca. 500–330 v. Chr.). Zu Beginn des 5. Jh. verfaßte → Hekataios von Milet eine ›Erdkarte‹, eine ›Erdbeschreibung‹ (mit detaillierten geogr. und ethnographischen, bisweilen auch histor. Angaben) sowie *Genealógiai*, in denen er rationalistische Kritik am überlieferten Mythos übte. Lange galten die sog. »Logographen« → Charon [3] von Lampsakos (*Persiká*), der Lyder → Xanthos (*Lydiaká*) und Dionysios von Milet (›Persische Geschichte nach Dareios‹) als wichtige Vorläufer Herodots. Die neuere Forsch. datiert sie jedoch zumeist erst in die Zeit nach diesem. → Herodot aus Halikarnassos (ca. 485–425), der sein Werk als *historíēs apódexis* (›Darlegung der Erkundung‹) bezeichnete, gilt seit der Ant. als »Vater der G.«, da er die mythische Epoche ausklammerte, sich auf das ›von Menschen Geschehene‹ konzentrierte und auf dem Gebiet der Geogr. die Konstruktionen und Spekulationen des Hekataios durch eigene Besichtigung (»Autopsie«) und Empirie ersetzte. Angeregt durch das universalhistor. ausgerichtete Werk Herodots, dessen Zentrum die → Perserkriege bildeten, entstanden verschiedene historische Spezialdisziplinen, repräsentiert u. a. durch den »Vielschreiber« → Hellanikos, der als erster *Hellēniká*, ein Werk über griech. Gesch., und zudem zahlreiche »barbarische« Lokalgeschichten verfaßte, und → Antiochos [19] von Syrakus, der mit seinen Werken *Sikeliká* und *Perí Italías* die westgriech. G. begründete.

→ Thukydides von Athen (ca. 455–395) gilt mit seiner Darstellung des → Peloponnesischen Krieges als Begründer der histor. Monographie und steht am Anfang der kritischen G., da er sich die Ermittlung der histor. Wahrheit zum Ziele setzte. Sein unvollendetes Werk wurde von dem Athener → Xenophon, einem sehr vielseitigen Schriftsteller, dem anon. Verfasser der *Hellēniká* von Oxyrhynchos und → Theopompos von Chios fortgesetzt. Während → Ktesias von Knidos, ein jüngerer Zeitgenosse des Thukydides und Verf. von *Persiká*, als Vorläufer der hell. Sensationshistorie gilt, hatte die westgriech. G. in → Philistos, einem Nachahmer des Thukydides und Zeitgenossen der beiden Tyrannen Dionysios [1] und [2], ihren bedeutendsten Repräsentanten. Um die Mitte des 4. Jh. fand die Atthidographie (→ *Atthís*) in → Kleidemos und → Androtion herausragende Vertreter.

C. Hellenistische Zeit

(Ca. 330–30). Während der Gang der G. in klass. Zeit gut überschaubar ist und sich auf einige Autoren konzentriert, verläuft die Entwicklung im Hell. kompliziert und unübersichtlich. Nach Dionysios [18] von Halikarnassos (comp. 4, 30) würde ein ganzer Tag nicht ausreichen, um alle Autoren aufzuzählen. In der Tat ist das historiographische Spektrum durch eine immense Fülle der Produktion, enorme Vielfalt der Thematik und große Bandbreite der Darstellung charakterisiert.

Folgende Hauptströmungen, die jedoch nicht rein existieren, sondern sich frühzeitig bei den Autoren zu vermischen beginnen, lassen sich konstatieren: 1. Die »rhetorische« G., die sich besonders um die stilistische Ausgestaltung des Werkes bemühte; Hauptvertreter sind → Ephoros von Kyme, → Theopompos von Chios (ca. 378–320) und → Anaximenes [2] von Lampsakos; 2. die »tragische« G., die nach *mímēsis* (μίμησις), d. h. wirklichkeitsnaher Darstellung, strebte, jedoch nicht selten zur Sensationshistorie entartete, mit den wichtigsten Repräsentanten Duris von Samos (ca. 340–270) und → Phylarchos von Athen; 3. die »pragmatische«, d. h. tatsachenbezogene G., die wie ihr Hauptvertreter → Polybios aus Megalopolis (ca. 200–118) eine Analyse der faktischen und kausalen Zusammenhänge in den Vordergrund stellte.

Unter thematischem Aspekt sind vornehmlich zu nennen: 1. Die Alexanderhistoriker (z. B. → Kallisthenes von Olynth; → Chares [2] von Mytilene; → Ptolemaios, Sohn des Lagos; → Aristobulos [7] von Kassandreia). 2. Die Historiker der Diadochenzeit (z. B. Hieronymos von Kardia, ca. 360–260, und Duris von Samos). 3. Griech. Lokalhistoriker (in fast unübersichtbarer Anzahl! → Lokalgeschichte). Eine Sonderstellung nahmen hierbei die Atthidographen (bedeutendster Vertreter: → Philochoros von Athen, ca. 340–261) und die westgriech. Historiker (bes. wichtig: → Timaios von Tauromenion, ca. 350–260) ein. 4. Verfasser von Werken über fremde Völker und Kulturen, z. B. → Manetho über Ägypten, Berossos über Babylonien, → Megasthenes (um 300) über Indien. 5. Autoren über Rom, die neue Macht im Westen: u. a. die Griechen → Philinos von Akragas (über den 1. Pun. Krieg), → Sosylos von Lakedaimon und → Silenos von Kaleakte (über den 2. Pun. Krieg.) und die (griech. schreibenden) Römer → Fabius Pictor, → Cincius [2] Alimentus (Röm. Geschichte bis in die eigene Zeit, d. h. um 200). 6. Autoren, die den Aufstieg Roms zur Großmacht unter universalhistor. Aspekt behandelten: Polybios von Megalopolis, → Poseidonios von Rhodos. 7. Universalhistor. Kompilationen: Vor allem → Diodoros [18], dessen um 30 v. Chr. erschienene ›Histor. Bibliothek‹ eine Art Sammelbecken und zugleich den Endpunkt der hell. Historiographie bildet.

D. Römische Kaiserzeit

(Ca. 30 v. Chr.–600 n. Chr.). Auch im frühen Prinzipat nach 30 v. Chr. dominierten zunächst noch Verfasser universalhistor. Kompilationen, z. B. → Strabon von Amaseia, → Nikolaos von Damaskos, → Timagenes von Alexandria (alle Ende 1. Jh. v. Chr.); → Dionysios [18] von Halikarnassos publizierte 7 v. Chr. seine ›Röm. Archaiologia‹. Zahlreiche Historiker der folgenden beiden Jh. stammten aus dem Osten des Imperium Romanum, kamen in engen Kontakt mit den Römern und erlangten im Dienste der Kaiser hohe Ehren und Würden. Entsprechend zeichneten sie ein positives Rombild und betrachteten die röm. Herrschaft als notwendig und legitim. Dies gilt u. a. für Flavius

→ Iosephos (ca. 38–100 n. Chr.; ›Jüd. Krieg‹, ›Jüd. Arch.‹), → Appianos aus Alexandria (ca. 95–165 n. Chr.; geogr. gegliederte Röm. Gesch.), dessen Zeitgenossen → Arrianos [2] aus Nikomedia (›Anabasis Alexanders‹, ›Geschichte der Diadochen‹, ferner für → Cassius [III 1] Dio aus Nikaia in Bithynien (ca. 155–235 n. Chr.): Seine umfassende Röm. Gesch. bildet für weite Partien der frühen Kaiserzeit die einzige zusammenhängende Quelle und ist auch für die Zeit des Verf. von hohem Wert; schließlich auch für → Herodianos (ca. 180–250), der eine Kaisergesch. von 180–238 verfaßte. Von den späteren Historikern bis zum Ende des weström. Reiches 476 ist nur wenig erhalten. → Zosimos (Anf. 6. Jh.) war der letzte pagane Vertreter der Zeitgesch., → Prokopios von Kaisareia in Iudaea der wichtigste Geschichtsschreiber der Zeit des Iustinianus (527–65).

E. Charakteristik

Auffallend ist zunächst die Vielfalt der historiographischen Genera und die Weite des Geschichtsbegriffes: Universalgeschichte, histor. Monographie, *Hellēniká*, griech. Lokalgesch., Werke über fremde Völker, Darstellungen von Epochen und Persönlichkeiten waren nur einige von vielen Gattungen, in denen neben polit., diplomatischen und mil. Ereignissen zumeist auch ethnographische, geogr., kulturhistor., mythographische und religionsgesch. Fragen berücksichtigt wurden.

Daneben steht die geschickte Verwendung stilistischer, darstellerischer und kompositorischer Mittel. So enstanden zumeist Kunstwerke von hohem Rang, die zu den vornehmsten Gattungen lit. Prosa gehören. Die Historiker verstanden es, die Ereignisse dramatisch und kunstvoll darzustellen und sie zugleich zu deuten, die bewegenden Kräfte freizulegen und das Bild eines Geschehensganzen aufzubauen. Die griech. G. bietet zudem, beginnend mit der Zeit der Perserkriege, eine fast lückenlose Gesamtdarstellung der Gesch., eine Art *historia perpetua*, da viele Autoren zeitlich und thematisch das Werk ihrer Vorgänger fortsetzten. So knüpften etwa Thukydides an Herodot, Xenophon an Thukydides, Polybios an Timaios und Poseidonios an Polybios an.

Schließlich zeigt sich ein hohes Interesse an der Primärforschung. Obgleich die griech. Historiker meist nur ein oder zwei, selten mehrere Vorgänger benützten und unkritisch ausschrieben (und damit nach modernem Verständnis »unwissenschaftlich« verfuhren), waren sie den Modernen doch zumeist auf dem Gebiet der Primärforschung überlegen: Sie stützten sich in hohem Maße auf »Autopsie« und eigenes Erleben, sammelten und prüften die mündl. Überlieferung, befragten Augenzeugen und Gewährsleute und suchten die Schauplätze des Geschehens auf, um ihre Informationen an Ort und Stelle einzuziehen. Deshalb ist die »wiss.« Leistung der griech. Historiker kaum niedriger zu bewerten als die der modernen. Die Aktualität der griech. Geschichtsschreiber liegt nicht zuletzt darin begründet, daß die bedeutendsten unter ihnen (etwa Herodot, Thukydides, Polybios) zahlreiche methodo-

logische, geschichtstheoretische und weltanschauliche Fragen aufgeworfen und erörtert haben, die bis in die Neuzeit wirkten und noch in der Gegenwart heftig diskutiert werden.

Quellensammlung: F. Jacoby, Die Fragmente der Griech. Historiker (FGrH), 15 Bde., 1923 ff. (ersetzt weitgehend die alte Sammlung von C. und Th. Müller, Fragmenta Historicorum Graecorum (FHG), 5 Bde., 1840–74, ist jedoch nicht ganz vollendet worden.) Lit.: J. M. Alonso-Nuñez (Hrsg.), Griech. Geschichtsdenken und Geschichtsschreiber, 1991 · N. Austin, The Greek Historians, 1959 · T. S. Brown, The Greek Historians, 1973 · K. von Fritz, Die griech. G., Bd. 1, 1967 · S. Hornblower (Hrsg.), Greek Historiography, 1994 (Lit.) · Ders., s. v. Historiography (Greek, Hellenistic), OCD ³1996 (Lit.) · M. Hose, Erneuerung der Vergangenheit. Die Historiker des Imperium Romanum von Florus bis Cassius Dio, 1994 (Lit.) · F. Jacoby, Griech. Historiker, 1956 · Ders., Abhandlungen zur griech. G., 1956 · O. Lendle, Einführung in die griech. G., 1992 (Lit.) · T. J. Luce, The Greek Historians, 1997 · S. Mazzarino, Il pensiero storico classico, 2 Bde., 1966 · K. Meister, Die griech. G., 1990 (It. Ausgabe 1992) (Lit.) · A. Momigliano, Primo – nono contributo alla storia degli studi classici e del mondo antico, 1955–1992 · Ed. Schwartz, Griech. Geschichtsschreiber, 1959 · H. Strasburger, Die Wesensbestimmung der Geschichte durch die antike G., ³1975 · G. Wirth u. a., s. v. G., Kleines Lexikon des Hellenismus, ²1993 (Lit.). K. Mei.

III. Rom

A. Republik B. Frühes Prinzipat C. Zweites Jahrhundert n. Chr. D. Spätantike E. Literarische Form

A. Republik

Die Gesch. Roms beginnt als Gegenstand griechischer Historiographie: → Timaios von Tauromenion (FGrHist 566, von Gellius = Varro, T 9c [1. 294] geradezu als Historiker Roms apostrophiert) bezieht in sein dem griech. Westen gewidmetes Gesch.-Werk Rom ein [2]; Rom ist ebenfalls Thema in der sog. Ktisis-Lit., Darstellungen von Städtegründungen. Diese Ansätze greift → Fabius Pictor (FGrHist 809), der Archeget der röm. G. auf. Sein in griech. Sprache verf. und aus senatorischer (sen.) Perspektive (die insgesamt für die röm. G. charakteristisch ist) geschriebenes Werk behandelt ausführlich Gründungs- und Zeitgesch., die dazwischenliegende Periode (450–264 v. Chr.) nur summarisch (T 4a [4. 932–940]). Neben einer innenpolit. Wirkungsabsicht zielt es auch darauf, im griech. Kulturkreis die Genese der röm. Macht als organisches Wachstum eines hochzivilisierten alten Gemeinwesens darzustellen [5. 119 ff.]. Die röm. G. wird hierdurch geprägt [5. 120; 6]: Die Verbindung von moralischer Größe Roms mit dem polit.-mil. Erfolg wird von Fabius Pictors Nachfolgern aufgegriffen (→ Annalistik). Mit Catos *Origines* ist durch die Verwendung des Lat. Rom primärer Adressatenkreis: Historiographie, soweit sie Zeitgesch. berührt, ist auch Instrument der innenpolit.

Kontroversen. Röm. Historiker, die auf Griech. schreiben, bilden fortan bis in die Kaiserzeit die Ausnahme (Rutilius Rufus, FGrHist 815). Griech. Literaten (die griech. schrieben) im Dienst röm. Politiker finden sich häufiger (z. B. Theophanes von Mytilene). Einen Neuansatz weg von der annalistischen Form (vgl. Cato HRR F 77, Sempronius Asellio HRR F 1/2 und Cic. de orat. 2,53 f.) stellt die Monographie des → Coelius [I 1] Antipater über den 2. Punischen Krieg dar, in der durch die Stilmittel der hell. G. [7] der Stoff rhet. und dramatisch ausgestaltet wird (s. II. C.). Die hiermit inaugurierte Form führt Cornelius → Sisenna weiter. Unter dem Eindruck der pragmatischen G. des → Polybios verzichtet dagegen → Sempronius Asellio am Ende des 2. Jh. auf rhet.-dramatische Ausschmückung. Doch ist die Annalistik seit Coelius keineswegs obsolet geworden: auch sie erlebt in der sog. Jüngeren → Annalistik eine Blüte in der ersten H. des 1. Jh., die die Stilmittel der hell. G. aufnimmt, ohne freilich Polybios zu rezipieren. Die hier feststellbare Spannung zwischen Authentizitätsanspruch und -fiktion läßt sich erklären, wenn man diese Historiker als Angehörige der ital. Munizipalaristokratie oder des Ritterstandes betrachtet, die als Klienten der sullanischen Aristokratie für ein nunmehr nicht-sen. Publikum schreiben [8]. Die frg. Überl. all dieser Werke erlaubt nur selten, die jeweils individuell verschiedene Mischung von Streben nach Unterhaltung, moralischer Erbauung und außen- bzw. innenpolit. ausgerichteter Propaganda zu eruieren.

B. Frühes Prinzipat

Mit Sallust (Iug., Catil.) und Livius liegen erstmals Schriften bzw. Teile von Schriften selbst vor. Sie spiegeln auf jeweils verschiedene Weise den Umbruch in Staat und Ges. → Sallusts Zeit-G. aus sen. Perspektive betont in den Monographien die pragmatische Dimension durch Thukydides-Imitation und den moralischen Anspruch durch Archaisieren, in den Historien die Fortsetzung der Trad. durch den Anschluß an Sisenna; die Krise Roms findet in einer pessimistischen Grundstimmung Ausdruck. → Livius steht bereits vor der auch für die auf ihn folgende G. zentralen Frage nach der Haltung zur heraufziehenden monarchischen Staatsform. Seine Darstellung der Gesch. Roms *Ab urbe condita* wird bis zum Ende des 1. Jh. n. Chr. für den Bereich der älteren röm. Gesch. kanonisch (vgl. Quint. inst. 10,1,102). Die nicht-sen. Sichtweise des Livius, dessen implizite Kontrastierung von altröm. Tugenden und problematischer Gegenwart sich dem Duktus der augusteischen Restauration einpassen ließ, forderte indes für die Zeitgesch. weitere Ergänzungen aus sen. Perspektive: Sie setzen entweder mit dem Bürgerkrieg ein (z. B. Pollio, → Cremutius Cordus, → Seneca d. Ä.), orientieren sich an dynastisch bedeutsamen Zäsuren und nehmen entsprechende Wertungen vor (vgl. die Bemerkungen Tac. hist. 1,1; ann. 1,1) oder führen einfach den Stoff von Vorgängern fort (z. B. Aufidius Bassus, → Plinius d. Ä.) [9]. Neben dieser sen. G. (erh. Hauptvertreter: → Tacitus), die sich auf Rom konzentriert, das

Verhältnis zwischen Princeps und Senat zu einem Angelpunkt der Darstellung macht und immer wieder implizit die Frage nach der Staatsform aufwirft (mag sie auch verschieden beantwortet worden sein) [10], findet sich als Beispiel für eine uneingeschränkt positiv-panegyrische Bewertung des Prinzipats das Werk des Ritters → Velleius Paterculus. Die Gliederung der jüngeren Gesch. nach den Regierungszeiten der Kaiser kündigt das Schwinden der Grenze zwischen G. und (Kaiser-)→ Biographie an. Eine Sonderstellung nehmen die *Historiae Philippicae* des → Pompeius Trogus ein, die eine universalhistor. Betrachtungsweise mit einer Zielgerichtetheit auf Rom hin verknüpft.

C. Zweites Jahrhundert n. Chr.

Die sich mit dem 2. Jh. n. Chr. verstärkende Integration provinzialer Eliten in die Staatsverwaltung konnte die traditionelle sen. G. nicht verarbeiten, zumal angesichts der Distanz des Senats zu Hadrian und seiner Politik [11]. Das auf Livius fußende Werk des → Florus [1] trägt der veränderten Situation Rechnung durch stärkere Berücksichtigung der Prov., das des → Granius Licinianus könnte hingegen die traditionelle Position vertreten haben [12]. Mit Ausnahme der Darstellung des Partherkriegs (→ Fronto, *Principia Historiae*) tritt lat. verf. G. in der Zeit der Adoptivkaiser nicht mehr hervor. An ihre Stelle rückt erneut die griech. G., allerdings unter gewandelten Bedingungen: War von → Poseidonios bis → Strabon Rom aus einer Außenperspektive Gegenstand griech. Historiker, so ist nun die griech. Welt Teil des Imperium Romanum. Die Kultur des 2. Jh. ist zweisprachig, Aufgabe der G. wird es, die Regionen des Reiches mit der Vergangenheit zu versöhnen (s. u. II. D.). Der aus Ägypten stammende → Appianos schreibt im Kreis um Fronto seine röm. Gesch. unter starker Berücksichtigung der »Räume«; die Senatoren Claudius Charax (FGrHist 103) und → Cassius [III 1] Dio repräsentieren in ihren Werken ein Gesch.-Bild, das Monarchie und Reichseinheit als selbstverständlich enthält. Neben dieser griech. sen. G. findet sich eine lat. »G.«, die als biographische Form von → Sueton über → Marius Maximus zu den Quellen der → Historia Augusta reicht und vornehmlich der Unterhaltung (→ Unterhaltungs.-Lit.) dienen will.

D. Spätantike

Die Reichskrise des 3. Jh. führt zu einem Zusammenbruch auch der kulturellen Trad. im lat. Westen. Die G. am Ende des 3. Jh. steht vor der Aufgabe, den neuen Eliten ein Basiswissen über die Vergangenheit zu vermitteln [13]. G. ist nunmehr Aufgabe von Lehrern (→ grammaticus), die bis zu höchsten Würden gelangen. Charakteristisch wird für die Werke dieser Epoche die Kürze: Aurelius → Victor verfaßte um die Mitte des 4. Jh. eine kurzgefaßte Kaisergesch. (*Historiae abbreviatae*), die am Ende des Jh. in der Vereinigung mit der *Origo gentis Romanae, De viris illustribus urbis Romae* und der *Epitome de Caesaribus* eine knappe Gesamtgesch. Roms bilden wird (Corpus Aurelianum) [14]. Daneben treten Breviarien des Eutropius und → Festus [4] Rufius, ihnen zur Seite stehen Kurzfassungen (*periochae*, → *epitomae*) früherer Historiker, so die wohl hier anzusiedelnde Pompeius-Trogus-Epitome des M. Iunianus → *Iustinus*, die Erweiterung von Livius-Inhaltsübersichten (*periochae*) zu einer Art eigenständigem Text, die Bearbeitung des Florus (B.-Einteilung, Kap.-Überschriften, Inhaltstafel). Das Interesse an Kaiserbiographien ist ungebrochen, wie die sog. *Origo Constantini imperatoris* und die erschlossene → »Enmannsche Kaisergesch.« bezeugen, in deren Trad. die → *Historia Augusta* steht. Die lit. Ambitionen der Werke, die der Restauration der Bildung dienen, sind gering. Sie dienen didaktischen Zwecken.

Die Konsolidierung des Senatorenstandes, der wiederum zum Träger von Bildung und Lit. wird, zieht – gerade im Spannungsfeld der Christianisierung – eine Renaissance der Beschäftigung mit der Vergangenheit nach sich: Hierher gehört die Pflege der Trad., wie sie sich z.B. in der Beschäftigung mit dem Livius-Text im Kreis um Nicomachus spiegelt [15], die Wiederaufnahme der G. in sen. Perspektive durch Nicomachus → Flavianus [?] und → Ammianus Marcellinus (der programmatisch an Tacitus anknüpft) sowie die Historia Augusta als Ausdruck sen.-paganen Geistes [16] und das durch → Iordanes (Get. 15) und das → Anecdoton Holderi bezeugte Gesch.-Werk des → Symmachus. Hier tritt die für die Spätant. charakteristische Selbstdeutung als Welt im Niedergang auf [17; 18], die zugleich Roms Größe als Moment von Kulturbewußtsein und Reichsgesinnung evoziert (z.B. Ammian 14,6,5) [13. 97; 19]. Das Ende des weström. Reiches wie auch die tiefergehende Christianisierung der Oberschicht ziehen einen Schlußstrich unter die röm. G. Das Katastrophenjahr 410 wird bereits nur noch von einer christl.-lat. G. gewürdigt (vgl. [20]).

E. Literarische Form

G. ist in Rom eine lit. Form. Im Gegensatz zur Fachschriftstellerei (→ Antiquare) und zu den → *commentarii* [21] ist sie von der späten Republik an Teil des Kulturbetriebes und einbezogen in das Rezitationswesen (durch Lib. epist. 1063 auch noch für Ammianus bezeugt). Die Publikumserwartung an die Gattung läßt sich aus Cicero (fam. 5,12) und Tacitus (ann. 4,34) erschließen [22. 12]. Zugleich ist dadurch die Differenz zu mod. Erwartungen an G. erklärlich (so wird in der Regel vermieden, Dokumente im originalen Wortlaut zu zitieren, Ausnahme z.B. Marius Maximus HRR F 16).

Theoret. Reflexionen über die G. und die Rolle des Historikers (also etwa über seine Standortgebundenheit) sind nicht erh. [23. 302f.]. An ihrer Stelle findet sich häufig Kritik an Vorgängern (z.B. Tacitus [24]) als implizites Instrument, den eigenen Ort zu bestimmen. Neben Cic. fam. 5,12 ist Lukians Schrift *Quomodo sit historia conscribenda* als Zeugnis für ein Nachdenken über die Formen der G. bedeutsam [25].

Fragmentslg.: HRR.

1 K. Hanell, Zur Problematik der älteren röm. G., in: Histoire et Historiens dans l'Antiquité, 1956, 147–184
2 F. W. Walbank, Timaios und die westgriech. Sicht der Vergangenheit, 1992 3 B. W. Frier, Libri Annales Pontificum Maximorum, 1979 4 D. Timpe, Fabius Pictor und die Anfänge der röm. Historiographie, in: ANRW I 2, 928–969 5 A. Alföldi, Das frühe Rom und die Latiner, 1977 6 J. v. Ungern-Sternberg, Überlegungen zur frühen röm. Überlieferung, in: G. Vogt-Spira (Hrsg.), Stud. zur vorlit. Periode im frühen Rom, 1989, 11–27 7 N. Zegers, Wesen und Ursprung der tragischen G., Diss. 1959 8 D. Timpe, Erwägungen zur jüngeren Annalistik, in: A&A 25, 1979, 97–119 9 J. Wilkes, Julio-Claudian Historians, in: CW 65, 1972, 177–203 10 D. Timpe, G. und Prinzipat-Opposition, in: Entretiens 33, 1986, 65–102 11 P. Steinmetz, Unt. zur röm. Lit. des 2. Jh. n. Chr., 1982 12 M. Hose, Erneuerung der Vergangenheit, 1994 13 P. L. Schmidt, Zu den Epochen der spätant. lat. Lit., in: Philologus 132, 1988, 88–100 14 Ders., Das Corpus Aurelianum und S. Aurelius Victor, HL Suppl. 15, 1583–1675 15 J. E. G. Zetzel, Latin textual criticism in antiquity, New York 1981 16 J. Straub, Historia Augusta, in: Regeneratio Imperii 2, 1986, 94–118 17 R. Herzog, HLL § 500 18 K. Rosen, Über heidnisches und christl. Gesch.-Denken in der Spätant., 1982 19 M. Fuhrmann, Die Romidee in der Spätant., in: Brechungen, 1982, 75–112, 215–231 20 R. C. Blockley, The fragmentary Classicising Historians of the later Roman Empire, 2 Bde., 1981–83 21 D. Ambaglio, Fra hypomnemata e storiografia, in: Athenaeum 68, 1990, 503–8 22 A. J. Woodman, Rhetoric in classical historiography, 1988 23 O. Lendle, Einf. in die griech. G. 1992 24 T. J. Luce, Ancient views on the causes of bias in historical writing, in: CPh 84, 1989, 16–31 25 G. Avenarius, Lukians Schrift zur G., 1956.
MA. HO.

IV. Christentum
A. Griechisch B. Lateinisch

A. Griechisch

Ansätze einer frühen histor. Beschreibung der Verkündigung vom Reich Gottes und seiner Ausbreitung finden sich bereits im NT (Lk 1,1–4; Apg 1,1–3). Nach 200 n. Chr. führen das Zurücktreten der Naherwartung sowie apologetisch-katechetische Tendenzen zum Entstehen einer christl. Chronographie. Ausgehend von biblischen Vorbildern kann sich die Chronistik in der Folge als eigenständige literar. Gattung profilieren (→ Chronik). Auch findet die im 3. Jh. einsetzende Reflexion über die Kirche als einer mit der paganen Umwelt verwobenen, gesellschaftlichen Institution lit. Niederschlag (Märtyrerakten, Vitae u. a.).

Die verschiedenen Stränge bündelt → Eusebios [7] von Kaisareia (gest. 339). So umfaßt sein Werk unterschiedlichste historiographische Gattungen (Chronik; *Vita Constantini*: Biographie; *De martyribus Palaestinae*: Slg. von Märtyrerakten). Neuland in Terminologie und Form [3. 755] betritt er mit seiner nach mehreren Redaktionsstufen schließlich in 10 Bänden vorliegenden ›Kirchengesch.‹ (*Ekklēsiastikḗ historía*). Chronologisch an der Profangesch. orientiert und mit reichem Quellenmaterial ausgestattet, bietet der »Vater der Kirchengesch.« eine bis in die Tage des → Constantinus [1] d. Gr. reichende, ausführliche Erzählung (ἀφήγησιν: Eus. HE

1,1,6) der Gesch. des Gottesvolkes in heilsgesch. Konzeption.

Während sich der Westen mit Übers. begnügt, findet Eusebios im griech. Bereich zahlreiche Nachfolger (Übersicht mit Ausgabe [3. 204–208]), so im 5. Jh. → Philostorgios, → Sokrates Scholastikos, → Sozomenos und → Theodoretos von Kyrrhos. Während Philostorgios mit Schwerpunkt auf den arianischen Kontroversen (→ Arianismus) bis ins J. 425 berichtet, verfaßt Sokrates, bestimmt vom Streben nach Objektivität und Ausgleich [2. 243], in 7 B. eine von 306 bis 439 reichende, wertvolle Kirchengeschichte. Diese wiederum bildet die Hauptquelle für Sozomenos, der mit neuem Urkundenmaterial in 9 B. die Zeit von 324 bis 422 behandelt. Der klass. G. äußerlich am nächsten stehend [2. 38], schreibt Theodoretos von Kyrrhos mit seiner antiarianisch-apologetischen Kirchengesch. (5 B., die J. 325–428 umfassend), der *Historia religiosa* (Mönchsgesch.) und dem *Haereticarum fabularum compendium* (Beschreibung der → Häresien bis → Eutyches) drei bed. historiographische Werke. Weitere Kirchengesch. verfassen u. a. → Gelasios von Kyzikos, → Zacharias rhetor, → Euagrios Scholastikos (6 B., 431–594 behandelnd) sowie Theodorus Lector, der um 530 Sokrates, Sozomenos und Theodoretos zur *Historia tripartita* zusammenfaßt und bis 527 fortsetzt. Ende des 6. Jh. schließt mit → Iohannes von Ephesos (gest. um 585) die unter byz. Herrschaft faßbare, selbständige Kirchen-G.

1 G. F. CHESNUT, The First Christian Histories, ²1986 2 H. LEPPIN, Von Constantin dem Großen zu Theodosius II., 1996 3 F. WINKELMANN, Kirchengeschichtswerke, in: Ders., W. BRANDES (Hrsg.), Quellen zur Gesch. des frühen Byzanz (4.–9. Jh.), 1990, 202–212 (Ausgabe) 4 Ders., s. v. Historiographie, RAC 15, 724–765 5 M. WALLRAFF, Der Kirchenhistoriker Sokrates, 1997.   J. RI.

B. LATEINISCH
1. GRUNDLAGEN UND ENTWICKLUNG 2. EINZELNE WERKE 3. FORMALE BESONDERHEITEN 4. AUSBLICK

1. GRUNDLAGEN UND ENTWICKLUNG

Die spätant. lat. G. erfolgt unter grundsätzlicher Transformation bestehender Gattungen und Stiftung neuer Formen. Die entscheidende Bed. kommt dabei dem Christentum und seiner prinzipiellen Ausrichtung auf die Gesch. zu. Die lat. Trad. folgt hier zunächst der griech., die seit der 2. H. des 2. Jh. mit in apologetischer Absicht verfaßten Märtyrerakten (→ Acta Sanctorum, → Martys), seit dem letzten Drittel des 3. Jh. mit → Chroniken einsetzt. Am Anf. einer christl.-lat. Bemühung um die Gesch. steht die *Passio Perpetuae et Felicitatis*, die den Märtyrertod der → Perpetua und ihrer Dienerin Felicitas im J. 202 in Karthago beschreibt. Eine breite Produktion christl. historiographischer Schriften in lat. Sprache setzt allerdings erst im 4. Jh. ein. Dabei sind zunächst Übers. aus dem Griech. wichtig. Ein frühes Zeugnis ist die Übers. der Chronik des Hippolytos

von Rom, die dann in den sog. → Chronographen von 354, ein verschiedene historiographische Basisformen wie Konsul- oder Bischofslisten vereinigendes Sammelwerk, Eingang gefunden hat. Ebenfalls von großer Bed. ist die Übers. des 2. B. der Chronik des Eusebios, der *Chronikoí kanónes*, durch Hieronymus (381) sowie die Übertragung der bis 325 geführten 10 B. Kirchengesch. des Eusebios durch Rufinus von Aquileia (403), der selbst die Darstellung bis 395 weiterführt. Zu einer zentralen historiographischen Gattung entwickelt sich die Heiligenvita seit der Übers. der Antoniosvita des Athanasios ins Lat. durch Euagrius (eine anon. Übers. hatte es bereits zuvor gegeben).

Insgesamt entwickelt die lat. christl. G. eine eigene Dynamik. Dabei werden auch frühere nichtchristl. Bemühungen fortgesetzt, die mit Namen wie Cornelius Nepos (Chronik), Pompeius Trogus (Weltgesch.) oder Sueton (Viten) verbunden sind. Eine Sonderstellung nimmt das 316/321 verfaßte Werk des Laktanz *De mortibus persecutorum* ein, das gleichsam eine negative Vitenslg. darstellt, indem es die Christenverfolger und ihr elendes Ende thematisiert. Auf die traditionelle Form biographisch orientierter Lit.-G. (Varro) geht die 392/3 verfaßte Vitenslg. *De viris illustribus* des Hieronymus zurück. Für die Gattung der → Autobiographie kann Augustinus mit seinen *Confessiones* wohl als Begründer gelten, obwohl er in der lat. Spätant. zunächst ohne Nachfolge bleibt und selbst Parallelen zum *Carmen de vita sua* des Gregorios von Nazianz († 374) aufweist. Der spezifischen polit. Situation des von den Völkerwanderungen vorrangig betroffenen Westteils des röm. Reiches trägt die Volksgesch. Rechnung, die das ant. Genus der *origo gentis* fortsetzt und in christl. Sinne erweitert. Cassiodor (ca. 490–583) verfaßte mit seiner Gotengesch. *De origine actibusque Getarum* das erste Werk dieser Gattung, die eine schwer zu bestimmende und je nach Autor changierende Beziehung zu den spezifisch christl. historiographischen Gattungen besitzt.

2. EINZELNE WERKE

Mit seiner Chronik wurde → Hieronymus zum Archegeten der Gattung im lat. Westen, zumal er die stark östl. orientierte Chronik des Eusebios um Ereignisse des Westens ergänzte. Er fand viele Nachfolger und Fortsetzer, wie den Spanier Hydatius (bis 468) und Marcellinus Comes (bis 534). Prosper Tiro von Aquitanien bemühte sich, eigene Akzente zu setzen, indem er die Zeitgesch. in den Vordergrund stellte (bis 445/455). Er hat damit entscheidend auf die spätere Trad. gewirkt, wie die Chroniken des Cassiodor und des Isidor von Sevilla zeigen. Einen nicht in die hieronymianische Deszendenz einzuordnenden Sonderfall bildet die Chronik des Galliers Sulpicius Severus (bis 400). Weniger als im Osten blühte im lat. Bereich die Kirchengesch. Neben der Eusebios-Übers. des Rufinus ist bes. die *Historia ecclesiastica tripertita* zu nennen. Es handelt sich dabei um eine lat. Kompilation von Teilen der Kirchengesch. des Sokrates, Theodoret und Sozomenos, die in der 2. H. des 6. Jh. in Vivarium unter der

Ägide des Cassiodor angefertigt wurde. Hinzu kommen lokal orientierte Darstellungen von Verfolgungen wie die der kathol. Christen Nordafrikas unter den arianischen Vandalen in der *Historia persecutionis Africae provinciae* Victors von Vita. Einsam stehen die 7 B. der *Historia adversum paganos* des → Orosius da, der ersten christl. Universalgesch. Sie wurde auf Veranlassung des Augustinus als historiographisches Seitenstück zu *De civitate Dei* verfaßt. Orosius deutet die Gesch. als Unheilsgesch., die sich erst seit Christi Geburt langsam zum Besseren wende und sich als Heilsgesch. offenbare.

Schnell gelangt im lat. Bereich die Heiligenvita (→ Biographie) zu einer enormen Blüte. Schon die drei Mönchsviten des Hieronymus nehmen eine besondere Stellung ein. Sehr wirkungsmächtig sind die bald von Rufinus von Aquileia übers. Slg. der *Vitae* ägypt. Wüstenväter, die *Historia Lausiaca* und *Historia monachorum*. Die von Sulpicius Severus noch zu Lebzeiten des Heiligen verfaßte *Vita Martini* († 397) oder die *Vita Severini* des Eugippius zeigen dann bereits ein hohes lit. Niveau. Die enorme Blüte dieser Gattung bes. in Gallien belegen im 6. Jh. auch die 8 B. *Libri miraculorum* des Gregorius von Tours und die meist gallischen Bischöfen gewidmeten Viten des Venantius Fortunatus. In It. verdienen die *Dialogi de vita et miraculis patrum Italorum* (593/4) Papst Gregors d. Gr. besondere Beachtung. Wichtig ist auch die Entstehung des *Liber pontificalis*, einer kontinuierlichen Papstgesch., die seit dem 6. Jh. durchgehend geführt und redigiert wurde. Seit Cassiodor entwickelt sich zudem die Volksgesch. Um die Bestimmung einer *origo* durch Anknüpfung an die Troianer bemüht sich die Slg. des sogenannten Fredegar (→ Fredegar-Chronik) im fränkischen Bereich (6. Jh.) sowie die auf das 7. Jh. zurückgehende *Historia Britonum*. Die *Historia Francorum* des Gregorius von Tours ragt im 6. Jh. hervor. Gregorius setzt – wie der Angelsachse Beda in seiner *historia ecclesiastica gentis Anglorum* (731) – eigene Akzente, indem vielfach Elemente der universalen Kirchengesch. in den primär lokalen Rahmen einbezogen werden.

3. FORMALE BESONDERHEITEN

Wenn auch formale Elemente wie z. B. der Einschub von Reden oder Exkursen sowie teilweise die sprachliche Gestaltung auf die nichtchristl. lat. G. verweisen, fallen dennoch Besonderheiten der christl. G. ins Auge. Neu ist die Trennung einer das Heilsgeschehen und seine Träger betreffenden *historia sacra* von einer den traditionellen Handlungsraum histor. Geschehens markierenden *historia profana*. Zu den Eigenheiten christl. G. gehören ferner Ordnungsprinzipien, wie die in der Chronik des Sulpicius Severus zugrundegelegte Einteilung der histor. Zeit durch die Dauer von vier Reichen nach dem Traum des Nepukadnezar im Buch Daniel (c. 2) oder die Annahme von sechs *aetates* nach den sechs Schöpfungstagen (Gn 1), die Augustinus entwickelte und Isidor von Sevilla in die Weltchronistik übernahm. Auch die Erwartung eines Weltendes und der damit verbundene Zukunftsaspekt zeichnet christl. G. aus. Neu

ist zudem die grundsätzliche → Zeitrechnung *ab orbe condito*, die neben die vertraute Chronologie *ab urbe condita* oder nach Olympiaden, Konsulaten und lokalen Systemen (→ Ären) tritt. Doch erst Dionysius Exiguus legt Mitte des 6. Jh. die Geburt Christi auf das Jahr 754 *ab urbe condita* fest und schafft damit einen Fixpunkt, der sich nur langsam durchsetzt. Ein weiteres ins Auge fallendes Merkmal ist der Charakter der Universalität, der ant. Differenzierungen und Strukturen überlagert und grundsätzlich die Menschheitsgesch. einer z. B. röm. Gesch. überordnet. Gegenüber der strengen Berücksichtigung von Gattungsgesetzen fällt ferner in der lat. (wie in der griech.) christl. G. bisweilen eine geringe formale Strenge, ja Anspruchslosigkeit auf. Eusebios fügt Dokumente in seine Kirchengesch. ein, Kompilationen sind üblich, Bischofslisten werden mit erzählenden Texten verbunden. Auch die Gattungsmischung wie z. B. der Kirchen- und Volksgesch. bei Gregorius von Tours mit Elementen der Weltchronik gehört hierher. Die meist ma. Bezeichnungen als *historia*, *annales* oder *chronica* sind vielfach aufgrund der Unbestimmtheit der Gattungen gewählte Notlösungen.

4. AUSBLICK

Cassiodor (inst. 1,17,1) stellt die Existenz einer eigenen christl. lat. Historiographie fest. Sein hier formulierter Kanon wird ab der Karolingerzeit verbindlich und dokumentiert den sich nach der Koexistenz traditioneller und christl. G. vollziehenden Wechsel. Das Bild von der »Ant.« und die Darstellung der Vergangenheit wird nun auf lange Zeit von den christl. Autoren des 4.–6. Jh. bestimmt.

→ GESCHICHTSSCHREIBUNG

W. BERSCHIN, Biographie und Epochenstil im lat. MA, 2 Bde., 1986–8 • A.-D. VON DEN BRINCKEN, Stud. zur lat. Weltchronistik bis in das Zeitalter Ottos von Freising, 1957 • A. EBENBAUER, Historiographie zwischen der Spätant. und dem Beginn volkssprachlicher G. im MA, in: Grundriß der romanischen Lit. des MA XI/1, 1986, 57–113 • B. CROKE, A. EMMET (Hrsg.), History and Historians in Late Antiquity, 1983 • J.PH. GENE (Hrsg.), L'Historiographie médiévale en Europe, 1991 • H. HOFMANN, Die G., in: L.J. ENGELS, H. HOFMANN, NHL 4, 1997, 403–467 • F. VITTINGHOFF, Zum gesch. Selbstverständnis der Spätant., in: HZ 198, 1964, 529–574 • G. ZECCHINI, La storiografia cristiana Latina del IV secolo (Da Lattanzio ad Orosio), in: Ders., Ricerche di storiografia Latina tardoantica, 1993, 7–28. U. E.

Geschicklichkeitsspiele wurden vor allem von Kindern veranstaltet. Bei einem Teil dieser Spiele dienten → Astragale, Nüsse, kleine Steine, Münzen, kleine Kugeln oder Scherben als Spielzeug (→ Kinderspiel), bei anderen Stöcke, Scheiben, Räder usw.

Beliebt war das πεντάλιθα (*pentálitha*) genannte G. (Poll. 9,126), bei dem man fünf Steine (Nüsse, Kugeln o.ä.) hochwarf und mit der Handfläche oder dem Handrücken wieder auffing; bei einem anderen G., dem *orca*-Spiel, warf man in ein sich oben verengendes Gefäß Nüsse, Steine u. a. (Ps.-Ov. Nux 85f.; Pers. 3,50); diesem Spiel ähnlich war das ἐς βόθυνον (*es bóthynon*, → *tró-pa*), doch warf man hier die Nüsse, Astragale usw. in eine Grube. Bei einem weiteren Spiel versuchte man, zu einem Kegel aufgetürmte Nüsse oder Nußhälften ([1. 97] nennt Walnüsse) mit geschicktem Wurf einer weiteren Nuß auseinander zu treiben (Ps.-Ov. Nux 75 f.); auch ließ man von einer schiefen Ebene eine Nuß rollen, die dann auf der Erde liegende Nüsse wegtreiben sollte (Sieger war derjenige, dessen Nuß die meisten getroffen hatte; Ps.-Ov. Nux 77 f.); hierzu konnte man auch Kugeln oder Ringe nehmen. Beim »Delta«-Spiel zeichnete man parallel zur Basis des griech. Buchstabens Δ mehrere Linien auf den Boden, von denen man möglichst viele mit einer Nuß überrollen ließ (Ps.-Ov. Nux 81–84); diesem ähnlich war das Spiel εἰς ὤμιλλαν (*eis ṓmillan*), jedoch beschrieb man jetzt einen Kreis, in den man aus der Entfernung Astragale, Nüsse o.ä. warf (vgl. die Terrakottagruppe bei [2]), um die vom Mitspieler dort gesetzten aus dem Kreis zu bringen (Poll. 9,102).

Zu erwähnen sind auch das Reifenschlagen, urspr. nur ein Kinderspiel, in der röm. Kaiserzeit auch bei Erwachsenen beliebt (Hor. carm. 3,24,57 nennt es *Graeco trocho*, Hor. ars 380; Ov. ars 3,383; Mart. 14,168 f.; Prop. 3,14,6), ferner das Schlagen des → Kreisels. Eine Variante des Reifenschlagens war das G. mit einem scheibenförmigen Rad, das man mit einem Stab, den man an der Radnabe ansetzte, ins Rollen brachte; mehrere Spieler betrieben dies als Wettrennen [1. 101 f.].

Ein G. für Erwachsene, bei dem man Bälle aus einem Netz nehmen mußte, ohne daß sich die anderen bewegten, beschreibt Ov. ars 3,361 f. Sieger war derjenige, der die meisten Bälle nehmen konnte. Zu den G. zählen ferner das στρεπτίνδα-Spiel (*streptínda*, »Umwenden«), bei dem es galt, ein auf dem Boden liegendes Holzstück durch den Wurf eines zweiten umzuwenden (Poll. 9,117), und der κυνδαλισμός (*kyndalismós*, Poll. 9,120), der ähnlich gespielt wurde, nur daß jetzt ein Holzpflock in der Erde steckte und durch einen gezielten Wurf weggeprellt werden mußte. Von den bei Poll. 9,114–120 aufgelisteten G. mit den Fingern sei das χαλκισμός (*chalkismós*)-Spiel erwähnt, bei dem eine sich kreiselförmig drehende Geldmünze mit dem Finger zum Stehen gebracht wird, bevor sie fällt.

→ Askoliasmos; Epostrakismos; Kottabos; Spiele

1 R. AMEDICK, Die Sarkophage mit Darstellungen aus dem Menschenleben, 4. Vita Privata, in: ASR 14, 1991, 97–104 2 DS Bd. 5, 28, Abb. 6737.

A. RIECHE, Röm. Kinder- und Gesellschaftsspiele, Limesmuseum Aalen 34, 1984 · J. VÄTERLEIN, Roma ludens. Kinder und Erwachsene beim Spiel im ant. Rom, 1976, 34–50.　　　　　　　　　　　　　　　　R.H.

Geschlecht
[1] s. Genealogie
[2] G. (medizinisch). Die Spekulationen medizinischer Autoren über die Frage, wie *in utero* das Geschlecht festgelegt werde, waren dazu angetan, das gesellschaftliche und kulturelle Verständnis der Rollen von Mann und Frau zu verfestigen. Einem in klass. Zeit in medizinischen und außermedizinischen Werken verbreiteten Erklärungsmodell zufolge war der Samen das Privileg des Mannes, während die Frau lediglich den »Stoff« beisteuere sowie den Ort, an dem der Samen aufgehen könne. Der prominenteste Vertreter dieser Position war Aristoteles, der den Frauen jede Fähigkeit, Samen welcher Art auch immer zu produzieren, absprach (gen. an. 727b7–12; vgl. Ps.-Lukian amores 19). Dagegen heißt es in der Darstellung des Verf. der hippokratischen Schriften *De natura pueri*, daß beide Partner, Mann und Frau, Samen von »männlicher« und »weiblicher« Art beisteuern. Das Geschlecht des Fötus werde auch durch den Zeitpunkt des Beischlafs innerhalb des weiblichen Monatszyklus beeinflußt; bei einer Zeugung während der Menstruation entstehe eher ein Mädchen als ein Junge. Wenn der männliche Samen sich mit dem weiblichen mische, komme es zum Kampf zwischen mütterlichem und väterlichem Samen, dessen Ausgang nicht nur über das Geschlecht des Kindes, sondern auch über dessen körperliche Merkmale entscheide. Dabei spielten Qualität wie Quantität des Samens gleichermaßen eine Rolle (Hippokr. De genitura 6 = 7,478 L.); z.B. bedeute ein zu entsprechendem Anlaß vorhandener kräftiger Samen, der von des Vaters Nase herrühre, daß auch das Kind dessen Nasenform bekäme (Hippokr. De genitura 8 = 7,480–2 L.). Was jedoch die Festlegung des Geschlechts betrifft, so schaffe während der überwiegenden Zeit des Menstrualzyklus »kräftiger« Samen einen Jungen, »schwacher« ein Mädchen.

Die Vorstellung, das Geschlecht hänge davon ab, welcher Samen zum Zeitpunkt der Empfängnis dominiert, weckt eher die Vorstellung einer »gleitenden Skala« [1] denn eines Gegensatzes zweier völlig unterschiedlicher Geschlechter. Trotz – oder vielleicht gerade wegen – der vorherrschenden Emphase, mit der die Aufrechterhaltung des entsprechenden Rollenverständnisses beider Geschlechter eingefordert wurde, wird in der griech.-röm. Medizin heftig über die Möglichkeit spekuliert, das Geschlecht wechseln zu können. So soll, nachdem ihr Mann sie verlassen hatte, der Körper der im Corpus Hippocraticum erwähnten Phaethusa von Abdera ein männlicher geworden sein, was sich darin äußerte, daß sie nach dem Aussetzen der Menstruation eine tiefe Stimme und Körperbehaarung entwickelte (Hippokr. epidemiai 4,8,32 = 5,356 L.). Soranos (Gynaecologia 3,7) vertritt die Ansicht, die Menstruation könne bei Frauen aussetzen, die zu viel Sport trieben, da sie dann nicht genügend Blutüberschuß auszustoßen hätten; dennoch blieben sie »Frauen«. Zahlreiche Mythen (wie der von Kainis/Kaineus und der von Teiresias) und Geschichten von Geschlechtsumwandlungen ziehen freilich noch radikaler die Vorstellung von den beiden natürlich fixierten Geschlechtern in Zweifel.

Medizinische Autoren behandeln den Geschlechtsakt selbst sowie seine Auswirkungen auf die Gesundheit. Übermäßiger Geschlechtsverkehr galt als schädlich für Mann und Frau (z. B. Aristot. gen. an. 727a22–25). Der hippokratischen Schrift *De genitura* (4 = 7,474–6 L.) zufolge genießt die Frau den Geschlechtsverkehr so lange, bis der Mann ejakuliere, was die Lust der Frau zum Höhepunkt und anschließend zum Erlöschen bringe. Vergleiche werden gezogen mit dem Effekt von Wein, der auf eine Flamme, oder von kaltem Wasser, das in kochendes Wasser gegossen wird. Allerdings sei die Lust der Frau, wenn auch von längerer Dauer, so doch weniger intensiv als die plötzliche, flüchtige Lust des Mannes. Eine gewisse Widersprüchlichkeit herrscht bei ant. Autoren bezüglich der Auswirkungen des Geschlechtsverkehrs auf den männlichen Körper; Plinius z. B. empfiehlt davon so wenig wie möglich, behauptet jedoch dessen ungeachtet, er könne einen kraftlosen Athleten zu neuem Leben erwecken, eine heisere Stimme wiederherstellen, Sehstörungen beheben oder einen verwirrten Geist kurieren (nat. 28,58 [16]). Hippokr. De genitura 1 (7,470 L.) zufolge liegt der Grund, warum der Geschlechtsverkehr den Mann in der Regel schwäche, darin, daß das ausgestoßene Sperma aus den nahrhaftesten und kräftigsten Anteilen der Körpersäfte bestehe. Die ideale »Praxis der Lust« bestand für einen Mann der griech.-röm. Oberschicht in der Zurschaustellung seiner Tugend, d. h. seiner Selbstbeherrschung und Körperkontrolle [2]. Ein exzessives Sexualleben galt als potentielle Quelle für starke Schamgefühle. Die Autoren von Sex-Handbüchern, einer Gattung, die dem für das 4. Jh. v. Chr. charakteristischen Interesse an Klassifikationen entsprang und in der verschiedene Stellungen für heterosexuellen Beischlaf aufgeführt sowie zu ausgefeilten Lustpraktiken ermuntert wurde, wurden »Verfasser schamloser Dinge« (ἀναισχυντογράφοι) genannt und ihre Bücher selbst als maßlos oder ungezügelt charakterisiert [3]. Von Männern erwartete man, daß sie ohne Anleitung wußten, was zu tun sei, und jederzeit Herr der Lage waren; so galten Sexführer als unnötig und »weichlich«, eben als »weiblich« (Mart. 12,43).

Was Frauen betrifft, so boten ihnen die medizinischen Modelle weit weniger Gelegenheit zu einer Körperkontrolle in der Weise, wie sie Männern empfohlen wurde. Der weibliche Körper wurde ganz im Lichte seiner Sexualfunktion gesehen; von der Pubertät an sei regelmäßiger Geschlechtsverkehr vonnöten, um die Gebärmutter feucht und offen zu halten, das Blut zu erwärmen und in Bewegung zu versetzen, damit es frei um die inneren Kanäle strömen könne [4]. ›Wenn Frauen Geschlechtsverkehr mit Männern haben, ist es um ihre Gesundheit besser bestellt, als wenn sie ihn nicht haben‹ (Hippokr. De genitura 4 = 7,476 L.). Den Boden um einer guten Entwässerung willen zu pflügen und so für die Aussaat vorzubereiten, war ein bildhafter Vergleich für diese Einsicht (vgl. Artem. 58,10–12 Pack; [5]). Allerdings glaubte man, daß Geschlechtsverkehr für Schwangere schädlich sei (Soranos, Gynaecologia 1,56).

1 M. Gleeson, The Semiotics of Gender, in: D. Halperin u. a. (Hrsg.), Before Sexuality, 1989 2 M. Foucault,

L'Usage des plaisirs, 1984 3 H. N. Parker, Love's Body Anatomised, in: A. Richlin (Hrsg.), Pornography and Representation in Greece and Rome, 1992, 90–111 4 L. Dean-Jones, The Politics of Pleasure, in: Helios 19, 1992, 72–91 5 P. duBois, Sowing the Body, 1988, 39–85.

M. Arthur-Katz, Sexuality and the body in ancient Greece, in: Métis 4, 1989, 155–179 • J. P. Hallett, Roman attitudes towards sex, in: M. Grant, R. Kitzinger (Hrsg.), Civilization of the Ancient Mediterranean. Greece and Rome, Bd. 2, 1988, 1265–1278. H. K./Ü: L. v. R.-B.

Geschlechterrollen I. Gesellschaft A. Griechenland B. Rom II. Medizin

I. Gesellschaft
A. Griechenland

1. Initiationsriten für Mädchen und Jungen
2. Geschlechterrollen in der Literatur
3. Sexualnormen

Kennzeichnend für die griech. Ges. ist eine strikte Trennung der Sphären der Geschlechter, die kaum mit der mod. Unterscheidung zw. einem privaten, häuslichen und einem öffentlichen, polit. Bereich übereinstimmt. Weder ist das Haus (→ *oíkos*) als ein rein privater Bereich zu verstehen, noch lassen sich die G. nur auf jeweils einen Bereich fixieren. Grenzlinien bestanden sowohl innerhalb des Hauses als auch innerhalb der Öffentlichkeit ant. Städte. Komplementarität, aber auch Abgrenzung zeichnen den ant. Diskurs über die G. aus.

1. Initiationsriten für Mädchen und Jungen

Die Geschlechtsreife bildete den Markstein in der Organisation des Geschlechterverhältnisses. Eine Reihe von Riten markierte den Lebensweg des Mädchens (κόρη; *kórē* bzw. παρθένος; *parthénos*) und des Jungen (κοῦρος; *kúros* bzw. νέος; *néos*) bis zur Geschlechtsreife. Mit dem Fest der → *Ōschophória*, das um einen rituellen Geschlechtsrollentausch kreiste, endete in Athen die Kindheit der Jungen und erfolgte die vollwertige Integration sowohl in den Bürgerverband als auch in den *oíkos*. Der kultische Dienst zu Ehren der Stadtgöttin Athena bedeutete für die jungen Mädchen die Eingliederung in den Polisverband. Rituell wurden die spartanischen Jungen und Mädchen u. a. im Kult der Artemis Orthia und am Fest der → *Hyakínthia*, → *Kárneia* und *Gymnopaidíai* in die Polis aufgenommen. Waren die Aktivitäten der Mädchen im Kult, die in Athen stellvertretend von einzelnen ausgeübt wurden, auf ihre zukünftigen Arbeitsrollen im *oíkos* hin orientiert, verwiesen diejenigen der jungen Männer auf ihre Teilhabe an der → Hoplitengemeinschaft und bestanden aus Agonen sowie in der Ausführung des Schlachtopfers. Sie wurden dafür im *gymnásion* und in der *palaístra* vorbereitet.

Das Hochzeitsritual stellte die endgültige Festschreibung der G. dar (→ Hochzeitsbräuche). In seinem Zentrum stand die Überführung der Braut (νύμφη; *nýmphē*) in das Haus des Bräutigams, die auf zahlreichen Hochzeitsgefäßen dargestellt wurde. Als γυνή (gynḗ; Frau) wurde die Braut erst nach der Geburt eines Kindes bezeichnet, womit zugleich der Status als Bürgerin umrissen war; ἀνήρ (anḗr) hieß der erwachsene Mann. Nach Meinung der Philosophen galten Mädchen ab dem 16. Lebensjahr als heiratsfähig; für Männer wurde ein späteres Heiratsalter um das 30. Lebensjahr empfohlen, das zugleich den Eintritt in das aktive polit. Leben Athens markierte (Plat. leg. 785b; Aristot. pol. 1335a 6–35). Dies entsprach nach den Aussagen der Gerichtsreden der att. Praxis; für Sparta und für Kreta ist ein geringerer Altersabstand überliefert (Athen. 555c; Strab. 10,4,20; Inschr. von Gortyn VIII 35 u. VII 18–19). Für die Frauen bedeutete die Heirat die Übernahme der Leitung des oíkos; damit waren die Lebensräume von Mann und Frau festgelegt (Xen. oik. 7,30). Die Verfügungsrechte von Mann und Frau über die Mitgift waren ebenso wie deren Höhe regional unterschiedlich geregelt.

2. GESCHLECHTERROLLEN IN DER LITERATUR

Die G. und die Beziehungen zwischen den Geschlechtern wurden in der griech. Dichtung und Philos. schon früh reflektiert und normativ beschrieben. Bei Homer verweist Telemachos seine Mutter Penelope auf die Textilarbeit, auf Spinnen und Weben, als ihren Tätigkeitsbereich, während das Wort die Sache der Männer sei; dezidiert nimmt er die Verfügungsgewalt im oíkos für sich in Anspruch (Hom. Od. 1,356–359; vgl. Hom. Il. 6,490–493). Im Prometheusmythos bei Hesiod ist die Frau für den Mann schlechthin ein Übel (κακόν), das den Menschen von Zeus als Vergeltung für den Feuerraub geschickt wurde. Laut Hesiod ist es nicht möglich, die Ehe zu vermeiden, denn dann fehlt dem Mann im Alter die Pflege, und nicht die eigenen Kinder erben seinen Besitz; allenfalls ist die Ehe für den Mann von Schlechtem und Gutem geprägt. Die Frauen sind nicht Helferinnen in der Armut, sondern verzehren wie Drohnen das, was die Männer erarbeiten (Hes. theog. 570–612). In der Fassung der Érga führt die erste Frau, → Pandora, in einem großen Faß alle Übel mit sich, und seitdem ist die Erde für die Menschen (Männer) voll von Übeln (Hes. erg. 53–105).

Eine derartig negative Sicht der Geschlechterbeziehungen und damit auch der Rolle der Frau wird sowohl in der Trag. als auch in der Komödie formuliert, aber auch wiederholt diskutiert (vgl. etwa Eur. Med.; Aristoph. Thesm.). Es gibt Kataloge negativer Eigenschaften der Frauen, die in den Vorwürfen der Untreue, des ungezügelten Essens und der Neigung, ungemischten Wein zu trinken, gipfeln (Aristoph. Eccl. 220–238). Bei Aristophanes wird Euripides wegen seiner vermeintlich frauenfeindlichen Tragödien am Thesmophorienfest von den Frauen angeklagt (Thesm. 383–431). Die Komödie ist aber auch jene lit. Gattung, die in der Transgression der üblichen Geschlechterrollen am weitesten gehen kann; in Aristophanes' Lysistrátē weigern sich die Frauen, ihrer sexuellen Rolle zu entsprechen, und in den Ekklēsiázusai übernehmen die Frauen die Macht in der Polis, nachdem sie sich als Männer verkleidet haben.

Männer wiederum erscheinen in Frauenkleidern auf der Bühne, so der Dichter Agathon (Aristoph. Thesm. 91–267).

In Xenophons Oikonomikós aus dem 4. Jh. v.Chr. werden die Kompetenzbereiche zwischen den Geschlechtern im Rahmen der Hauswirtschaft unter Hinweis auf die Verhältnisse in der Natur klar abgesteckt und die Komplementarität der G. betont. Die Abgrenzung beruht auf einer räumlichen Unterscheidung zw. einem äußeren und einem inneren Bereich. Vorratshaltung, die Sorge für Kinder und Kranke sowie die Textilherstellung oblagen der Hausherrin, der δέσποινα (déspoina); die landwirtschaftliche Arbeit galt ebenso wie die Kriegstätigkeit als männliches Aufgabenfeld (Xen. oik. 7,22–43; ähnl. Aristot. oec. 1,1343b–1344a). Es handelt sich dabei um idealtypische Beschreibungen, die auf Verhältnisse etwa in Attika Bezug nahmen, zugleich aber durch die Vielfalt gesellschaftlicher Praktiken konterkariert wurden. So übten Frauen durchaus eine Vielzahl von Berufen aus, wobei sie auch in der Öffentlichkeit, etwa auf der Agora, tätig waren (Demosth. or. 57,30–36; 57,45). Zudem existierten konkurrierende Idealbilder. Platon etwa neigte zu einer Aufhebung der G. zugunsten eines Modells, in dem Zuständigkeiten nicht nach Geschlecht, sondern nach Stand geregelt waren und Frauen wie Männer in den Krieg zogen und an der Regierung der Polis beteiligt waren (Plat. rep. 451c–458b; leg. 806a f.).

3. SEXUALNORMEN

Zur Erfüllung der G. gehörte die Einhaltung von bestimmten sexuellen Normen, die für beide Geschlechter unterschiedlich definiert waren. Von Frauen wurde im klass. Griechenland der Verzicht auf vorehelichen und außerehelichen Geschlechtsverkehr verlangt (Plut. Solon 23,2; Aischin. Tim. 183; Demosth. 59,85ff.; Lys. 1); Männern hingegen stand es frei, Umgang mit → Hetairai oder Prostituierten zu pflegen (Xen. mem. 2,2,4; Demosth. 59,122). Im Extremfall konnte ein Mann sogar Hetären und Prostituierte in das gemeinsam bewohnte Haus führen (And. 4,14; Plut. Alkibiades 8), ein Vorgang, der in der Trag. reflektiert wurde (Soph. Trach. 531ff.). Immerhin setzte sich in der Ethik während des 4. Jh. v.Chr. zunehmend die Forderung gegenseitiger ehelicher Treue durch (Plat. leg. 840d–841e), die Untreue des Mannes wurde als Unrecht empfunden (ἀδικία δὲ ἀνδρὸς αἱ θύραζε συνουσίαι γιγνόμεναι, Aristot. oec. 1344a). Die männliche Prostitution wurde ebenfalls als ein Verstoß gegen Verhaltensnormen angesehen und als Effemination wahrgenommen (Aischin. Tim. 185).

Von Bed. für das Verständnis der G. sind auch die grundsätzlichen Ausführungen über das Männliche und Weibliche in den zoologischen Schriften des Aristoteles; hier wird der Gegensatz der Geschlechter als der von Bewegung und Stoff, Aktivität und Passivität gesehen (Aristot. gen. an. 716a; 729b). Die Welt der Frauen – der Bereich des oíkos, der Textilherstellung, aber auch der Hochzeitsriten – ist ebenso wie der Lebensbereich der

Männer – Krieg und Kampf, aber auch Symposion und Sport – häufig Gegenstand der Vasenmalerei, die zusätzlich zu den Texten wesentliches Material für die Analyse der G. in Griechenland bietet.

→ Arbeit; Ehe; Frau

1 C. BÉRARD u. a., Die Bilderwelt der Griechen, 1985, 127–153 2 P. BRULÉ, La fille d'Athènes, 1987 3 C. CALAME, Les chœurs des jeunes filles, 1977 4 D. COHEN, Law, Sexuality and Society, 1991 5 H. P. FOLEY (Hrsg.), Reflections of Women in Antiquity, 1981 6 L. FOXHALL, Household, Gender and Property in Classical Athens, in: CQ 39, 1989, 22–44 7 R. HAWLEY, B. LEVICK (Hrsg.), Women in Antiquity, 1995 8 D. W. K. LACEY, The Family in Classical Greece, 1968 9 J. J. WINKLER, The Constraints of Desire, 1990 10 R. ZOEPFFEL, Aufgaben, Rollen und Räume von Mann und Frau im archa. und klass. Griechenland, in: Dies., J. MARTIN (Hrsg.), Aufgaben, Rollen und Räume von Mann und Frau, 1989, 443–500.

B. W.-H.

B. ROM

Mit sieben Jahren, mit dem Ende der Kindheit, begannen sich die Geschlechtersphären in Rom deutlich zu trennen: Solange die Erziehung eine Angelegenheit der Familie war, begleiteten die Söhne ihre Väter und wurden so an ihre Aufgaben herangeführt, die Mädchen blieben bei ihren Müttern und erlernten die Führung eines Haushaltes. Erst ab ca. 150 v. Chr. wurde die Ausbildung von Kindern aus Familien der Oberschicht Spezialisten überlassen. Mit der Geschlechtsreife wurde die *puella* zur *virgo*, der *puer* zum *pubens*. Dem Jungen wurde die *toga virilis* angelegt, und er wurde feierlich auf das Forum geführt (*deductio in forum*). Mädchen dagegen legten ihre *bulla* erst im Rahmen der Hochzeitszeremonien ab, was darauf verweist, daß sie urspr. kurz nach der Geschlechtsreife verheiratet wurden. Dies änderte sich jedoch in der Prinzipatszeit. Wie der Junge zum Forum, wurde das Mädchen in das Haus ihres Mannes geführt (*deductio in domum*). Für die jungen Männer der Oberschicht folgte eine Zeit der mil.-polit. Ausbildung, bevor sie die Ehe schlossen. Wie schon die Bezeichnung der Ehe als *matrimonium* (abgeleitet von *mater*) zeigt, wurde die bedeutsamste Aufgabe der Frau darin gesehen, dem Mann Nachkommen zu schenken. Um die höchste gesellschaftliche Würde als *mater familias* oder als *matrona* zu erlangen, mußte eine Frau jedoch keine eigenen Kinder haben. Auch der Status des *pater familias* hing entscheidend davon ab, daß der Betreffende nicht mehr der Gewalt eines Verwandten unterstand (→ Familie).

Ein gravierendes Problem in den Beziehungen der Geschlechter scheint darin gelegen zu haben, daß ein Teil der Männer sozial nicht in der Lage war, eine Familie zu ernähren, und eine ablehnende Einstellung der Ehe gegenüber wohl weit verbreitet war; bereits 131 v. Chr. glaubte der Censor Q. Caecilius Metellus die röm. Männer auffordern zu müssen, Ehen einzugehen und Kinder großzuziehen (Liv. per. 59; Gell. 1,6). Prostitution und Konkubinat boten unverheirateten Männern die Möglichkeit sexueller Beziehungen. Ehefeind-

liche Positionen wurden wiederholt in der Dichtung formuliert, so etwa bei Iuvenal, der gerade mit Hinweis auf die weibliche Untreue von der Ehe abriet (Iuv. 6,25–37); Lukrez wiederum warnte vor jeglichen Liebesverhältnissen (Lucr. 4,1040–1207). Andererseits schloß aber das Eheverständnis in Rom seit der späten Republik zunehmend gegenseitige Zuneigung, Verständnis und Solidarität zwischen Mann und Frau ein; die → *Laudatio Turiae* bietet hierfür ein Beispiel, exemplarisch werden bei Tacitus und Plinius Frauen erwähnt, die mit ihren von den *principes* verfolgten Gatten in den Tod gingen (Tac. ann. 16,34; Plin. epist. 3,16,6–13). In der Schilderung der eigenen Ehe betont Plinius die gemeinsamen lit. Interessen (Plin. epist. 4,19); bei Musonius Rufus und Plutarch wird die Treue des Mannes in der Ehe gefordert (Musonius 12; Plut. mor. 144).

Von der Frau wurde dem traditionellen Frauenideal entsprechend erwartet, daß sie ›Wolle spann, fromm, züchtig, ordentlich, rein und häuslich‹ war (CIL VI 11602 = ILS 8402: *lanifica, pia, pudica, frugi, casta, domiseda*). Dieses Ideal entsprach aber nicht immer der Wirklichkeit: In den großen aristokratischen Häusern hatte die Textilarbeit der Frau zunehmend demonstrativen Charakter (Suet. Aug. 73). Im agrarischen Kontext war diese Arbeit allerdings noch weit verbreitet, darüber hinaus war die Frau hier für die Vorratshaltung, die Nahrungszubereitung und die Kindererziehung zuständig; auf den großen Gütern leisteten Frauen Feldarbeit oder beaufsichtigten als *vilica* den Haushalt (Cato agr. 143,2; Verg. georg. 1,293–297; 1,390–392; Varro rust. 2,10,6–9; Colum. 12 praef. 4–8; 12,3,6). Für die Vielzahl der kleinen und mittleren Handwerker und Gewerbetreibenden ist die Beteiligung der Frauen am Geschäft ihrer Männer vorauszusetzen; selbständige Inhaberinnen von Werkstätten und Betrieben sind ebenfalls bezeugt. Die Vielfalt weiblicher Arbeitsbereiche geht auch aus den Grabinschr. hervor.

→ Frau

1 M.-L. DEISSMANN, Aufgaben, Rollen und Räume von Mann und Frau im ant. Rom, in: J. MARTIN, R. ZÖPFFEL (Hrsg.), Aufgaben, Rollen und Räume von Frau und Mann, 1989, 501–564 2 J. F. GARDNER, Women in Roman Law and Society, 1986 3 N. KAMPEN, Image and status. Roman working women in Ostia, 1981 4 A. METTE-DITTMANN, Die Ehegesetze des Augustus, 1991 5 B. D. SHAW, The Age of Roman Girls at Marriage. Some Reconsiderations, in: JRS 77, 1987, 30–46 6 T. SPÄTH, Männlichkeit und Weiblichkeit bei Tacitus, 1994 7 S. TREGGIARI, Jobs for women, in: AJAH 1, 1976, 76–104 8 Dies., Roman marriage. Iusti coniuges from the Time of Cicero to the Time of Ulpian, 1991.

I. ST.

II. MEDIZIN

Geschlechterhierarchisierung und kulturspezifische Rollen von Mann und Frau wurden in der Ant. auf vielfältige Weise auch von medizinischen Autoren vertreten; allerdings legen einige Körpermodelle nahe, daß angesichts der grundsätzlichen Ähnlichkeit zw. Mann und Frau die Geschlechter weniger als strenge Gegensätze denn als Resultate unterschiedlicher Wärmegrade im Körper zu betrachten sind (→ Geschlecht). Der Gegensatz von »aktiv« und »passiv« wurde durch Formulierungen wie die von Aristoteles, bei der Empfängnis sei der Mann der Zimmermann, die Frau das Holz (wobei sein Samen dem Stoff, den sie zur Verfügung stelle, Form gebe, gen. an. 729a25–35; 729b12–21), mit der Frage des Geschlechts in Zusammenhang gebracht. Die passive Rolle beim Geschlechtsverkehr fiel im ant. Griechenland der Frau zu.

»Stärke« und »Schwäche« kennzeichnen die Geschlechter bei zahlreichen medizinischen Theorien hippokratischer Autoren. So soll die Gliederung und Durchformung der männlichen Frucht schneller geschehen als bei der weiblichen (nämlich 30 Tage im Gegensatz zu 42 Tagen beim Mädchen), weil auch der Wochenfluß nach der Geburt eines Jungen entsprechend lang, nämlich 30 Tage, dauere, nach der Geburt eines Mädchens dagegen 42 Tage (de natura pueri 18 = 7,504–6 L.). Obwohl sich ein weiblicher Fötus langsamer entwickle, erreiche ein Mädchen, wenn es erst einmal geboren ist, wegen seiner Körperschwäche und seiner Lebensart sowohl Pubertät und Urteilskraft als auch das Alter schneller als ein Junge (de octomensuali 9,7 = 7,450 L.). Soranos (Gyn. 1,45) berichtet von dem zu seinen Lebzeiten verbreiteten Glauben, ein männlicher Fötus bewege sich mehr als ein weiblicher, so daß man einer Frau an ihrer rosigen Gesichtsfarbe ansehen könne, daß sie mit einem Jungen schwanger sei. In den gynäkologischen Traktaten aus dem *Corpus Hippocraticum* werden Frauen in der Regel für wärmer und feuchter gehalten als Männer. Bei Aristoteles wird Wärme jedoch zum positiv besetzten Pol der Temperaturskala, so daß Frauen folglich als kälteres und feuchteres Geschlecht eingestuft werden, da der weibliche Körper durchgängig dem männlichen gegenüber als physiologisch unterlegen erachtet wird. Aristoteles behauptete, den Frauen mangele es an der erforderlichen Wärme, um Blut zu Samen zu verkochen (part. an. 650a8 ff.; gen. an. 775a14–20). Frauen alterten schneller als Männer wegen ihrer Kälte; als minderwertige Wesen erreichten sie schneller ihr Ende (gen. an. 775a14 ff.). Auch erschöpfe sie das Erlebnis einer Geburt (hist. an. 583b23–8; 582a21–4; vgl. Soran. Gyn. 1,42).

Die unterschiedlichen Körpermerkmale von Mann und Frau fanden auf sozialer Ebene ihre Entsprechung, indem die Frau für das »Innere«, der Mann für das »Äußere« zuständig war. Man glaubte, die Frau sei so beschaffen, daß ihre angeborenen Eigenschaften aufs beste zu ihrer sozialen Rolle als Hausfrau und Mutter paßten (Xen. oik. 7,20–43), während Männer dazu geschaffen waren, extreme Temperaturen auszuhalten, was sie zu Reisen außerhalb ihrer Heimatregion befähigte. Frauen seien weich und feucht und führten ein seßhaftes Leben im Gegensatz zu Männern, deren Fleisch fest und trocken sei (→ Gynäkologie).

Weibliche Heilberufe tauchen nur selten in den hippokratischen Schriften auf (z. B. de mulierum affectibus

1,68 = 8,144 L.), sind jedoch nach der hell. Zeit verbreiteter; die Rolle des Arztes war idealerweise die eines Mannes, weil Krankheit mit einem Kontrollverlust seitens männlicher Mitglieder der Oberschicht assoziiert wurde. Moralische Größe zeigte der Mann, indem er Befehle gab, die Frau, indem sie gehorchte (Aristot. pol. 1260a 20–23), so daß ein durch Krankheit sichtbarer Verlust an Beherrschung des eigenen Körpers den Mann als Befehlshaber disqualifizieren würde. In diesem Falle wäre eine Frau, der man traditionellerweise sogar die Fähigkeit absprach, nach Selbstbeherrschung zu streben, unfähig, einem kranken Mann zu helfen. Im Rückgriff auf die Bildersprache aus Poesie und Tragödie, die Analogien zwischen Frauen und Opfertieren herstellte, zogen griech. Ärzte in ihren Schriften Parallelen zw. dem Blutvergießen eines Opfers und dem einer Frau mit Regelblutung bzw. Wochenfluß. Indem sie nahelegen, daß nur Männer das Blut anderer vergießen könnten, während Frauen aus ihrem eigenen Körper bluteten, unterstreichen diese Texte, daß Opfer und Krieg Sinnbilder männlicher Rollen seien, und weisen der Frau eine reproduzierende Rolle im Stadtstaat zu, dessen Verteidigung zur Rolle des Mannes zählte [1].

1 H. King, Sacrificial blood, in: Helios 13, 1987, 117–126.

G. E. R. Lloyd, Science, Folklore and Ideology, 1983, 86–94.   H. K./Ü: L. v. R.-B.

Geschlechtskrankheiten. Mangels eindeutiger diagnostischer Zeugnisse fällt es schwer, die ant. Geschichte der G. zu rekonstruieren. Harmlose Infektionen wie der Herpes genitalis (Hippokr. De mulierum affectibus 1,90 = 8,214–8 L.) und die Chlamydieninfektion [2. 220] sind gut bezeugt, die beiden großen Geschlechtskrankheiten der Moderne, Gonorrhoe und Syphilis, lassen sich jedoch nur schwer im Überlieferungsmaterial ausmachen. Gonorrhoe, eine griech. Wortschöpfung vermutlich aus hell. Zeit, bezeichnet jede Form einer übermäßigen Flüssigkeitsproduktion beim Mann. Ihr Äquivalent bei der Frau ist die Leukorrhoe. Wie im mod. Verständnis der Gonorrhoe dürften auch für die ant. Krankheit Gonokokken verantwortlich gewesen sein, wobei anzunehmen ist, daß unter demselben Namen auch eine Reihe anderer Krankheiten beschrieben wurde [2. 214–216; 4. 277–302]. Ob die venerische Syphilis in der Ant. aufgetreten ist, wird seit langem in der Forsch. kontrovers diskutiert. Die paläopathologischen Hinweise sind alles andere als eindeutig, und ob Geschwüre, Tumore und Schanker an den Genitalien, von denen wir bei ant. Schriftstellern lesen und die jene mit abweichenden Sexpraktiken in Verbindung bringen (z. B. Mart. 7,70; Iuv. 2,50), syphilitisch sind, läßt sich schlechterdings nicht beweisen [2. 208–214; dagegen: 1. 5–7]. Ebensowenig ist es den Paläopathologen bislang gelungen, das Vorkommen einer nicht-venerischen Syphilis, wie sie für das späte MA nachgewiesen werden konnte, für die Ant. zu bestätigen [3. 282–284]. Spätestens seit Demetrios von Apameia

(3. Jh. v. Chr.; vgl. Caelius Aurelianus, celeres passiones 3,18; tardae passiones 5,9) sprechen ant. Autoren im Zusammenhang mit G. hauptsächlich von Priapismus und Satyriasis, an der Frauen ebenso erkranken können wie Männer (Caelius Aurelianus, gyn. 1,168; 2,23; 2,56; 2,112). Rufus von Ephesos, dessen Schrift über Satyriasis und Gonorrhoe fragmentarisch erhalten ist (S. 64–84 DAREMBERG), schrieb auch über Geschlechtsverkehr und diskutierte mitfühlend die Beschwerden, die heterosexuellen oder homosexuellen Praktiken folgen mochten (Aëtios 3,8 = CMG 8,1,265–268). Daß abnormes sexuelles Verhalten, besonders passive Homosexualität, leicht an Mundgeruch, Blässe und krankem Aussehen zu erkennen sei, war unter Satirikern ein Gemeinplatz, der weit eher einer moralischen Wertung als einer medizinischen Wirklichkeit Ausdruck gibt.
→ Geschlecht; Geschlechterrolle; Sexualität

1 H.M. BROWN, Must the history of syphilis be rewritten, in: Bulletin of the Society of medical history of Chicago, 11, 1925 2 M.D. GRMEK, Les maladies à l'aube de la civilisation, 1983 3 R. SALLARES, The ecology of the Ancient Greek World, 1991 4 H. VERTUE, An enquiry into venereal disease in Greece and Rome, Guy's Hospitals Reports 102, 1953.
V.N./Ü: L.v.R.-B.

Geschwisterehe. Die G. gab es in Äg. seit alters bei den Pharaonen, allerdings nicht zwischen Vollgeschwistern; sie war eine Nachbildung der Ehe zwischen den Göttern. Außerhalb des Königshauses war die Ehe von Halbgeschwistern ungewöhnlich. G. wurde dann von einigen Ptolemäern praktiziert (Ptolemaios II., IV., VI., VIII., IX., XII., XIII.?, XIV.), und zwar zwischen Vollgeschwistern. Zeus und Hera, Isis und Osiris wurden für die Untertanen als Parallelen herangezogen, also eine sakrale Überhöhung gesucht und so ausländische Einflüsse am Hof reduziert. Privatleute imitierten offenbar die Praxis des Königspaares: G. fand sich öfter in der Stadt als auf dem Land, mit deutlichen regionalen Unterschieden in ihrer Frequenz. Neben dem königlichen Vorbild mag das Vermeiden von Erbteilung wichtigste Ursache dieser besonderen Heiratsstrategie gewesen sein. Noch 212 n. Chr. war die G. relativ häufig, ging aber nach 212 zurück, da sie vom röm. Recht untersagt wurde. G. war nun deutlich seltener, mußte aber von Diokletian noch einmal eigens verboten werden.

S. ALLAM, LÄ, Bd. 2, 568–570 · H. RUPPRECHT, Kleine Einführung in die Papyruskunde, 1994, 108.   W.A.

Gesellschaft s. Sozialstruktur

Gesetz. Mit »G.« (νόμος/*nómos*, θεσμός/*thesmós*; *lex*) bezeichnen die Griechen, im Unterschied zum modernen Gebrauch des Wortes, das auch das Naturgesetz meint (griech. ἀνάγκη/*anánkē*), vorwiegend die Normen der Polis (Ausnahmen sind Heraklit und die Stoiker; die Sonderbedeutung von *nómos* im musikalischen Bereich sei hier ausgeblendet). In der polit. Philos. gewinnt der Begriff erst Kontur durch die Antithese von

G. (*nómos*: unverbindliche, nur menschliche Satzung oder Glauben) und Natur (φύσις, *phýsis*: die normative Ordnung der Natur) [1]. Platon dagegen, zwecks Überwindung der Antithese, überträgt die Normativität der Natur auf das G. selber; denn, definiert als ›Verteilung durch die Vernunft‹ (leg. 4,713e–714a), hat das G. an der normativen Verbindlichkeit der Vernunft teil [2].

Die Interpretation des G. als Ausdruck von Vernunft teilt Aristoteles mit Platon (eth. Nic. 10,1180a 21–22), fügt ihm jedoch den Zwangscharakter bei, da hinter der vernünftigen Anordnung des G. die Macht der Polis steht (ebd.) [3]. Beide Elemente gehen in die stoische Definition des *nómos* ein, die den Begriff als ›vernünftige Anordnung der Natur, die angibt, was zu tun und zu lassen sei‹, expliziert (SVF III, 79, Z. 40). Durch die Interpretation des Kosmos als *megalópolis* (»Groß-Polis«) unter der Herrschaft des → *lógos* wird die vorstoische Unterscheidung von menschlichem G. und Naturkausalität aufgehoben. Die Naturordnung wird zugleich soziomorph als Ordnung unter G. (SVF I, 121, Z. 35) und als Kette zwangshafter Kausalität (εἱρμὸς αἰτιῶν; SVF II, 265, Z. 36) verstanden [4]. Durch diese Gleichsetzung (die später im christl. Denken fortlebte, da der christl. Gott durch die *lex aeterna* Schöpfer der Natur und moralischer Gesetzgeber war – erst in Kants Philos. sind die zwei G.-Begriffe deutlich geschieden) wird bis in den spätant. Neuplatonismus hinein eine Philos. verhindert, die die Besonderheit des menschlichen Gesetzes in einer Theorie des G. zu erfassen suchte. Die Nachwirkung dieser Vermischung zeigt sich noch immer in dem o.g. Doppelgebrauch von »G.« in den modernen Sprachen.
→ Gerechtigkeit; Lex; Nomos; GERECHTIGKEIT; KODIFIKATION; NATURRECHT

1 F. HEINIMANN, Nomos und Physis, 1945, Ndr. 1987, 110, 162 2 A. NESCHKE, Platonisme politique et théorie de droit naturel, Bd. 1, 1995, 149–164 3 P. AUBENQUE, La loi selon Aristote. Archives de philos. du droit 25, 1980, 147–157 4 M. FORSCHNER, Die stoische Ethik, 1981, bes. 90–104.

J. ROMILLY, La loi dans la pensée grecque des origines à Aristote, 1971.   A.NE.

Gesimund. Sohn Hunimunds d. Ä., erster got. König unter hunnischer Herrschaft. Er verhalf 376 n. Chr. dem Hunnenkönig Balamber zum Sieg über den Amaler Vinitharius (Iord. Get. 248). Vielleicht identisch mit Gensimund, der, obwohl ihm als amalischen Waffensohn die Königswürde angeboten wurde, zugunsten der echten Nachfolger ablehnte (Cassiod. var. 8,9). PLRE 2,510 und [1. 26f.] halten beide für identisch; dagegen [2. 254f.].

1 P. HEATHER, Goths and Romans 332–489, 1991 2 H. WOLFRAM, Die Goten, ³1990.   M.MEI. u. ME.STR.

Gesios oder Gessios aus Petra (Steph. Byz. s. v. Γέα), Arzt und Lehrer, E. 5./Anf. 6. Jh. n. Chr., eng befreundet mit Aineias [3] (epist. 19; 20) und Prokopios von Gaza (epist. 38; 58; 123; 134). Er studierte Medizin in Alexandreia bei dem Juden Domnos (Suda s. v. Γέσιος) wo er als → *iatrosophistḗs* (Lehrer der Medizin) tätig war. Obwohl Gegner des Christentums, ließ er sich auf Veranlassung des Kaisers Zenon taufen, blieb freilich bei einer spöttisch ablehnenden Haltung gegenüber seiner neuen Religion. Er beschützte in seinem Hause den Philosophen Heraiskos, und kümmerte sich um die Bestattung seines nichtchristlichen Freundes. Die Inkubationsheilungen (Heilungen durch Schlaf) der Heiligen Kyros und Iohannes in Menuthis bei Alexandreia wollte er auf Anwendung der Mittel griech. Profanmedizin zurückführen. Wie er nach vergeblicher Anwendung aller anderen Mittel selbst genötigt gewesen sei, Heilung von einem Rückenleiden in der dortigen Heilanstalt zu suchen, schildert der Patriarch Sophronios (Miracula SS Cyri et Johannis 30). Als hochgewürdigter Meister ›aller Leute, die in der Medizin philosophieren wollten‹ bekam er von Kaiser Zenon viel Geld und ›ungewöhnliche Ehrungen‹ (Zacharias von Mytilene, De opifice mundi, PG 75, Sp. 1016, 1060). Er kommentierte viele Texte des *Corpus Hippocraticum*, bes. *De natura pueri* (›Über die Natur des Embryo‹) [1. 36]. Im Cod. Vat. pal. 1090, foll. 1ʳ–42ᵛ wird G. ein Kommentar zu Galens *De sectis* zugeschrieben, als dessen Verfasser an anderer Stelle → Agnellus von Ravenna oder → Iohannes Alexandrinus genannt ist [2. 7f.]. G. ist auch in der arab. Medizin als Verf. der sog. → *Summaria Alexandrinorum* weit berühmt [3. 51, 71–75].

1 G. BERGSTRÄSSER, Hunain ibn Ishaq, AKM 17,2, 1925
2 C. D. PRITCHET, Iohannis Alexandrini Commentaria in Librum De sectis Galeni, 1982 3 O. TEMKIN, Gesch. d. Hippokratismus im ausgehenden Altertum, Kyklos 4, 1932, 1–80.   V. N.

Geskon. Karthagischer Name (*Grskn = »Schützling des Skn«; Γέσκων, Γίσκων, Γίσγω; Gisgo, Gisco).

[1] Sohn des Magoniden → Hamilkar [1], lebte nach 480 v. Chr. wie wohl auch zeitweise sein Sohn Hannibal [1] als Verbannter in Selinunt (Diod. 13,43,5) [1. 30f.; 2. 40].

[2] Karthagischer Feldherr 343–339 v. Chr. im Krieg gegen → Timoleon, wofür er aus einem Exil zurückgerufen wurde (Diod. 16,81,3; Polyain. 5,11). G. setzte 341 als Verbündeter von → Hiketas und → Mamerkos nach Sizilien über, wo er nicht ohne Erfolg bis zum Friedensschluß operierte (Diod. 16,81,4; Plut. Timoleon 30; 34; StV 2,344) [1. 31–33; 3. 165f.].

[3] Vater des → Hasdrubal [5], karthagischer Stratege in Lilybaion am Ende des 1. Pun. Krieges (Pol. 1,66; Diod. 24,13). G. wurde, als Vermittler in den Beginn des sog. Söldnerkrieges involviert, schließlich als Gefangener der Aufständischen grausam getötet (Pol. 1,69f.; 79–81; Diod. 25,3) [1. 33f.; 3. 255, 261; 4. 48f. u.ö.].

[4] Karthagischer Gesandter zum Makedonenkönig → Philippos V. im Auftrag → Hannibals [4] und gemeinsam mit → Bostar [3] und → Mago (Liv. 23,34; 38) [1. 35].

[5] **G. Strytanos.** [1. 222, 1300], karthagischer Gesandter nach Rom im J. 149 v. Chr. gemeinsam mit Gillimas,

→ Hamilkar [5], Misdes und → Mago (Pol. 36,3–4) [1. 36; 3. 440].

1 GEUS 2 L. M. HANS, Karthago und Sizilien, 1983 3 HUSS 4 L. LORETO, La grande insurrezione libica…, 1995.
            L.-M. G.

Gesoriacum. Hafenstadt der Morini in der Gallia Belgica, h. Boulogne-sur-mer, auch als Bononia bezeugt. Beide gleichzeitig benutzten Bezeichnungen (Flor. epit. 2,30) beziehen sich eigentlich nur auf Teilgebiete. Nach traditioneller Ansicht ist G. die Unter- und Bononia die Oberstadt (anders [1. 63]). Tiberius bezeichnete bei seinem Aufenthalt 4 n. Chr. den Ort als Bononia (ILS 9463); in der Folgezeit ist bis zum Anf. des 4. Jh. nur von G. die Rede (Mela 3,25; Plin. nat. 4,102; 106; Suet. Claud. 17; Ptol. 2,9,1; Itin. Anton. 356; 363; 376; 463; 496). An der Mündung der Liane gelegen, erstreckte sich G. zu Anf. der Kaiserzeit vom Vallon des Tintelleries im Norden zum Val St. Martin im Süden, ein Tal, das in die h. weitgehend verlandete Bucht von Bréquerecque auslief, wo unter Caligula oder Claudius für die Überfahrt nach Britannia ein Stützpunkt der *classis Britannica* eingerichtet wurde. Der älteste Teil der Zivilsiedlung befand sich auf der südl. Talseite im h. Bréquerecque. Die bebaute Zone ist durch die zwei Nekropolen von Bréquerecque im Süden und Veil Atre im Osten begrenzt (ca. 60 ha; ca. 40 ha ziviler Bereich). Auf dem Plateau über dem Hafen wurde am Anf. der flavischen Zeit für die *classis Britannica* ein Standlager in Stein errichtet (ca. 400 × 300 m). Um 270 fiel die Unterstadt einer Brandkatastrophe zum Opfer; damals wurde das Lager der Oberstadt aufgelassen. Der alte Kern der Zivilsiedlung wurde nicht mehr wiederbelebt. Als Gründer der neuen Siedlung auf dem ehemaligen Lagerareal gilt → Carausius, der bei seiner Rebellion gegen → Constantius [1] Chlorus 293 in G. eingeschlossen und besiegt wurde (Panegyricus Constantii Chlori 4,6,1; 14,4). Die Stadt hieß nunmehr ausschließlich Bononia (Paneg. Constantini 7,5 [von 310]; Eutr. 9,21,1; Tab. Peut. 2,1/2; Cod. Theod. 11,16,5) und avancierte zum Hauptort der *civitas Bononensium* (Notitia Galliarum 6,13). Auch der Hafen erlangte im 4. Jh. neue Prosperität (Amm. 20,1,3; 9,9; 27,8,6). Der Verlauf der Befestigungsmauer der Oberstadt entsprach etwa dem des ehemaligen Forts und war nur an der SW-Seite zum Hafen hin ungesichert. Letztmals erwähnt ist Bononia 407, als → Constantinus [3] III. hier mit britannischen Truppen an Land ging (Zos. 6,2,2; Soz. 9,11,3; Olympiodoros, fr. 12). Neuerdings aufgedeckt: Speicheranlagen, Teile der hochkaiserzeitlichen und spätant. Umfassungsmauer im »Terrain Landrot« im ehemaligen Hafenbereich [2]. Regelmäßige Grabungsber. bei [3; 4].

1 R. BRULET, The Continental Litus Saxonicum, 1989, 6–72
2 E. BELOT, Le renouveau de l'archéologie Boulonaise, in: Archéologia 301, 1994, 42–51 3 Archéologia 4 Revue du Nord (insbes. Bd. 75, 1993).

J. J. GOSSELIN, C. SEILIER, G.-Bononia, in: Revue
archéologique de Picardie 1984, 3/4, 259–264 ·
J. HEURGON, De G. à Bononia, in: (ohne Hrsg.), Hommages
à J. Bidez et F. Cumont (Coll. Latomus 2), 1949, 127–133.

F. SCH.

Gessius Florus. Der letzte von sieben Prokuratoren,
die den größten Teil Palaestinas als röm. Prov. nach dem
Tod Agrippas I., 44 n. Chr., unter dem Oberbefehl des
syr. Statthalters verwalteten. Aus Klazomenai gebürtig,
erhielt er sein Amt offenbar durch die Beziehungen seiner Frau Cleopatra zur Kaiserin Poppaea Sabina (Ios.
ant. Iud. 20,252 f.). Seine Regierungszeit dauerte lediglich zwei Jahre (64–66 n. Chr.) und endete mit dem
Ausbruch des 1. jüd. Aufstandes gegen Rom (Tac. hist.
5,10). Iosephos Flavios, dessen *Bellum Iudaicum* die
wichtigste Quelle für G. F. darstellt (vgl. Ios. bell. Iud.
2,14,2–2,17,6 = § 277–429), nennt als einen der entscheidenden Gründe für den Ausbruch der jüd.-röm.
Feindseligkeiten die Amtsführung des G. F., die an
Grausamkeit diejenige seiner Vorgänger weit übertraf
und die in der Plünderung des Tempelschatzes
(April/Mai 66 n. Chr.) – vermutlich um die sinkenden
Steuereinnahmen auszugleichen – kulminierte. G. F.
mußte sich vor dem aufständischen Volk von Jerusalem
nach Caesarea zurückziehen, die Vermittlungsversuche
des syr. Statthalters Cestius Gallus scheiterten; gleichzeitig eroberten die Zeloten Masada, wurden in Jerusalem das tägliche Opfer für den Kaiser eingestellt, ferner die Truppen Agrippas II., der auf Seiten der vermittelnden Friedenspartei stand, bekämpft. Cestius Gallus
suchte die Schuld für den Ausbruch des Aufstandes bei
G. F.; in diesem Sinne benachrichtigte er Nero (Ios.
bell. Iud. 2,20 = § 558). Über die Amtsenthebung bzw.
den Tod des G. F. ist nichts bekannt.

A. H. M. JONES, Procurators and Prefects, in: Studies in
Roman Government and Law, 1960, 115–125 · SCHÜRER I,
369, 470, 485 f. · E. M. SMALLWOOD, The Jews under
Roman Rule. From Pompey to Diocletian, 1976.　I. WA.

Gesta. In der republikanischen Zeit Roms die Aufzeichnungen (auch → *commentarii*), die ein Magistrat
über die von ihm erlassenen Maßnahmen (→ *acta*) anfertigte oder anfertigen ließ. Sie wurden nach Ablauf
der Amtszeit vom Magistrat persönlich archiviert (Cic.
Sull. 42). Seit dem 3. Jh. n. Chr. hat die Bezeichnung *g.*
den Ausdruck *commentarii* für die Amtsaufzeichnungen
verdrängt. Neben *g.* tritt im selben Sinn das Wort *cotti-
diana.* In dieser Bedeutung ist *g.* auf allen Stufen der
Verwaltung der Spätant. anzutreffen. Schließlich wurde
die Protokollierung behördlicher Akte und Verhandlungen durch *g.* auf die Kirche übertragen (*g. ecclesiastica*).

Außer den verwaltungsinternen *g.* gab es in der Spätant. *g.* von Privatpersonen. Hiermit wurden zunächst
Anzeigen und Eingaben gegenüber den Behörden bezeichnet, aber auch umgekehrt behördliche Bescheide
an Privatpersonen (Cod. Iust. 1,2,14,7; 10,13,1 pr.;
Cod. Theod. 11,30,31). Schließlich sind *g.* (wie früher

schon *acta*) im lat. Sprachgebiet behördliche Mitwir-
kungshandlungen bei privaten Rechtsgeschäften: Bis
ins frühe MA wird die Einreichung (*insinuatio*) von Verträgen, bei Schenkungen zudem die eines Protokolls
über den Vollzug, zu den behördlichen Akten (*g. municipalia*) ermöglicht, teilweise sogar als Wirksamkeits-
voraussetzung verlangt (Nov. Valentiniani 32). Auch
Testamente können auf diesem Wege errichtet werden
(Cod. Iust. 6,23,19,1). Die Erklärungen selbst können
stattdessen der Behörde mündlich zu Protokoll abgegeben werden.

B. HIRSCHFELD, Die g. municipalia, Diss. 1904 ·
A. STEINWENTER, Beiträge zum öffentlichen
Urkundenwesen der Römer, 1915 · P. CLASSEN, Fortleben
und Wandel spätröm. Urkundenwesens im frühen MA, in:
Ders. (Hrsg.), Recht und Schrift im MA, 1977, 13–54 ·
M. AMELOTTI, Il documento nel diritto giustinianeo, in:
G. G. ARCHI (Hrsg.), Il mondo nell' epoca giustinianea,
1985, 125–137 · KASER, RPR II, 80 f. · M. KASER, K.
HACKL, Das röm. Zivilprozeßrecht, ²1997, 601 ·
W. KUNKEL, Staatsordnung und Staatspraxis der röm.
Republik, 1995, 106.　G. S.

Gesten s. Gebärden; Gestus

Gestio (auch *gesta*). Allg. ein Ausdruck für geschäftlich
relevantes (nicht notwendig: rechtsgeschäftliches) Handeln. Im röm. Privatrecht sind bedeutsam: 1. die *pro
herede g.* (Verhaltensweise als Erbe), das formlose Verhalten (z. B. die Besitzergreifung) zum Ausdruck des
Willens, eine Erbschaft anzutreten (→ Erbrecht). 2. die
negotiorum g. (modernrechtlich: Geschäftsführung ohne
Auftrag). Sie betrifft im römischen Recht alle Verhältnisse zur Führung fremder Geschäfte, die nicht Auftrag
(→ *mandatum*) oder Vormundschaft (→ *tutela*) sind.
Dazu gehört die Gewaltausübung des privaten *curator*
(z. B. über Geisteskranke, → *furor*) ebenso wie der sozial
abhängige Vermögensverwalter oder Sachwalter in einzelnen Geschäften (*procurator*). Kern der *negotiorum g.*
bildet in der Zeit der klass. Juristen (1.–3. Jh. n. Chr.) das
Handeln aus freiwilliger Hilfsbereitschaft. Iustinian hat
diese *g.* den Quasi-Kontrakten zugeordnet (Inst. Iust.
3,27,1). Zudem verlangt er vom Geschäftsführer ausdrücklich den Willen (*animus*), das Geschäft für einen
anderen zu besorgen.

Rechtsfolge der *negotiorum g.* ist für den Geschäftsherrn (zu dessen Gunsten die *g.* erfolgt) eine *actio negotiorum gestorum directa*. Mit ihr kann der Geschäftsherr die
Herausgabe dessen verlangen, was der *gestor* durch die *g.*
erworben hat. Hat der *gestor* schuldhaft den Geschäftsherrn geschädigt, kann dieser Ersatz verlangen (Dig.
3,5,31 pr.; 47,2,54,3). Dem Geschäftsführer steht eine
actio negotiorum gestorum contraria zu, wenn er den Willen
hat, Erstattung zu verlangen (*animus recipiendi*). Entspricht die *g.* dem Interesse des Geschäftsherrn, kann der
Geschäftsführer Auslagen- und Schadensersatz verlangen.

KASER, RPR I, 586–590 · HONSELL/MAYER-MALY/SELB,
348–350 · H. H. SEILER, Der Tatbestand der negotiorum g.,
1968.　G. S.

Gestirnsgottheiten. Manche (aber keineswegs alle) Götter in den Rel. Mesopotamiens, Syriens und Ägyptens sind durch Gestirne repräsentiert: Sonne (→ Šamaš in Mesopot., bzw. → Re, → Aton in Äg.) und Mond (→ Sin bzw. → Thot) sind Götter. Sie werden als Teil des Kosmos begriffen und verehrt – sowohl in ihrer kosmischen Erscheinungsform als auch in anthropomorpher Gestalt. Die ihnen innewohnenden Kräfte und das daraus resultierende Wirken, ihr Einfluß auf das kosmische Geschehen und das menschliche Schicksal finden sich in Mythen und Mythologemen thematisiert. So begriffen die Ägypter die Sterne als göttl. Kräfte, als Emanationen der Himmelsgöttin. In Mesopot. erscheinen Inanna/Ištar (→ Astarte) in der Venus, Ninurta im Sirius.

Es gibt jedoch verschiedene Namen für die Götter und ihre Gestirne; auch kann derselbe Gott mehreren Sternen entsprechen. Andererseits sind Sterne oft (durch Determinative in der Schrift) als göttl. bezeichnet, auch wenn kein Gott (mit anderem Namen) gemeint ist; das gleiche ergibt sich aus der Anrede »Götter der Nacht« an die Gesamtheit der sichtbaren Sterne. In MUL.APIN [1] und anderen Texten werden zu einer Reihe von → Sternbildern die zugehörigen Götter genannt. Gebete gibt es an Gestirne ebenso wie an Götter in ihrer astralen Erscheinung. Manche Götter sind auf Grenzsteinen [4] durch Bilder dargestellt, die Sternbildern entsprechen könnten. Die Götter senden den Menschen Omina (→ Astrologie; → Divination) durch die Gestirne wie durch andere Mittel auch (z.B. Leberschau). Manche Beschwörungen werden vor Gestirnen gesprochen, Riten vor ihnen durchgeführt. Die Einwirkung der Gestirne soll Heilmittel bes. wirksam machen. Darin drückt sich der hohe Stellenwert der Gestirne für die Menschen im Mesopot. des 1. Jt. aus.
→ Götternamen

1 H. HUNGER, D. PINGREE, MUL.APIN, An astronomical compendium in Cuneiform, 1989 2 E. OTTO, s.v. Götter, kosmische, LÄ 2, 651 f. 3 E. REINER, Astral Magic in Babylonia, 1995 4 U. SEIDL, s.v. Kudurru, RLA 6, 275–277.
                                                            H. HU.

Gestus A. DEFINITION B. BEISPIEL
C. LEHREN D. GESCHICHTLICHES
E. HEUTIGE PROBLEMSTELLUNG

A. DEFINITION

G. ist die redebegleitende → Gebärde; im rhet. System wurde dieser Teil der → actio am ausführlichsten von → Quintilian beschrieben. Quintilian (inst. 11,3,1) teilt die actio, wie schon die → Rhetorica ad Herennium 3,19, in vox (Stimmführung) und motus (Bewegung). Während jedoch sonst der motus weiter in vultus (→ Mimik) und G. unterteilt wird, nennt Quintilian (inst. 11,3,14) den gesamten zweiten Teil der actio G. (so auch Cic. Brut. 141), läßt also G. alles Visuelle umfassen. Die griech. Vorlagen müssen aus späteren Schriften rekonstruiert werden (→ Actio[1]): die Teile πάθη τῆς φωνῆς (Stimmlagen) und σχήματα τοῦ σώματος (Körperhaltungen) waren wohl schon benannt (Dion. Hal. Demosthenes 53; vgl. Eust. zu Hom. Od. 4, p.1496 ROMANA).

Quintilian (inst. 11,3,65–135) beschreibt der Reihe nach die Bewegungen des Kopfes, des Gesichts (vultus), zumal der Augen und Augenbrauen (→ Mimik) und der Schultern. Den Hauptteil (11,3,84–124) widmet er den Händen und Fingern, wobei die Arme ohne bes. Erwähnung mitverstanden sind; dann schildert er Stand und Schreiten (status und incessus) der Füße. Regeln für die Kleidung schließen den Passus ab. Für die Beurteilung der ant. Theorie ist entscheidend, daß der Redner, der meist, seine Hände frei, auf einer Tribüne stand, in voller Gestalt sichtbar war. Sein Obergewand (→ himátion oder → toga) war mit einem Ende über die linke Schulter geworfen und ließ rechte Schulter und Arm frei.

B. BEISPIEL

Quint. inst. 11,3,92f.: ›Jener sehr verbreitete G., bei dem der Mittelfinger an den Daumen herangezogen wird, die drei anderen Finger aber ausgestreckt bleiben, ist für das prooemium (→ prooímion) nützlich, wenn er mit einer sanften Bewegung maßvoll nach beiden Seiten geführt wird und dabei Kopf und Schultern sachte der Hand folgen; er wirkt auch bei der → narratio verdeutlichend, muß dann aber weiter nach vorn geführt werden, und beim Beschuldigen und Widerlegen (in der → argumentatio) scharf und heftig; in diesen Partien nämlich läßt man den G. weiter und ungehemmter ausholen‹. Quintilian warnt anschließend: Fehlerhaft wirke es, wenn man dabei den Arm quer nach vorn hält, ›als ob man mit dem Ellenbogen redet‹.

C. LEHREN

Dieser Text demonstriert Willen und Fähigkeit des Verfassers, Bewegungen zu verbalisieren (Skizzen wurden nicht verwendet); er zeigt, daß die Hand Kopf-, Augen- und Schulterbewegungen einbezieht. Paradigmatisch ist, daß der Mittelfinger nicht etwa ins Publikum zeigt, sondern vom Daumen abgefangen wird: der »gebrochene« G. und die Warnung vor theatralischer Übertreibung sind vorherrschend. Alle G. werden direkt auf die Rede bezogen; hier wird der G. durch Variation auf drei verschiedene Redesituationen angewendet. Der Tenor ist beratend, bes. deutlich in der Warnung vor Ungeschicklichkeiten. Aus dem Kontext Quintilians lassen sich weitere Einsichten gewinnen: Eine Rede ohne G. wäre verstümmelt (trunca) und schwach (debilis) (inst. 11,3,85). G. und Wort müssen harmonieren; Quintilian verwirft aber eine Regulierung, der G. solle jeweils nach drei Wörtern wechseln (inst. 11,3,106f.). Ein G. wird stets mit der rechten Hand ausgeführt, die linke kann das verstärken (inst. 11,3,114); Gestikulation mit dem linken Arm konnte das Gewand derangieren. Wir erfahren von Moden: seit Cicero, also in den seither vergangenen 150 Jahren, sei der Bewegungsstil heftiger (agitatior) geworden; damit könne aber ein Redner die Autorität eines Standes-

genossen (*viri boni*) und seriösen Menschen verlieren
(inst. 11,3,184). Quintilians Mahnungen entsprechen
dem Ideal der *elegantia* jener Schicht, welche zum Reden berufen war und an welche sich die Rede und deren
Theorie richteten. Manche griech. Rednerschulen
lehrten dramatischere Gesten als in Rom erträglich (inst.
11,3,102). Im allg. werden ethnische Unterschiede ge-
leugnet: Der G. sei die gemeinsame Sprache aller Menschen (inst. 11,3,87).

D. GESCHICHTLICHES

Für eine gestenlose Redekunst in archa. Zeit wird
auf eine Äußerung des Spartaners → Chilon verwiesen,
eines der Sieben Weisen, der Redner solle die Hand
nicht bewegen, es sei μανικόν (*manikón*, »exaltiert«, vgl.
Diog. Laert. 70), was aber die Existenz von Redegesten
voraussetzt; der Hinweis läuft auf die bekannte Mah-
nung zur Zurückhaltung hinaus. → Solon soll ohne
Handbewegungen gesprochen haben; das schließt
→ Aischines (Tim. 25), kaum zurecht, aus einer Statue
in Salamis, welche Solon mit der Rechten im Gewand
darstellte. Für die klass., zumal athenischen Redner aber
war bekannt, daß sie sich sogar an der Schauspielkunst
orientierten: → Demosthenes ließ sich vom Schauspieler Satyros unterrichten (Plut. Demosthenes 7,849);
→ Aischines hatte selbst schauspielerische Erfahrung
(Plut. mor. 840b).

Eine Theorie der *hypókrisis* (= *actio*) wurde zuerst von
→ Theophrast geschrieben (→ Actio[1]); welche Be-
handlung dort der G. erfuhr, wissen wir nicht; für sich
selbst hat er ihm hohen Wert beigemessen (Athen.
1,21a-b). Der früheste erh. Text über G. steht in Rhet.
Her. 3,26f.; er hält seine kurzen Ausführungen für eine
bedeutende Leistung und überläßt alles andere der
Übung (*exercitatio*). Sehr kurz berührt den eigentlichen
G. Cic. de orat. 3,220 und orat. 59. Zum MA und zur
Neuzeit s. unten und [1].

G. ist ein Bereich, der – zusammen mit der gesamten
actio und der → *memoria* (Memorieren) – der praktischen
und mündlichen ant. Rhet. angehörte, als sie noch eine
Schule des erfolgreichen Plädierens war. Mit der Reduktion der Rhet. auf Stil- und Kompositionslehre
schriftlicher Texte seit der Spätant. (kulminierend in
LAUSBERG) gerieten sie aus dem Blick des Rhet.-Unter-
richts. Grundsätzlich deskriptive Verfahren trennen uns
heute von einem Lehrtypus, der nur Empfehlungen zu
geben beabsichtigt: Ohne Vollständigkeit kommentiert
Quintilian zwanzig G. der Hand, ohne Fachtermini zu
benutzen; die Bindung an die Rede läßt als Prinzip systematischer Ordnung nur die → Redeteile zu.

E. HEUTIGE PROBLEMSTELLUNG

Auch uns ist ein starrer Redner unerträglich; doch
moderne Forsch. (Psychologie, Kunstgesch.) behandelt
den G. von der Sprache getrennt oder als zu ihr im
Gegensatz stehend [2; 3]; sie betont soziologische Unterschiede [4] und verhält sich oft ermittelnd-denunzia-
torisch [5]. Unabdingbar erscheint eine funktionale Systematisierung durch Gruppieren, z.B. der anbietenden
Gesten, etwa die nach oben offene flache Hand, und der

Aufmerksamkeit heischenden Gesten, etwa die »Fein-
halte« [6]: der Sprecher hält die Hand vor sich mit anein-
andergefügten Fingern, ein G., den auch Quintilian
(inst. 11,3,96) beschreibt.

→ Actio; Gebärden; Mimik; Rhetorik

1 D. BARNETT, s.v. G., HWdR 3, 972–989, bes. 984f. und
987–989 2 S. MOLCHO, Körpersprache, 1984 3 D. MORRIS,
Körpersignale, 1986 4 M. WEX, Weibliche und männliche
Körpersprache als Folge patriarchalischer
Machtverhältnisse, 1980 5 P. EKMAN, W. FRIESEN, K.R.
SCHERER, in: K.R. SCHERER, H. WALBOTT (Hrsg.),
Nonverbale Kommunikation, ²1984, 271–275 6 F. KIENER,
Hand, Gebärde und Charakter, 1962, Kap. II B 1.

U. MAIER-EICHHORN, Die Gestikulation in Quintilians
Rhet., 1989 · R. VOLKMANN, Rhet. der Griechen und
Römer, 1885, Ndr. 1963, 573–580 · P. WÜLFING, Antike
und moderne Redegestik, in: G. BINDER, K. EHLICH
(Hrsg.), Kommunikation durch Zeichen und Wort,
Bochumer Alt.wiss. Colloquium 23, 1995, 71–90. P. WÜ.

Geta

[1] s. Hosidius, Lusius, Septimius, Vitorius

[2] **Imp. Caesar P. Septimius Geta Augustus.** Geb.
im März 189 n.Chr. in Rom als Sohn des L. → Septimius Severus und der → Iulia Domna, jüngerer Bruder
des → Caracalla (Cass. Dio 57,2,5; SHA Sept. Sev. 4,2;
Get. 3,1 [27. Mai 189]; [2. 522ff.]). 197 begleitete er den
Vater zusammen mit Mutter und Bruder beim »zweiten
Partherkrieg« (AE 1942,11), wurde Mitte 198 gleichzeitig mit der Ernennung seines Bruders zum Augustus
(Mitherrscher des Vaters) zum *Caesar nobilissimus* (SHA
Sept. Sev. 16,3,4; CIL III 218 = ILS 422; z.B. AE 1981,
921; 1984, 833) und wohl *princeps iuventutis* erhoben (ILS
8916) und 199 (?) zum *pontifex*. 199/200 besuchte er mit
der Familie Alexandreia und Äg. und kehrte mit ihr über
Syrien, Kleinasien und den Balkan [3] Mitte 202 nach
Rom zurück (SHA Sept. Sev. 17,4; CIL III 6581; IGR I,
1113). 203/4 begleitete G. seinen Vater in dessen Heimat Africa, nahm Mitte 204 an den Säkularspielen in
Rom teil (CIL VI 32329) und bekleidete 205 den Consulat (*cos. I*) zusammmen mit seinem Bruder (*cos. II*) (CIL
VI 1670).

Das Verhältnis der beiden Brüder zueinander war nie
gut gewesen, es verschlechterte sich nach der von Caracalla inszenierten Hinrichtung des C. → Fulvius [II 10]
Plautianus bis zu Tätlichkeiten in aller Öffentlichkeit
(Cass. Dio 76,7,1–3). Als Versuche, sie von Rom fernzuhalten (205–207 meist in Kampanien) oder Einigkeit
zu zeigen (208 G. *cos. II*, Caracalla *cos. III*), wenig fruch-
teten, nahm Septimius die Brüder mit zu einem Britannienfeldzug (Cass. Dio 76,11,1; Herodian. 3,14). G. erhielt 209 die Jurisdiktion für das röm. Britannien (Herodian. 3,14,9) und Ende des Jahres endlich den Augu-
stus-Titel (AE 1950, 136; RIC 4/1, S. 323 Nr. 67f.),
wohl auch, um ihn vor Caracalla zu schützen. 210 nennt
er sich auch *Britannicus* (RIC 4/1, S. 323 Nr. 69b). Nach
dem Tod des Vaters (4. Feb. 211) akzeptierte Caracalla
G. mit Rücksicht auf das Heer als Mitherrscher (Cass.

Dio 77,1,1; SHA Sept. Sev. 23,3–7), ermordete ihn aber nach einem mißglückten Mordkomplott schließlich eigenhändig im Dez. 211 bei einem geheuchelten Einigungsversuch in den Armen der Mutter (Cass. Dio 77,2,1–6; Herodian. 4,4,3). Anschließend ließ Caracalla 20000 Freunde und Anhänger G.s umbringen, sein Name verfiel der *damnatio memoriae* (Cass. Dio 77,4,1; Herodian. 4,6,1–2).

1 PIR S 325   2 T. D. BARNES, Pre-Dacian Acta Martyrum, in: Journal of Theological Studies, 19, 1968, 509–531   3 J. FITZ, Der Besuch des Septimius Severus in Pannonien, in: Acta Arch. Acad. Scientiarum Hungaricae 11, 1959, 237–263   4 KIENAST, ²1996, 166 f.   T. F.

Getai (Γέται, die Geten). Griech. Bezeichnung der thrak. Stämme südl. der unteren Donau in der h. Dobrudža und im Hinterland der nordwest-griech. Kolonien an der Schwarzmeerküste. Ihr Gebiet zeigt Siedlungsspuren seit der Steinzeit und war Zentrum entwickelter Kulturen seit der Kupfersteinzeit (vgl. Varna, Durankulag). Aufgrund der Schriftquellen und der im Onomastikon belegten Sprachreste sind die G. als nördl. Zweig der Thrakes erwiesen. Die Namen einiger ihrer Teilstämme sind überliefert, vgl. Krobyzoi, Troglodytai (Hdt. 4,49), Terizoi (Hellanikos, FGrH 4 F 73). Erst die eisenzeitlichen Funde können sicher den G. zugeschrieben werden. Wichtige Hallstatt-Siedlungen und -Nekropolen sind z. B. bei Carev brod, Dǎlgopol und Belogradec entdeckt worden.

Zum ersten Mal werden sie in Verbindung mit dem Skythen-Feldzug → Dareios' [1] I. 513 v. Chr. erwähnt (Hdt. 4,93 ff.), der ihren starken Widerstand brechen mußte. Herodot charakterisiert die G. folgendermaßen, was bis in die Spätant. wiederholt wird: Sie seien die tapfersten und gerechtesten unter den Thrakern und unterschieden sich in ihrer Rel. von ihnen, in deren Mittelpunkt der Gott (Daimon) Zalmoxis (Gebeleizis) steht (Hdt. 4,94–97). Durch die Gründung der westpontischen Kolonien gerieten sie seit dem 7. Jh. v. Chr. in wirtschaftlichen und kulturellen Kontakt mit den Griechen, wovon getische (get.) Handelsplätze zeugen. Bis ins 2. Jh. v. Chr. waren sie jedoch nur selten in den griech. Poleis zu finden. Während der Blütezeit der Odrysai gerieten sie in deren Herrschaftsbereich; sie mußten Heeresfolge leisten. Berühmt waren ihre Reiterabteilungen. Nach dem Zerfall des odrysischen Reiches begannen sich kleinere get. Fürstentümer zu konsolidieren. 339 v. Chr. zog der skythische König Atheas gegen die G., worauf sich der get. Fürst Kothelas mit Philippos II. verbündete; Philippos heiratete die get. Prinzessin Meda (Athen. 13,557d). 335 besiegte Alexander d. Gr. die G. (Arr. an. 1,2 ff.), doch konnte er sie nicht endgültig unterwerfen. 313 verbündeten sich die G. mit den westpontischen Kolonien unter der Führung von Kallatis gegen Lysimachos, der die G. schließlich besiegte und auf Tirizis Akra (h. Kalliakra) eine Festung gegen sie errichtete. Um die Wende vom 4. zum 3. Jh. erhob sich das Fürstentum des Dromichaites (Diod.

21,11 f.; Strab. 7,3,8), der den König Lysimachos 292 kurze Zeit gefangen hielt.

Die 1. H. des 3. Jh. v. Chr. ist die Blütezeit der G.: Residenzen und Heiligtümer zeugen von einer hohen Kultur und gewaltigem Reichtum, den diese Herrscher v. a. durch den Handel mit den Griechen erworben haben (vgl. Svestari, Borovo, Adzighol). Auch lit. und epigraphische Quellen berichten darüber (vgl. den sagenhaften Reichtum des get. Königs Isanthos bei Athen. 12,536d). Eine Inschr. aus Histria um 200 v. Chr. (SEG 18,288) zeigt die Abhängigkeit dieser Kolonie von dem get. Fürsten Zalmodegikos, eine weitere von einem Fürsten Zoltes und einem ebenfalls starken get. Herrscher Rhemaxos (etwa 180 v. Chr.). Zahlreiche get. Fürsten ließen eigene Mz. prägen. Die Königsgräber sowie auch die Angaben von Strabon (16,2,38 f.) und Cassius Dio (68,9) zeigen einen ausgeprägten Herrscherkult. Von den Kelteneinfällen sind die G. wohl kaum mehr als peripher betroffen worden. Im 2./1. Jh. v. Chr. existierten neben den get. Siedlungen auch zahlreiche skyth. und bastarnische Enklaven (Ps.-Skymn. 756 f.; Strab. 7,4,5; zur get. Präsenz in den griech. Poleis: Ov. Pont. 4,1,67–84; trist. 5,10,15–44). M. Terentius Varro Lucullus war der erste röm. Feldherr, der gegen die G. zog (72/1 v. Chr.), um die westpontischen Verbündeten des Mithradates VI. zu schlagen, ohne dabei Erfolge erzielen zu können. Zehn Jahre später wurde C. Antonius Hybrida bei Histria von einer Koalition von Skyth., G., Bastarnae und griech. Kolonisten geschlagen (Liv. per. 103; Cass. Dio 38,10,1–3). Dieser Sieg über die Römer ließ den Stammesverband des → Burebista für kurze Zeit (60–50 v. Chr.) in den get. und dakischen Gebieten dominieren. Nach seinem Tode wurden die G. wieder unabhängig. Augustus aber verfolgte den Plan, die gesamte Balkanhalbinsel zu unterwerfen, weiter. Als Vorwand diente ihm ein Einfall von Bastarnae über die Donau, die die get. und thrak. Landstriche bis ins h. Südbulgarien hinein verwüsteten. M. Licinius Crassus übernahm die Ausführung des Plans. 29 v. Chr. besiegte er die Bastarnae, im get. Gebiet mit der Hilfe des get. (bzw. dakischen) Fürsten Rholes (Cass. Dio 52,24,7; 26,1), der ihm für seine Unterstützung gegen den get. Herrscher Dapyx Hilfe versprach (Cass. Dio 51,26). Die G. wurden vernichtend geschlagen. Nachdem Crassus bis an das Donau-Delta gekommen war, setzte er Rholes als von Rom abhängigen *regulus* ein und kehrte nach Rom zurück. 16 v. Chr. fielen Sarmatae in das get. Gebiet ein, die von röm. Truppen zurückgeschlagen wurden (Cass. Dio 54,20,1–3). Das get. Gebiet wurde unter die Kontrolle des röm. Vasallenkönigs in Thrakien, Rhoimetalkes I., gestellt, der die *ripa Thraciae* sichern sollte. 12 und 15 n. Chr. wurden diese Garnisonen durch röm. Truppen verstärkt. 45 n. Chr. wurde die Prov. Moesia gegr., zu der die G. geschlagen wurden.

Das demographische Bild änderte sich während der röm. Kaiserzeit wesentlich: Fremde Stämme, die über die Donau einfielen, die zahlreichen röm. Lager und Städte, in die auch viele Menschen aus anderen Gebieten des röm. Reiches zuzogen, verdrängten die G. immer mehr. In der spätant. Lit. unterscheidet man nicht mehr zw. G. und → Dakoi. Der Rest des Volkes ging in den german., avarischen, bulgarischen und slavischen Stämmen auf.

D. M. PIPPIDI, Scythica minora, 1975 · Ders., Epigraph. Beiträge zur Gesch. Histrias in hell. und röm. Zeit, 1962, 75–88 · J. IOUROUKOVA, Nouvelles données sur la chronologie des rois scythes en Dobroudja, in: Thrakia 4, 1977, 105–121 · D. M. PIPPIDI, D. BERCIU, Dȋn istoria dobrugei 1, 1965 · A. FOL, S. DIMITROV (Hrsg.), Istorija na Dobrudža 1, 1984 · A. AVRAM, Unters. zur Gesch. des Territoriums von Kallatis in griech. Zeit, in: Dacia N. S. 35, 1991, 103–137.   I. v. B.

Geth, Gat (kanaan. *gint*, hebr. *gat*, »Kelter«). In Syrien-Palästina häufiger ON der Spätbrz. und Eisenzeit.

[1] Das philistäische Gat, südöstl. Eckpunkt der Pentapolis (1 Sam 7,14; 17,52), wahrscheinlich Tall aṣ-Ṣāfī. Als unmittelbarer Nachbar Judas war G. im 10. Jh. v. Chr. in den Aufstieg Davids involviert, der als Condottiere Ziklag (Tall as-Sabaᶜ/Tel Bəᵓer Ševaᶜ) als Lehen von G. erhielt (1 Sam 27). Vielleicht schon in der 2. H. des 9. Jh. v. Chr. von Hasaël von Damaskos im Zuge seiner Großmachtpolitik zw. Euphrat und Nil erobert (2 Kg 12,18f.), verlor G. 720 v. Chr. unter Sargon II. endgültig seine Selbständigkeit (vgl. Am 6,2). Vor 702/1 **[3]** und wieder im 7. Jh. v. Chr. gehörte G. zu Juda (2 Chr 11,8; 26,6). Im 4. Jh. n. Chr. ist es nur noch als Dorf gen. (*vicus*, Hier. comm. in Michaeam 1,10).

[2] Das in der Madaba-Karte (6. Jh. n. Chr.) bzw. bei Eusebios (On. 72,2–4) und Hieronymus (comm. in Ionam praef.) gen. Γεθηνυν Γιττα ist nach **[4]** mit dem namenlosen Ruinenfeld bei Rišôn lə Ṣijjôn zw. Lydda/Diospolis und Tall Yūnni am Mittelmeer zu identifizieren.

[3] Die Heimat des Propheten Jona, G.-Hefer (2 Kg 14,25) in Galiläa (h. al-Mašhad) kennt Hieronymus (comm. in Ionam praef.) unter dem Namen G.

1 M. GÖRG, s. v. G., Neues Bibel-Lexikon 5, 731 f. 2 O. KEEL, M. KÜCHLER, Orte und Landschaften der Bibel 2, 1982 3 N. NAᵓAMAN, Sennacherib's »Letter to God«, in: BASO 214, 1974, 25–29 4 G. SCHMITT, G., Gittaim und Gitta, in: R. COHEN, G. SCHMITT, Drei Stud. zur Arch. und Topogr. Altisraels, 1980, 77–138 5 P. THOMSEN, Loca Sancta, 1907, 50.   E. A. K.

Get(h)a. Röm. Cognomen (»der Gete«), in republikanischer Zeit des C. Licinius G. (*cos.* 116 v. Chr.) und des C. Hosidius G., in der Kaiserzeit – in der Form Geta – auch bei den Hosidii und Septimii.

DEGRASSI, FCIR 253 · KAJANTO, Cognomina 204.   K.-L. E.

Gethsemane s. Jerusalem

Getränke. In der Ant. gab es je nach Zeit und Region unzählige Formen von G., die pur, miteinander vermischt, versetzt mit Zutaten (Fett, Gewürzen, Süßstoffen) heiß oder kalt getrunken wurden. Sie lassen sich nach ihren Grundbestandteilen in drei Gruppen einteilen: 1. G. aus Wasser. Wasser (Plin. nat. 31,31–72) war ein unentbehrliches Nahrungsmittel (Pind. O. 1,1; Vitr. 8,1,1; Plin. nat. 31,31–72) und zudem ein notwendiger Bestandteil zweier wichtiger alkoholhaltiger G.: → Met und → Bier. Met, ein Gebräu aus Wasser und Honig (Plin. nat. 14,113), war vor der Kenntnis von → Wein und Bier das einzige verfügbare alkoholische G. im Mittelmeerraum. Später wurde Met überwiegend in Gebieten ohne oder mit wenig ausgebildeter Weinkultur getrunken (vgl. CIC I 33,6,9). Bier, ein Gebräu aus Wasser und Gerste oder Weizen, war ein wichtiges G. in Ägypten und im nordwestl. Mittelmeerraum (Balkan, Germanien, Gallien, Hispanien; Plin. nat. 22,164).

2. G. aus Milch, bes. Schaf- und Ziegenmilch, die in der gesamten ant. Welt konsumiert wurden (Plin. nat. 28,123–130). 3. G. aus Fruchtsaft bzw. aus dessen Gärungsprodukt, dem Fruchtwein. Weine etwa aus Äpfeln (→ Apfel), Birnen, Granatäpfeln oder Quitten dienten überwiegend medizinischen Zwecken (Plin. nat. 14,102–104). Dagegen entwickelte sich Traubenwein, der schon in vorgeschichtlicher Zeit in Griechenland bekannt war, zum Genußmittel par excellence in der ant. Welt. Seit der griech. Klassik bzw. der späten röm. Republik wurde er in größeren Mengen hergestellt (Athen. 1,28d; Plin. nat. 14,96–97), doch beschränkte sich sein Konsum im wesentlichen auf die Weinbaugebiete des Mittelmeerraumes.

Die Preisliste der G. insgesamt wurde vom Traubenwein angeführt: Selbst Tafelweine kosteten bis zum Ausgang der Ant. deutlich mehr als Bier, Met oder Milch (CIL III 2, p. 827 2,1–10; vgl. 2,11–12; 6,95); Qualitätsweine, zumal importierte, waren zu allen Zeiten sehr teuer (Plin. nat. 14,95–96). Der Konsum von G. hing stark von den jeweiligen regionalen und sozialen Umständen ab; auch der Zeitgeist konnte die Trinkgewohnheiten beeinflussen. Alltags- und Haupt-G. aller Schichten, Altersstufen und Geschlechter war zweifellos Wasser. Milch, in frischer Form nur kurz haltbar, wurde wohl überwiegend auf dem Land und von Kindern getrunken (Cic. Cato 56). Met und Bier erfreuten sich des Zuspruchs vornehmlich mittlerer und unterer Bevölkerungsschichten (Athen. 4,152c; Amm. 26,8,2). Traubenwein besserer Qualität war vor allem ein Genußmittel reicher Leute. Die unteren Schichten insbesondere der städtischen Bevölkerung tranken ihn vermutlich nur an Festtagen (vgl. Athen. 2,40f), während sie sich sonst mit billigem Tafelwein oder – zumindest in röm. Zeit – mit *posca*, einem Gemisch aus Wasser und sauer werdendem Traubenmost, begnügen mußten.

J. ANDRÉ, L'alimentation et la cuisine à Rome, ²1981, 161–178 · A. DALBY, Siren Feasts. A History of Food and Gastronomy in Greece, 1996.   A. G.

Getreide I. ALTER ORIENT
II. GRIECHISCH-RÖMISCHE ANTIKE
III. GETREIDEARTEN

I. ALTER ORIENT

Die verschiedenen bespelzten und nackten Weizen-(*triticum* = *t.*) und Gerstearten (*hordeum*) zählen zu den frühesten domestizierten Pflanzen des Vorderen Orients (Q. Ǧarmu; Çatal H.; → Fajum). Zu den Weizenarten gehört außer dem → Emmer (*t. dicoccum*) und dem Einkorn (*t. monococcum*), beide bespelzt, auch der gewöhnliche oder Brotweizen (nackt; *t. aestivum*). Die Tatsache, daß die größeren Arbeitsaufwand erfordernden bespelzten Arten (Entfernung der Spelzen durch Rösten) auch in späteren Jt. noch überwogen, wird mit der besseren Lagerfähigkeit begründet [1. 35]. Die Weizenarten standen meistens gegenüber der Gerste zurück, was meist mit der größeren Toleranz der Gerste gegenüber den häufig versalzenen Böden im Vorderen Orient, aber auch einer höheren Verläßlichkeit und einem höheren Ertrag erklärt wird [2]. In Ägypten scheint im NR (1550–1070 v. Chr.) → Emmer eine größere Rolle gespielt zu haben [3. 587ff.]. Die Ansicht, daß von den zweizeiligen und sechszeiligen Formen von *hordeum distichum* die letztere durch Einbeziehung in die Bewässerungswirtschaft überhand genommen habe, dann herausselektiert wurde und damit erst der Ernährungswirtschaft den entscheidenden Impuls gegeben habe, ist in neuerer Zeit angezweifelt worden [4. 57ff.].

Weizen und Gerste dienten v.a. der → Brot- und Grützenherstellung, Gerste darüber hinaus dem Brauen von → Bier (zu mesopot. Texten des 4. Jt. [5]; allg. [6]; für Ägypten [7]).

Der Ertragsreichtum des G.-Anbaus in Ägypten und Babylonien wurde von den ant. Autoren maßlos überschätzt; so spricht Herodot von 200fältiger, in Ausnahmefällen sogar 300fältiger Frucht (Hdt. 1,193; vgl. Strab. 16,1,14; Theophr. h. plant. 8,7,4) [8].

1 J. M. RENFREW, Cereals cultivated in ancient Iraq, in: Bull. Sumerian Agriculture 1, 1984, 32–44 2 M. A. POWELL, Salt, Seeds and Yields in Sumerian Agriculture, in: ZA 75, 1985, 7–38 3 W. HELCK, s. v. G., LÄ 2, 586f. 4 D. T. POTTS, Mesopotamian Civilization, 1997 5 H. J. NISSEN, P. DAMEROW, R. K. ENGLUND, Frühe Schrift und Techniken der Wirtschaftsverwaltung, 1991 6 W. RÖLLIG, Das Bier im alten Mesopot., 1970 7 W. HELCK, Das Bier im alten Ägypten, 1971 8 K. BUTZ, P. SCHRÖDER, Zu Getreideerträgen in Mesopot. und dem Mittelmeergebiet, in: BaM 16, 1985, 165–209.

W. HELCK, s. v. G., LÄ 2, 586f. • RLA 3, s. v. G., 308–318.
H. J. N.

II. GRIECHISCH-RÖMISCHE ANTIKE

G. war für die meisten Menschen des ant. Mittelmeerraums das wichtigste Nahrungsmittel. Unsere Informationen über die G.-Arten, den G.-Anbau und die Bed. des G. für die menschliche Ernährung in der Ant. beruhen sowohl auf paläobotanischen Überresten, die bei arch. Ausgrabungen gefunden wurden, als auch auf lit. Zeugnissen, insbes. auf den Schriften des Theophrastos (Theophr. h. plant. 8; c. plant. 4,8–9), Xenophons (oik. 16–18), der röm. Agronomen (Varro rust. 1,44–53; 1,57; Colum. 2,6; 2,8–9; 2,11–12; 2,20; Plin. nat. 18,48–116) und des Galenos sowie anderer Mediziner. Folgende G.-Arten wurden in der Ant. angebaut: Weizen, Gerste, Hafer, Roggen, Hirse und Reis. Mais (*zea mays*) kam erst nach 1492 nach Europa.

Die griech. und lat. Bezeichnungen für die verschiedenen G.-Arten wirkten bereits auf ant. Autoren verwirrend (vgl. etwa Hdt. 2,36,2). Die wachsende Bed. der verschiedenen Weizenarten insgesamt führte bis zum Preisedikt des Diocletianus (→ Edictum Diocletiani, 301 n. Chr.) zu einer Verdrängung der urspr. verwendeten Bezeichnungen für Weizen (πυρός und *triticum*) durch Begriffe, die vorher G. allg. bezeichnet hatten: σῖτος (*sîtos*) und *frumentum*. Es war schwierig, die einzelnen G.-Arten, die oft sehr ähnlich waren, deutlich zu unterscheiden. Die in der Ant. vorherrschende Differenzierung zwischen Nacktweizen und Spelzweizen gilt h. z. B. nicht mehr als sachgerecht, denn sie orientierte sich nur an äußeren Merkmalen. Ein weiteres Problem bestand darin, daß in einer fremden Region gesätes G. sehr häufig innerhalb von drei Jahren die typischen Merkmale des dort wachsenden G. annahm. Dies geschah durch natürliche Selektion, wenn Samen verschiedener G.-Arten zufällig vermischt wurden (vgl. Theophr. h. plant. 8,8,1; c. plant. 1,9,3; 2,13,3; 4,1,6; Colum. 2,9,13; Plin. nat. 18,93). Da unter diesen Voraussetzungen die Interpretation der lit. Zeugnisse oft problematisch ist, kommt dem arch. Material großer Stellenwert zu. G.-Körner wurden bei Ausgrabungen in verkohltem Zustand, im trockenen Klima Ägyptens manchmal auch in vertrocknetem, nicht verkohltem Zustand gefunden. Zusätzlich zu den nun schon seit einem Jh. durchgeführten paläobotanischen Unters. ant. G.-Körner liefern jetzt biochemische Analysen ant. DNA, die aus ant. Samen gewonnen werden kann, neue Erkenntnisse.

III. GETREIDEARTEN

A. WEIZEN B. NACKTWEIZEN C. EMMER UND SPELT D. EINKORN E. GERSTE F. HAFER G. ROGGEN H. HIRSE I. REIS J. SORGHUM

A. WEIZEN

Es gibt drei Weizenarten, die sämtlich bereits in der Ant. angebaut wurden: 1. diploider Weizen (14 Chromosomen), der allg. Einkorn genannt wird (*triticum monococcum*); 2. tetraploide Weizenarten (28 Chromosomen), Emmer (*t. dicoccum*), Hartweizen (*t. durum*) sowie Rauhweizen (*t. turgidum*); 3. hexaploide Weizenarten (42 Chromosomen), vor allem Saatweizen (*t. aestivum*) und Spelt (*t. spelta*). Bei den Weizenarten der zweiten und der dritten Gruppe wird zw. dem sogenannten Nacktweizen oder Dreschweizen (*t. durum*, *t. turgidum* und *t. aestivum*) und dem Spelzweizen (*t. dicoccum* und *t. spelta*) unterschieden. Beim Nacktweizen ist die Hüllspelze nur lose mit dem Korn verbunden und kann durch Dreschen leicht gelöst werden; beim Spelzweizen hängen die Spelzen fest am Korn und können von diesem nur dadurch getrennt werden, daß man die Ähren röstet und dann zerstampft (Plin. nat. 18,97). Die Unterscheidung zw. Nackt- und Spelzweizen war für die Zubereitung der Nahrung grundlegend, so daß sie die Unterteilung der Weizenarten seit der Ant. bestimmt hat, bis schließlich die moderne Genetik die Bedeutung einer kleinen Zahl von Genen für die Klassifikation nachgewiesen hat.

Die wichtigsten Entwicklungen in der Gesch. des ant. Getreideanbaus waren zunächst der Rückgang der Gerste in vielen Regionen, während gleichzeitig zunehmend Weizen angebaut wurde, und die Tendenz, Spelzweizen durch Nacktweizen zu ersetzen. *Triticum dicoccum* wurde in Regionen mit einem semiariden Mittelmeerklima vom *t. durum* und *t. turgidum* verdrängt; in den kälteren Regionen des Nordens setzte sich der Anbau von *t. aestivum* gegenüber dem von *t. spelta* durch. Diese Veränderungen hatten ihren Grund in den unterschiedlichen Eigenschaften der G.-Arten. So wurde Weizen aufgrund seines höheren Glutengehaltes, der das → Brot während des Backvorganges aufgehen läßt, der Gerste vorgezogen. Von den Nacktweizenarten eignete sich *t. aestivum* (ein weiches Korn mit einem hohen Wassergehalt) sehr gut zur Gewinnung von feinem Mehl für Brot, während *t. durum* (ein hartes Korn mit niedrigem Wassergehalt) sich zwar leicht zu Grieß zerstampfen ließ, aber mit der primitiven Mahltechnik der Antike nicht zu feinem Mehl weiterverarbeitet werden konnte. Mit den einfachen Anbaumethoden der Ant. konnten die höchsten Erträge durch die Aussaat von *t. turgidum* erzielt werden, das aus diesem Grunde in einigen Regionen bevorzugt angebaut wurde. Das Korn von *t. turgidum* ist jedoch weicher als das von *t. durum* und eignet sich somit nicht für die Herstellung von Grieß, das Mehl wiederum ist weniger als das von *t. aestivum* zum Brotbacken geeignet.

Die große Beliebtheit des Saatweizens (lat. *siligo*) bei den Römern hing mit der sich immer stärker verbreitenden Praxis zusammen, Brot aus Sauerteig zu backen, wofür *triticum aestivum* am besten geeignet war. In röm. Zeit wurde Saatweizen hauptsächlich in Norditalien, Gallien und Britannien angebaut. Die röm. Oberschicht aß *panis siligneus*, die Unterschicht hingegen das aus *triticum durum* oder anderen Getreidearten hergestellte *panis plebeius* (Sen. epist. 119,3). Die Erfindung der Rotationsmühle und feinerer Siebe gestatteten es, feines weißes Mehl zu produzieren; jedoch war auch das beste Brot in der Ant. weitaus gröber und stärker verunreinigt als heutiges Brot. Galenos (6, p. 494 KÜHN) empfiehlt stark gesäuertes Brot als die für die meisten Menschen bekömmlichste Nahrung. Vor der Verbreitung des Anbaus von Saatweizen in röm. Zeit aß man vor allem Fladenbrot aus ungesäuertem Teig, der aus Mehl von *t. durum* oder *t. diccocum* zubereitet wurde.

B. NACKTWEIZEN

Wie paläobotanische Funde für die Zeit ab 1000 v. Chr. zeigen, waren die Krim und angrenzende Regionen an der nördl. Schwarzmeerküste die einzigen Gebiete, in denen auch schon vor dem Imperium Romanum *t. aestivum* die wichtigste Getreideart gewesen war. Theophrastos (h. plant. 8,4,5) beschreibt den sehr weichen, leichten, im Herbst gesäten Saatweizen des Pontosgebietes, den die Athener im 5. und 4. Jh. v. Chr. dem Weizen aus Sizilien und Ägypten vorzogen. Die bessere Qualität des Weizens aus dem Pontosgebiet war der Grund dafür, daß der Getreidehandel mit den Herrschern dieser Region für das klass. Athen an Bedeutung gewann (Demosth. or. 20,30–33; Strab. 7,4,6). Der Anbau von Saatweizen blieb in der Ant. jedoch deswegen immer schwierig, weil er nicht gleichmäßig reifte und zudem die Ähren im reifen Zustand schnell die Körner verloren (Plin. nat. 18,91). Diesem Problem begegnete man im röm. Gallien dadurch, daß man bei der Ernte den *vallus* einsetzte, ein Gerät, mit dem Getreide schneller als mit Sicheln geerntet werden konnte (Plin. nat. 18,296; Pall. agric. 7,1,1–4; 8,1). Auch gedieh *t. aestivum* im mediterranen Klima nicht so gut wie *t. durum*.

Obwohl Columella ausdrücklich erwähnt, daß aus *siligo* (Saatweizen) das beste Brot gebacken werden konnte, empfiehlt er dennoch den Anbau von *triticum* (worunter hier *t. durum* zu verstehen ist), das größere und schwerere Körner aufweist (Colum. 2,6,2; 2,9,13). Die Weizenarten der Ant. hatten einen höheren Anteil an Proteinen und einen geringeren Anteil an Kohlehydraten als moderner Weizen, sie waren damit nahrhafter, aber erbrachten auch wesentlich geringere Hektarerträge. Die röm. Agrarschriftsteller halten eine sorgfältige Auswahl des Saatgetreides für notwendig, um eine Degeneration des Getreides zu verhindern (Verg. georg. 1,197–200; Varro rust. 1,52,1; Colum. 2,9,11; Plin. nat. 18,195); eine bewußte Züchtung mit dem Ziel der Entwicklung neuer Arten war in der Ant. aber nicht gegeben.

Nach Galenos (6, pp. 480–481 KÜHN) und Oreibasios (1,2,2–3) hatte der *semidalítēs pyrós* (*triticum*) glasige Körner; außerdem wird festgestellt, daß selbst der beste Weizen Körner aufweise, die glasig (*diaphanḗs*) sind. Diese Bemerkungen bestätigen, daß im Mittelmeerraum in röm. Zeit *triticum durum* am weitesten verbreitet war, denn allein diese Weizenart weist unabhängig von den regionalen Verhältnissen derartige Körner auf. Basileios bietet eine genaue Beschreibung des *t. durum* für Kappadokien (Basil. Homiliae in hexaemeron 5,290–291 GIET), wobei er die für tetraploide Weizenarten charakteristischen kräftigen Halme und langen Grannen erwähnt. *Triticum* soll bes. in Byzacium (Nordafrika) hohe Erträge erbracht haben (Plin. nat. 17,41; 18,94). Bei dem von Strabon erwähnten Weizen in Numidia (Strab. 17,3,11) handelte es sich wahrscheinlich um *triticum turgidum*. Hartweizen konnte aufgrund seines niedrigen Wassergehaltes über mehrere Jahre hinweg gelagert werden (Varro rust. 1,57 über Spanien; Ios. bell.

Iud. 7,295–298 über Masada in Palästina). Nach Theophrastos (h. plant. 8,11,5–6) galt dies auch für kappadokischen Weizen. Für die Bewertung der Erträge des Getreideanbaus wurde in der Ant. generell das Verhältnis zw. Aussaat und Ernte und nicht wie in der Gegenwart das Verhältnis von Anbaufläche und Ernte für entscheidend gehalten. Dabei galt es keineswegs als außergewöhnlich, wenn auf einem einzigen Halm 400 Körner wuchsen, wie Plinius berichtet (nat. 18,94). Dennoch waren die Hektarerträge im ant. Nordafrika wahrscheinlich sehr niedrig, da die relativ dünne Aussaat (25 kg pro Hektar) durch das Pflanzenwachstum nicht ausgeglichen werden konnte.

C. EMMER UND SPELT

Emmer (*triticum dicoccum*) – griech. ζειά; ὄλυρα, lat. *far, semen* und *arinca* – wurde in der Ant. in vielen Regionen angebaut; nach Herodot (2,36,2) war es allerdings im klass. Griechenland – anders als in Ägypten – unüblich, Brot aus Emmer zu backen. Der in Ägypten angebaute Emmer ließ sich leichter dreschen als der griech. Emmer, dessen Verarbeitung sehr mühsam war (Plin. nat. 18,92). Dies erklärt, warum die Ägypter im 1. Jt. v. Chr. noch immer Emmer anbauten, als die Griechen bereits zum Anbau von Nacktweizen übergegangen waren. Zur Zeit der Ptolemaier brachten die Griechen *t. durum* nach Ägypten und ersetzten so den einheimischen Emmer. Wie paläobotanische Funde belegen, war Emmer während der myk. Epoche in der Argolis die wichtigste Getreideart; im klass. Griechenland scheint Emmer jedoch unbedeutend für die menschliche Ernährung gewesen zu sein (Plin. nat. 18,84); nach Theophrastos (h. plant. 8,9,2) wurde Emmer in dieser Zeit als Tierfutter verwendet. Paläobotanische Funde und schriftliche Zeugnisse (Dion. Hal. ant. 2,25,2; XII tabulae 3,4; Liv. 2,5,2–3; 5,47,8; 6,17,5; 7,37,3; Plin. nat. 18,15–17) zeigen, daß Emmer zu Beginn der Eisenzeit die wichtigste Weizenart in Latium war; er wurde jedoch später zunehmend durch *t. turgidum* verdrängt. Nach Plinius (nat. 18,111) war Emmer in Campanien noch im 1. Jh. n. Chr. von großer Bedeutung, was durch neue Ausgrabungen in Pompeii bestätigt wurde, obwohl frühere Ausgrabungen auch Hinweise auf Nacktweizen gegeben haben. Plinius (nat. 18,109–116) erwähnt die Herstellung von Graupen aus Emmer in Italien und Nordafrika (*alica*; χόνδρος; vgl. Dioskorides Materia medica 2,96; Geop. 3,7 BECKH). Es werden zwei Arten von Emmer in Europa unterschieden, *t. dicoccum varietas farrum* und *t. dicoccum varietas rufum*; wahrscheinlich sind diese beiden Emmer-Arten mit den griech. Arten ζειά (*zeiá*) und ὄλυρα (*ólyra*) identisch. Emmer war derjenige Spelzweizen, der am besten im Mittelmeerklima gedieh, während in Nordeuropa, etwa in Britannien, am ehesten Spelt (*t. spelta*) wuchs. Da klass. Autoren hauptsächlich über die Mittelmeerregion schrieben, geben sie nur wenige Hinweise auf Spelt (vgl. Edictum Diocletiani 1,7–8; *Carmen de mensuris et ponderibus*, etwa 400 n. Chr.). Der Spelzweizen erforderte den gleichen Arbeitsaufwand wie der Nackt-

weizen (Colum. 2,12,1–2), obgleich doppelt so viel Spelzweizen wie Nacktweizen ausgesät wurde (Colum. 2,9,1).

D. EINKORN

Einkorn (*triticum monococcum*; τίφη/*típhē*), das in Griechenland ebenfalls bekannt war (Theophr. h. plant. 8,9,2; Aristot. hist. an. 603b26), besaß eine größere Bedeutung vor allem in der prähistor. Epoche; im Gebiet von Pergamon war der Anbau von Einkorn noch im 2. Jh. n. Chr. weit verbreitet (Gal. 6, S. 518 KÜHN). Galenos (6, S. 522 KÜHN) beschreibt es zu Recht als Weizen mit kurzen Ähren und glaubt, daß es sich dabei dem von Homer erwähnten πυρός (*pyrós*: Il. 8,188; 10,569) um Einkorn gehandelt habe. Diese diploide Weizensorte war gegenüber Frost und Krankheiten weitgehend resistent, jedoch weniger ertragreich als Emmer; im westlichen Mittelmeerraum gehörte Einkorn nie zu den wichtigen G.-Arten.

Für alle Weizenarten war der Herbst die günstigste Zeit zur Aussaat (Plin. nat. 18,49). Man hatte in der Ant. bereits erkannt, daß im Herbst gesätes G. höhere Erträge erbrachte als im Frühling gesätes (Theophr. c. plant. 4,9,1; 4,11,1–3; Plut. mor. 915d-e). Xenophon (oik. 17,1–6) empfahl für Attika, das G. über einen längeren Zeitraum zu säen und so die Aussaat den nicht vorhersehbaren Witterungsbedingungen möglichst anzupassen. Bes. dann, wenn die Wintersaat nicht den Erwartungen entsprach, hat man erneut im Frühjahr gesät (Hes. erg. 485–490; Colum. 2,6,2; 2,9,7–8; Plin. nat. 18,69; 18,239–240; 18,201–205). Saatweizen eignet sich eher zur Aussaat im Frühjahr als Hartweizen, der zu Anfang des Wachstums viel Feuchtigkeit braucht, obwohl er später gegen Trockenheit resistent ist. Daher wurde Saatweizen manchmal »Drei-Monat-Weizen« oder σιτάνιος πυρός (Weizen, der im Jahr der Aussaat geerntet wurde) genannt. Theophrastos (c. plant. 4,9,6) und Dioskorides (Materia medica 2,101) erwähnen diesen Weizen für Lemnos und Kreta.

E. GERSTE

Gerste (κριθή/*krithé*; hordeum), die in Griechenland als die älteste kultivierte G.-Art galt (Plin. nat. 18,72; Philochoros FGrH 328 F73), war in der Ant. ebenfalls von großer Bedeutung. Die Inschr. IG II² 1672 belegt für das Jahr 329/8 v. Chr. ein Verhältnis zwischen Gersten- und Weizenernte von 9,3 : 1 in Attika. Diese Inschr. weist vielleicht auf eine durch niedrige Niederschläge verursachte schlechte Ernte hin, die bes. geringe Erträge an Weizen zur Folge hatte, während Gerste, die erheblich weniger Niederschläge benötigt, durchschnittliche Erträge erbrachte. Andere Texte deuten jedoch darauf hin, daß in Attika vornehmlich Gerste angebaut wurde. So erwähnen die att. Redner Landgüter, auf denen große Mengen Gerste, aber kein Weizen produziert wurde (Isaios 11,43; Demosth. or. 42,20). Ein Gesetz des Solon bestimmte, daß diejenigen, die auf öffentliche Kosten im Prytaneion speisten, an normalen Tagen nur Speisen aus Gerste und allein an Festtagen aus Weizen erhalten sollten (Athen. 137e); Gerste war auch der Preis für die

Sieger der Eleusinischen Spiele (Schol. Pind. O. 9,150). Homer (Hom. h. Demeter 309; 452) erwähnt den Anbau von weißer Gerste in Eleusis, und das heilige rharische Feld brachte eine Pacht von 619 Medimnen Gerste ein (IG II² 1672,252–254; Paus. 1,38,6). Homer und Aristophanes erwähnen Speisen aus Gerste häufiger als solche aus Weizen. In Athen war die Geschäftsfähigkeit von Frauen auf den Wert von einem → Medimnos Gerste beschränkt (Isaios 10,10). Nach Theophrastos (h. plant. 8,8,2) war Attika für den Anbau von Gerste bes. gut geeignet.

In Lakonien und Messenien mußten die Heloten den Spartanern 82 Medimnen Gerste von jedem → Kleros abliefern (Plut. Lykurgos 8,7), so daß die Spartaner wiederum ihren Beitrag an Gerste für die Syssitien zu leisten im Stande waren (Plut. ebd. 12,3; Dikaiarchos fr. 72 WEHRLI; Aristot. frg 611,13 ROSE; Hdt. 6,57,3). Reiche Spartaner lieferten jedoch bisweilen Weizen statt Gerste ab (Xen. Lak. pol. 5,3). Hekataios (FGrH 1 F9) belegt, daß Gerste die Grundlage der Ernährung in Arkadien war. Gerste war auch in der Kyrenaika, einer sehr niederschlagsarmen Gegend, von großer Bedeutung.

Die Griechen bauten vorwiegend die sechszeilige Gerste an, die normalerweise im Herbst gesät wurde. Columella (2,9,14–16) kannte die sechszeilige und die zweizeilige Gerste als die urspr. Arten; die zweizeilige Gerste war besonders für die Frühjahrssaat etwa in Gebirgsregionen geeignet. Nach Theophrastos (h. plant. 8,4,2) existierten auch eine dreizeilige, eine vierzeilige und eine fünfzeilige Art. Der Gerstenanbau erforderte gegenüber dem Anbau von Weizen weniger Arbeitsaufwand (Colum. 2,12,1–2); wahrscheinlich war Gerste aus diesem Grund in der Ant. billiger als Weizen. Die Griechen bevorzugten Graupen aus Gerste (Plin. nat. 18,72); in Ägypten wurde aus Gerste → Bier hergestellt. Belegt ist außerdem die Verwendung von Gerste als Tierfutter (Aristot. hist. an. 573b 10–11; 595a 28–29; 595b 6–10). Die röm. Armee schließlich gab Gerste zugunsten von Weizen auf (Pol. 6,38,3–4; Gal. 6, S. 507 KÜHN). Gerste war oft die Nahrung von armen Menschen und Sklaven (Colum. 2,9,16). In Palästina aßen während des 1. Jh. n. Chr. die Armen Gerste, die Reichen aber Weizen (Ios. bell. Iud. 5,427).

F. HAFER

Hafer (βρόμος/brómos) wurde später als Weizen und Gerste kultiviert, da wilder Hafer, den man als Unkraut in der Frucht von Emmer fand, kleinere Erträge brachte als wilder Weizen oder wilde Gerste (Theophr. h. plant. 8,9,2; c. plant. 4,5,2). Hafer war im südl. Griechenland der klass. Epoche keine wichtige Feldfrucht, teilweise wurde er zusammen mit sechszeiliger Gerste als Teil von farrago (einer Mischsaat) gesät, um Tierfutter zu gewinnen (Plin. nat. 18,149; Colum. 2,10,24; 2,10,31–32). Der Anbau von Hafer ist auch im 2. Jh. n. Chr. für Mysien in Kleinasien (Gal. 6,522–523 KÜHN) und im 4. Jh. n. Chr. für Thrakien belegt (Serv. georg. 5,37). Plinius erwähnt die avena Graeca (die moderne avena byzantina, eine hexaploide Getreideart), deren Körner nicht leicht

abfielen (nat. 18,143), und außerdem die halbkultivierte tetraploide Getreideart avena abyssinica (Plin. nat. 6,188), die man heute mit Emmer und Gerste in Verbindung bringt.

G. ROGGEN

Roggen (secale cereale – lat. secale oder asia) wurde im südl. Griechenland nicht angebaut, da er im mediterranen Klima nicht gut gedieh. Im nördlichen Griechenland war Roggen während des 1. Jt. v. Chr. eine wichtige Feldfrucht. Zwar konnte er für die Frühe Eisenzeit arch. nicht belegt werden, doch Galenos (Gal. 6,514 KÜHN) deutet an, daß Roggen (βρίζα/bríza) spätestens im 2. Jh. n. Chr. für Thrakien und Makedonien von Bedeutung war. Roggenanbau ist auch für Nordit. sowie für Mittel- und Nordeuropa belegt (Plin. nat. 18,141), weiterhin wird er auch im → Edictum Diocletiani (1,3) erwähnt; nach Plinius war Roggen bitter und unbekömmlich. Trotzdem erlangte Roggen in der Ant. nie die Bedeutung, die er in der Frühen Neuzeit in Europa erhalten sollte.

H. HIRSE

Die einzige Getreideart, die in Europa in der Ant. auch im Sommer angebaut werden konnte, war die Hirse. Deshalb spielte sie in der ant. Landwirtschaft auch eine nicht unwichtige Rolle, obgleich sie niedrigere Erträge als alle anderen Getreidearten erbrachte. Erschien jemandem Hirse im Traum, so war dies ein Vorzeichen für künftige Armut (Artem. 1,68). Es gab zwei kultivierte Arten der Hirse, nämlich die setaria italica (μελίνη/melínē: Xen. an. 2,4,13) und panicum miliaceum (κέγχρος/kénchros: Hes. scut. 398–399). Beide sind bei Theophrastos (h. plant. 8,7,3; 8,11,6; c. plant. 4,15) und Columella (2,9,17–19) belegt. Nach Aristoteles (hist. an. 595a 26–29) wurde panicum miliaceum als Tierfutter verwendet. Hirse wurde vom südwestl. Frankreich über Mitteleuropa bis hin nach China angebaut; in Nordit. konzentrierte der Anbau der Hirse sich auf die Poebene (Pol. 2,15,2; Strab. 5,1,12), wo auch im Sommer genügend Wasser für die künstliche Bewässerung der Felder vorhanden war (Diod. 2,36,3–4; Geop. 2,38,2). Demosthenes erwähnt zudem Hirseanbau in Thrakien (or. 8,45).

I. REIS

Reis (oryza sativa) wurde im 1. Jt. v. Chr. im Mittleren Osten in Regionen wie Anatolien und Mesopotamien, die erst von den hell. Königreichen und dann vom Imperium Romanum annektiert wurden, angebaut. Belegt ist Reis im Triptólemos des Sophokles (fr. 552 NAUCK). Theophrastos (h. plant. 4,4,10) bezog seine Informationen über Reis von griech. Gelehrten, die Alexander den Großen nach Indien begleitet hatten (Aristobulos FGrH 139 fr. 35). Jüdische Texte, Mischna und Talmud, erwähnen für die röm. Zeit den Reisanbau in den Hulesümpfen im Jordantal. Zuweilen gelangte Reis auch über den Fernhandel weiter in den Westen. In Griechenland wurde ein Reiskorn im myk. Palast von Tiryns, in Deutschland eine bedeutende Menge Reis in einem röm. Heerlager des 1. Jh. n. Chr. gefunden. Es gibt jedoch keinen Hinweis darauf, daß in der Ant. Reis westlich des Vorderen Orients angebaut worden wäre, obwohl er ertragreicher als alle anderen Getreidearten war. Dies ist darauf zurückzuführen, daß Anlagen für eine ständige Bewässerung der Reisfelder in der Ant. unbekannt waren, und dies gilt selbst für Ägypten. Griech. Kaufleute hatten im 1. Jh. n. Chr. Kenntnisse vom Reisanbau in Persien und Indien (peripl. m. r. 37; 41).

J. SORGHUM

Sorghum, ein Getreide aus Afrika südl. der Sahara, gelangte im Bronzezeitalter nach Indien, wo griech. Gelehrte, die Alexander den Großen auf seinen Feldzügen begleiteten, es gesehen haben (Theophr. h. plant. 4,4,9); im 1. Jh. n. Chr. wurde Sorghum nach Rom importiert (Plin. nat. 18,55). Nichts deutet jedoch darauf hin, daß es während der Ant. im Mittelmeerraum angebaut wurde. Nach paläobotanischen Funden war Sorghum in der Ant. die wichtigste Getreideart im Königreich → Meroe im Sudan, wo allerdings auch Hirse und Gerste angebaut wurden (Strab. 17,2,2; Diod. 1,33,4; Plin. nat. 18,100).

→ Agrarschriftsteller; Bäckerei; Brot; Dreschen, Dreschgeräte; Düngemittel; Ernährung; Pflug; Sichel

1 M. C. AMOURETTI, Le pain et l'huile dans la Grèce antique, 1986 2 C. AMPOLO, Le condizioni materiali della produzione, in: Dialoghi d'Archeologia 11, 1980, 15–46 3 BLÜMNER, Techn. 1, 1–57 4 T. BROWN u.a., DNA in wheat seeds from European archaeological sites, in: Experientia 50, 1994, 571–575 5 D. J. CRAWFORD, Food: tradition and change in Hellenistic Egypt, in: World Archaeology, 11, 1979, 136–146 6 L. GALLO, Alimentazioni e classi sociali: una nota su orzo e frumento in Grecia, in: Opus 2, 1983, 449–472 7 S. GANSINIEC, Cereals in early archaic Greece, in: Archeologia 8, 1956, 1–48 (in Polnisch) 8 GARNSEY 9 J. R. HARLAN, The early history of wheat, in: L. T. EVANS, W. J. PEACOCK (Hrsg.), Wheat science: today and tomorrow, 1981, 1–15 10 F. M. HEICHELHEIM, s. v. Sitos, RE Suppl. 6, 819–892 11 Z. V. JANUSHEVITCH, Die Kulturpflanzen Skythiens, in: Zschr. für Arch. 15, 1981, 87–96 12 A. JARDÉ, Les céréales dans l'antiquité grecque, 1925 13 N. JASNY, Competition among grains in classical antiquity, in: American Historical Review 47, 1942, 747–764 14 N. JASNY, The wheats of classical antiquity, 1944 15 M. E. KISLEY, A barley store of the Bar-Kochba rebels (Roman period), in: Israel Journal of Botany 35, 1986, 183–196 16 K.-H. KNORZER, Römerzeitliche Pflanzenfunde aus Xanten, 1981 17 Ders., Über Funde römischer Importfrüchte in Novaesium (Neuss am Rhein), in: BJ 166, 1966, 433–443 18 H. KROLL, Kastanas. Ausgrabungen in einem Siedlungshügel der Bronze- und Eisenzeit Makedoniens 1975–1979. Die Pflanzenfunde, 1983 19 Ders., Kulturpflanzen Tiryns, in: AA, 1982, 476–485 20 F. G. MAYER, Carbonised food plants of Pompeii, Herculaneum, and the villa at Torre Annunziata, in: Economic Botany 34, 1980, 401–437 21 L. A. MORITZ, Grainmills and flour in classical antiquity, 1958 22 J. PERCIVAL, The wheat plant: a monograph, 1921 23 M. ROSTOVTZEFF, s. v. Frumentum, RE 7, 126–187 24 R. SALLARES, The ecology of the ancient Greek world, 1991 25 M. S. SPURR, Arable cultivation in Roman Italy, 1986 26 H.-P. STIKA, Römerzeitliche Pflanzenreste aus Baden-Württemberg, 1996. 27 M. VOIGT, Die verschiedenen Sorten von Triticum, Weizen-Mehl und Brot bei den Römern, in: RhM 31, 1876, 105–128 28 WHITE, Farming 29 K. D. WHITE, The parable of the sower, in: Journal of Theological Studies 15, 1964, 300–307 31 L. WITTMACK, Die in Pompeji gefundenen pflanzlichen Reste, in: Botanische Jbb. für Systematik, Pflanzengesch. und Pflanzengeographie, Beiblatt 33 no. 73, 1904, 38–66.
R. SA./Ü: A. BE.

Getreidegesetze s. Frumentargesetze

Getreidehandel, Getreideimport

I. ALLGEMEINES II. GRIECHENLAND III. ROM

I. ALLGEMEINES

Getreide (G.) war in der Ant. die wichtigste Ware des überregionalen Handels; drei Formen des G.-Handels lassen sich unterscheiden: 1. regelmäßige Importe, um eine große, städtische Bevölkerung zu versorgen, die nicht allein durch die Landwirtschaft des Umlandes ausreichend ernährt werden konnte, wie etwa Rom zur Zeit der späten Republik und des Prinzipats; 2. unregelmäßige Importe in Regionen, deren Bevölkerung sich normalerweise selbst versorgen konnte, die aber vorübergehend von Krieg oder witterungsbedingten Mißernten heimgesucht wurden; 3. ein G.-Handel, der besonders anspruchsvollen Ernährungsgewohnheiten diente; dies trifft etwa dann zu, wenn Weizen in Regionen geliefert wurde, in denen aus klimatischen Gründen hauptsächlich Gerste wuchs, die als wenig nahrhaft galt und nicht sehr geschätzt wurde. Die im Mittelmeerraum oft sehr geringen und unregelmäßigen Niederschläge hatten sogar in solchen Gebieten, die für ihre G.-Exporte bekannt waren, Mißernten und Lebensmittelknappheit zur Folge. Aus diesem Grunde wurde im 2. Jh. v. Chr. G. manchmal vom Schwarzen Meer in die Ägäis, manchmal aber auch in umgekehrter Richtung transportiert (Pol. 4,38,5).

II. GRIECHENLAND

Es gibt keinen direkten Beleg für athenische G.-Importe in archa. Zeit und nur wenige arch. Belege für einen Handel zwischen den griech. Apoikien an der Nordküste des Schwarzen Meeres und den skythischen Bauern, die im 5. Jh. v. Chr. Saatweizen für den Verkauf produzierten (Hdt. 4,17–19). Im Jahre 480 v. Chr. segelten Schiffe, die G. geladen hatten, durch den Hellespont nach Aigina und zur Peloponnes, Importe nach Athen jedoch sind nicht erwähnt (Hdt. 7,147,2).

Mit dem Anwachsen der Bevölkerung wurde auch der G.-Handel im klass. Griechenland immer wichtiger. Athen erhielt im Jahre 446/445 v. Chr. 30000 oder 40000 Medimnen G. vom ägypt. König Psammetichos (Philochoros FGrH 398 F 90; Plut. Perikles 37,4). Während des Peloponnesischen Krieges war Athen in höchstem Maße von G.-Importen abhängig (Thuk. 6,20,4); Athen kontrollierte mit seiner Flotte die G.-Importe seiner Verbündeten (IG I³ 61, 32–41 = Syll.³ 75) und griff

Getreidespenden der Stadt Kyrene (nach SEG IX 2)

Ambrakia	Polis	Getreidespenden der Stadt Kyrene um 330 v. Chr. an griechische Poleis, Völker sowie an Olympias und Kleopatra wegen Getreideknappheit (insgesamt 805 000 aiginetische Medimnoi).
Illyrioi	Volk	
(Olympias), (Kleopatra)	Mutter bzw. Schwester Alexanders d. Gr.	

mil. in die inneren Verhältnisse von Sizilien ein, um zu verhindern, daß sizilisches G. zur Peloponnes exportiert würde (Thuk. 3,86,4). Für das 4. Jh. v. Chr. ist der G.-Handel besser belegt. Athen führte G. aus Ägypten und Sizilien (Demosth. or. 56,3–10), Syrien und Phoenikien (Diod. 20,46,4) sowie der Poebene ein (IG II/III² 1629). Am wichtigsten waren für Athen aber die Importe aus dem Bosporanischen Reich, dessen König Leukon 400000 Medimnen nach Attika schickte (wahrscheinlich während einer Lebensmittelknappheit), eine Menge, die ebenso groß war wie die Importe aus allen anderen Regionen zusammen (Demosth. or. 20,31–33). Insgesamt exportierte er 2100000 Medimnen nach Athen (Strab. 7,4,6). Aus diesem Grunde wurden die Könige des Bosporanischen Reiches in Athen geehrt (Syll.³ 206). Kyrene lieferte während einer länger andauernden, wahrscheinlich durch eine Dürre hervorgerufenen Lebensmittelknappheit in Griechenland zwischen etwa 330 und 320 v. Chr. 805000 aiginetische Medimnen G. nach Athen und in 40 weitere Städte (SEG IX 2). Die G.-Versorgung wurde in der athenischen Volksversammlung zehnmal im Jahr diskutiert (Aristot. Ath.pol. 43,4). Die σιτοφύλακες (sitophýlakes) überwachten die G.-Märkte in Athen und im Peiraieus (Aristot. Ath. pol. 51,3–4). Verschiedene Gesetze regelten den G.-Handel (Demosth. or. 34,37; 35,50–51; Lysias 22,6). Es wurden bes. Verfahrensvorschriften für Rechtsfälle, die den Seehandel betrafen, erlassen, um den G.-Handel zu erleichtern (Demosth. or. 32,1; 33,1).

III. ROM

In Rom kam es, wie die historiographische Überl., die wahrscheinlich auf die *annales maximi* (Cato fr. 77) zurückgeht, berichtet, während des 5. Jh. v. Chr. häufig zu Versorgungskrisen, die meist durch Krieg, Trockenheit und Seuchen verursacht waren. In solchen Situationen versuchten die Römer, aus anderen Regionen Italiens, meist aus Etrurien und Campanien, aber auch aus Sizilien, G. zu erhalten (508 v. Chr.: Liv. 2,9,6; 2,12,1; 492 v. Chr.: Liv. 2,34,1–5; 477 v. Chr.: Liv. 2,52,1; 440 v. Chr.: Liv. 4,12,9; 433 v. Chr.: Liv. 4,25,1–4). Für die Zeit der nach der Eroberung von Veii einsetzenden Expansion Roms in Mittelitalien fehlen dann die Belege für Versorgungskrisen, die Importe von G. erforderten.

Aufgrund des Anwachsens der stadtröm. Bevölkerung und der Belastungen in den Punischen Kriegen erhielten die G.-Importe im späten 3. Jh. v. Chr. wieder eine größere Bed. Da der Landtransport von G. aus fruchtbaren, aber entfernten Gegenden wie Apulien oder der Poebene sehr kostenaufwendig war, wurde der Transport zur See aus weiter entfernten Gebieten des Imperium Romanum für die G.-Versorgung der Stadt Rom langsam unverzichtbar. Seit 263 v. Chr. lieferte Hiero II. von Syrakus in Zeiten von Versorgungskrisen G. nach Rom (Pol. 1,16,6–10; Diod. 25,14; Liv. 22,37; 23,21,5; 24,21,9). Nach der Annexion von Syrakus im Jahre 211 v. Chr. zahlte Sizilien regelmäßig den G.-Zehnten an Rom (*Expositio totius mundi* 65 ROUGÉ; Cic. Verr. 2,2,5). Der Zehnte betrug zwar drei Mio. *modii*,

doch stand zeitweise durchaus mehr Korn zur Verfügung; so kauften die Römer nach 73 weitere 3,8 Mio. *modii* für die Verteilung von G. in Rom (Cic. Verr. 2,3,163). Masinissa von Numidia schenkte Rom zwischen 200 und 170 v. Chr. bedeutende Mengen G. (Liv. 31,19,4; 32,27,2; 36,4,8; 43,6,11). Nachdem das Gebiet von Karthago 146 v. Chr. als Prov. annektiert worden war, deckte Nordafrika den Bedarf von Rom für acht Monate im Jahr (Ios. bell. Iud. 2,383). Auch Sardinien lieferte G. nach Rom (Plin. nat. 18,66). Sizilien, Nordafrika und Sardinien bildeten während des 1. Jh. v. Chr. die *tria frumentaria subsidia rei publicae* (Cic. Manil. 34). Unter diesen Bedingungen führten in der späten röm. Republik Sklavenaufstände oder Mißernten in den Prov., Unwetter oder Piraterie leicht zu erheblichen Störungen der G.-Versorgung Roms. Seit der Zeit des Augustus leistete auch Ägypten einen bedeutenden Beitrag zur G.-Versorgung der Stadt Rom und deckte dessen Bedarf für vier Monate im Jahr (Ios. bell. Iud. 2,386; Plin. paneg. 31,2). In einem spätant. Text findet sich die Angabe, daß in augusteischer Zeit jährlich 20 Mio. *modii* Getreide aus Ägypten nach Rom kamen (Ps.-Aur. Vict. epit. de Caes. 1,6). In der Spätant. wurde das ägyptische G. dann nach Konstantinopel geliefert. Die G.-Versorgung der in Rom lebenden röm. Bürger wurde seit 123 v. Chr. durch Frumentargesetze und später durch die *cura annonae* geregelt; dennoch blieb die Bevölkerung auf den G.-Handel angewiesen. Da die Händler an möglichst hohen Gewinnen und steigenden Preisen interessiert waren, kam es zeitweise durch Hortung zu einer G.-Knappheit in Rom (Cic. dom. 10f.). Auf Preissteigerungen reagierte die Bevölkerung noch während des Prinzipats mit Unruhen (Tac. ann. 6,13; 12,43; Suet. Claud. 18,2). Claudius gewährte den Schiffseignern Privilegien, wenn sie Schiffe für den G.-Transport nach Rom zur Verfügung stellten (Suet. Claud. 18–19); erst in der Spätant. wurde der G.-Transport nach Rom zu einem öffentlichen Pflichtdienst (Cod. Theod. 13,5).

→ Cura annonae; Frumentargesetze

1 L. CASSON, The Grain Trade of the Hellenistic World, in: TAPhA 85, 1954, 168–187 **2** GARNSEY **3** L. GERNET, L'approvisionnement d'Athènes en blé au Vᵉ et IVᵉ siècle, 1909 **4** P. HERZ, Stud. zur röm. Wirtschaftsgesetzgebung – Die Lebensmittelversorgung, 1988 **5** JONES, LRE, 695–705 **6** Le ravitaillement en blé de Rome et des centres urbains des débuts de la République jusqu'au Haut Empire, 1994 **7** G. RICKMAN, The Corn Supply of Ancient Rome, 1980 **8** B. SIRKS, Food for Rome, 1991 **9** E. TENGSTRÖM, Bread for the People, 1974.
KARTEN-LIT.: GARNSEY, 160.   R.SA./Ü: A.BE.

Gewalt

I. DEFINITION   II. GRIECHENLAND   III. ROM

I. DEFINITION

G. umfaßt begrifflich ein Spektrum von Bedeutungen, das durch die lat. Ausdrücke *imperium, potestas, potentia, vis* und *violentia* umrissen wird; in der griech. Lit.

entspricht am ehesten der Begriff ὕβρις (*hýbris*) der mod. Vorstellung von illegitimer G.-Anwendung. Heute wird der Terminus G. meist zur Bezeichnung für die Anwendung physischen Zwanges verwendet; als G.-Verhältnisse gelten einseitige soziale Beziehungen, die auf Zwang, nicht auf Gegenseitigkeit beruhen. Im folgenden wird G. in diesem Sinne verstanden und vornehmlich in ihren histor. Beziehungen zu Ges. und Recht diskutiert.

II. Griechenland
1. Gewalt in der Literatur 2. Gewalt im Recht 3. Gewalt in Politik und Gesellschaft

1. Gewalt in der Literatur

Schon bei Homer findet sich eine Ethik des Maßes und eine kritische Einstellung gegenüber G. (vgl. etwa die Rede Apollons über die Taten des Achilleus, Hom. Il. 24,33–54). Die Beilegung gewaltsamer Auseinandersetzungen steht am Ende der Odyssee: Odysseus wird durch göttl. Eingreifen daran gehindert, nach der Ermordung der Freier auch deren Verwandte, die Rache nehmen wollen, im Kampf umzubringen (Hom. Od. 24,413–548); der Frieden wird auf Ithaka nach göttl. Willen wiederhergestellt (Hom. Od. 24,482–486; 24,546). In der beratenden Versammlung soll grundsätzlich auf G. verzichtet werden (Hom. Il. 1,188–211), was aber Odysseus nicht davon abhält, Thersites, einen sozial Unterlegenen, wegen seiner Schmähreden körperlich zu strafen (Hom. Il. 2,211–277). Auch sonst werden Menschen mit niederem sozialem Status von den Helden Homers mit großer Grausamkeit behandelt (Hom. Od. 22,465–477). Bei Hesiod wird im Mythos der Geschlechter (erg. 106–201) und in dem folgenden Gleichnis von Habicht und Nachtigall (erg. 202–211) G. negativ empfunden und dem Recht als der überlegenen Instanz (erg. 217f.) gegenübergestellt. Selbstjustiz, Blutrache und Waffen-G. wurden im Zuge der Polisbildung über die Institutionalisierung von Rechtsverfahren der Kontrolle und Verantwortung der Gemeinschaft unterworfen. Wie die Schildbeschreibung in der Ilias zeigt, wurden die Konflikte innerhalb der Polis gewaltfrei beigelegt, indem Richter auf dem Markt nach Anhörung der Streitenden öffentlich ein Urteil fällten (Hom. Il. 18,497–508). Der Übergang von der Blutrache als legitimer, geradezu geforderter Tat zum Prinzip verbindlicher öffentlicher Konfliktbeilegung und G.-Kontrolle wird in der Trag. thematisiert: Die *Eumeniden* des Aischylos stellen dar, wie Athene den Areopag als Gerichtshof für Tötungsdelikte geschaffen und Regeln für die Urteilsfindung eingeführt hat (Aischyl. Eum. 470–488; 681–710). Thukydides bestimmt die Ablegung der Waffen als einen epochalen Schritt der zivilisatorischen Entwicklung (Thuk. 1,5f.).

2. Gewalt im Recht

Die Kodifizierung der Gesetze, die Tötungsdelikte behandelten (Drakon, Solon u.a.), schloß unter bestimmten Umständen die Tötung eines Täters durch einen Privatmann keineswegs völlig aus: Die Priorität des Schutzes der Ehre beließ einzelne Delikte, so die Tötung des nächtlichen Diebes und des bei der Tat ergriffenen Ehebrechers (μοιχός, *moichós*) immer straffrei. Markant war in Athen die je nach Umständen differierende Behandlung dieser Delikte, wobei der Geschädigte mehrere Optionen hatte: eigenhändige Tötung, Abführung zur Exekution durch die Elfmänner oder die Klage. Später lag die alleinige Strafbefugnis bei den Gerichten. Rechtssystem wie Ges. Athens waren zudem vom Prinzip der privaten Initiative bestimmt. Nachbarschafts- und Selbsthilfe waren bei der alltäglichen G.-Kontrolle grundlegend (Lys. 3,11ff.). Einem Opfer von G. (oder Ehrverletzung) stand die γραφὴ ὕβρεως (*graphḗ hýbreōs*) offen (Demosth. or. 54,1). Das Gesetz, das dieses Verfahren regelte, (νόμος τῆς ὕβρεως) ist bei Demosthenes überliefert (or. 21,47). Die athenische Ges. war weitgehend gewaltfrei; Waffentragen war unüblich. Dennoch sollte nicht übersehen werden, daß Streitigkeiten gerade im Milieu der Prostitution und des Militärs oder Auseinandersetzungen um Vermögensfragen leicht gewaltsame Formen annehmen konnten. In den att. Reden sind einzelne derartige Fälle gut belegt, so etwa die Mißhandlung eines Atheners, die zur Klage gegen Konon führte (Demosth. or. 54; vgl. or. 21 und Lys. 3). Auch in der Öffentlichkeit ausgeübte G. gegen Frauen gehörte zum Spektrum eines derartigen Verhaltens (And. 4,13–15; Plut. Alkibiades 8). Bemerkenswert ist in diesem Zusammenhang, welche Bed. der Trunkenheit bei solchen Vorfällen zukam; bei der Bewertung einer G.-Tat spielte es durchaus eine Rolle, ob der Täter betrunken oder nüchtern war (Demosth. or. 21,73; vgl. 54,3ff.; 54,7; Lys. 3,6; 3,12).

3. Gewalt in Politik und Gesellschaft

Das Problem der innergesellschaftlichen G. erhielt in der griech. Welt seine folgenreichste Ausformung im Bereich der Politik. In der archa. Zeit waren die Konflikte zw. Adel und Volk oft außerordentlich gewaltsam; auch die Tyrannen stützten sich generell auf außergesetzliche G. (vgl. etwa zu Korinth: Hdt. 5,92; zu Athen: Hdt. 5,55; Thuk. 6,59) und wurden ihrerseits wiederum oft gewaltsam beseitigt. Entscheidend verschärfte sich das Problem während des 5./4. Jh. v.Chr. im Phänomen der Stasis, dem Zerfall eines polit. Gemeinwesens im Bürgerkrieg. Dabei verstörten – neben dem Prozeß der Desintegration einer Polis – v.a. Intensität und Brutalität der G.-Exzesse die Beobachter (vgl. Hdt. 8,3,1). Thukydides geht in seiner Analyse der Stasis von den Greueltaten im Bürgerkrieg auf Korkyra aus (Thuk. 3,70–84; 4,46ff.); er nennt Herrschsucht, Habgier und Ehrgeiz als Ursachen der Auflösung von Normen, Gesetz und Ges. (Thuk. 3,82f.). Die Erfahrung der Anarchie hat die polit. Theorie von Platon und Aristoteles geprägt. Platon entwickelt in der *Politeía* ein Konzept von Gerechtigkeit, das gleichzeitig Stabilität garantieren und eine Stasis verhindern sollte (Plat. rep. 417b; 459e; 462b; 464de). Aristoteles untersucht ebenfalls Phänomene polit. G. in den Abschnitten der ›Politik‹ über die Stasis (Aristot. pol. 1301a–1316b).

Es ist nicht zu übersehen, daß die Beziehungen zwischen Bürgern griech. Poleis und der abhängigen Bevölkerung oder aber den Sklaven von struktureller G. geprägt waren. Dies trifft im besonderen Maße auf Sparta zu, wo den Heloten alljährlich der Krieg erklärt wurde (Plut. Lykurgos 28). Sonst war es v. a. die Bergwerkssklaverei, die aufgrund der schweren Arbeitsbedingungen und der geringen Chancen einer Freilassung als besonders grausam galt. Im hell. Ägypten arbeiteten v. a. Verurteilte, darunter auch Frauen und Kinder, in den Edelmetallbergwerken; sie waren bei nahezu unablässiger Arbeit extremem physischen Zwang ausgesetzt (Diod. 3,12–14). Für Aristoteles war der Sklave wesentlich ὄργανον (Werkzeug); seine Funktion für den Herren wird durch den Hinweis auf die Funktion des Steuerruders für den Steuermann erklärt. Entsprechend der Auffassung von Aristoteles sollten nicht Griechen, sondern Barbaren, die von Natur aus nicht als Freie geschaffen worden sind, zu Sklaven gemacht werden (Aristot. pol. 1253b–1255b). Bemerkenswert ist die von Aristoteles referierte, aber abgelehnte Position, die Herrschaft über Sklaven sei gegen die Natur (παρὰ φύσιν), denn von Natur aus bestünde kein Unterschied zw. Freien und Sklaven; damit sei die Sklaverei aber nicht gerecht, sondern beruhe auf G. (pol. 1253b 20ff.).

III. ROM

1. POLITISCHE GEWALT
2. GEWALT GEGENÜBER FAMILIENANGEHÖRIGEN
3. GEWALT GEGENÜBER SKLAVEN
4. RITUALISIERUNG DER GEWALT
5. ÖFFENTLICHE GEWALTKONTROLLE

1. POLITISCHE GEWALT

Das Zwölftafelgesetz stellt mit seinen Überresten von Selbsthilfe, Vergeltung und Rache einerseits sowie der Unterordnung privater Belange unter das Gemeinwesen mit dem Ziel der Bürgereintracht andererseits den Übergang zu einer innergesellschaftlichen Regulierung von G. dar. In der frühen und mittleren Republik scheint die öffentliche G.-Kontrolle wesentlich durch soziale Institutionen und Mechanismen (*gens, clientela* sowie *mos maiorum*) gewährleistet worden zu sein: Die weitgehende Coercitions-G. röm. Imperiumsträger war mit Einführung der *provocatio* gegen Auspeitschung und Hinrichtung und wegen geringer Zwangsmittel in ihrer Wirkung begrenzt. Einer Eskalation von kollektiver G. konnte institutionell kaum begegnet werden, da auch der Einsatz von Truppen innerhalb des *pomerium* sakral untersagt war. Dies wurde ein Schlüsselproblem der späten Republik. Nachdem Ti. Gracchus 133 v. Chr. von einzelnen Senatoren und ihrem Anhang ermordet worden war, reagierte der Senat 121 v. Chr. auf eine *seditio* erstmals mit einem Beschluß, der den *consul* aufforderte, die *res publica* zu verteidigen (Cic. Phil. 8,14). Daraufhin schritt der *cos.* L. Opimius – unter Mißachtung des Provokationsrechtes – gegen C. Gracchus und seine Anhänger ein und ließ viele von ihnen umbringen; es folgte eine Welle von Festnahmen und Exekutionen in Rom. Bewaffnete Anhängerschaften, organisierte G. als strategisches Mittel im polit. Kampf und die Mobilisierung der *plebs urbana* prägten seit der Gracchenzeit die Innenpolitik. Wiederholt gab es Versuche, der polit. G. mit Gesetzen Herr zu werden (*leges de vi*). Das Tragen einer Angriffswaffe (*telum*) in der Absicht, einen Menschen zu töten oder einen Diebstahl zu begehen, war in Sullas *lex de sicariis et veneficis* untersagt (Cic. Mil. 11; Dig. 48,8,1,1); M. Caelius wurde 56 v. Chr. nach der *lex Lutatia de vi*, durch die – wahrscheinlich 78 v. Chr. – eine *quaestio perpetua* eingerichtet worden war, angeklagt (Cic. Cael. 70), ein weiteres Gesetz, die *lex Plautia de vi* (oder *Plotia*; zwischen 78 und 63 v. Chr.) ist in Verbindung mit der Catilinarischen Verschwörung belegt (Sall. Cat. 31,4); die Delikte waren in diesen Gesetzen genau erfaßt (Cic. Cael. 1: *de seditiosis conceleratisque civibus, qui armati senatum obsederint, magistratibus vim attulerint, rem publicam oppugnarint*; vgl. Cic. Sest. 75f.; 95; Sull. 15; Sall. Cat. 27,2). Auch der Kauf und das Training von Gladiatoren für Überfälle gehörte zu den Tatbeständen, die zu einer Anklage führen konnten (Cic. Sest. 84; Sull. 54). 52 v. Chr. erließ Pompeius ein allg. Verbot, in Rom Waffen zu tragen (Plin. nat. 34,139). Diese Maßnahmen erwiesen sich aber insgesamt als wirkungslos: Das republikanische System scheiterte am Unvermögen, das öffentliche G.-Monopol und funktionierende Regeln der friedlichen Konfliktbeilegung wiederherzustellen.

2. GEWALT GEGENÜBER FAMILIENANGEHÖRIGEN

Der röm. Ges. eigentümlich war die Eigen-G. des *pater familias*, der ein unbeschränktes Züchtigungsrecht und sogar das *ius vitae necisque* (Dion. Hal. ant. 2,26) besaß. Die *patria potestas*, die als legitime Eigenmacht galt und insofern die Handlungsspielräume der *res publica* wirksam begrenzte, erstreckte sich über Sklaven, Freigelassene und Söhne sowie über Töchter und Ehefrau (Tac. ann. 13,32,2). Spektakuläre Fälle der Tötung von Söhnen sind aus republikan. Zeit überliefert (Val. Max. 5,8; Liv. 2,41,10–12), aber auch für den Prinzipat belegt (Sen. clem. 1,15), wobei Widerstand laut wurde. Das absolute Tötungsrecht gegenüber Söhnen wurde eingeschränkt (Dig. 48,8,2, Ulpianus; 48,9,5, Marcianus).

3. GEWALT GEGENÜBER SKLAVEN

Die *patria potestas* über Sklaven bedeutete in der Praxis Strenge und regelmäßigen Zwang (Cic. off. 2,24) sowie Einschüchterung durch die demonstrative Härte der Bestrafungen (Tac. ann. 14,44,3). Sklaven, die auf dem Großgrundbesitz arbeiteten, werden bei Varro zum Inventar gezählt (Varro rust. 1,17,1: *instrumenti genus vocale et semivocale et mutum, vocale, in quo sunt servi, semivocale, in quo sunt boves, mutum, in quo sunt plaustra*); immerhin existierte die Einsicht, daß Sklaven nicht allein durch Zwang und Androhung von Strafe zur Arbeit gezwungen werden konnten, sondern auch durch Belohnungen und Zuwendungen motiviert werden mußten. Charakteristisch für die Behandlung der Sklaven blieb aber ohne Zweifel die Häufigkeit von Bestrafungen und die Existenz der → *ergastula*, der etwa bei Columella erwähnten, unterirdischen Sklavengefängisse (Colum. 1,6,3; 1,8,15–18). Um Sklaven an der Flucht zu hindern, wurden sie in großer Zahl an den Füßen gefesselt (*vincti*; vgl. Colum. 1,7,1; 1,9,4 f.; Plin. nat. 18,21; Plin. epist. 3,19,7). Im Bereich des städtischen Handwerkes war die Situation für die Sklaven aufgrund der regelmäßigen Freilassung qualifizierter Handwerker und der Möglichkeit, relativ unabhängig der Arbeit nachzugehen, etwas günstiger. Willkürlicher G. und grausamen Körperstrafen standen weder Gesetze noch soziale Einwände entgegen: *in servum omnia liceant* (Sen. clem. 1,18,2; vgl. Sen. epist. 47,5 sowie Plut. mor. 8F). Anderslautende Äußerungen und Haltungen (Sen. clem. 1,18,1 f.) sind untypisch (vgl. Sen. epist. 47,11). Unmäßige G. aus nichtigem Anlaß und sadistische Behandlung von Sklaven ist vielfach bezeugt (Suet. Aug. 67,1 f.; Cal. 32,2; Sen. de ira 3,40,2; Plin. nat. 9,77; Mart. 2,66); *saevi quoque implacabilesque domini* (Petron. 107,4) waren sprichwörtlich. Nur einzelne G.-Exzesse fanden in der Kaiserzeit Widerspruch und teils auch juristische Schranken (vgl. Suet. Claud. 25,2; Dig. 1,12,1,1. 8; 48,8,11,1 f.; 18,1,42; 40,8,2; 1,6,1,2; Gai. inst. 1,52; 1,8,2). Die Brutalität röm. Sklavenbehandlung kommt in der Sklavenfolter beim Verhör und in vom Besitzer öffentlich ausgeführten Exekutionen durch möglichst grausame Kreuzigung zum Ausdruck (Sen. dial. 6,20,3; Mart. 2,82; vgl. AE 1971, no.88, II 8–14). Nicht nur die Sklavenbesitzer, sondern auch die Amtsträger der Republik und der Prinzipatszeit gingen gegen Sklaven brutal vor: Bei der Unterdrückung von Revolten wurden sie zu Tausenden gekreuzigt (App. civ. 1,120,559; R. Gest. div. Aug. 25,1 und Cass. Dio 49,12,4 f.). Die Sklavenkriege zeigen ebenso wie einzelne von Sklaven verübte G.-Taten, welches G.-Potential auch auf seiten der Unfreien existierte (vgl. etwa Diod. 34/35,2,10 ff.; Plin. epist. 3,14). Die prägnante Formulierung Senecas *totidem hostes esse quot servos* (›es gibt ebenso viel Feinde wie Sklaven‹, Sen. epist. 47,5) kennzeichnet anschaulich das Verhältnis zwischen Freien und Sklaven. Unter dieser Voraussetzung mußte die röm. Elite ständig Anschläge ihrer Sklaven befürchten, und sie schreckte dementsprechend nicht davor zurück, nach der Ermordung eines Stadtpraefekten 61 n.Chr. gerade um der eigenen Sicherheit willen alle 400 Sklaven, die zur Tatzeit im Hause anwesend waren, hinrichten zu lassen (Tac. ann. 14,42–44).

4. Ritualisierung der Gewalt

Ungeachtet der Befriedung der röm. Ges. durch Augustus nimmt im Prinzipat die Demonstration von G. einen herausragenden Platz ein. Exekutionen von enormer Grausamkeit wie Kreuzigung und *ad bestias* waren öffentlich, durchgeführt auch im Rahmen von Theaterstücken (Mart. spect. 7). Besonders *spectacula* wie Tierhetzen, Gladiatorenkämpfe und inszenierte Schlachten mit Massakern an Tausenden von Teilnehmern (Tac. ann. 12,56; Cass. Dio 60,33) boten allen röm. Schichten regelmäßig den Anblick von G.-Exzessen. Bemerkenswert ist, daß weniger der Wettkampf-

charakter, als vielmehr das Morden und Abschlachten der oft unbewaffneten Opfer im Mittelpunkt des ungezügelten Publikumsinteresses stand (aufschlußreich Sen. epist. 7,4). Der symbolische und polit. Gehalt dieser G.-Rituale ist hoch: Das Auftreten von Kämpfertypen wie Samniten, Thrakern u. a. sowie die Verwendung auch von Kriegsgefangenen erlaubte es, eine Bevölkerung, welche unter der *pax Romana* Krieg und Expansion nicht mehr aus eigenem Erleben kannte, die Unterwerfung und Vernichtung von Gegnern Roms in öffentlicher Inszenierung aktuell erfahren zu lassen. Wenn Plin. paneg. 33,1 zufolge in *spectacula* ehrenhafte Wunden (*pulchra vulnera*), Ruhmstreben (*amor laudis*) sowie Siegeswille (*cupido victoriae*) und Todesverachtung (*contemptus mortis*) geboten wurden, so ist die Verbindung von zelebrierter G. und altröm. *virtus*-Ideal augenfällig. Zeitgenössische Kritik ist selten und nur ausschnitthaft (Sen. epist. 95,33, vgl. 7,3–5; dial. 10,13,6 f.; christl. Sicht: Tert. spect. 19). Weitere Bed. kommt den G.-Ritualen zu, weil Zirkus und Arena die zentrale Bühne der polit. Kommunikation zwischen Herrscher und Volk darstellten. Dieser inszenierte sich hier ebenso als → *Euergetes* wie als Herrscher über Leben und Tod; in Spannungssituationen kam es hier zur Androhung und Anwendung von G. gegenüber *plebs* oder Senat, also zur Demonstration des absoluten kaiserlichen Gewaltanspruches (z. B. Ios. ant. Iud. 19,24–27; Cass. Dio 73,21). Umgekehrt gingen öffentliche Unruhen und G.-Ausbrüche immer von diesen Orten aus. Ungeachtet der Zivilisierung Roms bedeuten das ritualisierte Blutvergießen und die G.-Exzesse einen Wesenszug der röm. Kultur; sie zeigen, welche G.-Potentiale in der röm. Ges. noch vorhanden waren.

5. Öffentliche Gewaltkontrolle

Seit Augustus gab es in der Hauptstadt Einheiten mit Polizeifunktionen: neun Prätorianerkohorten (Suet. Aug. 49,1; Tac. ann. 4,2,1 f.; Suet. Tib. 37,1; Iuv. 10,94 f.) und drei *cohortes urbanae* (Tac. ann. 4,5,3), die gerade bei Theater- oder Zirkusunruhen und Hungerrevolten zum Einsatz kamen und so zugleich der Steuerung der komplexen Rituale der Kommunikation zw. *princeps* und *plebs* dienten (Tac. ann. 1,77,1; Suet. Tib. 37,2; Tac. ann. 1,16,3; 13,24 f. mit 14,15,4). Unklar sind die regulären polizeilichen Aufgaben dieser Einheiten. Im spätant. Rom brach mit der sukzessiven Auflösung der Prätorianergarde, der *cohortes urbanae* und auch der *vigiles* dieses Krisenmanagement und die öffentliche G.-Kontrolle zusammen: Versorgungs- u. a. Krisen führten wiederholt zu G.-Ausbrüchen der *plebs*, denen die Stadtpräfekten nahezu hilflos ausgesetzt waren (Amm. 15,7,1–5; 19,10; 27,3,8 f.; vgl. Ambr. epist. 40,13). So zeigten sich auch die Amtsträger nicht nur in Rom bei den vielen rel. motivierten gewalttätigen Auseinandersetzungen regelmäßig überfordert (Amm. 27,3,12 f.; 22,11 mit Iul. epist. 60 und Sokr. 3,2 f.; Ambr. epist. 40,6). Da Truppen in der Spätant. oft im Reichsinneren stationiert waren und die Verkleinerung der Prov. eine höhere Effizienz der Gerichts- und Exekutiv-G. der Statthalter bewirkte, war wohl eine bessere G.-Kontrolle auf dem Lande als in der Stadt möglich, bei städtischen Unruhen allerdings meist erst über den Einmarsch von Truppen (aufschlußreich die Abläufe bei der Steuerrevolte von Antiocheia 387 n.Chr.: Lib. or. 19–23; Ioh. Chrys. 21 hom. de statuis, PG 49, 15–222).

Nur schwer zu beurteilen ist die allg. Sicherheitslage im Imperium. Wegelagerei, Raub und Menschenraub auf den Landstraßen sind bezeugt; in manchen Regionen waren Räuberbanden zeitweise endemisch. Augustus und Tiberius haben besonders unsichere Gegenden Italiens durch mil. Posten (*stationes*) gesichert (Suet. Aug. 32,1; Tib. 37,1); dennoch konnte die Sicherheit in It. oder den Prov. schnell zusammenbrechen, wenn Räuberbanden in besonderen Situationen größeren Zulauf erhielten (Maternus in Gallien und Norditalien: Herodian. 1,10; Bulla Felix: Cass. Dio 77,10). Im 4. Jh. waren die Räuberbanden in Isaurien berüchtigt (Amm. 14,2; 27,9,6), in Gallien nahm in dieser Zeit der Straßenraub ein immer größeres Ausmaß an (Amm. 28,2,10). Die Aufstände der Bagaudae in Gallien und die Bewegung der → *circumcelliones* in Nordafrika führten in der Spätant. schließlich zur gänzlichen Auflösung der polit. Ordnung in den betroffenen Gebieten. Doch spricht der intensive Handel und Verkehr für überwiegende Sicherheit (idealisierend Aristeides 100–104), wozu in der Spätant. der Ausbau des Gerichtswesens beigetragen haben wird. Seit der frühen Prinzipatszeit war der private Waffenbesitz eingeschränkt (*lex Iulia de vi publica*; Dig. 48,6,1, noch wirksam um 400: Synes. epist. 107f.). Delikte unter Waffengebrauch oder -androhung wurden bes. schwer bestraft (Dig. 47,17,1: Ulpianus). Nur bei Invasionen von Goten und Vandalen wurde das Verbot gelockert und die Bevölkerung zur Selbstbewaffnung aufgerufen (Cod.Theod. 7,13,17; Valentinianus Nov. 9; vom 24.6.440). Iustinianus stellte die Waffenherstellung unter Staatsmonopol und untersagte den Verkauf von Waffen an Zivilisten (Cod. Iust. 11,10,7). Nach dem Ende des Weström. Reiches mußten in den frühgerman. Königreichen Konzilien sogar Klerikern das Waffentragen verbieten; im frühen Frankenreich waren blutige Familienfehden über Generationen weit verbreitet. Dem Imperium Romanum gelang dagegen in einem für vorindustrielle Ges. beachtlichen Umfang die Monopolisierung der physischen G. und eine weitgehende Pazifizierung der Ges.

1 R.S. BAGNALL, Official and Private Violence in Roman Egypt, in: Bulletin of the American Society of Papyrologists 20, 1989, 201–216 2 K.R. BRADLEY, Slaves and Masters in the Roman Empire, 1984 3 D. COHEN, Law, Violence, and Community in Classical Athens, 1995 4 K. HOPKINS, Death and Renewal, 1984, 1–30 5 V.J. HUNTER, Policing Athens, 1994 6 J.-U. KRAUSE, Gefängnisse im Röm. Reich, 1996 7 A.W. LINTOTT, Violence, Civil Strife and Revolution in the Classical City, 750–330 B.C., 1982 8 Ders., Violence in Republican Rome, 1968 9 R. MACMULLEN, Enemies of the Roman Order, 1966 10 W. NIPPEL, Aufruhr und »Polizei« in der röm. Republik, 1988 11 W. SCHMITZ, Der Nomos Moicheias, in: ZRG 114, 1997, 45–140.   J.H.

Gewandnadel s. Nadel

Gewichte I. Alter Orient II. Ägypten III. Griechenland IV. Rom

I. Alter Orient

In Mesopot. und seinen Nachbargebieten bestehen G. aus Stein (meist Hämatit [→ Haimatites], sonst Kalkstein u.a.) oder Metall (Bronze, Kupfer), häufig in Korn- oder Laibform bzw. figürlich als Enten (3. bis 1. Jt.), ab dem 1. Jt. in Assyrien auch als Löwen. G. können mit einer Maßzahl mit oder ohne Einheitsangabe sowie einer Inschr. des Herrschers, der Institution oder eines Beamten beschrieben sein. G. gehören in erster Linie in den Kontext institutioneller Haushalte oder zu Berufen wie Händlern oder Goldschmieden.

Das Basissystem ist vom 3. bis zum 1. Jt. 1 Talent = 60 Minen, 1 Mine (ca. 500 g) = 60 Šekel, 1 Šekel = 180 Korn. Die absolute Größe und die Unterteilung des Šekels im Sprachgebrauch können variieren. Mit G. maß man u.a. Wolle und v.a. Metalle, insbes. das als Währung dienende Silber.

K. GYSELEN (Hrsg.), Prix, salaires, poids et mesures (Res Orientales 2), 1990 · M.A. POWELL, s.v. Maße und Gewichte, RLA 7, 508–517.   WA.SA.

II. Ägypten

Die Einheit der G. ist in Äg. zu allen Zeiten das Deben. Es entspricht im AR 13,6 g. Im MR gibt es ein Gold-Deben, von dem das Kupfer-Deben von 27,3 g zu trennen ist. Seit dem NR (1550–1070 v.Chr.) wiegt ein Deben 91 g und enthält 10 Kite. Die Kite gilt seit der ptolem. Zeit als Äquivalent von 2 Drachmen und wird zur Basis der ägypt. Nomenklatur des ptolem. Münzsystems. Gewogen werden v.a. Metalle und kostbare Steine, z.T. auch Fleisch und Fisch, nicht aber Getreide. Medizinisch-magische Rezepte geben seit der Ptolemäerzeit die G. von Zutaten an. G. aus Stein, seltener aus Bronze (mit Bleifüllung), Fayence oder Ton sind belegt, im NR haben sie z.T. Tiergestalt.

M.-A. COUR-MARTY, Les poids égyptiens, de précieux jalons archéologiques, in: Cahier de recherches de l'Institut de papyrologie et d'égyptologie de Lille 12, 1990, 17–55 · W. HELCK, S. VLEEMING, s.v. Maße und Gewichte, LÄ 3, 1202, 1211.   HE.FE.

III. Griechenland

A. Definition B. Materialien und Formen C. Genereller Aufbau der Gewichtssysteme D. Die griechischen Systeme und ihr Verhältnis zueinander E. Die kleinasiatischen Städte und die persische Mine

A. Definition

Unter griech. G. versteht man Gewichtsstücke (heute meist als Markt- oder Handels-G. bezeichnet), die auf jedem Marktplatz, z.B. der Athener Agora, aber auch im Nah- und Fernhandel (→ Handel) Verwendung fanden. Als Funktionsstücke zur Austarierung von Gütern (→ Waage) wurden sie in allen griech. Städten, Landschaften und Kolonien gebraucht. Griech. G. sind derzeit von der Archaik bis zum späten Hell. bekannt.

B. MATERIALIEN UND FORMEN

Griech. G. wurden aus Blei, Br. und Stein, vornehmlich Marmor, gefertigt; nur bes. wertvolle Güter wog man mit kleinen G. aus Edelmetall. Steinerne G., oft in Form zweier miteinander verbundener weiblicher Brüste, wurden wie eine Freiplastik aus der Bosse geschlagen. Metallene G. wurden in Hohlformen nach unterschiedlich komplizierten Verfahren gegossen und in kaltem Zustand überarbeitet. Eine präzise Eichung auf die verwendeten Gewichtssysteme erfolgte nur selten. Bei kleineren G. muß man mit Abweichungen bis zu 2% von der Norm rechnen. Fast alle als G. identifizierten Metallstücke weisen regelmäßige Formen auf. Neben zahlreichen quadratischen und rechteckigen Exemplaren kommen auch Platten, Dreiecke, Sterne, Würfel und Stufengewichte vor. Außergewöhnlich sind G. in Astragalform. Zahlzeichen begegnen auf griech. G. selten; häufiger sind Symbole für bestimmte Einheiten.

C. GENERELLER AUFBAU DER GEWICHTSSYSTEME

Griech. G. basierten stets auf den Münzsystemen der jeweils prägenden Stadt. Sie bestanden folglich aus Obolen (→ obolós), Drachmen (→ drachmé), Stateren (→ statér), Minen (→ mina) und → Talenten mit ergänzenden Vervielfachungen, den Multiplen, sowie Unterteilungen, den Fraktionen. G. auf Obolenbasis, die höchstens einige Gramm wogen, sind wegen ihrer Kleinheit kaum nachzuweisen. G. auf Drachmenbasis wogen meist unter 100 g, da sie Minen-G. und deren Fraktionen ergänzen sollten. Die gängigsten Gewichtseinheiten nannte man Statere. In Athen hieß den G. das Zweiminenstück Stater, bei den Mz. war es das Tetradrachmon. Die Schwere von Minen-G. betrug ein festgelegtes Vielfaches der Münzdrachmenschwere. Die Mine und die höhere Einheit, das Talent, bildeten zusammen mit ihren Multiplen und Fraktionen die gängigen Markt- und Handels-G. Man kann davon ausgehen, daß sechs Obolen stets eine Drachme ergaben und 60 Minen stets ein Talent. Der Stater konnte wohl von Stadt zu Stadt verschieden definiert werden. Der alte Forschungsgrundsatz, wonach eine Mine immer 100 Drachmen betragen haben soll, ist für Mz. und für G. falsch. Es gab sicher eine Mine zu 70 Drachmen und sehr wahrscheinlich eine Mine zu 150 Drachmen. Darüber hinaus war in Athen seit archa. Zeit die G.-Mine grundsätzlich schwerer als die Münzmine. Verläßliche metrologische Aussagen gestatten bislang nur die Publikationen der G. aus Athen und Olympia. In Athen waren von der Archaik bis in den Hell. hinein mindestens vier verschiedene Gewichtssysteme in Gebrauch, deren G. im Laufe der Zeit immer schwerer wurden. Aus Olympia sind in klass. Zeit das äginetische System sowie zwei der athenischen Systeme belegt. Einige wenige G. aus Delphi, Eretria, Korinth, Kyzikos und Samos lassen

die dortigen Strukturen und Entwicklungen in Ansätzen erkennen.

D. DIE GRIECHISCHEN SYSTEME UND IHR VERHÄLTNIS ZUEINANDER

Das aus Olympia bekannte äginetische Gewichtssystem basierte wie das Münzsystem auf der Mine zu 70 Drachmen mit einer Schwere von 436,6 g (70 × 6,237 g). Eine äginetische Mine zu 70 Drachmen ist auch durch Aristoteles (Ath. pol. 10) sowie aus der Bauurkunde der Tholos in Epidauros (IG IV 1485, 36 f., 46) zu erschließen. Das äginetische Talent zu 26,2 kg war 60 Minen schwer. Höchstwahrscheinlich entsprach dem äginetischen das korinthische Münz- und Gewichtssystem mit dem Unterschied, daß die Mine 150 Drachmen zählte (150 × 2,911 g = 436,6 g). Beiden Systemen entsprach das att. Münzsystem mit einer Mine zu 100 Drachmen (100 × 4,366 g = 436,6 g). Damit hatten die drei wichtigsten Handelsmächte des spätarcha. und klass. Griechenland trotz unterschiedlicher Drachmenschweren einheitliche Minen und Talente geschaffen. Lediglich in Athen war seit der sog. solonischen Reform, die aber nicht vor der Mitte des 6. Jh. v. Chr. durchgeführt worden sein kann, die Marktmine gegenüber der Münzmine um 5% schwerer, wie Aristoteles (Ath. pol. 10) überliefert. Die Mine wog folglich 458,4 g (105 Drachmen × 4,366 g) und das Talent zu 60 Minen war 27,5 kg schwer. Gewichtsfunde in Athen und Olympia bestätigen dieses solonisch gen. System. Wahrscheinlich in den 20er-Jahren des 5. Jh. v. Chr. stellte Athen sein Gewichtssystem auf eine Mine zu 110 Drachmen um. Die neue Mine zu 480,2 g dürfte mit der im Schwarzmeergebiet und in der Propontis wichtigen kyzikischen Handelsmine nahezu identisch gewesen sein. Die Mine zu 110 Drachmen und das 28,8 kg schwere Talent sollten das Leitsystem des → Attisch-Delischen Seebunds in seiner Endphase bilden. Für die Mitglieder des Zweiten Attischen Seebunds stellten diese G. wohl tatsächlich das Leitsystem dar. Die Mine zu 110 att. Drachmen ist in Athen selbst und in Olympia belegt. Im Hell. läßt sich eine schwere Mine von etwa 600 g nachweisen, die verm. das Leitsystem des Achäischen Bundes bildete, dessen Mitglieder wohl einheitliche G., Maße und Mz. hatten (Pol. 2, 73,10). Beispiele für die schwere hell. Mine wurden in Delphi und Korinth gefunden. Die in Athen in hell. Zeit inschr. (IG II/III² 1013, 29–37) belegbare Handelsmine zu 138 Drachmen dürfte ebenfalls dem Gewichtssystem des Achäischen Bundes folgen (138 × 4,366 g = 602,5 g). Der letzte griech. Standard in Athen bis zur Eroberung durch Sulla weist, ebenfalls durch IG II/III² 1013, 29–37 belegt, eine Mine zu 150 Drachmen aus, die exakt 2 röm. Pfunden entspricht (150 × 4,366 g = 654,9 g = 2 × 327,45 g).

E. DIE KLEINASIATISCHEN STÄDTE UND DIE PERSISCHE MINE

In den griech. Städten Kleinasiens dürfte das altoriental. Sexagesimalsystem übernommen worden sein. Faßt man die dort geprägten Elektronstatere aufgrund ihrer Schwere als Doppeleinheit auf, dann dürfte die Gewichtsmine das Dreißigfache eines Staters gewogen haben. Für den lydisch-milesischen Raum ergäbe sich somit eine Mine zu 423 g und ein Talent zu 25,38 kg. Ein in Paris aufbewahrter Bronzeastragal aus Susa scheint diesem Standard zu folgen. Im phokäisch-kyzikenischen Raum dürfte die Mine knapp über 480 g schwer gewesen sein, was ein Talent von fast 29 kg ergibt. Die att. Mine zu 110 Drachmen war wohl mit der Handelsmine von Kyzikos koinzident. Auch die G.-Mine des persischen Reiches dürfte sexagesimal aufgebaut gewesen sein. Nach Hdt. 3,89 läßt sie sich auf knapp über 500 g berechnen; das Talent wog demzufolge etwas über 30 kg.

IV. ROM
A. DEFINITION   B. HISTORISCHE ENTWICKLUNG
C. AUFBAU DES RÖMISCHEN GEWICHTSSYSTEMS
D. EINHEITEN   E. MATERIALIEN UND FORMEN
F. LAUFGEWICHTE

A. DEFINITION

Unter röm. G. versteht man normierte Gewichtsstücke, die im Imperium Romanum für alle Arten des Handels verwendet wurden. Sie waren als G. gekennzeichnet und gehörten zu allseits akzeptierten Systemen. Neben dem röm. Gewichtssystem, dessen Verbreitung mit der Ausdehnung des röm. Reiches einherging, müssen wir v. a. in den entfernteren Provinzen auch mit indigenen Gewichtssystemen rechnen. Im folgenden werden nur die auf dem röm. System basierenden G. besprochen. Als G. ausgewiesene Stücke sind derzeit vom 3. Jh. v. Chr. bis in die Spätant. bekannt. Dabei scheint sich die Schwere der einzelnen Einheiten nicht zu verändern. Eine Ausnahme bilden die Lauf-G. der Schnellwaagen, da sie keinem genormten System folgen.

B. HISTORISCHE ENTWICKLUNG

Wie in allen ant. Kulturen gab es auch im eisenzeitlichen Italien prämonetäre Gewichtssysteme, deren Standards in den einzelnen Landschaften unterschiedlich waren. Das → Aes rude dürfte sich auf diese prämonetären Gewichtssysteme, die für uns nicht mehr faßbar sind, beziehen. Wohl zu Beginn des 3. Jh. v. Chr. lösten → Aes signatum und → Aes grave sowohl in Rom als auch in anderen Landschaften Italiens die rohen Kupferstücke ab und bildeten die ältesten ital. Währungen. Der Standard des Aes grave war der mit I gekennzeichnete → As, der bis zur halben Unze unterteilt werden konnte. Wie Plinius (nat. 33,42) berichtet, wurde der As auf Pfundbasis ausgebracht, d. h. Geld- und Gewichtseinheiten waren in jener Zeit identisch. Die Schwere des normierten Pfundes (*pondus*) scheint aber im ital. Raum keineswegs einheitlich gewesen zu sein. Zahlreiche Beispiele des Aes grave lassen auf Pfunde von unter 300 g Schwere schließen. Fast allg. akzeptiert ist ein oskisches Pfund von 272,88 g, das gelegentlich auch als Vorläufer des röm. Pfundes, der → Libra, angesehen wird. Auffällig ist, daß die Schwere des röm. Pfundes von 327,45 g exakt drei Viertel der Schwere einer festlandsgriech. Silber- und Handelsmine zu 436,6 g beträgt (→ Mina; mit Ausnahme der att. Handelsmine). Ferner wiegt das röm. Pfund genau drei sizilische Litren (→ Litra) zu 109,15 g. Sollte die Libra von 327,45 g nicht genuin röm. sein, so hätte Rom spätestens im Verlauf des 3. Jh. v. Chr. ein neues Gewichtssystem geschaffen, das mit den griech. Systemen des Festlands und auf Sizilien bestens korrellierte. Die schrittweise Reduktion der As-Schwere im Verlauf der ersten beiden Punischen Kriege führte zu einer Trennung von Mz. und Gewichten. Während der As immer leichter wurde, behielt die Libra ihre Schwere unverändert bei. Allerdings blieb der As stets in einem klaren Verhältnis zum Pfund (½, ⅙, 1/12, 1/24).

C. AUFBAU DES RÖMISCHEN GEWICHTSSYSTEMS

Die Grundeinheit des röm. Gewichtssystems war die Libra zu 327,45 g. Eine größere Einheit mit eigenem Namen gab es nicht. Wie Bleibarren zeigen können, wurden Schweren von 100 Pfund ersatzweise als übergeordnet betrachtet. Unterteilt war die Libra in 12 Unzen zu 27,287 g. Die Unze (→ uncia) wiederum zählte 24 Scripula (Skrupel) zu 1,137 g. Noch kleinere Einheiten wie z. B. die spätant. → Siliqua, die mit 0,189 g dem Sechstel eines Scripulums entsprach, dürften im täglichen Leben keine Rolle gespielt haben. Wie Gewichtsinschr. auf röm. Silbergefäßen lehren, wurde nur in den Grundeinheiten Libra, Uncia und → Scripulum gerechnet. Das halbe Pfund zu sechs Unzen wurde als → Semis, abgekürzt S, bezeichnet und die halbe Unze zu zwölf Scripula als → Semuncia, ebenfalls mit S abgekürzt.

D. EINHEITEN

Röm. G. konnten in jeder gewünschten Schwere hergestellt werden. Die erh. Exemplare lassen aber deutliche Konzentrationen auf bestimmte Einheiten erkennen. Neben den G. zu einer Libra sind auch Stücke zu 2, 3, 4 und 5 Pfund recht häufig. Noch größere Einheiten sind vornehmlich in Fünfpfundschritten aufgestockt. Bekannt sind G. von 10, 15, 20, 25, 30 und 40 Librae. Die Pfundschwere kann in röm. Zahlen auf den G. vermerkt sein. Unzen-G. bilden in der Regel glatte Teilmengen der Libra. Häufig sind der Semis zu 6 Unzen, der → Triens zu 4 Unzen, der → Quadrans zu 3 Unzen, der → Sextans zu 2 Unzen, die Uncia selbst sowie die Semuncia, ein Halbunzengewicht. Bei metallenen Stücken können in einem anderen Metall eingelegte Punkte, gelegentlich auch kleine Dreiecke, den Gewichtstyp kennzeichnen. Die Unze erhält einen Punkt, der Sextans 2, der Quadrans 3 und der Triens 4 Punkte. Der Semis wird zumeist mit einem S markiert, sechs Punkte sind die Ausnahme. Auch die Semuncia kann ein S erhalten. G. auf der Basis des Scripulums sind selten und oft nicht eindeutig zu identifizieren. Lediglich der Sicilicus, der als Viertelunze 6 Scripula wiegt und deswegen die Zahl VI tragen kann, ist mehrfach gesichert und durfte in Gewichtsserien gewiß nicht fehlen.

E. Materialien und Formen

Unabhängig von Material und Form konnten alle Gegenstände, bei deren Herstellung bewußt auf die Schwere geachtet wurde, sekundär als G. dienen. Bleibarren von 100 Pfund ließen sich in beliebiger Zahl zum Abwiegen größerer Mengen verwenden. Mit Silberbarren, die bis zu einer Schwere von drei Pfund erh. sind, konnte man Edelmetall und Mz. kontrollieren. Bei den auf Pfundbasis ausgebrachten frühen röm. Asses einschließlich ihrer Multiplen und Fraktionen waren Münzschwere und Metall-G. ohnehin identisch. Bei den primären röm. Handels-G. lassen sich hinsichtlich Material und Form jedoch Normierungen feststellen. G. auf Unzenbasis bestehen in der Regel aus Br. oder Blei oder einem Bronzemantel mit Bleikern; steinerne Unzen-G. sind seltener. Pfund-G. hingegen haben als sehr selten sind Glas-G. Eine typisch röm. G.-vornehmlich in Blei oder Stein erhalten, Br. ist die Ausnahme. Sehr selten sind Glas-G. Eine typisch röm. G.-Form ist die beidseitig abgeflachte Kugel, die Kugelzone. Daneben finden sich Halbkugeln, Ellipsoide, Kegelstümpfe, Würfel, Prismen, Platten und Scheiben.

F. Laufgewichte

Röm. Schnellwaagen waren nicht von Anfang an genormt, sondern die → Waage wurde erst zusammen mit dem Lauf-G., dem *aequipondium*, geeicht. Dennoch dürften bestimmte Größenordnungen Konvention geworden sein. Die Lauf-G. besaßen entweder stereometrische Formen oder waren figürlich gebildet. An stereometrischen Formen sind Kugel, Kugelzone, Zylinder, Kegelstumpf, Doppelkonus und Eichel belegt. Figürliche Lauf-G. besaßen entweder Büsten- oder Kopfform. Zahlreiche Lauf-G. wiegen zwischen 1 und 2 kg, Stücke unter 1000 g sind ein wenig seltener. Exemplare über 2 kg müssen als Ausnahme gelten. Während die figürlichen Lauf-G. größtenteils aus Br. mit Bleifüllung bestehen, variieren die Materialien der nicht figürlichen Stücke. Neben Br. und Blei sind auch Eisen, Kupfer und Messing vertreten.

→ Quadrans; Siliculus; GEWICHTE

Brz. in der Ägäis: N. F. Parise, Unità ponderali e circolazione metallica nell'Oriente mediterraneo, in: A Survey of Numismatic Research 1985–1990, Bd. I, 1991, 28–34 • K. M. Petruso, Systems of Weight in the Bronze Age Aegean (Diss. Indiana University), 1978 • K. M. Petruso, Ayia Irini: The Balance Weights, Keos 8, 1992. Syrisch-palästinisch: O. Viedebantt, Zur hebräischen, phönizischen und syrischen Gewichtskunde, in: ZPalV 45, 1922, 1–22. Griech.: K. Hitzl, Die G. griech. Zeit aus Olympia, OlF 15, 1996 • F. Hultsch, Griech. und röm. Metrologie, ²1882, 127–144 • M. Lang, M. Crosby, Weights, Measures and Tokens, in: Agora 10, 1964, 2–38 • E. Pernice, Griech. G., 1894. Nachant. Griech.: E. Schilbach, Byzantinische Metrologie, HbdrA XII 4, 1970, 160–231. Röm.: H. A. Cahn, Silberbarren, in: H. A. Cahn, A. Kaufmann-Heinimann (Hrsg.), Der spätröm. Silberschatz von Kaiseraugst (Basler Beitr. zur Ur- und Frühgesch. 9), 1984, 324–329 • H. Chantraine, s. v. uncia, RE 9 A, 604–635 • H. Chantraine, H.-J. Schulzki, Bemerkungen zur kritischen Neuaufnahme ant. Maße und G., in: Saalburg-Jahrbuch 48, 1995, 129–138 • W. Eck, Die Bleibarren, in: G. Hellenkemper Salies (Hrsg.), Das Wrack. Der ant. Schiffsfund von Mahdia, 1994, 89–95 • B. Forsén, Marmorne Gewichtssteine aus Thera, in: OpAth 20, 1994, 43–49 • N. Franken, Aequipondia. Figürliche Lauf-G. röm. und byz. Schnellwaagen (Diss. Bonn), 1994 • H. J. Hildebrandt, Die Metrologie der frühen röm. Mz., JNG 42/43, 1992/93, 13–38 • F. Hultsch, Griech. und röm. Metrologie, ²1882, 144–161 • A. Mutz, Röm. Waagen und G. aus Augst und Kaiseraugst (Augster Museumshefte 6) 1983 • W. D. Tempel, H. Steuer, Eine röm. Feinwaage mit G. aus der Siedlung bei Groß Meckelsen, Ldkr. Roteburg (W), in: Studien zur Sachsenforschung, 1998. K. H.

Gewissen. Der moderne Begriff »G.« als Bewußtsein von Gut und Böse im eigenen Tun findet im griech. συνείδησις (*syneídēsis*; auch τὸ συνειδός/*to syneidós*, σύνεσις/*sýnesis*) und im lat. *conscientia* ein annäherndes, wenn auch kein deckungsgleiches sprachliches Gegenstück. Der Begriff *syneídēsis* wird vom 5. bis zum 2. Jh. v. Chr. selten, ab dem 1. Jh. v. Chr. jedoch häufiger verwendet. Drei Grundbedeutungen sind zu unterscheiden: 1) das »Bewußtsein« eigenen, meist negativ bewerteten Verhaltens; 2) das (moralische) G.; 3) das eigene »Innere«. G. verinnerlicht die moralischen Urteile der Ges. und der Rel. und bewirkt den histor. Übergang von Schande zu Schuld, von Ergebnis zu Absicht als moralische Maßstäbe (Soph. Ant. 265 f.; Demokr. B 297 DK; Men. Monostichoi 597). In der hell. Philos. werden Einkehr, Selbstbeobachtung und Selbstprüfung zum Bestandteil der Lebensführung. Die jüngere Stoa identifiziert das G. mit der Vernunft (ἡγεμονικόν, *hēgemonikón*), dem höheren Selbst des Menschen, und fordert die Reinhaltung des G. durch geistige Übungen (Epikt. Dissertationes 3,93–95; M. Aur. 5,27).

Der lat. Begriff *conscientia* wird mit der zunehmenden Verwendung von *syneídēsis* im 1. Jh. v. Chr. ebenfalls gebräuchlich, mehrfach bei Cicero und durchgängig bei Seneca (Belege s. ThlL). *Conscientia* entspricht noch mehr als *syneídēsis* der heutigen Bedeutung von G., bezieht sich auch öfter auf das »Innere«. Cicero konzipiert G. als Naturgesetz; bei ihm taucht der Ausdruck »Gewissensbiß« (*morderi conscientia*) auf (Cic. rep. 3,22; Cic. Tusc. 4,45). Bei Seneca gehört die Unterscheidung von *bona* (Sen. epist. 12,9; 43,5) und *mala conscientia* (epist. 105,8; benef. 3,1,4), gutem und schlechtem G., zum festen Vokabular der Seelenführung. Das Vermögen, Scham zu empfinden, ist Grundbedingung für sittlichen Fortschritt (Sen. epist. 25,2).

Philon von Alexandreia (ca. 25/10 v. Chr. – 40 n. Chr.) erhebt *to syneidós* (zuweilen auch *syneídēsis*) als den dem Menschen von Gott eingepflanzten inneren Richter über schlechtes und gutes Verhalten zu einem Hauptbegriff seiner Theologie (Phil. Quod deterius potiori insidiari soleat 146).

Die Selbstprüfung der hell. Philos. mündet in die christl. Buße. Das von Gott geforderte reine G. wird nicht mehr durch eigene Lauterkeit und Unschuld, sondern nur durch Demut, Furcht und die Bitte um Vergebung der Sünden erlangt (Kor 4,5; 11,31; Lact. inst. 6,24,20; Aug. Sermones 20,3). Eine auf Origenes zurückgehende und von Hieronymus übernommene irrtümliche Lesart der LXX macht die *syneídēsis*, als *syntérēsis* (»Bewahrung«) gelesen, zum »Funken des G.« (*scintilla conscientiae*; Hier. in Hesekielem 1,6–8 nach Orig. Homiliae in Ezechielem 1,16). Dieser Text führte bei der terminologisch orientierten Auslegung der Scholastik, die *syntérēsis* in *sy(i)ndérēsis* umformte, zu unterschiedlichen Deutungen der beiden Begriffe: *conscientia* einerseits als das Urteilvermögen des Guten und Bösen im Einzelfall, *syndérēsis* andererseits als das Vermögen, die allg. Grundsätze klar zu erkennen (Thomas von Aquin, Summa theologica I, Quaestio 79, articulus 12f.; 1 II quaestio 94, articulus 1).

GRIECH.-RÖM.: E. R. DODDS, The Greeks and the Irrational, 1951 · I. HADOT, Seneca und die griech.-röm. Tradition der Seelenführung, 1969 · P. HADOT, Exercices spirituels et philos. antique, ³1993 (dt. Übers. 1991) · M. KÄHLER, Das G., 1878 · G. MOLENAAR, Seneca's use of the term conscientia, in: Mnemosyne 4, 1969, 170–180 · O. SEEL, Zur Vorgesch. des G.-Begriffs im altgriech. Denken, in: FS Franz Dornseiff, 1953, 291–319 CHRISTL.: A. CANCRINI, Syneidesis. Il tema semantico della con-scientia nella Grecia antica, 1970 · H. CHADWICK, Betrachtungen über das G. in der griech., jüd. und christl. Tradition, 1974 · H. OSBORNE, Syneidesis, in: Journal of Theological Studies 32, 1931, 167–179 · Ders., Syneidesis and synesis, in: CR 45, 1931, 8–10 · T. C. POTT, Conscience, in: The Cambridge History of Later Medieval Philosophy, 1982, 686–704 · G. RUDBERG, Cicero und das G., in: Symbolae Osloenses 31, 1955, 95–104 · J. STENZELBERGER, Syneidesis, Conscientia, G., 1963 · M. WALDMANN, Synteresis oder Syneidesis?, in: Theologische Quartalschrift 118, 1938, 332–371 · F. ZUCKER, Syneidesis – Conscientia, 1928.   F. R.

Gewölbe- und Bogenbau I. ALTER ORIENT UND ÄGYPTEN II. GRIECHENLAND UND ROM

I. ALTER ORIENT UND ÄGYPTEN

G. sind in Vorderasien hauptsächlich an Grüften und Kanälen bezeugt. Es gibt nur wenige erh. Beispiele für die Einwölbung überirdischer Räume. Belegt sind sowohl echte als auch Kraggewölbe über kleineren oder gangartigen Räumen, Poternen und Substruktionen von Treppen sowie Bögen an Türen, Toren und Brükken. Vergleichsweise häufig waren Tonnen, Kuppeln vornehmlich an Speichern und Öfen. Meist wurden Techniken verwendet, bei denen sich Gewölbe gegen eine Wand lehnten, so daß man ohne Lehrgerüst auskam. In Ägypten ist – ähnlich wie in Vorderasien – die Verwendung der Gewölbe im Haus-, Speicher- und Grabbau zur Eindeckung von Toren, länglich schmalen Räumen und Korridoren festzustellen.

→ Kanal, Kanalbau; Kuppel, Kuppelbau; Straßen- und Brückenbau; Toranlagen

D. ARNOLD, s. v. Gewölbe, Lex. der ägypt. Baukunst, 92 f. · R. BESENVAL, Technologie de la voûte dans l'Orient ancien, 1984 · C. CASTEL, Un quartier de maisons urbaines du Bronze Moyen à Tell Mohammed Diyab, in: K. R. VEENHOF (Hrsg.), Houses and Households in Ancient Mesopotamia, 1996, 275 · E. HEINRICH, s. v. Gewölbe, RLA 3, 323–340.   U. S.

II. GRIECHENLAND UND ROM
A. Gewölbe   B. Bogen

A. GEWÖLBE

Das »unechte« Krag-Gewölbe mit spitzbogigem Querschnitt besteht aus über die jeweils untere Lage hervortretenden Steinen mit horizontaler Lagerfläche; diese Bautechnik wurde seit kret.-myk. Zeit zur → Überdachung von Gängen, Brücken sowie zur Konstruktion von »falschen« Kuppeln (Mykene, »Schatzhaus des Atreus«; Orchomenos, »Kuppelgrab«) verwendet und konnte Weiten und Dm von bis zu ca. 14 m überspannen (vgl. → Kuppelbau). Das »echte«, selbsttragende Tonnengewölbe aus radial im Halbrund gefügten Keilsteinen wurde über einem stützend-stabilisierenden Lehrgerüst, das während des Konstruktionsprozesses temporär errichtet wurde, zur Überdachung eines langrechteckigen Grundrisses erbaut (vgl. Abb.). Es tritt in der 2. H. des 4. Jh. v. Chr. zunächst im nordgriech.-maked. wie im thrak. Raum an → Grabbauten in Erscheinung (Vergina, Philipps-Grab, vgl. Abb. → Grabbauten; Grabkammer von Sveštari) und war hier dadurch, daß seine Überdachung gegen den Erddruck des → Tumulus erheblich widerstandsfähiger war als das Kastengrab mit flacher Abdeckung, der Garant für die sich weiter steigernde Größe und Prachtentfaltung der maked. Grabbauten. Von Makedonien und Thrakien aus verbreitete sich das Tonnengewölbe schlagartig in die Baukunst der hell. Koiné und Etruriens. Das »echte« Gewölbe begegnet dabei ohne experimentelle Vorstufe sofort in idealer technischer Ausführung; es ist weder aus der Entwicklungsgesch. der griech. Architektur noch überhaupt evolutionistisch ableitbar. Über die Hintergründe des abrupten Auftauchens dieser bautechnischen Innovation im klass. Mittelmeerraum besteht Unklarheit, wobei ein Form-Import aus dem kleinasiatisch-vorderoriental. Raum weiterhin anzunehmen ist. Doch ist, wie das bislang früheste bekannte griech.-maked. Beispiel des Philipps-Grabes von Vergina bezeugt, die zuletzt von BOYD vertretene These, daß im Verlauf der Feldzüge Alexanders ein Form-Transport in den griech.-maked. Raum stattgefunden habe, aus chronologischen Gründen nicht haltbar.

Blieb das (Tonnen)-Gewölbe in der hell.-griech. und auch republikanisch-röm. Architektur weitgehend auf Grabbauten und den Bereich der Substruktion (hier meist mit Demonstrationscharakter, z. B. an weithin sichtbaren, gewölbegestützten Plattformen von Tempeln und Villen) beschränkt, so entwickelte es sich seit dem späten 1. Jh. v. Chr. in der röm. Repräsentationsarchitektur zu einer weit verbreiteten Technik zur

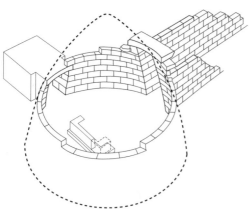

»Unechtes« Krag-Gewölbe, Kuppelgrab in Orchomenos
(16. Jh. v. Chr.), Rekonstruktion.

Gestaltung der Überdachung monumentaler Räume.
Die neuentwickelte Gußzement-Technik (→ Bautechnik; → *opus caementicium*) sowie die ebenfalls neuartige
Konstruktionstechnik aus → Ziegeln ermöglichte den
Gewölbebau im Gußzementverfahren bzw. in Gestalt
kleinteilig vermörtelter Ziegel anstelle massiver Keil-
steinkonstruktionen. Die Verwendung leichter Baumaterialien (Bimstein und Vulkanasche als Beischlag für
den Zement; hohle, dünnwandige, dennoch drucksta-
bile Tonröhren als Ersatz für massive Ziegel) erlaubten
eine deutliche Vergrößerung der Spannweiten von Ge-
wölben sowie neuartige Kombinationen mit dem
→ Kuppelbau sowie – als rechtwinkelige Verkröpfung
zweier Tonnengewölbe – die Konstruktion des Kreuz-
gratgewölbes. Alle diese Formen finden sich bereits im
1. Jh. n. Chr. im Repertoire der röm. Monumental-
architektur (z. B. an der → Domus Aurea Neros in
Rom) und prägen über Jh. das Erscheinungsbild von
Thermen (Leptis Magna, Jagd-Thermen; Trier, Kaiser-
thermen), Basiliken (Rom, Maxentius-Basilika), Palästen (Thessaloniki, Galerius-Palast) und schließlich
auch der frühchristl. Kirchenarchitektur. Monumentale
Keilsteingewölbe bleiben in der röm. Baukunst demgegenüber seltene Ausnahmen (z. B. Nîmes, »Tempel
der Diana«).

B. BOGEN

Als ein Derivat oder als eine Vorform des Keilstein-
Tonnengewölbes tritt ebenfalls im 4. Jh. v. Chr. ein Seg-
ment dieser Konstruktion, der Keilsteinbogen, in Erscheinung, der zunächst auf Stadttor-Bauten in Mau-
erverbund beschränkt bleibt; frühe Beispiele sind das
Westtor von → Kassope (1. H. 4. Jh. v. Chr.), das Osttor
von → Priene (Mitte 4. Jh. v. Chr.) und im west-
griechischen Raum die »Porta Rosa« in → Elea (um 300
v. Chr.). Mit der Entstehung von Torbauten in nicht-
fortifikatorischen Bauzusammenhängen beginnt das
griech. Bogentor zu einem eigenständigen Architektur-
element zu werden (z. B. Priene, Markttor), wobei die
mitunter erhebliche Raum- bzw. Durchgangstiefe der

Tore (Olympia, Stadioneingang) zu einer tunnelartigen
Ausformung und damit zu einer Annäherung an die
Struktur des Gewölbes führen kann. Die röm. Architektur greift das Bogenmotiv zunächst an Stadttoren
und im Kontext der »Ingenieursbauten« auf. Die Bo-
genpfeiler für Brücken oder Aquädukte bestehen dabei
entweder aus keilförmig geschichteten Quadern, massiver Ziegelung oder mit Ziegeln bzw. Tuff verklei-
detem Gußzement. Daneben finden sich in der röm.
Repräsentationsarchitektur zahlreiche freistehende Bogenarchitekturen als Denkmäler oder Durchgangsbau-
ten mit z. T. komplizierten Übereinanderstaffelungen
des Bogenmotivs (Verona, Porta dei Bórsari; vgl. Abb.
→ Fenster); zu solchen Bogenarchitekturen vgl. → Tri-
umph- und Ehrenbogen.

Bereits in der Architektur des frühen 3. Jh. v. Chr.
hält das Motiv des Bogens in nicht-tektonischer Verwendung als ein neues Element Einzug in den Dekora-

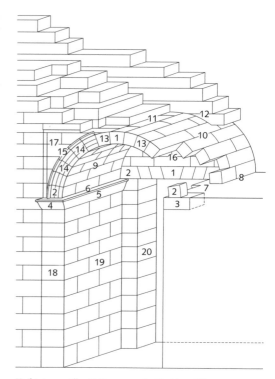

Keilsteingewölbe, Erläuterung der Fachbegriffe.

1	Schlußstein	11	Gewölbescheitel
2	(Gewölbe-, Bogen-)	12	Kragmantel
	Anfänger	13	Bogenstirn
3	Kämpfer(block)	14	Archivolte
4	Kämpferkapitell	15	Archivoltenprofil/
5	Kämpferprofil		Bogenrahmung
6	Kämpfergesims	16	Bogenfeld
7	(Gewölbe-, Bogen-)	17	Bogenzwickel
	Auflager/Widerlager	18	(Gewölbe-,
8	Gewölbefuß		Bogen-) Ablauf
9	Gewölbelaibung	19	Torlaibung
10	Gewölberücken	20	Tor- bzw. Türgewände

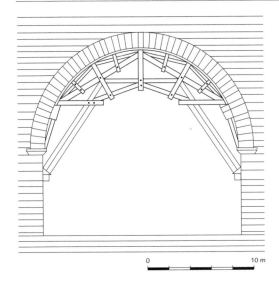

0   10 m

Konstruktion eines Keilstein-Bogens mit Hilfe eines hölzernen Lehrgerüstes.

tionskanon der Wand- und Fassadenarchitektur. Es findet sich dabei zunächst im fortifikatorischen Kontext an Stadtmauern und -toren (Elea, »Porta Rosa«; Milet, Heiliges Tor; Torfront A der Zitadelle von → Dura Europos), bald darauf auch als dekorativer Zierat in reinen Blend- und Fassadenarchitekturen (Ptolemais, Palazzo delle Colonne) sowie als oberer Abschluß des → Fensters. Diese Verwendung des Bogens als ein Schmuckmotiv findet in der röm.-kaiserzeitlichen Architektur ihre nahtlose Fortsetzung. Dort wird der gerundete Segmentgiebel, ähnlich dem spitz zulaufenden → Giebel (z. T. sogar mit diesem kombiniert als von einem Bogen »gesprengter« Giebel), zum kanonischen Element der horizontalen Gliederung einer durch Nischen, Rücksprünge und vorgeblendete Halbsäulen und Pilaster aufgebrochenen Wandarchitektur. An den Arkadenreihen, die Villengärten zierten (Tivoli, Hadriansvilla) oder über weite Strecken die Hauptstraßen römischer Städte säumten (z.B. Leptis Magna), wurde der Bogen sogar zum regelrecht rundplastischen Schmuckmotiv.

T.D. BOYD, The Arch and Vault in Greek Architecture, 1976 · K. DORNISCH, Die griech. Bogentore. Zur Entstehung und Verbreitung des griech. Keilsteingewölbes, 1992 · B. FEHR, Plattform und Blickbasis, in: MarbWPr 1969, 31–65 · B. GOSSEL-RAECK, Maked. Kammergräber, 1980 · W. HEILMEYER, Durchgang, Krypte, Denkmal: Zur Gesch. des Stadioneingangs in Olympia, in: MDAI(A) 99, 1984, 251–263 · W.L. MACDONALD, The Architecture of the Roman Empire II, 1986, 75–99 · W. MÜLLER-WIENER, Griech. Bauwesen in der Ant., 1988, 95–96 · D.S. ROBERTSON, Greek and Roman Architecture, ²1943, 231–266 · L. SCHNEIDER, CH. HÖCKER, P. ZAZOFF, Zur thrakischen Kunst im Frühhell., in: AA 1985, 593–643 · S. STORZ, Tonröhren im ant. Gewölbebau, 1994 · J.B. WARD-PERKINS, Die Architektur der Römer, 1975, 97–195.   C.HÖ.

Gewürze (griech. ἡδύσματα, *hēdýsmata*; lat. *condimenta*). Geschmacksbildende Speise- und Getränkezutaten zumeist aus bestimmten Teilen einheimischer Wild-, Garten- und exotischer Pflanzen. Die Ant. kannte eine große Fülle von G., deren Angebot und Gebrauch aber stark dem Zeitgeschmack unterlag. → Caelius [II 10] Apicius verwendet im 1. Jh. n.Chr. insgesamt sechzig G., von denen zehn importiert waren (vgl. die G.-Listen bei Plin. nat. 12; 19,101–175; Athen. 2,68a; Apici excerpta a Vinidario 1 ANDRÉ). Die wichtigsten einheimischen G. der ant. Welt waren → Anis, → Dill, Kümmel, Liebstöckel, → Minze, Petersilie, → Raute (in röm. Zeit), → Rosmarin, Safran, Salbei und Thymian. Seit hell. Zeit drangen dann in zunehmender Zahl exotische G. aus dem Orient in den Mittelmeerraum; dieser Prozeß verstärkte sich, als Augustus und Tiberius den direkten Seehandel zwischen Ägypten und Indien in Gang brachten. Von den exotischen G. erlangten in der Küche aber nur → Pfeffer (Plin. nat. 12,26–29) und Silphium (Plin. nat. 19,38–45) Bed. Andere exotische G. wie z.B. → Ingwer, Kardamon, Narde oder → Zimt dienten vor allem der Herstellung von Parfüms, Arzneien und G.-Weinen, erst in zweiter Linie der Zubereitung von Speisen. Während einheimische G. durchweg billig waren, lag der Preis für exotische G. sehr hoch.

G. wurden konserviert, indem sie getrocknet, in Essig oder in eine Mischung von Salzlake und Essig gelegt wurden. G. dienten ihrerseits als Konservierungsmittel, insbesondere für → Gemüse und → Wein. Mit Hilfe von G. konnte auch eine geschmackliche Verbesserung erzielt werden; die meist qualitätsarmen, überwiegend gekochten und insofern faden Gemüse-, Fisch- und Fleischspeisen erhielten erst durch Zusetzen von reichlich G. einen kräftigen Geschmack und starken Duft.

Seit Beginn der griech. Klassik bzw. der späten röm. Republik war das Interesse an G. groß (Aristoph. Equ. 676–679; Plaut. Pseud. 814–837). Diese wurden fortan reichlich und in großer Zahl in der Küche verwendet, zunächst als Zutat zu den Speisen an sich, dann auch als Grundlage der immer wichtiger werdenden Saucen (Athen. 14,660e–661d); die Oberschicht war davon überzeugt, daß die Kochkunst wesentlich in der Kunst des Würzens bestehe (Plat. rep. 1,332c-d). Bereits früh reflektierte deshalb der Konsum die sozialen Unterschiede (Aristoph. Plut. 253; 925). Die ärmere Bevölkerung schmeckte ihre Speisen nur mit einheimischen G. ab, wohingegen die exotischen G. der hohen Preise wegen der Oberschicht vorbehalten blieben (Plin. nat. 12,29). Daß diese geradezu zu einem Statussymbol wurden, zeigt der exzessive Gebrauch, den vornehme Kreise insbesondere in der frühen Kaiserzeit vom Pfeffer machten. Apicius gibt ihn fast an jede Speise, selbst an Süßspeisen (Apicius 7,13,1; 5–8).

J. ANDRÉ, L'alimentation et la cuisine à Rome, ²1981, 199–209 · A. DALBY, Siren Feasts. A History of Food and Gastronomy in Greece, 1996 · A. LALLEMAND, H. DITTMANN, s.v. Gewürz, RAC 10, 1172–1209 · A. SCHMIDT, s.v. Drogen, RE Suppl. 5, 172–182.   A.G.

Gewürznelken. Über Indien und Griechenland gelangten die dem Pfefferkorn ähnlichen, getrockneten Blütenknospen des Syzygium aromaticum (früher Caryophyllus aromaticus L.) als *garyophyllon* von den Molukken nach Rom (Plin. nat. 12,7). Die Bezeichnung *karyóphyllon* bei spätant. Ärzten wie Aetius Amidenus u. a. (arab. *karanful*, it. *garofalo* bzw. *garofano*), wahrscheinlich abgeleitet von altind. *katuphalam* (»beißende Frucht«), ging bald auf die Nelken, bes. Dianthus caryophyllus L. über. Im MA wurden die *gariophili* nach dem salernitanischen Arzneidrogenbuch *Circa instans* [1. 56f.] u. a. bei Thomas von Cantimpré 11,20 [2. 337] zur Stärkung des Gehirns, als Riechmittel und gegen Durchfall verordnet.

→ Gewürze

1 H. WÖLFEL (Hrsg.), Das Arzneidrogenbuch Circa instans, Diss. Berlin 1939 **2** H. BOESE (ed.), Thomas Cantimpratensis, Liber de natura rerum, 1973.   C. HÜ.

Gezeiten s. Meer

Gezer. Stadt(staat) Palaestinas in der Brz. und Eisenzeit, die den Austritt der Straße von Jerusalem zur Küste aus dem Gebirge kontrolliert. Vom 15. bis zum 10. Jh. v. Chr. von Äg. erobert, von Salomo erworben und befestigt (1 Kg 9,16–18; 9,15 ist anachronistisch). Ob G. in der Folgezeit israelitisch, judäisch, philistäisch oder selbständig war, ist nicht zu entscheiden. Seit 734 befand es sich unter assyr. Herrschaft, im 7. Jh. v. Chr. diente es als assyr. Verwaltungszentrum. 142 v. Chr. wurde G. von den Makkabäern erobert (1 Makk 13,43–48; eine der ersten Anwendungen der deuteronomistischen Bann-Gesetze in der Praxis); in herodianischer Zeit bestand der Ort nur noch aus dem Landgut eines Alkios, dessen Grenzsteine die Identifikation G.s mit dem Tall Ǧazar erleichtert haben.

E. A. KNAUF, in: L. K. HANDY (Hrsg.), The Age of Solomon, 1997, 81–95.   E. A. K.

Ghazni. Münzfunde aus der Zeit der indogriech. Könige → Artemidoros [1], Peucolas und → Archebios (um 130 v. Chr.) und des Sakenkönigs Azes. I. (um 70 v. Chr.) erweisen G. als bed. Zentrum in graeco-baktrischer Zeit. Das in der Nähe entdeckte buddhist. Kloster Tapa Sardar (2.–4. Jh. n. Chr.) und Bauten der islam. Ghaznowidendyn. des 11.–12. Jh. zeugen von der anhaltenden Bed. der Region.

F. R. ALLCHIN, N. HAMMOND, The Archaeology of Afghanistan from the earliest times to the Timurid period, 1978.   B. B.

Ghiaccio Forte. Die auf einem oben flachen, zu den Rändern steil abfallenden Hügel gelegene etr. Siedlung 14 km südöstl. von Scansano gehörte in der Ant. wohl zum Einflußgebiet von Vulci. Im 6. Jh. v. Chr. gab es hier ein ländliches Heiligtum. Eine Siedlung ist erst für das späte 4. und frühe 3. Jh. v. Chr. nachweisbar. Die von einer umlaufenden Mauer aus großen Blöcken mit Bruchsteinfüllung befestigte Siedlung wurde um 280 v. Chr. gewaltsam zerstört. Amerikanische Grabungen legten 1972/1973 Hausreste mit Steinfundamenten und Lehmziegelwänden, Straßen, ein Drainagesystem und ein Votivdepot frei.

M. A. DEL CHIARO, Etruscan G. F., 1976 · A. TALOCCHINI, Il G. F., 1986.   M. M.

Gibeon. Ortschaft im ephraimitischen Gebirge. G. gehörte zu den kanaanäischen Stadtstaaten des südl. Querriegels, der den Nord- und Südteil des israelitischen Siedlungsgebietes in Palaestina trennte (Jos 9 u.ö.). Es muß nach den lit. Bezeugungen (AT, hell.-röm., byz. Autoren; z.B. Eus. On. 66,11–16) mindestens seit der Spätbronzezeit (2. H. des 2. Jh. v. Chr.) bis in nachchristl. Zeit besiedelt gewesen sein. Die Identifikation mit al-Ǧib ca. 9 km nordwestl. von Jerusalem, ist durch amerikanische Ausgrabungen (1956–1962) zwar nicht sicher erwiesen, aber wahrscheinlich geworden. Die Grabungen erbrachten brz. Schachtgräberanlagen (seit dem 20. Jh. v. Chr.), Einrichtungen zur Wasserversorgung, die »industrial area« der Weinmacher und eisenzeitliche Stadtmauern.

A. ALT, Neue Erwägungen über die Lage von Mizpa, Ataroth, Beeroth und G., in: ZPalV 69, 1953, 1–27 · J. B. PRITCHARD, Gibeon. Where the Sun Stood Still, 1962 · Ders., The Bronze Age Cemetery of Gibeon, 1963.   H. D.

Giebel. Griech. ἀ(ι)ετός, *a(i)etós* (Bauinschr.: [1. 33 f.]); lat. *fastigium, fronton*; dreieckiger, vom Schräg- und Horizontalgeison gerahmter Stirnteil des Satteldaches am kanonischen griech. Säulenbau; das G.-Feld (Tympanon, zur Bezeichnung: Vitr. 3,5,12; 4,3,2) ist an Sakralbauten häufig Gegenstand plastischer Ausschmückung gewesen; vgl. hierzu → Bauplastik. Schräge und Höhe eines G. in → Proportion zu Säule und Gebälk gibt einen Anhaltspunkt über die chronologische Stellung eines griech. Tempels. Die klobig-hohen G. frührcha. Tempel (Korfu, Artemistempel; Syrakus, Apollontempel) reduzieren sich in der Entwicklungsgesch. des griech. Tempels im 4. und frühen 3. Jh. v. Chr. zu flachen, leichten Formen (Olympia, Metroon; Kournò, Peripteros). Auch wenn der G. mit der funktionalen und typologischen Weiterung des Säulenbaus im späten 5. Jh. v. Chr. zunehmend in profanen Baukontexten begegnet (z.B. Hallen- und Torbauten; Fassaden von → Grabbauten), ist diese Bauform dennoch weiterhin als ein sakrales Würdezeichen konnotiert gewesen; Caesar konnte erst nach einem förmlichen Senatsbeschluß sein Haus mit einem Giebel schmücken (Cic. Phil. 2,110; Suet. Iul. 81; Plut. Caesar 63). In der sich seit dem frühen Hell. entwickelnden Wand- und Fassadenarchitektur wird der G. zunehmend auch zu einem flächenstrukturierenden Ornamentmotiv (Ptolemais, Palazzo delle Colonne; Tyndaris, Skene des Theaters; erste »gesprengte« G. an den Felsgräbern von Petra). In der röm. Repräsentationsarchitektur wird der G. zu einem dem Bogen vergleichbaren Element bei der Gestaltung von Toren, Fassaden, Nischen, Fenstern und Ädikulen.

1 Ebert.

H. Lauter, Die Architektur des Hell., 1986, 113–232 · S. Marinatos, Ἀετός, in: FS für A. K. Orlandos I, 1965, 12–22 · W. Müller-Wiener, Griech. Bauwesen in der Ant., 1988, 112–156 · J. B. Ward-Perkins, Roman Imperial Architecture, 1970.   C. Hö.

Gifte (ἰός und φάρμακον sc. δηλητήριον, *virus* und *venenum*). Unterschieden wird nicht nach der (tierischen oder nichttierischen) Herkunft, sondern nach der Art und Weise des Eindringens in den Körper: Inokulation (Stich: πληγή, *ictus*; Biß: δάκος, *morsus*) oder orale Absorption (πόσις, *potus*); allen gemeinsam ist der Begriff einer Substanz, die auf den Organismus wirkt.

Tierische und nichttierische G. sowie Pflanzen mit magischen bzw. schädlichen Eigenschaften sind vom → epischen Zyklus an bezeugt (Hom. Il. 2,718–725: Philoktetes, der Biß der Schlange und die Pfeile des Herakles; Hom. Od. 10,302–306: *mõly*; 4,219–234: *nẽpenthẽs*); dann wurden G. als typisch für die Skythen angesehen, die ihre Pfeile damit bestrichen (schol. Nikandros Alexipharmaka 208), bevor sie mit der hell. Entwicklung der Medealegende dem Orient zugewiesen wurden (z. B. Apoll. Rhod. 3,1026–1062). Tierische G. sind seit Nikandros (2. Jh. v. Chr. [?]) gut bezeugt; in Rom steigt die Zahl der Belege nach der Arabienexpedition des Aelius Gallus (Praefekt von Ägypten um 26–24 v. Chr.) an, es entwickelt sich ein lit. Topos (z. B. Lucan. G. 9,587–889).

Seit dem Ende des 5. Jh. v. Chr. war die physiologische Wirkung von G. hinreichend bekannt, um sie zur Hinrichtung von Verurteilten (Sokrates durch Schierling) wie auch in der Medizin (Corpus Hippocraticum) – zweifellos erst nach Versuchen (Ktesias bei Oreib. 8,8 und Thrasyas von Mantineia bei Theophr. h. plant. 9,16,8–17,3) – einzusetzen. Mit Diokles (Ps.-Dioskurides Theriaka p. 48 Sprengel) setzte eine theoretische Diskussion ein, die von den Empirikern fortgesetzt wurde (ebd. p. 49–51 Sprengel): In der Auseinandersetzung um die Aitiologie waren tierische und nichttierische G. ein heuristisches Instrument für die Beschäftigung mit Begriffen wie dem der »fernen Ursache«. Nach Unt. an den hell. Höfen (Pergamon, Syrien und Pontos) erschienen *Perí thẽríõn* (ein Werk über giftige Tiere) des Apollodoros (Arzt und Naturforscher, 3. Jh. v. Chr.), der unangemessenerweise als *dux iologorum* (»führender Toxikologe«) angesehen wurde, sowie die *Thẽriaká* und *Alexiphármaka* des Nikandros.

Vom 1. Jh. n. Chr. an wurden tierische und nichttierische G. nach einer typischen, in der Folge kanonisch gewordenen Methode untersucht (Ps.-Dioskurides, Alexipharmaka; Theriaka), die sich auf die Spezifizität der toxischen Wirkungen gründete; in klinischen Fällen konnten anhand dieser Methode die toxischen Substanzen an ihren Symptomen erkannt und von da aus spezifische Therapien angesetzt werden; die Darstellung geht daher in drei Schritten vor: Beschreibung der toxischen Substanzen, Symptomatologie, Therapien.

Im 1. Jh. v. Chr. setzte sich das nach Rom importierte Wissen der Griechen, v. a. mit den Papieren des Mithradates VI., die Pompeius an sich genommen und → Lenaeus übersetzt hatte (Plin. nat. 25,5–7), gegen die einheimische Überlieferung durch, die so in Vergessenheit geriet. Tierische und nichttierische G. wurden in der Folge von den Mächtigen benutzt und als eine orientalische »Kunst« angesehen, die von Individuen mit einer untergeordneten rechtlichen Stellung (Fremden, Frauen, Straffälligen) ausgeübt wurde.

Nachdem tierische und nichttierische G. bei den Methodikern erneut Gegenstand einer Reflexion über die Aitiologie geworden waren, veranlaßten sie die Einführung von Gegen-G. (Gal. *De antidotis*), die die spezifischen Therapien mehrerer tierischer und nichttierischer G. miteinander verbanden und so auf universale Anwendbarkeit abzielten; damit war der Übergang von der Toxikologie zur allg. Therapeutik geschaffen, bes. mit der *thẽriakẽ* (Andromachos und Gal. *De theriaca ad Pisonem*), einem Gegengift, das → Andromachos [4] d. Ä. für Nero zubereitet hatte.

Dieses Corpus von Informationen wurde durch die Dioskurides zugeschriebenen und nach und nach in *De materia medica* verarbeiteten Abhandlungen, durch Galens Schriften (*De sectis*, im alexandrinischen Kanon; *De antidotis*) und die byz. Enzyklopädien, Oreibasios (verloren), Aëtios (B. 13) und Paulos von Aigina (B. 5), überliefert. Alle diese Informationen wurden in der arab. Welt aufgenommen, in der tierische und nichttierische G. erneut den Status eines heuristischen Instrumentes erlangten, den sie schon in der griech. Medizin besessen hatten.

W. Artelt, Studien zur Gesch. der Begriffe »Heilmittel« und »G.«, 1937 · L. Bodson, Observations sur le vocabulaire zoologique antique: les noms de serpents en grec et en latin: GRECO 8, 1986, 65–119 · A. S. F. Gow, A. F. Scholfield, Nicander, 1953 · E. Harnack, Das G. in der dramatischen Dichtung und in der ant. Lit., 1908 · P. Knoefel, M. Covi, A Hellenistic Treatise on Poisonous Animals (The »Theriaca« of Nicander of Colophon), 1991 · O. Schmiedeberg, Über die Pharmaka in der Ilias und Odyssee, 1918 · O. Schneider, Nicandrea, 1856 · A. Touwaide, La toxicologie des poisons dans l'Antiquité et à Byzance. Introduction à une étude systémique, in: RHP 290, 1991, 265–281 · Ders., Panorama des recherches en histoire de la médecine intéressant la toxicologie depuis 1970, in: Lettre d'information, Centre Jean Palerne 19, 1991, 8–26 (erweiterte englische Übersetzung: Studies in the History of Medicine Concerning Toxicology After 1970, in: SAM Newletter 20, 1992, 8–33) · Ders., Galien et la toxicologie, in: ANRW II 37.2, 1887–1986.   A. To./Ü: T. H.

Giganten (Γίγαντες).

I. Mythologie   II. Ikonographie

I. Mythologie

G. sind gewöhnlich riesenhafte und ungeschlachte Urzeitwesen; nach dem geläufigsten Mythos, der

→ Gigantomachie, versuchten sie erfolglos, Zeus und die Olympier zu entmachten. Bei Homer sind die G. ein gesetzloses und überhebliches Randvolk, das wegen seines Königs → Eurymedon zugrunde geht (Hom. Od. 7,59–61); sie sind in der Nähe der → Kyklopen und → Phaiaken angesiedelt (Hom. Od. 7,205f.). Laut Hesiod fallen bei der Entmannung des → Uranos Blutstropfen auf die Erde (→ Gaia) und befruchten sie: sie gebiert die kriegerisch gerüsteten, riesigen G., dazu → Erinys und die Melischen Nymphen (Hes. theog. 183–187). Die Geburt der G. in Waffen (→ Spartoi) weist auf ihren essentiell kämpferischen Charakter; doch erst im nachhesiodeischen Anhang der ›Theogonie‹ wird indirekt auf die Gigantomachie und die Rolle des → Herakles darin verwiesen (theog. 954).

Seit spätarcha. Zeit sind Erzählungen der Gigantomachie bekannt, und die hesiodeischen Kataloge kennen Herakles' siegreichen Kampf in Phlegra (Hes. fr. 43a 65, vgl. Pind. N. 1,67f.; der König der G. heißt, wie oft später, → Porphyrion: Pind. P. 8,12). Für Xenophanes (21 B 1,21 DK) gehören solche Erzählungen zu den abgelehnten, weil ethisch inakzeptablen Mythen. Bes. bei den Tragikern des 5. Jh. v. Chr. wird oft auf diesen Mythos angespielt, vielfach auf eine künstlerische Darstellung: er war auf dem Peplos der Athena abgebildet [1. 210]. Die einzige ausführliche Erzählung bietet erst Apollodoros (1,34–38): Aus Zorn über den Tod der → Titanen gebiert Gaia die riesigen, langhaarigen und schlangenfüßigen G. (in Phlegrai oder Pallene). Sie greifen die Olympier an; weil diesen ein Orakel den Sieg nur unter der Bedingung vorhergesagt hatte, daß ein Sterblicher mitkämpfe, bitten sie Herakles um Hilfe; es folgt eine lange Serie von Zweikämpfen, in denen neben → Zeus und Herakles bes. → Poseidon und → Athena herausragen. Die Erzählung vom G.-Kampf war früh populär und wurde oft dargestellt; entsprechend groß ist die Variation im Detail. Urspr. muß sie, wie die Kämpfe mit den Titanen (mit denen sie später oft vermengt wird) und mit → Typhoeus oder wie der mesopotamische Mythos vom Kampf des → Marduk gegen Tiamat, die Durchsetzung der herrschenden Ordnung des Zeus gegen chaotische Bedrohung dargestellt haben. Wohl seit spätarcha. Zeit wird der Mythos polit. auf den Sieg des Griechentums über barbarische Bedrohung gedeutet (Perser in der att. Kunst des 5. Jh. v. Chr.; Gallier auf dem Pergamon-Altar; vielleicht auch die fragmentarische *Gigantomachia* des → Claudianus [2]). In hell. Zeit wird der Mythos naturmyth. auf die vulkanischen Phänomene Kampaniens bezogen und in den Campi Phlegraei angesiedelt (Diod. 7,71,4; Strab. 5,4,4).

1 F. VIAN, s. v. G., LIMC 4.1, 191–270.

O. WASER, s.v. G., RE Suppl. 3, 655–759 • F. VIAN, La guerre des Géants. Le mythe avant l'époque hellénistique, 1952 • C. CALAME, Les figures grecques du gigantesque, in: Communications 42, 1985, 147–172. F.G.

II. IKONOGRAPHIE

Erste gesicherte Darstellungen von G. sind aus der Zeit um 580/570 v. Chr. erh.: vgl. korinth. Pinakes, Berlin, SM, 575/550 v. Chr. Auf frühen att. Vasen von der Athener Akropolis erscheinen G. um 560/550 v. Chr., als die → Gigantomachie als größte Götterschlacht des griech. Mythos zum wichtigen Bildthema in der griech. Kunst wird, die die Überlegenheit griech. Ordnungsvorstellungen über barbarische Unzivilisiertheit sinnfällig machen soll (vgl. weitere Darstellungen auf sf. und rf. Vasen des 6. und 5. Jh. v. Chr.). Eine frühe Bearbeitung des Themas in der Bauplastik ist möglicherweise in der Kampfgruppe mit Zeus im Westgiebel des Artemis-Tempels in Kerkyra belegt (590/580 v. Chr.: Deutung des Zeus-Kontrahenten als G. oder Titan). Den Kampf des Herakles gegen einen G. auf dem sog. »Thron von Amyklai« (Ende 6. Jh. v. Chr.) erwähnt Paus. 3,18,11. Gigantenkämpfe sind sicher überliefert im Nordfries des Siphnier-Schatzhauses in Delphi (um 525 v. Chr.), im Gigantomachie-Giebel des Athena-Tempels der Peisistratiden auf der Athener Akropolis (um 530/520 v. Chr.), im Ostgiebel des Megara-Schatzhauses in Olympia (um 510 v. Chr.), im Westgiebel des Apollon-Tempels der Alkmaioniden in Delphi (510/500 v. Chr.).

Für das 5. Jh. v. Chr. seien v. a. genannt: von der Athener Akropolis die Parthenon-Ostmetopen (445/440 v. Chr.), vermutl. der Ostgiebel des Athena-Nike-Tempels (um 425 v. Chr.), die nicht erh. Innenseiten-Bemalung des Schildes der Athena Parthenos (438 v. Chr.; hierzu vgl. die Gigantomachie-Szene auf dem Krater-Frg. in Neapel, NM, 430/410 v. Chr.); aus Selinunt Metopen der Tempel F (1. Viertel des 5. Jh. v. Chr., mit Dionysos) und E (2. Viertel des 5. Jh. v. Chr., mit Athena); in Sounion des Pronaos-Fries des Poseidon-Tempels (460/440 v. Chr.), aus Argos die Ostmetopen des Heraion (420/400 v. Chr.). Das wohl eindruckvollste Beispiel der Gigantomachie in der ant. Kunst überliefert der Pergamonaltar (180 v. Chr; nach jüngst erneut vorgeschlagener Spätdatierung: um 160 v. Chr.): Erstmals im umlaufenden Fries ausgebildet, avanciert das Thema des Triumphes der Götter, der Ordnung und Zivilisation über das ungeordnet Wilde hier zum Symbol des Sieges der hell. Staatenwelt über die sie bedrohenden Barbaren.

Zunächst als → Hopliten oder »wilde« Krieger dargestellt, erscheinen die G. etwa ab 400 v. Chr. auch als schlangenbeinige Mischwesen; auf dem Pergamonaltar werden einige der G. erstmals – in Anlehnung an altoriental. Mischwesen? – in Vogel-, Löwen- oder Stiergestalt ausgebildet. Auch in der röm. Ant. bleibt das Bildthema der Gigantomachie aktuell, vgl. z.B. den Fries der *scenae frons* im Theater von Korinth (2. H. 2. Jh. n. Chr.), den Fries im Theater von Hierapolis (1./2. Jh. n. Chr.). Schlangenbeinige G. finden sich insbesondere auf Jupiter-Gigantensäulen (→ Säulenmonumente) der obergermanischen Provinzen.

M. Barbanera, Il significato della gigantomachia sui templi greci in Sicilia, in: Scritti di antichità in memoria di S. Stucchi 2, 1996, 149–153 · H. Knell, Mythos und Polis, 1990 · M.B. Moore, The central group in the Gigantomachy of the Old Athena Temple on the Acropolis, in: AJA 99, 1995, 633–639 · H. Schaaf, M. Zelle, Reichsadler und Giganten. Neue Funde röm. Wandmalerei aus der Colonia Ulpia Traiana, in: Antike Welt 28, 1997, 519–521 · H.J. Schalles, Der Pergamonaltar, 1986 · B. Schmidt-Dounas, Anklänge an altorianel. Mischwesen im Gigantomachiefries des Pergamonaltars, in: Boreas 16, 1993, 5–17 · Th.M. Schmidt, Der späte Beginn und der vorzeitige Abbruch der Arbeiten am Pergamonaltar, in: B. Andreae u.a. (Hrsg.), Phyromachos-Probleme, 1990, 141–162 · F. Vian, M.B. Moore, s.v. Gigantes, LIMC 4.1, 191–270 (mit ält. Lit.).   A.L.

Gigantensäulen s. Säulenmonumente

Gigantomachie (γιγαντομαχία Platon u.a., γιγαντία Philostratos; *Gigantomachia* Claudianus u.a). Kampf der → Giganten gegen die (olympischen) Götter um die Weltherrschaft, in der Regel lokalisiert in Phlegrai oder → Phlegra (z.B. Aischyl. Eum. 295; Eur. Herc. 1194; Ion 988), das sekundär mit der Halbinsel → Pallene gleichgesetzt wurde (z.B. Hdt. 7,123); von Götterseite siegreich beendet durch Hilfe des → Herakles (Herakles-Funktion wohl erstmals erwähnt bei Hes. theog. 954 [1. 419], eindeutig in Hes. cat. fr. 43a 65 M-W). Die G. ist Bestandteil des Mythos von der Sicherung der geregelten Weltordnung (unter Zeus) gegen wiederholte Aufstände ungestalter Repräsentanten eines urtümlichen Weltzustands der dem Faustrecht gehorchenden Regellosigkeit. Als Schema-Variante neben → Titanomachie, Typhonomachie, Himmelssturm der → Aloaden u.a. gewinnt sie zunehmend wachsende Symbolkraft – bes. polit.: Vernichtung der anstürmenden Urkräfte des Chaos durch die Ordnungsmächte von Freistaaten (→ Panathenaia), Königen (Pergamon-Altar) und Kaisern (Augustus, Domitian, Maximian u.a.: [2]) – und entfaltet hohes metaphorisches Potential (z.B. »G.« ontologischer Richtungen: Plat. soph. 246a4). Dank ihrem durch geballte Bildhaftigkeit hocheffektiven Verweis-Charakter wird die G. als Substitution des begrifflichen Sachverhalts »ultimativer Entscheidungskampf zw. roher Gewalt und Norm« zu einem Topos bes. der Kunst (Darstellungen in sämtl. Kunstformen [3; 4. 191–270] und der Lit. (unzählige Nutzungen in Dichtung und Prosa [5; 6]). Erste lit. Erwähnung der G. wohl bei Hes. theog. (s.o.), dann, eindeutig, bei Xenophanes 21 B 1,21 DK. Ein lit. Werk des Titels G. ist erst für → Claudianus [2] bezeugt (vorher eine Γιγαντιάς/*Gigantiás* für → Dionysios [32] und eine Γιγαντία/*Gigantía* für → Skopelianos). Kurzbeschreibung des Kampfverlaufes bei → Apollodoros 1,6,1–2 [7], ausführliche Darstellung bei Claudianus.

1 M.L. West, Hesiod, Theogony, 1966 2 G. Kleiner, Das Nachleben des Pergamenischen G.-Kampfes. Berliner Winckelmann-Programm 105, 1949 3 F. Vian, Répertoire des Gigantomachies figurées dans l'art grec et romain, 1951

4 Ders., s.v. Gigantes, LIMC 4.1, 191–270 5 Ders., La guerre des géants devant les penseurs de l'antiquité, in: REG 65, 1952, 1–39 6 Ders., s.v. Gigantes, LIMC 4.1, 191–196 7 Apollodorus, The Library of Greek Mythology, translated by R. Hard, 1997.   J.L.

Gigonos (Γίγωνος). Die nahe dem Kap Gigonis, das wohl nordwestl. des h. Nea Kallikrateia an der Westküste der Chalkidischen Halbinsel zu suchen ist, gelegene Stadt wird anläßlich des Xerxes-Zuges bei Hdt. 7,123,2 gen.; ferner wird G. zw. 434/3 und 421 v.Chr. in den Athener Tributquotenlisten und für 432 als Etappenziel eines von Makedonien nach Poteidaia marschierenden athen. Heeres (Thuk. 1,61,5; 62,2), dann aber wie das Kap nur noch in der geogr. Lit. erwähnt.

F. Papazoglou, Les villes de Macedoine à l'époque romaine, 1988, 417 · M. Zahrnt, Olynth und die Chalkidier, 1971, 179f.   M.Z.

Gigthis. Ort an der Kleinen Syrte, 30 km nordöstl. von Medenine, h. Bou Grara. Belege: Ptol. 4,3,11; Itin. Anton. 60,1; 518,5; Tab. Peut. 6,5. G. war vermutlich eine phöniz. oder pun. Gründung und in späterer Zeit vielleicht der Vorort der Cinithi, der Bundesgenossen des → Tacfarinas. Unter Hadrianus oder Antoninus Pius erhielt die Stadt das *ius Latium maius*, unter Antoninus Pius (138–161 n.Chr.) wurde sie *municipium* (CIL VIII Suppl. 4, 22707). Weitere Inschr.: CIL VIII 1, 25–34; Suppl. 1, 11017–11047; Suppl. 4, 22691–22757.

S. Lancel, E. Lipiński, s.v. G., DCPP, 190 · K. Vössing, Unt. zur röm. Schule, Bildung, Schulbildung im Nordafrika der Kaiserzeit, 1991, 54f.   W.HU.

Gigurri (Georres, Giorres). In Valdeorras am oberen Sil (Prov. Orense) hat man die Inschr. ILS I 2079 gefunden, auf der ein röm. Soldat mit dem kelt. Beinamen (nach [2. 1089]) *Reburrus* als *Gigurrus Calubrigensis* gen. wird. Calubriga ist der (nach [1. 705]) kelt. Name einer unbekannten Stadt (Vermutungen darüber bei [3. 95]). Der asturische Stamm der G. wird mehrfach erwähnt (Plin. nat. 3,28; Ptol. 2,6,37; Geogr. Rav. 4,45). Da Valdeorras im MA Val de Geurrez oder Jurrez hieß (s. [3] und ILS a.O.), ist nicht zu bezweifeln, daß die G. hier seßhaft waren, ebenso daß die öfters gen. westgot. Münzstätte Georres oder Giorres [4. 13, 237, 253, 281] identisch ist mit Valdeorras; s. auch [5. 24].

1 Holder 1 2 Holder 2 3 A. Schulten, Los Cántabros y Astures y su guerra con Roma, 1943 4 A. Schulten, Fontes Hispaniae Antiquae 9, 1947 5 Enciclopedia Universal Ilustrada 26.

Tovar 3, 112f.   P.B.

Gilda. Stadt in der *Mauretania Tingitana*, nordwestl. von Volubilis, vielleicht mit Souk el-Arba von Sidi Slimane zu identifizieren. Belegstellen: Mela 3,107; Ptol. 4,1,13 (Σίλδα); Itin. Anton. 23,4; Steph. Byz. s.v. Γίλδα; Geogr. Rav. p. 43,3 (?).

M. Euzennat, Les voies romaines du Maroc ..., in:
M. Renard (Hrsg.), Hommages à A. Grenier II (Coll.
Latomus 58), 1962, 599f. W. HU.

Gildas.

Ältester Geschichtsschreiber der Briten mit
dem Beinamen *Sapiens*. G. war ein romanisierter Kelte
aus dem westlichen Britannien, wurde vor 504 n. Chr.
geboren und verfaßte vor dem Jahre 547 als ein der röm.
Kultur völlig verbundener Christ die für die Geschichte
der Insel während und nach dem Untergang der Römerherrschaft wichtige Schrift *De excidio et conquestu
Britanniae*. Einer Landesbeschreibung folgt die Gesch. in
röm. Zeit unter Betonung der kirchengesch. Ereignisse.
Die Invasion der Angelsachsen wird als Strafe Gottes
interpretiert, die Unmoral der führenden Schichten als
Ursache für das Elend der nachröm. Zeit. G. starb 569;
er soll das Kloster St. Gildas de Rhuys in der Bretagne
begründet haben und wurde heilig gesprochen.

Ed.: MGH AA 13.
Lit.: M. Winterbottom, The Ruin of Britain and Other
Works, 1978. K. P. J.

Gildilas.

Ostgote, *comes Syracusanae civitatis* im J. 526/7
n. Chr., Befehlshaber über die Provinz Sicilia, bekannt
aus zwei Briefen des → Athalaricus (Cassiod. var. 9,11;
14), der dort dem *comes Gotharum* G. aufgrund von Miß-
ständen in der Steuererhebung und in Rechtsentschei-
dungen mit Amtsenthebung drohte. M. MEI. u. ME. STR.

Gildo.

Sohn des maurischen Königs Nubel und Bruder
des Firmus (Amm. 29,5,6), geboren vor 330 n. Chr.,
hingerichtet am 31. Juli 398. Bei der Rebellion seines
Bruders Firmus unterstützte G. 373–375 den *magister
militum* Theodosius und zeichnete sich aus durch die
Verhaftung des *vicarius* des Romanus, Vincentius, und
zweier aufständischer Führer, Belles und Fericius
(Amm. 29,5,6; 21; 24). Etwa 386 wurde G. zum *comes
Africae* erhoben (Oros. 7,36). Zu dem Usurpator Maximus, mit dem zusammen er im Kampf gegen Firmus
gedient hatte, unterhielt er zunächst freundschaftliche
Beziehungen. Als Maximus 388 jedoch in Italien einfiel,
gelang es Kaiser Theodosius I., G. für sich zu gewinnen.
Nach erfolgreicher Niederschlagung des Usurpators erhielt G. wohl zum Dank den außerordentlichen Titel
eines *comes et magister utriusque militiae per Africam*, der
durch ein Gesetz des Jahres 393 bezeugt ist (Cod.
Theod. 9,7,9). Die zögerliche Loyalität des Mauren versuchte Theodosius außerdem durch die Vermählung
von G.s Tochter Salvina mit Nebridius, dem Neffen der
→ Flacilla, zu festigen.

Seit 386 herrschte G. in Africa wie ein König (Claud.
bellum Gildonicum 157: *privato iure*). Ab 388 unterstützte er den Donatistenbischof Optatus und trug so maßgeblich dazu bei, daß der Donatismus zur stärksten Kon-
fession Africas aufstieg.

In den folgenden Jahren verstand G. es geschickt, die
röm. Kaisergewalt in seinem Sinne zu manipulieren und
zu schwächen. Als Eugenios 393/4 rebellierte, ließ er

dem Usurpator zunächst weiterhin die Getreidelieferungen zukommen und leistete im folgenden Krieg
dem Theodosius, dem er formal weiterhin unterstand
(Cod. Theod. 9,7,9), keine Waffenhilfe, sondern warte-
te den Ausgang der Auseinandersetzung in Neutralität
ab (Claud. bellum Gildonicum 241–252). Nach Theodosius' Tod setzte G. Honorius unter Druck, indem er
die Getreidelieferungen nur unregelmäßig abgehen ließ
und so in Rom ständigen Mangel verursachte (Claud.
ebd. 17f.; 34). Den Produktionsüberschuß verkaufte G.
zugunsten seiner Privatschatulle und häufte so riesige
Reichtümer an. Als Stilicho eine mil. Reaktion plante,
kündigte G. 397 Honorius die Gefolgschaft und unterstellte sich dem Ostkaiser Arcadius, woraufhin der röm.
Senat ihn zum Staatsfeind (*hostis publicus*) erklärte
(Symm. epist. 4,5). Noch im Winter 397/8 wurde ein
Vorauskommando unter G.s Bruder Mascezel nach
Africa gesandt, dem bei Theueste überraschend der Sieg
gegen G.s Truppen gelang. Nach G.s Hinrichtung wurden seine Güter konfisziert, die so umfangreich waren,
daß zu ihrer Verwaltung das Amt des *comes Gildoniaci
patrimonii* eingerichtet wurde.

PLRE 1, 395f. · H. J. Diesner, Gildos Herrschaft und die
Niederlage bei Theueste (Tebessa), in: Klio 40, 1962,
178–186 · W. H. C. Frend, The Donatist Church, 1952 ·
C. Gebbia, Ancora sulle »rivolte« di Firmo e Gildone, in:
A. Mastino (Hrsg.), Atti del V convegno di studio su
»L'Africa romana«, 1988, 117–129 · Y. Modéran, Gildon,
les Maures et l'Afrique, in: MEFRA 101,2, 1989, 821–867.
M. R.

Gilgamesch, Gilgamesch-Epos

(Gilgameš, Gilga-
meš-Epos). G., sagenhafter Herrscher von → Uruk in
Südmesopotamien; in der Überl. mit dem Bau der um
2900 v. Chr. entstandenen, 9 km langen Stadtmauer von
Uruk in Verbindung gebracht. Nichtlit. Quellen erwähnen G. bereits um 2700 v. Chr. Die Herrscher der aus
Uruk stammenden 3. Dyn. von Ur (21. Jh. v. Chr.) behaupteten, mit G. genealogisch verbunden zu sein, und
pflegten daher die von G. und seinen ebenfalls sagenhaften Vorgängern (→ Epos) überl. Geschichten zur
Verherrlichung und Legitimation der Dyn. (→ Genealogie). Die schriftliche Gestaltung des G.-E. in fünf Ein-
zelepen in sumer. Sprache, aus Abschriften des 18. Jh.
v. Chr. bekannt [2. 540–559], erfolgte im 21. Jh. Im
19./18. Jh. entstand eine einheitliche, ca. 1000 Verse
umfassende akkad. Version, Grundlage für die weitere
Überl., die sich in einmaliger Weise über mehr als 1500
J. verfolgen läßt [2. 640–744]. Das G.-E. wurde auch
außerhalb Mesopotamiens rezipiert. Neben akkad. Fr.
(15. Jh. v. Chr.) fanden sich in Kleinasien in → Ḫattuša
Tafeln mit einer hethit. und einer hurrit. Version (13. Jh.
v. Chr.), ferner in Megiddo (Palästina) ein akkad. Fr.
(14. Jh. v. Chr.). Die umfangreichste und vollständigste
Fassung (12 Tafeln mit ca. 3000 Versen), im 13./12. Jh.
v. Chr. entstanden, stammt aus der Bibliothek des
→ Assurbanipal (7. Jh. v. Chr.). Als ihr Schöpfer gilt ein
gewisser Sin-leqe-uninni. Diese oder andere leicht ab-

weichende Fassungen aus dem südl. Mesopot. (7.–4. Jh. v. Chr.) hinterließen Spuren bei griech. (Ail. nat. 12,21) und syr. Schriftstellern [3. 87–89].

Zentrales Thema des Epos ist die Suche des G. nach bleibendem Ruhm. Dazu zieht er mit seinem Gefährten Enkidu nach dem Zedernwald (Libanon), um Holz für eine Tempeltür als Weihgabe für den Gott → Enlil zu fällen. Dabei erschlagen sie Ḫuwawa, den Wächter des Waldes. Nach ihrer Rückkehr begehrt Ištar (→ Astarte), die Stadtgöttin von Uruk, G. zum Gemahl. Von ihm abgewiesen, läßt sie den Himmelsstier gegen G. kämpfen, der jedoch von G. und Enkidu getötet wird. Als Folge dieser frevelhaften Tat siecht Enkidu dahin und stirbt. G., dessen Suche nach Ruhm plötzlich Einhalt geboten und der mit der Realität des Todes konfrontiert wird, begibt sich auf die vergebliche Suche nach dem immerwährenden Leben. Die 11. Tafel, die u. a. auch die Sintflutgesch. enthält (→ Atraḫasis), schließt mit dem Hinweis auf die von G. erbaute Stadtmauer von Uruk, die seinen Ruhm der Nachwelt künden solle. Die 12. Tafel, eine Übers. des sumer. Epos ›Tod des G.‹, ist angefügt. Die akkad. Version des G.-E. stellt gegenüber den sumer. Vorläufern – mit vorwiegend histor. und auf den Kult bezogenen Aitiologien – eine Transformation in ein lit. Genre dar, dessen Ziel didaktischer Natur ist: Den Göttern wohlgefälliges Verhalten wird belohnt, frevelhaftes bestraft; dem Tod als Schicksal des Menschen kann niemand entgehen. Was bleibt, ist die Erinnerung an herausragende Taten.

Seit Bekanntwerden des Epos Ende des 19. Jh. hat der Stoff große Beachtung gefunden (u. a. R. M. RILKE, A. STRINDBERG, H. H. JAHNN). Die Gesch. um G. sind Gegenstand von szenischen Aufführungen (R. WILSON, The Forrest), historisierenden Romanen sowie von (illustrierten) Kinder- und Jugendbüchern; Übers. in alle wichtigen Weltsprachen.

1 D. O. EDZARD et al., s. v. G.-E., Kindler 18, 636–647 (mit Lit.) 2 D. O. EDZARD, K. HECKER, W. H. P. RÖMER, TUAT 3, 1993/4 (Übers., mit Lit.) 3 T. JACOBSEN, The Sumerian Kinglist, 1939.   J. RE.

Gilgamos s. Gilgamesch, Gilgamesch-Epos

Gillium. Ort in der *Africa proconsularis*, westl. von → Thubursicum Bure gelegen, h. Henchir Frass. Inschr.: Revue Tunisienne 6, 1899, 447 (neupun.); CIL VIII Suppl. 4, 26222–26236 (*decuriones Gillitani*, 3. Jh. n. Chr.). Victor Tonnennensis erwähnt für die J. 553 und 557 einen Abt des *monasterium Gillense* bzw. *Gillitanum* (Chronica Minora II p. 203, 553,1; 204, 557,2).

AATun (1:50 000), Bl. 32, Nr. 11.   W. HU.

Ginster (*ginestra*) umfaßt mehrere meist gelbblühende Strächergattungen der Tribus Genistae der Leguminosen. Es handelt sich um Genista L., die Stech-G. Ulex und Calycotome (→ Aspalathos) sowie bes. den Pfriemen-G. Spartium junceum L. (σπάρτον/*spárton*: Hom. Il. 2,135; σπαρτίον/*spartíon* und σπάρτη/*spártē*: Dios-

kurides, 4,154 p. 2,300 WELLMANN = 4,155 p. 454 BERENDES; zur Anpflanzung Colum. 4,31,1 und 11,2,19). Von dieser Art nutzt man seit der Ant. die langen, kaum beblätterten Äste zu Flechtwerk, den Bast zu Tauen, z. B. für das Anbinden von Weinreben (Colum. 4,13,2) und Geweben (vgl. Plin. nat. 19,15), die Blüten und Samen offizinell. Das im Pfriemen-G., im west- und mitteleurop. Besen-G. Sarothamnus scoparius u. a. G.-Arten enthaltene Alkaloid Spartein wurde – ähnlich wie Nieswurz (*helleborus*) – als Abführ- und Brechmittel eingesetzt (Plin. nat. 24,65 f.). Den G. nahe verwandt sind der Goldregen Laburnum (*laburnum*: Plin. nat. 16,76 und 17,174), der Geißklee Cytisus L. (nicht identisch mit κύτισος) und der bes. als Bienenweide begehrte Schneckenklee Medicago arborea L. Die meisten G.-Arten sind charakteristisch für trockene Pflanzenges. wie der mediterranen Macchia und Phrygana, aber auch der Heidegebiete.   C. HÜ.

Gips (γύψος, *gypsum*) ist der Name sowohl für das Mineral Anhydrit als auch für die daraus durch Glühen hergestellte, mit Wasser anrührbare Masse. Der Abbau erfolgte an vielen Stellen, nach Theophrast (De lapidibus 64, [1. 82]), der auch Angaben zu den Eigenschaften des G. macht, u. a. auf Zypern, in Phoinikien und Syrien, in Thurioi, Tymphaia und Perrhaibia, nach Plutarch (mor. 914c) auch auf Zakynthos. Das Glühen beschreiben Theophr. l.c. 69 und Plin. nat. 36,182. G. wurde für das Verputzen von Wänden und Decken und unter Zusatz von Kalk und Sand für das *opus albarium*, das Material für Gesimse und Profile, verwendet (Plin. nat. 36,183; Vitr. 7,3–4). Derartige Stuckdekorationen kann man heute noch in Pompeii und Rom besichtigen. Plastiken aus G. waren nur selten verwendete Ersatzstücke (für das Zeusbild in Megara nach Paus. 1,40,3; für Dionysos in Kreusis nach Paus. 9,32,1) oder kurzlebige Dekorationen (SHA Sept. Sev. 22,3). Auch Kleinplastiken wurden aus G. gefertigt (Anecd. Bekk. 272,31; Etym. m. 530,11). Mumienporträts im röm. Ägypten bestanden aus bemaltem G. Goldschmiede fertigten daraus Modelle und Abgüsse für ihre Schmuckstücke [2; 3. 97].

Seit wann man G. für Abgüsse von Statuen benutzte, ist nicht genau ermittelbar (vgl. Plin. nat. 35,153), spätestens jedoch seit dem späten Hell. Die erste sichere Angabe darüber erwähnt den Abguß einer Statue in Kirrha für Ptolemaios Soter um 300 v. Chr. (Plut. mor. 984b). Eine erste Gesichtsmaske aus G. von einem Lebenden soll Lysistratos von Sikyon, Bruder des Lysippos, abgenommen haben (Plin. nat. 35,153). Ein ähnliches Verfahren, jedoch mit einem Wachsausguß einer G.-Form, wurde für die röm. Ahnenmasken verwendet. In der Technik schützte man Eisen durch einen Überzug aus Bleiweiß, Pech und G. vor Rost (Plin. nat. 34,150), die Kleiderschneider verwendeten tymphaischen G. an Stelle von Steinkreide für die Appretur von Kleidern (Plin. nat. 35,198). Man milderte strengen Wein durch Zusatz von G. oder Kalk (Plin. nat. 14,120; Colum.

12,28,3) und verschloß Amphoren, Fässer und andere Gefäße luftdicht mit G. (Colum. 2,10,16; 12,10,4 u.ö.). Auch legte man Früchte in G. als Konservierungsmittel ein (Theophr. l.c. 67) oder bestreute z.B. Weintrauben damit (Colum. 12,44,4) und überzog Äpfel (Plin. nat. 15,64).
→ Mineralien

1 D.E. EICHHOLZ (ed.), Theophrastus, De lapidibus, 1965 2 O. RUBENSOHN, Hell. Silbergerät in ant. Gipsabgüssen, 1911 3 A. IPPEL, Guß- und Treibarbeit in Silber, 1937.
C.HÜ.

Gir. Fluß, der im Hohen Atlas entspringt, vermutlich der Oued Guir. Zu ihm drang 42 n.Chr. C. → Suetonius Paullinus vor. Belegstellen: Plin. nat. 5,15 (*Ger*); Ptol. 4,6,13; 16; 31 (Γείρ); Geogr. Rav. p. 2,69; 3,14; 36,28; 37,11 (*Ger*); Claud. carm. 21,252 (*Gir*); Anon. Geographia Compendiaria 31 (GGM II 502; Γίρ).

H. DESSAU, s.v. G., RE 7, 1366. W. HU.

Giraffe. Der Herkunftsort der G. (Camelopardalis girafa) wird in den ant. Quellen unterschiedlich angegeben: Agatharchides (De mare rubro = Phot. bibl. 250,455b 4 B.) sieht ihn bei den Troglodyten in Nubien, Plin. nat. 8,69 unter dem dortigen Namen *nabun* in Äthiopien, Artemidoros von Ephesos (Strab. 16,775) in Arabien, Paus. 9,21,2 aber in Indien. Der Name καμηλοπάρδαλις, *camelopardalis* (-*parda*, -*pardala*) rührt von Ähnlichkeiten mit Kamel und Panther her: ›sie hat die Figur eines Kamels, aber die Flecken eines Panthers‹ (Varro ling. 5,100; vgl. Agatharchides; Hor. epist. 2,1,195: *diversum confusa genus panthera camelo*; Plin. nat. 8,69). Agatharchides liefert eine gute Beschreibung u.a. des zum Abweiden von Bäumen geeigneten überlangen Halses, Artemidoros preist die (von Strabon angezweifelte) unübertreffliche Schnelligkeit und Wildheit (vgl. Opp. kyn. 3,461ff. und ausführlich Heliod. Aithiopiaka 10,27f.).

In Ägypten jagte man sie seit Jahrtausenden [1], aber erst Agatharchides und Artemidoros (2./1. Jh. v.Chr.) erwähnen sie. Der Festzug von Ptolemaios II. zeigte zum erstenmal ein Exemplar (Athen. 5,201c). 46 v.Chr. war sie im röm. Triumphzug Caesars nach Hor. epist. 2,1,198 (vgl. Varro; Plinius und Cass. Dio 43,23,1–2) ein bes. Schaustück. 10 G. traten bei den Säkularspielen 247 n.Chr. auf. Die genauen Beschreibungen deuten auf mehrfache Schaustellungen hin. Ein Wandgemälde in Rom [2. Bd. 1, 284f., Abb. 90] zeigt sie realistisch, mit einer Glocke am Hals, geführt von einem Schwarzen. Ein Sarkophag mit dem ind. Triumph des Dionysos bietet eine gelungene Darstellung [3. 128 und Taf. 65].

1 H. KEES, HbdOr, 1. Abt., 1. Bd. 2 KELLER 3 TOYNBEE.
C.HÜ.

Gisco, Giskon s. Geskon

Gitiades. Bronzebildner aus Sparta, wo er Tempel und Kultbild der Athena *Poliúchos kaí Chalkíoikos* schuf sowie umfangreiche myth. Szenen in Bronzereliefs (Paus. 3,17,2). Letztere waren vermutlich an den Wänden des Tempels angebracht, nach Ausweis späterer Münzwiedergaben war auch das Gewand der Athena-Statue mit Reliefs versehen. G. hatte außerdem einen Hymnos an Athena verfaßt. In Amyklai sah man von ihm zwei Bronzedreifüße mit Aphrodite und Artemis als Stützfiguren, die aus der Beute eines Messenischen Krieges geweiht worden seien (Paus. 3,18,7). Histor. Daten fehlen jedoch, so daß die Schaffenszeit des G. nur aufgrund des Münzbildes in das 6. Jh. v. Chr. anzusetzen ist.

OVERBECK, Nr. 357–359 (Quellen) · L. LACROIX, Les reproductions de statues sur les monnaies grecques. La statuaire archaïque et classique, 1949, 217–218, Taf. 18, 1 · B. S. RIDGWAY, The Severe Style in Greek Sculpture, 1970, 72, Nr. 6–7 · M. HERFORT-KOCH, Archa. Bronzeplastik Lakoniens, 1. Beih. Boreas, 1986, 26, 69 · FUCHS/FLOREN, 215 · J. J. POLLITT, The Art of Ancient Greece. Sources and Documents 2, 1990, 26, 241. R. N.

Giza. Residenznekropole des AR (2700–2190 v.Chr.) in Äg. auf einem markant vorgeschobenen Plateau der libyschen Wüste westl. von Kairo. Den Platz prägen die Pyramidenanlagen der Könige → Cheops, → Chefren und → Mykerinos aus der 4. Dyn. (ca. 2600–2400 v.Chr.); sie sind umgeben von den → Mastabas und Felsgräbern der königlichen Familienangehörigen und hohen Beamten. Nach der 4. Dyn. wurde der Friedhof bis zum Ende des AR durch Privatgräber, v.a. Gräber der an den alten Totenkulten beschäftigten Priester intensiv weiter belegt. Im MR (1900–1680 v.Chr.) war G. praktisch verlassen, im NR (1550–1070 v.Chr.) erhielt der Platz u.a. aufgrund seiner Nachbarschaft zur nördl. Hauptstadt → Memphis neue Popularität mit der Verehrung des → Harmachis an der großen Sphinx. Als → Weltwunder waren die Pyramiden von G. in griech.-röm. Zeit Ziel eines lebhaften Tourismus und wurden vielfach beschrieben und kommentiert (z.B. Hdt. 2,124–135; Diod. 1,63–64; Strab. 17,1,33–34; Plin. nat. 36,12).

C. M. ZIVIE, s.v. Gisa, LÄ 2, 602–614. S. S.

Glabrio. Röm. Cognomen (»Kahlkopf«, vgl. *glaber*) in der Familie der Acilii (→ Acilius [I 10–13]; [II 6–9]), in der Kaiserzeit auch bei weiteren Familien.

DEGRASSI, FCIR 254 · KAJANTO, Cognomina 236. K.-L. E.

Gladiator. Die Römer übernahmen den Brauch, G. bei Leichenbegängnissen zum Ruhme Verstorbener kämpfen zu lassen, aus dem etr. Campanien. Anläßlich der Bestattung des Brutus Pera 264 v.Chr. traten G. erstmalig in Rom auf (Val. Max. 2,4,7). Die aristokratischen *gentes* überboten einander in der Ausgestaltung ihrer Leichenbegängnisse; so stieg die Anzahl der eingesetzten G. stetig an. Die scharfe Konkurrenz um die Ämter förderte in der späten Republik die Tendenz, die

G.-Kämpfe (→ *munera*) von den Leichenbegängnissen
abzutrennen, um sie nachzuholen, sobald ein Wahlkampf bevorstand. Man versuchte, diese Instrumenta-
lisierung zu unterbinden (*lex Tullia de ambitu*, Cic. Sest.
133). Seit 42 v. Chr. gaben bestimmte Magistrate bei
offiziellen Spielen auch G.-Kämpfe (Cass. Dio 47,40,6;
54,2,3 f.; Suet. Claud. 24,2). Deren Durchführung wurde seit Caesar reichsweit geregelt (ILS 6087,70 f.; Suet.
Tib. 34,1). Als G. dienten Kriegsgefangene, Schwer-
verbrecher und auch Sklaven sowie Freiwillige, die sich
durch einen Eid für die Dauer ihres Vertrages in einen
sklavenähnlichen Zustand begaben (Sen. epist. 37,1 f.).
Sie wurden in einem *ludus gladiatorius* ausgebildet, dessen Besitzer sie an Spielgeber (*editores*) vermietete. Die
G. waren seit der frühen Prinzipatszeit unterschiedlich
ausgerüstet und bewaffnet: Die *retiarii* etwa kämpften
mit Netz und Dreizack, die *myrmillones* mit kurzem
Schwert und Rundschild. Bei den Kämpfen standen
sich G. – oft paarweise, aber auch in größeren Gruppen
– mit verschiedenen Waffen gegenüber (Suet. Cal.
30,3). Überlebten G. drei Jahre, dann brauchten sie
nicht mehr in die Arena und erhielten als Zeichen ein
Holzschwert (*rudis*); sie blieben noch zwei weitere Jahre
im *ludus* bis zur → Freilassung (Coll. 11,7,4). Danach
unterlagen sie der → *infamia*, waren also von aller öffentlichen Betätigung (ILS 6085) und auch vom Militärdienst ausgeschlossen.

G.-Kämpfe wurden meist in → Amphitheatern ausgetragen, im hell. Osten auch im Theater. Sie waren
weder mit dem Kult der Götter, noch mit dem der Toten zeremoniell verbunden. Der Kampf endete, sobald
ein G. den Finger hob (Mart. Liber spectaculorum 27).
Die Zuschauer signalisierten, ob der Besiegte Gnade
(*missio*) oder Tod verdiente; der *editor* entschied (Mart.
ebd. 20). Die Gladiatur stellte die Überlegenheit der
röm. Ordnung über ihre Feinde dar; Disziplin, Technik
und Todesverachtung – die kriegerischen Werte der
röm. Kultur – garantierten den Sieg (Cic. Tusc. 2,41;
Plin. Panegyricus 33). Sogar Ausgestoßene waren wür-
dig, in die röm. Ges. (wieder) aufgenommen zu werden, falls sie in der Arena bewiesen, daß sie jene Werte
verinnerlicht hatten. Bürger und Spielgeber feierten
ihre Verbundenheit mit den röm. Grundwerten; die
Bürger prüften, ob der Spielgeber dieselbe Vorstellung
von *virtus* (Tapferkeit), von *clementia* (Milde) und letztlich von *iustitia* (Gerechtigkeit) hatte wie sie (Tac. ann.
1,76,3 f.). Bei keinem anderen Ritual konnten die Bürger so eindringlich ihren polit. Konsens – in Rom mit
dem Kaiser, in den Provinzen mit der Lokalaristokratie –
demonstrieren; deswegen äußerten sich die röm. Autoren zwar verächtlich über das Theater, schätzten aber
die Gladiatur fast ausnahmslos hoch ein.

Die Gladiatur breitete sich im ganzen Imperium
rasch aus, auch im hell. Osten fand sie begeistert Aufnahme. Selbst in den Städten It.s wurden Gladiatorenspiele veranstaltet (Petron. 45,11–13), und in Pompeii
sind G. auf vielfältige Weise arch. belegt. Um die polit.
Symbolik der Gladiatur aufrechtzuerhalten, griffen die

Kaiser immer wieder gesetzlich ein; sie verboten Kämpfe *sine missione* (ohne Begnadigung, vgl. Suet. Aug.
45,3), weil diese das Ritual um seinen polit. Sinn brachten; sie versuchten, Angehörige der Reichsaristokratie
daran zu hindern, als G. aufzutreten, weil das die polit.
Trennlinie zwischen den Verfemten und den Bürgern
aufweichte und die gesamte Aristokratie in den Augen
der Bürger disqualifizierte (Cass. Dio 48,43,3). Einzelne
Principes begünstigten bestimmte Gruppen der G., so
Titus oder Domitianus (Suet. Tit. 8,2; Dom. 10,1). Als
einziger Princeps kämpfte Commodus öffentlich als G.,
jedoch mit Holzschwert und ohne zu töten (Cass. Dio
72,17,2); er wollte den Siegernimbus der Arena in die
kaiserliche Majestät aufnehmen; doch das hauptstädti-
sche Volk verließ bei solchen Auftritten des Kaisers das
Amphitheater (Cass. Dio 72,17,2; 72,20,2; 72,22,3). In
der Lit. wurden Oberschichtsangehörige, die als G. trai-
nierten, oder Frauen, die eines G. wegen ihre Ehe aufgaben, scharf kritisiert (Iuv. 8,199–210; 2,143–148;
6,78–113). Obgleich es auch kritische Stimmen zu einzelnen Auswüchsen gab (Cic. Tusc. 2,42; Sen. epist. 7),
wurde die Gladiatur niemals grundsätzlich abgelehnt.
Christl. Autoren prangerten sie an, weil sie der Seele der
Zuschauer schade; um die G. selber ging es ihnen nicht.
Die Gladiatur erlosch zu Anfang des 5. Jh. n. Chr., weil
die Beschaffung von G. immer schwieriger und die
Veranstaltungen zu teuer wurden.

Zahlreiche Mosaiken mit Szenen von G.-Kämpfen
aus Villen in It. und den Prov. (z. B. Tusculum, 3. Jh.
n. Chr., Rom, Villa Borghese; Nennig; Augst; Villa di
Dar Buc Amméra, Africa Proconsularis) sind ein Beleg
für die Attraktivität dieses Themenbereiches.
→ Munera; Schauspiele

1 J.-C. GOLVIN, C. LANDES, Amphithéâtres et gladiateurs,
1990   2 K. SCHNEIDER, s. v. Gladiatores, RE Suppl. 3,
760–784   3 G. VILLE, La gladiature en occident, 1981
4 Ders., Les jeux de gladiateurs dans l'empire chrétien, in:
MEFRA 72, 1960, 273–335   5 TH. WIEDEMANN, Emperors
and Gladiators, 1992.   E. F.

Gladiatorius ludus s. Gladiator, s. Munera

Gladius s. Schwert

Glagolitisch (Glagolica). Das ältere der beiden slav.
Alphabete, das von Konstantinos (mit dem Mönchsna-
men → Kyrillos) erfunden wurde. Bis zum 18. Jh. hat
man die Herkunft des G. mit der Tätigkeit des Hieronymus (342–429) als *doctor maximus* und Schutzpatron
von Dalmatien [13. 111] in Verbindung gebracht, dem
einige slav. verf. Apokryphen [12. 7, 26, 27] zugeschrieben werden. ASSEMANUS [1] setzte als erster die These
durch, daß Konstantinos-Kyrillos mit Sicherheit der
Erfinder des G. ist, was h. allg. als gültig angenommen
wird.

Als einzige Quelle berichtet die *Vita Constantini* (VC)
[6] darüber, wie Konstantinos ein Jahr vor seinem Auftrag, in Mähren zu missionieren (863), die slav. Schrift-

zeichen aufsetzte und das evangelische Kerygma ins Slav. übertrug – ›dank der Offenbarung Gottes‹ (VC 14,9). Das umstrittene Entstehungsdatum ist dem Traktat *O pis'meněch* des Mönches (mit Pseudonym) Chrabr (›im J. 6363 der Schöpfung‹) oder dem *Skazanie iz 'javlenno o pismenech* von Konstantinos Kostenečki, E. 14.–15. Jh., zu entnehmen (›im J. 6370 der Schöpfung‹). Man kann das Datum (n. Chr.) nach der in Konstantinopel maßgeblichen Ära »von der Erschaffung der Welt«, die Christi Geburt in J. 5508 verlegte, oder nach der Ära von Antiocheia und Alexandreia (Christi Geburt im J. 5500) errechnen. Nach der Unt. der älteren slav. Chronologie durch Ratkoš [11. 350–357] wäre der Zeitraum dann zwischen dem 1.09.861 und dem 24.03.863 als Entstehungsdatum des G. zu präzisieren.

Es mangelt auch nicht an Quellen, aus denen man die g. Schriftzeichen »ableiten« möchte. Ein breites Spektrum von Erklärungen – von der mystischen Kraft der Offenbarung, die mit der Hand des Konstantinos in jedem g. Buchstaben 100 Jahre bulgarische Gesch. ›versiegelte‹ [15. 128–135], über das ›von Konstantinos ausgedachte‹ geom. Figur-Modul [9. 118–142] und die integrierte christl. Symbolik (Kreuz, Kreis, Dreieck) bis zu den graphischen Auswirkungen griech., lat., phoinik., aram., hebr. u. a. Schriften – verdunkelt das »Mysterium« des Ursprungs.

Die ältesten g. Inschr. (9.–10. Jh.) sind in der »runden Kirche« und im Zarenpalast in Preslav (Ostbulgarien) gefunden worden, so z. B. das älteste g. *Abecedarium Bulgaricum* (10. Jh.) [5. 45; 10. 139–164]. Das G. war vom 9.–12. Jh. im SW Bulgariens (Ochrid), in Dalmatien und auf den Adriainseln stark verbreitet, weniger dagegen im Osten Bulgariens (Preslav) und in Großmähren; später wurde G. auch als Geheimschrift (tajnopis') benutzt [14. 1929].

1 J. Assemanus, Kalendaria ecclesiae universae, 1755 2 I. Duridanov et al., Gramatika na starobălgarskija ezik, 1991, 19–73 3 T. Eckhardt, Azbuka. Versuch einer Einführung in das Studium der slav. Paläographie, 1989 (bes. 31–48 und Nachwort) 4 Ders., Theorien über den Ursprung der Glagolica, in: Slovo (Zagreb) 13, 1963, 87–117 5 I. Gošev, Starobălgarskite glagoličeski i kirilski nadpisi ot IX i X vek, 1961 6 F. Grivec, F. Tomšič, Constantinus et Methodius Thessalonicenses. Fontes, 1960 7 V. Jagić, Enciklopedija slavjanskoj filologii. III. Glagoličeskoe pis'mo, 1911, 51–229 8 P. Ilčev, Azbuki, Glagolica, in: P. Dinekov, Kirilo-Metodievska Enciklopedija, 1985, 34–49, 491–509 9 V. Iončev, O. Iončeva, Dreven i săvremenen bălgarski šrift, 1982 10 R. Marti, Slav. Alphabete in nicht-slav. Hss., in: Kirilo-Metodievski studii, knižka 8, 1991, 139–164 11 P. Ratkoš, L'ère d'Antioche et l'ère de Constantinople dans quelques ouvrages vieux slaves, in: Byzantinoslavica 27, 1966, 350–357 12 F. Repp, Untersuchungen zu den Apokryphen der Österreichischen Nationalbibliothek, in: Wiener Slavistischer Almanach 6, 1957/8, 5–34 13 K. Rösler, St. Hieronymus, ein Mittelpunkt der Kroaten in Rom, in: Wiener Slavistischer Almanach 5, 1956, 110–115 14 M. Speranskij, Tajnopis' v jugoslavjanskich i russkich pamjatnikach pis'ma, in: Enciklopedija slavjanskoj filologii, 4,3, 1929 15 M. Vezneva, Svrăchsetivno poznanie. Zapiski na edin extrasens, 1991, 85–135 16 J. Vereecken, Nazvanija glagoličeskich bukv i judeo-christianskaja tradicija, in: Palaeobulgarica 19,1, 1995, 5–14. L.D.

Glanis

[1] Der Wels (Silurus glanis), ein (bis zu 3 m langer) Süßwasserfisch. Aristot. hist. an. 8(9),37,691 a20–b2 beschreibt die Brutpflege des *glánis*, dessen Name über die arab.-lat. Übersetzung des Michael Scotus als *glanieuz* ohne wirkliche Kenntnis des Tieres an Thomas von Cantimpré (*glamanez monstrum* [1] 6,26) und Albertus Magnus (*garcanez*, animal. 24,35 [2]) weitergegeben wurde. Man schrieb ihm, vielleicht wegen seiner angeblichen Attacken auf Fischernetze, Verbindung zu bösen Dämonen zu [3. 1 § 458].

1 H. Boese (ed.), Thomas Cantimpratensis, Liber de natura rerum, 1973 2 H. Stadler (ed.), Albertus Magnus, De animalibus, 2, 1920 3 Hopfner. C. HÜ.

[2] (Γλάνις). Bei Aristophanes (Equ. 1004; 1035; 1097; vgl. Suda s. v.) Name eines Propheten; sein jüngerer Bruder heißt Bakis. Der Name ist wohl fiktiv und läßt sich (s. *glánis* [1]) den ἄνδρες ἰχθυομάντεις (*ándres ichthyománteis*, »Fischwahrsager«) zuordnen, die bei Athenaios (8,333d) für Lykien erwähnt werden. JO. S.

Glannaventa (h. wohl Ravenglass/Cumbria). Das Lager wurde zu Anf. der Herrschaft des Hadrianus an einem Ankerplatz am Fluß angelegt (nicht ausgegraben); bes. auffallend ist ein außerhalb der Mauern gelegenes Badehaus, von dem noch Mauern mit Fensteröffnungen 3,5 m hoch anstehen. G. wurde wohl im späten 4. Jh. aufgegeben.

E. Birley, The Roman Fort at Ravenglass (Transactions of the Cumberland and Westmorland Archaeological Society 58), 1958, 14–30. M. TO./Ü: I. S.

Glanum. Stadt der *Gallia Narbonensis* (h. Saint-Rémy-de-Provence) im Gebiet der → Salluvii. An dem großen ost-westl. verlaufenden Handelsweg gelegen, der It. mit Spanien verband (die spätere *via Domitia*), verdankte G. seine Bed. auch der Lage am Endpunkt der nord-südl. Straße, die G. die Kontrolle über den direkten Zugang zur Crau-Ebene ermöglichte. In der Nähe einer Heilquelle befand sich ein kelt.-ligur. Heiligtum, das dem Gott Glan und den → Matres [1] geweiht war. Die Wohnanlage und öffentl. Einrichtungen ziviler oder kult. Art entwickelten sich bes. im 2. Jh. v. Chr., so daß G. schon vor der röm. Eroberung wie eine Kleinstadt griech. Typs erscheint. Evtl. war sie zu → Massalia gehörig. Obwohl G. als die hellenisierteste Stadt der Provence gilt, haben neuere Ausgrabungen ihren salluvischen Charakter erwiesen [2; 3]. Die Zerstörungen zu hell. Zeit sind daher mit den röm. Interventionen von 125–124 und 90 v. Chr. in Beziehung zu setzen. Die eigentliche gallo-röm. Ära (49 v. Chr. bis E. des 3. Jh. n. Chr.) ist durch tiefgreifende Änderungen im städtischen Durchgangsverkehr gekennzeichnet. Vermutlich seit dem E. der Republik hatte G. den Status eines *oppidum Latinum*. Unter den röm. Überresten befinden sich ein Buleuterion, Heiligtümer, Häuser, ein Triumphbogen, das Denkmal der Iulii [4]. Die röm. Stadt wurde um 270 n.Chr. geplündert; christl. Friedhof bei den Thermen.

1 M.Lejeune, Recueil des Inscriptions gauloises 1, 1985, 76–78 2 A.Roth Congès, Nouvelles fouilles à G. (1982–1990), in: Journal of Roman Archaeology 5, 1992, 39–55 3 Dies., Le centre monumental de G., ou les derniers feux de la civilisation salyenne, in: M.Bats et al. (Hrsg.), Marseille grecque et la Gaule, 1992, 351–367 4 P.Gros, Le mausolée des Julii et le statut de G., in: Revue archéologique de Narbonnaise 19, 1986, 65–80.

C.Goudineau, s.v. Glanon, PE, 356f. · P.Gros, s.v. G., EAA 2, 795–797 · F.Salviat, G. et les Antiques, 1990.
                                   Y.L.

Glaphyra

[1] Hetäre des Priesterkönigs Archelaos [6] von Komana und Mutter des Archelaos [7], den → Antonius [I 9] 36 v.Chr. zum König von Kappadokien erhob (Cass. Dio 49,32,3; App. civ. 5,7). Octavianus tadelte das Verhältnis des Antonius mit G. (Mart. 11,20). OGIS 361.   ME.STR.

[2] Tochter des Königs Archelaos [7] von Kappadokien, Enkelin von G. [1], war in erster Ehe verheiratet mit Alexandros, dem ältesten Sohn König Herodes' I. von Mariamme, und geriet in die Familienintrigen bei Hofe. Nach der Hinrichtung ihres Mannes (7 v.Chr.) sandte Herodes sie zu ihrem Vater zurück. Sie heiratete König Iuba II. von Mauretanien und nach ihrer Scheidung den Stiefbruder ihres ersten Mannes, Herodes Archelaos, den Tetrarchen von Iudaea und Samaria. Die Ehe erregte Anstoß bei frommen Juden, weil G. von Archelaos' Halbbruder Kinder hatte, Tigranes und Alexandros (Ios. ant. Iud. 16,11; 193; 206ff.; 261ff.; 303; 328ff.; 17,11f.; 341; 349ff.; bell. Iud. 1,476ff.; 499ff.; 552f.; 2,114).   K.BR.

Glaphyrai

(Γλαφύραι). Der Schiffskatalog der *Ilias* (Hom. Il. 2,711ff.) nennt den Ort zusammen mit → Boibe und → Iolkos. Myth. Gründer war Glaphyros, Sohn des Magnes und Vater des Boibos. In histor. Zeit ist das Ethnikon Γλαφυρεύς für Beamte aus → Demetrias [1] belegt. So ist anzunehmen, daß G. bis in hell. Zeit existierte, obwohl Strab. 9,15,5 G. beim Synoikismos für Demetrias nicht erwähnt. Die genaue Lage von G. am Südufer des ehemaligen Boibe-Sees ist nicht gesichert.

M. di Salvatore, Ricerche sul territorio di Pherai, in: La Thessalie, quinze années de recherches archéologiques (1975–1990). Actes du colloque international, Lyon 1990, 1994, Bd. 2, 92–124 · F.Stählin, Das hellenische Thessalien, 1924, 61.   HE.KR.

Glas (ὕαλος oder ὕελος, *vitrum*) I. Methoden der Glasherstellung II. Glas im Alten Orient III. Frühe Techniken der Fertigung von Glasobjekten IV. Technik des Glasblasens V. Weitere Techniken der Glasverarbeitung VI. Glasfenster VII. Glas in Literatur und Kunst VIII. Keltisch-Germanisch

I. Methoden der Glasherstellung

G. ist ein Gemisch aus Kieselsäure (Siliciumdioxid, Quarz oder Quarzsand) und Alkali (Soda, Natron oder Pottasche) als Flußmittel [2; 7; 8]. Da in der Ant. offenbar unbekannt war, daß Alkali das Gemenge wasserlöslich macht, ist nur G. mit genügend Kalk erhalten, der diese Reaktion aufhebt. Hersteller von Rohglas (ὑελέψης oder ὑαλοψός) wußten aus Erfahrung, welcher Sand (ψάμμος ὑαλικός) oder welche kalkhaltige Pflanzenasche das G. dauerhaft machte.

Rohglas wurde bis in röm. Zeit nur in wenigen spezialisierten Zentren in Vorderasien, später in Ägypten hergestellt und in Barren zum Verarbeiter (ὑαλουργός, *vitrearius*) exportiert. Es entstand in einem zweistufigen Verfahren: Zuerst wurde aus den zerstoßenen Zutaten bei niedriger Temperatur um 850°C langsam Fritte gesintert, diese nach dem Abkühlen gemahlen und bei 1000–1100°C zu reinem G. geschmolzen. Die natürliche Farbe des G. ist ein durchsichtiges Grün von gelblicher bis bläulicher Blässe infolge der Verunreinigungen durch Eisen, jedoch ist das frühe G. wegen der niedrigen Schmelztemperaturen meist fast opak. Seit dem 16. Jh. v.Chr. wurde G. unter Zugabe von Metalloxiden in leuchtenden Farben produziert, seit dem 8. Jh. v.Chr. durch Hinzufügung von Antimon oder Mangan im Rohmaterial entfärbt.

Entdeckt wurde G. im späten 3. Jt. v.Chr. in Mesopotamien, wohl durch Experimente mit Fayence, aber erst aus dem 16. Jh. v.Chr. sind Gefäße bekannt. In Ägypten wurde G. seit Beginn der 18. Dyn. verarbeitet.
                                   G.PL.

II. Glas im Alten Orient

Bis in die Mitte des 1. Jt. v.Chr. handelt es sich bei allen Objekten aus G. um Natrium-Calcium-Gläser, hergestellt aus den Ausgangsstoffen Sand, Kalkstein und Soda (in Ägypten; in Vorderasien ersatzweise Pflanzenasche), hinzu kamen farbgebende Metalloxide. Das Material G. wurde als künstliche Nachahmung von Halbedelsteinen betrachtet. In Keilschrifttexten (Rezepten zur Herstellung von G.) wird G. entsprechend gekennzeichnet, die Terminologie lexikalischer Listen weist auf ältere (sumer.) Vorläufer der G.-Technologie, damit auf deren Wurzeln im 3. Jt. v.Chr. Vor dem 2. Jt. v.Chr. sind keine größeren Objekte aus G. belegt; auch sind erst aus dieser Zeit Rezepte zur Herstellung bekannt.

A.Lucas, Ancient Egyptian Materials and Industries, 1989 · P.R.S.Moorey, Ancient Mesopotamian Materials and Industries, 1994, 189–215.   R.W.

III. Frühe Techniken der Fertigung von Glasobjekten

Die frühesten Glasobjekte sind in der offenen Form geschmolzene Einlagen, Anhänger und Siegel. Gefäße wurden anfangs über einem Kern aus Ton und Sand geformt; dieser Kern konnte mit kaltem pulverisierten G. beschichtet, in Glasbrocken gemärbelt oder mit heißen Glasfäden umspult und zu diversen Dekors gekämmt werden. Nach Erkalten der Glashaut wurde der Kern entfernt. Solche kleinen Salbgefäße fanden dann zw. 550 v. Chr. und der augusteischen Zeit Verbreitung im gesamten Mittelmeergebiet.

Seit dem 8. Jh. v. Chr. wurden Gefäße aus Klarglas in der einteiligen Tonform geschmolzen: Diese wurde mit Glaskröseln gefüllt, erhitzt und nach Erkalten weggebrochen. Der massive Rohling wurde danach wie ein Gefäß aus Edelstein innen ausgebohrt (Sargon-Vase aus Nimrud). Mosaik- und Reticellaglas entstand aus gezogenen und tordierten Stäben verschiedenfarbigen G., das in Scheiben oder Bändern in der Form zu Mustern gelegt und verschmolzen wurde. Zwischengoldglas wurde durch Absenken zweier entfärbter Schalen heiß verbunden. Große Fußschalen und die Berliner Amphora aus Olbia erforderten einen mehrschrittigen Fusionsprozeß. Diese riskanten und komplizierten Verfahren kennzeichnen das hochgeschätzte hell. Luxusglas, wie es sich vielfältig und intakt in den Gräbern von Canosa in Apulien fand. Das hierfür bevorzugte klare Rohglas stammte vermutlich aus Sidon, berühmt für das Schmelzen bes. reinen G. aus dem Sand des Belos (Strab. 16,2,25; Plin. nat. 5,76).

IV. Technik des Glasblasens

Sidon gilt als Wiege des G. (Plin. nat. 36,190ff.), im jüdischen Viertel von Jerusalem wurden die frühesten Versuche des Glasblasens arch. nachgewiesen (2. Viertel des 1. Jh. v. Chr.). Die Entwicklung der Glaspfeife war eine technische Revolution, die Serienproduktion von Gefäßen verschiedener Größe und Funktion ermöglichte. Bereits um die Mitte des 1. Jh. v. Chr. war die neue Technik weit verbreitet, in augusteischer Zeit im ganzen röm. Reich. Bes. Becher und Fläschchen wurden in zwei- oder mehrteilige, reich dekorierte Formen aus Ton, Gips, Metall, Stein oder Holz geblasen; erstmals signierten Hersteller ihre weithin begehrten Produkte (Ennion, Aristeas u. a.).

Voraussetzung für die schnelle Verbreitung des G. war neben der Erfindung der Glaspfeife die Herstellung von honigflüssigem G. in geschlossenen Öfen mit anhaltend hoher Hitze über 1000° C. Reger Handel und die Zuwanderung von Handwerkern aus Palästina ließen in It. neue Glaszentren aufblühen, bald auch in den neuen Prov. des röm. Reiches, so z. B. in Köln mit den reinen Quarzsanden seiner Umgebung. Neben seriellem Geschirr (*vitrea*) und großen Urnen stellten alte wie neue Glaswerkstätten Gefäße aus frei geblasenem Klarglas her, wobei eine reiche Farbskala und ein großer Formenreichtum entfaltet wurde; die Dekors bestanden aus kontrastfarbenen eingemärbelten Bändern, Körnern

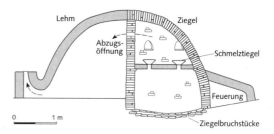

Röm. Glashütte bei Niederzier, Kr. Düren. Querschnitt durch rekonstruierten Ofen (4. Jh. n. Chr.).

oder Nuppen, aus gravierten, gemalten oder in Goldfolie geschnittenen Mustern, aus aufgelegten Fäden in Zickzack, als Netz oder in Schlangenlinien.

V. Weitere Techniken der Glasverarbeitung

Das Glasblasen hat frühere Techniken wie Formschmelzen und Absenken nicht sofort verdrängt; Mosaik-, Goldband- und Reticellaglas wurde vielmehr bis weit ins 1. Jh. n. Chr. produziert. Kameoglas, opakweißes oder mehrfarbiges Relief auf blauem Klarglas, wurde für flache Glaskameen und die großen Ariadne-Tafeln aus Pompeii aus Glasmehl und -kröseln in der Form verschmolzen. Strittig ist hingegen die Herstellung der → »Portlandvase« und anderer Gefäße aus Kameoglas, für die ein arbeitsteiliges Verfahren von Formschmelzen und Schneiden anzunehmen ist. Die alte Kunst des Glasschneidens und -gravierens erreichte im Hochschnittglas der frühen Prinzipatszeit, bes. aber in den Netzbechern und -schalen des 3./4. Jh. n. Chr. eine neue Blüte.

Auch die alte Technik des Zwischengoldglases lebte in der Spätant. auf, bes. in den »fondi d'oro«, Gefäßböden mit oft christl. Themen, die in röm. Katakomben als Grabschmuck verwendet wurden. In der Völkerwanderungszeit wurde die Glasverarbeitung im fränk.-merowing. und angelsächs. wie im byz. und islam. Machtbereich gepflegt. Nach dem Fall von Byzanz 1204 gelangte kostbares G. in den Schatz von San Marco in Venedig und belebte die dort seit frühröm. Zeit ansässige Glasproduktion.

VI. Glasfenster

Glasfenster (*specularia*) aus Klarglas sind für die Thermen der 79 n. Chr. verschütteten Vesuvstädte bekannt, aber schon die Großthermen des Agrippa (um 19 v. Chr.) und des Nero (um 62 n. Chr.) in Rom konnten nur verglast funktionieren (Sen. epist. 86,8; 86,11; 90,25). Voraussetzung für das Gießen und Ziehen des flüssigen G. in einer Metall- oder Holzform war der für das Glasblasen entwickelte Ofen. Scheiben von 20–100 cm Seitenlänge und 3–6 mm Stärke wurden in Sprossenrahmen aus Bronze, Blei, Stein oder Holz gesetzt. Sie veränderten auch die Fassaden der Villen (Plin. epist. 2,17,11; 2,17,21), dann der Castell- und Palastbauten bes. in den nördl. Prov., wo sich dünnes zylindergeblasenes Fensterglas fand (1,5–3 mm). In der Spätant. kamen außerdem runde geblasene »Butzenscheiben« auf (Dm 12–27 cm), die als farbiges Element auch byz. und islam. Bauten gestalteten.

VII. Glas in Literatur und Kunst

In der Lit. und Kunst fand die Entwicklung der Glasherstellung große Resonanz; auf Wandgemälden in Pompeii sind mehrfach durchsichtige Glasschalen mit Obst dargestellt, und eine Anekdote über einen Glasmacher, der angeblich unzerbrechliches G. herzustellen vermochte, wurde von mehreren Autoren erzählt (Petron. 51; Plin. nat. 36,195; Cass. Dio 57,21,7). Im philos. Diskurs wird auf die Erfindung des Glasblasens verwiesen (Sen. epist. 90,31), und ein Gedicht schildert die Arbeit des Glasmachers am Ofen (Anth. Gr. 16,323). Eine umfassende Beschreibung der Glasherstellung bietet Plinius (nat. 36,189–199). Glasmacher sind epigraphisch belegt, so etwa der aus Karthago stammende Iulius Alexander, der in Lugdunum starb (ILS 7648; vgl. 7647; 7649; in Rom: ILS 1778; 1779). In der Spätant. waren Glasmacher von den *munera* befreit (Cod. Theod. 13,4,2).

1 D. Baatz, Fensterglas, Glasfenster und Architektur, in: A. Hoffmann u. a. (Hrsg.), Bautechnik der Ant., 1991, 4–13 2 D. F. Grose, Early Ancient Glass. The Toledo Museum of Art, 1989 3 D. B. Harden (Hrsg.), G. der Caesaren, 1988 4 M. Newby, K. Painter (Hrsg.), Roman Glass: Two Centuries of Art and Invention, 1991 5 J. Price, Glass, in: Strong/Brown, 111–125 6 E. M. Stern, Roman Mold-blown Glass. The Toledo Museum of Art, 1995 7 E. M. Stern, B. Schlick-Nolte, Frühes G. der alten Welt, 1600 v. Chr.–50 n. Chr. Sammlung E. Wolf, 1994 8 M. Sternini, La fenice di sabbia. Storia e tecnologia del vetro antico, 1995 9 H. Tait (Hrsg.), Glass, 5000 years, 1991 10 J. Welzel, Becher aus Flechtwerk von Kristall, 1994.

G. PL.

VIII. Keltisch-Germanisch

Vereinzelt kommen Glasperlen nördl. der Alpen in der mittleren Brz. (15.–13. Jh. v. Chr.) in Hügelgräbern vor. In der späten Brz. (→ Urnenfelder-Kultur) werden im 10. bis 8. Jh. v. Chr. Glasperlen in der Schweiz und SW-Deutschland bereits in größerem Umfang lokal gefertigt. In der älteren → Hallstatt-Kultur des SO-Alpenraums (Krain) ist ein Glaszentrum im 7.–6. Jh. v. Chr. anzunehmen. In der jüngeren Hallstatt- und der frühen → Latène-Zeit (5.–4. Jh. v. Chr.) enthalten die reichen → Fürstengräber umfangreiche Glasperlenfunde, die evtl. am → Dürrnberg ein Herstellungszentrum hatten. In der Spätlatènezeit (E. 2. bis Mitte 1. Jh. v. Chr.) wird in den → Oppida (z. B. → Manching) Glasschmuck (Perlen und Armringe in unterschiedlichsten Farben und Formen) gewerbsmäßig (Rohglasbrocken) hergestellt. Gelegentlich wurden auch Glasgefäße (Schalen und Fläschchen) gefertigt oder aus dem Süden eingeführt. Bei den Germanen spielt die Glasherstellung keine Rolle; in den Fürstengräbern des 2. bzw. 3./4. Jh. n. Chr. sind jedoch häufig röm. Glasgefäße (Becher) beigegeben. Auf die röm. Glastradition geht die Glasherstellung der Franken zurück. Durch Bestimmung

der Glaskomponenten mit modernen naturwiss. Analyseverfahren wird – in größeren Serien – versucht, die Herstellungsverfahren (Farbgebung usw.) und die Produktionszentren zu ermitteln.

→ Germanische Archäologie; Handwerk; Keltische Archäologie; Schmuck

M. Feugère (Hrsg.), Le verre préromain en Europe occidentale, 1989 • Th. E. Haevernick, Beiträge zur Glasforschung, 1981 • K. Kunter, Schichtaugenperlen: Glasperlen der vorröm. Eisenzeit IV, 1995 • N. Venclová, Prehistoric Glass in Bohemia, 1990 • M. A. Zepezauer, Mittel- und spätlatènezeitliche Perlen: Glasperlen der vorröm. Eisenzeit III, 1993.

V. P.

Glasur. Moderner t. t. für eine spezielle Oberflächenbehandlung in der → Keramikherstellung, die aus einem Flußmittel von Blei- und Silizium-Oxyd besteht. G. findet sich nur bei wenigen ant. Keramikgattungen; früheste Beispiele begegnen im Mesopotamien des 3. Jt. v. Chr. Meist wird G. irrtümlich als t. t. für ant. Oberflächenbehandlungen benutzt, die auf einem stark geschlämmten Glanzton basieren [1]; G. ist darüber hinaus zu trennen von Gefäßen und Objekten der Kieselkeramik aus Quarzsand mit einer kupferhaltigen, glasurähnlichen Oberfläche (→ Fayence).

Zw. 50 v. Chr und 50 n. Chr. gibt es kleinasiatische → Reliefkeramik, die mit einer blaugrünen oder gelben G. überzogen ist. Diese Keramik wurde zweifach gebrannt; die G. wurde nach dem ersten Brand aufgetragen. Die grüne G. wurde durch Beimengung von Eisen- und Kupferoxyd im Verhältnis von 1:3 erreicht, die gelbe G. durch einen höheren Eisenoxyd-Anteil. Die Produktion ist für Tarsos und Smyrna bezeugt. Die glasierten Gefäße (Skyphoi, Kantharoi, Kelche und Kannen) spielen auf gleichzeitiges Silbergeschirr an; spätere Beispiele weisen auch Verbindungen zu gleichzeitigen Keramikgattungen auf. Eine dritte Gruppe von westkleinasiatischen Werkstätten fängt im späten 1. Jh. v. Chr. mit einfachen Gefäßformen an. In der ersten H. des 1. Jh. n. Chr. wird die Produktion auch in Oberitalien und Gallien aufgenommen. Die Verbreitung der G.-Keramik aus den kleinasiatischen Werkstätten umfaßt das gesamte Mittelmeergebiet und sogar Regionen nördlich der Alpen; die oberitalischen Werkstätten belieferten hauptsächlich nordalpine Orte.

1 A. Winter, Die ant. Glanztonkeramik. Praktische Versuche, 1978.

A. Hochuli-Gysel, Kleinasiatische glasierte Reliefkeramik (50 v. Chr. bis 50 n. Chr.) und ihre oberitalischen Nachahmungen, 1977 • O. S. Reye, Pottery Technology. Principles and Reconstruction, 1981, 40–56.

R. D.

Glauberg. Der G. ist ein frühkelt. (5. Jh. v. Chr.) Fürstensitz mit → Fürstengrab (mit Karte), der gut 30 km nördl. von Frankfurt/M. am Ostrand der Wetterau in Hessen liegt. Der G. ragt als Hochplateau ca. 150 m über die Ebene; er umfaßt eine Fläche von ca. 8 ha. Erste

Grabungen fanden bereits in den 30er Jahren statt, die in den 80er und 90er Jahren fortgesetzt wurden und die Bed. des Platzes erst richtig erhellten. Der G. war bereits im Neolithikum (5./4. Jt. v. Chr.) und der späten Brz. (10.–8. Jh. v. Chr.) besiedelt. In der späten → Hallstatt-Kultur und frühen → La-Tène-Zeit (5. Jh.) war der G. mit einer Holz-Stein-Erde-Befestigung umzogen. Ein riesiger Annexwall (Zusatzwall) bezog zusätzlich eine am Bergfuß gelegene Quelle ein. Er spielte noch in der spätkelt. Periode (2./1. Jh. v. Chr. → Oppidum?), in der Zeit der → Völkerwanderungen und der Merowinger-zeit sowie im hohen MA als Burg eine wichtige Rolle.

Am Südfuß des G. fand sich in den 90er Jahren der Rest eines riesigen Grabhügels mit Kreisgraben von fast 70 m Durchmesser, in dem zwei kelt. Krieger des 5. Jh. mit reicher Ausstattung – Gold, Bronzegefäße, Bewaffnung, Grabkammerbau usw. – bestattet waren (ein Kör-per-, ein Brandgrab), die deswegen als »Fürsten« gelten. Vor Abschluß der Restaurierung sind bereits reicher Goldschmuck (Hals-, Arm- und Fingerringe), jeweils eine Bronzekanne kelt. Produktion, prunkvolle Waffen (→ Schwert, → Schild, Lanzen), → Gürtel, → Fibeln usw. erkennbar, unter denen zwar viele mediterrane Elemente übernommen, aber bisher noch keine eigent-lichen Importe belegt sind.

Von herausragender Besonderheit am G. sind zwei → Stelen aus Sandstein, von denen eine – fast ganz erh. – etwa lebensgroße Kriegerfigur (H ca. 1,80 m) im Gra-ben am Hügelrand lag. Die kräftig modellierten Beine kontrastieren mit dem einfacher gestalteten Oberkör-per. Die Figur zeigt eine einem der beiden Gräber ent-sprechende Ausstattung: Schild, Schwert, sowie Hals-, Arm- und Fingerringe, dazu einen bisher in diesem Zu-sammenhang noch unbekannten Kompositpanzer. Auf dem Kopf trägt sie eine Blattkrone.

Von dem Grabhügel führt eine ca. 350 m lange, von tiefen Gräben gesäumte »Prozessionsstraße« nach Sü-den. Sie führt offensichtlich aus einem riesigen »Heili-gen Bezirk«, der sich südl. des G. erstreckt und nach Süden durch eine über 1 km lange »Facade« aus Wall und Graben begrenzt wird. Diese Anlage – ganz am Nordrand der kelt. Welt gelegen (!) –, deren Erfor-schung noch im Gange ist, stellt bisher einen Einzelfall dar und eröffnet neue Interpretationskategorien für kelt. Kult- und Grabanlagen.
→ Befestigungswesen; Gold; Grabbauten; Panzer; Schmuck

F.-R. HERRMANN, O.-H. FREY, Die Keltenfürsten vom G.: Ein frühkelt. Fürstengrabhügel am Hang des G. bei Glauburg-G., Wetteraukreis, in: Arch. Denkmäler in Hessen 128/129, 1996 • F.-R. HERRMANN, Die Statue eines kelt. Fürsten vom G., in: Denkmalpflege in Hessen 1/2, 1996, 2–7 • F.-R. HERRMANN u. a., Ein frühkelt. Fürstenhügel am G. im Wetteraukreis, Hessen: Ber. über die Forsch. 1994–1996, in: Germania 75, 1997, 459–550. V.P.

Glaucia. Röm. Cognomen (die Gleichsetzung mit dem griech. Eigennamen Γλαυκίας ist umstritten, [1]) in der Familie der Servilii (bekannt ist der Praetor 100 v. Chr. C. → Servilius G.).

1 SCHULZE 343. K.-L.E.

Glauke (Γλαύκη).
[1] Nereide (Hom. Il. 18,39; Hes. theog. 244; Hyg. praef. 8), deren Name die blauglänzende sowie ver-gleichbare Farbschattierungen des Meeres bezeichnet (Hom. Il. 16,34; Hes. theog. 440) und zu der → Glaukos die männliche Entsprechung ist. G. wird an verschie-denen Orten auch als eine Nymphe dargestellt (Paus. 8,47,2f.; Tzetz. Theogonie 100–102).
[2] Quellnymphe in Korinth, von einigen Autoren mit der Tochter des dortigen Königs → Kreon gleichgesetzt, die sonst → Kreusa heißt. Nachdem sie als Braut → Ia-sons von dessen verlassener Gemahlin → Medea vergif-tete Geschenke erhalten hat, die Feuerqualen auslösen, soll sie sich in die Quelle gestürzt haben (Paus. 2,3,6) und zugrunde gegangen sein (Diod. 4,54; Hyg. fab. 25; Apollod. 1,145; Lukian. 45,80; Athen. 13,560d).
[3] Amazone, die, von → Theseus geraubt und zu seiner Gemahlin gemacht, die Mutter des → Hippolytos wird (Hyg. fab. 163; Apollod. epit. 5,2).

LIT.: C. LOCHIN, s. v. G. (1), LIMC 4.1, 270 • G. WEICKER, s. v. G. (1), (3)–(7), (9), RE 7, 1394–1396.
ABB.: A. KAUFFMANN-SAMARAS, s. v. Amazones Nr. 7, 16, LIMC 1.2, 441 f. • C. LOCHIN, s. v. G. (1), LIMC 4.2, 159 f.
R.HA.

[4] **G. aus Chios.** Kitharodin von zweifelhaftem Ruf, z. Z. des → Ptolemaios Philadelphos (dessen Geliebte sie gewesen sein soll), erwähnt von Hedylos (bei Athen. 4, 176d) und Theokrit (4,31). Ihr wurde eine widernatür-liche Neigung zu Tieren nachgesagt (Plut. mor. 972f., Ail. var. 9,39; Plin. nat. 10,51). Ein Grabepigramm (Anth. Pal. 7,262), fälschlich Theokrit zugeschrieben, war wohl für sie bestimmt.

P. MAAS, s. v. G. 13), RE 7, 1396. F.Z.

[5] Ankerplatz an der Westküste der Halbinsel Mykale (h. Samsun Dağı), wo Samos dem Festland sehr nahe liegt (Steph. Byz. s. v. G.; Strab. 14,1,12); hier ging 411 v. Chr. eine Flotte der Athener mit 82 Schiffen vor An-ker (Thuk. 8,79,2). G. ist im Bereich des Dip Burnu zu lokalisieren. E.O.

Glaukias (Γλαυκίας).
[1] Bronzebildner aus Aigina. Laut Pausanias schuf er in Olympia Statuen der Faustkämpfer Glaukos, Philon und Theagenes, deren Siege bzw. Ehrungen im 1. Vier-tel des 5. Jh. v. Chr. erfolgten. Nach der Beschreibung waren sie bewegt, teils beim Schattenboxen wiederge-geben, wovon Kleinbronzen zumindest eine Vorstel-lung geben. Für Gelon von Syrakus schuf er nach dessen Wagensieg 488 v. Chr. ein Monument, von dem Teile der Basis mit Inschr. erh. sind.

OVERBECK, Nr. 429–432 (Quellen) · LOEWY, Nr. 28 · P. ORLANDINI, s. v. G., EAA 3, 954 · F. ECKSTEIN, Anathemata, 54–60 · E. WALTER-KARYDI, Die äginetische Bildhauerschule, 1987, 35–39 · J. J. POLLITT, The Art of Ancient Greece. Sources and Documents 2, 1990, 39–41.

R. N.

[2] König der → Taulantii, Geburts- und Todesdatum unbekannt. 335 v. Chr. unterstützte er → Kleitos gegen → Alexandros [4] und gewährte ihm nach der gemeinsamen Niederlage Zuflucht (Arr. an. 1,5 f.). Nach der Vertreibung des mit seiner Gattin verwandten → Aiakides [2] durch die → Molossi schützte er 317 dessen Sohn → Pyrrhos gegen → Kassandros, der seine Auslieferung weder erkaufen noch erzwingen konnte; er adoptierte Pyrrhos und führte ihn 306 auf den Molosserthron zurück (Diod. 19,67,5 f.; 88 f.; Plut. Pyrrhos 3,1–5; Iust. 17,3,16–21). 313–2 unterstützte er Epidamnos und → Apollonia [1] bei einem Aufstand gegen Kassandros, besetzte beide Städte und hielt Apollonia gegen einen Angriff des Kassandros (Diod. 19,78,1; 89,1).

E. B.

[3] G. von Tarent. Wirkte um 175 v. Chr. als Arzt aus der Empirikerschule und Nachfolger des Serapion aus Alexandreia; Verf. eines umfänglichen Werkes mit dem Titel Τρίπους (*Trípus*, »Dreifuß-Kessel«) wie auch eines Hippokrateskommentars und -glossars. Galen und Oreibasios überliefern Bandagierungsempfehlungen des G., Plinius und Athenaios einige seiner Rezepte [1]. G. ist nicht zu verwechseln mit jenem Arzt G., den Alexander 324 v. Chr. nach dem mißglückten Heilungsversuch seines Freundes Hephaistion hinrichten ließ (Arr. an. 7,14,4; Plut. Alexander 72).

→ Empiriker

1 DEICHGRÄBER, 168–170.   V. N./Ü: L. v. R.-B.

Glaukon (Γλαύκων).
[1] Sohn des Leagoras, athenischer → *stratēgós* bei Samos 441/440 v. Chr. (Androtion FGrH 324 F 38 mit Komm.); 439/8 und 435/4 *stratēgós*, 433/2 Kommandant der nach Korkyra gesandten Flotte (Thuk. 1,51; Syll.³ 72). Auf att. → Lieblingsinschriften 480–450 v. Chr. häufig erwähnt. TRAILL, PAA 277035.
[2] Sohn des → Kritias, Vater des Charmides und von Platons Mutter Periktione (Plat. Prot. 315a; Charm. 154ab; symp. 222b; Thg. 128d; Xen. mem. 3,6,1; 7,1; Diog. Laert. 3,1). TRAILL, PAA 276785.   M. MEI.
[3] Sohn des Ariston und der → Periktione, einer der beiden Brüder → Platons. Gesprächspartner des Sokrates im Hauptgespräch der *Politeia* Platons und in Xenophons *Memorabilia* (3,6). Diog. Laert. (2,124) führt die Titel von neun Dialogen an, die G. verfaßt habe.

DAVIES 332–333.   K. D.

[4] Athener, Agonothet 282/1 v. Chr., Olympiasieger im Viergespann (Paus. 6,16,9), → *próxenos* (»Gastfreund?«) von Delphi, Rhodos und Orchomenos in Arkadien, geehrt in Plataiai von den versammelten Hellenen, in Olympia durch → Ptolemaios III. (I. Olympia

296) und in Orchomenos (MORETTI 1,53). Mit seinem Bruder → Chremonides war er *páredros* (πάρεδρος) Ptolemaios' II.
→ Chremonideischer Krieg

PA 3019 · TRAILL, PAA 276950 · R. ETIENNE, M. PIÉRART, Un décret du koinon des Héllènes, in: BCH 99, 1975, 51–75 · HABICHT, 141, 149, 159.   J. E.

[5] Sohn des Ptolemaios (PP III 5238), Ἀλεξανδρεύς, 185 v. Chr. πρόξενος von Delphi, wo er als Gesandter Ptolemaios' V. war.

E. OLSHAUSEN, Prosopographie der hell. Königsgesandten, I, 1974, 53 Nr. 31.   W. A.

[6] aus Ephesos, Sohn des Glaukon. Tragödiendichter. Ein Sieg bei den Rhomaia in Magnesia am Maiandros ungefähr im J. 150 v. Chr. läßt sich ermitteln (DID A 13,2).

METTE, 47 · TrGF 135.   F. P.

[7] Arzt, Freund Galens, wirkte um 190 n. Chr. Er brachte Galen dazu, einen Fall von Leberentzündung zu untersuchen, was jenem großes Ansehen eintrug (Gal. 8,364). G. erhielt von Galen die kürzere Abhandlung *De methodo medendi* (Gal. 11,1) als Zusammenfassung all dessen, was er Galen in seiner Praxis hatte ausführen sehen.   V. N./Ü: L. v. R.-B.

Glaukonome (Γλαυκονόμη). → Nereide bei Hes. theog. 256 und Apollod. 1,11. Ihr Name bedeutet »die im glänzenden (γλαυκός; vgl. → Glauke) Meer Wohnende/Waltende« [1]. Zur Wortbildung vgl. die Namen Amphinome: »die ringsum Waltende« und Eurynome: »die weithin Waltende« (Hom. Il. 18,44; 398 f.).

1 G. HERZOG-HAUSER, s. v. Nereiden, RE 17, 15.   A. A.

Glaukopis (γλαυκῶπις). Ep. Epitheton. Bei Homer als metr. Substitut oder komplementär für den Namen Athene verwendet, vor allem in der Verbindung γλαυκῶπις Ἀθήνη (*glaukôpis Athénē*). Mehrfach ist auch das Subst. μήνη (*ménē*, »Mond«) als Bezugswort für g. belegt (zuerst bei Empedokles, 31 B 42 DIELS/KRANZ). Das Epitheton kann auf zwei Arten gedeutet werden: entweder als »eulenäugig« (von γλαῦξ, *glaúx*, »Eule«) oder »mit funkelndem Blick« (von γλαυκός, *glaukós*, »funkelnd«). Beide Deutungen wurden bereits in der Ant. vertreten. Das HG -ωπις (-*ōpis*) ist zu ὄψ (*óps*) »Auge, Blick« (etc.) gebildet. Vergleichbare Epitheta sind βοῶπις (*boôpis*, »kuhäugig«) und κυνῶπις (*kynôpis*, »hundeäugig«).

W. BECK, s. v. g., LFE.   E. V.

Glaukos (Γλαῦκος). Der Name bedeutet »blauglänzend«, auch »leuchtend« [1]; → Glauke: Hom. Il. 16,34).
[1] ein Meerdämon, in den sich ein boiotischer Fischer aus Anthedon nach Genuß eines Wunderkrautes verwandelte. Die Stelle seines Sprungs ins Meer nach der Verwandlung, Γλαύκου πήδημα (*Glaúku pédēma*, »Glau-

kossprung«), wurde gezeigt (Paus. 9,22,6–7). Man weiß von Darstellungen bei Euanthes, Hedyle und Nikandros (Athen. 7,295b–297c), bei Kallimachos (Suda s. v.), Q. Cornificius (Macr. Sat. 6,5,13) und Cicero (Plut. Cic. 2,3,861); erhalten hat sich die Beschreibung bei Ovid (Ov. met. 13,904–14,74). G. ist teilweise fischgestaltig (Plat. rep. 611d; Philostr. imag. 2,15; Ov. met. 13,915), verfügt über Wahrsagekräfte (Paus. 9,22,7), gilt als geringster der Götter (Claud. rapt. Pros. 3,12). G. begleitet Dionysos auf dem Indienzug (Nonn. Dion. 13,75; 42,478 u. ö.). Er erscheint den → Argonauten (Apoll. Rhod. 1,1310). G. ist Vater der Sibylle Deiphobe (Verg. Aen. 6,36). Er wird geliebt von den Nereiden Nesaee (→ Nesaie) und Cymothoe (Prop. 2,26,13–16), auch von → Kirke, die er wegen seiner Liebe zu → Skylla abweist (Ov. met. 14,1–74). Trotzdem wird er als Meergreis aufgefaßt (Verg. Aen. 5,823; schol. Apoll. Rhod. 2,767; → Halios geron). Auf Delos hat er mit den → Nereiden ein Orakel (Aristot. fr. 490 ROSE). Bezeugt ist ein Satyrspiel des Aischylos, G. Póntios (»G. aus dem Meer«, fr. 25c–35 RADT) sowie mehrere Komödien (Anaxilas fr. 7 PCG II; Antiphanes fr. 76 PCG II; Eubulos fr. 18–19 PCG V) [2; 3. 1408–1412].

[2] G. aus Potniai in Boiotien, König von Korinth, Sohn des → Sisyphos und der Merope, Gatte der Eurynome oder Eurymede, Vater des → Bellerophon, damit Urgroßvater von G. [4] (Hom. Il. 6,154f.; Apollod. 1,85; 2,30 WAGNER; Hyg. fab. 157; 250; 273). Seine in Potniai gehaltenen Stuten werden wild, eine Strafe der Aphrodite, da er sie an der Begattung durch die Hengste hinderte, die sie wünschte, um ihre Schnelligkeit zu steigern; G. verliert die Kontrolle über den Wagen, stürzt und wird zerrissen (Verg. georg. 3,267–268 mit Serv. schol.; Ov. Ib. 553). Auch das dortige Quellwasser wird als Grund für die Raserei der Rosse angegeben (Paus. 9,8,2). Aischylos behandelte den Stoff im G. Potnieús (»G. aus Potniai«), dem 3. Stück der Persertrilogie (fr. 36–42a RADT) [3. 1412–1413].

[3] G. aus Kreta, Sohn des → Minos und der → Pasiphaë, fällt als Kind in ein Honigfaß und erstickt (Apollod. 3,17–20 WAGNER; Hyg. fab. 136; Schol. Lykophr. 811). Seine Auffindung und Wiedererweckung wird von Apollon (bei Hyginus) oder den Kureten (bei Apollodor) durch denjenigen verheißen, der einen passenden Vergleich für ein Wunderkalb in Minos' Herde finde, das dreimal täglich seine Farbe wechselt (weiß, rot, schwarz). Der Seher → Polyidos löst durch Nennung der Brombeere das Rätsel und findet den Knaben. Von Minos auch zur Aufweckung des G. gezwungen, wird er mit diesem in eine Grabkammer eingeschlossen und kann G. durch ein Wunderkraut wiederbeleben, dessen Wirkung ihm eine Schlange zeigt, deren Gefährtin er erschlagen hat (von Asklepios erweckt bei Hyg. fab. 49). Polyidos wird daraufhin von Minos reich beschenkt entlassen (Hygin) oder von diesem gezwungen, den G. seine Sehergabe zu lehren. Er tut dies, läßt sich aber beim Abschied von G. in den Mund speien und erhält die Gabe zurück (Apollodor) [4. 887; 5. 175 mit Anm.].

Die Erzählung verweist auf Eigenarten der minoischen Kultur wie das Einbalsamieren in Honig und die Bestattung in píthoi [6. 9–22]. Der Stoff wurde von Aischylos in den Krḗssai (»Kreterinnen«, fr. 116–120 RADT), von Sophokles in den Mánteis (»Seher«, fr. 389a–400 RADT) sowie im Polýidos des Euripides (fr. 634–646 NAUCK) behandelt, gegen den sich die gleichnamige Komödie des Aristophanes (fr. 468–476 PCG) richtete.

[4] G. aus Lykien, Sohn des Hippolochos, Enkel des → Bellerophon, also Urenkel von G. [2] (Hom. Il. 6,119; 144; 12,309 u. ö.). Zusammen mit → Sarpedon Anführer der Lykier (Hom. Il. 2,876). Aufgrund altererbter Gastfreundschaft kommt es vor Troia nicht zum Zweikampf mit Diomedes, sondern zum ungleichen Rüstungstausch (Hom. Il. 6,119–236; Apollod. epit. 4,2 WAGNER; Hyg. fab. 112). Von Aias verwundet (Hom. Il. 12,387–389), vom sterbenden Sarpedon zum Rächer aufgerufen (Hom. Il. 16,492–501), wird er von → Apollon geheilt (Hom. Il. 16,508–526) und beim Kampf um die Leiche Achills von Aias getötet (Apollod. epit. 5,4 WAGNER; Q. Smyrn. 3,277; bei Hyg. fab. 113 von Agamemnon). Sein Leichnam wird von Apollon aus dem Scheiterhaufen gerettet und durch Winde nach Lykien getragen (Q. Smyrn. 4,4–6).

[5] Name mehrerer anderer Troer: a) Sohn des Antenor, bei der Zerstörung Troias von Odysseus und Menelaos gerettet (Apollod. epit. 5,21 WAGNER; dargestellt auf Polygnots Iliupersis in der → lesche der Knidier in Delphi: Paus. 10,27,3). Vielleicht auch bei Homer genannt (Hom. Il. 17,216; vgl. auch Verg. Aen. 6,483) [7. 326]. b) Sohn des → Priamos, von Diomedes getötet (Apollod. 3,152 WAGNER; Hyg. fab. 112; Hyg. fab. 90: Konjektur aus der Apollodorstelle, überl. ist Hilagus). c) Sohn des Lykiers Imbrasus, Gefährte des → Aeneas, von → Turnus getötet (Verg. Aen. 12,342–344).

1 FRISK s. v. 2 F. BÖMER, P. Ovidius Naso, Metamorphosen, B. 12–13, 1982, 453–454 3 G. WEICKER, s. v. G. (9), RE 7, 1412–1413 4 O. GRUPPE, Griech. Myth. und Rel.gesch., HdbA 5,2, 1906 5 H. J. ROSE, Griech. Myth. [A Handbook of Greek Mythology], 71988 6 A. W. PERSSON, The Rel. of Greece in Prehistoric Times, Sather Classical Lectures 17, 1942 7 W. KULLMANN, Die Quellen der Ilias (Troischer Sagenkreis), Hermes ES 14, 1960. JO. S.

[6] Bronzebildner aus Argos, tätig im mittleren 5. Jh. v. Chr. Er schuf von den beiden vielfigurigen Weihungen des Mikythos in Olympia diejenige, die nach den Angaben des Pausanias in der Osthalle des Zeustempels aufgestellt war. Nach Pausanias umfaßte sie die überlebensgroßen Statuen von Poseidon, Amphitrite und Hestia. Die Rückkehr des Mikythos aus Rhegion 467 v. Chr. liefert den einzigen Anhalt für die Schaffenszeit des G., da von der Gruppe nichts erhalten ist.

→ Dionysios [1]

OVERBECK, Nr. 401 (Quellen) · LOEWY, Nr. 31 · LIPPOLD, 103 · F. ECKSTEIN, Anathemata, 1969, 33. R. N.

[7] von Rhegion, oder allg. »aus Italien«, 5. – 4. Jh. v. Chr., Zeitgenosse des → Demokritos (Diog. Laert. 9,38 = fr. 5 LANATA). Verf. einer Schrift ›Über die ant. Dichter und Musiker‹ (Περὶ τῶν ἀρχαίων ποιητῶν τε καὶ μουσικῶν; Ps.-Plut. De musica 4, 1132e = fr. 1 LANATA; ebd. 4 und 7, 1133f = fr. 1 und 2 LANATA). Das Werk wird auch dem Sophisten Antiphon [4] zugewiesen (Ps.-Plut. Vita decem oratorum 833d; vgl. DIELS/ KRANZ II 337 und II 369, 26 Anm.). Deswegen hat man vermutet, daß es in att. Dialekt verfaßt worden sei [11. 1419], doch ist auch das lit. Ion. in Betracht gezogen worden [10. 54]. Es handelt sich um eines der ersten Werke zur Gesch. der lyrischen Dichtung und der griech. Musik. Es war erklärtermaßen antiquarisch und biographisch ausgerichtet [14; 13. 31, 156]; G.' Rolle wird von BERGK vielleicht überbewertet (zu G. als einer Schlüsselfigur s. auch [16. 228]). Auch wenn die Hypothese von MÜLLER, daß G. sich vor allem mit ital. oder sizil. Persönlichkeiten beschäftigte [vgl. 9. 405], nicht stichhaltig wäre, könnte sein Herkunftsort eine Verbindung zum Homerbiographen → Theagenes begründen [vgl. 7; 10. 52]. G.' Werk wird als »Büchlein« (σύγγραμμα, ἀναγραφή und βιβλίον) bezeichnet: Es besaß also nur einen geringen Umfang, war eher ein Verzeichnis denn eine Abhandlung, dem Inhalt nach analog zu dem ›Verzeichnis der Musiker‹ (Συναγωγὴ τῶν ἐν μουσικῇ) des → Herakleides Pontikos. G. definierte hauptsächlich die relative Chronologie unter den Dichtern und zog dabei als feststehenden Vergleichspunkt vielleicht → Archilochos heran, dessen Datierung wegen seiner Gleichzeitigkeit mit Gyges als sicher angesehen wurde [13. 156]. Mit der chronologischen Abfolge verband G. auch die »Imitation« eines Dichters durch einen nachfolgenden [2. 273].

Die von LANATA [2] im Detail komm. Fragmente des Werkes sind fast ausschließlich durch die ps.-plutarchische Schrift De musica überliefert. Der konfuse Umgang des Redaktors von De musica mit seinen Quellen macht jede Rekonstruktion des Inhalts ungewiß (ungewiß ist auch, ob er G. direkt oder nur durch die Vermittlung des → Herakleides Pontikos kennt). Gewiß ist jedoch, daß G. den Vorrang des Aulosspiels vor dem Lyraspiel vertrat (vgl. auch [17]). G. besaß vielleicht selbst musikalische Erfahrung [7; 18. XIII; 10. 1419], bes. wenn er mit dem Pythagoreer G. von Rhegion gleichzusetzen ist, der nach Aristoxenos, fr. 90 WEHRLI (= schol. Plat. Phaid. 108d = Hippasos, fr. 12 DK) mit den Perkussionsscheiben des Hippasos Experimente anstellte [20. 128, 234[38]; 4. 377[33]] und auf den sich der sprichwörtliche Ausdruck »Glaukos-Kunst« (Γλαύκου τέχνη) im Scholion bezieht; vgl. [18. 77–78] und [10. 51].

G. beschäftigte sich auch mit → Musaios (Harpokr. s. v. Μουσαῖος = fr. 4 LANATA), → Empedokles (Diog. Laert. 8,52 = fr. 6 LANATA) und Demokrit: Der letztgenannte sei nach dem Zeugnis des G. »Hörer« eines Pythagoreers gewesen (Diog. Laert. 9,38 = fr. 5 LANATA, vgl. [4. 215 und 292]). HILLER [9. 428] möchte diese Zitate auf andere Werke zurückgehen lassen. Schwierig

ist, auch aus chronologischen Gründen [11. 1418], die Gleichsetzung mit dem bei Plat. Ion 530d und Aristot. poet. 25,1461b1 (= fr. 9 und 10 LANATA) erwähnten »Homerkritiker« Glaukon; um G. von Rhegion handelt es sich dagegen wahrscheinlich bei dem im Scholion des Porphyrios (1,168,10) zu Hom. Il. 11,636 (fr. 8 LANATA; vgl. [5. 246 Anm.]) erwähnten G. Wahrscheinlich ist G. auch der Verf. der Schrift ›Über die Mythen des Aischylos‹ (Περὶ Αἰσχύλου μύθων), die in der Hypothesis zu Aischylos' ›Persern‹ (fr. 7 LANATA) [9. 428–429] erwähnt wird. Unsicher ist die Gleichsetzung mit dem G. des schol. Eur. Hec. 41 = Cypria fr. 34 PEG I (vgl. auch das Scholion A zum selben Vers), s. [11].

ED.: **1** C. MÜLLER, FHG II, 23–24 **2** G. LANATA, Poetica pre-platonica, 1963, 270–281.
LIT.: **3** TH. BERGK, Griech. Literaturgesch. I, 1872, 265 und 398 **4** W. BURKERT, Lore and Science in Ancient Pythagoreanism, 1972 **5** H. ERBSE, Scholia Graeca in Homeri Iliadem, Bd. 3, 1974, 246 **6** B. GENTILI, Poesia e pubblico nella Grecia antica, ³1995, 238 **7** M. GIGANTE, La civiltà letteraria nell' antica Calabria, in: S. SETTIS (Hrsg.), Storia della Calabria antica, 1987, 542–543 **8** A. GOSTOLI, Terpander, 1990 **9** E. HILLER, Die Fragmente des G., in: RhM 41, 1886, 398–436 **10** G. HUXLEY, G. of Rhegion, in: GRBS 9, 1968, 47–54 **11** F. JACOBY, s. v. G. (36), RE 7, 1417–1420 **12** F. JOUAN, Euripide et les légendes des Chants Cypriens, 1966, 368, Anm. 2 **13** F. LASSERRE, Plutarque, De la musique, 1954 **14** A. MOMIGLIANO, The Development of Greek Biography, 1971, 28 **15** G. A. PRIVITERA, Il ditirambo come spettacolo musicale, in: B. GENTILI, R. PRETAGOSTINI (Hrsg.), La musica in Grecia, 1988 **16** L. E. ROSSI, in: Atti del XXII Convegno di studi sulla Magna Grecia e mondo miceneo 1983, 1985 **17** SCHMID/STÄHLIN I, 330, 2 **18** F. WEHRLI, Aristoxenos, 1975 **19** H. WEIL, TH. REINACH, Plutarque, De la musique, 1900, XI–XIII **20** M. L. WEST, Ancient Greek Music, 1992.   S. FO./Ü: T. H.

[8] von Samos. Grammatiker vermutlich voralexandrinischer Zeit (vor Aristophanes von Byzanz: [9]; Peripatetiker aus dem Anfang des 3. Jh. v. Chr.: [3. 123]). Er war eine Quelle Varros für die Laut- und Akzentlehre (De prosodia: vgl. [10]), von der wir Näheres durch den Donat-Komm. des sog. Sergius (GL IV 528,28–533,27; GRF 282) erfahren. G. unterschied sechs Arten des Akzentes; neben dem Gravis (ἀνειμένη, lat. gravis) und dem Akut (ἐπιτεταμένη, lat. acutus) hat er auch einen Mittelton (μέση, lat. media) erkannt (vgl. [2]), sowie vermutlich drei Unterarten des Zirkumflexes (κεκλασμένη, ἀνακλωμένη, ἀντανακλωμένη, nach SCHÖLLS Textkonstituierung: s. Varro ling. 215 GÖTZ-SCHÖLL; anders [3. 121–123]). Wahrscheinlich demselben G. wurde nach schol. Plat. Phaid. 108d eine Τέχνη γραμμάτων zugeschrieben; er ist vielleicht mit dem in schol. Hom. Il. 16,414 genannten G. identisch: vgl. [4].

LIT.: **1** H. EHRLICH, Unt. über die Natur der griech. Betonung, 1912, 253–254 **2** W. HAAS, SGLG 3, 169–171 **3** P. HANSCHKE, De accentuum Graecorum nominibus, 1914, 119–123 **4** E. HILLER, Die Fragmente des G., in: RhM 41, 1886, 434–435 **5** A. N. JANNARIS, An Historical Greek Grammar, 1897, 507–508, 537 **6** B. LAUM, Das

Alexandrinische Akzentuationssystem, 1928, 9 **7** B. A.
MÜLLER, s. v. G. (44), RE 7, 1421 **8** E. PÖHLMANN, Der
Peripatetiker Athenodor, in: WS 79, 1966, 206–207 **9**
SCHMID/STÄHLIN II, 262[8] **10** H. USENER, KS II, 281–282
11 J. VENDRYES, Traité d'accentuation Grecque, 1904, 51.
S. FO.

[9] s. Kochbücher

[10] aus Athen. Autor von drei ekphrastischen Epigrammen, vielleicht dem »Kranz« des Philippos zugehörig: Anth. Pal. 9,774 besteht aus einer anschaulichen
Beschreibung einer marmornen Bacchantin des → Sko-
pas unter Verwendung von seltenen, neuen Begriffen.
Metrisch-lexikalische Schwierigkeiten führen zu der
Ansicht, daß 9,775 (eine wenig geglückte Imitation dieses Epigramms) unecht sei. Ohne Angabe der Her-
kunftsstadt schließlich ist 16,111 eine konventionelle
Beschreibung eines ansonsten unbekannten Gemäldes
des → Parr(h)asios.

GA II 1, 430f.; 2, 457f.; GA I 2,286. M. G. A./Ü: M. A. S.

[11] von Nikopolis. Epigrammdichter des »Kranzes«
des Meleagros, Autor eines vielleicht Properz bekannten (Prop. 3,7,11) Epitaphs (Anth. Pal. 7,285). Diesem
G. sind, trotz dort fehlender Angabe des Herkunftsortes,
wohl auch zwei weitere Gedichte zuzuschreiben:
ein Dialog zwischen Pan und Nymphen, in dem der
erstere Nachricht über seinen geliebten Daphnis erhält
(Anth. Pal. 9,341), und eine witzige Klage über die
Widerspenstigkeit der habgierigen Knaben von heute
(12,44).

GA I 1, 99f. · GA I 2, 286–288. M. G. A./Ü: M. A. S.

Glaukytes s. Kleinmeisterschalen

Glevum. Die Gegend um Gloucester, am tiefstgele-
genen Übergang über den Severn gelegen, wurde von
der röm. Armee erstmals ca. 50 n. Chr. besetzt. In Kingsholm wurde ein Legionsstützpunkt wohl durch die *legio
XX Valeria Victrix* errichtet [1]; dieser wurde ca. 60
n. Chr. aufgegeben und gegen Ende der Herrschaft Neros durch eine Festung auf dem Boden des h. Gloucester
ersetzt, die ihrerseits ca. 74/5 n. Chr. aufgegeben wurde.
Auf dem Gelände der Festung wurde unter Verwendung ihrer Baumaterialien offensichtlich unter Nerva
die *colonia* G. gegr. Ein *frumentarius* der *legio VI* stammte
aus G.: *origo ... Ner(viana) Glevi* (CIL VI 3346). Die frühe
Stadtentwicklung verlief wohl wegen der geringen Zahl
der Veteranen, die hier angesiedelt wurden, langsam.
Große Bauten wurden im 2. Jh. errichtet, als man das
forum wiederaufbaute. Die Stadtverteidigungsanlagen
wurden unter Verwendung von Material älterer Gebäude im späten 3. und erneut im 4. Jh. wiederhergestellt
[2]. Im späten 4. Jh. verfallen, wurde G. doch nicht ganz
aufgegeben. Eine britannische Gemeinde existierte hier
bis zur sächsischen Eroberung 577 n. Chr.

1 H. R. HURST, Kingsholm, 1985 **2** Ders., Gloucester, 1988.
M. TO./Ü: I. S.

Glicia. Cognomen des M. → Claudius [I 29] Glicia.

Glinditiones. Einer der illyr. Stämme in der Prov. Dalmatia, 35–33 v. Chr. zusammen mit den Docleatae, Carni, Interphrurini, Naresii und den Taurisci durch den
nachmaligen Augustus mit größter Mühe unterworfen
und gezwungen, überfällige Steuern zu zahlen (App. Ill.
47: Γλιντιδίωνες); sie waren also schon früher unterworfen worden. Nach Plin. nat. 3,143 gehörten die G.
mit 44 *decuriae* zum *conventus* von Narona. Wo sie siedelten, ist nicht bekannt, auch nicht, ob sie mit den
Ditiones in Verbindung zu bringen sind. Verschiedene
Lokalisierungen in den Tälern der Flüsse Krka, Una und
Unac werden diskutiert, etwa als Nachbarn der *Ditiones*
in Sandžak, neuerdings in Nevesinjsko polje.

I. BOJANOVSKI, Bosna i Hercegovina u antičko doba
[Bosnien und Herzegowina in der Ant.], Akademija nauka i
umjetnosti Bosne i Hercegovine, Djela 66, Centar zu
balkanološka ispitivanja 6 [Monographies, Academie des
sciences et des arts de Bosnie-Herzegovine 66, Centre
d'études balk. 6], 1988, 106–108. M. Š. K./Ü: I. S.

Glisas (Γλίσ[σ]ας, Γλισ[σ]άς). Bereits im homer.
Schiffskat. (Il. 2,504) erwähnter Ort am Südhang des
Hypatos-Gebirges beim h. Hypaton (ehem. Sirtzi) ca.
10 km nordöstl. von Thebai, zu dem G. gehörte (Hdt.
9,43,2; Strab. 9,2,31; Paus. 9,19,2f.; Stat. Theb. 7,306;
Steph. Byz. s. v. G.); Siedlungsspuren reichen bis in neo-
lithische Zeit zurück; erh. sind Gräber aus FH, geom.
und klass. Zeit; Reste polygonaler Befestigungsmauern
finden sich auf dem Hügel Tourleza nördl. des h. Ortes.
Bei G. besiegten die argiv. Epigonen die Thebaner
(schol. Pind. P. 8,68; Paus. 1,44,4; 9,5,13; 8,6; 9,4; 19,2);
vom Heroon eines Phokos berichtet Plut. mor. 774e–
775b.

FOSSEY, 217–223 · H. G. LOLLING, Reisenotizen aus
Griechenland (1876/7), 1989, 504f. · MÜLLER, 493f. ·
SCHACHTER, I, 124; II, 202 · P. W. WALLACE, Strabo's
description of Boiotia, 1979, 127f. P. F.

Glitius

[1] Q. G. Atilius Agricola. Von Geburt ein Atilius,
vermutlich von einem G. adoptiert, aus Augusta Taurinorum stammend, wo er von verschiedenen Städten
geehrt wurde, auch durch *trapezophora*. Wohl senatorischer Herkunft; daß er Quaestor des Vespasianus wurde,
zeigt kaiserliche Förderung; unter Domitianus war er
iuridicus in Spanien, *legatus legionis VI Ferratae* in Syrien
und praetorischer Statthalter der Belgica, auch noch unter Nerva, dann cos. *suff.* Sept./Okt. 97 n. Chr., als
Traianus adoptiert wurde. Consularer Statthalter von
Pannonia 101–2, beteiligt am Dakerkrieg des Traianus;
→ *dona militaria* dafür erhalten. Cos. *suff. II* als Nachfolger des Traianus, wohl am 13. Jan. 103. Schließlich *praefectus urbi*; die Zeit ist unsicher. Obwohl aus der Transpadana stammend, erscheint er nicht im Briefwechsel
des Plinius minor.

SYME, RP VII 629ff. · PIR[2] G 181.

[2] P. G. Gallus. Senator, erster Ehemann von Vistilia (Plin. nat. 7,39); wohl unter Claudius in den Patriziat aufgenommen [1]; Vater von G. [3]. Er dürfte mit dem Senator identisch sein, den Nero im J. 65 n. Chr. verbannte. Exil mit seiner Frau Egnatia Maximilla auf der Insel Andros. Unter Galba zurückgekehrt; Restituierung des Vermögens unter Otho. PIR² G 184.

1 SYME, RP IV 399.

[3] P. G. Gallus. Sohn von G. [2]; Patrizier. Wohl *quaestor Titi Caesaris, praetor, flamen Augustalis* und *cos. suff.*, vielleicht im J. 84 n. Chr. SYME, RP IV 399 f.; PIR² G 185. W.E.

Globus s. Kartographie

Gloriosus (und *gloriosissimus*). Inoffizielles Epitheton des röm. Kaisers und von hohen Beamten im Schriftverkehr und in der *intitulatio* von Gesetzen, gleichbedeutend mit dem offiziellen *inclitus*, griech. *éndoxos* (ἔνδοξος), entstanden aus der Rückübersetzung dieser griech. Variante ins Lat.

G. RÖSCH, Ὄνομα βασιλείας, 1978. F. T.

Glos (Γλῶς, Diod. 14,19,6; Γλοῦς, Xen. an. 2,1,3). Sohn des »Ägypters« Tamos aus Memphis (wohl des Karers Tamos, geb. in Memphis), zog 401 v. Chr. mit Kyros d. J. gegen dessen Bruder Artaxerxes II. und lief nach Kyros' Tod zu jenem über (Xen. an. 1,4,16; 1,5,7; 2,1,3; 2,4,24). Als Befehlshaber der Flotte und Schwiegersohn des Satrapen → Tiribazos organisierte G. im Krieg gegen Euagoras von Salamis den Getreidetransport aus Kilikien und schlug diesen 381 bei Kition (Diod. 15,3,2 ff.; 9,3; Polyain. 7,20; Ain. Takt. 31,35). Um nicht in den Sturz des Tiribazos verwickelt zu werden, verbündete sich G. mit Sparta und dem ägypt. König Hakoris gegen den Großkönig, wurde aber 380 ermordet (Diod. 15,9,3 ff.; 18,1).

P. BRIANT, AchHist 3, 1988, 161 • BRIANT, s. v. Glous. J. W.

Glossar, Glosse s. Glossographie

Glossographie I. GRIECHISCH II. LATEINISCH

I. GRIECHISCH
A. DER ANTIKE BEGRIFF »GLOSSE«
B. ALEXANDRINISCHE GLOSSOGRAPHIE
C. GLOSSOGRAPHIE UND EXEGESE

A. DER ANTIKE BEGRIFF »GLOSSE«

Glossen (γλῶσσαι) sind seltene und nur schwer zu erklärende Wörter. Bei den Griechen geht das Interesse an ihnen bis in die älteste Zeit zurück: Schon bei archa. und klass. Dichtern wurden Glossen von geläufigeren Synonymen begleitet (»glossierende Synonymie«); eine Art »Selbstexegese« findet man vielleicht schon in den ersten beiden Versen der *Odyssee* (Hom. Od. 1.1–2).

Für → Antisthenes [1] und die Sophisten war die exakte Interpretation der Wörter der Ausgangspunkt des Unterrichts (παίδευσις, *paídeusis*). Daher galt den Glossen bes. Aufmerksamkeit; vor allem → Prodikos beschäftigte sich mit subtilen semantischen Unterscheidungen und mit Begriffen, die in verschiedenen regionalen Dialekten dasselbe bezeichneten. Neben Prodikos verfaßte Demokritos mit seiner Schrift Περὶ Ὁμήρου ἢ ὀρθοεπείης καὶ γλωσσέων offenbar eine Unt. zu Homer, die zw. »im genauen Sinne gebrauchten Begriffen« und »Glossen« unterschied. Solches Material gehörte zum Schulunterricht, wie das Fragment der ›Schmausbrüder‹ (Δαιταλῆς) des Aristophanes (fr. 233 PCG III 2) zeigt. Die Diskussion der Sophisten über die unterschiedlichen Begriffe, die in den verschiedenen Teilen der griech. Welt benutzt werden, spiegelt sich noch im platonischen *Kratylos* wider.

Die erste präzise Begriffsbestimmung – die von großer Nachwirkung war – nahm Aristoteles vor (vgl. poet. 1457b4–7; 1459a 9–1460b 11; rhet. 3,1406a 7–b 12; top. 140a 5): Ein Wort sei eine Glosse, insofern es unklar sei, weil es zeitlich (außer Gebrauch gekommene archa. Ausdrücke) oder räumlich (bei anderen Völkern gebräuchliche Ausdrücke) fernliege; der Begriff der »Glosse« sei darüber hinaus relativ, weil das, was für den einen glossenhaft sei, für den anderen geläufig sein könne. Aristoteles beschränkte aus diesem Grund den Gebrauch von Glossen auf den poetischen (vor allem den ep.-trag.) Sprachgebrauch und schloß den philos.-wiss. davon aus.

B. ALEXANDRINISCHE GLOSSOGRAPHIE

Das aristotelische Konzept liegt der alexandrinischen G. zugrunde. Deren Aufmerksamkeit richtete sich immer auf beide Aspekte, d. h. auf die sprachlichen Eigentümlichkeiten der poetischen Tradition als auch auf diejenigen der regionalen Dialekte; da ihr Hauptaugenmerk der Dichtung – nicht der Philos. – galt, blieb deren Ausschluß ohne Folgen. Die Bemühungen fanden ihren Niederschlag vor allem in Werken wie den Ἄτακτοι γλῶσσαι (*Átaktoi glóssai*) des → Philetas, aber auch in zahlreichen anderen wie den Γλῶσσαι (in drei B.) des → Simias von Rhodos und jenen des → Zenodotos: Während bei Philetas zweifellos die ethnographischen Glossen im Vordergrund standen, fertigte Zenodotos wohl – parallel zu seiner editorischen Tätigkeit – im wesentlichen Annotationen. Die Ἐθνικαὶ λέξεις (*Ethnikaí léxeis*), eine Sammlung dialektaler Glossen, die zwar unter den Titeln des Zenodotos erscheinen, sind wohl kein selbständiges Werk, sondern, wie K. NICKAU vorgeschlagen hat, ein Abschnitt aus den *Glôssaí*. Auch andere Glossensammlungen für bestimmte Dialektregionen sind bekannt. So stellten → Neoptolemos phrygische, → Antigonos [7] von Karystos äolische Glossen zusammen. Dialektvarianten wurden darüber hinaus in den onomastisch aufgebauten Sammlungen von λέξεις (*léxeis*) verzeichnet, die in der alexandrinischen Philol. geläufig waren. Das nachhaltige Interesse an lit. Glossen führte auch zu Glossensammlungen zu einzelnen

Autoren (z.B. des Hippokrates). Reste der Diskussion über den lit. Charakter und die Klassizität einzelner ungewöhnlicher Begriffe finden sich in den Fragmenten der Schrift Περὶ ὑποπτευομένων μὴ εἰρῆσθαι τοῖς παλαιοῖς des → Aristophanes [4] von Byzanz.

C. GLOSSOGRAPHIE UND EXEGESE

Die enge Verbindung zw. der Homerexegese und der Entwicklung der G. resultierte aus der Notwendigkeit, schwierige Wörter bei Homer zu erklären. Daher gehörten zu den Homerinterpreten auch die sogenannten Glossographen (γλωσσογράφοι): Verschiedene Exegeten, die keiner eigenen Schule mit einheitlicher Ausrichtung angehörten, bemühten sich, über Ableitungen aus dem unmittelbaren Kontext oder über waghalsige Etymologien zu plausiblen Erklärungen schwieriger Wörter zu kommen. Es ist durchaus wahrscheinlich, daß diese mit Erklärungen versehenen Glossen im Laufe der Zeit zu selbständigen Hilfsmitteln, »Glossaren«, zusammengestellt wurden, die zunächst nach dem Vorkommen der Wörter im komm. Text, später aber auf davon unabhängigere Weise, möglicherweise alphabetisch, angeordnet wurden. Diese Glossare sind beinahe vollständig verlorengegangen. Folgt man – mit Blick auf die Papyrusfunde – der Definition von F. MONTANARI, so beschränkt man die Bezeichnung »Glossar« auf solche Sammlungen, die dem Gang des Textes folgen, um sie von den Anfängen der Lexikographie im eigentlichen Sinne zu unterscheiden.

Eine ähnliche Anordnung, die sich noch nicht ganz vom Ausgangstext freigemacht hat, bieten ein »Komm.« zu Kallimachos (POxy. 3328) und die auf Papyrus erh. Homer- → Scholia, von denen wir vom 1. Jh. n. Chr. an viele Beispiele besitzen. Das glossographische Element, verstanden im Sinne einer Übers. seltener Wörter in geläufige entsprechende Ausdrücke, wird in der Gesch. der Exegese, vor allem der Homerexegese, vorherrschend: Spuren davon finden wir auch in wichtigen *hypomnémata* wie z.B. POxy. 1086 und 1087. Die G. bewegt sich also nicht auf niedrigem »Schulniveau«. Glossographische Interpretationen flossen von hell. Zeit an allmählich in verschiedene Richtungen: Neben der eigentlichen glossographischen Tradition (die für Homer von → Apollonios [12] Sophistes, den D-Scholien und den *Léxeis Homērikaí* vertreten wird) finden sich daher in allen Formen der byz. Exegesetradition glossographische Elemente, vor allem in der Lexikographie, der direkten Erbin der G.: diese stellt das Material jedoch oft präskriptiv dar und bietet eine durch attizistisches Interesse gelenkte Bearbeitung.

→ Lexikographie; Philologie; Scholia

ED.: A.R. DYCK, The Glossographoi, in: HSPh 91, 1987, 119–60.
LIT.: K. LATTE, Glossographika, in: Philologus 80, 1924, 136–175 = KS, 1968, 631–666 • PFEIFFER, KP I • R. TOSI, La lessicografia e la paremiografia, in: Entretiens Hardt XL, 1993, 143–209 • F. MONTANARI, Studi di filologia omerica antica, II, 1995 • Ders., L'erudizione, la filologia e la grammatica, in: G. CAMBIANO, Lo spazio letterario della

Grecia antica, I 2, 1993, 235–281 • E. DEGANI, La lessicografia, in: ebd. II, 1995, 505–527. R.T./Ü: T.H.

II. LATEINISCH

In Forsch.- und Ed.-Gesch. der Latinistik werden G. (als Erklärung seltener, meist älterer Wörter) und Lexikographie (als umfassende Behandlung des Wortschatzes) üblicherweise gemeinsam behandelt. Bei beiden ist Diachronie (d. h. die zumal in der Kaiserzeit zunehmende Bilingualität) wie Synchronie (d. h. die Auseinanderentwicklung von gesprochenem und kultiviertem Latein in der Spätant.) stets mitzuberücksichtigen. – (1) Die Erklärung älterer, ungebräuchlicher und damit unverständlicher *glossae, glossemata* (Quint. 1,1,35; 1,8,15) – bes. aus dem poetischen Vokabular (Diom. 1,426,25 f.), aber auch griech. Wörter und seltener Flexionsformen – ist um 100 v. Chr. der erste Schritt in der Rezeption der hell. Gramm. Mit Varros Hinweis auf *qui glossas scripserunt* (ling. 7,10, vgl. 34: *qui glossemata interpretati* bzw. *glossematorum scriptores* bei Fest. 166,13 f. L.) sind Autoren bezeichnet wie Aelius Stilo, der archa. Texte wie das → Carmen Saliare und die Zwölf Tafeln »glossiert«, Aurelius Opillus (*Musae*), L. Ateius Praetextatus (*Pinaces*) oder L. Cincius (*De verbis priscis*), die unter z. T. preziösen Titeln älteres Sprachmaterial, speziell aus Dichtern – so zumal Varro, ling. 7 –, erklären und damit Gelehrsamkeit in Belehrung überführen. – (2) Eine zweite Tendenz dient in veränderter Funktion seit Verrius Flaccus der Orthographie und Orthoepie, d. h. der Sprachrichtigkeit in korrektem Sprachgebrauch und kultivierter Schriftsprache; zur entsprechenden didaktischen Praxis vgl. Suet. gramm. 22. – (3) Über die eigentliche G. hinaus geht Verrius Flaccus' *De verborum significatu*, das von Varros *Antiquitates* herkommt und alphabetisiert neben der sachlich angeordneten *Res memoria dignae* und im Kontrast zu *De orthographia* (Linie 2) steht. Diesen Charakter als Sachwörterbuch oder Enzyklopädie hat die Aufteilung durch Verrius' Epitomator Festus (2. Jh.) auf das Sachwörterbuch *De verborum significatione* und die (verlorenen) *Priscorum verborum cum exemplis libri* (vgl. 242,28 ff. L.) noch verstärkt. Entscheidend sind in diesem Kontext, wie auch bei (2), die Belege, bekanntlich für Fr.-Slg. und Sprachgesch. eine Fundgrube. – (4) Die Linie von (2) wird durch Plinius' *Dubii sermonis libri* und dann im Archaismus des 2. Jh. durch Terentius Scaurus und Velius Longus (beide *De orthographia*), Caesellius Vindex (Στρωματεῖς, *Strōmateís*) und bes. durch Flavius Caper (*De Latinitate*) fortgesetzt, die sich ihrerseits auf Glossographen des Typs (1) stützen (vgl. Char. p. 297,24; 315,25 ff. BARWICK) und deren Material auch in der → Buntschriftstellerei (Gellius; Suetons *Pratum*) und den Kommentaren (Aemilius Asper, Donat) bzw. selbst in systematisch angelegten *artes* wie bei Charisius und schließlich bei Nonius wieder auftaucht; die alphabetische Anordnung – etwa die Liste der Adverbien bei Char. p. 253 ff. (nach Iulius Romanus) – ist eher zufällig. – (5) Echte Sprachlexika sind als Spezialtypen die in der Spätant. sich ausbildenden *differentiae* und zweisprachige Lexika wie die (sachlich angeordneten) griech.-lat. bzw. lat.-griech. Bilinguen (*hermeneumata*) sowie die in die Syntax hineinführenden *idiomata*. – (6) Die frühma. von GOETZ und als Konkurrenzunternehmen von LINDSAY edierten Lexika dienen hauptsächlich als (einsprachige) Sprachwörterbücher der Aufrechterhaltung einer lexikalischen Norm; sie mischen Texte der Linien (2) (wo das Ausmaß von Festus' Einfluß umstritten ist) und (3); die Belege werden zumeist gestrichen, so auch in der karolingischen Epitome des Festus durch Paulus Diaconus. In dieser Zeit setzt der *Liber Glossarum*, später Papias (11. Jh.), Osbern von Gloucester und Uguccione da Pisa (12. Jh.) bzw. das *Catholicon* des Johannes Balbus von Genua diese Trad. fort.

→ Differentiarum scriptores; Enzyklopädie; Lexikographie

FR.: GRF, 51 ff., 111 ff.

BILINGUEN: J. KRAMER, Glossaria bilinguia, 1983.

FRÜHMA. GLOSSARE: G. GOETZ u. a., CGL 1–7, 1888–1923 · W. M. LINDSAY u. a., Glossaria Latina 1–5, 1926–1931.

FORSCH.-BER.: G. GOETZ, P. WESSNER, F. LAMMERT, in: Bursian's Jahresber. für die Altertumswiss. 68, 1891–252, 1936.

LIT.: ThlL 6, 2108 f. s. v. glossa, glossema · G. GOETZ, s. v. G., RE 7,1, 1433–1466 · F. STOK, Appendix Probi 4, 1997, 27 ff. · A. C. DIONISOTTI, Greek Grammars and Dictionaries in Carolingian Europe, in: M. W. HERREN, The Sacred Nectar of the Greeks, 1988, 1–56 · J. HAMESSE (Hrsg.), Les Mss. des lexiques et glossaires de l'Antiquité Tardive à la fin du Moyen Age, 1996.   P. L. S.

Glück (εὐδαιμονία, μακαριότης; *felicitas, beatitudo*).

A. DEFINITION UND HINTERGRUND B. PLATON UND ARISTOTELES C. HELLENISTISCHE UND RÖMISCHE PHILOSOPHIE

A. DEFINITION UND HINTERGRUND

Das griech. *eudaimonía* bedeutet etym. »einen guten Dämon haben«, »unter einem guten Stern stehen«, also einfach, daß es einem wohl ergeht, wobei urspr. in erster Linie an das äußere Wohlergehen wie den Besitz von Schönheit, Reichtum, Macht und dergleichen gedacht ist. Aber die Philosophen betonen schon bald, daß das G. nicht in äußeren Gütern, sondern in der Seele zu finden sei (z. B. → Heraklit 22 B 4 DK; → Demokrit 68 B 170 DK). Wie das bei diesen frühen Philosophen zu verstehen ist, läßt die bruchstückhafte Überlieferung nicht mehr genau erkennen. Erst bei den Philosophen der klass. Zeit sehen wir klar. Allg. kann man den ant. Glücksbegriff so definieren, daß G. in der Verwirklichung aller vorgesetzten Zwecke besteht.

B. PLATON UND ARISTOTELES

Für die Philosophen der klass. Zeit sind die zu verwirklichenden Zwecke durch die kosmische Ordnung vorgegeben. → Platon sieht das G. in der Tugend der → Gerechtigkeit, die darin besteht, daß jeder ›das Seine tut‹ (rep. 354a; 433b). So geht es dem Staat dann wohl, wenn jeder Stand sich darauf beschränkt, die ihm von der natürlichen Ordnung zugewiesene Aufgabe genau zu erfüllen, und in analoger Weise ist der Einzelne dann glücklich, wenn jeder seiner Seelenteile sich mit seiner natürlichen Funktion begnügt. Dies heißt insbes., daß die Vernunft die Leitung innehat, wie auch im glücklichen Staat die Philosophen die Könige sind. Ähnlich definiert → Aristoteles G. als ›Tätigsein der Seele im Sinne der ihr wesenhaften Tüchtigkeit‹, und er versteht darunter die vollendete Verwirklichung der Rolle, die dem Menschen innerhalb der kosmischen Ordnung aufgrund seines Wesens zukommt (eth. Nic. 1098a 16, Übers. DIRLMEIER). Was den Menschen zum Menschen macht und ihn von allen anderen vergänglichen Wesen unterscheidet, ist der Besitz der Vernunft. Also ist er dann glücklich, wenn er seiner Vernunft lebt. Das glücklichste Leben führt demnach der Philosoph, der sich ganz der Vernunfterkenntnis widmet und ihr in seinem Handeln gehorcht. Da in dieser Herrschaft der voll entwickelten Vernunft über die Seele auch für Aristoteles die Tugend (ἀρετή/*aretê*) besteht, liegt für ihn ebenfalls das G. in der Tugend. Allerdings gehören auch äußere Güter dazu, und es muß ein Leben lang währen (eth. Nic. 1099a 31 ff.; 1098a 18).

Sowohl für Platon (rep. 473 c-e) wie für Aristoteles (eth. Nic. 1094b 7–10) ist das G. das höchste Gut, und zwar das G. des Gemeinwesens, der Polis, in das das G. des Einzelnen eingeschlossen ist. Da G. die Übereinstimmung mit der natürlichen Weltordnung ist, ist es für die Klassiker ein objektiver Zustand. Das subjektive Empfinden, die Lust, spielt nur eine untergeordnete Rolle. Bei Platon nimmt sie den fünften und letzten Rang ein und dies gilt auch nur für die ›reinen Lüste der Seele selbst‹ (Phil. 66 c); bei Aristoteles ist sie nur eine ›hinzutretende Vollendung‹ (eth. Nic. 1174 b 33). Beide wenden sich gegen den zeitgenössischen Hedonismus, wie er von → Eudoxos von Knidos und → Aristippos von Kyrene vertreten wurde, für den das Besondere gilt, daß er antieudämonistisch ist (→ Kyrenaiker) [3. 29 ff].

C. HELLENISTISCHE UND RÖMISCHE PHILOSOPHIE

Die folgende Epoche des Hell. ist geprägt vom Individualismus; nicht das G. der Polis ist das höchste Gut, sondern das des Einzelnen. Das hat zur Folge, daß die Zwecke nicht mehr als durch eine übergreifende Ordnung vorgegeben angesehen werden, sondern der Einzelne sie sich selbst setzen muß. G. ist die Verwirklichung aller selbstgesetzten Zwecke, was eine radikale Subjektivierung des Glücksbegriffs bedeutet. Über sein G. kann jeder nur selbst urteilen [4. 32 ff.]. ›Alles Gut und Übel ist in der Wahrnehmung‹ (Epik. epist. ad Menoeceum 124) und ›Niemand ist glücklich, der sich nicht dafür hält‹ (Sen. epist. 9,21). Diese Vorstellung hat die Glücksauffassung bis heute entscheidend geprägt. Psychologisch betrachten die hell. Philosophen das G. als Freiheit von innerer Erregung, was die Stoiker Apathie, die Epikureer und Pyrrhoneer → Ataraxie (→ Affekte) nennen. Gemeint ist beidemal dasselbe, nämlich der innere Friede, die Seelenruhe. Da dieser Zustand durch die Erfüllung selbstgewählter Zwecke erreicht wird, kommt alles darauf an, daß man sich nur solche Zwecke wählt, die man jederzeit selbst verwirklichen kann; daß man nur wirklich Verfügbares als wahres Gut, alles andere aber als gleichgültig ansieht [4. 23 ff.].

Die Stoiker, in sokratisch-kynischer Tradition stehend, versuchen dieses Programm am radikalsten umzusetzen. Da für sie letztlich alles unverfügbar ist außer der inneren Einstellung zu den Dingen, lehren sie, daß schlechthin alle äußeren Dinge gleichgültig seien. Das einzige wahre Gut sei diese Einsicht in die Gleichgültigkeit der Dinge. Und diese Einsicht ist das, was für sie die Tugend ausmacht, die damit der Weg zum G. sei. → Epikuros verhält sich bedenklicher. Er glaubt nicht, daß man sämtliche Werte durch vernünftige Einsicht neutralisieren kann, sondern daß unsere Gefühle der Lust und Unlust Wertungen enthalten, die uns gegeben sind und die sich nicht wegdiskutieren lassen. Er versucht deswegen, das hell. G.-Konzept dadurch zu verwirklichen, daß er mit Hilfe eines restriktiven Lustbegriffs Lust und Unlust als jederzeit verfügbar erweist. Auf diese Weise gelangt er zum Hedonismus. Die Pyrrhoneer schließlich sind noch vorsichtiger. Sie glauben, daß auch das G. letztlich unverfügbar ist, so daß es nicht erstrebt werden darf. Da es sich aber als höchstes Gut nicht als indifferent betrachten läßt, versuchen sie, es als Strebensziel auszuschalten, indem sie zeigen, daß schlechthin unerkennbar ist, worin es besteht. Zu diesem Zwecke entwickeln sie den Skeptizismus (→ Skeptische Schule, → Epoche).

Das hell. Denken bestimmt auch den G.-Begriff des Neuplatonismus und des frühen Christentums. Plotin sieht das G. im vollkommenen, d. h. vernunftbestimmten Leben, was zunächst klass. anmutet; aber als Beweis nennt er, daß der so Lebende nichts weiter begehre (Enneades 1,4,4). Ähnlich liegt für Augustinus das G. in Gott, weil er die Erfüllung aller Wünsche sei (civ. 22,30).

→ Ethik; Lust; Zweck; PRAKTISCHE PHILOSOPHIE

1 M. FORSCHNER, Über das G. des Menschen. Aristoteles, Epikur, Stoa, Thomas von Aquin, Kant, ²1994 2 M. HOSSENFELDER, Ant. Glückslehren. Kynismus und Kyrenaismus. Stoa, Epikureismus und Skepsis. Quellen in dt. Übers. mit Einführungen, 1996 3 Ders., Epikur, ²1998 4 Ders., Stoa, Epikureismus und Skepsis, ²1995. M. HO.

Glühwürmchen.

Thomas von Cantimpré beschreibt 9,11 [1. 300] unter dem Namen *cicendula* eindeutig das G. (= Johanniswürmchen) als einen Käfer (*scarabeus*) von der Größe einer kleinen Fliege, welcher hauptsächlich in It. vorkomme und 15 Tage vor und nach der Sommersonnenwende fliege. Das nur nachts sichtbare Leuchten in Form von Fünkchen (*scintillarum modo*) falle v. a. im Flug am Schwanz auf, nicht aber nach Zusammenklappen der Flügel. Name und Etym. (*cicindela ... quod volans vel gradiens lucet*) übernahm er von Isid. orig. 12,8,6, den übrigen Kontext aber von Plin. nat. 11,98 und 18,250. Dort entspricht *cicindela* λαμπουρίς, »leuch-

tend«. Das Tier begegnet sonst nur in den griech. [2] und lat. Koiraniden 3, elem. L (Nr. 2) [3. 161] in magisch-medizinischer Verwendung.

1 Thomas Cantimpratensis, Liber de natura rerum, ed. H. BOESE, 1973 2 Koiranides ed. F. DE MÉLY, M. CH und E. RUELLE, in: Les lapidaires grecs, 1898 3 L. DELATTE, Textes latins et vieux français relatifs aux Cyranides, 1942. C. HÜ.

Glycerius.

Weström. Kaiser vom März 473 bis Juni 474 n. Chr. Er war 472/3 *comes domesticorum* und wurde auf Veranlassung des Reichsfeldherrn → Gundobad in Ravenna zum Augustus proklamiert. Nach Italien eingefallene Ostgoten bewog er durch Geschenke zum Abzug. Der oström. Kaiser → Leo I. erkannte ihn nicht an und schickte eine Flotte gegen ihn unter → Iulius Nepos, dem sich G. kampflos unterwarf. Er wurde Bischof von Salona und soll 480 die Ermordung des Nepos veranlaßt haben (Iohannes Antiochenus fr. 209,2 FHG IV 617f.; Iord. Get. 45,239; 241; 56,283f.; Anon. Valesianus 7,36).

PLRE 2, 514 • A. DEMANDT, Die Spätantike, 1989, 175. K. P. J.

Glykera (Γλυκέρα).

[1] Berühmte athenische Hetäre (→ Hetairai) im späten 4. Jh. v. Chr., nach dem Tod der → Pythionike von → Harpalos nach Tarsos berufen. Harpalos ordnete für sie königliche Ehren an, was bei Griechen Spott und Unwillen erregte. Durch ihre Vermittlung unterstützte er Athen mit Getreide und erwarb dort das Bürgerrecht. Sie scheint ihn bei seiner Flucht begleitet zu haben und verbrachte den Rest ihres Lebens in Athen, wo sie u. a. die Geliebte des Dichters → Menandros geworden sein soll (Athen. 13,584a; 586c-d; 594d; 595d–596a).

BERVE 2, Nr. 231. E. B.

[2] s. Pausias

Glykon (Γλύκων).

[1] Von Heph. 10,2 CONSBRUCH als Erfinder des Glykoneus (→ Metrik) bezeichnet. Seine Existenz ist unbestritten, die drei ihm zugeschriebenen Verse (= 1029 PMG) gelten gemeinhin jedoch als alexandrinisch: Dieser G. kann kaum vor Sappho (Ende 7. Jh. v. Chr.), die dieses Metrum verwendet, gelebt haben. Choiroboskos nennt G. (in seinem Komm. z.St. In Heph. CONSBRUCH) einen komischen Dichter, verwechselt ihn aber vermutlich mit Leukon (PCG V 612). Anth. Pal. 10,124, ein Zweizeiler über die Zwecklosigkeit aller Dinge, wird G. zugeschrieben, aber dieser Dichter ist wahrscheinlich noch jünger als der von Hephaistion zitierte Autor (FGE 112). S. FO./Ü: L. S.

[2] mit dem Spitznamen *Spyridion* (»Körbchen«), griech. Rhetor, frühes 1. Jh. v. Chr., vielleicht aus Pergamon. Seneca rühmt ihn (contr. 1,7,18; suas. 1,11 etc.), kritisiert aber auch seine Geschmacklosigkeit (contr. 10,5,27; suas. 1,16). Quintilian (6,1,41) kennt nur eine

peinliche Begebenheit. Anth. Pal. 11,399 greift wahrscheinlich einen gleichnamigen *grammatikós* an.

    PIR G 188.   E.BO./Ü: L.S.

[3] Nach Lukianos (Alexander 1,9 f.) eine Schlange, die → Alexandros [27] ca. 160 n. Chr. von Makedonien nach → Abonuteichos brachte und die dort als eine Erscheinung des *Neos Asklepios* verehrt wurde. Der Kultort blühte als Orakel- und Heilstätte, besonders während der Kriegszüge des Marcus Aurelius und während der antoninischen Pest. Glykon wird auf städtischen Münzen als Schlange mit Menschenkopf dargestellt; Statuetten, Widmungen und Münzen mit entsprechenden Darstellungen wurden im Donaugebiet, am Schwarzen Meer und in Syrien gefunden und datieren mindestens ein halbes Jahrhundert später als der massive Angriff Lukians auf diesen Kult und seinen Gründer Alexander.

→ Heilgötter; Heilkult   V.N./Ü: L.v.R.-B.

[4] Bildhauer aus Athen. G. signierte den sog. Herakles Farnese, eine 1546 in den Caracalla-Thermen in Rom gefundene und in Neapel (NM) aufbewahrte Kopie eines Werkes von → Lysippos. Die Arbeit entstand im frühen 3. Jh. n. Chr. und wurde wegen ihrer expressiven Muskelwiedergabe im Barock hoch geschätzt.

    LOEWY, Nr. 345 • S. FERRI, s. v. G., EAA 3, 1960, 965 • D. KRULL, Der Herakles vom Typus Farnese. Kopienkritische Untersuchung einer Schöpfung des Lysipp, 1985.   R.N.

Glykyrrhiza (γλυκύρριζα, Süßholz). Aus den Wurzelstöcken bestimmter Vertreter der insgesamt 12 Arten umfassenden Gattung des Süßholzes (Leguminosae), bes. der G. glabra L. und echinata L., welche als Σκυθική oder γλυκεῖα (sc. ῥίζα) aus Skythien stammen soll (Theophr. h. plant. 9,13,2), gewann man ein durstlöschendes Asthma-, Hals- und Erkältungsmittel. Dioskurides 3,5 p. 2,8–10 WELLMANN = p. 265 BERENDES empfiehlt es auch bei Brust- und Leberleiden. Nach Plin. nat. 22,24–26, der mehrere Verordnungen kennt (vgl. 25,82 *Scythice* = Theophr. ebd.), kam die beste Sorte aus Kilikien, die zweitbeste vom Schwarzmeer. Seit dem MA spielte *liquiritia* bzw. *liguricia* eine große Rolle in der Pharmazie (z. B. in dem Arzneidrogenbuch *Circa instans* [1. 65; 2]); h. ist Lakritze eher ein Genußmittel.

    1 H. WÖLFEL (Hrsg.), Das Arzneidrogenbuch Circa instans, Diss. Berlin 1939 **2** M. PUTSCHER, Das Süßholz und seine Gesch., Diss. Köln 1968.   C.HÜ.

Glympeis (Γλυμπεῖς; bei Paus. 3,22,8 Γλυππία). Kynurische Ortschaft an der Grenze der Argolis zu Lakonia (Pol. 5,20) im Parnon, die Ruinenstätte Palaeochora beim h. Hagios Vasilios.

    J. CHRISTIEN, De Sparte à la côte orientale du Péloponnèse, in: M. PIÉRART (Hrsg.), Polydipsion Argos, 1992, 157–170.   Y.L.

Gnaios. Steinschneider aus der Zeit der röm. Republik, Signaturen auf Sardonyx mit Palladionraub (Diomedes am Altar, Slg. des Duke of Devonshire), Amethyst mit Porträt des jungen M. Antonius (Ionides Collection) sowie Hyazinth mit Kopie des polykletischen Öleingießers (ehemals Slg. Marlborough, verschollen). Als Eigenheit des G. gilt das Schrägstellen von Attributen hinter einer Büste, z. B. Aquamarin mit Herakles und Keule (um 20 v. Chr., London, BM) sowie Karneol mit Königin und Zepter (New York, MMA).
→ Steinschneidekunst

    M. L. VOLLENWEIDER, Die Steinschneidekunst und ihre Künstler in spätrepublikan. und augusteischer Zeit, 1966, 45[49], Taf. 43,1–3 • ZAZOFF, AG, 288 f.[132ff.], Taf. 81,7–82,3.   S.MI.

Gnathia (auch *Egnatia*, *Ignatia*). Peuketische Hafenstadt in Apulia zw. Barium und Brundisium (Strab. 6,3,7; Ptol. 3,1,15; *in Sallentino oppido* G., Plin. nat. 2,240) an der *via Minucia* (Tab. Peut. 6,5). Station auf der Reise des Horatius nach Brundisium, der sich sat. 1,5,97–100 über angebliche Weihrauch-Wunder mokiert (vgl. Plin. l.c.). Ruinen beim h. Torre d'Egnazia (Mauer zur Landseite, Nekropolen, Basiliken). Spuren oriental. Kulte (ILS 4178: *sacerdos Matris Magnae et Suriae deae et sacrorum Isidis*).

    NISSEN, 860.   H.SO.

Gnathiavasen. Moderner arch. t. t., abgeleitet von dem Ort Egnazia (ant. → Gnathia) im Osten Apuliens, wo man im mittleren 19. Jh. die ersten Vasen dieser Gattung fand. Bei den G. wird – anders als bei den rf. Vasen – die Dekoration in verschiedenen Deckfarben auf den gefirnißten Vasenkörper aufgetragen. Zusätzlich können durch Ritzungen Strukturen an Personen und Gegenständen angezeigt oder diese sogar durch Ritzung ganz wiedergegeben werden. Die Produktion der G. setzte um 370/360 v. Chr. in Apulien ein, wohl ausgelöst durch die beginnende Polychromierung der rf. apul. Vasen (→ Apulische Vasen). Die Gegenüberstellung von Gefäßen, die in Gnathia und in der rf. Technik bemalt sind, zeigt die enge Verbindung beider Gattungen.

Zu den beliebten Themen der frühen G. zählen Eroten- und Frauenbilder, Theaterszenen und dionysische Motive; Leitformen sind Glockenkrater, Pelike, Oinochoe und Skyphos. Dabei ist die figürliche Bemalung vielfach nur auf die obere Gefäßhälfte bzw. eine Vasenseite beschränkt, während die zweite ornamental verziert ist. Herausragende Maler sind der Konnakis- und der Rosenmaler.

Die urspr. Polychromierung (weiß, gelb, orange, rot, braun, grün u. a.) verflacht nach 330 v. Chr. zu einer übermäßigen Verwendung von weißer Farbe; zudem engt sich das thematische Spektrum ein: Wein-, Efeu- und Lorbeerranken, Theatermasken, Männer- oder Frauenköpfe in Ranken, Tauben und Schwäne werden jetzt zu beherrschenden Motiven. Eine weitere Neuerung ist die Riefelung der unteren Hälfte von Gefäßen. Bevorzugte → Gefäßtypen sind Oinochoe, Skyphos, Pelike, Kantharos, Schüssel, Lekythos und Flasche; zu den wichtigen Malern dieser Phase zählen der Maler der Flasche im Louvre und der Dunedin-Maler. In der letzten Herstellungsphase der G., die ca. 25 Jahre währt, ist die Rückkehr zu figürlicher Darstellung bemerkenswert, wobei hier Eroten überwiegen. An Gefäßformen bevorzugen die Maler den Kantharos, die Schüssel mit aufgemalten Henkeln; die Riefelung an Gefäßen wird ebenso beibehalten wie die übermäßige Verwendung von Weiß, wobei Zusätze von Gelb eine Schattenwirkung erzielen sollen.

Im Gegensatz zu den unterit. rf. Vasen wurden G. im Mittelmeer- und Schwarzmeergebiet gehandelt, wo sie einen großen Einfluß auf die einheimische Keramikproduktion gewannen (z.B.→ Westabhangkeramik). Aus dem ital. Gebiet sind kampanische, sizilische und pästanische G. bekannt, die in dem Zeitraum 330 bis 300/280 v.Chr. entstanden, während es in Lukanien nur zu gelegentlichen Imitationen kam. Von Bed. ist die Pocolum-Gattung, die von einem ausgewanderten Maler der G. in Etrurien geschaffen wurde.

J.R. GREEN, Ears of corn and other offerings, in: FS A.D. Trendall, 1979, 81–90 · Ders., Gnathia, in: M.E. MAYO, K. HAMMA (Hrsg.), The Art of South Italy. Vases from Magna Graecia, Ausst.-Kat. Richmond, 1982, 244–285 · I. MCPHEE, Stemless bell-kraters from ancient Corinth, in: Hesperia 66, 1997, 99–145.

R.H.

Gnesippos (Γνήσιππος). Vielleicht identisch mit dem Tragiker → Nothippos (5. Jh. v.Chr.; vgl. TrGF 26; DID A3,14 und TrGF 8) [1. 481, 18ff.]; der Name G. wurde evtl. spaßeshalber für Nothippos verwendet [2. 399]. Bei Athenaios (8,344c f. und 14,638d ff.) werden sie als zwei unterschiedliche Personen aufgeführt, wobei in 14,638d ff. G. einerseits von zeitgenössischen Komikern (u.a. von Kratinos) als ein »Paigniagraphos der heiteren Muse« wegen seines neuen »weichlichen« Stiles, andererseits – wenn die Überleitung in 14,638e in diesem Sinne zu verstehen ist [1. 1480,35ff] – als Tragiker, Konkurrent des → Sophokles und Sohn des → Kleomachos wegen seiner Laszivität verspottet wird.

1 P.MAAS, s.v. G., RE 7, 1479–1481
2 U. v.WILAMOWITZ-MOELLENDORFF, KS V.1.   F.P.

Gnipho. Röm. Cognomen (von griech. Γνίφων, »Geizhals«), Beiname des M. Antonius [I 12] G., des Lehrers von Caesar und Cicero.   K.-L.E.

Gnome
[1] Literaturgeschichtlich I. GRIECHISCH
II. RÖMISCHE REZEPTION: sententia
III. WEITERE WIRKUNGSGESCHICHTE

I. GRIECHISCH
A. WORTBEDEUTUNG
B. GNOME ALS LITERARISCHES PHÄNOMEN

A. WORTBEDEUTUNG
Das Substantiv γνώμη (nicht bei Homer und Hesiod) mit seinem urspr. außerordentlich umfassenden Bedeutungsbereich ist als Nomen actionis zum Verbum γιγνώσκω (gignóskō) zu stellen [11; 37. 491; 27. 32 (auch zur Etym.)]; das Verbum liegt mit seinen Bedeutungen: »erkennen«, »sich eine Meinung bilden«, »beschließen« und »urteilen« zwischen den Polen: »Fähigkeit zum Erkennen eines Sachverhaltes« und »Resultat dieser Erkenntnis« [40. 20–39, bes. 32f.] und umfaßt somit inhaltlich »Orientierung in der Welt und einen daraus folgenden Entschluß zum Handeln«. So hat auch das Substantiv G. kognitive, deliberative und voluntative Elemente: »Erkenntnis«, »Einsicht«, »Meinung«, »Entschluß« (sogar »Wille«), »Weisung«, »maßgebliches Urteil«, »Antrag«, »Beschluß« und »Richterspruch«. Ein Zusammenspiel dieser heterogenen Elemente des Erkennens – im allg. nicht auf einer theoretisch-spekulativen Ebene –, des Meinens und des Beschließens ist charakteristisch für das urspr. Bedeutungsfeld des Wortes G. und dann auch (mit Einschränkungen) für die als G. bezeichnete lit. Form. Modifiziert wird die Bedeutung »Kennzeichen« (LSJ s.v. Γνώμη I zu Thgn. 60: γνώμας εἰδότες [27. 36]) zu »maßgebliches Urteil« ([20. 264, Anm. 1], vgl. [40. 34, Anm. 4], ähnlich 31. 77]), so wohl auch Heraklit (22 B 78 DK = Bd. 1, 168). Gegenüber G. ist der Bedeutungsbereich des von derselben Wurzel gebildeten nomen actionis γνῶσις (→ gnósis) enger: »Erkenntnis« und dann »Kenntnis«.

Die Fähigkeit und der Vollzug des Erkennens, Meinens und Beschließens einzelner Personen oder Personengruppen angesichts ganz unterschiedlicher konkreter Situationen (ähnlich [27. 32–33]) ist als Bedeutung seit den frühesten Belegstellen von G. in der reifarcha. Lit. (6. Jh. – Mitte 5. Jh. v.Chr.) mit autorenspezifischen Bedeutungsnuancen [23] bis in die Lit. der Kaiserzeit nachweisbar [24. s.v.]; so spricht z.B. der Syrer Tatian (ad Graecos 7,3 MARCOVICH) von der αὐτεξούσιος γνώμη, dem »freien Entschluß« der Menschen. Zur Bedeutung von G. im polit.-öffentlichen und juristischen Bereich → Gnome [2].

B. GNOME ALS LITERARISCHES PHÄNOMEN
1. EINZELNE GNOMAI   2. GNOMIK

1. EINZELNE GNOMAI
Bei Sophokles (Ai. 1091), Euripides (fr. 362,3 NAUCK/SNELL) und Aristophanes (Nub. 889–1114, bes. 923/4) ist zum ersten Male G. in der Bedeutung »Ma-

xime« zu fassen [3. 54–56; 19. 112–114]. Die als Δημοκράτους γνῶμαι (»Denksprüche des Demokrates«) überl. Sätze, in denen ebenfalls diese Bedeutung von G. zu finden ist (68 B 35 DK = Bd. 2, 153; anders [3. 53]), stammen wohl überwiegend von Demokrit. Diese lit. bzw. rhet. G. (dt. am ehesten »Sentenz«, »Maxime«, »Weisheitsspruch«, »Sinnspruch«) repräsentiert eine Wort-Bedeutung von G., obwohl die Griechen das so bezeichnete lit. Phänomen schon bei Homer finden konnten. Sie bietet im persönlichen und polit.-ges. Bereich Orientierung zur Lebensdeutung und -führung, indem sie einen Sachverhalt feststellt und ihm entsprechend Pflichten normiert [25. 431–434 (§§872–879)]. Somit findet sich hier die für die urspr. Wortbedeutung von G. charakteristische Verbindung von Erkenntnis und sich aus ihr ergebender Handlungslenkung wieder, nicht immer im Wortlaut der G., aber in ihrem funktionalen Zusammenhang im Text. Deutlich empfand man dabei das belehrende Element; denn »der weisen Männer *gnómai* machen die, die sie sich angeeignet haben, reich an ἀρετή/*aretế*« (Xen. mem. 4,2,9).

Diese lit. G. ist nun aber schon vor der jeweiligen konkreten Situation, auf die sie angewendet wird, geprägt; das ist ein neuer Aspekt gegenüber der urspr. Wortbedeutung von G., nach der eine konkrete Situation erst eine G. verlangte. Die lit. G. kann zwar in ihrem Inhalt von den Interessen gewisser polit.-sozialer Gruppen bestimmt sein (wie z. B. die G. bei Theognis), sie beansprucht aber Zustimmung der Allgemeinheit und Allgemeinverbindlichkeit über den jeweils angesprochenen Kreis der Menschen hinaus. Formal besteht die lit. bzw. rhet. G. in ihrer einfachen Form nur aus einem Satz: einer Behauptung, seltener einer Aufforderung oder rhet. Frage; es kann aber auch (weshalb sie Aristoteles als Enthymem behandelt hat) eine Begründung hinzutreten. Dieser G. stehen andere lit. Formen nahe; sie werden in der griech. und vor allem in moderner Lit. ([41] mit Anführung der allgemeiner als G. bezeichneten Texte) bisweilen als G. (im weiteren Sinne) bezeichnet, obwohl sie genau genommen in der griech. Lit. [18. 75–76; 14] formal und inhaltlich anders bzw. genauer als die lit. G. bestimmt sind: Der → *ainos* [2] will auf die angesprochene Person unmittelbar wirken; der → *aphorismos* ist urspr. eine knappe Krankheitsbeschreibung oder Prognose; das → Apophthegma bezeichnet einen treffend, auch witzig formulierten Ausspruch mit dem Anspruch auf Authentizität hinsichtlich des Sprechers; die → Chrie ist in ihrer Gestaltung vielfältiger als die G. und bezieht sich auf den Ausspruch oder die Handlung einer bestimmten Person [12. 88/9; 42. 53/4]; die → *hypothḗkai* (ὑποθῆκαι) sind eindeutig Ratschläge und Anweisungen einer Autoritätsperson [3. 5]; ihnen nahe verwandt, aber allgemeiner sind die παραγγέλματα (*parangélmata*), lat. *praecepta*, zu denen die am Heiligtum in Delphi und an Gymnasien zu lesenden, den Sprüchen der → Sieben Weisen ähnelnden moralischen Lehrsätze gehören (Diels in Syll³ 1268; [36. 3–5]; Gnomon (γνώμων) kann übertragen, ähnlich wie G., die

»Lebensregel« bezeichnen (Thgn. 543; Lukian. Hermotimos 76); die → Priamel ist mit ihrer sich inhaltlich steigernden Aussagenreihe über Sachverhalte eher ein Sonderfall des Sprichworts als der G.; das Sprichwort (παροιμία/→ *paroimía*, lat. *adagium*, *proverbium*) ist infolge der Anonymität seines Ursprungs in seinem Anspruch, eine allg. menschliche Erfahrung zu vermitteln, weiter als die G., die ihrerseits nicht selten einem bestimmten Autor zugewiesen sein und als Ansprechpartner eine bestimmte Person oder Gruppe haben kann; auch tritt im Sprichwort die für die G. typische Anleitung zur Handlung zurück. Freilich verschwindet der sowieso fließende Unterschied zwischen Sprichwort und G. seit dem Hell. immer mehr (Aristot. rhet. 2,21,1395a 19) [18. 76–77; 13; 15].

Das lit. Element, das man seit dem 5. Jh. G. (»Sentenz« bzw. »Maxime«) nannte, fand man schon in den Reden der homer. Epen, z. B. ›Nichts Gutes ist die Herrschaft vieler; einer sei Herrscher!‹ (Hom. Il. 2,204; vgl. u. a. Aristot. pol. 1292a 13; Aristeid. 31,7; Suet. Cal. 22,1; ferner Hom. Il. 12,243 und 18,309; Aristot. rhet. 2,21,1395a 14 und 16). Überhaupt luden allg. formulierte, bes. mit τοι, ἀτάρ und τε (z. B. Hom. Il. 11,779 und Od. 9,268 [6. 239–240]) eingeleitete Aussagen zur generalisierenden Verwendung im Zitat ein [43. 85–96]. Bei der Verwendung als G. wurden die zitierten Worte später aus ihrem jeweiligen funktionalen Zusammenhang gerissen, in dem sie in der ep. Dichtung die Rede strukturierend, vor allem als deren Eröffnung oder Abschluß, standen; andererseits behielten diese G. von daher ihre Affinität zu rhet. Verwendung. Man muß bei den lit. G. unterscheiden zwischen allg., urspr. in die Reden integrierten Sätzen, die man bei Homer und anderen fand und zitierte, und formal und inhaltlich vor allem bei Hesiod immer selbständiger gestalteten G. wie bei Pindar [4], Euripides, dem Philosophen auf der Bühne und dem Komödiendichter Epicharmos. Am Ende dieser Entwicklung steht die als eigenständige lit. Form bewußt gestaltete monostichische Einzelgnome, so in der wohl im 2. Jh. v. Chr. begonnenen und bis in die byz. Zeit erweiterten Sammlung »G. Menanders« [9. 900–903]. Dabei wurden auch im Original nicht gnomische oder nur locker formulierte γνωμολογίαι (*gnōmológíai*; zur Bedeutung [18. 75]) zu monostichischen G. umformuliert [16. 143–149]. Die Sammlung des → Stobaios enthält ἐκλογαί (*eklogaí*; Prosaauszüge), ἀποφθέγματα (*apophthégmata*) und ὑποθῆκαι (*hypothḗkai*). Das sog. Gnomologium Vaticanum ist in Wahrheit eine Apophthegmata-Sammlung [28. IX].

Die mit diesem lit. Vorgang verbundene, seit dem Ende des 5. Jh. v. Chr. zu beobachtende Erweiterung des Wortfeldes von G. durch die Bedeutung »Sinnspruch« (s. o.) war auch für die Theorie weitreichend und folgenreich. G. bezeichnete von da an etwas Allg., nicht auf eine konkrete Situation Bezogenes. Eine Ausrichtung auf allg. Ebene findet sich bei Aristoteles; er behandelt (rhet. 2,21,1394a 19 – 1395b 20) diese rhet. G. als einen Teil des Enthymems [3. 59–73; 29. 122–124] und bestimmt sie (1394a 21–25) als allg. Aussage, zwar nicht über alle Sachverhalte, wie z.B. darüber, daß das Gerade im Gegensatz zum Gekrümmten steht, sondern darüber, was bei den menschlichen Handlungen wählbar oder vermeidbar ist. Bei allem Gewicht, das auf dem Handeln liegt, entspringt es doch – der Wortbedeutung von G. entsprechend – einer Erkenntnis: Denn neben den allg. anerkannten oder unmittelbar einleuchtenden G. kennt Aristoteles solche, die eines erklärenden Zusatzes bedürfen (1394b 7–26); deshalb kann er die G. dem Enthymem zuordnen [21. 99]. Der Redner könne nun mit G. wegen der geistigen Unbeweglichkeit des Publikums (1395b 1–3) bes. Erfolg haben, weil es sich freue, seine vorweg zu einem einzelnen Fall gefaßte Meinung als allgemeingültigen Satz ausgesagt zu hören. Diese rhet. G. – eine Spielart der lit. G. – sind bei den Rednern der klass. Zeit noch selten [44. 453] und dienten, wie Aristoteles beschrieben hat, dazu, die ethische Gesinnung zum Ausdruck zu bringen. Doch vollzog sich parallel zur lit. G. ein Wandel bei der rhet.: In der archa. und erst recht in der klass. Dichtung (Euripides) wird die selbständige Anwendung der G. als einer jeweils neu formulierbaren lit. Form immer stärker. Daher überrascht es nicht, daß schon Aristoteles neben den überlieferten allg. anerkannten G., die er selbst als Beispiele zitiert, auch vom Redner selbst geformte G. kennt (rhet. 2,21,1395a 2–11 und 1395b 5–9). In der *Ars rhetorica* des Anaximenes (11,1 FUHRMANN) wird G. gar als das Aufzeigen der eigenen Meinung definiert.

Seit Theophrast werden die G. als geistreiche Formulierungen zum Schmuck der Rede. So läßt er in seiner Definition der G. (WALZ 7,2. 1154,23) des Aristoteles Einbindung der G. in das Enthymem (s.o.) weg [34; 7. 100–102]. In großem Umfang angewendet wurden die G. erst in der asianischen Beredsamkeit (Cic. Brut. 95,325; [44. 454]). Die rhet. G. hat jetzt ihre Beschränkung auf den ethischen Bereich verloren, und seitdem ist sie (in der Bedeutung einer allg. Sentenz) stets ein Element der ant. Redelehrbücher, so bei Hermogenes (Progymnasmata 4,24–27 RABE): Nach seiner Definition dienen die G. nicht nur zur ethischen Abschreckung und Ermunterung, sondern auch zur Erklärung der Qualität (ὁποῖον, 4,24) eines Sachverhalts; Sopater (Progymnasmatum fragmenta ed. RABE p. 60–61; Ad Aphthonium 7,2) definiert die G. gar nur als ἀπόφανσις καθολικὴ περὶ ποιότητος; so bestimmt bezieht sich die G. nur noch auf einen Sachverhalt und ist vom Sprichwort (*paroimía*) nicht mehr unterschieden. (Zu weiteren rhet. Definitionen der G. [10; 29. 122–124, 257f.])

2. GNOMIK

Werden G. bewußt als Elemente im Zusammenhang eines lit. Kunstwerks verwendet, sprechen wir von Gnomik. Das diesem Begriff zugrunde liegende, seit dem Hellenismus nachgewiesene griech. Adjektiv γνωμικός (*gnōmikós*, »zur Erkenntnis führend« [27. 35]) gehört zur (oben bestimmten) lit. G. (Philod. Hom. p. 15 OLIVIERI; Hermog. De inventione 4,3, p. 177,3 RABE

u.a.m.). Im Anschluß an diese ant. Auffassung versteht man unter Gnomik die Verwendung von G. und G.-Reihen, wenn diese den narrativen Zusammenhang von lit. Texten bes. prägen, z.B. bei Hesiod, Theognis [3. 21–51], Phokylides (zit. von Isokr. or. 2,43/44), Aischylos, Pindar [4], Euripides (in Raisonnements z.B. Eur. Hipp. 380–387), Thukydides [30] und Menander [16. 5–101]. Dabei ergeben sich bes. formale wie argumentative Strukturen, zumal diese G. in den von der elaborierten Mündlichkeit bestimmten Texten auch als Markierungen für das Ohr dienen können. Denn G. werden in folgenden Funktionen verwendet: als Ausgangspunkt einer Gedankenfolge, als Glanzlichter der Argumentation, als Überleitung zw. Gedankengruppen und als Abschluß einer Gedankenfolge. Mit Hilfe der Gnomik zeigt der Autor den ethischen Hintergrund seiner Aussagen auf.

II. RÖMISCHE REZEPTION: SENTENTIA
A. WORTBEDEUTUNG B. SENTENTIA ALS RHETORISCH-LITERARISCHES PHÄNOMEN

A. WORTBEDEUTUNG

Im Bedeutungsfeld des seit Cicero belegten Substantivs *sententia* (»Meinung, Ansicht, Urteil, Antrag, Sinn, Gedanke«) fehlt gegenüber dem zugehörigen Verbum *sentire* (»wahrnehmen«, »urteilen«, »meinen«, »für etwas stimmen«) das Element des Wahrnehmens, das von lat. *sensus* vertreten wird – somit ein entsprechendes Element zu dem »Erkennen« (vgl. Quint. inst. 8,5,1 und 2), das als Anfangsglied in der Bedeutungsreihe des griech. spätarcha. und klass. Wortes G. (s.o. I. A.) steht. *Sententia* (= *s.*) entspricht also stärker der hell. Wortbedeutung von G., »Sentenz«, »Maxime«, und ist dadurch geeignet, im Lat. das lit. Phänomen zu bezeichnen, das der lit. bzw. rhet. G. im Griech. entspricht (s.o. I. B.1.). Von *proverbium* und *adagium* (*paroimía*) und deren strikter Anonymität unterscheidet sich die *s.* dadurch, daß sie zwar ebenfalls eine Aussage über einen allg. Sachverhalt bietet, aber doch einem Autor zugeschrieben werden kann (zu ähnlichen Verhältnissen bei der G. s.o.). Auch die forensischen Bedeutungen von *sententia* (»Meinung«, »Votum« und »Urteil«) sind im Bedeutungsfeld von G. in hell. Zeit nachweisbar. Sowohl die lit. G. mit ihrer immer bewußter herausgearbeiteten Form samt ihrem Allgemeinheitsanspruch und die aus G.-Reihen bestehende Gnomik gingen zusammen mit den anderen oben erwähnten verwandten Formen von Spruchweisheit im Lat. in den inhaltlich weiteren Begriff *s.* ein und verloren so ihre jeweilige in der griech. Lit. nachweisbare Eigenart.

B. SENTENTIA ALS RHETORISCH-LITERARISCHES PHÄNOMEN

Der ältere Cato hat (Plut. Cato maior 2,6) griech. G. in seine *s.*-reichen Sätze übernommen. In den röm. rhet. Unterweisungen hat *s.* eine der hell. G. sehr ähnliche Bedeutung und Funktion, zeigt aber daneben auch als röm. Eigenart den bes. Realitätsbezug. In der *Rhe-*

torica ad Herennium (4,24/5) wird in hell. Tradition die *s.* als bedeutender Schmuck der Rede bezeichnet; andererseits hat sie einen der Erklärung nicht bedürftigen aus Leben und Moral genommenen Inhalt [7. 102]. Cicero (orat. 79) ordnete wie Theophrast die *sententiae* dem Schmuck (*ornatus*) der Rede zu; sie sollen häufig angewendet und treffend formuliert (*acutae*) sein (de orat. 2,34). In der Folgezeit erwuchs den röm. Rednern ein großer Vorrat an *sententiae translaticiae*, d. h. an Allgemeinplätzen, über die zu verfügen Teil ihrer Ausbildung war (Sen. contr. 1, pr. 23) [8. 103 f.]. So kann Quintilian (inst. 8,5, bes. 2 und 34) [26. 1, 301 f.; 7. 104–124] feststellen, daß man zu seiner Zeit unter *s.* die rednerischen Glanzlichter versteht, die ihren Platz vor allem in den *clausulae* haben, und stellt sie (8,5,3) in einen gewissen Gegensatz zu der ›ältesten‹ Art der *s.*, ›einer allg. Aussage, die auch unabhängig vom Zusammenhang Anerkennung finden kann‹ und bei den Griechen G. heißt. Er kann u. a. (inst. 8,5,6) – anders als Aristoteles – diejenigen *s.* als kraftvoller bezeichnen, die nicht allg. formuliert sind, sondern die individuelle Situation widerspiegeln. Im weiteren Argumentationsgang (8,5,9–14) versteht Quintilian das Enthymem ebenso als Redeschmuck wie das Epiphonem, einen Ausruf als Höhepunkt am Ende der Darlegung, und das *nóēma*, bei dem Unausgesprochenes mitverstanden werden soll; daß die *s.* auch bisweilen als *clausula* erscheint, begrüßt Quintilian, distanziert sich aber von dem zu seiner Zeit üblichen Haschen nach Beifall für eine witzige Formulierung vor jeder Atempause. Diese neueren *s.* sind weniger durch ihren ethischen Gehalt als durch die Form ihrer Aussage bestimmt (inst. 8,5,15–19). Quintilian empfiehlt ihre maßvolle Anwendung, wenn man denn besser sein wolle als die Alten (inst. 8,5,34). Dabei denkt er (inst. 12,10,48) an die nicht bei diesen, wohl aber bei Cicero zu findenden Pointen und rühmt: ›Sie treffen den Hörer, geben häufig mit einem Schlag den Anstoß, bleiben gerade wegen ihrer Kürze (im Gedächtnis) hängen und überreden durch den Genuß.‹

Bei der älteren G. bzw. *s.*, wie sie Aristoteles beschrieben hatte (s. o. I.B.1.), freute sich das geistig unbewegliche Publikum, seine eigene Bewertung in der vom Redner vorgetragenen allg. anerkannten G. wiederzufinden. Spätestens mit Beginn der röm. Kaiserzeit drängte sich die Freude an der geistreichen Form rivalisierend daneben; neben die ethische Orientierung trat das intellektuelle Spiel vor einem rhet. versierten Publikum. Schon Seneca der Jüngere hatte sich um ausgefeilte epigrammatische *s.* bemüht [26. 1, 266, 272]. In der zweiten Rede Apers im *Dialogus* des Tacitus wird (bes. 20,4) die Kürze als Erfordernis der modernen Beredsamkeit hervorgehoben; das gelehrige Publikum begrüßt es, wenn ein beliebiger Gedanke in einer scharfsinnigen und kurzen *s.* hervorblitzt, und es berichtet über sie in die Tochterstädte und Provinzen; Reden sollen (ebd. 22,3) exzerpierbare *s.* enthalten. Die *s.* haben in der röm. Lit. wegen der Rolle, die die Rhet. in Bildung und Ges. spielte, dort ihren eigentlichen

Platz; so sind auch die *s.* in anderer Prosalit. und in der Dichtung von der Rhet. beeinflußt, haben aber ihre Eigenart nicht nur kraft der Autorenpersönlichkeiten, sondern auch von deren griech. Vorbildern, die z. T. (von Homer bis zu den klass. Dichtern) älter waren als die erst am Beginn der hell. Zeit bewußt verwendete rhet. G. (s. o. I. B. 1.). Horaz z. B. kann *s.* verwenden, die der Art der G. in der altgriech. Lyrik entsprechen, als Gliederung und Übergang zw. Gedankengruppen (Hor. carm. 3,1,14–16; 25; 37–40; 3,2,13f; 25; 3,5,29f.). Dagegen strukturiert Lucanus die Reden in seinem Epos mit Hilfe von *s.* von der Art, die Quintilian als modern bezeichnet (und ihn deshalb (inst. 10,1,90) als *sententiis clarissimus* lobt [5. 260, 269]). Der Einfluß der modernen rhet. Schulung war freilich schon in den vielen *s.*, die Ovid von seinem Lehrer Latro übernommen hatte, deutlich [22. 405–419, bes. 406]. Auch in der Prosa, sogar in der bewußt schlichten Caesars, finden sich *s.* [33], und bei Tacitus sind bes. im *Agricola* pointenreiche Sentenzen Gliederungszeichen für das Ende eines Sinnzusammenhanges (Quintilians *clausulae*).

Das mit der lit. G./*s.* von Anfang an verbundene Element der Belehrung wird schon in den Satiren des Lucilius in sentenzartigen Versen (z. B. 1326ff. MARX: *virtus, Albine, est . . .*) deutlich. Schlicht und lehrhaft sind die in jambischen Senaren und trochäischen Septenaren verfaßten *s.* des Mimendichters Publilius Syrus (z. Z. Caesars) [38. 1926f.]. Hierher ist auch die aus dem 3. Jh. n. Chr. stammende, in hexametrischer Dichtung verfaßte Sammlung der → *Dicta (Disticha) Catonis* zu stellen [35].

III. WEITERE WIRKUNGSGESCHICHTE

Priscianus (Praeexercitamina 3,11 HALM) bestimmt um 500 n. Chr., wie Hermogenes im 2. Jh. n. Chr. die G. (s. o. I. B. 1), die *s.* als ›eine Äußerung, die eine allg. Aussage (zum Inhalt) hat, die zu irgendeiner Sache ermahnt, oder (vor ihr) warnt oder zeigt, von welcher Art irgendetwas ist‹. Dieser Definition entsprechen der *Liber sententiarum* (hauptsächlich aus den Werken des Augustinus) des Prosper von Aquitanien und die *Sententiarum libri tres* des Isidor von Sevilla (um 600), der noch *s.* weiterer Kirchenväter aufgenommen hat. Er gab das Vorbild ab zu Sammlungen, in denen seit Beginn des 12. Jh. Auszüge (= *s.*) aus dem Werk eines Kirchenvaters oder kurze ma. Erklärungen systematisch zusammengestellt waren. Diese lit. *s.* vertreten später bes. des Petrus Lombardus *Libri IV sententiarum* [17] mit den ›Sentenzenkomm.‹ der folgenden Jh.

Außerhalb der theologischen Literatur haben bes. die *Dicta (Disticha) Catonis* im MA stark weitergewirkt [39; 23]. Zum ersten Mal wurden sie in Alkuins *Praecepta vivendi* rezipiert, dann u. a. von »Freidank« [32]. Für die Humanistenzeit seien des Erasmus *Adagia* (Sprichwörter, s. o. I. B. 1.) genannt, unter denen sich auch viele *s.* finden. Im Sprachgebrauch der Moderne kann Sentenz weitgehend zur Bezeichnung des → Sprichworts dienen und gehört als solche in dessen Wirkungsgeschichte.

Das Wesensmerkmal der G./s. allerdings, die auf Erkenntnis beruhende Allgemeinverbindlichkeit mit Anleitung zum Verhalten, lebte als Element im MA und in der Neuzeit nicht nur in manchen Spruchsammlungen [2], sondern auch in anderen lit. Formen weiter, so etwa im Lehrgedicht [1. 54–74]. G. W. F. Hegel sah in seiner ›Vorlesung über Ästhetik‹ (Bd. 3, Teil 2) in dieser G. ein Charakteristikum der Epik; die moderne Gelehrsamkeit kann die altgriech. G. z. B. in Shakespeares Dramen [8. bes. 1–21] oder im »gnomischen« Typ des dt. Epigramms im 17. Jh. wiedererkennen [45. 80–98].

→ GNOME

1 L. L. ALBERTSEN, Das Lehrgedicht, 1967 2 B. BAUER, Sprüche in Prognostiken des 16. Jh., in: W. HAUG, B. WACHINGER (Hrsg.), Kleinstformen der Lit., 1994, 165–204 3 K. BIELOHLAWEK, Hypotheke und Gnome (Philologus, Suppl. 32, 3), 1940 4 H. BISCHOFF, Gnomen Pindars, 1938 5 S. F. BONNER, Lucan and the Declamation Schools, in: AJPh 87, 1966, 257–289 6 P. CHANTRAINE, Grammaire homerique, 2, ²1963 7 F. DELARUE, La sententia chez Quintilien, in: La Licorne 3, 1979, 97–124 8 M. DONKER, Shakespeare's Proverbial Themes, 1992 9 J. M. EDMONDS (Hrsg.), The Fragments of Attic Comedy, III B: Menander, 1961 10 H. FRAMM, Quomodo oratores Attici sententiis usi sint, 1909 11 FRISK 12 K. v. FRITZ, s. v. G., Gnomendichtung, Gnomologien. Zusatz 1, RE Suppl. 6, 87–89 13 H. GÄRTNER, s. v. Paroimia, in KlP 4, 523–524 14 O. GIGON, K. RUPPRECHT, s. v. G., LAW 1099–1100 15 Dies., s. v. Sprichwort, LAW 2873–2874 16 W. GÖRLER, Μενάνδρου γνῶμαι, 1963 17 L. HÖDL, s. v. Petrus Lombardus, TRE 26, 296–303 18 K. HORNA, s. v. G., Gnomendichtung, Gnomologien, RE Suppl. 6, 74–87 19 P. HUART, Γνώμη chez Thucydide et ses contemporains, 1973 20 W. JAEGER, Paideia 1, ²1936, Ndr. 1973 21 G. KENNEDY, The Art of Persuasion in Greece, 1963 22 Ders., The Art of Rhetoric in the Roman World, 1972 23 P. KESTING, s. v. Cato, Die dt. Lit. des MA. Verfasserlex. 1, 1192–1196 24 G. W. H. LAMPE, A Patristic Greek Lexicon, ¹²1995 25 LAUSBERG 26 A. D. LEEMAN, Orationis ratio, 1963 27 J. P. LEVET, Ῥήτωρ et γνώμη. Présentation sémantique et recherches isocratiques, in: La Licorne 3, 1979, 9–40 28 O. LUSCHNAT, Vorwort zum Neudruck, in: Gnomologium Vaticanum, ed. L. STERNBACH, 1963 29 J. MARTIN, Ant. Rhet., 1974 30 C. MEISTER, Die Gnomik im Geschichtswerk des Thukydides, 1955 31 S. N. MOURAVIEV, Gnômē, in: Glotta 51, 1973, 69–78 32 F. NEUMANN, s. v. Freidank, Die dt. Lit. des MA. Verfasserlex. 2, 897–903 33 R. PREISWERK, »Sententiae« in Cäsars Commentarien, in: MH 2, 1945, 213–226 34 G. ROSENTHAL, Ein vergessenes Theophrastfragment, in: Hermes 32, 1897, 317–320 35 P. L. SCHMIDT, s. v. Dicta Catonis, KlP 2, 1–2 36 E. SCHWERTHEIM, Die Inschr. von Kyzikos und Umgebung, 2, 1983 37 E. SCHWYZER, Griech. Gramm., 1, ³1959 38 O. SKUTSCH, s. v. Publilius Syrus, RE 23, 1920–1928 39 Ders., s. v. Dicta Catonis, RE 5, 358–370 40 B. SNELL, Die Ausdrücke für den Begriff des Wissens in der vorplatonischen Philos., in: PhU 29, 1924 41 W. SPOERRI, s. v. Gnome 2, in: KlP 2, 823–829 42 F. TROUILLET, Le sens du mot χρεία des origines à son emploi rhétorique, in: La Licorne 3, 1979, 41–64 43 J. VILLEMONTEIX, Remarques sur les sentences homériques, in: La Licorne 3, 1979, 85–96 44 R. VOLKMANN, Die Rhet. der Griechen und Römer, 1885 45 J. WEISZ, Das dt. Epigramm des 17. Jh., 1979. H. A. G.

[2] Rechtlich. Das Substantiv *gnṓmē* hat im Bereich des griech. Rechts eine Reihe von speziellen Bedeutungen. (1) »Erkenntnis« eines Kollegialorgans, das durch Abstimmung gewonnen wurde, sei es des Rates (→ *bulé*), der Volksversammlung (→ *ekklēsía*) oder eines Geschworenengerichtshofes (→ *dikastērion*). Je nach dem Inhalt mag man die *g.* dann »Gutachten«, »Beschluß« oder »Urteil« nennen, wobei zu berücksichtigen ist, daß in Athen auch der Rat der Fünfhundert (so wie der am → Areios pagos) und die Volksversammlung in richterlicher Funktion tätig waren und »Urteile« fällten. (2) Aus den griech. Poleis sind zahlreiche Formulare von Richtereiden überliefert, worin der → *dikastḗs* sich verpflichtet, nach den Gesetzen zu entscheiden (→ *dikázein*) und, wenn solche nicht vorlägen (manchmal auch beim Fehlen von Zeugen), »nach der gerechtesten Überzeugung« (γνώμη δικαιοτάτη, *gnṓmē dikaiotátē*). Die eigene *g.* des Geschworenen gilt als Korrektiv des strengen Gesetzespositivismus, wie er aus Athen bekannt ist. (3) Unter völlig anderen Voraussetzungen wirkt das zuletzt genannte Prinzip auch im Ptolemäerreich fort (P. Gürob 2 [1]).

1 J. G. SUYLY (Hrsg.), Greek Papyri from Gürob, Royal Irish Academy, Cunningham Memoirs 12, 1921.

H. J. WOLFF, Gewohnheitsrecht und Gesetzesrecht in der griech. Rechtsauffassung, in: Dt. Landesreferate zum VI. Intern. Kongreß für Rechtsvergleichung in Hamburg, 1965, 3 ff. · J. TRIANTAPHYLLOPOULOS, Das Rechtsdenken der Griechen, 1985, 174 ff. 220 ff. G. T.

Gnomon

[1] s. Groma (Landvermessung)

[2] s. Uhr (Zeitmessung)

[3] Arithmetischer t.t. aus der Zahlentheorie der Griechen. Der Begriff wurde aus der Geometrie übernommen, wo der G. die Figur eines Winkelhakens bezeichnete, der übrig blieb, wenn man aus einem größeren Quadrat ein kleineres ausschnitt. Die Pythagoreer stellten arithmetische Folgen durch geometrisch angeordnete Punkte (Steinchen) in Form von Figuren dar, so daß die Summe der mit 1 beginnenden Glieder ein regelmäßiges n-Eck bildete (figurierte Zahlen). Reihen mit der Differenz 1 erzeugten Dreiecke (Dreieckszahlen), mit der Differenz 2 Quadrate (Viereckszahlen), mit der Differenz 3 Fünfecke (Fünfeckszahlen) usw. Der G. ist der Winkelhaken, den man um die Figur, die eine n-Ecks-Zahl repräsentiert, herumlegen muß, um die nächsthöhere zu erzeugen. Z. B. entsteht aus der Viereckszahl $3^2 = 9$ durch Hinzufügen des Gnomons $3 + 1 + 3 = 7$ die Viereckszahl $4^2 = 16$. Durch Übertragen dieser Idee auf Körper gelangte man zu dreidimensionalen G. Nach Ps.-Iamblichos (Theologumena arithmeticae p. 61 AST = p. 82 DE FALCO) hat Speusippos die Theorie allg., auch für unregelmäßige n-Ecke und Körper, dargestellt. Der arithmetische G. wird schon bei Aristoteles erwähnt (phys. 3,4,203a 14; metaph. N 5,1092b 11). Die Theorie der figurierten Zahlen wird bei Nikomachos (Arithmetica introductio 2, Kap. 7–29) beschrieben, durch dessen Schrift sie im MA überall bekannt war.

O. BECKER, Das mathematische Denken in der Ant., 1957, 40–44 · T. L. HEATH, History of Greek Mathematics, Bd. 1, 78–82 · B. L. VAN DER WAERDEN, Erwachende Wissenschaft, 1956, 162–164. M. F.

Gnosis, Gnostiker A. DEFINITION, BENENNUNGEN B. QUELLEN, LITERATUR C. GRUNDGEDANKEN D. ANFÄNGE UND GESCHICHTE E. NACHWIRKUNGEN, FORSCHUNGSGESCHICHTE

A. DEFINITION, BENENNUNGEN

Die im dt. Sprachraum heute übliche Bezeichnung G. (γνῶσις, »Erkenntnis, Wissen«) hat die ältere, aber im Englischen und Französischen verwendete Benennung »Gnostizismus« (gnosticism, gnosticisme) weitgehend abgelöst. Sie geht auf die frühchristl. Zeit zurück (1. Tim 6, 20; Iren. Adversus haereses I, 6.2) und hat häresiologische Bed.; ihre Vertreter werden als »Gnostiker« (γνωστικοί, gnōstikoí, Iren. Adversus haereses I, 2.1) bezeichnet, d. h. Leute, die besondere, von der offiziellen Kirche und ihrer theologischen Tradition abweichende »Erkenntnisse« und auch Verhaltensweisen vertreten und verbreiten.

Abgesehen von der »gnoseologischen« Bed. in der griech. Philos. hat der Begriff im Christentum seit Paulus und dem Evangelisten Johannes einen positiven Inhalt behalten, der nicht im Gegensatz zum bloßen »Glauben« (pístis) steht, sondern die Heilserkenntnis umschreibt, wie sie die dominante Richtung im frühen Christentum auffaßte. Origenes und Clemens [3] Alexandrinus haben den Begriff im Sinne christlicher Theologie verstanden und ihn der häresiologischen G. entgegengesetzt. Die vorwiegend negative Verwendung in der Polemik blieb allerdings bestehen.

Aus den gnostischen Quellen geht zwar der Anspruch auf die wahre »Erkenntnis« über die Stellung des Menschen und seiner Erlösung aus der materiellen Welt, die oft der Finsternis gleichgesetzt wird, hervor, trotzdem ist »Gnostiker« keine durchgehende Selbstbezeichnung. Dafür stehen, wie wir jetzt aus den Nağ‛ Hammādī-Texten wissen, andere Namen: »Geschlecht, Kinder oder Nachkommen des Seth«, »Kinder des Lichts«, »Kinder des Brautgemachs«, »Auserwählte«, »Heilige«, »Vollkommene«, »Fremde«, »Geistbesitzer« (Pneumatiker), »unwandelbares Geschlecht«, »königloses Geschlecht«, auch einfach »Kirche« [1].

Die in den häresiologischen Quellen auftretenden Titulierungen beziehen sich vorwiegend auf die Schulgründer (Simonianer, Valentinianer, Basilidianer, Markosier) oder auf auffällige Lehrpunkte (Archontiker, Barbelo-Gnostiker, Ophiten bzw. Naasener, d. h. Schlangenverehrer, Sethianer, o. ä.). Erst die moderne Forsch. hat den Begriff G. als eine generelle Bezeichnung für die diesen Gruppen gemeinsame Weltanschauung eingeführt (s. u. E.).

B. QUELLEN, LITERATUR

Bis 1945/46 gab es nur relativ wenige Originaldokumente, die der G. zugeschrieben werden konnten [9; 10; 11]. Dazu gehören die nur koptisch erhaltenen Texte des Codex Askew (Pistis Sophia) und Codex Brucianus (2 Bücher des Jeu, titellose Schrift), der seit 1896 bekannte, aber erst 1955 edierte koptische Papyrus Berolinensis 8502 (Evangelium Mariae, Apokryphon Johannis, Sophia Jesu Christi), ferner einige Teile des → Corpus Hermeticum (bes. der 1. Traktat »Poimandres«), die »Oden Salomos« und Passagen der → apokryphen Apostelliteratur (Acta Iohannis, Acta Thomae mit dem »Perlenlied«). Auch die polemische Lit. der Apologeten und Kirchenväter des 2.–4. Jh. (Iustin, Eirenaios von Lyon, Hippolytos von Rom, Tertullian, Clemens Alexandrinus, Origenes, Epiphanios von Salamis) enthält längere Zitate und Zusammenfassungen von gnostischen Schriften und Dichtungen (z. B. das Buch des Gnostikers → Iustinus, die Naassenerhomilie, die »große Offenbarung« des → Simon Magus, der Brief des Ptolemaios an Flora, Auszüge aus dem Komm. des Herakleon zu Jo, Fragmente des Valentinus, u. a.).

Doch erst das Auftauchen der 1945 bei → Nağ‛ Hammādī (Oberägypten) gefundenen 13 kopt. Codices mit 51 nicht durchweg vollständig erh. Schriften brachte einen Wendepunkt für die lit. Dokumentation der G. [6–8; 12; 13]. Davon lassen sich 45 Texte als eindeutig gnostisch erweisen, 39 von ihnen waren zuvor unbekannt. Ihre Edition und Auswertung ist noch im Gange. Sie enthalten nicht nur eine bekannte Vielheit gnostischer Lehren, vorwiegend valentinischer, »sethianischer« oder »barbelo-gnostischer«, aber auch hermetischer Herkunft (in Codex 6), sondern verraten teilweise einen lit. Prozeß, der von den Vorstufen der griech. Originale des 2./3. Jh. bis zur koptischen Übers. im 4./5. Jh. n. Chr. reicht. Vielfach handelt es sich um Kompilationen, weshalb eine Zuordnung zu den aus den häresiologischen Angaben bekannten gnostischen Schulen oft unsicher bleibt. Deutlich wird bei einigen Texten die sekundäre christl. Bearbeitung (Apokryphon Iohannis, Sophia Jesu Christi bzw. Eugnostosbrief; Dreigestaltige Protennoia), andere verarbeiten (mittel-)platonische Traditionen. Die inhaltliche Breite wird von einer literarischen flankiert: Neben »Offenbarungen« (Apokalypsen), wie die des »Adam an seinen Sohn Seth«, des »Dositheos« (Drei Stelen des Seth), des Zostrianos (Zoroaster), des Petrus und Paulus, oder »Geheimschriften« (Apókryphoi), die vor allem in Form von »Dialogen« zwischen dem Erlöser (Sōtér, Jesus Christus) und seinen Jüngern vorliegen (Apókryphoi des Johannes, des Jakobus; Dialog des Sōtér), stehen Spruchsammlungen oder Lehrtexte als »Evangelien« (des Thomas, Philippos, der Ägypter, der Wahrheit), Briefe (des Jakobus, Rheginos, Eugnostos), Traktate (sog. Dreiteiliger Traktat, Authentikos Logos, Exegese der Seele, Wesen [hypóstasis] der Archonten), Gebete und Homilien.

Einen eigenständigen orient. Zweig der G. bilden die → Mandäer, deren umfangreiche aram. Lit. Ende des 19. Jh. zunehmend ins Blickfeld der G.-Forschung gelangte. Zur G. im weiteren Sinne gehört auch der Manichäismus (→ Mani, Manichäer).

C. GRUNDGEDANKEN

Wie andere ant. und frühchristl. Bewegungen versucht die G., die Probleme des Bösen in der Welt, seinen Ursprung, die Stellung des Menschen im Kosmos und seine Bestimmung zu beantworten, aber in einer recht radikalen Weise. Dabei spielen vor allem dualistische Ansichten eine ausschlaggebende Rolle, die dazu führen, den schlechten Zustand der Welt auf einen Unfall in ihrer Schöpfung zurückzuführen und die Diskrepanz zwischen Geist und Materie (Körper) als nicht überbrückbare Gegensätze zu thematisieren. Ausgehend vom Glauben an einen absolut transzendenten Gott (→ ágnostos theós, oft »Vater« genannt) wird die Entstehung der Welt auf einen untergeordneten, hybriden Schöpfer (Demiurgen, auch »Narr« genannt) zurückgeführt, der mit seinen »Kräften« (Engel, Archonten, Planeten) auch den Menschen (Adam) zu schaffen unternimmt. Um diesen in Gang gekommenen Prozeß in den Griff zu bekommen, unternimmt Gott einige Gegenmaßnahmen, die um die Rettung des Menschen als Zentrum des Kosmos kreisen. Ohne Wissen des Demiurgen und seiner Helfer wird dem nicht lebensfähigen Körper-Adam eine überweltliche, »göttliche« Substanz eingeführt, die entweder mit »Geist« (pneúma, énnoia), »Seele« (psyché, aram. nisimta), »Funken« (spinthér) o.ä. bezeichnet wird. Dieser Teil des Menschen befähigt ihn nicht nur, den wahren Gott zu erkennen und das Werk des Schöpfers als mißraten zu begreifen, sondern auch, das wahre Ziel der Menschheit in der Rückkehr in das geistige Reich des wahren Gottes, oft als »Fülle« (plérōma) oder »Reich des Lichtes« bezeichnet, zu »wissen« – gleichzeitig aber auch, die Hinfälligkeit des Kosmos als einer verkehrten Schöpfung böser Absichten zu erkennen.

Diese »Erkenntnis« (gnósis) der kosmologischen und anthropologischen Zusammenhänge ist eine »übernatürliche«, die dem »Wissenden« (gnōstikós) durch Offenbarungen, sei es durch himmlische Boten, die im Namen des wahren Gottes auftreten, oder durch die traditionelle Form der Urzeitmythen (vorwiegend biblischer Herkunft) vermittelt wird. Das Urzeitgeschehen bestimmt das Schicksal der gegenwärtigen Welt. Der Prozeß der Befreiung des überweltlichen (göttlichen, geistigen, lichthaften) Kerns des Menschen aus den Fesseln des zum Untergang bestimmten »finsteren«, materiellen Kosmos bestimmt den (verborgenen) Lauf der Geschichte bis zum Ende, d. h. Soteriologie und Eschatologie fallen letztlich zusammen. Es ist keine »Erlösung« von individueller Schuld und Sünde, sondern eine Rettung der »Seele« oder des »Geistes« aus Körper und Materie (hýlē), die das Programm der G. bestimmt. Der ganze Apparat der gnostischen Mythologie bzw. Theologie, der sich vor allem auch in der »Protestexegese« älterer (bes. biblischer) Überlieferungen dokumentiert, dient diesem Zweck, der auch das weltverneinende Verhalten leitet.

Die Gnostiker verstehen sich daher als ein »auserwähltes Geschlecht«, eine Elite, im Unterschied zu den irdisch-weltlich gesinnten Menschen. Entsprechend ist die Struktur der Gemeinden gebildet: Die »Pneumatiker« (bei den Manichäern die electi) sind der Kern, die »Psychiker« (manichäisch die auditores oder katechúmenoi) sind die einfachen Gemeindeglieder, oft mit den »Kirchenchristen« identisch, die sich der G. öffneten, ohne die letzten Konsequenzen zu ziehen; ganz außen stehen die »Irdischen« (choikoí), die den »Heiden« entsprechen. Obwohl allein die Erkenntnis das Heil verbürgt, sind Rituale und Sakramente vorhanden; doch bieten die Quellen (außer den mandäischen und manichäischen) wenig Information: Es gab Taufen, Mahle, Beschwörungen, Initiationen, Weihungen, Sterbezeremonien [25. 235–261]. Im Mittelpunkt standen aber die Lehrunterweisungen durch die »Pneumatiker«. Man kann daher von der Gestalt eines »Schulbetriebes« oder eines »Mysterienklubs« der Gnostiker sprechen, unter christl. Vorzeichen dann von »Gemeindekirchen«. Die aus der häresiologischen Lit. (→ Häresiologie) stammenden Vorwürfe über libertinistische Praktiken, die durchaus aus der antikosmischen Ideologie gefolgert werden konnten, sind bisher in den Originaltexten nicht nachweisbar.

D. ANFÄNGE UND GESCHICHTE

Nach der Meinung der Kirchenväter entstammt die G. dem Teufel, der durch sie die Kirche zerstören wollte. Als erster irdischer Vertreter wird → Simon »der Zauberer« (mágos) aus Apg 8 benannt; sein Schüler Menander überlieferte die gnostische Häresie weiter an Saturninus (oder Saturnilos) aus Antiochia und an Basileides aus Alexandria. Mit dieser Filiationskette wurden für Jahrhunderte Entstehung und Ausbreitung der G. erklärt, obwohl sie mehr Legende als Geschichte bietet. Immerhin sind die Genannten offenbar mit gnost. Gedankengut vertraut gewesen; auf Simon wird nicht nur (sekundär?) eine Offenbarungsschrift (»Große Verkündigung«) zurückgeführt, sondern auch eine eigene Richtung der G. (s.o. B.). Da bis heute keine histor. Schrift der G. aufgetaucht ist, ist die Forsch. auf Rekonstruktionen und Hypothesen aus dem übrigen Quellenmaterial angewiesen. Dies ist in den letzten Jahrzehnten vielfach geschehen, ohne zu einer allg. anerkannten Auffassung geführt zu haben. Die überwiegende Meinung der G.-Forscher besteht aber darin, daß die Ursprünge der G. nicht primär christl. sind, d. h. die G. ist keine bloße christl. Häresie, sondern ein relativ eigenständiges Gewächs mit einem neuen »Daseinsverständnis« [19], das sich lit. und rel.gesch. aus verschiedenen Quellen speist, vornehmlich aber mit frühjüdischen Traditionen (bes. der Weisheit und der Apokalyptik) zusammenhängt (darauf verweist die Beschäftigung mit den jüdischen (at.) Schriften [26. 123–209; 31]). Daneben spielt der griech.-hell. und auch iranische (bes. in der mandäischen und manichäischen G.) Hintergrund eine Rolle, im weiteren Verlauf zunehmend die frühchristl. Vorstellungswelt, die die G. am

Ende zu einer → »Häresie« gemacht hat, nicht ohne vorher die christl. Theologie mit den bohrenden Fragen ihrer *curiositas* zu beeinflussen.

Die ideologischen Voraussetzungen der G. im hell. Individualismus und Synkretismus werden begleitet von den sozial-ökonomischen und politisch-histor. Zuständen im Osten des röm. Reiches, die von Ausbeutung, Unterdrückung, Angst, aber auch von Widerstand der (orientalischen) Bevölkerung gekennzeichnet waren. Die Idee des »inneren Menschen« diente der Selbstidentifikation jenseits der offiziellen Kult-Religionen und der irdischen, gesellschaftlichen Bindungen. Die Welt wird als Unordnung (Chaos), nicht mehr als vom → Logos regierter Kosmos verstanden, wie in der politischen Philos. der Griechen. Dieser Protest, sichtbar in den myth. Konstruktionen und asketischen Verhaltensweisen, ist einer der radikalsten der Ant.: in seiner Konzentration auf die alleinige Rettung des »inneren Menschen« (Geistes, Seele) ist er eine Absage an diese Welt überhaupt [25. 294–315].

Die frühen Schulen und Äußerungen sind uns nur bruchstückhaft bekannt und können als Voraussetzungen der späteren Systeme (seit dem 2. Jh. n. Chr.) gut verstanden werden. Dazu gehören folgende Vorstellungen: der Gegensatz zwischen Gott und Schöpfer bzw. Schöpfung (Welt), die Emanation von Geisteskräften (*énnoia, epínoia, pneúma*) aus Gott zur Rettung des Menschen, die Entsendung von einem oder mehreren »Erlösern«, die mit den Schulgründern identisch sein können (Simon Magus), die soteriologische Kraft der »Erkenntnis«, antikosmische Befindlichkeit und Verhaltensarten. Die Übernahme der Christusgestalt als dominante Erlösungsgestalt ist in der mehr oder weniger antignostischen Polemik der frühchristl. Lit. greifbar (Pastoralbriefe, Ignatios von Antiocheia), aber auch der umgekehrte Prozeß: der Einfluß gnostischer Theologumena auf die christl. Gedankenwelt, vor allem auf die Ausgestaltung Christi als himmlischer Gesandter (schon bei Paulus sichtbar; Eph, Kol, Jo), die Ablehnung der »fleischlichen« Auferstehung, die Betonung des »Pneumabesitzes« und antiweltliche Züge (Jud; Offenbarung des Johannes). Der sog. Doketismus (→ Doketai), d. h. das nur »scheinbare« (*dokéō, dókēsis*) Auftreten Christi in der irdisch-körperlichen Welt, ist ein Produkt häresiologischer Polemik. Auch die G. bestreitet nicht die Verkörperung des Erlösers, nämlich des unsterblichen, überweltlichen, »geistigen« Gesandten Gottes im irdischen Jesus, aber die kosmischen Mächte haben keine Macht über ihn erhalten: nur sein Körper verfällt dem Tode, nicht die eigentlich erlösende Macht [25. 172–186; 26. 266–272].

Sind die Anfänge der G. im 1. Jh. n. Chr. zunächst in Syrien und Kleinasien zu lokalisieren, so werden im 2. Jh. Alexandria und Rom ihre Zentren, ohne daß die älteren Gebiete dadurch bedeutungslos werden, wie die Entstehung des Manichäismus zeigt. Das 2. Jh. ist die Blütezeit der großen Systeme und Schulen in Gestalt der christl. G., die im Zug der sukzessiven Ausbildung einer »apostolischen« Orthodoxie mit Hilfe des hierarchischen Bischofssystems seit etwa Mitte des 2. Jh. zu einer Häresie wird, der gegenüber sich die Kirche im 3. Jh. siegreich durchsetzt und mit Kaiser Constantin I. im 4. Jh. auch die staatlichen Mittel dafür einsetzen kann. Die Auseinandersetzung zwischen »Großkirche« und G. bestimmt in vielfacher Hinsicht die Diskussion um zentrale Themen frühchristlicher Theologie. Die jüngste Forsch. hat hier erstmals den Beitrag der G. auf diesem Gebiet gewürdigt (bes. Basileides und Valentinus, aber auch Markion). Die Grundzüge bleiben erhalten, werden aber in vielgestaltiger Weise variiert, ausgebaut und in betont exegetischem Rückbezug auf die biblischen Schriften, einschließlich des im Entstehen begriffenen NT, legitimiert. Parallel zur kirchlichen Ausbildung der »apostolischen Sukzession« folgt auch die G. einem gleichen Anliegen; ihre Schriften werden auf die bekannten christl. Autoritäten zurückgeführt: Paulus (der daher zum »Apostel der Häretiker« avanciert), Johannes, Petrus, Thomas, Philippus; sie sind die Zeugen der gnostischen Ideologie, wie sie Christus als höhere, esoterische Weisheit »offenbart« hat, und seiner geistig, nicht hierarchisch bestimmten »Kirche« [26. 220–243].

Als erster bekanntester Theologe und gnost. Schulgründer wird → Basileides [2] angeführt, der z. Z. der Kaiser Hadrian und Antoninus Pius in Alexandria lebte (117–161). Ihm werden mehrere Werke zugeschrieben, u. a. ein Evangelium, eine »Exegese« in 24 Büchern, Psalmen bzw. Oden; nur weniges ist in Auszügen erhalten. Auch sein Sohn (?) habe mehrere Bücher verfaßt, die verloren sind. Die Lehre des Basileides läßt sich nur schwer rekonstruieren, da die wenigen erh. Fragmente seiner Schriften nicht ausreichen, um zwischen den abweichenden Berichten zu entscheiden. So soll er das »Hervorgehen« (*emanatio*) von sechs paarweisen geistigen Kräften aus dem »ungezeugten Vater« gelehrt haben, aus denen weitere 365 Engelwesen mit ihren »Himmeln« entstanden, die zusammen das Weltjahr (Äon) bilden. Die Welt habe der Judengott → »Abraxas (Abrasax)« (= 365) mit der untersten Klasse der Engelmächte geschaffen. Zur Rettung des Menschen, d. h. nur seiner Seele, aus deren Tyrannei habe der »Vater« den Christus-Nus gesandt, der in Jesus erschienen sei. Statt seiner sei Simon von Kyrene gekreuzigt worden. Die Gemeinde des Basileides verstand sich als eine »Auswahl« von asketisch lebenden Pneumatikern, als »Fremde« gegenüber der Welt und Menschheit. Über die umstrittene Stellung des Zeitgenossen → Markion zur G. s. dort.

Der bedeutendste gnost. Theologe vor Mani ist → Valentinus, auch ein Ägypter. In Alexandria erzogen und zum Christentum bekehrt, ging er 140 nach Rom, wo er eine Schule gründete und in den kirchlichen Auseinandersetzungen um Leitungsfunktionen eine Rolle spielte. Nach einem Zwischenspiel in Zypern (?) ist er um 160 in Rom verstorben. Auch von ihm sind nur wenige (11) Zitate erh., vornehmlich aus Predigten, Liedern (Hymnen) und Briefen. Die Zuschreibung der

Texte der Naǧʿ Ḥammādī-Codices »Evangelium der Wahrheit« und »Dreiteiliger Traktat« hat sich als Irrtum herausgestellt, so daß wir nach wie vor keine Klarheit über das ihm von den Häresiologen zugeschriebene System haben. Es soll vor allem darin bestanden haben, daß der Uranfang des Werdens in der göttl. »Tiefe« (bythós) und seinen Emanationen von 15 Paaren geistiger Kräfte (Äonen) liege, von denen die vier ersten von bes. Bed. sind. Der letzte Äon ist die »Weisheit« (Sophía), die durch ihr »Unwissen« oder ihren »Irrtum« die Harmonie des Pleroma stört und erst durch das Äonenpaar »Christus« und »Heiliger Geist« wieder in das »All« geholt wird; ihre »Leidenschaft« (enthýmēsis) aber wird die Ursache zur Weltentstehung, d. h. aus ihr entsteht der Demiurg, der mit seinen Mächten die materielle und psychische Welt beherrscht. Allein der »Geist« (pneúma) oder »Lichtsame« ist der Erlösung fähig, indem er durch »Erkenntnis« (gnôsis), vermittelt durch Jesus Christus, im »Geistträger« (Pneumatiker) aktiviert wird. Die »Seele« (psychē̂) kann nur mit Hilfe einer Umgestaltung durch den »Geist« an der Befreiung teilhaben. Inwiefern das in verschiedenen Versionen überlieferte, recht komplizierte System der Schule auf Valentinus zurückgeht, ist ein noch ungelöstes Problem der Forsch. Von den Texten der Naǧʿ Ḥammādī-Codices gibt das auch von Eirenaios [2] (Adversus haereses I, 29) benutzte Apokryphon Iohannis eine Vorstellung von den älteren Stufen desselben.

Unbestreitbar ist die große Wirkung Valentins auf seine Schüler, von denen mehrere gut bekannt sind und von den Kirchenvätern als gefährliche Konkurrenten beschrieben werden. Danach haben sie sich in eine »orientalische« oder »anatolische« und eine »italienische« Richtung geteilt, die sich in Fragen der Christologie unterschieden. Zur ersteren, in Ägypten, Syrien und Kleinasien aktiven Gruppe gehörte Markos, der sich vor allem der »Buchstabenmystik« widmete und eigene Zeremonien dafür schuf, ferner Theodotos, dessen Ansichten wir aus den »Exzerpten« des Clemens Alexandrinus kennen. Die andere Schule, die in Rom ihr Zentrum hatte, wird von Ptolemaios (Eirenaios von Lyon beschreibt seine Lehre) und Herakleon repräsentiert; letzterer verfaßte einen Komm. zu Jo, mit dem sich Origenes und Clemens Alexandrinus auseinandersetzten. Über die Aktivitäten der valentinischen G., bes. im Osten, sind wir bis zum 5. Jh. unterrichtet; sie gehörte ohne Zweifel zu der stärksten und weitverbreitetsten Richtung der G., deren Einfluß auch in mehreren Texten der Naǧʿ Ḥammādī-Codices greifbar ist. Mit ihren Zeugnissen sind wir auch am Ende der »westlichen« G. Andere Quellen bieten nichts originär Neues, sondern erschöpfen sich in den oft breiten Wiederholungen der myth. Vorgaben (z. B. die ›Pistis Sophia‹); leider wissen wir nichts über ihre Träger. Die Berichte des eifrigen Epiphanios [1] von Salamis (5. Jh.) in seinem ›Arzneikasten‹ (Panarion) gegen das Gift der Häresien sind sowohl sehr konstruktiv als auch oft recht phantastisch (bes. über die Borboriten) [2].

E. NACHWIRKUNGEN, FORSCHUNGSGESCHICHTE

Die Wirkung der G. in den von ihr oft zuerst aufgeworfenen Fragen zur Welt (Kosmos, Schöpfung), zur Erlösung und zum Erlöser (Soteriologie), zum Verhältnis von Gott und Erlöser (Christologie), Glaube und Wissen, Körper und Geist bzw. Seele, Gut und Böse, Tod und Auferstehung spiegelt sich in den dadurch provozierten Antworten der Häresiologen, oft bis in den Aufbau ihrer Werke (bes. bei Eirenaios sichtbar). Schon J. G. HERDER sah daher in der G. die erste Religionsphilosophie des Christentums. Ähnlich urteilten dann F. C. BAUR und auch A. VON HARNACK mit Betonung der damit erfolgten »Hellenisierung« des Christentums. Die mehr oder weniger direkte Fortsetzung der G. erfolgte vor allem im Orient in Form der Weltreligion des → Manichäismus und in der islamischen Periode bei einigen der schiitischen Gruppierungen [3]. Auch die → Mandäer sind bis heute die letzten Erben der G. im Orient. Im Westen lassen sich die Nachwirkungen in den dualistischen Bewegungen der → Bogomilen, Katharer und Albigenser nachweisen, deren Bekämpfung zur Einsetzung der kirchlichen Inquisition und zum Aufkommen des Begriffs »Ketzer« (aus cathari, gazari, it. gazaro) führte. Mit der Wiederentdeckung des → Corpus Hermeticum im 15. Jh. und seiner Auslegung kamen auch gnost. Ideen wieder zur Geltung, die dann in mystischen, neokabbalistischen, theosophischen, alchimistischen und anderen Lehren eine Rolle spielten. Diese nicht immer leicht nachweisbaren Wirkungen reichen vom kosmologischen, anthropologischen, soteriologischen und eschatologischen Bereich bis in die revolutionäre Ideologie psychologischer und philosophischer Systeme [4].

Auch die Forsch.gesch. trug und trägt zur Wiederbelebung des Interesses an der G. bei [25. 35–58; 27. Texte]. Der mit der Reformation und dem Ende der anschließenden interkonfessionellen Kriege einsetzende Wandel in der Betrachtung der Kirchengesch. erstreckte sich auch auf die Ketzergeschichtsschreibung. Zuerst sichtbar in der ›unparteiischen Kirchen- und Ketzergeschichte‹ des pietistischen Pfarrers Gottfried ARNOLD (1699), dann in dem monumentalen Werk des Hugenotten Isaak DE BEAUSOBRE über den Manichäismus (1734/39) und den Arbeiten des Kirchenhistorikers Joh. Lorenz VON MOSHEIM (›Versuch einer unparteiischen und gründlichen Ketzergeschichte‹, 1746). Den Beginn der modernen Forsch. bilden dann die diesbezüglichen Bücher von F. C. BAUR (›Das manichäische Religionssystem‹, 1831; ›Die christliche Gnosis oder die christliche Religions-Philosophie‹, 1835). Die damit einsetzenden quellenkritischen Untersuchungen führten zu einer gerechteren Einschätzung der G. im Rahmen der Kirchen- und Dogmengesch., wie bes. bei Adolf von HARNACK (1886). Doch erst die Religionsgeschichtliche Schule um 1900 brach mit der rein kirchengesch. Sicht der G., indem sie deren schon früher angenommene nicht-christl. Wurzeln stärker zur Geltung brachte, zugleich aber die Rückwirkung der G. auf die frühchristl. Lit. und Lehrausbildung erkannte (W. BOUSSET, R. REITZENSTEIN, W. WREDE). In dieser Tradition stehen auch die Arbeiten von R. BULTMANN und seinem Schüler Hans JONAS, der 1934 sein bahnbrechendes Buch ›Gnosis und spätantiker Geist‹ vorlegte. Die Auffindung der → Nağʿ Ḥammādī-Codices bedeutete einen weiteren Einschnitt in der Erforschung der G. (s.o. B), aber auch in der unerwarteten Belebung des Interesses an dieser spätant. Erscheinung und ihren neuen Dokumenten, das bis heute ungebrochen anhält. → GNOSIS

1 F. SIEGERT, Selbstbezeichnungen der Gnostiker in den Nağʿ-Ḥammādī-Texten, in: Zschr. für die nt. Wissenschaft 71, 1980, 129–132 2 A. POURKIER, L'hérésiologie chez Épiphane de Salamine, 1992 3 H. HALM, Die islamische G., Zürich 1982 4 P. SLOTERDIJK, T. H. MACHO, Weltrevolution der Seele, 1993 (Texte).

BIBLIOGR.: 5 D. M. SCHOLER, Nağʿ Ḥammādī Bibliography 1948–1969, 1971; 1970–1994, 1997 (betrifft die gesamte G.-Forsch.).
ED. UND ÜBERS.: 6 The Facsimile Edition of the Nağʿ Ḥammādī Codices. Introduction. Codex I – XIII. Cartonnage, 1972 – 1979 7 The Coptic Gnostic Library ed. with English transl.; intr. and notes publ. under the auspices of the Institute for Antiquity and Christianity, 15 Bde., 1975 –1996 8 Bibliothèque copte de Nağʿ Ḥammādī. Section »Textes«, Collection éd. par J. E. MÉNARD, P.-H. POIRIER, M. ROBERGE, 1977ff. 9 W. FOERSTER (Hrsg.), Die G., 3 Bde., 1977, ²1995 (Sonderausgabe 1997) 10 R. HAARDT, Die G., 1997 11 B. LAYTON, The Gnostic Scriptures, 1987 12 J. M. ROBINSON (ed.), The Nağʿ Ḥammādī Library in English, 1977, ³1988 13 G. LÜDEMANN, M. JANSSEN (Hrsg.), Bibel der Häretiker. Die gnostischen Schriften aus Nağʿ Ḥammādī, 1997.
LIT.: 14 U. BIANCHI (ed.), Le Origini dello Gnosticismo. Colloquio di Messina 13–18 Aprile 1966, 1967, ²1970 15 A. BÖHLIG, Mysterion und Wahrheit, 1968 16 Ders., G. und Synkretismus, 2 Teile, 1989 17 W. BOUSSET, Hauptprobleme der G., 1907, ²1973 18 G. FILORAMO, A History of Gnosticism, 1990, ²1991 19 H. JONAS, G. und spätant. Geist. Teil 1: Die myth. G., 1934, ⁴1988; Teil 2/1.2: Von der Myth. zur mystischen Philos., hrsg. von K. RUDOLPH, 1993 20 K. KOSCHORKE, Die Polemik der Gnostiker gegen das kirchliche Christentum, 1978 21 B. LAYTON (ed.), The Rediscovery of Gnosticism, Bd. 1–2, 1981 22 H. LEISEGANG, Die G., 1924, ⁴1955 23 A. MAGRIS, La logico del pensiero gnosticismo, 1997 24 H.- CH. PUECH, En quête de la Gnose, 2 Bde., 1978 25 K. RUDOLPH, Die G., 1977, ³1990 26 Ders., G. und spätant. Rel.gesch., 1996 27 Ders. (Hrsg.), G. und Gnostizismus, 1975 28 W. SCHMITHALS, Neues Testament und G., 1984 29 G. STROUMSA, Another Seed: Stud. in Gnostic Mythology, 1984 30 K.-W. TRÖGER (Hrsg.), G. und Neues Testament, 1973 31 Ders. (Hrsg.), Altes Testament – Frühjudentum – G., 1980 32 J. D. TURNER, A. McGUIRE (ed.), The Nağʿ Ḥammādī Library after Fifty Years, 1997 33 R. McL. WILSON, The Gnostic Problem, 1958, ²1964. KU. R.

Gobazes (Γωβάζης). König der Lazen, dankte ca. 456 n. Chr. auf Druck der röm. Regierung zugunsten seines Sohnes ab, besuchte 465/6 Konstantinopel zu Verhand-lungen mit Kaiser Leo I., bei denen ihm der dort lebende Säulensteher Daniel, den er verehrte, vermittelnd beistand.

PLRE 2, 515 • ODB 1, 585, s. v. Daniel the Stylite. F. T.

Gobryas (Γωβρύας, akkad. Gu/Gú-ba/bar-ru(-ʾu; elam. Kam-bar-ma, altpers. Gaubaruva-). Name verschiedener achäm. Würdenträger.

[1] Aus der Nabonid-Chronik (3,20 [4]) bekannter »Statthalter« Kyros' d. Gr., der nach der Eroberung Babyloniens dort Verwaltungsfunktionäre einsetzte. Vermutlich identisch mit Ugbaru, dem in 3,15 erwähnten »Statthalter von Gutium«, der Babylon für den Perserkönig einnahm und dort wenige Tage nach Kyros' Eintreffen starb. In diesem Falle dürfte der G. bei Xenophon (Kyr. 4,6,1) dieser Person nachgebildet sein.
[2] Nicht identisch mit G. [1]. Ist seit dem 4. Regierungsjahr des Kyros für mindestens 10 J. als »Statthalter von Babylonien und Transeuphratene (Ebir nāri)« belegt. Er ist aus zahlreichen babylon. Texten in polit., juridischen und wirtschaftlichen Zusammenhängen bekannt.
[3] Ein Zeitgenosse → Dareios' [1] I., Sohn des Mardonios (altpers. Marduniya-), der nach Auskunft der Inschr. von → Bīsutūn [5. DB IV 84] dem Dareios bei der Ermordung → Gaumātas half (vgl. auch Hdt. 3,70ff.; Iust. 1,9; Plut. de fratrum amore 7,904). Er ist identisch mit G. Pātišuvariš (»aus dem Stamme der Patischorier«, vgl. Strab. 15,3,1), dem »Speerträger des Königs Dareios« aus einer Inschr. am Grabe Dareios' I. in → Naqš-e Rostam [5. DNc], und dem vom König zur Niederwerfung eines Aufstandes in → Elam ausgesandten Heerführer [5. DB V 7.9.11]. Er und sein berühmter Sohn Mardonios (aus einer Ehe mit der Schwester des Dareios, elam. Radušdukda [?], verheiratet mit Dareios' Tochter Artazostra, Hdt. 6,43 u.ö.) sind uns auch aus den elam. Tafeln aus Persepolis bekannt [3; 10. 106f., 364].
[4] Sohn des Dareios. I. und der → Artystone, Befehlshaber auf dem Zug des Xerxes gegen Griechenland (Hdt. 7,72).
[5] Statthalter von Babylonien z.Z. Dareios' [2] II., vielleicht – nun in anderer Funktion – identisch mit dem Feldherrn im Heere → Artaxerxes' [2] II. (Xen. an. 1,7,12) [7; 9].

1 P.-A. BEAULIEU, The Reign of Nabonidus, King of Babylon, 1989 2 BRIANT 3 M. BROSIUS, Women in Ancient Persia, 1996 4 A. K. GRAYSON, Assyrian and Babylonian Chronicles, 1975 5 R. G. KENT, Old Persian, ²1953 6 A. KUHRT, Babylonia from Cyrus to Xerxes, in: CAH IV², 1988, 112–138 7 W. RÖLLIG, s. v. Gubaru, RLA 3, 671 f. 8 R. SCHMITT, Zur babylon. Version der Bisutun-Inschr., in: AfO 27, 1980, 106–126 9 M. W. STOLPER, Mesopotamia, 482–330 B. C., in: CAH VI², 1994, 234–260 10 J. WIESEHÖFER, Das ant. Persien, 1994. J. W.

Godigisclus (Godigisel, Godegisel). Burgundenkönig, Sohn des → Gundiok, residierte seit ca. 474 n. Chr. in Genf, stets im Schatten seines älteren Bruders → Gundobad (Ennod. vita Epiphanii 174). 500 besiegte er gemeinsam mit dem Frankenkönig → Chlodovechus Gundobad bei Dijon, wurde von diesem aber 501, als Chlodovechus sich gegen die Westgoten wenden mußte, getötet (Greg. Tur. Franc. 2,32f; Chron. min. 2,234 MOMMSEN).

PLRE 2, 516 (Godigisel 2) · STEIN, Spätröm. R., 2, 144 mit Anm. 2. M.MEI. u. ME.STR.

Godigiselus. König der vandalischen Hasdingen um 400 n.Chr., Vater des → Gundericus und des → Geisericus. Unter G. zogen die Hasdingen von Pannonien über Vindelicien und Noricum in das Rhein-Neckar-Gebiet, wo G. 406 gegen Franken fiel, die die röm. Rheingrenze verteidigten (Greg. Tur. Franc. 2,9); irrtümlich berichten Prokop (BV 3,3,2; 22f.) und Theophanes (5931; 6026), G. habe die Hasdingen nach Spanien geführt.

PLRE 2, 515f. · F. CLOVER, The Late Roman West and the Vandals, 1993 · CHR. COURTOIS, Les vandales et l'Afrique, 1955, bes. 392f. · H.-J. DIESNER, Das Vandalenreich, 1966, 23f. M. MEI. u. ME.STR.

Godomarus (Gundomarus, Gundomar). Sohn des → Gundobad, nach dem Tod seines Bruders Sigismundus (Greg. Tur. Franc. 3,6) 524 n.Chr. zum König der Burgunden erhoben (Chron. min. 2,235 MOMMSEN). Er besiegte die Franken unter Chlodomer bei Vienne am 25.6.524, knüpfte 530 ein Bündnis mit → Amalasuntha und kaufte Kriegsgefangene frei (CIL XII 2584). 533 besiegten die Franken unter Chlothachar und Childebert G. bei Autun und teilten 534 das burgundische Reich unter sich auf (Greg. Tur. Franc. 3,11). PLRE 2, 517 G. (2). M.MEI. u. ME.STR.

Goes s. Magie

Götterbild s. Kultbild

Götternamen A. GRIECHISCHE UND ITALISCHE GÖTTERNAMEN IN DER NEBENÜBERLIEFERUNG B. ALTER, ERKLÄRUNG, DEUTUNGEN DER ANTIKE C. NEBENFORMEN D. EINIGE BEISPIELE E. SPÄTERE GÖTTERNAMEN

A. GRIECHISCHE UND ITALISCHE GÖTTERNAMEN IN DER NEBENÜBERLIEFERUNG
Obwohl wichtige griech. Götter bzw. Heroen in It. (inkl. Etrurien) übernommen wurden, sind die ital. G. von den griech. in der Regel verschieden, vgl. Ἄρης : Mārs (etr. Laran); Ἀφροδίτη : Venus (etr. Turan); Ἑρμῆς : Mercurius (etr. Turms), dessen Eigenschaften eine Parallele im vedischen Pūṣán- haben [8], oder Ἥφαιστος : Vulcānus (etr. Seθlans). Formale Übereinstimmungen bzw. Ähnlichkeiten gibt es nur im Falle der Nebenüberl. von griech. G. bzw. Heroennamen in Italien. Die rel. Gemeinschaft zw. Italikern und Etruskern Anf. des 1. Jt. v.Chr. erlaubt es nicht immer, zu bestimmen, in welcher Sprache die Übernahme stattfand, im Lat. (zum G. Apollon s.u., Πολυδεύκης : lat. Pollux, altlat. Dat. Podlouqei) oder im Etr. (z.B. Ἄρτε/αμις : etr. Aritimi, Artumes; Ἡρακλῆς : etr. Hercle und, davon ausgehend, lat. Herculēs, altlat. hercle, osk. herekleís; Περσεφόνη : etr. Φersipnai, Φersipnei [5. 292]). Griech. G. konnten auch übersetzt (z.B. Dīs : Πλοῦτος) oder adaptiert werden (Lātōna, Morta aus Λᾱτώ, Μοῖρα). Auch sind ital. G. im Etr. überliefert, vgl. etr. Mene/arua, Neθuns, Seluans, Tivs, Uni aus lat. falisk. (oder umbr.) Minerua, lat. umbr. Neptūnus, lat. Siluānus, lat. Dīus, *Iūnī (s.u.).

B. ALTER, ERKLÄRUNG, DEUTUNGEN DER ANTIKE
Das Alter von G., das nicht unbedingt dem des jeweiligen Gottes entspricht (denn es gibt Umbenennungen von idg. oder voridg. Göttern), läßt sich gewissermaßen nach dem Grad ihrer Verständlichkeit abschätzen. Man kann folgendes unterscheiden: a) G. des Griech. und des Lat. die etym. verwandt sind; b) einzelsprachliche G., die sich als idg. (oder aus idg. Material bestehend) erweisen oder c) ex Graeco bzw. Latino ipso verständlich sind, auch wenn sie nicht auf idg. Appellativa beruhen; d) völlig undeutbare G. In der Regel sind Namen unter d) uralt (vorgriech. bzw. voritaл. Herkunft), Namen unter a) älter als solche unter b)-c); letztere lassen sich oft schwer unterscheiden.
Zu a) vgl. Ζεύς : Iuppiter, Diēspiter (idg. *dieu- »Himmel«, vedisch dyáus pitā), Ἥλιος : Sōl (zu *seh₂uel- bzw. *sh₂uol- »Sonne«), Ἥώς : Aurōr-a (*h₂usos- »Morgenröte«) gegenüber etr. Tinia, Uśil, Θesan; auch Ἑστία »Herd« : Vesta, vielleicht auch Δῖα (myk. di-wi-ja, pamphyl. Δι̯α) : Dea Dia (*diu̯ih₂-) und, mit verschiedenen Suffixen, Διώνη und Diāna.
Die griech. G. gehören eher zu d) als zu b)-c). Zu b) vgl. Ἥρα (myk. e-ra), falls aus *i̯ēr- [4. 67] »Jahr, Blütezeit«; Διόνυσος, falls aus *diu̯ós sūnos »des Zeus/Himmels Sohn« [6. 665]; Versuche, Demeter bzw. Poseidon als »Mutter Erde« (Δᾱ-μάτηρ) bzw. »Herr der Erde« (*Ποσι-δᾱ-ων) zu deuten, sind kaum überzeugend. Zu c) vgl. Ἀπέλλων (s.u.), Ἑρμῆς, -έας (myk. e-ma-a₂), falls zu ἕρμα »Stütze«, Ἄρης (myk. a-re), falls zu ἄρος · βλάβος. Zu d) vgl. z.B. Ἀθηνᾶ, Ἀθηνᾱ (myk. a-ta-na), Ἥφαιστος, Ἄρτε/αμις (myk. a-te/i-mi-, vgl. lyd. Artimuś). Hingegen gehören zu b) oder c) die meisten lokalen Epiklesen des alphabetischen Griech., die sich auf einen Aspekt der Gottheit oder auf einen Kultort beziehen. Zu b) vgl. z.B. Demeter Χαμύνη (χαμαί, εὐνή) »die Erde als Bett habend« [7], zu c) vgl. z.B. Apollon Αἰγλάτας (αἴγλη »Glanz«). Einige davon waren urspr. G., z.B. Ἐν(ν)οδία (»auf dem Weg seiend/gehend«), Epiklese von Hekate und von Artemis, war urspr. eine thessal. Göttin. Im Myk. sind G. belegt, die zu b) passen, auch wenn sie vorgriech. Gottheiten bezeichnen (mehrere po-ti-ni-ja /Potnia-/ bes. in Kreta, die po-ti-ni-ja i-qe-ja /(ʰ)ikkʷeiā-/ »Herrin der Pferde«, do-po-ta (aus *doms-potā-) »Hausherr«, ko-ma-we-te-ja /komāweteiā-/ »Langhaarige«; auch zu c), vgl. Dat. ti-ri-

se-ro-e / Tris-ʰe̅rōʰei/ »dem Dreimal-Helden«, myk. *si-to-po-ti-ni-ja* (vgl. Σιτώ in Sizilien); andere sind vorgriech., z. B. *e-ri-nu* oder *e-nu-wa-ri-jo*, Dat. *pa-ja-wo-ne* (vgl. Ἐρινύς, Ἐνυάλιος bzw. Παιᾶν als Beinamen von Ares bzw. Apollon), *e-ne-si-da-o-ne /-dāʰonei/*.

Die G. der größeren lat. Götter gehören eher zu b) und/oder c) als zu d) und entsprechen auffallenden Zügen der jeweiligen griech. Götter. Zu b) und c) vgl. *Cerēs* »Wachstum« (**kerh₁-es-*, vgl. *crēscō*), *Diāna* (s.o.), *Iūnō* »die lebhafte« (s.u.), *Mercurius* (vgl. *merx* »Ware«), *Minerua* »kräftigen Geist habend« (aus **menes-u̯ā-*, vgl. griech. μένος, Gloss. *promeneruat : promonet*) [3. 111 f.], *Neptūnus* »Herr der Feuchtigkeit« (**nebʰ-* »feucht sein«, griech. νεφέλη), *Venus* »Liebreiz« (altind. *vánas-* »Liebreiz«); auch die meisten einheimischen G., vgl. *Iānus* (: *iānus* »Tür«), *Sēmō* »der das Säen veranlaßt« (: *sēmen*), *Volcānus* (falls zu altind. *ulkā́* »Flamme«), die G. auf *-(V)no/ā-* (*Siluānus* zu *silua* »Wald«), bes. die auf *-ōna* (*Bellōna*, *Duellōna* zu *bellum*, *Pōmōna* zu *pōma*), die Doppelnamen (z. B. *Anna Perenna* »Jahresanfang und -ende«) und die Beinamen (z. B. *Lubentīna* zu Venus, *L(o)ucīna* zu Iuno, vgl. *lubet* »es gefällt«, *lūcus* »Hain«, oder *[Māter] Mātūta*, Göttin der Frühe, vgl. *mātūrus* »rechtzeitig«, hethit. *meḫur* »Zeit« [1. 63 f.]). Auch im außerlat. ital. Bereich, vgl. osk. *Herentas* (= Venus, vgl. *herest* »wünscht«) oder pikenisch, umbr. *Cupra mater* (vgl. lat. *cupiō*?). Zu d) vgl. *Mārs*, *Sāturnus* oder die ital. G. *Fērōnia Lar(ēs)* aus **Lasēs* (Familiengötter, kaum zu *lārua* »böser Geist« oder zu etr. *Lasa*), *Falacer*, die G. auf *-mnus* (*Vertumnus*, *Vitumnus* usw.) oder den Beinamen *Grādīuus* von Mars.

Ant. Erklärungsversuche waren meist verfehlt, vgl. die absurden Deutungen bei Platon (Krat. 401bff., falls ernst gemeint), bei Hesiod (theog. 188 f., Ἀφροδίτην / ἀφρογενέα »schaumgeboren«, zu ἀφρός »Schaum«) oder im Etymologicum magnum. Vgl. auch Festus' Deutungen von *Mātūta* (zu *mānes: -am antiqui ob bonitatem appellabant*), von *Sāturnus* (*ab satu*) oder von *Grādīuus* (*a gradiendo in bello*).

C. NEBENFORMEN

Bei mehreren G. sind Nebenformen belegt (z. B. *Iuppiter / Diēspiter*). Einige sind dialektal (z. B. ostgriech. Ἄρτε/μις / westgriech. Ἄρταμις; att. Ποσειδῶν, myk. Dat. *po-se-da-o-ne /Poseidāʰonei/* / arkad. Ποσοιδᾶν/ dor. Ποτιδᾶν; »eleisch« Ζᾶνες »Zeusstatuetten« neben Ζην-), andere beruhen auf phonetischem Schwanken bei fremden G. (z. B. myk. *e-re-u-ti-ja /Eleutʰia/*, lakon. ⟨Ελευθ/σια⟩, kret. ⟨Ελευθυια⟩, homer. Εἰλείθυια u. a.), auf Volksetym. (Ἀπόλλων s.u., *Prōserpina* statt **Persepona* nach *prōserpō*): In beiden Fällen versucht man, den G. (oder einen Teil davon, z. B. -φόνη, -φόνεια statt -φασσα, -φαττα im G. von Persephone) zu verdeutlichen. Oft bleiben sie aber rätselhaft, z. B. *Māuors*, *Sīspita* neben *Mārs*, *Sōspes*. Andere Nebenformen beruhen auf Suffixunterschieden (Ἀθάνα / -αία, Πλοῦτος / -ων, *Angerōna /-nia*, *Mellōna /-nia*).

D. EINIGE BEISPIELE

Apollon: urspr. Ἀπέλλων (dor., kypr. Dat. *a-pe-i-lo-ni*, Monatsname Ἀπελλαῖος) zu ἀπέλλα (·σηκοί, ἐκκλη-

σίαι), vgl. osk. *Apellun*; dann Ἀπόλλων (nach ἀπόλλυμι), das ins Lat. (*Apollō*) und, davon ausgehend, ins Etr. (*Ap[u]lu*) übertragen wurde [2; 3. 126⁷⁹].

Asklepios: Der G. Ἀσκλᾱπιός gilt wegen der lautlichen Schwankungen in seinen lokalen Varianten (Ηαι-/ Αἰ-, κ/χ, π/β) als vorgriech.; Αἰγλᾱπιός (Lakonien) beruht auf Kreuzung mit Αἴγλα (αἴγλη »Glanz«), G. seiner Mutter; die Variante Αἰσκλᾱπιός (Epidauros, Troizen) wird vom Lat. als *Aesculapius* (Gen. *Aisclapi* 3. Jh.) übernommen.

Iuno: *Iūnō* ist eine Nebenbildung mit »individualisierendem« *-ōn-* Suffix zu **Iūn-ī* (lat. *iūnī-x* Fem. »jung, lebhaft« mit Nullstufe **iu̯n-*, vgl. vedisch Gen. *yū́naḥ* »des Jungen«); letzteres muß die urspr. ital. Form sein, die als etr. *Uni* übernommen wurde [3. 108 ff.].

E. SPÄTERE GÖTTERNAMEN

Von hell. Zeit an wurden Abstrakta zu G. (Τύχη, *Fortūna*). Auch wurden oriental. Götter mit jeweiligen G. übernommen, die früher spärlich belegt waren: ägypt. (Ἴσις, Σέ/άραπις), indo-iran. (Μίθρας: altind. *mitrá-*, avest. *miϑra-*), kleinasiat. (Κυβέλη/Κυβήβη), phöniz. (Ἄδωνις/Ἄδων, thrak.-phryg. (Σα/εβάζιος, Κάβειροι). Diese G. wurden nach gewöhnlichen Substitutionsregeln im Lat. wiedergegeben (z. B. *Cybelē/Cybēbē*, aber *Mithrās/Mithrēs*).

1 H. EICHNER, Die Etym. von hethit. *mehur*, in: Münchener Stud. zur Sprachwiss. 31, 1973, 53–107, 63 ff.
2 A. HEUBECK, Noch einmal zum Namen des Apollon, in: Glotta 65, 1987, 179–182 3 H. RIX, Rapporti onomastici fra il panteon etrusco e quello romano, in: G. COLONNA et al. (Hrsg.), Gli etruschi e Roma, 1981, 104–126 4 F. R. SCHRÖDER, Hera, in: Gymnasium 63, 1956, 57–78 5 C. DE SIMONE, Die griech. Entlehnungen im Etr. 2, 1968
6 O. SZEMERÉNYI, Rez. zu CHANTRAINE 1–2, in: Gnomon 43, 1972, 641–675 7 A. VEGAS, Χαμύνη, ein Beiname der Demeter in Olympia, in: Glotta 70, 1992, 166–180
8 C. WATKINS, An Indo-European god of Exchange and Reciprocity?, in: G. CARDONA et al. (Hrsg.), Indo-European and Indo-Europeans, 1970, 345–354 (= Ders., Selected Writings, 1994, 446–455).

L. BAUMBACH, Greek Religion in the Bronze Age, in: SMEA 20, 1979, 143–160 · BRUCHMANN · P. CHANTRAINE, Reflexions sur les noms des dieux helléniques, in: AC 22, 1953, 65–78 · G. E. DUNKEL, Vater Himmels Gattin, in: Die Sprache 34, 1988–1990, 1–26 · W. MEID, Das Suffix *-no-* in Götternamen, in: BN 8, 1957, 71–108, 113–126 · RADKE (als Belegsammlung nützlich) · H. USENER, Götternamen, 1896.
                         J.G.-R.

Gogarene (Γωγαρηνή, Strab. 11,14,4 f.; Ptol. 5,12,4; χωρίον μεταξὺ Κόλχων καὶ Ἰβήρων ἀνατολικῶν, Steph. Byz. 216; armen. *Gugarkʿ*, AŠX 5,22 [1]). Im Alt. fruchtbare Hochebene (u. a. Olivenkultur) im Kleinen Kaukasos südöstl. des Kyrosbogens, etwa dem h. Südgeorgien und Teilen Nordarmeniens entsprechend; Grenzmark zw. Armenien und Iberien mit wechselnder Zugehörigkeit: im 5./4. Jh. v. Chr. gehörte G. zu Armenien, im 3. Jh. zu Iberien, im 2. Jh. war G. als »Iberische Mark« mit einem Fürsten von Gugarkʿ armen.

Grenzprovinz; um die Zeitenwende gehörte die Region wieder zu Iberien, E. des 1. Jh. n. Chr. ging sie an Armenien, 387 war ganz G. zu Iberien gehörig.

1 R. H. Hewsen (Hrsg.), The Geography of Ananias of Širak (AŠX), 1992, 200 ff., Karte XXII **2** TAVO B VI 14.

A. P.-L.

Golan s. Batanaia

Golaseccakultur.

Die G. umfaßt zeitlich das 12. bis 4. Jh. v. Chr., wobei die Proto-G. (12.–11. Jh. v. Chr.) als erste, noch brz. Stufe betrachtet wird, und reicht räumlich vom Quellgebiet des Ticino über Lago Maggiore und Lago di Como bis zum Po. Diese hauptsächlich über Grabinventare faßbare Kultur wird aufgeteilt in drei Gruppen, die zunächst alle die Brandbestattung bevorzugten. Die westl. Gruppe mit den wichtigen Nekropolen Sesto Calende und Castelletto Ticino beim namengebenden Fundort Golasecca zeichnet sich u. a. durch reiche Kriegergräber aus und ist mit den → Insubres zu verbinden. Die östl. Gruppe hatte ihr Zentrum um Como-Cà Morta und wird als Kern der Orobii identifiziert. Die Nordgruppe um Bellinzona (Cerinasca, Molinazzo; Giubiasco) gilt als Kerngebiet der → Lepontii. Letztere unterscheidet sich von den anderen durch den Übergang zur Körperbestattung ab dem 6. Jh. v. Chr. Zur materiellen Hinterlassenschaft zählen stempelverzierte Tongefäße, bikonisch oder auch z. T. in Vogelform. Besonders enge Verbindungen bestanden zur → Este-Kultur, aber auch zur → Hallstatt-Kultur und zu Etrurien (→ Etrusker, Etruria). Die kelt. Invasion bedeutete das Ende der G. im 4. Jh. v. Chr.
→ Comum; Etruskische Archäologie; Veneti; Villanova-Kultur

M. Primas, Die südschweizerischen Grabfunde der älteren Eisenzeit und ihre Chronologie, 1970 · L. Pauli, Studien zur G., 1971 · R. De Marinis, La cultura di Golasecca: Insubri, Orobi e Leponzi, in: G. Pugliese Carratelli (Hrsg.) Italia omnium terrarum alumna, 1988, 159–247.

C. Ko.

Gold I. Allgemeines II. Historischer Überblick III. Wirtschaft und Politik IV. Literatur und Mythos

I. Allgemeines
A. Gold und Goldvorkommen
B. Goldgewinnung
C. Techniken der Goldverarbeitung
D. Methoden der Materialanalyse

A. Gold und Goldvorkommen
G. ist ein weiches, mechanisch gut zu verformendes und somit einfach zu Blechen und Drähten zu verarbeitendes Edelmetall, hat aber mit 1063°C einen relativ hohen Schmelzpunkt, der das Gießen erschwert. Es kommt in der Natur relativ selten vor, und zwar in Form von G.-Aggregaten im festen Gestein, aus dem es mit bergmännischen Methoden gewonnen wird, oder in Form von G.-Flittern oder -Körnern in sandigen Ablagerungen verwitterter Primärgesteine, aus denen es durch das G.-Waschen auf Grund seines höheren spezifischen Gewichtes abgetrennt werden kann. Das bergmännisch oder aus Flußsanden gewonnene G. ist kein reines G., sondern enthält mehr oder minder große Anteile an Silber (Plin. nat. 33,80), Kupfer, Platin und an dem Platin verwandten Elementen, deren Konzentration Hinweise auf die Lagerstätte geben kann. Der Silbergehalt kann bis zu 30%, der Kupfergehalt bis zu 5% ansteigen. G. wird wie die anderen Metalle von Plinius ausführlich behandelt, wobei neben naturkundlichen und technischen Aspekten auch kultur-, sozial- und wirtschaftshistorische Fragen thematisiert werden (Plin. nat. 33,1–85).

Die G.-Vorkommen im Mittelmeerraum sind auf einige wenige Regionen beschränkt. Für Griechenland waren in archa. und klass. Zeit bes. die Vorkommen auf der Insel Siphnos (bis 516 v. Chr.; Hdt. 3,57; Paus. 10,11,2) und in Thrakien (Hdt. 6,46 f.; Thuk. 4,105,1; Pangaion-Gebirge: Xen. hell. 5,2,17; Strab. 7 fr. 34) von Bed.; der Reichtum der Lyder beruhte auch auf dem Fluß-G., das während des 6. Jh. v. Chr. in größeren Mengen im Paktolos, einem Fluß in Kleinasien, gewonnen wurde (Strab. 13,4,5). Philipp II. von Makedonien hat nach 356 v. Chr. die G.-Bergwerke in Thrakien reorganisiert und ihre Erträge auf diese Weise erheblich steigern können (Diod. 16,8,6 f.), und noch Philipp V. versuchte zu Beginn des 2. Jh. v. Chr. seine Einnahmen durch eine Reaktivierung der G.-Gewinnung zu erhöhen (Liv. 39,24,2). Die G.-Bergwerke in Nubien versorgten die Ptolemaier mit G., das auch zur Münzprägung benötigt wurde (Diod. 3,12–14). Im westl. Mittelmeerraum waren es v. a. die in den Alpen und den Pyrenäen entspringenden Flüsse, die Fluß-G. lieferten (Strab. 4,2,1; 4,6,12; Athen. 233d). Die Kelten verfügten so über große Mengen G., das teils für Schmuck, teils für Weihgaben verwendet wurde; berühmt waren etwa die Tempelschätze von Tolosa, die 106 v. Chr. von dem cos. Q. Servilius Caepio geplündert wurden (Diod. 5,27; Strab. 4,1,13). Noch Caesar konnte während seiner Feldzüge in Gallien soviel G. aus der Kriegsbeute in It. und den Prov. verkaufen, daß der G.-Preis stark sank (Suet. Iul. 54,2). In röm. Zeit lagen die wichtigsten Zentren der G.-Gewinnung in den spanischen Prov., bes. im SW, in der Prov. Baetica (Diod. 5,36,4; 5,37,2; Strab. 3,2,3; 3,2,8 f.; 3,4,2), und im NW, wo der Abbau alluvialer G.-Lager unter Augustus begann (Flor. epit. 2,33; Plin. nat. 33,76–78). In It. war der G.-Bergbau in augusteischer Zeit bereits weitgehend eingestellt (Vercellae: Strab. 5,1,12; Plin. nat. 33,78); während des Prinzipats haben dann auch neue Prov., Britannia (Tac. Agr. 12,6), Noricum und Dacia, in größerem Umfang G. geliefert. Der Bergwerksdistrikt von Dolaucothi in Wales bietet noch heute einen guten Eindruck vom röm. G.-Bergbau.

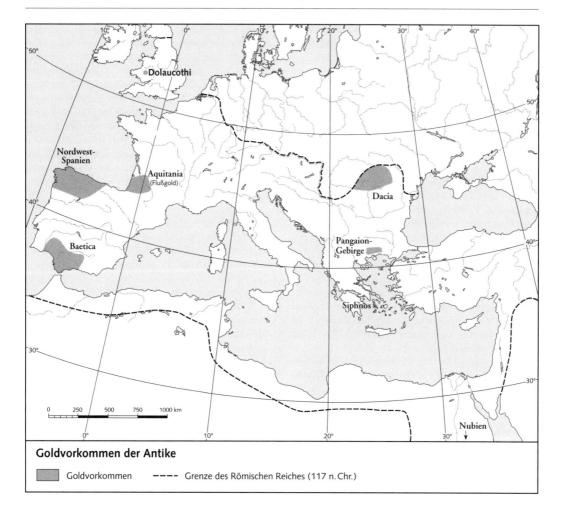

Goldvorkommen der Antike

▨ Goldvorkommen   ---- Grenze des Römischen Reiches (117 n. Chr.)

B. Goldgewinnung

Plinius erwähnt drei Methoden der G.-Gewinnung: das Auswaschen des Flußsandes, den Bergbau und den Tagebau (Plin. nat. 33,66–78). Technisch bes. aufwendig waren die Verfahren, die die Römer in NW-Spanien beim Abbau von Alluvial-G. einsetzten. Oberhalb der G.-Lagerstätten wurden große Wassermassen, die in oft über mehr als zehn Kilometer langen Leitungen herangeführt wurden, zuerst in Tanks gesammelt; wenn diese geöffnet wurden, stürzte das Wasser auf die oberen Erdschichten und schwemmte sie fort. Durch einen kontinuierlichen Wasserstrom wurde dann die Lagerstätte ausgewaschen und das schwere Metall in Gräben aufgefangen. Um diesen Vorgang zu beschleunigen, hat man auch ganze Berge durch Untergraben zunächst zum Einsturz gebracht und dann das Wasser über die Gesteinstrümmer geleitet. Durch diese Aktivitäten sind weite Berglandschaften in NW-Spanien bis heute erkennbar von den Römern verändert worden. Techniken zur Entfernung des Silbers und des Kupfers aus dem G. mit dem Ziel, ein reineres, höherwertiges G. zu erhalten, waren seit der Mitte des 2. Jt. v. Chr. bekannt,

wurden aber erst seit hell.-röm. Zeit in größerem Umfang eingesetzt. Für die G.-Bergwerke in Nubien wird ein derartiges Verfahren von Diodor (3,14,3 f.) beschrieben.

C. Techniken der Goldverarbeitung

G. wurde entweder in der Zusammensetzung, in der es gewonnen worden war, oder als Legierung mit anderen Metallen verarbeitet. Übliches Legierungselement war in der Ant. Silber, das mit dem G. lückenlos mischbar ist, so daß alle Mischungsverhältnisse zwischen reinem G. und reinem Silber hergestellt werden konnten. Legierungen, die in etwa gleichen Teilen aus G. und Silber bestehen, wurden als Elektron bezeichnet (Plin. nat. 33,80). Der Zusatz von Silber erhöht die Härte und dadurch die Haltbarkeit von G., verändert seine Farbe hin zu einem helleren Goldgelb und verringert den Wert des Metalles. Die Verarbeitung von G. erfolgte durch Guß oder durch mechanische Verformung, durch Hämmern, Walzen, Ziehen oder Prägen. Die hohe Schmelztemperatur sowie die Kostbarkeit von G. brachten es mit sich, daß zunächst nur kleine Anhänger, Amulette und Statuetten gegossen wurden. Weiter verbreitet als Gußtechniken war aber das Aushämmern des G. zu Blechen und Folien, mit denen andere Materialien wie Stein, Keramik oder Holz bedeckt wurden oder die auf andere Metalle aufgelegt wurden. Nach Plinius konnten auf diese Weise aus einer *uncia* G. (27,3 g) 750 quadratische Goldblättchen (*bratteae*) mit einer Seitenlänge von ca. 7,4 cm und mit einem Gewicht von jeweils weniger als 0,04 g hergestellt werden (Plin. nat. 33,61). Eine weitere, in der Ant. angewendete Technik war die Granulation. Experimentelle Unt. zeigen, daß die Kügelchen durch Abschneiden feiner G.-Schnipsel von Blechen oder Drähten hergestellt werden können, die man in Holzkohlepulver eingelegt zum Schmelzen bringt. Die Verbindung der Granulationskugeln mit dem Untergrund erfolgte bei erhöhten Temperaturen, entweder durch Auftragen eines Kupfersalzes oder unter Ausnutzung der oberflächlichen Bildung von G.-Carbid, woduch der Schmelzpunkt ebenfalls gesenkt wurde. Neben der Verbindung von G. durch Verschweißen unter Verwendung schmelzpunktsenkender Verbindungen waren in der Ant. auch Löttechniken üblich, wobei niedrig schmelzende Silber-Kupfer- oder G.-Silber-Kupfer-Legierungen und Blei-Zinn-Lote verwendet wurden.

Die Vergoldung anderer Werkstoffe geht auf die frühen Kulturen des Vorderen Orients zurück, als Objekte aus den unterschiedlichsten Materialien mit G.-Folien unterschiedlicher Stärke überzogen wurden, wobei das Blatt-G. entweder direkt aufgelegt oder durch ein organisches Bindemittel mit dem Untergrund verbunden wurde. Dünne G.-Folien wurden auch auf Metallobjekte aufgehämmert und mit diesen durch Erhitzen verbunden. In röm. Zeit gewann die Feuervergoldung an Bedeutung, bei der entweder G.-Amalgam, das durch Verreiben von G.-Pulver mit Quecksilber hergestellt wurde, oder eine mit Quecksilber bestrichene G.-Folie auf das Metall, das vergoldet werden sollte, aufgebracht wurde (Plin. nat. 33,64 f.; 33,100). Durch Wärmezufuhr verdampfte das Quecksilber, und das G. verband sich so mit dem Untergrund. Die oberflächliche Verzierung von G.-Objekten erfolgte durch Ziselieren, Gravieren und Punzieren, wobei eine mikroskopische Untersuchung der Werkzeugspuren aufschlußreiche Hinweise zur Arbeitstechnik geben kann.

D. Methoden der Materialanalyse

Zur Technologie ant. G.-Legierungen liegen neuere Materialunt. vor, die v. a. mit Hilfe der Rasterelektronenmikroskopie ausgeführt wurden. Zahlreich sind inzwischen auch die Analysen der Zusammensetzung von G.-Objekten; hierfür stehen mehrere Verfahren zur Verfügung, die keine Probenentnahme erfordern, etwa die Aktivierungsanalyse, die Röntgenfluoreszenzanalyse oder aufwendigere Techniken in der Art von PIXE (Proton Induced X-Ray Emission), wobei jedoch zu bedenken ist, daß die Zusammensetzung der Oberfläche durch Auslaugungsvorgänge im Boden verändert sein kann. Wenn es auf eine besondere Genauigkeit der Analyse ankommt, sind Verfahren, die mit sehr kleinen

Proben auskommen, etwa die Atomabsorptionsanalyse oder die Emissionsspektralanalyse, vorzuziehen. Die Materialanalyse informiert über die Art der Legierung, deren Silber- und Kupfergehalte in weiten Grenzen schwanken können, über die Herkunft des G. aus Bergbau oder aus Flußablagerungen, mit Einschränkungen auch über die regionale Herkunft des G., über wirtschaftliche Entwicklungen, etwa die Verschlechterung der Zusammensetzung von G.-Münzen, oder über die Echtheit von G.-Objekten durch den Vergleich mit Objekten gesicherter Herkunft oder den Nachweis chemischer Elemente, die durch moderne Verarbeitungstechnologien im G. nachzuweisen sind.   JO. R.

II. Historischer Überblick
A. Vorderer Orient und Ägypten
B. Keltisch-Germanischer Kulturraum
C. Griechenland   D. Italien

A. Vorderer Orient und Ägypten

G. hat in Vorderasien und Ägypten bereits seit der Vorgesch. eine bes. Rolle gespielt. Lagerstätten von G. befanden sich in Äg. und Nubien, nach Mesopot. wurde es von dort sowie über das iran. Hochland und die Golfregion importiert. Objekte aus G. konzentrierten sich v. a. in den Händen der Herrscher und in den Tempeln. G. war Prestige-Metall und diente v. a. der Repräsentation. Es war begehrt als Beute und Tribut, besaß Bed. als Handelskapital und Zahlungsmittel und eignete sich gut zur Thesaurierung. Äg. Quellen berichten von riesigen Goldmengen, die verschiedene Pharaonen den Göttern stifteten (u. a. 15 000 kg für den Amuntempel durch Thutmosis III. [2. 727]. Im privaten Bereich spielte G. eine geringe Rolle. In gestalteter Form wurde G. zumeist für Schmuck, Gefäße, Waffen/Werkzeuge, Reliefs, Statuen/Statuetten oder zur Dekoration (z. B. von Möbeln) verwendet; es konnte auch Schriftträger von Urkunden sein. Den hohen Stand der Materialbeherrschung bezeugen beispielhaft G.-Funde aus den Königsgräbern von Ur (Mitte 3. Jt. v. Chr.), aus dem Grab Pharao Tut-anch-Amuns in Theben-West (18. Dyn., ca. 1346–1336 v. Chr.) und aus den königlichen Grüften in Nimrud (9./8. Jh. v. Chr.). Sowohl die Schmelz- als auch so gut wie alle h. geübten G.-Schmiedetechnologien sind bereits für die Mitte des 3. Jt. v. Chr. in Vorderasien nachweisbar, v. a. Hämmern, Treiben, Plattieren, Ziselieren und Gravieren, Gießen, Tauschieren, Löten und Schweißen, Granulation, Filigran (*à jour* oder auf fester Unterlage). Einzig *émail cloisonné* und *niello*-Techniken sind zuerst aus Ägypten bezeugt.

→ Elektron

1 P. R. S. Moorey, Ancient Mesopotamian Materials and Industries, 1994, 217–232 2 L. Störk u. a., s. v. G., LÄ 2, 725–755.   R. W.

B. Keltisch-Germanischer Kulturraum

Seit dem E. des 3. Jt. v. Chr. ist G. in Mitteleuropa in fast allen Epochen ein geläufiges Material für wertvolle Grabbeigaben, v. a. Schmuck. In den mitteldeutschen und westeuropäischen → Fürstengräbern der frühen Brz. (1. H. 2. Jt. v. Chr.) wird G. auch für Prunkobjekte (Beile usw.) und Gefäße verwendet.

G.-Gefäße spielen im Bereich der Nordischen Brz. (Dänemark, Norddeutschland; 10.–8. Jh. v. Chr.) in → Hortfunden als Kultobjekte eine große Rolle, ebenso wie »Goldhüte« in Süddeutschland. Zumindest im Norden mußte G. importiert werden, da Lagerstätten fehlen. In dieser Zeit beginnt auch die Legierung von G. (Zusätze von Silber und Kupfer), und es sind die ersten G.-Schmiedewerkstätten (→ Barren, Probiersteine, Rohstücke) überliefert.

In der kelt. Späthallstatt-/Frühlatènezeit (6./5. Jh. v. Chr.) kommen die meisten G.-Funde wiederum aus den Fürstengräbern als Beleg für Reichtum und Macht, z. B. Halsreifen (→ Torques), Trinkschalen, Verzierung von Waffen (→ Schwerter, Dolche, → Helme usw.). Die G.-Objekte zeigen z. T. starke mediterrane Einflüsse (Imitation von Granulation, Filigrantechnik usw.). Über die gesamte Latènezeit (5.–1. Jh. v. Chr.) sind Hortfunde mit Schmuck (Halsreifen) und auch kelt. Münzen (→ Regenbogenschüsselchen) verbreitet. In den german. Kulturgruppen der vorröm. und röm. Zeit spielt G. keine wesentliche Rolle, wenn man wiederum von reichen Fürstengräbern absieht. Aus der röm. Zeit und dem frühen MA sind Goldschmiedegräber (→ Werkzeuge, Probiersteine) bekannt.

→ Germanische Archäologie; Handwerk; Hochdorf; Keltische Archäologie; Vix; Waldalgesheim

A. Hartmann, Prähistor. Goldfunde aus Europa Bd. 1, 1970; Bd. 2, 1982 · J. Driehaus, Zum Problem merowingerzeitlicher Goldschmiede, 1972 · B. Hardmeyer, Prähistor. G. Europas im 3. und 2. Jt. v. Chr., 1976 · Ch. Eluère, Das G. der Kelten, 1987 · V. Pingel s. v. Goldgefäße, RGA 11 (im Erscheinen).   V.P.

C. Griechenland

In Griechenland und in den nördl. und nö angrenzenden Gebieten lassen sich bereits für das späte 4. Jt. v. Chr. einzelne G.-Objekte nachweisen. Gegen E. des 3. Jt. v. Chr. setzt auch in diesem Bereich, v. a. im Gebiet der reichen G.-Vorkommen Thrakiens, mit einzelnen regionalen Schwerpunkten im dakischen und skythischen Bereich die breitere Verwendung von G. zur Herstellung von Schmuck und Gefäßen ein, die in großer Zahl aus Hortfunden erhalten sind. In der Mitte des 2. Jt. v. Chr. ist die Herstellung von G.-Gefäßen in diesem Raum hoch entwickelt. Wie Grabbeigaben zeigen, besaß die mykenische Welt einen großen Reichtum an Schmuck und Trinkgefäßen aus G.; Gebrauchsgegenstände und Waffen weisen häufig goldene Verzierungen auf. G.-Becher oder kleine G.-Platten zeigen in Treibarbeit hergestellte figürliche Szenen, so etwa die beiden G.-Becher aus dem Tholosgrab bei Vaphio (ca. 1500

v. Chr.) Darstellungen des Stierfangs; die Gesichter verstorbener Könige wurden in Mykene mit goldenen Totenmasken bedeckt. Auf Tontäfelchen aus Pylos und Knossos werden mehrfach goldene Gefäße und Abgaben von G. verzeichnet. Diese Vielfalt an Artefakten aus G. spiegelt sich in den Epen Homers, die das Edelmetall oft erwähnen (Il. 9,122ff.; 23,196; 23,219; 23,253; 23,269; 23,614; 23,796; Od. 1,136f.; 1,142; 3,40f.; 3,425f.; 3,435ff.; 4,52f.; 4,58; 4,615f.; 7,90f.; 7,100; 8,430f.; 8,440; 13,11; 13,136; 13,218; 17,91f.; 18,293ff.). Von den Dark ages bis zum Ende der klass. Epoche war G. in Griechenland ein seltenes Metall, das nur in geringem Umfang für die Herstellung von Schmuck oder Geschirr verwendet wurde (Athen. 231bff.). Das G.-Schmiedehandwerk erreichte durch die Entwicklung vielfältiger Ziertechniken bei der Herstellung von G.-Schmuck in der klass. Zeit einen besonderen Höhepunkt. In der Plastik fand G. Verwendung für die monumentalen G.-Elfenbein-Statuen des 5. Jh. v. Chr. (Paus. 1,24,5–7; 5,11; Plut. Perikles 13,14; 31,2–5); für die Statue der Athena Parthenos sollen 40 Talente G. verarbeitet worden sein, die wohl bes. als Gewandteile abnehmbar waren und daher von Perikles zu den finanziellen Reserven Athens gerechnet werden konnten (Thuk. 2,13,5).

D. Italien

In It. sind aus prähistorischer Zeit kaum G.-Funde erh.; erst mit den Etruskern setzte im 7. Jh. v. Chr. die Verarbeitung von G. zu Schmuckgegenständen und Gefäßen ein, wobei in den Techniken der Treibarbeit und der Granulation rasch eine große Vollkommenheit erreicht wurde, für die der G.-Schmuck aus der Tomba Regolini-Galassi in Cerveteri oder aus der Tomba Bernardini in Praeneste (1. H. 7. Jh. v. Chr.) beeindruckende Beispiele bietet. Seit der frühen Prinzipatszeit wurden Bronzestatuen vergoldet. Die Verwendung von Quecksilber bei der Vergoldung von Silber oder Kupfer ist bereits bei Vitruvius (Vitr. 7,8,4) belegt. Nach Plinius ließ Nero eine Statue Alexanders vergolden, was noch eher ungewöhnlich war, wie die spätere Beseitigung des G. zeigt (Plin. nat. 34,63f.). In der Folgezeit wurden aber Herrscherporträts zunehmend vergoldet, so etwa das Reiterstandbild des Marcus Aurelius in Rom und die aus Brescia stammenden Porträtbüsten von *principes* aus dem 3. Jh. n. Chr. Ein G.-Schmied (*aurifex brattiarius*) bei der Arbeit ist auf einem Relief im Vatikan (Zimmer Nr. 124) bildlich dargestellt, ein kleines Wandgemälde im Haus der Vettii in Pompeii zeigt Eroten in einer G.-Schmiede.   JO.R.

III. Wirtschaft und Politik

Die polit. und wirtschaftliche Bed. des G. resultiert in der Ant. aus seiner Funktion als Mittel zur Thesaurierung sowie als Münzmetall; in griech. Zeit wurde von den Poleis in Tempeln neben Silbermünzen auch ungemünztes G. gehortet. Es handelte sich dabei oft um Weihegeschenke oder um Ausstattungsgegenstände für die Abhaltung der Feste (Athen: Thuk. 2,13,2–6). Vor dem 3. Pun. Krieg lagen 17410 röm. Pfund G. (5703 kg) im *aerarium*. Die wichtigsten Mz. der griech. Poleis und der röm. Republik, Drachme und Denarius, bestanden jedoch aus Silber, und insofern können die ant. Währungen bis zur Prinzipatszeit im wesentlichen als Silberwährungen angesehen werden. Die Prägung von G.-Mz. blieb während des Hell. weitgehend auf die Zeit Alexanders, der nach der Einnahme von Persepolis über die G.-Schätze der Perser verfügen konnte (Diod. 17,71,1), und auf das Ptolemaierreich beschränkt. Seit Caesar wurde mit dem *aureus* regelmäßig eine G.-Mz. geprägt, deren Gewicht von Nero auf ca. 7,25 g reduziert wurde. Nach der Krise der röm. Edelmetallwährung im 3. Jh. n.Chr. schuf Constantinus mit dem *solidus* eine neue G.-Mz., deren Gewicht (4,5 g) und Feingehalt bis in die frühbyz. Zeit stabil blieb. G. war ein wichtiges Element monarchischer Repräsentation der hell. Könige (Athen. 197c ff. zur Pompe von Ptolemaios II.), und G.-Kränze waren in hell. Zeit und später im Prinzipat bevorzugte Ehrengaben für die Herrscher (Plin. nat. 33,38; 33,54). Der Besitz von G. verlieh in der röm. Ges. Sozialprestige: G.-Schmuck war für Frauen ein wichtiges Statussymbol, wie ihr Engagement für die Aufhebung der *lex Oppia* von 215 v.Chr. deutlich macht (Liv. 34,1–8,3). Für reiche Römer besaßen goldene Ringe und andere Schmuckstücke aus G. dieselbe Funktion; bei Petronius stellt Trimalchio seine Ringe und seinen goldenen Armreif demonstrativ zur Schau (Petron. 32; vgl. Plin. nat. 33,39–41).

IV. LITERATUR UND MYTHOS

Das Wort G. wird in der ant. Lit. oft metaphorisch verwendet; so bezeichnet Hesiod das älteste Menschengeschlecht als »golden« (χρύσεον); diese Menschen lebten frei von Krankheiten und Sorgen, sie mußten nicht für ihre Ernährung arbeiten, da die Erde alles von selbst wachsen ließ (Hes. erg. 109–120; vgl. Ov. met. 1,89–112). In vielen Zusammenhängen erscheint G. als Symbol großen Reichtums (Lucr. 2,24; 2,27f.) und als Objekt der Habgier, die für den Menschen Unglück bringt: Der Wunsch des Midas, alles, was er berühre, solle sich in G. verwandeln, erweist sich für ihn selbst als verhängnisvoll (Aristot. pol. 1257b 15ff.; Ov. met. 11,100–145; vgl. auch Plut. mor. 262d–263a). Aus diesem Grund konnte G. selbst sogar noch als Eisen bezeichnet werden (Ov. met. 1,141; vgl. Lucr. 5,1113ff.; 5,1423f.); die erste Prägung von G.-Mz. gilt Plinius als *scelus* (Plin. nat. 33,42), denn mit dem Geld und dem damit verbundenen Wucher sei die Habsucht (*avaritia*) und geradezu ein Hunger nach G. (*fames auri*) entstanden. In diesem Kontext wird die Ermordung des M'. Aquillius, dem Mithradates G. in den Mund gießen ließ, als symbolischer Akt begriffen (Plin. nat. 33,48; vgl. App. Mithr. 21). Das Verbot von Edelmetallmz. in Sparta wurde konsequenterweise positiv bewertet, da so viele Verbrechen wie Bestechung und Raub aus Sparta verschwunden seien (Plut. Lykurgos 9; vgl. Xen. Lak. pol. 7), und Plinius rühmt sogar Spartacus, weil dieser den

Besitz von G. in seinem Lager untersagt habe (Plin. nat. 33,49).

→ Aureus; Aurum coronarium; Bergbau; Bodenschätze; Solidus   H.SCHN.

LIT.: BLÜMNER, Techn., 4,10ff., 110ff., 302ff. • D.L. CAROLL, A classification for granulation in ancient metalwork, in: AJA 78, 1974, 33–39 • D.L. CAROLL, Wire drawing in antiquity, in: AJA 77, 1972, 321–323 • P.T. CRADDOCK, Early metal mining and production, 1996 • E. FOLZ, Einige Beobachtungen zu ant. G.- und Silberschmiedetechniken, Arch. Korrespondenzbl. 9, 1979, 213–233 • J.F. HEALY, Mining and Metallurgy in the Greek and Roman World, 1978 • I. LANG, M. HUGHES, Joining techniques, in: W.A. ODDY (Hrsg.), Aspects of early metallurgy, 1980 • G. MORTEANI, J.P. NORTHOVER (Hrsg.), Prehistoric gold in Europe. Mines, Metallurgy and Manufacture, 1995 • W.A. ODDY (Hrsg.), Aspects of early metallurgy, 1980 • Ders., Gilding through the ages. Gold. Bull. 14, 1981, 75–79 • W.A. ODDY, L. BORELLI VLAD, N.D. MEEKS, Die Vergoldung von Bronzestatuen bei den Griechen und Römern, in: Die Pferde von San Marco, 1982, 107–112 • J. RIEDERER, Arch. und Chemie, 1987 • R.F. TYLECOTE, A history of metallurgy, 1976 • R.F. TYLECOTE, The early history of metallurgy in Europe, 1987 • J. WOLTERS, Die Granulation. Geschichte und Technik einer alten Goldschmiedekunst, 1983.
KARTEN-LIT.: P.T. CRADDOCK, Early Metal Mining and Production, 1996 • J.F. HEALY, Mining and Metallurgy in the Greek and Roman World, 1978 • J. RIEDERER, Arch. und Chemie, 1987.   JO.R.

Goldbrasse s. Chrysophrys

Goldelfenbeintechnik (auch chryselephantine Technik genannt). Die nackten Körperpartien einer Statue wurden aus → Elfenbein, Gewand und Haare vorwiegend aus Goldblech gearbeitet, dazu traten Materialien wie Glas, Edelstein und Buntmetalle. Chryselephantine Werke sind wegen ihres Materialwertes selten und nur frg. erhalten. Die Herstellungstechnik ist daher nicht in Details bekannt und scheint primär von der Größe des Werkes bedingt. Bei Lebensgröße wurde Elfenbein kompakt verwendet und Goldblech aufgelegt, Details wurden aus anderen Materialien eingesetzt (Votivgruppe in Delphi, Athena-Kopf in Rom). Kolossale Statuen wurden ähnlich einem → Akrolith über einem tragenden Holzgerüst oder Holzkern gebildet, dessen Konstruktion ebenso wie die Art der Anbringung von Elfenbeinleisten und Goldplatten nur hypothetisch rekonstruiert werden kann (vgl. STEVENS u. Abb.). Eventuell war das Innere zur Wartung sichtbar oder betretbar (Lukian., Gallus 24 über das kolossale Zeusbild des Pheidias in Olympia), die Goldplatten konnten zur Kontrolle abgenommen werden (Thuk. 2,13 über die ca. 1 Tonne Gold an der Athena Parthenos).

Nachahmungen der G. finden sich bei Puppen aus Knochen mit Goldauflagen und bei teilvergoldeten Marmorstatuen. G. war in Mesopotamien zwar bereits früh bekannt, wurde aber für säkulare Sujets verwendet. Wegen des vorwiegend sakralen Kontextes ist bei den

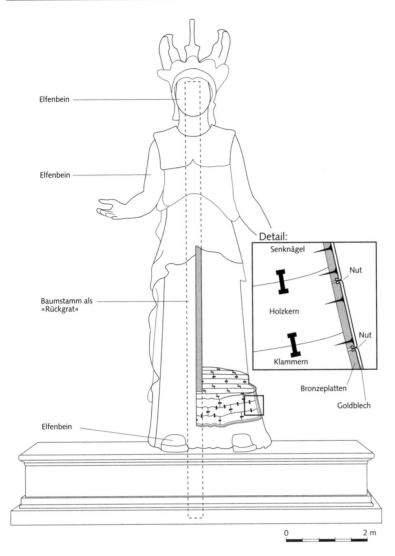

Elfenbein

Elfenbein

Baumstamm als
»Rückgrat«

Elfenbein

Detail:

Senknägel

Nut

Holzkern

Nut

Klammern

Bronzeplatten

Goldblech

0   2 m

Innenansicht der
Athena Parthenos:
hypothetische Rekonstruktion
(nach G. P. Stevens).
Die Goldbleche waren den
ant. Berichten zufolge
abnehmbar. Die Vertiefung
für das »Rückgrat« ist noch im
Cella-Boden des Parthenon
zu sehen. Die künstlerische
Oberfläche war durch die
Bronzeplatten und das
Goldblech gestaltet.

M. HAA.

griech. Werken in G. eher an eine eigenständige Verbindung von → Sphyrelata, → Elfenbeinschnitzerei und orientalisierenden Goldblechen seit dem 7. Jh. v. Chr. zu denken. Denn nach dem Zeugnis ant. Autoren waren in G. fast ausschließlich Götterbilder dargestellt, so aus der Archaik das Kultbild der Hera und Statuen der Dioskuren in Argos. In G. wurden auch Reliefs gearbeitet (Kypseloslade in Olympia, 6. Jh. v. Chr.). Eine Vorstellung geben die Köpfe einer delphischen Trias (in Delphi), die vielleicht auf das Kroisos-Anathem zu beziehen sind. Die berühmtesten Werke in G. waren der Zeus in Olympia und die Athena Parthenos in Athen von → Pheidias. Die Werkstatt des Pheidias in Olympia lieferte den Nachweis von Glasteilen an der Statue; an der Parthenos wurde am Schild auch Malerei verwendet. Im Hell. trat zu den Götterstatuen in G. Serapis, während die Statuen von Philipp II. und seiner Familie in Olympia als eine außerordentliche Selbstdarstellung

gelten. In der Kaiserzeit wurden weiterhin Götter in G. gebildet, etwa im Auftrag des Hadrian ein Zeus im Olympieion, für Herodes Atticus eine Tyche in Athen und Poseidon mit Amphitrite in Korinth.
→ Akrolith; Bildhauertechnik; Kypseloslade

P. AMANDRY, Rapport préliminaire sur les statues chyséléphantines de Delphes, in: BCH 63, 1939, 86–119 · G. P. STEVENS, How the Parthenos was made, in: Hesperia 26, 1957, 350–361 · C. ALBIZZATI, s. v. criselefantina, in: EAA 2, 1959, 939–941 · P. AMANDRY, Plaques d'or de Delphes, in: MDAI(A) 77, 1962, 35–71 · N. LEIPEN, Athena Parthenos, a Reconstruction, 1971 · FUCHS/FLOREN, 21–22, 394–395 · W. SCHIERING, Die Werkstatt des Pheidias in Olympia 2, Die Werkstattfunde, OlF 18, 1991. ABB.-LIT.: · G. P. STEVENS, How the Parthenos was made, in: Hesperia 26, 1957, 350–361 · N. LEIPEN, Athena Parthenos, a Reconstruction, 1971.   R. N.

Goldenes Zeitalter s. Kulturentstehung; Zeitalter

Golgoi (Γολγοί). Stadt auf Zypern, die bei den gelehrten alexandrin. Dichtern als einer der Hauptkultorte der → Aphrodite gilt (Theokr. 15,100 und Lykophr. 589; Catull. 36,14; 64,69); ihr eponymer Heros Golgos gilt als Sohn von Aphrodite und → Adonis (Schol. Theokr. 15,100). Nach Paus. 8,15,2 war das Heiligtum das älteste auf Zypern; seine Gründung lag lange vor der desjenigen in Paphos durch Agapenor; die Stadt selbst verstand sich als Kolonie von → Sikyon (Steph. Byz. s. v.). Seit 1851 wird der Ort mit einer Ruinensiedlung nö des Dorfs Athienou bei Nikosia identifiziert; weder die Grabungen des 19. Jh. (zusammenfassend [1. 306f.]) noch verschiedene seit 1971 durchgeführte Grabungen im Stadtgebiet [2], in einem brz. Tempelbezirk [3] und in einem ländlichen Heiligtum außerhalb der Stadt (Hagios Photios) [4] haben bisher Sicherheit gebracht.

1 O. MASSON, Kypriaka IX. Recherches sur les antiquités de Golgoi, in: BCH 95, 1971, 305–334 2 G. BAKALAKIS, Anaskaphé sto lopho Giorkous, B. A. tēs Athēainou, Kupros 1988 3 T. DOTHAN, A. BEN-TOR, Excavations at Athienou, Cyprus 1971–1972, 1983 F.G.

Golgotha s. Jerusalem

Gomoarius. Germanischer Herkunft; 350 n. Chr. *tribunus scutariorum*; Anhänger des → Vetranio, den er an → Constantius [2] II. verriet. 360 *magister militum* des Caesars → Iulianus; im Frühjahr 361 durch diesen abgesetzt, ging er zu Constantius II. über. 365/6 *magister militum* des Usurpators → Prokopios, zu dessen Niederlage er durch seinen Abfall zu → Valens entscheidend beitrug. PLRE 1, 397f. H.L.

Gomphoi (Γόμφοι). Im 4. Jh. v. Chr. durch Synoikismos entstandener Ort; Lage beim h. G. (vormals Mouzaki) gesichert. Mit → Metropolis, Pelinnaion und → Trikka bildete G. den Festungsgürtel der thessal. Hestiaiotis an den Pindos-Übergängen nach Dolopia, Athamania und Epeiros. Auf Mz. des 4. und 2. Jh. trägt G. den Namen Philippopolis (HN 295). Gegen E. des 3. Jh. stand G. unter aitolischer Herrschaft, wechselte in den Kriegen zu Anf. des 2. Jh. mehrfach den Besitzer und mußte 186/5 von Philippos V. endgültig an die Thessaloi gegeben werden (Liv. 39,23–26), in deren 196 neugegr. Bund G. oft die jährlichen Oberbeamten stellte. 171 rastete dort das röm. Heer nach der Pindos-Überquerung. Caesar (civ. 3,80) ließ G. kurz vor der Schlacht bei Pharsalos plündern. In der Kaiserzeit wurde G. Bischofssitz, wodurch sich der byz. Name Episkopi erklärt. Iustinianus I. ließ die Stadtmauern erneuern. G. ist wohl in der Slaven-Invasion des 7. Jh. untergegangen.

N. CHATZANGELAKIS, in: AD 42, 1987, II 264f. und 43, 1988, II 253 (Fundberichte) · G.ST. KARAGIANNIS, Γόμφοι – Επισκοπή – Μουζάκι, in: Θεσσαλικό Ημερολόγιο 9, 1986, 97–106 · H. KRAMOLISCH, Die Strategen des Thessal.

Bundes, 1978, 36f. · F. STÄHLIN, Das hellenische Thessalien, 1924, 124ff. · TIB 1, 1976, 166. HE. KR.

Gonnos, Gonnoi (Γόννος, Γόννοι). Stadt der → Perrhaiboi, nördl. des Peneios am westl. Eingang des Tempetals auf drei Hügeln gelegen. Siedlungsspuren seit dem Neolithikum. In histor. Zeit zunächst von Larissa beherrscht, wurde G. im 4. Jh. v. Chr. nach der Eroberung von Thessalia durch Philippos II. strategisch wichtig. Als maked. Festung ausgebaut, mit Besatzung und Zufluß maked. Bevölkerung, erlebte G. eine wirtschaftliche Blüte. Nach 196 v. Chr. war G. Mitglied des neuen Bundes der Perrhaiboi, der 146 wieder aufgelöst wurde. G. existierte als Teil der Prov. Achaia in der röm. Kaiserzeit, doch lag es nicht mehr an strategisch wichtiger Stelle und wurde von Larissa wieder überschattet. Kein Bischof ist bekannt.

B. HELLY, Gonnoi, 1973 (mit den Inschr.). MA. ER.

Gophna. Ort ca. 22 km nördl. von Jerusalem an der röm. Handelsstraße nach Neapolis, heute arab. Ǧifnā. Zur Zeit des → Herodes war G. Hauptort der elf judäischen Toparchien. 44 v. Chr. verkaufte → Cassius die Einwohner G.s in die Sklaverei, da sie den geforderten Tribut nicht aufzubringen vermochten. Antonius machte diese Maßnahme kurz darauf rückgängig. Im Verlauf des 1. Jüd. Krieges eroberte Vespasianus 69 n. Chr. die Stadt.

M. AVI-YONAH, E. ORNI, s. v. Gofnah, Encyclopaedia Judaica 7, 691. J.P.

Gorbeus, Korbeuntos (Γορβεῦς, Κορβεῦντος). Residenz des Tektosagentetrarchen Kastor d. Ä., der hier mit Gattin von seinem Schwiegervater → Deiotaros ermordet wurde; dieser zerstörte die Burg und große Teile der Siedlung (Strab. 12,5,3). Später Straßenstation (Ptol. 5,4,6; Itin. Anton. 143,2; 205,9); südöstl. von Oğulbey, 29 km südl. von Ankara.

BELKE, 171 · K. STROBEL, Die Galater 2, 1998. K. ST.

Gordianus
[1] Imp. Caes. M. Antonius G. Sempronianus Romanus Africanus Aug. (G. I.), geb. um 159 n. Chr. als Sohn des Maecius Marullus und der Ulpia Gordiana (Herodian. 7,5,2; SHA Gord. 2,2; Zon. 12,17 p. 127 D.). Nach einem erfolgreichen *cursus honorum* (SHA Gord. 3,5–8; 4,1), gelangte er – wohl unter Elagabal – zum Suffektkonsulat. 216 war er Statthalter in *Britannia inferior* (RIB 1, 1049), kurz darauf in Achaia [2. 181ff.], vielleicht auch in Syria. 237 fiel ihm per Los das Prokonsulat der Provinz Africa zu [5; 6. 89f. N. 21]. Eine durch den Steuerdruck des Kaisers Maximinus Thrax aufgebrachte Volksmenge ermordete einen Finanzbeamten und rief den beliebten G. 238 in Thysdrus (h. El Djem, Tunesien) zum Augustus aus (SHA Gord. 5–9; Herodian. 7,5). G. zog sofort nach Karthago, beteiligte seinen Sohn → G. [2] an der Herrschaft, worauf beide vom Senat in Rom bereitwillig anerkannt wurden (SHA Gord. 9–11;

Aur. Vict. Caes. 26; Herodian. 7,6–7). Nachdem jedoch G.' Sohn von → Capellianus, dem Statthalter des Maximinus in Numidien, vor Karthago geschlagen war, erhängte sich der Vater nach dreiwöchiger Herrschaft; beide wurden in Rom konsekriert (SHA Gord. 15–16; Zon. 12,17 p. 128 D.; Herodian. 7,9; Amm. 26,6,20).

1 PIR² A 833 2 BIRLEY 3 K. DIETZ, Senatus contra principem, 1980, 56ff. 4 KIENAST, ²1996, 188f. 5 B. E. THOMASSON, Die Statthalter der röm. Provinzen Nordafrikas, Bd. 2, 1960, 120f. 6 Ders., Fasti Africani.

               T. F.

[2] Imp. Caes. M. Antonius G. Sempronianus Romanus Africanus Aug. (G. II.), geb. um 192 n. Chr.

als Sohn des M. Antonius G. [1] und der Fabia Orestilla (SHA Gord. 17,4; 4,2). Nach Quaestur, Praetur und Consulat (SHA Gord. 18,5) begleitete er 237 seinen Vater als *legatus consularis* nach Africa und wurde mit ihm 238 zum Augustus erhoben (AE 1971, 475; SHA Gord. 18,6; 7,2; 9,6; 11,4; 15,2; Zos. 1,14; Herodian. 7,7,2) sowie vom Senat anerkannt. Nach kurzer Regierungszeit fiel er in einer Schlacht gegen Capellianus (→ G. [1]). PIR² A 834   T. F.

[3] Imp. Caes. M. Antonius G. Aug. (G. III.), geb.

Anfang 225 n. Chr. in Rom als Sohn der Maecia Faustina und des Iunius Balbus, Neffe von G. [2] II. und Enkel von G. [1] I. (SHA Gord. 4,2; 22,4; Herodian. 7,10,7; ILS 496–497; AE 1942, 40; 1956, 127a). Unter den Senatskaisern → Pupienus und → Balbinus [1] wurde er auf Drängen des wohl von Freunden des G. mobilisierten röm. Volkes Anf. 238 zum Caesar ausgerufen (Herodian. 7,10,6–9; AE 1951, 48). Nach der Ermordung der beiden Kaiser Anf. Mai oder Juni 238 durch die Praetorianer erhielt er von diesen den Augustustitel mit Zustimmung des Senats (SHA Gord. 22,5; Herodian. 8,8; zur Chronologie vgl. [3. 195]). Die Lage stabilisierte sich durch rechtliche und finanzielle Reformen, mil. gelang es seinem Feldherrn → Tullius Menophilus, Karpen und Goten von den Balkanprovinzen fernzuhalten (Petrus Patricius fr. 8, FHG 4, 186f.). Ein Aufstand des Usurpators Sabinianus 240 in Africa konnte unterdrückt werden (SHA Gord. 23,4). Unterstützt von dem fähigen Gardepraefekten (seit 241) C. F. Sabinius Aquila Timesitheus, dessen Tochter → Furia Tranquillina er heiratete, bereitete er mit großem mil. und ideellem Aufwand den Krieg gegen die Perser vor (SHA Gord. 23,6–7). G. zog nach dem Tod (Ende 242) des Timesitheus (ihm folgte der daran vielleicht beteiligte Praefekt → Philippus Arabs: SHA Gord. 28,1; 29,1) über den Balkan nach Asien, sicherte Syrien, drängte Sapor I. zurück und unterwarf ganz Mesopotamien (SHA Gord. 26,4–6; 27,2–8). Anfang 244 starb G. bei der Entscheidungsschlacht bei Ktesiphon entweder an einer Verwundung oder fiel einem Anschlag des Philippus Arabs zum Opfer (SHA Gord. 29; [Aur. Vict.] Epit. Caes. 27). Sein Leichnam wurde nach Rom überführt, er selbst konsekriert (SHA Gord. 31,3; Eutr. 9,2). Bei Dura Europos erhielt er einen Kenotaph (SHA Gord. 34,2; Amm. 23,5,7).

1 PIR² A 835 2 E. KETTENHOFEN, Die röm.-persischen Kriege des 3. Jh. n. Chr., 1982 3 KIENAST, ²1996, 195f. 4 A. NICOLETTI, Sulla politica legislativa di Gordiano III, 1981 5 T. SPAGNUOLO VIGORITA, Secta temporum meorum, 1978.   T. F.

Gordion. Vorklass. Stadt bei Yassıhüyük im WSW von Ankara am Ostufer des Sangarios an einer Furt der Straße Pessinus – Ankyra (Reste sichtbar). Sie soll von ihrem Eponym Gordios, dem ersten phryg. König, als Residenz gegr. worden sein. Grabungen förderten reiche Königsgräber in Holzkammern unter *tumuli* zutage (vgl. Karte), ferner eine Zitadelle, die im 8. und 6. Jh. v. Chr. befestigt und schließlich von den Kimmerioi zerstört wurde, die auch den Selbstmord des letzten phryg. Königs Midas verursachten. G. war auch im Perserreich noch wichtig: Der Satrap Pharnabazos verbrachte hier den Winter 407 v. Chr. (Xen. hell. 1,4,1), ebenso Alexander d. Gr. 334 v. Chr., als er der Legende zufolge den »gordischen Knoten« zerschnitt (Arr. an. 2,3,6–8; Curt. 3,1,12–18), was seine Herrschaft über Asia legitimieren sollte. In hell. Zeit wichtiger Marktort, vom Hellespont, dem Schwarzen Meer und dem Mittelmeer gleich weit entfernt (vgl. Liv. 38,18,12), jedoch keine große Stadt mehr, wurde von Manlius Vulso geplündert (Liv. 38,18), der hier während seines Zuges gegen die Galatai 189 v. Chr. lagerte. In griech.-röm. Zeit war G. nur noch ein Dorf (Strab. 12,5,3; nur kleinere röm. und byz. Funde) auf dem Territorium der Tolistobogii in der Prov. Galatia, evtl. mit der Straßenstation Vindia (Ptol. 5,4,5; Itin. Anton. 201,5; 202,9) zu identifizieren.

 G. K. SAMS, G. and the Kingdom of Phrygia, in: M. SALVINI (Hrsg.), Atti del 1° Simposio Internazionale »Frigi e Frigio« (16–17 ottobre 1995), 1997, 239–248 • BELKE, 171.

          T. D.-B./Ü: V. S.

KARTEN-LIT.: R. S. YOUNG u. a., G. Excavations Reports 1, Three Great Early Tumuli, 1981 • M. M. VOIGT, Excavations at Gordion, 1988–1989: The Yassıhöyük Stratigraphic Sequence, In: A. ÇILINGIROĞLU, D. H. FRENCH (Hrsg.), The Proc. of the Third Anatolian Iron Ages Colloquium 1990, 1994, 265–293 • M. M. VOIGT u. a., Fieldwork at Gordion: 1993–1995, in: Anatolica 23, 1997, 1–59, bes. 39.

Gordios (Γόρδιος).

[1] Mythischer Gründer des phryg. Staates und eponymer Heros seiner Hauptstadt → Gordion. Als ihn beim Pflügen Vögel umfliegen, will er in der Stadt Zeichendeuter befragen; ein schönes Mädchen aus einem Sehergeschlecht, das er am Tor um Auskunft bittet, deutet das Zeichen als Versprechen der Königswürde und bietet sich ihm zur Ehe an. Um einen Bürgerkrieg zu beenden, erheben die → Phryger nach einem Orakel des Zeus den ersten Wagenfahrer, der ihnen begegnet, zum König: Es ist G., der den Wagen im Tempel dediziert und die Deichsel mit einem unlösbaren (»gordischen«) Knoten verbindet; wer ihn löst, wird Herr über Asien werden. Erst Alexander [4] d. Gr. gelingt dies, indem er

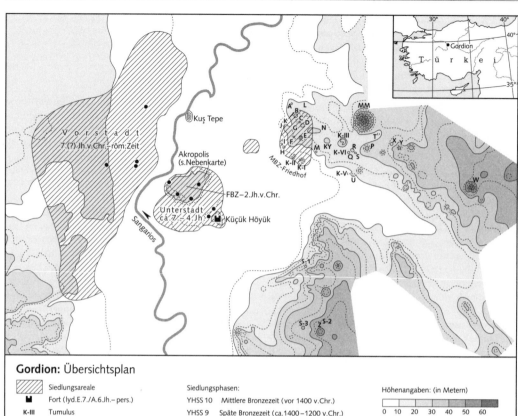

Gordion: Übersichtsplan

▨	Siedlungsareale
◪	Fort (lyd.E.7./A.6.Jh.– pers.)
K-III	Tumulus
	Datierung der Tumuli:
8.Jh.	MM, G, K-III, K-IV, KY, P, Q, S, W, X, Y
7.Jh.	B, D, F, H, J, N, S-I, Z
6.Jh.	A, C, E, I, K, K-I, K-II, K-V, S-2, S-3, U(?)
?	L, R, T
▬	antiker Flußverlauf
•	Grabungsbereiche (1993–1995)

Siedlungsphasen:

YHSS 10	Mittlere Bronzezeit (vor 1400 v.Chr.)
YHSS 9	Späte Bronzezeit (ca.1400–1200 v.Chr.)
YHSS 8	Späte Bronzezeit (ca.1200 v.Chr.; Hiatus ?)
YHSS 7B	Frühe Eisenzeit (ca.1100–1000 v.Chr.; Hiatus ?)
YHSS 7A	Frühe Eisenzeit (ca.1000–950/900 v.Chr.)
YHSS 6B	Frühphrygisch (ca.950/900–700 v.Chr.)
YHSS 6A	Frühphrygisch: Zerstörungshorizont (ca.700/A.7.Jh.v.Chr.)
YHSS 5	Mittelphrygisch I–II (ca.1.H.7.–1.H.6.Jh.v.Chr.)
YHSS 4	Mittelphrygisch III (ca.550–300 v.Chr.)
YHSS 3–1	Spätphrygisch–Römisch

Höhenangaben: (in Metern)

0   10   20   30   40   50   60

N

0   150   300   450   600   750 m

Akropolis um 700 v.Chr.
(östlicher Teil)

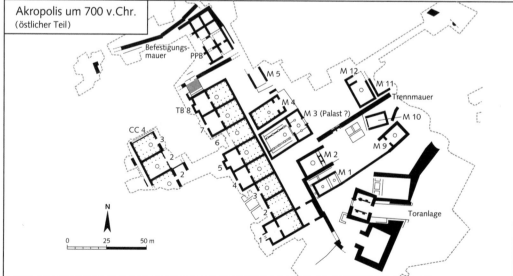

N

0   25   50 m

ihn durchschlägt (Iust. 11,7,5–16, knapp Curt. 3,2; Aristobulos FGrH 139 F 7b). Abweichende Erzählungen machen G.' Sohn, den Stadtgründer → Midas (Hdt. 1,14; 8,138), zum König und Stifter des Wagens seines Vaters, dem ein Adler beim Pflügen erschienen war (Arr. an. 2,3,1–5, die Prophetin kommt aus → Telmessos; Ail. nat. 13,1; ganz knapp Plut. Alexander 18,1–4,674bc).

P. FREI, Der Wagen von G., in: MH 29, 1972, 110–123 · A. BORGHINI, La scena del carro e la donna divina. Gordio, Pisistrato e Tarquinio Prisco, in: Materiali e discussioni per l'analisi dei testi classici, 12, 1984, 61–115.   F.G.

[2] Kappadokischer Adliger, der 111 v. Chr. im Auftrag des Mithradates VI. von Pontos den kappadokischen König Ariarathes VI. ermordete und nach Pontos floh. Mithradates beseitigte auch den Nachfolger Ariarathes VII. und setzte schließlich (um 100) einen seiner eigenen Söhne unter dem Namen Ariarathes (IX.) unter der Vormundschaft des G. zum König ein. Gegen einen von Nikomedes III. von Bithynien nominierten Gegenkandidaten versuchte G. in Rom vergeblich, den Anspruch seines Mündels zu vertreten. Obwohl auch die Übernahme der Herrschaft durch G. selbst erwogen wurde, unterstützte Rom die Einsetzung Ariobarzanes' [3] I. Mithradates veranlaßte jetzt seinen Schwiegersohn Tigranes II. von Armenien, Ariobarzanes zu vertreiben und G. zum Regenten von Kappadokien zu bestellen, der jedoch bald darauf von Cornelius [I 90] Sulla, der Ariobarzanes zurückbrachte, verjagt wurde. G. blieb im Dienst des Mithradates und führte noch im Krieg gegen Murena (83/2) die Vorausabteilung von dessen Heer an.

B. C. McGING, The Foreign Policy of Mithradates VI Eupator, King of Pontus, 1986 · R. D. SULLIVAN, The Dynasty of Cappadocia, in: ANRW II 7.2, 1980, 1125–1168 · H. SWOBODA, H. WILLRICH, s. v. G. (5) und (7), RE 7, 1592f.   M. SCH.

Gordyaia (Γορδυηνή, Plut. Lucullus 21; 26; 29 u.ö.; Plut. Pompeius 36; Ptol. 5,12,9; Strab. 11,14,2; 14,8; 14,15; App. Mithr. 105; Γορδυαία, Strab. 16,1,8; 1,21; 2,5. Landschaft an der Grenze Armeniens, der Adiabene und der Atropatene am Oberlauf des Tigris südl. des Van-Sees mit den Poleis Sareisa (h. Šārīš), Satalka und Pinaka (h. Finek) (Strab. 16,1,24). An gleicher Stelle setzt Strabon die Bewohner des Landes, die *Gordyaíoi* (Γορδυαῖοι), den → *Kardúchoi* (Καρδοῦχοι) gleich (vgl. Xen. an. 4,1,8; Plin. nat. 6,44). In das armen. Reich unter → Tigranes II. inkorporiert, wurde Zarbienos, ihr letzter König, wegen Zusammenarbeit mit → Lucullus hingerichtet (Plut. Lucullus 29). Nach mehrfachem Besitzerwechsel zw. Armeniern, Parthern und Römern nach Tigranes' Niederlage (69 v. Chr.) übergab Pompeius schließlich G. wieder dem Tigranes (Cass. Dio 37,5,3). Als Teil des Partherreiches wurde die Region später von Traianus besetzt und schließlich von Iovianus an die Sāsāniden abgetreten (Amm. 25,7,8 f.).

R. D. SULLIVAN, Near Eastern Royalty and Rome, 1990, s. v. Gordyene.   J. W.

Gorgasos und Nikomachos. Heilheroen in einem Heiligtum im messenischen Pharai. Sie gelten als Söhne von → Machaon und Antikleia, der Tochter des Landeskönigs Diokles (Paus. 4,30,3). Ihr Heiligtum stiftete Isthmios, der Sohn jenes Glaukos, der als erster in Messene den Machaon kultisch verehrte (Paus. 4,3,10). Mit diesen Mythen wird wohl ein unabhängiger Heilkult in den in Messenien zentralen Kult des → Asklepios einbezogen.   F.G.

Gorgias (Γοργίας).
[1] Bildhauer, der im späten 6. Jh. v. Chr. in Br. und Marmor Weihgeschenke auf der Athener Akropolis arbeitete. Die einzig erh. Basen lassen zumeist auf Pferde- oder Reiterstatuen schließen. Plinius (nat. 34,49) nennt G. mit falscher Lebenszeit oder meint einen homonymen Bildhauer.

OVERBECK, Nr. 356a (Quellen) · LOEWY, Nr. 36 · A. E. RAUBITSCHEK, Dedications from the Athenian Akropolis, 1949, Nr. 5, 65, 77, 147 · B. S. RIDGWAY, The Archaic Style in Greek Sculpture, 1977, 284–298 · FUCHS/FLOREN, 300.   R. N.

[2] G. von Leontinoi. Nach Philostrat »Vater« der Sophistik (soph. 1,9,1), Platon und der Suda zufolge Rhetor (Plat. Gorg. 449a; vgl. jedoch Plat. Hipp. mai. 282b: ›der Sophist von Leontinoi‹).

A. LEBEN

Geb. um 480, gest. um 380 v. Chr. Die Daten sind aus dem einzigen gesicherten Jahr 427 v. Chr. erschlossen, als G. die Gesandtschaft seiner Stadt anführte, um die Hilfe der Athener gegen die Nachbarstadt Syrakus zu erbitten – eine Rolle, die nur einem reifen Mann zukam. Zudem stimmen die Zeugnisse auch darin überein, daß er 100 Jahre alt wurde. G. war Zeitgenosse des Sokrates und soll auch den jungen Platon noch gekannt haben: Nach Athen. 505d las er noch dessen *Gorgias*. Das *setting* des *Gorgias* kann sich nur auf einen Aufenthalt in Athen nach der Gesandtschaft beziehen, was Platons *Menon* (71c) bestätigt. G. reiste auf dem griech. Festland umher: Philostratos (soph. 1,9,4) erwähnt eine *Pythische* (= in Delphi gehaltene) und eine *Olympische* (= in Olympia gehaltene) *Rede* und berichtet auch (epist. 73 = 82A35 DK), daß er bei den Thessaliern einen solchen Eindruck hinterlassen habe, daß man dort für »eine öffentliche Rede halten« (ῥητορεύειν) »gorgianisieren« (γοργιάζειν) sagte; auch zu Beginn des *Menon* (70a-b) wird ein Aufenthalt des G. in Thessalien und der Erfolg, den er dort wahrscheinlich im hohen Alter hatte, erwähnt; vielleicht starb er dort. Er hatte einen Arzt zum Bruder (Suda s. v. Γοργίας; vgl. Plat. Gorg. 448b) und war ein Schüler des → Empedokles (Suda, ebd. und s. v. Ἐμπεδοκλῆς; Diog. Laert. 8,58; Olympiodoros in Gorg. p. 8, 2–3 WESTERINK; Schol. Plat. Gorg. 465d = p. 140 GREENE). In Athen waren → Alkidamas und → Isokrates ihrerseits Schüler des G.

B. Werke

Zwei Werke sind uns überliefert: das *Lob der Helena* und die *Verteidigung des Palamedes*. Im ersten spricht G. Helena von der Schuld am Trojanischen Krieg, den sie durch ihre Untreue verursacht haben soll, frei. Er zeigt, daß man sie auf keine Weise für ihr Verhalten, wie auch immer man es erkläre, verantwortlich machen könne: Sie sei entweder dem Willen der Götter oder der Kraft ihres Entführers, dessen Redekünsten oder schließlich der Begierde zum Opfer gefallen, d. h. der psychologischen Wirkung visueller Eindrücke, die nicht ihrem Willen unterlagen. ›Durch meine Rede,‹ kann G. also schließen, ›habe ich den schlechten Ruf einer Frau bereinigt‹. Damit lobt er zusammen mit Helena auch den eigenen Rednerberuf. In der *Verteidigung des Palamedes* beweist dieser seine Unschuld gegen Odysseus' Vorwurf des Hochverrats mittels der *reductio ad absurdum*. Diese wendet er auf alle Bedingungen für die Ausführung des Verbrechens an, dessentwegen man ihn anklagt, dann auf alle denkbaren Motive. Des weiteren beruft er sich darauf, daß es der Ankläger, überhaupt allg. das Wort, nicht vermöge, dem Zuhörer die Wahrheit nahezubringen. In dieser rhet. Übung findet man nicht nur eine Reihe von später klass. Beweisgründen wie etwa das Prinzip der Widerspruchsfreiheit (25). Die Ansicht, die Rede könne Tatsachen nicht mitteilen, sowie die dialektische Strategie, zunächst die Absurdität einer Hypothese zu zeigen, diese dann aber zu akzeptieren, um die Absurdität der nächsten zu demonstrieren, nähern im *Palamedes* argumentativ der Widerlegung des Eleatismus an, die sich auch in einer G. zugeschriebenen Schrift *Über das Nichtseiende oder Über die Natur* findet.

Hiervon gibt es zwei Fassungen: Die eine ist durch Sextus Empiricus (adv. math. 7,65–87) überliefert, die andere in der ps.-aristotelischen Abhandlung *De Melisso Xenophane Gorgia* (979a 12–980b 21). Ihr liegt folgender Gedankengang zugrunde: Es gibt nichts; gäbe es etwas, könnte man es nicht erkennen; könnte man es erkennen, könnte man es nicht mitteilen. Der Zuweisung dieser Schrift an G. hat man entgegengehalten, daß Platon und Aristoteles sie mit keinem Wort erwähnen: Wann immer sie G. nennen oder zitieren, beziehen sie sich auf seine Tätigkeit als Rhetor und seine rhet. Schriften. Die argumentative Verwandtschaft dieser philos. Schrift mit dem *Palamedes* spricht jedoch für eine Zuweisung an G., wie sie heute allg. akzeptiert wird. Zwei einander entgegengesetzte Deutungen trennen die Interpreten weiterhin. Der einen Richtung zufolge, deren Hauptvertreter immer noch H. GOMPERZ [7] ist, war G. ein Rhetor und kann keinen Platz in der Gesch. der Philos. beanspruchen: Die Schrift über das Nichtseiende sei eine rhet. Übung, ein »Spiel« (παίγνιον, um es mit einem von G. selbst in bezug auf das *Lob der Helena* (21) gebrauchten Wort zu sagen). Für die andere Richtung (W. NESTLE [8], G. CALOGERO [9]) handelt es sich um eine ernsthafte Polemik gegen den Eleatismus, wobei die *Helena* und der *Palamedes* eine auf dem philos.

Feld im eigentlichen Sinne ausgearbeitete Logik nur zu rhet. Zwecken ausschlachten. Dieser Dichotomie kann man auf zweierlei Weise entkommen: Entweder übernimmt man die genetische Interpretation von H. DIELS [5] – G. sei zunächst Naturphilosoph der Schule des Empedokles gewesen und durch den Kontakt mit der eleatischen Dialektik eristischer Dialektiker geworden, was ihn dazu geführt habe, sich ausschließlich der Redekunst zu widmen – oder man schließt sich derjenigen von DUPRÉEL [10] an, für den die Schrift über das Nichtseiende eine philos. Einführung in die Rhet. darstellt, die die Wiss. von der Natur durch die Kunst der Rede ersetzt und die erstgenannte mit den Mitteln der letztgenannten eliminiert.

→ Eleatische Schule; Rhetorik; Sophistik

ED.: **1** TH. BUCHHEIM, G. von Leontinoi: Reden, Fragmente und Testimonien, hrsg. mit Übers. und Komm., 1989 **2** H. DIELS (Hrsg.), Aristotelis qui fertur de Melisso Xenophane Gorgia. Philos. und histor. Abh. der königlichen Akad. der Wiss. zu Berlin, 1900, I, 3–40 **3** DIELS/KRANZ Bd. 6, Nr. 82 (Version des Sextos Empeirikos über das Nicht-Seiende, die beiden Reden und Slg. der indirekt überlieferten Fr.) **4** B. CASSIN, Si Parménide. Le traité anonyme *De Melisso Xenophane Gorgia*. Édition critique et commentaire, 1980.
LIT.: **5** H. DIELS, G. und Empedokles, 1884, in: C. J. CLASSEN, Sophistik, 1976, 351–383 **6** O. APELT, G. bei Pseudo-Aristoteles und bei Sextus Empiricus, in: RhM 44, 1888, 203–219 **7** H. GOMPERZ, Sophistik und Rhet., 1912 (Ndr. 1965), 1–35 **8** W. NESTLE, Die Schrift des G. ›Über die Natur oder über das Nichtseiende‹, 1922, in: Ders., Griech. Studien, 1948, 240–252 **9** G. CALOGERO, Studien über den Eleatismus, 1970, bes. 171–242 (Orig. ital. 1932) **10** E. DUPRÉEL, Les Sophistes, 1948, 59–113 **11** G. CALOGERO, G. and the Socratic Principle Nemo Sua Sponte Peccat, 1957, in: C. J. CLASSEN, Sophistik, 1976, 408–421 **12** C. M. J. SICKING, G. und die Philosophen, 1964, in: C. J. CLASSEN, Sophistik, 1976, 384–407 **13** M. MIGLIORI, La Filosofia di Gorgia. Contributi per una riscoperta del sofista di Lentini, 1973 **14** H. J. NEWIGER, Unt. zu G.' Schrift über das Nichtseiende, 1973 **15** L. MONTONERI, F. ROMANO (Hrsg.), Gorgia e la sofistica, 2 Bde., 1985. MI. NA./Ü: T. H.

[3] Seleukidischer → *stratēgós* von Idumaia unter Antiochos IV., ist 2 Makk 8,9 als Untergebener des Nikanor genannt, den der *stratēgós* von Koilesyrien und Phoinikien, Ptolemaios, Sohn des Dorymenes, mit der Niederwerfung des 167/6 v. Chr. beginnenden Makkabäeraufstandes beauftragte. Im Parallelbericht 1 Makk 3,38–4,25 ist G. die Hauptfigur.

BENGTSON 1, 170f. K. BR.

[4] Griech. Rhetor des 1. Jh. v. Chr., wahrscheinlich aus Athen; 44 war er Lehrer des jüngeren Cicero, bis dessen Vater diesen Kontakt unterband (Cic. fam. 16,21,6; Plut. Cicero 873ab). Seneca (contr. 1,4,7) erwähnt G., doch sind die griech. Zitate in der Überl. ausgefallen. G. verfaßte ein Werk über (Rede-) → Figuren (περὶ σχημάτων) in 4 B., das von seinem Zeitgenossen → Rutilius Lupus ins Lat. übersetzt wurde (Quint. inst.

9,2,102: *in usum suum transtulit* [AHRENS] statt *unum* [codd.]); der erh. Text umfaßt nur 2 B. und behandelt nur die Wort-, nicht die Sinnfiguren. Es ist deshalb unsicher, ob die Übers. des Rutilius vollständig vorliegt oder nur zum Teil, ob es sich um den originalen Text handelt oder eine Epitome. 41 Wortfiguren werden in unsystematischer Anordnung vorgestellt; auf eine Definition folgen in der Regel Beispiele aus den att. Rednern, aber auch aus späteren, wie Demetrios von Phaleron und Hegesias; G. war offenbar vom → Attizismus noch unberührt und repräsentiert die asianisch geprägte rhet. Trad. des Hell. Die lat. Übers. seines Werkes wurde zur Grundlage des → *Carmen de figuris* (4. Jh.). Die Zuweisung eines bei Poll. (9,1) erwähnten *Onomastikón biblíon* an G. bleibt ungewiß.

EDD.: G. BARABINO, 1967 • E. BROOKS, Mnemosyne Suppl. 11, 1970.
LIT.: K. MÜNSCHER, s. v. G. 9), RE 7, 1604–1619.   M. W.

Gorgidas (Γοργίδας, bei Diodor auch Γοργίας). Neben → Epameinondas und → Pelopidas bedeutendster thebanischer Politiker und Feldherr des 4. Jh. v. Chr. (vgl. Diod. 15,39,2), Hipparchos ca. 383. Nach der spartanischen Einnahme der Kadmeia hielt G. die Verbindung zu den thebanischen Flüchtlingen in Athen aufrecht (Plut. mor. 578BC; 576A). Dabei soll er den Widerstand gegen Sparta durch die Konstituierung der »Heiligen Schar« (*hierós lóchos*, ἱερὸς λόχος) organisiert haben (Plut. mor. 594AB; Plut. Pelopidas 12; 18 f.; Polyain. 2,5,1; bei Athen. 13,602a dem Epameinondas zugeschrieben). 379/8 wurde G. Boiotarch (Plut. Pelopidas 14,2; vgl. aber auch 13,1, wonach nach der Befreiung Thebens Pelopidas, Melon und Charon in dieses Amt gewählt wurden [1. 41]). 378 befehligte er die thebanische Reiterei im Feldzug gegen Thespiai (Xen. hell. 5,4,42–45; Diod. 15,33,6; Polyain. 2,5,2).

1 J. BUCKLER, The Theban Hegemony, 1980.   M. MEI.

Gorgippia. Miles. Kolonie im Gebiet der → Sindoi im nordöstl. Pontos Euxeinos (Strab. 11,2,10; Steph. Byz. s. v. Γοργιπία; *civitas Sindica*, Plin. nat. 6,1) am Ort des h. Anapa. Die im späten 6. Jh. v. Chr. [1. 7] gegr. Stadt mit Hafen (urspr. Σινδική, Σινδικὸς λιμήν, Ps.-Skymn. 888 f.; peripl. m. Eux. 65; Arr. per. p. E. 29) wurde nach Anschluß an das Bosporanische Reich (→ *Regnum Bosporanum*) im 4. Jh. v. Chr. offiziell nach dem Spartokiden Gorgippos benannt. Im 5. Jh. n. Chr. wurde die Stadt in Eudusia umbenannt, mit got. Einwohnern (peripl. m. Eux. 63).

G. war in hell. Zeit eines der wichtigsten bosporanischen Handelszentren und erlebte in röm. Zeit eine neue Blüte durch Verschiffung der Cerealien aus dem Kubangebiet. Von einer Brandkatastrophe infolge der beginnenden Bewegungen der Steppenvölker kurz nach 239 v. Chr. erholte sich die Stadt nie mehr.

Grabungen zeigten sieben durch Brandschichten getrennte Siedlungsphasen [1. 5–19]. Den Erdhütten der ersten Siedler folgten wie im gesamten nördl. Pontos

Häuser aus Lehmziegeln auf Steinfundamenten und mit Vorratskellern. Nach der Eingliederung in das Bosporanische Reich Anf. des 4. Jh. v. Chr. kam es zu einer erheblichen Erweiterung des Stadtgebiets mit einheitlicher, offenbar radialer Stadtplanung; in röm. Zeit erfolgte bis ca. 239 ein Umbau der ganzen Stadt auf 40 ha: Peristylhäuser (bis 700 m²) mit großen Kellern, monumentale öffentliche Bauten mit Marmordekoration datieren aus dieser Zeit. Wirtschaftszweige waren v. a. die Getreideproduktion und – in röm. Zeit – der Weinbau; die Chora, d. h. die ländliche Umgebung, erstreckte sich mit vielen Siedlungen ca. 25 km um die Stadt. → Amphorenstempel belegen für die hell. Zeit intensiven Handel mit südpontischen Städten, v. a. mit → Herakleia Pontika; an die Stelle der im 4./3. Jh. verbreiteten schwarzglasierten att. Keramik tritt im 3. Jh. kleinasiat. Reliefkeramik, für die röm. Zeit läßt sich auch Import aus den nordwestl. Provinzen nachweisen.

Seit dem 5. Jh. v. Chr. befinden sich Mz. v. a. aus pontischen Städten im Umlauf; eigene Mz.-Prägung findet nur unter Mithradates VI. von Pontos (1. H. 1. Jh. v. Chr.) statt, ansonsten (4. Jh. v. Chr.–3. Jh. n. Chr.) handelt es sich um Prägungen der bosporanischen Könige. Viele Inschr. finden sich seit dem 4. Jh. v. Chr.: neben königlichen Reskripten v. a. zu rel./professionellen *thiasoi* der Bürger, meist in Verbindung mit Munifizenz für Kultbauten. Verehrt wurden die meisten Götter des griech. Pantheon, wobei chthonische Aspekte im Vordergrund standen; im 3. Jh. v. Chr. sind Hermaia mit Agonen belegt.

→ Pontos Euxeinos; Herakleia Pontika; Mithradates VI.; Regnum Bosporanum

1 E. M. ALEKSEEVA, Antičnyj gorod Gorgippija, 1990
2 V. F. GAJDUKEVIČ, Das Bosporanische Reich, 1971, 228–238 3 Z. E. CHARALDINA, A. M. NOVOČIKIN, Ancient Collections of the Anapa Mus., in: VDI 1994.2, 200–212.
    A. P.-L.

Gorgippos (Γόργιππος).

[1] Eponym von → Gorgippia, Regent des sindischen Gebietes nach dem Maiotenkrieg seines Vaters → Satyros I. (Polyain. 8,55). Hoher Regierungsbeamter z. Z. seines Onkels → Pairisades. In Athen stellte man ihm eine Statue auf (Deinarch. in Demosthenem 43).
→ Maiotai, Sindoi

V. F. GAIDUKEVIČ, Das Bosporanische Reich, 1971, 72; 43; 232.   I. v. B.

[2] Sohn des Pythippos, Satyrspieldichter. Ein Sieg bei den Soteria in Akraiphia im 1. Jh. v. Chr. wird überliefert (DID A 9). Evtl. war er ein Bruder des Tragikers (?) Dorotheos (TrGF 160, vgl. DID A 7 app. crit.).

METTE, 61 • TrGF 175.   F. P.

Gorgo

[1] Weibliches Ungeheuer der griech. Myth. Gemäß der kanonischen Fassung des Mythos (Apollod. 2,4,1–2) muß → Perseus den Kopf der → Medusa, der sterblichen Schwester von Sthenno und Euryale (Hes. theog. 276f.; POxy. 61, 4099), der Töchter von Phorkys und Keto, holen (vgl. auch Aischylos' Drama *Phorkides*, TrGF 262). Die drei Schwestern leben auf der Insel Sarpedon im Ozean (Kypria, fr. 23; Pherekydes FGrH 3 F 11), nach Pindar (P. 10,44–48) jedoch bei den Hyperboräern (→ Hyperboreioi); ihre Verbindung mit dem Meer ist noch deutlich zu erfassen bei Sophokles (TrGF 163) und Hesychios (s.v. Gorgides). Die Gorgonen verwandeln durch ihre schreckliche Gestalt (Schlangenhaare, Fangzähne) jeden, der sie ansieht, zu Stein (ihre Häßlichkeit war so berüchtigt, daß Aristoph. (Ran. 477) die Frauen der athen. Deme Teithras *Gorgones* nannte). Im göttlichen Kampf gegen die Titanen tötet Athena ebenfalls eine G., deren Blut später sowohl heilende wie vergiftende Funktion zugeschrieben wurde (Eur. Ion 989–991; 1003ff.; Paus. 8,47,5; Apollod. 3,10,3). Mit der Hilfe Athenas, des Hermes und der Nymphen, die ihn mit geflügelten Sandalen, Hades' Tarnkappe und einer Sichel (*hárpē*) ausgestattet haben, kann Perseus die Medusa im Schlaf enthaupten (Pherekydes FGrH 3 F 11); dabei entspringen aus ihrem Hals Chrysaor [4] und das geflügelte Pferd → Pegasos. Perseus wird von den Schwestern der Medusa verfolgt, entkommt aber und versteinert schließlich seinen Feind → Polydektes mit dem Gorgonenhaupt.

Der Mythos ist bereits Hesiod bekannt (theog. 270–282) und weist oriental. Einfluß auf: Die Ikonographie der G. hat der mesopotamischen Lamaštu Züge entlehnt; Perseus rettet Andromeda in Ioppe-Jaffa (Mela 1,64) und ein oriental. Siegel zeigt einen jungen Helden, der eine *hárpē* hält und ein dämonisches Wesen packt [1. 83–87]. In Etrurien war Perseus' Abenteuer schon im 5. Jh. beliebt [3]. Röm. Autoren, etwa Ovid (met. 4,604–5,249), der die Medusa in ein hinreißendes junges Mädchen verwandelt, und Lucan (9,624–733), konzentrierten sich speziell auf den furchterregenden Kopf der Medusa [vgl. 4].

Perseus wurde in Mykene mit Initiation in Verbindung gebracht; seine Tötung der Medusa spiegelt die Prüfung junger Krieger wider [2]. Tatsächlich erinnern Beschreibungen des Gorgonenhauptes an Elemente des archa. Kampfesungestüms: schreckliches Aussehen, breites Grinsen, Zähneknirschen, gewaltiges Kriegsgeschrei [6]. Die Popularität des Gorgonenhauptes, → Gorgoneion, auf Athenas → aigís und auf den Kriegerschilden (schon Hom. Il. 5,741; 11,35–37) sowie bei Aristoph. Ach. 1124 bezeugt, weist auf die erschreckende Wirkung, ebenso auch der Schutz des delphischen → omphalós (Eur. Ion 224) und eines delischen *thēsaurós* (Opferstock: IG XIV 1247) durch die G. Der Mythos von Perseus und Medusa erweist sich somit als ein wichtiges Beispiel für die komplexe Interrelation von narrativen und ikonographischen Motiven zwischen Griechenland und dem Orient in archa. Zeit.

1 W. BURKERT, The Orientalizing Revolution, 1992
2 M. JAMESON, Perseus, the Hero of Mykenai, in: R. HÄGG, G. NORDQUIST (Hrsg.), Celebrations of Death and Divinity

in the Bronze Age Argolid, 1990, 213–230 3 I. KRAUSKOPF, S.-C. DAHLINGER, s.v. G., Gorgones, LIMC 4.1, 285–330 4 I. KRAUSKOPF, s.v. Gorgones (in Etrurien), LIMC 4.1, 330–345 5 O. PAOLETTI, s.v. Gorgones Romanae, LIMC 4.1, 345–362 6 J.-P. VERNANT, Mortals and Immortals, 1991, 111–149. J.B./Ü: B.S.

[2] Tochter des spartanischen Königs Kleomenes I. (ca. 525–490 v. Chr.), den sie als Kind vor Aristagoras [3] von Milet gewarnt haben soll, als dieser in Sparta um Unterstützung der gegen Persien rebellierenden Ionier bat (Hdt. 5,51); Gemahlin des Königs → Leonidas (Hdt. 7,205), entzifferte angeblich eine Geheimbotschaft des Exilkönigs Damaratos über die von Xerxes geplante Invasion (Hdt. 7,239). K.-W. WEL.

Gorgo-Maler. Attischer sf. Vasenmaler, um 600–580 v. Chr., benannt nach seinem Hauptwerk, einem Dinos auf hohem Ständer im Louvre, auf dem Perseus auf der Flucht vor den Gorgonen dargestellt ist. Der G.-M. ist der erste Vertreter des Tierfriesstils in Athen; Nachfolger des → Nessos-Malers, dessen »ungeheuren« Stil er in geordnete Bahnen lenkt, indem er die dämonische Tierwelt nach korinth. Muster in Friese bannt und dort in symmetrischen Gruppen arrangiert. Das ausgesparte Bildfeld, anfangs nur wie ein Fenster für Pferde- oder Frauenköpfe verwendet, öffnet er auch für ganze Tiere. Charakteristisch für den G.-M. sind seine Löwen mit kastenförmiger Schnauze, roter Flammenmähne und schraffierten Stirnhaaren. Menschen hat er selten dargestellt, vollständige Handlungsbilder sind nur auf dem gen. Dinos erh. Die Tradition seiner Werkstatt läßt sich vor allem an den Olpen weiterverfolgen.

BEAZLEY, ABV, 8–10, 679 · BEAZLEY, Paralipomena, 6–7 · BEAZLEY, Addenda, 2f. · J. BOARDMAN, Athenian Black Figure Vases, 1974, 17–18 · I. SCHEIBLER, Olpen und Amphoren des G.-M., in: JDAI 76, 1961, 1–47. H.M.

Gorgobina (h. La Guerche/Nièvre). Stadt der Gallia Celtica im Gebiet der → Arverni, später der Aquitania, östl. des Elaver, südl. von Aquae Bormonis. Die → Boii setzten sich nach der Niederlage der Helvetii im Kampf gegen Caesar 58 v. Chr. in G. fest. G. wurde *Boiorum oppidum* (Caes. Gall. 7,9,6).

H. BIGEARD, A. BOUTHIER, Carte archéologique de la Gaule 58 (Nièvre), 1996. Y.L.

Gorgon (Rut. Nam. 1,515; Γοργόνη, Ptol. 3,1,78; Ὀργῶν, Steph. Byz. s.v.; *Urgo*, Plin. nat. 3,81; *Gorgona* seit Gregor d. Gr.). Kleine Insel im *mare Ligusticum* zw. Pisa und Corsica; h. Gorgona. Eneolithische (Anf. 2. Jt. v. Chr.) Funde in der Grotta di San Gorgonio. An der Küste wurde ein Bronzekrater aus Vulci gefunden (E. 6. Jh. v. Chr., h. im Vatikan. Museum). Im Norden Reste einer röm. *villa*.

BTCGI 8, 1990, 161–163. G.U./Ü: V.S.

Gorgoneion. Das G. ist im Mythos der Kopf der von Perseus getöteten → Gorgo [1] Medusa, der nach deren Tod seine versteinernde Wirkung behielt. Perseus übergab es schließlich Athena, die es an ihre → aigis heftete. Die Bed. des G. als Darstellungsgegenstand geht aber weit über den Perseusmythos hinaus und hat komplexe ältere Grundlagen. Es gehört zu den verschiedenartigen fratzenhaften Masken, deren polyvalente Funktionen sich keineswegs darin erschöpfen, Schrecken zu verbreiten bzw. Übel abzuwehren. Trotz einzelner Reminiszenzen kann der Darstellungstypus der ältesten griech. Gorgoneia nach heute vorherrschender Meinung nicht eindeutig von oriental. Vorbildern abgeleitet werden [1].

Das G. als mächtige dämonische Erscheinung oder auch noch als mehr oder weniger sinnentleerte bildliche Formel wurde in der ganzen ant. Welt vielfältig verwendet, z.B. als Schildzeichen, auf anderen Waffen, auf Dachziegeln, Gemmen, Münzen, Geräten aller Art und, bes. bezeichnend, auf Grabmonumenten. Bei den älteren archa. G. überwiegen die tierischen Züge (aufgerissenes Maul, lange Hauer, heraushängende Zunge, löwenähnliche Haare mit Schlangen) innerhalb der Grundform eines menschlichen Gesichts. Sie treten seit dem Ende des 6. Jh. v.Chr. im Sinn einer »Vermenschlichung« langsam zurück, und seit der Mitte des 5. Jh. entwickelt sich der Typus der »schönen Gorgo«, der aber die alte Fratze, zumal in der Kleinkunst, nicht ganz verdrängt und durch die Schlangen im Haar identifizierbar bleibt. Im Hell. werden die Leidenszüge des schönen, nun zugleich als Opfer und als Verderberin gesehenen, dämonischen Wesens betont. Die berühmte ›Medusa Rondanini‹, ein Marmorwerk in der Münchner Glyptothek, in dem diese Tendenz dominiert, gilt heute meistens als eine Arbeit des röm. kaiserzeitlichen Klassizismus.

1 J. BOARDMAN, Archaic Greek Gems, 1968, 37f.

J. FLOREN, Studien zur Typologie des G., 1977 · TH. KARAGIORA, Γοργείη Κεφαλή, 1970 · I. KRAUSKOPF, s.v. Gorgo, Gorgones, LIMC 4.1, 285–345 · O. PAOLETTI, s.v. Gorgones (Romanae), LIMC 4.1, 345–362 · G. RICCIONI, Origine e sviluppo del G. e del mito della Gorgone-Medusa nell'arte Greca, in: RIA N.S. 9, 1960, 127ff. · J.-P. VERNANT, L'autre de l'homme: la face de Gorgo, in: M. OLENDER (Hrsg.), Pour L. Poliakov. Le racisme – mythe et sciences, 1981, 141ff.   MA. SCH.

Gorgopas (Γοργώπας). Spartiat, 389/8 v.Chr. *Epistoleús* des Nauarchen Hierax, der ihm die Verteidigung der von Athen belagerten Polis Aigina übertrug. Er operierte erfolgreich gegen die athenischen Streitkräfte und gegen attische Küstengebiete, begleitete den neuen Nauarchen Antalkidas 388 nach Ephesos und geriet auf der Rückfahrt im Kampf gegen ein athenisches Geschwader in Bedrängnis. Im Gegenangriff siegte er in einem Nachtgefecht am Kap Zoster, war aber 387 einem Überraschungsangriff athenischer Peltasten unter → Chabrias nicht gewachsen und fiel (Xen. hell. 5,1,5–13; Demosth. or. 20,76).

CH. D. HAMILTON, Sparta's Bitter Victories, 1979, 297, 302f.   K.-W. WEL.

Gorgophone (Γοργοφόνη).

[1] Beiname der Athena in der Bed. »Gorgotöterin« (Eur. Ion 1478; Orph. h. 32,8 QUANDT nach der Euripides-Stelle, doch ist γοργοφόνος im Vokativ überliefert); der Name kann auch als »furchtbar leuchtend« interpretiert werden (vgl. → Persephone).

1 F. BRÄUNINGER, s.v. Persephone, RE 19, 946–947.   JO. S.

[2] Eine der → Danaiden, leibliche Schwester der Hypermestra. Als Gatten erhält sie Proteus (Apollod. 2,16 WAGNER), als dessen Gattin auch eine Skylla erwähnt wird (Hyg. fab. 170).

[3] Tochter des → Perseus, Gemahlin des Perieres, von ihm Mutter von Tyndareos, Aphareus, Leukippos und Ikarios (Apollod. 1,87; 3,117 WAGNER verweist auf Stesichoros). Nach des Perieres Tod sei G. als erste griech. Frau nicht Witwe geblieben; sie heiratete den Oibalos (Paus. 2,21,7). Im Gegensatz zu Apollodor ist für Pausanias (3,1,4) Tyndareos ein Sohn aus der zweiten Ehe. Als G.s Brüder gelten Alkaios, Sthenelos, Heleios, Mestor und Elektryon (Apollod. 2,49 WAGNER). Ihr Grab lag in Argos neben dem des Gorgonenhauptes (Paus. 2,21,7).   JO. S.

Gorgophonos

[1] (»Gorgotöter/in«). Beiname der Athena in Orph. h. 32,8 (siehe jedoch → Gorgophone [1]).

[2] Beiname des Perseus (Eur. fr. 985 NAUCK; Nonn. Dion. 18,305; 30,269; 31,12; 47,506; 47,536).

[3] Sohn des → Elektryon und der Alkaiostochter Anaxo, somit Enkel des Perseus. Als seine Schwester wird → Alkmene genannt, als seine Brüder Stratobates, Phylonomos, Kelainos, Amphimachos, Lysinomos, Cheirimachos, Anaktor und Archelaos (Apollod. 2,52 WAGNER).   JO. S.

Gorgopis limne (Γοργῶπις λίμνη). Bei Aischyl. Ag. 302 in der Feuersignalkette Ida – Mykene zw. → Kithairon und Aigiplanktos (→ Geraneia in der Megaris) eingeordnet und daher mit dem Ostteil des Korinth. Golfs, der Bucht von Eleusis und verschiedenen Seen auf dem Isthmos von Korinth (Limni Vouliagmenis im Westen der Geraneia, vgl. Xen. hell. 4,5,6; Limni Psatho im Osten von Schinos) identifiziert.

F. BÖLTE, s.v. G. 1), RE 7, 1658f. · W. LEINER, Die Signaltechnik der Ant., 1982, 59ff. · PHILIPPSON/KIRSTEN 1, 954f.   E. O.

Gorgos (Γόργος). G. von Iasos setzte sich 324 v.Chr. als »Waffenhüter« (*hoplophýlax*, ὁπλοφύλαξ) bei → Alexandros [4] d.Gr. für die von den Athenern vertriebenen Samier ein und versuchte, Alexandros zu einem Feldzug gegen Athen zu bewegen (Athen. 12,538b). Nach dessen Tod ordnete er an, Iasos solle die dort wohnenden Samier auf Kosten der Stadt zurückkehren lassen. Die neu konstituierte Gemeinde von Samos ehrte ihn und seinen Bruder → Minnion für ihre Verdienste u. a. mit dem Bürgerrecht (Syll.³ 312). Bei Alexandros hatten die Brüder für Iasos den Besitz eines Binnensees erwirkt und wurden dafür von ihren Mitbürgern geehrt (Syll.³ 307).

BERVE 2, Nr. 236.   E. B.

Gorsium (Itin. Anton. 264,4; 265,1; CIL III 3342 f.; 3346; 11345). Röm. Lager und Zivilsiedlung in Pannonia Inferior, h. Tác/Fejér (bei Székesfehérvár/Ungarn). G. war urspr. ein Zentrum der kelt. Aravisci, in röm. Zeit Knotenpunkt der Straßen Sopianae – Aquincum und Sopianae – Brigetio. Reiche arch. Funde bezeugen die Bed. von G. (Gebäudereste, Gräberfeld). Im 1. Jh. n. Chr. wurde das Lager errichtet, in dem die *ala I Scubulorum* stationiert war. Anf. des 2. Jh. wurde die Garnison verabschiedet, wonach für die Zivilsiedlung eine Blütezeit folgte. In den Markomannenkriegen und in der Krisenzeit des 3. Jh. (um 260) litt G. unter Einfällen der Sarmatae. Zu Ehren des → Maximianus wurde die Siedlung in Herculia umbenannt. Mitte des 4. Jh. erlebte G. die letzte Blüte-Phase (Wiederaufbau der zerstörten Bauten).

J. FITZ, s. v. G., RE Suppl. 9, 73–75 • E. B. THOMAS, Röm. Villen in Pannonien, 1964, 299–328 • TIR L 34, 1968, 62 f. (Bibliogr.).   J. BU.

Gortyn I. LAGE II. HISTORISCHE ENTWICKLUNG III. DIE GROSSE GESETZESINSCHRIFT

I. LAGE

Eine der bedeutendsten und größten Städte auf Kreta, in der Mesara-Ebene am Fluß Lethaios gelegen, zw. den Dörfern Agi Deka und Mitropolis, 16 km (Strab. 10,4,7: 90 Stadien) vom Libyschen Meer entfernt, auch als *Gortyna* und *Gortyne* überliefert.

II. HISTORISCHE ENTWICKLUNG

Die früheste lit. Erwähnung findet sich bei Hom. Il. 2,646 (Hinweis auf Festungscharakter; Hom. Od. 3,294). Jedoch ist eine Besiedlung bereits für die mino. Zeit nachweisbar (Akropolis, auch mit neolithischen Spuren; *villa* bei Mitropolis [1]). Obwohl vordor. Gründung (vgl. die Sagentradition etwa bei Paus. 8,53,4: Gründung des Tegeates-Sohns Gortys, mit der kret. Version, Gortys sei der Sohn des Rhadamanthys gewesen), beginnt die eigentliche Gesch. des griech. G. mit der dor. Landnahme im 7. Jh. v. Chr. Aus dieser Zeit stammen der Tempel der Athena Poliuchos auf der Akropolis und der Tempel des Apollon Pythios in der Unterstadt. Aus klass. Zeit liegen so gut wie keine Nachrichten vor. Etwa aus der Mitte des 5. Jh. v. Chr. stammt jedoch das berühmte Stadtrecht von G., eine 1884 entdeckte, 12–kolumnige Bustrophedon-Inschr. in dor. Dialekt mit in ihrer Ausführlichkeit und Detailliertheit für die griech. Welt singulären Angaben zum Personen-, Familien-, Erb-, Vermögens- und Schuldrecht ([2; 3; 4] s. u.). Die Tafeln befinden sich im Um-

gang eines röm. Odeions, das um 100 v. Chr. einen älteren Bau ersetzte (evtl. ein Ekklesiasterion), an dessen apsidialer Außenwand der Text original angebracht war.

In der hell. Zeit spielte G. auf Kreta eine zunehmend dominierende Rolle und wußte sich in den labilen, von vielerlei innerkret. Rivalitäten geprägten polit. Verhältnissen als zweite Kraft neben → Knosos zu behaupten. Zahlreiche inschr. erh. zwischenstaatliche Verträge legen von diesem Prozeß Zeugnis ab [5]. Daneben verfügte G. über weitreichende, sich in Form von Koalitionen oder mil. Auseinandersetzungen artikulierende Kontakte zum griech. Festland (Sparta), zu den hell. Reichen (Makedonien und v. a. zum ptolem. Ägypten) sowie seit dem 2. Jh. v. Chr. zu den Römern. Einen – in seiner histor. Bedingtheit freilich unscharfen – Einblick in die innenpolit. Verhältnisse von G. gewährt der Bericht des Polybios (4,53 f.) über eine Auseinandersetzung (220 v. Chr.) zw. den »Jüngeren« (Sympathisanten von → Lyktos) und den »Älteren« (Sympathisanten von Knosos). Auf der Flucht vor den Römern hielt sich 189 v. Chr. Hannibal in G. auf (Nep. Hann. 9; vgl. Iust. 32,4,3 f.).

Nach der röm. Eroberung von Kreta wurde G. Hauptstadt der senatorischen Doppelprovinz → *Creta et Cyrenae*. Die Stadt erlebte jetzt ihre urbane Glanzzeit, wovon zahlreiche, in Resten z. T. noch erh. öffentliche Bauten zeugen: Praetorium, Theater, Amphitheater, Circus, Thermen, zwei Nymphäen (Mitte 2. Jh. n. Chr.), Tempel der ägypt. Götter Serapis und Isis (evtl. auch Hermes Anubis; 1./2. Jh. n. Chr.). Die (kaum erforschte) Wohnstadt dehnte sich weit nach SO aus, begrenzt durch drei große Nekropolen-Anlagen. Das gesamte Terrain der Stadt umfaßte ein Gebiet von ca. 150 ha.

Zugleich entwickelte sich G. zu einer Hochburg des frühen Christentums auf Kreta. 59 n. Chr. besuchte der Apostel Paulus die Stadt (Apg 27,7) und installierte Titus als ersten Bischof. An diesen erinnert die im 6. Jh. erbaute dreischiffige Titus-Basilika, eines der besterhaltenen Gebäude in G. Das h. Dorf Mitropolis bewahrt in seinem Namen die Reminiszenz an den Status von G. als kirchliche Metropolis. Der Name des Ortes Agi Deka bezieht sich auf den Märtyrertod von 10 Christen während der Verfolgungen durch den Kaiser → Decius [II 1].

In byz. Zeit konnte G. seine herausragende Stellung zunächst bewahren. G. wurde weiter ausgebaut, neue Basiliken entstanden. Als die Araber um 670 G. zum Stützpunkt ihrer Angriffe auf Konstantinopel machten, flohen viele Bewohner oder zogen sich in die nun stark befestigte Akropolis zurück. Nach dem Einfall der Araber 824 wurde G. von seinen Bewohnern aufgegeben und auch nach der Rückeroberung Kretas durch die Byzantiner nicht wieder besiedelt. Ab 1880 Beginn der Ausgrabungen zunächst durch dt. (F. HALBHERR) und danach durch it. Archäologen.

1 D. LEVI, La villa rurale minoica di Gortina, in: BA 44, 1959, 237–265 2 J. KOHLER, E. ZIEBARTH, Das Stadtrecht von G.,

1912 3 R. F. WILLETS, The Law Code of G., 1967
4 S. AVRAMOVIC, Die »Epiballontes« als Erben im Gesetz
von G., in: ZRG 107, 1990, 363–370 5 A. CHANIOTIS, Die
Verträge zw. kret. Poleis in der hell. Zeit, 1996, passim.

N. ALLEGRO, M. RICCIARDI, Le fortificazione di Gortina in
età ellenistica, in: Cretan Studies 1, 1988, 1–16 · H. VAN
EFFENTERRE, La Crète et le monde Grec de Platon à Polybe,
1948 · M. GUARDUCCI, Inscriptiones Creticae 4, 1950 ·
LAUFFER, Griechenland, 237–239 · I. F. SANDERS, Roman
Crete, 1982, 156–159 · A. DI VITA (Hrsg.), Gortina I, 1988.
H. SO.

III. DIE GROSSE GESETZESINSCHRIFT

Die bedeutendste Rechtsinschr. des archa. Griechenlands, auch »Stadtrecht von G.« genannt, enthält in 12 Kolumnen (fälschlich oft als »12 Tafeln« bezeichnet) zu je etwa 55 Zeilen einen zusammenhängenden, wenn auch nach heutigen Gesichtspunkten nicht systematisch geordneten juristischen Text, gesetzesförmige generelle Vorschriften. Die Inschr. wurde M. des 5. Jh. v. Chr. → *bustrophēdón* (regelmäßiger Wechsel der Schreibrichtung von Zeile zu Zeile in einer Kolumne, → Schrift) auf einer Quadermauer eingemeißelt, deren Steine im 1. Jh. n. Chr. numeriert, abgetragen und in die Rückwand des röm. Odeion eingebaut wurden (wo sie heute noch unter einem Schutzdach zu lesen sind). Erste Fragmente wurden 1857 entdeckt, doch erst 1884 wurde sie von F. HALBHERR und E. FABRICIUS, im Wasser eines Mühlenkanals stehend, gelesen. Zahlreiche weitere Inschriftensteine ähnlichen Inhalts, zum Teil auch in zusammenhängenden Kolumnen, wurden gefunden. Sie zeigen, daß ab der 2. H. des 7. Jh. v. Chr. die Aufzeichnung von Rechtsnormen üblich wurden (von KOERNER [1] in Nr. 116–162 gesammelt und übersetzt, die große Inschr. von G. verteilt auf die Nr. 163–181).

Der Grund für diese Aufzeichnungen dürfte in sozialen Spannungen innerhalb der Adelsgesellschaft zu suchen sein. Schriftliche Gesetze sollten die als δικαστάς (*dikastás*, dor. für → *dikastḗs*) einzeln tätigen Amtsträger in Schranken halten. Es gibt in G. keine Hinweise auf Geschworenengerichtshöfe (→ *dikastḗrion*), wie sie z. B. in Athen die Entscheidungsmacht der Archonten beschränkten. Aus diesen Gründen sind in der Rechtsinschr. dem staatlichen Jurisdiktionsträger (*dikastḗs*) durchgehend zwei Methoden der Entscheidung vorgegeben und jeweils inhaltlich streng determiniert: entweder δικάδδεν (*dikádden*, dor. für → *dikázein*), indem er einer der Prozeßparteien oder einer bestimmten Zahl von Zeugen einen – streitentscheidenden – Eid auferlegt, oder ὀμνύντα κρίνεν (*omnýnta krínen*), indem der *dikastḗs* unter Eid in der Sache selbst entscheidet.

Kurzer Überblick über den Inhalt der großen Gesetzesinschr. von G.: Verbot der Eigenmacht im Streit um den Status der Freiheit und um das Eigentum an einem Sklaven, Verfahren in solchen Streitigkeiten. Vergewaltigung und Ehebruch. Vermögensaufteilung nach Scheidung, Ehegüterrecht. Nach- und uneheliche Kinder. Erbrecht an frei verfügbarem Familienvermögen, Veräußerung zu Lebzeiten. Loskauf eines Gefangenen. Ehe zw. Freien und Sklaven. Kauf eines Sklaven. Erbtochter (→ *epíklēros*). Bürgschaft und Geldschulden. Adoption (→ *eispoíēsis*).

1 R. KOERNER, Inschr. Gesetzestexte der frühen griech.
Polis, 1993.

M. GUARDUCCI (Hrsg.), Inscriptiones Creticae 4, 72 ·
J. KOHLER, E. ZIEBARTH, Das Stadtrecht von G., 1912 ·
R. F. E. WILLETTS, The Law Code of G., 1967 · R. R.
METZGER, Unters. zum Haftungs- und Vermögensrecht von
G., 1973 · A. MAFFI, Studi di epigrafia giuridica greca,
1983 · H. VAN EFFENTERRE, F. RUZÉ, Nomima II, 1995,
357–389 · G. THÜR, Oaths and Dispute Settlement, in:
L. FOXHALL, A. D. E. LEWIS (Hrsg.), Greek Law in its
Political Setting, 1996, 57–72.
G. T.

Gortys (Γόρτυς). Ortschaft in Arkadia beim h. Atsicholo zw. Dimitsana und Karytaena in einer Talerweiterung über dem rechten Ufer des Gortynios, eines Nebenflusses des → Alpheios [1]. G. umfaßte eine befestigte Akropolis, die den nördl. Zutritt zur Ebene von Megalopolis kontrollierte, und im NO der Akropolis eine die Schlucht des Gortynios überragende Terrasse. Paus. 8,27,4 zählt G. zu einer Reihe von Orten, deren Bewohner aus der → Kynuria kamen. G. wurde zum Gebiet von Megalopolis gezogen unter Beibehaltung des *kómē*-Status [1]. Anf. des 2. Jh. v. Chr. gehörte G. zum achai. Bund (vgl. Kupfermz.). Gut erh. sind zwei Mauerringe [2], ein größerer im Norden (100 auf 425 m) wohl aus der Mitte des 4. Jh. v. Chr., und ein kleinerer im Süden (ca. 57 auf 131 m), in der Kaiserzeit nicht mehr bewohnt. Gleich südl. dieses letztgen. Mauerrings lag ein Asklepios-Heiligtum. Das von Pausanias gen. Asklepios-Heiligtum [3] mit Tempel und mehreren Nebengebäuden, darunter einem großem Thermengebäude hell. Zeit, lag dagegen eine halbe Stunde nördl. auf der Terrasse über dem Gortynios, südl. anstoßend befanden sich reiche Privathäuser (Paus. 5,7,1; 8,28,1–3).

1 M. JOST, Villages de l'Arcadie antique, in: Ktema 11, 1986
(1990), 150–155 2 R. MARTIN, Les enceintes de G.
d'Arcadie, in: BCH 71–72, 1947–1948, 81–147 3 JOST,
202–210.
Y. L.

Gossypium s. Baumwolle

Gotarzes II. Nach dem nicht vor 39 n. Chr. erfolgten Tod des Königs Artabanos [5] II. wurde das Partherreich durch Thronkämpfe erschüttert, die die gesamte Regierungszeit seines Nachfolgers G. ausfüllten. Dessen Verwandtschaft zu seinem Vorgänger wie zu den Arsakiden überhaupt ist unklar: Während er den lit. Quellen gewöhnlich als Sohn des Artabanos gilt (Tac. ann. 11,8f.; Ios. ant. Iud. 20,3,4), lassen verschiedene Indizien darauf schließen, daß er nur Pflegesohn des früheren Königs war und einer in Hyrkanien begüterten Linie der Arsakiden entstammte. Er begann seine Herrschaft mit der Ermordung Artabanos' [6], des ältesten leiblichen Sohnes seines »Vaters«, und dessen Familie. Der jüngere Bruder Vardanes konnte fliehen, ein Heer aufstellen und G. nach Hyrkanien vertreiben. Dieser kehrte aber bald mit aus Dahern und Hyrkaniern bestehenden Truppen zurück und stellte sich zur Schlacht. Ein von G. entdeckter Plan einer beiden »Brüdern« feindlichen Partei, → Vardanes zu ermorden, führte zu einer Einigung: G. erkannte Vardanes als parth. König an, während ihm die unbestrittene Herrschaft über Hyrkanien verblieb. Bei einem erneuten Griff nach der Krone zog G. zunächst den kürzeren: Vardanes besiegte G. am Erindes und trieb ihn durch Hyrkanien. Er wurde jedoch von seinen kriegsmüden Soldaten zur Umkehr gezwungen und fiel bald darauf (Sommer 45) einem Anschlag des G. zum Opfer.

G. wurde zunächst als Partherkönig anerkannt, hatte sich aber 49/50 der Invasion des Arsakiden → Meherdates zu erwehren, der aus Rom geholt worden war. Dessen Position war jedoch von Anfang an wenig aussichtsreich, da er allein von dem Chef des Adelshauses Karîn ernsthaft unterstützt wurde, während seine anderen Verbündeten, die Vasallenkönige Abgar V. von Osrhoene und Izates II. von Adiabene in geheimer Verbindung mit G. standen. Meherdates fiel nach dem Verrat seiner Verbündeten und dem Schlachtentod des Karîn in die Hand des G., der ihn durch Abschneiden der Ohren herrschaftsunfähig machte. Hinsichtlich des Lebensendes des G. widersprechen sich Tacitus (ann. 12,14,4: Tod durch Krankheit) und Iosephos (ant. Iud. 20,3,4: Ermordung). Die Frage wird anhand der parth. Münzprägung entschieden, die zeigt, daß G. und Vologaises I. seit Herbst 50 um die Herrschaft konkurrierten, wobei ersterer im Sommer 51 seinem Nebenbuhler erlag. – Die zu den Felsreliefs von → Bisutun gehörenden Inschr., die die Namen »Gotarzes« und »Gotarses« enthalten (OGIS 431 b+c), mit G. in Verbindung zu bringen, ist nun unmöglich [1. 61–71]. Dagegen dürfte seine schillernde Gestalt in idealisierter Form in die bei Ṭabarī und in Firdausīs Königsbuch greifbare iranische Heldensage eingegangen sein.

1 H. v. GALL, Die parthischen Felsreliefs unterhalb des Dariusmonumentes, in: W. KLEISS, P. CALMEYER (Hrsg.), Bisutun, 1996 2 M. SCHOTTKY, Parther, Meder und Hyrkanier, in: MDAI(I) 24, 1991, 61–134. M. SCH.

Got(h)icus. Siegerbeiname nach dem Volk der Goten, von röm. Kaisern seit Claudius II. (268–270 n. Chr.) getragen, zuletzt von Iustinianus und Mauricius (ohne *maximus*).

P. KNEISSL, Die Siegestitulatur der röm. Kaiser, 1969, passim; 247. W. E.

Goti (Gutones, »Goten«). German. Volk, dessen gewiß kleiner Traditionskern angeblich unter »König« Berig (wichtig: kein → Amaler!) aus Scadinavia auszog (Iord. Get. 25 f.; [1]; arch. Zeugnisse einer Wanderung über die See fehlen). Um die Zeitenwende waren die G. im Odergebiet ansässig (vgl. Strab. 7,1,3); ihre Ethnogenese

erfolgte offenbar im Bereich der Wielbark-Kultur, neben (ulmi)rugisch-lemovischen Nachbarn, nördl. der lugisch-vandalischen Przeworsk-Kultur und westl. der westbaltischen Kulturen (→ Aestii). Die zu den german. Oststämmen gerechneten G. (Tac. Germ. 43) hatten ein bes. mächtiges Königtum bei gefolgschaftlicher Struktur des wandernden Heeres, wodurch sie dem Einfluß des → Maroboduus nicht erlagen. Aus dem lugischvandalischen Kultverband gelöst, zogen die G. zw. 150 und 230 als ganzer Stamm aus Pommern und Großpolen in die Gebiete östl. der mittleren Weichsel (Ptol. 2,11,16; 3,5,8; vgl. Iord. Get. 26 f.). Unter Filimer (kein Amaler!) zogen kleinere Gruppen (*exploratores*) nach Süden und SO und nahmen um 220/230 zunehmend flächendeckend Wolhynien und Nordmoldau, um Mitte des 3. Jh. die übrige Moldau und Ukraine in Besitz, wobei aber auch der erste Expansionsraum bis um 400 von G. besetzt blieb. Während dieser formativen Phase der bis etwa 370/380 bestehenden Černjachov-Kultur (= Č3–jung) suchten G. seit 238 über mehrere Jahrzehnte den Balkan heim und empfingen Jahrgelder vom röm. Kaiser (vgl. Petrus Patricius FHG 4,184ff, fr. 8); unter Kniva (249) betrafen ihre Überfälle meist Moesia (Sieg bei Abrittus über → Decius [II 1]), 254 erstmals auch Thessalonike; seit 257 stützten sich ihre Flottenzüge auf logistische Basen im Norden und NO des Pontos Euxeinos (seit 268 war Tyras got.) [2]. Erst Claudius II. und Aurelianus erzielten entscheidende Erfolge gegen die mit den Heruli verbündeten G. [3; 4]. Nach der Stabilisierung des got. Siedlungsgebiets in *Oium* (»in den Auen«) erfolgte die im J. 291 erstmals bezeugte Trennung in sog. Ost- und Westgoten (vgl. Paneg. 11[3]17,1), wobei letztere ihren Expansionsraum westl. des Pruth erweiterten (= gleichfalls bis Č3–jung nachweisbare Sîntana der Mureş-Kultur im rumänischen Moldau, in der Walachei, in Muntenien und Siebenbürgen).

→ Gotische Schrift; Gotische Sprache; Greuthungi; Ostgoten; Tervingi; Westgoten

1 N. WAGNER, *Optila**, *Accila**, *Thraufstila** und die *Gaut(h)igoth*, in: BN 29/30, 1994/5, 358–370 2 A. SCHWARCZ, Die got. Seezüge des 3. Jh., in: H. PILLINGER, A. PÜNZ, H. VETTERS (Hrsg.), Die Schwarzmeerküste in der Spätant. und im frühen MA, 1992, 47–57 3 T. KOTULA, Νέσσος et Νάισσος, in: Eos 79, 1991, 237–243 4 E. KETTENHOFEN, Die Einfälle der Heruler ins Röm. Reich im 3. Jh. n. Chr., in: Klio 74, 1992, 291–313.

H. WOLFRAM, Die Goten, ³1990 · V. BIERBRAUER, Arch. und Gesch. der Goten vom 1.–7. Jh., in: FMS 28, 1994, 51–171 · I Goti, Palazzo Reale, Milano (Ausst.-Kat.), 1994. K. DI.

Gotische Schrift

[1] Die Sprachdenkmäler des → Gotischen sind in einer eigenen Alphabetschrift abgefaßt. Sie wurde um die Mitte des 4. Jh. n. Chr. vom got. Bischof Wulfila (→ Ulfila) in Moesien (h. Bulgarien) zum Zweck der Bibelübers. geschaffen. Die erh. Hss.-Überl. setzt um

500 n. Chr. ein und verteilt sich auf zwei leicht verschiedene Schriftvarianten unterschiedlichen Alters. Die meisten Buchstaben sind direkt aus dem griech. → Alphabet übernommen. Die Abweichungen von ihm sind darin begründet, daß es spezifisch got. Laute bzw. Lautverbindungen wie etwa q, j und ƕ, die im Gotischen ᚢ ᚲ ᚦ geschrieben wurden, nicht wiedergeben konnte. Wie stark der Einfluß des lat. Alphabets bei der Entstehung dieser abweichenden Zeichen war, ist umstritten und hängt davon ab, ob man auch dem german. Runenalphabet (→ Runen) eine Mitwirkung zuschreibt oder nicht. Das Problem beruht darauf, daß die Schrift Wulfilas selbst nicht erh. ist und wir daher nicht wissen, welche Einwirkungen des lat. Alphabets bereits im (teilweise romanisierten) Moesien bzw. erst nachträglich in It. stattgefunden haben.

W. BRAUNE, Got. Gramm., ¹⁹1981, 11–18 · F. CERCIGNANI, The elaboration of the Gothic alphabet and orthography, in: IF 93, 1988, 168–185 · H. B. ROSÉN, Zur Erschließung der Quellen und der Lautwerte des got. Alphabets, in: W. SMOCZYŃSKI (Hrsg.), Kuryłowicz Memorial Volume Bd. 1, 1995, 469–481.   N. O.

[2] Im 12. Jh. findet die letzte und endgültige Veränderung der karolingischen → Minuskel statt, die zu einer neuen Schrift, der sog. g. S., führt. In den Quellen des 14. und 15. Jh. wird sie *littera textualis, textura, textus, littera formata, lettre de forme* genannt; dagegen kommt die Bezeichnung »gotisch« erst später vor. Diese neue Schrift ist von der Mitte des 12. Jh. an in Südengland, in Belgien und in Nordfrankreich belegt und breitet sich in den ersten Jahrzehnten des 13. Jh. in ganz Europa aus. Die Verwandlung der spätkarolingischen Minuskel zur gotischen bringt keine wesentliche Änderung der Form und Struktur der Buchstaben mit sich. Das Gesamtbild dieser neuen Buchschrift ist dagegen von deutlichen Stilerneuerungen gekennzeichnet. Im got. Schrifttyp kommen schmale und aneinanderschließende Buchstaben (mit vorwiegend senkrecht auf der Linie stehenden Schäften), stark reduzierte Ober- und Unterlängen, eine allg. Brechung der Bögen in gerade Striche, steilgestellte An- und Abstriche (die manchmal auch zu Quadrangeln werden), sowie der Wechsel von Haar- und Schattenstrichen vor. Bei der Verwandlung der spätkarolingischen Minuskel ist neben einer neuen Bildung der Buchstaben selbst auch die Organisation der Zwischenräume bemerkenswert. Dies führt zu einem Schriftbild aus Wortblöcken mit breiteren, voneinander deutlich getrennten Teilen. Die g. S. zeigt regional verschiedene Ausprägungen: Die dt., frz., engl. Schriftgotik bleibt schmal und kantig, in Italien und Spanien läßt sie runde und breite Formen zu. Unterschiede gibt es auch im Grad der Stilisierung: Bekannter sind ihre formal streng stilisierten Formen, jedoch fand die g. S. in einer Vielzahl von vereinfachten Formen allg. Verbreitung.

Die g. S. wurde vom 13. bis 15. Jh. gewöhnlich zum Abschreiben lat. Klassiker verwendet; vom 14. Jh. an wurde sie aber durch die Verbreitung der → Kursive und der → Bastarda, schließlich dem Eindringen der → humanistischen Schrift zurückgedrängt. Im späten 15. Jh. verwendet man die g. S. bes. für liturgische Bücher und Universitäts-Hss. (Theologie, scholastische Philos., Medizin, Recht), so daß sie schließlich in den Buchdruck Eingang fand.

→ Bastarda

B. BISCHOFF, Paläographie des röm Alt. und des abendländischen MA, ²1986, 171–183 · E. CASAMASSIMA, Tradizione corsiva e tradizione libraria nella scrittura latina del Medioevo, 1988, 95–126 · J. DESTREZ, La Pecia, 1935, 43–61, Taf. 1–36 · J. P. GUMBERT, Die Utrechter Kartäuser und ihre Bücher, 1974, 215–241 · J. KIRCHNER, Scriptura gothica libraria, 1966, Taf. 1–36 · W. MEYER, Die Buchstaben-Verbindungen der sog. gothischen Schrift, 1897 · S. H. THOMSON, Latin Bookhands of the Later Middle Ages, 1100–1500, 1969, Taf. 3–17, 23, 28, 34–44, 47, 59–71, 74, 75, 77, 79, 85–93, 96, 98–100, 102, 103, 106, 112–120, 122, 126, 128, 131 · S. ZAMPONI, La scrittura del libro nel Duecento, in: Civiltà Comunale: Scrittura, libro, documento, 1989, 317–354.   N. G.

Gotische Sprache. Das Gotische, zusammen mit dem Krimgot. [6] einziger Vertreter der ostgerman. Gruppe innerhalb der → germanischen Sprachen, ist nur aus wenigen spracheigenen Zeugnissen bekannt. Der wichtigste Text ist die in → gotischer Schrift aufgezeichnete Bibelübers. → Ulfilas (NT, 4. Jh. n. Chr., [7]). Einige weitere got. Sprachdenkmäler sind nur in Teilen erh. [7. 456–487]. Ferner sind got. Namen in Nebenüberl. bezeugt, z. B. *Visigot(h)ae, -i* und *Austro-, Ostrogot(h)ae, -i* (VN, üblicherweise als »Westgot.« und »Ostgot.« wiedergegeben; dazu [1. 1]); *Augis, Mathesventha* (PN bei Jordanes) [4; 5]. Aus dem christl. Bereich wurden v. a. griech. Wörter ins Got. übernommen, z. B. *aikklesjo* »Gemeinde, Kirche« (ἐκκλησία), *aipistaule* »Brief« (ἐπιστολή), *paintekusten* (Akk. Sg.) »Pfingsten« (πεντηκοστή), *rabbei* »Meister, Rabbi« (ῥαββεί, hebr. über griech. Vermittlung) [2. 35–37; 3]. Lat. und griech. Wörter sind auch aus anderen Wortfeldern ins Got. eingedrungen, z. B. *aketis* (Gen. Sg.) »Essig« (lat. *acetum*), *sinapis* (Gen. Sg.) »Senf« (σίναπι), *lukarn* »Lampe« (lat. *lucerna*) [3].

→ Gotische Schrift; Germanische Sprachen; Ulfila

1 W. BRAUNE, E. A. EBBINGHAUS, Gotische Gramm., ¹⁹1981 2 F. KLUGE, Urgermanisch, in: H. PAUL (Hrsg.), Grundriß der german. Philologie 2, ³1913 3 W. P. LEHMANN, A Gothic Etymological Dictionary, 1986 4 H. REICHERT, Lex. der altgerman. Namen, 2 Teile, 1987/1990 5 M. SCHÖNFELD, WB der altgerman. Personen- und Völkernamen, 1911 6 M. D. STEARNS, Crimean Gothic. Analysis and Etymology of the Corpus, 1978 7 W. STREITBERG, Die got. Bibel, 1950.

W. GRIEPENTROG, Zur Text- und Überlieferungsgesch. der got. Evangelientexte, 1990 · F. HOLTHAUSEN, Got. etym. WB, 1934 · F. DE TOLLENAERE, R. L. JONES, Word-Indices and Word-Lists to the Gothic Bible and Minor Fragments, 1976 · N. WAGNER, Getica. Untersuchungen zum Leben des Jordanes und der frühen Gesch. der Goten, 1967. S. ZI.

Gottkönigtum. Ein im Sinne J. G. FRAZERS (1854–
1941) und I. ENGNELLS [1] mit dem Neujahrsfest bzw.
dem sterbenden und auferstehenden Gott (→ Tammuz)
verknüpftes G. gibt es im Alten Orient nicht.
H. FRANKFORTS Differenzierung zw. G. (»divine kingship«) und sakralem Königtum (»sacral kingship«) [2],
d. h. zw. König als Objekt des Kultes bzw. seiner Funktion als Priester, stellte einen Fortschritt dar, beschränkt
die Perspektive jedoch auf den Bereich des Kults. Im
Ansatz bereits bei LABAT [3] verarbeitet, zeigt der altoriental. Befund (Text und Bild), daß der Herrscher auf
verschiedenen Ebenen (z. B. göttl. Abstammung, Legitimation, Handlungsauftrag) mit der Welt der Götter
verbunden sein kann (= Sakralisierung des Herrschers).
→ Herrscher; Pharao

1 I. ENGNELL, Stud. in Divine Kingship in the Ancient Near
East, 1943 2 H. FRANKFORT, Kingship and the Gods, 1946
3 R. LABAT, Le caractère religieux de la royauté
Assyrio-Babylonienne, 1939. B. P.-L.

Grabbauten I. DEFINITION
II. ÄGYPTEN UND VORDERER ORIENT
III. KLASSISCHE ANTIKE UND NACHBARKULTUREN

I. DEFINITION

G. sind architektonisch gestaltete Anlagen, die zum
Zweck der → Bestattung über dem zeitgenössischen
Erdniveau errichtet wurden. Im Gegensatz dazu haben
die unterirdischen Hypogäen Räume für den Toten-
und Heroenkult; Columbarien können beide Formen
miteinander verbinden. Hypogäen mit ebenerdigem
Kultraum beeinflußten in der frühchristl. Baukunst die
Martyrien über Gräbern. Zu weiteren Aspekten des G.
vgl. auch → Hypogaeum; → Maussolleion; → Nekropolen. H. K.-G.

II. ÄGYPTEN UND VORDERER ORIENT
A. ÄGYPTEN B. VORDERER ORIENT

A. ÄGYPTEN

Die ägypt. Grabanlage umfaßt drei Funktionskom-
ponenten: Sepultur, Kultstelle und denkmalsartige Markierung, meist in einen Baukomplex integriert. Eine
Trennung von Sepultur und Kultstelle tritt nur ausnahmsweise ein, z. B. bei den Kenotaphen v. a. des MR
in → Abydos [2] und in der Trennung von Königs-G.
und Totentempel im NR. Seit frühdynastischer Zeit (E.
4. Jt. v. Chr.) sind Königs-G. und Privat-G. morphologisch strikt getrennt. Unter den Privat-G. bestimmt der
soziale Status Aufwand und Komplexität.

Aus prädynastischer Zeit (4. Jt.) sind in mehrere
Kammern unterteilte und überdachte Gruben-G. belegt. Die Oberbauten waren wohl als Tumuli ausgeführt, die Form der Kultstelle bleibt unbekannt. Bei den
daraus entwickelten abydenischen Königs-G. der Thi-
nitenzeit waren die Kultstellen durch Stelenpaare markiert. Für Privat-G. sind erstmals → Mastabas belegt; sie
waren in der 1. Dyn. (Anf. 3. Jt.) teilweise wie die Kö-

nigs-G. mit Neben-G. für Personal umgeben; auch die
Beigabe von Booten ist mehrfach belegt.

In der 3. Dyn. (ab 2700 v. Chr.) entstand die Form
der → Pyramide für Königs-G. Die Privat-G. waren im
AR in der Regel als Mastabas angelegt. Unter
→ Chefren emanzipierte sich der Typ der Fels-G. vom
Vorbild der Mastaba und wurde in Oberägypten im späten AR zur Standardform der Elite-G.: in die Abhänge
der Randgebirge gehauen waren Vorhof, Fassade, quergelagerte, teils durch Pfeilerreihen gegliederte Kulträu-
me und Grabschächte. Eine Sonderentwicklung der
Fels-G. sind die auch im ebenen Gelände angelegten,
durch große versenkte Vorhöfe und anfangs durch eine
Pfeilerfassade charakterisierten Saff-G. Thebens in der
11. und frühen 12. Dyn. (9. Jh.).

Der Stil der Königs-G. des MR kehrt zur Pyramidenform zurück; daneben sind königliche Kenotaphe
und Totentempel in Abydos belegt. Als Privat-G. sind
archaisierende Mastabas bezeugt. Im Regelfall setzen
die Elite-G. jedoch die Entwicklung der Felsgräber des
AR fort, nun in strikt axialer Grundrißgestaltung. Die
Hauptkultstelle ist nicht mehr als Scheintür, sondern als
Statuenschrein ausgeführt. Im ausgehenden MR wird
der Einfluß der Tempelarchitektur fühlbar.

Im NR wird die Pyramidenform für Königs-G. aufgegeben. Nun sind die G. als lange Korridorkomplexe
im Tal der Könige in Theben verborgen angelegt; ihre
Totentempel sind am Rand des Fruchtlandes aufgereiht.
Die Pyramidenform wird dagegen schon in der 18.
Dyn. (ca. 1550–1310 v. Chr.) für den Privat-G. übernommen. Die Fortentwicklung der Fels-G. führt insbes. in der nun dominierenden thebanischen Nekropole
zu einer Serie charakteristischer neuer Formen, so G.
mit T-förmigem Kapellengrundriß sowie einem Typ
von Groß-G. mit ausgedehnten Säulenhallen. Im flachen Gelände errichtete G., wie sie in Theben v. a. für
untergeordnete Anlagen, in der memphitischen Nekropole jedoch für die höchsten Würdenträger angelegt
wurden, sind nun direkt nach dem Vorbild der Tempelarchitektur als eine Sequenz von Höfen mit Pylon-
front und Hallen, die zur Kultkapelle führen, gestaltet;
gleiches gilt insbes. im späteren NR für die Fels-G. Die
Sepulturen, früher einfache Schächte oder schräge
Rampen mit Grabkammer, werden zunehmend zu
komplexen Raumfolgen.

Die Großgräber der 3. Zwischenzeit und der Spätzeit
setzen die Trad. tempelartig gestalteter G. fort; dabei
entstehen in der thebanischen Nekropole Monu-
mentalanlagen neuartiger Gestaltung. G. von Königen
und königlichen Familienangehörigen sind nun in
Tempelbezirken in Tanis, Sais (Hdt. 2,169) und Theben
(Madīnat Habu) bezeugt.

→ Bestattung

D. ARNOLD, s. v. Grab, LÄ 2, 826–837 · J. VANDIER, Manuel
d'Archéologie Égyptienne, Vol. 2, L'architecture funéraire,
1954. S. S.

B. Vorderer Orient

Spezielle G. sollen eine dauerhafte Erinnerung an die Toten, deren Familien und beider Prestige wachhalten. Sie können oberirdisch und für jedermann zu sehen oder unterirdisch angelegt sein. G. können Einzelpersonen, Familien oder Sippen dienen und sind generell mit einem hohen Status der Verstorbenen verbunden. In Vorderasien richtet sich die Art der G. meist nach den lokalen Bedingungen. Finden sich am Mittelmeerrand, in → Urartu und Westiran aus dem Fels gehauene G., so werden sie in Mesopot. generell unterirdisch aus Ziegeln errichtet. Zu trennen sind also a) oberirdisch errichtete Bauten, b) horizontal in den Felsen geschlagene und c) unterirdisch errichtete G.

a) Die Errichtung von Tumuli (russ. Kurganen) geht in der h. Westtürkei (Yorgan), dem Nordkaukasos und auf Baḥrain (dort über 150 000 Tumuli bis in das 2. Jh. n. Chr.) bis in das 3. Jt. zurück. Den zahlreichen Kurganen im Nordkaukasos (→ Skythen) und Mittelasien (für herausragende Bestattungen v. a. der 2. H. des 1. Jt. v. Chr.) stehen in Vorderasien nur vereinzelte Beispiele, v. a. Tumulus-Nekropolen in Phrygien und Lydien, gegenüber. Die Grabkammern der phryg. Tumuli, darunter vermutlich auch das Grab des Königs Midas (bei → Gordion, Tumulus MM, um 700 v. Chr. [1]), sind aus Holz, während in Westanatolien (z. B. Sardeis, Bintepe) Steingräber mit eigenen Zugängen dominieren. Neben den Tumuli treten schon ab archa. Zeit in Anatolien auch Felsgräber mit Tempelfassaden auf (bes. Phrygien, Pontos/Paphlagonien, Lykien); → Antiochos [16] I. von Kommagene ließ sich Mitte des 1. Jh. v. Chr. einen Hügel auf dem Nemrut Daǧı aufschütten. Anders als seine Nachfolger wählte → Kyros II. für sein Grab in → Pasargadai (s. Abb.) die Form eines Hauses mit Satteldach auf einem sechsfach getreppten Sockel [2. 24 ff., 302 f.]. Grabtürme für Familien oder Sippen wie in → Palmyra und → Hatra sind eine typ. nordmesopot.

Form des 1. bis frühen 2. Jh. [3] (s. Abb.). In Palmyra werden sie im 2. und 3. Jh. durch Tempelarchitekturgräber abgelöst [4. 214–216].

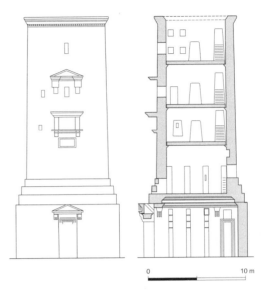

Grabturm des Iamblichu in Palmyra (83 n. Chr.).

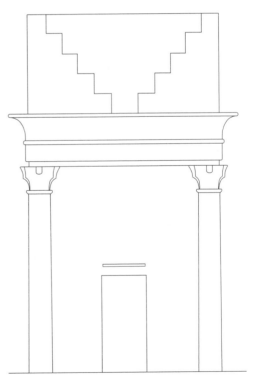

Felsgrabfassade in Petra, sog. Treppengrab (1. -2. Jh. n. Chr.).

Hausgrab mit Satteldach, Kyros-Grab in Pasargadai (2. H. 6. Jh. v. Chr.), NW-Seite.

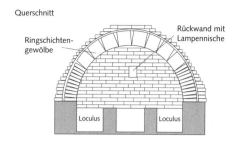

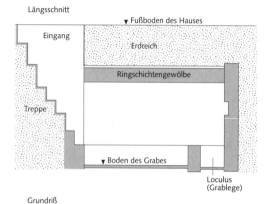

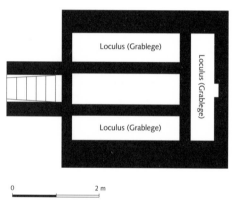

Unterirdisches Ziegelgrab mit Ringschichtengewölbe bei Ktesiphon (2. Jh. n. Chr.).

b) Monumentale Felsgräber sind im 1. Jt v. Chr. in Urartu, und noch sāsānidischer Zeit am Zagrosrand und in der Persis verbreitet [5]. Die über 18 m breiten Fassaden der G. der achäm. Könige in → Naqš-e Rostam und → Persepolis sind mit Reliefs geschmückt [6]. Als Tempel- oder Hausfassaden sind die Fronten der über 600 Felsgräber in → Petra (s. Abb.) und Madāʾin Ṣāliḥ (Arabien) aus dem 1. Jh. v. Chr. gestaltet.

c) In Südmesopot. und Elam wurden im 3. und 2. Jt. v. Chr. v. a. für Königsgräber unterird. G. gemauert (→ Ur; → Mari. 2. Jt.: → Uruk; Haft-tepe), z. T. mit oberirdischen Bauten. Steinsarkophage in Ziegel-G. unter dem Palast dienten den neuassyr. Königsfamilien in → Assur und Nimrud als Grablegen. Ziegel-G. nutz-

ten auch wohlhabende Assyrer vom 2. Jt. an [7. 95–181]. Weit verbreitet waren solche G. in Mesopot. in der Arsakidenzeit [8] (um 250 v. Chr. bis 224 n. Chr.), wurden nach Norden hin aber von Felskammergräbern abgelöst, die im röm. Einflußbereich teilweise ausgemalt wurden.
→ Gordion; Tumulus

1 R. S. YOUNG, Three Great Tumuli, 1981 2 D. STRONACH, Pasargadae, 1978 3 S. R. HAUSER, Hatra und das Königsreich der Araber, in: J. WIESEHÖFER (Hrsg.), Das Partherreich und seine Zeugnisse (Historia Einzelschriften), 1998 4 A. SCHMIDT-COLINET, Palmyren. Grabarchitektur, in: Palmyra, Kat. Linz, 1987 5 D. HUFF, Zum Problem zoroastrischer Grabanlagen in Fars, in: AMI N. F. 21, 1988, 145–188 6 E. F. SCHMIDT, Persepolis III, 1970 7 A. VON HALLER, Die Gräber und Grüfte von Assur, 1954 8 S. R. HAUSER, Eine arsakidenzeitliche Nekropole in Ktesiphon, in: BaM 24, 1993, 325–420. S. HA.

III. KLASSISCHE ANTIKE UND NACHBARKULTUREN

A. PHÖNIZISCH-PUNISCH B. GRIECHISCH
C. ITALISCH D. NORDAFRIKA UND DIE
WESTLICHEN PROVINZEN E. PALÄSTINA UND
ISRAEL F. ANFÄNGE CHRISTLICHER GRABBAUTEN
G. KELTISCH UND GERMANISCH

A. PHÖNIZISCH-PUNISCH

In der phön.-pun. Kultur hat sich keine monumentale Grabarchitektur mit eigenständiger Typologie entwickelt. Wohl gibt es verschiedene Grabtypen, wie z. B. Fossa-Gräber und Steinkisten-Gräber für Körperbestattungen, Pozzo-Gräber für Brandbestattungen, daneben kleinere und größere Kammergräber, die mehr oder weniger kunstlos in die Erde oder den Felsgrund eingetieft sind. Oberirdische G. – als gebaute Architektur – sind selten und eher spät: Die unter dem Namen *meghazil* bekannten, bis zu 10 m hohen Turmgräber von Amrit (griech. → Marathos) aus der Perserzeit (6.–4. Jh. v. Chr.) gehören in eine allg. oriental.-ägypt. Typentradition [1]. Ebenso ist der im Volksmund fälschlich »Qabr Hiram« (Grab des Hiram) genannte monumentale freistehende Steinsarkophag auf hohem Sockel bei Tyros nur durch das Vorbild des monumentalen Grabes Kyros' II. in → Pasargadai (s. Abb.) verständlich.

In den archa. Jh. sind als aufwendigere G. die sehr sorgfältig konstruierten unterirdischen Kammergräber mit Schacht-, Rampen- oder Treppenzugang (Dromos) charakteristisch, die auch von Grabtumuli bekrönt sein konnten (z. B. anscheinend in Trayamar, Prov. Málaga). Sie sind v. a. im Westen gut dokumentiert (Karthago, Sardinien, Andalusien), aber auch im Osten mit typologisch breitem Spektrum belegt (u. a. Sidon, Tambourit, Tyros) und im übrigen mittelbar durch reichhaltige Rezeptionsformen (Nekropole von → Salamis/Zypern, Tamassos u. a.) nachgewiesen. Diese Tradition ist im Westen bis in das 4./3. Jh. v. Chr. lebendig (u. a. Villaricos, Prov. Almería).

Die Ausstrahlung phön.-pun. Grabtypen ist besonders deutlich in Nordafrika, wo die numidische Königsarchitektur sowohl das Turmgrab als auch das Tumulusgrab rezipiert hat (z.B. Dougga, Turmgrab des Atban; Batna, Tumulusgrab »Medracen«). Ein Turmgrab ist auch in der → Grabmalerei Tunesiens belegt (Djebel Mlezza).
→ Nekropolen, Thugga

1 A. HERMANN, Porphyra und Pyramide, in: JbAC 7, 1964, 117–138.

H. BENICHOU-SAFAR, Les tombes puniques de Carthage, 1982 · E. DÍES CUSÍ, Architecture funéraire, in: V. KRINGS (Hrsg.), La civilisation phénicienne et punique. Manuel de recherche (HbdOr I 20), 1995, 411–425 · C. DOUMET, H. BENICHOU-SAFAR, s. v. tombes, DCPP, 457–461 · A. TEJERA GASPAR, Las tumbas fenicias y púnicas del Mediterraneo Occidental, 1979.   H.-G.N.

B. GRIECHISCH

1. KRETISCH-MYKENISCH 2. FRÜHGRIECHISCH UND ARCHAISCH 3. KLASSISCH 4. HELLENISTISCH

1. KRETISCH-MYKENISCH

Die architektonischen Anlagen im kret.-myk. Kulturraum finden sich v. a. unterhalb des Erdniveaus. Im mino. Bereich wurden sie v. a. rechteckig angelegt und in die Palastarchitektur miteinbezogen (vgl. das zweigeschossige Tempelgrab von Isopata bei Knosos). Auf dem griech. Festland ist die Leitform das herrscherliche Kuppelgrab mit steingefaßtem Dromos (Zugang) und falschem Gewölbe in Verbindung mit der Belegung der »Plattenringe« (z.B. Schatzhaus des Atreus in Mykene); → Gewölbe- und Bogenbau.

2. FRÜHGRIECHISCH UND ARCHAISCH

In geometrischer Zeit dominiert in Griechenland die Erdaufschüttung; die Grabhügel (→ Tumulus) erreichen Dm von 4–10 m bei einer H von ca. 1,50 m. In Attika ist zunächst der kastenartige G. verbreitet, der in seinen Dimensionen selten die Körpermaße des Bestatteten übersteigt (Athen, Agora und Kerameikos). Hügel und Kasten/Bank wurden durch Stucküberzug konserviert; im Laufe der Entwicklung wurden auch Lehmziegel verwendet (Athen, Kerameikos). Eine Umsetzung des Tumulus in steingerechte Form bietet der zylindrische G. des Menekrates auf Korfu und der Tumulus in Vourva/Attika. Im Verlaufe des 7. Jh. v. Chr. nahmen die Tumulusgräber an Größe stark zu und wurden in den Nekropolen bisweilen zu einem Platzproblem. Ausgebaute Kammern unterhalb des Tumulus finden sich u. a. in Ephesos und Olynthos, auf Tenos ein rechteckiger, überdachter Bestattungsraum mit einem Kultraum, wohl für chthonischen Gottheiten. Heroengräber weisen üblicherweise einen nach außen abgegrenzten hl. Bezirk auf (Pelopion in Olympia; Neoptolemosbezirk in Delphi; Aiakos-Temenos im frühklass. Theseion von Athen).

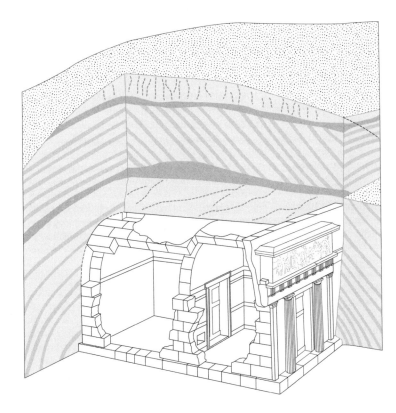

Vergina, sog. Philipps-Grab, Grab- mit Vorkammer und Tumulus (4.-3. Jh. v. Chr.), Rekonstruktion.

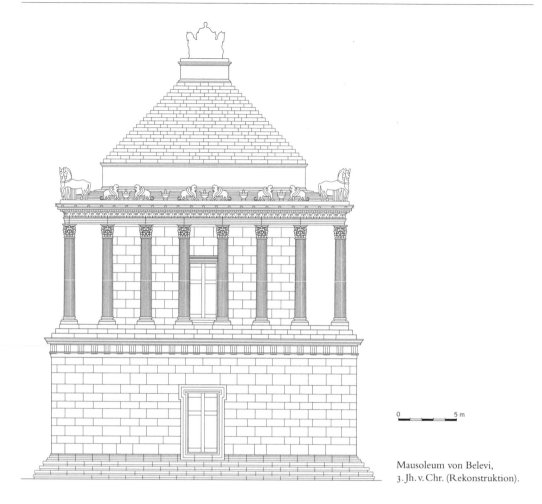

0   5 m

Mausoleum von Belevi,
3. Jh. v. Chr. (Rekonstruktion).

3. KLASSISCH

Der Grabhügel überlebt als eine altehrwürdige Grabform (z.B. Tumulus der bei Marathon Gefallenen, Soros 490 v.Chr.); eine Variante stellt der Hügel mit Grabrelief darauf dar. Seit hochklass. Zeit ist eine Monumentalisierung durch die Umsetzung in Stein festzustellen. Hinzugefügt werden Gefäße, Wächter- und Pfeilerfiguren. Bis zum Ende der Spätklassik (um ca. 300 v.Chr.) bestimmen Tisch- und Kastenmal die Bestattung. Platon schlägt für verdiente Bürger ein unterirdisches »Polyandrion« vor (längliches Gewölbe als Gemeinschaftsgrab, leg. 12,4,947d). Die Sonderformen der Bestattung im lyk. Kleinasien wurden stilbildend für die ant. Welt: Hochbestattungen (wohl aus Persien abgeleitet) in Haus-, Sarkophag- oder Pfeilerform mit oberer Bestattungskammer (z.B. das frühklass. »Harpyien-Monument« mit reliefierten Außenseiten). Das »Nereiden-Monument« aus Xanthos (London, BM, spätes 5. Jh. v.Chr.) verbindet das Pfeilermal mit dem Tempel, wobei der Bestattungsort, die Cella, mit steinernen Klinen ausgewiesen ist; am Heroon von Limyra ersetzen → Karyatiden-Figuren die Säulen. Beim Mausoleum von Halikarnassos (→ Maussolleion) erfolgte die Bestattung unterhalb des Bodenniveaus im Sockelgeschoß, das – bekrönt von einer Stufenpyramide – die Quadriga des Königs im Typus des Herrschers als Wagenlenker trug. Die Vorstellung vom Grab als Haus des Toten bestimmte auch die spätklass. Felsgräber und die ersten Fassaden- bzw. Kammergräber in Makedonien im späteren 4. Jh. v.Chr., die zunächst als große Kisten-G. (Aiani, Vergina), später dann als tonnenüberwölbte, mehrräumige Bauten (Lefkadia, Vergina; in Thrakien: Svestari), bisweilen auch als Kuppelbau mit Dromos gestaltet waren (in Thrakien u. a. die Grabkammer von Kazanlak).

4. HELLENISTISCH

In der hell. Grabarchitektur wirken die in der klass. Zeit entwickelten Grabformen weiter – so z.B. das Mausoleum von Halikarnassos in demjenigen von Belevi bei Ephesos (3. Jh. v.Chr.; s. Abb.). Dabei ist eine Tendenz zur Vereinfachung der Formen festzustellen: Das Familienmonument des Charmyleion auf Kos hat noch eine vorgeblendete Tempelfassade mit nicht unerheblicher Raumtiefe; beim Löwenmonument von Knidos, beim »Grab des Theron« in Agrigent und auch bei numidischen Turm- und Pfeilermausoleen (Dougga) reduzieren sich die Säulenstellungen zu reliefartig applizierten Verblendarchitekturen. Zugleich entstehen in den östl. hell. Metropolen (Alexandreia, Mustafa-Pascha-Nekropole) oder auf Rhodos unterirdische, columbarienähnliche Grabanlagen. Auch im Westen werden zunehmend Elemente des Tempelbaus in die Grabarchitektur übernommen (vgl. z.B. die zahlreichen Darstellungen von → Naiskoi für die Statuen der Verstorbenen auf unterital. Vasenbildern); die Verbindung von Grab und → Tempel wird darüber hinaus auch bei den tempelartigen Fassaden der Felsgräber von Petra/Jordanien (s. Abb.) deutlich. Insgesamt ist ein Weiterleben des blockartigen Monuments zu konstatieren, das die Funktion des Grabaltars einschließt und damit die ältere Form der *trápeza* (→ Altar). Die hell. G. nehmen an Größe und Aufwand zu; damit einher geht ein Anstieg des Symbol- und Gebrauchswerts einer solchen Anlage für Kult- und Gedächtnisfeiern (vgl. z.B. das Familiengrab in Kalydon, um 100 v.Chr.).

M. ANDRONIKOS, Vergina, the Royal Tombs and the Ancient City, 1984 · J. BORCHARD, Die Bauskulptur des Heroons von Limyra, 1976, 108–117 · H. COLVIN, Architecture and the After-life, 1991 · P. COUPEL, Le monument des Néréides (Fouilles de Xanthos, Bd. 3), 1969 · P. DEMARGNE, Les piliers Funéraires (Fouilles des Xanthos, Bd. 1), 1958 · E. DYGGVE, F. POULSEN, K. RHOMAIOS, Das Heroon von Kalydon, 1934 · J. FEDAK, Monumental Tombs of the Hellenistic Age, 1990 · M. FRASER, Rhodian Funerary Monuments, 1977 · H.v. GALL, Die paphlagonischen Felsgräber, 1. Beih. MDAI(Ist), 1966 · B. GOSSEL-RAECK, Makedonische Kammergräber, 1980 · U. KNIGGE, Der Kerameikos von Athen, 1988 · F. KRISCHEN, Löwenmonument und Maussolleion, in: MDAI(R) 59, 1944, 173–181 · K. KÜBLER, Der att. Grabbau, in: MDAI 2, 1949, 1–22 · D. C. KURTZ, J. BOARDMAN, Thanatos. Tod und Jenseits bei den Griechen, 1985 · M. MANSEL, Die Grabbauten von Side, Pamphylien, in: AA 1959, 364–402 · P. MARCONI, Agrigento, 1929, 124–127 ·

S. G. MILLER, Macedonian Tombs, in: B. BARR-SHERRAR (Hrsg.), Macedonia and Greece in Late Classical and Hellenistic Times, 1982, 153–171 · M. MÜLLER, Grabmal und Politik in der Archaik, in: W. HOEPFNER, G. ZIMMER (Hrsg.), Die griech. Polis. Architektur und Politik, 1993, 58–75 · W. MÜLLER-WIENER, Griech. Bauwesen in der Ant., 1988, 179–184 · R. PAGENSTECHER, Nekropolis. Unt. über Gestalt und Entwicklung der alexandrinischen Grabanlagen, 1919 · O. PELON, Tholoi, tumuli et cercles funéraires, 1976 · H. PHILIPP, Archa. Gräber in Ostionien, in: MDAI(Ist) 31, 1981, 149–166 · C. PRASCHNIKER, M. THEUER, Das Mausoleum von Belevi, FiE 6, 1979 · L. SCHNEIDER, CH. HÖCKER, P. ZAZOFF, Zur thrak. Kunst im Frühhell., in: AA 1985, 595–643 · L. SHIVKOVA, Das Grabmal von Kasanlak, 1973 · R. STUPPERICH, Staatsbegräbnis und Privatgrabmal im klass. Athen, 1977 · P. G. THEMELIS, Frühgriech. G., 1976 · J. ZAHLE, Lyk. Felsgräber, in: JDAI 94, 1979, 245–346.   H.K.-G.

C. ITALISCH
1. ETRUSKISCH   2. ROM

1. ETRUSKISCH

Im Rahmen des etr. Totenkultes kommt den G. eine bes. Bedeutung zu. In der → Villanovazeit ab 900 v.Chr. erfolgt Brandbestattung in bikonischen oder hausförmigen Urnen (sog. Pozzo-Gräber), nach der Mitte des 8. Jh. überwiegt die Körperbestattung in langrechteckigen, in den Boden eingetieften Gruben (Fossa-Gräber). Beide Grabtypen sind von kleinen Erdhügeln, Tumuli, bedeckt. Die soziale Differenzierung der Verstorbenen dokumentiert sich zunächst weniger in den G. als in den Grabbeigaben. Eine Sonderform – unter Einfluß von Sardinien? – sind kleine Kuppelgräber (→ Tholoi) in → Populonia.

In der sog. orientalisierenden Phase (E. 8. – 7. Jh.) vollzieht sich die Wandlung von der Einzel- zur Kollektivbestattung und vom Einzelgrab zu mehrräumigen Kammergräbern, die in Nord-Etrurien aus Steinquadern erbaut sind (Populonia, → Vetulonia, → Cortona [1] u. a.), während im vulkanischen Süden die G. in das

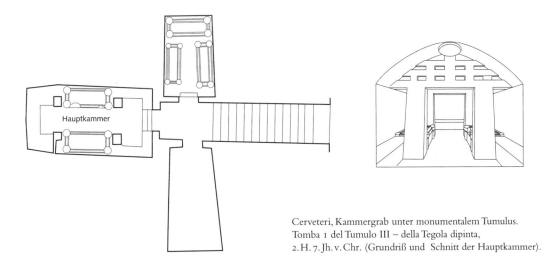

Cerveteri, Kammergrab unter monumentalem Tumulus. Tomba 1 del Tumulo III – della Tegola dipinta, 2. H. 7. Jh. v. Chr. (Grundriß und Schnitt der Hauptkammer).

Hauptkammer

weiche Tuffgestein eingemeißelt wurden. Herausragend ist die Nekropole von Cerveteri (→ Caere) mit klarer Abfolge von G. bis in das 2. Jh. v. Chr. Am Anf. (7. Jh.) stehen Gräber, die halb eingetieft, halb gebaut sind (Tomba Regolini-Galassi).

Der Tumulus besteht aus einer profilierten Steinbasis (→ Krepis), der Erdhügel ist aufgeschüttet. In den großen Familien-Tumuli der Aristokraten wurden später weitere Kammergräber angelegt. Das Innere der G. spiegelt im wesentlichen die Entwicklung und z. T. Ausstattung der gleichzeitigen Wohnhaus-Architektur wider: Von der Hütte (Tomba della Capanna) über Langhäuser mit Mittelstützen und Walmdach (Tomba dei Leoni dipinti) und Breithäusern mit drei rückwärtigen Räumen (Tomba degli Scudi e Sedie), sind schon im 6. Jh. Frühformen des Haustypus mit → Atrium, Tablinum und Cubicula nachgebildet (Tomba della Ripa), die nach dem 5. Jh. auch in Vulci (Tomba François) und in Perugia (Volumniergrab) auftreten. Bei der Tomba dei Rilievi in Cerveteri mit plastischer Wiedergabe von Hausrat und Waffen erscheinen die Cubicula um das Atrium in der Form von Bestattungsnischen.

Zum Tumulusgrab tritt schon im 6. Jh. der Typus des Würfelgrabes mit geraden Front- und Langseiten, überdimensionaler Scheintür und reicher Abschlußprofilierung des »Würfels« (→ Blera, San Giuliano). Dessen Plattform (mit Steincippi) ist mittels einer Treppe zur Verrichtung von Kulthandlungen zugänglich.

In den sog. Felsgräbernekropolen mit cañon-artigen Tuffschluchten im Hinterland von Tarquinia und Vulci entwickeln sich aus den Würfelgräbern im 4.–2. Jh. neue Grabtypen, die sich in Form und Dekor teils an Tempeln (→ Sovana: Tomba Ildebranda), teils am Äußeren von Häusern oder Palästen (→ Norchia, → Castel d'Asso) orientieren, während die Grabkammern selbst schmucklos waren und allein zur Aufnahme von Sarkophagen und Urnen dienten. Bestattungen in etr. G. lassen sich bis in die frühe Kaiserzeit nachweisen.

G. COLONNA, Architettura e urbanistica, in: G. PUGLIESE CARRATELLI (Hrsg.), Rasenna. Storia e civiltà degli Etruschi, 1986, 371–532 • A. NASO, Architetture dipinte. Decorazioni parietali non figurate nelle tombe a camera dell'Etruria Meridionale (VII–V sec. a. C.), 1996 • J. P. OLESON, The Sources of Innovation in Later Etruscan Tomb Design (ca. 350–100 BC), 1982 • F. PRAYON, Frühetr. Grab- und Hausarchitektur, 1975.   A. NA. u. F. PR.

2. ROM

2.1 TUMULUS UND KAISERGRAB

Der älteste erh. G. Roms, das Scipionengrab an der Via Appia (3. Jh. v. Chr.), zitiert mit Doppelgeschossig-

keit, figuraler Malerei und Säulengliederung im Obergeschoß Vorbilder griech.-hell. Zeit; darüber hinaus weisen die Grundformen etr. G. vom Ende der Republik bis in die mittlere Kaiserzeit Kontinuität auf (z. B. der Tumulus des Sulla auf dem Marsfeld) und waren auch in den Provinzen verbreitet. Der Steinzylinder besitzt häufig ornamentalen Schmuck und eine kegelförmige Erdaufschüttung (Bepflanzung, Statuenschmuck?). Dem G. der Caecilia [9] Metella an der Via Appia in Rom wurde ein eckiges Podium hinzugefügt. Die röm. Kaisergräber differenzierten die Tumulus-Form. Der steinerne G. des Augustus ist zweigeschossig und hat Urnennischen im Inneren; im zentralen Pfeiler war die Asche des Kaisers beigesetzt. Auf der Spitze der mit Schwarzpappeln bepflanzten Erdaufschüttung stand die Statue des Kaisers. Der Eingang wurde gerahmt von Obelisken, ein Rückverweis auf das *Sêma* von Alexandreia. Der G. Hadrians (die heutige Engelsburg) zeigt einen in ein quadratisches Podium eingelassenen Marmorzylinder mit Zugang zu der höher gelegenen Grabkammer. Darauf folgte die Erdaufschüttung mit Quadriga und Kaiserstatue.

2.2 TURM- UND PFEILERMONUMENTE; REZEPTION DES »MAUSOLEUMS«

Anklänge an das Mausoleum (→ Maussoleion) von Halikarnassos enthält die röm. Tradition der Pfeilermonumente in It. und den Prov. mit reliefiertem Kubus und oberer Säulenfront wie z. B. die Gräber in Aquileia, das Grab des Aefionius Rufus in Sarsina (s. Abb.) oder des Lucius Poblicius in Köln (mit geschwungener Dachpyramide und bekrönendem Pinienzapfen). Von dieser Form wurde der Typus des eigentlichen Pfeilergrabes (G. von Igel an der Mosel) abgeleitet. Für Privatbestattungen fand der G. nach Vorbild des Mausoleum von Halikarnassos Verwendung bzw. ein G., der im Obergeschoß zum säulentragenden Baldachin ohne → Cella reduziert wurde (vgl. den dreigeschossigen G. von Saint Remy und den rechteckigen Tempietto von Mylasa); eine oktogonale Säulenstellung über einem quadratischen Sockel ist in Ephesos erhalten, bei »La Conocchia« bei S. Maria Capua Vetere eine geschlossene Laterne. Ein Bindeglied zwischen Grab- und Ehrenmonument stellt das über einem Ausgleichssockel errichtete architektonisch gegliederte doppelgeschossige Philopappos-Monument in Athen mit seiner aufgeklappten Schaufassade dar. Die variantenreiche Typologie dieser Architekturen ermöglichte jedem Bauherrn eine individuelle Konzeption seines G. mit Abgrenzung zum vorhandenen Baubestand einer → Nekropole und damit eine dauerhafte *memoria* entsprechend seinem Rang, geistigem und sozialem Anspruch.

2.3 HAUSFÖRMIGE GRABBAUTEN UND TEMPIETTO-GRÄBER

In röm. Zeit sind beide Typen vielfach vertreten und entsprechen variantenreich dem Streben nach privater Deifikation. Die »Häuserreihen« der Nekropolen wie unter S. Sebastiano, S. Pietro oder auf der Isola Sacra in Rom zeigen eine Hausfassade und sind Familiengräber

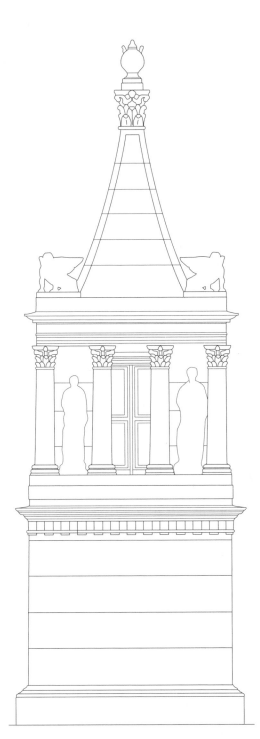

Pfeilermonument mit oberer Säulenfront.
Grabbau des Aefionius Rufus in Sarsina (1. Jh. v. Chr.).

mit Aschenkisten; später konnten Arcosol-Gräber und Sarkophage hinzugefügt werden. Oft ist ein zweites unterirdisches Geschoß vorhanden. Gräber mit Aschenurnen in den Wandnischen weisen sich mit → Loculi als Columbarien aus. Hausgräber, die gelegentlich auch ein zweites Obergeschoß haben, finden sich nicht nur in der Stadt Rom, sondern auch in den Provinzen. Diese Grabhauszeilen mit starker Belegungsdichte in der Nähe der Stadttore an den großen Ausfallstraßen weichen in der Peripherie der Einzelgrabbebauung (Rom, Via Latina, → Nekropolen).

Der Typus *à tempietto* entwickelt sich besonders in der mittleren und späten Kaiserzeit, in Rom beispielhaft vertreten durch den sog. »Deus Rediculus« (s. Abb.) mit Podium und Oberbau mit prostyler Säulenstellung (Mitte 2. Jh. n. Chr.). Die Grenze zwischen Haus- und Tempietto-Architektur ist fließend und landschaftlich variabel. Die Form knüpft an die Heroengräber der Frühzeit mit ihrer kult. Präsenz an und versteht sich als *domus aeterna* (»ewige Wohnstatt«). Der Typus bereitet Schwierigkeiten in der Abgrenzung gegenüber anderen architektonischen Repräsentationsformen, auch mehrgeschossigen Bauten mit Rundelementen, die lit. als *templum* angesprochen werden.

2.4 ZENTRALER GRABBAU

Seit der mittleren Kaiserzeit ist eine Steigerung des Tempietto-Grabes zum Zentralbau mit → Kuppel zu beobachten. Die Analogie ist nicht der Tumulus, sondern die stärkere Bewertung und Konzeption des Innenraums mit repräsentativer zentraler Kuppel. Die Rund- oder Polygonalmausoleen, Zentralbauten mit nischengegliedertem Innenraum, haben ihre Vorläufer in der → Palast- und → Thermenarchitektur; die Nähe zum Wohnbereich wird auch bei den wichtigsten Vertretern der Gruppe beibehalten (G. des Maxentius an der Via Appia, der oktogonale G. des Diocletian in Spalato, das Galerius-Mausoleum in Thessaloniki, der G. in Mailand, der G. des Theoderich in Ravenna).

2.5 SONDERFORMEN

Sonderformen sind G. mit → Exedren, monumentalen architektonisch gestalteten Grabaltären oder Säulenaufsätzen. Unikate sind der Säulen-G. des Traian mit Grabkammer im Podium, das *panarium* des Eurysakes, die Grabpyramide des C. Cestius [I 4] oder kegelförmige Grabbauten.

J. N. ANDRIKOPOULOU-STRUCK, G. des 1. Jh. n. Chr. im Rheingebiet, BJ 43. Beih., 1986 • M. EISNER, Zur Typologie der G. im Suburbium Roms, MDAI(R) 26. Ergh., 1986 • R. FELLMANN, Das Grab des Lucius Munatius Plancus bei Gaeta, 1957 • A. DE FRANCISCIS, R. PANE, Mausolei romani in Campania, 1957 • H. v. HESBERG, Röm. G., 1992 • H. GABELMANN, Röm. G. der frühen Kaiserzeit, 1979 • H. v. HESBERG, P. ZANKER (Hrsg.), Röm. Gräberstraßen. Selbstdarstellung, Status, Standard, Kongr. München 1987 • H. KAMMERER-GROTHAUS, Der Deus Rediculus im Triopion des Herodes Atticus ..., in: MDAI(R) 81, 1974, 162–199 • V. KOCKEL, Die Grabbauten vor dem Herkulaner Tor in Pompeji, 1983 • A. MACHATSCHEK, Die Nekropolen und Grabdenkmäler

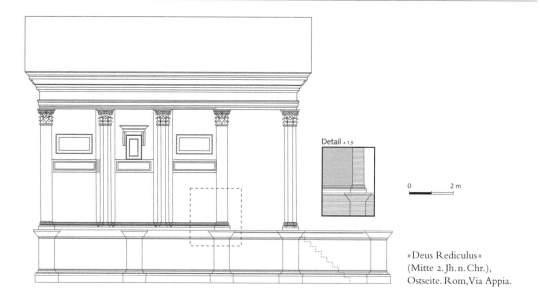

Detail x 1,5

0 2 m

»Deus Rediculus«
(Mitte 2. Jh. n. Chr.),
Ostseite. Rom, Via Appia.

von Elaiussa Sebaste und Korykos im Rauhen Kilikien, 1967 · J. C. REEDER, Typology and Ideology in the Mausoleum of Augustus. Tumulus and Tholos, in: Classical Antiquity 11, 1992, 265–307 · L. REEKMANS, Spätröm. Hypogea, in: FS für F. W. Deichmann Bd. 2, 1986, 11–37 · A. PELLEGRINO, Zu den antiken Gräberstraßen unter S. Sebastiano an der Via Appia Antica, in: MDAI(R) 85, 115–138 · Dies., Camere sepolcrali dei liberti e liberte di Livia Augusta ed altri Caesari, in: MelArchHist 91, 1979/1, 315–342 · Dies., Le Necropoli Pagane di Ostia e Porto, 1984 · J. C. RICHARD, Mausoleum. D'Halikarnasse à Rome, puis à Alexandrie, in: Latomus 29, 1970, 370–388 · J. M. C. TOYNBEE, Death and Burial in the Roman World, 1971 · TRAVLOS, Athen, 462–465 · G. WAURICK, Untersuchung zur Lage der römischen Kaisergräber in der Zeit von Augustus bis Constantin, in: JRGZ 20, 1973, 107–146 · A. WIGG, Grabhügel des 2. und 3. Jh. n. Chr. an Mittelrhein, Mosel und Saar, 1993 · H. WREDE, Das Mausoleum der Claudia Semna und die bürgerliche Plastik der Kaiserzeit, in: MDAI(R) 78, 1971, 125–166.

D. NORDAFRIKA UND DIE WESTLICHEN PROVINZEN

In den hell.-röm. Metropolen wie Alexandreia finden sich die charakteristischen unterirdischen Grabanlagen mit → Loculi-Korridoren. Ansonsten orientierten sich die Vornehmen an G.-Typen der hell. Welt (Rundbauten wie Medracen oder dem »Tombeau de la Chrétienne« bei Tipasa). Ägyptisierende Architekturdetails legen die gedankliche Verbindung zum ptolemäischen *Sēma* in Alexandreia nahe. Darüber hinaus gibt es pun., hell. und röm. Turmgräber mit Stufenbau, Sockel und Pyramidendach. Ein → Tumulus mit hohem Steinzylinder ist der G. der Lolli (Cirta, Algerien); vertreten sind weiter → Aedicula-Typen (vgl. Timgad), Baldachine (Syrien), oktogonale Formen und andere ital. und provinzielle Grabarchitekturen.

M. BOUCHENAKI, Le mausolée royal de la Maurétanie, 1970 · F. COARELLI, Y. THÉBET, Architecture funéraire et pouvoir. Réflexions sur l'hellénisme numide, in: MEFRA 100, 1988, 761–818 · F. RAKOB, Numidische Königsarchitektur in Nordafrika, in: Die Numider, Ausst.-Kat. Bonn, 1979.

E. PALÄSTINA UND ISRAEL

Leitform ist hier der unterirdische G. oder die Höhle, wobei das Felsengrab eine architektonisch gegliederte Fassade erhalten kann. Die freistehenden Monumente im Kidrontal/Jerusalem sind aus dem anstehenden Fels geschlagen und haben keinen eigenen Bestattungsraum. Die sog. »G. des Zacharias und Absalom« zeigen einen Mischstil zwischen griech. Form und ägyptisierenden Schmuckgliedern. Die Mausoleumsform mit Verblendsäulen am Sockel oder realen Säulen im zweiten Geschoß findet sich im syr. Raum; sie lebt bis in die Spätant. weiter. Das gilt auch für die nabatäischen Felsfassaden in Petra mit orientalisch-ägypt. Einfluß wie kleinen Obelisken und Zinnen oder die griech.-röm. G. in Palmyra. Dort gibt es neben den Grabtürmen mit Hypogäum (vgl. Dura-Europos) auch den Typ des Grabtempels.

M. GAWLIKOWSKI, Monuments Funéraires de Palmyre, 1970, 18–30 · J. McKANZIE, The Architecture of Petra, 1990 · J. BROWNING, Petra, 1974.

F. ANFÄNGE CHRISTLICHER GRABBAUTEN

Der Wechsel der Bestattungsformen zwischen Brand-, Sarkophag- und Erdbestattungen im röm. Weltreich und die damit verbundene Nutzung der G. ist bisher nicht ausreichend erklärt, ebensowenig die Anfänge christl. Begräbnisstätten in Rom. Anfang des 3. Jh. n. Chr. wurde jedoch Callistus mit der Verwaltung des ersten nachweislich christl. Gemeindefriedhofs betraut. Wahrscheinlich war eine gewisse Akzeptanz paganer Anlagen durch die Christen gegeben, denn es gibt auch Sarkophagbestattungen von Römern und Christen *sub divo* (»unter freiem Himmel«). Von einer längeren Parallelentwicklung ist auszugehen; → Katakomben; Christentum [B II].

Bibliogr. → Katakomben.   H.K.-G.

G. Keltisch-germanisch

Die G. der Kelten sind in Mitteleuropa nicht so vielfältig wie in den klass. Kulturen, zudem verändert sich ihre Bed. im Verlauf der Jh. bis Christi Geburt. Zunächst ist der Grabhügel die gängige Form; in der späten → Hallstatt- und frühen → Latène-Kultur (6.–4. Jh. v. Chr.) erreichen sie monumentale Dimensionen (→ Fürstengräber). Die Bestattung erfolgt in aufwendig gebauten (Holz-)kammern, die oft von mächtigen Steinpackungen (gegen Grabraub?) überdeckt sind. Die meist aus Erde aufgeschütteten Hügel sind gelegentlich mit Gräben (→ Glauberg u.a.) oder Steinmäuerchen (z. B. → Hirschlanden) eingefaßt. Mehrfach sind bei den Grabhügeln Steinstelen gefunden worden, die z. T. kelt. Krieger darstellen (Glauberg und Hirschlanden) und ursprüngl. auf den Hügeln standen. Weitere An- und Zubauten sind vereinzelt in Form von »Rampen« (→ Hochdorf) oder »Prozessionsstraßen« (Glauberg) nachgewiesen. Auch die »normalen« Bestattungen erfolgten überwiegend unter Grabhügeln, die dann etwas einfacher gehalten waren. Die Toten wurden bei den frühen Kelten offensichtlich v. a. durch die G., deren Größe, Aufwand, Lage usw. entsprechend ihrem sozialen Rang charakterisiert. Andere Formen von G. sind in der → keltischen Archäologie nicht nachgewiesen.

Im Verlauf der Latènezeit (ab dem 4. Jh. v. Chr.) verliert sich die Sitte, unter oberirdisch sichtbaren Grabhügeln zu bestatten, und es herrscht das ebenerdige Flachgrab vor. In Form von kleineren Grabeinhegungen, die oft aus quadratischen Gräbchen, Mäuerchen oder Wällen bestehen (»Grabgärten«), lebt die Sitte der G. als kleinere Hügel bes. in peripheren Bereichen (→ Arras-Kultur) bis in spätkelt. Zeit (E. 1. Jh. v. Chr.) weiter. Aus den ital. Traditionen sind zugleich in den röm. Provinzen in Mitteleuropa Grabhügelbauten neben anderen röm. G. vertreten.

In der → germanischen Archäologie sind aufwendige G. sowohl in der vorröm. Zeit (→ Jastorf-Kultur) wie auch im »Freien Germanien« des 1.–3. Jh. n. Chr. unbekannt; dort fehlen sie auch bei den Fürstengräbern der Lübsow- und Haßleben/Leuna-Gruppe. Gesellschaftliche Stellung der Toten wird bei den Germanen im arch. Befund weniger durch G. als durch die Beigaben dokumentiert.

→ Stele; Tumulus

W. Ebel, Die röm. Grabhügel des 1. Jh. im Trevererergebiet, 1989 · A. Haffner, Gräber – Spiegel des Lebens, 1989 · H. Lorenz, Totenbrauchtum und Tracht, in: BRGK 59, 1978, 1–380, bes. 33 ff. · G. A. Wait, Burial and Otherworld, in: M. Green (Hrsg.), The Celtic World, 1995, 489–511.   V.P.

Grabbeigaben s. Etrusci II. C. Religion

Grabepigramm s. Epigramm; Inschriften (metrische)

Grabhügel s. Grabbauten

Grabinschriften. Die G. (inzw. wohl an 200 000, vgl. [3. 124,1]) kamen auf im Zusammenhang des Totenkultes, um das Grab einer bestimmten Person identifizierbar zu machen und die Totenopfer an der richtigen Stelle vollführen zu können. Daneben übernahmen sie bald die Funktion, die Erinnerung an diese Person und ihre Leistungen wachzuhalten. Sie finden sich über der Erde am Ort der Bestattung oder, bei Gemeinschaftsgräbern, auf der Aschenurne, dem Sarkophag oder dem Deckel des *loculus* (der Bestattungsnische). Neben der Inschrift tragen sie häufig Dekoration allgemeiner Art (Pflanzen, Putti o.ä.) oder Darstellungen des Toten in seinem Lebensumfeld, zeitweilig mit dem Bemühen um Porträttreue.

G. begannen sich relativ spät, ab dem 1. Jh. v. Chr. in Rom und wenig später in den Provinzen, explosionsartig zu verbreiten. Zunächst trugen sie nur den Namen des Verstorbenen, später kamen das Todesalter und vor allem Angaben zu den von dem Toten bekleideten Ämtern dazu. Es folgen häufig Verfügungen über weitere Beisetzungsberechtigte (Grabrecht) und eine Angabe über denjenigen, der die Inschrift aufstellte. Am Ende findet sich meist eine Formel wie *s(it) t(ibi) t(erra) l(evis)* (»Möge dir die Erde leicht sein«). Ausführliche G. können die Form eines → Elogium annehmen. Aus der Verbindung der G. mit dem Totenkult ergab sich früh die Form des Grabaltars, der in der Kaiserzeit dann häufig den *D(is) M(anibus)* geweiht ist.

Das Formular der G. wandelte sich im Lauf der Zeit: Ursprünglich eher nüchtern, wurde es im 2. und 3. Jh. n. Chr. durch viele Superlative geprägt und kehrte in der Spätant. zur Kürze zurück. Welche statistischen Folgerungen aus den Angaben über Geschlecht, Alter, Familienbeziehungen usw. gezogen werden können, falls dies überhaupt möglich ist, bleibt weiterhin sehr umstritten, vgl. zuletzt [1].

Christl. G. unterschieden sich zunächst kaum von nichtchristl. und sind nur durch gelegentliche Beifügung christl. Symbole oder von Formeln wie *in pace* (»in Frieden«) oder *in deo* (»in Gott«) als christl. erkennbar. Ab dem 4. Jh. entstand eine eigenständige christl. Grabepigraphik. Zu griech. G. → Epigramm I.

1 E. A. Meyer, Explaining the Epigraphic Habit in the Roman Empire, in: JRS 80, 1990, 74–96 2 Ch. Pietri, s. v. Grabinschriften II, RAC 12, 514–590 3 R. Saller, B. Shaw, Tombstones and Roman Family Relations in the Principate, in: JRS 74, 1984, 124–156.   H.GA.

Grabmalerei. Innere oder äußere Bemalung einer aus Stein gebauten oder aus dem Fels gehöhlten Grabarchitektur gab es in der Ant. im ganzen Mittelmeerraum, dazu Darstellungen auf Holz- oder Steinstelen;

selten wurden Sarkophage selbst zum Träger von Malerei. Allen Landschaften und Epochen sind spezielle Bildprogramme eigen, die je nach Forschungsstand gegenständlich oder symbolisch, diesseits- oder jenseitsbezogen interpretiert wurden. Wegen der Vergänglichkeit der Gattung ist vieles bereits verloren. Doch sind gerade in den letzten Jahren auch bedeutende Neufunde gemacht worden.

G. ist trotz ihres manchmal eher handwerklichen Charakters auch ein Zeugnis für den jeweiligen Entwicklungsstand der oft nicht mehr erh. großen → Malerei. G. war schon im Ägypten des Alten Reiches für Königs- und Privatgräber zuweilen üblich. Zunächst überwogen bemalte Flachreliefs auf Scheintüren oder separat aufgestellten Holz- oder Steinplatten. Gezeigt war der Grabbesitzer in sepulkral-kultischen Handlungen. Andere Techniken waren kolorierte Umrißmalereien auf Putz und »Pastenmosaike«. Die Themen erweiterten sich um Szenen von Fisch- und Vogelfang, Tierjagden, der Landwirtschaft und des täglichen Lebens, auch um histor. Inhalte. Eigenständige G., formal und stilistisch der Reliefgebundenheit enthoben, entwickelte sich erst im 15. Jh. v. Chr. im ägypt. Theben. Die Bildfriese verloren die abstrakte Zeichenhaftigkeit; Komposition und Kolorit wurden freier, die Themen privater.

Zu besonderer Blüte kam die G. in Etrurien, wo sie vom 7.–2. Jh. v. Chr., v. a. in Tarquinia, in vielen der dort üblichen Kammergräbern erhalten ist. Die meist auf Kalkbewurf aufgebrachten Fresken (→ Freskotechnik) reichen von einfacher Architekturgliederung über florale und andere Ornamente bis hin zu Tierbildern; sie geben aber auch rel. Bräuche und Jenseitsvorstellungen der Etrusker wieder. Bilder ritueller Agone während des Begräbnisses, sowie aus Alltags- und Festtagsleben, beziehen sich auf den Toten und sollten das jenseitige Leben im »Grabhaus« schmücken, repräsentierten aber zugleich auch den diesseitigen Status. Ähnliches läßt sich für die erhaltene G. aus nördl. Randgebieten Griechenlands, z. B. Makedonien, Thrakien und Südrußland, aus den westgriech. Kolonien samt it. Umland sowie Kleinasien sagen. Stand, militärische, sportliche oder jagdliche Tüchtigkeit, weibliche Schönheit und Tugenden sowie Bildungsansprüche einer kleinen Elite drükken sich in gemalten Figurenbildern und Schmuckfriesen aus, daneben treten wiederum Totenkultbilder und Symbole des Jenseitsglaubens, wie sich überhaupt Themen und Darstellungsart mit Ausbreitung der hell. *koiné* ähneln. N.H.

Innerhalb desselben Themenspektrums bewegen sich die wenigen erh., zur schlichten Volkskunst zu rechnenden G. in den phönik. und pun. Nekropolen z. B. von → Sidon, Cagliari/Sardinien, → Kerkouane/ Nordost-Tunesien (und in den davon abhängigen »haouanet«, wohl numidischen Felskammergräbern, im karthag. Nordafrika). H.G.N.

Für das griech. Mutterland war G. in architekton. Kontext wegen anderer Bestattungsformen zwar eher untypisch, doch zeigen z. B. bemalte archa. att. Grabstelen den Umgang damit.

Röm. G., in mancher Hinsicht vom Etruskischen geprägt und h. meist histor.-repräsentativ gedeutet, kennt man aus einigen republikan. und späteren Kontexten, v. a. aber aus den zahlreichen → Katakomben der späten Kaiserzeit und der Spätant. Doch finden sich auch in den Kolonien überall ausgemalte Gräber.

B. D.'Agostino, La necropoli e i rituali della morte, in: S. Settis (Hrsg.), I Greci II/1, 1996, 435–470 · M. Andronikos, Vergina II, 1994 · O. Bingöl, Malerei und Mosaik der Ant. in der Türkei, 1997 · J. Balty, s. v. Peintures, DCPP, 344f. · S. M. Cecchini, L'Art. »Arts mineurs«, in: V. Krings (Hrsg.), La civilisation phénicienne et punique. Manuel de recherche (HbdOr I 20), 1995, 528 f. · Mh.H. Fantar, La décoration peinte dans les tombes puniques et les Houanets libyques de Tunisie, in: Africa 10, 1988, 28–49 · H. v. Hesberg, Röm. Grabbauten, 1992, passim · S. G. Miller, The Tomb of Lyson and Kallikles, 1993 · B. Otto, Die Fresken der »Tomba del Tuffatore« in Paestum, in: Echo. FS G. Trentini, 1990 · A. Pontrandolfo, A. Rouveret, Le tombe dipinte di Paestum, 1992 · R. T. Ridley, The praetor and the pyramid, in: BA 13–15, 1992, 1–29 · I. Scheibler, Griech. Malerei der Ant., 1994 · L. Schneider, Ch. Höcker, P. Zazoff, Zur thrakischen Kunst im Frühhellenismus, in: AA 1985, 616–643 · S. Steingräber, Etrusk.-hell. G., in: Die Welt der Etrusker, 1990 · Ders., Zu Entstehung, Verbreitung und architekt. Kontext der unterital. G., in: JDAI 106, 1991, 1–36. N.H.

Grabrelief s. Relief

Gracchus. Röm. Cognomen wahrscheinlich etr. Herkunft, als Praenomen überliefert für den Aequerkönig G. Cloelius 458 v. Chr. (Liv. 3,25,5). Als Beiname prominent in der Familie der Sempronii, bes. bei den Volkstribunen Ti. und C. → Sempronius Gracchus.

Salomies 72 · Schulze 172, 354, 519 · Walde/Hofmann 1, 615. K.-L.E.

[1] Als Verf. von lat. Trag. bezeugt (*Thyestes, Atalanta, Peliades*), von denen nur jeweils ein kurzes Fr. erh. ist (zu Inc. inc.fab. 120–124 ²R: [4]); Ov. Pont. 4,16,31 nennt ihn gemeinsam mit L. → Varius Rufus in einem Katalog zeitgenössischer Dichter. Vermutlich handelt es sich um Sempronius G., den Liebhaber der Augustustochter Iulia (Tac. ann. 1,53).

Ed.: TRF p. 230 (³266).
Lit.: 1 Bardon 2, 48 f. 2 E. Groag, s. v. Sempronius 41, RE 2A,1371–1374 3 I. Lana, L'Atreo di Accio e la leggenda di Atreo e Tieste nel teatro tragico romano, in: Atti della Accademia delle Scienze di Torino 93, 1958–59, 293–385, hier 327 f. 4 J. Soubiran, Les débuts du trimètre tragique à Rome 2, in: Studi F. della Corte 3, 1987, 109–124, bes. 120 ff. W.-L.L.

Grac(c)urris. Stadt im oberen Ebrotal; genauere Lage unbekannt. 179 v. Chr. als Gracchuris von Tib. Sempronius Gracchus an Stelle der Ibererstadt Ilurcis gegr. (Liv. epitome 41; Festus p. 86,5). Erwähnt wird G. später im Krieg gegen Sertorius 76 v. Chr. (Liv. epitome 41). Plinius (nat. 3,24) nennt G. unter den *oppida Latii veteris* des *conventus* von Caesaraugusta. Inschr. fehlen, aber auf einigen Mz. aus der Zeit des Tiberius erscheint G. als *municipium* [1. 113f.]. G. wird später nicht mehr erwähnt.

1 A. VIVES, La moneda hispánica 4, 1924.

TOVAR 3, 391f. · A. SCHULTEN, Fontes Hispaniae Antiquae 3, 1935, 223f.; 4, 1937, 189; 8, 1959, 134 · E. HÜBNER, s.v. G., RE 7, 1687.   P.B.

Graecia Magna s. Katepanat; Magna Graecia

Graecinius. P. G. Laco. Ritter, aus Verona stammend. Im J. 31 n. Chr. Nachfolger des Sutorius Macro als *praefectus vigilum*; er unterstützte ihn bei der Beseitigung des → Seianus, wofür ihm der Senat die *ornamenta quaestoria* verlieh. Unter Claudius war er während des Britannienfeldzugs *procurator* in Gallien, möglicherweise mit einer logistischen Sonderaufgabe für den Feldzug betraut. 44 wurde er vom Senat auf Antrag des Claudius mit einer Statue und *ornamenta consularia* ausgezeichnet; außerdem erhielt er einen Sitzplatz im Senat, sooft er Claudius dahin begleitete (in welcher Eigenschaft, ist unklar).

R. SABLAYROLLES, Libertinus Miles, 1996, 476f. · PIR² G 202.   W.E.

Graeco-Babyloniaca. Als G. werden babylon. Tontafeln bezeichnet, die auf der einen Seite einen Keilschrifttext in sumer. oder akkad. Sprache und auf der anderen Seite dessen Transliteration in griech. Schrift enthalten. Die insgesamt weniger als 30 Tafeln und Tafelfragmente sind zw. dem 2. Jh. v. Chr. und dem 2. Jh. n. Chr. entstanden und stammen, sofern ihre Herkunft bekannt ist, aus Babylon. Sie enthalten Auszüge aus lexikalischen Texten sowie aus Gebeten und Beschwörungen. Die Auswahl der Texte und ihre Anordnung auf den Tontafeln entspricht sehr genau den traditionellen keilschriftlichen Schultexten der neu- und spätbabylon. Zeit. Die Schreiber der G. waren babylon. Schüler, die die Keilschrift noch nicht aktiv beherrschten und den vom Lehrer geschriebenen Keilschrifttext in der leicht zu erlernenden griech. Schrift wiedergaben. Ein einheitliches Umschriftsystem wurde offenbar nicht entwickelt.

Die Bed. der G. besteht zum einen darin, daß sie die postulierten Lesungen von Keilschriftzeichen bestätigen. Zum anderen geben sie zu der Vermutung Anlaß, daß im hellenisierten Orient traditionelle mesopot. Texte auch, nachdem Tontafeln im 1. Jh. n. Chr. außer Gebrauch kamen, in griech. Umschrift (dem Kopt. vergleichbar) auf vergänglichem Schriftmaterial notiert

und überl. worden sein könnten, wovon sich Spuren jedoch nicht erhalten haben.

M. J. GELLER, The last Wedge, in: ZA 87, 1997, 43–95.   S.M.

Graeco-Baktrien A. GESCHICHTE B. ARCHÄOLOGIE C. GESELLSCHAFT

A. GESCHICHTE

Das Gebiet von Baktrien (→ Baktria) im Nordostiran ist altes Kulturland mit frühentwickelter Stadtkultur und iran. Bevölkerung. Bereits unter den → Achaimenidai [2] siedelten dort sporadisch Griechen; von einer griech. Bevölkerung kann man jedoch mit [1] noch nicht sprechen. Erst unter Alexandros [4] d. Gr., der das Land in zweijährigem aufreibenden Kampf eroberte, wurden mehrere Kolonien für Veteranen seines Heeres angelegt. Unter den frühen Seleukiden wurde Baktrien hell. Satrapie und erhielt weitere griech. Siedlungen. Um die Mitte des 3. Jh. v. Chr. machte sich der Satrap Diodotos [2] selbständig und schuf ein graeco-baktrisches Reich. Ein Versuch des Antiochos [5] III., Baktrien wiederzuerobern, wurde 206 durch ein Abkommen mit dem König → Euthydemos [2] beendet. Euthydemos und sein Sohn Demetrios [10] eroberten umfangreiche Gebiete in nordwestlichen Indien, doch fiel das Reich an Eukratides, der während des Krieges einen Aufruhr in Baktrien angezettelt hatte. Nach dessen Ermordung durch seinen Sohn entstanden zwei Dynastien, die der Eukratiden im Nordwesten, dem eigentlichen Baktrien, und die der Euthydemiden im Südosten des Hindukusch. Um die Mitte des 2. Jh. v. Chr. oder kurz danach wurde das Gebiet von den nomadischen Indoskythen erobert, doch konnten sich im Nordosten die Fürstentümer der → Indogriechen noch etwa 150 Jahre halten. Die lit. Überlieferung ist bis in die Zeit des Eukratides bereits sehr spärlich, für die Zeit danach gibt es nur noch numismatische und arch. Quellen.

B. ARCHÄOLOGIE

Die wichtigste Fundstätte der hell. Periode ist ohne Zweifel → Aï Chanum am Oxos (Araxes [2]); von der alten Hauptstadt Baktra (h. Balḫ) kennt man nur spärliche Reste; in Dil'berdžin fanden sich Reste eines Dioskuren-Tempels. Funde aus dem Norden (Usbekistan und Tadschikistan) wie aus Termez (Demetrias), Dal'verzin Tepe und Ḫalchayan stammen hauptsächlich aus der indoskythischen Periode; hell. Mauerreste kennt man aus Afrasiab (Alt-Samarkand) im Norden (Sogdiana). Griech. Inschriften in größerer Zahl wurden in Aï Chanum, an anderen Stätten (wie Juga Tepe bei Dil'berdžin) nur vereinzelt gefunden. Die numismatischen Quellen sind durch umfangreiche Hortfunde (z. B. in Qunduz) erheblich angewachsen.

C. GESELLSCHAFT

Durch die Gründung zahlreicher Siedlungen und Festungen durch Alexander und die Seleukiden neben den alten städtischen Kulturen erhielt das Land im

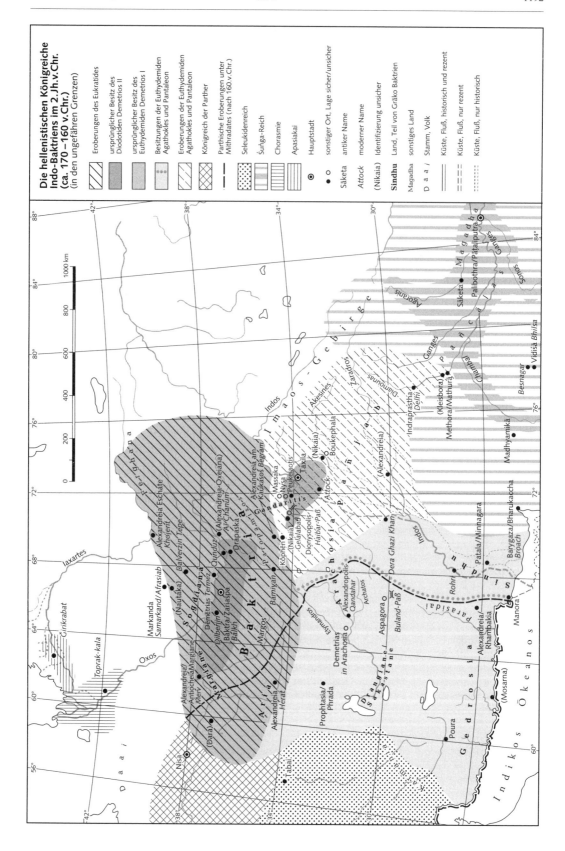

Die hellenistischen Königreiche Indo-Baktriens im 2. Jh. v. Chr. (ca. 170–160 v. Chr.) (in den ungefähren Grenzen)

- Eroberungen des Eukratides
- ursprünglicher Besitz des Diodotiden Demetrios II
- ursprünglicher Besitz des Euthydemiden Demetrios I
- Besitzungen der Euthydemiden Agathokles und Pantaleon
- Eroberungen der Euthydemiden Agathokles und Pantaleon
- Königreich der Parther
- Parthische Eroberungen unter Mithradates (nach 160 v. Chr.)
- Seleukidenreich
- Śuṅga-Reich
- Chorasmie
- Apasiakai
- Hauptstadt
- sonstiger Ort, Lage sicher/unsicher
- Sāketa antiker Name
- (Nikaia) moderner Name
- Identifizierung unsicher
- **Sindhu** Land, Teil von Gräko Baktrien
- sonstiges Land
- D a a i Stamm, Volk
- Küste, Fluß, historisch und rezent
- Küste, Fluß, nur rezent
- Küste, Fluß, nur historisch

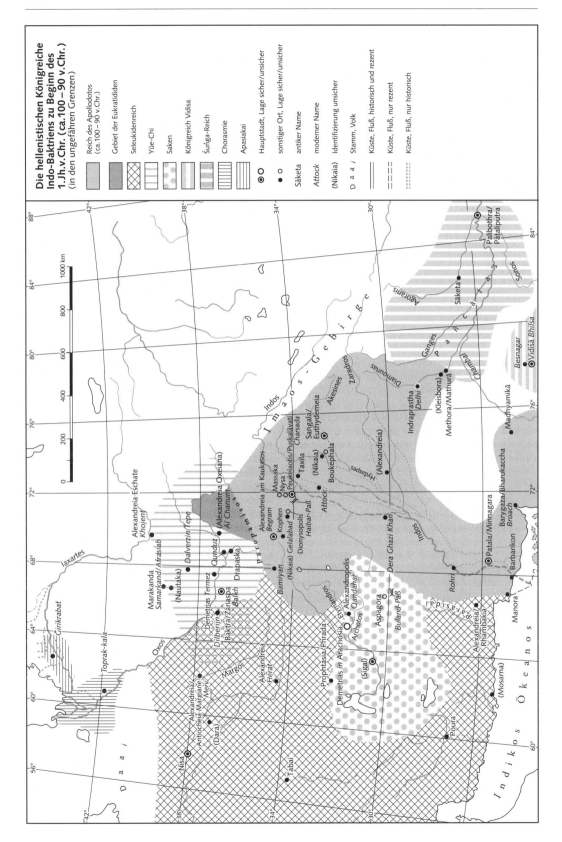

Die hellenistischen Königreiche Indo-Baktriens zu Beginn des 1. Jh. v. Chr. (ca. 100 – 90 v. Chr.) (in den ungefähren Grenzen)

Reich des Apollodotos (ca. 100 – 90 v. Chr.)
Gebiet der Eukratididen
Seleukidenreich
Yüe-Chi
Saken
Königreich Vidisa
Śuṅga-Reich
Chorasmie
Apasiakai

Hauptstadt, Lage sicher/unsicher
sonstiger Ort, Lage sicher/unsicher
Sāketa — antiker Name
Attock — moderner Name
(Nikaia) — Identifizierung unsicher
D a a i — Stamm, Volk
Küste, Fluß, historisch und rezent
Küste, Fluß, nur rezent
Küste, Fluß, nur historisch

3. und 2. Jh. eine iran.-griech. Mischbevölkerung, erweitert durch maked. und thrakische Siedler. So zeigt sich auf Münzen die Tradition der griech. Religion, in den Tempelresten die der iran., während der Flußkult des Oxos Mischformen aufweist. Die künstlerisch besonders hochstehende Münzprägung zeigt rein hell. Züge. Die meist aus Aï Chanum bekannten Reste des Kunstschaffens sind teils rein griech., teils iran. geprägt und bieten häufig Mischformen. Hier liegt wohl der Ursprung der sog. Gandhara-Kunst (→ Gandaritis), eines überwiegend aus dem h. Pakistan bekannten hell.-buddhistischen Mischstiles.

→ Baktria

1 A.K. NARAIN, The Indo-Greeks, 1957.

P. BERNARD, Fouilles d'Ai Khanoum 4, 1985 (Münzhortfunde) · BOPEARACHCHI · F.L. HOLT, Alexander the Great and Bactria, 1989 · W. POSCH, Baktrien zwischen Griechen und Kuschan, 1995 · S. SHERWIN-WHITE, A. KUHRT, From Samarkand to Sardis, 1993 · W. W. TARN, The Greeks in Bactria and India, ²1951 (1938).
KARTEN-LIT.: W. W. TARN, The Greeks in Bactria and India, ³1985 · H. WALDMANN, Vorderer Orient. Die hell. Staatenwelt im 2. Jh. v. Chr., TAVO B V 4, 1985. K. K.

Grai, Graikoi (Γραί, Γραικοί). Das Lat. nennt die Griechen *Grai* (Sg. *Graius*) und (mit einer um das häufige Ethnikon-Suffix -*ko*- erweiterten Form) *Graeci*. Die Vermutung liegt nahe, daß dieser Name urspr. einem It. benachbarten, also wohl nw-griech. Stamm zukam. Man nimmt dafür gern die früh verschollenen thessal. *Graikoí* in Anspruch. Ihr Eponym Graikos galt den einen als Sohn einer Schwester des Hellen (Hes. cat. 5), die Graikoi also nicht als Griechen, sondern als deren nahe Verwandte (wie die Magnetes und Makedones nach Hes. cat. 7); für andere war er ein Sohn des Thessalos (Steph. Byz. s. v. Γραικός); spätere Gelehrte sahen vielleicht schon im Blick auf lat. *Graeci* in den *Graikoí* die späteren (thessal.) Hellenes (→ Hellas, Hellenes) und setzten deren urspr. Wohnsitze teils in Südthessalien an (Marmor Parium FGrH 239 A 6: Apollod. 1,7,3,1), teils (wegen des Anklangs an Hellopes [→ Hellopia] und Helloi) um → Dodona (Aristot. meteor. 1,352a). Ein Splitter desselben Stammes waren wohl die Graikes (→ Aioleis) in Parion am Hellespontos (Steph. Byz. s. v. Γραικός); Erweiterung von Ethnika durch -*o*- ist im nordwestl. Griechenland häufig. So ist an der Existenz frühgesch. Graikoi in Thessalien kaum zu zweifeln; die Gleichsetzung mit lat. *Graeci* aber bleibt schwierig, weil im griech. Bereich nur Formen auf -*k(o)*- belegt sind (der boiot. ON → Graia, Hom. Il. 2,498, gehört kaum hierher), im Lat. aber von *Grai* auszugehen ist.

J. MILLER, s. v. Grai, RE 7, 1693–1696. F. GSCH.

Graia (Γραία, Γραῖα). Im homer. Schiffskatalog (Il. 2,498) erwähnte Siedlung in Boiotia zw. Oropos und Tanagra. Lokalisierung wohl bis in archa. Zeit bekannt,

dann verloren. Bereits in der Ant. verschiedene Identifizierungen; evtl. an der boiot. Küste des euboiischen Golfes westl. von Oropos. Belegstellen: Strab. 9,2,10; Paus. 9,20,1; Steph. Byz. s. v. Γ., s. v. Ὠρωπός.

H. BEISTER, Auf der Suche nach dem homer. G. in Böotien, in: E. OLSHAUSEN (Hrsg.), Stuttgarter Kolloquium zur histor. Geogr. des Alt. 1, 1980, 51–80 (= Geographica Historica 4, 1987) · Ders., Probleme bei der Lokalisierung des homer. G. in Böotien, in: La Béotie Antique, 1985, 131–136 · FOSSEY, 66f. · J.M. FOSSEY, The Identification of G., in: Euphrosyne 4, 1970, 3–22 · P. W. WALLACE, Strabo's description of Boiotia, 1979, 42f. M. FE.

Graien (Γραῖαι). Die G. (Pemphredo, → Enyo, Deino/Perso) sind Töchter der Keto und des Meeresgottes Phorkys, nach dem sie auch Phorkiden oder Phorkyaden genannt werden. Als greise (griech. *graía*), schwanengestaltige (Ps.-Aischyl. Prom. 795), schöngewandete (Hes. theog. 273) Jungfrauen hausen sie jenseits des Okeanos in einer Höhle des Atlas und besitzen zu zweit oder zu dritt – ihre Anzahl schwankt – nur ein Auge und einen Zahn, welche sie abwechselnd tragen.

Bekannt ist ihre Verbindung zum Gorgonenabenteuer des Perseusmythos: Nach der einen Version raubt → Perseus den G. Auge und Zahn, um von ihnen die Wegbeschreibung zu den Nymphen zu erhalten, welche ihm für den Kampf gegen ihre Schwestern, die Gorgonen (→ Gorgo), Tasche, Flügelschuhe und Tarnkappe verleihen sollen. Nach einer anderen Version überwältigt Perseus, der die Zauberutensilien bereits besitzt, die G., die den Eingang zum Land der Gorgonen bewachen. Die urspr., im Mythos nicht mehr direkt greifbare Bed. der G. ist umstritten. Während ältere Deutungen aufgrund von Namensetym. und ihrer Abstammung Meeresgöttinnen in ihnen sehen wollten, ist es wohl richtiger, sie parallel zu den Gorgonen als Wolkengöttinnen aufzufassen und die hellen Gewänder wie die Schwanengestalt als Symbole der Wetterwolke, die Einzahl von Auge und Zahn als Symbol des Blitzes (vgl. lat. *fulmen*, in der Bed. »Eberzahn«) zu deuten. C.U.-K.

Graikos (Γραικός). Nach Hes. fr. 5,3 M.-W. Sohn von Zeus und Pandora (oder Bruder des Latinos, dessen Mutter nach theog. 1013 jedoch Kirke ist) und eponymer Heros für die Griechen, bevor sie von → Hellen den Namen Hellenen erhielten. Der Name deutet auf illyr. Ursprung hin [1].

1 CHANTRAINE, s. v. G., 234.

P. DRÄGER, Untersuchungen zu den Frauenkatalogen Hesiods, 1997, 27–42. E. V.

Gramineen. Unter den Kräutern (*herbae*, ποιώδη) stellen die Gramineae oder Poaceae die Familie der Gräser (Glumifloren, πόαι bei Theophr. h. plant. 7,8,3) dar, von denen man in der Ant. aber Sauergräser der Cyperaceae und Juncaceae (→ Binsen; → Byblos) nicht unterschied. Zu den echten G. gehören neben den das eigentliche Gras bildenden Wiesengräsern (ἄγρωστις, z.B. Theophr. h. plant. 1,6,7 u.ö.) und dem → Getreide (*frumenta*) 1. der Rohrkolben Arundo (δόναξ, κάλαμος u.a. bei Theophr. h. plant. 4,11,11 u.a.), bes. das Pfahlrohr Arundo donax L., welches seit der Einführung aus Kleinasien vielfach zu Flöten (*kálamos syringías*, vgl. Dioskurides 1,85 p. 1,81 WELLMANN = 1,114 p. 104 BERENDES; Plin. nat. 32,141: *Cyprius qui et donax vocatur*) oder Zäunen verwendet wird; 2. das Schilfrohr Phragmites (*kálamos ho plókimos* Theophr. h. plant. 4,11,1; Plin. nat. 32,141), wozu wohl das schon bei Hom. Il. 24,451 zum Dachdecken benutzte *órophos lachnéeis* gehört, und 3. Ampelodesmos (Plin. nat. 17,209), vielleicht Lygeum spartum, das seit der Ant., dem Namen (nach Plinius aus Sizilien) entsprechend, wie der Pfriemen- → Ginster (*genista*) zum Anbinden der Reben verwendet wurde. Ob das dazu gehörige echte Zuckerrohr Saccharum officinarum in der Ant. wirklich schon im Mittelmeerraum vorhanden war, ist umstritten [1. 20f.].

1 J. BILLERBECK, Flora classica, 1824, Ndr. 1972.   C.HÜ.

Grammateis (γραμματεῖς). Die g. sind in der griech. Welt Schriftführer, Sekretäre mit verschiedenen Aufgaben. Sie werden im allg. von den *árchontes* (»Beamten«) unterschieden, aber wie diese von der Bürgerschaft durch Wahl oder Los für einen begrenzten Zeitraum bestellt.

In Athen hieß der Hauptsekretär des Staates »Ratssekretär« oder »Sekretär bei der Prytanie«. Er war für die Veröffentlichung von Dokumenten aus der Tätigkeit des Rats oder der Volksversammlung zuständig. Bis in die 60er Jahre des 4. Jh. v. Chr. war er ein Mitglied des Rates (→ *bulế*), gewählt für den Zeitraum einer → *prytaneía*, danach aber wurde er (vermutlich im Interesse größerer Effizienz) für ein Jahr aus Bürgern erlost, die sich dafür freiwillig zur Verfügung stellten ([Aristot.] Ath. pol. 54,3). Das Amt wurde abwechselnd unter den Phylen in ihrer offiziellen Reihenfolge besetzt: Diese Rotation ist ein wichtiger Faktor bei der Festlegung der Chronologie des hell. Athen; eine Unterbrechung der Rotation gilt als Zeichen eines Regierungswechsels in Athen [5; 6].

Daneben sind zahlreiche andere Sekretäre in Athen bekannt. Der Autor der aristotelischen *Athenaíōn Politeía* (54,4) erwähnt einen verantwortlichen »Sekretär für den Bereich der Gesetze« (*nómoi*); im 4. Jh. erscheint ein Sekretär, der »für den Bereich der Dekrete« (*psēphísmata*) zuständig ist, in Inschr. (beide belegt in [1. 62] für das Jahr 303/2). In der *Athenaíōn Politeía* (54,5) ist auch ein durch Wahl bestellter Sekretär mit der Aufgabe genannt, Dokumente laut vor Rat und Volksversammlung zu verlesen; er ist vermutlich identisch mit dem inschr. bekannten »Sekretär des Rates und des Volkes« (vgl. [1. 12, 64]). Weitere bezeugte Sekretäre sind u.a. der *anagrapheús* und der *antigrapheús*; in den Jahren 321/0–319/8 und 294/3–292/1 trug der Hauptsekretär den Titel *anagrapheús* [4]. Gerichtshöfe und verschiedene Beamtenkollegien verfügten über eigene Sekretäre. Daneben gab es zahlreiche Unter-Sekretäre (*hypogrammateís*), obwohl Demosthenes diesen Begriff wohl abwertend in bezug auf Aischines benutzt (z.B. Demosth. or. 19,70), und öffentliche Sklaven (→ *dēmósioi*), die den Sekretären zur Hand gingen (vgl. etwa [Aristot.] Ath. pol. 47,5–48,1).

Im Achaiischen Bund war der Hauptsekretär (vielleicht nur bis 255) ein bedeutender Amtsträger; im Aitolischen Bund gab es anfangs nur einen Hauptsekretär, doch noch vor dem Ende des 3. Jh. wurde ihm ein zweiter, der »Rats-Sekretär«, zur Seite gestellt (für 207 bezeugt: SEG 38, 412) [2]. In Orkistos in Phrygien war der Sekretär noch 237 n. Chr. ein wichtiger Beamter, der den Vorsitz in der Volksversammlung führte [3].

1 Agora, Bd. 15 2 A. AYMARD, Recherches sur les secrétaires des confédérations aitolienne et achaïenne, in: Mélanges Iorga, 1933, 71–108 3 W.H. BUCKLER, A Charitable Foundation of A.D. 237, in: JHS 57, 1937, 1–10 4 S. DOW, The Athenian Anagrapheis, in: HSPh 67, 1963, 37–54 5 W.S. FERGUSON, The Athenian Secretaries, 1898 6 P.J. RHODES, The Athenian Boule, 1972, 134–141 7 RHODES, 603–605.   P.J.R.

Grammaticus, Grammatikos (γραμματικός). Im Laufe des 3. vorchristl. Jh. bildete sich der Berufsstand des *g.* heraus, der die Kinder des gehobenen Bürgertums vom Elementarlehrer (*grammatistế̄s/grammatodidáskalos*) übernahm, um mit sprachlichem und lit. Unterricht die Grundlagen für die rhet. Bildung zu legen [1. 235–257]. In Rom entwickelte sich nach Übernahme der griech. Bildung im Laufe des 2. Jh. v. Chr. – röm. Erziehung war fortan zweisprachig – der Brauch, den Unterricht erst des *g. Graecus*, dann des *g. Latinus* zu besuchen [2. 47–64]. Sofern nicht in hell. oder kaiserzeitlichen Gymnasien angestellt, war der *g.* »Privatunternehmer« mit meist bescheidener Bezahlung [2. 146–162] und von geringem Ansehen [1. 401f.] (deshalb gab es in Rom viele Unfreie in diesem Beruf [3. 211–228; 4. 192–201]), was sich erst in der kaiserzeitlichen Ges. und durch kaiserliche Schulpolitik allmählich besserte (Steuerprivilegien, gelegentlich staatliche Besoldung) [1. 435–448; 3. 228–245]. »Philologe« war in der Ant. noch keine Berufsbezeichnung [4. 45]; mitunter hat *g.* die Bed. von *grammatistế̄s* (Hippokr. epidemiae 4,37; Plut. mor. 59f) und umgekehrt (Lukian. de mercede 4). → Erziehung; Schule

1 MARROU 2 BONNER 3 J. CHRISTES, Bildung und Ges., 1975 4 Ders., Sklaven und Freigelassene als Grammatiker und Philologen im ant. Rom, in: Forsch. zur ant. Sklaverei, Bd. 10, 1979.

A. GWYNN, Roman Education. From Cicero to Quintilian, 1926 · R.A. KASTER, Guardians of Language. The Grammarian and Society in Late Antiquity, 1988 · M.P. NILSSON, Die hell. Schule, 1955.   J.C.

Grammatiker I. ALTER ORIENT
II. GRIECHENLAND III. ROM

I. ALTER ORIENT

Als G. treten im Alten Orient akkad. Schreiber auf, die akkad. Flexionsformen mit sumer. Übers. versehen oder sumer. Silben gramm. abstrakt erklären. Die äußere Form gramm. Texte ist die zweispaltige Liste; in Sätzen formulierte gramm. Regeln gibt es nicht. Die G. bilden dabei künstliche sumer. Formen, um die nicht isomorphen Sprachen Sumer. und Akkad. zu decken, vernachlässigen morpho-syntaktische Regeln und verwenden falsche Allomorphe. Dennoch setzt das Schaffen der G. bereits für das frühe 2. Jt. ein metasprachliches Sprachbewußtsein und sprachliche Abstraktionsfähigkeit voraus.

J. A. BLACK, Sumerian Grammar in Babylonian Theory (Studia Pohl: Ser. Maior 12), 1984 · P. ATTINGER, Éléments de linguistique sumérienne (OBO Sonderbd.), 1993, 59 f.

M. S.

II. GRIECHENLAND

Die ersten Belege für ein linguistisches Interesse bei den Griechen gehen auf das 5. Jh. v. Chr. zurück: Ein Fragment des *Palamédēs* des Euripides (578,2 NAUCK²) und ein Titel des Demokrit (2,91,26; 2,146,18 DK) bezeugen die ersten Versuche einer phonetischen Klassifikation, während sich bei Protagoras (2,262,12 f. DK) eine Unterscheidung der Genera der Substantive findet. Deutliche Fortschritte erzielt Platon: Im *Kratylos* wird diskutiert, ob die Sprache naturgegeben sei oder auf Konvention beruhe. Platon unterscheidet drei Klassen von Lauten (Krat. 424c; Tht. 203b) und zwei Arten von Intonation und Akzent (der Akut und der Gravis: Krat. 399b). Die Trennung zw. ὀνόματα und ῥήματα, stellt den Kern der Analyse der Redeteile dar (soph. 261d), die zu einem grundlegenden Thema der griech. und röm. grammatikalischen Reflexion wird. Der Beitrag des Aristoteles ist die klare Scheidung zw. Vokalen und Konsonanten, die Definition des Zirkumflexes, und eine komplexere Unterteilung der Elemente der Sprache (λέξις): ὄνομα, ῥῆμα, σύνδεσμος, ἄρθρον treten zusammen mit στοιχεῖον, συλλαβή, πτῶσις, λόγος auf (poet. 20), und zwar in einer Analyse linguistischer Prägung, die nichts mit der logischen Unt. von wahren und falschen Sätzen zu tun hat.

Die stoische Schule spielt eine wichtige Rolle in der Gesch. der griech. Gramm. Ihr Grundprinzip war die → Anomalie, d. h. das Interesse an den linguistischen Unregelmäßigkeiten; Hauptkriterium war dabei der Gebrauch (συνήθεια, *synḗtheia*). Mit Sicherheit wurden theoretische Probleme behandelt, wie die Mehrdeutigkeit der Sprache und die Beziehungen zw. Form und Begriff, aber die konkreten Fortschritte in den einzelnen Fragestellungen lassen sich nicht immer klar zuweisen: → Diogenes von Babylon hat bei den Redeteilen die προσηγορία (das *nomen appellativum*) ergänzt, → Antipatros [10] von Tarsos die dem Adverb entsprechende μεσότης oder πανδέκτης. Die Hauptfortschritte

seit → Chrysippos [2] betrafen die Terminologie: die Begriffe für Tempora, Diathesen und Kasus wurden festgelegt.

Einen entscheidenden Impuls erhielt das Studium der Gramm. im alexandrinischen Umfeld, wo das aristotelische Erbe aufgenommen wurde. Diese Disziplin war jedoch nicht wirklich selbständig, sondern hing eng mit der → Philologie zusammen (ein γραμματικός / *grammatikós* war jemand, der Texte studierte, ein Philologe; Eratosthenes definierte die γραμματική / *grammatikḗ* als vollkommene Sachkenntnis der Lit.). Einflüsse der stoischen Schule auf die Alexandriner sind nicht von der Hand zu weisen und können auch nicht auf die nacharistarchische Periode oder auf das Werk des → Apollodoros [7] von Athen eingegrenzt werden. Aber das Interesse der Alexandriner war nicht logischer oder philos. Art, sondern linguistisch-formal (es richtete sich wie in Aristot. poet. 20 auf das Wort); spezielle Aufmerksamkeit galt den morphologischen Regelmäßigkeiten und der Wortbildung (→ Analogie). Zweifellos wurden hier die Fundamente für die Entwicklung einer kohärenten normativen Gramm. gelegt. Die theoretischen Grundlagen lieferten → Aristophanes [4] von Byzanz und → Aristarchos [4] von Samothrake, doch ist die Frage, wann das konkrete normative System geschaffen wurde, noch offen. Den einen zufolge erreichte Aristarchos das Bewußtsein für morphologische Regelmäßigkeiten, nicht aber für ein System von Regeln; in den überlieferten Fragmenten finden sich verschiedene grammatikalische Elemente, die stets der Exegese dienen, ohne daß jedoch hieraus ein Bestreben nach Systematisierung deutlich würde. Anderen zufolge ist die erste normative Gramm. von Aristophanes' unmittelbaren Nachfolgern auf dessen Grundlagen und denen anderer Lehrer verfaßt worden. Die Lösung dieser Frage hängt an der Annahme der Authentizität der Τέχνη γραμματική (›Grammatik‹), die → Dionysios [17] Thrax (ca. 170–90 v. Chr.), einem direkten Schüler des Aristarchos, zugeschrieben wird und von der nur die ersten vier Kapitel mit Sicherheit authentisch sind. Wer dieses Werk für unecht hält, beruft sich darauf, daß in der Folgezeit (von Dionysios von Halikarnassos bis Sextos Empeirikos) Dionysios Thrax weniger maßgebend als z. B. → Asklepiades [8] von Myrleia oder Tryphon war (Dionysios' Einteilung der Rede in acht Teile wurde z. B. nicht rezipiert) und setzt daher die ersten Grammatiken im 1. Jh. v. Chr. mit Tyrannion, Philoxenos und Tryphon an.

Die Tradition der grammatischen Studien mündet im 2. Jh. n. Chr. in das Werk des → Apollonios [11] Dyskolos und seines Sohnes → Herodianos: ersterer beschäftigte sich in einzelnen Schriften mit allen Aspekten der Gramm. und den verschiedenen dialektalen Eigenheiten und verfaßte den ersten systematischen Traktat über die → Syntax. Dieser Teil der Gramm. war bisher vernachlässigt oder nur unter einem philos.-logischen bzw. rhet. Blickwinkel untersucht worden und blieb auch danach lange im Hintergrund. Herodianos hingegen unternahm den beeindruckenden Versuch einer Systematisierung des gesamten vorhandenen Materials. Von seinem Hauptwerk, der *Katholikḗ prosōdia*, sind nur Exzerpte und Überarbeitungen durch spätere Autoren erhalten, unter denen das Werk des Ps.-Arkadios hervorsticht. Die Gramm. wird auf diese Weise schließlich zu einer selbständigen Disziplin, auch wenn die Beziehung zu den klass. Texten und deren Auslegung eng blieb. Gleichzeitig wird die Frage nach dem guten Griech. (ἑλληνισμός, *hellēnismós*) immer wichtiger, das mittels sicherer Kriterien bestimmt und vor möglichen Zerfallserscheinungen bewahrt werden sollte. Hauptkriterium war die Analogie, daneben die Etym. und der Gebrauch bei den att. Autoren. Hieraus erklärt sich die kulturelle Notwendigkeit einer Serie von immer strengeren Regeln (vgl. die starren Richtlinien des Phrynichos im 2. Jh. n. Chr.).

Die nachfolgenden Grammatiker rezipierten die → Dionysios [17] Thrax zugeschriebene ›Grammatik‹ und Herodianos' Werk und kommentierten sie. Unter ihnen seien bes. Theodosios von Alexandria (4. Jh. n. Chr.), Choiroboskos von Konstantinopel (6.–7. Jh.), Autor u. a. auch eines Komm. zum Werk des Theodosios, und Theognostos (9. Jh.) hervorgehoben, der mehr als 1000 orthographische Regeln (κανόνες) zusammenstellte. Andere wichtige Formen gramm. Werke sind die → Epimerismi, gramm. Komm. zu einzelnen Werken (v. a. Homers), die urspr. dem Text Wort für Wort folgten, aber deren Materialien auch alphabetisch angeordnet werden konnten, sowie die → Etymologika, die nach der Renaissance durch Photios im 9. Jh. an Bedeutung gewannen.

ED.: Grammatici Graeci, I/1–2, Dionysii Thracis Ars Grammatica, ed. G. UHLIG · Ebd. I/3: Scholia in Dionysii Thracis Artem Grammaticam, ed. A. HILGARD, 1883–1901 · Ebd. II/1–3: Apollonii Dyscoli quae supersunt, ed. R. SCHNEIDER, G. UHLIG, 1878–1910; III/1–, Herodiani Technici Reliquiae, ed. A. LENTZ, 1867–1870 · Ebd. IV/1–2: Theodosii Alexandrini Canones. Georgii Choerobosci Scholia. Sophronii Patriarchae Alexandrini Excerpta, ed. A. HILGARD, 1889–1894.
LIT.: H. STEINTHAL, Gesch. der Sprachwiss. bei den Griechen und Römern mit besonderer Rücksicht auf die Logik, 2 Bde., ²1890–1891 (Ndr. 1961) · V. DI BENEDETTO, in: ASNP 27, 1958, 169–210 · ASNP 28, 1959, 87–118 · R. PFEIFFER, History of Classical Scholarship, 1968 · E. SIEBENBORN, Die Lehre von der Sprachrichtigkeit und ihren Kriterien, 1976 · I. SLUITER, Ancient Grammar in Context, 1990 · F. MONTANARI, L'erudizione, la filologia e la grammatica, in: G. CAMBIANO (Hrsg.), Lo Spazio letterario nella Grecia antica I/2, 1993, 235–281 · D. M. SCHENKEVELD, Scholarship and Grammar, in: Entretiens XL, 1993, 263–306.   R. T./Ü: K. SCH.

III. ROM

Im Rahmen röm. → Philologie stellt eine Beschäftigung mit gramm. Stoffen im engeren Sinne, insbes. Flexionsmorphologie und Syntax, nur einen Themenstrang dar; die philologische Tätigkeit des *grammaticus* umfaßt darüber hinaus die Ed. und Kommentie-

rung (→ Kommentar) von »Klassikern«, metrische Theoriebildung (→ Metrik) und Stiltheorie (häufig Werke des Typs De latinitate; → Rhetorik, → Figuren, → Stilfiguren). Die theoretische Arbeit konzentrierte sich auf die Wortebene und findet ihren Niederschlag in Form von orthographischen Abh. (De orthographia), Glossaren (→ Glossographie) und (oft sprachgesch.-etym. interessierten) Lexika oder Synonymenlisten (→ Lexikographie, → Verrius Flaccus; → Differentiarum scriptores).

Gramm. Arbeiten im engeren Sinne sind für den lat. Bereich erst mit den nur teilweise erh. Büchern De lingua latina → Varros aus der Mitte des 1. Jh. v. Chr. bezeugt. Der hier reflektierte Streit zw. Analogisten (z. B. → Caesar) und Anomalisten stellt sich in der Folge als Dominanz der anomalistischen Position (s. → Anomalie) dar. Eine eigentliche *Ars grammatica* (als hdb.-artige Darstellung der lat. Gramm. mit zumeist nur geringem Anteil der Syntax) ist erst mit der *Ars* des → Remmius Palaemon am Ende des 1. Jh. n. Chr. gesichert. Von hier läßt sich eine große Linie bis zu der in der Überl. und Nutzung in *Ars minor* und *Ars maior* aufgespaltenen Gramm. des Aelius → Donatus [3] (Rom, Mitte 4. Jh.) ziehen, die breiteste Wirkung ins MA hinein entfaltete. Die Werke dieser Linie (von einbändigen Schulgramm. bis hin zu vielbändigen Darstellungen, in ihrer Grundanlage auf → Dionysios [17] Thrax zurückgehend) zeichnen sich nicht durch Originalität aus; pragmatische Kombinationen von Teilen verschiedener Werke, Inkorporationen älterer Darstellungen, Fehl- und Neuzuweisungen der Autoren sowie Verballhornungen von Autorennamen prägen den Umgang mit dem Texttyp. Diese Hauptlinie führt von Remmius über Q. → Terentius Scaurus und Exzerpte seiner Gramm. sowie Marius Plotius → Sacerdos zu den *Artes* des für ein griech. Publikum (in Byzanz) schreibenden → Cominianus in der 1. H., zu Flavius Sosipater → Charisius [3] und → Diomedes [4] in der 2. H. des 4. Jh. n. Chr. Das Werk des Diomedes ist auch im MA noch weithin bekannt, während die *Ars* des Charisius v. a. unter dem Namen des Cominianus kursiert; regelrecht zweisprachig angelegt war die Gramm. des → Dositheus (Ende 4. Jh.). Ihren Abschluß findet diese östl. Linie in der 18 B. umfassenden *Institutio grammatica* des → Priscianus, der umfassendsten erh. und durch das MA hindurch präsenten Abh. lat. Gramm. Weitere bekannte Gramm. sind für den westl. Bereich im 3. Jh. die des C. → Iulius Romanus (*Aphormaí sive De analogia*; in Rezeption u. a. des L. → Caesellius Vindex und → Flavius [II 13] Caper), die *Ars grammatica* des → Censorinus [4] und in einer neu einsetzenden Phase gramm. Arbeit Anfang des 4. Jh. Palladius (Ps.-Probus). Donatus, der dann selbst zum Gegenstand von Kommentaren wird, bildet hier den Schlußpunkt.

→ GRAMMATIK

ED.: GRF (und add.) · GL.
FORSCH.-BER.: A. DELLA CASA, Rassegna di studi sui grammatici latini (1934–1984), in: Bollettino di Studi Latini 15, 1985, 85–113.

LIT.: K. BARWICK, Remmius Palaemon und die röm. Ars grammatica, 1922 • L. HOLTZ, Donat et la tradition de l'enseignement grammatical, 1981 • R. A. KASTER, Guardians of Language, 1988 • P. L. SCHMIDT, in: HLL, § 432–446; 520–527 (Bibliogr.). J. R.

Grammatistes s. Grammaticus; Erziehung

Gramme (γραμμή). Bestandteil der Start- und Zieleinrichtung im griech. Stadion (→ balbís), der die in Stein gemeißelte, im Boden versenkte und meist aus zwei parallelen Linien bestehende Start- bzw. Zielmarkierung bezeichnet. Erh. Exemplare sind u. a. aus Olympia, Delphi, Epidauros und Priene bekannt.

W. ZSCHIETZSCHMANN, Wettkampf- und Übungsstätten in Griechenland I. Das Stadion, 1960, 35–39 • O. BRONEER, Isthmia II, 1973, 137–142 • P. ROOS, Wiederverwendete Startblöcke vom Stadion in Ephesos, in: JÖAI 52, 1979/80, 109–113. C. HÖ.

Granarium s. Horrea

Granatapfel, Granatapfelbaum. Die Art Punica granatum L. (ῥόα, σίδη, malum punicum oder granatum, ihre κύτινος genannten Blüten finden sich als Lehnwort bei Plin. nat. 23,110ff. mit sonderbarer Heilwirkung) wächst im Vorderen Orient von Kurdistan bis Afghanistan wild. In Ägypten ist sie mindestens seit der 16. Dynastie (um 1600 v. Chr.) und in Südeuropa seit der Jungsteinzeit wahrscheinlich durch die Phoiniker eingebürgert. Dafür spricht, daß der G. als Fruchtbarkeitssymbol (aufgrund der vielen Samen im saftigen Fruchtfleisch) Attribut der → Astarte war. Aber auch in der Mysterienmythologie der → Demeter spielte er eine Rolle: → Persephone verfiel durch den Genuß eines G. dem Hades [1. 51]. Auch mit den Göttinnen Hera, Aphrodite und Athena war er verbunden. Aus dem Blut des → Agdistis erwuchs nach Arnob. 5,6 u. a. der G.-Baum. Die Mutter des → Attis wurde durch die Berührung mit ihm schwanger. Auf die Gräber des Menoikeus und Eteokles wurde ein G.-Baum gepflanzt. Als Tochter des Staphylos (zu σταφυλή, »Weintraube«) war nach Diod. 5,62 Rhoio die Geliebte des Apollon. Bestimmte Nymphen wohnten als Rhoiaí auf ihnen.

Die Kultur des Fruchtbaumes und seiner verschiedenen Sorten beschreiben eingehend Theophrast (h. plant. 2,2,9–10 u.ö.), Plinius (nat. 13,112–113; 15,39; 17,65–67 u.ö) sowie Columella (5,10,15f. u.ö.). Dioskurides (1,110–111, WELLMANN I. 103–105 = 1,151–154, BERENDES 131f.) lobt die Bekömmlichkeit und verordnet verschiedene Pflanzenteile u.a. bei Krankheiten des Magens und des Darms. Die adstringierend wirkenden Blüten des wilden G.-Baumes wurden in Apotheken als flores balaustiorum zum Gurgeln empfohlen [2. 125].

→ Obstsorten

1 H. BAUMANN, Die griech. Pflanzenwelt, 1982
2 J. BILLERBECK, Flora classica 1824, Ndr. 1972. C. HÜ.

Grand. Fernab bed. Verkehrsverbindungen auf siedlungsfeindlichem Hochplateau zw. Marne und Maas (Dep. Vosges), verdankt G. seine Existenz einem Waldheiligtum der Leuci von überregionaler Bed. Nach der röm. Eroberung gab der im Apollo-Kult aufgehende Heilgott → Grannus (Claudius Marius Victor, Alethia 3,204–209) wohl dem neuen vicus seinen Namen (AE 1937, 55). Orthogonal angelegt, war G. von einem kreisförmigen pomerium (»sakrale Stadtgrenze«, h. voie close, umgeben; darin ein von einer unregelmäßigen sechseckigen Umfassungsmauer umgrenzter Bezirk von 18 ha; evtl. am → cardo maximus eine große, dem Apollo-Kult geweihte Tempelanlage (CIL XIII 5933; 5942; AE 1937, 55); Frg. einer kaiserlichen Kolossalstatue (CIL XIII 5940); außerdem wurden Fortuna, Iuppiter, Mars und Mercurius verehrt (CIL XIII 5934–5939). Auf der gegenüberliegenden Seite befindet sich eine Basilika mit Mosaik aus severischer Zeit; auf der Verlängerung des → decumanus maximus liegt ein Amphitheater extra muros; zwei Thermenanlagen. Möglicherweise war es der Apollo Grannus von G., bei dem Kaiser Caracalla um Rat nachsuchte (Cass. Dio 78,15,5f.). Constantinus d. Gr. besuchte G. wohl im J. 309, wo er eine prophetische Vision hatte (Paneg. Constantini 7,21,3f.). Anf. 4. Jh. löste G. Tullum als civitas-Hauptort ab [1]; im MA lebte die Kultstätte als Wallfahrtsort der Hl. Libara fort. Von bes. Interesse sind die in G. gefundenen Tierkreiszeichentafeln [2] sowie das mit modernen geophysikalischen Methoden erforschte Netz künstlicher unterirdischer Wasserkanäle [3].

1 R. BILLARD, Découvertes de deux bornes milliaires à Soulosse, in: Revue archéologique de l'Est 20, 1969, 223f.
2 J.-H. ABRY, A. BUISSON (Hrsg.), Les tablettes astrologiques de G. (Vosges) et l'astrologie en Gaule romaine (Collection du Centre d'Études Romaines et Gallo-Romaines 12), 1993
3 J.-P. BERTAUX, P. DELÉTIE, Y. LEMOINE (Hrsg.), De la truelle . . . au radar, in: Blesa 1, 1993, 235–246.

E. FRÉZOULS, Les villes antiques de la France, I. Belgique 1, 1982, 177–234 • G., Dossier d'archéologie Paris 162, 1991 (Sonderheft); bes. 1–83. F. SCH.

Granikos (Γράνικος). Fluß in Kleinasien, der im Ida-Gebirge (Kaz Dağları) entspringt und die Troas entlang der mysischen Grenze durchfließt. Nördl. von Biga (wo der Fluß h. Biga Çayı heißt) mündet er in die Propontis. Er ist berühmt durch die Schlacht, die Alexander d. Gr. hier gegen den pers. Satrapen Memnon im Sommer 334 v. Chr. gewann. Der Schlachtort wird h. nicht weit von Biga nahe der Straße von Zeleia nach Lampsakos gesucht.

1 L. BÜRCHNER, s. v. G. 3), RE 7, 1814f. E. SCH.

Granit. Dieses weitverbreitete Urgestein aus dem Erdinnern erhielt seinen Namen erst in der Moderne durch die Ableitung von ital. »granito« (von lat. granum, »Korn«). Die Griechen bildeten ihre Bezeichnung lithotomíai Thēbaikón nach der Herkunft aus Steinbrüchen im ägypt. Theben (Theophr. lap. 6 [1. 58]; nach Plin.

nat. 36,63 für die Herstellung von kleinen Handmörsern, *coticulae*, geeignet). Nach Hdt. 2,127 besteht die unterste Schicht der Chefren-Pyramide aus G. Damit konkurrierten wegen der Buntheit des G. πυρροποίκιλος (*pyrrhopoecilos*, Plin. nat. 36,63), συηνίτης (Plin. nat. 36,63; Stat. silv. 4,2,27) oder ψάρανος. Die Benennung als *lapis claudianus* läßt vermuten, daß die Römer mit dem Abbau und der Verwendung unter Claudius begannen. Man fand signierte G.-Blöcke aus der Zeit des Septimius Severus (2./3. Jh. n. Chr.).

→ Steine

1 Theophrastus de lapidibus, ed. D. E. EICHHOLZ, 1965.

C. HÜ.

Granius Name einer lat. Familie, die zur Oberschicht in Puteoli gehörte (SCHULZE 480).

I. REPUBLIKANISCHE ZEIT

[I 1] Geriet als Duumvir von Puteoli 78 v. Chr. mit Cornelius [I 90] → Sulla in eine Auseinandersetzung, die diesen so erregte, daß er starb (Val. Max. 9,3,8; Plut. Sulla 37,3).

[I 2] G., Q. Öffentlicher Ausrufer und Auktionator (*praeco*) in spätrepublikanischer Zeit (Cicero will ihn noch gekannt haben, Brut. 172), über dessen Witz und Schlagfertigkeit (Cic. de orat. 2,244; 281ff.; Att. 6,3,7; Planc. 33) viele Anekdoten umliefen, so im Zusammenhang mit P. Cornelius [I 85] Scipio Nasica (*cos.* 111) und dem Volkstribunen von 91 M. Livius Drusus. Er war gut befreundet mit dem Redner L. Licinius Crassus (Cic. de orat. 2,254; Brut. 160). Lucilius (B. 20) schildert ein Gastmahl bei ihm (Cic. Brut. 160).

K.-L. E.

[I 3] G. Flaccus. Verf. eines Komm. mit dem Titel *De iure Papiriano ad Caesarem* zu einer Slg. pontifikaler Kultsatzungen (die sog. *leges regiae*; Dig. 50,14,142). Dieser Komm., von dem nur noch der Titel bekannt ist, wurde v. a. von Schriftstellern der Kaiserzeit als Slg. der o. g. pontifikalen Kultsatzungen benutzt [1. 308f., 533]. Aufgrund der Vermutung, G. habe eine Schrift über die → *indigitamenta* (Sakralbücher der Pontifices) C. Iulius → Caesar gewidmet, wird das 1. Jh. v. Chr. als Lebenszeit angenommen [2. 73; 3. 625]. Auch diese Schrift, die bei Cens. 3,2 erwähnt wird, ist nicht erhalten. Die Autorschaft des G. an weiteren Schriften rel. Inhalts ist umstritten, da jeweils nur der Name Flaccus oder G. überliefert ist, es sich also auch um eine/mehrere andere Person(en) gehandelt haben könnte (Frg. bei [4]).

1 WIEACKER, RRG 2 G. WISSOWA, Rel. und Kultus der Römer, ²1912 3 SCHANZ/HOSIUS 4 P. HUSCHKE, Iurisprudentiae anteiustinianae reliquae, 1908, 53 ff. C. F.

II. KAISERZEIT

[II 1] Q. G. Caelestinus. Senator aus Leptis Magna (Inscriptions of Roman Tripolitania 532). Gehört zu der Familie der Granii, von der Apuleius spricht.

M. CORBIER, in: EOS II 722. W. E.

[II 2] G. Licinianus. Der Historiker wohl des 2. Jh. n. Chr. (vgl. G. L. 28,11) war bis 1853 nur aus Erwähnungen bei Solinus (2,12), Macrobius (Sat. 1,16,30) und Servius (Aen. 1,737) bekannt, als in London (British Library Add. 17212; CLA 22, 167, s. V) zwölf Palimpsestblätter eines Kompendiums der röm. Geschichte mit Resten der B. 26, 28, 33, 35 (Konflikt zwischen dem jungen Cn. Pompeius und Cinna in den 80er Jahren) und 36 entdeckt wurden (dazu [2. 156ff.]), die Ereignisse der Jahre 177–163 v. Chr. behandeln und eine »annalistische« Struktur erkennen lassen; Livius dient jedenfalls als Basis [2. 173ff.]. Das Werk dürfte also auch mit der Gründung Roms begonnen haben, die wichtige Frage nach dem Endpunkt scheint unlösbar. Die Darstellung (vgl. [1]) ist trocken und zeigt eine Vorliebe für Anekdoten, während Sallusts Exkurse als rhet. getadelt werden (36,30–32); zur senatorischen Optik vgl. [3]. – Nur Servius (s. o.) bezieht sich sicher auf ein weiteres antiquarisches Werk *Cena sua*, das erkennbar in der Nachfolge der *Noctes Atticae* des Gellius steht.

1 P. STEINMETZ, Unters. zur röm. Lit. des 2. Jh. n. Chr., 1982, 139–145 2 N. CRINITI, Granio Liciniano, in: ANRW II 34.1, 184–197 3 M. HOSE, Erneuerung der Vergangenheit, 1994, 454–462 4 K. SALLMANN, in: HLL 4, § 463.

ED.: N. CRINITI, 1981 (Bibliogr. XVII-XXII) · B. SCARDIGLI, A. R. BERARDI, 1983 (Übers. und Komm.; Bibl. 149–170). P. L. S.

[II 3] M. G. Marcellus. Senator aus Allifae (AE 1990, 222). Praetorischer Proconsul von Pontus-Bithynien am Ende der Herrschaft des Augustus (14/5 n. Chr. ist unwahrscheinlich). 15 wird er von seinem Quaestor im Senat wegen *maiestas* angeklagt, aber freigesprochen. Eine Klage wegen Erpressung ging an ein Sondergericht. Er hatte Grundbesitz bei Tifernum Tiberinum, wo er in den J. 2 v., 5 n. und 15 n. Chr. Ziegel herstellen ließ. Später ging der Besitz in die Hände Plinius' d. J. über. PIR² G 211.

[II 4] G. Marcianus. Verwandt mit G. [II 2], vielleicht sein Sohn. Proconsul der Baetica unter Tiberius ca. 22 n. Chr. (AE 1990, 222). Im J. 35 wegen *maiestas* angeklagt, tötete er sich selbst. PIR² G 212. W. E.

Grannus. Durch → *interpretatio Romana* dem → Apollon gleichgesetzter kelt. Gott, den Caesar in seiner Funktion als Heilgott an zweiter Stelle in der Reihe der von den Galliern am meisten verehrten Götter nennt (Caes. Gall. 6,1 f.). Diese Zuweisung gründet in der speziell röm. Auffassung des griech. Apollon als seuchenabwendenden Heilgottes Apollo Medicus. Daß es sich bei G., dessen Name bis auf eine Ausnahme (CIL XIII 8007) immer als Epitheton zu Apollo erscheint, dennoch um den kelt. Heilgott handelt, legt die überregionale Verbreitung seiner inschr. Weihungen in der Kaiserzeit nahe (14 in Raetien, den beiden Germanien und in der Belgica, je eine in Rom und in Britannien). Zu den Dedikanten und Verehrern zählen einige hochrangige Beamte und Militärs, ja sogar der Kaiser Caracalla

(Cass. Dio 78,15,6). Heiligtümer des Apollo G. sind durch die Inschr. aus Großbottwar, in Hochscheid und in der Nähe von Faimingen belegt, in Aachen und → Grand vermutet. Apollo G. wird zusammen mit den Nymphen, Sancta Hygia, bes. aber mit der kelt. Sirona genannt und dargestellt. Vermutlich meinen also auch die Dedikationen an den beinamenlosen Apollo und Sirona den kelt. G., zumal wenn diese, wie die o. genannten Weihungen für G., sich im Bereich von Quellen, Quellheiligtümern, Kurorten u. ä. fanden. Die Darstellungen zeigen Apollo G. nach griech.-röm. Vorbild mit den klass. Attributen (Kithara, Greif, Dreifuß, Omphalos), doch tritt auf dem Relief aus dem Altbachtal in Trier durch den Wasserkrug der einheimische Gott hervor.

G. BAUCHHENSS, s. v. Apollo G., LIMC 2.1, 458 f. • M. IHM, s. v. G., RE 7, 1823 ff. • K. GOETHERT, Zwei Rel. treffen aufeinander: Die galloröm. Götterwelt, in: H.-P. KUHNEN, Religio Romana 1996, 166–178 • H. NESSELHAUF, H. v. PETRIKOVITS, Ein Weihaltar für Apollo aus Aachen-Burtscheid, in: BJ 167, 1967, 268 ff. • G. WEBER, Zur Verehrung des Apollo G. in Faimingen, zu Phoebiana und Caracalla, in: J. EINGARTNER, P. ESCHBAUMER, G. WEBER, Faimingen-Phoebiana I, 1993, 122 ff. • G. WEISGERBER, Das Pilgerheiligtum des Apollo und der Sirona von Hochscheid im Hunsrück, 1975.   M. E.

Graphe (γραφή).

[1] Wörtlich »Schrift«, hatte *g.* im Prozeßrecht der griech. Poleis allg. die Bedeutung »Klageschrift« (Demosth. or. 45; 46; vgl. auch IPArk 17; 114/5; 178 aus Stymphalos und SEG 27, 545, 27 und 33 aus Samos). Speziell in Athen wurde *g.* im eigentlichen Sinne von »Schriftklage« gebraucht, die jeder unbescholtene Bürger (ὁ βουλόμενος, »jeder, der will«) gegen Personen erheben konnte, welche bestimmte öffentliche Interessen verletzten, während der privat in seinen Rechten Verletzte sich mit → *díkē* [2] wehren konnte. Diese Unterscheidung läuft nicht mit der modernen zw. »öffentlichem« bzw. »Strafrecht« und »Privatrecht« parallel: Nur die nächsten Verwandten durften z. B. die (private) Klage wegen Mordes erheben, der Bestohlene hatte lediglich die (private) Diebstahlsklage; wegen Unterschlagung öffentlicher Gelder gab es die entsprechende *g.* (→ *klopé*). Durch *g.* geschützt waren auch hilfsbedürftige Personen gegen Übergriffe naher Angehöriger (Eltern, Waisen, Erbtöchter, → *kákōsis*). Neben der *g.* gab es in Athen in Sonderfällen noch weitere Verfahren gegen öffentliche Straftäter (→ *eisangelía*, → *phásis*, → *éndeixis* und → *apagōgé*). Das öffentliche Strafrecht in den griech. Poleis beruhte grundsätzlich auf dem Einschreiten von Privatpersonen für den Staat, auf »Popularklagen«: nur selten waren die allg. Amtsträger dazu verpflichtet. Eigene staatsanwaltliche Anklagebehörden gab es nicht.

[2] In den Papyri Ägyptens bedeutet *g.* schlicht »Liste«, z. B. von Priestern oder Ämtern.

E. GERNER, Zur Unterscheidbarkeit von Zivil- und Straftatbeständen im att. Recht, 1934 • A. R. W.

HARRISON, The Law of Athens II, 1971, 76–78 • H.-A. RUPPRECHT, Einführung in die Papyruskunde, 1994, 62, 88.   G. T.

Grapheion, Graphis, Graphium s. Griffel

Graptus s. Ti. → Iulius Graptus

Graßmannsches Gesetz,

auch Hauch- (Aspiraten-) Dissimilationsgesetz. Von dem Mathematiker und Sprachforscher HERMANN GRASSMANN (1809–1877) 1862 entdeckter Lautwandel: Von zwei in aufeinanderfolgenden Silben des gleichen Wortes erscheinenden aspirierten Okklusiven verliert der erste seine Aspiration. Diese Deaspiration ist als eine regressiv wirkende Dissim. aufzufassen. Das G. G. gilt für das Altind. und – histor. unabhängig davon – das nachmyk. Griechisch.

Dementsprechend werden im Griech. silbenanlautende /pʰ, tʰ, kʰ/ φ, θ, χ durch /p, t, k/ π, τ, κ ersetzt, wenn im gleichen Wort die nachfolgende Silbe mit /pʰ, tʰ, kʰ/ φ, θ, χ anlautet: πέφευγα < *φέφευγα, τίθημι < *θίθημι, ἐκεχειρία < *ἐχεχειρία. Gleichermaßen geht wortanlautendes /h/ (Spiritus asper; meist < */s/) verloren: ἔχω < *ἔχω (< *σέχω).

Paradigmatischer Wechsel von aspiriertem und nichtaspiriertem Okklusiv ist teils bewahrt: τριχός usw. gegenüber θρίξ, θριξί, teils durch Systemzwang verändert: πείσ-θη-τι mit progressiver Dissim. statt *πείστηθι wegen ἐπείσ-θη-ν usw., oder ganz aufgehoben: πείσω statt *φείσω < *φείθσω wegen πείθω usw.

H. GRASSMANN, Ueber die aspiraten und ihr gleichzeitiges vorhandensein im an- und auslaute der wurzeln ..., in: ZVS 12, 1863, 81–138 • N. E. COLLINGE, The Laws of Indo-European, 1985, 47–61 • W. COWGILL, M. MAYRHOFER, Idg. Gramm. I, 1986, 112–115 • RIX, HGG, 97 (§ 107) • R. PLATH, Hauchdissimilation im Myk.?, in: Münchener Stud. zur Sprachwiss. 48, 1987, 187–193.   C. H.

Gratiae s. Charites

Gratianus

[1] Vater der Kaiser → Valens und → Valentinianus. Geb. bei Cibalae. Ein Mann niedriger Herkunft, der als Militär aufstieg: Zwischen 305 und 316 n. Chr. war er *protector domesticus* in Salona, etwa 321 *tribunus* in Illyricum, später *comes* in Africa und in Britannien. 350/1 bewirtete er als Privatmann den Usurpator → Magnentius und mußte mit Vermögensentzug büßen. Seine Söhne sorgten für ein ehrenvolles Angedenken. PLRE I, 400 f.

[2] **Flavius G.** Röm. Kaiser im Westen 367–383 n. Chr., Enkel von G. [1]. Geb. 359 in Sirmium als Sohn des → Valentinianus I. und der → Marina. 374 mit → Constantia [3], der Tochter des → Constantius [2] II., verheiratet, nach deren Tod seit 383 mit → Laeta; ein Sohn aus erster Ehe verstarb vor seinem Vater. Bereits 366 war G. erstmals Consul (spätere Consulate 371, 374, 377, 380). Am 24.8.367 wurde er zum Augustus erho-

ben. Sorgfältig ausgebildet, u. a. durch → Ausonius, übte er seit 375 (Tod des Vaters) selbständig die Herrschaft im Westen aus (im Osten herrscht → Valens); der von den Soldaten ausgerufene → Valentinianus II. blieb faktisch ohne eigene Gewalt. Sehr unabhängig agierte der *magister militum* → Merobaudes. Im Umfeld des Kaisers war Ausonius als *quaestor sacri palatii* einflußreich, der seiner Verwandtschaft hohe Ämter verschaffte. G. entschärfte durch mehrere Maßnahmen die unter Valentinianus I. entstandenen Konflikte, vor allem die Spannungen mit dem Senat: Amnestie, Erlaß von Steuerschulden, Rückgabe von konfisziertem Vermögen; der besonders verhaßte → Maximinus schied aus dem Amt und wurde schließlich hingerichtet.

Wichtigste Residenz war zunächst Trier, von wo aus G. mehrfach und insgesamt erfolgreich gegen Alamannen kämpfte; umstritten ist, ob G. 376 Rom besuchte (bestritten von [1. 88]). 378 begab er sich angesichts der Gotengefahr nach Sirmium, konnte aber nicht rechtzeitig eingreifen, um Valens zu helfen. Nach dessen Tod in der Schlacht von Adrianopel suchte G. den → Theodosius, den er nach ersten Erfolgen am 19.1.379 zum Kaiser erhob (zu den Hintergründen: [2]), für sich zu verwenden, doch verselbständigte sich dieser zunehmend. Seit 379 hielt er sich häufig in Mailand auf, wo der Bischof → Ambrosius seinen Einfluß geltend machte, der allerdings nicht überschätzt werden sollte [1. 79 ff.]. 383 kam es zu einer Hungersnot, gleichzeitig erfolgte ein Einfall von Germanen. Auf dem Marsch zu deren Abwehr erfuhr G. von der Usurpation des → Maximus in Britannien. Als er gegen ihn ziehen wollte, desertierte ein großer Teil der Soldaten, sobald sich die Heere bei Paris gegenüberstanden. G. wagte keine Schlacht und wurde auf der Flucht am 25.8.383 durch eine List ermordet. Die Loyalität des Theodosius bei diesen Ereignissen ist zweifelhaft.

G. wurde christl. erzogen, war persönlich fromm, blieb aber ungetauft. An dogmatischen Fragen scheint er interessiert gewesen zu sein; er verlangte von Ambrosius eine dogmatische Schrift (*De fide*, auch *De spiritu sancto* ist dem Kaiser gewidmet; dazu [3]). Zunächst setzte er die duldsame Politik des Valentinianus I. fort, förderte aber zunehmend die nicaenische Orthodoxie, die sich bei dem Konzil von Aquileia 381 durchsetzte. Hart bekämpfte G. indessen nur → Donatisten, Priscillianisten (→ Priscillanus) und Manichäer (→ Mani); gegenüber den Homöern war er weitaus weniger streng als Theodosius. Die Macht des Bischofs von Rom bei der kirchlichen Gerichtsbarkeit wurde gestärkt.

Die Politik gegenüber Nichtchristen wurde wie unter Theodosius schärfer: Wohl eher 382 als 379 weigerte G. sich, als *pontifex maximus* aufzutreten (zum problematischen Beleg bei Zos. 4,36,5 siehe [4]). 382 stellte er die Zuwendungen für die traditionellen Kulte in Rom ein, widerrief deren Privilegien und ließ den Altar der Victoria aus der Curia entfernen. Eine Gesandtschaft, die dagegen protestieren wollte, gelangte nicht einmal zu ihm. Damit wurde zwischen Kaisertum und traditioneller Religion ein Strich gezogen.

Mehrere Panegyriken auf G. sind erhalten (Symm. or. 3; Them. or. 13; Auson. Gratiani acta). Zeitgenössische Autoren beschreiben ihn als talentiert, aber nicht durchsetzungsfähig ([Aur. Vict.] epit. Caes. 47,4–6) bzw. nicht ausgereift (Amm. 27,6,15; 31,10,18). Die spätere christl. Tradition zeichnet ihn als einen streng orthodoxen Herrscher (Rufin. Historia Ecclesiastica 11,13), allerdings spielt er in der Kirchengeschichtsschreibung keine große Rolle [5. 103].

1 N. McLynn, Ambrose of Milan, 1994 2 R. M. Errington, The Accession of Theodosius I, in: Klio 78, 1996, 438–453 3 C. Markschies, Ambrosius von Mailand und die Trinitätstheologie, 1995, 165 ff. 4 A. Cameron, Gratian's Repudiation of the Pontifical Robe, in: JRS 58, 1968, 96–102 5 H. Leppin, Von Constantin dem Großen zu Theodosius II., 1996 •
PLRE 1,401 f. (G. 2) • M. Fortina, L'imperatore Graziano, 1953 • G. Gottlieb, s. v. G., RAC 12, 718–732.   H.L.

Gratidia

[1] Schwester des M. Gratidius [2], verheiratet mit M. Tullius Cicero, dem Großvater des Redners (Cic. leg. 3,36).
[2] Wahrer Name der von Horaz mehrfach genannten Zauberin → Canidia.   K.-L.E.

Gratidianus. M. → Marius G. (Praetor 85/4 v. Chr.).

Gratidius. Name einer aus Arpinum stammenden röm. Familie (inschr. auch *Grattidius*) in Weiterbildung des Namens *Grattius* (Schulze 427).
[1] 88 v. Chr. sollte G. im Auftrag des C. Marius die Armee des Consuls Cornelius [I 90] Sulla übernehmen und wurde deshalb von dessen Soldaten (als erstes Opfer des Bürgerkrieges) ermordet (Val. Max. 9,7b,1; Oros. 5,19,4).
[2] G., M. Verwandter Ciceros, fiel 102 v. Chr. als *praefectus* des M. Antonius [I 7] im Kampf gegen die Seeräuber in Kilikien. Bei dem Versuch, in Arpinum nach röm. Vorbild die geheime Abstimmung bei Wahlen einzuführen, opponierte sein Schwager M. Tullius Cicero, der Großvater des Redners (Cic. leg. 3,36). Er verklagte erfolglos C. Flavius [I 5] Fimbria wegen Erpressung (Cic. Font. 24; 26; Brut. 168). Sein Sohn (*praet.* 85/4) wurde von einem Bruder des C. Marius adoptiert und von → Catilina während der sullanischen Proskiptionen getötet.   K.-L.E.

Gratus

[1] Proröm. gesinnter Befehlshaber der Fußtruppen Herodes d. Gr. (Ios. bell. Iud. 2,3,4; 4,2,3; 5,2; ant. Iud. 17,10,3; 17,10,6 f.; 17,10,9).
[2] **Valerius G.** 15–26 n. Chr., unter Kaiser Tiberius als Nachfolger des Annius Rufus Landpfleger (*procurator*) von Judaea (Ios. ant. Iud. 18,2,2; 18,6,5). Ihm folgte Pontius Pilatus ins Amt.

PIR², 123, Nr. 146 (G. 1); 3, 357, Nr. 58.   J.RI.

Graviscae. Hafenstadt an der etr. Küste südl. der Marta-Mündung, durch Stichstraße mit der *via Aurelia* verbunden, h. Porto Clementino (Gemeinde Tarquinia). Warenumschlagplatz für Tarquinii, malariagefährdet (Cato orig. 2,46). 181 v. Chr. *colonia* röm. Bürger, *tribus Stellatina*, deren Gebiet in Parzellen von fünf *iugera* eingeteilt wurde. Später *colonia Augusta, regio VII.* Weinproduktion und Vertrieb von roten Korallen (Plin. nat. 14,67; 32,21). 408 n. Chr. zerstört (Rut. Nam. 1,281; vgl. Mz.-Schatzfund mit 174 *solidi*). 504 n. Chr. Diözese.

Grabungen seit 1969: große etr. Siedlung (seit E. 7. Jh.), griech.-etr. Handelsplatz (580–480 v. Chr.) mit kleinem Heiligtum und zahlreichen Weihegaben für Hera-Uni, für Aphrodite-Turan, Apollo und Demeter; Steinanker mit Weihinschr. für Apollo aus Aigina von einem bei Herodot (4,152) erwähnten Händler Sostratos. 480 und etwa 400 folgten zwei etr. dominierte Perioden; im 3. Jh. verfiel G. und wurde mit der Gründung der *colonia* aufgegeben. Das Territorium der *colonia* beschränkte sich auf das Vorgebirge: man erkennt den Hafen, die Stadtmauer aus *opus incertum*, den regelmäßigen Grundriß sowie *insulae* (½ *actus*: 17,7 m breit). Im Osten befindet sich eine Nekropole mit Maussoleum.

L. QUILICI, G., in: Quaderni dell'Istituto di Topografia dell'Università di Roma 4, 1968, 107–120 • I. MORETTI, M. TORELLI, G., in: NSA 1971, 195–299 • M. TORELLI, Il santuario di Hera a G., in: PdP 26, 1971, 44–77 • Ders., Il santuario greco di G., in: PdP 32, 1977, 398–458 • Ders., Il caso di G., in: PdP 37, 1982, 304–326 • BTCGI 8, 1990, 172–176 • V. VALENTINI, G., 1993. G. U./Ü: H. D.

Gregentios von Safar s. Leges Homeritarum

Gregorios
[1] Thaumaturgos. G. wurde zw. 210 und 213 n. Chr. als Sohn einer begüterten paganen Familie in Neokaisareia/Pontos (h. Niksar) geb., wohl unter dem Namen Theodoros. Nach gründlicher Elementarbildung wollte G. 232/3 (oder 239) eigentlich in → Berytos/Beirut Jura studieren, lernte freilich zuvor in → Caesarea [2] (Palaestina) den dort lehrenden → Origenes kennen und studierte daraufhin bei ihm »christl. Wissenschaften« (zunächst Dialektik, Physiologie, Ethik, Philos., dann auch Exegese und Theologie). Nach fünf Jahren kehrte er in seine Heimat zurück, wird dort als Anwalt gearbeitet haben und wurde zu einem unbekannten Zeitpunkt Bischof in seiner Vaterstadt. Hier hat offenbar sein Wirken, das teilweise der Amtsführung eines Friedensrichters ähnelte, die sehr kleine Gemeinde stark anwachsen lassen; der reiche Grundbesitz der Familie dürfte auch nicht ohne Bed. für diese Entwicklung gewesen sein.

G. wurde tief von Origenes beeindruckt, auf den er (wohl 238/9 zum Abschied von Caesarea) eine Dankrede hielt [1. 1763]. Überl. sind ferner eine *Epistula canonica* [1. 1765] und eine Metaphrase zum Buch Kohelet [1. 1766]. Die Echtheit anderer Texte, v. a. seines Glaubensbekenntnisses [1. 1764] und einer syr. überl. Schrift

an Theopompos [1. 1767] ist eher unwahrscheinlich ([7]; anders [8; 10]); daneben existieren allerlei sicher pseudepigraphe Texte [1. 1772–1794]. → Gregorios [2] von Nyssa schrieb eine Vita [2. 3184; 3. 715/715b], die neben legendarischen Überl. (auf die u. a. der Beiname Θαυματουργός, »Wundertäter« zurückgeht) auch wichtiges histor. Material enthält.

1 CPG 1 2 CPG 2 3 Bibliotheca Hagiographica Graeca 4 P. GUYOT, R. KLEIN, Gregor der Wundertäter, Oratio prosphonetica ac panegyrica in Origenem/Dankrede an Origenes (Fontes Christiani 24), 1996 5 K. M. FOUSKAS, Γρηγορίου Θαυματουργοῦ ἡ κανονικὴ ἐπιστολή, 1978 6 J. JARIK, Gregory Thaumaturgos' Paraphrase of Ecclesiastes (Society of Biblical Literature. Septuaginta and Cognate Studies 29), 1990 7 L. ABRAMOWSKI, Formula and Context: Studies in Early Christian Thought, 1992, no. VII/VIII 8 H. CROUZEL, s. v. Gregor I (Gregor der Wundertäter), RAC 12, 779–793 9 V. RYSSEL, Gregorius Thaumaturgus. Sein Leben und seine Schriften, 1880 10 M. SIMONETTI, Una nuova ipotesi su Gregorio il Taumaturgo, in: Recherches de science religieuse 24, 1988, 17–41 11 M. SLUSSER, s. v. Gregor der Wundertäter, TRE 14, 188–191. C. M.

[2] G. von Nyssa. A. BIOGRAPHIE
B. WERKE C. THEOLOGIE

A. BIOGRAPHIE

G., der jüngere Bruder des → Basileios [1] d. Gr., stammt aus der urbanen Oberschicht Kappadokiens, wurde nach 335 n. Chr. geb. und wohl nach → Gregorios [1] Thaumaturgos benannt. Sein älterer Bruder und seine älteste Schwester Makrina haben ihn tief beeinflußt. Wahrscheinlich war er bis 381 verheiratet (De virginitate 3) und schlug eine weltliche (Rhetoren-?)Laufbahn ein. Nach 372 wurde er im kappadok. Metropolitansystem des Basileios Bischof von Nyssa (Ort noch nicht eindeutig lokalisiert) und entsprach in diesem Amt zunächst offenbar nicht immer den Vorstellungen des Bruders (Basil. epist. 58, 100 und 215). 376 wurde er von der homöischen Opposition in Nyssa abgesetzt (Greg. Naz. epist. 72) und konnte erst nach dem Tode des Kaisers → Valens im J. 378 zurückkehren. Erst nach dem Tode seines Bruders trat er zunehmend als einflußreicher Kirchenpolitiker, gefeierter Redner und geehrter Theologe auf und versuchte mit Erfolg, dessen Bekenntnis und Lehre in der Kirche verbindlich zu machen. Nur kurze Zeit amtierte G. als Metropolit von Sebaste/Armenien (h. Sivas); seit dem Reichskonzil von → Konstantinopolis 381 zählte er von Staats wegen (Cod. Theod. 16,1,3) zu den Bischöfen, die den reichsweit verbindlichen Maßstab der neunizänischen Orthodoxie definierten. 385/6 hielt er die Trauerreden auf die Gattin des Kaisers → Theodosius, → Flacilla, und ihre Tochter Pulcheria ([1. 3182; 2. 1548; 4. 475–490] bzw. [1. 3181; 4. 461–472]). Bald nach 394 ist G. verstorben.

B. Werke

G. hat exegetische Traktate und Homilien verfaßt (z.B. einen Komm. zum Hohenlied: [1. 3158; 5]), ferner Schriften zu den trinitätstheologischen und christologischen Auseinandersetzungen (z.B. eine ausführliche Widerlegung des Neuarianers → Eunomios: [1. 3135; 6]), hagiographische Schriften (darunter eine Vita seiner Schwester: [1. 3166; 2. 1012; 7]) sowie Predigten, Reden (z.B. *De deitate adversus Euagrium* auf dem Konzil von 381: [1. 3179; 8. 331–341]) und Briefe [1. 3167; 9]. Die *Oratio Catechetica* [1. 3150; 10] ist eine für ihre Zeit eher ungewöhnliche, da nicht kontroverstheologisch motivierte Zusammenfassung der Grundlehren des christl. Glaubens für katechetische Zwecke. Die kritische Werkausgabe [3] wurde von W. Jaeger begründet und umfaßt bisher 14 Bde.

C. Theologie

G. versuchte spätestens seit 372, in seinem Leben das Ideal des »philos. Lebens« als christl. Askese zu verwirklichen und es mit einzelnen Werken zu propagieren. Ziel ist freilich nicht die *hénōsis* (ἕνωσις, »Vereinigung«), sondern nur die *homoíōsis theṓ* (ὁμοίωσις θεῷ, »Gott ähnlich werden«). G. gilt als einer der Urheber einer »mystischen Theologie«: Mit der Vernunft verstehbare Glaubenswahrheiten führen *mystikós* (μυστικῶς) über sich hinaus zu bestimmten weiteren theologischen Erkenntnissen oder asketischen Haltungen [12. 877–884]; davon ist allerdings die Frage noch einmal zu trennen, ob G. seine Theologie aufgrund »mystischer Erfahrungen« entwickelte [17. 63–73]. Er hat die logische und (sprach-)philos. Grundlage der neuarianischen Trinitätstheologie zu widerlegen versucht; den philos. Gottesbegriff entwickelte er mit der Betonung der Unendlichkeit und Unbegrenztheit Gottes fort [18. passim]. Asketische und theologische Überlegungen hängen unmittelbar zusammen, weil der unbegrenzten Natur Gottes die unendliche *prokopé* (προκοπή, »Fortschritt«) des Menschen als selbstverantwortliche Vollendung ethischen Verhaltens und geistgewirkter *gnôsis theú* (γνῶσις θεοῦ) korrespondiert. Auch wenn G. von → Origenes viel übernahm (z.B. die allegorische → Exegese der Bibel, aber auch die Lehre von der Allversöhnung), ebenso von → Platon und → Plotin, wird man seine Theologie, je nach Standpunkt, als Ende oder Vollendung einer christl. Metaphysik auf platon. Grundlage begreifen. Allerdings blieb seine lit. Wirkung auf den Osten beschränkt.

Ed.: 1 CPG 2 2 F. Halkin (ed.), Bibliotheca Hagiographia Graeca, ³1957 3 W. Jaeger, Gregorii Nysseni Opera (= GNO), 1921 ff. 4 A. Spira (ed.), GNO 9, 1967 5 H. Langerbeck (ed.), GNO 6, 1961 6 W. Jaeger (ed.), GNO 1/2, ²1960 7 P. Maraval (ed.), SChr 178, 1971 8 E. Gebhardt (ed.), GNO 9, 1967 9 G. Pasquali (ed.), GNO 8/2, ²1959 10 E. Mühlenberg (ed.), GNO 3/2, 1996. Lit.: 11 M. Altenburger, F. Mann, Bibliographie zu Gregor von Nyssa. Editionen – Übersetzungen – Literatur, 1988 12 H. Dörrie, s.v. Gregor III (Gregor von Nyssa), RAC 12, 863–895 13 H.R. Drobner, Bibelindex zu den Werken Gregors von Nyssa, 1988 14 C. Fabricius, D. Ridings, A Concordance to Gregory of Nyssa, 1989 15 Ch. Klock, Untersuchungen zu Stil und Rhythmus bei Gregor von Nyssa (Beitr. zur klass. Philol. 173), 1987 16 G. May, Gregor von Nyssa in der Kirchenpol. seiner Zeit, in: Jahrbuch der Österr. byz. Ges. 15, 1966, 105–132 17 E. Mühlenberg, Die Sprache der rel. Erfahrung bei Gregor von Nyssa, in: W. Haug, D. Mieth (Hrsg.), Rel. Erfahrung, 1992, 63–73 18 E. Mühlenberg, Die Unendlichkeit Gottes bei Gregor von Nyssa. Gregors Kritik am Gottesbegriff der klass. Metaphysik, 1966.   C.M.

[3] G. von Nazianzos. Geb. in Arianzos 329/30 n.Chr., einem Landgut seiner wohlhabenden Eltern bei → Nazianzos in → Kappadokia, wurde er auf Initiative seiner Mutter hin christl. erzogen. Sein gleichnamiger Vater war Bischof von Nazianzos. G. besuchte Schulen in → Kaisareia/Kappadokia in → Palästina, in → Alexandreia [1] und die Akademie in Athen (→ Akademeia). Dort lernte er → Basileios [1] d. Gr. kennen, mit dem er enge Freundschaft schloß. Zusammen widmeten sie sich dem Studium der Antike. Seine Neigung zur Rhetorik wurde maßgebend für sein Wirken. In seinen Festreden und Enkomien wandte er den rhet. reich ausgeschmückten asianischen Stil (→ Asianismus) an.

Theologisch bezog G. Position gegen die Arianer (→ Arianismus). Für ihn ist Gotteslehre, das Bekenntnis zur Trinität, das Zentrum christl. Glaubens: ›In der Dreiheit wird die Gottheit angebetet, und die Dreiheit wird zur Einheit zusammengefaßt‹ (or. 6,22). Gegen die → Pneumatomachoi hält er an der Göttlichkeit des Hl. Geistes fest. G. greift Elemente der origenistischen Kosmologie (→ Origenes) auf: Religion beziehe sich auf das Intelligible der Welt und auf den Geist.

Nach seinen Studien widmete er sich der Askese. Auf dem Landgut des Basileios am → Iris vertieften sich beide in die origenistischen Schriften (Redaktion der *Philokalía*). Er ließ sich taufen und wurde von seinem Vater zum Priester geweiht. Nach kurzer Zeit aber verließ er seine Gemeinde. (Apologie seiner »Flucht«: or. 1–3; carm. 1,1,11; De vita sua 354).

Er bezog energisch Position gegen Kaiser Iulianus, der den Christen den Unterricht der klass. Ant. erschwerte. Von Basileios überredet, ließ er sich zum Bischof von Stasima weihen. Doch ergriff G. nach der Weihe erneut die Flucht. Nach dem Tod Kaiser → Valens' übernahm G. erfolgreich die Leitung der nizänischen Gemeinde in Konstantinopel und bereitete die 2. Ökumenische Synode im J. 381 mit vor. Seine Amtszeit als Patriarch von Konstantinopel währte nur kurz. Bis zu seinem Tod (389/90) widmete er sich der Dichtkunst und der Askese. Er bediente sich des Versmaßes, ›um seine eigene Neigung zur Maßlosigkeit zu bändigen‹, ferner aus katechetischen und therapeutischen Gründen, um so durch die Dichtung die Last des Alters etwas zu mildern (carm. 2,1,33–57). In seinen Briefen setzt er pagane Kunstübung fort. Seine Sprache enthält Attizismen, aber auch poetisches und zeitgenössisches Vokabular. Die Ostkirche ehrt ihn neben dem Evangelisten

Iohannes und Symeon dem Neuen als den »Theologen«.

ED.: CPG, 140–178.
LIT.: H. ALTHAUS, Die Heilslehre des hl. G., 1972 ·
S. BERGMANN, Geist, der Natur befreit: die trinitarische
Kosmologie Gregors von Nazianz im Horizont einer
ökologischen Theologie der Befreiung, 1995 · J. MOSSAY
(Hrsg.), II. Symposium Nazianzenum. Louvain-la-Neuve,
25–28 août 1981, 1983. K. SA.

[4] G. von Korinth. Möglicherweise Lehrer (der
Gramm. und Rhet.) an der Schule des Patriarchen von
Konstantinopel [3. 167], auf jeden Fall Bischof von Korinth; zweifellos ist G. dann auch unter dem Namen
Georgios (sein Taufname, G. dagegen sein rel. Name?)
bekannt sowie unter seinem Patronym Pardos. Zunächst datierte man ihn in die Zeit um 1200 n. Chr.
[11. 1849], dann an das Ende des 11. und in die 1. H. des
12. Jh. [8. 32–33; 4. 13], v. a. aufgrund der Tatsache, daß
sich sein Episkopat in die Zeit nach 1092 und vor 1156,
vielleicht ins 2. Viertel des 12. Jh. [9. 290] datieren läßt.
Jüngst ist er jedoch in die 1. H. des 10. Jh. gesetzt worden [1. 248], obwohl die Datierung ins 11./12. Jh. die
größte Wahrscheinlichkeit für sich beanspruchen kann
[13].

G. ist Verf. eines erst ungenügend bekannten Werkes, das gegenwärtig noch nicht zufriedenstellend ediert
und angesichts der Tatsache, daß einige seiner Werke bis
in die jüngste Zeit unbekannt waren [1], nicht unproblematisch ist. Bisher kennt man gramm. und rhet. Abhandlungen, die man in den Kontext seiner Unter-
richtstätigkeit stellt; dabei handelt es sich um: eine ›Abhandlung über die Dialekte‹ [12. 1–624; 2], einen
›Komm. zu der Schrift Perí methódu deinótētos des Hermogenes‹ [14. Bd. 7/2. 1090–1352], eine ›Abhandlung
über die Syntax‹ [4. 163–229] und eine ›Abhandlung
über Tropen‹ [14. Bd. 8. 761–778], deren Echtheit noch
zu prüfen ist [4. 15]; die ›Abhandlung über den Dial. der
Sappho‹ scheint unecht zu sein [4. 15]. Daneben hat G.
eine Exegese zu den ›liturgischen Kanones‹, die man
Kosmas von Jerusalem und → Iohannes von Damaskos
zuweist, geschrieben [10. 1–85] – ein Werk, das angesichts seines didaktischen Charakters nicht notwendigerweise mit seinem Episkopat in Zusammenhang stehen muß – und rel. Dichtung verfaßt [7].

Die Aufnahme der gramm., rhet. und exegetischen
Werke in Byzanz scheint unter den persönlichen Rivalitäten zw. G. und → Theodoros Prodromos [10. LV-
LVI] gelitten zu haben, während Eustathios von Thessalonike sie offenbar schätzte [10. LVI-LVIII].

Man hat G. als guten Systematiker der Sprache [2]
und außerdem als christlichen Humanisten [6. 85] angesehen, aber auch als unoriginellen Kompilator, der
sein Material beliebigen Quellen entnimmt, ohne notwendigerweise direkten Kontakt mit den Werken selbst
gehabt zu haben. Obwohl eine neuere Unt. zumindest
in einem Fall schon das Gegenteil erweisen konnte [5],
wird man dennoch die Ed. der Werke und eine gründ-

lichere Unt. abwarten müssen, um zu einem begründeten Urteil zu gelangen [15].

1 V. BECARES, Ein unbekanntes Werk des Gregorios von
Korinth und seine Lebenszeit, in: ByzZ 81, 1988, 247 f.
2 G. C. BOLOGNESI, Sul PERI DIALEKTON di Gregorio di
Corinto, in: Aevum 27, 1953, 97–120 3 R. B. BROWNING,
The Patriarchal School of Constantinople in the twelfth
Century, in: Byzantion 32, 1962, 167–202 4 D. DONNET, Le
traité PERI SYNTAXEOS LOGOU de Grégoire de Corinthe,
1967 5 J. GLUKER, Thukydides I 29, 3, Gregory of Corinth
and the Ars interpretandi, in: Mnemosyne 4/23, 1970,
127–161 6 HUNGER, Literatur 1 7 H. HUNGER, G. von
Korinth, Epigramme auf die Feste des Dodekaorton, in:
Analecta Bollandiana 100, 1982, 637–651 8 A. KOMINIS,
Gregorio Pardos Metropolita di Corinto e la sua opera, 1960
9 V. LAURENT, Rez. zu A. KOMINIS, in: REByz 21, 1963,
290 f. 10 F. MONTANA, Gregorio di Corinto, Esegesi al
canone giambico per la Pentecoste attribuito a Giovanni
Damasceno, 1995 11 B. A. MUELLER, G. von Korinth, RE 7,
1848–1852 12 G. H. SCHAEFER, Gregorius Corinthius et alii
De dialectis linguae graecae, 1811 13 H. VAN DER VALK, On
the lexicographer Gregorius Corinthus, in: Mnemosyne 39,
1986, 399 14 WALZ 15 N. G. WILSON, Scholars of
Byzantium, 1983. A. TO./Ü: T. H.

Gregorius

[1] Jurist, *magister libellorum* (Leiter der Bittschriften-
Kanzlei) unter Diocletian [1]. Veröffentlichte vermut-
lich 291 n. Chr. den *Codex Gregorianus* (→ Codex II):
eine für die Gerichtspraxis bestimmte halbamtliche
Sammlung von Kaiserkonstitutionen, hauptsächlich
Reskripten, aus der Zeit von Hadrian bis Diokletian.
Die in vorjustinianischer Zeit häufig exzerpierte Samm-
lung (→ *Fragmenta Vaticana*; *Collatio legum Mosaicarum et
Romanarum*; *Consultatio*) wurde dem *Codex Iustinianus*
(*Haec* pr.; *Summa* § 1) zugrundegelegt [2].

1 PLRE I, 403 2 D. LIEBS, Recht und Rechtslit., in: HLL 5,
60 ff. T. G.

[2] G. von Elvira (Illiberis). Bischof von Baetica, † in
hohem Alter nach 392. Bewunderer, aber kein Anhänger Lucifers von Caligari. Ausgehend von Hier. vir. ill.
105 werden ihm Homilien mit allegorischen Schriftaus-
legungen (CPL 546–550) und eine Verteidigung des
Nikänischen Bekenntnisses, die nach der Synode von
Rimini (359) verf. wurde, zugeschrieben (CPL 551).

H. KOCH, Zu G.' v. E. Schrifttum und Quellen, in: ZKG 51,
1932, 238–272 · J. DOIGNON, in: HLL, § 579. K. U.

[3] G. I. der Große, 540–604, Papst seit 590. Herkunft
aus begütertem senatorischen Adel (Felix III. und Agapetos I. entstammen derselben Familie), 572/3 *praefectus
urbi*, 575 Rückzug in ein von ihm selbst gegründetes
Kloster, 579–585 Apokrisiar (Nuntius) Pelagius' II. in
Konstantinopel. Als Papst entfaltete G. eine vielseitige
politische, verwaltende und schriftstellerische Tätigkeit.
Gegen den Willen Ostroms schloß er 592/3 Frieden mit
den → Langobarden. 596 entsandte er Mönche (Augustinus) zur Missionierung der Angelsachsen. Er ordnete
den kirchlichen Besitz (*patrimonium Petri*) neu, der bis

Sizilien, Dalmatien, Nordafrika reichte. Grundlage seiner theol. Werke ist die Bibel, ihr Sinn wird durch allegorische und moralische Deutung (»zweifacher Schriftsinn«) erfaßt. Klar ausgeprägt ist sein Anspruch, die volle Leitungsgewalt über die gesamte Kirche auszuüben (epist. 3,57; 5,20; 13,37). Seit Bonifaz VIII. (1295) zählt er, zusammen mit Hieronymus, Ambrosius und Augustinus, zu den vier großen lat. Kirchenlehrern.

PL 75–79 · MG epist. I–II (854 erh. Briefe) · LThK³ 4, 1010 ff. · J. RICHARDS, G. d. Gr., sein Leben – seine Zeit, 1983 · R. GODDING, Bibliografia di G. Magno (1890–1989), 1990. R.O.F.

[4] G. von Tours (30.11.538/9–17.11.594 n. Chr.). Entstammt einer gallo-röm. Familie der senatorischen Oberschicht. Seinen urspr. Namen Georgius Florentius scheint er in bewußtem Bezug auf seinen Urgroßvater Gregorius, Bischof von Langres, in G. geändert zu haben. Er genoß seit dem 8. Lebensjahr eine gewisse lit. Unterweisung, deren Lückenhaftigkeit im Vergleich zur Sprachnorm spätant. Latinität er stets einräumte. Er spielte eine wichtige Rolle innerhalb der merowingischen Ges. und wurde 573 zum Bischof von Tours erhoben. Seine lit. Tätigkeit fällt in die Zeit seines Episkopats und wird in einem Werkverzeichnis am Ende der *historia Francorum* (10,31) dokumentiert. Theologische, hagiographische Werke und Gesch.-Schreibung sind zu unterscheiden. In die erste Gruppe fallen der Psalmenkomm. und eine von G. *De cursibus ecclesiasticis* genannte Schrift, in die zweite die *Libri miraculorum* (I-VII), die *Vitae patrum* (VIII), *In gloria martyrum* (I), *De virtutibus s. Iuliani martyris* (II), *De virtutibus s. Martini* (III-VI). In der Martinsvita setzt G. → Sulpicius Severus und → Paulinus von Périgueux mit der Darstellung der nach dem Tod Martins verzeichneten Wunder fort. Hinzu kommt eine *Passio septem dormientium*. Das Hauptwerk bildet die *Historia Francorum*, eine Volksgesch., die stark gallienorientiert ist, ohne die Gesch. eines einzigen Volkes zum Gegenstand der Darstellung zu wählen, wie es → Cassiodorus und → Iordanes getan hatten. G. verfaßt primär eine christl. Gesch., in der die Zeitgesch. stark akzentuiert wird, stets aber an die Heilsgesch. gebunden bleibt, deren Zentrum die Kirchenstruktur bildet [1]. So reicht B. 1 *ab orbe condito* bis zum Tode des Hl. Martin (397), B. 2–9 führen dann bis 594. Die Erzählung ist die wichtigste Quelle für die Gesch. der Merowingerzeit und steht auf hohem Niveau.
→ Geschichtsschreibung [V], christlich-lat.

1 M. HEINZELMANN, G.v.T. (538–594), 1994. U.E.

Greif. Ein aus Raubvogelkopf und Löwenkörper zusammengesetztes, meist geflügeltes Mischwesen, vermutlich im frühen → Elam konzipiert und ins prädynastische Ägypten gelangt, wo es sich selbständig weiterentwickelte. Im 1. Viertel des 2. Jt. verbreitete sich der unter ägypt. Einfluß entstandene altsyr. G. (Charak-

teristikum: Nackenlocke) nach Anatolien und in die Ägäis; der seit mittelmino. II/III-Zeit in Kreta heimische G. wurde dem mino. Stil angepaßt. Neuassyr. und -babylon. Darstellungen betonen die Vogelkomponente stärker durch gefiederten Leib, Vogelschwanz und -hinterbeine. Die in der späthethit. Kunst entstehenden Formen wie aufgerichtete Ohren, Seitenlocke und geöffneter Schnabel dienen als Vorbilder für die G. der orientalisierenden Kunst Griechenlands. Eine wichtige Vermittlerrolle spielen dabei die häufigen G.-Darstellungen der phöniz. Kunst, z.B. auf Elfenbeinreliefs (Nimrud), den bis nach Etrurien exportierten sog. kypro-phöniz. Bronzeschalen und in der Glyptik.

Der G. ist meistens als Jäger oder Gejagter dargestellt. Die im Orient parallel entwickelte anthropomorphe Gestalt mit Greifenkopf ist im 2. Jt. mit der Sonnenscheibe verknüpft.

W. BARTA, Der G. als bildhafter Ausdruck einer altägypt. Religionsvorstellung, in: Jaarbericht Ex oriente lux 23, 1973/4, 335–357 · A.M. BISI, Il Grifone, Studi Semitici 13, 1965 · Dies., s.v. Griffon, DCPP, 196 · I. FLAGGE, Untersuchungen zur Bed. des Greifen, 1975 · E. EGGEBRECHT, s.v. G., LÄ 2, 895 f. U.SE.u.H.-G.N.

Grenzstein s. Horoi; Terminus

Greshamsches Gesetz. Moderner t.t. für das inflationstreibende Phänomen, daß das schlechte Geld das gute verdrängt, das dann exportiert, eingeschmolzen oder gehortet wird. Erst im 19. Jh. benannt nach Thomas GRESHAM (1519–1579), dem Begründer der Londoner Börse und königlichen Geldagenten.

Hauptquelle für die Kenntnis über den Geldumlauf und das Verschwinden der guten Mz. in der Ant. sind die Schatzfunde. So verschwanden z.B. (mit einer Abschwächung des G. G. durch die höhere Bewertung geprägten Silbers) nach der Reduzierung des Gewichts der → Denare unter Nero (→ Münzreform) die besseren der vor-neronischen D. bis zu den Flaviern und die abgegriffeneren Stücke bis zu Traian aus dem Verkehr, während die minderwertigen Legionsdenare des Marc Anton bis Anf. 3. Jh. umliefen. Die Überbewertung des geprägten Silbers verzögerte auch für die nachneronischen Denare trotz der fortschreitenden Verschlechterung das Wirken des G. G., da sich erst bei erheblicher Verschlechterung das Einschmelzen lohnte. – »Lock-Emissionen« sollten das alte Geld wieder in den Geldverkehr ziehen. Beispiele sind die restituierten Republikdenare Traians und die großen Bronzemünzen aus der Mitte des 4. Jh. (→ Centenionalis; Maiorina).

S. BOLIN, Der röm. Denar und Greshams Gesetz, in: Congrès International de Numismatique, Rapports, Paris 1953, 577–588 · Ders., State and Currency in the Roman Empire to 300 A.D., 1958 · G. HENNEQUIN, Bonne ou mauvaise monnaie?, in: L'information historique 39/5, 203–212 · S.P. NOE, Hoard-Evidence and its Importance, in: Hesperia Suppl. 8, 1949, 235–242 · SCHRÖTTER, 236. DI.K.

Greuthungi. Got. Volk des 4. Jh. n. Chr., auch als *Grauthingi* (SHA Probus 18,2), *Greothingi* (Hydatius, chronica, sub anno 385; Chron. min. 2,15), *Greothyngi* (Chron. min. 1,244) oder *Gruthungi* (Claud. in Eutropium 2, 153; 196; 399; 576; Claud. panegyricus de IV consulatu Honorii 623 ff.) bzw. Γρουθίγγοι (Suda s. v. Σκήψας) bezeichnet und meist für Skythen gehalten. Für sie wird auch der Name *Ostrogothi* oder *Austrogoti* (SHA Claud. 6,2) gebraucht, mit denen sie gemischt etwa bei Claudianus (paneg. de IV consulatu Honorii 624–636) erscheinen. Unter ihrem König Ermanarich aus der *stirps regia* der → Amali siedelten sie nach Amm. 31,3,1 im h. Moldawien und in der Ukraine östl. des Karpatenbogens bis an den Don. Als dessen Großreich unter dem Ansturm der Hunni zerbrach, flüchtete ein Teil der G. unter Alatheus und Saphrac 376 über die Donau und wurde nach schweren Kämpfen 380 in Pannonia stationiert [1]. Der Rest fiel unter hunnische Herrschaft. Nachzügler unter Odotheus wurden 386 besiegt und in Phrygia angesiedelt. Vgl. auch Zos. 4,25,1; 38 f.

1 H. WOLFRAM, Die Goten, ³1990, 95–98, 125–140.

P. HEATHER, The Goths, 1996, 52–58, 97–104 •
L. SCHMIDT, Die Ostgermanen, ²1941, 240–243, 249–265.

A. SCH.

Griechenland, Schriftsysteme.

Die Gesch. der → Schrift (S.) zeigt, daß es auf der ganzen Welt grundsätzlich drei Verfahren gibt, um das gesprochene Wort schriftlich zu fixieren: Ideogramm-, Silben- und Laut-S. (in dieser Abfolge). Alle bekannten S. benutzen entweder eine dieser Methoden oder eine Kombination aus ihnen. Nur letztere eignet sich für eine adäquate Erfassung der Lautkomplexe. Den Sonderfall einer Laut-S. stellt die v. a. im Orient beheimatete Kons.-S. dar.

Die ältesten S.-Zeugnisse in Hellas und der Ägäis stammen aus Kreta [2]: die hieroglyphisch-piktographische S. (ca. 2000–1450, → Hieroglyphenschrift, Kreta) besteht aus Bildzeichen (Ideogrammen), die meistens erkennbare Gegenstände darstellen. Aus ihr ging die (überwiegend in Phaistos belegte) »proto-lineare« S. hervor, aus der sich dann vermutlich → Linear A (ca. 1650–1450) entwickelt hat. Daneben blieben die Hieroglyphen auf Siegeln bis 1450 (z. T. gleichzeitig mit Linear A) in Gebrauch. Die Sprache der Linear-A-Texte und die Sprache der noch älteren Texte sind bisher noch nicht sicher ermittelt (wohl die der vorgriech. »minoischen« Bevölkerung). Abgelöst wurde Linear A, vermutlich größtenteils eine Silben-S., durch das von den myk. Griechen geschaffene → Linear B (bis ca. 1200 verwendet), eine Silben-S., die auch im Süden und in den mittleren Regionen des Festlandes bezeugt ist [5]. Beide Linear-S. weisen vereinfachte Strichzeichen auf; jede der beiden S. läßt das jeweils vorausgehende Vorbild aufgrund der Ähnlichkeit bei manchen Zeichenformen noch deutlich erkennen, obgleich keine bloßen Nachahmungen vorliegen. Linear A und B kennen außer den Silbenzeichen auch Ideogramme, Zahl- sowie Maß- und Gewichtszeichen. Die reinen Vokal- bzw. S.-Zeichen für offene Silben von Linear B sind nur unzureichend geeignet für die Wiedergabe griech. Wortformen.

Einzigartig innerhalb der kret. S. ist der → Diskos von Phaistos (ca. 1650–1550): seine 45 Zeichen deuten trotz des ausgeprägten bildhaften Charakters auf eine (noch unentzifferte) Silben-S. hin.

Nach dem Vorbild der kret. S.n werden auf Zypern die → kyprominoischen Schriften (= CM) 1–3 geschaffen [3]: während CM 1 vom 16.–11. Jh. über ganz Zypern verbreitet ist, stellen CM 2 (Enkomi, Wende 13./12. Jh., wohl hurrit. Sprache) und CM 3 (Ugarit, 14./13. Jh., von kypr. Siedlern mitgebracht) lokal und zeitlich begrenzte Sonderformen dar. Die etwa 85 Zeichen erweisen CM 1–3 als Silben-S. Auf dieser S. der nichtgriech. Bevölkerung des 2. Jt. baut ferner die → kyprische Schrift auf, die vom ausgehenden 8. bis ins 3. Jh. auf Zypern für Texte der alteingesessenen und der zugewanderten griech. Bevölkerung Anwendung fand. Diese Silben-S. (etwa 60 Zeichen) war durch verbesserte Schreibregeln (daher Verzicht auf Ideogramme) zur Wiedergabe des Griech. besser geeignet als Linear B.

Am Schluß der Entwicklung steht das → Alphabet: ihm liegt die phoinik. Kons.-S. zugrunde, die von den Griechen wohl zu Beginn des 8. Jh. nicht unverändert übernommen, sondern durch Schaffung von Vokalzeichen aus nicht benötigten Zeichen zu einer Laut-S. umgestaltet wurde. Die ältesten Zeugnisse sind Inschr. aus der 2. H. des 8. Jh.

→ Griechisch; Kreta; Kypros; Vorgriechische Sprachen

1 HEUBECK 2 J.-P. OLIVIER, Cretan writing in the second millennium B. C., in: World Archaeology 17, 1985/6, 377–389 3 TH. G. PALAIMA, Ideograms and Supplementals and Regional Interaction among Aegean and Cypriot Scripts, in: Minos 24, 1989, 29–54 4 L. GODART, Le pouvoir de l'écrit, 1990 5 J. CHADWICK, Linear B and related scripts, (Reading the Past 1), 1987, 137–195.

R. P.

Griechenland, Sprachen.

In Griechenland (Festland, Peloponnes, Ägäis) wurden vor der Ankunft der Griechen (Anfang des 2. Jt. v. Chr.) und der darauffolgenden Verbreitung des Griech. schon zu myk. Zeit andere, → vorgriechische Sprachen gesprochen; sie haben Spuren insbes. im Wortschatz und in der → Onomastik hinterlassen und in regional unterschiedlichen Verhältnissen mit dem Griech. bis in die klass. Zeit koexistiert.

Das schriftliche Material des 2. Jt. beschränkt sich auf die bisher unentzifferte hieroglyphisch-piktographische Schrift (Kreta, E. des 3. Jt. bis um 1500; → Hieroglyphenschrift, Kreta), das → Linear A (Kreta, um 1650 bis um 1400: transliteriert, Sprache aber nicht entziffert) und die kyprominoischen Tontäfelchen (insbes. Enkomi, 1500 bis E. des 13. Jh.; → kyprominoische Schriften). Die Sprache des → Diskos von Phaistos (Herkunft, Zeit und Art des Schriftsystems unbekannt) bleibt völlig